Il·lustracions i mapes

a
b
c
d
e
f
g
h
i
j
k
l
m
n
o
p
q
r
s
t
u
v
w
x
y
z

Primer
Diccionari

Concepció i redacció

Montserrat Ayats
M. Carme Bernal
Francesc Codina
Assumpta Fargas

Morfologia verbal

Agnes Schlüter

Il·lustracions

Javier Aceytuno

Revisió i correcció

Montserrat Ayats, M. Carme Bernal, Francesc Codina, Concepció Colomina,
Jordina Coromina, Assumpta Fargas, Fina Freixa, Antònia Incógnito, Teresa Puntí, Andreu Roca

Tasques de suport editorial

Gemma Corbera, Glòria Galan, Lluís Llord, Viqui López, Ainara Munt, Marta Peix, Bega Pérez,
M. Àngels Pulido, Mercè Rial, Carlota Torrents, M. Àngels Vasco

Cartografia informàtica

Josep Nuet

Processos informàtics

Josep Bisquert

Disseny interior

Enric Rovira (MCMXCII)

Maquetació interior

Victòria López

Disseny de la coberta

Eumogràfic

Làmines

Dami Editore srl (1- 14), Zanichelli Editore SpA (15 - 20)

Els autors fan constar el seu reconeixement a totes les persones que van participar en l'elabora-
ció de la primera versió d'aquesta obra, publicada el 1988. També expressen el seu agraïment a
totes les persones que els han assessorat en aquesta nova versió, de manera especial a Consol
Blanch, Pau Casañas, Eusebi Coromina, Joan Culí, Sebastià Riera i Andreu Roca.

Primer
Diccionari

a-z

Eumo Editorial

Segona edició: abril de 2009

© Montserrat Ayats, M. Carme Bernal, Francesc Codina i Assumpta Fargas

© de les il·lustracions: Javier Aceytuno

© de les làmines: 1996 Dami Editore srl (1-14), 1996 Zanichelli Editore SpA (15-20)

© d'aquesta edició:
Eumo Editorial. C. Perot Rocaguinarda, 17. 08500 Vic
Tel. 93 889 28 18 - Fax 93 889 35 41
www.eumoeditorial.com - eumoeditorial@eumoeditorial.com
—Eumo és l'editorial de la Universitat de Vic—

Imprès a PRINTER

Dipòsit Legal: B-11.462-2009
ISBN: 978-84-9766-305-2

PRESENTACIÓ

Aquest llibre és, tal com diu el títol, un primer diccionari, és a dir, un diccionari destinat als alumnes dels cicles mitjà i superior d'educació primària i dels primers nivells d'educació secundària obligatòria. Ha estat concebut, dissenyat i redactat de manera que pugui acomplir una doble funció: d'una banda, ser un recull lexicogràfic que satisfaci les necessitats dels nois i de les noies a qui va adreçat; de l'altra, ser una eina que els introdueixi, que els ensinistri i que els habituï en l'ús dels diccionaris.

Les més de disset mil paraules que figuren com a entrades en el **Primer Diccionari** han estat seleccionades d'acord amb un criteri que ha pretès de cobrir el lèxic corrent, el patrimonial i el literari més representatiu i més característic de la llengua, tot tenint en compte també la terminologia de les diverses matèries escolars.

Els articles del diccionari proporcionen informació semàntica, lèxica, gramatical, morfològica i ortogràfica de cadascuna de les paraules entrades. La informació morfològica es complementa amb un quadre de determinants, un quadre de numerals, quaranta-quatre models de conjugació i un índex de formes verbals irregulars. Els exemples que acompanyen les definicions ofereixen, a més, informació sobre l'ús de la paraula i la seva col·locació en el discurs. El text de cada article està estructurat de forma clara i simple, però alhora rigorosa i sistemàtica, tal com queda reflectit en la tipografia, que distingeix les entrades (en negreta) de les definicions (en rodona) i dels exemples i la informació gramatical (en cursiva).

En el **Primer Diccionari** la informació semàntica s'expressa generalment per mitjà de la definició, que és el recurs lexicogràfic que permet de descriure amb més concisió i amb més precisió el significat dels mots. Tanmateix, tenint en compte les característiques dels destinataris del llibre, s'ha procurat que el redactat de les definicions i dels exemples que les il·lustren fos breu i entenedor. Per aquest motiu, s'hi han evitat les construccions llargues i complexes, i també les alteracions de l'ordre sintàctic habitual. Cal fer notar que la presència de definicions adequades als destinataris és un dels trets que diferencia el **Primer Diccionari** d'altres diccionaris escolars, que han optat pel model de definició tradicional o bé per l'explicació de les paraules a partir d'un exemple o mitjançant un seguit de comentaris.

Els autors confien que la combinació dels aspectes que s'acaben d'esmentar, juntament amb la qualitat de les il·lustracions, l'exhaustivitat de les instruccions de maneig i la funcionalitat de la presentació exterior i interior, aconsegueixin de fer d'aquest **Primer Diccionari** un llibre de consulta útil i agradable que contribueixi a millorar el coneixement i l'ús de la llengua.

CONTINGUT DEL DICCIONARI

6

Instruccions de maneig

Què és un diccionari? Per a què serveix?

Aquest llibre que tens a les mans és un diccionari, o sigui, un llibre que dóna informació sobre un gran nombre de paraules de la llengua.

En el **Primer Diccionari**, hi podràs trobar l'explicació de més de 17.000 paraules, i també hi trobaràs 570 dibuixos, 15 il·lustracions temàtiques, 20 làmines de color i 8 mapes. Així, doncs, aquest llibre et pot ser molt útil a l'hora de llegir i a l'hora de redactar un text, perquè hi podràs consultar qualsevol dubte que tinguis sobre una paraula: què vol dir, com s'escriu, etc.

Com es busca una paraula?

Per consultar una paraula, primer s'ha de localitzar en el diccionari. Ara t'explicarem com ho pots fer.

Imagina't que en una lectura trobes la paraula "brogit" i no saps què vol dir. Com que en un diccionari les paraules estan col·locades per **ordre alfabètic**, hauràs de buscar "brogit" entre les pàgines que contenen les paraules començades per la lletra **b**.

Per trobar ràpidament aquestes pàgines, pots mirar l'alfabet que hi ha al primer full. Cada lletra d'aquest alfabet està a la mateixa alçada que una taqueta blava que hi ha als fulls del llibre. Així, doncs, si obres el llibre per la taqueta blava que queda al nivell de la lletra **b**, et sortiran les pàgines que t'interessen. Com pots veure, entre les pàgines 85 i 117 hi ha les paraules que comencen amb la lletra **b**.

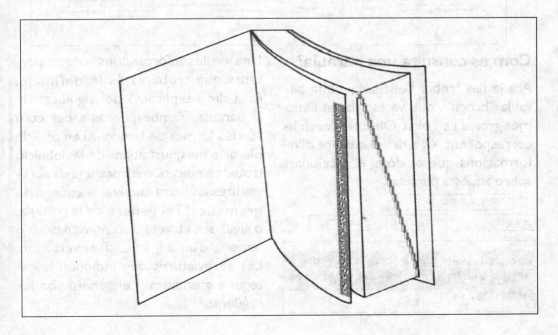

Ara t'hauràs de fixar en la segona lletra de la paraula "brogit" i hauràs d'anar passant fulls fins que arribis a les paraules que comencen per **br**. Quan hi arribis, t'hauràs de fixar en la tercera lletra, i

després en la quarta, i anar fent així fins que trobis la paraula "brogit". Per anar més de pressa, pots mirar les **paraules guia** que hi ha escrites a dalt de cada pàgina.

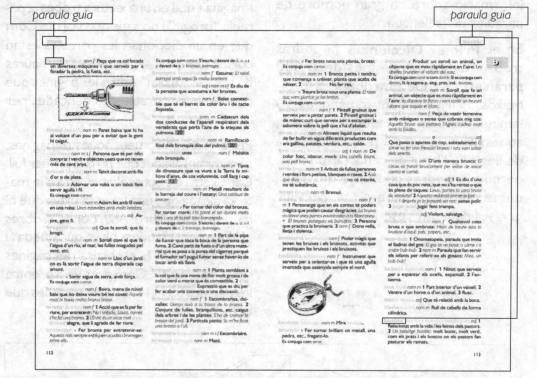

Com es consulta una paraula?

Ara ja has trobat l'**entrada** de la paraula "brogit", que va escrita en lletra més grossa i en blau. Observa l'**article** corresponent, és a dir, el conjunt d'informacions que et dóna el diccionari sobre aquesta paraula.

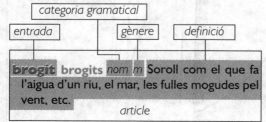

Una de les informacions més importants que trobaràs és la **definició**, és a dir, l'explicació del significat de la paraula. També podràs saber com són les formes de femení, si en té, i de plural; a més, just abans de la definició trobaràs indicats, mitjançant unes abreviatures en lletra cursiva, la **categoria gramatical** i el **gènere** de la paraula, o sigui, si es tracta d'un nom masculí o femení, d'un adjectiu, d'un verb, etc. Les abreviatures que indiquen la categoria gramatical i el gènere són les següents:

Abreviatures	Categoria gramatical i gènere	Exemple
adj	*adjectiu*	**valent valenta valents valentes** *adj*
adj i *nom f*	*adjectiu i nom femení*	**majúscula majúscules** *adj* i *nom f*
adj i *nom m*	*adjectiu i nom masculí*	**original originals** *adj* i *nom m*
adj i *nom m* i *f*	*adjectiu i nom masculí i femení*	**savi sàvia savis sàvies** *adj* i *nom m* i *f*
adv	*adverbi*	**lentament** *adv*
art	*article*	**el la l' els les** *art*
conj	*conjunció*	**i** *conj*
interj	*interjecció*	**ai** *interj*
nom f	*nom femení*	**pàgina pàgines** *nom f*
nom f o *m*	*nom femení o masculí*	**grip grips** *nom f* o *m*
nom f pl	*nom femení plural*	**estisores** *nom f pl*
nom m	*nom masculí*	**camí camins** *nom m*
nom m i *f*	*nom masculí i femení*	**taxista taxistes** *nom m* i *f*
nom m o *f*	*nom masculí o femení*	**mar mars** *nom m* o *f*
nom m pl	*nom masculí plural*	**alegrois** *nom m pl*
prep	*preposició*	**amb** *prep*
pron	*pronom*	**tu** *pron*
v	*verb*	**pescar** *v*

Aquesta llista també figura a la part interior de la coberta del llibre.

Algunes entrades no pertanyen a cap de les categories gramaticals que acabem de veure. És el cas dels **prefixos** i d'altres elements dotats de significat que apareixen al començament d'algunes paraules, com "anti-" o "crono-". També és el cas de les **onomatopeies**, és a dir, de les paraules que imiten sons o sorolls, com "bum"; i, finalment, de les paraules que només apareixen a dins d'algunes **expressions**, com ara "dojo" que forma part de l'expressió "a dojo". En tots aquests casos, la definició mateixa t'informa de quina classe d'element es tracta: prefix, onomatopeia, paraula que apareix en l'expressió, etc.

Com has vist, la informació sobre "brogit" ocupa un espai més aviat curt, perquè és una paraula que només vol dir una cosa, és a dir, que només té un **sentit** o una **accepció**. Ara bé, hi ha paraules que ocupen més extensió perquè volen dir més d'una cosa, com per exemple "bunyol":

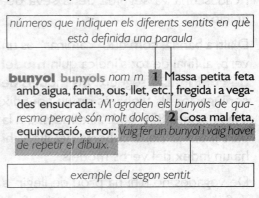

números que indiquen els diferents sentits en què està definida una paraula

bunyol bunyols *nom m* **1** Massa petita feta amb aigua, farina, ous, llet, etc., fregida i a vegades ensucrada: *M'agraden els bunyols de quaresma perquè són molt dolços.* **2** Cosa mal feta, equivocació, error: *Vaig fer un bunyol i vaig haver de repetir el dibuix.*

exemple del segon sentit

Com pots veure, aquesta paraula té dos sentits o accepcions diferents: el primer porta al davant el número **1** i el segon, que és un **sentit figurat**, porta al davant el número **2**. Fixa't que també hi ha uns **exemples** en lletra cursiva per ajudar-te a entendre els diferents sentits de la paraula.

11

Ara que ja saps buscar les paraules dins el diccionari, espavila't i busca la paraula "caminar".

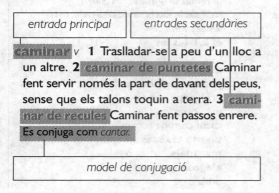

entrada principal · entrades secundàries

caminar v **1** Traslladar-se a peu d'un lloc a un altre. **2 caminar de puntetes** Caminar fent servir només la part de davant dels peus, sense que els talons toquin a terra. **3 caminar de recules** Caminar fent passos enrere. Es conjuga com *cantar.*

model de conjugació

A "caminar", a més de l'**entrada principal**, hi ha dues **entrades secundàries** que van en lletra blava (**caminar de puntetes** i **caminar de recules**) i cadascuna va seguida de la seva definició.

D'altra banda, com que "caminar" és un verb, al final de tot s'indica quin **model de conjugació** segueix. Els models de conjugació, els trobaràs en un apèndix a les pàgines 829-850. Així mateix, a la part interior de la coberta del llibre hi ha un índex del verbs models.

De vegades no n'hi ha prou de llegir la definició per entendre bé el significat d'una paraula, i per això n'hi ha que van acompanyades d'un **dibuix**. D'altra banda, al final d'algunes definicions hi trobaràs un número escrit a dins d'un quadret gris. Aquest número ens indica la **làmina** en què podràs trobar el dibuix que correspon a la paraula definida. Aquestes làmines es troben al final del diccionari.

beluga belugues *nom f* Mamífer cetaci de color blanc i dentat reduït, també anomenat balena blanca. **12**

número de làmina

Quan cal consultar més d'una paraula?

Hi ha paraules **homònimes**, és a dir, que s'escriuen igual però que tenen significats diferents i sense cap mena de relació. En aquests casos cadascuna d'aquestes paraules té la seva pròpia entrada, que apareix marcada amb un número petit i volat, és a dir, col·locat més amunt.

números que indiquen que es tracta de paraules homònimes

bot bots *nom m* **1** Recipient fet amb cuir que serveix per a contenir líquids, generalment vi. **2** *Durant tot el viatge va* ***ploure a bots i barrals****:* ploure molt, fer un gran xàfec.

bot bots *nom m* Embarcació petita, barca.

bot bots *nom m* **1** Salt que fa de cop una persona o un animal: *Quan li van dir que havia guanyat el premi, en Jordi va fer un bot.* **2** Moviment d'una pilota quan toca a terra i surt disparada: *La pilota va picar a la paret i va fer un bot.* **3 fer una cosa a bots i empentes** Fer una cosa molt de pressa, amb precipitació.

De vegades trobaràs explicacions molt curtes, que són una **remissió**, és a dir, que et fan anar a mirar una altra paraula:

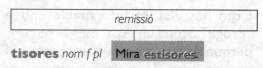

remissió

tisores *nom f pl* Mira estisores.

Aquí no hi ha definició ni exemple, perquè "tisores" és una altra forma de la paraula "estisores". Si vols llegir la seva definició, hauràs de buscar, doncs, aquesta darrera forma.

De vegades tampoc no hi ha definició de la paraula, només hi ha un **sinònim** conegut, és a dir, una paraula que vol dir el mateix però que es fa servir més sovint:

benzina benzines *nom f* Gasolina.

En alguns casos, darrere del sinònim hi ha un número. Aquest número indica quin sentit del sinònim és l'equivalent, és a dir, quin és el que té el mateix significat que la paraula de l'entrada. Així, si et fixes en l'exemple següent, veuràs que "batussa" és sinònim de "baralla" en el primer sentit ("discussió, disputa, lluita entre diverses persones…"), però no pas en el segon sentit ("joc de cartes complet").

```
                  sentits sinònims
```

baralla baralles *nom f* **1** Discussió, disputa, lluita entre diverses persones, acció de barallar-se: *Entre les nenes de la classe hi va haver baralles perquè totes volien sortir a la pissarra.* **2** Joc de cartes complet: *S'ha perdut una carta de la baralla i no podem jugar.*

batussa batusses *nom f* Baralla **1**.

Com es busca una frase feta?

De vegades no busquem el significat d'una paraula sola, sinó d'un conjunt de paraules, és a dir, d'una expressió o d'una **frase feta**. Imagina't que en una lectura ensopegues amb la frase feta "ens van aixecar la camisa". Per trobar-la al diccionari, has de buscar les paraules principals de la frase feta, "aixecar" i "camisa", i veure si dins els articles corresponents hi trobes l'entrada secundària "aixecar la camisa".

```
                    frase feta
```

aixecar *v* **1** Alçar, enlairar una cosa: *Aquesta caixa pesa tant que no la puc aixecar.* **2 aixecar-se** Posar-se dret: *Quan entri el director, aixequeu-vos.* **3** *Aquesta ràdio em va costar molts diners i ja no funciona:* m'han aixecat la camisa: enganyar, enredar, estafar. **4** Revoltar-se, agafar les armes contra algú: *El poble es va aixecar contra els seus opressors.* Es conjuga com *cantar.* S'escriu *c* davant de *a, o, u* i *qu* davant de *e, i: aixeco, aixeques.*

camisa camises *nom f* **1** Peça de vestir que cobreix des del coll fins a més avall de la cintura, que es porta damunt la pell o la samarreta, que es corda per davant i té coll i mànigues. **2 camisa de dormir** Peça de vestir ampla i llarga que es porta per anar a dormir. **3** *Ens van* aixecar la camisa: *aquell bolígraf tan car no escrivia bé:* enganyar, estafar. **4 canviar de camisa** Canviar d'idees o de partit per obtenir un benefici personal.

Quines altres informacions pots trobar al diccionari?

A més del significat de les paraules que no coneixem, el diccionari també ens proporciona altres informacions.

● Ens diu com s'escriu una paraula. Si per exemple tens un dubte ortogràfic i no recordes si s'escriu "cavall" o "caball", "erba" o "herba", etc. el diccionari t'ho aclarirà.

● Ens diu la categoria gramatical d'una paraula, és a dir, si és un nom, un adjectiu, un verb, etc.

covard covarda covards covardes *adj* i *nom m* i *f* Que té por, que s'espanta, que no és valent.

En aquest exemple, el diccionari ens diu que "covard" pot ser un adjectiu, com a l'expressió "un nen covard", o bé un nom, com a la frase "els covards fugen davant del perill".

● Ens diu el gènere gramatical de les paraules, és a dir, si una paraula és masculina o femenina o bé totes dues coses.

busca-raons uns/unes busca-raons *nom m* i *f* Persona a qui agrada de discutir-se, de barallar-se, etc.

En aquest exemple, el diccionari ens diu que "busca-raons" és un nom masculí i femení, com a les frases "aquell noi és un busca-raons" i "aquella noia és una busca-raons".

● Ens diu quines són les formes del femení i del plural dels noms i dels adjectius i quin és el model de conjugació que segueixen els verbs.

amagar *v* **1** Posar una cosa en un lloc on sigui difícil de trobar-la; posar-se una persona en un lloc on els altres no la puguin veure, on no la puguin trobar: *El nen es va amagar sota la taula i els seus pares no el trobaven.*
Es conjuga com *cantar*. S'escriu *g* davant de *a, o, u* i *gu* davant de *e, i: amago, amagues.*

En aquest darrer exemple, a més de donar el model de conjugació, el diccionari ens recorda que a l'hora d'escriure algunes formes d'aquest verb cal tenir present la norma ortogràfica de les grafies g/gu.

● Finalment, ens diu quines paraules funcionen com a determinants (pàg. 851) i com es formen els numerals i com s'escriuen (pàg. 853).

Què cal fer quan ens costa de trobar una paraula?

● Comprova que segueixes bé l'ordre alfabètic. Per exemple, si busques la paraula "atracament", la trobaràs abans de la paraula "atracar", perquè la lletra **m** és abans de la lletra **r**. D'altra banda, també has de tenir en compte que les paraules "pal·liar" i "pàl·lid" les trobaràs entre "paller" i "pallissa" perquè la **ela geminada** i la **ela doble** no es diferencien en l'ordre alfabètic. Això també passa amb les lletres **ce** i **ce trencada** i per això la paraula "plaça" la trobaràs entre "placa" i "plàcid".

● Si has de consultar un nom o un adjectiu, l'has de buscar a partir de la forma masculina singular. Així, doncs, les formes "dolenta", "dolents" o "dolentes" no figuren com a entrades en el diccionari, però sí que hi figura la forma "dolent"; igualment, no trobaràs l'entrada "desitjos", sinó l'entrada "desig".

● Si has de consultar un verb, l'has de buscar a partir de la forma de l'infinitiu. Així, doncs, les formes "cantaré", "cantava", "canti", "cantessis", etc. no figuren com a entrades del diccionari, però sí la forma "cantar". Si et costa trobar l'infinitiu d'un verb, perquè és irregular, pots consultar l'índex de formes verbals irregulars que hi ha a les pàgines 820-825.

● Finalment, si la paraula que busques no la trobes de cap manera en aquest diccionari, hauràs de consultar el mestre, els pares, etc. o bé un altre diccionari que tingui més paraules.

Primer
Diccionari

a-z

A a — lletra a

a¹ *prep* **1** Indica la direcció d'un moviment: *Els nens van a l'escola.* **2** Indica el lloc on és una cosa o el lloc on passa una cosa: *Els plats són a l'armari de la cuina.* ▪ *Ens hem banyat a la piscina.* **3** Indica quan passa una cosa: *Berenarem a les sis de la tarda.* **4** Indica el preu a què va una cosa: *Aquesta roba va a 3 euros el metre.* **5** Indica el complement indirecte del verb: *Dóna* (verb) *aquestes estisores* (complement directe) *a en Pere* (complement indirecte).

a² *as nom f* **1** Nom de la lletra **a** A. **2** *no saber ni la a* No saber res, no saber gens d'una cosa.

a- an- Prefix, element que s'afegeix al davant d'una paraula i que vol dir "no": *Que nevi a l'estiu és anormal, no és un fet normal.*

àbac *àbacs nom m* Aparell que serveix per a comptar i fer càlculs i que consisteix en un marc amb filferros per on es fan córrer boles foradades.

àbac

abadessa *abadesses nom f* Mira **abat**.

abadia *abadies nom f* Monestir on hi ha una comunitat de religiosos o de religioses dirigida per un abat o una abadessa: *Hem anat a veure l'abadia de Montserrat.*

abaixar *v* Fer passar alguna cosa d'un nivell a un altre de més baix: *Era un home tan alt que va haver d'abaixar el cap per passar per sota la porta.* ▪ *S'ha abaixat el preu de la llet, ara val cinc cèntims menys.* ▪ *Pots abaixar el volum del televisor?*
Es conjuga com *cantar*.

abalançar-se *v* Tirar-se endavant, abocar-se molt, llançar-se contra algú: *Va abalançar-se sobre el seu germà i li va prendre la pilota.*
Es conjuga com *cantar*. S'escriu ç davant de *a, o, u* i *c* davant de *e, i*: *m'abalanço, t'abalances.*

abaltir-se *v* Endormiscar-se: *Després de dinar, em vaig asseure al sofà i em vaig abaltir.*
Es conjuga com *servir*.

abandó *abandons nom m* **1** Acció de deixar una persona o una cosa desemparada, d'abandonar-la. **2** Retirada d'una partida, d'una competició, etc.: *A l'etapa d'avui s'han produït dos abandons, dos ciclistes han abandonat la cursa.*

abandonament *abandonaments nom m* Abandó.

abandonar *v* **1** Deixar de preocupar-se per algú o alguna cosa, desemparar: *Hem trobat un gos abandonat.* **2** Renunciar a una cosa, retirar-se: *Vaig abandonar la partida d'escacs perquè el meu contrincant feia trampes.* **3** Anar-se'n d'un lloc: *Els tres segrestadors van abandonar el país ahir a la tarda.*
Es conjuga com *cantar*.

abans *adv* **1** Indica temps anterior: *Abans el teu cosí era simpàtic, ara s'ha tornat antipàtic.* **2** Indica lloc anterior: *Abans del despatx hi ha la sala d'espera.*

abans-d'ahir *adv* **1** El dia anterior a ahir: *Avui és diumenge, ahir era dissabte, abans-d'ahir era divendres.* **2** *abans-d'ahir l'altre* El dia anterior al d'abans-d'ahir.

abaratir *v* Abaixar el preu d'una cosa, fer que sigui més barata.
Es conjuga com *servir*.

abarrotar *v* Omplir un lloc de persones o de coses, de manera que no quedi gens d'espai lliure: *La botiga estava abarrotada de gent i no s'hi podia passar.*
Es conjuga com *cantar*.

abassegar *v* Arreplegar gran quantitat d'una cosa, acaparar.
Es conjuga com *cantar*. S'escriu g davant de *a, o, u* i *gu* davant de *e, i*: *abassego, abassegues.*

abast *abasts* o *abastos nom m* **1** Distància a la qual arriba un projectil, un aparell, etc.: *Aquesta escopeta té un abast de 300 metres.* **2** *Tinc el llibre a l'abast de la mà:* tenir una cosa a una distància que permet tocar-la o agafar-la fàcilment. **3** *En Joan té tanta feina que té por de no donar l'abast:* no poder fer tota la feina que s'ha de fer.

abastament abastaments *nom m* Conjunt d'aliments i productes de primera necessitat destinats a una població, a una ciutat, etc.

abastar *v* **1** Arribar a agafar alguna cosa, arribar a tocar-la: *Amb la mà puc abastar els llibres del segon prestatge.* **2** Proporcionar aliments, roba, etc. a un poble, a una ciutat, etc.
Es conjuga com *cantar.*

abat abadessa abats abadesses *nom m* i *f* Superior d'un monestir o d'una abadia: *L'abat de Montserrat va visitar el bisbe de Barcelona.*

abatible abatibles *adj* Es diu del seient o del moble que té una part que es pot abaixar o apujar: *Aquests seients són molt còmodes, perquè tenen respatllers abatibles, i tant t'hi pots posar assegut com estirat.*

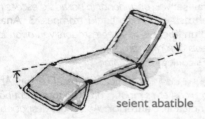

seient abatible

abatre *v* Fer caure una cosa a terra amb violència.
Es conjuga com *perdre.*

abatut abatuda abatuts abatudes *adj* Es diu de la persona que està molt cansada o bé molt trista i desanimada: *La desgràcia va deixar tothom molt abatut.*

abdicar *v* Renunciar al poder: *El rei va abdicar i es va proclamar la república.*
Es conjuga com *cantar.* S'escriu *c* davant de *a, o, u* i *qu* davant de *e, i: abdico, abdiques.*

abdomen abdòmens *nom m* **1** Ventre, part del cos entre el tòrax i la pelvis. **2** En els insectes, crustacis, etc., part posterior del cos, darrere el tòrax.

abdominal abdominals *adj* Que té relació amb l'abdomen: *A la classe de gimnàstica hem fet exercicis abdominals.*

abecé abecés *nom m* Alfabet, abecedari.

abecedari abecedaris *nom m* Alfabet, conjunt de totes les lletres d'una llengua ordenades alfabèticament.

abella abelles *nom f* Insecte que fa mel i cera i que viu en grup en uns nius anomenats ruscos: *No t'acostis al rusc, que et pot picar una abella.* [7]

abellir *v* Venir de gust una cosa, sentir el desig de fer una cosa.
Es conjuga com *servir.*

abellot abellots *nom m* **1** Abella mascle. **2** Borinot.

aberració aberracions *nom f* Cosa o fet que s'aparta del que és considerat natural o normal.

abeurador abeuradors *nom m* Lloc on els animals van a beure; recipient ple d'aigua on beuen els animals: *Al costat de la casa de pagès hi havia un gran abeurador fet de pedra.*

abeurar *v* Donar beure als animals.
Es conjuga com *cantar.*

abillar *v* Adornar algú amb vestits rics i luxosos, joies, etc.
Es conjuga com *cantar.*

abís abissos *nom m* Abisme.

abisme abismes *nom m* Precipici, forat molt fondo.

abjecte abjecta abjectes *adj* Menyspreable, vil, molt dolent: *Un criminal abjecte.*

ablanir *v* Estovar, fer tornar una cosa menys dura del que és.
Es conjuga com *servir.*

abnegació abnegacions *nom f* El fet de sacrificar-se un mateix per ajudar altres persones o per fer alguna cosa important: *Aquesta mestra ha treballat tota la vida amb abnegació per ensenyar els seus alumnes.*

abnegat abnegada abnegats abnegades *adj* Es diu de la persona que es comporta amb abnegació, que s'esforça i se sacrifica per ajudar altres persones o per fer alguna cosa important.

abocador abocadors *nom m* Lloc, terreny, generalment fora de la ciutat o del poble, on s'aboquen o es llencen les escombraries: *L'abocador d'escombraries que hi ha a prop del barri fa molta pudor.*

abocament abocaments *nom m* Acció d'abocar alguna cosa en algun lloc: *Està prohibit fer abocaments de residus als rius i als boscos.*

abocar *v* **1** Buidar un recipient, com ara una galleda, un pot, un got, etc., inclinant-lo, fent-lo caure, capgirant-lo, etc.: *Sense voler has*

abocat el pot de pintura d'un cop de peu. **2 abocar-se** Inclinar-se, traient la part superior del cos per una obertura (finestra, balcó, etc.): *Els nens es van abocar a la finestra per veure passar els gegants pel carrer.*
Es conjuga com *cantar.* S'escriu *c* davant de *a, o, u* i *qu* davant de *e, i: aboco, aboques.*

abolir *v* Anul·lar, suprimir lleis, costums, etc.: *El govern d'aquell país va abolir la pena de mort.*
Es conjuga com *servir.*

abominable abominables *adj* Es diu d'una persona o d'una cosa molt dolentes: *Un crim abominable.*

abonament abonaments *nom m* Quantitat de diners que es paga per utilitzar una cosa unes quantes vegades seguides: *He comprat un abonament per anar amb autobús; val per 10 viatges i m'estalvio de pagar vuitanta cèntims.*

abonar *v* Pagar una quantitat de diners.
Es conjuga com *cantar.*

abonyegar *v* Deformar un objecte fent-hi bonys, donant-hi cops: *El cotxe va xocar contra un autobús i va quedar ben abonyegat.*
Es conjuga com *cantar.* S'escriu *g* davant de *a, o, u* i *gu* davant de *e, i: abonyego, abonyegues.*

abordar *v* **1** Acostar-se un vaixell a un altre fins a tocar-lo o fins a xocar: *La llanxa dels policies va abordar el iot dels contrabandistes.* **2** Començar a fer una feina, a tractar un tema: *Al final de l'assemblea de classe vam abordar el tema dels deures.*
Es conjuga com *cantar.*

abordatge abordatges *nom m* Acció d'abordar un vaixell, d'acostar-se un vaixell a un altre fins a tocar-lo o fins a xocar: *El capità del vaixell pirata va cridar "a l'abordatge" i els pirates van saltar al vaixell que atacaven.*

aborigen aborígens **1** *adj* i *nom m* i *f* Originari del país on viu, indígena. **2 aborígens** *nom m pl* Primers habitants d'un país: *A Austràlia actualment hi queden molt pocs aborígens, ja que la majoria de la població és d'origen europeu.*

abraçada abraçades *nom f* Acció d'estrènyer amb els braços una persona en senyal d'amor, d'amistat, etc.: *Quant temps sense veure't! Deixa'm fer-te una abraçada!*

abraçar *v* **1** Estrènyer amb els braços una persona en senyal d'estimació; agafar-se a alguna cosa amb els braços: *La Maria i l'Eulàlia es van abraçar i es van fer un petó.* **2** Contenir, incloure: *La literatura abraça una gran quantitat de gèneres, com ara la poesia, el teatre, el conte i la novel·la.*
Es conjuga com *cantar.* S'escriu *ç* davant de *a, o, u* i *c* davant de *e, i: abraço, abraces.*

abraçar

abrandar *v* Cremar, provocar un incendi; fer créixer el foc.
Es conjuga com *cantar.*

abraonar *v* Abraçar amb força algú; agafar-se dos que lluiten.
Es conjuga com *cantar.*

abrasar *v* Cremar, convertir una cosa en brasa, escalfar-la molt.
Es conjuga com *cantar.*

abreujar *v* Fer més curta una cosa.
Es conjuga com *cantar.* S'escriu *j* davant de *a, o, u* i *g* davant de *e, i: abreujo, abreuges.*

abreviació abreviacions *nom f* **1** Acció d'abreujar. **2** Abreviatura.

abreviar *v* Abreujar.
Es conjuga com *canviar.*

abreviatura abreviatures *nom f* Lletra o lletres que s'escriuen en comptes d'una paraula sencera: *Etc. és l'abreviatura de la paraula "etcètera".*

abric abrics *nom m* **1** Peça de vestir que ens protegeix del fred, que generalment és llarga fins als genolls i es corda per davant: *Posa't l'abric, que fa molt fred.* **2** Lloc protegit del fred, del vent, etc. **3 a l'abric de** A cobert de: *La barca es va posar a l'abric del vent.*

abrigall abrigalls *nom m* Es diu de qualsevol cosa que serveix per a abrigar.

abrigar *v* Vestir, cobrir amb roba una persona de manera que quedi protegida del fred: *Avui fa molt fred, t'hauràs d'abrigar força.*
Es conjuga com *cantar.* S'escriu *g* davant de *a, o, u* i *gu* davant de *e, i: abrigo, abrigues.*

abril abrils *nom m* Mes de la primavera, quart mes de l'any, té 30 dies.

abrillantar *v* Fer brillant una cosa.
Es conjuga com *cantar*.

abrivar *v* Fer agafar força a una cosa: *El vent va fer abrivar el foc.*
Es conjuga com *cantar*.

abrogar *v* Anul·lar o abolir una llei, un decret o un reglament.
Es conjuga com *cantar*. S'escriu *g* davant *a, o, u* i *gu* davant *e, i: abrogo, abrogues*.

abrupte abrupta abruptes *adj* Es diu d'un lloc o d'un terreny amb grans desnivells: *Aquesta zona és molt abrupta, hi ha moltes muntanyes i molts cingles.*

abrusar *v* Cremar, destruir per mitjà del foc.
Es conjuga com *cantar*.

absència absències *nom f* Falta d'algú o d'alguna cosa en un lloc: *Avui a classe han faltat molts nens; hi ha hagut moltes absències.*

absent absents *adj* **1** Que no és en un lloc, que hi falta: *En Lluís i la Joana eren presents a la reunió, però en Jordi i en Manel n'eren absents perquè eren fora, de viatge.* **2** Que està distret, que no està atent a allò que passa.

àbsida àbsides *nom f* Absis.

absis uns **absis** *nom m* Part posterior d'una església, generalment de forma arrodonida i que surt cap enfora.

absis

absoldre *v* Declarar innocent algú en un judici: *El tribunal va absoldre els acusats.*
Es conjuga com *valer*. Participi: *absolt, absolta*.

absolució absolucions *nom f* Acció d'absoldre, de declarar algú innocent: *L'advocat va aconseguir l'absolució de l'acusat, és a dir, va aconseguir que el declaressin innocent.*

absolut absoluta absoluts absolutes *adj* Total, que no té cap limitació ni condició: *L'edifici era desert i hi havia un silenci absolut.*

absolutament *adv* Totalment, sense limitacions, d'una manera absoluta: *Això que em demanes és absolutament impossible de fer.*

absorbent absorbents *adj* Que absorbeix, que fa penetrar a dins seu: *La sorra és molt absorbent perquè de seguida s'empassa l'aigua.*

absorbir *v* **1** Fer penetrar i retenir a dins seu: *L'esponja absorbeix l'aigua.* **2** *Aquesta feina és molt complicada, absorbeix molt:* exigeix molta atenció.
Es conjuga com *servir*.

absorció absorcions *nom f* Acció d'absorbir, acció de fer penetrar i retenir a dins.

absort absorta absorts absortes *adj* Es diu de la persona que té tota l'atenció presa per l'observació d'alguna cosa: *La mare la cridava, però ella no la sentia perquè estava absorta en la lectura del llibre.*

abstemi abstèmia abstemis abstèmies *adj* i *nom m* i *f* Es diu de la persona que no beu vi ni begudes alcohòliques.

abstenció abstencions *nom f* **1** Acció de no fer una cosa. **2** El fet de no anar a votar.

abstenir-se *v* No fer una cosa: *El metge li ha recomanat que s'abstingui de fumar.*
Es conjuga com *mantenir*.

abstinència abstinències *nom f* Fet d'abstenir-se o privar-se voluntàriament d'alguna cosa: *És partidari de l'abstinència pel que fa al consum d'alcohol, és a dir, és partidari de no beure alcohol.*

abstracte abstracta abstractes *adj* Es diu de les coses que no tenen una forma concreta: *La paraula "arbre" és concreta, es refereix a una cosa que es pot dibuixar; en canvi, la paraula "bellesa" és abstracta, no es pot dibuixar.*

abstraure's *v* Mira **abstreure's**
Es conjuga com *treure*.

abstreure's *v* No prestar cap atenció al que passa al voltant i concentrar-se en allò que un mateix pensa o imagina.
Es conjuga com *treure*.

abstrús abstrusa abstrusos abstruses *adj* Molt difícil d'entendre, molt complicat.

absurd absurda absurds absurdes *adj* Que no admet la raó, que no és raonable, que no té gaire sentit comú: *Portar el paraigua obert si no plou és una cosa absurda.*

abúlic abúlica abúlics abúliques *adj* i *nom m* i *f* Es diu de la persona que no té interès per res, que no té ganes de fer res.

abundància abundàncies *nom f* **1** Gran quantitat d'una cosa: *Al mercat hi havia una gran abundància de peix.* **2** *Aquella família* **neda en l'abundància** *té moltes riqueses.*

abundant abundants *adj* Que n'hi ha gran quantitat, que abunda: *El pi és un arbre molt abundant als països mediterranis.*

abundar *v* Haver-hi molt d'una cosa, tenir en abundància: *Al zoo abunden els animals exòtics, de països llunyans.*
Es conjuga com *cantar.*

abundós abundosa abundosos abundoses *adj* Abundant, que n'hi ha molt.

abús abusos *nom m* **1** Acció de consumir massa quantitat d'una cosa: *Fer abús del tabac vol dir fumar massa.* **2** Fet d'aprofitar-se d'algú o d'alguna cosa.

abusar *v* **1** Fer servir més del compte; consumir massa quantitat d'una cosa: *Si abuses de la xocolata, tindràs mal de panxa.* **2** Aprofitar-se d'algú o d'alguna cosa: *Van abusar de la seva bona fe i el van estafar.*
Es conjuga com *cantar.*

abusiu abusiva abusius abusives *adj* Es diu de tot allò que és un abús: *Els preus d'aquesta botiga de regals són abusius, són exageradament cars.*

acabalat acabalada acabalats acabalades *adj* Que té molts cabals, molts diners: *Aquella senyora és molt acabalada, molt rica.*

acaballes Paraula que apareix en l'expressió **a les acaballes**, que vol dir "al final, als últims moments": *La Neus va venir a les acaballes de la festa.*

acabament acabaments *nom m* Final d'una cosa: *L'excursió va tenir un mal acabament perquè al final es va posar a ploure.*

acabar *v* **1** Arribar al final d'una feina, d'una activitat; arribar una cosa al seu final: *Quan acabi de llegir aquest llibre, en començaré un altre.* **2** *El tren* **acaba de** *sortir:* fa poc temps que ha sortit.
Es conjuga com *cantar.*

acabat[1] *adv* **1** Immediatament després: *Acabat de sopar, què farem?* **2** **en acabat** Immediatament després: *En acabat de dinar, jugarem a cartes.*

acabat[2] acabada acabats acabades *adj* **1** Es diu de les coses que estan completament fetes i a les quals no falta res: *Quina pintura més ben acabada!* **2** Es diu de la persona que pateix una gran desgràcia o un problema greu que no té solució: *S'ha arruïnat del tot, està ben acabat.*

acabat[3] acabats *nom m* Últimes feines que es fan per acabar una obra: *La casa ja està construïda, només queden per fer alguns acabats.*

acaçar *v* Perseguir, intentar d'aconseguir algú o alguna cosa.
Es conjuga com *cantar.* S'escriu ç davant de *a, o, u* i *c* davant de *e, i: acaço, acaces.*

acàcia acàcies *nom f* Tipus d'arbre o arbust.

acadèmia acadèmies *nom f* Escola o col·legi d'estudis de nivell mitjà.

acalorar-se *v* **1** Agafar calor: *Han fet molt exercici i s'han acalorat.* **2** Animar-se, esverar-se molt en una discussió: *Al principi discutien tranquil·lament però al final s'han acalorat.*
Es conjuga com *cantar.*

acampada acampades *nom f* Acció d'acampar a l'aire lliure amb tendes de campanya: *Aquell indret, al peu de la muntanya i a prop de la font, era molt bo per a fer-hi una acampada.*

acampanat acampanada acampanats acampanades *adj* Que té forma de campana: *Portava uns pantalons acampanats de la part de baix.*

acampar *v* Establir-se en un lloc fora dels pobles o de les ciutats de manera provisional, en tendes, caravanes, etc.: *Els excursionistes van acampar en aquella vall, vora el llac, durant sis dies.*
Es conjuga com *cantar.*

acaparar *v* Arreplegar gran quantitat d'una cosa i no deixar-ne per als altres.
Es conjuga com *cantar.*

acarar *v* **1** Posar dues o més persones cara a cara, per tal de comparar el que diuen: *El jutge va fer acarar els dos delinqüents per veure qui deia la veritat i qui mentia.* **2** Comparar dos escrits, dos objectes semblants, etc.
Es conjuga com *cantar.*

acariciar *v* Fer carícies, tocar suaument: *La nena acariciava el gat passant-li la mà pel cap i l'esquena.*
Es conjuga com *canviar.*

acarnissat acarnissada acarnissats acarnissades *adj* Aferrissat, molt dur: *La lluita va ser acarnissada.*

acaronar *v* Acariciar, fer acostar una persona per abraçar-la en senyal de protecció o de consol: *L'infant plorava i la mare el va agafar i el va acaronar amorosament fins que va callar.* Es conjuga com *cantar.*

acatar *v* Acceptar, respectar i obeir una llei o una autoritat. Es conjuga com *cantar.*

accedir *v* **1** Arribar a un lloc: *Per aquesta porta s'accedeix a la sala principal del castell.* **2** Consentir, acceptar que algú faci una cosa: *El rei va accedir a escoltar les queixes del poble.* Es conjuga com *servir.*

accelerador acceleradors *nom m* Mecanisme que serveix per a augmentar o per a reduir la velocitat del motor d'un vehicle: *Pitjant a fons l'accelerador, aquest cotxe va a 200 per hora.*

accelerar *v* Augmentar la velocitat d'un vehicle, d'una màquina, etc. Es conjuga com *cantar.*

accent accents *nom m* **1** Major força i durada amb què es pronuncia una síl·laba: *La paraula "Ramon" té l'accent a l'última síl·laba.* **2** **accent gràfic** Signe escrit sobre una vocal que serveix per a indicar que és tònica: *En català hi ha dos accents: l'obert (`) i el tancat (´).* **3** Manera de pronunciar les paraules i d'entonar les frases pròpia dels habitants d'un territori determinat: *A la Conxita, se li nota l'accent de Girona.*

accentuar *v* **1** Reforçar el so d'una síl·laba marcant l'accent. **2** Escriure un accent gràfic: *Has d'accentuar la e de la paraula "cafè".* **3** Augmentar la intensitat d'una cosa: *Fa uns quants dies que la seva malaltia s'accentua.* Es conjuga com *canviar.*

accepció accepcions *nom f* Cadascun dels sentits que té una paraula: *Si consultes el verb "accedir" en aquest diccionari, veuràs que té dues accepcions, que pot significar dues coses diferents.*

acceptable acceptables *adj* Es diu d'alguna persona o d'alguna cosa que és correcta i que, per tant, pot ser acceptada: *Va aprovar el curs amb unes notes acceptables, encara que no fossin excel·lents.*

acceptar *v* **1** Admetre una cosa que ens donen o que ens ofereixen; estar d'acord amb alguna cosa: *He acceptat la feina que m'ha proposat l'Agnès.* ■ *És una professora que sempre accepta les opinions dels alumnes.* **2** Estar d'acord que algú formi part o s'integri dins d'un grup: *Tot i que era molt jove, van acceptar-lo a la colla.* Es conjuga com *cantar.*

accés accessos *nom m* Arribada fins a un lloc, entrada: *Aquesta porta dóna accés al despatx de la directora.*

accessible accessibles *adj* Es diu d'un lloc, d'una cosa o d'una persona als quals es pot arribar sense gaire dificultat: *El director és molt accessible, fàcil de tractar.*

accèssit accèssits *nom m* Premi inferior al premi principal que es dóna en un concurs: *Als Jocs Florals de l'escola, no hi vaig guanyar cap premi gros, però em van donar un accèssit.*

accessori accessòria accessoris accessòries **1** *adj* Es diu d'una cosa que n'acompanya o complementa una altra de principal. **2** *nom m* Peça de recanvi d'una màquina, d'un vehicle, etc.: *En aquesta botiga venen accessoris de bicicleta.*

accident accidents *nom m* **1** Fet inesperat que produeix un dany a les persones o a les coses: *Hi ha hagut un accident de circulació, un cotxe ha atropellat una persona.* **2** **accident geogràfic** Irregularitat d'un lloc o d'un terreny amb grans desnivells, entrades de mar, etc. *Les muntanyes, les serralades, les badies, els caps, etc. són accidents geogràfics.*

accidental accidentals *adj* Es diu del fet que passa d'una manera imprevista, per accident: *Aquell actor va morir de mort accidental, quan l'avió amb què viatjava es va estavellar.*

accidentat accidentada accidentats accidentades **1** *adj* Es diu del fet, l'activitat, el viatge, etc. en el qual han passat fets inesperats o problemes: *Hem tingut un viatge molt accidentat, ja que primer ens hem equivocat de carretera i després se'ns ha espatllat el cotxe.* **2** *adj i nom m i f* Es diu de la persona que ha sofert un accident: *En aquell xoc de cotxes hi va haver mitja dotzena d'accidentats.* **3** *adj* Es diu del terreny que no és pla, sinó que presenta desnivells i desigualtats.

a

acció accions *nom f* **1** Acte o fet realitzat per una persona o per una cosa: *Ajudar algú a travessar el carrer és una bona acció.* ▪ *L'acció de les onades ha gastat les roques de la costa.* **2** En Joan és un **home d'acció**: li agrada fer coses, moure's, arriscar-se, etc. **3** *M'agraden les* **pel·lícules d'acció**: que hi hagi moviment, aventura, que hi passin moltes coses. **4** Part del capital d'una empresa que dóna dret a rebre beneficis i que es pot comprar i vendre: *En Jaume té accions de la companyia telefònica.*

accionista accionistes *nom m i f* Persona que té accions d'una empresa, és a dir, que té una part del capital d'una empresa, fet que li dóna dret a rebre una part dels beneficis.

acer acers *nom m* Ferro transformat per la indústria amb el qual es fabriquen eines, màquines, etc.

acèrrim acèrrima acèrrims acèrrimes *adj* Molt tossut, molt ferm: *Aquell polític va fer una acèrrima defensa del seu programa.* ▪ *En Jaume és un acèrrim enemic del tabac.*

ací *adv* En aquest lloc, aquí.

àcid àcida àcids àcides *adj* Que té un gust picant, com el de la llimona.

aclamar *v* Felicitar algú amb crits i aplaudiments en senyal d'admiració: *El públic va aclamar l'atleta guanyadora.*
Es conjuga com *cantar*.

aclaparador aclaparadora aclaparadors aclaparadores *adj* Es diu d'un fet que aclapara, que impressiona molt fort: *Va ser una desgràcia aclaparadora.*

aclaparar *v* Fer caure algú sota un gran pes, sota una gran preocupació: *Aquella família està aclaparada per la desgràcia de l'accident.*
Es conjuga com *cantar*.

aclaridor aclaridora aclaridors aclaridores *adj* Es diu d'una cosa que aclareix, que ajuda a entendre: *L'explicació de la professora va ser aclaridora.*

aclariment aclariments *nom m* Explicació que ajuda a veure més clara una cosa, una situació, un assumpte, etc.; acció d'aclarir.

aclarir *v* **1** Fer tornar clar, comprensible un assumpte, una situació, un dubte, etc.: *El professor ens va aclarir els trossos de la lectura que no enteníem.* **2** Treure amb aigua clara el sabó d'una cosa ensabonada. **3** Fer menys espès: *Hem aclarit la sopa tirant-hi aigua.* **4** Fer menys fort un color: *Si aclareixes aquest verd, el color del dibuix guanyarà molt.* **5** **aclarir-se** Desaparèixer els núvols: *El cel es va aclarir.*
Es conjuga com *servir*.

aclimatar-se *v* Adaptar-se a un clima, a un lloc o a un ambient diferents dels originaris: *En general, la palmera és un arbre que s'ha aclimatat molt bé al nostre país.*
Es conjuga com *cantar*.

aclofar-se *v* Seure en un seient amb comoditat: *Després de dinar s'aclofa a la butaca i fa una dormideta.*
Es conjuga com *cantar*.

aclucar *v* **1** Tancar els ulls: *La claror m'enlluernava i anava aclucant els ulls.* **2** *No vaig poder* **aclucar l'ull** *en tota la nit*: no poder dormir.
Es conjuga com *cantar*. S'escriu *c* davant de *a, o, u* i *qu* davant de *e, i*: *acluco, acluques*.

açò *pron* Això.

acoblar *v* Unir dos aparells o dues peces d'una màquina.
Es conjuga com *cantar*.

acoblar

acòlit acòlita acòlits acòlites *nom m i f* **1** Escolà. **2** Persona que és l'ajudant d'una altra, que està sota les seves ordres, que fa tot allò que li diu: *En Manel és el líder i els altres nois del grup són els seus acòlits.*

acollidor acollidora acollidors acollidores *adj* **1** Es diu d'un lloc agradable i còmode: *Una saleta molt acollidora.* **2** Es diu de la persona que rep bé la gent, que la tracta bé: *Una família molt acollidora.*

acolliment acolliments *nom m* Acció d'acollir, de rebre, d'acceptar algú o alguna cosa: *En aquella casa ens han fet un bon acolliment durant les vacances.*

acollir *v* **1** Rebre algú, admetre'l, acceptar-lo: *En Ramon ens va acollir a casa seva amb molta amabilitat.* **2** Prendre's de tal o tal manera una

notícia, una opinió, etc.: *Les seves paraules foren molt mal acollides pel públic que l'escoltava.*
Es conjuga com *collir*.

acollonir v Fer agafar por.
Es conjuga com *servir*.

acolorir v Donar color a alguna cosa, pintar un dibuix, una làmina, etc.
Es conjuga com *servir*.

acoltellar v Clavar el coltell a algú, ferir algú amb un coltell o un ganivet.
Es conjuga com *cantar*.

acomboiar v Acompanyar algú o alguna cosa per tal de protegir-los: *En Pere, acomboiat pels seus companys, es va encarar al capità de l'equip contrari.*
Es conjuga com *remeiar*.

acomiadament acomiadaments *nom m* Acció d'acomiadar algú: *L'acomiadament dels viatgers es va fer a l'estació.* ▪ *En aquesta empresa hi ha hagut vint acomiadaments, és a dir, han despatxat vint persones de la feina.*

acomiadar v **1** Dir adéu a algú abans de separar-se'n: *Abans de marxar de viatge, en Joan es va acomiadar de tota la família.* **2** Treure algú d'una feina: *Han acomiadat tres treballadors d'aquella fàbrica.*
Es conjuga com *cantar*.

acomodador acomodadora acomodadors acomodadores *nom m i f* Persona que acompanya la gent a les butaques en els cines i en els teatres.

acomodar v **1** Adaptar una cosa a una altra, adaptar-se: *Els alumnes es van acomodar de seguida al nou professor.* **2** Posar algú o alguna cosa en un lloc adequat o en una situació còmoda: *La infermera va acomodar el malalt al llit.*
Es conjuga com *cantar*.

acomodat acomodada acomodats acomodades *adj* Es diu de les persones o de les famílies riques, benestants.

acompanyament acompanyaments *nom m* **1** Conjunt de persones que acompanyen algú: *Va passar el rei amb un gran acompanyament de consellers i de criats.* **2** Aliments que acompanyen l'aliment principal d'un plat: *Vaig menjar un tall de carn amb patates fregides d'acompanyament.*

acompanyant acompanyants *nom m i f* Persona que n'acompanya una altra: *L'alcalde*

i els seus acompanyants van visitar la fira de llibres.

acompanyar v Anar amb una persona per fer-li costat, per fer el que ella fa, per anar on ella va: *L'Antònia ha d'acompanyar cada dia el seu germà petit a l'escola.*
Es conjuga com *cantar*.

acomplexar v Fer agafar un complex a algú: *Li heu dit tantes vegades que és baix, que l'heu acomplexat.*
Es conjuga com *cantar*.

acomplir v Fer, portar a terme una cosa que s'havia de realitzar.
Es conjuga com *servir*. Participi: *acomplert, acomplerta* o *acomplit, acomplida*.

acompte acomptes *nom m* Quantitat de diners que es paguen i que són una part de la suma total que s'ha de pagar més endavant.

aconseguir v Arribar a tenir allò que es desitja, arribar a l'objectiu pel qual es lluita: *Volien arribar al cim de la muntanya i ho han aconseguit.*
Es conjuga com *servir*.

aconsellar v Guiar algú dient-li el que ha de fer, donar-li consell: *El metge li va aconsellar que fes repòs.*
Es conjuga com *cantar*.

acontentar v Fer content algú satisfent els seus desitjos, la seva voluntat: *La Montse és de bon acontentar, amb una pilota ja està satisfeta.*
Es conjuga com *cantar*.

acoquinar v Fer agafar por, acovardir-se: *L'aigua era tan freda, que tothom es va acoquinar i ningú no es va banyar.*
Es conjuga com *cantar*.

acord acords *nom m* **1** Decisió, pacte que fan dues o més persones: *L'assemblea de classe va prendre l'acord de participar en el concurs de dibuix.* **2** *D'acord!, vindré a dinar:* expressió que fem servir per a indicar que una cosa ens sembla bé. **3** estar d'acord Pensar igual dues o més persones: *Tothom va estar d'acord a organitzar una festa de final de curs.*

acordar v Decidir una cosa per majoria, prendre un acord: *Els veïns de l'escala han acordat posar un porter automàtic.*
Es conjuga com *cantar*.

acordió acordions *nom m* Instrument musical de vent que té unes tecles i una manxa; els moviments d'eixamplar i d'estrènyer aquesta manxa produeixen un corrent d'aire que provoca la música.

acordió

acordonar v Posar una corda o un seguit d'obstacles al voltant d'un lloc per evitar que la gent hi passi: *La policia va acordonar el carrer on hi ha el banc que els lladres havien atracat.* Es conjuga com *cantar.*

acorralar v Posar algú en una situació difícil, de manera que no es pugui escapar: *La policia va acorralar els atracadors en un carreró sense sortida.* Es conjuga com *cantar.*

acostar v Posar una cosa més a prop d'una altra, aproximar, apropar una cosa a una altra: *Si acostes més la cadira a la taula, podràs treballar millor.* ▨ *El cotxe s'anava acostant al poble.* Es conjuga com *cantar.*

acostumar v **1** Tenir el costum de fer una cosa, soler fer una cosa, fer sovint una cosa: *En Jordi acostuma a llegir una estona abans de dormir.* **2** *Va acostumar-se a estudiar una mica cada dia:* agafar el costum de fer una cosa. Es conjuga com *cantar.*

acotar v Abaixar el cap o la part superior del cos acostant-la cap a terra. Es conjuga com *cantar.*

acotxar v Abrigar bé algú amb la roba del llit: *Quan vagis a dormir, acotxa't bé, que si no et refredaràs.* Es conjuga com *cantar.*

acotxar

acovardir v Fer agafar por, fer tornar covard. Es conjuga com *servir.*

àcrata àcrates *adj* i *nom m* i *f* Anarquista, partidari de suprimir tota mena de poder i d'autoritat.

acreditar v Demostrar que una cosa és certa per mitjà d'un document: *Va ensenyar un document que acreditava que ell era el propietari de les joies.* Es conjuga com *cantar.*

acréixer v Fer créixer, fer augmentar una cosa. Es conjuga com *créixer.*

acrobàcia acrobàcies *nom f* Exercici, salt o moviment difícil: *Aquells artistes de circ fan moltes acrobàcies damunt la corda fluixa.* ▨ *L'avió va fer un seguit d'acrobàcies molt espectaculars.*

acròbata acròbates *nom m* i *f* Persona que fa exercicis perillosos caminant sobre una corda, fent salts i equilibris sobre cavalls, bicicletes, etc.

acta actes *nom f* Document en què es pren nota oficial d'un fet, en què s'escriu el que s'ha dit i els acords que s'han pres en una reunió, etc.

acte actes *nom m* **1** Fet realitzat per l'home: *Matar és un acte criminal.* **2** *Vam esperar-los durant dues hores, però no van **fer acte de presència**:* comparèixer, aparèixer davant d'algú. **3** *Va venir **a l'acte**:* al moment, de seguida. **4** Celebració, esdeveniment organitzat per algun motiu: *Ahir hi va haver l'acte de lliurament de premis del concurs de contes.* **5** Cadascuna de les parts en què es divideix una obra de teatre. **6** **acte sexual** Relació entre un home i una dona que consisteix en la introducció del penis a dintre de la vagina.

actitud actituds *nom f* **1** Disposició que es pren davant una cosa: *La seva actitud no m'agrada: sempre calla quan ha de parlar.* **2** Posició, postura: *Aquella estàtua té una actitud pensativa.*

actiu activa actius actives *adj* Que treballa, que actua, que està en acció.

activament *adv* D'una manera activa: *Tots hem de participar activament a la festa, és a dir, tots hem de preparar una petita actuació per a la festa.*

activar v Fer actuar, fer funcionar, engegar: *Si vols activar el ventilador, has de pitjar aquest botó vermell.*
Es conjuga com *cantar.*

activitat activitats *nom f* **1** Feina, ocupació, treball: *Aquest nen fa moltes activitats extraescolars: dibuix, música, esports, etc.* **2** Moviment, acció: *Al port de Barcelona hi ha molta activitat.*

actor actriu actors actrius *nom m i f* Persona que interpreta o representa un personatge d'una pel·lícula, d'una obra de teatre, etc.: *En aquella pel·lícula de l'oest hi sortien uns actors i unes actrius molt bons.*

actuació actuacions *nom f* Acció de comportar-se d'una manera determinada, de representar un paper determinat, d'actuar: *L'àrbitre va tenir una actuació correcta en aquell partit.*

actual actuals *adj* Que és d'ara, que existeix en el moment present: *La música actual utilitza molts instruments electrònics.*

actualitat actualitats *nom f* Cosa d'ara, d'avui dia, del moment present: *Els mitjans de comunicació ens informen de l'actualitat.*

actualitzar v Posar al dia, modernitzar: *D'aquí a uns anys es farà una nova edició d'aquest diccionari per actualitzar-lo i afegir-hi les paraules noves.*
Es conjuga com *cantar.*

actualment *adv* Ara, en el moment present.

actuar v **1** Posar-se en acció, fer la feina que cal: *Davant d'un incendi cal actuar amb rapidesa.* **2** Representar un paper en una obra de teatre, en una pel·lícula, etc.
Es conjuga com *canviar.*

acudir v **1** Venir a algú una idea, un pensament, etc. de sobte, de cop i volta: *Ens avorríem molt, però a en Miquel se li va acudir de jugar a la gallina cega i ens ho vam passar d'allò més bé.* **2** Anar a un lloc on ens han convidat, on ens han dit que hi anéssim: *Milers de persones van acudir a la plaça on es feia la manifestació.*
Es conjuga com *servir* o com *dormir.* Si es conjuga com *dormir,* el present d'indicatiu és: *acudo, acuts, acut, acudim, acudiu, acuden.*

acudit acudits *nom m* **1** Pensament original que ens ve de cop, que se'ns acudeix de cop: *En Jaume va tenir l'acudit de disfressar-se de fantasma i espantar la seva mare.* **2** Història curta que, si s'explica amb gràcia, fa riure: *En Lluís em fa riure molt, sempre explica acudits molt divertits.* **3** Dibuix que explica una història divertida.

acuit acuits *nom m* Joc que consisteix a amagar-se o a córrer diverses persones, menys una que és la que para i ha d'atrapar les altres: *En Joaquim i la seva colla juguen a l'acuit al pati.*

acular v Arrambar algú o alguna cosa fins que no pugui recular més: *L'atracador va acular el botiguer contra la paret i el va amenaçar amb una pistola.*
Es conjuga com *cantar.*

acumulació acumulacions *nom f* Acció d'acumular, de reunir, d'ajuntar moltes coses: *El festival de cançó va provocar una gran acumulació de gent i de vehicles en la zona on se celebrava.*

acumular v Apilar, ajuntar, reunir diverses coses: *Ha fet molts negocis i ha acumulat una gran quantitat de diners.*
Es conjuga com *cantar.*

acupuntura acupuntures *nom f* Tècnica que s'utilitza per a tractar algunes malalties, i que consisteix a clavar agulles fines en determinats punts del cos humà.

acuradament *adv* Amb molta cura, amb molta atenció: *El pintor va netejar els pinzells acuradament.*

acurat acurada acurats acurades *adj* Es diu d'una cosa o d'una feina que s'ha fet amb molta cura, amb molta atenció: *Aquesta redacció és molt acurada, has fet servir les paraules adequades i no hi tens cap error.*

acusació acusacions *nom f* Acció d'acusar algú: *Han detingut quatre individus sota l'acusació d'assassinat.*

acusador acusadora acusadors acusadores *adj i nom m i f* Es diu de la persona que acusa: *En el judici l'advocat acusador va demostrar que l'acusat era el culpable del robatori.*

acusar v **1** Assenyalar algú com a culpable, com a responsable d'una cosa: *El van acusar d'estafador.* **2** Indicar una cosa: *El seu rostre vermell i suat acusava que havia fet un gran esforç.*
Es conjuga com *cantar.*

acusat acusada acusats acusades **1** *adj i nom m i f* Es diu de la persona de la qual es pensa que és culpable d'haver fet un crim:

Han tancat a la presó un home acusat d'haver atracat un banc. **2** *adj* Que es nota molt, que destaca.

acústic acústica acústics acústiques **1** *adj* Que té relació amb l'oïda o els sons. **2** **acústica** *nom f* Conjunt de característiques d'un lloc que fan que el so s'hi senti bé o malament: *Aquest teatre té molt bona acústica i, per tant, els espectadors hi senten perfectament la música i la veu dels actors.*

acutangle acutangles *adj* Es diu d'un triangle que té tots tres angles aguts.

adagi adagis *nom m* Dita o refrany antic.

adaptació adaptacions *nom f* **1** Acció d'adaptar-se, de canviar els costums propis i agafar aquells que són característics d'un lloc determinat: *Molts animals necessiten un temps d'adaptació per a poder viure al zoològic.* **2** Pel·lícula, obra de teatre, etc. que es basa en una obra que ja existeix, però canviant-la una mica.

adaptar *v* Canviar de forma de ser o de fer, per tal de poder encaixar en un lloc, un grup, conviure amb una persona: *En Lluís ha vingut nou a l'escola i s'hi ha adaptat molt bé.* Es conjuga com *cantar*.

addicció addiccions *nom f* Tendència molt forta a fer una cosa: *Aquell senyor tenia una forta addicció al tabac, fumava tot el dia*.

addició addicions *nom f* **1** Suma. **2** Acció d'afegir una cosa a una altra.

addicte addicta addictes *adj* Es diu de la persona que té molta tendència cap a una cosa: *Hi ha gent addicta a la droga.*

adduir *v* Presentar una prova, un argument: *Per defensar-se, l'acusat va adduir que no coneixia la víctima ni tenia cap motiu per matar-la.* Es conjuga com *reduir*.

adelerat adelerada adelerats adelerades *adj* Ple de deler, de desig de fer una cosa.

adepte adepta adeptes *adj* i *nom m* i *f* Es diu de la persona que és partidària d'algú o d'alguna idea: *Algunes religions tenen molts adeptes.*

adequadament *adv* D'una manera adequada: *A l'excursió s'hi ha d'anar adequadament equipat, és a dir, amb botes, motxilla i un jersei per si fa fred.*

adequar *v* Fer que una cosa sigui apta, proporcionada, suficient, apropiada per a un fi

determinat: *Han adequat una aula de l'escola com a biblioteca.* Es conjuga com *cantar*. S'escriu *qu* davant de *a*, *o* i *qü* davant de *e*, *i*: *adequo, adeqües.*

adequat adequada adequats adequades *adj* Convenient, apropiat: *Em sembla que aquest vestit és molt adequat per anar a la festa de final de curs.*

adés *adv* **1** En un temps molt proper al present. **2** A cada moment. **3** *Adés reia, adés plorava*: ara reia i ara plorava.

adesiara *adv* De tant en tant.

adéu *interj* Paraula que es fa servir per a acomiadar-se d'algú o per a saludar algú pel carrer sense aturar-se: *Adéu, Teresa, ja ens veurem la setmana que ve!*

adéu-siau *interj* Paraula que es fa servir per a acomiadar-se de dues o més persones o d'una persona a qui es tracta de vós: *Me'n vaig de vacances, adéu-siau tothom!*

adherir *v* **1** Enganxar una cosa a la superfície d'una altra: *Va adherir el segell al sobre de la carta.* **2** **adherir-se** Manifestar que s'està d'acord amb alguna cosa; fer-se soci d'un grup o d'un partit: *Nosaltres ens adherim a la manifestació ecologista, també hi anirem.* Es conjuga com *servir*.

adhesiu adhesiva adhesius adhesives **1** *adj* Que es pot adherir, que es pot enganxar: *Hem d'enganxar aquestes etiquetes adhesives als sobres de les cartes.* **2** *nom m* Etiqueta impresa que s'enganxa als objectes i que serveix per a fer propaganda o publicitat: *La Concepció porta molts adhesius enganxats a la bicicleta.*

àdhuc *adv* Fins i tot: *Quan es va sentir el tro, tot va tremolar, àdhuc les pedres més grosses.*

adient adients *adj* Adequat, que va bé amb una altra cosa: *Buscarem una música adient a aquest conte.*

adinerat adinerada adinerats adinerades *adj* Ric, amb molts diners.

adir-se *v* Anar bé una cosa amb una altra: *Aquest jersei de color verd s'adiu molt amb aquests pantalons negres.* Es conjuga com *dir*.

adjacent adjacents *adj* Que és al costat mateix, a tocar: *Aquests dos angles són adjacents.*

adjectiu adjectius *nom m* Paraula que acompanya un nom i el complementa o n'expressa una qualitat: *En la frase "la casa alta m'agrada", la paraula "alta" és un adjectiu.*

adjudicar *v* Donar o encarregar una cosa a algú: *Li han adjudicat una feina de molta responsabilitat.*
Es conjuga com *cantar*. S'escriu c davant de *a, o, u* i *qu* davant de *e, i: adjudico, adjudiques.*

adjunt adjunta adjunts adjuntes *adj* Que està unit a una altra cosa, que acompanya una altra cosa: *Llegeix aquesta carta i el document adjunt que l'acompanya.*

adjuntar *v* Fer que una cosa vagi junta amb una altra: *Li enviaré una carta per felicitar-lo i hi adjuntaré un bitllet perquè es compri un regal.*
Es conjuga com *cantar*.

admetre *v* **1** Rebre, donar entrada en algun lloc: *A l'Emili, l'han admès a l'escola d'idiomes.* **2** Consentir, acceptar: *El professor no va voler admetre les nostres excuses.*
Es conjuga com *perdre*. Participi: *admès, admesa.*

administració administracions *nom f* **1** Acció de dirigir, d'organitzar alguna cosa, d'administrar-la: *El pare de l'Anna porta l'administració d'una empresa.* **2 administració pública** Conjunt de serveis i d'organitzacions que depenen de l'estat, de la Generalitat, dels ajuntaments, etc.

administrador administradora administradors administradores *nom m i f* Persona encarregada d'administrar una empresa o els negocis d'una altra persona.

administrar *v* **1** Dirigir l'organització, el funcionament econòmic, etc. d'una empresa, d'una institució, etc. **2** Donar un medicament a un malalt.
Es conjuga com *cantar*.

administratiu administrativa administratius administratives **1** *adj* Que està relacionat amb l'administració. **2** *nom m i f* Oficinista.

admirable admirables *adj* Digne d'admiració: *Una persona admirable, educada i treballadora.*

admiració admiracions *nom f* **1** Sentiment, emoció que se sent quan es contempla una persona o una cosa extraordinària, meravellosa, d'una gran bellesa. **2** Signe ortogràfic (!) que se sol posar al darrere d'una frase que expressa admiració o exclamació.

admirador admiradora admiradors admiradores *nom m i f* Persona que sent admiració per algú o alguna cosa: *Aquella cantant té un gran nombre d'admiradors.*

admirar *v* Trobar una persona o una cosa extraordinària, d'una gran bellesa; sentir admiració.
Es conjuga com *cantar*.

admissible admissibles *adj* Que pot ser acceptat o admès: *Que arribis tard és admissible, però que vulguis dir-me una excusa falsa, no.*

admissió admissions *nom f* Fet d'admetre algú o alguna cosa en un lloc.

adob adobs *nom m* **1** Fems i productes químics que es barregen amb la terra per fer créixer les plantes. **2** Acció d'arreglar una cosa espatllada, d'adobar-la: *Voldria saber si aquesta ràdio té adob.*

adobar *v* **1** Posar fems i altres substàncies a la terra per fer créixer les plantes. **2** Arreglar una cosa espatllada: *El llauner ens ha adobat l'aixeta.* **3** Amanir. **4** Preparar les pells perquè després se'n puguin fer abrics, bosses, sabates, etc.
Es conjuga com *cantar*.

adoberia adoberies *nom f* Indústria on es preparen les pells que després es faran servir per a fer abrics, bosses, sabates, etc.

adoctrinar *v* Ensenyar alguna cosa a algú, convèncer-lo d'una ideologia, d'una manera de pensar.
Es conjuga com *cantar*.

adolescència adolescències *nom f* Etapa, període de la vida que se situa entre la infància i la vida adulta.

adolescent adolescents *adj i nom m i f* Es diu de la persona que està en l'edat de l'adolescència: *Aquest noi i aquesta noia tenen catorze anys: són uns adolescents.*

adolorit adolorida adolorits adolorides *adj* Es diu de la part del cos en què sentim dolor: *He caigut i ara tinc el peu adolorit.*

adonar-se *v* Veure, notar una cosa: *Estava distret mirant la televisió i no em vaig adonar de l'hora que era.*
Es conjuga com *cantar*.

adoptar *v* **1** Acollir un infant, donar-li el propi cognom i tractar-lo i considerar-lo com un fill propi; afillar. **2** Prendre, fer-se

seu algú un acord, una opinió, etc.: *El director va adoptar una actitud de comprensió davant d'aquella situació.*
Es conjuga com *cantar.*

adoptiu adoptiva adoptius adoptives *adj* Es diu del fill que ha estat adoptat: *Aquell matrimoni té dos nens; el més petit és un fill adoptiu.*

adoració adoracions *nom f* Acció d'adorar.

adorar *v* **1** Donar culte a un déu: *Els antics egipcis adoraven el sol.* **2** Apreciar molt una persona o una cosa.
Es conjuga com *cantar.*

adormir-se *v* **1** Començar a dormir: *Està sempre tan cansat, que s'adorm de seguida.* **2 estar adormit** Dormir. **3** No tenir sensibilitat en una part del cos: *No em puc aixecar de la cadira, se m'ha adormit la cama.* **4 adormir** Fer perdre la sensibilitat a una part del cos perquè no senti el dolor, posar-li anestèsia: *Abans d'arrencar-li el queixal, li han adormit la geniva.* **5** Fer que algú s'adormi: *La mare gronxava el bressol per adormir el nen.*
Es conjuga com *dormir.*

adorn adorns *nom m* Qualsevol cosa o objecte que serveix per a adornar, per a fer més bonic un vestit, un edifici, etc.

adorn

adornar *v* Fer que una cosa sigui més bonica, guarnint-la, pintant-la, posant-hi flors, quadres, etc.
Es conjuga com *cantar.*

adossar *v* Arrambar una cosa per la part de darrere a una altra cosa: *Em vaig adossar a un arbre per descansar.*
Es conjuga com *cantar.*

adquirir *v* **1** Comprar una cosa, fer-se'n amo. **2** Prendre, agafar una cosa una qualitat determinada: *A l'estiu, el mar adquireix un color blau més intens.*
Es conjuga com *servir.*

adquisició adquisicions *nom f* **1** Acció d'adquirir, de comprar. **2** Cosa que s'ha adquirit, que s'ha comprat. **3** *Em sembla que vas* **fer una bona adquisició** fer una bona compra.

adreça adreces *nom f* **1** Lloc on viu una persona, domicili: *L'adreça d'en Josep Grau és: carrer del Pont, número 215, 2n, 08500 Vic.* **2 adreça electrònica** Conjunt de lletres i altres signes que serveixen per a saber l'origen o la destinació d'un missatge de correu electrònic.

adreçador adreçadors *nom m* **1** Eina de fuster. **2** *Jo no volia fer-ho, però al final vaig haver de* **passar per l'adreçador**: haver de fer una cosa per obligació, encara que no es vulgui.

adreçar *v* **1** Dirigir, orientar, fer anar una persona o una cosa cap a una altra: *Buscaven un metge i els van adreçar al doctor Palau.* ▪ *Aquell nen estava enfadat i no adreçava la paraula a ningú.* **2** Posar dreta una cosa que és torta: *El vent va torçar l'antena de la televisió i el tècnic la va adreçar.*
Es conjuga com *cantar.* S'escriu ç davant de *a, o, u* i *c* davant de *e, i*: *adreço, adreces.*

adrianenc adrianenca adrianencs adrianenques **1** *nom m i f* Habitant de Sant Adrià de Besòs; persona natural o procedent de Sant Adrià de Besòs. **2** *adj* Es diu de les persones o de les coses naturals o procedents de Sant Adrià de Besòs.

adroguer adroguera adroguers adrogueres *nom m i f* Persona que té una botiga d'aliments i d'altres productes d'ús corrent o que hi despatxa.

adrogueria adrogueries *nom f* Botiga on es venen aliments i altres productes d'ús corrent.

adular *v* Afalagar, alabar algú per fer-lo content i aconseguir-ne alguna cosa.
Es conjuga com *cantar.*

adult adulta adults adultes *adj i nom m i f* Que ja no creix més, que ja és gran.

adúlter adúltera adúlters adúlteres *adj i nom m i f* Es diu de la persona casada que té relacions sexuals amb algú que no és el seu marit o la seva muller.

adulterar *v* **1** Rebaixar la qualitat d'un producte barrejant-hi altres substàncies: *Aquell comerciant adulterava el vi afegint-hi aigua i així, quan el venia, guanyava més diners.* **2 Cometre adulteri**
Es conjuga com *cantar.*

adulteri adulteris *nom m* Relació sexual d'una persona casada amb algú que no és el seu marit o la seva muller.

adust adusta adusts o adustos adustes *adj* **1** Cremat o que sembla cremat: *Van travessar una zona de terres seques i adustes.* **2** Es diu d'una persona poc amable, a qui no agrada gaire de relacionar-se amb la gent.

advent advents *nom m* Període de temps anterior a la festa de Nadal i que comença el quart diumenge abans d'aquesta festa: *Hem comprat un calendari d'advent molt bonic, cada dia que passa arrenquem el cartonet corresponent i, a sota, hi apareix un dibuix sorpresa.*

adventici adventícia adventicis adventí-cies *adj* **1** Es diu d'una cosa que ve de fora, de manera accidental o fortuïta. **2** arrel adventícia Arrel que neix d'una part del tronc diferent del punt normal d'origen. **3** plantes adventícies Herbes que creixen espontàniament en els camps, males herbes.

adverbi adverbis *nom m* Paraula que acompanya un verb, un adjectiu o un altre adverbi i que serveix per a complementar-ne el significat: *En la frase "la Marta dibuixa malament", la paraula "malament" és un adverbi.*

advers adversa adversos adverses *adj* Es diu d'un fet, d'una persona o d'una cosa que ens va en contra o que ens fa difícil d'aconseguir el que volem: *Vam fer el cim de la muntanya, malgrat un temps advers de pluja i fred.*

adversari adversària adversaris adversà-ries *adj i nom m i f* Contrari, enemic, el qui va contra un altre en una lluita, joc, etc.

adversitat adversitats *nom f* Fet desgraciat o contrari: *A la vida s'ha de lluitar contra les adversitats.*

advertència advertències *nom f* Acció d'advertir, d'avisar d'alguna cosa o de renyar per alguna cosa.

advertiment advertiments *nom m* Avís, consell, acció d'advertir: *A l'entrada de la casa*

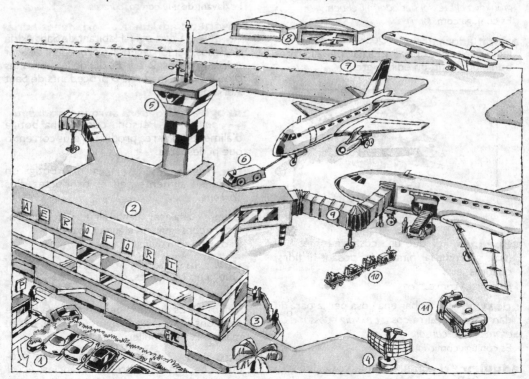

L'aeroport **1** aparcament **2** terminal **3** terrassa **4** radar **5** torre de control **6** remolcador d'avions **7** pista d'aterratge i d'envol **8** hangar **9** passarel·la d'embarcament **10** remolc d'equipatges **11** camió cisterna

hi havia un cartell amb un advertiment escrit que deia "gos perillós".

advertir v **1** Avisar, aconsellar, dir a algú alguna cosa que li convé saber: *Ens van advertir que no féssim soroll.* **2** Adonar-se d'una cosa: *No vaig advertir la seva presència.*
Es conjuga com *servir.*

advocat advocada o advocadessa advocats advocades o advocadesses *nom m* i *f* Persona entesa en lleis que defensa algú o els interessos d'algú davant un tribunal, en un judici: *L'advocat va defensar l'acusat i va aconseguir que el jutge el considerés innocent.*

aeri aèria aeris aèries *adj* Que està relacionat amb l'aire, que passa a l'aire: *L'avió i l'helicòpter són mitjans de transport aeri.*

aero- aer- Element amb què comencen algunes paraules i que vol dir "aire": *Una aeronau és una nau que circula per l'aire.*

aeròbic aeròbics *nom m* Tipus de gimnàstica que es basa en una sèrie de moviments ràpids del cos fets amb acompanyament de música.

aerodinàmic aerodinàmica aerodinàmics aerodinàmiques *adj* Que té una forma que permet de vèncer la resistència de l'aire: *Els avions tenen un disseny aerodinàmic.*

aeròdrom aeròdroms *nom m* Zona destinada a l'aterratge i a l'enlairament d'avions.

aeronau aeronaus *nom f* Vehicle volador: *Els helicòpters i els avions són aeronaus.*

aeronàutica aeronàutiques *nom f* Conjunt de coneixements i de tècniques relacionats amb el funcionament i la construcció d'avions i d'altres aeronaus.

aeroplà aeroplans *nom m* Nom que es donava als primers avions.

aeroport aeroports *nom m* Conjunt d'edificis, de terrenys i de pistes que serveixen perquè els avions puguin aterrar i prendre vol: *A l'aeroport de Barcelona, cada dia hi arriben molts avions.*

aerosol aerosols *nom m* **1** Esprai. **2** Qualsevol gota líquida o partícula sòlida en suspensió en l'atmosfera.

afable afables *adj* Es diu de la persona agradable amb la qual és fàcil de tractar i de conversar.

afaiçonar v Donar una forma a una cosa, fer una cosa donant una certa forma al material

que es fa servir: *Els nens es van entretenir afaiçonant un ninot de neu.*
Es conjuga com *cantar.*

afait afaits *nom m* Substància que es posa a la pell, sobretot a la pell de la cara, perquè tingui més bon aspecte, perquè sembli més bonica.

afaitar v **1** Tallar ben arran el pèl del bigoti, de la barba o d'una altra part del cos: *El pare d'en Pasqual s'ha afaitat el bigoti.* **2** Al tren, algú ens va afaitar la cartera: robar.
Es conjuga com *cantar.*

afalac afalacs *nom m* Acció que es fa o paraules que es diuen per afalagar, alabar o donar la raó a algú a fi de fer-lo content o de quedar-hi bé.

afalagar v Procurar de fer content algú, alabant-lo, donant-li la raó, etc.
Es conjuga com *cantar.* S'escriu g davant de a, o, u i gu davant de e, i: *afalago, afalagues.*

afamat afamada afamats afamades *adj* Que té gana, que té fam: *El llop estava afamat i es volia menjar les cabretes.*

afanar v Robar.
Es conjuga com *cantar.*

afany afanys *nom m* Esforç, feina; desig molt fort: *La Marga s'ha entrenat amb molt afany per a guanyar la cursa.*

afanyar-se v Córrer, anar de pressa a fer una cosa: *Corre, afanya't a vestir-te, que hem de marxar ara mateix si no volem que se'ns escapi el tren.*
Es conjuga com *cantar.*

afartar-se v **1** Menjar fins a quedar ben tip: *S'afarta de pastís.* **2** Cansar-se d'una cosa: *De seguida s'afarta de jugar i després no sap què fer.*
Es conjuga com *cantar.*

afavorir v **1** Ajudar, protegir, actuar a favor d'algú o d'alguna cosa: *El govern afavoreix l'agricultura oferint tractors als pagesos.* **2** Aquest vestit t'afavoreix: augmenta la teva bellesa.
Es conjuga com *servir.*

afeblir v Fer tornar més feble, més dèbil.
Es conjuga com *servir.*

afecció afeccions *nom f* **1** Gran interès per una cosa: *La seva afecció és col·leccionar segells.* **2** Malaltia: *En Joan tenia una afecció d'estómac i no volia menjar res.*

afeccionar-se v Agafar molt interès per una cosa: *Aquest any m'he afeccionat a jugar a escacs.*
Es conjuga com *cantar.*

afeccionat afeccionada afeccionats afeccionades *adj* i *nom m* i *f* **Que té afecció a una determinada activitat, esport, etc.:** *Aquell noi és un gran afeccionat a les curses de cavalls, li agraden molt.*

afectació afectacions *nom f* **Comportament poc natural:** *Aquell actor s'expressava amb molta afectació, amb una entonació molt marcada i uns gestos molt exagerats.*

afectar *v* **1** Produir alguna cosa una impressió en l'estat d'ànim d'algú, en el seu caràcter, etc.: *La mort de la mare l'ha afectat molt.* **2** Produir alguna cosa un canvi en una altra: *Aquest fred li ha afectat molt la salut.*
Es conjuga com *cantar.*

afecte afectes *nom m* **Sentiment d'estimació per una persona:** *En Ramon sentia un gran afecte pels seus amics.*

afectiu afectiva afectius afectives *adj* **Que està relacionat amb l'afecte, amb els sentiments:** *Aquell home i aquella dona tenen una relació afectiva, és a dir, s'estimen, estan enamorats.*

afectuós afectuosa afectuosos afectuoses *adj* **Que sent o demostra afecte, amor, estimació.**

afegir *v* **1** Posar de més: *Si vols que el cafè amb llet sigui més dolç, hi has d'afegir sucre.* **2** Enganxar, unir les peces o les parts d'una cosa: *Vaig trencar una figura del pessebre i vaig haver d'afegir els trossos amb pega.*
Es conjuga com *servir.*

afegit afegits *nom m* **Conjunt de coses afegides, lloc on s'uneixen dues coses afegides.**

afegitó afegitons *nom m* **Cosa afegida a una altra.**

afer afers *nom m* **Assumpte, problema, cosa de certa importància que cal fer, que reclama la nostra atenció, el nostre treball:** *El ministre d'afers exteriors s'ocupa de les relacions d'un país amb altres països.*

afermar *v* **Assegurar una cosa, enfortir-la perquè sigui més ferma.**
Es conjuga com *cantar.*

aferrar *v* **1** Enganxar una cosa a una altra. **2** Agafar-se molt fort a una cosa: *El primer dia d'escola aquell nen petit es va aferrar a la faldilla de la mare i no volia entrar a la classe.* ■ *Em vaig aferrar a la barana per no caure.*
Es conjuga com *cantar.*

aferrissat aferrissada aferrissats aferrissades *adj* **Es diu d'una lluita molt dura i contínua:** *Durant moltes hores els bombers van dur a terme una lluita aferrissada contra l'incendi forestal.*

afí afins *adj* **Es diu de les persones o les coses que són pròximes, que s'assemblen, que tenen alguna cosa en comú:** *El teu germà i jo tenim gustos afins, a tots dos ens agraden els esports de muntanya.*

afició aficions *nom f* **Gran interès per una cosa:** *La seva afició és col·leccionar segells.*

aficionar-se *v* **Agafar afició, molt interès per una cosa:** *Aquest any m'he aficionat a jugar a escacs.*
Es conjuga com *cantar.*

aficionat aficionada aficionats aficionades *adj* i *nom m* i *f* **Afeccionat, que té un gran interès per una cosa determinada.**

afigurar-se *v* **Imaginar-se una cosa.**
Es conjuga com *cantar.*

afilar *v* **Esmolar.**
Es conjuga com *cantar.*

afiliar *v* **1** Fer entrar algú en un partit o en una associació. **2** **afiliar-se** Fer-se membre d'un partit o d'una associació.
Es conjuga com *canviar.*

afiliat afiliada afiliats afiliades *adj* i *nom m* i *f* **Es diu de la persona que forma part d'un partit polític o d'una associació.**

afillar *v* **Adoptar, acollir un infant, donar-li el propi cognom i tractar-lo com si fos un fill propi.**
Es conjuga com *cantar.*

afinar *v* **1** Fer més fina, més delicada alguna cosa: *Una pomada per a afinar la pell.* **2** Posar en el to just el so d'un instrument, de la veu, etc.: *Hem afinat el piano de casa.*
Es conjuga com *cantar.*

afinitat afinitats *nom f* **Semblança o proximitat entre persones o coses:** *Aquell noi i aquella noia tenen moltes afinitats, s'avenen molt i comparteixen els mateixos gustos.*

afirmació afirmacions *nom f* **Acció de dir que una cosa és certa, que és veritat, acció d'afirmar.**

afirmar *v* **Dir, declarar que una cosa és certa, que és veritat.**
Es conjuga com *cantar.*

afirmatiu afirmativa afirmatius afirmatives *adj* Que expressa afirmació, que diu que una cosa és certa, que és veritat: *L'oració "les maduixes són vermelles" és una oració afirmativa.*

afirmativament *adv* De manera afirmativa: *Li vam preguntar si era veritat, i ell va respondre afirmativament, és a dir, va dir que sí.*

afix afixos *nom m* Element que s'afegeix a una paraula per formar-ne una altra: *Les paraules "deslligar" i "calaixera" s'han format afegint els afixos: "des" i "era" als mots primitius "lligar" i "calaix".*

aflicció afliccions *nom f* Dolor, tristesa; fet que causa dolor o tristesa.

afligir *v* Causar dolor, tristesa: *La mort del germà el va afligir molt.*
Es conjuga com servir.

afligit afligida afligits afligides *adj* Trist.

aflorar *v* Començar a aparèixer a la superfície, a sortir de terra: *Va arribar la primavera i al prat van començar d'aflorar les primeres margarides.*
Es conjuga com *cantar.*

afluència afluències *nom f* Acció d'afluir un corrent d'aigua o una gran quantitat de gent cap a un lloc: *El començament de les rebaixes va provocar una gran afluència de gent al barri comercial de la ciutat.*

afluent afluents *nom m* Riu que desemboca en un altre de més important: *El riu Cardener és un afluent del Llobregat.*

afluir *v* Dirigir-se un líquid o una gran quantitat de gent cap a un lloc: *Cinc torrents d'aigua baixen de la muntanya i aflueixen al llac.*
Es conjuga com *reduir.*

afluixar *v* **1** Fer que una cosa deixi de tibar, de ser estreta, deixar-la fluixa: *Per desfer aquest paquet, primer has d'afluixar el cordill.* **2** Perdre, disminuir la força o la quantitat d'una cosa: *El vent comença d'afluixar.* ▪ *En aquella fàbrica la feina afluixa.* **3** *Al final la mare ha afluixat i ens ha deixat anar d'excursió:* cedir, donar la raó.
Es conjuga com *cantar.*

afogar *v* Mira ofegar.
Es conjuga com *cantar.* S'escriu g davant de *a, o. u* i gu davant de e, i: *afogo, afogues.*

afonia afonies *nom f* Pèrdua o disminució de la veu: *El mestre no ha pogut fer la classe perquè té afonia i no pot parlar.*

afònic afònica afònics afòniques *adj* Sense veu: *De tant cridar, em vaig quedar afònic.*

afores *nom m pl* Terrenys, camps, cases, etc. que estan fora d'una ciutat o d'un poble, però no gaire lluny: *El seu amic vivia als afores de la ciutat.*

afortunadament *adv* Per sort, per fortuna: *Va caure des de la finestra del segon pis, però afortunadament no es va trencar cap os.*

afortunat afortunada afortunats afortunades *adj* Que té sort, que la fortuna l'afavoreix, l'acompanya.

afrau afraus *nom f* Pas estret entre dues muntanyes, congost.

africà africana africans africanes *adj* i *nom m* i *f* Es diu de les persones o de les coses naturals o procedents d'Àfrica.

afront afronts *nom m* Acció que es fa per ofendre algú: *Els veïns van considerar que era un afront que l'alcalde no els volgués rebre.*

afrontar *v* **1** Resistir una cosa: *Els mariners van afrontar la tempesta.* **2** Fer un afront, ofendre algú.
Es conjuga com *cantar.*

afuat afuada afuats afuades *adj* Prim i acabat en punta: *Aquell individu duia uns bigotis afuats.*

afusellar *v* Matar una persona fent que li disparin trets amb uns quants fusells alhora.
Es conjuga com *cantar.*

agafador agafadors *nom m* **1** Peça o part d'un objecte per on s'agafa: *Per obrir el calaix, has d'estirar l'agafador.* **2** Drap que serveix per a agafar coses calentes sense cremar-se: *Amb uns agafadors va treure la cassola del foc i la va deixar a taula, damunt els estalvis.*

agafador

agafar v **1** Subjectar, aguantar una cosa: *Agafa aquella cadira i porta-la aquí.* **2** *Si volem arribar a temps, hem d'agafar el tren de les sis:* **hem de viatjar-hi.** **3** *Hem estat molta estona a fora i hem agafat fred:* **ens ha vingut fred.** **4** *Ja sé que tens molta feina, però no t'has de posar nerviós, t'ho has d'agafar bé:* tenir una bona actitud davant d'una dificultat o d'un problema.
Es conjuga com *cantar.*

agarrar v Agafar.
Es conjuga com *cantar.*

agarrat agarrada agarrats agarrades *adj* Es diu d'algú a qui no agrada de gastar diners, que és avar, garrepa, gasiu.

agemolir-se v Abaixar el cos, ajupir-se.
Es conjuga com *servir.*

agençar v Arreglar, posar-ho tot d'una manera que vagi bé per fer una determinada cosa: *He agençat l'habitació d'aquesta manera perquè hi puguem celebrar la festa.*
Es conjuga com *cantar.* S'escriu ç davant de *a, o, u* i *c* davant de *e, i*: agenço, agences.

agència agències *nom f* Despatx, oficina que a canvi d'uns diners ofereix un servei determinat: llogar un pis, organitzar un viatge, etc.

agenda agendes *nom f* Quadern en què cada full correspon a un dia o a diversos dies de l'any i que serveix per a apuntar-hi coses: adreces, números de telèfon, dies i hores de reunions, etc.

agenollar-se v Posar-se de genolls a terra: *La Roser va agenollar-se per collir el llapis que li havia caigut a sota la taula.*
Es conjuga com *cantar.*

agent agents *nom m i f* **1** Persona que treballa per a algú oferint un determinat servei: assegurança, venda de terrenys, etc. **2** Persona que forma part d'un cos de policia: *El delinqüent va ser detingut per dues agents.* **3** *nom m* Allò que actua i produeix certs efectes: *El fred és un agent de la natura.*

agermanar v Fer que diverses persones o grups de persones s'uneixin o es posin d'acord per fer alguna cosa.
Es conjuga com *cantar.*

àgil àgils *adj* Que es mou amb facilitat i rapidesa: *Els pianistes han de tenir els dits molt àgils.*

agilitar v Fer àgil, fer que alguna cosa vagi més de pressa.
Es conjuga com *cantar.*

agilitat agilitats *nom f* Qualitat d'àgil: *Aquesta nena tan petita saltava amb una gran agilitat.*

agilitzar v Agilitar.
Es conjuga com *cantar.*

agitació agitacions *nom f* **1** Acció d'agitar o d'agitar-se: *L'agitació del mar era molt forta.* **2** Estat d'inquietud, de nerviosisme: *La notícia de l'accident va produir una gran agitació.*

agitar v **1** Remenar, moure alguna cosa d'aquí cap allà amb certa força: *Abans de prendre aquest xarop, l'has d'agitar bé.* **2** Inquietar, provocar un estat de nerviosisme, d'intranquil·litat: *La notícia del tancament de la fàbrica va agitar la població.*
Es conjuga com *cantar.*

agitat agitada agitats agitades *adj* Que té molt moviment, que no està gens tranquil: *La reunió va ser molt agitada, perquè tothom parlava i no ens posàvem d'acord.* ■ Tota l'estona et bellugues: *et veig molt agitat, molt nerviós.*

aglà aglans *nom m o f* Mira gla.

aglomeració aglomeracions *nom f* Conjunt de persones o coses reunides, aplegades en una massa compacta.

aglomerar-se v Reunir-se, aplegar-se en un grup compacte: *La gent s'aglomerava a l'entrada de l'edifici.*
Es conjuga com *cantar.*

aglutinar v Unir, ajuntar.
Es conjuga com *cantar.*

agombolar v Cuidar algú amb interès, amb molta cura.
Es conjuga com *cantar.*

agonia agonies *nom f* Estona que passa entre el moment que una persona comença a morir-se i el moment que es mor.

agonitzar v Passar l'agonia, morir-se.
Es conjuga com *cantar.*

agosarat agosarada agosarats agosarades *adj* Atrevit, valent, que no té por, que gosa fer una cosa perillosa: *Aquell nen és molt agosarat, perquè es va enfilar a la teulada per recuperar una pilota.*

agost agosts o agostos *nom m* Mes de l'estiu, vuitè mes de l'any, té 31 dies.

agradable agradables *adj* Que agrada, que té bon aspecte: *Avui fa un dia molt agradable.*

agradarv Satisfer-nos una cosa o una persona per l'aspecte, pel caràcter, etc., causar-nos una bona impressió: *La llimonada és la beguda que m'agrada més.* ※ *A en Guillem, li agrada molt la Laura perquè és molt simpàtica.*
Es conjuga com *cantar.*

agraïment agraïments*nom m* Acció d'agrair, de donar les gràcies a algú per un servei o un favor que ens ha fet: *Li vaig regalar un llibre en senyal d'agraïment, perquè m'havia ajudat molt a estudiar.*

agrairv Donar les gràcies a algú per un favor o un servei que ens ha fet: *En Manel va agrair l'ajuda que li van donar els amics.*
Es conjuga com *reduir.*

agraït agraïda agraïts agraïdes *adj* **1** Es diu de la persona que sap mostrar agraïment: *És un noi molt agraït, perquè quan l'ajudes sempre et dóna les gràcies i està molt content.* **2** *Trobo que cuidar el jardí és una feina agraïda:* feina que recompensa, que dóna un bon resultat.

agranador agranadora agranadors agranadores *nom m* i *f* Escombriaire.

agranarv Escombrar.
Es conjuga com *cantar.*

agrari agrària agraris agràries *adj* Que té relació amb el camp, que hi pertany.

agre agra agres*adj* Que té un gust àcid desagradable: *Aquesta llet té mal gust, és agra.*

agredirv Atacar algú per matar-lo o per fer-li mal: *Uns desconeguts van agredir un amic meu, i ara està ferit a l'hospital.*
Es conjuga com *servir.*

agredolç agredolça agredolços agredolces *adj* **1** Que té un gust agre i dolç a la vegada: *Aquesta salsa té un gust especial, com agredolç.* **2** Que és trist i alegre alhora: *Diuen que la vida és agredolça, perquè és plena de coses bones i de coses dolentes.*

agregar v Unir una persona o una cosa a un conjunt: *Han agregat algunes assignatures noves al programa de la carrera.*
Es conjuga com *cantar.* S'escriu g davant de *a, o, u* i gu davant de *e, i: agrego, agregues.*

agressió agressions *nom f* Acció d'agredir algú, d'atacar-lo.

agressiu agressiva agressius agressives *adj* Que agredeix, que ataca: *Vigileu, aquest gos és molt agressiu.*

agressivitat agressivitats *nom f* Qualitat d'agressiu: *Jo li vaig fer una petita broma i ell va reaccionar amb molta agressivitat i em va donar una empenta.*

agressor agressora agressors agressores *nom m* i *f* Persona que comet una agressió: *L'agressor va atacar la víctima amb un ganivet.*

agrest agresta agrests o agrestos agrestes *adj* Salvatge: *Una zona solitària i agresta.*

agreujarv Fer tornar més greu, més dolenta o més perillosa una cosa: *El malalt s'ha agreujat, avui té més febre que ahir.*
Es conjuga com *cantar.* S'escriu j davant de *a, o, u* i g davant de *e, i: agreujo, agreuges.*

agrícola agrícoles *adj* Que té relació amb l'agricultura, que es dedica a l'agricultura: *El Berguedà és una comarca agrícola i ramadera.*

agricultor agricultora agricultors agricultores *nom m* i *f* Pagès, persona que es dedica a conrear la terra.

agricultura agricultures *nom f* Art de conrear la terra.

agro- Element amb què comencen algunes paraules i que vol dir "camp": *La indústria agroalimentària és la que elabora aliments fets a partir de productes del camp.*

agrupació agrupacions *nom f* Conjunt de persones o coses agrupades: *Els municipis de la zona han format una agrupació per coordinar-se.*

agrupament agrupaments*nom m* **1** Acció d'agrupar o d'agrupar-se. **2** Conjunt de persones o de coses agrupades: *El meu germà és d'un agrupament d'escoltes.*

agrupar v Reunir en un grup o en grups.
Es conjuga com *cantar.*

aguait Paraula que apareix en l'expressió estar a l'aguait que vol dir "vigilar, estar al cas": *Mireu si ve algú, estigueu a l'aguait.*

aguaitar v Observar atentament, vigilar, mirar amb insistència.
Es conjuga com *cantar.*

aguantar v **1** Suportar el pes d'una cosa, sostenir-la: *Les bigues aguanten el sostre de la casa.* **2** *Anant per sota l'aigua aguanto molt:* resistir, suportar. **3** *Vaig estar a punt de pegar-li, però em vaig aguantar:* no fer una cosa que es tenen moltes ganes de fer.
Es conjuga com *cantar.*

aguditzar *v* Fer tornar més agut, més greu un mal, un problema: *Aquesta calor tan forta ha aguditzat el problema de la manca d'aigua.*
Es conjuga com *cantar.*

àguila àguiles *nom f* Ocell molt gros de rapinya que caça i menja altres ocells i altres animals: *Les àguiles reials són àguiles molt grosses, de color fosc i amb reflexos daurats.* **6**

aguilenc aguilenca aguilencs aguilenques *adj* **1** Relacionat amb l'àguila. **2 nas aguilenc** Nas prim i corbat, semblant al bec d'una àguila.

aguilot aguilots *nom m* Mira **aligot**.

agulla agulles *nom f* **1** Barreta de metall o d'un altre material dur acabada en punta. **2** Barreta molt prima de metall, fusta, etc. que té un extrem acabat en punta i l'altre amb un foradet anomenat ull per on es fa passar un fil, un cordill, etc. i que serveix per a cosir, brodar, teixir, etc.: *He perdut l'agulla de cosir, me'n pots donar una altra?* **3 agulla de cap** Barreta molt prima de metall, que té un extrem acabat en punta i l'altre en una petita bola. **4 agulla d'estendre** Cadascuna de les pinces que serveixen per a estendre la roba. **5** Peça llarga, prima i mòbil que indica l'hora en un rellotge, el pes en una balança, etc. **6** Barreta recta o corbada, generalment metàl·lica, que serveix per a adornar i aguantar roba, cabells, etc.: *Una agulla daurada li subjectava la corbata a la camisa.* **7** En una muntanya, roca acabada en punta. **8** *Trobar la solució d'aquest problema és més difícil que **buscar una agulla en un paller**:* expressió que indica que és molt difícil de trobar una cosa, de solucionar un problema.

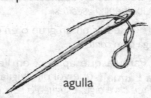

agulla

agulló agullons *nom m* Òrgan punxegut que tenen alguns animals per a picar, fibló.

agullonar *v* Punxar, animar algú a fer una cosa: *Tot el dia l'agullona perquè faci entremaliadures.*
Es conjuga com *cantar.*

agut aguda aguts agudes *adj* **1** Que acaba en punta prima: *Els ullals són les dents més agudes.* **2 angle agut** Angle més tancat que un angle recte. **3** Que és viu, intens: *El queixal li feia un dolor agut.* **4 to agut** To alt. **5 malaltia aguda** Malaltia greu i que dura poc. **6 paraula aguda** Paraula que té l'última síl·laba tònica: *"Dolor", "cançó "i "llençol" són paraules agudes.* **7 accent agut** Accent tancat, que baixa de dreta a esquerra (´).

agutzil agutzils *nom m* Mira **algutzir**.

ah *interj* Paraula que expressa alegria, dolor, sorpresa, etc.: *Ah!, com m'agrada de banyar-me a l'estiu!*

ahir *adv* El dia anterior a avui: *Avui és dilluns, ahir era diumenge.*

ai *interj* **1** Paraula que expressa dolor: *Ai!, m'he clavat un cop al cap amb la porta i em fa mal!* **2** Paraula que es diu quan ens adonem que ens oblidàvem d'una cosa: *Ai!, és veritat, no m'he recordat de dir-te que demà no vindré.*

aigua aigües *nom f* **1** Líquid que hi ha als rius, als llacs i al mar: *Les aigües del riu baixaven brutes.* **2** Això que dius és **clar com l'aigua**: és evident, no té problema, s'entén de seguida. **3** *Aquest senyor té molts deutes i no els pot pagar:* **està amb l'aigua fins al coll**: trobar-se en una situació molt difícil. **4** *Els de l'altra classe tenen molta barra, sempre* **porten l'aigua al seu molí**: procuren per a ells. **5** *El negoci* **va fer aigües, se'n va anar a l'aigua**: va fracassar. **6** *Hem fet moltes preguntes, però no hem pogut* **treure'n l'aigua clara**: aclarir el problema. **7** *A l'aparador hi havia uns pastissos de nata que* **feien venir aigua a la boca**: fer venir saliva, ganes de menjar.

aiguabarreig aiguabarreigs o aiguabarrejos *nom m* Barreja de les aigües de dos o més rius; barreja.

aigualir *v* **1** Posar aigua en un líquid o en una beguda: *Aquest cafè no és gaire bo, és massa aigualit.* **2** *Aquells dos nois van començar a discutir i ens van aigualir la festa*: espatllar una festa, una celebració, etc.
Es conjuga com *servir.*

aiguamel aiguamels *nom f* Beguda feta d'aigua barrejada amb mel, hidromel.

aiguamoll aiguamolls *nom m* Terreny amb molta aigua, zona pantanosa.

aiguanaf aiguanafs *nom m* Aigua aromàtica que es fa amb flors fresques de taronger.

aiguaneu aiguaneus *nom f* Pluja d'aigua i neu.

aiguardent aiguardents *nom m* Beguda alcohòlica forta.

aiguarràs aiguarrasos *nom m* Oli que serveix per a dissoldre la pintura i el vernís.

aiguat aiguats *nom m* Pluja molt forta que pot produir inundacions.

aiguavés aiguavessos *nom m* Pendent d'un terreny o d'una teulada per on baixen les aigües de la pluja.

aigüera aigüeres *nom f* Pica, lloc de la cuina on hi ha les aixetes i on es renten els plats.

aigüera

aïllament aïllaments *nom m* El fet d'estar aïllat, incomunicat: *Viu tot sol en una casa a la muntanya, en un gran aïllament.*

aïllant aïllants *adj* i *nom m* Que aïlla, que separa: *Han cobert les parets amb un material aïllant que no deixa entrar el fred a dins la casa.*

aïllar *v* **1** Separar alguna persona o alguna cosa de totes les altres. **2** Impedir que en un edifici hi entri el fred, la calor o el soroll: *Hem posat suro a les parets per aïllar l'habitació.* Es conjuga com *cantar.*

aïllat aïllada aïllats aïllades *adj* Es diu d'alguna cosa que està separada de totes les altres: *A la sortida del poble hi ha algunes cases aïllades.*

aïna aïnes *nom f* Eina.

aire aires *nom m* **1** Conjunt de gasos que formen l'atmosfera: *Obre la finestra, que entri una mica d'aire.* **2** *Van sortir a fora i van dinar a ple aire* o *a l'aire lliure*: a cel descobert. **3** **cop d'aire** Refredat produït per l'acció de l'aire fred. **4** *Aquell senyor té un aire de bona persona:* tenir aspecte, semblar. **5** **a mig aire** A mitja alçada. **6** **aire condicionat** Ambient d'un local que s'obté mitjançant un aparell o una instal·lació que fa que hi hagi una temperatura i un grau d'humitat determinats: *En*

aquesta oficina a l'estiu no hi fa gens de calor, perquè hi ha una instal·lació d'aire condicionat que manté la temperatura a 21 graus.

airejar *v* Deixar que l'aire toqui una cosa, renovar l'aire d'una habitació. Es conjuga com *cantar.* S'escriu *j* davant de *a, o, u* i *g* davant de *e, i: airejo, aireges.*

airós airosa airosos airoses *adj* **1** Que té un aspecte elegant, àgil. **2** **sortir-ne airós** Tenir èxit en una prova, triomfar en una situació difícil: *Li van fer moltes preguntes enrevessades, però el concursant en va sortir airós i al final va guanyar.*

aixà *adv* Paraula que es contraposa a "així" i que vol dir "d'una altra manera": *Els uns ho han fet així i els altres ho han fet aixà.*

aixada aixades *nom f* Eina que serveix per a cavar la terra, que consisteix en una planxa de ferro de forma rectangular unida a un mànec de fusta d'un metre de llarg aproximadament.

aixafar *v* **1** Fer malbé una cosa posant-n'hi una altra de més pes al damunt: *La mare va deixar la bossa sobre la cadira, jo m'hi vaig asseure al damunt i la vaig aixafar.* **2** *He caminat molt i ara estic aixafat:* molt cansat. Es conjuga com *cantar.*

aixecament aixecaments *nom m* Acció d'aixecar o d'aixecar-se; revolta, alçament.

aixecar *v* **1** Alçar, enlairar una cosa: *Aquesta caixa pesa tant que no la puc aixecar.* **2** **aixecar-se** Posar-se dret: *Quan entri el director, aixequeu-vos.* **3** *Aquesta ràdio em va costar molts diners i ja no funciona: m'han aixecat la camisa:* enganyar, enredar, estafar. **4** Revoltar-se, agafar les armes contra algú: *El poble es va aixecar contra els seus opressors.* Es conjuga com *cantar.* S'escriu *c* davant de *a, o, u* i *qu* davant de *e, i: aixeco, aixeques.*

aixella aixelles *nom f* Part de sota del lloc on s'ajunta el braç amb el cos: *El seu germà li feia pessigolles a l'aixella.* ■ *Portava la carpeta sota l'aixella.*

aixeta aixetes *nom f* Peça que funciona amb la mà, situada al final d'un canó per on raja aigua o un altre líquid i que serveix per a obrir-ne o tancar-ne el pas: *A la cuina hi ha una aixeta per on raja l'aigua calenta i una altra per on raja l'aigua freda.*

així *adv* **1** D'aquesta manera: *Així no ho fas bé, fes-ho d'aquesta altra manera.* **2** Expressa un desig: *Així plogués força!* **3** Per aquesta raó, en conseqüència: *T'agradaria veure una pel·lícula? Sí? Així, vine amb nosaltres al cine.* **4** **aixímateix** També: *Vam visitar la catedral i el museu, i així mateix vam anar a veure l'ajuntament de la ciutat.* **5** **aixíque** Tot seguit que, de seguida que: *Així que en Toni arribi, avisa'ns.*

això *pron* **1** Aquesta cosa: *Agafa això d'aquí i dóna-ho a en Quim.* **2** La cosa que acabem de dir: *No et barallis mai amb ningú, recorda això que t'acabo de dir.*

aixopluc aixoplucs *nom m* Lloc on posar-se a cobert de la pluja: *Aquells arbres ens serviran d'aixopluc.*

aixoplugar *v* Posar o posar-se a cobert de la pluja: *Quan va començar a ploure ens vam aixoplugar sota un balcó.*
Es conjuga com *cantar*. S'escriu g davant de *a, o, u* i gu davant de *e, i: aixoplugo, aixoplugues.*

aixovar aixovars *nom m* Conjunt de coses que abans l'home regalava a la dona amb qui es casava; conjunt de vestits i roba que l'home i la dona que es casen han aplegat entre tots dos per poder parar la casa.

ajaçar-se *v* Ajeure's en un jaç, estirar-se.
Es conjuga com *cantar*. S'escriu ç davant de *a, o, u* i c davant de *e, i: m'ajaço, t'ajaces.*

ajagut ajaguda ajaguts ajagudes *adj* Que jeu, que està estirat al llit, a terra, etc.: *Et passes el dia ajagut al sofà, aixeca't i fes alguna cosa!*

ajaure *v* Mira ajeure.
Es conjuga com *treure*. Participi: *ajagut, ajaguda.*

ajeure *v* Posar algú o alguna cosa descansant en tota la seva llargada sobre un llit, una taula, un sofà, a terra, etc.
Es conjuga com *treure*. Participi: *ajagut, ajaguda.*

ajocar-se *v* Anar a jóc, retirar-se a dormir un animal o una persona.
Es conjuga com *cantar*. S'escriu c davant de *a, o, u* i qu davant de *e, i: s'ajoca, s'ajoqui.*

ajornament ajornaments *nom m* Acció d'ajornar, de deixar una cosa per a un altre dia: *Hi ha hagut un ajornament de la reunió; no es fa avui, sinó que es farà demà passat.*

ajornar *v* Deixar una cosa per a un altre dia: *Com que ha plogut molt, han hagut d'ajornar el partit de futbol per a la setmana vinent.*
Es conjuga com *cantar*.

ajuda ajudes *nom f* Col·laboració, ajut, acció d'unir el nostre esforç al d'una altra persona per tal que pugui fer alguna cosa: *Sense la teva ajuda no podré canviar aquest armari de lloc.*

ajudant ajudanta ajudants ajudantes *nom m i f* Persona que ajuda a fer una feina: *A la cuina del restaurant, hi treballen un cuiner i tres ajudants.*

ajudar *v* Fer una part de la feina d'algú per tal que li resulti més fàcil; col·laborar amb algú, donar-li suport, fer-li costat, aconsellar-lo, etc.: *No sabíem com solucionar el problema, i el professor ens hi va ajudar.*
Es conjuga com *cantar*.

ajuntament ajuntaments *nom m* **1** Institució formada per un alcalde i uns regidors, elegits pels ciutadans, que són els responsables de governar una ciutat o un poble. **2** Edifici on hi ha les oficines i els serveis d'un ajuntament: *L'ajuntament d'aquell poble era una casa molt maca que hi havia a la plaça major.*

ajuntar *v* Posar juntes dues o més persones o coses: *Aquell parell de nois sempre s'ajunten per fer la feina.*
Es conjuga com *cantar*.

ajupir-se *v* Abaixar-se doblegant el coll, el cos o les cames: *Es va ajupir per collir un paper de terra.* ▪ *Per poder passar per aquella porta tan baixa, va haver d'ajupir el cap.*
Es conjuga com *dormir*.

ajupir-se

ajust ajusts o ajustos *nom m* Acció d'ajustar una cosa, de posar-la de manera que vagi bé amb una altra, que hi encaixi: *El mecànic va haver de fer l'ajust d'algunes peces del motor.*

ajustar *v* **1** Posar una cosa de manera que vagi bé amb una altra, que hi encaixi, que hi vagi a la mida: *Els pantalons no li anaven bé i els hi van haver d'ajustar.* **2** Deixar una porta o una finestra quasi tancada: *La porta només era ajustada, la vam empènyer i vam entrar.*
Es conjuga com *cantar*.

ajusticiar v Executar, matar una persona que ha estat condemnada a mort.
Es conjuga com *canviar*.

ajut ajuts nom m Acció d'unir el nostre esforç al d'una altra persona per tal d'ajudar-la, acció d'ajudar; allò que serveix per a ajudar: *El tractor és un bon ajut per als pagesos.*

al als Contracció de la preposició **a** i de l'article **el** o **els**.

ala ales nom f **1** Cadascuna de les parts del cos d'alguns animals, com ara ocells, insectes, etc., que generalment serveixen per a volar. **2** Part d'una cosa que s'assembla a l'ala d'un ocell: *Les ales d'un barret.* ▪ *L'ala de l'avió.* ▪ *L'ala d'un edifici.* **3 tocat de l'ala** Es diu de la persona que fa ximpleries, que sembla boja. **4** *Tenia ganes de fer moltes coses, però les crítiques que ha rebut li han* **trencat les ales***: l'han desanimat i li han fet passar les ganes de fer coses.*

alabança alabances nom f Lloança, paraules que es diuen per alabar algú.

alabar v Parlar molt bé d'una persona o d'una cosa, fent-ne notar les qualitats: *La Mariona sempre alaba els mestres de la seva escola i diu que són molt bons.*
Es conjuga com *cantar*.

alabastre alabastres nom m Pedra de color blanc que deixa passar la llum i que s'utilitza per a fer escultures. **14**

alabès alabesa alabesos alabeses **1** nom m i f Habitant d'Àlaba; persona natural o procedent d'Àlaba. **2** adj Es diu de les persones o de les coses naturals o procedents d'Àlaba.

alacaigut alacaiguda alacaiguts alacaigudes adj Amb les ales caigudes, abaixades; sense força, sense ganes, desanimat: *D'ençà que li van robar la bicicleta, està com alacaigut.*

alacantí alacantina alacantins alacantines **1** nom m i f Habitant d'Alacant; persona natural o procedent d'Alacant. **2** adj Es diu de les persones o de les coses naturals o procedents d'Alacant.

alambí alambins nom m Aparell que serveix per a destil·lar.

alarma alarmes nom f **1** Senyal, ordre que avisa que s'acosta un perill, una amenaça. **2** Inquietud produïda per la proximitat d'un perill: *Tot el campament es va posar en alarma davant la proximitat de l'enemic.*

alarmant alarmants adj Que causa alarma: *Les notícies dels danys produïts pels incendis forestals eren molt alarmants.* ▪ *El malalt empitjorava i el seu estat era alarmant.*

alarmar v Esverar, inquietar molt: *La malaltia de la meva cosina ens ha alarmat.*
Es conjuga com *cantar*.

alat alada alats alades adj Que té ales: *Els àngels són dibuixats en forma de nois alats.*

alba albes nom f Primera claror del dia, just abans d'aixecar-se el sol.

albada albades nom f Temps que passa des que comença a clarejar fins a la sortida del sol.

albanès albanesa albanesos albaneses **1** nom m i f Habitant d'Albània; persona natural o procedent d'Albània. **2** adj Es diu de les persones o de les coses naturals o procedents d'Albània. **3** nom m Llengua que es parla a Albània, en alguns llocs del sud d'Itàlia i de Grècia i a Kosovo.

albarà albarans nom m Document que acompanya una mercaderia en què figuren el nom del comprador i del venedor, el tipus i la quantitat de les mercaderies venudes i la data en què la mercaderia ha estat lliurada al comprador.

àlber àlbers nom m Arbre força alt, de fulles caduques i blanques per la part de sota, que té l'escorça llisa i blanca amb bandes fosques.

albercoc albercocs nom m Fruit comestible de l'albercoquer, de pinyol gros, polpa groga i pell de color taronja, groc i, a vegades, rosa. **2**

alberg albergs nom m Casa on es troba allotjament, refugi on es pot passar la nit de franc o per un preu força econòmic.

albergar v Donar allotjament, refugi, alberg a algú.
Es conjuga com *cantar*. S'escriu g davant de *a, o, u* i gu davant de *e, i: albergo, albergues.*

albergínia albergínies nom f Fruit comestible de l'alberginiera, de color morat, que es conrea als horts. **1**

albí albina albins albines adj i nom m i f Que té la pell, els ulls i els cabells molt clars i molt delicats perquè li falta pigment.

albirar v Veure de lluny alguna cosa sense distingir-la bé.
Es conjuga com *cantar*.

albufera albuferes *nom f* Llac d'aigua salada separat del mar per una llenca estreta de terra: *A València hi ha una albufera.*

àlbum àlbums *nom m* Llibre amb els fulls en blanc que serveix per a enganxar-hi i col·leccionar-hi cromos, fotografies, dibuixos, etc.: *En Quim té un àlbum de cromos.*

alçada alçades *nom f* Alçària, especialment d'una persona o d'un animal: *Aquell jugador de bàsquet fa 2,10 metres d'alçada.*

alçada

alcalde una **alcalde** o **alcaldessa alcaldes** unes **alcaldes** o **alcaldesses** *nom m* i *f* Persona que ha sigut elegida pels ciutadans i que és la màxima autoritat de l'ajuntament d'un poble o d'una ciutat: *L'alcalde va inaugurar la piscina que havia construït l'ajuntament.*

alcaldia alcaldies *nom f* Càrrec d'alcalde: *En aquestes eleccions es presenten tres candidats a l'alcaldia de la ciutat.*

alçament alçaments *nom m* Acció d'alçar-se; acció de revoltar-se contra algú: *En aquell país hi va haver un alçament contra el govern.*

alçaprem alçaprems *nom m* Palanca, trampolí.

alçar *v* **1** Aixecar, elevar, portar una cosa a un nivell més alt: *Per fer aquest exercici de gimnàstica, heu d'alçar els braços enlaire.* ▪ *Pots alçar una mica més el volum del televisor?* **2** **alçar-se** Revoltar-se, agafar les armes contra algú: *El poble es va alçar contra els seus opressors.*
Es conjuga com *cantar.* S'escriu ç davant de *a, o, u* i c davant de *e, i: alço, alces.*

alçària alçàries *nom f* Dimensió d'una cosa en direcció vertical, alçada: *Aquesta muntanya té 1.275 metres d'alçària.*

alçavidre alçavidres *nom m* Mecanisme que s'activa per mitjà d'una maneta o d'un piu i que serveix per a fer pujar i baixar els vidres de les portes dels cotxes.

alcohol alcohols *nom m* Substància líquida que s'obté de la fermentació d'alguns fruits i d'algunes plantes i que és inflamable, esperit de vi: *El vi i la cervesa són begudes que porten alcohol.* ▪ *Li van desinfectar la ferida amb alcohol.*

alcohòlic alcohòlica alcohòlics alcohòliques **1** *adj* Que té alcohol: *El vi i la cervesa són begudes alcohòliques.* **2** *adj* i *nom m* i *f* Es diu de la persona que consumeix habitualment grans quantitats de begudes alcohòliques.

alcoholisme alcoholismes *nom m* Malaltia causada pel consum excessiu i constant de begudes alcohòliques; malestar del cos provocat pel consum excessiu d'alcohol.

alcoià alcoiana alcoians alcoianes **1** *nom m* i *f* Habitant de la ciutat d'Alcoi o de la comarca de l'Alcoià; persona natural o procedent de la ciutat d'Alcoi o de la comarca de l'Alcoià. **2** *adj* Es diu de les persones o de les coses naturals o procedents de la ciutat d'Alcoi o de la comarca de l'Alcoià.

alcova alcoves *nom f* Habitació petita que serveix de dormitori i que està comunicada amb una habitació més gran.

aldarull aldarulls *nom m* Confusió, crits, moviment de persones amunt i avall.

aldea aldees *nom f* Poble petit.

alè alens *nom m* Aire que traiem per la boca quan respirem: *Vam haver de córrer tant, que ens vam cansar molt i quasi vam perdre l'alè.*

aleatori aleatòria aleatoris aleatòries *adj* Que depèn d'un fet incert, que depèn de l'atzar o de la sort: *Vam fer una tria aleatòria de tres dibuixos, és a dir, els vam escollir a l'atzar.*

alegrar *v* Causar alegria, entusiasme, posar-se content per alguna causa.
Es conjuga com *cantar.*

alegre alegres *adj* **1** Content, feliç, satisfet, que riu. **2** *Aquest jersei té un color alegre:* viu, clar, que destaca molt.

alegria alegries *nom f* Satisfacció, plaer, joia que sent una persona i que demostra exteriorment rient, cantant, amb gestos, etc.

alegrois *nom m pl* Mostres d'alegria, d'entusiasme: *Quins alegrois que feien els nens quan van veure els regals!*

alemany alemanya alemanys alemanyes **1** *nom m i f* Habitant d'Alemanya; persona natural o procedent d'Alemanya. **2** *adj* Es diu de les persones o de les coses naturals o procedents d'Alemanya. **3** *nom m* Llengua que es parla a Alemanya, a Àustria, a Alsàcia i a gran part de Suïssa.

alenada alenades *nom f* **1** Aire que traiem per la boca. **2** Cop de vent: *Per la finestra de l'habitació va entrar una alenada d'aire fresc.*

alenar *v* Respirar, treure aire per la boca. Es conjuga com *cantar.*

alentir *v* Fer anar més a poc a poc, més lentament una cosa: *Quan vam entrar a la ciutat, el conductor va alentir la marxa del cotxe.* Es conjuga com *servir.*

aleró alerons *nom m* Part mòbil de les ales d'un avió que serveix per a controlar el balanceig de l'aparell.

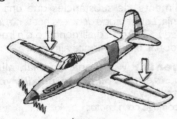

alerons

alerta **1** *interj* Expressió que fem servir per a avisar algú d'algun perill, per cridar l'atenció: *Alerta, Joan, no t'equivoquis!* **2** **alerta alertes** *nom f* Senyal que avisa d'un perill: *El soldat que feia guàrdia va donar l'alerta als seus companys.* **3** **anar alerta** Anar amb compte, amb atenció.

alertar *v* Avisar d'un perill, posar en estat d'alerta. Es conjuga com *cantar.*

aleshores *adv* Llavors.

aleta aletes *nom f* **1** Cadascun dels apèndixs en forma d'ala que tenen els peixos i altres animals aquàtics per a moure's dins l'aigua. **2** Objecte en forma de peu d'ànec, de material flexible, que es posa al peu per nedar més de pressa.

aletejar *v* **1** Moure els ocells les ales sense volar. **2** Moure els peixos les aletes quan se'ls treu de l'aigua. Es conjuga com *cantar.* S'escriu *j* davant de *a, o, u* i *g* davant de *e, i: aleteja, aletegi.*

aleví alevina alevins alevines **1** *nom m* Peix acabat de sortir de l'ou, quan encara no s'ha desenvolupat del tot. **2** *adj i nom m i f* Es diu dels infants que comencen a practicar un esport.

alfabet alfabets *nom m* **1** Conjunt de les lletres que es fan servir en l'escriptura d'una llengua; llista d'aquestes lletres col·locades en un ordre concret i establert. **2** **alfabet Morse** Conjunt de signes, formats a base de punts i ratlles, cada un dels quals correspon a una lletra o a un número, i que s'utilitza en la comunicació mitjançant el telègraf.

alfabètic alfabètica alfabètics alfabètiques *adj* Que pertany a l'alfabet; ordenat segons les lletres de l'alfabet.

alfabèticament *adv* Per ordre alfabètic: *Els noms de la llista estaven ordenats alfabèticament.*

alfabetitzar *v* Ensenyar a llegir i a escriure. Es conjuga com *cantar.*

alfàbrega alfàbregues *nom f* Planta de fulles petites i de flors blanques o rosades que fa molta olor.

alfals els alfals *nom m* Planta herbàcia de tres o quatre pams d'alçària que es dóna com a aliment al bestiar.

alfil alfils *nom m* Peça del joc d'escacs que es mou en diagonal.

alforja alforges *nom f* Conjunt de dues bosses unides pel mig que, posades sobre l'espatlla d'una persona o bé sobre l'esquena d'un animal, pengen a banda i banda i serveixen per a transportar diferents coses.

alga algues *nom f* Planta aquàtica.

algues

algeps uns algeps *nom m* Guix.

algerí algerina algerins algerines **1** *nom m i f* Habitant de la ciutat d'Alger, capital d'Algèria; persona natural o procedent de la ciutat d'Alger. **2** *adj* Es diu de les persones o de les coses naturals o procedents de la ciutat d'Alger.

algerià algeriana algerians algerianes **1** *nom m i f* Habitant d'Algèria; persona natural o procedent d'Algèria. **2** *adj* Es diu de les persones o de les coses naturals o procedents d'Algèria.

àlgid àlgida àlgids àlgides *adj* Es diu del moment més greu d'una malaltia, d'una desgràcia, etc.

algú *pron* Alguna persona: *Algú deu haver trencat el vidre de la finestra, però no sabem qui ha sigut.*

alguerès algueresa algueresos alguereses **1** *nom m i f* Habitant de la ciutat de l'Alguer, a l'illa de Sardenya; persona natural o procedent de l'Alguer. **2** *adj* Es diu de les persones o de les coses naturals o procedents de l'Alguer. **3** *nom m* Manera de parlar el català pròpia de l'Alguer.

algun alguna alguns algunes *adj* Petita quantitat de persones o coses, i de vegades una sola persona o cosa: *Al jardí hi havia alguns arbres grossos, alguna taula i algunes cadires.*

algutzir algutzirs *nom m* Persona que depèn d'un ajuntament o d'un jutjat i que ha de fer complir les ordres de l'autoritat.

alhora *adv* A un mateix temps: *Cantava i reia alhora.*

aliança aliances *nom f* Acció d'aliar-se dos o més països, o bé dues o més persones, per fer una cosa junts o per enfrontar-se contra un enemic.

aliar-se *v* Posar-se d'acord dos o més països, persones, etc. per fer una cosa junts o per a lluitar junts contra un altre país o una altra persona: *A la Segona Guerra Mundial els anglesos, els americans, els francesos i molts altres van aliar-se per lluitar contra els alemanys.* Es conjuga com *canviar.*

aliat aliada aliats aliades *adj i nom m i f* Es diu dels països o de les persones que s'han unit o s'han posat d'acord per fer una cosa junts.

aliatge aliatges *nom m* Mescla de diversos metalls: *L'acer és un aliatge de ferro i carboni.*

alicates *nom f pl* Eina en forma de pinça que serveix per a subjectar, torçar o tallar cables, filferros, etc.

aliè aliena aliens alienes *adj* Que és d'algú altre; que no té relació amb una persona o una cosa: *Les persones alienes al club no vam poder veure el partit.*

alienar *v* **1** Fer perdre a algú el seny, la capacitat de raonar. **2** Fer que una persona o un grup de persones, per mitjà de pressions psicològiques, no actuïn d'acord amb els seus interessos sinó segons interessos aliens. Es conjuga com *cantar.*

àlies uns àlies *nom m* Nom o motiu amb què es coneix una persona, a més a més del seu nom de debò: *Aquell jugador es deia Robert Torres, àlies "El ràpid".*

àliga àligues *nom f* Àguila.

aligot aligots *nom m* Ocell d'uns cinquanta-cinc centímetres, de plomatge bru amb una ratlla fosca a la cua, que s'alimenta d'insectes i de petits animals mamífers.

aliment aliments *nom m* Substància que serveix per a la nutrició; allò que mengem i bevem normalment.

alimentació alimentacions *nom f* **1** Conjunt d'aliments, de substàncies que una persona menja: *L'alimentació dels nens petits ha de ser rica i variada.* **2** Acció d'alimentar o d'alimentar-se, de donar o de prendre aliment.

alimentar *v* **1** Donar menjar, aliment. **2** *Aquesta estufa s'alimenta amb llenya*: crema, gasta llenya. Es conjuga com *cantar.*

alimentari alimentària alimentaris alimentàries *adj* **1** Que té relació amb els aliments, amb el menjar. **2** **canal alimentari** Tub digestiu, per on passen els aliments.

alineació alineacions *nom f* **1** Acció d'alinear, de posar en línia. **2** Conjunt de jugadors d'un equip esportiu que juguen en un determinat partit.

alinear *v* **1** Situar persones o coses en línia. **2** Triar els jugadors d'un equip esportiu que hauran de jugar un partit. Es conjuga com *canviar.*

all alls *nom m* Planta comestible que té una part rodona plena de grans, anomenada cabeça: *Aquesta salsa té un gust molt fort perquè hi hem posat molt all.*

allà *adv* En aquell lloc: *Aquí hi ha la nostra classe i allà, al fons del corredor, la classe dels més petits.*

allargar *v* **1** Fer més llarga una cosa estirant-la, afegint-hi un altre tros, etc.: *Em van allargar els pantalons perquè m'anaven curts.* **2** Durar més una cosa: *A l'estiu el dia s'allarga.* **3** Donar

un objecte a algú que tenim a una certa distàn-
cia: *Maria, em pots allargar les estisores?*
Es conjuga com *cantar*. S'escriu *g* davant de *a, o, u*
i *gu* davant de *e, i: allargo, allargues.*

allargassar *v* Allargar una cosa més del
compte: *El professor va allargassar l'explicació
d'aquell problema tan senzill i la va fer durar fins
que es va acabar la classe.*
Es conjuga com *cantar*.

allau **allaus** *nom f* **1** Massa de neu que cau
muntanya avall. **2** Gran quantitat de perso-
nes o coses: *Per Nadal hi ha una allau de gent a
les botigues comprant regals.*

allau

al·legar *v* Fer servir un fet com a argument
o excusa en una discussió, en un judici, etc.:
*El policia el volia multar per haver aparcat en un
lloc prohibit, però el conductor va al·legar que no
hi havia senyal.*
Es conjuga com *cantar*. S'escriu *g* davant de *a, o, u*
i *gu* davant de *e, i: al·lego, al·legues.*

al·leluia *interj* Paraula que significa "lloeu
Déu" i que expressa alegria.

al·lèrgia **al·lèrgies** *nom f* Malaltia que con-
sisteix en una reacció del cos provocada per
una substància exterior: *La Manela té al·lèrgia
a les maduixes, li fan sortir grans.*

alletar *v* Alimentar amb llet una persona o un
animal: *La mare alleta el seu fill petit.*
Es conjuga com *cantar*.

alleugerir *v* Fer més lleugera, més suporta-
ble o menys pesada una cosa.
Es conjuga com *servir*.

alleujar *v* Fer més fàcil de suportar: *El metge
ha donat al malalt unes pastilles per a alleujar-li
el dolor.*
Es conjuga com *cantar*. S'escriu *j* davant de *a, o, u* i
g davant de *e, i: alleujo, alleuges.*

allí *adv* En aquell lloc, allà: *Jo visc aquí en aquesta
casa, i en Llorenç viu allí, en un d'aquells pisos.*

alliberador **alliberadora alliberadors
alliberadores** *adj* i *nom m* i *f* Que fa ser
lliure, que allibera.

alliberament **alliberaments** *nom m* Acció
d'alliberar: *Finalment van aconseguir l'allibera-
ment dels presoners.*

alliberar *v* Fer que algú obtingui o recuperi
la llibertat, fer que algú sigui lliure; salvar algú
de mals, perills, etc.
Es conjuga com *cantar*.

al·licient **al·licients** *nom m* Allò que ens atreu
o ens impulsa a fer una cosa: *El pare li ha promès
que li regalarà una bicicleta si treu bones notes, i
això li serveix d'al·licient per a estudiar més.*

alliçonar *v* Donar lliçons a algú sobre alguna
cosa, ensenyar alguna cosa a algú: *Aquell pagès
ens va alliçonar perquè poguéssim buscar bolets
sense fer malbé el bosc.*
Es conjuga com *cantar*.

allioli **alliolis** *nom m* Salsa de color groc clar
que es fa amb all i oli: *Aquest allioli és massa
picant.*

allisada **allisades** *nom f* **1** Acció d'allisar, de
fer tornar una cosa llisa. **2** Acció de renyar
algú: *Vaig tornar tard a casa i els pares em van
clavar una bona allisada!* **3** Pallissa.

allisar *v* Fer tornar una cosa llisa: *S'anava pas-
sant la mà pel cap per allisar-se els cabells.*
Es conjuga com *cantar*.

allistar-se *v* Apuntar-se en una llista per en-
trar voluntàriament a l'exèrcit o en una orga-
nització: *Aquella noia s'ha allistat a una associació
de voluntaris que ajuden la gent gran.*
Es conjuga com *cantar*.

allitar-se *v* Posar-se al llit a causa d'una ma-
laltia: *Es trobava tan malament que es va haver
d'allitar.*
Es conjuga com *cantar*.

allò *pron* **1** Aquella cosa: *Agafa allò d'allà i
porta-m'ho.* **2** **d'allò més** Molt, en una gran
quantitat: *Ens ho vam passar d'allò més bé.* ■ *El
joc va ser d'allò més divertit.*

al·locució **al·locucions** *nom f* Discurs breu.

al·lot **al·lota al·lots al·lotes** *nom m* i *f* Noi,
xicot.

allotjament **allotjaments** *nom m* Acció
d'acollir algú, d'allotjar-lo; lloc on s'acull o
s'allotja algú.

allotjar v **1** Donar habitació, fer lloc a algú, acollir-lo. **2** Fer-se lloc una cosa a l'interior d'una altra: *La serp s'allotjava dins la roca.* Es conjuga com *cantar.* S'escriu *j* davant de *a, o, u* i *g* davant de *e, i*: *allotjo, allotges.*

al·lucinació al·lucinacions nom f Visió d'una cosa que sembla real però que en realitat no existeix: *Aquesta droga produeix al·lucinacions: fa veure coses que no existeixen.*

al·lucinar v **1** Produir al·lucinacions: *Aquesta droga al·lucina els qui la consumeixen.* **2** Provocar una gran impressió: *Escolta aquesta música, que t'al·lucinarà, és boníssima!* Es conjuga com *cantar.*

al·ludir v Referir-se a una persona o a una cosa sense anomenar-la: *En el seu discurs, el professor va al·ludir al mal comportament de certs alumnes.* Es conjuga com *servir.*

allunyar-se v Apartar-se, anar lluny: *El cotxe s'allunyava carretera enllà.* Es conjuga com *cantar.*

al·luvió al·luvions nom m **1** Dipòsit de sorra o de terra format per l'acció de l'aigua corrent d'un riu o d'una riera. **2** Inundació, avinguda d'aigua contra la riba.

almanac almanacs nom m Calendari complementat amb dates de festes i de fires, dades sobre l'evolució del temps atmosfèric i altres informacions.

almanco adv Almenys.

almenys adv **1** Si més no, encara que només sigui això: *Si almenys fes sol, ens podríem anar a banyar.* **2** Com a mínim: *Almenys eren vint les persones que s'esperaven.*

almirall almiralls nom m General que mana un grup de vaixells de guerra.

almívar almívars nom m Suc molt dolç que hi ha dins les llaunes de fruita en conserva: *Avui per postres hem menjat préssec en almívar.*

almogàver almogàvers nom m Soldat de l'edat mitjana que servia en els exèrcits de Catalunya i Aragó a canvi d'una paga o de participar en el botí.

almoina almoines nom f Menjar, roba o diners que es donen a algú que ho necessita.

almosta almostes nom f Quantitat de qualsevol cosa que cap a dins de les mans juntes: *Li van donar una almosta de caramels.*

almosta

alosa aloses nom f Ocell de camp, més gros que el pardal, de plomatge terrós i que té un cant agut i musical. **7**

alpí alpina alpins alpines adj Que està relacionat amb les muntanyes dels Alps o amb muntanyes molt altes.

alpinisme alpinismes nom m Esport que consisteix a fer excursions i a arribar al cim de muntanyes elevades i difícils de pujar.

alpinista alpinistes nom m i f Persona que practica l'alpinisme, que puja muntanyes elevades i difícils de pujar.

alqueria alqueries nom f Casa de camp, masia.

alsacià alsaciana alsacians alsacianes **1** nom m i f Habitant d'Alsàcia, regió de França; persona natural o procedent d'Alsàcia. **2** adj Es diu de les persones o de les coses naturals o procedents d'Alsàcia. **3** nom m Manera de parlar l'alemany pròpia d'Alsàcia.

alt[1] adv **1** A una altura considerable: *Els avions volen molt alt.* **2** Amb veu forta: *No parlis tan alt.*

alt[2] alta alts altes adj **1** Que té una bona alçada o alçària; que arriba a una bona altura: *El pollancre és un arbre alt.* **2** *El vaixell navega en* **alta mar**: des d'on no es veu la costa. **3 alts i baixos** Desigualtats, situacions diferents: *La vida té molts alts i baixos, de vegades les coses et van bé i altres vegades et van malament.* ▪ *És un terreny amb molts alts i baixos.*

alta altes nom f **1** Permís que el metge dóna al malalt quan ja està bo perquè pugui tornar a treballar. **2 donar-se d'alta** Fer-se soci d'un club, d'una entitat: *Ahir em vaig donar d'alta a l'associació de veïns del barri.*

altar altars nom m **1** Construcció de pedra o de fusta en forma de taula damunt la qual se celebra la missa: *El capellà era davant l'altar dient missa.* **2** Monument per a oferir sacrificis als déus.

44

altaveu altaveus *nom m* Aparell que serveix per a projectar el so per l'aire: *Els altaveus d'un equip de música.*

altaveu

altell altells *nom m* Petita elevació en el terreny.

alteració alteracions *nom f* Acció d'alterar: *Hi ha una alteració en el programa a causa de la pluja: el concert es farà en un lloc tancat en comptes de a l'aire lliure.*

alterar *v* **1** Fer que alguna cosa canviï l'aspecte normal, que sigui diferent de com era abans. **2** Agitar l'ànim d'algú: *No t'alteris, conserva la calma, ja vindrà si vol.*
Es conjuga com *cantar.*

altercat altercats *nom m* Discussió violenta.

alternar *v* **1** Combinar dues o més coses: *Aquell noi alterna la feina i l'estudi.* **2** Fer amistat i tenir relació amb diverses persones: *Li agrada molt de sortir de casa i d'alternar amb gent diferent.*
Es conjuga com *cantar.*

alternatiu alternativa alternatius alternatives *adj* Es diu de les coses diferents que es col·loquen ara l'una ara l'altra, de les coses diferents que es poden triar, o bé dels fets diferents que es produeixen ara l'un ara l'altre: *En aquest carrer la zona d'aparcament és alternativa, durant mig mes és a la banda dreta i durant l'altre mig mes és a la banda esquerra.*

alternativa alternatives *nom f* **1** El fet d'haver de triar entre dues o més coses: *Teníem l'alternativa de quedar-nos a casa mirant la televisió o sortir a passeig amb els avis, i vam triar això últim.* **2** Ens va apuntar amb una pistola i ens va dir que li donéssim els diners, i ho vam haver de fer, ja que no vam tenir alternativa: no vam tenir cap més possibilitat.*

alterós alterosa alterosos alteroses *adj* Que està situat en un lloc elevat: *Una masia molt alterosa.*

altesa alteses *nom f* Tractament d'honor que es dóna als prínceps i a les princeses.

altiplà altiplans *nom m* Elevació del terreny que té la superfície més o menys plana.

altisonant altisonants *adj* Que sona alt, exagerat, massa solemne: *En els discursos es van fer servir moltes paraules altisonants.*

altitud altituds *nom f* Altura d'un punt qualsevol de la terra respecte al nivell del mar.

altiu altiva altius altives *adj* Que es creu superior als altres i ho demostra parlant, actuant amb orgull, etc.

alto **1** *interj* Paraula que es diu per manar a algú que s'aturi, que deixi de fer una feina, etc.: *El policia va dir "alto o disparo!" i va fer aturar el lladre que s'escapava corrents.* **2** *nom m* Parada que es fa per descansar: *Farem un alto en aquesta font i després continuarem.* **3** **alto el foc** El fet de deixar d'atacar-se durant un temps els enemics que estan en guerra, treva: *Els dos bàndols enfrontats han acordat un alto el foc de tres setmanes per negociar.*

altrament *adv* **1** D'una altra manera: *Tu ho fas així, però jo ho faria altrament.* **2** Si no: *És clar que es fa la festa; altrament, ja ens haurien comunicat que s'ha suspès.*

altre altra altres *adj i pron* **1** Que no és la mateixa persona o cosa que s'ha dit abans: *Aquest conte no m'agrada, en llegiré un altre.* **2** Encara un més: *Dóna'm un altre tros de xocolata.* **3** Restant: *El nen més petit plorava i els altres reien.* **4** Es diu del dia, la setmana, el mes, l'any, etc. passats, anteriors: *Aquest any ha fet bon temps, l'altre any va fer molt fred.*

altri *pron* Un altre, els altres.

altruista altruistes *adj i nom m i f* Es diu de la persona que ajuda els altres encara que s'hagi de sacrificar: *Els voluntaris que es dediquen a ajudar les persones grans que viuen soles són uns altruistes.*

altura altures *nom f* Distància vertical que hi ha des de la superfície de la terra a un punt: *L'avió volava a tres mil metres d'altura.*

alumini aluminis *nom m* Metall de color de plata, molt lleuger, flexible i resistent a l'oxidació que serveix per a la construcció de vehicles i molts altres objectes.

alumnat alumnats *nom m* Conjunt dels alumnes d'una escola, d'una universitat, etc.

alumne alumna alumnes *nom m* i *f* Persona que rep ensenyament, estudiant: *Aquell professor té una classe de vint alumnes.*

alvèol alvèols *nom m* **1** Cavitat petita, forat petit. **2** **alvèol dental** Cadascun dels petits forats on van col·locades les dents i els queixals. **3** **alvèol pulmonar** Cadascun dels petits sacs que hi ha al capdavall d'un bronquíol del pulmó, a través dels quals s'oxigena la sang. 20

alvocat alvocats *nom m* Fruit comestible de l'alvocater, de pela verdosa i polpa mantegosa.

alzina alzines *nom f* **1** Arbre de fulles perennes i verdes, propi de la regió mediterrània, que fa un fruit anomenat gla. **2** **alzina surera** Alzina de la qual s'obté el suro.

alzinar alzinars *nom m* Lloc plantat d'alzines.

alzinar-se *v* Alçar-se, posar-se dret, redreçar el cos.
Es conjuga com *cantar.*

amabilitat amabilitats *nom f* Comportament afectuós, agradable, educat, gentil, etc.: *Aquell senyor ens va tractar amb molta amabilitat.*

amable amables *adj* Es diu d'una persona gentil, afectuosa, agradable, que es comporta educadament.

amablement *adv* D'una manera amable, amb amabilitat: *Sempre que em troba, em saluda amablement.*

amagar *v* **1** Posar una cosa en un lloc on sigui difícil de trobar-la. **2** **amagar-se** Posar-se una persona en un lloc on els altres no la puguin veure, on no la puguin trobar: *El nen es va amagar sota la taula i els seus pares no el trobaven.*
Es conjuga com *cantar.* S'escriu *g* davant de *a, o, u* i *gu* davant de *e, i: amago, amagues.*

amagar-se

amagat Paraula que apareix en l'expressió **d'amagat**, que vol dir "dissimuladament,

sense que els altres no ho vegin, d'amagatotis": *El nen va agafar un caramel d'amagat de la seva mare.*

amagatall amagatalls *nom m* Lloc on es pot amagar molt bé una cosa o una persona: *Vam jugar a l'acuit de l'amagada i en Jordi va guanyar perquè va trobar un amagatall molt bo.*

amagatotis Paraula que apareix en l'expressió **d'amagatotis**, que vol dir "d'amagat, sense que ningú no ho vegi": *Vaig poder agafar alguns caramels d'amagatotis.*

amainar *v* **1** Perdre força una tempesta, el vent, la pluja, etc. **2** Abaixar o plegar les veles d'un vaixell.
Es conjuga com *cantar.*

amalgama amalgames *nom f* Unió, barreja de dues o més coses.

amanerat amanerada amanerats amanerades *adj* Es diu dels gestos, del parlar, dels vestits, etc., poc naturals, molt rebuscats: *Aquell cantant tan famós té uns gestos molt amanerats.*

amanida amanides *nom f* Plat compost principalment de verdures crues, que s'amaneix amb oli, sal, vinagre, etc.: *De primer plat menjarem una amanida d'enciam, tomàquet, ceba i pebrot.*

amanir *v* Posar oli, sal, vinagre, etc. a alguns menjars perquè siguin més gustosos: *El pa amb tomàquet s'amaneix amb oli i sal.*
Es conjuga com *servir.*

amansir *v* **1** Fer tornar mans o dòcil un animal: *El domador va amansir els lleons amb quatre crits i uns quants cops de fuet.* **2** Tranquil·litzar una persona nerviosa o violenta: *Estava molt enfadat però la seva mare el va amansir.*
Es conjuga com *servir.*

amant amants **1** *adj* Que té molta afecció o estimació per una cosa o per una persona: *Una persona molt amant de l'esport.* **2** *nom m* i *f* Persona que té relacions sexuals amb una altra amb la qual no està casada.

amanyagar *v* Acariciar.
Es conjuga com *cantar.* S'escriu *g* davant de *a, o, u* i *gu* davant de *e, i: amanyago, amanyagues.*

amar *v* Sentir amor per una persona o cosa, estimar.
Es conjuga com *cantar.*

amarar[1] *v* Mullar alguna cosa completament: *Plovia tant, que vam arribar a casa amb els vestits*

ben amarats. ■ *Van fer un esforç tan gran, que van quedar amarats de suor.*
Es conjuga com *cantar.*

amarar²v Posar-se damunt la superfície de l'aigua un hidroavió.
Es conjuga com *cantar.*

amarg amarga amargs amargues *adj*
Que té un gust fort i desagradable: *Per curar-se el refredat, en Toni va haver de prendre una medecina que tenia un gust amarg.*

amargant amargants *adj* Amarg.

amargarv **1** Fer tornar amarga alguna cosa: *Aquesta salsa ha amargat l'arròs.* **2 amargar la vida a algú** Causar problemes a una persona, fer-li la vida impossible.
Es conjuga com *cantar.* S'escriu g davant de *a, o, u* i *gu* davant de *e, i: amargo, amargues.*

amargor amargors *nom f* **1** Qualitat d'a-marg: *Menjaré un caramel per fer-me passar l'amargor de la boca.* **2** Tristesa: *Ha passat moltes amargors al llarg de la vida.*

amarra amarres *nom f* Corda, cadena o cable que serveix per a amarrar una embarcació.

amarrador amarradors *nom m* Pilar, estaca o anella on s'amarra una embarcació.

amarrarv Subjectar un vaixell, una persona, etc. amb cordes o cadenes.
Es conjuga com *cantar.*

amassar v Aplegar, acumular: *En els darrers anys ha amassat una fortuna, és a dir, ha guanyat molts diners.*
Es conjuga com *cantar.*

amatent amatents *adj* Que està preparat, que està a punt d'actuar, a punt de fer una cosa: *Els corredors estaven amatents esperant el senyal de començar la cursa.*

amateur amateurs *adj i nom m i f* Es diu de la persona afeccionada a un esport o a una activitat, però que es dedica a una altra professió: *Aquell metge és un bon futbolista amateur.*

amazona amazones *nom f* Dona que munta a cavall.

amb *prep* **1** Indica companyia o participació conjunta en una mateixa acció: *La Maria viu amb en Lluís.* ■ *En Climent juga amb la Dolors.* **2** Indica l'instrument o el mitjà amb què es fa una cosa: *Talla el pa amb un ganivet.*

■ *Viatja amb tren.* **3** Indica la manera o la forma d'una acció o d'una cosa: *Parlar amb gràcia.* ■ *Un barret amb plomes.*

ambaixada ambaixades *nom f* Representació oficial d'un país en un altre país; edifici on resideix aquesta representació.

ambaixador ambaixadora ambaixadors ambaixadores *nom m i f* Persona que representa un país en un altre país.

ambdós ambdues *adj i pron* Tots dos, totes dues.

ambi- Element amb què comencen algunes paraules i que vol dir "tots dos": *Una persona ambidextra és una persona que escriu, dibuixa, etc. tan bé amb la mà dreta com amb l'esquerra.*

ambició ambicions *nom f* Desig, ganes d'aconseguir fama, diners o qualsevol cosa que es consideri important.

ambiciós ambiciosa ambiciosos ambicioses *adj* Es diu de la persona que té moltes ganes d'aconseguir diners, fama, etc.

ambidextre ambidextra ambidextres *adj i nom m i f* Que té la mateixa habilitat tant amb la mà dreta com amb la mà esquerra: *Els ambidextres poden escriure i dibuixar igual de bé amb totes dues mans.*

ambient ambients *nom m* **1** Atmosfera, aire: *En aquell local hi havia tant fum, que l'ambient era irrespirable.* **2** Estat d'ànim general de la gent que hi ha en un lloc: *A la festa de l'escola hi havia un ambient alegre i divertit.* **3** Conjunt de circumstàncies enmig de les quals es produeix una cosa: *La infància d'aquesta persona va transcórrer en un ambient de pobresa.* **4 medi ambient** Lloc on es desenvolupa la vida de les persones, animals, plantes: *Les muntanyes, els boscos, l'aire, l'aigua, etc. formen part del nostre medi ambient.*

ambientació ambientacions *nom f* **1** Acció d'ambientar. **2** Conjunt de coses que ajuden a crear un ambient determinat: *L'ambientació de la pel·lícula estava molt bé, semblava que et trobessis enmig de l'edat mitjana.* ■ *L'ambientació d'aquest bar és molt agradable.*

ambientador ambientadors *nom m* Substància que serveix per a donar una olor agradable a un ambient, a un lloc.

ambientarv **1** Situar una pel·lícula, una obra de teatre, etc. en un ambient determinat: *La*

pel·lícula estava ambientada a l'oest americà a finals del segle XIX. **2** Crear un ambient. **3 ambientar-se** Adaptar-se a un ambient: *Ell és de fora, però s'ha ambientat molt bé a la nostra ciutat.*
Es conjuga com *cantar.*

ambigu ambigua ambigus ambigües *adj* Que pot tenir diferents interpretacions, diferents significats: *Les seves paraules van ser tan ambigües, que tothom va entendre una cosa diferent.*

àmbit àmbits *nom m* Espai que es troba dins uns límits determinats; entorn o àrea d'influència d'un fenomen o d'una institució: *El clima de Catalunya és propi de l'àmbit mediterrani, és a dir, dels països situats a les vores del mar Mediterrani.* ■ *En l'educació de l'infant és tan important l'àmbit familiar com l'àmbit escolar.*

ambre ambres *nom m* Resina fòssil de color groc, translúcida, que es fa servir per a fer joies.

ambulància ambulàncies *nom f* Vehicle, cotxe preparat per transportar persones malaltes o ferides.

ambulant ambulants *adj* Que va d'un lloc a l'altre: *En Martí és un venedor ambulant: avui ven a Barcelona, demà a Girona.*

ambulatori ambulatoris *nom m* Edifici on els metges visiten malalts.

amè amena amens amenes *adj* Divertit, distret: *He llegit un llibre amè.*

amén *interj* **1** Paraula que vol dir "això és veritat". **2 dir amén a tot** Dir que sí a tot, trobar-ho tot bé.

amenaçador amenaçadora amenaçadors amenaçadores *adj* Que anuncia un perill, un mal, un càstig, etc., que amenaça: *Quan ens va veure, el gos va fer uns lladrucs amenaçadors.*

amenaçadorament *adv* D'una manera amenaçadora: *El que els vaig dir no els va agradar i tots tres em van mirar amenaçadorament.*

amenaçar *v* **1** Anunciar a algú la intenció de fer-li mal, de castigar-lo, etc.: *Ens va amenaçar, però no ens va arribar a pegar.* **2** Donar senyals d'estar a punt de passar alguna cosa desagradable: *Aquests núvols amenacen tempesta.*
Es conjuga com *cantar.* S'escriu ç davant de *a, o, u* i c davant de *e, i*: *amenaço, amenaces.*

amenitzar *v* Fer que una cosa sigui amena o distreta: *Un grup de músics es va encarregar d'amenitzar la festa.*
Es conjuga com *cantar.*

amerar *v* Mira **amarar**[1].
Es conjuga com *cantar.*

americà americana americans americanes *adj* i *nom m* i *f* Es diu de les persones o de les coses naturals o procedents d'Amèrica.

americana americanes *nom f* Peça de vestir que cobreix la part superior del cos fins més avall de la cintura, amb mànigues: *Aquell home duia una corbata vermella i vestia una americana grisa al damunt d'una camisa blanca.*

amerindi ameríndia amerindis ameríndies *adj* Que té relació amb els indis d'Amèrica.

ametista ametistes *nom f* Varietat del quars de color morat o blavós que s'utilitza en la fabricació de joies.

ametla ametles *nom f* Mira **ametlla**.

ametlla ametlles *nom f* **1** Fruita seca, que es menja generalment torrada, i que és la llavor de l'ametller. **2 llet d'ametlles** Líquid fet amb ametlles dolces, sucre i altres ingredients, que es beu com a refresc.

ametller ametllers *nom m* Arbre conreat en la regió mediterrània, de flors blanques o roses, el fruit del qual és l'ametlló, que conté l'ametlla.

ametlló ametllons *nom m* **1** Fruit de l'ametller que consta d'una closca recoberta d'una pell de color verd dins la qual es troba la llavor o ametlla. **2** Ametlla tendra.

amfi- Prefix, element que s'afegeix al davant d'una paraula i que vol dir "de dues maneres", "a tots dos costats" o "a l'entorn": *Un amfiteatre és un teatre en què els espectadors estan col·locats a l'entorn de l'escenari formant un semicercle*

amfibi amfíbia amfibis amfíbies **1** *adj* Que pot viure tant a l'aigua com a la terra. **2** *nom m* Classe a la qual pertanyen els animals vertebrats que viuen tant a l'aigua com a la terra (granotes, gripaus, salamandres, etc.). **3** *adj* Que pot circular tant per aigua com per terra: *Els exèrcits tenen vehicles amfibis.*

amfiteatre amfiteatres *nom m* **1** Edifici romà antic, de forma el·líptica, on es feien diversos espectacles, que tenia un espai central o arena on es feia l'espectacle i que estava envoltat de grades on se situaven els espectadors. **2** Conjunt de seients col·locats en grades disposades en semicercle en un teatre, en una aula, etc.

amfitrió amfitriona amfitrions amfitrio-nes *nom m i f* Persona que té convidats a casa.

àmfora àmfores *nom f* Recipient de ceràmica de forma ovalada i allargada, amb dues nanses, que antigament s'utilitzava per a transportar o guardar-hi oli, vi i altres productes.

àmfora

amiant amiants *nom m* Mineral que es fa servir en l'elaboració de teixits o de materials resistents al foc: *Els bombers, quan surten a apagar foc, porten uns vestits especials fets d'amiant.* 14

amic amiga amics amigues **1** *adj i nom m i f* Es diu de la persona per qui sentim amistat, estimació, persona amb qui mantenim una bona relació. **2** *adj* Que té interès o afecció per algú o alguna cosa: *Nosaltres som amics dels animals.*

amidar *v* Prendre les mides d'alguna cosa. Es conjuga com *cantar.*

amígdala amígdales *nom f* Cadascuna de les dues glàndules que tenim a la gola i que serveixen per a protegir-nos d'algunes infeccions. 15

amistat amistats *nom f* Sentiment, bona relació que uneix dues o més persones que es tenen molt d'afecte.

amistós amistosa amistosos amistoses *adj* Que es du a terme amb bona relació, amb amistat, sense competència.

amnèsia amnèsies *nom f* Impossibilitat de recordar el passat o algunes coses del passat: *A conseqüència del cop al cap rebut en l'accident, aquella noia va patir una forta amnèsia i durant* alguns dies no es va recordar ni de qui era ni de com es deia.

amnistia amnisties *nom f* Decisió del govern que perdona uns delictes determinats i perdona els càstigs a les persones que els havien comès.

amo amos *nom m* Persona propietària d'una fàbrica, d'un negoci, etc. i que mana els treballadors; persona propietària d'una casa, d'un objecte, etc.: *Aquest senyor és l'amo de la fàbrica.* ▪ *En Sergi és l'amo d'aquesta bicicleta.*

amoïnar *v* **1** No deixar estar tranquil, molestar: *Les mosques m'amoïnen molt.* **2** Preocupar-se, patir per alguna cosa. Es conjuga com *cantar.*

amoixar *v* Acariciar, passar la mà amb suavitat per damunt d'un gat, un gos o una persona: *El nen no parava d'amoixar el seu gosset.* Es conjuga com *cantar.*

amollar *v* Deixar d'agafar una cosa, deixar anar una cosa. Es conjuga com *cantar.*

amonestar *v* Renyar algú perquè canviï el comportament. Es conjuga com *cantar.*

amor amors *nom m o f* **1** Sentiment d'atracció i d'estimació profunda cap a una persona o una cosa: *La mare sent un gran amor pel fill.* **2 amor propi** Estimació que una persona sent per ella mateixa: *Aquesta nena té molt amor propi i per això procura fer les coses bé, perquè no li agrada que l'hagin de corregir.* **3 per l'amor de Déu** Per caritat, per favor: *Per l'amor de Déu, em voldríeu donar una mica de diners per comprar menjar?* **4 fer l'amor a algú** Festejar, anar al darrere d'una persona que volem que ens estimi. **5 fer l'amor amb algú** Fer l'acte sexual.

amorf amorfa amorfs amorfes *adj* **1** Sense forma definida: *Molt lluny es veia una massa amorfa que no se sabia ben bé què era.* **2** Es diu de la persona que no té interès per res, que no té iniciativa.

amorós amorosa amorosos amoroses *adj* **1** Que sent amor. **2** Que és suau, de bon treballar: *Aquesta roba neta ha quedat molt amorosa.*

amorosir *v* Fer tornar suau, tranquil·la, amorosa una cosa: *Aquesta pomada amoroseix la picor.* Es conjuga com *servir.*

amorrar v Fer posar algú amb la boca tocant a terra o a qualsevol cosa: *Em va agafar pel clatell i em va amorrar a la taula.*
Es conjuga com *cantar.*

amortallar v Cobrir un mort amb la roba amb què serà enterrat.
Es conjuga com *cantar.*

amortidor amortidors nom m Mecanisme dels vehicles que serveix perquè no se sentin tant els cops produïts pels sotracs del camí.

amortir v Esmorteir, fer que una cosa sigui menys forta, menys violenta: *El coixí va amortir el cop.*
Es conjuga com *servir.*

amortitzar v 1 Pagar un deute a terminis: *Per amortitzar el préstec ha de pagar durant un any cent vuitanta euros cada mes.* 2 Treure rendiment o profit d'una despesa que s'ha fet: *L'ordinador em va costar molts diners, però l'he fet servir tant i m'ha estalviat tantes hores de feina, que he amortitzat els diners que en vaig pagar.*
Es conjuga com *cantar.*

amotinar-se v Revoltar-se contra un superior, rebel·lar-se contra la persona o les persones que tenen poder o autoritat: *Els soldats es van amotinar contra el seu capità i el van desarmar.*
Es conjuga com *cantar.*

ampit ampits nom m Replà que hi ha a la part de baix d'una finestra sobre el qual ens podem recolzar.

ampit

amplada amplades nom f Distància que hi ha entre els dos costats d'una cosa, amplària d'un carrer, d'una habitació, etc.; extensió.

amplària amplàries nom f Amplada, distància que hi ha entre els dos costats d'una cosa: *Un carrer de quinze metres d'amplària.*

ample ampla amples 1 adj Que té una amplada considerable, una bona distància de costat a costat: *L'Ebre és un riu més ample que el Llobregat.* 2 nom m Amplada, distància que hi ha entre els dos costats d'una cosa: *Aquest carrer fa vint metres d'ample.*

ampli àmplia amplis àmplies adj De gran extensió; que té molta cabuda o capacitat.

ampliació ampliacions nom f Augment de l'extensió o de la capacitat d'alguna cosa, acció d'ampliar.

ampliació

ampliar v Fer més extensa, més àmplia una cosa.
Es conjuga com *canviar.*

amplificador amplificadors nom m Aparell que serveix per a fer més fort el so: *Aquells músics van instal·lar un amplificador molt potent, perquè tota la gent del carrer pogués sentir bé la música.*

amplitud amplituds nom f Extensió d'una cosa.

ampolla ampolles nom f 1 Recipient de vidre o de plàstic, de coll llarg i estret, que serveix per a contenir líquid, botella: *Una ampolla de llet.* 2 Solucionar el problema no va costar gens: va ser **bufar i fer ampolles**: expressió que es fa servir per a indicar que una cosa és fàcil de fer.

ampostí ampostina ampostins ampostines 1 nom m i f Habitant d'Amposta; persona natural o procedent d'Amposta. 2 adj Es diu de les persones o de les coses naturals o procedents d'Amposta.

ampul·lós ampul·losa ampul·losos ampul·loses adj Es diu del llenguatge o de l'estil massa solemne, massa inflat: *Un discurs ampul·lós.*

amputar v Tallar una part del cos fins a separar-la de la resta: *A conseqüència de l'accident, li van haver d'amputar la cama.*
Es conjuga com *cantar.*

amulet amulets nom m Objecte que dóna sort: *Aquell indi portava un amulet penjat al coll.*

amunt adv 1 En direcció de baix a dalt: *El coet va sortir disparat cap amunt.* ■ *Pujàvem muntanya amunt.* 2 **amunt i avall** Ara en una direcció, ara en una altra: *Vam passejar molta estona amunt i avall del carrer.*

amuntegar v Fer una pila, un munt, acumular: *El pagès amuntega herba per als conills a prop de l'era.*
Es conjuga com *cantar*. S'escriu g davant de *a, o, u* i gu davant de *e, i: amuntego, amuntegues.*

anaconda anacondes *nom f* Serp pròpia de l'Amèrica tropical, que és la més grossa de les serps que existeixen actualment.

anacrònic anacrònica anacrònics anacròniques *adj* Que és d'un altre temps: *Aquestes idees són anacròniques, antiquades, ara hi ha molt poca gent que hi cregui.*

anacronisme anacronismes *nom m* Error que consisteix a situar un fet o un objecte en un temps en què no existia: *En aquest dibuix es veu un cavaller medieval disparant una metralladora, això és un anacronisme!*

anada anades *nom f* **1** Acció d'anar a un lloc: *Vam comprar bitllet d'anada i tornada.* **2** Sortida, excursió: *Diumenge farem una anada a Girona.*

anagrama anagrames *nom m* Transformació d'una paraula o d'una frase en una altra canviant l'ordre de les seves lletres: *L'anagrama de "poll" és "llop".*

anàleg anàloga anàlegs anàlogues *adj* Es diu de les coses que són molt semblants.

analfabet analfabeta analfabets analfabetes *adj i nom m i f* Que no sap llegir ni escriure.

analgèsic analgèsics *nom m* Medicament que serveix per a fer desaparèixer o fer disminuir el dolor: *Tenia molt mal de queixal i va haver de prendre un analgèsic.*

anàlisi anàlisis *nom f* Acció de buscar els elements, les substàncies, les parts d'alguna cosa: *Després de fer la redacció, farem l'anàlisi d'una frase.* *A la Maria li han fet una anàlisi de sang.*

analitzar v Buscar quins són els elements, les parts, les substàncies que es troben en alguna cosa, fer una anàlisi.
Es conjuga com *cantar.*

analogia analogies *nom f* Relació de semblança entre dues coses.

ananàs ananassos *nom m* Fruit comestible d'una planta tropical, de gust molt dolç, també anomenat pinya americana.

anar v **1** Moure's en direcció a un lloc diferent del lloc on és la persona que parla o la persona amb qui es parla: *El tren que ha passat anava a Lleida.* *Demà no anirem a l'escola.* *Ara vaig al cine.* *Tu i jo anirem a casa d'en Manel a jugar.* *Vaig un moment a comprar i vinc de seguida.* **2** Funcionar una cosa: *Ja va l'ascensor?* *La ràdio no va bé.* **3** Presentar-se vestit d'una manera determinada: *En Ferran anava molt mudat, molt ben vestit.* **4** Costar, valdre: —*A quant van les patates? A un euro i quaranta cèntims el quilo?* **5 anar a la seva** Preocupar-se només d'un mateix, fer les coses d'acord amb la pròpia manera de veure-les: *Sempre va a la seva, no segueix mai els consells de la mestra.* **6 fer anar** Bellugar, fer funcionar: *Feia anar els braços amunt i avall.* *Jo no sé pas fer anar aquesta màquina.* **7** Les formes **vaig, vas, va, vam, vau, van** serveixen per a formar el pretèrit perfet de qualsevol verb: *Ahir vaig comprar un regal per a la meva mare.* **8 anar-se'n** Marxar d'un lloc per anar en un altre: *En Jordi se n'anirà de l'escola a les quatre.* *Ara mateix me'n vaig d'aquí.* **9** No aturar-se en el moment que cal: *Se me n'ha anat la mà i he tallat un tros de paper massa llarg.*
La conjugació d'*anar* és a la pàg. 829.

anarquisme anarquisme *nom m* Ideologia que propugna la llibertat total de les persones i la desaparició de l'estat i de la propietat privada.

anarquista anarquistes *adj i nom m i f* Es diu de les persones que creuen en la llibertat total de la humanitat i que, per això, pensen que no haurien d'existir ni el poder de l'estat ni la propietat privada.

anatomia anatomies *nom f* Ciència que estudia el cos dels éssers vius.

anca anques *nom f* Cadascuna de les parts en què està dividit el cul de les persones i dels animals, al damunt de cada cuixa.

ancià anciana ancians ancianes *adj i nom m i f* Es diu de la persona gran, vella, que té molts anys: *Molts pobles del món creuen que s'ha de fer cas dels consells dels ancians.*

àncora àncores *nom f* Aparell de ferro que va lligat a una cadena i que es tira des d'un vaixell perquè es clavi al fons del mar i, així, el vaixell no es mogui de lloc.

ancorar v Fer que un vaixell quedi aturat tirant l'àncora a l'aigua: *El vaixell va ancorar prop de la costa.*
Es conjuga com *cantar.*

andalús andalusa andalusos andaluses **1** *nom m i f* Habitant d'Andalusia; persona natural o procedent d'Andalusia. **2** *adj* Es diu de les persones o de les coses naturals o procedents d'Andalusia. **3** *nom m* Manera de parlar el castellà pròpia d'Andalusia.

andana andanes *nom f* Vorera ampla que hi ha al costat de la via on s'espera la gent abans de pujar al tren, al metro, etc.

andorrà andorrana andorrans andorranes **1** *nom m i f* Habitant d'Andorra; persona natural o procedent d'Andorra. **2** *adj* Es diu de les persones o de les coses naturals o procedents d'Andorra.

andro- andr- Element amb què comencen algunes paraules i que vol dir "home": *L'andrologia és la branca de la medicina que estudia les malalties pròpies del sexe masculí.*

andròmina andròmines *nom f* Objecte vell i inútil.

ànec ànega ànecs ànegues *nom m i f* Ocell de potes curtes i de bec llarg i pla, que neda molt bé: *Anirem a la casa de pagès i veurem els ànecs que neden a la bassa.* **8**

anècdota anècdotes *nom f* Fet curiós o divertit: *A l'avi, li agrada d'explicar anècdotes de quan era jove.*

ànega ànegues *nom f* Mira ànec.

anell anells *nom m* Peça petita d'or, plata, metall, etc. en forma de cercle que es porta al voltant del dit.

anella anelles *nom f* Peça de metall o d'una altra matèria resistent, en forma de cercle, que serveix generalment per a aguantar o agafar alguna cosa: *S'ha trencat una anella de la cadena.*

anèmia anèmies *nom f* Empobriment de la composició de la sang provocat per diverses malalties, que produeix pèrdua de la gana, malestar i debilita la persona.

anemo- Element amb què comencen algunes paraules i que vol dir "vent": *Un anemòmetre és un instrument que serveix per mesurar la velocitat del vent.*

anemòmetre anemòmetres *nom m* Instrument que serveix per a mesurar la velocitat del vent.

anemone anemones *nom f* Nom que reben diverses plantes que tenen flors de colors variats i que es fan servir per a fer bonic.

anestèsia anestèsies *nom f* Acció d'adormir una persona o una part del cos abans d'una operació perquè no senti el dolor.

àngel àngels *nom m* **1** Segons la religió cristiana, missatger de Déu entre la humanitat: *Els àngels s'acostumen a representar amb ales.* **2** Persona molt bona.

angelical angelicals *adj* Que sembla un àngel, que sembla propi d'un àngel a causa de la seva bellesa, de la seva bondat o de la seva innocència: *Una criatura angelical.* ■ *Un somriure angelical.*

angina angines **1** angines *nom f pl* Malaltia que provoca mal de coll, febre, etc. **2** angina de pit Malaltia greu que provoca un dolor molt fort a la part del cor i del tòrax.

angle angles *nom m* **1** Lloc on es troben dues superfícies, dues parets; racó d'un carrer, d'una habitació, etc.: *Vam deixar els llibres en un angle de la taula.* **2** Figura geomètrica formada per dues rectes o dos plans: *Hi ha angles rectes, aguts i obtusos.*

anglès anglesa anglesos angleses **1** *nom m i f* Habitant d'Anglaterra; persona natural o procedent d'Anglaterra. **2** *adj* Es diu de les persones o de les coses naturals o procedents d'Anglaterra. **3** *nom m* Llengua que es parla a la Gran Bretanya, als Estats Units d'Amèrica, a gran part d'Irlanda i a altres territoris del món.

anglicisme anglicismes *nom m* Paraula o expressió d'origen anglès que s'utilitza en una altra llengua: *La paraula "stop" és un anglicisme que vol dir "parar".*

anglo- Element amb què comencen algunes paraules i que vol dir "anglès": *Arreu del món hi ha molts angloparlants, moltes persones que parlen anglès.*

anglosaxó anglosaxona anglosaxons anglosaxones *adj i nom m i f* Es diu de les persones o de les coses relacionades amb els països de llengua anglesa: *La Gran Bretanya i els Estats Units són dos països anglosaxons.*

angoixa angoixes *nom f* Sensació de nervis, de malestar, produïda per la por, per un disgust, etc.: *Els exàmens sempre em produeixen molta angoixa.*

angoixós angoixosa angoixosos angoixoses *adj* **1** Que provoca angoixa: *S'havien perdut a la muntanya feia hores i la situació començava a ser angoixosa.* **2** Que té angoixa: *Estava molt angoixós per culpa de l'examen.*

angost angosta angosts o angostos angostes *adj* Molt estret: *Entre les dues muntanyes hi havia un pas angost.*

anguila anguiles *nom f* Peix molt allargat semblant a una serp, de carn comestible, que viu en els corrents d'aigua dolça però que baixa al mar per criar.

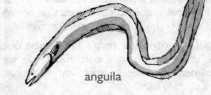
anguila

angula angules *nom f* Forma jove d'anguila, que entra en els rius procedent del mar.

angular angulars *adj* Que forma un angle, que està situat en un angle, que té relació amb un angle.

angulós angulosa angulosos anguloses *adj* Que té angles, que no té formes arrodonides sinó cantelludes: *Aquest noi té una cara amb unes faccions molt anguloses.*

angúnia angúnies *nom f* Malestar, impressió dolenta produïda per alguna cosa desagradable: *Quan va veure la sang que li rajava, li va venir angúnia.* ■ *Veient que tardaves tant, vaig començar a passar angúnia.*

anguniejar *v* Fer venir angúnia, malestar: *Ja era l'hora, el conferenciant no arribava i això anguniejava els organitzadors de la xerrada.* **Es conjuga com** *cantar.* **S'escriu** *j* **davant de** *a, o, u* **i** *g* **davant de** *e, i: anguniejo, angunieges.*

anhel anhels *nom m* Desig molt fort.

anhelar *v* Tenir un desig molt fort d'una cosa: *Anhelo que arribi l'estiu.* **Es conjuga com** *cantar.*

anihilar *v* Destruir completament, convertir una cosa en no res. **Es conjuga com** *cantar.*

ànim ànims *nom m* Ganes, interès que es té a l'hora de fer una cosa: *Ànim, noi! Tots sabem que jugaràs molt bé.* ■ *Vam jugar amb molts ànims.*

ànima ànimes *nom f* **1** Esperit, part no material de l'home. **2** Esperit de l'home que, segons moltes religions, continua existint després de la mort del cos. **3** *En aquella botiga no hi havia* **ni una ànima**: cap persona, ningú. **4** *Quan vaig saber que el meu equip havia perdut em va* **caure l'ànima als peus**: sentir una gran decepció. **5 en cos i ànima** Totalment, completament: *Va aconseguir que confiéssim en ell en cos i ànima.* **6 sortir de l'ànima** Sortir sincerament, espontàniament: *Aquelles paraules d'agraïment eren sinceres, li van sortir de l'ànima.*

animació animacions *nom f* Qualitat d'animat, de viu: *Els dissabtes al matí en aquesta plaça hi ha molta animació, perquè hi fan mercat.*

animador animadora animadors animadores *adj i nom m i f* Es diu de la persona que inventa i organitza distraccions, que dirigeix activitats de grup: *L'Eduard és l'animador de la festa del seu barri.*

animadversió animadversions *nom f* Sentiment desfavorable molt fort que algú sent contra una persona o una cosa: *Sent una forta animadversió contra la gent que parla massa alt.*

animal animals *nom m* **1** Ésser vivent que no és una planta. **2 animal irracional** Qualsevol animal que no sigui l'ésser humà. **3 animal racional** Ésser humà, animal capaç de pensar i de raonar. **4** Persona que és molt esverada, que no es comporta gaire bé, que fa bestieses, que crida, etc.: *És un animal, tot el dia salta, crida i fa bestieses.*

animal

animalada animalades *nom f* Bestiesa, ximpleria, cosa que es diu o es fa i que no té sentit.

animaló animalons *nom m* **1** Insecte petit que es posa a les plantes i que és perjudicial per a l'agricultura. **2** Animal petit: *La nena volia agafar el gatet però l'animaló estava esporuguit i fugia a amagar-se.*

animar *v* Donar ànims, coratge; engrescar: *Tota la classe anirem a animar l'equip de la nostra escola el dia de la final de bàsquet.* ■ *El professor ens ha animat a fer una revista de classe.* Es conjuga com *cantar*.

animat animada animats animades *adj* **1** Que té vida, moviment: *Els animals són éssers animats.* **2** Que té alegria, ànims, etc.: *Les festes del barri han sigut molt animades.*

animós animosa animosos animoses *adj* Ple d'ànim, ple de coratge, valent: *Tothom es pensava que no resistiria la duresa de la cursa, però ell, que és molt animós, va lluitar fins al final i se'n va sortir.*

animositat animositats *nom f* **1** Valentia, ànims: *L'equip lluitava amb animositat.* **2** Sentiment d'odi contra algú, desig de fer mal a algú.

anió anions *nom m* Ió amb càrrega elèctrica negativa.

aniquilar *v* Matar, eliminar completament. Es conjuga com *cantar*.

anís anissos *nom m* **1** Caramel rodó i petit. **2** Beguda alcohòlica molt dolça, de color transparent. **3** Planta que fa molta olor i que s'utilitza per a donar gust a alguns aliments.

anit *adv* Aquesta nit.

anivellar *v* Fer que la superfície d'un terreny quedi ben plana, ben horitzontal: *Per construir el camp de futbol, van haver d'anivellar el terreny i deixar-lo ben pla.* Es conjuga com *cantar*.

aniversari aniversaris *nom m* Dia que compleix anys una persona o que es compleixen anys d'algun fet important: *Demà és l'aniversari de la Joana, farà 12 anys.*

annex annexa annexos annexes **1** *adj* Es diu d'allò que va junt amb una altra cosa: *Una casa amb un jardí annex.* **2** *nom m* Cosa que s'adjunta a una altra de la qual depèn: *Aquesta novel·la porta un annex on s'expliquen les paraules difícils del text.*

annexar *v* Ajuntar una cosa a una altra fent que en depengui. Es conjuga com *cantar*.

annexionar-se *v* Annexar un territori: *El país que va guanyar la guerra es va annexionar una part del territori del país perdedor.* Es conjuga com *cantar*.

anoa anoes *nom m* Búfal nan, de colors foscos o vermellosos, de potes curtes i banyes dretes. ■ **11**

anodí anodina anodins anodines *adj* Que no fa ni mal ni bé, que no és gens interessant: *Els diaris van plens d'articles anodins, que no diuen res de nou ni d'interessant.*

anoienc anoienca anoiencs anoienques **1** *nom m i f* Habitant d'Anoia; persona natural o procedent de la comarca d'Anoia. **2** *adj* Es diu de les persones o de les coses naturals o procedents de la comarca d'Anoia.

anòmal anòmala anòmals anòmales *adj* Que té una anomalia, que no és normal: *Que nevi als Pirineus durant el mes d'agost és un fet anòmal.*

anomalia anomalies *nom f* Diferència que fa que una cosa no sigui com hauria de ser normalment: *Les ulleres corregeixen les diverses anomalies de la vista.*

anomenada anomenades *nom f* Fama: *La llonganissa de Vic té molta anomenada, és molt famosa.*

anomenar *v* **1** Donar nom a algú o a alguna cosa. **2** anomenar-se Dir-se, tenir tal nom: *Aquest poble s'anomena Ogassa.* Es conjuga com *cantar*.

anònim anònima anònims anònimes *adj i nom m* Es diu d'una carta, d'un llibre, etc. que no va firmat per ningú i que no se sap qui l'ha escrit.

anorac anoracs *nom m* Peça de vestir, una mica més curta que una jaqueta, generalment amb caputxa, que resguarda molt del fred i de la pluja.

anorèxia anorèxies *nom f* Pèrdua o disminució de la gana.

anormal anormals *adj* Que no és normal, que no passa sovint: *A l'estiu és anormal que faci fred.*

anorrear *v* Destruir una cosa completament, fins a fer-la desaparèixer, fins a convertir-la en no res. Es conjuga com *canviar*.

anotar *v* Escriure alguna cosa en un paper per tal de recordar-la millor. Es conjuga com *cantar*.

ans 1 *adv* Abans. **2** *conj* Sinó que *Ell no volia fugir, ans volia enfrontar-se als enemics.*

ansa anses *nom f* Mira **nansa**.

ànsia ànsies *nom f* Inquietud, nerviosisme, preocupació, desig molt fort d'una cosa: *No passis ànsia per l'examen, no te'n preocupis, perquè ja veuràs com trauràs bona nota.*

ansietat ansietats *nom f* Inquietud molt forta: *Vam seguir el partit per la televisió amb molta ansietat, perquè no es veia clar qui guanyaria al final.*

ansiós ansiosa ansiosos ansioses *adj* Que té ànsia, que té desig de fer una cosa: *Els nens estan ansiosos per començar el joc.*

ant ants *nom m* Mamífer remugant de la mateixa família que els cérvols, força gros, que té l'esquena una mica geperuda i el coll curt i amb una cresta.

antagònic antagònica antagònics antagòniques *adj* Que és contrari, que s'oposa a un altre, que lluita contra un altre.

antagonisme antagonismes *nom m* Rivalitat, oposició: *L'antagonisme entre aquests dos equips és molt fort.*

antagonista antagonistes *adj i nom m i f* Es diu d'algú que lluita contra un altre: *En aquest combat de boxa s'enfrontaran dos grans antagonistes.*

antany *adv* L'any passat; abans, en el temps passat.

antàrtic antàrtica antàrtics antàrtiques *adj* Que està relacionat amb l'Antàrtida o l'oceà Antàrtic, a la zona del pol Sud.

ante- Prefix, element que s'afegeix al davant d'una paraula i que vol dir "abans": *Jo vaig ser l'antepenúltim d'arribar; en Carles, el penúltim i tu, l'últim.*

antecedent antecedents **1** *adj* Es diu d'una cosa que és anterior: *L'any 1994 hi va haver un gran terratrèmol a la zona, on ja se n'havien produït altres d'antecedents.* **2 antecedents** *nom m pl* Informació que té la policia sobre els delictes que ha comès una persona al llarg de la seva vida: *La policia ha detingut un sospitós; es tracta d'algú que té molts antecedents per robatori.*

antecessor antecessora antecessors antecessores *adj i nom m i f* Es diu de la persona que va davant d'una altra, que ocupava un càrrec abans del qui l'ocupa ara.

antelació antelacions *nom f* Espai de temps en què una cosa passa abans que una altra: *El guanyador de la cursa va arribar amb tres segons d'antelació respecte al segon.*

antena antenes *nom f* **1** Cadascun dels membres prims i llargs que surten del cap d'alguns animals, banyes: *Si observeu bé el cap de les papallones, hi veureu dues antenes.* **2** Aparell que serveix per a captar o produir senyals de ràdio, televisió, etc.: *Una antena de televisió.*

antepenúltim antepenúltima antepenúltims antepenúltimes *adj* El que va abans que el penúltim: *Les paraules esdrúixoles tenen forta l'antepenúltima síl·laba.*

anteposar *v* Posar una cosa abans o al davant d'una altra: *Has d'anteposar l'estudi a la diversió.*
Es conjuga com *cantar*.

anterior anteriors *adj* **1** Que és abans que un altre: *El mes de gener és anterior al de febrer.* **2** Que està col·locat al davant d'un altre: *El gos de casa sap aixecar les dues potes anteriors.* **3 passat anterior** Temps verbal compost que indica un temps anterior a un temps passat; per exemple, "va haver acabat" a la frase "quan va haver acabat de dinar va sortir al carrer".

anterioritat anterioritats *nom f* **1** Qualitat d'anterior. **2 amb anterioritat a** Abans de: *El 23 de gener es va celebrar la reunió de tots els socis del club, però amb anterioritat a aquesta data ja s'havia reunit la junta de l'entitat.*

anteriorment *adv* Abans, en un temps anterior.

anti- Prefix, element que s'afegeix al davant d'una paraula i que vol dir "contra": *Els antimilitaristes estan en contra dels militars i dels exèrcits.*

antibiòtic antibiòtics *nom m* Substància que serveix per a lluitar contra els microbis que provoquen malalties: *El mal de ventre i la diarrea no li van passar fins que no es va prendre els antibiòtics que li va receptar el metge.*

antic antiga antics antigues *adj* Que té molts anys o molts segles d'existència; que va ser construït o fet fa molt de temps: *Aquest moble és molt antic, té més de 400 anys.*

anticicló anticicló *nom m* Estat de l'atmosfera que es produeix quan hi ha una zona central on la pressió és més alta que en zones del voltant, amb vents que giren al seu entorn.

anticipar *v* **1** Fer una cosa abans del temps en què s'havia previst de fer-la: *Hem anticipat el viatge, marxarem tres dies abans del que havíem pensat en un principi.* **2** Avançar-se a fer una cosa: *Jo volia pagar les begudes de tothom, però la Mireia va anticipar-se i va pagar ella.* ■ *Aquest any el fred s'ha anticipat, ha vingut abans del que és habitual.*
Es conjuga com *cantar.*

anticonceptiu anticonceptiva anticonceptius anticonceptives *adj* i *nom m* Es diu de la substància, de l'instrument o del mètode que serveix per a evitar que la dona quedi prenyada.

antídot antídots *nom m* Substància que serveix per a lluitar contra un verí: *El va mossegar una serp verinosa, sort que li van donar l'antídot de seguida.*

antifaç antifaços *nom m* Careta que serveix per a tapar els ulls quan ens disfressem.

antifaç

antigalla antigalles *nom f* Cosa molt antiga; costum antic.

antigament *adv* Fa molt de temps, en temps antics.

antigàs *adj* Que protegeix dels gasos tòxics: *Els bombers portaven màscares antigàs per evitar de quedar intoxicats pel fum de l'incendi.*

antiguitat antiguitats *nom f* **1** Objecte que té molts anys, que és antic: *El meu oncle té una botiga d'antiguitats.* **2** l'**antiguitat** Període de la història molt antic que va des del final de la prehistòria fins a uns cinc-cents anys després de Crist.

antimilitarista antimilitaristes *adj* i *nom m* i *f* Es diu de les persones que estan en contra dels militars i dels exèrcits: *Els antimilitaristes es van manifestar pel centre de la ciutat.*

antipatia antipaties *nom f* Sentiment de rebuig envers una persona o una cosa que no ens agrada o no ens cau bé.

antipàtic antipàtica antipàtics antipàtiques *adj* Que té un caràcter desagradable, que no ens cau bé: *Aquell noi és molt antipàtic, sempre està enfadat i té mal humor.*

antípoda antípodes *nom m* i *f* **1** Persona que es troba en un punt de la Terra diametralment oposat respecte al punt on es troba una altra persona: *Els habitants de Catalunya som els antípodes dels habitants de Nova Zelanda.* **2** Es diu d'una persona o d'una cosa completament oposada a una altra per la seva manera de ser, per la seva naturalesa, etc.: *Aquesta nena és l'antípoda de la seva germana, l'una és treballadora i l'altra és gandula.* **3** els **antípodes** *nom m pl* Part de la Terra que es troba situada a l'altre extrem del mateix diàmetre: *Nova Zelanda es troba situada als antípodes de Catalunya.*

antiquari antiquària antiquaris antiquàries *nom m* i *f* Persona que es dedica a comprar, a col·leccionar o a vendre coses antigues, com ara mobles, eines, llibres, joguines, etc.

antiquat antiquada antiquats antiquades *adj* Es diu de les coses velles, passades de moda.

antisemita antisemites *adj* i *nom m* i *f* Enemic del poble jueu: *Els nazis eren antisemites i van cometre crims horribles contra el poble jueu.*

antítesi antítesis *nom f* Contrast entre dues idees o dues coses oposades l'una a l'altra; idea, fet o cosa que s'oposa a una altra: *L'odi és l'antítesi de l'amor.*

antologia antologies *nom f* Recull de textos triats d'un autor o de diversos autors: *M'han regalat un llibre que es titula "Antologia de la poesia catalana", que té poesies de molts autors.*

antònim antònims *nom m* Paraula de sentit contrari a una altra: *La paraula "gran" és un antònim de la paraula "petit".*

antre antres *nom m* Cova, caverna; lloc petit i fosc, que no té gaire bon aspecte.

antropologia antropologies *nom f* Disciplina que estudia les formes de vida, civilització i de cultura de la humanitat.

antuvi Paraula que s'utilitza en les expressions **d'antuvi**, **de bell antuvi** o **de primer antuvi**, i que vol dir "de primer moment, abans de tota altra cosa".

anual anuals *adj* Que dura un any o que passa cada any.

anualment *adv* Cada any: *Aquesta revista surt anualment, és a dir, només en surt un número a l'any*.

anuari anuaris *nom m* **1** Publicació que surt un cop a l'any: *La nostra escola publica cada any un anuari en què s'informa de les activitats que s'hi han realitzat, del nombre d'alumnes que hi han estudiat, dels noms dels professors que hi han ensenyat, etc.* **2** Llibre de notes per a tot l'any.

anular anulars *adj* **1** Que té la forma d'un anell. **2** **dit anular** Quart dit de la mà, que és al costat del dit petit, i on se solen posar els anells. 15

anul·lació anul·lacions *nom f* Acció d'anul·lar una cosa: *A la reunió es va decidir l'anul·lació de la festa de final de curs per falta de diners.*

anul·lar *v* Destruir, fer que una cosa, com ara una llei, un compromís, una trobada, etc., no sigui vàlida.
Es conjuga com *cantar*.

anunci anuncis *nom m* Escrit, imatge, fotografia, reportatge, etc., generalment breu, que es dóna a conèixer a través d'un mitjà de comunicació per tal d'avisar la gent sobre una cosa o d'engrescar-la a comprar un producte: *Entre programa i programa, a la televisió fan molts anuncis.*

anunciar *v* Fer saber, proclamar, donar la notícia d'alguna cosa: *Us vinc a anunciar que em caso.* ■ *Aquest cotxe, l'anuncien per la televisió.*
Es conjuga com *canviar*.

anus els anus *nom m* En les persones i en els animals, forat per on surten els excrements, situat entre les dues anques.

anvers anversos *nom m* Part superior de la fulla d'un arbre, que normalment rep els rajos del sol; cara de davant d'un full escrit o d'una moneda.

anxaneta anxanetes *nom m* Infant que s'enfila al capdamunt d'un castell humà fet per una colla de castellers.

anxova anxoves *nom f* Peix de mar semblant a la sardina que generalment es menja en conserva adobat amb sal.

any anys *nom m* **1** Espai de temps que comprèn 365 dies, és a dir, 52 setmanes, o sigui, 12 mesos. **2** **any de traspàs**, **any bixest** o **any bissextil** Any que consta de 366 dies; ho és un de cada quatre. **3** *Això* **fa anys i panys** *que va passar:* fer molt de temps d'una cosa. **4** *Això és de* **l'any de la Mariacastanya**, *de* **l'any de la picor***:* de molt temps enrere. **5** **per molts anys!** Expressió que es fa servir per felicitar algú en el dia del seu sant o del seu aniversari o per celebrar alguna cosa important.

anyada anyades *nom f* Producció de la terra en un any determinat: *Els pagesos estan contents perquè diuen que han tingut una bona anyada i han fet una bona collita.*

anyal anyals *adj* Anual, que passa cada any: *Una festa anyal.*

anyell anyella anyells anyelles *nom m i f* Fill de l'ovella fins a l'edat d'un any, xai.

anyell

aorta aortes *nom f* Artèria principal que arrenca del cor i que es ramifica en altres artèries més petites que condueixen la sang oxigenada a totes les parts del cos, excepte els pulmons. 17 19

apa *interj* **1** Paraula que es diu quan es vol animar algú a fer una cosa o a fer-la més de pressa o amb més ganes: *Apa, noi, comença a estudiar d'una vegada, no t'entretinguis més!* **2** Paraula que expressa desconfiança o crítica: *Apa, potser que no presumeixis tant!*

apadrinar *v* Fer de padrí d'algú, protegir o afavorir algú: *Com que el director de l'empresa l'apadrinava, de seguida va pujar de categoria.*
Es conjuga com *cantar*.

apagallums uns apagallums *nom m* **1** Objecte de llauna de forma cònica col·locat al capdamunt d'una canya, que serveix per a apagar les flames dels ciris. **2** Sagristà.

apagar *v* **1** Fer que una cosa deixi de cremar, parar de cremar-se una cosa: *Apagueu el foc!* **2** Des-

connectar el llum elèctric, fer que deixi d'haver-hi llum: *Apagueu els llums i aneu a dormir.*
Es conjuga com *cantar.* S'escriu g davant de *a, o, u* i *gu* davant de *e, i: apago, apagues.*

apaïsat apaïsada apaïsats apaïsades *adj* Es diu de les coses de figura rectangular que són més amples que altes.

apaivagar *v* Calmar, fer desaparèixer l'excitació, la violència; portar la pau.
Es conjuga com *cantar.* S'escriu g davant de *a, o, u* i *gu* davant de *e, i: apaivago, apaivagues.*

apallissar *v* Pegar a algú molt fort, donar-li una pallissa.
Es conjuga com *cantar.*

apamar *v* **1** Prendre la mida, mesurar una cosa a pams: *He apamat la taula, fa sis pams de llargada.* **2 tenir apamat** Conèixer molt bé: *Tinc la carretera ben apamada, la faig cada dia.*
Es conjuga com *cantar.*

apanyar *v* **1** Arreglar una cosa que estava espatllada. **2 apanyar-se** Espavilar-se.
Es conjuga com *cantar.*

aparador aparadors *nom m* Vitrina d'una botiga que dóna al carrer, on s'exposen els productes que es venen: *Ens agrada de mirar les joguines que hi ha a l'aparador d'aquesta botiga.*

aparat aparats *nom m* Allò que fa que un acte sigui solemne, ple de coses que el fan semblar important: *En aquesta escola, l'acte del final de curs es fa amb un gran aparat, amb música, aplaudiments, discursos, etc.*

aparatós aparatosa aparatosos aparatoses *adj* Es diu d'un acte o d'un fet que té un gran aparat, que fa que sembli més important del que en realitat és: *Ha caigut escales avall d'una manera molt aparatosa, fent molt soroll, però no s'ha fet res.*

aparcament aparcaments *nom m* Lloc, al carrer, en un garatge, en un pati, etc., per a deixar-hi aparcat un cotxe, un camió, una moto, etc., durant un cert temps.

aparcar *v* Deixar un vehicle en un lloc determinat durant un espai de temps concret.
Es conjuga com *cantar.* S'escriu c davant de *a, o, u* i *qu* davant de *e, i: aparco, aparques.*

aparèixer *v* **1** Presentar-se, mostrar-se de cop una cosa o una persona davant nostre: *Diuen que en aquell castell s'hi apareix un fantasma a les dotze de la nit.* **2** Trobar una cosa

que es donava per perduda: *Ja ha aparegut el braçalet que vas perdre.* **3** Ser publicat, posat a la venda: *Ha aparegut un nou disc del seu cantant preferit.*
Es conjuga com *conèixer.*

aparell aparells *nom m* **1** Instrument, conjunt d'objectes que serveixen per a alguna cosa concreta: *Si voleu escoltar les notícies, necessiteu un aparell de ràdio.* **2** Conjunt d'òrgans del cos d'una persona, animal o planta que serveixen per a una mateixa funció: *L'estómac forma part de l'aparell digestiu.*

aparellador aparelladora aparelladors aparelladores *nom m* i *f* Persona que ajuda l'arquitecte en la construcció d'un edifici, vigilant que tot es faci segons els plans, que els materials siguin de qualitat, etc.

aparellar *v* **1** Formar grups de dos, formar parella, apariar. **2** Preparar, disposar una cosa perquè estigui a punt: *Els mariners aparellaven les barques per sortir a pescar.*
Es conjuga com *cantar.*

aparença aparences *nom f* **1** Allò que sembla, però que no és veritat: *El sol sembla que giri al voltant de la terra, però això només és una aparença.* **2** Aspecte exterior d'una persona o cosa.

aparent aparents *adj* Que sembla que és d'una manera que potser en realitat no és: *Se'l veu molt feliç, però això només és aparent, perquè tots sabem que en el fons està trist perquè ha perdut la cursa.*

aparentar *v* Semblar una cosa que en realitat no és: *En Tomeu aparenta tenir 14 anys, perquè és molt alt, però en realitat només en té 11.*
Es conjuga com *cantar.*

apariar *v* **1** Ajuntar dues coses de manera que formin una parella, aparellar. **2** Ajuntar-se un animal mascle i un animal femella: *La gossa es va apariar amb un gos i va tenir cinc cadells.* **3** Arreglar una cosa: *He apariat la persiana.*
Es conjuga com *canviar.*

aparició aparicions *nom f* Acció d'aparèixer: *El diari parla de l'aparició de les joies robades.*

apartament apartaments *nom m* Pis petit, amb poques habitacions.

apartar *v* Posar a part, separar alguna cosa, posar-la lluny: *Aparteu les bicicletes de la porta, que no deixen passar.*
Es conjuga com *cantar.*

apartat apartats *nom m* **1** Cadascuna de les parts d'un escrit separades per un punt i a part o per altres indicacions. **2 apartat de correus** Lloc de l'oficina de correus amb bústies numerades que es poden llogar per a rebre-hi la correspondència.

apassionant apassionants *adj* Es diu d'una cosa molt interessant, que apassiona: *El motociclisme és un esport apassionant.*

apassionar *v* Excitar molt, sentir una forta atracció per algú o alguna cosa; causar passió: *M'apassiona fer col·lecció de cromos.*
Es conjuga com *cantar.*

àpat àpats *nom m* Cadascun dels menjars principals que es fan durant el dia: *Nosaltres fem quatre àpats al dia: esmorzar, dinar, berenar i sopar.*

apàtic apàtica apàtics apàtiques *adj* Es diu de la persona poc activa, que no s'interessa per res, que no sent cap emoció.

apedaçar *v* **1** Cosir un tros de roba nou a una peça de roba estripada: *En Joan portava els pantalons apedaçats.* **2** Millorar una cosa espatllada, però sense arreglar-la del tot: *El gerro es va trencar i el vam apedaçar.*
Es conjuga com *cantar.* S'escriu ç davant de *a, o, u* i c davant de *e, i: apedaço, apedaces.*

apedregar *v* Tirar pedres contra algú o alguna cosa.
Es conjuga com *cantar.* S'escriu g davant de *a, o, u* i gu davant de *e, i: apedrego, apedregues.*

apegalós apegalosa apegalosos apegaloses *adj* Enganxós: *Quina pasta més apegalosa!*

apegar *v* Enganxar.
Es conjuga com *cantar.* S'escriu g davant de *a, o, u* i gu davant de *e, i: apego, apegues.*

apel·lar *v* Recórrer a una persona o a una cosa per demanar ajuda o comprensió: *Els professors van apel·lar a la responsabilitat dels alumnes perquè els ajudessin a mantenir el bon estat del jardí.*
Es conjuga com *cantar.*

apendicitis les apendicitis *nom f* Inflamació de l'apèndix: *El metge ha dit que el malalt tenia apendicitis i que l'hauran d'operar per treure-li l'apèndix.*

apèndix apèndixs *nom m* **1** Cosa afegida a una altra i que és com una continuació: *La cua dels animals és un apèndix.* **2** Part del budell que de vegades s'inflama: *Tenia molt mal de ventre i li van haver de treure l'apèndix.* **19 3** Conjunt de pàgines situades al final d'un llibre on hi ha notes, explicacions, etc.

aperitiu aperitius *nom m* Beguda o menjar que es fa abans d'un àpat.

apesarat apesarada apesarats apesarades *adj* Que està trist, que té una pena.

apetit apetits *nom m* Tendència a satisfer les necessitats; desig de menjar, gana.

apetitós apetitosa apetitosos apetitoses *adj* Que excita l'apetit, el desig, la gana: *Quina fruita més apetitosa!*

api apis *nom m* Planta comestible, molt olorosa, de flors blanquinoses i arrel gruixuda, que es conrea als horts. **I**

apiadar-se *v* Tenir pietat, compadir-se d'algú.
Es conjuga com *cantar.*

apilar *v* Posar coses l'una sobre l'altra formant piles: *En un racó de la llibreria hi havia molts llibres apilats.*
Es conjuga com *cantar.*

apilonar *v* Posar coses l'una damunt de l'altra, de manera que formin un piló.
Es conjuga com *cantar.*

apilotar *v* Reunir coses soltes formant un pilot: *A la tardor les fulles dels arbres es van apilotant a terra.*
Es conjuga com *cantar.*

apinyar *v* Ajuntar molt unes coses amb les altres: *L'autobús anava molt ple i la gent estava apinyada.*
Es conjuga com *cantar.*

aplacar *v* Calmar, fer disminuir la força d'una cosa: *Com que estava molt nerviós, es va prendre unes pastilles per tranquil·litzar-se i va quedar aplacat.*
Es conjuga com *cantar.* S'escriu c davant de *a, o, u* i qu davant de *e, i: aplaco, aplaques.*

aplanar *v* **1** Fer plana la superfície d'una cosa: *Abans de construir l'edifici, aplanaran el terreny.* **2** *La febre el va deixar aplanat:* dèbil, abatut, aclaparat.
Es conjuga com *cantar.*

aplaudiment aplaudiments *nom m* Acció d'aplaudir, de picar de mans: *El músic va rebre molts aplaudiments al final de l'actuació.*

aplaudir *v* Picar de mans per demostrar que estem contents, que ens ha agradat un

espectacle, etc.: *Quan el cantant va acabar la cançó, el públic el va aplaudir molt fort.*
Es conjuga com *servir*.

aplec aplecs *nom m* **1** Conjunt de persones o coses reunides: *A la classe de llengua hem fet un aplec d'endevinalles i l'hem fotocopiat.* **2** Reunió de gent, generalment a l'aire lliure, per a celebrar una festa: *Diumenge anirem a l'aplec i ballarem sardanes.*

aplegar *v* **1** Reunir, ajuntar: *La caminada popular pel barri va aplegar deu mil persones.* **2** Arribar.
Es conjuga com *cantar*. S'escriu g davant de *a, o, u* i gu davant de *e, i*: aplego, aplegues.

aplicació aplicacions *nom f* **1** Utilitat, funció d'una cosa: *El petroli té moltes aplicacions en la indústria.* **2** Correspondència entre dos conjunts en què tot element del primer té només una imatge en el segon.

aplicar *v* **1** Posar una cosa damunt d'una altra de manera que s'hi enganxi, que la cobreixi: *La modista va aplicar una cinta a la màniga del vestit.* ▪ *El metge va aplicar una pomada a la ferida.* **2** Posar en pràctica una cosa que s'ha après, fer servir una cosa: *Aplica els teus coneixements d'anglès i tradueix aquest escrit.* **3** Posar esforç en una cosa: *La Remei s'aplica molt en l'estudi, treballa de valent.*
Es conjuga com *cantar*. S'escriu c davant de *a, o, u* i qu davant de *e, i*: aplico, apliques.

aplicat aplicada aplicats aplicades *adj* Es diu de la persona que s'esforça molt a l'hora de fer una cosa: *Aquestes estudiantes són molt aplicades, treballen molt.*

aplom aploms *nom m* Seguretat d'una persona a l'hora de parlar o de fer una cosa: *Tothom l'acusava, però ell es va defensar amb molt aplom i no es va posar nerviós en cap moment.*

apocat apocada apocats apocades *adj* Es diu d'una persona no gaire decidida, molt tímida, que s'espanta per poca cosa: *És tan apocat que, si algú li pregunta una cosa, abaixa els ulls i no diu res.*

apoderar-se *v* Agafar una cosa violentament, posar una cosa sota el poder d'algú: *L'exèrcit enemic es va apoderar de la ciutat.*
Es conjuga com *cantar*.

apogeu apogeus *nom m* Punt màxim, moment millor: *Aquest esportista aconsegueix moltes victòries, està en el seu apogeu.*

apolític apolítica apolítics apolítiques *adj* Es diu de les persones que no participen en política o a les quals no interessa la política.

apologia apologies *nom f* Discurs o escrit en defensa o lloança d'algú o d'alguna cosa: *El conferenciant va fer una apologia de la llibertat, és a dir, va parlar a favor de la llibertat.*

aportar *v* **1** Portar cadascú la part que li correspon en una empresa, societat, etc.: *Cadascun dels nens de la classe va aportar cinquanta cèntims per comprar una pilota nova.* **2** Donar raons, arguments: *Aquestes proves aporten solucions autèntiques a l'aclariment del crim.*
Es conjuga com *cantar*.

aposentar *v* Donar a algú un lloc on estar-se, on viure durant un temps: *Aposentarem el convidat en aquesta habitació.*
Es conjuga com *cantar*.

aposta apostes *nom f* Jugada feta amb diners, etc.; juguesca: *En Lluís deia que guanyaria el Sabadell, la Laura que guanyaria l'Elx. Van fer una aposta d'un euro, però no va guanyar ningú, perquè els equips van empatar.*

apostar *v* **1** Jugar-se diners: *Aposto cinc euros que no ets capaç d'alçar aquest pes.* **2** Col·locar una o més persones en un lloc per a complir una tasca: *El cap de policia va apostar alguns agents en diversos punts al voltant del banc per tal d'impedir que els atracadors poguessin fugir.*
Es conjuga com *cantar*.

apòstol apòstols *nom m* Persona que propaga una idea o una religió: *Jesús va enviar els dotze apòstols a predicar la fe.*

apòstrof apòstrofs *nom m* Signe ortogràfic (') que es fa servir per a indicar l'eliminació d'una lletra: *La casa d'en (de + en) Jaume és vella.*

apotecari apotecària apotecaris apotecàries *nom m i f* **1** Persona que antigament preparava medicaments. **2** Farmacèutic.

apotema apotemes *nom f* Línia perpendicular que va des del centre d'un polígon regular a qualsevol dels costats.

apoteosi apoteosis *nom f* Moment final i més espectacular d'una obra de teatre, d'una pel·lícula, d'un fet, etc.: *Quan, al final del dinar del casament, es van apagar els llums, va sonar la música i van portar el pastís de noces, allò ja va ser l'apoteosi.*

apreciable apreciables *adj* Que es pot apreciar, que té un cert valor, una certa importància: *Va guanyar una quantitat apreciable de diners.*

apreciar *v* **1** Tenir estimació, afecte a algú: *Aprecio molt la teva família.* **2** Reconèixer el mèrit, el valor d'alguna cosa: *Hem de saber apreciar les coses antigues.*
Es conjuga com *canviar.*

aprendre *v* Arribar a conèixer una cosa, a saber fer una cosa a través de l'estudi o de la pràctica: *Aprenc a anar amb bicicleta.*
La conjugació d'*aprendre* és a la pàg. 829.

aprenent aprenenta aprenents aprenentes *nom m* i *f* Persona que està aprenent un ofici, una feina, etc.

aprenentatge aprenentatges *nom m* Acció d'aprendre un ofici, una matèria, etc.: *Els pilots d'aviació han hagut de fer moltes hores d'aprenentatge.*

aprensió aprensions *nom f* Desconfiança que sentim contra una cosa que ens podria fer mal: *El nen es va mirar la cuca amb aprensió.*

aprensiu aprensiva aprensius aprensives *adj* Es diu de la persona que agafa aprensió amb facilitat, que té por que les coses li facin mal: *Aquell home és molt aprensiu, no li agrada de menjar fora de casa perquè té por que el menjar li faci mal.*

apressar *v* Anar de pressa a fer una cosa; afanyar-se: *Si apresseu el pas, arribarem abans a casa.*
Es conjuga com *cantar.*

aprimar *v* Fer tornar prim, reduir el gruix d'una cosa: *Si no menges, t'aprimaràs.*
Es conjuga com *cantar.*

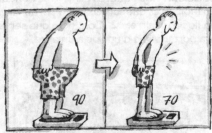
aprimar-se

aprofitament aprofitaments *nom m* Acció d'aprofitar: *Els pantans tenen com a finalitat l'aprofitament de les aigües.*

aprofitar *v* Fer servir una cosa, treure'n profit: *Aprofitarem aquesta estona de temps lliure per llegir el diari.*
Es conjuga com *cantar.*

aprofitat aprofitada aprofitats aprofitades *adj* Es diu de la persona que s'aprofita d'una altra persona: *Aquell noi és un aprofitat, ahir em va demanar que li deixés el bolígraf i avui encara no me l'ha tornat.*

aprofundir *v* Anar al fons d'una cosa; estudiar una cosa a fons: *La Maria té ganes d'aprofundir els seus coneixements musicals.*
Es conjuga com *servir.*

apropar *v* Acostar, aproximar: *El vaixell s'apropa a la costa.*
Es conjuga com *cantar.*

apropiar *v* Fer que alguna cosa sigui d'algú, quan abans era d'una altra persona; apoderar-se d'alguna cosa: *Es va apropiar uns terrenys del costat de casa seva.*
Es conjuga com *canviar.*

apropiat apropiada apropiats apropiades *adj* Que serveix per a allò que volem: *Aquest terreny tan pla és apropiat per a fer-hi un camp de futbol.*

aprovació aprovacions *nom f* Acció d'aprovar, de trobar una cosa bona, correcta, vàlida, etc.

aprovar *v* **1** Trobar una cosa bona, correcta, vàlida, etc.: *El govern va aprovar una llei de protecció dels boscos.* **2** Donar o rebre la nota d'aprovat en un examen: *Aquest curs espero aprovar totes les assignatures.*
Es conjuga com *cantar.*

aprovat aprovats *nom m* Nota que indica que s'ha passat una prova, un examen, etc., que no s'ha suspès, suficient.

aprovisionar *v* Proporcionar provisions a algú.
Es conjuga com *cantar.*

aproximació aproximacions *nom f* **1** Acció d'acostar-se, d'aproximar-se. **2** Allò que s'assembla a una cosa, que s'hi acosta: *Aquests resultats només són una aproximació, encara no són definitius.*

aproximadament *adv* Més o menys, gairebé, d'una manera aproximada: *Això va passar fa un any aproximadament.*

aproximar *v* Acostar, apropar: *El tren s'aproxima a l'estació.*
Es conjuga com *cantar.*

aproximat aproximada aproximats aproximades *adj* Que no és ben bé exacte, però que s'hi acosta: *Les obres pujaran un total aproximat de sis mil dos-cents euros, més o menys.*

apte apta aptes *adj* Que val, que té qualitats per a fer alguna cosa: *La Lídia és una persona apta per als estudis.*

aptitud aptituds *nom f* Capacitat o facilitat que té una persona per a fer una cosa: *Aquell noi té aptitud per a ser un bon futbolista, perquè corre molt de pressa, xuta fort i sempre endevina on anirà a parar la pilota.*

apujar *v* **1** Fer passar alguna cosa d'un nivell a un altre de més alt: *Apugem les persianes, que així entrarà més claror.* **2** Fer que sigui més car el preu d'una cosa, que un sou sigui més alt, etc.: *El preu del bitllet de l'autobús s'ha apujat vint cèntims.* **3** Fer que una cosa tingui més intensitat: *Vols apujar una mica més el volum de la ràdio?*
Es conjuga com *cantar*. S'escriu *j* davant de *a, o, u* i *g* davant de *e, i: apujo, apuges.*

apunt apunts *nom m* Petit escrit o dibuix que es fa per recordar el que ha explicat un professor, el que s'ha dit en una reunió, etc.: *El meu germà gran va a la universitat i diu que a classe ha de prendre apunts del que diu el professor.*

apuntador apuntadora apuntadors apuntadores *nom m i f* Persona que des d'un lloc amagat del públic diu als actors d'una obra de teatre el que han de dir quan no se'n recorden.

apuntalar *v* Fer aguantar, sostenir amb un o més puntals alguna cosa: *Van apuntalar el sostre amb pals perquè no s'ensorrés.*
Es conjuga com *cantar*.

apuntalar

apuntar *v* **1** Prendre nota d'alguna cosa escrivint-ho en un paper: *Apunta't el telèfon de l'Anna.* **2** Encarar, dirigir la punta d'una arma cap a l'objecte contra el qual es vol disparar:

El caçador apuntava al lleó amb l'escopeta. **3** **apuntar-se** Matricular-se, inscriure's en un curset, una excursió, una llista de gent, etc.: *Si voleu anar d'excursió apunteu-vos en aquesta llista.*
Es conjuga com *cantar*.

apunyalar *v* Clavar un punyal a algú.
Es conjuga com *cantar*.

aqua- aqüe- aqüi- Element amb què comencen algunes paraules i que vol dir "aigua": *Un aquàrium és un dipòsit amb aigua on viuen plantes i animals aquàtics.*

aquarel·la aquarel·les *nom f* Pintura feta amb colors transparents que s'han aconseguit barrejant les tintes amb aigua.

aquari[1] *nom m* Onzè signe del zodíac: *Les persones nascudes entre el 20 de gener i el 19 de febrer són del signe d'aquari.*

aquari[2] aquaris *nom m* Dipòsit d'aigua amb parets de vidre on viuen plantes i animals aquàtics.

aquari

aquàrium aquàriums *nom m* Mira **aquari**.

aquàtic aquàtica aquàtics aquàtiques *adj* **1** Que viu a l'aigua: *Els peixos són animals aquàtics.* **2** Que es fa a l'aigua: *La Irene practica l'esquí aquàtic.*

aqüeducte aqüeductes *nom m* **1** Pont alt i amb molts arcs que serveix per a portar l'aigua d'un lloc a un altre. **2** Conducte que serveix per a portar aigua d'un lloc a un altre.

aqüeducte

aqueix aqueixa aqueixos aqueixes *adj* i *pron* Indica les persones o les coses que són més a prop de la persona a qui es parla que no pas d'aquella que parla.

aquell aquella aquells aquelles *adj* i *pron* **1** Indica les coses, les persones, els llocs que són lluny dels qui parlen: *Aquell noi d'allà és amic meu.* **2** Indica les coses allunyades en el temps o que fa temps que van passar: *Aquell estiu ens vam divertir molt i, en canvi, aquest no gaire.*

aquest aquesta aquests aquestes *adj* i *pron* **1** Indica el lloc on es troben les persones que parlen i les coses i les persones que es troben al seu costat: *Aquesta bicicleta és la meva, aquella d'allà és la d'en Manel.* **2** Indica les coses actuals, que passen ara: *Aquesta setmana se m'ha fet més curta que la passada.*

aquí *adv* **1** En aquest lloc, ací: *La pilota és aquí, la tinc jo.* **2** *D'aquí* a cinc minuts començarà *la pel·lícula:* quan hagin passat cinc minuts, començarà la pel·lícula.

aquietar *v* Calmar, apaivagar, tranquil·litzar. Es conjuga com *cantar*.

aquissar *v* Atiar els gossos contra algú, animar-los a atacar algú. Es conjuga com *cantar*.

aquós aquosa aquosos aquoses *adj* Que és d'aigua, que conté aigua: *Una substància aquosa.*

ara[1] *adv* **1** En aquest moment, actualment: *Ara mateix s'ha posat a ploure i fa un moment feia un bon sol.* **2 ara com ara** Mentre no canviïn les coses. **3 ara per ara** En aquest moment. **4 ara bé** *conj* Però: *Us deixo sortir sols al carrer; ara bé, m'heu de prometre que no fareu cap bestiesa.* **5 I ara!** *interj* Expressió que indica sorpresa: *I ara!, què dius!, això no pot ser veritat.*

ara[2] ares *nom f* Altar.

àrab àrabs **1** *nom m* Llengua que té molts dialectes i que es parla a bastants països del nord d'Àfrica i del sud-oest d'Àsia. **2** *adj* Es diu de les persones, de les coses i dels països de llengua i cultura àrabs: *Egipte, Líbia i el Marroc són tres països àrabs.* **3** *nom m* i *f* Habitant d'Aràbia; persona natural o procedent d'Aràbia.

aràbic aràbiga aràbics aràbigues *adj* **1** Que està relacionat amb Aràbia o amb els àrabs. **2 xifra aràbiga** Cadascun dels signes que fem servir habitualment per a escriure els números: *El número "dotze" amb xifres aràbigues s'escriu 12; en canvi, amb xifres romanes s'escriu XII.*

arada arades *nom f* Eina agrícola que serveix per a llaurar: *El tractor era molt potent i l'arada feia els solcs molt fondos.*

aragonès aragonesa aragonesos aragoneses **1** *nom m* i *f* Habitant de l'Aragó; persona natural o procedent de l'Aragó. **2** *adj* Es diu de les persones o de les coses naturals o procedents de l'Aragó. **3** *nom m* Parlar propi de la zona pirinenca de l'Aragó.

aram arams *nom m* Coure treballat en forma de xapa, fil o peces de metall.

aranès aranesa aranesos araneses **1** *nom m* i *f* Habitant de la Vall d'Aran; persona natural o procedent de la Vall d'Aran. **2** *adj* Es diu de les persones o de les coses naturals o procedents de la Vall d'Aran. **3** *nom m* Manera com es parla la llengua occitana a la Vall d'Aran.

aranja aranges *nom f* Fruit comestible de l'aranger semblant a la taronja, de color groc pàl·lid, pomelo.

aranya aranyes *nom f* Animal invertebrat, petit, amb vuit potes, que fabrica una tela o teranyina que li serveix per a atrapar mosques o altres insectes. **7**

aranya

aranyó aranyons *nom m* Fruit de l'aranyoner, de color blau negrós i de gust molt aspre.

aranyoner aranyoners *nom m* Arbust de branques acabades amb punxa que es fa als boscos i als marges i que dóna un fruit anomenat aranyó. **3**

arbitrar *v* Fer de jutge, d'àrbitre en un partit, en una competició, etc. Es conjuga com *cantar*.

arbitrari arbitrària arbitraris arbitràries *adj* Es diu de la decisió que s'ha pres sense seguir un reglament o una llei general: *La policia ens ha dit que no aparquéssim aquí, però és una ordre arbitrària perquè enlloc no hi ha cap senyal que ho prohibeixi.*

àrbitre àrbitra àrbitres *nom m i f* Persona que fa respectar les regles del joc en un partit, en una competició esportiva, etc.

arboç arboços *nom m* Arbust de fulles perennes i verdes i flors blanques, el fruit del qual és la cirera d'arboç.

arbrat arbrats *nom m* Conjunt d'arbres: *Aquesta finca té molts camps i molt arbrat.*

arbre arbres *nom m* Planta de tronc alt i llenyós, que a partir d'una certa altura es ramifica en branques: *Els arbres del bosc.*

arbreda arbredes *nom f* Lloc on s'han plantat molts arbres.

arbrissó arbrissons *nom m* Arbre petit.

arbust arbusts o arbustos *nom m* Planta llenyosa de poca alçada, que es ramifica en branques des de la base mateix.

arc arcs *nom m* **1** Arma que consisteix en una barra de fusta flexible i una corda tibant lligada als dos caps, i que serveix per a llançar fletxes. **2** Part d'una circumferència; qualsevol cosa en forma d'arc: *Una porta acabada en un arc.* **3** **arc iris** o **arc de Sant Martí** Arc format per set colors (violeta, indi, blau, verd, groc, taronja i vermell) que es pot veure al cel quan plou i fa sol.

arç arços *nom m* Arbust espinós.

arca arques *nom f* Caixa amb la tapa plana que serveix per a guardar-hi coses.

arcabús arcabussos *nom m* Arma de foc antiga, anterior al fusell.

arcada arcades *nom f* Obertura formada per un arc aguantat per pilars o per columnes: *Vam passejar per sota de les arcades que hi havia al voltant de la plaça del poble.* ▪ *El pont per on vam travessar el riu tenia tres arcades.*

arcaic arcaica arcaics arcaiques *adj* Que és molt antic.

arcaisme arcaismes *nom m* Paraula o expressió que s'havia utilitzat antigament, però que avui normalment no s'utilitza: *La paraula "sènyer" és un arcaisme, una paraula antiga que significa "senyor".*

ardent ardents *adj* **1** Que crema: *Fa un sol ardent.* **2** Fort, intens: *Tenia un desig ardent de viure una aventura.*

ardit ardida ardits ardides *adj* Valent, atrevit.

ardor ardors *nom m o f* Calor molt forta; qualitat d'ardent.

ardu àrdua ardus àrdues *adj* Es diu d'una feina difícil de fer, d'un camí o d'una pujada difícils de fer, etc.: *La feina dels mestres és molt àrdua.*

àrea àrees *nom f* **1** Tros d'una superfície, d'un terreny, etc. **2** Mesura de superfície que equival a cent metres quadrats.

arena arenes *nom f* **1** Sorra. **2** Part d'un circ, d'una plaça de toros o d'un amfiteatre on hi ha la sorra i on té lloc l'espectacle.

arenal arenals *nom m* Areny, sorral, lloc amb el terra format d'arena o sorra.

arengada arengades *nom f* Sardina preparada amb sal i premsada.

arengar *v* Fer un discurs per encoratjar un grup de gent a fer una cosa, un grup de soldats a lluitar, etc.: *El general va arengar la tropa abans d'entrar en combat.*
Es conjuga com *cantar*. S'escriu *g* davant de *a, o, u* i *gu* davant de *e, i: arengo, arengues.*

arenós arenosa arenosos arenoses *adj* **1** Que té molta sorra, sorrenc: *Les platges arenoses són les millors per a banyar-s'hi.* **2** Semblant a la sorra.

areny arenys *nom m* Sorral, arenal, lloc amb el terra format de sorra o arena.

arenyenc arenyenca arenyencs arenyenques **1** *nom m i f* Habitant d'Arenys de Mar o d'Arenys de Munt; persona natural o procedent d'Arenys de Mar o d'Arenys de Munt. **2** *adj* Es diu de les persones o de les coses naturals o procedents d'Arenys de Mar o d'Arenys de Munt.

aresta arestes *nom f* Cadascuna de les línies que forma la intersecció de dues cares d'una figura geomètrica: *Una piràmide de vuit arestes.*

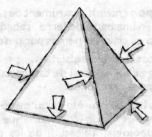

arestes

argamassa argamasses *nom f* Pasta que es fa barrejant calç, sorra i aigua, amb la qual es cobreixen les parets: *Els paletes arrebossen les parets de la masia amb argamassa.*

argelaga argelagues *nom f* Arbust espinós de fulles escasses i flors grogues i petites.

argent argents *nom m* Metall blanc i brillant que serveix per a fabricar monedes, joies i molts altres objectes de valor, plata.

argenter argentera argenters argenteres *nom m i f* Persona que treballa l'argent i altres metalls preciosos per fer-ne joies o objectes.

argentí argentina argentins argentines **1** *nom m i f* Habitant de l'Argentina; persona natural o procedent de l'Argentina. **2** *adj* Es diu de les persones o de les coses naturals o procedents de l'Argentina.

argila argiles *nom f* Terra fàcil de modelar quan és humida, que es torna dura quan és seca i molt dura quan és cuita. **14**

argilós argilosa argilosos argiloses *adj* Que conté argila; que s'assembla a l'argila: *La terra d'aquesta zona és molt argilosa.*

argolla argolles *nom f* **1** Anella grossa de metall. **2** Anella petita que serveix per a guardar el tovalló plegat.

argot argots *nom m* Manera de parlar especial, amb moltes paraules diferents de les habituals, que fan servir alguns grups de persones que comparteixen la mateixa activitat per a parlar entre elles: *Els delinqüents utilitzen un argot especial per a parlar entre ells.*

argúcia argúcies *nom f* Argument enganyós, truc: *Valent-se d'unes quantes argúcies va intentar demostrar que era veritat el que tothom sabia que era mentida.*

argüir *v* Donar raons a favor o en contra d'una idea, d'una opinió, etc.
Es conjuga com *servir.*

argument arguments *nom m* **1** Tema d'una obra de teatre, d'una novel·la, d'una pel·lícula, etc. **2** Idea, raó que es dóna per convèncer algú d'alguna cosa.

argumentar *v* Donar arguments a favor d'una idea, d'una opinió.
Es conjuga com *cantar.*

àrid àrida àrids àrides *adj* Sec, sense vegetació: *Una terra àrida.*

àries *nom m* Primer signe del zodíac: *Les persones nascudes entre el 20 de març i el 20 d'abril són del signe d'àries.*

aristocràcia aristocràcies *nom f* **1** Forma de govern en què mana un grup reduït de persones. **2** Classe social que es considera superior per la seva situació econòmica o pel seu origen familiar.

aristòcrata aristòcrates *nom m i f* Persona que pertany a l'aristocràcia o a la noblesa: *En aquest club tan selecte només hi admeten aristòcrates.*

aritmètic aritmètica aritmètics aritmètiques **1** *adj* Que està relacionat amb la part de les matemàtiques que estudia els nombres. **2** **aritmètica** *nom f* Part de les matemàtiques que estudia els nombres i les operacions que es poden fer amb els nombres, com ara sumar, restar, etc.

arlequí arlequins *nom m* **1** Personatge còmic que actua guarnit amb un vestit de triangles de tots colors, un barret i una màscara. **2** Persona que canvia amb facilitat d'idees o de partit. **3** Gelat fet de dues substàncies de colors diferents.

arma armes *nom f* **1** Instrument que serveix per a atacar o per a defensar-se. **2** **arma blanca** Arma de mà que fereix amb la punta o amb el tall, com ara un punyal, una espasa, etc. **3** **arma de foc** Arma que dispara projectils mitjançant la combustió d'una càrrega de pólvora, com ara un fusell, una pistola, un canó, etc. **4** **arma nuclear** Arma explosiva de gran potència que pot destruir ciutats senceres. **5** **passar algú per les armes** Afusellar.

armada armades *nom f* Conjunt dels vaixells de guerra d'un estat: *En aquella guerra, hi van intervenir l'exèrcit de terra i l'armada.*

armadura armadures *nom f* Conjunt de peces de ferro i armes que antigament servien per a protegir el cos d'un soldat o d'un cavaller en una guerra o combat.

armament armaments *nom m* Conjunt d'armes que té un exèrcit: *Aquest exèrcit és molt poderós perquè té molt armament: tancs, canons, helicòpters, avions, etc.*

armar *v* **1** Equipar, proveir d'armes un soldat, un exèrcit, etc.; agafar les armes. **2** *Aquella colla de vailets armaven un gran soroll:* fer, causar, provocar.
Es conjuga com *cantar.*

armari armaris *nom m* Moble on caben moltes coses, que pot tenir portes, calaixos, penjadors, etc. i que serveix per a guardar-hi roba, vestits i altres objectes.

armeni armènia armenis armènies **1** *nom m* i *f* Habitant d'Armènia; persona natural o procedent d'Armènia. **2** *adj* Es diu de les persones o de les coses naturals o procedents d'Armènia. **3** *nom m* Llengua que es parla a Armènia.

armeria armeries *nom f* Botiga on venen armes; lloc on es guarden les armes.

armilla armilles *nom f* Peça de vestir curta i sense mànigues que es porta a sobre de la camisa.

armilla

arna arnes *nom f* Insecte que s'alimenta de teixits, llana, pell, etc. i fa malbé la roba i els vestits.

arnar-se *v* Fer-se malbé la roba per culpa de les arnes: *No et posis més aquest jersei, se t'ha arnat.*
Es conjuga com *cantar.*

aroma aromes *nom f* Olor agradable que deixa anar un aliment, una beguda, una planta, etc.: *Aquest cafè fa molta aroma.*

aromàtic aromàtica aromàtics aromàtiques *adj* Que té aroma, que fa olor: *M'agraden les plantes aromàtiques, com ara la farigola.*

arpa arpes *nom f* Instrument musical amb moltes cordes que es toca amb els dits.

arpó arpons *nom m* Instrument de pesca consistent en una barra de ferro acabada en puntes, que es clava als peixos per pescar-los.

arquebisbe arquebisbes *nom m* Bisbe que regeix una diòcesi de categoria superior, anomenada arxidiòcesi.

arqueòleg arqueòloga arqueòlegs arqueòlogues *nom m* i *f* Persona que es dedica a l'arqueologia, a l'estudi de les restes de monuments, pobles o objectes antics per tal d'arribar-ne a conèixer la història.

arqueologia arqueologies *nom f* Ciència que estudia les restes de ciutats, monuments, eines, etc. per tal de conèixer-ne la història.

arquer arquera arquers arqueres *nom m* i *f* Persona que dispara fletxes amb un arc.

arquet arquets *nom m* Arc petit format per una vareta de fusta i crins de cavall que serveix per a tocar les cordes del violí i altres instruments musicals.

arquitecte arquitecta arquitectes *nom m* i *f* Persona que té per professió fer els plans dels edificis i dirigir-ne la construcció.

arquitectura arquitectures *nom f* **1** Art de projectar i de construir edificis: *En Miquel estudia arquitectura.* **2** Manera o estil de construir: *Aquesta catedral és d'arquitectura gòtica.*

arrabassar *v* Arrencar, prendre violentament alguna cosa a algú: *El lladre li va arrabassar la bossa i se'n va anar corrents.*
Es conjuga com *cantar.*

arracada arracades *nom f* Cadascuna de les peces que algunes persones porten penjades a les orelles per fer bonic.

arraconar *v* **1** Posar, apartar en un racó: *Si arracones més el llit, t'hi cabrà millor la taula.* **2** Abandonar una cosa perquè es considera inútil; no fer cas d'una persona, deixar-la de banda: *La ràdio es va espatllar i fa temps que la tenim arraconada.*
Es conjuga com *cantar.*

arrambar *v* Posar una cosa al costat d'una paret, en un racó, etc. per deixar espai lliure: *Els cotxes es van arrambar a la vorera per deixar passar l'ambulància.*
Es conjuga com *cantar.*

arran *adv* **1** Gairebé tocant una cosa: *Les orenetes volaven molt baixes, arran de terra.*

a

2 Com a conseqüència: *Han disminuït molt els accidents mortals de moto arran de la prohibició de conduir sense casc.*

arranar *v* Tallar ben arran: *Avui hem arranat la gespa del jardí.*
Es conjuga com *cantar.*

arrancar *v* Mira **arrencar**.
Es conjuga com *cantar.* S'escriu *c* davant de *a, o, u* i *qu* davant de *e, i: arranco, arranques.*

arranjar *v* **1** Posar en ordre, arreglar, solucionar: *Ja tenim les motxilles preparades i els bitllets comprats: ja ho tenim tot arranjat per anar d'excursió.* **2** Adaptar una música per a veus o instruments diferents dels de l'obra original.
Es conjuga com *cantar.* S'escriu *j* davant de *a, o, u* i *g* davant de *e, i: arranjo, arranges.*

arrap arraps *nom m* Esgarrapada.

arrapada arrapades *nom f* Esgarrapada.

arrapar-se *v* **1** Agafar-se fort: *Els escaladors s'enfilen arrapant-se a les roques.* **2 arrapar** Esgarrapar.
Es conjuga com *cantar.*

arrasar *v* Destruir totalment: *La tempesta va arrasar els camps.*
Es conjuga com *cantar.*

arraulir-se *v* Ajupir-se, arronsar-se a causa del fred, de la por, etc.: *El gat s'arrauleix a la vora del foc perquè té fred.*
Es conjuga com *servir.*

arrauxat arrauxada arrauxats arrauxades *adj* Es diu de la persona que té rauxes, que decideix de fer les coses de cop, de sobte, sense pensar-les gaire temps.

arravatar-se *v* Enfadar-se molt, irritar-se.
Es conjuga com *cantar.*

arrebossar *v* **1** Cobrir amb ou, farina, pa ratllat, etc. un aliment abans de fregir-lo: *Per dinar, menjarem llom arrebossat.* **2** Cobrir una paret amb una pasta feta de ciment, sorra i aigua: *La casa ja és feta, només falta arrebossar la façana.*
Es conjuga com *cantar.*

arrecerar *v* Posar en un lloc on no hi toca el vent, on no hi fa tant de fred, etc.: *Es va girar un vent molt fort i vaig arrecerar-me a la paret.*
Es conjuga com *cantar.*

arrecerat arrecerada arrecerats arrecerades *adj* Es diu d'un lloc que queda protegit del vent o del fred: *Seurem en aquest banc que queda arrecerat entre els arbres, així el vent no ens molestarà.*

arreglar *v* **1** Solucionar un problema, una dificultat, tornar a posar en condicions una cosa que s'havia espatllat: *El cotxe es va espatllar i el mecànic el va arreglar.* **2** Espavilar-se: *No et preocupis per ells, ja s'arreglaran!*
Es conjuga com *cantar.*

arrel arrels *nom f* **1** Part d'una planta que s'enfonsa a dins de terra i que serveix per a aguantar-la i alimentar-la: *Les arrels dels arbres són molt fondes.* **2** Part de la dent que s'enfonsa a dins de la geniva. **3** Part que no canvia d'una paraula i que és la que aporta el significat, radical: *"Menj" és l'arrel del verb "menjar" i del nom "menjador".*

arrelar-se *v* **1** Fixar-se bé una planta a terra mitjançant les arrels. **2** Fixar un costum, una idea, etc. de manera que és molt difícil de treure-la: *La castanyada és una festa molt arrelada a Catalunya.*
Es conjuga com *cantar.*

arremangar *v* Tirar amunt les faldilles, els pantalons, les mànigues, etc.: *Ens vam arremangar els pantalons per travessar el torrent.*
Es conjuga com *cantar.* S'escriu *g* davant de *a, o, u* i *gu* davant de *e, i: arremango, arremangues.*

arremangar

arremetre *v* Llançar-se a atacar algú: *Jo mirava la baralla sense dir res quan de sobte un dels qui es barallaven va arremetre contra mi.*
Es conjuga com *perdre.* **Participi:** *arremès, arremesa.*

arremolinar-se *v* Moure's formant remolins: *Les fulles seques voleiaven i s'arremolinaven. Una multitud de gent s'arremolinava al seu voltant per escoltar el que deia.*
Es conjuga com *cantar.*

arrencar *v* **1** Treure, fer desprendre una cosa del lloc on és plantada o enganxada: *El pa-*

gès *arrenca les herbes del camp.* **2** Aconseguir amb esforç una cosa d'algú: *En Vicenç només ha pogut arrencar un euro del seu pare.* **3** Començar a moure's: *El camió va fer molt soroll quan va arrencar.* **4** Tenir el començament o l'origen: *De la masia arrenquen dos camins, l'un va al poble i l'altre a la font.*
Es conjuga com *cantar.* S'escriu *c* davant de *a, o, u* i *qu* davant de *e, i: arrenco, arrenques.*

arrendar *v* Llogar, deixar una cosa a una altra persona a canvi de diners; pagar diners a una altra persona a canvi que ens deixi utilitzar una cosa seva.
Es conjuga com *cantar.*

arrenglerar *v* Posar coses l'una darrere l'altra o l'una al costat de l'altra formant una renglera: *Hem arrenglerat els llibres al prestatge.*
Es conjuga com *cantar.*

arrepapar-se *v* Posar-se en un seient de la manera més còmoda, repenjant-hi el cap, l'esquena i els braços: *Estaven tots ben arrepapats al sofà mirant la televisió.*
Es conjuga com *cantar.*

arreplegar *v* **1** Agafar o recollir coses escampades: *Els pallassos tiraven caramels i els nens arreplegaven tots els que podien.* **2** Ser atacat per una malaltia, tempesta, etc.: *El meu fill ha arreplegat la grip a l'escola.* **3** Atrapar algú, enxampar-lo: *Ja veuràs si t'arreplego!*
Es conjuga com *cantar.* S'escriu *g* davant de *a, o, u* i *gu* davant de *e, i: arreplego, arreplegues.*

arreplegat **arreplegada arreplegats arre-plegades** *adj i nom m i f* Es diu de les persones que no són capaces de fer una feina, i que no formen un bon equip: *No m'estranya que perdessin el partit, perquè aquells jugadors són quatre arreplegats!*

arrera *adv* Mira *arrere.*

arrere *adv* Endarrere.

arrestar *v* Agafar, detenir algú, fer-lo pres: *La policia va arrestar els lladres.*
Es conjuga com *cantar.*

arreu[1] *adv* A tots els llocs, per totes bandes, pertot: *Aquesta habitació està molt desordenada, hi ha roba pertot arreu.* ■ *Actualment la televisió fa arribar les notícies arreu del món.*

arreu[2] **arreus** *nom m* Instrument agrícola per a treballar el camp que és arrossegat per un cavall o una mula.

arreus *nom m pl* **1** Peces de vestir que serveixen per a fer bonic, per a adornar. **2** Instruments, accessoris que es necessiten per a fer funcionar un aparell.

arri *interj* Paraula que es diu per fer caminar un animal.

arriar[1] *v* Abaixar les veles d'un vaixell, abaixar una bandera del pal.
Es conjuga com *canviar.*

arriar[2] *v* Estimular un animal a continuar o accelerar la marxa, amb crits o amb cops.
Es conjuga com *canviar.*

arribada **arribades** *nom f* Acció d'arribar: *En aquest fulletó hi ha els horaris de sortida i arribada dels autocars que fan el trajecte Barcelona-València.*

arribar *v* **1** Aconseguir l'objectiu, la destinació, una persona, un vehicle, etc.: *Aquest tren arriba a Barcelona a les 10 del vespre.* **2** Anar a un lloc no gaire llunyà: *T'has d'arribar a la papereria de la cantonada a comprar una goma.* **3** Poder abastar, agafar una cosa que és lluny o a una certa altura: *Els armaris de la cuina són molt alts i no hi arribo.*
Es conjuga com *cantar.*

arrimar *v* Arrambar, posar una cosa tocant a una altra.
Es conjuga com *cantar.*

arriscar *v* Posar en perill, en un risc: *Els bombers sovint s'arrisquen molt per fer la feina.*
Es conjuga com *cantar.* S'escriu *c* davant de *a, o, u* i *qu* davant de *e, i: arrisco, arrisques.*

arriscat **arriscada arriscats arriscades** *adj* Perillós, que té risc: *Aquesta excursió que vols fer és molt arriscada, perquè hauràs de passar arran d'un gran precipici.*

arrissar *v* **1** Cargolar els cabells, els pèls, etc.: *En Juli s'ha fet arrissar els cabells.* **2** Estafar: *En aquest restaurant no hi aneu; és molt car i us arrissaran.*
Es conjuga com *cantar.*

arrissat **arrissada arrissats arrissades** *adj* **1** Es diu dels cabells molt cargolats: *Aquella noia té els cabells arrissats.* **2** **mar arrissada** Mar amb petites onades.

arrodonir *v* **1** Fer tornar rodona alguna cosa. **2** *Aquesta tarda hem arrodonit el treball sobre els insectes:* perfeccionar, completar una cosa.
Es conjuga com *servir.*

arrogant arrogants adj Es diu de la persona orgullosa, que vol demostrar que té molt poder: *Aquest individu és molt arrogant i mira l'altra gent amb menyspreu.*

arromangar v Mira **arremangar**.
Es conjuga com *cantar*. S'escriu g davant de *a, o, u* i *gu* davant de *e, i: arromango, arromangues.*

arronsar v Fer més petit el cos doblegant les cames, els braços, etc.: *Com que no cabia al llit, va haver d'arronsar les cames.* ■ *Li vam demanar on era la parada de l'autobús i ella va arronsar les espatlles per donar a entendre que no ho sabia.*
Es conjuga com *cantar*.

arròs arrossos nom m Planta de grans petits, rics en midó, que es cultiva en zones de clima càlid i terreny humit; menjar que es prepara amb els grans d'aquesta planta: *Avui hem menjat una paella d'arròs.*

arrosar v Mullar alguna cosa escampant-li al damunt moltes gotetes d'un líquid.
Es conjuga com *cantar*.

arrossada arrossades nom f Menjada d'arròs: *Després de l'excursió vam fer una gran arrossada.*

arrossar arrossars nom m Camp plantat d'arròs.

arrossegar v 1 Portar una cosa d'un lloc a un altre sense aixecar-la de terra i estirant-la: *No vam poder alçar els sacs, perquè pesaven molt, i els vam haver d'arrossegar per terra.* ■ *Les serps s'arrosseguen per terra.* 2 **arrossegar els peus** Caminar sense alçar els peus de terra. 3 **arrossegar algú** Fer anar algú a algun lloc a la força, obligant-lo: *No volia anar al metge, l'hi van haver d'arrossegar.* 4 **arrossegar-se als peus d'algú** Humiliar-se davant d'algú per demanar-li una cosa.
Es conjuga com *cantar*. S'escriu g davant de *a, o, u* i *gu* davant de *e, i: arrossego, arrossegues.*

arrova arroves nom f Símbol que té la forma @ i que s'utilitza per a separar el nom de l'internauta de la resta de signes que formen una adreça electrònica.

arrufar v Arrugar una part de la cara, el nas, les celles, per indicar que una cosa no ens agrada o que no hi estem d'acord: *Quan li van dir que de primer plat hi havia pèsols, va arrufar el nas perquè no li agraden gaire.*
Es conjuga com *cantar*.

arruga arrugues nom f Petit plec que es fa a la pell, a la roba, en un paper, etc.: *Aquella dona té moltes arrugues a la cara.*

arrugar v Fer plecs, arrugues en una cosa.
Es conjuga com *cantar*. S'escriu g davant de *a, o, u* i *gu* davant de *e, i: arrugo, arrugues.*

arruïnar-se v Perdre les riqueses, tornar-se pobra una persona, una empresa, etc.
Es conjuga com *cantar*.

arruixadora arruixadores nom f Regadora.

arrupir-se v Arronsar-se, arraulir-se, cargolar-se: *Feia molt fred i els ocells s'arrupien dins el niu.*
Es conjuga com *servir* o com *dormir*.

arsenal arsenals nom m Magatzem, lloc on es guarden armes i altres objectes de guerra.

arsènic arsènics nom m 1 Element químic sòlid, de color gris. 2 Substància blanca molt verinosa.

art arts nom m o f 1 Conjunt d'activitats que tenen per finalitat trobar la bellesa: *La pintura, l'escultura, l'arquitectura, la música, la literatura, el teatre, el cine, etc. són arts.* 2 Conjunt de tècniques i normes per a fer una cosa: *L'art de la cuina és més complicada del que sembla.*

artefacte artefactes nom m Objecte fet per l'home; màquina o aparell més aviat de mida grossa i no gaire ben fet: *Ha construït un artefacte molt estrany que diu que serveix per a fer bombolles de colors.*

artell artells nom m Cadascun dels punts on s'ajunten els ossos de les mans i dels peus.

artèria artèries nom f Tubs que condueixen la sang oxigenada que va del cor a totes les parts del cos. 17 19 20

arterial arterials adj 1 Que està relacionat amb les artèries: *Avui hem estudiat el sistema arterial.* 2 **pressió arterial** Força de la sang que circula dins les artèries.

artesà artesana artesans artesanes 1 nom m i f Persona que fa objectes a mà, objectes d'artesania: *En aquest carrer hi ha un artesà que fa objectes de ceràmica.* 2 adj Que té relació amb l'artesà o amb l'artesania.

artesanal artesanals adj Que és propi d'un artesà, que està fet amb les mans: *A la fira d'objectes artesanals vam comprar un cistell i un càntir.*

artesania artesanies nom f Producció d'objectes fets a mà i de manera tradicional: *Aquesta setmana hi ha una exposició d'objectes d'artesania.*

àrtic àrtica àrtics àrtiques *adj* Que està relacionat amb l'Àrtida o l'oceà Àrtic, a la zona del pol Nord.

article articles *nom m* **1** Paraula curta que acompanya un nom: *El, la, els, les* són els *articles definits o determinats; un, una, uns, unes* són els *articles indefinits o indeterminats*. **2** Escrit que hi ha dins d'un diari o d'una revista i que va firmat pel seu autor. **3** En un diccionari, cadascun dels trossos de text que donen informacions sobre una paraula: *En els articles d'aquest diccionari hi ha definicions, exemples, informacions gramaticals, etc.*

articulació articulacions *nom f* **1** Lloc on s'ajunten dues parts rígides del cos que els dóna mobilitat: *Al genoll hi ha l'articulació dels ossos de la cuixa i de la cama.* ▪ *Els braços d'un robot tenen articulacions.* **2** Unió mòbil de dues peces en un mecanisme. **3** Moviment que es fa amb la boca per pronunciar un so.

articular *v* **1** Produir els sons del llenguatge amb moviments de la llengua, els llavis, etc.: *Estava tan cansat, que li costava respirar i per això articulava les paraules amb dificultat.* **2** Ajuntar, unir dues parts d'un cos, dues peces d'un mecanisme de manera que es pugui moure.
Es conjuga com *cantar*.

artífex artífexs *nom m i f* Es diu de la persona que ha fet alguna cosa valuosa o important: *Aquesta pintora és l'artífex d'una gran obra artística.*

artifici artificis *nom m* **1** Obra feta per l'home, amb habilitat, amb art. **2** Truc.

artificial artificials *adj* Que és fet per l'home, que no és natural: *En aquella estació d'esquí hi ha neu artificial.*

artificialment *adv* D'una manera artificial: *Aquest llac ha estat fet artificialment, mitjançant una presa.*

artificiós artificiosa artificiosos artificioses *adj* Fet amb artifici, poc natural: *Aquesta noia parla d'una manera molt artificiosa.*

artilleria artilleries *nom f* Conjunt de canons que té un exèrcit, un vaixell de guerra, un castell, etc.

artista artistes *nom m i f* Persona que practica un art com ara la pintura, la música, l'escultura, etc.

artístic artística artístics artístiques *adj* Que té relació amb l'art o amb els artistes: *La meva cosina fa patinatge artístic.*

arxi- Prefix, element que s'afegeix al davant d'una paraula i que indica superioritat: *Un arximilionari és una persona que té molts, molts milions.*

arxipèlag arxipèlags *nom m* Grup d'illes.

arxiu arxius *nom m* Lloc on es guarden i es conserven documents o coses de manera ordenada: *La mestra té un arxiu on guarda tots els treballs que fem a classe.*

arxivador arxivadors *nom m* Moble, capsa, calaix, carpeta, etc., que es fa servir per a guardar-hi documents.

arxivar *v* Guardar papers i documents en un arxiu.
Es conjuga com *cantar*.

as asos *nom m* **1** Carta o cara del dau marcada amb un sol punt. **2** Persona que és molt bona fent una cosa: *La Clàudia és un as del bàsquet; és la millor jugadora que he conegut.*

ascendència ascendències *nom f* Conjunt de les persones de les quals descendim: *Aquell senyor és d'ascendència noble, és a dir, els seus avantpassats pertanyien a la noblesa.*

ascendent ascendents **1** *adj* Que puja, que ascendeix: *L'avió va fer un vol ascendent per enlairar-se.* **2** *nom m* Persona de la qual provenim: *Els besavis, els avis i els pares són els nostres ascendents més immediats.*

ascendir *v* **1** Pujar. **2** Fer pujar una persona d'un grau a un altre de superior: *Era l'ajudant del director i l'han ascendit a director.*
Es conjuga com *servir*.

ascens ascensos *nom m* El fet de pujar de categoria a la feina, a l'exèrcit, etc.: *Celebren l'ascens del seu equip de futbol: abans era de segona divisió i ara jugarà a primera.*

ascensió ascensions *nom f* Acció d'ascendir, de pujar: *L'ascensió de la muntanya va ser molt dura.*

ascensor ascensors *nom m* Aparell que serveix per a transportar persones o coses d'un pis a un altre.

ase ases *nom m* **1** Animal mamífer semblant al cavall però més petit, d'orelles grosses i de cap també bastant gros, burro. **2** *Aquest home és* un ase: persona poc intel·ligent. **3** *Ha passat pel meu costat **sense dir ni ase ni bèstia**: sense saludar, sense dir res.* **4 anar carregat com un ase** Anar molt carregat. **5 ser l'ase dels cops** Ser la persona que s'emporta totes les culpes: *Aquell és l'ase dels cops, quan alguna cosa no surt bé tothom li'n dóna la culpa.*

ase

asfalt asfalts *nom m* Material amb què es cobreix el terra de les carreteres i dels carrers per tal que quedi llis, no hi creixi herba i no es faci malbé amb la pluja.

asfaltar *v* Recobrir amb asfalt un carrer, una carretera, etc. perquè s'hi pugui circular millor; pavimentar.
Es conjuga com *cantar.*

asfíxia asfíxies *nom f* Impossibilitat de respirar: *Va caure a l'aigua i va morir per asfíxia.*

asfixiar *v* No deixar respirar, tallar la respiració; ofegar: *Fa una calor que asfíxia.*
Es conjuga com *canviar.*

asiàtic asiàtica asiàtics asiàtiques *adj* i *nom m* i *f* Es diu de les persones o de les coses naturals o procedents d'Àsia.

asil asils *nom m* Lloc on viuen i són cuidades persones que necessiten ajuda: *En aquest asil, hi viuen persones velles que no es poden valdre soles.*

asimètric asimètrica asimètrics asimètriques *adj* Es diu de les coses que no tenen simetria, que no es poden dividir en dues parts que tinguin la mateixa forma.

asma asmes *nom f* Malaltia que dificulta la respiració i produeix tos i mal al pit.

asmàtic asmàtica asmàtics asmàtiques **1** *adj* Que està relacionat amb l'asma. **2** *nom m* i *f* Persona malalta d'asma.

aspa aspes *nom f* Conjunt de dos o més pals disposats de forma que coincideixin en la part central, formant una creu o una X, com les peces dels molins que el vent fa girar.

aspa

aspecte aspectes *nom m* Manera de presentar-se algú o alguna cosa davant d'una altra persona: *No tenia gaire bon aspecte, estava malalt.* ▪ *Aquestes patates tenen molt bon aspecte, me les menjaria ara mateix.*

aspiració aspiracions *nom f* **1** Desig d'obtenir alguna cosa: *La seva màxima aspiració és ser pilot de fórmula 1.* **2** Acció de fer entrar aire als pulmons.

aspirador aspiradors *nom m* Aparell que xucla aire, gasos, líquids, etc.

aspiradora aspiradores *nom f* Aparell domèstic que xucla pols, líquids, brutícia, etc. i que serveix per a netejar una casa: *Vam recollir els trossos del got que s'havia trencat amb l'aspiradora.*

aspirant aspirants *adj* i *nom m* i *f* Es diu de la persona que aspira a alguna cosa: *Hi ha un lloc de treball i tres aspirants, és a dir, tres persones que voldrien aconseguir la feina.*

aspirar *v* **1** Desitjar d'obtenir alguna cosa: *Els concursants aspiren al primer premi.* **2** Fer entrar aire als pulmons.
Es conjuga com *cantar.*

aspirina aspirines *nom f* Medicament que calma el dolor: *Tenia molt mal de cap i es va haver de prendre una aspirina.*

aspre aspra aspres *adj* **1** Que no és suau de tacte o de gust i produeix una sensació desagradable; que rasca: *Una tovallola aspra.* ▪ *Una poma aspra.* **2** *En Marc té un caràcter aspre*: poc agradable, poc amable.

assabentar-se *v* Informar-se, saber alguna cosa, tenir notícia d'alguna cosa: *Dimecres que ve és festa; no te n'havies assabentat?*
Es conjuga com *cantar.*

assaborir *v* Menjar o beure a poc a poc una cosa per trobar-hi més el gust.
Es conjuga com *servir.*

assaig assaigs o assajos *nom m* **1** Prova que es fa per veure si funciona un mecanisme o una cosa. **2** Prova que es fa abans de fer la representació d'una obra de teatre, un concert, etc.; acció d'assajar: *Demà farem l'últim assaig dels pastorets.* **3** Escrit en prosa en què es tracta un o diversos temes: *Aquest autor ha escrit un assaig sobre els problemes actuals de l'educació.* **4 tub d'assaig** Tub de vidre que es fa servir al laboratori.

assajar *v* Fer una prova, un assaig: *Els actors assagen l'obra de teatre.*
Es conjuga com *cantar.* S'escriu *j* davant de *a, o, u* i *g* davant de *e, i*: *assajo, assages.*

assalariat assalariada assalariats assalariades *adj i nom m i f* Es diu de la persona que treballa en una empresa i que rep un sou o salari a canvi de la feina que hi fa.

assalt assalts *nom m* Atac, acció d'assaltar.

assaltar *v* Atacar bruscament un banc, un tren, etc.: *Els indis van assaltar la diligència.*
Es conjuga com *cantar.*

assaonar *v* Fer madurar una cosa, deixar-la al millor punt: *La pluja abundant ha assaonat la terra i ara hi haurà una bona collita.*
Es conjuga com *cantar.*

assassí assassina assassins assassines *nom m i f* Persona que ha matat voluntàriament una altra persona.

assassinar *v* Matar voluntàriament una altra persona.
Es conjuga com *cantar.*

assassinat assassinats *nom m* Acció d'assassinar, de matar una persona voluntàriament.

assecador assecadors *nom m* Aparell que fa aire calent i que serveix per a eixugar els cabells.

assecadora assecadores *nom f* Aparell que serveix per a eixugar la roba.

assecant assecants *nom m* Paper especial que serveix per a assecar la tinta d'un escrit.

assecar *v* **1** Fer tornar sec, fer perdre la humitat: *El sol i la falta de pluja han assecat l'herba del jardí.* **2 assecar-se** Tornar-se sec, perdre la humitat: *La tinta del dibuix no acaba d'assecar-se del tot.* **3** Perdre l'aigua un riu, un pou, una font, etc.: *Fa molt temps que no plou i el riu s'asseca.* **4** Aprimar-se.

Es conjuga com *cantar.* S'escriu *c* davant de *a, o, u* i *qu* davant de *e, i*: *m'asseco, t'asseques.*

assedegat assedegada assedegats assedegades *adj* Es diu de la persona o de l'animal que pateix set, que té moltes ganes de beure: *Després de córrer tant tros sota el sol, tothom estava assedegat.*

assegurança assegurances *nom f* Tracte que fa una persona amb una companyia: la persona paga uns diners perquè la companyia l'ajudi en cas d'accident, incendi, malaltia, etc.: *Va tenir un accident de cotxe i no va haver de pagar la reparació perquè tenia una assegurança a tot risc.*

assegurar *v* **1** Donar seguretat a una cosa perquè no caigui: *S'han d'assegurar les potes d'aquesta cadira perquè ballen molt.* **2** Afirmar com a certa o segura una cosa: *T'asseguro que he vist un helicòpter.* **3** Comprovar una cosa: *Quan surtis de casa, assegura't que la porta quedi ben tancada.* **4** Fer una assegurança: *Vull assegurar el cotxe a tot risc, perquè si el xafàvem en cas d'accident ens donarien els diners que val.*
Es conjuga com *cantar.*

assemblar-se *v* Tenir qualitats semblants o iguals dues o més persones o dos o més objectes: *La Maria i la Dolors són germanes i s'assemblen molt.*
Es conjuga com *cantar.*

assemblea assemblees *nom f* Conjunt de persones reunides en un mateix lloc per parlar, decidir, discutir, etc. alguna cosa: *Demà farem assemblea de classe.*

assentar *v* **1** Posar una cosa sobre una base, de manera que hi quedi ben col·locada i no es mogui: *Avui han assentat l'estàtua sobre el pedestal.* **2** Fer els fonaments d'un edifici. **3 assentar-se** Establir-se en un lloc, quedar-se a viure en un lloc: *Al llarg de la història diversos pobles s'han assentat al territori de Catalunya.*
Es conjuga com *cantar.*

assentir *v* Manifestar que s'està d'acord amb el que diu una altra persona.
Es conjuga com *servir.*

assenyalar *v* **1** Mostrar algú o alguna cosa, amb el dit o fent qualsevol altre senyal: *El mestre va assenyalar en Llorenç amb el dit i li va dir que sortís a la pissarra.* **2** Indicar que

passarà una cosa: *Aquests núvols tan negres assenyalen pluja.*
Es conjuga com *cantar.*

assenyalar

assenyat **assenyada assenyats assenyades** *adj* **Es diu d'una persona prudent, que té seny, que reflexiona abans de fer una cosa:** *Aquell noi és molt assenyat, no fa mai res imprudent, i sempre s'hi pensa molt abans de fer una cosa.*

assequible **assequibles** *adj* **Que és fàcil d'aconseguir:** *Aquesta bicicleta té un preu asse-quible, és a dir, no és pas gaire cara.*

asserenar-se *v* **Tornar-se serè:** *El cel era ple de núvols, però ha bufat el vent i s'ha asserenat.* ▪ *No t'enfadis, asserena't, posa't tranquil.*
Es conjuga com *cantar.*

assessor **assessora assessors assessores** *adj i nom m i f* **Es diu de la persona que co-neix bé un tema, sobre el qual informa i dóna consells a altres persones.**

assessorar *v* **Aconsellar, donar explicacions i opinions sobre una cosa.**
Es conjuga com *cantar.*

assestar *v* **Donar un cop fort contra algú o alguna cosa, disparar contra algú o alguna cosa:** *Va assestar un fort cop de destral a la branca i la va partir.*
Es conjuga com *cantar.*

assetjar *v* **Posar setge a un lloc, a un castell o a una ciutat, impedint que s'hi pugui entrar o que se'n pugui sortir:** *Aquest hivern alguns pobles de muntanya van quedar assetjats per la neu durant setmanes, és a dir, hi havia tanta neu que no es podia sortir dels pobles ni arribar-hi.*
Es conjuga com *cantar.* **S'escriu** *j* **davant de** *a, o, u* **i** *g* **davant de** *e, i: assetjo, assetges.*

asseure *v* **Col·locar algú sobre una cadira, un banc, etc., de forma que el cul li aguanti el cos:** *Ens asseurem en aquest sofà.*
Es conjuga com *seure.*

asseverar *v* **Afirmar una cosa amb seguretat:** *Va asseverar que ell era innocent.*
Es conjuga com *cantar.*

assidu **assídua assidus assídues** *adj* **Es diu d'una persona que sovint és present en un lloc o d'una cosa que passa sovint:** *El bar era ple de clients assidus, és a dir, de persones que hi anaven molt sovint.*

assignar *v* **Indicar que una cosa està destinada a algú:** *A nosaltres ens han assignat l'habitació 214 de l'hotel, és a dir, ens han dit que havíem d'ocupar aquesta habitació.*
Es conjuga com *cantar.*

assignatura **assignatures** *nom f* **Matèria que ensenya un professor durant un curs i que ha de ser avaluada:** *La geografia és l'assignatura que m'agrada més.*

assimilar *v* **1 Transformar una cosa en subs-tància necessària per a l'organisme:** *El nostre cos assimila els aliments que mengem.* **2 Enten-dre i aprendre una cosa:** *Estudia molt, però no acaba d'assimilar la lliçó.* **3 Fer que una cosa esdevingui semblant a una altra:** *Quan diem "un mes", assimilem la ena final de la primera paraula a la ema de la segona; per això pronunciem dues emes seguides i diem "ummes".*
Es conjuga com *cantar.*

assistència **assistències** *nom f* **1 Acció de ser present, d'assistir a una festa, a una reunió, etc.:** *La llei preveu l'assistència dels alumnes en el Consell Escolar.* **2 Ajuda, acolliment:** *Al barri hi ha un servei d'assistència als vells.*

assistent[1] **assistenta assistents assisten-tes** *nom m i f* **1 Persona que presta els seus serveis a algú altre o l'ajuda en determinades feines.** **2 assistent social Persona que té com a professió aconsellar o trobar solució als problemes de la gent.**

assistent[2] **assistents** *adj i nom m i f* **Es diu de la persona que és present, que assisteix a una festa, a una reunió, etc.:** *Al final de la conferència totes les assistents van aplaudir molt.*

assistir *v* **1 Anar, ser present en un lloc determinat.** **2 Ajudar algú, estar al servei d'algú:** *Es va lesionar durant el partit i el metge de l'equip el va assistir.*
Es conjuga com *servir.*

associació **associacions** *nom f* **Conjunt de persones que s'uneixen per fer una activitat, defensar els seus drets, etc.:** *Al barri s'ha format una associació de veïns.*

associar-se *v* **1 Unir-se dues o més persones per fer alguna cosa; formar una associació.** **2 Ajuntar, unir, relacionar:** *A l'estiu, la falta*

de pluges i els incendis forestals solen anar associats.
Es conjuga com *canviar.*

assolar *v* Aterrar, destruir: *El terratrèmol va assolar completament la ciutat.*
Es conjuga com *cantar.*

assolellat **assolellada** **assolellats** **assolellades** *adj* Que hi toca molt el sol: *Aquesta habitació és molt assolellada: hi toca el sol tot el dia.*

assolir *v* Aconseguir alguna cosa que ens hem proposat.
Es conjuga com *servir.*

assortiment **assortiments** *nom m* Conjunt de coses que formen una sèrie, una col·lecció: *En aquesta botiga, hi trobaràs un gran assortiment de paraigües, n'hi ha de moltes menes.*

assortir *v* Proporcionar tota mena d'articles i coses variades: *Aquests grans magatzems assorteixen els clients de molts productes.*
Es conjuga com *servir.*

assossegar *v* Calmar, tranquil·litzar.
Es conjuga com *cantar.* S'escriu *g* davant de *a, o, u* i *gu* davant de *e, i: assossego, assossegues.*

assot **assots** *nom m* **1** Instrument fet amb cordes plenes de nusos o punxes que abans servia per a pegar i turmentar les persones. **2** Cop donat amb un assot.

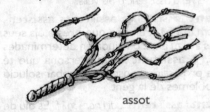

assot

assotar *v* Donar cops a algú amb un assot.
Es conjuga com *cantar.*

assumir *v* Agafar una responsabilitat, un càrrec, una feina, etc. com si fossin propis: *Jo assumeixo el càrrec de delegat i ho faré tan bé com pugui.*
Es conjuga com *servir.*

assumpte **assumptes** *nom m* Tema, problema, qüestió, afer: *Hi va haver una taula rodona sobre l'assumpte de la droga.*

assutzena **assutzenes** *nom f* Lliri blanc.

ast **asts** *nom m* Barra prima de ferro acabada en punta amb què es traspassa un animal o un tros de carn per rostir-lo al foc mentre va

giravoltant: *En aquesta botiga venen pollastres cuits a l'ast.*

asta **astes** *nom f* Pal de la llança o de la bandera: *Les banderes estaven a mitja asta en senyal de dol per la mort del president del país.*

asta

asterisc **asteriscs** o **asteriscos** *nom m* Signe gràfic (*) que s'utilitza en els escrits per a cridar l'atenció del lector, sovint per indicar que hi ha una nota a peu de pàgina.

astor **astors** *nom m* Ocell rapinyaire de seixanta-un centímetres, que viu als boscos i s'alimenta d'animals mamífers i d'altres ocells.

astorar *v* Fer molta por, espantar molt.
Es conjuga com *cantar.*

astràgal **astràgals** *nom m* Os del tars que articula el peu amb la cama. **15**

astre **astres** *nom m* Cos celeste com ara les estrelles, els planetes, etc.: *La Lluna és l'astre de la nit.*

astròleg **astròloga** **astròlegs** **astròlogues** *nom m i f* Persona que practica l'astrologia, que intenta endevinar el caràcter o el futur d'una persona a partir de la influència exercida pels astres.

astrologia **astrologies** *nom f* Creença en la influència dels astres en el caràcter o en el destí de les persones i que tracta d'endevinar el futur a través de la posició dels astres.

astronau **astronaus** *nom f* Vehicle que serveix per a viatjar per l'espai de més enllà de l'atmosfera terrestre, nau espacial.

astronauta **astronautes** *nom m i f* Persona que viatja per l'espai amb una astronau.

astrònom **astrònoma** **astrònoms** **astrònomes** *nom m i f* Persona que es dedica a l'astronomia, que estudia els astres.

astronomia **astronomies** *nom f* Ciència que estudia la posició, els moviments, l'estructura, etc. dels astres.

astronòmic astronòmica astronòmics astronòmiques *adj* **1** Que té relació amb l'astronomia. **2** Es diu d'una quantitat molt elevada: *Avui en dia els pisos van a uns preus astronòmics.*

astrugància astrugàncies *nom f* **Sort:** *Diuen que trencar un mirall porta mala astrugància.*

astúcia astúcies *nom f* Habilitat per a aconseguir el que es vol amb engany, fent trampa; qualitat d'astut.

asturià asturiana asturians asturianes **1** *nom m i f* Habitant d'Astúries; persona natural o procedent d'Astúries. **2** *adj* Es diu de les persones o de les coses naturals o procedents d'Astúries. **3** *nom m* Llengua parlada a Astúries, bable.

astut astuta astuts astutes *adj* Que sap aconseguir el que vol enganyant, fent trampa; que té astúcia.

atabalador atabaladora atabaladors atabaladores *adj* Es diu d'una cosa o d'una persona que atabala, que molesta: *Oh, quin soroll més atabalador que fa aquesta màquina!*

atabalar *v* Marejar, cansar amb sorolls: *Aquests nens no paren de cridar: m'atabalen molt!* ▪ *En Miquel ha de fer tants deures, que està ben atabalat.* Es conjuga com *cantar.*

atac atacs *nom m* **1** Acció de començar un combat, una lluita, acció d'atacar. **2** Es diu d'una malaltia quan ve de cop i volta, violentament: *Aquell senyor va tenir un atac de cor.*

atacant atacants *adj i nom m i f* Es diu de tot allò que ataca: *El porter va quedar sol davant de tres jugadors atacants de l'equip contrari.*

atacar *v* **1** Començar a lluitar contra l'enemic, envestir-lo. **2** Fer mal, perjudicar: *Aquesta malaltia ataca sobretot les persones grans.* Es conjuga com *cantar.* S'escriu c davant de a, o, u i qu davant de e, i: ataco, ataques.

ataconar¹ *v* Posar tacons nous a unes sabates. Es conjuga com *cantar.*

ataconar² *v* Pitjar amb les mans o els peus alguna cosa dins d'una altra: *Sempre que sortim de vacances, anem molt carregats i el pare ha d'ataconar les maletes i les bosses al portaequipatge del cotxe.* Es conjuga com *cantar.*

atalaiar *v* Mirar des d'un lloc elevat, des d'una talaia: *Des de dalt la torre del castell els vigilants atalaiaven tota la plana.* Es conjuga com *remeiar.*

atansar-se *v* Acostar fins a tocar: *Els cavalls es van atansar al riu i van beure aigua.* Es conjuga com *cantar.*

atapeir *v* Omplir una cosa en excés: *Aquella sala estava atapeïda de persones que esperaven el conferenciant.* Es conjuga com *reduir.*

atapeït atapeïda atapeïts atapeïdes *adj* Compacte, molt ple: *La botiga estava tan atapeïda de coses i de gent, que no s'hi podia passar.*

ataronjat ataronjada ataronjats ataronjades *adj* De color de taronja: *Una llum ataronjada.*

ateisme ateismes *nom m* Negació de l'existència de Déu.

atemorir *v* Fer agafar temor a algú, fer-li venir por: *El van atemorir amb amenaces i li van fer fer el que van voler.* Es conjuga com *servir.*

atemptar *v* Fer un atemptat, atacar algú o alguna cosa. Es conjuga com *cantar.*

atemptat atemptats *nom m* Acció que té per finalitat matar una persona o destruir una cosa: *Els guerrillers van fer un atemptat amb bombes contra una patrulla de l'exèrcit.*

atenció atencions *nom f* **1** Acció de fixar el pensament, la vista, l'oïda, etc. en alguna cosa per tal de captar-la o d'entendre-la millor: *Llegia un llibre amb atenció.* ▪ *Escoltava el professor amb atenció.* **2** Demostració d'educació, de simpatia, d'amabilitat: *La Manela tenia moltes atencions per a la seva àvia.* **3 cridar l'atenció** Fer-se notar una cosa, fer-se veure, destacar: *Porta un vestit que crida l'atenció.* **4** *interj* Paraula que es diu per avisar algú d'algun perill, per reclamar l'atenció d'algú.

atendre *v* Estar atent a alguna cosa, posar atenció en alguna cosa, tenir atencions cap a algú: *A vostè ja l'atenen? Què voldria?* Es conjuga com *pretendre.*

ateneu ateneus *nom m* Associació cultural que disposa d'un local on s'organitzen conferències, debats, exposicions i altres activitats.

atenir-se v Ajustar-se al que s'ha de fer, no apartar-se del que està decidit: *Nosaltres ens vam atenir sempre a les ordres, és a dir, només vam fer el que ens havien manat.* Es conjuga com *mantenir.*

atent atenta atents atentes adj **1** Que posa atenció, interès en una cosa: *Estàvem atents a l'explicació del professor.* **2** Que és educat, amable, que tracta molt bé la gent: *Un senyor molt atent.*

atentament adv Amb atenció, de manera atenta: *Escoltàvem el concert atentament.* ● *Es van saludar atentament.*

atenuar v Fer tornar més tènue, més fluix, més dèbil, no tan greu: *Aquesta finestra de doble vidre atenua el soroll del carrer.* Es conjuga com *canviar.*

atènyer v Arribar a un lloc, aconseguir una cosa: *Després de moltes hores de caminar, vam atènyer el cim de la muntanya.* Es conjuga com *témer.* Participi: *atès, atesa.*

aterrar v **1** Fer caure a terra, destruir una construcció: *Volen aterrar aquesta casa vella per fer-hi un bloc de pisos.* **2** Baixar a terra un avió, una aeronau: *L'avió va aterrar a l'aeroport del Prat.* Es conjuga com *cantar.*

aterrar

aterratge aterratges nom m Acció de prendre terra un avió, una aeronau, etc.

aterridor aterridora aterridors aterridores adj Que fa venir terror: *Vam sentir un crit aterridor.*

aterrir v Causar terror, fer venir molta por: *Diuen que en aquest castell abandonat hi ha un fantasma que aterreix els visitants que gosen entrar-hi.* Es conjuga com *servir.*

atès Paraula que apareix en l'expressió **atès que**, que vol dir "considerant que, tenint en compte que, d'acord amb": *Atès que no es van aportar prou proves que l'acusat hagués comès el delicte, el jutge el va declarar innocent.*

atestat atestats nom m Document en què la policia apunta totes les dades i les declaracions relacionades amb un accident o un delicte.

ateu atea ateus atees adj i nom m i f Es diu de les persones que neguen l'existència de Déu.

atiar v **1** Bufar o remenar el foc perquè cremi més fort. **2** Animar algú a fer una cosa: *Aquell nen més gran va atiar els petits a trencar els vidres de la finestra.* Es conjuga com *canviar.*

àtic àtics nom m Pis que hi ha dalt de tot d'un edifici i que sol tenir una terrassa gran.

atipar-se v **1** Menjar fins a quedar plenament satisfet: *Per dinar ens atiparem de pollastre.* **2** Estar fart d'algú o d'alguna cosa perquè n'estem cansats, ens molesta o ens atabala: *Vaig atipar-me de suportar les teves bromes pesades.* Es conjuga com *cantar.*

atípic atípica atípics atípiques adj Que no és típic, que no és habitual, que no és normal: *Ell és una persona atípica, molt original.*

atlàntic atlàntica atlàntics atlàntiques adj Que té relació amb l'oceà Atlàntic: *Bufa un vent atlàntic.*

atles uns atles nom m Llibre de gràfics i mapes geogràfics, històrics, etc.

atleta atletes nom m i f Persona que s'entrena i participa en exercicis que exigeixen força, agilitat, rapidesa.

atlètic atlètica atlètics atlètiques adj **1** Es diu de les persones que tenen un cos fort i àgil: *Les persones que practiquen molt esport solen tenir el cos atlètic.* **2** Que està relacionat amb els atletes.

atletisme atletismes nom m Conjunt d'activitats esportives en les quals és necessària l'agilitat i la força física, per exemple les curses, els salts i els llançaments.

atmosfera atmosferes nom f **1** Massa d'aire que envolta la Terra i alguns astres. **2** Aire que hi ha a dins un local: *En aquest cafè hi ha una atmosfera carregada.*

atmosfèric atmosfèrica atmosfèrics atmosfèriques adj Que té relació amb l'atmosfera: *La pluja i el vent són fenòmens atmosfèrics.*

àtom àtoms nom m **1** Partícula més petita d'un element químic que pot intervenir en una reacció química: *La part central de l'àtom és el nucli, format pels protons i els neutrons; els* *electrons es troben al seu entorn.* **2** Partícula molt petita d'una cosa.

atòmic atòmica atòmics atòmiques *adj* Que té relació amb l'àtom.

àton àtona àtons àtones *adj* Es diu de la vocal, de la síl·laba o del mot que es pronuncia amb poca força, que no és tònic: *La paraula "casa" té dues síl·labes: "ca" és una síl·laba tònica i "sa" és una síl·laba àtona.*

atònit atònita atònits atònites *adj* Molt sorprès, bocabadat: *Tothom contemplava atònit l'actuació d'aquell equilibrista.*

atonyinar *v* Apallissar, pegar molt.
Es conjuga com *cantar.*

atordir *v* Fer perdre la serenitat, els sentits per efecte d'un cop, d'un soroll, d'un perill, etc.: *El soroll dels avions va atordir la gent.*
Es conjuga com *servir.*

atorgar *v* Concedir, donar alguna cosa.
Es conjuga com *cantar.* S'escriu *g* davant de *a, o, u* i *gu* davant de *e, i: atorgo, atorgues.*

atorrollar *v* Atabalar algú, de manera que no sàpiga què dir ni què fer: *Quan finalment vaig poder arribar, la gent em va atorrollar amb preguntes.*
Es conjuga com *cantar.*

atracador atracadora atracadors atracadores *nom m i f* Persona que atraca, que roba amenaçant amb una arma.

atracament atracaments *nom m* Acció d'atracar.

atracar *v* **1** Assaltar algú per robar-li alguna cosa. **2** Acostar una nau, un vaixell a terra.
Es conjuga com *cantar.* S'escriu *c* davant de *a, o, u* i *qu* davant de *e, i: atraco, atraques.*

atracció atraccions *nom f* **1** Número de circ, de fira, de festival, etc.: *Diumenge passat vam anar al parc d'atraccions i vaig pujar als autos de xoc.* **2** Força que actua sobre les coses i les persones i les fa moure cap al lloc d'on ve aquesta força; acció d'atreure: *L'imant té poder d'atracció sobre alguns metalls.*

atracció

atractiu atractiva atractius atractives *adj* Que agrada, que desperta interès, que atreu: *És un programa de TV molt atractiu; tothom se'l mira.*

atrafegat atrafegada atrafegats atrafegades *adj* Que està molt enfeinat, molt ocupat en una cosa: *No els molestis, que estan molt atrafegats muntant la tenda de campanya.*

atrapar *v* **1** Arribar a agafar algú o alguna cosa que fuig: *Vam haver de córrer molt per atrapar el gos.* **2** Descobrir, sorprendre, agafar algú d'una manera imprevista: *El vam atrapar en el moment que anava a prendre'm la bicicleta.*
Es conjuga com *cantar.*

atraure *v* Mira atreure.
Es conjuga com *treure.*

atreure *v* Fer venir algú o alguna cosa cap a si mateix: *L'imant atreu el ferro.* **2** Agradar, despertar interès: *La vida dels animals atreu molt l'Eliseu.*
Es conjuga com *treure.*

atreviment atreviments *nom m* Decisió per a fer una cosa perillosa, prohibida, etc.; acció d'atrevir-se: *El meu cosí va tenir l'atreviment d'agafar-me l'ordinador sense el meu permís.*

atrevir-se *v* Decidir-se a fer una cosa perillosa, prohibida, etc.; gosar.
Es conjuga com *servir.*

atrevit atrevida atrevits atrevides *adj* **1** Que s'atreveix, que no s'espanta davant el perill: *És un nen molt atrevit, s'enfila a tot arreu.* **2** Descarat, que demostra no tenir vergonya: *Es va acostar a la noia i li va dir "estàs molt bona!" i altres coses atrevides.*

atribuir *v* **1** Considerar que una cosa és la causa d'una altra o que algú és l'autor d'una cosa: *Van atribuir l'accident a una fallada del motor.* **2** Donar, fer correspondre una cosa a algú: *A nosaltres ens han atribuït la responsabilitat de vigilar que ningú no embruti el pati.*
Es conjuga com *reduir.*

atribut atributs *nom m* **1** Paraula que qualifica un nom: *En la frase "en Ramon és alt", la paraula "alt" és un atribut.* **2** Qualitat, característica d'una persona o d'una cosa.

atrinxerar *v* **1** Envoltar de trinxeres un lloc: *Els soldats van atrinxerar tota la línia de la frontera.* **2 atrinxerar-se** Protegir-se posant-se en una trinxera, darrere una barricada, un parapet, etc.: *Es van atrinxerar rere d'una pila de sacs de terra.* **3** Fer servir un argument, una actitud, etc. per protegir-se d'una acusació o d'una

crítica: *Tothom l'acusava d'haver robat la pilota, però ell es va atrinxerar en el silenci.*
Es conjuga com *cantar*.

atroç atroços atroces *adj* Molt cruel, inhumà, molt dolent.

atrocitat atrocitats *nom f* Acte atroç, cruel, inhumà.

atrofiar-se *v* Espatllar-se o perdre capacitat: *Amb els anys la vista de les persones es va atrofiant i tothom acaba portant ulleres.*
Es conjuga com *canviar*.

atropelladament *adv* Massa de pressa: *Estava nerviós, parlava atropelladament i no se l'entenia.*

atropellar *v* **1** Envestir violentament una persona o un animal: *Amb el cotxe vaig atropellar un gos.* **2** Cansar, fatigar: *La malaltia l'atropella molt.*
Es conjuga com *cantar*.

atrotinat atrotinada atrotinats atrotinades *adj* Espatllat, fet malbé, vell, gastat: *Haurem de canviar les cortines, aquestes estan molt atrotinades.*

atuell atuells *nom m* Objecte de vidre, metall, etc. que serveix per a contenir líquids o altres coses: *La cuina de la casa estava plena de tota mena d'estris i atuells.*

atuir *v* Deixar com mort; deixar algú sense capacitat de reaccionar: *Tantes desgràcies l'han deixat ben atuït.*
Es conjuga com *reduir*.

atur aturs *nom m* Falta de feina, d'ocupació: *Hi ha molts treballadors en atur que busquen feina i no en troben.*

atura Paraula que apareix en la denominació **gos d'atura**, que vol dir "gos que serveix per a vigilar i guiar el ramat d'ovelles".

aturada aturades *nom f* Acció d'aturar-se, de parar: *A mig camí farem una aturada curta per descansar una mica.* ■ *El porter va fer una bona aturada i va evitar que l'equip contrari fes gol.*

aturador aturadors *nom m* **1** Cosa que atura, que no deixa passar. **2 no tenir aturador** Ser impossible d'aturar: *Els bombers no hi van poder fer res perquè aquell foc no tenia aturador.*

aturar *v* Parar, deixar de moure's, evitar que una cosa continuï funcionant o movent-se: *La policia feia aturar els cotxes i demanava els carnets als conductors.*
Es conjuga com *cantar*.

aturat aturada aturats aturades *adj* i *nom m* i *f* **1** Es diu d'una persona poc decidida,

a qui costa de reaccionar: *Aquesta persona és una mica aturada, sempre és l'última d'entendre el que s'ha de fer i de posar-se a treballar.* **2** Es diu de la persona que no té feina: *En temps de crisi econòmica moltes empreses pleguen i això fa que augmenti el nombre d'aturats.*

atxa atxes *nom f* **1** Ciri gros i gruixut de quatre blens. **2 endavant les atxes!** Expressió que es fa servir per a animar algú a continuar fent una cosa i a superar els problemes.

atxim Onomatopeia, paraula que imita el soroll d'un esternut.

atzagaiada atzagaiades *nom f* Acció poc pensada que pot molestar o perjudicar altres persones: *D'aquest, no te'n pots fiar, sempre fa atzagaiades.*

atzar atzars *nom m* **1** Casualitat; fet, causa imprevista, que no s'esperava: *Ens vam trobar al carrer per atzar.* **2 jocs d'atzar** Jocs en els quals guanyar o perdre depèn de la sort, de l'atzar.

atzavara atzavares *nom f* Planta que té les fulles verdes, grosses, carnoses i acabades en punta, i que es troba per tota la costa mediterrània.

atziac atziaga atziacs atziagues *adj* Que porta mala sort, desgraciat: *Van tenir un dia atziac i tot els va anar molt malament.*

atzucac atzucacs *nom m* **1** Carreró sense sortida. **2 trobar-se en un atzucac** Tenir un problema que no té solució.

au[1] *interj* Paraula que es diu quan es vol que algú comenci a fer una cosa o prengui una decisió: *Au, anem a jugar!*

au[2] aus *nom f* Ocell.

auca auques *nom f* Història explicada a través de petites vinyetes o dibuixos col·locats en un full de paper i que porten una explicació a sota, generalment en forma de rodolí.

aucell aucells *nom m* Ocell.

audaç audaços audaces *adj* Atrevit, que s'arrisca a fer coses perilloses.

audàcia audàcies *nom f* Qualitat d'audaç, de valent, d'atrevit: *Aquell policia va actuar amb molta audàcia, quan es va llançar sobre l'atracador i el va desarmar.*

audició audicions *nom f* **1** Acció de sentir-hi, de captar els sons a través de l'oïda.

2 Sessió musical com ara un concert, un recital, etc.

audiència audiències *nom f* **1** Acte d'escoltar una persona que fa una declaració o que exposa un problema davant una autoritat: *Els veïns van demanar audiència a l'alcalde perquè li volien explicar els problemes del barri.* **2** Quantitat de gent que segueix un programa de ràdio o de televisió: *Els partits de futbol retransmesos per televisió tenen molta audiència.*

audio- Element amb què comencen algunes paraules i que vol dir "que té relació amb l'oïda o amb el so": *Un documental audiovisual està fet amb sons i imatges.*

audiovisual audiovisuals *adj* Que utilitza al mateix temps el so i la imatge: *La televisió, el cine, el vídeo, etc. són mitjans audiovisuals.*

auditiu auditiva auditius auditives *adj* Que té relació amb el sentit de l'oïda o l'òrgan de l'audició: *Nervi auditiu.* **15** **18**

auditori auditoris *nom m* **1** Públic que escolta una conferència o un concert de música. **2** Local on es fan concerts de música.

auge auges *nom m* Apogeu, punt màxim, moment millor d'una cosa: *Actualment, els esports de muntanya estan en auge, és a dir, estan en el seu millor moment.*

augment augments *nom m* Acció de fer més gran una cosa, acció d'augmentar: *Els obrers demanaven augment de sou.*

augmentar *v* Fer més gran una cosa: *La pluja ha fet augmentar el cabal d'aigua del riu.* Es conjuga com *cantar*.

augmentatiu augmentatius *nom m* Paraula derivada que canvia el significat de la paraula primitiva perquè en fa augmentar la idea de mida o volum: *L'augmentatiu de la paraula "peu" és "peuàs", que vol dir "peu molt gros".*

augurar *v* Anunciar coses que passaran en el futur: *Abans de començar la cursa, els entesos ja auguraven el triomf del campió.* Es conjuga com *cantar*.

auguri auguris *nom m* Cosa que fa pressentir que passarà un fet bo o dolent: *Em vaig llevar de bon humor i vaig veure que feia un sol esplèndid; això em va semblar un bon auguri i vaig pensar que aquell dia tot m'aniria bé.*

aula aules *nom f* Sala destinada a fer-hi classe.

aura aures *nom f* **1** Vent suau. **2** *Aquesta dona exhala una* **aura de bondat**: Tan sols veient-la es nota que és una persona bondadosa.

aurèola aurèoles *nom f* **1** Cercle de llum que envolta un objecte, com el que es pot veure dibuixat al voltant del cap dels sants. **2** Fama o prestigi que aconsegueix una persona pels seus mèrits, pel seu esforç: *Aquell professor estava envoltat d'una aurèola de saviesa.*

aurícula aurícules *nom f* **1** Part externa de l'orella. **2** Part del cor que rep la sang de les venes i des de la qual la sang passa al ventricle. **17**

auricular auriculars *adj* **1** Que té relació amb l'orella; que té relació amb les aurícules. **2** **dit auricular** Dit xic de la mà. **3** *nom m* Aparell petit que es col·loca a l'orella i transmet el so d'un tocadiscos, d'una ràdio, etc.

auricular

aurora aurores *nom f* Sortida del sol, començament del dia; començament d'una cosa.

auster austera austers austeres *adj* **1** Es diu de la persona que es comporta d'una manera correcta, sense desviar-se del que ha de fer, i que viu amb senzillesa, sense luxes. **2** Que només té allò que és necessari, sense luxes: *Un edifici auster.*

australià australiana australians australianes **1** *nom m i f* Habitant d'Austràlia; persona natural o procedent d'Austràlia. **2** *adj* Es diu de les persones o de les coses naturals o procedents d'Austràlia.

austríac austríaca austríacs austríaques **1** *nom m i f* Habitant d'Àustria; persona natural o procedent d'Àustria. **2** *adj* Es diu de les persones o de les coses naturals o procedents d'Àustria.

autèntic autèntica autèntics autèntiques *adj* Que és absolutament cert, veritable; que no és fals: *Aquest quadre és un Picasso autèntic.*

auto autos *nom m* **1** Automòbil, cotxe. **2 autos de xoc** Atracció de fira consistent en una pista per on corren autos petits que poden xocar entre ells sense fer-se malbé perquè van protegits per unes bandes de goma.

auto- aut- Element amb què comencen algunes paraules i que significa "d'un mateix": *Aquell pintor es va fer el seu retrat, es va fer un autoretrat.*

autobiografia autobiografies *nom f* Llibre o escrit en què una persona explica la seva vida, la pròpia biografia.

autobús autobusos *nom m* Vehicle gros que transporta persones, dretes i assegudes, per dins d'una ciutat: *Per anar al centre de la ciutat, hem d'agafar l'autobús.*

autocar autocars *nom m* Vehicle gros que transporta persones per carretera a distàncies mitjanes o llargues: *Anirem a Montserrat amb autocar.*

autocrítica autocrítiques *nom f* Crítica que fa algú d'una cosa que ha fet ell mateix o de la seva pròpia manera de ser o de comportar-se: *El teu amic avui s'ha fet una autocrítica, ha admès que l'altre dia ens va tractar malament i ens ha demanat perdó.*

autòcton autòctona autòctons autòctones *adj* Que és originari del lloc on es troba o habita: *El català és la llengua autòctona del nostre país.* ▪ *A l'estiu a Mallorca hi ha molts més turistes que no pas habitants autòctons de l'illa.*

autodeterminació autodeterminacions *nom f* Exercici del dret que té un país a decidir si vol ser independent o si vol formar part d'un altre país.

autodidacte autodidacta autodidactes *adj i nom m i f* Es diu de la persona que ha estudiat una cosa pel seu compte, sense l'ajut de cap mestre, sense anar a cap escola.

autoescola autoescoles *nom f* Escola on s'ensenya de conduir automòbils com ara cotxes, motos, etc.

autoestop autoestops *nom m* Sistema de viatjar sense pagar que consisteix a fer aturar un vehicle fent-li un senyal amb la mà des del costat de la carretera.

autoestop

autogovern autogoverns *nom m* Poder que té un país per a decidir la seva política, economia, administració, etc. encara que no sigui independent d'un altre país.

autògraf autògrafs *nom m* Text escrit de la mateixa mà de l'autor; signatura: *La Joana té una col·lecció d'autògrafs, és a dir, una col·lecció de signatures i petits escrits de gent famosa.*

autòmat autòmats *nom m* Màquina amb figura de persona o animal que es mou per mitjà d'un mecanisme.

automàtic automàtica automàtics automàtiques *adj* Que funciona sol, mecànicament, sense la intervenció d'una persona: *Les portes d'aquest ascensor es tanquen soles: són automàtiques.*

automàticament *adv* D'una manera automàtica: *Les portes de l'ascensor s'obren i es tanquen automàticament.*

automòbil automòbils *nom m* Vehicle guiat per un conductor i capaç de moure's per si sol, sense haver de ser arrossegat per animals o altres vehicles, que generalment va muntat sobre quatre rodes.

automobilisme automobilismes *nom m* Conjunt d'esports que es practiquen amb automòbil.

automobilista automobilistes *nom m i f* Persona que porta un automòbil o que practica l'automobilisme.

autònom autònoma autònoms autònomes *adj* **1** Que es governa per les pròpies lleis, que té dret a governar-se a si mateix: *Catalunya, el País Valencià, les Illes, Euskadi, etc. són comunitats autònomes.* **2** Es diu de la persona que treballa pel seu compte, sense dependre de ningú: *Quan van acabar els estudis, van fer-se treballadors autònoms i les coses els van molt bé.*

autonomia autonomies *nom f* Llibertat de governar-se per les pròpies lleis: *Catalunya té autonomia des de l'any 1979.*

autonòmic autonòmica autonòmics autonòmiques *adj* Que té relació amb l'autonomia, que és propi de l'autonomia.

autopista autopistes *nom f* Carretera molt ampla i segura, on els vehicles poden circular a gran velocitat.

autòpsia autòpsies *nom f* Examen d'un cadàver per comprovar o conèixer les causes que han provocat la mort: *La metgessa encara no ha fet l'autòpsia dels morts en l'accident.*

autor autora autors autores *nom m* i *f* **1** Persona que ha escrit un llibre, que ha compost una peça musical, etc.: *Verdaguer és l'autor de "L'Atlàntida".* **2** Persona que ha fet alguna cosa: *Aquell home és l'autor del robatori.*

autoretrat autoretrats *nom m* Retrat d'algú fet per ell mateix: *Aquest pintor va pintar diversos autoretrats durant la seva vida.*

autoritari autoritària autoritaris autoritàries *adj* Es diu de la persona que imposa la seva autoritat sense escoltar l'opinió dels altres: *El director d'aquesta escola és molt autoritari, sempre s'ha de fer el que mana sense discussió.*

autoritat autoritats *nom f* **1** Poder de manar, de dirigir: *El president té l'autoritat del govern.* **2** Qualitat d'aquell que sap fer-se obeir: *L'entrenadora té molta autoritat sobre els membres de l'equip.* **3** Personalitat, persona de molt poder: *Ara passaran les autoritats.*

autorització autoritzacions *nom f* Permís de fer una cosa donat per una autoritat: *Per fer una festa al carrer, s'ha de demanar autorització a l'ajuntament.*

autoritzar *v* Donar permís a algú de fer una cosa.
Es conjuga com *cantar.*

autoservei autoserveis *nom m* Botiga, restaurant, etc. on els clients agafen ells mateixos els productes o el menjar que després han d'anar a pagar a la caixa.

autovia autovies *nom f* Carretera ampla, que sol tenir dos carrils per banda, però que no té tanta seguretat com una autopista.

autumne autumnes *nom m* Tardor.

auxili auxilis *nom m* Ajut, socors.

auxiliar[1] *v* Ajudar, donar auxili a algú.
Es conjuga com *canviar.*

auxiliar[2] auxiliars *adj* **1** Que ajuda en un treball o una acció: *A l'escola hi ha un professor auxiliar que ajuda la mestra a la classe de treballs manuals.* **2 verb auxiliar** Verb que depèn d'un altre verb i que ajuda a formar els temps verbals compostos: *En la frase "he anat a l'escola", la paraula "he" és un verb auxiliar.*

avalar *v* Donar suport a una persona perquè l'admetin en una associació o perquè un banc li deixi diners.
Es conjuga com *cantar.*

avall *adv* En direcció de dalt a baix: *Vaig caure escales avall.* ▪ *Les llàgrimes li queien cara avall.* ▪ *Una mica més avall, trobaràs la botiga.*

avalot avalots *nom m* Moviment de persones, desordre, revolta: *Hi ha hagut manifestacions i avalots per protestar contra la construcció d'una indústria contaminant.*

avaluació avaluacions *nom f* **1** Prova o conjunt d'activitats que es fan per veure si un alumne domina una matèria escolar. **2** Acció d'avaluar, de determinar el valor, la magnitud d'una cosa.

avaluar *v* **1** Comprovar si un alumne domina una matèria escolar. **2** Determinar el valor, la magnitud d'una cosa: *Les pèrdues provocades per l'incendi es van avaluar en vuitanta mil euros.*
Es conjuga com *canviar.*

avanç avanços *nom m* Avançament.

avançament avançaments *nom m* **1** Acció d'avançar: *Aquell cotxe va fer un avançament perillós, perquè va passar al davant de l'altre cotxe enmig d'un revolt.* **2** Diners que es paguen per endavant abans de comprar una cosa; diners que es cobren per endavant a compte d'una quantitat que hem de cobrar més tard.

avançar *v* **1** Moure's algú o alguna cosa cap endavant: *La barca avançava cap al port.* **2** Passar al davant d'algú o d'alguna cosa: *El cotxe va avançar un camió.* **3** Fer que alguna cosa comenci abans de l'hora prevista o acostumada: *Han avançat d'una hora el començament de la reunió.* **4** Marcar un rellotge més de l'hora que és en realitat: *El meu rellotge va a l'hora, però el de la Ramona avança deu minuts.*
Es conjuga com *cantar.* S'escriu ç davant de a, o, u i c davant de e, i: *avanço, avances.*

avançat avançada avançats avançades *adj* Que va molt més endavant que els altres en algun aspecte: *Aquest alumne va molt avançat en totes les matèries.*

avant *adv* Endavant.

avant- Prefix, element que s'afegeix al davant d'una paraula i que vol dir "abans": *Quan parlem dels nostres avantpassats, ens referim a les persones que han viscut abans que nosaltres i de les quals provenim.*

avantatge avantatges *nom m* **1** Distància que separa algú o alguna cosa d'algú altre o d'alguna altra cosa que li va al darrere: *El guanyador de la cursa portava molt avantatge al segon classificat.* **2** Allò que fa que una cosa sigui més bona que una altra: *Aquesta tinta té l'avantatge que es pot esborrar.*

avantatjar *v* Superar, anar més endavant, portar avantatge: *Aquesta atleta avantatja tots els altres.*
Es conjuga com *cantar.* S'escriu *j* davant de *a, o, u* i *g* davant de *e, i: avantjo, avantatges.*

avantatjós avantatjosa avantatjosos avantatjoses *adj* Que és millor, que ofereix avantatges: *Jugar al propi camp és avantatjós per a un equip.*

avantbraç avantbraços *nom m* Part del braç que va del colze al puny.

avantguarda avantguardes *nom f* **1** Part de les tropes avançades d'un exèrcit que exploren el camí o observen l'enemic. **2** Conjunt d'idees, de tendències, de persones que s'avancen al seu temps en art, literatura, cinema, etc.

avantpassat avantpassada avantpassats avantpassades *nom m* i *f* Persona que ha viscut abans que nosaltres i de la qual provenim: *Els nostres avantpassats ja vivien en aquesta comarca.*

avar avara avars avares *adj* i *nom m* i *f* Es diu de la persona que no dóna res i té molt, que estalvia i es guarda els diners per a ella, que té avarícia, avariciós.

avarar *v* Posar una embarcació a l'aigua.
Es conjuga com *cantar.*

avarca avarques *nom f* Calçat senzill de cuir que es lliga al turmell amb unes corretges.

avaria avaries *nom f* Dany que sofreix un aparell, una màquina, etc. i que fa que no pugui funcionar amb normalitat: *El cotxe va tenir una avaria i vam haver d'anar a col·legi a peu.*

avariar-se *v* Tenir una avaria: *Es va avariar l'autocar i no vam poder anar a esquiar.*
Es conjuga com *canviar.*

avarícia avarícies *nom f* Desig molt fort d'arreplegar diners i riqueses i no gastar-les.

avariciós avariciosa avariciosos avariacioses *adj* i *nom m* i *f* Es diu de la persona que té avarícia, que té ganes d'arreplegar riqueses i diners i no gastar-los, avar.

avatar avatars *nom m* Qualsevol dels fets, dels canvis que afecten algú o alguna cosa al llarg del temps: *Aquell senyor ens va explicar els avatars de la seva vida, com es va fer ric, com ho va perdre tot i com finalment es va tornar a fer ric.*

avellana avellanes *nom f* Fruita seca, que es menja generalment torrada, i que és la llavor de l'avellaner: *Avui, per dinar, a les postres, hem menjat avellanes i panses.* **2**

avellaner avellaners *nom m* Arbre conreat en la regió mediterrània i apreciat per la seva fusta i el seu fruit, l'avellana, té un aspecte d'arbust, de fulles caduques, grosses i arrodonides.

avellaner

avemaria avemaries *nom f* Oració dedicada a la Mare de Déu que comença amb l'expressió "Ave Maria", que vol dir "Déu vos salve, Maria".

avenc avencs *nom m* Cavitat, pou natural de parets de roca: *Aquest avenc és molt fondo i perillós, i encara no hi ha ningú que l'hagi explorat del tot.*

avenç avenços *nom m* Progrés, millora: *El descobriment de l'electricitat va ser un gran avenç per a la humanitat.*

avenir avenirs *nom m* Temps futur, allò que ha de venir en el futur: *Qui sap com serà el nostre avenir!*

avenir-se *v* **1** Entendre's: *En Joan i l'Agnès fan una bona parella: s'avenen molt.* **2** Posar-se d'acord. **3** *Encara no se sap avenir del suspens de gimnàstica, ell que és tan bon atleta:* causar molta estranyesa una cosa.
Es conjuga com *mantenir.*

aventura aventures *nom f* Fet imprevist, perillós, emocionant: *L'excursió va ser una aventura, ens van passar moltes coses inesperades.*

aventurar-se *v* Exposar-se, arriscar-se, llançar-se sense por al perill.
Es conjuga com *cantar.*

aventurer aventurera aventurers aventureres *nom m i f* Persona a qui li agrada de passar aventures, perills, etc.

averany averanys *nom m* Senyal que anuncia alguna cosa futura: *Veure un gat negre és un mal averany perquè diuen que porta desgràcia.*

avergonyir *v* Sentir vergonya, causar vergonya: *L'Amàlia s'avergonyia d'haver de parlar davant de tanta gent.*
Es conjuga com *servir.*

aversió aversions *nom f* Fàstic, repugnància envers alguna cosa o algú: *Té una gran aversió al tabac, no suporta que algú fumi al seu costat.*

avesar *v* Acostumar algú a alguna cosa: *El meu germà està avesat a dormir després de dinar.*
Es conjuga com *cantar.*

avet avets *nom m* Arbre de copa en forma de piràmide i fulles perennes disposades en dues fileres, propi de zones muntanyoses.

avetar avetars *nom m* Bosc d'avets.

avi àvia avis àvies *nom m i f* Pare o mare del pare o de la mare d'una persona.

aviació aviacions *nom f* Conjunt d'activitats relacionades amb els avions.

aviador aviadora aviadors aviadores *nom m i f* Persona que condueix un avió.

aviar *v* Deixar anar, posar en camí, llançar: *No ens vam poder acostar al castell perquè la gent que hi vivia ens va aviar els gossos i vam haver de fugir corrents.*
Es conjuga com *canviar.*

aviat *adv* Al cap de poc temps, d'aquí a poc temps: *El tren arribarà aviat.* ▪ *Demà ens haurem de llevar aviat per anar a collir bolets.*

aviciar *v* **1** Tractar algú massa bé, deixant-li passar tot, permetent que agafi mals costums: *Si sempre li compres tot el que demana, aviciaràs el nen.* **2** **aviciar-se** Agafar un vici o un costum considerat dolent: *Hi ha molts joves que s'avicien al tabac.*
Es conjuga com *canviar.*

avícola avícoles *adj* Que està relacionat amb la cria d'ocells o d'aviram: *En aquesta granja avícola hi ha més de mil gallines.*

avicultura avicultures *nom f* Tècnica de criar ocells, especialment aviram, com ara gallines, oques, ànecs, etc.: *L'economia d'aquesta comarca es basa en l'agricultura i l'avicultura.*

àvid àvida àvids àvides *adj* Es diu de la persona que desitja una cosa de manera exagerada.

avinença avinences *nom f* Acció d'avenir-se, d'estar d'acord les persones.

avinent avinents *adj* **1** Es diu d'un lloc de fàcil accés, no gaire apartat: *En aquell bar sempre hi ha molta gent perquè està en un lloc molt avinent.* **2** **fer avinent** Recordar, fer present una cosa.

avinentesa avinenteses *nom f* Ocasió, oportunitat: *Anant a la platja, vam passar pel poble on viuen els meus cosins, i vam aprofitar l'avinentesa per fer-los una visita.*

avinguda avingudes *nom f* **1** Carrer ample, de voreres també amples, generalment amb arbres. **2** Crescuda sobtada de l'aigua d'una riera, d'un torrent.

avió avions *nom m* Vehicle volador que serveix per a transportar persones o coses a gran velocitat i a grans distàncies.

avioneta avionetes *nom f* Avió petit.

aviram avirams *nom m* Conjunt d'animals de ploma com ara gallines, oques, ànecs, etc. que hi ha en una casa de pagès o en una granja.

avís avisos *nom m* Paraula, escrit, etc. que avisa, que informa d'alguna cosa: *A la porta de la botiga hi havia un avís que deia: "Tancat els dilluns al matí".*

avisar *v* **1** Fer conèixer una cosa a algú perquè n'estigui al cas: *Quan arribarà la teva mare, ja t'avisaré.* **2** Aconsellar, cridar l'atenció a algú: *L'hem avisat moltes vegades que no faci tard.*
Es conjuga com *cantar.*

avituallar *v* Proporcionar vitualles, aliments.
Es conjuga com *cantar.*

avivar *v* Fer més viu, més animat, més actiu, més fort: *El vent ha avivat el foc.* Es conjuga com *cantar.*

avorriment avorriments *nom m* Molèstia, cansament que ens produeix una cosa que no ens agrada, no ens interessa, no ens diverteix: *Va ploure i l'excursió va ser un avorriment.*

avorrir-se *v* **1** Passar-s'ho malament, sense entretenir-se, sense divertir-se: *Aquesta tarda no hem sortit de casa i ens hem avorrit com unes ostres.* **2** avorrir Desagradar molt una cosa: *La mestra avorreix la injustícia.* ▪ *De tanta que n'hi han feta beure per força, el nen ha avorrit la llet.* Es conjuga com *servir.*

avorrit avorrida avorrits avorrides *adj* Que no és divertit, que no interessa, que avorreix: *Vam anar a veure una pel·lícula molt avorrida.*

avortament avortaments *nom m* Interrupció de l'embaràs, que impedeix que el fetus es desenvolupi.

avortar *v* **1** Expulsar el fetus abans que s'acabi de formar. **2** Fer que fracassi una acció: *La policia va avortar un segrest.* Es conjuga com *cantar.*

avui *adv* **1** En el dia que som: *Avui és dissabte i no hem d'anar a escola.* **2** *Avui dia* és moda anar a la platja a l'estiu: actualment, a la nostra època.

axil·la axil·les *nom f* Aixella.

azerbaitjanès azerbaitjanesa azerbaitjanesos azerbaitjaneses **1** *nom m* i *f* Habitant de l'Azerbaitjan; persona natural o procedent de l'Azerbaitjan. **2** *adj* Es diu de les persones o de les coses naturals o procedents de l'Azerbaitjan. **3** *nom m* Llengua que es parla a l'Azerbaitjan.

B b lletra be

babalà Paraula que apareix en l'expressió **a la babalà**, que vol dir "sense pensar les coses": *Aquell noi sempre parla a la babalà i diu moltes bestieses.*

babau babaua babaus babaues *adj* i *nom m* i *f* Es diu de la persona que no té malícia, que no es malfia de res i que es deixa enganyar fàcilment: *Aquell nen és un babau, ja l'han tornat a enganyar.*

bable bables *nom m* Llengua parlada a Astúries, asturià.

babord babords *nom m* Costat esquerre d'un vaixell, mirant-lo de popa a proa, és a dir, de darrere a davant.

babutxa babutxes *nom f* Mena de xinel·la, de sabata sense taló amb la punta orientada cap amunt que fan servir els àrabs.

bac bacs *nom m* Obaga, part més humida de la muntanya on hi toca poc el sol.

baca baques *nom f* Plataforma que es col·loca damunt el sostre d'un cotxe i que serveix per a portar-hi l'equipatge.

bacallà bacallans *nom m* **1** Peix de mar molt apreciat com a aliment, que es pesca en gran quantitat i es pot conservar salat. **2 tallar el bacallà** Manar, dirigir una cosa.

bacil bacils *nom m* Bacteri que té una forma cilíndrica i recta, com de bastó.

bacó bacona bacons bacones *nom m* i *f* **1** Porc. **2** Persona bruta, que fa porqueries. **3** *nom m* Cansalada fumada.

bacteri bacteris *nom m* Ésser molt petit, que només es pot veure amb un microscopi i que de vegades pot provocar malalties.

bàcul bàculs *nom m* Bastó de fusta o de metall, amb adornaments, que porten els bisbes i els abats i que és un símbol de la seva autoritat.

badada badades *nom f* Distracció, equivocació causada per una distracció: *M'he equivocat en aquest exercici tan fàcil; quina badada!*

badall badalls *nom m* **1** Acció involuntària que fem obrint molt la boca i que indica generalment que tenim son o gana. **2 fer el darrer badall** Morir-se. **3** Escletxa.

badallar *v* Fer badalls, obrir molt la boca a causa de la son o de la gana: *Tinc son i no paro de badallar.*
Es conjuga com *cantar*.

badaloní badalonina badalonins badalonines **1** *nom m* i *f* Habitant de Badalona; persona natural o procedent de Badalona. **2** *adj* Es diu de les persones o de les coses naturals o procedents de Badalona.

badar *v* **1** Mirar una cosa amb curiositat, encantar-se davant una cosa: *Davant la casa que es va cremar hi havia molta gent badant.* **2** Distreure's: *Gemma, no badis que cauràs.* **3** *Quan va sentir el que deia,* **va badar uns ulls com unes taronges***: obrir molt els ulls, la boca, etc.* **4** *La Marta fa tres dies que* **no bada boca***: no diu res.*
Es conjuga com *cantar*.

badia badies *nom f* Entrada del mar en la costa, golf petit.

badoc badoca badocs badoques *adj* i *nom m* i *f* Es diu de la persona que mira una cosa amb cara d'admiració, amb cara d'encantat: *Hi havia una colla de badocs mirant com aquell escalador arribava al cim de la muntanya.*

baf bafs *nom m* Vapor, aire viciat que hi ha en una habitació tancada i plena de gent; vapor que surt de la boca: *El baf de l'olla va entelar els vidres.*

bafarada bafarades *nom f* **1** Baf molt fort: *De la cuina sortia una bafarada d'aire calent.* **2** Espai tancat on hi ha escrit el que diu o pensa un dels personatges del dibuix d'un còmic.

bafarada

baga¹ bagues *nom f* **1** Obaga. **2** Bosc situat a la part obaga d'una muntanya, amb molta ombra.

baga² bagues *nom f* Nus en forma de llaç, com els que es fan per cordar les sabates.

bagassa bagasses *nom f* Prostituta.

bagatel·la bagatel·les *nom f* Cosa poc important.

bagatge bagatges *nom m* **1** Allò que s'emporta algú quan va de viatge, equipatge. **2** Conjunt de coneixements que té una persona i que la fan capaç de fer una cosa: *Aquell escriptor tenia un gran bagatge intel·lectual.*

bagenc bagenca bagencs bagenques **1** *nom m* i *f* Habitant de la comarca del Bages; persona natural o procedent de la comarca del Bages. **2** *adj* Es diu de les persones o de les coses naturals o procedents de la comarca del Bages.

bagul baguls *nom m* Caixa grossa de fusta, que es pot tancar, i que serveix per a guardar-hi objectes, roba, etc. o per a transportar-los.

bagul

bah *interj* Paraula que es diu quan algú dubta d'una cosa o quan algú no es creu una cosa; també pot expressar desinterès o despreocupació: *Bah!, tot això que dius no té ni cap ni peus, jo no me'n crec res.*

baia baies *nom f* Tipus de fruit que té la pell prima i la polpa carnosa, com ara els grans de raïm o els tomàquets.

baiard baiards *nom m* Aparell format per una plataforma amb dues barres llargues i paral·leles que pot ser transportat per dues persones i que serveix per a dur-hi persones o coses.

baiard

baieta baietes *nom f* **1** Drap que serveix per a fer la neteja de la casa. **2** passar la baieta Fregar el terra: *La nena ha vessat la llet, haurem de passar la baieta.*

baioneta baionetes *nom f* Arma semblant a un ganivet que es posa al final d'un canó, d'un fusell o d'una escopeta.

baix[1] *adv* **1** A poca altura: *L'avió volava baix.* **2** Sense crits, amb el to de veu fluix: *Si voleu parlar, feu-ho baix.* **3** a baix A la part baixa d'un lloc: *En Marc ha deixat la bossa a baix de tot de l'escala.* **4** Quan hem passat pel seu davant ens ha **mirat de dalt a baix**: mirar amb detall, observar bé.

baix[2] baixa baixos baixes *adj* **1** De poca alçada, més aviat d'altura petita: *Tots els membres d'aquesta família són bastant baixos.* **2** La Rosa parla **en veu baixa**: amb molt poca veu, gairebé sense veu. **3** Groller, dolent: *Espiar els altres és una acció baixa.*

baix[3] baixos *nom m* **1** Part d'un edifici que està a l'altura del terra: *En Ramon viu als baixos d'aquest edifici.* **2** alts i baixos Desigualtats, situacions diferents: *La vida té molts alts i baixos, de vegades les coses et van bé i altres vegades et van malament.* ▪ *És un terreny amb molts alts i baixos.* **3** Persona que canta o toca algun instrument en to greu: *En Miquel és el baix del conjunt.*

baixa baixes *nom f* **1** Permís que el metge dóna a una persona que està malalta perquè no vagi a treballar durant un temps. **2** donar-se de baixa Deixar de ser soci d'un club o d'una entitat: *M'he donat de baixa del club d'escacs del barri.*

baixada baixades *nom f* **1** Acció de baixar, de descendir: *La baixada serà més fàcil que la pujada, no ens cansarem tant.* **2** Terreny que fa pendent cap avall: *Quan tombis per aquell carrer, trobaràs una baixada.*

baixador baixadors *nom m* Lloc on s'aturen els trens perquè pugi o baixi la gent, però que no té les instal·lacions ni els serveis d'una estació.

baixar *v* **1** Anar de dalt a baix, portar alguna cosa d'un punt a un altre de més baix. **2** *Ja estem més tranquils, a la nena li ha baixat la febre*: arribar una cosa a un grau més baix. Es conjuga com *cantar.*

baixesa baixeses *nom f* Acció dolenta o covarda: *Fer plorar un nen petit per divertir-se és una baixesa.*

bajanada bajanades *nom f* Ximpleria, acció o paraules ximples, sense sentit: *Quines bajanades que diu, aquest noi! Sembla que parli sense pensar.*

bajoca bajoques *nom f* Mongeta.

bala¹ bales *nom f* Mercaderia ben lligada amb cordes o cordills de manera que no pugui escampar-se: *Els camioners carreguen bales de palla als camions.*

bala² bales *nom f* **1** Bola petita de vidre, de terra cuita, etc. que serveix per a jugar: *A l'hora del pati els nens juguen a bales.* **2** Petit projectil acabat en punta, de plom, de ferro, etc. que es dispara amb una pistola, un fusell, un canó, etc. **3** *El biciclista anava* **com una bala**: molt de pressa.

balada balades *nom f* **1** Tipus de composició poètica de tema llegendari o tradicional, dividida en estrofes iguals. **2** Cançó de tema romàntic acompanyada d'una música senzilla. **3** Tipus de composició musical.

baladrejar *v* Cridar molt fort, molestant la gent que hi ha a la vora.
Es conjuga com *cantar*. S'escriu *j* davant de *a, o, u* i *g* davant de *e, i: baladrejo, baladreges.*

baladrer baladrera baladrers baladreres *adj* i *nom m* i *f* Es diu de la persona que sempre crida molt.

balafiar *v* Malgastar.
Es conjuga com *canviar.*

balaguerí balaguerina balaguerins balaguerines **1** *nom m* i *f* Habitant de Balaguer; persona natural o procedent de Balaguer. **2** *adj* Es diu de les persones o de les coses naturals o procedents de Balaguer.

balanç balanços *nom m* **1** Moviment que consisteix a anar ara cap a un costat ara cap a l'altre, balanceig: *El balanç de les onades.* **2** Estudi d'un fet, de l'estat d'una feina, etc., comparant els aspectes positius i els aspectes negatius, la situació del començament i la del final, etc.: *Avui a l'escola hem fet una assemblea per fer balanç del primer mes de classe.*

balança¹ *nom f* Setè signe del zodíac, també anomenat libra: *Les persones nascudes entre el 23 de setembre i el 21 d'octubre són del signe de balança.*

balança² balances *nom f* Instrument que serveix per a pesar: *Necessitem unes balances per a pesar la carn.*

balanceig balanceigs o balancejos *nom m* Moviment que consisteix a anar ara cap a un costat ara cap a l'altre: *El balanceig de les barques sobre les ones.*

balancejar *v* Moure's ara cap a un costat ara cap a l'altre: *La barca es balancejava sobre l'aigua a causa de les onades.*
Es conjuga com *cantar*. S'escriu *j* davant de *a, o, u* i *g* davant de *e, i: balancejo, balanceges.*

balancí balancins *nom m* Cadira amb les potes acabades en una mena d'arcs que li permeten de moure's endavant i endarrere.

balancí

balandrejar *v* Balancejar.
Es conjuga com *cantar*. S'escriu *j* davant de *a, o, u* i *g* davant de *e, i: balandrejo, balandreges.*

balb balba balbs balbes *adj* Es diu de les mans i dels dits quan no poden fer bé un moviment a causa del fred o del cansament: *No puc escriure: amb aquest fred, tinc els dits ben balbs.*

balbotejar *v* Parlar amb una pronunciació imperfecta, com la dels nens petits que aprenen de parlar.
Es conjuga com *cantar*. S'escriu *j* davant de *a, o, u* i *g* davant de *e, i: balbotejo, balboteges.*

balbucejar *v* Parlar de manera poc clara, tallant les paraules, a causa de l'emoció o d'un problema físic: *Després de l'accident, estava tan espantat que no parlava, només balbucejava i no s'entenia el que deia.*
Es conjuga com *cantar*. S'escriu *j* davant de *a, o, u* i *g* davant de *e, i: balbucejo, balbuceges.*

balca balques *nom f* Boga.

balcó balcons *nom m* Obertura en la paret d'un edifici que dóna a una plataforma voltada per una barana des d'on es pot mirar el carrer: *Vaig veure els gegants des del balcó de casa.*

balconada balconades *nom f* Balcó gran: *Un palau amb grans finestrals i balconades.*

balda baldes *nom f* Peça de fusta o de ferro que serveix per a mantenir tancada una porta, una finestra, etc.

baldament *conj* Encara que: *Aquest anell no és pas d'or, baldament ho sembli.*

baldat baldada baldats baldades *adj* Que no es pot moure, que està molt cansat: *He* anat molta estona amb bicicleta i he quedat baldat.

balder *baldera balders balderes* *adj* Es diu del vestit que no s'ajusta al cos: *Aquest abric et va molt balder, te l'hauries de fer escurçar i estrènyer.*

baldó *baldons* *nom m* Balda petita.

baldufa *baldufes* *nom f* **1** Joguina de fusta que es fa girar de pressa a terra. **2** *Aquell home és una baldufa*: persona de molt poca alçada, molt baixa.

balear *balears* **1** *nom m i f* Habitant de les illes Balears; persona natural o procedent de les illes Balears. **2** *adj* Es diu de les persones o de les coses naturals o procedents de les illes Balears. **3** *nom m* Manera de parlar el català a les illes Balears.

balena *balenes* *nom f* Mamífer marí molt gros, amb el cos en forma de peix, que respira per uns foradets per on treu l'aire quan surt a la superfície i que, en comptes de dents, té unes làmines anomenades barbes, que li fan de filtre a l'hora d'aconseguir l'aliment: *Hi ha poques balenes, si en continuen pescant, s'acabarà l'espècie.* 12

balener *balenera baleners baleneres* **1** *adj* Que està relacionat amb les balenes o amb la pesca de balenes: *Un vaixell balener.* **2** *nom m i f* Persona que pesca balenes.

balí *balins* *nom m* Bala petita que s'utilitza com a projectil d'algunes armes: *Una escopeta de balins.*

baliga-balaga *baliga-balagues* *nom m i f* Persona poc seriosa, poc formal, de qui no et pots fiar.

balisa *balises* *nom f* Senyal que es posa a terra, a la superfície de l'aigua, en una carretera, etc. per a indicar un perill, una direcció, un límit, etc.

ball *balls* *nom m* **1** Seguit de passos i moviments fets seguint el ritme de la música. **2** Reunió de gent que balla: *A la Dolors li agrada molt de ballar, sovint organitza festes que s'acaben amb un ball.*

ballador *balladora balladors balladores* **1** *nom m i f* Persona que balla. **2** *adj* Es diu de les persones a qui agrada de ballar.

ballar *v* **1** Moure's, saltar, fer passos seguint el ritme d'una música: *Aquest vespre la colla anirà*

a ballar a l'envelat. **2** *Aquestes sabates em van grans, els peus m'hi ballen*: no estan segurs, es mouen a dins. **3** *Em balla pel cap* que havíem quedat de veure'ns, però no sé quan: recordar vagament una cosa. **4** *A casa de la Mercè fa dies que la ballen*, el pare s'ha quedat sense feina: tenir grans preocupacions, problemes. Es conjuga com *cantar.*

ballarí *ballarina ballarins ballarines* *nom m i f* Persona que balla o dansa per professió.

ballesta *ballestes* *nom f* Arma que serveix per a llançar fletxes, formada per un arc col·locat transversalment damunt un mànec de fusta.

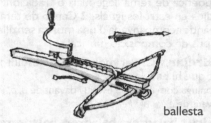

ballesta

ballet *ballets* *nom m* Ball, dansa acompanyada de música, que se sol fer en un escenari.

ballmanetes Paraula que apareix en l'expressió fer **ballmanetes**, que vol dir "picar de mans", especialment els infants.

balma *balmes* *nom f* Cova no gaire fonda formada per una roca o un conjunt de roques.

balneari *balnearis* *nom m* Hotel situat en un lloc que té aigües medicinals, generalment a la muntanya, on la gent va a descansar i a prendre banys per fer salut.

baló *balons* *nom m* **1** Pilota utilitzada en diversos esports. **2** Recipient de forma esfèrica.

balquena Paraula que apareix en l'expressió a **balquena**, que vol dir "en abundància, en gran quantitat": *Va ploure a balquena.*

bàlsam *bàlsams* *nom m* Substància o cosa que fa més suau un dolor, que consola.

baluard *baluards* *nom m* Fortificació en forma de pentàgon situada entre dos trossos de muralla; protecció, defensa.

baluerna *baluernes* *nom f* Cosa molt grossa: *Aquell autocar era una baluerna: era immens.*

balustrada *balustrades* *nom f* Barana de poca alçada formada amb columnes petites.

bàmbol *bàmbola bàmbols bàmboles* *adj i nom m i f* Ximple, poc intel·ligent.

b

bambolla bambolles *nom f* Mira **bombolla.**

bambú bambús *nom m* Planta semblant a la canya, llarga, forta i molt flexible.

ban bans *nom m* Escrit amb el qual un ajuntament o una autoritat fa saber una cosa a la gent, dóna una ordre, etc.: *L'ajuntament va fer un ban que ordenava als veïns que no malgastessin l'aigua.*

banal banals *adj* Es diu de les coses que no tenen interès, que no són originals, que són vulgars: *El tema d'aquella pel·lícula era banal, no tenia cap interès.*

banana bananes *nom f* Fruit comestible del bananer, plàtan.

banau banaua banaus banaues *nom m i f* Persona poc intel·ligent.

banc bancs *nom m* **1** Seient estret i llarg on caben diverses persones: *Els bancs que han posat en aquesta plaça no són gens còmodes.* **2** Societat que es dedica a guardar i a deixar diners; oficina d'aquesta societat: *El pare no hi és ara, ha anat a portar diners al banc.* **3** Conjunt de peixos que van junts: *Passejant amb la barca hem vist un banc de sardines.*

banca banques *nom f* **1** Banc, societat que guarda i deixa diners; conjunt dels bancs d'un país. **2** Seient de fusta sense braços ni respatller, que s'assembla a una taula baixa.

bancal bancals *nom m* Tros de terra plana, conreada, amb marges o rengles d'arbres als costats.

bancari bancària bancaris bancàries *adj* Que està relacionat amb la banca: *Ha demanat un préstec bancari, és a dir, ha anat al banc a demanar que li deixin diners.*

bancarrota bancarrotes *nom f* Ruïna econòmica d'una empresa o d'una persona: *Tots els seus negocis han fet bancarrota i ell està completament arruïnat.*

banda[1] bandes *nom f* **1** Cadascun dels costats d'un carrer, d'un riu, d'un edifici, etc.: *A banda i banda del carrer hi havia moltes botigues.* ▪ *A la banda dreta de l'escola hi ha el pati.* **2 d'altra banda** A més, de més a més: *No teníem ganes de caminar i, d'altra banda, ja era molt tard.* **3** Cinta ampla, tros llarg de roba, de paper, etc.: *Els guàrdies municipals anaven vestits de gala i portaven una banda vermella.*

banda[2] bandes *nom f* **1** Grup de persones, sovint armades: *Una banda de lladres.* **2** Conjunt de músics que toquen instruments de vent i de percussió i que poden tocar tot caminant.

bandada bandades *nom f* Grup nombrós d'ocells que volen.

bandarra bandarres **1** *nom m i f* Persona sense escrúpols, que no és de fiar, poc seriosa, irresponsable. **2** *nom f* Prostituta.

bandejar *v* Apartar, allunyar algú o alguna cosa.
Es conjuga com *cantar*. S'escriu *j* davant de *a, o, u* i *g* davant de *e, i: bandejo, bandeges.*

bandera banderes *nom f* Tros de tela amb colors i símbols que representa un país, una ciutat, un partit, una associació, etc.: *Els alpinistes van plantar la bandera del seu país a dalt de tot d'aquell cim.*

bandereta banderetes *nom f* **1** Bandera petita. **2** Adhesiu que es porta clavat a la solapa i que indica que s'ha col·laborat en una recollida de diners en benefici d'alguna cosa: *He donat diners per a la lluita contra el càncer i m'han enganxat aquesta bandereta.*

banderí banderins *nom m* Bandera petita que sol tenir forma de triangle i es fa servir com a distintiu o per a fer bonic.

banderilla banderilles *nom f* Bastó guarnit amb banderetes o tires de paper i acabat amb punxa que els toreros claven al toro.

banderola banderoles *nom f* Bandera petita: *És la festa del barri i hi ha banderoles pertot arreu.*

bandit bandida bandits bandides *nom m i f* Persona que roba i fa malifetes, que viu fora de la llei i està perseguida per la policia; bandoler.

bàndol bàndols *nom m* Grup de persones que lluita o competeix contra altres grups de persones.

bandoler bandolera bandolers bandoleres *nom m i f* Bandit, lladre que forma part d'una banda: *Abans, en aquestes muntanyes, s'hi amagaven molts bandolers que robaven la gent que passava pels camins.*

bandolera bandoleres *nom f* Banda de cuir que va de l'espatlla esquerra a la banda dreta de la cintura i que serveix per a portar-hi una arma de foc.

bandúrria bandúrries *nom f* Instrument musical de corda, més aviat petit, que es fa sonar pinçant les cordes amb una pua.

bandúrria

banjo banjos *nom m* Instrument musical de corda, que s'assembla una mica a la guitarra.

banquer banquera banquers banqueres *nom m i f* Persona que té o que dirigeix un banc.

banquet banquets *nom m* Dinar o sopar amb molt bon menjar i amb moltes persones convidades: *Van celebrar el casament del fill amb un gran banquet.*

banqueta banquetes *nom f* Banc estret i sense respatller: *Durant el partit l'entrenador i els jugadors de reserva seuen en una banqueta al costat del terreny de joc.*

banteng bantengs *nom m* Animal boví salvatge, molt gros, de color fosc, amb les anques i les potes blanques. ▮▮

banús banussos *nom m* Nom de diversos arbres dels quals s'extreu una fusta fosca, anomenada també banús o eben, molt apreciada per a la fabricació de mobles.

bany banys *nom m* **1** Acció de banyar-se o de banyar, d'introduir-se en un líquid: *El metge li va aconsellar que prengués banys de mar.* **2** *Aquest braçalet té un bany de plata:* està cobert d'una capa de plata. **3** Habitació amb banyera on ens banyem. **4 bany maria** Sistema de coure o d'escalfar els aliments que consisteix a posar-los una estona dins un recipient col·locat a dins d'un altre recipient en contacte amb el foc i ple d'aigua bullent.

banya banyes *nom f* **1** Cadascuna de les puntes òssies que alguns animals tenen al front: *Els toros tenen banyes i els cérvols també.* **2** Cadascuna de les antenes que tenen alguns animals, com ara el cargol i la papallona. **3** Bony que surt al front a causa d'un cop: *El nen petit ha caigut de cap a terra i s'ha fet una banya.*

banya

banyador banyadors *nom m* Vestit de bany: *Avui hem anat a la piscina i hem estrenat els banyadors que ens va comprar la mare.*

banyar *v* **1** Ficar a l'aigua o en un altre líquid: *La Mercè diu que li agrada més de banyar-se al mar que a la piscina.* **2** Mullar.
Es conjuga com *cantar.*

banyera banyeres *nom f* Recipient per a prendre banys: *Omple la banyera d'aigua calenta, que hem de banyar el nen.*

banyista banyistes *nom m i f* Persona que es banya al riu, a la platja, a la piscina, etc.

banyolí banyolina banyolins banyolines **1** *nom m i f* Habitant de Banyoles; persona natural o procedent de Banyoles. **2** *adj* Es diu de les persones o de les coses naturals o procedents de Banyoles.

banyut banyuda banyuts banyudes *adj* **1** Que té banyes, que porta banyes: *El bou és un animal banyut.* ▬ *El dimoni se sol dibuixar banyut i amb cua.* **2** Es diu de l'home o de la dona a qui la seva parella ha enganyat amb algú altre.

baptisme baptismes *nom m* Sagrament que incorpora a la comunitat cristiana.

baqueta baquetes *nom f* **1** Vareta prima que serveix per a netejar el canó de les armes de foc. **2** Vareta amb una bola petita a la punta que serveix per a tocar alguns instruments musicals, com ara les timbales i el xilòfon.

bar bars *nom m* Establiment on se serveixen begudes, entrepans, tapes, etc.: *Com que teníem molta set, vam entrar en un bar a prendre un refresc.*

baralla baralles *nom f* **1** Discussió, disputa, lluita entre diverses persones, acció de barallar-se: *Entre les nenes de la classe hi va haver baralles perquè totes volien sortir a la pissarra.* **2** Joc de cartes complet: *S'ha perdut una carta de la baralla i no podem jugar.*

barallar-se v **1** Discutir-se, disputar-se: *En Joan i la Maria no són gens amics: sempre es barallen per qualsevol cosa.* **2** Pegar-se: *En Miquel es va barallar amb uns nois més grans que ell i li van fer mal.*
Es conjuga com *cantar*.

barana baranes *nom f* Barrera de ferro, de fusta, de maons, etc. al voltant d'una escala, d'un balcó, d'un pou, etc., que serveix per a impedir que caiguem: *Quan pugeu l'escala, agafeu-vos a la barana.* ▪ *Quan sortiu al balcó, no us aboqueu a la barana.*

barat barata barats barates *adj* Es diu d'una cosa quan no val gaires diners, quan té un preu baix: *En aquesta botiga la roba és molt barata.*

baratar v Canviar una cosa per una altra, donar una cosa a canvi d'una altra.
Es conjuga com *cantar*.

barb[1] barbs *nom m* Petita massa blanca de greix, amb la punta negra, que surt generalment a la pell de la cara i de l'esquena: *M'empipa tenir la cara plena de barbs.*

barb[2] barbs *nom m* Peix de riu que té una mena de barbes a banda i banda de la boca.

barba barbes *nom f* **1** Part de la cara situada a sota els llavis: *A en Lluís, li agradaria d'afaitar-se, però encara no té cap pèl a la barba.* **2** Pèl que creix a la part de baix de la cara dels homes: *A l'escola hi ha un mestre que té una barba molt espessa.* **3** *Toquen tres caramels* **per barba**: per persona. **4 fer-se la barba d'or** Guanyar molts diners.

barbacoa barbacoes *nom f* Aparell que serveix per a fer carn o peix a la brasa i a l'ast.

barbamec barbamecs *nom m* **1** Home a qui no creix pèl a la cara. **2** Noi jove que vol fer-se el gran: *Es pensa que perquè té catorze anys ja pot anar sol pel món, i encara és un barbamec!*

bàrbar bàrbara bàrbars bàrbares *adj i nom m i f* Es diu de les persones poc educades, poc civilitzades.

barbàrie barbàries *nom f* Falta de civilització o de cultura: *Si tothom fes el que li convingués, sense preocupar-se gens de les altres persones, seria la barbàrie.*

barbarisme barbarismes *nom m* Paraula que prové d'una altra llengua i que substitueix una paraula de la llengua pròpia: *Si parlant en*

català algú diu "columpio" en comptes de "gronxador", diu un barbarisme, ja que "columpio" no és una paraula catalana sinó castellana.

barbaritat barbaritats *nom f* **1** Acte cruel, salvatge: *Les guerres són una barbaritat.* **2** Bestiesa, ximpleria: *No diguis tantes barbaritats.* **3** *Aquest nen ha menjat una barbaritat:* molt, massa.

barber barbera barbers barberes *nom m i f* Persona que té per ofici tallar els cabells i afaitar: *El barber va tallar els cabells d'en Miquel.*

barberenc barberenca barberencs barberenques **1** *nom m i f* Habitant de Barberà del Vallès; persona natural o procedent de Barberà del Vallès. **2** *adj* Es diu de les persones o de les coses naturals o procedents de Barberà del Vallès.

barberia barberies *nom f* Establiment on el barber talla els cabells i afaita.

barbeta barbetes *nom f* Barba, part de la cara situada a sota els llavis: *Va caure de cara a terra i es va clavar un cop molt fort a la barbeta.*

barbotejar v Parlar entre dents, de manera que costa d'entendre el que es diu.
Es conjuga com *cantar*. S'escriu *j* davant de *a, o, u* i *g* davant de *e, i*: barbotejo, barboteges.

barbut barbuda barbuts barbudes *adj* Que té barba, que porta barba: *Un home barbut.*

barca barques *nom f* Embarcació petita que es fa servir per a pescar o travessar rius: *El port era ple de barques de pescadors.*

barcassa barcasses *nom f* Embarcació que serveix per a transportar càrrega per dintre els ports o pels rius.

barcelonès barcelonesa barcelonesos barceloneses *adj i nom m i f* Barceloní.

barceloní barcelonina barcelonins barcelonines **1** *nom m i f* Habitant de Barcelona; persona natural o procedent de Barcelona. **2** *adj* Es diu de les persones o de les coses naturals o procedents de Barcelona.

bardissa bardisses *nom f* Conjunt de plantes o arbustos espessos i amb espines, que solen créixer als marges: *Vigila amb les bardisses, que t'esgarrinxaràs.*

bàrman bàrmans *nom m i f* Persona que serveix en un bar i que sap preparar begudes especials fent combinacions de diverses begudes.

barnilla barnilles *nom f* Cadascuna de les barretes primes i flexibles de metall que aguanten la tela d'un paraigua, un para-sol, etc.

barnilla

barnús barnussos *nom m* Peça de vestir llarga que es posa després de banyar-se o de dutxar-se.

baró baronessa barons baronesses *nom m i f* Persona de la noblesa que està per sota del vescomte.

baròmetre baròmetres *nom m* Aparell que serveix per a mesurar la pressió atmosfèrica.

barquer barquera barquers barqueres *nom m i f* Persona que condueix una barca.

barra barres *nom f* **1** Peça de metall o de fusta, recta i llarga: *A l'autobús hi ha unes barres perquè s'hi agafi la gent que va dreta.* **2** *Les quatre barres de la bandera:* ratlles amples. **3** *Tenim una barra de pa i una barra de torró:* comestibles presentats en forma allargada. **4** Mandíbula, maxil·lar: *No puc menjar torró perquè em fan mal les barres.* **5** *Aquell noi* **té molta barra**: ha agafat la meva bicicleta sense demanar-me-la: es diu d'una persona atrevida, fresca, que s'aprofita dels altres.

barrabassada barrabassades *nom f* Disbarat, bestiesa.

barraca barraques *nom f* Casa petita i sense condicions per a viure-hi bé: *En aquell barri dels afores de la ciutat hi havia moltes barraques.* ▪ *Els pastors passaven la nit a la muntanya en una barraca de fusta.*

barral barrals *nom m* **1** Recipient per a guardar-hi líquids. **2** **ploure a bots i barrals** Ploure molt.

barranc barrancs *nom m* Excavació profunda, sot llarg i profund en un terreny: *El cotxe va sortir de la carretera i va caure daltabaix d'un barranc.*

barrar *v* **1** *No es podia entrar en aquella casa perquè tot era* **tancat i barrat**: molt ben tancat. **2** **barrar el pas** No deixar passar. Es conjuga com *cantar.*

barreja barreges *nom f* Mescla, unió de coses diverses: *De la barreja del color groc i del color blau, en surt el verd.*

barrejar *v* **1** Mesclar, unir coses diverses: *La senyora Maria ha barrejat sucre, ous i farina per fer un pastís.* **2** *En Lluís i la Joana es van barrejar en la discussió:* s'hi van ficar, hi van intervenir. Es conjuga com *cantar.* S'escriu *j* davant de *a, o, u* i *g* davant de *e, i*: barrejo, barreges.

barrera barreres *nom f* **1** Tanca que es pot alçar i abaixar i que serveix per a no deixar passar per alguns llocs: *Vam trobar la barrera abaixada i ens vam haver d'esperar fins que va passar el tren.* **2** Qualsevol obstacle que no deixa passar o arribar a algun lloc: *Per aquest camí no es pot passar, hi ha una barrera.*

barret barrets *nom m* **1** Peça de vestir que serveix per a cobrir el cap, capell: *A la platja hi ha molta gent que porta barret per protegir-se del sol.* **2** *En aquesta classe tothom fa la seva:* **tants caps tants barrets**: es diu quan un grup de gent no s'entén o no es posa d'acord en una qüestió.

barretina barretines *nom f* Peça de roba, normalment de color vermell, que es porta al cap i és típica de Catalunya.

barri barris *nom m* **1** Cadascuna de les parts en què es divideix una ciutat o un poble gran: *Gràcia i Sants són dos barris de la ciutat de Barcelona.* **2** *Aquell senyor va tenir un accident i* **se'n va anar a l'altre barri**: morir-se.

barriada barriades *nom f* Barri gran; conjunt de cases que queden una mica apartades de la resta de la població.

barricada barricades *nom f* Obstacle fet amb tota mena d'objectes com ara pedres, sacs de terra, mobles, carros, cotxes bolcats, etc. que serveix per a tallar el pas: *Els manifestants van bolcar cotxes i van fer barricades per impedir que la policia els dispersés.*

barrija-barreja barrija-barreges *nom f* Barreja de coses molt diferents, que no lliguen gaire entre elles.

barril barrils *nom m* Recipient, bóta petita feta de llauna o de fustes lligades amb unes rotllanes de ferro i que serveix per a posar-hi vi, cervesa, etc.

barrila barriles *nom f* Gresca: *A aquesta gent els agrada molt de fer barrila, cada dia organitzen una festa.*

barrina barrines *nom f* Eina que serveix per a foradar fusta, pedra, etc. formada per una barreta prima de metall acabada en punta i un mànec per a fer-la girar.

barrinada barrinades *nom f* Explosió que es provoca col·locant un explosiu en un forat fet en una roca o en un tou de terra que es vol fer saltar.

barrinada

barrinar *v* **1** Foradar fusta, pedra, etc., amb una barrina. **2** Fer saltar una roca, un tou de terra, etc. amb barrinades. **3** Pensar, rumiar una cosa: *Estic barrinant per veure si trobo la manera de solucionar el problema.*
Es conjuga com *cantar.*

barroc barroca barrocs barroques **1** *adj* Es diu de les obres d'art i de les coses que es caracteritzen per tenir molts detalls, molts adorns. **2** *adj* i *nom m* Es diu de l'estil artístic que es va desenvolupar a Europa entre el període renaixentista i el neoclàssic.

barroer barroera barroers barroeres **1** *adj* i *nom m* i *f* Es diu de la persona que fa les coses malament, que no és gens delicada ni s'hi mira gaire a l'hora de fer una cosa: *Aquella nena és molt barroera, ha presentat el dibuix ple de taques i sense estar ben acabat.* **2** *adj* Es diu d'una feina que està mal feta, que no està ben acabada: *El dibuix de la nena és barroer, està mal acabat.*

barrot barrots *nom m* Barra gruixuda i curta, com les que hi ha en una barana, una cadira, un llit, etc.

barrot

barrufet barrufeta barrufets barrufetes *nom m* i *f* Nan, gnom, follet, personatge imaginari que apareix en alguns contes.

barrut barruda barruts barrudes *adj* Es diu de la persona que s'aprofita dels altres, que té molta barra: *Aquell és molt barrut, fa tres dies que li vaig deixar el cotxe i encara no me l'ha tornat.*

basalt basalts *nom m* Roca d'origen volcànic de color fosc, que de vegades forma com una mena de columnes.

basar[1] *v* Fer que una cosa s'aguanti sobre una altra, sobre una base; fer servir una cosa per a fer-ne una altra: *La mestra ens ha dit que per fer la redacció ens hem de basar en el llibre que hem llegit.*
Es conjuga com *cantar.*

basar[2] basars *nom m* Botiga on es venen moltes coses i molt diferents: *En aquest basar hi pots trobar de tot, des de draps de cuina fins a bicicletes de muntanya.*

basarda basardes *nom f* Sentiment de por, d'espant: *La nit era tan fosca, que feia venir basarda.*

basc basca bascos basques **1** *nom m* i *f* Habitant del País Basc; persona natural o procedent del País Basc. **2** *adj* Es diu de les persones o de les coses naturals o procedents del País Basc. **3** *nom m* Llengua que es parla al País Basc.

basca basques *nom f* Angúnia, inquietud, malestar, mareig, nàusea: *Alguna cosa del menjar no se'm deu haver posat bé i ara tinc basques.*

bàscula bàscules *nom f* Balança que serveix per a marcar pesos elevats: *Abans de carregar-los al camió, van pesar els sacs de farina en una bàscula.*

base bases *nom f* **1** Allò que aguanta alguna cosa: *La base de l'estàtua és una gran pedra plana.* **2** Tot allò que serveix per a fer una cosa: *El descobriment de l'electricitat va ser la base de molts invents.* **3** Conjunt d'edificis i d'instal·lacions militars. **4** *Hem fet un dinar **a base de** peix:* fet sobretot amb peix, que hi havia sobretot peix. **5** Cara o costat on descansa una figura geomètrica.

bàsic bàsica bàsics bàsiques *adj* Que és elemental, fonamental, important: *Dormir força i menjar bé són dues coses bàsiques per a la salut.*

bàsicament *adv* D'una manera bàsica, principalment, sobretot: *Aquesta salsa està feta, bàsicament, de tomàquet.*

basílica basíliques *nom f* Església important.

bàsquet bàsquets *nom m* Esport en el qual participen dos equips de cinc jugadors que proven de ficar una pilota dins la cistella de l'equip contrari, que es troba a una certa altura, amb l'objectiu d'aconseguir més punts que l'adversari: *En Lluís és un bon jugador de bàsquet: és capaç de ficar la pilota dins la cistella des de mig camp.*

basquetbol basquetbols *nom m* Mira bàsquet.

bassa basses *nom f* **1** Excavació, sot o dipòsit que s'omple d'aigua o que serveix per a recollir aigua de les pluges. **2** *No feia gens de vent i el mar estava* **com una bassa d'oli**: tranquil, en calma.

bassal bassals *nom m* Sot del terra que s'omple d'aigua quan plou: *El nostre carrer no està asfaltat i quan plou s'hi fan molts bassals.*

bast basta basts o bastos bastes *adj* Que no és fi, que no és delicat, que no és polit: *Una roba basta.* ▪ *Una persona basta.*

bastaix bastaixos *nom m* Persona que té per ofici transportar a coll coses que pesen molt, camàlic: *Abans, a les estacions de tren hi havia molts bastaixos que s'oferien per portar els paquets de la gent a canvi de pocs diners.*

bastament Paraula que apareix en l'expressió **a bastament**, que vol dir "en una quantitat suficient": *Allà vam menjar i beure a bastament.*

bastant **1** *adv* És un problema bastant difícil: força difícil. **2** **bastant bastants** *adj* Hi havia bastants criatures en aquella classe: força, una quantitat notable.

bastar *v* Ser suficient, haver-n'hi prou d'una cosa.
Es conjuga com *cantar.*

bastard bastarda bastards bastardes *adj i nom m i f* **1** Paraula que es feia servir abans per referir-se als fills d'un home i d'una dona que no eren casats entre ells. **2** Paraula que es fa servir per a insultar algú.

bastida bastides *nom f* Plataforma feta amb taulons i tubs de ferro on s'enfilen els paletes, els pintors, etc. per treballar.

bastidor bastidors *nom m* **1** Rectangle fet amb fustes on es fixen les teles que s'han de pintar o de cosir. **2** Quadre d'una bicicleta o d'una moto, on van muntades totes les peces. **3** Cada un dels decorats que hi ha a cada costat d'un escenari.

bastiment bastiments *nom m* Marc de fusta o de metall clavat a la paret i que forma part d'una porta o d'una finestra.

bastiment

bastió bastions *nom m* Baluard, fortificació situada en una muralla, en una fortalesa, etc.

bastir *v* Construir, edificar, muntar: *Aquesta església es va bastir fa molts anys.*
Es conjuga com *servir.*

bastó bastons *nom m* Vara de fusta, de canya, etc. per a portar a la mà i repenjar-s'hi caminant: *El meu avi porta sempre un bastó per no cansar-se.*

bastonada bastonades *nom f* Cop de bastó.

bastonejar *v* Donar cops de bastó.
Es conjuga com *cantar.* S'escriu *j* davant de *a, o, u* i *g* davant de *e, i: bastonejo, bastoneges.*

bat[1] Paraula que apareix en l'expressió **de bat a bat**, que vol dir "totalment, completament": *Vam obrir la finestra de bat a bat perquè entrés el sol.*

bat[2] bats *nom m* Pal que s'utilitza en el joc de beisbol per a colpejar les pilotes.

bat

bata bates *nom f* Peça de vestir generalment llarga fins als genolls, amb mànigues, usada per a no embrutar-se: *Quan vulguis pintar, posa't una bata, així no t'embrutaràs el vestit.*

batall batalls *nom m* Peça que va dins de la campana i la fa sonar quan la pica.

batalla batalles *nom f* Acció en la qual dos exèrcits enemics lluiten l'un contra l'altre: *A en Santi i a la Natàlia, els agrada de jugar amb soldats de joguina i d'organitzar grans batalles.*

batalló batallons *nom m* Unitat de soldats d'un exèrcit.

batec batecs *nom m* **1** Cadascun dels moviments que fa el cor, estirant-se i arronsant-se, i que serveixen per a fer moure la sang per les artèries i les venes: *Si et poses la mà al pit, sentiràs els batecs del cor.* **2** Cadascun dels moviments que fa un ocell amb les ales quan vola.

batedora batedores *nom f* Aparell de cuina que serveix per a triturar menjar: *Amb la batedora faré un suc de tomàquet.*

bategar *v* Fer el cor els moviments de dilatació i de contracció: *Quan vaig parar de córrer, el cor em bategava molt de pressa.*
Es conjuga com *cantar*. S'escriu *g* davant de *a, o, u* i *gu* davant de *e, i: batega, bategui.*

bateig bateigs o **batejos** *nom m* Celebració del baptisme, del sagrament que incorpora a la comunitat cristiana.

batejar *v* Fer un bateig: *Ahir van batejar la germana petita d'en Manel i li van posar Rosa.*
Es conjuga com *cantar*. S'escriu *j* davant de *a, o, u* i *g* davant de *e, i: batejo, bateges.*

bateria bateries *nom f* **1** Aparell carregat d'electricitat que serveix per a engegar i fer anar els llums d'un cotxe, fer funcionar una màquina, etc. **2** Instrument musical de percussió que consisteix en un conjunt de timbals i de platerets. **3** *nom m i f* Persona que toca la bateria en un grup musical. **4** *nom f* Conjunt de canons que formen una unitat d'artilleria. **5 bateria de cuina** Conjunt d'atuells de cuina.

batí batins *nom m* Bata curta que es porta per estar per casa.

batibull batibulls *nom m* Confusió, embolic, desordre: *Quan el mestre ens va deixar sols, a la classe va començar un batibull; tothom cridava i ningú no s'estava quiet.*

batlle batllessa batlles batllesses *nom m i f* Alcalde.

batre *v* **1** Donar cops sobre una cosa: *Les onades batien contra les roques de la costa.* **2** Re-menar, agitar: *Per a fer una truita, primer s'ha de batre l'ou.* **3** Fer sortir els grans de les espigues del blat o altres cereals per mitjà d'una màquina. **4** Fer caure les nous, les ametlles o altres fruits de l'arbre donant cops a les branques. **5** Guanyar algú, vèncer-lo: *Hem batut l'equip contrari, hem quedat 2 a 0 a favor nostre.* **6 batre el rècord** Millorar la marca més bona en un esport. **7 batre's** Lluitar, combatre: *L'exèrcit s'ha batut contra els enemics.*
Es conjuga com *perdre.*

batuda batudes *nom f* **1** Acció de batre; pallissa 2. **2** *La policia va fer una batuda pel bosc per veure si trobava el nen desaparegut:* resseguir i examinar amb molta atenció un lloc per trobar-hi algú o alguna cosa.

batussa batusses *nom f* Baralla 1.

batut batuts *nom m* Beguda feta amb llet, fruita, xocolata, etc. passats per una batedora.

batuta batutes *nom f* Vareta que fa servir el director d'una orquestra per a dirigir els músics.

batxillerat batxillerats *nom m* Conjunt d'estudis d'ensenyament secundari.

batzac batzacs *nom m* Cop fort: *Va obrir la porta d'un batzac.*

batzegada batzegades *nom f* Cop, moviment brusc, sobtat: *El cotxe va frenar de cop, fent una batzegada.*

baula baules *nom f* **1** Anella d'una cadena. **2** Peça en forma de cercle, de metall o de fusta, que serveix per a trucar a una porta o bé per a obrir-la i tancar-la tot estirant-la.

bauxita bauxites *nom f* Mineral del qual s'extreu l'alumini i altres productes. **14**

bava baves *nom f* **1** Saliva que cau de la boca: *Aquest nen petit sempre porta moltes baves.* **2** *Quan la mestra li va dir que el seu dibuix era molt ben fet, a la Lluïsa li va caure la bava:* sentir-se molt satisfet d'alguna cosa, posar-se molt content. **3** *No m'agrada de jugar amb aquells nois perquè tenen mala bava:* tenir males intencions, ser dolent.

bavejar *v* Treure baves, mullar de baves: *El nen petit bavejava molt.*
Es conjuga com *cantar*. S'escriu *j* davant de *a, o, u* i *g* davant de *e, i: bavejo, baveges.*

be[1] bens *nom m* **1** Ovella: *El pastor i el seu gos vigilaven els bens que pasturaven pel prat.* **2** Xai.

be[2] bes *nom f* Nom de la lletra b B.

bé[1] o **ben** *adv* **1** De forma correcta, satisfactò-riament: *En Jesús parla bé.* ▪ *Aquí s'hi està molt bé.* ▪ *Això està molt ben fet.* **2 ben** En alt grau, en grau considerable: *Crida ben fort perquè tot-hom et pugui sentir.* **3 ben bé** Com a mínim: *A la nostra classe som ben bé 30 nens.* **4** *conj* Indica oposició al que s'ha dit abans: *Dius que no fa gaire fred, però bé que t'has abrigat, tu!*

bé[2] **béns** *nom m* **1** Allò que dóna benestar i satisfacció; riquesa, propietat: *Aquest senyor és molt ric i té molts béns: cases, propietats, terrenys, etc.* **2** Bondat, allò que és contrari al mal i a la maldat: *Un home bo, un home de bé.* **3** *Hi ha un bé de Déu de fruita:* una gran quantitat.

beat **beata beats beates** *adj i nom m i f* **1** Es diu de la persona que l'Església considera exemplar, gairebé com un sant. **2** Es diu de la persona que va molt a l'església i que resa molt.

bebè **bebès** *nom m* Infant molt petit.

bec **becs** *nom m* **1** Boca dels ocells que està formada per dues peces dures i punxegudes: *Els ocells agafen el menjar amb el bec.* **2** Part sortint d'alguns objectes: *Aquesta cafetera té el bec molt llarg.*

bec

beç **beços** *nom m* Bedoll.

beca **beques** *nom f* Quantitat de diners que es dóna a un estudiant per ajudar-lo a pagar els estudis o a viure mentre estudia.

becada **becades** *nom f* **1** Menjar que un ocell agafa amb el bec per donar-lo als seus petits. **2** Ocell d'uns trenta-quatre centímetres de llargada molt apreciat pels caçadors.

becadell **becadells** *nom m* Ocell de plomatge negre i castany amb ratlles groguenques que és molt apreciat pels caçadors. ▪ **8**

becaina **becaines** *nom f* Dormida curta: *El meu avi després de dinar sempre fa una becaina.*

beceroles *nom f pl* Primers coneixements d'una cosa: *Aquella mestra em va ensenyar les beceroles de la química.*

bedoll **bedolls** *nom m* Arbre de fulla caduca i de tronc blanc amb taques fosques, que es fa en muntanyes altes, com ara el Pirineu.

beduí **beduïna beduïns beduïnes** *adj i nom m i f* Es diu de les persones que formen part d'unes tribus nòmades que viuen en tendes i viatgen constantment pels deserts de l'Orient Mitjà i de l'Àfrica del nord.

befa **befes** *nom f* Burla contra algú o alguna cosa: *Un senyor gran va relliscar i uns pocavergo-nyes en van fer befa.*

beguda **begudes** *nom f* Líquid que es beu: *La llimonada és una beguda refrescant i el vi és una beguda alcohòlica.*

begut **beguda beguts begudes** *adj* Embriac, que ha begut molt alcohol.

beina **beines** *nom f* **1** Funda d'una espasa, d'un punyal, etc. **2** Part del cartutx d'una escopeta o d'una pistola que té a dins la càrrega que serveix per a disparar.

beisbol **beisbols** *nom m* Esport que es practica a l'aire lliure entre dos equips de nou jugadors cadascun i que es juga amb un bat i una pilota.

beix 1 *adj* D'un color gris groguenc: *Un jersei de color beix.* ▪ *Una camisa beix.* ▪ *Uns mitjons beix.* ▪ *Unes sabates beix.* **2 beix beixos** *nom m* Color gris groguenc.

beixamel **beixamels** *nom f* Salsa feta amb mantega, llet, farina i altres ingredients, que es fa servir per a acompanyar alguns menjars, per exemple els canelons.

bel **bels** *nom m* Crit de l'ovella i de la cabra.

belar *v* Fer bels.
Es conjuga com *cantar.*

belga **belgues 1** *nom m i f* Habitant de Bèlgica; persona natural o procedent de Bèlgica. **2** *adj* Es diu de les persones o de les coses naturals o procedents de Bèlgica.

bell **bella bells belles** *adj* **1** Que és molt bonic, està molt ben fet, és molt agradable a la vista: *Una noia bella.* ▪ *Un paisatge molt bell.* ▪ *Una estàtua bella.* **2 al bell mig, al bell cim** Ben bé al mig, ben bé al cim: *La fletxa va anar a parar al bell mig de la diana.*

bellesa **belleses** *nom f* Conjunt de qualitats d'una persona o d'una cosa que fan que sigui bella, bonica i que ens provoqui admiració: *Ens vam estar una estona a dalt de la muntanya admirant la bellesa del paisatge.*

b

bèl·lic bèl·lica bèl·lics bèl·liques *adj* **1** Que està relacionat amb la guerra o amb les armes de guerra. **2 conflicte bèl·lic** Guerra, batalla.

bel·ligerant bel·ligerants *adj* Que està en guerra, que participa en una guerra: *En aquella guerra hi participaven tres països bel·ligerants.*

bellugadís bellugadissa bellugadissos bellugadisses *adj* Es diu d'una persona o d'una cosa que es belluga molt, que es mou molt.

bellugar *v* Moure: *El vent bellugava les fulles dels arbres.* ▪ *És una nena molt nerviosa, no està mai quieta, sempre es belluga.*
Es conjuga com *cantar.* S'escriu g davant de *a, o, u* i gu davant de *e, i: bellugo, bellugues.*

belluguet belluguets *nom m* Persona que es mou tota l'estona, que no para mai: *Em posa nerviosa que siguis tan belluguet, et podries estar una estona quieta?*

beluga belugues *nom f* Mamífer cetaci de color blanc i dentat reduït, també anomenat balena blanca. **12**

ben *adv* Mira bé[1].

bena benes *nom f* Tira de tela de fil que serveix per a embolicar una part del cos o tapar una ferida: *La Miquela va caure de la bicicleta, es va fer mal al braç i l'hi van haver d'embolicar amb una bena.*

benaventurat benaventurada benaventurats benaventurades *adj* **1** Feliç. **2** Beneit: *Aquell és un benaventurat, tothom l'enreda.*

benedicció benediccions *nom f* **1** Gestos o paraules amb què es beneeix algú: *El capellà va casar els nuvis i després els va donar la benedicció.* **2** Fet positiu, beneficiós, que provoca alegria: *Després de tants mesos de secada, aquesta pluja ha estat una benedicció.*

benefactor benefactora benefactors benefactores *adj i nom m i f* Es diu de la persona que fa el bé, que ajuda altres persones.

benèfic benèfica benèfics benèfiques *adj* Que fa el bé, que ajuda: *Han organitzat una rifa benèfica, i els diners que s'hi guanyin, els donaran per ajudar la gent necessitada.*

benefici beneficis *nom m* **1** Diners que es guanyen en un negoci, una fàbrica, una botiga, etc. **2** *La pluja és un benefici per a l'agricultura:* efecte positiu d'una cosa.

beneficiar *v* Fer bé, donar beneficis: *Aquesta pluja beneficiarà l'agricultura.*
Es conjuga com *canviar.*

beneficiós beneficiosa beneficiosos beneficioses *adj* Que produeix benefici, que és útil: *La pluja és beneficiosa per a l'agricultura.*

beneir *v* Demanar amb paraules o gestos que Déu protegeixi algú: *El capellà va beneir l'infant que acabava de batejar.*
Es conjuga com *reduir.*

beneit beneita beneits beneites *adj i nom m i f* Es diu de la persona poc intel·ligent, ximple: *Semblen beneits, no entenen mai res!*

beneiteria beneiteries *nom f* Ximpleria, paraules o accions pròpies d'un beneit, d'un ximple.

benentès Paraula que apareix en l'expressió **amb el benentès que**, que vol dir "amb la condició que", "deixant clar que": *Us deixo la bicicleta amb el benentès que me la tornareu d'aquí a un parell d'hores.*

beneplàcit beneplàcits *nom m* Aprovació, permís que dóna algú per a fer una cosa: *Es queda fins tard a mirar la televisió amb el beneplàcit dels pares.*

benestant benestants *adj* Que viu bé, que té força diners: *Una família benestant.*

benestar benestars *nom m* Situació en què les persones tenen tot el que necessiten per a viure i no tenen cap problema important: *Perquè hi hagi benestar, hi ha d'haver pau i feina per a tothom.*

benèvol benèvola benèvols benèvoles *adj* Que no és gaire exigent, que accepta fàcilment de fer un favor, que perdona amb facilitat: *El nostre professor és molt benèvol, no castiga mai ningú encara que l'hagi feta molt grossa.*

bengala bengales *nom f* Recipient o bastó amb un material combustible que quan crema fa una llum molt viva: *A mi els petards no m'agraden, però les bengales sí.*

bengala

benigne benigna benignes *adj* Que és bo, saludable, que fa bé, que no és dolent, que no fa mal, que no és perillós: *Fa una temperatura benigna: no fa fred ni calor.* ▪ *Aquesta malaltia no és greu, és benigna.*

benjamí benjamina benjamins benjamines **1** *nom m i f* Es diu del germà més petit, que rep més atencions que els altres: *Era el benjamí de set germans i tota la família estava per ell.* **2** *adj i nom m i f* Es diu de l'esportista que té menys de nou anys.

benvinguda benvingudes *nom f* Acció de rebre els qui fan una visita o tornen d'un viatge: *L'alcalde va donar la benvinguda a tots els membres de l'expedició a l'Everest.*

benvingut benvinguda benvinguts benvingudes *adj* Que és esperat, que és ben rebut, ben acollit: *Benvinguts al nostre poble! Benvinguts a la festa major! Esperem que us ho passeu molt bé.*

benvolgut benvolguda benvolguts benvolgudes *adj* Estimat: *La carta començava amb les paraules "Benvolgut amic".*

benzina benzines *nom f* Gasolina.

benzinera benzineres *nom f* Gasolinera.

berber berbers **1** *adj i nom m i f* Es diu de la persona que pertany a un poble que viu escampat en diversos països de l'Àfrica del nord i que té una cultura i una llengua pròpies. **2** *nom m* Llengua que parlen els berbers.

berenar[1] *v* Menjar el berenar, fer l'àpat de mitja tarda: *A l'escola berenem a les cinc de la tarda.* Es conjuga com *cantar.*

berenar[2] berenars *nom m* Menjar que es fa a mitja tarda, entre el dinar i el sopar: *Avui per berenar he menjat dues llesques de pa amb xocolata i una poma.*

bergant berganta bergants bergantes *nom m i f* Es diu d'una mala persona: *D'aquell home, no te'n fiïs, és un bergant i un estafador.*

bergantí bergantins *nom m* Vaixell de vela de dos pals.

berguedà berguedana berguedans berguedanes **1** *nom m i f* Habitant de la ciutat de Berga o de la comarca del Berguedà; persona natural o procedent de la ciutat de Berga o de la comarca del Berguedà. **2** *adj* Es diu de les persones o de les coses naturals o procedents de la ciutat de Berga o de la comarca del Berguedà.

berlinès berlinesa berlinesos berlineses **1** *nom m i f* Habitant de Berlín; persona natural o procedent de Berlín. **2** *adj* Es diu de les persones o de les coses naturals o procedents de Berlín.

bermudes *nom f pl* Pantalons curts que arriben fins als genolls.

bernat **1** Paraula que apareix en la denominació **bernat pescaire**, que vol dir "ocell més aviat gros i amb les potes llargues que s'alimenta de peix". **2** Paraula que apareix en la denominació **bernat pudent**, que vol dir "insecte de cos pla i en forma d'escut, de color verd, que fa una olor forta".

berruga berrugues *nom f* **1** Bony petit que surt a la pell d'una persona i que de vegades s'ha d'operar per treure'l. **2** Bony que surt a l'escorça d'un arbre, en una fulla, etc.

bes besos *nom m* Petó.

besada besades *nom f* Petó.

besar *v* Fer un petó, fer un bes: *La Maria va besar en Ramon a la galta.* Es conjuga com *cantar.*

besavi besàvia besavis besàvies *nom m i f* Pare o mare de l'avi o de l'àvia d'una persona.

bescantar *v* Parlar malament d'algú. Es conjuga com *cantar.*

bescanviar *v* Donar alguna cosa a algú a canvi d'una altra: *Es van fer amics de seguida i es van bescanviar les adreces i els telèfons.* Es conjuga com *canviar.*

bescoll bescolls *nom m* Clatell.

bescuit bescuits *nom m* **1** Galeta o pa que s'ha tornat a coure perquè s'endureixi i es conservi més bé. **2** Pastís o gelat fet amb ous i altres ingredients.

besnét besnéta besnéts besnétes *nom m i f* Fill o filla d'un nét o d'una néta d'una persona.

bessó bessona bessons bessones *adj i nom m i f* **1** Es diu de cadascun dels germans que han nascut d'un mateix part: *En Marc i la Cristina són germans bessons i són molt iguals.* **2 músculs bessons** Parella de músculs iguals que hi ha al panxell de cada cama. **16**

bessonada bessonades *nom f* Naixement de dos o més infants bessons.

bessons *nom m pl* Tercer signe del zodíac, també anomenat gèminis: *Les persones nas-*

cudes entre el 21 de maig i el 21 de juny són del signe de bessons.

bèstia bèsties **1** *nom f* Animal, es diu sobretot dels animals de quatre potes: *Al zoo de Barcelona hi ha lleons, tigres, óssos i moltes altres bèsties.* ■ *En aquella casa de pagès hi havia moltes bèsties: cavalls, vaques, gossos, etc.* **2** *adj i nom m i f Aquell noi és un bèstia: tot el que toca ho espatlla:* ximple, bast, animal.

bestial bestials *adj* Propi d'una bèstia, brutal: *La multitud de fans va rebre els seus ídols amb uns crits bestials.*

bestiar bestiars *nom m* Conjunt de bèsties que es crien en una casa de pagès, en una granja, etc.: *En aquesta casa crien molt bestiar: gallines, conills, vaques, cavalls, etc.*

bestiesa bestieses *nom f* Ximpleria, animalada, cosa que es diu o es fa i que no té sentit: *No sé pas què us passa avui, en tot el dia que no heu parat de fer bestieses!*

bestiola bestioles *nom f* Animal petit: *Les bestioles del bosc.*

bestreta bestretes *nom f* **1** Avançament de diners. **2 a la bestreta** Per endavant: *Vaig encarregar un tocadiscos nou i el vaig pagar a la bestreta, abans que me'l portessin.*

bestreure *v* Avançar diners a algú, pagar una cosa per endavant.
Es conjuga com *treure.*

besuc besucs *nom m* Peix de mar, de cos ovalat i ulls grossos, molt apreciat com a aliment i que es pesca en gran quantitat.

betum betums *nom m* Pasta que serveix per a netejar i enllustrar les sabates, perquè tornin a tenir el color natural i brillant: *Cada matí m'enllustro les sabates negres amb betum i un raspall.*

beuratge beuratges *nom m* Beguda que es prepara barrejant diversos ingredients: *La bruixa va preparar un beuratge màgic.*

beure[1] *v* **1** Empassar-se un líquid: *Per esmorzar, sempre em bec un got de llet.* **2** *Vaig alçar el porró i vaig* **beure a galet**: beure un líquid sense tocar el recipient amb els llavis. **3** *Fa uns quants dies que en Manel fa moltes ximpleries i sembla que s'hagi* **begut l'enteniment**: sembla que s'hagi tornat boig. **4** *Els que no han acabat el treball a temps ja han* **begut oli**: les coses els aniran malament.
La conjugació de *beure* és a la pàg. 830.

beure[2] beures *nom m* Beguda.

bevedor bevedora bevedors bevedores *adj i nom m i f* Es diu de la persona que beu molt, sobretot quan beu begudes alcohòliques.

bi- bis- Prefix, element que s'afegeix al davant d'una paraula i que vol dir "dos" o "dues vegades": *Una paraula bisíl·laba és una paraula que té dues síl·labes.*

biaix biaixos *nom m* **1** Direcció obliqua: *Aquest camí fa biaix.* **2 de biaix** En diagonal, de manera desviada: *Perquè sortís un triangle, vam haver de tallar la cartolina de biaix.*

bibelot bibelots *nom m* Qualsevol petit objecte decoratiu.

biberó biberons *nom m* Recipient de vidre o de plàstic, amb una tetina, que serveix per a donar aigua, llet o altres aliments líquids als nens petits.

biberó

bíblia bíblies *nom f* **1** Exemplar de la Bíblia, del llibre que conté el conjunt dels llibres sagrats del cristianisme dividits en dues parts: l'Antic Testament, que comprèn els escrits d'abans de Crist que expliquen la història del poble d'Israel, i que constitueixen també els llibres sagrats del judaisme; i el Nou Testament, que conté els escrits del segle I després de Crist, i que expliquen el missatge cristià. **2 paper bíblia** Paper molt fi i compacte que es fa servir en l'edició de llibres que tenen moltes pàgines.

bíblic bíblica bíblics bíbliques *adj* Que està relacionat amb la Bíblia: *Moisès és un personatge bíblic.*

biblio- Element amb què comencen algunes paraules i que vol dir "llibre": *Una bibliografia és un conjunt de llibres o escrits que tracten d'un tema determinat.*

bibliòfil bibliòfila bibliòfils bibliòfiles *nom m i f* Persona a qui agraden molt els llibres i en col·lecciona.

bibliografia bibliografies *nom f* Conjunt de llibres o escrits que tracten d'un tema determinat.

biblioteca biblioteques *nom f* **1** Lloc on hi ha una col·lecció de llibres a disposició de la gent: *A la biblioteca de la nostra escola hi ha més de 6.000 llibres.* **2** Moble per a guardar llibres.

bibliotecari bibliotecària bibliotecaris bibliotecàries *nom m i f* Persona encarregada d'ordenar i de conservar els llibres d'una biblioteca.

bíceps els bíceps *nom m* **1** Múscul que en un extrem té dos tendons per a unir-se amb l'os. **2** Múscul situat a la part anterior del braç. 16 **3** bíceps crural Múscul llarg situat a la part posterior de la cuixa. 16

bici bicis *nom f* Mira **bicicleta**.

bicicleta bicicletes *nom f* **1** Vehicle de dues rodes que es mou per l'acció dels peus sobre uns pedals: *Quan fa baixada és molt divertit anar amb bicicleta, perquè no s'ha de pedalar.* **2** bicicleta tot terreny o bicicleta de muntanya Bicicleta de manillar pla, amb tres plats, sis o set pinyons i pneumàtics gravats que es fa servir per a córrer per la muntanya, pel bosc i per altres terrenys difícils.

bicoca Paraula que apareix en l'expressió **ser una bicoca**, que vol dir "ser una ganga, ser molt barat, ser molt avantatjós, ser molt favorable": *Ha trobat una feina que és una bicoca, perquè ha de treballar poc i cobra un bon sou.*

bidell bidella bidells bidelles *nom m i f* Persona que treballa en una universitat o en una escola al servei dels professors, i que s'encarrega de vigilar les entrades de l'edifici, de transportar el material que es necessita per a les classes, etc.

bidet bidets *nom m* Banyera petita que serveix per a rentar-se el cul, els peus, etc.

bidó bidons *nom m* Recipient de metall o de plàstic, més aviat gros, que serveix per a envasar líquids.

biela bieles *nom f* Peça que serveix per a transmetre el moviment d'una part d'un mecanisme a una altra.

bielorús bielorussa bielorussos bielorusses **1** *nom m i f* Habitant de Bielorússia; persona natural o procedent de Bielorússia.

La bicicleta 1 casc **2** ulleres **3** manillar **4** maneta de fre **5** guant **6** llum **7** dinamo **8** ampolla **9** tub inferior del quadre **10** plat **11** pinyó **12** cadena **13** manxa **14** fre **15** llum pilot posterior **16** mallot **17** culots **18** maneta del manillar **19** selló **20** pneumàtic **21** llanda **22** cartera de les eines **23** vàlvula **24** pedal **25** forquilla **26** raig

2 *adj* Es diu de les persones o de les coses naturals o procedents de Bielorússia. **3** *nom m* Llengua que es parla a Bielorússia i també a zones veïnes d'aquest país.

bienni biennis *nom m* Període de temps de dos anys.

bifurcació bifurcacions *nom f* Lloc on es parteix una via de tren, un camí, etc. en dos.

biga bigues *nom f* Peça de fusta, de ferro, de ciment o de qualsevol altre material fort, més llarga que ampla, que serveix per a aguantar el sostre d'un edifici.

bigarrat bigarrada bigarrats bigarrades *adj* Que té diferents colors que no combinen gaire bé: *Va vestida d'una manera poc elegant, amb una faldilla i una brusa molt bigarrades.*

bigot bigots *nom m* Bigoti.

bigoti bigotis *nom m* Pèl que creix entre el nas i el llavi de dalt: *Aquell senyor porta un bigoti tan gros, que quasi li tapa la boca.*

bigotut bigotuda bigotuts bigotudes *adj* Es diu d'una persona que té bigoti, especialment si el té gros: *Era un senyor alt, gros i bigotut, i feia cara de pocs amics.*

bijuteria bijuteries *nom f* Conjunt de joies fetes amb materials senzills i barats: *Les arracades de la Marta són de bijuteria; en canvi, les meves són d'or autèntic.*

bilbaí bilbaïna bilbaïns bilbaïnes **1** *nom m i f* Habitant de Bilbao; persona natural o procedent de Bilbao. **2** *adj* Es diu de les persones o de les coses naturals o procedents de Bilbao.

bilingüe bilingües *adj* Que fa servir dues llengües, dos idiomes: *Aquesta revista és bilingüe; està escrita en anglès i en català.*

bilió bilions *nom m* Un milió de milions.

bilis les bilis *nom f* **1** Líquid de color groc clar produït pel fetge. **2** Ràbia molt forta contra algú o alguna cosa. **3** **regirar-se la bilis** Enfadar-se molt fort: *Quan veig algú que tracta malament un infant, se'm regira la bilis.*

billar billars *nom m* Joc que es juga amb unes boles i uns pals especials, anomenats tacs, que serveixen per a empènyer-les damunt una taula rectangular coberta per un feltre verd.

binocle binocles *nom m* Instrument òptic format per dos vidres graduables que permet de veure-hi de lluny: *Hi ha gent que s'emporta els binocles al teatre per poder veure bé els actors a dalt de l'escenari.* ■ Els prismàtics són més potents que els binocles i permeten de veure-hi bé des de més lluny.

bio- Element amb què comencen algunes paraules i que vol dir "vida": *Una biografia és un escrit que explica la vida d'una persona.*

biògraf biògrafa biògrafs biògrafes *nom m i f* Persona que ha escrit la biografia d'algú.

biografia biografies *nom f* Escrit, en forma de llibre o d'article, en què s'explica la vida d'una persona important: *El meu pare llegeix la biografia de l'arquitecte Gaudí.*

biòleg biòloga biòlegs biòlogues *nom m i f* Persona que es dedica a la biologia, a l'estudi dels éssers vius.

biologia biologies *nom f* Ciència que estudia els éssers vius.

bípede bípeda bípedes *adj* Que té dos peus: *Les persones som animals bípedes.*

biquini biquinis *nom m* **1** Banyador de dona que té dues peces. **2** Entrepà calent fet amb dues llesques de pa de motlle, formatge i pernil dolç.

bis 1 *adv* Repetidament, una altra vegada. **2** **bis** bisos *nom m* Repetició d'una cançó, d'una peça musical demanada pel públic.

bisbalenc bisbalenca bisbalencs bisbalenques **1** *nom m i f* Habitant de la Bisbal; persona natural o procedent de la Bisbal. **2** *adj* Es diu de les persones o de les coses naturals o procedents de la Bisbal.

bisbat bisbats *nom m* Territori que està sota l'autoritat d'un bisbe.

bisbe bisbes *nom m* **1** Prelat de l'Església que és la màxima autoritat d'un territori determinat, anomenat bisbat. **2** Botifarra negra, gruixuda i curta, feta amb sang i altres ingredients. **3** **fer un bisbe** Dir dues persones una mateixa paraula alhora per casualitat.

biscaí biscaïna biscaïns biscaïnes **1** *nom m i f* Habitant de Biscaia; persona natural o procedent de Biscaia. **2** *adj* Es diu de les persones o de les coses naturals o procedents de Biscaia. **3** *nom m* Manera de parlar el basc pròpia de Biscaia i d'algunes zones d'Àlaba i Guipúscoa.

bisó bisons *nom m* Animal mamífer de la mateixa família que els bous, que té el cap gros i un gran gep a l'esquena i que viu a Amèrica del nord.

bissextil bissextils *adj* Bixest.

bistec bistecs *nom m* Tall de carn de bou, de vedella, etc., que es menja cuit: *Per dinar, menjarem un bistec amb patates.*

bisturí bisturís *nom m* Instrument tallant en forma de petit ganivet que fan servir els cirurgians quan han d'obrir algú en una operació.

bitlla bitlles *nom f* **1** Peça de fusta o de plàstic més ampla de baix que de dalt perquè s'aguanti dreta a terra. **2 joc de bitlles** Joc que consisteix a fer caure a terra, amb una bola, un grup de bitlles: *Ens han regalat un joc de bitlles.*

bitlles

bitllet bitllets *nom m* **1** Paper o cartó petit que s'ha de comprar per viatjar amb autobús, tren, etc.: *He comprat el bitllet per anar de Granollers a Barcelona amb autocar.* **2** Diner en forma de paper: *Aquest matí he trobat un bitllet de cinquanta euros a terra.*

bitllo-bitllo *adv* De seguida, immediatament, al comptat: *Es va treure la cartera i va pagar bitllo-bitllo.*

bitxo bitxos *nom m* Pebrot petit i molt picant.

bivac bivacs *nom m* **1** Campament a l'aire lliure. **2 fer bivac** Dormir a la nit a l'aire lliure, amb un sac de dormir o una manta, sense tenda.

bixest bixests o bixestos *adj* Es diu de l'any de cada quatre que té 366 dies, any de traspàs: *Els anys 1992, 1996, 2000, 2004 i 2008 han estat anys bixests o de traspàs.*

bla blana blans blanes *adj* Tou: *Aquest coixí és molt bla.*

blanc blanca blancs blanques *adj* i *nom m* **1** Del color de la neu, de la llet i de les dents. **2** *M'ha donat el full en blanc:* sense res escrit, net. **3** *He passat la nit en blanc:* passar la nit

sense poder dormir. **4** *Quan m'han preguntat la lliçó he quedat en blanc:* no he sabut què dir, no m'he recordat de res. **5** *nom m* Punt on s'apunta quan es dispara: *Va disparar la fletxa i va encertar el blanc.*

blancor blancors *nom f* Qualitat de blanc: *La blancor de la neu.*

blanenc blanenca blanencs blanenques **1** *nom m* i *f* Habitant de Blanes; persona natural o procedent de Blanes. **2** *adj* Es diu de les persones o de les coses naturals o procedents de Blanes.

blanquejar *v* Fer tornar de color blanc o pintar de blanc una cosa; ser o semblar de color blanc.
Es conjuga com *cantar.* S'escriu *j* davant de *a, o, u* i *g* davant de *e, i: blanquejo, blanqueges.*

blanquinós blanquinosa blanquinosos blanquinoses *adj* Que té un color més aviat blanc, que sembla blanc: *Aquell arbre té un tronc blanquinós.*

blasfemar *v* Dir blasfèmies.
Es conjuga com *cantar.*

blasfèmia blasfèmies *nom f* Expressió que es diu contra Déu o contra algun símbol religiós.

blasmar *v* Criticar molt fort algú o alguna cosa: *Tothom va blasmar aquell crim tan horrible.*
Es conjuga com *cantar.*

blasó blasons *nom m* Escut que du pintats els símbols d'un noble o d'un rei.

blastomar *v* Blasfemar.
Es conjuga com *cantar.*

blat blats *nom m* **1** Planta que acaba en una espiga plena de gra del qual es fa la farina que serveix per a fer el pa: *A Castella hi ha molts camps de blat.* ▪ *Pel juny es comença a segar el blat.* **2 blat de moro** Planta que fa unes espigues grosses anomenades panotxes plenes de grans de color groc i que es conrea com a aliment.

blau blava blaus blaves **1** *adj* i *nom m* Del color del cel i del mar. **2** *nom m* Taca de color blau morat que surt a la pell a causa d'un cop: *Vaig caure a terra i em vaig fer un blau a la cama.*

blaugrana *adj* Es diu dels colors del vestit dels jugadors i de l'escut del Futbol Club Barcelona: *Unes samarretes blaugrana.*

blavenc blavenca blavencs blavenques *adj* D'un color que tira a blau: *Per sota de la pell se li veien unes venes blavenques.*

blaveta blavetes *nom f* Nom que reben diverses papallones de color blau. ▨ 7

blavor blavors *nom f* Qualitat de blau: *La blavor del mar.* ▪ *La blavor del cel.*

blavós blavosa blavosos blavoses *adj* Que té un color que tira a blau: *Unes pedres blavoses.* ▪ *Un peix blavós.*

ble blens *nom m* **1** Conjunt de fils o de cabells: *A aquella noia, li queia un ble de cabells damunt el front.* **2** Cordó o feix de fils que va ficat a dintre dels ciris o els llums d'oli i que crema i fa llum.

ble

bleda bledes *nom f* **1** Planta de fulles comestibles verdes i grosses, que es conrea a l'hort. **2** Persona poc espavilada, que té poca empenta, poca iniciativa.

bleix bleixos *nom m* Respiració cansada.

bleixar *v* Respirar, sobretot quan a algú li costa perquè està cansat o malalt.
Es conjuga com *cantar.*

blindat blindada blindats blindades *adj* Que està cobert d'un material resistent per a protegir-se de les bales, del foc, etc.: *Els tancs i els camions de l'exèrcit són vehicles blindats.*

bloc blocs *nom m* **1** Gran massa de matèria sòlida i pesada, de forma més o menys quadrada: *Un bloc de pedra.* ▪ *Un bloc de marbre.* **2** Llibreta de la qual es poden arrencar els fulls fàcilment. **3** **bloc de pisos** Edifici de molts pisos. **4** **en bloc** En conjunt, de forma general: *L'entrenador va criticar l'equip en bloc, sense parlar de cada jugador en particular.*

blocar *v* **1** Bloquejar. **2** Aturar la pilota el porter d'un equip de futbol subjectant-la ben fort contra el cos.
Es conjuga com *cantar.* S'escriu c davant de *a, o, u* i qu davant de *e, i*: bloco, bloques.

bloquejar *v* No deixar passar, no deixar que una cosa funcioni: *Perquè no et robin el cotxe, es pot bloquejar el volant i així no es pot moure.* ▪ *La policia ha bloquejat les sortides de la ciutat perquè els lladres no es puguin escapar.*
Es conjuga com *cantar.* S'escriu j davant de *a, o, u* i g davant de *e, i*: bloquejo, bloqueges.

bluf blufs *nom m* Acció de voler fer creure que una cosa és més important del que és en realitat: *Aquest nou cantant és un bluf, s'ha fet famós perquè n'han fet molta propaganda, però els que hi entenen de debò diuen que no val res.*

bo¹ o **bon** bona bons bones *adj* **1** Es diu d'una cosa quan va bé, quan és convenient: *Caminar és bo per a la salut.* **2** Es diu d'un aliment que té un gust agradable: *Aquesta xocolata és molt bona.* ▪ *Hem tastat un bon vi.* **3** Es diu d'una persona quan es porta bé, que no és dolenta: *En Miquel és molt bon nen.* **4** *Aquest bolígraf* **encara és bo**: *encara serveix, encara va bé.* **5** *A l'estiu sol* **fer bo**: *fer bon temps.* **6** *La Rosa va estar malalta, però ara ja* **està bona**: *ja es troba bé.* **7** *Ara sí que l'has* **feta bona**: *has trencat el plat:* n'has fet una de grossa, un disbarat. **8** *Vaig esperar-me* **una bona estona**: *una estona més aviat llarga.*

bo² bons *nom m* Document que demostra que algú ha pagat uns diners amb una finalitat determinada; document que indica que a algú se li ha de tornar o de donar una quantitat determinada de diners.

boa boes *nom f* Serp molt grossa i molt llarga.

bòbila bòbiles *nom f* Fàbrica de rajoles, teules i altres peces fetes d'argila cuita al forn.

bobina bobines *nom f* Objecte consistent en fil, corda, paper, plàstic, cinta, etc. enrotllat al voltant d'un rodet o cilindre.

boc bocs *nom m* Mascle de la cabra.

boç boços *nom m* Aparell fet de corretges, filferro, etc. que es posa a la boca d'alguns animals perquè no puguin mossegar, morrió.

boç

boca boques *nom f* **1** Obertura per la qual les persones i els animals prenen els aliments: *A dins de la boca, hi tenim les dents i la llengua.* **15** **2** *Aquesta fruita* **fa venir aigua a la boca**: fa venir ganes de menjar-la. **3** *En Jofre* **no va obrir boca**: no dir res. **4** *La notícia ja* **corre de boca en boca**: tothom la diu, tothom la sap. **5** *Em va* **deixar amb la paraula a la boca**: no em va deixar parlar, se'n va anar abans que jo pogués parlar. **6** **treure de la boca** Dir el que estava a punt de dir algú altre: *Volia dir "ja n'hi ha prou de fer l'animal!", però la Sara m'ho va treure de la boca i ho va dir abans que jo.* **7** Obertura que dóna entrada a un lloc com ara una cova, una mina, un volcà, etc.: *No us acosteu a la boca de la cova.* **8** **boca d'incendis** Lloc preparat al carrer on es poden connectar les màneges dels bombers i agafar aigua per a apagar un incendi.

bocabadat bocabadada bocabadats bocabadades *adj* Que té la boca oberta perquè s'admira d'una cosa: *Aquell peix de l'aquari era tan bonic, que vam quedar bocabadats mirant-lo.*

bocada bocades *nom f* Quantitat de menjar o de beguda que cap a la boca: *Tenia tanta gana, que es va empassar la sopa amb quatre bocades.*

bocafí bocafina bocafins bocafines *adj* Que té molt bon gust en el menjar i en el beure.

bocafluix bocafluixa bocafluixos bocafluixes *adj* Que ho xerra tot, que no sap guardar cap secret, bocamoll.

bocamoll bocamolla bocamolls bocamolles *adj* Que ho xerra tot, que no sap guardar secrets.

bocassa bocasses *nom f* Mal gust a la boca.

bocaterrós bocaterrosa bocaterrosos bocaterroses *adj* Estirat de panxa a terra, amb la boca tocant a terra: *Estaven estirats a la platja de bocaterrosa i el sol els tocava l'esquena.*

bocí bocins *nom m* Tros petit d'una cosa: *Per berenar només he menjat un bocí de pa i un bocí de formatge.*

bocoi bocois *nom m* Recipient de fusta semblant a una bóta però més baix.

boda bodes *nom f* Casament, noces, festa en què se celebra un casament.

bodega bodegues *nom f* Lloc on es transporta la càrrega en una embarcació o vaixell.

bòfega bòfegues *nom f* Butllofa.

boga bogues *nom f* Planta de fulles molt llargues que, un cop assecada, s'utilitza per a fer cadires, estores, cistells, etc.

cadira de boga

bogeria bogeries *nom f* **1** Estat de la persona que és boja. **2** Acte o paraula que sembla pròpia d'un boig: *Quines bogeries que dieu!, a veure si penseu més les coses abans de dir-les!*

bohemi bohèmia bohemis bohèmies **1** *adj i nom m i f* Es diu de la persona que porta una vida desordenada, al marge de les convencions socials, especialment d'alguns artistes: *Aquest actor és una mica bohemi, li agrada molt viatjar, sortir de nits i fer festes i no té domicili fix.* **2** *adj* Es diu de les persones o de les coses naturals o procedents de Bohèmia.

boia boies *nom f* Objecte que flota a l'aigua i que serveix de senyal: *És perillós nedar més enllà d'aquella boia.*

boicot boicots *nom m* Acció que es fa en contra d'alguna cosa o d'alguna persona, que generalment consisteix a no voler tenir-hi relacions: *Feu boicot a les fàbriques que contaminen! No compreu els productes contaminants!*

boicotejar *v* Fer el boicot, deixar de tenir relacions amb alguna persona, una empresa, etc. per tal de protestar, d'aconseguir alguna cosa, etc.: *Els estudiants han boicotejat l'examen, no se n'hi ha presentat cap.* Es conjuga com *cantar.* S'escriu *j* davant de *a, o, u* i *g* davant de *e, i: boicotejo, boicoteges.*

boig boja boigs o bojos boges *adj i nom m i f* **1** Es diu de la persona que pateix una malaltia mental i que fa o diu coses estranyes, que no són normals: *Hem vist un home que reia i enraonava tot sol i semblava boig.* **2** *Aquells nens són molt bojos, sempre fan bestieses:* són molt alegres, molt esbojarrats, molt esverats. **3** *En Llucià* **està boig per la música**: li agrada molt.

boina boines *nom f* Gorra rodona d'una sola peça, que sol ser negra: *Hem vist un senyor que portava una boina molt grossa.*

b

boira boires *nom f* **1** Núvol baix que no deixa veure bé les coses: *Hi havia molta boira, tanta, que no veies la gent pel carrer.* **2 anar a escampar la boira** Sortir d'un lloc per tal de distreure's.

boirina boirines *nom f* Boira poc espessa, que no deixa veure bé les coses que són una mica lluny: *Des d'aquesta muntanya es pot veure el mar, però avui hi ha boirina i no ens el deixa veure amb claredat.*

boirós boirosa boirosos boiroses *adj* Cobert de boira, amb boira: *Avui fa un dia gris i boirós, no es veu el sol.*

boix boixos *nom m* **1** Arbust de fulles perennes i verdes i fusta molt forta que és aprofitada per a fer diversos objectes. **2 boix grèvol** Grèvol.

boixet boixets *nom m* Pal petit de fusta de boix que serveix per a fer puntes al coixí.

bol[1] Paraula que apareix en la denominació **bol alimentari**, que vol dir "massa que forma l'aliment un cop s'ha mastegat i s'ha mullat de saliva, i que ens empassem de cop".

bol[2] bols *nom m* Vas rodó i gros, sense nanses, que es fa servir per a prendre llet, te, caldo, etc.

bola boles *nom f* **1** Objecte rodó: *Em va tirar una bola de neu al cap.* ▪ *Juguem amb boles de fusta.* **2** Mentida: *Aquesta noia explica moltes boles.* **3 tenir bola a algú** Sentir antipatia per algú: *Em sembla que aquest mestre em té bola, sempre em castiga.*

bolcar *v* Tombar una cosa cap a un costat: *Va bolcar el cistell i tots els bolets van caure per terra.* ▪ *Hi va haver un accident: va bolcar un camió.* Es conjuga com *cantar.* S'escriu *c* davant de *a, o, u* i *qu* davant de *e, i: bolco, bolques.*

bolet bolets *nom m* **1** Organisme petit que surt al bosc, generalment a la tardor; n'hi ha que són bons per a menjar i n'hi ha que són verinosos: *Diumenge que ve anirem al bosc a collir bolets.* **2** Bufetada, cop donat amb la mà: *La Marta va clavar un bolet a la seva germana.* **3 estar tocat del bolet** No estar bé del cap, ser boig.

boletaire boletaires *nom m i f* Persona que cull bolets: *A la tardor els boscos s'omplen de boletaires.*

bòlid bòlids *nom m* Automòbil que pot córrer a gran velocitat, com els que es veuen a les curses de cotxes.

bolígraf bolígrafs *nom m* Instrument per a escriure que té un dipòsit de tinta i una bola a la punta: *Si escrius la redacció amb bolígraf, no podràs esborrar si t'equivoques.*

bòlit Paraula que apareix en l'expressió **anar de bòlit**, que vol dir "anar molt de pressa a fer les coses perquè es té molta feina, perquè s'està molt atabalat".

bolquer bolquers *nom m* Peça de roba amb què s'embolcalla el cos i les cames dels nens petits de pocs mesos.

bolquet bolquets *nom m* Camió amb un mecanisme que permet d'aixecar i de bolcar la caixa per facilitar la descàrrega del material que transporta.

bomba bombes *nom f* **1** Arma explosiva que pot fer molt mal: *L'avió va tirar una bomba contra el pont i el va destruir.* **2** *Aquesta bicicleta és feta a prova de bomba*: és molt forta, molt bona. **3** Aparell que serveix per a fer sortir aigua d'un pou, d'una bassa, etc. i transportar-la a un altre lloc a través d'un conducte: *Els pagesos treuen l'aigua de la bassa amb una bomba.*

bombar[1] *v* **1** Fer que la superfície d'una cosa s'infli o es torni corbada: *A causa del pes dels llibres aquests prestatges s'han bombat.* **2 que el bombin!** Expressió que es fa servir per a indicar disgust o desinterès per algú: *Diu que no vol venir? Doncs, mira, que el bombin!* Es conjuga com *cantar.*

bombar[2] *v* Treure o transportar líquids o gasos utilitzant una bomba. Es conjuga com *cantar.*

bombardeig bombardeigs o **bombardejos** *nom m* Acció de bombardejar: *Durant la guerra aquella ciutat va patir molts bombardejos.*

bombardejar *v* Atacar amb bombes: *Els avions van bombardejar les trinxeres enemigues.* Es conjuga com *cantar.* S'escriu *j* davant de *a, o, u* i *g* davant de *e, i: bombardejo, bombardeges.*

bombatxos *nom m pl* Pantalons amples que s'ajusten a la cama per la part de baix.

bomber bombera bombers bomberes *nom m i f* Persona que té per ofici apagar el foc dels incendis i ajudar la gent que passa un perill: *Es va calar foc en una fàbrica i els bombers van anar a apagar-lo.*

bombeta bombetes *nom f* Petita bola de vidre a dins de la qual hi ha un fil metàl·lic que, quan hi passa el corrent elèctric, produeix llum.

bombo bombos *nom m* Tambor molt gros.

bombó bombons *nom m* Dolç petit de xocolata que, de vegades, a dins porta fruita seca, licor, caramel, i que se sol vendre en capses de regal.

bombolla bombolles *nom f* Cadascuna de les boles d'aire que es fan amb l'escuma o amb la sabonera: *Mentre em banyo, em diverteixo fent bombolles de sabó.*

bombolles

bombona bombones *nom f* Recipient de metall que serveix per a posar-hi gasos: *Una bombona de gas butà.*

bon *adj* Mira bo[1].

bonament *adv* Sense fer cap esforç especial: *Per preparar la festa, farem el que bonament puguem.*

bonança bonances *nom f* Bon temps: *Els pescadors van poder sortir a pescar perquè feia bonança i el mar estava en calma.*

bonaventura Paraula que apareix en l'expressió **dir la bonaventura**, que vol dir "endevinar el futur d'una persona": *A la fira hi havia una dona que et llegia les ratlles de la mà i et deia la bonaventura, és a dir, t'explicava el que et passaria en el futur.*

bondadós bondadosa bondadosos bondadoses *adj* Es diu de la persona que és plena de bondat i que ajuda els altres.

bondat bondats *nom f* 1 Generositat, bona intenció; qualitat de qui és bo: *En Jaume m'ha fet molts favors: és un noi d'una gran bondat.* 2 **fer bondat** Portar-se bé: *A l'escola, en Marçal fa molta bondat i no l'han de renyar mai.*

bonhomia bonhomies *nom f* Bondat, amabilitat d'una persona.

bonic bonica bonics boniques *adj* Agradable, que produeix bona impressió pel seu aspecte, maco: *Les flors d'aquest jardí són molt boniques.*

bonifaci bonifàcia bonifacis bonifàcies *nom m i f* Persona bona, que sempre actua de bona fe: *És un bonifaci i no s'enfada mai amb ningú.*

bonificació bonificacions *nom f* 1 Quantitat de diners que es donen a algú a més a més dels que havia de cobrar. 2 Descompte que es fa a algú.

bonior boniors *nom f* Soroll continu, com el que fa una abella o una multitud de persones.

bonítol bonítols *nom m* Peix que té el dors de color blau fosc i el ventre blanc, que és molt apreciat com a aliment.

bonsai bonsais *nom m* Arbre de miniatura conreat per mitjà d'una tècnica especial que impedeix que es faci gros.

bony bonys *nom m* 1 Petita elevació que surt en una zona del cos a causa d'un cop o d'una picada: *A la Jordina, l'ha picada una abella i li ha sortit un bony al braç.* 2 *Aquella olla era tota plena de bonys:* de superfície irregular a causa dels cops, que no és fina.

bonyegut bonyeguda bonyeguts bonyegudes *adj* Ple de bonys.

borboll borbolls *nom m* 1 Moviment en forma de butllofa que es produeix a la superfície d'un líquid: *L'aigua, quan bull, fa borbolls.* 2 **a borbolls** En gran quantitat, de pressa, formant borbolls: *La sang li rajava a borbolls de la ferida.*

bord[1] borda bords bordes *adj* 1 Es diu dels arbres que no donen fruit. 2 Es diu d'un fruit que s'assembla molt a un altre, però que no és comestible: *Aquestes castanyes són bordes: no us les mengeu.* 3 Bastard.

bord[2] bords *nom m* 1 Cadascun dels costats d'un vaixell. 2 **a bord** A dalt d'un vaixell, d'una embarcació: *Vam arribar al port i vam pujar a bord del vaixell que va a Mallorca.*

borda[1] bordes *nom f* Cabana, barraca per a guardar-hi palla, eines, etc. o per a guardar-hi el bestiar a la nit.

borda[2] bordes *nom f* Vora superior del costat d'un vaixell: *Com que el vaixell duia massa càrrega, van haver de llançar alguns paquets per la borda.*

bordar *v* Lladrar amenaçadorament contra algú: *Quan ens vam acostar a la casa de pagès, el gos va començar a bordar.*
Es conjuga com *cantar.*

bordegàs bordegassa bordegassos borde-gasses *nom m i f* Xicot, noi: *Què fan aquests bordegassos tot el dia pel carrer i sense fer res de profit?*

bordell bordells *nom m* Establiment on tre-ballen prostituts o prostitutes.

borgenc borgenca borgencs borgenques **1** *nom m i f* Habitant de les Borges Blanques; persona natural o procedent de les Borges Blanques. **2** *adj* Es diu de les persones o de les coses naturals o procedents de les Borges Blanques.

borinot borinots *nom m* **1** Insecte semblant a l'abella, però força més gros, que quan vola fa soroll. **7** **2** Persona que no calla mai, que sempre molesta.

borla borles *nom f* Adorn que consisteix en una bola feta de fils o de cordons: *Penjaven de la bandera moltes borles vermelles.*

borla

borni bòrnia bornis bòrnies *adj* Que li falta un ull: *El pirata duia un ull tapat perquè era borni.*

borra borres *nom f* Fibra curta de qualsevol matèria tèxtil considerada com a rebuig.

borrall borralls *nom m* **1** Petita part d'una cosa. **2** no saber-ne ni un borrall No sa-ber gens d'una cosa: *No sap ni un borrall de matemàtica.*

borralló borrallons *nom m* Bola petita de fils, de neu, etc.: *Va començar a nevar i queien uns borrallons de neu molt petits.*

borràs borrassos *nom m* **1** Tipus de teixit poc fi. **2** anar de mal borràs Anar malament una cosa.

borrasca borrasques *nom f* Vent fort acom-panyat de pluja, de neu o de pedra.

borratxera borratxeres *nom f* Estat de la persona que està borratxa: *Va beure molt vi i va agafar una gran borratxera.*

borratxo borratxa borratxos borratxes *adj i nom m i f* Es diu de la persona que ha begut molt alcohol i li ha fet mal, que està sota els efectes de l'alcohol: *Aquell home ha begut molt vi i ara està borratxo i camina de tort.*

borrec borrega borrecs borregues *nom m i f* Ovella d'un a dos anys.

borrego borregos *nom m* Pastís que consis-teix en una llesca torrada d'una pasta feta de farina i de sucre i perfumada amb comí.

borrissol borrissols *nom m* **1** Pèl fi i suau com el que hi ha a la pell dels nens petits, a la pell d'algunes fruites, a la llana, etc. **2** Primera ploma dels ocells.

borró borrons *nom m* **1** Capa que formen len-tament en el terra d'una habitació les matèries suspeses en l'aire: *A sota el llit hi ha molt borró, es nota que fa dies que no s'escombra.* **2** Petita massa de fulles molt petites i atapeïdes que, en una planta o en un arbre, protegeixen el lloc on ha de sortir un brot o una flor.

borromba borrombes *nom f* **1** Esquella grossa que es penja al coll de les eugues i de les vaques a muntanya. **2** Esquella que porta penjada l'ovella que guia el ramat.

borrós borrosa borrosos borroses *adj* Es diu d'allò que no es veu gaire bé perquè està mal dibuixat, perquè ho mirem de lluny, etc.: *No sé què diu aquell cartell d'allà, veig les lletres borroses.*

borsa borses *nom f* **1** Institució on es venen i es compren accions d'empreses o determi-nats productes. **2** borsa d'estudi Quantitat de diners que es dóna a una persona perquè pugui pagar-se uns estudis o perquè pugui viure mentre fa un treball d'investigació.

bosc boscs o boscos *nom m* Lloc on hi ha molts arbres: *En aquell bosc hi havia uns arbres molt alts.*

boscà boscana boscans boscanes *adj* Es diu de les plantes que generalment es troben només al bosc.

boscat boscada boscats boscades *adj* Co-bert de bosc, que té molts boscos: *Un país molt boscat.*

boscós boscosa boscosos boscoses *adj* Ple de bosc: *Una comarca boscosa.*

boscúria boscúries *nom f* Bosc gran i es-pès.

bosnià bosniana bosnians bosnianes **1** *nom m i f* Habitant de Bòsnia; persona natural o procedent de Bòsnia. **2** *adj* Es diu de les persones o de les coses naturals o procedents de Bòsnia.

bosquerol bosquerola bosquerols bosqueroles *adj i nom m i f* Es diu de la persona que viu o treballa al bosc.

bossa bosses *nom f* **1** Saquet de plàstic, de paper, de roba, de pell, etc. que serveix per a guardar o transportar tota mena de coses: *Vam anar a la botiga a comprar moltes coses de menjar i ho vam ficar tot en una bossa de plàstic.* ▪ *La mare porta les claus, el mocador i el portamonedes a la bossa.* **2 fer bossa** Reunir o estalviar diners amb una finalitat determinada: *Han fet bossa durant tot l'any per poder fer aquest viatge.*

bot[1] bots *nom m* **1** Recipient fet amb cuir que serveix per a contenir líquids, generalment vi. **2** *Durant tot el viatge va* ***ploure a bots i barrals***: ploure molt, fer un gran xàfec.

bot[2] bots *nom m* Embarcació petita, barca.

bot[3] bots *nom m* **1** Salt que fa de cop una persona o un animal: *Quan li van dir que havia guanyat el premi, en Jordi va fer un bot.* **2** Moviment d'una pilota quan toca a terra i surt disparada: *La pilota va picar a la paret i va fer un bot.* **3 fer una cosa a bots i empentes** Fer una cosa molt de pressa, amb precipitació.

bota botes *nom f* Calçat que cobreix el peu i una part de la cama: *A l'hivern és millor portar botes que sabates, perquè protegeixen més bé del fred.*

bóta bótes *nom f* **1** Recipient gros, cilíndric i de fusta que serveix per a posar-hi el vi. **2** Recipient petit de cuir que serveix per a beure vi, botella.

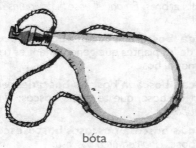

bóta

botànic botànica botànics botàniques **1** *adj* Que està relacionat amb l'estudi dels vegetals. **2** *nom m i f* Persona que es dedica a l'estudi dels vegetals. **3 botànica** *nom f* Ciència que estudia els vegetals.

botar *v* Fer bots, saltar.
Es conjuga com *cantar.*

botella botelles *nom f* **1** Ampolla. **2** Recipient petit de cuir que serveix per a beure vi a galet. **3** Recipient que serveix per a transportar gasos, bombona.

boterut boteruda boteruts boterudes *adj* Que té una forma lletja, ampla i baixa, poc proporcionada: *Té els dits molt boteruts.*

botet botets *nom m* **1** Instrument que imita el so d'alguns ocells i que serveix per a atreure'ls i poder-los caçar. **2 tocar el botet** Dir coses a algú expressament per molestar-lo o per fer-li explicar coses que volia guardar en secret.

botí botins *nom m* Conjunt de les armes, riqueses, etc. guanyades a l'enemic en una guerra, en una batalla.

botifarra botifarres *nom f* **1** Embotit de forma més aviat prima, fet amb carn de porc trinxada: *A en Lluís, li agrada molt la botifarra amb mongetes.* **2 fer botifarra** Fer un gest que consisteix a alçar un braç i plegar-lo amb la mà de l'altre braç per indicar que no ens agrada gens una cosa que s'ha dit.

botifler botiflera botiflers botifleres *adj i nom m i f* **1** Que té les galtes molt grosses. **2** Presumit i orgullós. **3** Es diu de la persona que ha traït el seu país o que ha ajudat els invasors del seu país.

botiga botigues *nom f* Establiment on es venen al públic diferents productes, com ara aliments, roba, mobles, etc.: *En aquest carrer pots comprar de tot, perquè hi ha moltes botigues.*

botiguer botiguera botiguers botigueres *nom m i f* Persona que té una botiga o que hi treballa.

botija botiges *nom f* Càntir.

botó botons *nom m* **1** Peça generalment rodona i petita cosida a la roba, que es passa per un trau i serveix per a cordar: *M'han caigut tres botons de la bata i ara no me la puc cordar.* **2** *Aquell senyor és molt elegant, sempre* ***va de vint-***

i-un botó: anar molt ben vestit, molt mudat. **3** Peça en forma de bola: *Pitjant aquest botó, sona el timbre de la porta.*

botonar *v* Cordar una peça de vestir amb els botons: *Com que feia fred, es va botonar l'abric.*
Es conjuga com *cantar.*

botre *v* Fer bots, saltar.
Es conjuga com *perdre.*

botxa botxes *nom f* **1** Bola de fusta o de metall que es fa servir en el joc de la petanca o de botxes. **2 joc de botxes** Joc que es juga amb les botxes fent-les rodolar per terra.

botxí botxins *nom m* Persona encarregada de matar els condemnats a mort.

botzina botzines *nom f* Instrument que produeix un soroll fort i que porten els vehicles per avisar o fer senyals: *El camió va tocar la botzina perquè ens apartéssim i el deixéssim passar.*

botzinar *v* Fer sonar la botzina; rondinar, queixar-se sense parar.
Es conjuga com *cantar.*

bou[1] bous *nom m* **1** Animal mamífer de cap gros i amb banyes que es fa servir per a treballar o aprofitar-ne la carn: *A l'estable hi havia bous i vaques.* ■ *En aquella casa de pagès encara fan servir els bous per a llaurar.* ‖ **2 no veure un bou a tres passes** Ser molt curt de vista. **3 perdre bous i esquelles** Perdre-ho tot.

bou[2] bous *nom m* Barca de pesca que arrossega una xarxa en forma d'embut per atrapar els peixos.

boutique boutiques *nom f* Botiga de roba elegant.

bover bovers *adj i nom m* Es diu del cargol comestible que té la closca grossa i de color marró. **7**

boví bovina bovins bovines **1** *adj* Que està relacionat amb els bous i les vaques: *Una granja bovina és una granja on crien vaques i vedells.* **2** *nom m* Animal mamífer que pertany a la mateixa família que els bous i les vaques. ‖

bovor bovors *nom f* Xafogor, escalfor que se sent en un lloc tancat on no hi passa aire i hi ha moltes persones o animals.

boxa boxes *nom f* Esport en què dues persones lluiten a cops de puny seguint unes regles.

boxejador boxejadora boxejadors boxejadores *nom m i f* Persona que practica l'esport de la boxa.

boxejar *v* Practicar l'esport de la boxa, lluitar a cops de puny seguint unes regles.
Es conjuga com *cantar.* S'escriu *j* davant de *a, o, u* i *g* davant de *e, i: boxejo, boxeges.*

braç braços *nom m* **1** Part del cos que va de l'espatlla a la mà: *La Josefa es va trencar el braç esquiant.* **2** Part d'una cosa que s'allarga en forma de braç: *Mira que és llarg el braç d'aquella grua!* **3 amb els braços oberts** En actitud d'abraçar, d'acollir algú: *Aquella gent ens va rebre amb els braços oberts.* **4 estar de braços plegats** Estar sense fer res. **5 estirar més el braç que la màniga** Gastar més diners dels que es tenen: *Aquella gent s'ha arruïnat, perquè ha estirat més el braç que la màniga.* **6 ser el braç dret** Ser el principal ajudant o col·laborador d'algú: *El meu cosí és el braç dret del director de l'empresa.* **7 braç de gitano** Pastís de forma rodona i allargada, farcit de crema, nata, etc.

braça braces *nom f* Estil de natació que consisteix a plegar i desplegar els braços cap endavant i a obrir i tancar les cames, tot mantenint el cap fora de l'aigua.

braçada braçades *nom f* Cadascun dels moviments que es fan amb els braços quan es neda.

braçal braçals *nom m* Tira de tela que es posa al voltant del braç com a distintiu: *El capità de l'equip portava un braçal verd.*

braçalet braçalets *nom m* Cadascun dels cercles de metall, d'or, de plata, etc. que porten moltes persones al braç per fer bonic: *La Dolors portava molts anells, arracades i braçalets.*

bracejar *v* Agitar els braços.
Es conjuga com *cantar.* S'escriu *j* davant de *a, o, u* i *g* davant de *e, i: bracejo, braceges.*

bracet bracets *nom m* **1** Braç petit. **2 anar de bracet** Anar agafades pels braços dues persones; anar sempre juntes.

braguer braguers *nom m* **1** Conjunt de les mamelles d'una vaca, d'una cabra, etc. **2** Aparell ortopèdic que ajuda a mantenir reduïda una hèrnia abdominal.

bragues *nom f pl* Calces **1**.

bragueta braguetes *nom f* Obertura dels pantalons per la part de davant.

bram brams *nom m* **1** Crit de l'ase. **2** Crit o soroll molt fort: *El nen petit va caure per l'escala i feia uns brams molt forts.*

bramar *v* **1** Fer brams. **2** Fer soroll fort el vent o la mar: *Des de dins el refugi sentíem com bramava el vent.*
Es conjuga com *cantar.*

bramul bramuls *nom m* **1** Crit del bou. **2** Soroll fort de la mar, del vent o de la tempesta.

bramular *v* Fer bramuls.
Es conjuga com *cantar.*

branca branques *nom f* **1** Cadascuna de les parts en què es divideix la tija o el tronc de les plantes i dels arbres: *La meva germana es va enfilar a l'arbre per agafar la pilota i, sense voler, va trencar una branca.* **2** Cadascuna de les parts en què es divideix una ciència, una organització, etc.: *La botànica és una branca de la biologia.*

brancam brancams *nom m* Conjunt de les branques d'un arbre, brancatge.

brancatge brancatges *nom m* Conjunt de les branques d'un arbre, brancam.

brandada brandades *nom f* Plat fet amb trossets de bacallà, alls, oli d'oliva i llet.

brandar *v* **1** Portar a la mà una espasa, una llança, etc. movent-la amenaçadorament. **2** Bellugar, moure una cosa d'una banda a l'altra: *El cavall brandava el cap.*
Es conjuga com *cantar.*

brànquia brànquies *nom f* Òrgan que s'ocupa de la respiració dels peixos.

branquilló branquillons *nom m* Branca petita i prima d'un arbre o d'un arbust.

braó braons *nom m* **1** Part del braç de les persones que va des de l'espatlla fins al colze. **2** Part de la pota dels animals de quatre potes que va des del turmell fins a un quart de la cuixa. **3** Força física, valentia: *Els soldats van lluitar amb gran braó.*

braol braols *nom m* Bramul.

braolar *v* Bramular.
Es conjuga com *cantar.*

braquiosaure braquiosaures *nom m* Tipus de dinosaure molt gros, de cap petit, que tenia el coll i la cua molt llargs. **13**

brasa brases *nom f* **1** Tros de llenya o de carbó que a causa del foc ha quedat negre i vermell i que encara crema. **2** *Farem carn **a la brasa**: feta, cuita damunt les brases.* **3** *fugir del foc i caure a les brases* Fugir d'un perill i caure en un altre de pitjor.

braser brasers *nom m* Recipient pla, gros i circular, ple de brases, que serveix per a escalfar una habitació.

braser

brasiler brasilera brasilers brasileres **1** *nom m i f* Habitant del Brasil; persona natural o procedent del Brasil. **2** *adj* Es diu de les persones o de les coses naturals o procedents del Brasil.

brau brava braus braves *adj* **1** Es diu d'un animal salvatge, no domesticat: *Un toro brau.* **2** *costa brava* Costa amb moltes roques i pedres. **3** Valent: *Un soldat brau.* **4** *nom m* Bou no castrat, toro.

bravada bravades *nom f* Pudor, olor desagradable: *Se'ns va acostar i vam sentir una forta bravada de vi.*

bravo *interj* Paraula que es diu per a felicitar algú: *Quan el pianista va acabar de tocar, la gent es va posar dreta, aplaudint i cridant "bravo!, bravo!"*

brega bregues *nom f* Baralla, combat, discussió forta.

bregar *v* Lluitar, esforçar-se per aconseguir una cosa.
Es conjuga com *cantar.* S'escriu *g* davant de *a, o, u* i *gu* davant de *e, i: brego, bregues.*

bregat bregada bregats bregades *adj* Es diu d'una persona acostumada a l'esforç, a la lluita, a fer una determinada feina, etc.: *Els jugadors d'aquest equip són molt bregats, tenen molta experiència.*

bresca bresques *nom f* Estructura de cera amb petites divisions en forma d'hexàgon construïda en un rusc per les abelles per emmagatzemar-hi mel, pol·len, etc.

bresca

bresquilla bresquilles *nom f* Préssec.

bressar *v* Gronxar un infant, gronxar una cosa, bressolar.
Es conjuga com *cantar*.

bressol bressols *nom m* Llit d'un infant molt petit: *La mare posa el fill al bressol i el gronxa perquè s'adormi.*

bressolar *v* Moure el bressol per gronxar un infant, bressar.
Es conjuga com *cantar*.

bretó bretona bretons bretones **1** *nom m i f* Habitant de Bretanya; persona natural o procedent de Bretanya. **2** *adj* Es diu de les persones i de les coses naturals o procedents de Bretanya. **3** *nom m* Llengua que es parla a Bretanya.

brètol brètola brètols brètoles *nom m i f* Persona capaç de fer qualsevol cosa dolenta: *Un brètol ha trencat expressament els vidres de l'escola a cops de pedra.*

bretxa bretxes *nom f* Obertura feta per l'artilleria en una muralla; qualsevol forat gros fet en un mur o en una paret: *Les canonades van obrir una bretxa a la muralla i els atacants van poder entrar a la fortalesa.*

breu breus *adj* De poca durada, curt: *Aquest conte és massa breu, de seguida es llegeix.*

breument *adv* En poc temps, amb poques paraules: *T'ho explicaré breument.*

brevetat brevetats *nom f* Qualitat de breu, de curt: *El mestre ens va recomanar brevetat a l'hora de contestar les preguntes, és a dir, ens va dir que les respostes fossin curtes, breus.*

bri brins *nom m* Trosset petit d'herba, de fil, etc.: *Aquesta terra és tan seca, que no hi creix ni un bri d'herba.*

bricolatge bricolatges *nom m* Treball manual de fusteria, electricitat, etc. que una persona fa a casa seva per entretenir-se: *A la mare li agrada molt el bricolatge, ha fet una gran prestatgeria per a posar-hi llibres.*

brida brides *nom f* Conjunt de corretges que subjecten el cap del cavall o l'ase i que serveixen per a dirigir-lo, regnes.

brigada brigades *nom f* Colla de persones que fan una mateixa feina, que tenen una mateixa tasca: *L'ajuntament del poble té una brigada de neteja que escombra els carrers.*

brillant brillants **1** *adj* Que resplendeix, que brilla. **2** *nom m* Joia, diamant tallat.

brillantina brillantines *nom f* Producte que es posa als cabells per fer-los tornar lluents i evitar que es despentinin.

brillar *v* Resplendir, escampar una llum molt viva: *La lluna i els estels brillen a la nit.*
Es conjuga com *cantar*.

brindar *v* Beure a la salut d'algú o d'alguna cosa, fent picar els gots o les copes de la gent que beu.
Es conjuga com *cantar*.

brindis uns brindis *nom m* Acció de brindar, de beure a la salut d'algú o d'alguna cosa, fent picar els gots o les copes: *Fem un brindis per en Raül, que avui és el seu aniversari.*

brioix brioixos *nom m* Pasta suau en forma de barreta de pa que es menja per esmorzar o per berenar.

brisa brises *nom f* Vent suau.

britànic britànica britànics britàniques **1** *nom m i f* Habitant de la Gran Bretanya; persona natural o procedent de la Gran Bretanya. **2** *adj* Es diu de les persones o de les coses naturals o procedents de la Gran Bretanya: *Els escocesos, els gal·lesos i els anglesos són britànics.*

brivall brivalls *nom m* **1** Home dolent, miserable, de mala vida. **2** Noi.

broc brocs *nom m* **1** Part d'un recipient, com ara un gerro, un càntir, un porró, etc., en forma de canó per on surt el líquid. **2** abocar alguna cosa pel broc gros Parlar sense embuts, dir tot el que es pensa, tal com raja.

broc petit / broc gros

broca broques *nom f* Peça que va col·locada en diverses màquines i que serveix per a foradar la pedra, la fusta, etc.

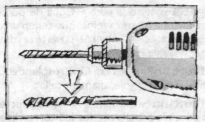

broca

brocal brocals *nom m* Paret baixa que hi ha al voltant d'un pou per a evitar que la gent hi caigui.

brocanter brocantera brocanters brocanteres *nom m i f* Persona que té per ofici comprar i vendre objectes usats que no tenen més de cent anys.

brocat brocats *nom m* Teixit decorat amb fils d'or o de plata.

brodar *v* Adornar una roba o un teixit fent servir agulla i fil.
Es conjuga com *cantar.*

brodat brodats *nom m* Adorn fet amb fil cosit en una roba: *Unes estovalles amb molts brodats.*

bròfec bròfega bròfecs bròfegues *adj* Aspre, gens fi.

brogent brogents *adj* Que fa soroll, que fa brogit.

brogit brogits *nom m* Soroll com el que fa l'aigua d'un riu, el mar, les fulles mogudes pel vent, etc.

brollador brolladors *nom m* Lloc d'un jardí on es fa sortir l'aigua de terra disparada cap amunt.

brollar *v* Sortir aigua de terra, amb força.
Es conjuga com *cantar.*

broma[1] bromes *nom f* Boira, mena de núvol baix que no deixa veure bé les coses: *Aquest matí hi havia molta broma baixa.*

broma[2] bromes *nom f* **1** Acció que es fa per fer riure, per entretenir: *No t'enfadis, Laura, només t'he fet una broma.* **2** *L'Enric és un xicot molt de la broma:* alegre, que li agrada de fer riure.

bromejar *v* Fer broma per entretenir-se: *Aquests nois sempre expliquen acudits i bromegen entre ells.*

Es conjuga com *cantar.* S'escriu *j* davant de *a, o, u* i *g* davant de *e, i: bromejo, bromeges.*

bromera bromeres *nom f* Escuma: *El sabó barrejat amb aigua fa molta bromera.*

bromista bromistes *adj i nom m i f* Es diu de la persona que acostuma a fer bromes.

bromosa bromoses *nom f* Bolet comestible que té el barret de color bru i de tacte llepissós.

bronqui bronquis *nom m* Cadascun dels dos conductes de l'aparell respiratori dels vertebrats que porta l'aire de la tràquea als pulmons. [20]

bronquíol bronquíols *nom m* Ramificació final dels bronquis dins del pulmó. [20]

bronquitis unes bronquitis *nom f* Malaltia dels bronquis.

brontosaure brontosaures *nom m* Tipus de dinosaure que va viure a la Terra fa milions d'anys, de cos voluminós, coll llarg i cap petit. [13]

bronze bronzes *nom m* Metall resultant de la barreja del coure i l'estany: *Una estàtua de bronze.*

bronzejar *v* Fer tornar del color del bronze, fer tornar morè: *Ha parat el sol durant molts dies i ara té la pell tota bronzejada.*
Es conjuga com *cantar.* S'escriu *j* davant de *a, o, u* i *g* davant de *e, i: bronzejo, bronzeges.*

broquet broquets *nom m* **1** Part de la pipa de fumar que toca la boca de la persona que fuma. **2** Canó petit de fusta o d'un altre material que es posa a la punta del cigarret perquè el fumador se'l pugui fumar sense haver-lo de tocar amb els llavis.

bròquil bròquils *nom m* **1** Planta semblant a la col que fa una mena de flor molt grossa i de color verd o morat que és comestible. **2** *s'ha acabat el bròquil!* Expressió que es diu per fer acabar una conversa o una discussió.

brossa brosses *nom f* **1** Escombraries, deixalles: *Llença això a la bossa de la brossa.* **2** Conjunt de fulles, branquillons, etc. caigut dels arbres i de les plantes: *S'ha de cremar la brossa del jardí.* **3** Partícula petita: *Se m'ha ficat una brossa a l'ull.*

brossaire brossaires *nom m i f* Escombriaire.

brossat brossats *nom m* Mató.

brostar v Fer brots nous una planta, brotar. Es conjuga com *cantar*.

brot brots nom m **1** Branca petita i tendra, que comença a créixer, planta que acaba de néixer. **2 no fer brot** No fer res.

brotar v Treure brots nous una planta: *El roser que vam plantar ja ha brotat.* Es conjuga com *cantar*.

brotxa brotxes nom f **1** Pinzell gruixut que serveix per a pintar parets. **2** Pinzell gruixut i de mànec curt que serveix per a escampar la sabonera sobre la pell que s'ha d'afaitar.

brou brous nom m Aliment líquid que resulta de fer bullir en aigua diferents productes com ara gallina, patates, verdura, etc., caldo.

bru bruna bruns brunes adj i nom m De color fosc, obscur, morè: *Uns cabells bruns, una pell bruna.*

bruc brucs nom m **1** Arbust de fulles perennes i verdes i flors petites, blanques o roses. **2** *Això que dius* **no té ni suc ni bruc** no té interès, no té substància.

bruel bruels nom m Bramul.

bruixa bruixot bruixes bruixots nom f i m **1** Personatge que en els contes té poders màgics que poden causar desgràcies: *La bruixa va donar unes pomes enverinades a la Blancaneu.* ▨ *El bruixot perseguia els barrufets.* **2** Persona que practica la bruixeria. **3** nom f Dona vella, lletja i dolenta.

bruixeria bruixeries nom f Poder màgic que tenen les bruixes i els bruixots, activitat que practiquen les bruixes i els bruixots.

brúixola brúixoles nom f Instrument que serveix per a orientar-se i que té una agulla imantada que assenyala sempre el nord.

brúixola

bruixot bruixots nom m Mira **bruixa**.

brunyir v Fer tornar brillant un metall, una pedra, etc., fregant-lo. Es conjuga com *servir*.

brunzir v Produir un soroll un animal, un objecte que es mou ràpidament en l'aire: *Les abelles brunzien al voltant del rusc.* Es conjuga com *servir* o com *dormir*. Si es conjuga com *dormir*, fa la segona p. sing. pres. ind. *brunzes*.

brunzit brunzits nom m Soroll que fa un animal, un objecte que es mou ràpidament en l'aire: *Va disparar la fletxa i vam sentir un brunzit abans que toqués el blanc.*

brusa bruses nom f Peça de vestir femenina amb mànigues o sense que cobreix mig cos: *Aquella brusa que portava l'Agnès s'adeia molt amb la faldilla.*

brusc brusca bruscs o bruscos brusques adj Que passa o apareix de cop, sobtadament: *El cotxe va fer una frenada brusca i tots vam saltar dels seients.*

bruscament adv D'una manera brusca: *El cotxe va frenar bruscament per evitar de xocar contra el camió.*

brut bruta bruts brutes adj **1** Es diu d'una cosa que és poc neta, que no s'ha rentat o que és plena de taques: *Linus, portes la cara bruta de xocolata!* **2** *Aquesta redacció primer la faré* **en brut** *i després ja la passaré en net:* sense polir. **3 jugar brut** Jugar fent trampa.

brutal brutals adj Violent, salvatge.

brutícia brutícies nom f Qualsevol cosa bruta o que embruta: *Hem de treure tota la brutícia d'aquí: pols, papers, etc.*

bub-bub 1 Onomatopeia, paraula que imita el lladruc del gos: *El gos es va posar a córrer i a cridar bub-bub.* **2** nom m Paraula que fan servir els infants per referir-se als gossos: *Mira, un bub-bub!*

bubota bubotes nom f **1** Ninot que serveix per a espantar els ocells, espantall. **2** Fantasma.

buc bucs nom m **1** Part interior d'un vaixell. **2** Ventre d'un home o d'un animal. **3** Rusc.

bucal bucals adj Que té relació amb la boca.

bucle bucles nom m Rull de cabells de forma cilíndrica.

bucòlic bucòlica bucòlics bucòliques adj **1** Relacionat amb la vida i les feines dels pastors. **2** *Un paisatge bucòlic:* molt bonic, molt verd, com els prats i els boscos on els pastors fan pasturar els ramats.

budell budells *nom m* **1** Part de l'intestí. **2 tenir sempre un budell buit** Tenir sempre ganes de menjar.

budellada budellades *nom f* Conjunt dels budells d'una persona o d'un animal.

buf bufs *nom m* Vent que produeix una persona o una cosa quan bufen, quan deixen anar l'aire.

bufa[1] *interj* Paraula que expressa sorpresa: *Bufa noi!, quina bicicleta més maca.*

bufa[2] bufes *nom f* Bufetada.

bufada bufades *nom f* Acció de bufar, de treure aire: *La Carme va apagar les nou espelmes del pastís d'aniversari amb una sola bufada.*

bufador bufadors *nom m* Aparell que dispara una flama estreta i llarga i que serveix per a escalfar o fondre materials, objectes, etc.

búfal búfals *nom m* Animal boví gros i pesant, amb banyes grosses, que viu en estat salvatge a l'Àfrica i a l'Índia. ▮▮

bufanda bufandes *nom f* Peça llarga que sol ser de llana i que fem servir quan fa molt fred per a tapar-nos el coll, la boca i el nas: *La monitora ens ha dit que per anar d'excursió hem de portar la bufanda i la gorra perquè farà fred.*

bufanúvols uns/unes bufanúvols *nom m i f* Persona que es pensa que és molt important, molt intel·ligent, etc.

bufar *v* **1** Fer sortir aire per la boca amb força: *Quan la Núria va fer quatre anys, li van fer bufar les espelmes del pastís.* **2** Resoldre aquell problema de matemàtiques va **ser bufar i fer ampolles**: ser molt fàcil de fer.
Es conjuga com *cantar.*

bufera buferes *nom f* Ganes de bufar, força d'algú a l'hora de bufar: *A veure si tens prou bufera per apagar totes les espelmes del pastís d'aniversari!*

bufet bufets *nom m* **1** Moble amb prestatges i calaixos on es guarden les coses necessàries per a parar taula: plats, gots, coberts, tovallons, estovalles, etc. **2** Taula amb begudes i aliments exposats al públic. **3 bufet lliure** Autoservei en què per un preu fix els clients poden triar d'entre tots els menjars exposats en un bufet i menjar-ne la quantitat que vulguin.

bufet

bufeta bufetes *nom f* Òrgan de les persones i dels animals en forma de bossa que conté líquid o gas: *La bufeta de l'orina, la bufeta del fel.* ▮19▮

bufetada bufetades *nom f* Cop donat a la cara amb la mà: *La Ramona i el seu germà es van barallar fort, anaven a bufetades.*

bufetejar *v* Donar bufetades.
Es conjuga com *cantar.* S'escriu *j* davant de *a, o, u* i *g* davant de *e, i: bufetejo, bufeteges.*

bufó[1] bufona bufons bufones *adj* Persona o cosa petita i graciosa: *Mireu quin nen més bufó!*

bufó[2] bufons *nom m* Persona que antigament tenia per ofici fer i dir coses per fer riure al palau del rei i als castells dels senyors.

bugada bugades *nom f* **1** Conjunt de roba que es renta. **2 fer bugada** Rentar la roba.

bugaderia bugaderies *nom f* Establiment amb màquines de rentar on la gent pot anar a fer rentar la roba bruta a canvi de pagar uns diners.

bugia bugies *nom f* **1** Espelma, candela. **2** Peça del motor que serveix per a provocar l'espurna de foc perquè comenci a cremar el combustible.

buidar *v* Treure tot el que hi ha a dins d'un lloc, deixar una cosa, un calaix, una butxaca, etc. sense cap objecte, sense res a dins: *He buidat l'ampolla a l'aigüera.*
Es conjuga com *cantar.*

buidor buidors *nom f* Qualitat de buit: *En aquest gran castell no hi viu ningú; si t'hi passeges, sentiràs una gran sensació de buidor.*

buina buines *nom f* Excrement de la vaca.

buirac buiracs *nom m* Bossa per a portar-hi fletxes, carcaix.

buirac

buit buida buits buides 1 *adj* Es diu d'un lloc, d'un recipient, com ara un calaix, una bossa, etc., que no té res a dins, que no està ocupat: *Tinc la casa buida, aquesta tarda em portaran els mobles nous.* 2 *nom m* Espai, lloc on no hi ha res, en blanc: *Ompliu els buits d'aquestes frases amb la paraula adequada.*

buixol buixols *nom m* Herba que fa la flor blanca i que es fa als boscos humits. 3

bulb bulbs *nom m* 1 Òrgan subterrani de forma rodona que tenen algunes plantes, format per una tija curta i gruixuda: *Les cebes són bulbs.* 2 **bulb raquidi** Part del capdamunt de la medul·la espinal integrada a la base del cervell, que realitza una funció important en la respiració, la circulació, etc. 18

bulevard bulevards *nom m* Carrer ample, generalment amb arbres.

búlgar búlgara búlgars búlgares 1 *nom m i f* Habitant de Bulgària; persona natural o procedent de Bulgària. 2 *adj* Es diu de les persones o de les coses naturals o procedents de Bulgària. 3 *nom m* Llengua que es parla a Bulgària.

bull[1] bulls *nom m* 1 Moviment d'un líquid que bull al foc: *Hem posat la cassola al foc i aviat arrencarà el bull.* 2 *A aquest* **li falta un bull**: no hi és tot, és boig.

bull[2] bulls *nom m* Embotit gruixut ple de carn de porc, espècies, etc.

bullanga bullangues *nom f* Avalot, desordre, revolta.

bullent bullents *adj* Que bull o que és molt calent, que crema: *Aigua bullent.*

bullícia bullícies *nom f* Agitació, crits, enrenou que fa la gent: *Al carrer hi havia molta bullícia.*

bullir *v* 1 Escalfar un líquid a una temperatura molt alta, fer-li treure vapor, coure en aigua que bull: *L'aigua ja bull, hi tiraré les patates.* 2

L'equip contrari bullia d'indignació: estar excitat, molt agitat, tenir molta ràbia.
Es conjuga com *dormir.*

bullit bullits *nom m* 1 Carn bullida amb patates, hortalisses, cigrons, cansalada, botifarra, etc. 2 Moviment, agitació, enrenou: *En aquest barri hi ha molts bars nocturns i sempre hi ha molt bullit.*

bum Onomatopeia, paraula que imita el soroll d'una explosió, d'un cop fort: *Després de caure la bomba, es va sentir bum!*

bumerang bumerangs *nom m* Arma, en forma de bastó corbat, que es llança lluny i torna cap al lloc des d'on s'ha llançat, utilitzada pels indígenes australians per a caçar i lluitar.

bumerang

bungalou bungalous *nom m* Casa petita d'una sola planta que es fa servir per a fer vacances en un càmping, en un hotel, etc.

búnquer búnquers *nom m* Construcció fortificada que serveix per a estar a cobert dels projectils i de les bombes de l'enemic.

bunyol bunyols *nom m* 1 Massa petita feta amb aigua, farina, ous, llet, etc., fregida i a vegades ensucrada: *M'agraden els bunyols de quaresma perquè són molt dolços.* 2 Cosa mal feta, equivocació, error: *Vaig fer un bunyol i vaig haver de repetir el dibuix.*

burgès burgesa burgesos burgeses *adj i nom m i f* 1 Que és de classe social alta, que pertany a la burgesia. 2 Antigament, es deia de la persona que vivia en una vila o en una ciutat.

burgesia burgesies *nom f* Classe social alta, formada sobretot per empresaris i propietaris.

burla burles *nom f* 1 Acció de burlar-se. 2 **fer burla** Burlar-se d'algú o d'alguna cosa: *Els companys feien burla de la seva manera de vestir.*

burlar-se *v* Riure's d'algú o d'alguna cosa: *Aquella nena es burla de la seva amiga perquè ha caigut en un bassal.*
Es conjuga com *cantar.*

burleta burletes *adj* i *nom m* i *f* Es diu de la persona a qui agrada de riure's de la gent i de fer-ne burla.

burocràcia burocràcies *nom f* Conjunt de persones que treballen en les oficines i despatxos que depenen de les institucions públiques, com ara ajuntaments, ministeris, govern, etc.; influència i poder que tenen aquestes persones.

burocràtic burocràtica burocràtics burocràtiques *adj* Que està relacionat amb la burocràcia, és a dir, amb les oficines i despatxos de les institucions públiques: *Per aconseguir aquest permís, he hagut de fer molts tràmits burocràtics, és a dir, he hagut d'anar moltes vegades a l'oficina i omplir molts papers.*

burro burra burros burres **1** *nom m* i *f* Ase, somera: *El pagès tenia un burro i un cavall.* **2** *nom m* Recipient circular, tapat, ple de brases que servia per a escalfar llits: *L'hostalera va posar un burro a cada llit.* **3** He arribat del mercat **carregat com un burro**: amb molts paquets i bosses plenes. **4** *adj* Estúpid, poc intel·ligent.

bursada bursades *nom f* Estirada, empenta, acció violenta i ràpida: *Li van prendre la bossa d'una bursada.*

burxar *v* **1** Punxar amb un bastó acabat en punta: *Li agradava burxar els pilots de fulles seques amb un bastó.* **2** Insistir perquè algú ens digui una cosa: *El vaig burxar perquè em digués qui havia trencat el vidre.*
Es conjuga com *cantar.*

bus[1] busos *nom m* Autobús.

bus[2] bussos *nom m* i *f* Persona que porta un vestit especial per a estar-se sota l'aigua.

busca busques *nom f* **1** Cada una de les agulles del rellotge que es mouen i serveixen per a indicar l'hora. **2** Tros molt petit d'una cosa.

busca

buscall buscalls *nom m* Tros de llenya.

buscar *v* Provar de trobar, de descobrir algú o alguna cosa: *En Jeroni busca el rellotge que ha perdut.*
Es conjuga com *cantar.* S'escriu *c* davant de *a, o, u* i *qu* davant de *e, i: busco, busques.*

busca-raons uns/unes **busca-raons** *nom m* i *f* Persona a qui agrada de discutir-se, de barallar-se, etc.

bust busts o bustos *nom m* **1** Part superior del pit d'una persona. **2** Escultura que només està formada pel cap i la part superior del cos d'una figura.

bust

bústia bústies *nom f* Dipòsit de ferro, de fusta, etc. que hi ha al carrer, a l'entrada d'una casa, etc. que serveix per a tirar-hi cartes a través d'una obertura estreta: *Vaig tirar la carta a la bústia dilluns passat i encara no l'han rebuda.*

bústia

butà butans *nom m* Gas que crema i que es conserva líquid en botelles de metall: *La cuina i l'estufa de casa nostra funcionen amb butà.*

butaca butaques *nom f* Cadira grossa amb braços i molt còmoda: *En Jaume s'ha quedat adormit a la butaca.* ■ *Al cine hi havia dues files de butaques buides.*

butlleta butlletes *nom f* Paper que certifica alguna cosa o que dóna dret a alguna cosa: *Em vols comprar butlletes de la rifa de l'escola?*

butlletí butlletins *nom m* Publicació, revista periòdica sobre un tema o una matèria determinada: *Ha sortit un butlletí municipal que parla del que passa a l'ajuntament.*

butllofa butllofes *nom f* Bossa de líquid que es forma sota la pell a causa d'una cremada, del fregament amb els mitjons, amb les sabates, etc.: *De tant caminar, m'ha sortit una butllofa a la planta del peu.*

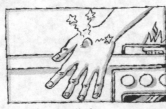

butllofa

butxaca butxaques *nom f* **1** Cadascuna de les obertures en forma de bossa que hi ha en un vestit, en una jaqueta, en uns pantalons, etc. que serveix per a portar-hi objectes: *Porto les butxaques dels pantalons descosides i no hi puc posar els diners.* **2 escurar la butxaca** Prendre els diners a algú o fer-los-hi gastar: *Els seus amics li van dir que els convidés i li van escurar la butxaca.* **3 gratar-se la butxaca** Gastar diners: *Au!, grata't la butxaca i convida'ns a beure un refresc!* **4** *La Neus* **té la butxaca foradada**, es gasta tants diners com té: **ser un malgastador, gastar-se tots els diners, no saber guardar els diners. 5 tenir algú ficat a la butxaca** Tenir algú controlat fins al punt que fa sempre el que nosaltres volem.

butxacó butxacons *nom m* Butxaca petita.

butxaquejar *v* Ficar-se les mans a les butxaques i regirar-les per buscar-hi alguna cosa. Es conjuga com *cantar.* S'escriu *j* davant de *a, o, u* i *g* davant de *e, i*: butxaquejo, butxaqueges.

C c lletra ce

ca¹ Paraula que vol dir "casa de": *Aquesta tarda anirem a berenar a ca l'Albert.* ▪ *La Lluïsa és a cal Pere.* ▪ *D'aquella casa, en diuen can Tomàs.* ▪ *Avui hem anat a dinar a cals avis.*

ca² *interj* Paraula que es fa servir per a expressar que una cosa no és veritat: *Tu creus que demà farem festa? Ca, demà haurem d'anar a l'escola!*

ca³ cans *nom m* Gos.

ca⁴ cas *nom f* Nom de la lletra **k K**.

cabal cabals *nom m* **1** Conjunt de riqueses que té una persona, diners. **2** Quantitat de líquid que durant un temps determinat passa per un punt del seu recorregut: *L'Ebre és un riu amb un gran cabal, porta molta aigua.* **3** *Potser et criticaran, però tu no n'has de **fer cabal*** fer cas.

cabalós cabalosa cabalosos cabaloses *adj* Que té molt cabal d'aigua: *L'Ebre és un riu cabalós.*

cabana cabanes *nom f* Cabanya.

cabanya cabanyes *nom f* Casa petita feta amb fusta, terra, fang, etc.

cabaret cabarets *nom m* Lloc on el públic pren begudes i mira espectacles: *La cantant actuava cada nit al cabaret.*

cabàs cabassos *nom m* **1** Recipient més aviat gros fet de vímet, roba, lona, plàstic, etc., amb dues nanses per a poder-lo agafar amb la mà i que serveix per a transportar coses. **2 fer-ne una com un cabàs** Fer una cosa dolenta, equivocar-se, fer el ridícul, etc. **3** *Us explicaré **un cas com un cabàs*** un fet curiós, extraordinari, poc corrent, estrany.

cabàs

cabdal cabdals *adj* Principal, molt important: *L'onze de setembre de 1714 és una data d'una importància cabdal en la història de Catalunya.*

cabdell cabdells *nom m* Bola que resulta d'haver enrotllat un fil sobre ell mateix: *Per a fer aquest jersei, necessitaré sis cabdells de llana.*

cabdellar *v* Enrotllar un fil formant un cabdell: *Després de fer volar l'estel, vam haver de tornar a cabdellar el fil.*
Es conjuga com *cantar.*

cabdill cabdills *nom m* Persona que dirigeix i mana un grup, una banda de gent armada, un exèrcit, etc.

cabeça cabeces *nom f* **1** Conjunt de grans d'all que van junts. **2** Bulb.

cabell cabells *nom m* **1** Cadascun dels pèls que les persones tenim al cap: *En Ramon té molts cabells al cap i poc pèl a la barba.* **2 estirar-se els cabells** Penedir-se molt d'haver fet alguna cosa: *No havia volgut anar a l'excursió i, quan va veure que els seus companys marxaven tan contents, ell s'estirava els cabells i li sabia molt de greu d'haver dit que no.* **3 cabell d'àngel** Confitura en forma de cabells o fils, que es fa amb carbassa i sucre.

cabellera cabelleres *nom f* Conjunt de cabells d'una persona.

cabellut cabelluda cabelluts cabelludes *adj* **1** Que té molts cabells. **2 cuir cabellut** Pell del cap on neixen els cabells.

caber *v* Mira **cabre**.
Es conjuga com *cabre.* Infinitiu: *cabre* o *caber.*

cabestrell cabestrells *nom m* Embenat que es penja del coll i que serveix per a aguantar una mà o un braç ferit o malalt.

cabina cabines *nom f* Espai petit i tancat que pot servir per a telefonar, canviar-se de roba, etc.; en els avions, vaixells, camions, etc., lloc on va el pilot o el conductor.

cabirol cabirola cabirols cabiroles *nom m i f* Animal semblant al cérvol, però més petit i molt ràpid.

cable cables *nom m* Conjunt de fils de metall enrotllats que formen una mena de corda molt resistent: *El cable elèctric.* ▪ *Els cables d'un vaixell.*

cabòria cabòries *nom f* Preocupació, pessimisme que no té raó de ser.

cabota cabotes *nom f* **1** Extrem més gruixut d'un clau o d'un cargol. **2** *Aquell noi és molt tossut i hi ha vegades que sembla que* **vulgui fer entrar el clau per la cabota** : voler tenir raó sigui com sigui, encara que les coses demostrin el contrari.

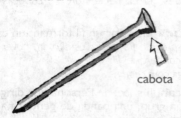

cabota

cabotatge cabotatges *nom m* Sistema de navegar que consisteix a anar de port a port sense allunyar-se de la costa: *Un vaixell de cabotatge, que va de Tarragona a Barcelona seguint la costa.*

cabra cabres *nom f* **1** Animal mamífer de pèl llarg i amb banyes corbades cap enrere que ens dóna llet i formatge. **2** *Aquell noi està* **boig com una cabra** : es diu d'una persona molt alegre i moguda, que fa bestieses, bromes, etc.

cabre *v* **1** Poder ser ficada una cosa dins una altra: *En aquesta ampolla hi caben dos litres d'aigua.* **2 no cabre a la pell d'alegria** Estar molt content per una cosa. **3 no cabre al cap** No poder entendre que passi una cosa: *No em cap al cap que gosés dir tantes mentides.* La conjugació de *cabre* és a la pàg. 830.

cabriola cabrioles *nom f* Salt, sobretot quan s'encreuen les cames i els peus quan s'és enlaire.

cabrit cabrits *nom m* Fill de la cabra.

cabró cabrons *nom m* **1** Mascle de la cabra, boc. **2** Paraula que s'utilitza com a insult contra una persona.

cabrum **1** *nom m* Conjunt de cabres, bocs i cabrits. **2** *adj* Que està relacionat amb les cabres, els bocs i els cabrits: *Bestiar cabrum.*

cabuda cabudes *nom f* Capacitat d'un recipient, d'un local, etc.: *Aquesta sala té molta cabuda, hi caben cinc-centes persones assegudes.*

cabussar-se *v* Mira **capbussar-se** . Es conjuga com *cantar.*

cabussó cabussons *nom m* Mira **capbussó** .

cabut cabuda cabuts cabudes *adj* **1** Que té el cap gros. **2** Tossut.

caca caques *nom f* Allò que no aprofitem dels aliments que mengem i que el nostre cos llença a fora, merda; cosa bruta, brutícia: *Es va fer caca a les calces i feia molta pudor.*

caça caces *nom f* Acció de caçar; animals que s'han caçat.

caçador caçadora caçadors caçadores *adj* i *nom m* i *f* Que caça.

caçadora caçadores *nom f* Peça de vestir amb mànigues que arriba fins a la cintura i que es posa sobre la camisa o el jersei.

caçapapallones uns caçapapallones *nom m* Estri que serveix per a caçar papallones consistent en un pal que acaba amb una xarxa col·locada al voltant d'un cèrcol.

caçar *v* Perseguir els animals per agafar-los o matar-los: *Va agafar l'escopeta i el sarró i se'n va anar a caçar conills.* Es conjuga com *cantar*. S'escriu ç davant de *a, o, u* i *c* davant de *e, i: caço, caces.*

cacatua cacatues *nom f* Nom de diversos ocells de plomes vistoses i brillants, que tenen el cap adornat per unes grans plomes mòbils, originaris d'Oceania.

cacau cacaus *nom m* **1** Arbre tropical de flors petites, blanques o rosades, que produeix un fruit en forma de gra amb el qual es fa la xocolata. **2** Fruit comestible del cacau amb el qual es fa la xocolata. **3** *Quan el professor va donar les notes, a la classe hi va haver molt cacau:* desordre, conflicte, problema, embolic.

cacauet cacauets *nom m* **1** Planta herbàcia anual de flors grogues que produeix un fruit que madura sota terra. **2** Fruita seca del cacauet, molt apreciada pel seu gust. **5**

cacera caceres *nom f* Acció d'anar a caçar un caçador o una colla de caçadors.

cacic cacics *nom m* Persona important que té molta influència en l'economia i en la política d'un poble o d'una comarca, de manera que tothom acaba fent el que ella vol.

caco- Element amb què comencen algunes paraules i que vol dir "dolent": *Una frase cacofònica és una frase que sona malament perquè té molts sons que es repeteixen.*

cactus uns cactus *nom m* Planta que té moltes espines i necessita molt poca aigua per a viure.

cada adj **1** Paraula que serveix per a referir-se separadament a totes les coses que formen part d'un mateix conjunt: *Una hora té 60 minuts, cada minut té 60 segons.* **2** *Cada dia comencem la classe a les nou:* tots els dies. **3** cada un Cadascun. **4** cada u Cadascú.

cadafal cadafals nom m Plataforma alta feta amb fusta que serveix per a fer-hi espectacles; abans, plataforma on s'executava un condemnat a mort.

cadascú pron Tota persona: *Cadascú és lliure de fer el que vulgui mentre no perjudiqui els altres.*

cadascun cadascuna adj Es diu de tota persona o de tota cosa de les que formen part d'un grup o d'un conjunt: *Van regalar un llapis a cadascun dels nens de la classe.* ■ *Cadascuna de les professores pensava diferent.*

cadàver cadàvers nom m Cos mort d'una persona o d'un animal.

cadavèric cadavèrica cadavèrics cadavèriques adj Que té un aspecte de cadàver: *La malaltia l'ha deixat amb una cara cadavèrica, molt blanca i molt prima.*

cadell cadells nom m Fill petit del gos, del llop, del lleó, de l'ós i d'altres animals mamífers: *La gossa ha parit i ha tingut sis cadells.*

cadell

cadellar v Parir una gossa, una lloba, etc.: *La gossa ha cadellat i ara tenim sis gossets petits.* Es conjuga com *cantar.*

cadena cadenes nom f **1** Conjunt d'anelles unides les unes amb les altres: *S'ha embrutat amb la cadena de la bicicleta.* **2** cadena de muntanyes Sèrie de muntanyes enganxades i amb característiques comunes. **3** *A la carretera hi va haver tres accidents en cadena:* l'un darrere de l'altre. **4** treball en cadena Sistema de treball en equip en què cada treballador fa una part de la feina, que és continuada per un altre, i després per un altre, i així fins al final.

cadenat cadenats nom m Tanca que es pot col·locar en una caixa, en un armari, en una porta, etc.

cadenat

cadernera caderneres nom f Ocell de plomes fosques, amb una taca vermella al cap, molt apreciat pel seu cant.

cadira cadires nom f **1** Seient amb respatller per a una persona sola: *El nen seia en una cadira petita.* **2** cadira de rodes Cadira de braços, amb rodes, que serveix perquè persones malaltes o que no poden caminar puguin seure-hi i traslladar-se d'un lloc a un altre. **3** *En Pere i en Pau es barallaven al mig de la classe: n'hi havia per a llogar-hi cadires:* era una cosa sorprenent, increïble, digna de veure.

cadiraire cadiraires nom m i f Persona que fa, que arregla o que ven cadires.

caduc caduca caducs caduques adj **1** Es diu de les fulles que a la tardor cauen dels arbres: *El plàtan és un arbre de fulla caduca, a la tardor li cauen les fulles.* **2** Es diu d'una cosa que s'ha gastat, que s'ha fet vella.

caducar v Fer-se vella una cosa: *Molts aliments porten marcada la data que caduquen.* Es conjuga com *cantar.* S'escriu c davant de a, o, u i qu davant de e, i: caduco, caduques.

caducifoli caducifòlia caducifolis caducifòlies adj Es diu dels vegetals que perden les fulles a la tardor.

caducitat caducitats nom f Fet de caducar una cosa: *Quan compris un aliment mira la data de caducitat que hi ha gravada a l'envàs, és a dir, mira fins quin dia pot ser consumit.*

cafè cafès nom m **1** Arbre de fulles persistents de color verd fosc, flors blanques i oloroses i fruits de la mida d'una cirera; amb els grans de la llavor es prepara una beguda anomenada també cafè. **2** Beguda que s'obté fent passar aigua calenta a través de la pols dels grans de cafè torrats: *Després de dinar, prendrem cafè.* **3** Establiment on se serveixen cafès, pastes, entrepans i altres begudes, cafeteria.

cafetera cafeteres nom f Recipient que serveix per a fer o per a portar el cafè.

cafeteria cafeteries nom f Lloc on se serveixen cafès, pastes, entrepans i altres begudes; bar.

cafre cafres adj i nom m i f Es diu d'una persona brutal, violenta.

cagadubtes uns/unes cagadubtes nom m i f Persona que sempre dubta, que no acaba mai de decidir-se a fer una cosa o una altra, que té por de prendre una decisió.

cagalló cagallons nom m Bola petita i dura de caca d'un animal.

caganer caganera caganers caganeres **1** adj Que caga sovint. **2** adj i nom m i f Es diu dels infants petits, fins a tres anys. **3** nom m i f Figura del pessebre que representa una persona que està cagant.

caganiu caganius nom m i f Ocellet més petit d'un niu o nen més petit d'una casa: En Manel és el caganiu de la família, només té tres mesos.

cagar v **1** Fer caca, anar de ventre, defecar. **2** cagar-la Equivocar-se, fer un disbarat. **3** cagar-se a les calces Deixar de fer una cosa per por.
Es conjuga com cantar. S'escriu g davant de a, o, u i gu davant de e, i: cago, cagues.

cagarada cagarades nom f Massa d'excrements expel·lits per una persona o un animal.

cagarro cagarros nom m Tros de caca de forma cilíndrica i allargada.

caiac caiacs nom m **1** Barca estreta i punxeguda que fan servir els esquimals. **2** Canoa esportiva totalment coberta amb un o més forats on es col·loquen els remers.

caiguda caigudes nom f Acció de caure algú o alguna cosa: Encara es veu la marca que va fer la caiguda de l'avió en aquell bosc.

caiman caimans nom m Animal rèptil de color verd, potes curtes i cua i cos llarg, boca molt grossa i pell dura, que camina a poc a poc, neda molt bé i viu a les vores dels rius, a les selves d'Amèrica.

caire caires nom m **1** Punta de l'angle que formen dues superfícies d'un cos: Els caires d'una taula. **2** Aspecte d'una cosa: El cel no té gaire bon caire, em sembla que plourà.

caixa caixes nom f **1** Recipient gros, quadrat o rectangular, generalment de fusta, de metall, etc., amb tapa, que serveix per a guardar o transportar objectes: Una caixa de taronges. **2** Part d'un camió que conté la càrrega. **3** Lloc d'una botiga, d'un banc, etc., on es fan els pagaments i els cobraments: Hem d'anar a pagar a caixa. **4** caixa de morts Caixa on es posen els morts per enterrar-los, taüt. **5** caixa enregistradora Aparell que serveix per a comptar i enregistrar el valor de les vendes i guardar-hi els diners que es fan en un establiment. **6** caixa forta o caixa de cabals Caixa on es guarden diners o objectes de valor. **7** caixa d'estalvis Establiment semblant a un banc, on es guarden i es deixen diners, però que ha de destinar part dels beneficis a fer obres socials. **8** caixa toràcica Cavitat buida que hi ha a l'interior del tòrax. 15

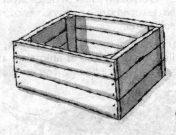

caixa

caixer caixera caixers caixeres **1** nom m i f Persona que treballa a la caixa d'una botiga, d'un restaurant, d'un banc, etc. i que s'encarrega de cobrar i de pagar diners. **2** caixer automàtic Màquina que hi ha als bancs i a les caixes d'estalvis i que serveix per a treure'n o ingressar-hi diners.

caixó caixons nom m Caixa petita amb tapa o sense: Endreça les joguines en aquell caixó d'allà terra.

cal cals Contracció de la paraula ca[1] i de l'article el o els: Diumenge vam anar a dinar a cals avis.

cala cales nom f Petita entrada del mar enmig d'una costa rocosa o brava formant una platgeta.

calabós calabossos nom m Habitació on es tanquen els presos en una comissaria de policia, en un castell, etc.

calabruix calabruixos *nom m* Calamarsa, grans petits de glaç que cauen en forma de pluja.

calaix calaixos *nom m* Part d'un moble que, estirant-la, surt enfora i que serveix per a guardar-hi coses: *Al calaix de la tauleta de nit hi guardo els mocadors.*

calaixera calaixeres *nom f* Moble que té molts calaixos i que serveix per a desar-hi roba, vestits, etc.

calamar calamars *nom m* Animal marí de cos en forma de fus, que té deu potes al cap i és molt apreciat com a aliment.

calamars els calamars o calamarsos *nom m* Mira **calamar**.

calamarsa calamarses *nom f* Conjunt de grans petits de glaç que cauen en forma de pluja: *La calamarsa és dolenta per a l'agricultura perquè aixafa les plantes dels camps.*

calamarsada calamarsades *nom f* Caiguda de calamarsa.

calamitat calamitats *nom f* **1** Desgràcia que afecta força gent: *La inundació ha sigut una calamitat.* **2** Es diu d'una persona que ho fa tot malament: *Aquest nen és una calamitat, tot el dia fa malifetes.*

calàndria calàndries *nom f* Ocell de color groc, amb el bec llarg i fort, que té un cant molt bonic.

calàpet calàpets *nom m* Gripau.

calar *v* **1** Travessar una cosa: *La pluja li calava la roba prima que portava.* **2** calar foc Fer que cremi una cosa: *Uns delinqüents van calar foc al bosc.*
Es conjuga com *cantar.*

calavera calaveres *nom f* Ossos del cap d'una persona.

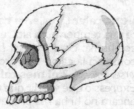

calavera

calb calba calbs calbes *adj* i *nom m* i *f* Que no té cabells al cap, cap pelat.

calba calbes *nom f* Part del cap que ha quedat sense cabells: *Li cauen els cabells i se li veu una gran calba.*

calc calcs *nom m* **1** Acció de calcar. **2** Dibuix que s'aconsegueix calcant-ne un altre d'original, còpia.

calç calçs *nom f* Substància blanca que es fa servir barrejada amb l'aigua per a la construcció d'edificis.

calça calces *nom f* **1** Mitja. **2** fer calça Fer mitja.

calçada calçades *nom f* Part d'una carretera o d'un carrer que queda entre les voreres, destinada a la circulació de vehicles.

calçador calçadors *nom m* Estri en forma de pala petita i corbada que ajuda a ficar el peu dins de la sabata.

calcani calcanis *nom m* Os del tars que en les persones forma el taló del peu. **15**

calcar *v* **1** Copiar un dibuix posant un full transparent sobre el full on hi ha el dibuix que es vol copiar i resseguint-lo després amb un llapis. **2** Imitar, copiar.
Es conjuga com *cantar.* S'escriu *c* davant de *a, o, u* i *qu* davant de *e, i*: *calco, calques.*

calcari calcària calcaris calcàries *adj* **1** Que conté carbonat de calci. **2** roca calcària Roca que conté més d'un 50% de carbonat de calci.

calçar-se *v* **1** Posar-se les sabates, les espardenyes, etc.: *Si vols córrer per aquí calça't, que si no et faràs mal al peu.* **2** calçar Posar les sabates o el calçat a algú: *La mare va calçar el nen petit.* **3** Tenir el peu d'una mida determinada: *En Martí calça un trenta-nou.*
Es conjuga com *cantar.* S'escriu *ç* davant de *a, o, u* i *c* davant de *e, i*: *calço, calces.*

calçasses uns calçasses *nom m* Home que es deixa dominar per la seva dona.

calçat calçats *nom m* Cadascuna de les coses que fem servir per a cobrir i protegir els peus quan caminem: *En aquella botiga hi havia tot tipus de calçat: sabates, espardenyes, botes, etc.*

calces *nom f pl* **1** Peça de roba interior que porten les nenes i les dones que cobreix la part del cos que va des de la cintura fins al capdamunt de les cuixes. **2** Pantalons: *Aquell home porta unes calces de vellut.*

calcetes *nom f pl* Calces 1.

calcetí calcetins *nom m* Mitjó.

calci calcis *nom m* Metall blanc i tou que s'altera quan entra en contacte amb l'aire i crema amb una flama brillant: *La llet i el formatge porten calci, que va bé per als ossos.*

calcigar *v* Trepitjar: *Els cavalls han calcigat el jardí.*
Es conjuga com *cantar.* S'escriu *g* davant de *a, o, u* i *gu* davant de *e, i: calcigo, calcigues.*

calcinar *v* Cremar una cosa fins a deixar-la convertida en cendra: *L'incendi va calcinar una gran extensió de pins i matolls.*
Es conjuga com *cantar.*

calcomania calcomanies *nom f* Dibuix que es pot separar d'un paper i que es pot enganxar en un altre lloc.

calçot calçots *nom m* Ceba blanca conreada d'una forma especial que es cou al caliu i es menja acompanyada d'una salsa.

calçotada calçotades *nom f* Menjada de calçots acompanyats d'una salsa especial.

calçotets *nom m pl* Peça de roba interior que porten els nois i els homes que cobreix la part del cos que va des de la cintura fins al capdamunt de les cuixes.

càlcul càlculs *nom m* Acció de calcular, de comptar: *Som sis i cada persona ha de pagar setanta cèntims d'entrada; fes el càlcul i digues quant costarà tot plegat.*

calculadora calculadores *nom f* Aparell electrònic que serveix per a fer operacions matemàtiques com ara la suma, la resta, la multiplicació, la divisió, etc.

calcular *v* **1** Comptar, determinar un valor matemàtic: *He calculat que si un llapis val vint cèntims, quinze llapis valdran tres euros.* **2** Preveure, suposar una cosa: *Calculo que aquesta habitació deu fer 20 metres quadrats, perquè és una mica més gran que la meva, que en fa 17.*
Es conjuga com *cantar.*

calda caldes *nom f* Calor molt forta: *Quina calda que fa avui! Hem arribat als 35 graus de temperatura.*

caldejar *v* Escalfar un ambient: *Va encendre l'estufa elèctrica i al cap d'una estona l'habitació ja s'havia caldejat.*
Es conjuga com *cantar.* S'escriu *j* davant de *a, o, u* i *g* davant de *e, i: caldeja, caldegi.*

caldera calderes *nom f* **1** Recipient de metall gros i rodó que serveix per a escalfar aigua. **2** Estufa que escalfa l'aigua de la calefacció i la distribueix per mitjà de tubs a tots els radiadors.

calderí calderina calderins calderines **1** *nom m* i *f* Habitant de Calders, de Caldes de Malavella o de Caldes de Montbui; persona natural o procedent de Calders, de Caldes de Malavella o de Caldes de Montbui. **2** *adj* Es diu de les persones o de les coses naturals o procedents de Calders, de Caldes de Malavella o de Caldes de Montbui.

caldo caldos *nom m* Brou.

caldre *v* **1** Ser necessari: *Per estar ben informat, cal llegir el diari cada dia.* ▪ *No cal que porteu menjar, dinarem en un restaurant.* **2 una persona com cal** Educada, bona persona, treballadora, etc.
Es conjuga com *valer.* Aquest verb només s'usa en tercera persona i no té imperatiu.

calé calés *nom m* Diner.

calefacció calefaccions *nom f* Conjunt format per la caldera, els tubs i els radiadors que serveix per a escalfar una casa o un local.

calefactor calefactors *nom m* Aparell elèctric que produeix calor o aire calent i que serveix per a escalfar una habitació, un apartament, etc.

calellenc calellenca calellencs calellenques **1** *nom m* i *f* Habitant de Calella; persona natural o procedent de Calella. **2** *adj* Es diu de les persones o de les coses naturals o procedents de Calella.

calendari calendaris *nom m* **1** Sistema de dividir el temps en anys, mesos, dies, etc. **2** Gràfic dels mesos, setmanes i dies de l'any que també assenyala les festes: *Si vols saber quin dia som avui, mira-ho al calendari.*

calent calenta calents calentes *adj* **1** Que té una temperatura alta, en relació amb la del cos humà: *Un got de llet ben calenta.* **2** Que conserva la calor, que protegeix del fred: *Un jersei calent.* **3 el més calent és a l'aigüera** Expressió que vol dir que tot està per fer, que encara no hi ha res preparat.

caler *v* Mira caldre.
Es conjuga com *valer.* Aquest verb només s'usa en tercera persona i no té imperatiu.

calfred calfreds *nom m* Esgarrifança, sensació de calor i de fred al mateix temps, acompanyada de tremolor, provocada per algunes malalties, per la febre o per la por.

calibre calibres nom m Diàmetre de la part de dintre del canó d'una arma de foc o d'un projectil: Un canó molt gros, de gran calibre.

càlid càlida càlids càlides adj **1** Calorós, que hi sol fer calor: Les Canàries són unes illes càlides. **2** És una persona molt càlida: afectuosa, amable.

calidoscopi calidoscopis nom m Tub que per dintre té miralls i petits trossos de vidres de colors, de manera que es pot veure una imatge diferent cada cop que es remena.

calidoscopi

califa califes nom m Rei musulmà, que concentra els poders civil i religiós.

californià californiana californians californianes **1** nom m i f Habitant de Califòrnia; persona natural o procedent de Califòrnia. **2** adj Es diu de les persones o de les coses naturals o procedents de Califòrnia.

calipàndria calipàndries nom f Refredat fort: Quina tos!, deus haver agafat una bona calipàndria!

calitja calitges nom f Boira produïda per partícules de pols, de sal, de fum, etc. que fa que no hi hagi bona visibilitat.

caliu calius nom m **1** El que queda d'un foc quan s'ha apagat la flama i només hi ha brases i cendra. **2** Farem patates al caliu: cuites colgant-les entre les brases i la cendra.

call[1] calls nom m **1** Pas estret entre dues parets altes; carrer molt estret. **2** Nom que rep l'antic barri jueu d'algunes ciutats de Catalunya.

call[2] calls nom m Durícia que surt a la pell de les mans, dels peus o d'altres parts del cos.

callar v No parlar, no dir res, estar en silenci. Es conjuga com cantar.

callat callada callats callades adj Que no parla gaire, silenciós: Una persona callada.

cal·ligrafia cal·ligrafies nom f Manera d'escriure les lletres: La Lluïsa té un quadern per a aprendre cal·ligrafia, per aprendre a fer una lletra bonica.

cal·ligrama cal·ligrames nom m Poema en què el text està distribuït de manera que forma un dibuix relacionat amb el tema que es tracta.

callista callistes nom m i f Persona que arregla els peus de la gent, tallant-ne les ungles i traient-ne els ulls de poll.

callós callosa callosos calloses adj **1** Que té calls o durícies. **2** cos callós Làmina que uneix els dos hemisferis del cervell. █ 18

calma calmes nom f Tranquil·litat, quietud, pau, quan no hi ha moviments ni presses: Parlarem amb calma, a poc a poc. ▪ La mar està quieta, en calma.

calmant calmants **1** adj Que calma: Vam escoltar una música calmant. **2** nom m Medicament que serveix per a calmar el dolor o els nervis.

calmar v **1** Fer tornar algú o alguna cosa a l'estat de calma, de quietud, de tranquil·litat. **2** Fer disminuir un dolor. Es conjuga com cantar.

calmós calmosa calmosos calmoses adj Que està en calma, que té calma, que fa les coses sense pressa ni nervis: La Mireia és una persona molt calmosa, que no s'esvera mai ni es posa mai nerviosa.

caló calons nom m Nom que reben els diversos parlars gitanos de la península Ibèrica.

calor calors nom f Sensació que produeix una temperatura alta: Aquí dins hi fa molta calor.

calorós calorosa calorosos caloroses adj Que fa sentir calor: Un estiu molt calorós.

calúmnia calúmnies nom f Acusació falsa que es fa contra algú: Aquell senyor és molt bona persona, totes les malifetes que s'expliquen d'ell són calúmnies.

calumniar v Dir calúmnies contra algú, fer acusacions falses contra algú. Es conjuga com canviar.

calvari calvaris nom m **1** Crucifix o capella situats damunt una petita elevació que representa el Calvari, que és el nom de la muntanya on Jesucrist va morir clavat a la creu. **2** Situació difícil i dolorosa per la qual passa una persona: *La seva vida ha sigut un calvari, perquè ha patit moltes desgràcies.*

calvície calvícies *nom f* Manca de cabells al cap: *Es frega el cap amb un líquid que diuen que va bé contra la calvície, perquè torna a fer néixer els cabells.*

calze calzes *nom m* **1** Copa grossa de metall, normalment preciós, que es fa servir durant la missa per a posar-hi el vi. **2** Part de la flor formada pels sèpals.

cama cames *nom f* **1** Part del cos que va del genoll al peu; també es diu del conjunt de la cuixa i la cama: *Les botes li arriben fins a mitja cama.* ■ *Les persones tenim dues cames que ens serveixen per a caminar.* **2** *Van haver de sortir* **cames ajudeu-me**: de pressa, corrents, escapant-se. **3** *Després d'estudiar tot el matí, a la tarda vam anar a* **estirar les cames**: passejar.

camacurt camacurta camacurts camacurtes *adj* Que té les cames curtes.

camagroc camagrocs *nom m* Bolet comestible en forma d'embut, que té el barret fosc i la cama de color ataronjat.

camal camals *nom m* Cadascuna de les dues parts dels pantalons que cobreixen les cames.

camaleó camaleons *nom m* Rèptil que pot canviar el color de la pell.

camàlic camàlics *nom m* Bastaix, persona que té per ofici transportar a coll coses que pesen molt: *Els exploradors anaven acompanyats d'una colla de camàlics que transportaven les tendes i l'equipatge.*

camallarg camallarga camallargs camallargues *adj* Que té les cames llargues.

camamilla camamilles *nom f* Planta de flors grogues i oloroses amb la qual es preparen begudes que ajuden a fer la digestió i a calmar els nervis.

camarada camarades *nom m* i *f* Company, persona que comparteix la casa, la feina; paraula amb què es tracten entre ells els membres d'alguns partits polítics.

camarilla camarilles *nom f* Grup reduït de persones que es posen d'acord per influir sobre un rei o algú que té poder a fi de treure'n profit.

cama-sec cama-secs *nom m* **1** Bolet comestible que es fa als prats, tant a la tardor com a la primavera, i que és utilitzat com a condiment. **2** Nom donat a altres bolets semblants al cama-sec.

camatort camatorta camatorts camatortes *adj* Que té les cames tortes, garrell.

cambra cambres *nom f* **1** Habitació d'una casa. **2 cambra de bany** Habitació on ens banyem. **3 cambra frigorífica** Espai completament tancat que es manté fred mitjançant una màquina frigorífica i que serveix per a conservar-hi aliments o altres productes.

cambrer cambrera cambrers cambreres *nom m* i *f* Persona que serveix les begudes i els menjars en un cafè, un restaurant, un bar, etc.

cambrilenc cambrilenca cambrilencs cambrilenques **1** *nom m* i *f* Habitant de Cambrils; persona natural o procedent de Cambrils. **2** *adj* Es diu de les persones o de les coses naturals o procedents de Cambrils.

camell camella camells camelles *nom m* i *f* **1** Animal mamífer, alt i gros, de potes llargues i primes, que té un o dos geps a l'esquena i que pot aguantar llargues caminades pel desert. **2 camell comú** Camell d'un sol gep, anomenat també dromedari. **3 camell bactrià** Camell de dos geps. **4** Persona que ven droga en petites quantitats.

camell

càmera càmeres *nom f* **1** Aparell que serveix per a gravar imatges. **2 càmera cinematogràfica** Càmera que serveix per a filmar pel·lícules de cine. **3 càmera de televisió** Càmera que serveix per a gravar programes de televisió. **4 càmera de vídeo** Càmera que serveix per a gravar imatges en cintes de vídeo. **5 càmera fotogràfica** Càmera que serveix per a fer fotografies.

camerino camerinos *nom m* Habitació on un actor o una actriu es vesteix, hi descansa etc.: *Quan es va acabar la representació, l'actriu se'n va anar al camerino a canviar-se.*

càmfora càmfores *nom f* Producte que es fa servir per a combatre les arnes i evitar que es mengin la roba: *He posat a l'armari moltes boletes blanques de càmfora; així les arnes no faran malbé la roba.*

camí camins *nom m* **1** Espai que s'ha de recórrer o de caminar per anar d'un lloc a un altre: *Per anar de Barcelona a Lleida, s'ha de fer molt camí.* **2** Carretera estreta i sense asfaltar: *Aquest camí que passa pel mig del bosc va fins al poble.* **3 camí de cabres** Camí estret, que passa per llocs difícils. **4 camí de carro** Camí no gaire ample, que permet el pas dels carros: *A l'ermita s'hi arribava seguint un camí de carro.* **5 camí ral** Camí públic que, abans de la construcció de les carreteres, era una via de comunicació important. **6 fer camí** Caminar: *Per arribar-hi, vam haver de fer camí durant sis hores.* **7 desfer camí** Tornar pel mateix camí que s'ha vingut. **8 anar pel bon camí** Actuar o comportar-se correctament. **9 anar pel mal camí** Actuar o comportar-se malament. **10 obrir-se camí** Anar superant les dificultats per arribar allà on es vol: *Al començament li va costar obrir-se camí, però finalment ha triomfat i ara és un cantant famós.* **11 tots els camins duen a Roma** Hi ha diverses maneres d'arribar a aconseguir una cosa.

caminada caminades *nom f* Fet de recórrer un tros llarg caminant: *Hem anat sis quilòmetres a peu, quina caminada!*

caminant caminants *nom m i f* Persona que va a peu, que segueix un camí.

caminar *v* **1** Traslladar-se a peu d'un lloc a un altre. **2 caminar de puntetes** Caminar fent servir només la part de davant dels peus, sense que els talons toquin a terra. **3 caminar de recules** Caminar fent passos enrere.
Es conjuga com *cantar.*

caminoi caminois *nom m* Camí petit: *A la font s'hi arribava per un caminoi molt estret que la vegetació havia mig colgat.*

camió camions *nom m* **1** Vehicle gros que serveix per a transportar càrrega per carretera. **2 camió cisterna** Camió que pot transportar líquids. **3 camió de trabuc o camió bolquet** Camió que pot aixecar i trabucar la caixa per buidar la càrrega. **4 camió**
grua Camió amb una grua per a remolcar vehicles.

camioner camionera camioners camioneres *nom m i f* Persona que té per ofici conduir un camió.

camioneta camionetes *nom f* Vehicle que serveix per a portar càrrega per carretera i que és més gros que un cotxe normal, però més petit que un camió.

camisa camises *nom f* **1** Peça de vestir que cobreix des del coll fins a més avall de la cintura, que es porta damunt la pell o la samarreta, que es corda per davant i té coll i mànigues. **2 camisa de dormir** Peça de vestir ampla i llarga que es porta per anar a dormir. **3** *Ens van **aixecar la camisa**: aquell bolígraf tan car no escrivia bé*: enganyar, estafar. **4 canviar de camisa** Canviar d'idees o de partit per obtenir un benefici personal.

camiseria camiseries *nom f* Botiga o fàbrica de camises.

camiseta camisetes *nom f* Samarreta.

camp camps *nom m* **1** Terreny situat a fora dels pobles i de les ciutats que es fa servir per a conrear-hi blat, patates, etc. **2** Terreny on es practiquen alguns esports: *Un camp de futbol.* **3** *Hem de passar **camps a través**: per un lloc on no hi ha camí.* **4 a camp obert** Fora del poble, on no hi ha tanques ni bosc. **5 a camp ras** A camp obert. **6 camp de concentració** Espai tancat, amb patis i edificacions, que serveix per a empresonar-hi persones, sobretot en temps de guerra. **7 camp de batalla** Lloc on lluiten dos exèrcits. **8** *En Lluís va **fotre el camp** sense avisar*: fugir, marxar, anar-se'n.

campal Paraula que apareix en l'expressió **batalla campal**, que vol dir "batalla que té lloc a camp obert, a camp ras".

campament campaments *nom m* **1** Lloc de muntanya o de bosc on s'instal·len un grup de tendes: *Hem estat de vacances en un campament a la muntanya.* **2** Conjunt de tendes de campanya, barraques, etc. d'un exèrcit: *Els campaments dels romans estaven voltats d'una muralla de fusta.*

campana campanes *nom f* **1** Instrument musical de percussió, de metall, que té forma de vas, més ample de baix que de dalt, i que fa un so molt fort quan es fa picar per dins una peça anomenada batall. **2 campana de la cuina** Xemeneia que té forma de campana i que està col·locada sobre la cuina perquè xucli el fum i el vapor que es fan quan es cuina. **3 fer campana** No anar a l'escola un dia que s'hi ha d'anar. **4 fer la volta de campana** Fer una volta completa sobre si mateix: *El cotxe va sortir de la carretera i va fer una volta de campana.* **5 llançar les campanes al vol** Celebrar un fet amb grans demostracions d'alegria. **6 sentir tocar campanes** Haver sentit parlar d'una cosa, conèixer poc i malament una cosa: *No sabia ben bé què havia passat, només havia sentit tocar campanes.*

campanar campanars *nom m* Torre d'una església on hi ha les campanes.

campaneta campanetes *nom f* **1** Campana petita. **2** Tros petit de carn que penja de la part final del paladar, úvula. **3** Flor que té forma de campana.

campanya campanyes *nom f* **1** Conjunt d'activitats que es fan per a aconseguir una cosa: *Fan una campanya de propaganda perquè la gent vagi de vacances a la costa.* **2** Guerra: *Una campanya contra els pirates.*

campar *v* **1** Salvar d'un perill: *El vaixell s'en-fonsava i el capità va dir: "campi qui pugui", és a dir, que tothom procuri salvar-se.* **2** **campar-se-la** Anar vivint: *Aquella gent se la campa molt bé.*
Es conjuga com *cantar*.

camperol camperola camperols cam-peroles **1** *nom m* i *f* Pagès, persona que viu i que treballa al camp. **2** *adj* Es diu de tot allò relacionat amb el camp: *Una flor camperola.*

campestre campestres *adj* Que està rela-cionat amb el camp: *Anirem d'excursió als afores del poble i farem un dinar campestre.*

càmping càmpings *nom m* Terreny equipat amb diversos serveis com ara lavabos, dut-xes, piques per a rentar plats o roba, etc. on els turistes poden acampar amb tendes o caravanes.

campió campiona campions campiones *nom m* i *f* Persona o conjunt de persones que han guanyat una competició esportiva: *Un campió de natació.* ▪ *El nostre equip serà campió de bàsquet.*

campió

campionat campionats *nom m* Conjunt de proves esportives en què participen diversos equips o diversos esportistes i de les quals surt un guanyador: *Un campionat d'atletisme.*

campus uns **campus** *nom m* Extensió de terreny que inclou els edificis, els patis, els jardins i altres instal·lacions d'una universitat o d'un centre d'ensenyament superior.

camuflar *v* Dissimular, disfressar algú o alguna cosa perquè no puguin ser reco-neguts: *Van camuflar els tancs cobrint-los amb branques i fulles perquè els enemics no els veiessin.*
Es conjuga com *cantar*.

camús camusa camusos camuses *adj* Que té el nas curt i pla: *El boxejador tenia un nas camús.*

camussa camusses *nom f* **1** Isard. **2** Pell d'isard, de cabra, d'ovella, etc., de color groc clar, que ha sofert un tractament que l'ha feta molt suau i flexible: *Passaré la camussa per treure la pols dels mobles.*

can Contracció de la paraula **ca**[1] i de l'article **en**: *Avui hem anat a dinar a un restaurant ano-menat Can Jaumet.*

cana canes *nom f* Unitat de mesura de lon-gitud antiga que equival a vuit pams.

canadenc canadenca canadencs cana-denques **1** *nom m* i *f* Habitant del Canadà; persona natural o procedent del Canadà. **2** *adj* Es diu de les persones o de les coses naturals o procedents del Canadà.

canal[1] canals *nom m* **1** Riu artificial que agafa l'aigua d'un riu o d'un llac i la porta cap als camps que s'han de regar. **2** Braç de mar entre dues illes o entre una illa i el continent: *El canal de la Mànega separa Europa de les illes Britàniques.* **3** Cadascuna de les programa-cions que es poden veure en un televisor.

canal

canal² canals *nom f* Tub, conducte, especialment el que serveix per a arreplegar l'aigua de la pluja que cau per la teulada i fer-la baixar al carrer.

canalitzar *v* **1** Fer un canal perquè hi passi l'aigua provinent d'un riu, d'un torrent, etc. **2** Construir murs o parets a les vores d'un riu per fer-lo navegable o per evitar inundacions.
Es conjuga com *cantar*.

canalla canalles **1** *nom f* Conjunt d'infants, mainada, quitxalla: *La canalla es diverteix molt al circ*. **2** *nom m* Persona dolenta, capaç de fer qualsevol cosa: *És un canalla i un lladre*.

canallada canallades *nom f* **1** Grup gran de nens i nenes: *Tota la canallada del poble seguia la caravana del circ*. **2** Acció pròpia de les criatures, de la canalla. **3** Acció pròpia d'un canalla, d'una persona dolenta: *Han robat el bastó de l'àvia, quina canallada!*

canapè canapès *nom m* Petita llesca de pa amb mantega acompanyada d'un tros d'embotit, de salmó o de qualsevol altre aliment: *Els cambrers anaven passant amb plates plenes de canapès variats*.

canari¹ canària canaris canàries **1** *nom m* i *f* Habitant de les illes Canàries; persona natural o procedent de les illes Canàries. **2** *adj* Es diu de les persones o de les coses naturals o procedents de les illes Canàries.

canari² canaris *nom m* Ocell de gàbia molt conegut i generalment de color groc.

cancaneta Paraula que es fa servir en l'expressió **fer cancaneta**, que vol dir "ajudar algú a enfilar-se en un lloc fent un esglaó amb les mans, amb la cama flexionada o amb l'esquena".

cancell cancells *nom m* Espai tancat per envans i cobert per dalt que hi ha en una entrada, i que té una o més portes que comuniquen a l'interior de l'edifici.

cancel·lar *v* Anul·lar: *Per culpa de la malaltia, van haver de cancel·lar les reserves per al viatge*. Es conjuga com *cantar*.

càncer¹ *nom m* Quart signe del zodíac, també anomenat cranc: *Les persones nascudes entre el 21 de juny i el 23 de juliol són del signe de càncer*.

càncer² càncers *nom m* Malaltia molt greu que provoca l'aparició de tumors que destrueixen els òrgans del cos.

cancerigen cancerígena cancerígens cancerígenes *adj* Es diu de tot allò que pot provocar càncer: *Alguns productes químics són cancerígens*.

cancerós cancerosa cancerosos canceroses *adj* Que té càncer: *Malalts cancerosos*.

cançó cançons *nom f* Composició musical que es canta a una o a més veus i que consta de música i de lletra.

cançoner¹ cançonera cançoners cançoneres *adj* i *nom m* i *f* Es diu de la persona lenta, gandula, que triga molt a fer les coses.

cançoner² cançoners *nom m* Conjunt de cançons.

candela candeles *nom f* **1** Barreta de cera amb un fil de cotó a dintre que es pot encendre perquè faci llum. **2** Columna de glaç, de pedra, acabada en punta, que penja d'una teulada, en una cova, etc.; caramell. **3** Moc que penja del nas.

candeleta candeletes *nom f* **1** Candela petita. **2** **esperar amb candeletes** Esperar alguna cosa amb moltes ganes: *Esperem amb candeletes que arribin les vacances d'estiu per poder anar a la platja*.

candent candents *adj* Ardent, roent, que crema: *La droga és un problema candent, és a dir, un problema molt greu, que preocupa molt*.

candi Paraula que apareix en la denominació **sucre candi**, que vol dir "sucre depurat i cristal·litzat".

càndid càndida càndids càndides *adj* Innocent, sincer, fàcil d'enganyar: *Era tan càndid, que li van dir que el cavall blanc de sant Jaume era negre i s'ho va creure*.

candidat candidata candidats candidates *nom m* i *f* Cadascuna de les persones que es presenten per a aconseguir un càrrec, un premi, etc., en una elecció, en una prova, etc.: *En aquestes eleccions hi ha sis candidats a alcalde*.

c

candor candors *nom m* o *f* Sinceritat, innocència, falta de malícia: *M'agrada el candor dels infants.*

canell canells *nom m* Puny **1**.

canella canelles *nom f* Tub per on surt l'aigua en una font o en una aixeta.

canella

caneló canelons *nom m* Menjar fet amb pasta de farina de forma quadrada, que s'enrotlla i s'omple de carn, verdura, etc. i que es cobreix de salsa beixamel i es gratina al forn.

canelobre canelobres *nom m* Objecte de metall que té una columna i uns quants braços i que serveix per a aguantar espelmes, candeles, ciris, etc.

cànem cànems *nom m* Planta que es cultiva per a fer-ne fil. **5**

cangueli canguelis *nom m* Por, temor.

cangur cangurs **1***nom m* Animal mamífer propi d'Austràlia, que té les potes de davant curtes i dèbils i les de darrere llargues i fortes per a poder saltar; les femelles tenen una bossa a la panxa on porten els cangurs petits. **2** *nom m i f* Persona que vigila i cuida els infants a casa en hores que els pares no hi són: *Aquella noia algunes tardes treballa de cangur.* **3** *nom m* Peça de vestir, prima i impermeable, que s'utilitza en les excursions, que protegeix de la pluja i del fred, i que es pot plegar i guardar en una bossa.

cangur

caní canina canins canines *adj* **1** Es diu de tot allò que està relacionat amb els gossos: *Els gossos són animals canins, els gats són felins.* **2** dent canina Ullal.

caníbal caníbals *adj* i *nom m* i *f* Es diu de la persona que menja la carn d'altres persones.

canícula canícules *nom f* Període de l'estiu en què fa més calor, entre els mesos de juliol i d'agost.

canó canons *nom m* **1** Tub per on surten els projectils d'una arma de foc com ara un fusell, una escopeta, una pistola, etc.: *Una escopeta de dos canons.* **2** Arma pesada que dispara bombes a gran distància. **3** Tub per on passa aigua, gas, etc. **4 a boca de canó** Tocant amb el canó de l'arma l'objecte contra el qual es dispara: *Li van disparar un tret a l'esquena a boca de canó.*

canoa canoes *nom f* Embarcació petita, lleugera, de forma allargada i acabada en puntes.

canonada canonades *nom f* **1** Tret d'un canó: *El canó va disparar tres canonades.* **2** Tub, conducte per on circulen líquids: *S'ha rebentat la canonada de l'aigua i el pis ha quedat inundat.*

canonge canonges *nom m* Capellà que està al servei d'una catedral.

canonitzar *v* Fer sant o santa una persona: *Santa Joaquima de Vedruna va ser canonitzada pel Papa Joan xxiii l'any 1959.*
Es conjuga com *cantar*.

canovellí canovellina canovellins canovellines **1** *nom m i f* Habitant de Canovelles; persona natural o procedent de Canovelles. **2** *adj* Es diu de les persones o de les coses naturals o procedents de Canovelles.

cansalada cansalades *nom f* **1** Aliment, part greixosa del porc que hi ha entre la pell i la carn: *Per esmorzar, cada dia menja dos ous ferrats i un tall de cansalada.* **2 suar la cansalada** Fer grans esforços per aconseguir una cosa, suar molt.

cansaladeria cansaladeries *nom f* Botiga on es ven carn de porc, botifarres, pernils, cansalada, etc.

cansament cansaments *nom m* **1** Acció de cansar-se, de quedar sense força. **2** Molèstia, avorriment que ens produeix una cosa que no ens agrada.

cansar-se *v* **1** Quedar-se sense força a causa d'un esforç, d'un treball, etc.: *Vam pujar la muntanya i vam cansar-nos molt.* **2 cansar** Molestar, avorrir, no agradar: *Aquesta pel·lícula cansa.*
Es conjuga com *cantar*.

cansat cansada cansats cansades *adj* **1** Fatigat: *He treballat molt i estic cansat.* **2** Que produeix cansament: *Estudiar és una feina molt cansada!*

cant cants *nom m* **1** Art de cantar, acció de cantar: *La Miquela estudia cant.* ■ *M'agrada escoltar el cant dels ocells.* **2** Cançó.

cantàbric cantàbrica cantàbrics cantàbriques *adj* Que està relacionat amb la regió de Cantàbria.

cantador cantadora cantadors cantadores *adj* Que canta, que sap cantar, que li agrada cantar: *El rossinyol és un ocell molt cantador.*

cantaire cantaires **1** *adj* Que canta: *Un ocell molt cantaire.* **2** *nom m* i *f* Persona que canta: *Els cantaires d'una coral.*

cantant cantants *nom m* i *f* Persona que canta en un teatre, en un concert, en un grup de música, etc.

cantar *v* **1** Pronunciar sons o paraules seguint un ritme, una música. **2** *Primer no volia dir res, però l'hem fet xerrar i* **ho ha cantat tot**: ho ha explicat tot. **3** **cantar com una calàndria** Cantar molt bé. **4** **cantar victòria** Considerar-se vencedor: *Quan va fer el tercer gol, l'equip visitant ja va cantar victòria.*
La conjugació de *cantar* és a la pàg. 831.

cantarella cantarelles *nom f* Música que fa la veu en el parlar d'una determinada zona: *M'agrada la cantarella de la manera de parlar de la gent d'aquesta comarca.*

cantautor cantautora cantautors cantautores *nom m* i *f* Cantant que compon ell mateix les cançons que canta.

cantell cantells *nom m* Cara estreta d'un objecte: *En Salvador sap fer aguantar una moneda de cantell.*

cantellut cantelluda cantelluts cantelludes *adj* **1** Que fa cantell: *Es va fer mal a la mà perquè va repenjar-se en una pedra cantelluda.* **2** Es diu d'una persona difícil de tractar, o d'una cosa aspra o difícil: *Aquest noi no és gens amable, més aviat és molt cantellut perquè quan li fas una pregunta sembla que s'enfadi.*

cànter cànters *nom m* Càntir.

càntic càntics *nom m* Cant; poema.

cantimplora cantimplores *nom f* Recipient per a portar aigua quan es va d'excursió.

cantina cantines *nom f* Bar que hi ha en una estació, en una caserna, etc. on se serveixen begudes i menjar.

càntir càntirs *nom m* Recipient ample de dalt i estret de baix, amb dos forats o brocs, un de gros per a ficar-hi l'aigua i un de petit per a beure.

càntir

cantó cantons *nom m* **1** Lloc a prop d'on es troben dos costats d'un objecte, d'una habitació: *En un cantó de la taula hi havia un telèfon.* **2** Banda, costat: *La carnisseria és en aquest cantó del carrer.* **3** **quatre cantons** Punt on es troben dos carrers. **4** **els quatre cantons** Joc infantil en què quatre jugadors ocupen els quatre cantons d'un espai quadrat i es van canviant de lloc ràpidament, tot procurant que un cinquè jugador, situat al centre del quadrat, no pugui ocupar cap dels cantons.

cantonada cantonades *nom f* Angle que formen dues parets quan es troben dos carrers: *La Mercè viu en aquell edifici que fa cantonada.*

cantussejar *v* Cantar en veu no gaire alta: *El paleta cantussejava mentre treballava.*
Es conjuga com *cantar.* S'escriu *j* davant de *a, o, u* i *g* davant de *e, i: cantussejo, cantusseges.*

canvi canvis *nom f* **1** Acció de canviar: *Demà fem el canvi de pis.* **2** Quantitat de diners que ens han de tornar quan paguem una cosa amb un bitllet o una moneda d'un valor superior al que ens demanen: *He pagat amb una moneda d'un euro i m'han de tornar vuitanta cèntims de canvi, perquè el caramel que he comprat només en valia vint.* **3** **canvi de marxes** Mecanisme que permet augmentar o reduir la velocitat dels cotxes, de les motos, etc. **4** *Ahir va ploure i avui,* **en canvi**, *ha fet un bon sol:* avui, al contrari d'ahir, ha fet bon temps.

canviar *v* **1** Treure alguna cosa del lloc on és i posar-n'hi una altra: *La roda del cotxe es va rebentar i la van haver de canviar.* **2** Transformar, transformar-se una persona o una cosa: *Aquest nen ha canviat molt en un any, ha crescut molt.* **3**

Donar una cosa a una persona i rebre d'ella una altra cosa: *En Jordi i en Miquel es canvien els cromos repetits.*
La conjugació de *canviar* és a la pàg. 831.

canya canyes *nom f* **1** Planta de fulla sempre verda amb una tija alta, recta i forta. **2 canya de sucre** Canya que té la tija plena d'un teixit sucós i dolç, del qual es treu sucre. **3 canya de pescar** Instrument que serveix per a pescar al riu o al mar, té forma de pal que porta un fil acabat amb un ham on es posa l'esquer perquè els peixos hi quedin enganxats.

canyar canyars *nom m* Lloc ple de canyes.

canyella[1] canyelles *nom f* Substància aromàtica que s'extreu de l'escorça d'un petit arbre anomenat canyeller i que es fa servir per a donar més gust a alguns menjars: *A la crema s'hi sol posar canyella perquè sigui més gustosa.*

canyella[2] canyelles *nom f* Part de davant de la cama, que va del genoll al peu.

canyet canyets *nom m* Lloc on són llençades o enterrades les bèsties mortes.

caos uns caos *nom m* Confusió, desordre: *Es van espatllar els semàfors i hi va haver un caos de circulació.*

caòtic caòtica caòtics caòtiques *adj* Que és un caos, que no té ordre ni organització: *L'organització de la festa va ser caòtica, res no va funcionar bé.*

cap[1] *adj* Paraula que vol dir "algun" en frases interrogatives i condicionals o bé el contrari de "algun" en frases negatives: *No teniu cap llapis per deixar-me? —Si en tinguéssim cap te'l deixaríem, però no en tenim cap.*

cap[2] caps **1** *nom m* Part de dalt de tot del cos de la persona i de molts animals on hi ha la boca, el nas, els ulls i les orelles. **2** *nom m* i *f* Persona que mana, dirigeix o és responsable d'un grup de gent: *En Marcel és el cap de la seva colla, els altres sempre fan el que ell diu.* **3** *nom m* Intel·ligència: *Aquest noi té molt cap, és molt intel·ligent.* **4** *nom m* Tros de terra que es fica dins del mar. **5** *nom m* Part anterior o principi d'una cosa, d'un conjunt, per oposició a la cua, final. **6 cap d'any** Primer dia de l'any. **7 cap de setmana** Dissabte i diumenge. **8 cap de turc** Persona a la qual s'acusa d'haver fet una cosa que en

realitat no ha fet. **9 cap pelat** Persona que no té cabells al cap, calb. **10 de cap a peus** De dalt a baix, completament: *Em va mirar de cap a peus.* **11 fer un cop de cap** Prendre una decisió: *Vam fer un cop de cap i vam decidir comprar un cotxe nou.* **12 no tenir ni cap ni peus** Ser un disbarat, no tenir sentit: *Això que dius és una bestiesa, no té ni cap ni peus.* **13 pujar al cap** Produir efecte una beguda alcohòlica: *He begut massa vi i ara em puja al cap.* **14 pujar els fums al cap** Creure's molt important per haver aconseguit un èxit, un càrrec, etc. **15 tants caps tants barrets** Expressió que vol dir que existeixen tantes opinions o maneres de pensar com persones hi ha. **16 treure el cap** Començar a deixar-se veure una cosa: *El sol començava a treure el cap.* **17 anar-se'n** o **fugir del cap** Oblidar-se d'alguna cosa: *Volia dir-vos una cosa, però se me n'ha anat del cap i ara no sé què era.* **18 ballar pel cap** Recordar-se una mica d'una cosa. **19 trencar-se el cap** Esforçar-se molt pensant sobre una cosa o estudiant. **20 cap de pardals** o **cap de trons** Persona eixelebrada, amb poc seny. **21 inflar el cap** Influir sobre l'opinió d'algú explicant-li coses falses o exageracions. **22 passar pel cap** Acudir-se alguna cosa a algú: *M'ha passat pel cap de venir-te a veure.* **23 treure del cap** Fer que algú deixi de creure o de voler una cosa: *Volia comprar-se un vestit molt lleig, però al final vam aconseguir treure-li la idea del cap.* **24 de cap i de nou** Una altra vegada i des del començament: *Hem hagut de tornar a fer el dibuix de cap i de nou.* **25 al cap de** Al final d'un espai de temps: *Va sortir a les onze i va tornar al cap de mitja hora, a dos quarts de dotze.* **26 al cap i a la fi** Després de tot: *Vam passar moltes aventures, però al cap i a la fi tot va sortir bé.* **27 de cap a cap** Totalment, d'un extrem a l'altre, d'una punta a l'altra: *He llegit el llibre de cap a cap en una tarda.* **28 pel cap alt** A tot estirar, com a màxim: *En aquesta aula pel cap alt hi caben quaranta persones.* **29 pel cap baix** Almenys, com a mínim: *A la festa hi van anar trenta persones pel cap baix.* **30 lligar caps** Relacionar els diversos aspectes d'un problema o d'un fet: *La pel·lícula era molt complicada, però al final vaig lligar caps i la vaig entendre.*

cap a *prep* **1** En direcció a: *Anem cap a Barcelona.* **2** Aproximadament: *Sortim de* *l'escola a les dotze i cap a dos quarts d'una serem a casa.*

capa capes *nom f* **1** Peça de vestir llarga, sense mànigues i oberta per davant, que es porta tirada a les espatlles i cobrint el vestit. **2** Substància o matèria que cobreix o tapa una altra substància o matèria: *A damunt de les teulades hi ha una capa de neu molt gruixuda.*

capa

capaç capaços capaces *adj* Es diu d'algú que pot fer una cosa: *La Rosa és tan forta, que és capaç d'aixecar una pedra de 100 quilos.*

capacitat capacitats *nom f* **1** Cabuda d'un recipient, d'un local, etc.: *Aquest cine té una capacitat per a dues mil persones.* **2** Intel·ligència, força, ganes, etc. que fan possible que una persona pugui fer una cosa: *Aquell noi té molta capacitat per a les matemàtiques.*

capar *v* Castrar, eliminar o inutilitzar els òrgans reproductors d'una persona o d'un animal. Es conjuga com *cantar.*

caparra caparres *nom f* Mal de cap: *Estic refredat i tinc molta caparra.*

caparró caparrons *nom m* Cap petit: *Aquest nen petit té un caparró molt eixerit, mira com el mou!*

caparrut caparruda caparruts caparrudes *adj* Tossut: *És molt caparrut, no el faràs pas canviar d'opinió.*

capatàs capatassa capatassos capatasses *nom m i f* Persona que dirigeix una colla de treballadors: *L'amo va parlar amb la capatassa i li va dir que digués als altres treballadors que havien d'anar més de pressa a fer la feina.*

capbaix capbaixa capbaixos capbaixes *adj* Es diu d'algú que va amb el cap baix, inclinat cap endavant, perquè està trist o preocupat.

capbussar-se *v* Tirar-se de cap a l'aigua, ficar-se sota l'aigua. Es conjuga com *cantar.*

capbussó capbussons *nom m* **1** Fet de tirar-se de cap dins l'aigua. **2** Tombarella, capgirell.

capçada capçades *nom f* Conjunt de les branques i les fulles d'un arbre: *Aquell arbre tenia una gran capçada i feia molta ombra.*

capçal capçals *nom m* Part de dalt del llit, on hi ha el coixí.

capçalera capçaleres *nom f* **1** Barana o post que hi ha al cap del llit. **2** Tot allò que és a la part superior d'una cosa: *La capçalera de la carta deia: "Estimat amic…"* **3 metge de capçalera** Metge habitual d'una persona o d'una família.

capcinada capcinades *nom f* Moviment que fa amb el cap una persona a qui ve un atac de son: *Havent dinat, mentre mirava la televisió, em va venir son i vaig fer unes quantes capcinades.*

capcinès capcinesa capcinesos capcineses **1** *nom m i f* Habitant del Capcir; persona natural o procedent del Capcir. **2** *adj* Es diu de les persones o de les coses naturals o procedents del Capcir. **3** *nom m* Manera de parlar el català pròpia del Capcir.

capciós capciosa capciosos capcioses *adj* Que és fet o dit amb habilitat amb l'objectiu d'enganyar algú: *Em va fer algunes preguntes capcioses, perquè volia fer-me equivocar davant de tothom.*

capcot capcota capcots capcotes *adj* Capbaix.

capdamunt 1 Paraula que apareix en l'expressió **al capdamunt**, que vol dir "a dalt de tot, al cim, a la part superior d'una cosa": *El gat es va enfilar al capdamunt del pal.* ■ *La Sandra viu al capdamunt del carrer.* **2 estar-ne fins al capdamunt** Estar tip, cansat d'algú o d'alguna cosa.

capdavall 1 Paraula que apareix en l'expressió **al capdavall**, que vol dir "a baix de tot, al fons de tot, a la part inferior d'una cosa": *La pedra va caure al capdavall del pou.* ■ *En Jesús viu al capdavall del carrer.* **2** *Al capdavall no va passar res:* al final, finalment.

capdavant Paraula que apareix en l'expressió **al capdavant**, que vol dir "al davant de tot": *Al capdavant de la fila hi anava el mestre.*

capdavanter capdavantera capdavanters capdavanteres *adj i nom m i f* **Que va al capdavant, en primer lloc:** *El Japó és un dels països capdavanters del creixement econòmic.*

capejar *v* **1** **Fer moviments amb el cap:** *Els cavalls capegen molt.* **2 capejar un temporal** **Maniobrar una embarcació per resistir un temporal.**
Es conjuga com *cantar*. S'escriu *j* davant de *a, o, u* i *g* davant de *e, i*: *capeja, capegi.*

capell capells *nom m* **Barret.**

capella capelles *nom f* **Local petit on hi ha un altar i que serveix per a fer-hi actes religiosos.**

capellà capellans *nom m* **1** **Sacerdot, persona que dedica la vida al servei de la religió i de l'Església:** *El capellà de la parròquia va batejar el meu germà petit.* **2** *Quan parla, tira capellans:* tira petits esquitxos de saliva.

capficar-se *v* **Preocupar-se molt per una cosa, posar-se trist per una cosa:** *Es capfica perquè no li surten bé els dibuixos.*
Es conjuga com *cantar*. S'escriu *c* davant de *a, o, u* i *qu* davant de *e, i*: *capfico, capfiques.*

capfoguer capfoguers *nom m* **Qualsevol dels ferros o pedres d'una llar de foc que aguanten la llenya que crema.**

capfoguer

capgirar *v* **1** **Girar totalment una cosa, de manera que la part que era a dalt quedi a baix i al revés:** *Si capgireu les cadires i les poseu damunt les taules, podrem escombrar millor la classe.* **2** **Desordenar, desendreçar:** *De tant remenar els llibres, els prestatges han quedat ben capgirats.* **3** **Entendre malament una cosa i fer-la al revés:** *En Ramon tot ho fa al revés de com li ho dius, tot ho capgira.* **4** **Canviar una cosa:** *El temps s'ha capgirat de cop: abans plovia i ara fa sol.*
Es conjuga com *cantar.*

capgirell capgirells *nom m* **Tombarella.**

capgròs capgrossa capgrossos capgrosses **1** *adj* **Que té el cap gros. 2** *nom m* **Animal petit que només té cap i cua i que viu a l'aigua**

fins que es transforma en una granota. **8 3** *nom m* **Persona disfressada amb un cap de cartó molt gros que sembla que tingui el cos molt curt:** *A la festa major del poble van sortir els gegants i els capgrossos.*

capgròs

capicua capicues *nom m* **Es diu del número que acaba i comença amb les mateixes xifres:** *El número 1.001 és un capicua.*

capil·lar capil·lars **1** *adj* **Que està relacionat amb els cabells:** *Una crema capil·lar és una crema per a posar-se als cabells.* **2** *nom m* **Vas sanguini molt prim. 20**

capir *v* **Entendre una cosa:** *He capit tot el que m'has dit.*
Es conjuga com *servir.*

capità capitana capitans capitanes *nom m i f* **Persona que mana una colla de soldats, una banda de bandolers, un equip esportiu, una tripulació de vaixell o d'avió, etc.**

capital[1] capitals **1** *adj* **Que és la part principal o més important:** *La pena de mort també s'anomena pena capital.* **2** *nom f* **Ciutat principal d'un país, d'una comarca, etc.:** *València és la capital del País Valencià.*

capital[2] capitals *nom m* **Riqueses, diners que té algú o alguna empresa:** *Aquesta empresa és molt important i té molt capital.*

capitalisme capitalismes *nom m* **Sistema econòmic i social basat en la propietat privada dels mitjans de producció com ara la terra, les fàbriques, etc., i en la llibertat de comerç i de mercat i en la recerca del benefici.**

capitalista capitalistes **1** *adj* **Que té relació amb el capital o el capitalisme:** *En una societat capitalista tothom vol aconseguir el màxim benefici econòmic.* **2** *nom m i f* **Persona que posa un capital, una quantitat de diners, en un negoci i que espera treure'n un benefici econòmic.**

capitell capitells *nom m* Part de dalt d'una columna.

capítol capítols *nom m* Cadascuna de les parts en què està dividit un escrit o un llibre.

capitost capitosts o capitostos *nom m* i *f* Persona que dirigeix i mana un grup, una banda de gent armada, un exèrcit, etc.

capitular *v* Rendir-se: *Després de molts dies de lluita, els defensors van capitular i van lliurar la ciutat als atacants.*
Es conjuga com *cantar.*

capmàs Paraula que apareix en l'expressió **fer un capmàs**, que vol dir "donar un preu global a un conjunt de coses sense detallar-ne el preu de cadascuna".

capó capons *nom m* Pollastre al qual, de petit, s'han tret els òrgans sexuals perquè s'engreixi.

capolar *v* **1** Tallar en trossos petits, picolar: *Hem de capolar la carn.* **2** Colpejar, macar: *La calamarsa ha capolat la fruita.* **3 capolar-se** Cansar-se molt: *Estic capolat, ja no puc més.*
Es conjuga com *cantar.*

capoll capolls *nom m* **1** Poncella, flor abans d'obrir-se. **2** Bola protectora de seda que fabriquen les erugues de les papallones i altres bestioles i dins la qual viuen abans de transformar-se.

caporal caporala caporals caporales *nom m* i *f* Persona que fa de cap d'una colla, d'un petit grup de soldats: *A l'exèrcit, un caporal pot donar ordres a un soldat, però ha d'obeir el sergent.*

capot[1] capots *nom m* Peça de vestir semblant a la capa, però més estreta i amb mànigues i caputxa.

capot[2] capots *nom m* Part de la carrosseria d'un cotxe que tapa el motor i que es pot obrir i tancar.

capota capotes *nom f* Coberta que tenen alguns vehicles que es pot plegar o desplegar: *Un cotxe amb capota plegable, és a dir, un cotxe descapotable.*

capota

cappare cappares *nom m* Brot o branca principal d'una planta o d'un arbre.

caprici capricis *nom m* Capritx.

capriciós capriciosa capriciosos capricioses *adj* Capritxós.

capricorn *nom m* Desè signe del zodíac: *Les persones nascudes entre el 22 de desembre i el 20 de gener són del signe de capricorn.*

capritx capritxos *nom m* Ganes, desig de fer una cosa que ve de cop, sense cap motiu: *Ara m'ha vingut el capritx de menjar un gelat.*

capritxós capritxosa capritxosos capritxoses *adj* Es diu de la persona que té molts capritxos, que sempre canvia de gustos.

capsa capses *nom f* Recipient més aviat petit, de cartó, de fusta, de llauna, etc., de forma quadrada o rectangular, amb tapa, que serveix per a guardar o transportar objectes: *Una capsa de bombons.* ▪ *Una capsa de sabates.* ▪ *Una capsa de mistos.*

capsigrany capsigranys *nom m* **1** Ocell d'uns disset centímetres, amb el cap i la nuca de color castany rogenc. **2** Es diu d'una persona poc intel·ligent, poc prudent: *Aquell és un capsigrany, no entén mai res.*

càpsula càpsules *nom f* **1** Capseta rodona o cilíndrica dins la qual es posen alguns medicaments: *Has de prendre tres càpsules al dia d'aquest medicament.* **2** Part d'una nau espacial on van els astronautes.

captaire captaires *nom m* i *f* Persona que viu de demanar caritat, de captar, pobre.

captar *v* **1** Demanar caritat, demanar coses i diners a la gent per poder menjar i viure. **2** Rebre, entendre una cosa, adonar-se d'una cosa: *Amb la ràdio vam captar una emissora estrangera.* ▪ *Aquest nen petit ho capta tot, ho entén tot de seguida.*
Es conjuga com *cantar.*

capteniment capteniments *nom m* Comportament, conducta d'algú o d'alguna cosa: *Aquest estudiant té sempre un capteniment molt correcte.*

captenir-se *v* Comportar-se: *Quan el van acusar, es va posar molt nerviós, no es va saber captenir correctament i va començar a amenaçar els que l'insultaven.*
Es conjuga com *mantenir.*

captiu captiva captius captives *adj* i *nom m* i *f* Que no té llibertat; persona o animal a qui es priva de la llibertat, presoner: *Un ocell captiu a la seva gàbia.*

captivador captivadora captivadors captivadores *adj* Que agrada molt, que captiva: *Una persona amb una mirada captivadora.*

captivar *v* **1** Fer presoner: *Han captivat molts animals salvatges.* **2** Exercir una gran atracció sobre algú: *Aquesta actriu m'agrada molt, té tanta gràcia que em captiva.*
Es conjuga com *cantar.*

capturar *v* Atrapar, apoderar-se d'algú o d'alguna cosa, fer presoner: *La policia va capturar els lladres.*
Es conjuga com *cantar.*

caputxa caputxes *nom f* Part d'un abric, d'un anorac, d'una jaqueta, etc. que serveix per a cobrir el cap.

capvespre capvespres *nom m* Part del dia en què el sol s'està ponent o s'ha acabat de pondre.

caqui[1] **1** *adj* De color d'oli: *Els soldats porten uniformes caqui.* **2 caqui caquis** *nom m* Color d'oli.

caqui[2] caquis *nom m* **1** Arbre de fulles caduques i de flors groguenques que produeix un fruit comestible també anomenat caqui, que té la pell de color taronja. **2** Fruit comestible del caqui, que té la pell de color taronja. ■ **2**

car[1] *conj* Perquè, ja que: *La gent es va haver d'abrigar molt, car feia molt fred.*

car[2] cara cars cares *adj* **1** Que costa molts diners, que té un preu alt: *Aquesta bicicleta val molts diners, és molt cara.* **2** Que fa sentir amor o tendresa: *Cara amiga meva.* **3 ser algú car de veure** Es diu d'algú que surt poc i que no es deixa veure gaire.

cara cares *nom f* **1** Part de davant del cap: *Aquest nen porta la cara molt bruta.* **2** *Vaig arribar tard a classe i em va **caure la cara de vergonya**:* sentir molta vergonya. **3** *En Miquel s'ha barallat i li han **fet una cara nova**:* pegar molt a algú de manera que la cara li quedi marcada. **4** *En Raül fa **cara de pocs amics**:* cara d'enfadat. **5** *No facis aquesta **cara de pomes agres**:* cara de no trobar-se bé, d'estar enfadat. **6 fer cara llarga** Tenir un aspecte trist, decebut. **7 plantar cara** Enfrontar-se a algú, resistir un atac: *Un parell d'individus ens van venir a molestar, però el nostre amic els va plantar cara i els va fer fugir.* **8** *La Maria **té molta cara**:* és una fresca, s'aprofita dels altres. **9** Cada una de les superfícies planes que presenta un objecte: *Un cub té sis cares.* **10** Part de davant d'una moneda, on sol haver-hi la imatge d'un personatge. **11 a cara o creu** Manera de jugar-se una cosa o de prendre una decisió que consisteix a llançar una moneda i veure de quina banda cau: *Ens ho jugarem a cara o creu; si surt cara guanyes tu; si surt creu, jo.*

carabassa carabasses *nom f* Mira **carbassa**.

caràcter caràcters *nom m* **1** Allò que és propi d'una cosa o d'una persona i la fa ser diferent d'altres coses o persones; manera de ser d'una persona: *En Joan té bon caràcter, no s'enfada mai i sempre està content.* **2** Signe, lletra: *El teclat del meu ordinador té molts caràcters.*

característic característica característics característiques *adj* Que és propi d'algú o d'alguna cosa, que dóna caràcter a algú o a alguna cosa: *El fred i la neu són fenòmens característics de l'hivern.*

característica característiques *nom f* Aspecte o qualitat que és propi d'algú o d'alguna cosa: *Els estius secs i calorosos són una de les principals característiques del clima mediterrani.*

caracteritzar *v* **1** Marcar, donar caràcter a algú o a alguna cosa: *El grip és una malaltia que es caracteritza per la febre.* **2 caracteritzar-se** Maquillar-se i disfressar-se per assemblar-se a algú altre: *L'actor va caracteritzar-se molt bé, semblava un pirata de debò!*
Es conjuga com *cantar.*

caragirat caragirada caragirats caragirades *adj* Es diu d'una persona traïdora, falsa, que promet una cosa i fa la contrària: *D'aquest individu no te'n fiïs, és un caragirat.*

caragol caragols *nom m* Mira **cargol**.

caragolar *v* Mira **cargolar**.
Es conjuga com *cantar.*

carai *interj* Mira **carall 2**.

carall caralls **1** *nom m* Penis. **2** *interj* Paraula que expressa sorpresa, admiració o disgust: *Carall, quina manera de ploure!*

carallada caral·lades *nom f* Fotesa; acció pròpia d'un carallot.

carallot carallots *nom m* Es diu d'una persona ximple o poc espavilada.

caram *interj* Mira **carall 2**.

carambola caramboles *nom f* **1** Jugada del joc de billar que consisteix a tocar dues boles amb la bola que s'ha tirat. **2 per carambola** De rebot, indirectament, per sort.

caramel caramels *nom m* Aliment dolç fet amb pasta de sucre i altres ingredients com ara llimona, maduixa, etc., que es menja per gust. *nom m* Tros de glaç acabat en punta que penja d'una teulada, d'una finestra, etc.

caramell caramells *nom m* Tros de glaç acabat en punta que penja d'una teulada, d'una finestra, etc.

caramelles *nom f pl* **1** Festa típica catalana, que se celebra durant el temps de la Pasqua, en què una colla de cantaires visiten cases i masies davant de les quals canten unes cançons. **2** Cançons populars que canten les colles en la festa de les caramelles.

caramull caramulls *nom m* **1** Part d'una substància que sobresurt de les vores del recipient que la conté: *El nen llepava el caramull del gelat.* **2** Munt: *Un caramull de pedres.* **3** Part de dalt d'un paller, de forma cònica. **4** Cim, grau més alt al qual arriba alguna cosa.

carantoines *nom f pl* Carícies, afalacs.

caraplè caraplena caraplens caraplenes *adj* Que té la cara plena: *Un nen caraplè.*

cara-rodó cara-rodona cara-rodons cara-rodones *adj* Que té la cara rodona: *Una senyora cara-rodona.*

carassa carasses *nom f* Ganyota.

carat *interj* Mira **carall 2**.

caravana caravanes *nom f* **1** Cua llarga de cotxes que es forma a les carreteres quan hi ha molt trànsit o es produeix un embús. **2** Remolc arrossegat per un cotxe, que té tots els equipaments d'una casa i que serveix per a viure-hi quan es va de viatge, en un càmping, etc. **3** Colla gran de viatgers, de mercaders, etc. que viatgen junts per travessar el desert o altres llocs perillosos.

caravel·la caravel·les *nom f* Vaixell antic, com els que va fer servir Colom per a arribar a Amèrica.

cara-xuclat cara-xuclada cara-xuclats cara-xuclades *adj* Que té la cara molt prima, amb les galtes xuclades.

carbassa[1] **1** *adj* D'un color groc ataronjat, com el del fruit anomenat carbassa: *Els repartidors de bombones de butà porten uniformes carbassa.* **2 carbassa carbasses** *nom m* Color groc ataronjat, com el del fruit anomenat carbassa.

carbassa[2] carbasses *nom f* **1** Fruit comestible, gros, de forma arrodonida, amb moltes granes. **2** *El meló* ***ha sortit carbassa****:* no té gust, no és bo. **3** Suspens, mala nota en un examen: *He tret una carbassa de matemàtiques.* **4** *Hi havia una princesa que no es volia casar i* ***donava carbassa*** *a tots els pretendents:* no els feia cas, els deia que no s'hi volia casar.

carbassó carbassons *nom m* Fruit comestible, rodó, allargat i de color verd.

carbó carbons *nom m* Matèria sòlida i negra combustible i que es troba dins la terra o es fa de la fusta cremada: *A l'escola hi ha una estufa que funciona amb carbó.* ▪ *Aquest llapis de mina de carbó va molt bé per dibuixar, perquè quan t'equivoques pots esborrar fàcilment el dibuix.*

carbonat carbonats *nom m* Substància composta de carboni, oxigen i un metall.

carboner carbonera carboners carboneres *nom m i f* Persona que té per ofici fer o vendre carbó.

carbonera carboneres *nom f* Lloc on es guarda el carbó.

carboni carbonis *nom m* Element químic, un dels més importants de les matèries orgàniques.

carbonitzar *v* Cremar una cosa fins a convertir-la en carbó.
Es conjuga com *cantar*.

carburador carburadors *nom m* Peça d'un motor de cotxe o de moto que serveix per a barrejar la gasolina i l'aire.

carburant carburants *nom m* Combustible líquid que serveix per a fer funcionar alguns motors: *La gasolina és un carburant.*

carburar *v* **1** Barrejar un carburant amb l'aire perquè la mescla sigui inflamable i pugui funcionar un motor. **2** Funcionar, rutllar, anar bé: *Aquesta màquina ja no carbura.* **3** Pensar: *Dius tantes bestieses que sembla que no carburis bé.*
Es conjuga com *cantar*.

carca carques *adj i nom m i f* Es diu de les persones amb idees molt conservadores, contràries als canvis.

carcaix carcaixos *nom m* Bossa per a portar-hi fletxes, buirac.

carcaix

carcanada carcanades *nom f* Esquelet, conjunt d'ossos d'una bèstia o d'una persona.

carcassa carcasses *nom f* Part que aguanta una cosa: *La carcassa de la cabanya era feta de fustes i cordills i les parets i el sostre eren de cartró.*

carceller carcellera carcellers carcelleres *nom m i f* Escarceller, guardià encarregat de vigilar una presó.

card cards *nom m* Planta espinosa.

cardar *v* **1** Pentinar la llana per poder-la filar més bé. **2** Fer l'acte sexual. **3** Fotre.
Es conjuga com *cantar*.

cardenal cardenals *nom m* Títol que reben els eclesiàstics que assessoren el Papa i que, quan mor, són els encarregats d'elegir el seu successor.

cardíac cardíaca cardíacs cardíaques *adj* Que està relacionat amb el cor: *Una malaltia cardíaca.*

cardinal cardinals *adj* **1** D'una importància fonamental: *Els quatre punts cardinals són: nord, sud, est i oest.* **2** Que expressa quantitat, sense expressar ordre: *10, 100, 20 són nombres cardinals.*

cardio- cardi- Element amb què comencen algunes paraules i que vol dir "cor": *Un cardiograma és la representació gràfica del funcionament del cor.*

carena carenes *nom f* Línia que divideix dos vessants d'una muntanya o serralada: *Hem d'anar a l'altra banda de la carena.*

carència carències *nom f* Falta o insuficiència d'una cosa: *El metge va dir que el malalt tenia carència d'algunes vitamines.*

carestia caresties *nom f* **1** Falta o escassetat d'alguna cosa: *Quan hi ha guerra hi sol haver carestia d'aliments.* **2** Qualitat de car: *Aquest mes ha empitjorat la carestia de la vida, és a dir, s'han apujat els preus.*

careta caretes *nom f* **1** Tros de cartó o de plàstic amb una cara dibuixada que es posa a damunt de la cara per disfressar-se. **2** Peça que es fa servir per a protegir-se: *Els bombers fan servir caretes antigàs.*

cargol cargols *nom m* **1** Animal petit, amb closca i banyes, que va molt a poc a poc. **7** **8** **2** **cargol bover** Cargol comestible que té la closca grossa i de color marró. **7** **3** Objecte semblant a un clau, però amb rosca, que es pot ficar en un forat fent-lo voltar: *Les peces de l'armari van collades amb cargols.* **4** **escala de cargol** Escala que puja en forma d'espiral. **5** Conducte de l'interior de l'orella que té forma d'espiral. **15**

cargolar *v* **1** Enrotllar, fer agafar a un paper, una tela, etc., forma de canó o de tub: *Si cargolem aquestes làmines, no ocuparan tant lloc.* **2** Ficar un cargol dins un forat fent-lo voltar fins que quedi ben collat: *Has de cargolar més fort aquesta peça.* **3** **cargolar-se de riure** Riure molt, amb moltes ganes.
Es conjuga com *cantar*.

caricatura caricatures *nom f* Dibuix que representa una persona fent-ne ressaltar els aspectes més característics, de manera que faci riure.

carícia carícies *nom f* Demostració d'amor que es fa a una persona tocant-la suaument amb la mà.

càries les càries *nom f* Malaltia de les dents, que fa que es vagin corcant i acabin caient a trossos: *Per lluitar contra la càries, cal rentar-se les dents després de menjar.*

caritat caritats *nom f* **1** Virtut que consisteix a estimar les altres persones i a ser generós, ajudant els pobres i la gent necessitada. **2** **demanar caritat** Demanar menjar, roba o diners per poder viure: *Els pobres demanen caritat.*

carlet carlets *nom m* Bolet comestible que té el barret convex o aplanat i de color porpra. **4**

carmanyola carmanyoles *nom f* Capsa de plàstic o d'alumini que serveix per a portar menjar quan es va d'excursió.

carmesí carmesina carmesins carmesines *adj* i *nom m* De color vermell fosc, tirant a blau.

carmí[1] **1** *adj* D'un color vermell propra: *Uns llavis carmí.* **2 carmí camins** *nom m* Color vermell porpra.

carmí[2] carmins *nom m* Substància de color vermell popra.

carn carns *nom f* **1** Matèria tova que hi ha entre la pell i els ossos de les persones i dels animals de la qual estan formats els músculs: *Les persones mengem la carn d'alguns animals.* **2** *Aquests dos nois* **són carn i ungla**: es diu de dues persones que s'avenen, que sempre van juntes. **3 carn d'olla** Plat de carn bullida amb verdures. **4 carn picada** Carn triturada que es fa servir per a fer mandonguilles, hamburgueses, etc. **5** *En Roger és del Barça, en Tomàs és de l'Espanyol, però en Pau* **no és ni carn ni peix**: no ser ni una cosa ni l'altra. **6 ser de carn i ossos** Ser sensible al cansament, a les emocions, a la tristesa, a l'alegria, etc., com qualsevol persona.

carnal carnals *adj* **1** Que està relacionat amb el cos humà i no pas amb l'esperit. **2** Que està relacionat amb el desig o l'activitat sexual: *Aquestes dues persones tenen relacions carnals, és a dir, sexuals.* **3** Es diu dels parents que descendeixen d'una mateixa família: *El germà del teu pare és el teu oncle carnal.*

carnaval carnavals *nom m* Període de festes, de ball i de diversions que es fa abans de començar la quaresma: *Per carnaval es fan grans festes i la gent es disfressa.*

carnestoltes els carnestoltes *nom m* **1** Carnaval. **2** Ninot que es penja en un balcó o en una plaça durant les festes de carnaval i que es crema l'últim dia. **3 anar fet un carnestoltes** Anar mal vestit, sense gust.

carnet carnets *nom m* **1** Targeta en què hi ha escrits el nom, l'adreça, etc. d'una persona i que serveix per a demostrar qui s'és: *Va perdre la cartera amb el carnet d'identitat i el carnet de soci de la piscina.* **2 carnet de con-** duir Targeta que acredita que una persona està preparada per a conduir un cotxe, una moto, etc.

carnisser carnissera carnissers carnisseres **1** *nom m* i *f* Persona que ven carn. **2** *adj El lleó és un animal carnisser:* que s'alimenta de carn. **3** *adj* Es diu d'una persona que és molt cruel, a qui agrada de fer mal.

carnisseria carnisseries *nom f* **1** Botiga on es ven carn. **2** *La batalla va ser una carnisseria:* fet en què hi ha molts morts i ferits.

carnívor carnívora carnívors carnívores *adj* Es diu de l'animal que menja carn: *El tigre és un animal carnívor.*

carnós carnosa carnosos carnoses *adj* **1** Que és de carn. **2** Es diu de les coses que són toves i que tenen suc: *La poma, la pera i el préssec són fruites que tenen la polpa molt carnosa.*

carnot carnots *nom m* Massa carnosa anormal que surt a causa d'una ferida, que surt en un teixit, en una glàndula, etc.

caròtide caròtides *nom f* Cadascuna de les dues artèries situades als costats del coll que porten la sang al cap. **17**

carp carps *nom m* Grup de vuit ossos que formen el canell de la mà i que estan situats entre l'avantbraç i el palmell. **15**

carpa carpes *nom f* Peix d'aigua dolça, que viu als rius i als llacs. **8**

carpeta carpetes *nom f* Parell de cobertes de cartó enganxades per un costat que serveixen per a guardar-hi o portar-hi papers, dibuixos, etc.

carquinyoli carquinyolis *nom m* Pasta seca feta amb farina, ou, sucre i ametlles.

carrabina carrabines *nom f* Fusell curt i lleuger.

carrabiner carrabiners *nom m* Soldat armat d'una carrabina: *Abans els carrabiners s'encarregaven de perseguir els contrabandistes.*

carraca carraques *nom f* **1** Cotxe vell i que va a poc a poc. **2** Aparell o objecte vell i que funciona malament: *Aquest televisor és una carraca.*

carrasca carrasques *nom f* Alzina de fulla curta.

càrrec càrrecs *nom m* **1** Feina, funció, obligació que toca de fer a una persona: *Aquesta* setmana la Laura té el càrrec d'esborrar la pissarra. **2** *La conferència anirà* **a càrrec d'***un professor de la universitat:* **el professor farà la conferència. 3** *Les despeses de la festa aniran* **a càrrec** *dels organitzadors:* **els organitzadors pagaran les despeses. 4** *Una empresa va* **fer-se càrrec de** *la neteja del local:* **agafar o tenir la responsabilitat de netejar el local. 5** *Va* **fer-se càrrec** *que era molt difícil d'aconseguir-ho:* **entendre una cosa, ser-ne conscient. 6** Acusació que es fa contra algú, culpa que es fa recaure sobre algú: *Contra l'acusat hi havia càrrecs molt greus.*

càrrega càrregues *nom f* **1** Allò que transporta una persona o un vehicle: *El camió porta una càrrega de sorra.* **2** Quantitat de bales o de pólvora que es fica a dins d'una arma.

carregar *v* **1** Posar una cosa sobre una persona o un vehicle que l'ha de transportar: *Han carregat tots els sacs al camió.* **2** Ficar a dins d'una arma les bales o la pólvora: *Va carregar l'escopeta, va apuntar i va disparar.* **3** **carregar-se-la** Emportar-se les culpes d'una cosa: *Jo no he pas trencat el vidre, però me l'he carregada un altre cop.* **4** *S'ha tornat a carregar el bolígraf:* espatllar, fer malbé una cosa.
Es conjuga com *cantar.* S'escriu g davant de *a, o, u* i gu davant de *e, i: carrego, carregues.*

carregós carregosa carregosos carregoses *adj* Que és una càrrega, que és pesat, que molesta: *Trobo que rentar els plats a mà és una feina molt carregosa.*

carrer carrers *nom m* Espai que queda entre dues files de cases o d'edificis, per on passen la gent i els cotxes.

carrera carreres *nom f* **1** Estudis que s'han de fer durant uns anys per tenir una determinada professió: *Aquell noi estudia la carrera de metge i aquell altre fa la carrera d'advocat.* **2** Cursa.

carreró carrerons *nom m* Carrer estret, com els que hi ha a la part antiga dels pobles i de les ciutats.

carreta carretes *nom f* Vehicle tirat per cavalls, de dues rodes, llarg i estret i més baix que un carro.

carretada carretades *nom f* **1** Càrrega que porta un carro o una carreta: *Han portat una carretada de llenya.* **2** Gran quantitat d'una cosa: *Sobre les taules de la biblioteca hi ha una carretada de llibres.*

carretejar *v* **1** Transportar una cosa en un carro o en una carreta. **2** Anar carregat amb una cosa que ens fa nosa: *Estic cansat de carretejar aquests llibres tot el sant dia!*
Es conjuga com *cantar.* S'escriu j davant de *a, o, u* i g davant de *e, i: carretejo, carreteges.*

carreter carretera carreters carreteres *nom m* i *f* **1** Persona que té per ofici conduir un carro o una carreta, transportar coses amb un carro o amb una carreta. **2** **suar com un carreter** Suar molt, cansar-se molt.

carretera carreteres *nom f* Camí ample normalment asfaltat per a circular-hi cotxes, camions, etc.

carretó carretons *nom m* Vehicle petit amb una o més rodes que s'ha d'empènyer perquè corri i que serveix per a transportar diversos materials.

carril carrils *nom m* **1** Cadascuna de les dues barres de ferro de la via del tren. **2** Cadascuna de les divisions d'un carrer o d'una autopista per on passa una fila de cotxes: *El meu carrer és molt ample i té quatre carrils.*

carrils

carrilet carrilets *nom m* Tren de via estreta.

carrincló carrinclona carrinclons carrinclones *adj* i *nom m* i *f* Es diu d'una persona o d'una cosa poc distingida, poc original i més aviat ridícula: *No m'agrada el seu estil de vestir, trobo que és una mica carrincló.*

carro carros *nom m* **1** Vehicle de dues rodes tirat per animals, normalment cavalls. **2** **carro de combat** Tanc.

carronya carronyes *nom f* Cos d'un animal mort sense enterrar que comença a podrir-se.

carrossa carrosses *nom f* **1** Vehicle gros, molt ben guarnit, que es fa servir en les desfilades: *Cadascun dels Reis d'Orient seia en una carrossa.* **2** Vehicle tirat per cavalls, de dues o més rodes, amb un seient elevat al davant per al cotxer i que es feia servir abans per a les cerimònies i grans ocasions.

carrosseria carrosseries *nom f* Part d'un vehicle que serveix per a cobrir i protegir el motor, els seients, etc.

carruatge carruatges *nom m* Qualsevol mena de vehicle amb rodes tirat per un animal.

carta cartes *nom f* **1** Escrit que una persona envia a una altra persona per comunicar-li alguna cosa. **2 joc de cartes** Conjunt de cartolines petites amb dibuixos amb les quals es poden jugar diversos jocs. **3 donar carta blanca a algú** Donar llibertat a algú perquè faci el que vulgui. **4 tirar les cartes** Endevinar el futur d'una persona basant-se en les combinacions de les cartes que van sortint.

cartabó cartabons *nom m* Instrument de fusta, de metall o de plàstic, en forma de triangle, que serveix per a marcar angles rectes.

cartell cartells *nom m* Full gran, escrit a mà o imprès que es posa a la vista de la gent per fer saber alguna cosa.

cartellera cartelleres *nom f* **1** Plafó on es col·loquen cartells o anuncis: *A la cartellera de l'escola hi havia penjat l'anunci del concurs de dibuix.* **2** Secció d'un diari en la qual s'anuncien els espectacles, com ara obres de teatres, pel·lícules, etc.

carter cartera carters carteres *nom m* i *f* Persona que té per ofici repartir les cartes enviades per correu.

càrter càrters *nom m* Caixa que protegeix certs mecanismes del motor dels cotxes, i que serveix de dipòsit de l'oli.

cartera carteres *nom f* **1** Mena de bossa, amb nansa o sense, que serveix per a portar papers, llibres, llibretes, etc. **2** Bossa petita i plana, amb compartiments, que serveix per a portar-hi diners, carnets, etc.

carterista carteristes *nom m* i *f* Lladre especialitzat a robar carteres: *No deixis que ningú no se t'acosti gaire, que podria ser un carterista i et prendria la cartera sense que te n'adonessis.*

cartílag cartílags *nom m* Teixit elàstic que es troba en algunes parts del cos de les persones i d'alguns animals, com el que hi ha a les articulacions dels ossos.

cartilla cartilles *nom f* Llibreta on s'apunten dades o notes sobre una persona.

cartipàs cartipassos *nom m* Quadern de paper ratllat.

cartó cartons *nom m* Material fet amb pasta de paper, però més gruixut i més fort que el paper, que serveix per a fer capses, cartolines, cobertes de llibretes o de llibres, etc.

cartolina cartolines *nom f* Cartó prim, llis i dur.

cartró cartrons *nom m* Mira cartó.

cartutx cartutxos *nom m* **1** Cilindre petit que porta a dins una matèria explosiva: *Un cartutx de dinamita.* **2** Bala, amb la seva beina, d'una escopeta o d'una pistola.

cartutxera cartutxeres *nom f* Bossa per a dur els cartutxos; cinturó i corretja amb cartutxos.

carxofa carxofes *nom f* Mira escarxofa.

cas casos *nom m* **1** Fet, situació que es pot produir entre d'altres de possibles: *Avui sí que m'ha passat un bon cas, se m'ha escapat l'autobús.* **2** Hem d'**estar al cas**: estar atents, vigilants. **3** No li van voler **fer cas** i mira què els ha passat: seguir el consell d'algú.

casa cases *nom f* **1** Edifici destinat a viure-hi persones. **2** *Explica unes mentides* **com una casa**: molt grosses. **3** *L'alcalde va sortir al balcó de* **la casa gran**: l'ajuntament. **4** *Aquell senyor* **és molt de casa**: li agrada molt d'estar-se a casa, amb la família. **5** *Un equip de futbol* **d'estar per casa**: no gaire bo. **6** *Van celebrar una festa i van* **tirar la casa per la finestra**: gastar-se molts diners en una cosa.

casaca casaques *nom f* Peça de vestir amb mànigues llargues, cos cenyit i faldons llargs, que formava part d'alguns uniformes militars o civils.

casal casals *nom m* **1** Casa gran, generalment d'una persona o d'una família important. **2** Local on es reuneix la gent d'una associació, d'un grup, etc.: *Aquest edifici és un casal per als avis.*

casalot casalots *nom m* Casa gran i vella.

casament casaments *nom m* Acte en què dues persones s'uneixen en matrimoni per viure juntes; festa que es fa per celebrar-ho.

casar *v* **1** Unir en matrimoni dues persones que volen viure juntes. **2 casar dues coses** Lligar entre elles dues coses: *Aquestes sabates que portes casen amb el vestit.* Es conjuga com *cantar.*

casc cascs o cascos *nom m* Peça de metall o de plàstic que protegeix el cap i que fan servir els bombers, els soldats, els motoristes, etc.

cascada cascades *nom f* **1** Caiguda d'un riu o d'un torrent d'aigua per un precipici. **2** Conjunt de fonts artificials en forma de cascada.

cascar *v* Masegar una cosa fins a deixar-hi una marca o espatllar-la.
Es conjuga com *cantar*. S'escriu *c* davant de *a, o, u* i *qu* davant de *e, i: casco, casques.*

cascavell cascavells *nom m* **1** Boleta de metall buida amb un trosset de ferro a dins que sona quan la movem. **2** **posar el cascavell al gat** Encarregar-se d'una missió perillosa.

casella caselles *nom f* Cadascuna de les divisions fetes en un espai; compartiment: *En un tauler d'escacs hi ha 64 caselles, 32 de blanques i 32 de negres.*

caserna casernes *nom f* Edifici on viuen soldats, on hi ha instal·lacions militars.

casino casinos *nom m* **1** Associació de persones que disposa d'un local gran, amb bar, biblioteca, etc. **2** **casino de joc** Lloc on la gent va a jugar-se diners en jocs d'atzar com les cartes, etc.

casolà casolana casolans casolanes *adj* Que és propi de la casa; que està molt a casa, que li agrada d'estar-se a casa; que és fet a casa o com a casa: *Feines casolanes.* ▪ *Un noi casolà.* ▪ *Menjar casolà.*

casori casoris *nom m* Casament.

caspa caspes *nom f* Trossets petits blancs de pell que cauen del cap i dels cabells.

casquet casquets *nom m* **1** Peça de tela o de pell amb què es cobreix el cap. **2** Cartutx de metall buit: *Van trobar tres casquets de bala de pistola al lloc on hi va haver l'enfrontament entre la policia i els atracadors.* **3** Peça esfèrica que hi ha a l'extrem d'alguna cosa. **4** Peça metàl·lica d'una bombeta que serveix per a cargolar-la al llum i connectar-la a l'electricitat.

casserola casseroles *nom f* Recipient rodó de metall, més ample que alt, amb mànec, que serveix per a cuinar.

casset cassets **1** *nom f* Capsa de plàstic que conté una cinta magnètica en què hi ha gravada música, cançons, etc.: *En Lluís té moltes cassets de música moderna.* **2** *nom m* Aparell que serveix per a gravar o per a sentir el que hi ha gravat en una cinta magnètica o casset; magnetòfon: *En Jaume portarà el casset i podrem escoltar música.*

cassó cassons *nom m* Recipient petit de metall, amb un mànec per a agafar-lo.

La casa **1** xemeneia **2** antena **3** antena parabòlica **4** teulada **5** canal **6** golfes **7** estudi **8** finestra **9** persiana **10** balcó **11** estenedor **12** terrassa **13** barana **14** habitació o dormitori **15** lavabo o bany **16** escala **17** cuina **18** menjador **19** llar de foc **20** sala d'estar **21** rebedor **22** garatge

cassola cassoles *nom f* Recipient rodó, de metall o de terrissa, ample i baix, que serveix per a cuinar: *Aquesta cassola anirà molt bé per a fer-hi l'arròs.*

cast casta casts o castos castes *adj* Es diu de la persona que no té cap relació sexual considerada immoral per la seva religió o creença.

casta castes *nom f* Espècie, raça, classe.

castany castanya castanys castanyes *adj* i *nom m* De color marró, com el de la clofolla de la castanya: *La Rosa té els cabells de color castany, ni rossos ni negres.*

castanya castanyes *nom f* **1** Fruit comestible del castanyer, petit, rodó i cobert d'una clofolla de color marró. **2** Cop donat amb la mà: *Em va donar una castanya a la galta que encara em fa mal.* **3** *En Manel sempre es busca problemes i nosaltres som els qui li hem de* **treure les castanyes del foc**: solucionar un problema o una situació difícil, perillosa.

castanyada castanyades *nom f* Menjada de castanyes torrades: *Per Tots Sants, el dia 1 de novembre, és costum de fer la castanyada i menjar panellets.*

castanyer[1] castanyers *nom m* Arbre alt i gros, de fulla caduca, que fa uns fruits anomenats castanyes.

castanyer[2] castanyera castanyers castanyeres *nom m* i *f* Persona que torra i ven castanyes al carrer.

castanyoles *nom f pl* Instrument musical de percussió fet amb dues peces rodones i petites de fusta que es fan petar l'una contra l'altra amb els dits i que fan un so fort.

castell castells *nom m* **1** Edifici antic, amb muralles i torres, generalment situat al damunt d'un turó des d'on es domina un tros de territori. **2** Conjunt de persones enfilades les unes damunt les espatlles de les altres: *A l'Alt Camp i altres comarques hi ha el costum de fer castells humans els dies de festa.* **3 castell de focs** Focs artificials que es fan amb motiu d'una festa.

El castell 1 pont llevadís **2** rastell **3** fossat **4** espitllera **5** muralla **6** merlet **7** torre de l'homenatge **8** pati

castellà castellana castellans castellanes **1** *nom m* i *f* Habitant de Castella; persona natural o procedent de Castella. **2** *adj* Es diu de les persones o de les coses naturals o procedents de Castella. **3** *nom m* Llengua d'una part de l'Estat espanyol i d'alguns països d'Amèrica central i del sud.

castellanenc castellanenca castellanencs castellanenques **1** *nom m* i *f* Habitant de Castellar del Riu o de Castellar del Vallès; persona natural o procedent de Castellar del Riu o de Castellar del Vallès. **2** *adj* Es diu de les persones o de les coses naturals o procedents de Castellar del Riu o de Castellar del Vallès.

castellanisme castellanismes *nom m* Paraula o expressió castellana que, quan es parla en català o en una altra llengua, es fa servir en comptes de la paraula pròpia: *"Ajedrez" és un castellanisme, la paraula catalana és "escacs".*

castellanoparlant castellanoparlants *adj* i *nom m* i *f* Que parla castellà.

castelldefelenc castelldefelenca castelldefelencs castelldefelenques **1** *nom m* i *f* Habitant de Castellfdefels; persona natural o procedent de Castelldefels. **2** *adj* Es diu de les persones o de les coses naturals o procedents de Castelldefels.

casteller castellera castellers castelleres *nom m* i *f* Cadascun dels individus que fan un castell humà enfilant-se els uns damunt dels altres.

castellonenc castellonenca castellonencs castellonenques **1** *nom m* i *f* Habitant de Castelló de la Plana; persona natural o procedent de Castelló de la Plana. **2** *adj* Es diu de les persones o de les coses naturals o procedents de Castelló de la Plana.

càstig càstigs *nom m* Pena que es posa a algú per haver fet una falta o per no haver obeït una ordre.

castigar *v* Posar un càstig, una pena per haver fet una falta o desobeït una ordre.
Es conjuga com *cantar*. S'escriu *g* davant de *a, o, u* i *gu* davant de *e, i*: *castigo, castigues.*

castís castissa castissos castisses *adj* De bona casta, típic d'un lloc, d'una manera de ser.

castor castors *nom m* Animal mamífer rosegador, que té un pèl espès i suau de color castany i la cua grossa, ampla i aplanada, que viu a prop dels rius, i és molt apreciat per la pell.

castrar *v* Eliminar o inutilitzar els òrgans reproductors d'una persona o d'un animal, capar. Es conjuga com *cantar*.

castrense castrenses *adj* Relacionat amb l'exèrcit o els militars: *Un capellà castrense és un capellà que presta els serveis religiosos en una caserna militar.*

casual casuals *adj* Es diu d'un fet que passa per casualitat, per atzar, sense haver estat preparat ni previst: *Ahir vaig veure en Carles, però no ens havíem pas citat, va ser una trobada casual.*

casualitat casualitats *nom f* Allò que passa per atzar, sense haver estat previst ni preparat: *Va ser una casualitat que ens trobéssim pel carrer.*

casulla casulles *nom f* Peça de roba en forma de campana, que es posa pel cap, que arriba fins a mitja cama, i que porten els sacerdots en la celebració de la missa.

cataclisme cataclismes *nom m* Catàstrofe produïda per canvis violents de la superfície de la terra com a conseqüència d'un terratrèmol o d'una erupció volcànica.

catacrac Onomatopeia, paraula que imita el so que fa una cosa que es trenca.

catacumba catacumbes *nom f* Cementiri subterrani amb molts corredors i cambres, com els que van construir els primers cristians.

català catalana catalans catalanes **1** *nom m* i *f* Habitant de Catalunya; persona natural o procedent de Catalunya. **2** *adj* Es diu de les persones o de les coses naturals o procedents de Catalunya. **3** *nom m* Llengua que es parla als Països Catalans.

catalanista catalanistes *adj* i *nom m* i *f* Es diu de la persona que defensa la llengua, la cultura i la resta de coses pròpies de Catalunya.

catalanoparlant catalanoparlants *adj* i *nom m* i *f* Que parla català.

catàleg catàlegs *nom m* Escrit que consisteix en una llista acompanyada d'explicacions: *Hem comprat un catàleg de l'exposició en què hi ha el títol de cada quadre i unes breus explicacions sobre quan i com van ser pintats per l'artista.*

cataplasma cataplasmes **1** *nom m* Substància viscosa que es col·loca entre dues gases i es posa sobre la pell per a calmar un dolor, evitar una inflamació, etc. **2** *nom m* i *f* Persona carregada de xacres,malalties; persona que s'enganxa, pesada.

catapulta catapultes *nom f* Màquina antiga de guerra que servia per a llançar pedres i altres projectils contra l'enemic.

catapulta

cataracta cataractes *nom f* Malaltia de l'ull, causada per una mena de tel que es forma al cristal·lí i que provoca la ceguesa.

catarro catarros *nom m* Malaltia que produeix molta tos i que sol atacar els infants.

catàstrofe catàstrofes *nom f* Desastre, desgràcia que afecta molta gent o fa molt mal: *Quina catàstrofe, s'ha cremat el bosc!*

catastròfic catastròfica catastròfics catastròfiques *adj* Desastrós, desgraciat, que causa una catàstrofe: *Un incendi catastròfic.*

catau cataus *nom m* Amagatall, cau, lloc on sol anar a amagar-se o a tancar-se algú.

catecisme catecismes *nom m* Llibre on s'expliquen els punts principals d'una doctrina religiosa.

catedral catedrals *nom f* Església principal d'un bisbat, seu del bisbe.

catedràtic catedràtica catedràtics catedràtiques *nom m i f* Professor d'universitat o d'ensenyament mitjà que té la categoria màxima.

categoria categories *nom f* **1** Cadascun dels grups en què es poden classificar diferents objectes, persones o fets, segons unes característiques determinades: *En els campionats de natació, la Mireia va guanyar en la categoria dels més grans, i en Guillem ho va fer en la categoria dels més petits.* **2** Cadascun dels grups en què poden ser classificades les paraules segons la seva forma i la funció que fan dins la frase: *La paraula "plorar" té la categoria de verb, i la paraula "interessant" la d'adjectiu.* **3 categoria gramatical** Cada

una de les característiques gramaticals que posseeixen determinats grups de paraules i que serveixen per a expressar el gènere (masculí i femení), el nombre (singular i plural), la persona (primera, segona i tercera), el temps (passat, present i futur), etc.: *Els noms i els adjectius tenen les categories gramaticals de gènere i nombre; els pronoms tenen les categories gramaticals de gènere, nombre i persona; els verbs tenen les categories gramaticals de nombre, persona i temps.* **4 de categoria** De qualitat, important: *Vam anar a un restaurant de categoria.*

catenària catenàries *nom f* Conjunt de cables estesos que comuniquen l'electricitat als trens i als tramvies.

catequesi catequesis *nom f* Ensenyament dels punts principals d'una doctrina religiosa.

caterva caterves *nom f* Colla desordenada de persones, de nens, etc.

catet catets *nom m* Qualsevol dels dos costats que formen l'angle recte d'un triangle rectangle.

catifa catifes *nom f* Teixit gruixut i generalment amb dibuixos i colors diferents que es posa al terra d'una habitació perquè faci bonic i protegeixi del fred.

catió cations *nom m* Ió amb càrrega elèctrica positiva.

catòlic catòlica catòlics catòliques **1** *adj* Que està relacionat amb l'Església cristiana dirigida pel papa de Roma: *L'Església catòlica.* **2** *nom m i f* Es diu de la persona que practica la religió catòlica. **3** *Avui* **no estic catòlic***: no em trobo gaire bé.*

catolicisme catolicismes *nom m* Religió cristiana que reconeix l'autoritat del Papa de Roma.

catorze catorzes *nom m i adj* Paraula que expressa la quantitat representada per la xifra 14.

catre catres *nom m* Llit senzill per a una sola persona.

catúfol catúfols *nom m* Cadascun dels recipients d'una sínia que serveixen per a fer pujar l'aigua d'un pou.

catxalot catxalots *nom m* Mamífer marí molt gros de cap enorme. **12**

catxerulo catxerulos *nom m* Estel, joguina que fan volar els infants.

cau caus *nom m* **1** Forat que algunes bèsties caven a terra per a amagar-s'hi i, en general, lloc on s'amaga o viu un animal salvatge: *Al bosc hem vist un cau de conills.* **2 parlar a cau d'orella** Parlar a algú en veu molt baixa, acostant-li els llavis a l'orella.

caure *v* **1** Moure's una cosa pel seu propi pes de dalt a baix: *La pilota va caure al carrer des de dalt del terrat.* ▪ *Quan aprenia d'anar amb bicicleta, sempre queia.* **2** *Ara hi caic!,* això funciona així: *ara ho entenc.* **3 caure del cel** Venir una cosa que no s'esperava: *La loteria va ser com un regal que els va caure del cel.* **4 caure l'ànima als peus** Desil·lusionar, decebre: *Quan va veure la nota, li va caure l'ànima als peus, es pensava que aprovaria i va suspendre.* **5 caure pel seu propi pes** Ser evident: *Això que dius és veritat, cau pel seu propi pes, ningú no ho pot discutir.* La conjugació de *caure* és a la pàg. 832.

causa causes *nom f* Tot allò que provoca que passi una cosa: *El vent va ser la causa que s'aterrés la tenda.* ▪ *La tenda es va aterrar a causa del vent.*

causant causants *adj* i *nom m* i *f* Es diu de tot allò que causa alguna cosa: *Aquell individu va ser el causant de la baralla.*

causar *v* Ser la causa d'una cosa, provocar, produir una cosa: *Aquell terratrèmol va causar la mort de moltes persones.* Es conjuga com *cantar.*

càustic càustica càustics càustiques *adj* **1** Es diu de les substàncies que destrueixen o desfan els teixits orgànics: *El lleixiu és un producte càustic que desfà la brutícia.* **2** Es diu de la persona o de les paraules que fan una crítica molt forta d'algú o alguna cosa.

caut cauta cauts cautes *adj* Prudent.

cautela cauteles *nom f* Prudència davant la probabilitat d'un perill: *Es va anar acostant al precipici molt a poc a poc i amb molta cautela.*

cautelós cautelosa cautelosos cauteloses *adj* Prudent, que actua amb cautela: *Davant dels desconeguts la Dolors és molt cautelosa, no gosa dir ni fer gaires coses perquè no sap com reaccionarà l'altra persona.*

cautxú cautxús *nom m* Substància que es treu de diverses plantes i amb la qual es fabriquen pneumàtics i altres objectes.

cava[1] caves **1** *nom f* Celler subterrani on es conserva el vi. **2** *nom m* Vi espumós, xampany fet a Catalunya i a Espanya: *Una ampolla de cava.*

cava[2] caves *nom f* i *adj* Es diu de cadascuna de les venes que porten la sang al cor. **17**

cavalcada cavalcades *nom f* **1** Correguda a cavall: *Li agrada muntar a cavall i fer grans cavalcades.* **2** Desfilada en què participen cavalls i carrosses: *La cavalcada dels Reis Mags.*

cavalcar *v* Anar sobre l'esquena d'un animal, d'un cavall: *Va pujar al cavall i va cavalcar molta estona per la carretera.* Es conjuga com *cantar.* S'escriu *c* davant de *a, o, u* i *qu* davant de *e, i: cavalco, cavalques.*

cavall cavalls *nom m* **1** Animal mamífer, alt i gros, que l'home fa servir com a animal de càrrega o per a muntar-lo. **2** *Va pujar a cavall de* la moto: va muntar sobre la moto, cama ací, cama allà. **3** Aparell de gimnàstica consistent en un cos cilíndric de fusta cobert de pell, que s'aguanta damunt quatre potes i que serveix per a fer diversos exercicis i salts. **4 cavall marí** Gènere de peixos que tenen el cos protegit per una mena de cuirassa de pell dura i un cap semblant al d'un cavall. **5** Peça del joc d'escacs que es mou en forma d'ela. **6 cavall fort** Cavallfort.

cavaller cavallers *nom m* **1** Persona que antigament lluitava pel seu senyor o el seu rei en temps de guerra. **2** Persona que és educada i honrada: *El senyor Jonceda és un cavaller.*

cavalleria cavalleries *nom f* Part de l'exèrcit formada per soldats que munten a cavall o que van amb tancs i altres vehicles de motor.

cavallerós cavallerosa cavallerosos cavalleroses *adj* Que es comporta com un cavaller, que és molt educat i amable.

cavallet cavallets *nom m* Cadascuna de les peces fetes amb fusta, metall, etc. que serveixen de suport per a una taula, un quadre, etc.

cavallets *nom m pl* Atracció de fira per a infants que consisteix en una plataforma que gira sobre la qual hi ha cavalls, cotxes i animals de joguina per a seure-hi.

cavallfort cavallforts *nom m* Joc que consisteix a saltar un grup d'infants sobre les esquenes d'un altre grup per veure quins aguanten més.

cavallfort

cavar v Remoure la terra o fer-hi un sot amb l'aixada, el càvec, etc.: *Van cavar un sot a terra per plantar-hi el pal.*
Es conjuga com *cantar*.

càvec càvecs *nom m* Eina semblant a l'aixada, amb una fulla estreta que s'eixampla a la part posterior, que serveix per a cavar.

caverna cavernes *nom f* Cova, forat en una roca, en una muntanya o sota terra, que no ha estat fet per l'home.

cavernícola cavernícoles *adj i nom m i f* **1** Que habita en una caverna: *En aquesta cova s'han trobat pintures fetes pels primitius cavernícoles que hi havien habitat.* **2** Es diu de la persona que té idees antiquades o molt conservadores.

caviar caviars *nom m* Menjar molt apreciat fet d'ous d'un peix anomenat esturió.

cavil·lar v Pensar, rumiar molt sobre una cosa.
Es conjuga com *cantar*.

cavitat cavitats *nom f* Forat, espai buit a dins d'alguna cosa: *De l'interior del nas se'n diu la cavitat nasal.* **20** ■ Una cova és una cavitat d'una roca o d'una muntanya.

ce ces *nom f* **1** Nom de la lletra c C. **2** ce trencada Nom de la lletra ç Ç.

ceba cebes *nom f* **1** Planta de l'hort amb una part comestible anomenada bulb i que té un gust fort i picant: *A l'amanida hi havia olives, enciam, tomàquet i ceba.* ▮ **2** Dèria, obsessió: *Ha agafat la ceba dels escacs i tot el dia hi juga.* **3 ser de la ceba** Ser molt catalanista.

cec cega cecs cegues **1** *adj i nom m i f* Que no s'hi veu, que està privat del sentit de la vista: *Vam ajudar un senyor cec a travessar el carrer.* **2** *adj* Que està privat de la raó, del seny a causa d'una passió molt forta: *Aquell home estava cec de ràbia.* **3 a cegues** Sense veure-hi, amb els ulls clucs: *En Nicolau i la Manela jugaven a caminar a cegues.* **4** *nom m* Primera part de l'intestí gros.

cedir v **1** Donar, deixar una cosa: *No podia seure, però un noi em va cedir la cadira.* **2** Dei-

xar de resistir, deixar de negar-se a fer una cosa: *M'ho va demanar tant, que al final vaig cedir i li vaig deixar la bicicleta, tot i que no volia fer-ho.*
Es conjuga com *servir*.

cedre cedres *nom m* Arbre alt, de figura cònica, amb fulles sempre verdes i primes, que hi ha en alguns jardins.

cegar v **1** Privar algú de la vista, deixar-lo cec. **2** Fer perdre la capacitat de pensar, de raonar: *No en facis cas, la ràbia l'ha cegat i ara no sap el que es diu ni el que es fa.*
Es conjuga com *cantar*. S'escriu g davant de *a, o, u* i *gu* davant de *e, i*: *cego, cegues.*

ceguera cegueres *nom f* Ceguesa.

ceguesa cegueses *nom f* Falta del sentit de la vista.

ceguetat ceguetats *nom f* Ceguesa.

cel cels *nom m* **1** Part de l'espai que veiem des de la terra: *De dia el cel és ben blau, i a la nit és ple d'estels.* **2** Lloc fora de la terra on, segons algunes religions, es considera que viu Déu. **3 remoure cel i terra** Fer tots els esforços possibles per aconseguir una cosa. **4 cel ras** Superfície que cobreix el sostre i que amaga els materials amb què està construït o les instal·lacions que sosté.

celebració celebracions *nom f* Acció de celebrar, festa que es fa per celebrar una cosa: *Avui farem la celebració del sant de la mare.*

celebrar v Fer una festa, un àpat amb motiu d'un fet, d'un dia especial, etc.: *Diumenge celebrarem l'aniversari de la Margarida.*
Es conjuga com *cantar*.

cèlebre cèlebres *adj* Famós, important.

celeritat celeritats *nom f* Velocitat, rapidesa a fer les coses: *El cambrer ens va servir amb molta celeritat i de seguida vam poder començar a dinar.*

celeste celestes *adj* Celestial, propi del cel: *A la nit mirarem la volta celeste, el cel ple d'estrelles.*

celestial celestials *adj* Relatiu al cel, propi del cel; ideal, perfecte.

celibat celibats *nom m* Estat d'una persona que no és casada a l'edat de ser-ho.

celibatari celibatària celibataris celibatàries *nom m i f* Persona que viu en un estat de celibat, és a dir, que no és casada a l'edat de ser-ho.

celístia celísties *nom f* Claror que fan els estels de nit.

cella celles *nom f* **1** Conjunt de pèls en forma d'arc que tenim a la part de baix del front, a sobre dels ulls: *En Lluís té unes celles molt espesses.* **15 2 cremar-se les celles** Estudiar molt i amb molta atenció una cosa. **3 ficar-se una cosa entre cella i cella** Tenir una idea fixa, voler aconseguir una cosa tant sí com no: *Se li va ficar entre cella i cella que havia de guanyar la cursa, i es va entrenar molt per aconseguir-ho.*

cel·la cel·les *nom f* Habitació petita, com les que hi ha a les presons, als convents, etc.

cellajunt cellajunta cellajunts cellajuntes *adj* Que té les celles juntes, que les dues celles es toquen sense deixar gens d'espai entremig.

celler cellers *nom m* Lloc on es fan i es guarden begudes alcohòliques com ara el vi, el xampany, etc.; local subterrani d'una casa on es guarda vi, menjar, etc.

cel·lofana cel·lofanes *nom f* Material transparent i flexible, fet a partir de la cel·lulosa, que s'utilitza per a embolicar aliments i altres productes.

cèl·lula cèl·lules *nom f* Unitat de la matèria vivent: *Els éssers vius estem formats de milions de cèl·lules.*

cel·lular cel·lulars *adj* Que té relació amb la cèl·lula o que està format per cèl·lules: *Teixit cel·lular.*

cel·lulitis les cel·lulitis *nom f* Acumulació de greix en algunes parts del cos, com ara les cuixes.

cel·lulosa cel·luloses *nom f* **1** Substància que forma les parets de les cèl·lules dels arbres i altres vegetals. **2** Pasta que s'obté de les branques i dels troncs dels arbres i amb la qual es fabrica el paper.

celobert celoberts *nom m* Pati interior d'un edifici, generalment petit, que serveix per a ventilar i donar llum a les habitacions que no donen al carrer.

celta celtes **1** *nom m i f* Individu d'un poble que antigament es va establir a la part occidental d'Europa, sobretot a França i a les Illes Britàniques. **2** *adj* Que està relacionat amb el poble celta i la seva cultura: *Música celta.*

cementeri cementeris *nom m* Mira **cementiri**.

cementiri cementiris *nom m* Lloc on són enterrats els morts.

cendra cendres *nom f* Pols grisa i lleugera que queda com a resta d'una cosa que s'ha cremat: *A la llar de foc hi ha molta cendra.* ■ *No llenceu la cendra dels cigarrets a terra.*

cendrer cendrers *nom m* Recipient on es llença la cendra que es fa quan es fuma i on s'apaguen els cigarrets.

cendrós cendrosa cendrosos cendroses *adj* Que és o sembla de cendra: *Un color cendrós.*

cens censos *nom m* Llista oficial dels habitants d'un país, d'una ciutat, de les persones que tenen dret a votar, etc.

censor censora censors censores *nom m i f* Persona encarregada de censurar, és a dir, d'examinar un escrit, un llibre, una obra de teatre, etc., abans de fer-se públics, per veure si han de ser prohibits o permesos, o si se n'han de retallar alguns fragments.

censura censures *nom f* Acció de censurar.

censurar *v* **1** Examinar un escrit, un llibre, una obra de teatre, etc., abans de fer-se públics, per veure si han de ser prohibits o permesos, o si se n'han de retallar alguns fragments: *En els països on no hi ha llibertat, el govern censura els mitjans de comunicació per evitar que puguin fer crítiques.* **2** Desaprovar, criticar algú o alguna cosa.
Es conjuga com *cantar*.

cent cents centes *nom m i adj* **1** Paraula que expressa la quantitat representada per la xifra 100: *Cent persones.* ■ *Dos-cents euros.* **2** *Un 80 per cent* dels alumnes de l'escola s'hi queden a dinar: *80 alumnes de cada 100 s'hi queden a dinar.*

centaure centaures *nom m* Ésser imaginari amb cap i bust d'home i cos de cavall.

centaure

centè centena centens centenes *adj* **1** Que fa cent en una sèrie, que en té noranta-nou al davant. **2** Es diu de cadascuna de les parts d'una quantitat dividida en cent parts iguals.

centella centelles *nom f* **1** Espurna, guspira, petit esclat de llum produït per una descàrrega elèctrica. **2 ser viu com una centella** Ser una persona molt viva, molt desperta, molt espavilada.

centena centenes *nom f* Conjunt de 10 desenes o de 100 unitats: *300 són 3 centenes.*

centenar centenars *nom m* Conjunt de 100 persones o objectes.

centenari centenària centenaris centenàries **1** *adj* Que té cent anys: *Aquest edifici és centenari, va ser construït fa cent anys.* **2** *nom m* Dia de l'any o any que fa cent anys o uns quants centenars d'anys d'un fet important: *L'any 2002 es va celebrar el centenari de la mort del gran poeta Jacint Verdaguer.*

centèsim centèsima centèsims centèsimes *adj* **1** Que fa cent en una sèrie, que en té noranta-nou al davant, centè. **2** Es diu de cadascuna de les parts d'una quantitat dividida en cent parts iguals, centè: *Una centèsima part de segon.*

centigram centigrams *nom m* Unitat de mesura de pes equivalent a la centèsima part d'un gram.

centilitre centilitres *nom m* Unitat de mesura de capacitat equivalent a la centèsima part d'un litre.

cèntim cèntims *nom m* **1** Centèsima part de l'euro i d'altres monedes. **2 cèntims** *nom m pl* Diner: *Aquest cotxe és car, costa molts cèntims.* **3** *A veure si ens* **fas cinc cèntims** *de l'excursió ara que heu tornat:* explicar una cosa de manera breu.

centímetre centímetres *nom m* **1** Unitat de mesura de longitud equivalent a la centèsima part d'un metre: *Has de serrar una fusta que faci 35 cm (centímetres) de llargada.* **2** Tira de tela, de plàstic o de metall flexible, on hi ha marcats els centímetres i que serveix per a amidar.

centpeus uns centpeus *nom m* Cuc de cos llarg que té moltes potes curtes.

central centrals **1** *adj* Situat al centre o a la vora del centre: *El carrer central d'una ciutat.* **2** *nom f* Conjunt d'instal·lacions que produeixen energia: *Central elèctrica, tèrmica, nuclear, etc.*

centraleta centraletes *nom f* Instal·lació telefònica que serveix per a passar les trucades a diversos telèfons.

centralisme centralismes *nom m* Sistema polític que tendeix a concentrar tots els organismes de govern en una mateixa ciutat, que fa de centre del país.

centralitzar *v* Concentrar les coses en un punt, controlar les coses des d'un únic punt central: *Abans els avisos estaven escampats per totes les parets de l'edifici, però ara els han centralitzat tots a la paret de l'entrada.* Es conjuga com *cantar.*

centrar *v* **1** Posar una cosa al centre d'una altra: *Centrarem el mirall a la paret.* **2** Dirigir-ho tot cap a un únic objectiu: *Hem de centrar tots els esforços en l'organització de la festa.* **3 centrar-se** Tranquil·litzar-se, organitzar-se: *Et veig molt nerviós, hauries de procurar centrar-te.* Es conjuga com *cantar.*

centre centres *nom m* Punt o zona situada al mig d'un objecte, d'una figura, d'un territori, d'una ciutat, etc.: *El centre de la circumferència.* ■ *L'ajuntament és al centre de la ciutat.*

cèntric cèntrica cèntrics cèntriques *adj* Que és al centre, a la part central d'un lloc o d'una cosa.

centrífug centrífuga centrífugs centrífugues *adj* Que tendeix a fugir del centre: *Un moviment centrífug.*

centrípet centrípeta centrípets centrípetes *adj* Que tendeix a anar cap al centre: *Una força centrípeta.*

centúria centúries *nom f* Període de cent anys, segle.

cenyir *v* Ajustar al voltant de la cintura, o d'una altra part del cos, un cinturó, una corretja, una banda de roba: *La Roser es va cenyir el cinturó per sobre el vestit.* Es conjuga com *servir.*

cep ceps *nom m* **1** Tronc, soca de la vinya: *Hem anat al camp de vinyes i hem vist els ceps carregats de raïm.* **2** Vinya. **3** Sureny, bolet comestible, de carn molsuda i compacta, que té la cama sovint molt gruixuda i de color bru. **4**

cepat cepada cepats cepades *adj* Es diu de les persones fortes, que tenen bons músculs: *Una noia cepada, molt forta.*

ceptre ceptres *nom m* Bastó que tenen els reis i que és un símbol del poder.

cera ceres *nom f* **1** Substància de color groc produïda per les abelles que serveix per a fabricar els ciris, les espelmes, etc. **2 groc com la cera** Molt groc, molt pàl·lid.

ceràmica ceràmiques *nom f* Fabricació d'objectes com ara càntirs, gerres, rajoles, etc. amb fang o argila cuita al forn: *Hem comprat un càntir de ceràmica molt bonic.*

cerç cerços *nom m* Vent fred que ve del nord-oest.

cercar *v* **1** Buscar. **2 cercar món** Recórrer món, viatjar molt i per molts llocs.
Es conjuga com *cantar.* S'escriu *c* davant de *a, o, u* i *qu* davant de *e, i: cerco, cerques.*

cercavila cercaviles *nom f* Acció de recórrer els carrers, cantant, fent música, amb motiu d'una festa: *Tots els amics de l'escola farem una cercavila el dia de carnestoltes.*

cercle cercles *nom m* Circumferència, rodona: *Tota la família va seure formant un cercle al voltant de la taula rodona.*

cèrcol cèrcols *nom m* **1** Anella grossa de ferro que serveix per a mantenir juntes les fustes d'una bóta. **2** Anella de ferro o de fusta grossa amb què juguen els infants fent-la rodar.

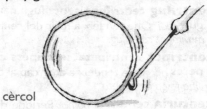

cèrcol

cerdà cerdana cerdans cerdanes **1** *nom m* i *f* Habitant de la comarca de la Cerdanya; persona natural o procedent de la comarca de la Cerdanya. **2** *adj* Es diu de les persones o de les coses naturals o procedents de la comarca de la Cerdanya.

cerdanyolenc cerdanyolenca cerdanyolencs cerdanyolenques **1** *nom m* i *f* Habitant de Cerdanyola del Vallès; persona natural o procedent de Cerdanyola del Vallès. **2** *adj* Es diu de les persones o de les coses naturals o procedents de Cerdanyola del Vallès.

cereal cereals *nom m* Planta que fa uns grans que poden ser convertits en farina: *El blat és un cereal.*

cerebel cerebels *nom m* Òrgan que hi ha a dins del cap, a darrere del cervell. **18**

cerebral cerebrals *adj* **1** Relatiu al cervell: *Una malaltia cerebral.* **2** Es diu d'una persona que pensa molt a l'hora de fer les coses i que no es deixa portar gaire pel cor ni per les emocions.

cerilla cerilles *nom f* Misto, llumí.

cerimònia cerimònies *nom f* Acte amb què se celebra un fet important: *La cerimònia de la missa.* ■ *La cerimònia de l'enterrament.*

cerimoniós cerimoniosa cerimoniosos cerimonioses *adj* Es diu de la persona que actua d'una manera molt solemne, molt educada, molt formal.

cert certa certs certes *adj* **1** Que és veritat: *El que diuen és veritat, és cert.* **2** Serveix per a referir-se a algú o alguna cosa sense dir qui o què és: *He vist certa persona que m'ho ha explicat tot.* **3** Tot això que he dit ho **sé del cert**: ho sé amb seguretat, sé que és veritat.

certamen certàmens *nom m* Competició, concurs en què es poden guanyar premis: *A l'escola han organitzat un certamen literari i han dit que donarien un premi a la millor poesia i un altre a la millor narració.*

certament *adv* D'una manera certa, efectivament: *Li vam demanar si ho havíem fet bé i ell va contestar: "Certament!, us ha sortit molt bé".*

certificar *v* Assegurar que una cosa és veritat: *El metge va certificar que aquell home havia mort d'un atac de cor.*
Es conjuga com *cantar.* S'escriu *c* davant de *a, o, u* i *qu* davant de *e, i: certifico, certifiques.*

certificat certificada certificats certificades **1** *adj* Es diu del paquet o de la carta enviats per correu que van acompanyats d'un document que ha de ser signat pel destinatari, per tal que la persona que ho envia pugui comprovar que li han arribat. **2** *nom m* Document que serveix per a demostrar que una cosa és veritat, és certa: *Per treure's el carnet de conduir, es necessita un certificat mèdic que asseguri que la persona no té cap problema físic que la privi de portar cotxe.*

cerumen cerúmens *nom m* Substància greixosa de color groguenc que es forma a l'interior de les orelles.

cervatell cervatells *nom m* Fill petit del cérvol.

cervató cervatons *nom m* Cervatell.

cervell cervells *nom m* Òrgan de la intel·ligència que es troba a l'interior del cap de les persones i dels animals. 18

cerverí cerverina cerverins cerverines **1** *nom m i f* Habitant de Cervera; persona natural o procedent de Cervera. **2** *adj* Es diu de les persones o de les coses naturals o procedents de Cervera.

cervesa cerveses *nom f* Beguda alcohòlica, de gust una mica amarg i color groguenc, que fa molta espuma, i que es fa d'ordi, de blat de moro o d'altres cereals.

cerveseria cerveseries *nom f* **1** Lloc on serveixen cervesa i altres begudes. **2** Fàbrica de cervesa.

cervical cervicals *adj* **1** Que està relacionat amb el coll o que en forma part. **2** vèrtebres cervicals Vèrtebres situades a la part del coll. 15

cérvol cérvola cérvols cérvoles *nom m i f* Animal mamífer, àgil i fort, que viu en estat salvatge: *Els cérvols mascles tenen unes banyes molt grosses.*

cesària cesàries *nom f* Operació que consisteix a fer un tall a la part baixa del ventre de la mare perquè pugui néixer el fill, i que es fa quan el part natural podria ser perillós per a la dona o la criatura.

cessar *v* Acabar, parar, no continuar: *La pluja ha cessat.*
Es conjuga com *cantar.*

cessió cessions *nom f* Acció de cedir, de donar una cosa a algú.

cetaci cetacis *nom m* Nom que reben alguns mamífers que tenen el cos allargat semblant al dels peixos i que viuen al mar: *Els dofins i les balenes són cetacis.* 12

cicatritzar *v* Tancar-se una ferida, deixant una cicatriu a la pell: *La ferida ja ha cicatritzat.*
Es conjuga com *cantar.*

cicatriu cicatrius *nom f* Marca que queda a sobre la pell a causa d'una ferida.

cicerone cicerones *nom m i f* Persona que ensenya i explica als visitants els monuments d'una ciutat, d'un poble, etc.

cicle cicles *nom m* **1** Conjunt de fets que es van produint contínuament en un mateix ordre: *El cicle de les estacions de l'any.* **2** Conjunt de cursos en què s'agrupen els estudis.

ciclisme ciclismes *nom m* Conjunt d'esports que es practiquen amb la bicicleta.

ciclista ciclistes *nom m i f* Persona que va amb bicicleta.

cicló ciclons *nom m* **1** Tempesta molt forta, de gran extensió, amb vents que giren al voltant d'una zona de baixa pressió atmosfèrica. **2** Estat de l'atmosfera que es produeix quan hi ha una zona central on la pressió és més baixa que en les zones del voltant, amb vents que giren al seu entorn.

ciclomotor ciclomotors *nom m* Vehicle lleuger de dues rodes, amb pedals, que funciona amb un motor de poca potència.

ciclop ciclops *nom m* Ésser imaginari en forma de gegant amb un sol ull al mig del front.

ciència ciències *nom f* Conjunt de coneixements sobre un tema o una matèria que s'han aconseguit observant i experimentant els fets: *La ciència de la medicina.* ■ *La ciència de la biologia estudia els éssers vius.*

ciència-ficció ciències-ficció *nom f* Novel·la o pel·lícula que explica una història que generalment passa en un temps futur en què s'han produït grans avenços científics i tècnics: *He llegit una novel·la de ciència-ficció que tracta d'uns astronautes que viatgen a un planeta habitat per uns éssers molt estranys.*

científic científica científics científiques **1** *adj* Es diu de tot allò que està relacionat amb la ciència: *Un descobriment científic.* **2** *nom m i f* Persona que es dedica a la ciència.

cigala cigales *nom f* **1** Insecte d'ales grosses i antenes molt curtes, que fa un soroll molt característic. **2** Animal marí comestible, amb closca rugosa i de color marró. **3** Penis.

cigaló cigalons *nom m* Beguda que consisteix en un cafè al qual s'ha afegit un raig de conyac o d'algun altre licor.

cigar cigars *nom m* Rotlle petit de fulles de tabac preparat per a ser fumat.

cigarret o cigarreta cigarrets o cigarretes *nom m* o *f* Tabac picat envoltat de paper fi preparat per a ser fumat.

cigarro cigarros *nom m* Cigarret.

cigne cignes *nom m* Ocell de coll llarg i formes elegants que neda i vola molt bé.

cigonya cigonyes *nom f* Ocell gros, amb el bec, el coll i les potes llargues, que vola a poc a poc. **8**

cigró cigrons *nom m* Llegum rodó i petit, de color groc, de la planta anomenada cigronera: *Per sopar, menjarem cigrons amb xoriço.*

cilindre cilindres *nom m* Cos rodó i allargat, amb els dos extrems plans.

cilíndric cilíndrica cilíndrics cilíndriques *adj* Que té la forma d'un cilindre.

cim cims *nom m* El punt més alt d'una muntanya o d'una cosa: *Vam pujar al cim de la muntanya.* ■ *El gat s'ha enfilat al cim de la taula.*

ciment ciments *nom m* Material que, quan es barreja amb un líquid, es torna enganxós i serveix per a unir maons, pedres, etc.

cimera cimeres *nom f* **1** Reunió o conferència en què participa gent molt important: *S'ha celebrat una cimera en què han participat els presidents de tots els països d'Europa.* **2** Adorn molt vistós que abans es posava al damunt del casc.

cinabri cinabris *nom m* Mineral del qual s'extreu el mercuri. **14**

cinc cincs *nom m* i *adj* Paraula que expressa la quantitat representada per la xifra 5.

cine cines *nom m* **1** Lloc on es projecten pel·lícules. **2** Conjunt de tècniques que s'utilitzen per a fer una pel·lícula.

cineasta cineastes *nom m* i *f* Persona que col·labora en la realització d'una pel·lícula, director d'una pel·lícula.

cinema cinemes *nom m* Mira cine.

cinematografia cinematografies *nom f* Art de fer pel·lícules de cine: *Els que volen ser directors de cine han d'estudiar en una escola de cinematografia.*

cinematogràfic cinematogràfica cinematogràfics cinematogràfiques *adj* Que està relacionat amb el cine: *Una actriu cinematogràfica.*

cingle cingles *nom m* Roca alta tallada de cop al cim d'una muntanya: *És perillós acostar-se als cingles.*

cinglera cingleres *nom f* Conjunt de cingles seguits.

cínic cínica cínics cíniques *adj* i *nom m* i *f* Es diu de la persona que no creu en l'honradesa ni en la sinceritat ni en els altres valors, i que ho manifesta obertament.

cinquanta cinquantes *nom m* i *adj* Paraula que expressa la quantitat representada per la xifra 50.

cinquantenari cinquantenària cinquantenaris cinquantenàries **1** *adj* Que té cinquanta anys. **2** *nom m* Dia de l'any o any que fa cinquanta anys d'un fet important.

cinquè cinquena cinquens cinquenes *adj* **1** Que fa cinc en una sèrie, que en té quatre al davant. **2** Es diu de cadascuna de les parts d'una quantitat dividida en cinc parts iguals.

cinta cintes *nom f* Tira llarga i estreta de roba o d'un altre material que serveix per a lligar, per a adornar, etc.: *Un regal adornat amb moltes cintes de colors.*

cintura cintures *nom f* **1** Part més estreta del tronc d'una persona, sota el tòrax. **2** Part d'un vestit que correspon a la cintura.

cinturó cinturons *nom m* **1** Corretja, cinta, cordó que serveix per a estrènyer i aguantar uns pantalons, una faldilla, etc. **2** cinturó de seguretat Cinta de tela que serveix per a lligar les persones al seient del cotxe o de l'avió per a protegir-les dels cops en cas d'accident.

cinyell cinyells *nom m* Cinturó, cinta, cordó, faixa, etc. que serveix per a cenyir un vestit al voltant del cos.

circ circs *nom m* **1** Espectacle que viatja de poble en poble i en el qual actuen diversos artistes, com ara pallassos, il·lusionistes, equilibristes, etc.: *Al circ vam veure uns trapezistes i un domador de lleons.* **2** Edifici de l'antiga Roma on es feien diversos espectacles, com ara curses de carros, lluita, etc.

circense circenses *adj* Que està relacionat amb el circ: *Un espectacle circense.*

circuit circuits *nom m* **1** Recorregut tancat en el qual es fa una cursa de bicicletes, de motos, de cotxes, etc.: *Guanyarà qui arribi primer després de fer deu voltes al circuit.* **2** Qualsevol recorregut que comença i acaba al mateix lloc, fent una volta.

circulació circulacions *nom f* Moviment, desplaçament: *La circulació de vehicles pels carrers.* ■ *La circulació de la sang per les venes i les artèries.*

circular[1] *v* Moure's, desplaçar-se, viatjar, passar d'un lloc a un altre: *Els cotxes circulen pels carrers.* ▪ *La notícia ha circulat molt de pressa i ara ja la sap tothom.*
Es conjuga com *cantar*.

circular[2] **circulars 1** *adj* Que té la forma d'un cercle o que hi està relacionat. **2** *nom f* Carta que s'envia a un grup de gent per donar una informació: *L'escola ha enviat una circular als pares convidant-los a la festa de final de curs.*

circulatori circulatòria circulatoris circulatòries *adj* Que està relacionat amb la circulació de vehicles o bé amb la circulació de la sang pel cos humà: *L'aparell circulatori està format per les venes, les artèries, etc.* **17**

circumferència circumferències *nom f* Rodona, límit d'un cercle.

circumloqui circumloquis *nom m* Acció de fer servir moltes paraules per a explicar una cosa que es pot explicar amb poques paraules.

circumspecte circumspecta circumspectes *adj* Es diu de la persona prudent, que va amb molt de compte amb el que diu i amb el que fa.

circumstància circumstàncies *nom f* Tot allò que està relacionat amb un fet com ara el moment, el lloc, les condicions, etc.: *Feia vent i plovia, i el partit es va haver de fer en aquestes circumstàncies.*

circumstancial circumstancials *adj* Es diu d'un fet que constitueix una circumstància o que en depèn.

circumval·lació circumval·lacions *nom f* Acció d'envoltar un lloc amb una carretera, una trinxera, etc.: *Han construït una carretera de circumval·lació, és a dir, una carretera al voltant de la ciutat.*

cirera cireres *nom f* **1** Fruit comestible del cirerer, de color vermell, petit i rodó. **2** **2 remenar les cireres** Manar, dirigir.

cirerer cirerers *nom m* Arbre de fulla caduca que produeix les cireres.

ciri ciris *nom m* **1** Cilindre de cera allargat que s'encén i serveix per a fer llum i que s'utilitza sobretot a les esglésies i a les processons. **2 sortir amb un ciri trencat** Dir o fer una cosa que no ve al cas: *Aquell noi sempre surt amb un ciri trencat, sempre proposa coses estranyes.*

ciri

ciríl·lic ciríl·lica ciríl·lics ciríl·liques *adj* Es diu de l'alfabet i de la lletra que fan servir els russos i altres pobles eslaus.

cirurgia cirurgies *nom f* Part de la medicina que tracta les malalties per mitjà d'operacions.

cirurgià cirurgiana cirurgians cirurgianes *nom m i f* Metge que té com a especialitat fer operacions.

cisalla cisalles *nom f* Instrument que serveix per a tallar metall o altres materials.

cisar *v* **1** Tallar amb les tisores trossos de tela de les vores d'una peça perquè tingui la forma i les dimensions adequades. **2** Prendre d'amagat una part d'una quantitat de diners.
Es conjuga com *cantar*.

cisell cisells *nom m* Eina de metall que consisteix en una barra d'acer que té un extrem tallant i l'altre pla perquè es pugui picar amb un martell per tal de tallar i treballar pedra, metall, etc.: *L'escultor feia servir el cisell per a treballar la pedra d'on havia de sortir l'estàtua.*

cisellar *v* Treballar un metall o una pedra amb el cisell: *L'escultora ha cisellat l'estàtua.*
Es conjuga com *cantar*.

cisma cismes *nom m* Separació d'un grup de persones de l'església, de la religió o del partit polític de què forma part.

cistell cistells *nom m* Recipient fet de vímets o de joncs, amb una nansa o dues per a poder-lo agafar amb la mà, i que serveix per a transportar coses: *Un cistell ple de bolets.*

cistella cistelles *nom f* **1** Mira cistell. **2** Anella de ferro voltada d'una xarxa on s'ha de ficar la pilota en el joc del bàsquet. **3** Acció d'encistellar, de ficar la pilota dins la cistella en el joc del bàsquet.

cisteller cistellera cistellers cistelleres *nom m i f* Persona que fa o que ven cistells i altres objectes fets de vímet.

cisterna cisternes *nom f* Dipòsit on es recull i es guarda l'aigua de la pluja.

cita cites *nom f* Acció de quedar en un lloc, un dia i una hora determinats, per a veure's dues o més persones: *Tinc una cita amb en Lluís i la Rosa demà a les sis de la tarda, davant del quiosc de la cantonada.*

citar *v* **1** Avisar algú perquè vagi en un lloc, un dia i una hora determinats: *La mestra ha citat els meus pares per parlar amb ella demà, a l'escola, a les 5 de la tarda.* **2** Dir o escriure paraules que havia dit o escrit abans una altra persona: *La mestra va citar aquell vers del poeta Joan Maragall que diu: "Topant de cap en una i altra soca..."*
Es conjuga com *cantar.*

cítara cítares *nom f* Instrument musical de corda, sense mànec, amb una caixa de ressonància plana.

cítric cítrics *nom m* Nom donat a diversos arbres i als seus fruits, com ara els tarongers i els llimoners.

ciuró ciurons *nom m* Mira **cigró**.

ciutadà ciutadana ciutadans ciutadanes *nom m i f* **1** Persona que viu en una ciutat: *Els ciutadans de Barcelona.* **2** Persona que depèn d'un estat determinat: *Un ciutadà francès.* ■ *Un ciutadà alemany.* **3** *adj* Es diu de tot allò que està relacionat amb la ciutat: *Les festes ciutadanes.*

ciutadella ciutadelles *nom f* Fortalesa, edifici amb muralles construït a prop d'una població per a defensar-la o vigilar-la.

ciutat ciutats *nom f* Població important, amb molts habitants: *La ciutat de Tortosa.*

civada civades *nom f* Cereal cultivat per l'home, semblant al blat, i que serveix per a alimentar els animals.

civera civeres *nom f* Baiard, aparell format per una plataforma amb dues barres llargues i paral·leles que pot ser transportat per dues persones.

cívic cívica cívics cíviques *adj* Que està relacionat amb els valors i els interessos comuns del país: *En aquest país hi ha molta educació cívica, i la gent procura no espatllar les coses públiques, com ara els bancs, les bústies, etc.*

civil civils *adj* **1** Que està relacionat amb els ciutadans i que no està relacionat amb l'exèrcit ni amb l'Església: *Un casament civil.* **2** **guàrdia civil** Cos de policia especial de l'Estat espanyol.

civilització civilitzacions *nom f* Cultura, conjunt de formes de vida d'un poble: *La civilització grega va ser molt important.*

civilitzar *v* Fer passar una persona o un poble a un nivell de cultura que es considera més avançat.
Es conjuga com *cantar.*

civisme civismes *nom m* Preocupació pels valors i pels interessos comuns del país: *Al nostre país hi hauria d'haver més civisme, la gent s'hauria de preocupar més per totes les coses públiques.*

clac Onomatopeia, paraula que imita el soroll que fan dues coses que xoquen amb força.

claca claques *nom f* Grup de públic pagat perquè aplaudeixi algú que està fent una actuació: *El cantant ho va fer molt malament, i al final es van sentir molt pocs aplaudiments, només els de la claca.*

clam clams *nom m* Crit fort; queixa, reclamació.

clamar *v* Cridar, demanar a crits alguna cosa.
Es conjuga com *cantar.*

clamor clamors *nom m* o *f* Crit fort i continuat de molta gent.

clan clans *nom m* Grup de persones unides per un interès comú: *Aquells delinqüents formaven un clan d'estafadors.*

clandestí clandestina clandestins clandestines *adj* Que és secret, amagat: *Als països on no hi ha llibertat, les reunions polítiques de l'oposició són clandestines, es fan d'amagat perquè estan prohibides.*

clap o **clapa** claps o clapes *nom m* o *f* Petita extensió que es diferencia d'allò que l'envolta pel color, per la forma, etc.: *A la muntanya encara hi havia claps de neu, que eren com petites taques blanques enmig de l'herba verda.* ■ *Portava un vestit blanc amb clapes vermelles.* ■ *Li cauen els cabells i ja té una gran clapa al mig del cap.*

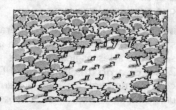
clap

clapar[1] v Fer claps: *La llum de la tarda clapava l'habitació de clarors i d'ombres.*
Es conjuga com *cantar*.

clapar[2] v Dormir.
Es conjuga com *cantar*.

clapit clapits nom m Lladruc sec: *Sentíem els clapits dels gossos.*

clapoteig clapoteigs o **clapotejos** nom m Soroll que fa l'aigua d'una bassa, d'una banyera, etc. quan es mou.

clar clara clars clares adj 1 Que té molta llum: *Aquesta habitació és clara perquè hi toca el sol tot el dia.* 2 Que té un color no gaire fort: *Un jersei verd clar.* 3 Poc espès: *Un bosc clar, amb molta distància entre arbre i arbre.* 4 Fàcil d'entendre: *Una explicació clara.* 5 A l'estiu, a les nou del vespre encara **és clar**: és de dia, hi ha llum. 6 **tenir el cap clar** Ser intel·ligent. 7 adv D'una manera clara: *Aquesta persona parla clar, diu les coses directament i d'una manera que se l'entén.*

clara clares nom f Matèria que hi ha al voltant del rovell de l'ou.

claraboia claraboies nom f Part d'una teulada coberta amb un vidre que serveix perquè entri la llum a dins d'un edifici.

clarament adv De manera clara, evident: *Ho ha explicat clarament.* ■ *Es veu clarament que no és veritat.*

claredat claredats nom f Claror, qualitat de clar, de ser fàcil d'entendre: *La mestra ens explica les coses amb claredat.*

clarejar v Començar a fer-se clar: *Eren les set del matí i ja clarejava.*
Es conjuga com *cantar*. S'escriu *j* davant de *a, o, u* i *g* davant de *e, i: clareja, claregi.*

clarí clarins nom m Instrument musical de vent, semblant a la trompeta però de so més agut.

clariana clarianes nom f Espai de cel entre núvols; espai sense arbres dins d'un bosc.

clarinet clarinets 1 nom m Instrument musical de vent. 2 nom m i f Músic que toca el clarinet.

clarió clarions nom m Guix per a escriure a la pissarra.

clarivident clarividents adj Que hi veu clar: *Aquesta persona t'aconsellarà bé, és molt clarivident.*

clarobscur clarobscurs nom m Distribució de la llum i de l'ombra en un dibuix o una pintura; contrast que fan la llum i l'ombra.

claror clarors nom f Llum: *La bombeta fa molta claror.*

classe classes nom f 1 Grup d'alumnes en una escola. 2 Lliçó que rep un grup d'alumnes. 3 Habitació, aula on es fan les lliçons. 4 Grup de persones o de coses que tenen unes característiques comunes. 5 **classe social** Conjunt de persones que, dins la societat, tenen en comú una funció, una professió, unes condicions de vida, etc.: *Els obrers són una classe social.*

clàssic clàssica clàssics clàssiques 1 adj Es diu d'un llibre, d'una obra d'art, etc. que es considera molt important i que es pren com a model: *El "Tirant lo Blanc" és un llibre clàssic de la literatura catalana.* 2 nom m Autor o obra que es considera molt important i que es pren com a model: *Ramon Llull és un clàssic de la literatura catalana.* 3 adj Es diu de les idees, de l'art antic de Grècia i de Roma.

classificació classificacions nom f Ordenació, divisió, acció de classificar.

classificar v Ordenar, dividir un conjunt de coses en grups, en classes, segons un criteri: *Classifica aquests dibuixos en dos grups, segons si representen animals o si representen plantes.*
Es conjuga com *cantar*. S'escriu *c* davant de *a, o, u* i *qu* davant de *e, i: classifico, classifiques.*

classista classistes adj i nom m i f Que és partidari de mantenir les diferències i la separació entre les classes socials: *És una persona rica i molt classista, que no vol tenir tractes amb la gent modesta.*

clatell clatells nom m Part de darrere del coll: *Em van donar un cop al clatell.*

clatell

clatellada clatellades nom f 1 Cop donat amb la mà al clatell. 2 El fet d'haver de pagar una cosa que és més cara del que ens esperàvem: *En aquell restaurant ens van clavar una bona clatellada, va ser caríssim.*

clatellot clatellots *nom m* Cop al clatell.

clau[1] claus *nom m* **1** Peça de metall petita i allargada, que té una punta punxeguda i l'altra plana, que es pot fer entrar a dins d'una paret o d'una fusta a cops de martell, i serveix per a unir o per a penjar coses. **2** *Aquell noi és* **sec com un clau**: molt prim. **3 voler fer entrar el clau per la cabota** Voler fer una cosa d'una manera equivocada, d'una manera que no va bé; voler tenir raó sigui com sigui, encara que les coses demostrin el contrari.

clau[2] claus *nom f* **1** Peça de metall que es fica al forat del pany i que serveix per a obrir o tancar una porta, un armari, una caixa, etc. **2** Allò que serveix per a entendre un problema i solucionar-lo. **3** Cadascun dels signes { } que serveixen per a incloure-hi conjunts, indicar divisions d'un tema, etc. **4** Eina consistent en un mànec acabat en una obertura que té la mida i la forma dels cargols o de les femelles que es volen collar o afluixar; si aquesta obertura es pot graduar, s'anomena clau anglesa. **5** En esports de lluita, acció que es fa contra l'adversari per tal d'immobilitzar-lo. **6 clau d'un rellotge** Clau que serveix per a donar corda a un rellotge. **7 clau de pas** Mecanisme que serveix per a obrir o tancar el pas d'un líquid o d'un gas per un conducte.

claudàtor claudàtors *nom m* Cadascun dels signes de puntuació [ ] que en un escrit s'utilitzen per a tancar paraules o frases, de vegades al mig d'un fragment que ja està escrit entre parèntesis.

claudicar *v* Abandonar, rendir-se: *Al començament deia que no, però després d'una estona d'insistir-hi va claudicar i ens va deixar passar.*
Es conjuga com *cantar*. S'escriu *c* davant de *a, o, u* i *qu* davant de *e, i*: *claudico, claudiques.*

clauer clauers *nom m* Anella, cadena, cordó, etc. on van lligades unes quantes claus.

claustre claustres *nom m* **1** Passadís cobert, amb una paret en una banda i columnes a l'altra, que volta el pati o el jardí d'un monestir, d'un convent, etc. **2** Reunió de tots els professors d'una escola, d'una universitat, etc.

claustrofòbia claustrofòbies *nom f* Angoixa que produeix en certes persones el fet de trobar-se en un lloc tancat: *No agafa mai l'ascensor perquè li produeix claustrofòbia.*

clàusula clàusules *nom f* Cadascuna de les parts d'un document: *En el contracte de lloguer del pis hi ha una clàusula que prohibeix al llogater de fer obres sense permís del propietari.*

clausura clausures *nom f* **1** Acció de clausurar, de tancar. **2** Lloc tancat on només hi poden entrar certes persones, com passa en alguns convents de religiosos: *En aquest convent hi ha monges de clausura.*

clausurar *v* Tancar, fer plegar: *A causa de l'accident, han clausurat el parc d'atraccions.*
Es conjuga com *cantar*.

clavar *v* **1** Fer entrar un clau en una paret, en una fusta, etc. a cops de martell. **2** Ficar una cosa punxeguda dins d'una altra cosa: *M'he clavat una agulla al dit.* **3 clavar una bufetada, un cop de puny,** etc. Pegar.
Es conjuga com *cantar*.

clavat clavada clavats clavades *adj* **1** Molt semblant, idèntic: *Aquesta noia és clavada a la seva mare.* **2** Que va a la mida exacta: *Aquests pantalons et van clavats.*

clavecí clavecins *nom m* Instrument musical de corda semblant a un piano de cua.

claveguera clavegueres *nom f* Conducte subterrani on van a parar les aigües brutes de les cases i dels carrers.

clavegueram claveguerams *nom m* Conjunt de les clavegueres d'una població.

clavell clavells *nom m* Flor de la clavellina, de diversos colors, amb els pètals acabats en dentetes, que fa molt bona olor. ▪ **3**

clavellina clavellines *nom f* Planta de jardí que fa clavells.

clavícula clavícules *nom f* Cadascun dels dos ossos llargs en forma d'essa que hi ha a la part superior del pit i que s'ajunten amb l'estern i l'omòplat. ▪ **15**

clavilla clavilles *nom f* Peça que hi ha al final d'un cable i que té dues barretes de metall que es claven en un endoll i serveix per a agafar corrent elèctric.

clàxon clàxons *nom m* Instrument que quan es toca produeix un so fort i serveix per a cridar l'atenció; botzina: *L'Emili s'ha comprat un clàxon per a la bicicleta.*

cleca cleques *nom f* Bufetada, clatellada.

cleda cledes *nom f* Espai tancat amb fustes, canyes, filferro, que serveix per a tancar-hi animals domèstics com ara gallines, conills, etc.

clemàstecs *nom m pl* Cadena amb ganxos penjada a la xemeneia de la llar de foc que serveix per a penjar-hi les olles que s'han d'escalfar al foc.

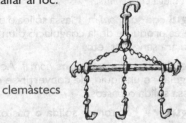

clemàstecs

clemència clemències *nom f* Tendència a perdonar o a posar un càstig petit a qui és culpable d'alguna cosa: *Aquell jutge va mostrar clemència pel jove delinqüent i li va posar una pena molt petita.*

clement clements *adj* Es diu de la persona que perdona o que disminueix el càstig que ha de rebre algú altre: *El jutge va ser clement i va posar una pena de només un any de presó a l'autor del robatori.*

clenxa clenxes *nom f* Ratlla recta que moltes persones es fan quan es pentinen tirant-se una part dels cabells cap a una banda i l'altra part cap a l'altra.

clenxinar *v* Pentinar els cabells fent-hi una clenxa.
Es conjuga com *cantar*.

clepsa clepses *nom f* Part de dalt del cap: *Va picar amb un armari i es va clavar un cop a la clepsa.*

cleptòman cleptòmana cleptòmans cleptòmanes *adj* i *nom m* i *f* Es diu de la persona que té una malaltia que fa que no pugui estar-se de robar: *Els cleptòmans no roben pas per necessitat, sinó impulsats per un desig que no poden evitar.*

clergat clergats *nom m* Conjunt dels clergues.

clergue clergues *nom m* Persona que ha rebut els ordes sagrats, com els capellans i els bisbes.

clerical clericals *adj* Que està relacionat amb els clergues.

clero cleros *nom m* Clergat.

clic Onomatopeia, paraula que imita el so que fan dues peces de metall, de plàstic, etc. quan encaixen.

clicar *v* Pitjar el ratolí d'un ordinador per a seleccionar una opció que apareix a la pantalla.
Es conjuga com *cantar*. S'escriu *c* davant de *a, o, u* i *qu* davant de *e, i*: *clico, cliques.*

client clienta clients clientes *nom m* i *f* Persona que acostuma a anar a comprar en una botiga, que acostuma a anar a un bar, etc.: *Els clients d'aquesta botiga estan molt contents perquè els productes estan molt bé de preu.*

clientela clienteles *nom f* Conjunt dels clients habituals d'un negoci, d'un establiment: *Aquesta botiga té molta clientela, sempre és plena de gent que hi compra.*

clima climes *nom m* Conjunt de condicions atmosfèriques com ara temperatura, pluja, vent, etc. d'un lloc determinat: *Mallorca té molt bon clima, a l'hivern no hi fa gaire fred i a l'estiu hi acostuma a fer molt sol.*

climàtic climàtica climàtics climàtiques *adj* Que està relacionat amb el clima: *El tipus de vegetació d'un lloc depèn de les condicions climàtiques.*

climatitzar *v* Fer que la temperatura i la humitat d'un lloc siguin agradables: *Han climatitzat el cinema del barri, i ara a l'estiu no hi fa gens de calor.*
Es conjuga com *cantar*.

clímax clímaxs *nom m* Moment més important o més emocionant d'una novel·la o d'una pel·lícula.

clínica clíniques *nom f* Hospital, lloc on es curen les persones malaltes, ferides, etc.

clip clips *nom m* Peça de metall, plàstic, etc. petita i doblegada, que serveix per a aguantar papers, cabells, etc.

clissar *v* Veure, adonar-se d'una cosa: *Em volia enganyar, però de seguida el vaig clissar.*
Es conjuga com *cantar*.

clítoris els clítoris *nom m* Òrgan situat a l'angle anterior de la vulva.

clivella clivelles *nom f* Obertura llarga i estreta en una pedra, una fusta, etc.; esquerda.

clixé clixés *nom m* **1** Planxa on hi ha gravat en relleu un dibuix o un text i que serveix per a reproduir-lo en una altra banda. **2** Negatiu original d'una pel·lícula o d'una fotografia a partir del qual es fan les còpies. **3** Es diu d'una expressió o una idea molt repetida.

cloc-cloc Onomatopeia, paraula que imita la veu de la gallina.

cloenda cloendes *nom f* Part final que tanca un discurs, un acte, etc.: *Cada any organitzen una festa de cloenda del curs.*

clofolla clofolles *nom f* Closca, part llenyosa d'alguns fruits, com ara les castanyes, les nous, els cacauets, les avellanes, etc.

cloïssa cloïsses *nom f* Animal marí petit i amb closca que és molt apreciat com a aliment.

cloquer cloquers *nom m* Campanar.

clor clors *nom m* Substància que s'utilitza en l'elaboració de productes desinfectants: *Tiren clor a la piscina per desinfectar-ne l'aigua.*

clorofil·la clorofil·les *nom f* Substància verda de les plantes que té una funció important en la fotosíntesi.

clos closa closos closes **1** *adj* Tancat, aïllat de l'exterior: *Un espai clos.* **2** *nom m* Espai tancat per una paret, una reixa, una tanca, etc.

closca closques *nom f* **1** Part dura que envolta el cos d'alguns animals, com el cargol, i que els serveix per a protegir-se. **2** Part dura que envolta l'ou: *Quan neixen, els pollets han de trencar la closca de l'ou.* **3** Part dura que envolta alguns fruits com ara les nous, les avellanes i les ametlles. **4** Conjunt d'ossos que formen la part superior del cap: *M'he donat un cop a la closca.* **5 ser dur de closca** Ser poc intel·ligent.

clot clots *nom m* Excavació que hi ha o que es fa en un terreny; sot: *El jardiner va fer un clot al jardí per plantar-hi un cirerer.*

clotet clotets *nom m* Clot petit: *Aquesta senyora té un clotet a la barbeta.*

cloure *v* Tancar.
Es conjuga com *concloure*. Participi: *clos, closa.*

club clubs *nom m* Associació de persones amb interessos comuns: *Un club ciclista.* ■ *Un club de futbol.*

cluc clucs *adj* **1** Es diu de l'ull quan està tancat: *Dormia amb els ulls clucs.* **2 saber una** cosa a ulls clucs Saber molt bé una cosa. **3 fer una cosa a ulls clucs** Fer una cosa sense necessitat de pensar-la abans.

coa coes *nom f* Cua.

coaccionar *v* Obligar algú a fer alguna cosa que no volia fer: *El van coaccionar perquè callés, li van explicar que si deia res li pegarien.*
Es conjuga com *cantar.*

coàgul coàguls *nom m* Massa sòlida o pastosa que és producte de la coagulació d'un líquid, com ara sang, llet, etc.

coagulació coagulacions *nom f* Acció de coagular-se un líquid, de convertir-se en una massa sòlida o pastosa.

coagular *v* Fer tornar sòlida o pastosa una part d'un líquid: *Les ferides sagnen fins que la sang es coagula.*
Es conjuga com *cantar.*

coala coales *nom m* Animal mamífer, sense cua, de tronc curt i robust i de cap gros, amb orelles grosses i peludes.

coalició coalicions *nom f* Aliança de diverses persones, partits o països: *Tres partits polítics han fet una coalició per anar junts a les eleccions.*

coartada coartades *nom f* El fet de no haver estat al lloc del crim a l'hora en què es va cometre: *La policia pensava que ell era l'autor de l'assassinat, però l'han hagut de deixar anar perquè té una coartada, ja que alguns testimonis han declarat que en aquella hora l'havien vist assegut en un bar.*

coartar *v* Reduir la llibertat d'algú amb amenaces, prohibicions, etc.
Es conjuga com *cantar.*

coautor coautora coautors coautores *nom m i f* Cadascuna de les persones que han fet una cosa plegades: *Els coautors d'un llibre.*

cobdícia cobdícies *nom f* Desig molt fort de posseir diners i riqueses.

cobejar *v* Desitjar tenir alguna cosa.
Es conjuga com *cantar.* S'escriu *j* davant de *a, o, u* i *g* davant de *e, i: cobejo, cobeges.*

cobejós cobejosa cobejosos cobejoses *adj* Que desitja molt tenir una cosa: *Una persona cobejosa de diners.*

cobert coberta coberts cobertes **1** *adj* Que està tapat, protegit per una cosa que té

al damunt: *Tinc el cotxe cobert amb un plàstic perquè no s'embruti de pols.* **2** *nom m* **Lloc protegit amb sostre:** *Al jardí hi ha un cobert per a guardar-hi les eines.* **3** *nom m* **Estri que serveix per a menjar, cullera, forquilla o ganivet:** *Poseu coberts, que serem vuit a menjar.* **4 a cobert de** Protegit, emparat contra alguna cosa: *En aquella casa estàvem a cobert del vent.*

coberta cobertes *nom f* **1** Part de fora d'un llibre. **2** Part del pneumàtic que cobreix la cambra d'aire. **3** Plataforma d'un vaixell.

cobertor cobertors *nom m* Cobrellit.

cobla cobles *nom f* **1** Petita orquestra que toca sardanes. **2** Conjunt de versos que se solen cantar.

cobra cobres *nom f* Nom de diverses serps que, quan s'exciten, poden eixamplar el coll tot formant una mena de caputxó.

cobrador cobradora cobradors cobradores **1** *nom m i f* Persona que passa per les cases a cobrar factures; persona que, en una botiga, en un autobús, etc., és l'encarregada de cobrar. **2 cobrador automàtic** Màquina que cobra i dóna els bitllets al metro, a l'autobús, etc.

cobrament cobraments *nom m* Acció de cobrar diners.

cobrar *v* **1** Rebre, guanyar diners: *En Vicenç ha trobat una bona feina i ara cobra un bon sou.* **2** Demanar i aconseguir el pagament d'un deute, d'una factura, etc.: *Avui he cobrat els dos euros que em devia el meu cosí.* Es conjuga com *cantar*.

cobrellit cobrellits *nom m* Peça de roba que es posa damunt del llit per abrigar o per fer bonic.

cobrir *v* Tapar, protegir una cosa posant-n'hi una altra al damunt: *Els soldats es cobrien el cap amb un casc.* Es conjuga com *servir*. Participi: *cobert, coberta*.

coca¹ coques *nom f* **1** Pastís de forma rodona o ovalada, fet de farina, sucre, ous, mantega i altres ingredients. **2** *T'has assegut damunt el meu barret i l'has deixat com una coca* totalment aixafat o fet malbé.

coca² coques *nom f* Arbust de les fulles del qual s'obté una droga anomenada cocaïna.

coça coces *nom f* **Cop de peu, guitza:** *Em va clavar una coça a la cama i encara em fa mal.*

cocaïna cocaïnes *nom f* **Droga molt forta i molt perillosa que s'extreu de les fulles de la coca i que crea addicció i dependència.**

cocció coccions *nom f* Acció de coure un aliment o una altra cosa: *La cocció d'aquesta carn ha de durar uns quants minuts.*

còccix còccixs *nom m* **Os petit que hi ha al capdavall de tot de la columna vertebral dels éssers humans i d'alguns simis.** **15**

coco cocos *nom m* Fruit comestible, de carn blanca i amb closca, d'una palmera anomenada cocoter.

cocodril cocodrils *nom m* Animal rèptil de morro allargat, cos pla, potes curtes i cua grossa, que viu a les vores d'alguns rius d'Àfrica, d'Àsia i d'Amèrica.

cocoter cocoters *nom m* Palmera el fruit de la qual és el coco.

còctel còctels *nom m* Beguda feta amb la barreja de diverses begudes alcohòliques.

codi codis *nom m* **1** Conjunt de lleis sobre un mateix tema: *El codi de circulació són les lleis que regulen la circulació dels vehicles.* **2** Conjunt de signes: *La llengua és un codi.*

còdol còdols *nom m* Pedra llisa i arrodonida per l'aigua, com les que hi ha als rius.

codony codonys *nom m* Fruit comestible del codonyer.

codonyat codonyats *nom m* Confitura de codony.

coent coents *adj* Que crema, que cou, que pica: *Una salsa molt coent.* ■ *Una ferida coent.*

coentor coentors *nom f* Picor, dolor que produeix una ferida o una cremada.

coet coets *nom m* **1** Objecte en forma de tub, ple de pólvora, que es llança a l'aire i explota deixant anar partícules de foc de diferents colors: *Per la festa major faran focs artificials i llançaran coets.* **2** Aparell en forma de tub, ple de combustible, que es fa servir per a llançar a l'espai una nau espacial o un satèl·lit artificial.

coetani coetània coetanis coetànies *adj* Es diu de les persones o les coses que existeixen en una mateixa època, que comparteixen el temps de vida.

coexistir v Existir al mateix temps, al mateix lloc: *Al planeta Terra hi coexisteixen molts éssers vius de diferents espècies.*
Es conjuga com *servir*.

còfia còfies nom f Gorra de diverses formes, com la que porten les monges, les cambreres, etc.

còfia

cofoi cofoia cofois cofoies adj Feliç, content, satisfet d'una cosa: *Està cofoi perquè li ha tocat un premi.*

cofre cofres nom m Bagul, caixa amb tapa que es tanca amb clau i que serveix per a guardar-hi coses: *El tresor era a dins d'un cofre.*

cofurna cofurnes nom f Casa o habitació petita i fosca: *Aquella gent tan pobra viu en una cofurna.*

cognom cognoms nom m Nom de família, que va després del nom d'una persona: *Aquella noia es diu Maria Comerma i González. "Maria" és el nom, "Comerma" és el primer cognom i "González" és el segon cognom.*

cogombre cogombres nom m Fruit comestible de la planta anomenada també cogombre, de color verd per fora i blanc per dins, de forma allargada i que es conrea als horts.

cohabitar v Viure juntes dues o més persones.
Es conjuga com *cantar*.

coherència coherències nom f Relació sense contradiccions entre les parts d'una cosa: *Has parlat amb molta coherència, sense contradir-te en cap moment.*

coherent coherents adj Es diu de les persones o de les coses que no tenen contradiccions: *El director ha fet un discurs coherent, totes les parts lligaven perfectament i no s'ha contradit cap vegada.*

cohesió cohesions nom f El fet d'estar unides les persones o les coses: *En aquesta classe hi ha molta cohesió entre els alumnes.*

cohibir v Impedir que algú es comporti d'una manera lliure o normal: *El nen no gosava dir res perquè tanta gent el cohibia.*
Es conjuga com *servir*.

cohibit cohibida cohibits cohibides adj Es diu de la persona que no gosa dir o fer una cosa perquè està en presència d'algú que li fa molt respecte: *El nen estava tot cohibit davant de tanta gent desconeguda i, quan li van demanar quants anys tenia, va abaixar la cara i va contestar fluixet sense mirar ningú.*

coi cois nom m Hamaca de lona que fan servir els mariners per a dormir.

coincidència coincidències nom f El fet de coincidir, de trobar-se dues o més persones o coses en un lloc: *Va ser una coincidència que ens trobéssim pel carrer.*

coincidir v 1 Trobar-se dues o més persones o coses en un mateix lloc: *En Miquel i jo vam coincidir a la sortida de l'escola.* 2 Passar dues coses en un mateix període de temps: *La nevada va coincidir amb les vacances de Nadal.*
Es conjuga com *servir*.

coiot coiots nom m Animal mamífer i carnívor, semblant al llop però més petit, de color gris i pèl abundant.

coïssor coïssors nom f Sensació de picor, semblant a la que produeix una cremada: *Sentia una coïssor a la ferida.*

coit coits nom m Acte sexual.

coix coixa coixos coixes adj i nom m i f 1 Que no camina bé perquè té una cama més curta que l'altra, perquè no pot doblegar el genoll o per qualsevol altre problema. 2 a peu coix Amb un peu enlaire, sense tocar a terra.

coixejar v Anar coix: *Em vaig girar un peu i vaig coixejar uns quants dies.*
Es conjuga com *cantar*. S'escriu *j* davant de *a, o, u* i *g* davant de *e, i*: *coixejo, coixeges*.

coixesa coixeses nom f El fet de no caminar bé a causa d'una malaltia o d'un problema de les cames: *Aquell cop a la cama li va produir coixesa durant uns quants dies.*

coixí coixins nom m 1 Sac de tela, ple de plomes, de llana o d'espuma, que serveix per a posar-hi el cap mentre dormim o per a estar més còmodes en un sofà, en una butaca, etc. **2** *En Joan va caure de l'arbre, però l'herba que hi havia a terra li va* **fer de coixí***; parar el cop.*

coixinera coixineres *nom f* Bossa o funda dins la qual es posa el coixí.

coixinet coixinets *nom m* Coixí petit; coixí petit on es claven les agulles de cosir perquè no s'escampin i es perdin.

col cols *nom f* **1** Planta comestible que es conrea a l'hort, de fulles molt amples i apinyades les unes amb les altres, que generalment es menja bullida. **2 col de Brussel·les** Col molt petita.

cola coles *nom f* Líquid o pasta que serveix per a enganxar objectes, papers, fusta, etc.: *Necessitem cola per a enganxar els cromos a l'àlbum.*

colador coladors *nom m* Instrument de cuina que té una reixeta i que serveix per a colar líquids.

colar *v* Fer passar un líquid a través d'una reixeta amb forats petits per separar-ne les partícules sòlides que hi ha barrejades.
Es conjuga com *cantar.*

coleòpter coleòpters *nom m* Nom de diversos insectes que tenen les ales de davant dures, les quals serveixen per a cobrir les de darrere, escarabat.

còlera[1] còleres *nom m* Malaltia infecciosa molt perillosa que produeix vòmits i diarrea.

còlera[2] còleres *nom f* Ràbia contra algú o alguna cosa.

colèric colèrica colèrics colèriques *adj* Es diu de la persona que té tendència a enfadar-se molt fort i sovint: *Té un caràcter molt colèric, de seguida s'enfada.*

colgar *v* **1** Posar alguna cosa dins un sot i cobrir-la amb terra: *El gos ha colgat un os al jardí.* **2** Tapar una cosa posant-hi tot de coses a sobre, cobrir una cosa: *La neu va colgar els cotxes que hi havia al carrer.*
Es conjuga com *cantar.* S'escriu *g* davant de *a, o, u* i *gu* davant de *e, i: colgo, colgues.*

coliflor coliflors *nom f* Planta semblant a la col que fa una mena de flor molt grossa i de color blanc que és comestible.

coll colls *nom m* **1** Part estreta del cos que uneix el cap i el tronc: *Les girafes tenen el coll*

molt llarg. ■ *Estic refredat i tinc mal de coll.* **2** *El pare porta el nen petit* **a coll***; als braços o sobre les espatlles.* **3** Part estreta d'una ampolla, d'una gerra, etc. **4** Punt baix en una carena de muntanyes per on sol passar un camí o una carretera. **5 posar el coll en una feina** Posar-hi molt esforç, molta dedicació. **6 tenir el peu al coll** Tenir dominat algú o alguna cosa: *Al principi em costava molt fer aquesta feina, però ara ja li tinc el peu al coll.* **7 tenir coll avall** Veure una cosa molt segura: *Es pensava que guanyaria el premi, ja ho tenia coll avall, per això va tenir una gran decepció en saber que havia perdut.*

colla colles *nom f* **1** Conjunt de persones, animals o coses: *Una colla d'infants.* ■ *Una colla de bolígrafs.* **2** Grup d'amics: *A en Cesc i a la seva colla els agrada de jugar a futbol.*

col·laboració col·laboracions *nom f* Acció de col·laborar, de fer conjuntament alguna cosa: *Per organitzar la festa, hem comptat amb la col·laboració de diverses persones.*

col·laborador col·laboradora col·laboradors col·laboradores *adj i nom m i f* Es diu de la persona que col·labora en una feina, en una obra, en una revista, etc.

col·laborar *v* Treballar juntament amb algú altre, ajudar: *L'Ignàsia i en Santi van col·laborar amb mi per fer el dibuix.*
Es conjuga com *cantar.*

collada collades *nom f* Zona baixa d'una certa amplària en una carena de muntanyes.

collage collages *nom m* Quadre que es fa enganxant diverses imatges, retalls de diari, fotografies, etc. damunt una tela o una fusta.

col·lapse col·lapses *nom m* Aturada, paralització del funcionament d'un organisme o d'una cosa: *A causa de la tempesta s'ha produït un gran col·lapse circulatori i ara hi ha embussos per tota la ciutat.*

collar[1] *v* **1** Ficar un cargol dins un forat fent-lo voltar fins que quedi ben cargolat: *Necessito el tornavís per collar els cargols de la porta de l'armari.* **2** Ajuntar, unir dues coses per mitjà de cargols o altres peces que serveixin per a unir.
Es conjuga com *cantar.*

collar[2] collars *nom m* **1** Corretja que es posa al voltant del coll d'un animal: *El nen agafava el gos pel collar perquè no se li escapés.*

2 Joia que es porta al voltant del coll lligada amb una cadena.

collaret col·larets *nom m* Conjunt de perles, pedres boniques, etc. enfilades en un fil gruixut que es porta penjat al coll per fer bonic.

col·lateral col·laterals *adj* Que està situat al costat d'una altra cosa: *Viu en un carrer col·lateral al carrer on jo visc.*

col·lecció col·leccions *nom f* Conjunt de cromos, de segells, de quadres, de llibres, etc. que s'han anat aplegant al llarg d'un temps i que formen un grup coherent: *En Robert fa col·lecció de postals i la Mercè de segells.*

col·leccionar *v* Fer col·lecció d'alguna cosa: *En Robert col·lecciona cromos.*
Es conjuga com *cantar.*

col·leccionista col·leccionistes *nom m* i *f* Persona que fa col·lecció d'alguna cosa: *Un gran col·leccionista de joguines antigues.*

col·lecta col·lectes *nom f* Recollida de diners, de roba, de menjar, etc. amb la finalitat d'ajudar algú o col·laborar en alguna cosa: *Farem una col·lecta entre els nens de la classe per comprar una pilota nova.*

col·lectiu col·lectiva col·lectius col·lectives **1** *adj* Es diu d'una cosa que és d'un conjunt de persones, que fan diverses persones o que afecta un conjunt de persones: *El metro és un transport col·lectiu, el fa servir molta gent.* **2** *nom m* Grup, conjunt de persones que fan una mateixa tasca, que tenen unes mateixes obligacions o característiques, etc.: *Els mestres formen un col·lectiu molt important per a la societat.*

col·lectivitat col·lectivitats *nom f* Conjunt de persones que tenen alguna cosa en comú: *Els veïns del poble formen una col·lectivitat.*

col·lega col·legues *nom m* i *f* **1** Cadascuna de les persones que comparteixen una feina o una altra activitat. **2** Paraula que s'utilitza per tractar els companys.

col·legi col·legis *nom m* **1** Escola. **2** Associació de persones que tenen una mateixa professió: *El col·legi d'arquitectes.* ▪ *El col·legi d'advocats.* **3** **col·legi electoral** Cadascun dels llocs on la gent ha d'anar a votar en unes eleccions.

col·legial col·legiala col·legials col·legiales *nom m* i *f* Alumne d'un col·legi.

collibè Paraula que apareix en l'expressió **a collibè**, que vol dir "sobre les espatlles": *Portava la nena a collibè.*

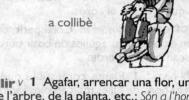

a collibè

collir *v* **1** Agafar, arrencar una flor, una fruita de l'arbre, de la planta, etc.: *Són a l'hort a collir cireres.* **2** Agafar coses escampades per terra: *Hem de collir tots els papers i llençar-los a la paperera.* **3** Entendre una cosa, adonar-se d'una cosa: *Has collit el que acaba de dir la mestra?* La conjugació de *collir* és a la pàg. 832.

col·lisió col·lisions *nom f* Xoc, topada: *Aquí es va produir la col·lisió dels dos camions.*

collita collites *nom f* Acció d'arreplegar els productes de la terra: *Aquest any la collita del raïm ha sigut molt bona.*

colló collons *nom m* **1** Testicle. **2** **collons** *interj* Paraula que es fa servir quan una cosa sorprèn, molesta, agrada, etc.

col·locació col·locacions *nom f* **1** Lloc o manera en què està posada una cosa: *Vull canviar la col·locació dels mobles de la sala.* **2** Lloc de treball: *Ha trobat una col·locació en una empresa de transports.*

col·locar *v* **1** Posar algú o alguna cosa en algun lloc determinat o d'una manera determinada: *Col·loca els llibres al prestatge.* **2** Posar algú en una feina, en un càrrec: *A en Miquel, l'han col·locat a la fàbrica on treballava el seu pare.*
Es conjuga com *cantar.* S'escriu c davant de *a, o, u* i qu davant de *e, i: col·loco, col·loques.*

collonada collonades *nom f* Cosa de poca importància, de poc interès: *No n'hi facis cas, aquest sempre diu collonades.*

collonut collonuda collonuts collonudes *adj* Extraordinari, molt bo.

col·loqui col·loquis *nom m* Conversa, xerrada entre dues o més persones.

col·loquial col·loquials *adj* Es diu del llenguatge senzill que fem servir quan parlem amb la família o amb els amics.

colobra colobres *nom f* Serp no verinosa.

colofó colofons *nom m* Cosa que es col·loca al final per acabar d'una manera destacada: *El ball de disfresses serà el colofó de la festa.*

colom coloma coloms colomes *nom m i f* Ocell de mida mitjana, cap petit i cos rodó que hi sol haver a les places, als parcs, a les ciutats.

colom

colomar colomars *nom m* Lloc on es crien coloms: *En aquella casa tenen un colomar al terrat.*

colomassa colomasses *nom f* Porqueria produïda pels coloms.

colombià colombiana colombians colombianes **1** *nom m i f* Habitant de Colòmbia; persona natural o procedent de Colòmbia. **2** *adj* Es diu de les persones o de les coses naturals o procedents de Colòmbia.

colomenc colomenca colomencs colomenques **1** *nom m i f* Habitant de Santa Coloma de Farners o de Santa Coloma de Gramenet; persona natural o procedent de Santa Coloma de Farners o de Santa Coloma de Gramenet. **2** *adj* Es diu de les persones o de les coses naturals o procedents de Santa Coloma de Farners o de Santa Coloma de Gramenet.

colon colona colons colones *nom m i f* Persona que forma part d'una colònia, que va a colonitzar un territori.

còlon còlons *nom m* Part de l'intestí gros.

colònia[1] colònies *nom f* **1** Territori, país que està dominat per un altre país: *Fa uns quants segles Amèrica havia sigut una colònia d'Europa.* **2** Conjunt format per una fàbrica, cases per als treballadors de la fàbrica, escola, botigues, etc., tot propietat dels amos de la fàbrica. **3** anar de colònies Un grup de nens o de joves, passar uns dies de vacances a la muntanya o al mar, en un lloc amb instal·lacions per a dormir-hi i menjar-hi: *Els nens de l'escola han anat de colònies al Pirineu.*

colònia[2] colònies *nom f* Líquid perfumat que es posa al cos i als cabells per fer bona olor: *L'àvia posa colònia al cap del nen i el pentina.*

colonitzar *v* Convertir un territori, un país en colònia d'un altre: *Els europeus van colonitzar Amèrica.*
Es conjuga com *cantar*.

color colors *nom m* **1** Allò que veiem a més a més de la forma i del volum de les coses i que podem captar només amb la vista: *El carbó és de color negre.* **2** persona de color Es diu de les persones que tenen la pell negra, que no són blanques. **3** pujar els colors a la cara Tornar-se vermell. **4** de tots colors De tota mena, de característiques molt variades: *Al llarg de la seva vida ha viscut tota mena d'aventures i n'ha passades de tots colors.*

coloraina coloraines *nom f* Conjunt de colors vius: *Els pallassos portaven uns vestits amb moltes coloraines.*

coloret colorets *nom m* **1** Color suau, agradable. **2** Color vermell que es posa a la pell de la cara perquè tingui un aspecte més agradable.

colorit colorits *nom m* Combinació de colors que presenta una cosa: *Una pintura amb molt colorit.*

colós colossos *nom m* **1** Estàtua de grans dimensions. **2** Home o animal molt gros i forçut. **3** Persona que destaca molt en una cosa: *Picasso és un colós de la pintura.*

colossal colossals *adj* Molt gros, de grans dimensions: *Una estàtua colossal.*

colp colps *nom m* Cop.

colpejar *v* Copejar, donar cops a algú o a alguna cosa: *Amb la mà em va colpejar l'esquena.* Es conjuga com *cantar*. S'escriu *j* davant de *a, o, u* i *g* davant de *e, i: colpejo, colpeges.*

colpidor colpidora colpidors colpidores *adj* Que fa molta impressió, que sorprèn, que colpeix: *Per la televisió s'han vist unes imatges de l'accident molt colpidores.*

colpir *v* **1** Tocar amb força: *La pedra el va colpir al cap.* **2** Fer impressió, provocar una emoció: *Em va colpir veure aquell nen tan malalt.* Es conjuga com *servir*.

colrar *v* Fer tornar morè: *El sol de l'estiu els va colrar la pell.* Es conjuga com *cantar*.

coltell coltells*nom m* Ganivet.

columna columnes*nom f* **1** Bloc o pilar de pedra prim i alt que aguanta les bigues o el sostre d'un edifici o d'una construcció. **2** Sèrie de coses col·locades les unes a sota de les altres: *Escriviu aquestes paraules les unes a sota de les altres, en columna.* **3 columna verte-bral** Conjunt dels petits ossos anomenats vèrtebres que estan situats en forma de columna a l'esquena de les persones i d'alguns animals. 15

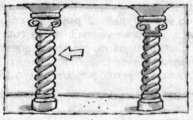

columna

colze colzes*nom m* **1** Part del cos que ajunta el braç i l'avantbraç i que permet doblegar el braç. **2 xerrar pels colzes** No callar mai, xerrar molt.

com *adv* **1** De quina manera: *Com és el cotxe del teu pare?* **2** De la mateixa manera: *Uns ulls negres com el carbó.* **3** *Com a*amic teu que sóc, t'aconsello que estudiïs: en qualitat de. **4 com que** Ja que: *Com que estic molt cansat me'n vaig a dormir.* **5** *interj* Paraula que serveix per a manifestar sorpresa davant d'un fet: *Com!, encara ets aquí? Ja pots anar-te'n.*

coma[1] comes*nom m* Estat molt greu d'una persona que viu i respira, però no està conscient i no pot parlar ni moure's, a causa d'una malaltia o d'un accident: *La noia que va ser atropellada per un autobús encara es troba en estat de coma.*

coma[2] comes*nom f* Signe de puntuació (,) que marca una pausa de poca durada.

comanda comandes*nom f* Encàrrec fet per un client a un venedor perquè li serveixi un producte: *El botiguer va fer una comanda de deu sacs de sucre directament a la fàbrica.*

comandament comandaments *nom m* **1** Acció de dirigir un vehicle, un vaixell, un avió, etc. **2** Grup de persones que dirigeixen o manen un exèrcit, una organització, etc. **3** Conjunt d'instruments que serveixen per a dirigir i fer funcionar una màquina, un vehicle, etc. **4 comandament a distància** Instrument que permet fer funcionar a distància un televisor o un altre aparell.

comandant comandanta comandants comandantes*nom m* i *f* Oficial de l'exèrcit de terra i de la marina que està per sobre del capità i per sota del tinent coronel.

comando comandos*nom m* Grup petit de soldats preparats per a fer missions especials: *La missió d'aquell comando era destruir una base enemiga.*

comarca comarques*nom f* Extensió petita de territori dins d'un país que comprèn uns quants pobles i una capital: *Manresa és la capital de la comarca del Bages.* ■ *Reus és la capital de la comarca del Baix Camp.*

comarcal comarcals *adj* Que està relacionat amb una comarca: *Aquesta ciutat és la capital comarcal.*

comare comares*nom f* **1** Padrina d'un infant en relació als seus pares: *La mare i la comare van treure el nen a passejar.* **2** Veïna, dona xerraire, xafardera.

combat combats*nom m* **1** Lluita, acció de guerra. **2 deixar fora de combat** Matar, ferir o desarmar l'enemic, de manera que ja no pugui combatre més.

combatent combatents*adj* i *nom m* i *f* Es diu de la persona que lluita en una guerra: *Hi va haver molts morts entre els combatents de tots dos bàndols.*

combatiu combativa combatius combatives *adj* Que està disposat a combatre, a lluitar: *Aquest equip de futbol és molt combatiu i lluitarà per la victòria fins al final.*

combatre*v* Lluitar, fer la guerra.
Es conjuga com *perdre*.

combinació combinacions*nom f* **1** Acció de combinar. **2** Peça de vestir femenina, sense mànigues, que va sota el vestit.

combinar*v* Posar juntes dues o més coses de manera que formin un conjunt que faci un determinat efecte: *Si combinessis el color blau i el vermell, el dibuix et quedaria molt més bé.*
Es conjuga com *cantar*.

comboi combois*nom m* **1** Conjunt de vehicles que transporten aliments, soldats, armes, etc. **2** Tren.

combregar v **1** Prendre la comunió: *La meva tieta diumenge passat va anar a missa i va combregar.* **2** Creure el mateix que una altra persona, tenir els mateixos sentiments, idees, etc.: *Jo també combrego amb les seves idees.* **3** **combregar amb rodes de molí** Creure, o fer creure a algú, coses impossibles o falses.
Es conjuga com *cantar.* S'escriu g davant de *a, o, u* i gu davant de *e, i: combrego, combregues.*

combustible combustibles **1** *adj* Que crema molt bé: *La llenya i el carbó són matèries combustibles.* **2** *nom m* Substància que quan crema desprèn una gran quantitat d'energia que s'utilitza per a impulsar els cotxes, avions, etc.: *La gasolina és un dels combustibles que fan anar el motor dels cotxes.*

combustió combustions *nom f* Acció de cremar-se una cosa: *La combustió de la gasolina.*

comèdia comèdies *nom f* **1** Obra de teatre divertida que acaba bé. **2** **fer comèdia** Simular, fer veure una cosa: *No plora pas de debò, només fa comèdia.*

comediant comedianta comediants comediantes **1** *nom m* i *f* Actor o actriu de teatre, persona que representa comèdies o altres obres de teatre. **2** *adj* i *nom m* i *f* Que exagera o fa veure alguna cosa: *No li'n facis cas encara que plori, és molt comediant i fa veure que està trist perquè el perdonis.*

començament començaments *nom m* Primera part d'una cosa, d'una acció, d'un fet, etc., en el temps o en l'espai: *La pel·lícula tenia un bon començament.*

començar v Fer la primera part d'una cosa, ser al començament d'una cosa: *Ara començaré el dibuix.* ▪ *Avui comença la primavera.*
Es conjuga com *cantar.* S'escriu ç davant de *a, o, u* i c davant de *e, i: començo, comences.*

comensal comensals *nom m* i *f* Cadascuna de les persones que mengen plegades: *Un banquet amb més de cent comensals.*

comentar v Donar una explicació o una opinió sobre una cosa: *El mestre ens va comentar la lectura.*
Es conjuga com *cantar.*

comentari comentaris *nom m* Explicació o opinió que es dóna sobre una cosa: *Hem de fer un comentari per escrit sobre el llibre que acabem de llegir.*

comentarista comentaristes *nom m* i *f* Persona que escriu o exposa un comentari sobre un fet, un llibre, etc.

comerç comerços *nom m* **1** Compra i venda de productes: *Actualment és molt important el comerç del petroli.* ▪ *A Andorra el comerç és molt important.* **2** Botiga, establiment de venda de qualsevol producte: *En aquesta ciutat hi ha molts comerços.*

comercial comercials *adj* Que té relació amb el comerç: *Aquesta cançó és molt comercial, se'n vendran molts discos.*

comercialitzar v Posar un producte a la venda; fer arribar un producte als llocs de venda: *Han fabricat un nou model de cotxe molt modern, i aviat el comercialitzaran.*
Es conjuga com *cantar.*

comerciant comercianta comerciants comerciantes *nom m* i *f* Persona que es dedica al comerç.

comerciar v Fer comerç, comprar i vendre productes per fer-hi negoci.
Es conjuga com *canviar.*

comesa comeses *nom f* Feina, encàrrec o missió que una persona o un grup de persones ha de dur a terme: *La comesa dels bombers era salvar la gent i apagar el foc.*

comestible comestibles *adj* i *nom m* Es diu de tot allò que pot servir d'aliment: *L'enciam és una planta comestible.*

cometa cometes *nom m* Cos del sistema solar amb una cua llarga, que sembla un estel.

cometes *nom f pl* Cadascun dels signes de puntuació (« », " ", ' ') que es posen al començament i al final d'una paraula o d'una frase per indicar-ne el significat, que allò ho ha dit una altra persona, etc.: *El poeta Joan Maragall va escriure uns versos que diuen "la sardana és la dansa més bella / de totes les danses que es fan i es desfan".*

cometre v Fer, realitzar una cosa dolenta: *Aquell lladre va cometre un crim.* ▪ *Hem comès una equivocació.*
Es conjuga com *perdre.* Participi: *comès, comesa.*

comí comins *nom m* Fruit de la planta anomenada també comí, que té un gust semblant al de l'anís i que es fa servir com a condiment d'alguns menjars.

comiat comiats *nom m* Salutació que es fan les persones quan se separen, quan algú se'n va: *Quan el meu germà se'n va anar de viatge, el comiat va ser molt trist.*

còmic[1] còmica còmics còmiques *adj* i *nom m* i *f* Que fa riure: *Una obra de teatre còmica.* ▪ *Aquell és un còmic excel·lent.*

còmic[2] còmics *nom m* Conte, aventura que s'explica amb vinyetes on hi ha lletres i dibuixos, historieta: *M'agraden els còmics d'en Tintín.*

comicis *nom m* pl Eleccions: *La gent va anar a votar als comicis.*

comissari comissària comissaris comissàries *nom m* i *f* Policia encarregat d'investigar delictes.

comissaria comissaries *nom f* Lloc on hi ha la policia.

comissió comissions *nom f* **1** Encàrrec que algú fa a una persona perquè faci una cosa en nom seu: *Hem rebut la comissió d'anar a parlar amb el director, és a dir, ens han donat l'encàrrec d'anar-hi a parlar.* **2** Grup de persones a les quals s'ha encarregat de fer una cosa: *Hem elegit una comissió perquè prepari la festa de final de curs.* **3** Tant per cent que es queda un venedor del que valen les vendes que fa: *Aquell venedor de llibres té una comissió del 20%, és a dir, de cada cent euros del que ven ell en guanya vint.*

comissura comissures *nom f* Lloc d'unió de dos cossos o de dues parts del cos: *Les comissures dels llavis són els dos punts a cada banda de la cara on els llavis s'ajunten.*

comitè comitès *nom m* Grup de persones elegides per un partit, una associació, etc. per dur a terme una tasca determinada: *Els veïns han creat un comitè que prepararà accions de protesta, per impedir que construeixin una fàbrica a prop del barri.*

comitiva comitives *nom f* Conjunt de persones que acompanyen algú: *Va passar el rei i la seva comitiva.*

commemoració commemoracions *nom f* Acció de commemorar, de recordar un fet passat amb actes i celebracions: *La commemoració dels cent anys d'existència de l'escola.*

commemorar *v* Recordar un fet passat amb actes, celebracions, etc.: *Avui es commemora que fa deu anys que es va construir l'escola.* Es conjuga com *cantar*.

comminar *v* Amenaçar algú de castigar-lo si no fa una cosa: *La policia va comminar aquells individus a deixar de molestar la gent.* Es conjuga com *cantar*.

commiseració commiseracions *nom f* Sentiment de pietat i de pena davant les desgràcies d'una altra persona.

commoció commocions *nom f* Cop molt fort; emoció molt forta.

commoure *v* **1** Emocionar, fer sentir emoció: *Aquella cançó ens va deixar commoguts.* **2** Fer moure: *El terratrèmol va commoure la ciutat.* Es conjuga com *beure*.

commovedor commovedora commovedors commovedores *adj* Que commou, que emociona profundament.

commutar *v* Canviar una cosa per una altra: *Primer l'havien condemnat a una pena d'un any de presó, però després la hi van commutar per una altra de només sis mesos.* Es conjuga com *cantar*.

còmoda còmodes *nom f* Calaixera.

còmode còmoda còmodes *adj* Que no molesta, que és agradable: *Un vestit còmode.* ▪ *Un sofà molt còmode.*

comoditat comoditats *nom f* Tot allò que fa la vida còmoda i que ens dóna benestar: *La màquina de rentar plats és una comoditat perquè estalvia molta feina.*

compacte compacta compactes *adj* Sòlid, espès, fort, que té una massa molt unida: *El marbre és una pedra molt compacta.*

compadir *v* Sentir llàstima o compassió per algú: *Tothom compadeix aquell senyor que va tenir l'accident.* Es conjuga com *servir*.

compaginar *v* Combinar diverses coses perquè formin un conjunt coherent: *En Pere compagina la feina amb els estudis.* Es conjuga com *cantar*.

company companya companys companyes *nom m* i *f* Persona que acompanya una altra persona, a la feina, a l'hora de jugar o d'estudiar, etc.: *En Jordi anirà d'excursió amb els seus companys de l'escola.*

companyia companyies *nom f* **1** Presència d'una persona vora una altra perquè no estigui sola: *Aquesta tarda farem companyia a l'avi.* **2 companyia de teatre** Grup d'actors que van junts i representen obres de teatre. **3** Associació econòmica o comercial: *Una companyia de vaixells.* ▪ *Una companyia d'assegurances.*

companyó companyona companyons companyones *nom m i f* Company.

companyonia companyonies *nom f* Bona relació i solidaritat entre els companys: *A la meva classe hi ha molta companyonia, tothom ajuda tothom a l'hora de fer la feina.*

comparable comparables *adj* Que pot ser comparat: *És una obra molt important, comparable a les millors obres d'art de tot el món.*

comparació comparacions *nom f* Acció de comparar una cosa amb una altra: *En la frase "Aquella farina era blanca com la neu" hi ha una comparació.*

comparança comparances *nom f* Comparació.

comparar *v* Mirar si dues o més coses, persones, fets, etc. s'assemblen o són diferents: *Si compares aquests dos jerseis, veuràs que l'un és més gros que l'altre.* Es conjuga com *cantar*.

compare compares *nom m* **1** Padrí d'un infant en relació als seus pares. **2** Paraula que es fa servir, sobretot en els contes, per a anomenar un personatge masculí.

compareixença compareixences *nom f* Acció de comparèixer, de presentar-se en un lloc; obligació de presentar-se davant del jutge o d'una altra autoritat quan ho demana.

comparèixer *v* Presentar-se, anar a un lloc: *El mestre no arribava, però al final va comparèixer a l'escola amb cara de content.* ▪ *Encara no ha comparegut ningú dels que s'havien de presentar.* Es conjuga com *conèixer*.

comparsa comparses **1** *nom m i f* Persona que participa en una desfilada o que té un paper poc important en un espectacle. **2** *nom f* Conjunt de persones que en algunes festes van disfressades de la mateixa manera.

compartiment compartiments *nom m* Cadascuna de les divisions que es fan en un espai: *Un armari amb molts compartiments.* ▪ *Els compartiments d'un vagó de tren.*

compartir *v* **1** Dividir una cosa, donant-ne una part a altres persones: *Vaig compartir el berenar amb els amics.* **2** Tenir o fer servir una cosa en comú: *Comparteixo l'habitació amb un altre noi.* **3** Pensar igual, tenir les mateixes idees: *Tu i jo compartim la mateixa opinió.* Es conjuga com *servir*.

compàs compassos *nom m* **1** Instrument que serveix per a dibuixar arcs i circumferències. **2** Unitat de mesura del temps musical.

compassió compassions *nom f* Sentiment de tristesa que sent algú davant la desgràcia d'una altra persona.

compassiu compassiva compassius compassives *adj* Que sent compassió: *Una persona compassiva, que sent llàstima pel dolor i el sofriment de les altres persones.*

compatible compatibles *adj* Es diu de les persones o de les coses que poden existir o funcionar en companyia d'una altra: *Aquesta dona i el seu marit s'avenen molt perquè tenen caràcters diferents però compatibles.*

compatriota compatriotes *nom m i f* Persona que és de la mateixa pàtria que una altra.

compendi compendis *nom m* Resum, explicació breu sobre una matèria: *Aquest llibre és un compendi de la història de Catalunya, és a dir, una explicació resumida de la història del país.*

compenetrar-se *v* Entendre's molt bé, avenir-se molt dues o més persones. Es conjuga com *cantar*.

compensació compensacions *nom f* Allò que es dóna a algú com a premi o per a compensar-lo d'un perjudici: *Com que li van espatllar la bicicleta, ara ell els demana una compensació econòmica.*

compensar *v* Equilibrar una cosa, igualar: *Vam anar posant pesos fins que els dos platets de la balança van quedar compensats.* ▪ *Ahir vam perdre mitja hora de classe per culpa del desordre que vam organitzar i avui, per compensar, plegarem mitja hora més tard.* Es conjuga com *cantar*.

competència competències *nom f* **1** Lluita entre persones o empreses que volen aconseguir una mateixa cosa: *La competència entre els botiguers del carrer és molt forta.* **2** El fet d'entendre molt sobre una cosa o de tenir-hi autoritat: *Un dibuixant de molta competència, que treballa molt bé.*

competent competents *adj* Que sap fer una feina, una professió: *Un dentista molt competent.*

competició competicions *nom f* Lluita entre dues o més persones per a aconseguir el mateix objectiu: *La competició de salt de llargada va ser molt emocionant perquè hi havia atletes molt bons.*

competidor competidora competidors competidores *adj i nom m i f* Que competeix, que s'esforça per ser el millor lluitant contra algú altre: *En el camp de la informàtica hi ha moltes empreses competidores, és a dir, que lluiten entre elles per aconseguir de ser la més important.*

competir *v* Esforçar-se, lluitar entre elles dues o més persones per aconseguir un mateix objectiu: *Els corredors competeixen per veure qui arribarà primer al final de la cursa.* Es conjuga com *servir.*

competitiu competitiva competitius competitives *adj* Que competeix, que resisteix la competència dels altres: *Aquest producte és molt competitiu, és més bo i més barat que els altres.*

competitivitat competitivitats *nom f* Qualitat de competitiu, ganes de ser el millor: *Entre els alumnes de la classe hi ha molta competitivitat, tots volen ser el millor.*

compilar *v* Reunir en un sol llibre diversos escrits o parts de diferents llibres. Es conjuga com *cantar.*

complaença complaences *nom f* Sentiment que sent una persona davant una cosa que li agrada: *Ens escoltava amb gran complaença.*

complaent complaents *adj* Que està disposat a fer contents els altres: *És una persona molt amable i complaent, que procura que la gent s'ho passi bé.*

complaure *v* Agradar: *A en Pere, el complau que li diguin que és llest.* Es conjuga com *concloure.* **Participi:** *complagut, complaguda.*

complement complements *nom m* **1** Allò que s'afegeix a una cosa perquè sigui sencera, completa: *Aquest vestit porta un barret i uns guants de complement.* ▪ En l'oració "els nois busquen bolets", la paraula "bolets" és un complement del verb "busquen". **2** Paraula o paraules que completen el sentit d'una altra paraula: *En l'expressió "peus grossos", l'adjectiu "grossos" és el complement del nom "peus".* **3 complement circumstancial** Paraula o paraules que completen el sentit d'un verb o d'una frase, donant informació sobre el temps, el lloc, la manera, etc.: *En la frase "ell camina lentament" l'adverbi "lentament" és el complement circumstancial.* **4 complement directe** Paraula o paraules que completen el sentit d'un verb i que generalment no porten cap preposició al davant: *En la frase "el pare pentina el nen", les paraules "el nen" són el complement directe del verb "pentina".* **5 complement indirecte** Paraula o paraules que completen el sentit d'un verb i que generalment porten al davant la preposició "a": *En la frase "dóna els llibres al bibliotecari", les paraules "al bibliotecari" són el complement indirecte del verb "dóna".*

complementar *v* Afegir un complement a una cosa: *Les postres complementaran el dinar.* Es conjuga com *cantar.*

complementari complementària complementaris complementàries *adj* Que complementa una cosa: *El llibre tenia unes pàgines complementàries on hi havia un resum dels temes principals.*

complet completa complets completes *adj* Que és sencer, que hi és tot, que no hi falta res, ple: *Un joc complet de cartes, no n'hi falta cap.* ▪ El garatge està complet, ja no hi caben més cotxes.

completament *adv* D'una manera completa, total: *El negoci ha fracassat completament.*

completar *v* Afegir allò que falta per deixar una cosa acabada, completa: *Podries completar el dibuix dibuixant un arbre al costat de la casa.* Es conjuga com *cantar.*

complex complexa complexos complexes **1** *adj* Que no és simple, que consta de moltes parts, que és difícil, complicat: *Un problema complex.* **2** *nom m* Preocupació obsessiva que provoca a una persona el fet de tenir un defecte o pensar-se que el té: *Aquella noia ha agafat complex de baixa, està molt preocupada per l'alçada.*

complexió complexions *nom f* Conjunt de les característiques físiques d'una persona, constitució física: *Aquells atletes són de complexió forta.*

complexitat complexitats *nom f* Qualitat de complex, de complicat: *Un problema difícil, de gran complexitat.*

complicació complicacions *nom f* El fet de complicar-se una cosa, un problema, una malaltia, de tornar-se més difícil de resoldre: *Hem hagut d'ajornar el viatge perquè hem tingut unes complicacions inesperades.*

complicar *v* Fer difícil una cosa: *La pluja ens va complicar el viatge.*
Es conjuga com *cantar*. S'escriu *c* davant de *a, o, u* i *qu* davant de *e, i: complico, compliques.*

complicat complicada complicats complicades *adj* Que és difícil d'entendre, de tractar o de resoldre.

còmplice còmplices *nom m i f* Persona que ajuda algú altre a fer un delicte, un crim: *La policia ha detingut un còmplice dels segrestadors.*

complicitat complicitats *nom f* Forma de participar en un delicte que consisteix a ajudar l'autor a cometre'l: *Al judici s'ha demostrat la complicitat que hi havia entre l'atracador del banc i aquella dona.*

complidor complidora complidors complidores *adj* Es diu d'una persona responsable, que compleix el que diu, que fa la feina que ha de fer.

compliment compliments *nom m* **1** Acció de complir: *El compliment d'una ordre.* **2** Grup de paraules de respecte, de salutació, etc. que es diu per educació. **3** *Agafa una galeta, no has de fer compliments* deixar de fer una cosa per educació, per timidesa, per vergonya, etc.

complir *v* **1** Fer una cosa que s'havia promès, que ens havien manat, etc.: *El soldat va complir les ordres que li havia donat el capità.* **2** Fer anys: *Demà en Jaume complirà set anys.*
Es conjuga com *servir*. Participi: *complert, complerta* o *complit, complida.*

complot complots *nom m* Acord secret entre diverses persones per actuar contra una altra persona, una institució, un país, etc.

compondre *v* **1** Fer, formar una cosa combinant diverses peces o parts. **2** Produir una obra musical: *El músic ha compost la música d'una sardana.*
Es conjuga com *confondre*. Participi: *compost, composta.*

component components *nom m* **1** Cadascuna de les persones que formen un grup: *Els components de l'expedició són deu.* **2** Cadascun dels elements que formen un tot, una màquina, etc.: *Una màquina amb molts components.*

comporta comportes *nom f* Gran porta metàl·lica que serveix per a obrir o tancar el pas de l'aigua d'un pantà.

comporta

comportament comportaments *nom m* Manera de comportar-se una persona o una cosa: *A l'escola els nens tenen un bon comportament.*

comportar-se *v* **1** Actuar, fer les coses d'una manera determinada: *El conductor es va comportar amb molta serenitat quan el cotxe va sortir de la carretera.* **2** comportar Portar una conseqüència: *La forta pluja va comportar molts desastres.*
Es conjuga com *cantar*.

composició composicions *nom f* **1** Allò que és compost amb dues o més coses; manera de ser composta una cosa: *Aquesta màquina té una composició molt difícil, té moltes peces.* **2** Redacció, peça musical, etc.

compositor compositora compositors compositores *nom m i f* Persona que compon música.

compost composta compostos compostes *adj* i *nom m* **1** Que no és simple, que està format per més d'una cosa. **2** Es diu de la paraula formada a partir de dues o més paraules: *"Obrellaunes" és una paraula composta de "obre" i "llaunes".* **3** *nom m* Substància formada per elements químics diferents.

compra compres *nom f* Acció de comprar o d'anar a comprar.

comprador compradora compradors compradores *nom m i f* Persona que compra.

comprar *v* Quedar-se amb una cosa a canvi d'una quantitat de diners: *Vaig comprar un quilo de pomes al mercat.*
Es conjuga com *cantar.*

comprendre *v* Entendre, captar el sentit d'una cosa: *Vaig comprendre de seguida com s'havia de resoldre el problema.*
Es conjuga com *aprendre.*

comprensible comprensibles *adj* Que es pot comprendre, que es pot entendre.

comprensió comprensions *nom f* Capacitat de comprendre una cosa; acció de comprendre: *La comprensió d'aquest problema no és fàcil.*

comprensiu comprensiva comprensius comprensives *adj* Que té la capacitat de comprendre i de perdonar el comportament d'una altra persona: *Els avis solen ser comprensius amb els néts.*

compresa compreses *nom f* Tros de tela, gasa, etc., que es fa servir per a absorbir líquids.

comprimir *v* Fer pressió sobre una cosa per fer-la tornar més petita: *Va comprimir la plastilina dins la mà fins a fer-ne una bola petita.*
Es conjuga com *servir.*

comprimit comprimida comprimits comprimides **1** *adj* Que rep una pressió molt forta: *Anàvem comprimits en aquell vagó de metro tan ple de gent.* **2** *nom m* Medicament que es pren en forma de pastilla.

compromès compromesa compromesos compromeses *adj* Es diu d'un fet o d'una situació perillosos, difícils: *Vaig passar un moment compromès, perquè tothom em demanava que expliqués el secret i jo no ho volia fer.*

comprometedor comprometedora comprometedors comprometedores *adj* Es diu d'allò que fa comprometre algú o el posa en una situació difícil: *Aquell noi va explicar coses comprometedores de tu i de mi al seu grup d'amics.*

comprometre *v* **1** Prometre a algú de fer alguna cosa: *M'he compromès a acabar la feina per demà.* **2** Posar algú en una situació difícil: *Jo no havia fet res, però el nen del meu costat, que xerrava, em va fer comprometre davant el professor.*
Es conjuga com *perdre.* Participi: *compromès, compromesa.*

compromís compromisos *nom m* Obligació de fer una cosa perquè així s'havia promès o decidit amb algú altre: *L'Oriol i la Marta van prendre el compromís de cuidar el canari de la classe durant les vacances.*

comprovació comprovacions *nom f* Acció de comprovar, de mirar si una cosa és veritat, si funciona, etc.

comprovant comprovants *nom m* Document que serveix per a comprovar una cosa: *Per canviar un producte en una botiga, es necessita el comprovant de compra, és a dir, el paper que demostra que has comprat el producte en aquella botiga.*

comprovar *v* Mirar si una cosa és veritat, si funciona, etc.: *Hem de comprovar si dius la veritat.* ▪ *Vaig comprovar que la bicicleta funcionava.*
Es conjuga com *cantar.*

comptabilitat comptabilitats *nom f* Conjunt dels comptes d'una empresa o d'un negoci fets segons un pla.

comptabilitzar *v* Sumar, afegir a un compte: *Amb aquesta jugada l'equip visitant ha comptabilitzat dos punts més.*
Es conjuga com *cantar.*

comptable comptables *nom m i f* Persona que treballa portant els comptes d'una empresa.

comptador comptadors *nom m* Aparell que serveix per a mesurar la quantitat d'aigua, d'electricitat o de gas que es consumeix en una casa.

comptagotes uns comptagotes *nom m* Tub de vidre acabat en una caputxa de goma en un extrem i en l'altre amb un foradet, que serveix per a fer sortir un líquid de gota en gota.

comptagotes

comptaquilòmetres uns comptaquilò-metres *nom m* Aparell que serveix per a comptar els quilòmetres que fa un vehicle.

comptar *v* **1** Dir els números en ordre: *Compteu de l'1 fins al 10.* **2** Mirar la quantitat de coses, de persones, etc. que hi ha en un lloc: *Hem de comptar les cadires de l'habitació.* **3 poder-se comptar amb els dits** Ser molt pocs: *Al teatre hi havia tan pocs especta-dors, que es podien comptar amb els dits.* Es conjuga com *cantar*.

comptat Paraula que apareix en l'expressió **pagar al comptat**, que vol dir "pagar en el mateix moment que es compra una cosa": *Han comprat un pis i l'han pagat al comptat.*

compte comptes *nom m* **1** Acció de comptar: *Fa estona que sumo, resto, multi-plico i divideixo, però no hi ha manera que em surtin els comptes.* **2** Atenció, prudència: *Hi ha molt mal camí, aneu amb compte de no caure.* **3** *Et devia cinquanta euros, si te'n pago trenta a compte, només te'n deuré vint:* es diu quan es paga una part d'una quantitat que es deu. **4 portar els comptes** Anotar per escrit les quantitats de diners que es cobren i que es paguen en un negoci, una empresa, etc. **5 compte corrent** Compte dels diners que una persona o una empre-sa té en un banc o en una caixa d'estalvis, de forma que pugui saber en tot moment quants en cobra i quants en paga. **6 sortir a compte** Ser beneficiosa una cosa: *Aquest abonament per a l'autobús surt molt a compte, t'estalvies molts diners.* **7 passar comptes** Examinar el que hem de pagar o el que hem de cobrar: *De moment jo ho pago tot, després ja passarem comptes i cadascú pagarà la seva part.* **8 tenir en compte** Considerar una cosa, tenir-la present, no oblidar-la: *Tingueu en compte que l'últim autobús surt a les deu del vespre.* **9 En comptes de** la M . *Rosa va venir en Quim:* en lloc de la M. Rosa va venir en Quim. **10 pel compte de** En nom de: *La Sílvia abans treballava pel compte d'una empresa d'electrodomèstics i ara treballa pel seu compte.*

compungit compungida compungits compungides *adj* Trist i penedit d'haver fet una cosa equivocada o dolenta.

còmput còmputs *nom m* Compte, càlcul d'una cosa.

computar *v* Calcular, comptar. Es conjuga com *cantar*.

comtal comtals *adj* Que està relacionat amb un comte o amb un comtat.

comtat comtats *nom m* Territori que anti-gament estava sota el control d'un comte: *A l'edat mitjana Catalunya estava dividida en comtats.*

comte comtessa comtes comtesses *nom m i f* Persona de la noblesa que està per da-munt del vescomte i per sota del marquès.

comú comuna comuns comunes *adj* **1** Que és de dues o més persones o coses: *Aquest pati és comú per als dos edificis.* **2** Que passa sovint, que n'hi ha molts, que no és extraordinari: *Aquest llibre és d'una mida molt comuna.* **3 nom comú** Nom que serveix per a anomenar éssers i objectes d'una mateixa classe, gènere, etc.: *"Noia" i "ciutat" són noms comuns, "Maria" i "Barcelona" són noms propis.* **4 sentit comú** Capacitat de fer bé les coses i de pensar com la majoria de la gent.

comuna comunes *nom f* **1** Vàter. **2** Grup de persones que viuen juntes compartint l'habitatge, els diners, etc.

comunal comunals *adj* Que pertany a la comunitat: *Aquests terrenys són comunals, és a dir, no són privats sinó de tot el poble.*

comunament *adv* En general, normalment, sovint, segons la majoria de la gent.

comunicació comunicacions *nom f* **1** Acció de comunicar o de comunicar-se. **2 mitjans de comunicació** Mitjans que serveixen per a comunicar informació d'un lloc a un altre, com ara la televisió, la premsa, el telèfon, etc. **3 comunicacions** *nom f pl* Conjunt de camins, carreteres, vies de tren, ports i aeroports d'un país o d'una zona: *Les comunicacions són molt importants per a un país.*

comunicar *v* **1** Fer saber una cosa a algú. **2 comunicar-se** Estar en relació: *Ens comuni-quem per carta.* ■ *El meu poble i el del costat es comuniquen per una carretera.* **3** Tenir la línia ocupada el telèfon al qual es truca: *Hi he trucat moltes vegades, però encara no hi he pogut parlar perquè sempre comunicaven.* Es conjuga com *cantar*. S'escriu *c* davant de *a, o, u* i *qu* davant de *e, i: comunico, comuniques.*

comunicat comunicats *nom m* Text que informa d'un fet o el comenta: *La policia ha fet* públic un comunicat en què informa de la detenció d'un estafador important.

comunicatiu comunicativa comunicatius comunicatives *adj* Que té tendència a comunicar-se, que es comunica amb facilitat: *És un nen molt comunicatiu, que parla i es relaciona fàcilment amb els companys.*

comunió comunions *nom f* Participació en la celebració de l'Eucaristia que consisteix a menjar el pa i a beure el vi convertits en el cos i la sang de Jesucrist.

comunisme comunismes *nom m* Ideologia que propugna un sistema econòmic i social en què no existeixi la propietat privada ni les classes socials, en què tothom sigui igual.

comunista comunistes **1** *adj* i *nom m* i *f* Es diu de les persones que creuen que no haurien d'existir ni la propietat privada ni les classes socials. **2** *adj* Que té relació amb el comunisme.

comunitari comunitària comunitaris comunitàries *adj* Que és d'una comunitat: *Aquest pati és comunitari, és de tots els veïns de l'edifici.*

comunitat comunitats *nom f* **1** Grup de persones que viuen juntes, en comú, o que tenen idees o interessos en comú: *Una comunitat de veïns.* ■ *Una comunitat cristiana.* **2** Conjunt d'animals o de plantes que habiten en un mateix lloc: *Una comunitat d'abelles.* **3** **comunitat autònoma** Cadascun dels països o territoris amb autonomia política de l'Estat espanyol: *Andalusia i Extremadura són dues comunitats autònomes.*

con cons *nom m* Cos rodó que té un extrem punxegut i un altre de pla i ample.

conat conats *nom m* Intent, començament d'una acció que després no pot continuar: *Hi va haver un conat d'incendi, però els bombers el van poder apagar de seguida.*

conca conques *nom f* **1** Forat dins el qual hi ha l'ull. **2** Extensió de terreny que aboca l'aigua a un riu determinat: *La conca del riu Ter.*

còncau còncava còncaus còncaves *adj* Que és corbat com la part de dins d'una pilota.

concebre *v* **1** Formar-se la idea d'una cosa: *Aquell científic va concebre un nou sistema per a aprofitar l'energia solar.* **2** Formar un fill a l'interior del cos: *La dona va concebre un fill i quan va néixer li van posar Joan.*

Es conjuga com *perdre*. Present d'indicatiu: *concebo, conceps, concep, concebem, concebeu, conceben.*

concedir *v* Donar, lliurar alguna cosa a algú: *Van concedir un premi al guanyador.* Es conjuga com *servir.*

concentració concentracions *nom f* **1** Acció de concentrar o de concentrar-se: *Llegia el llibre amb molta concentració.* **2** **camp de concentració** Espai tancat, amb patis i edificacions, que serveix per a empresonar-hi persones, sobretot en temps de guerra.

concentrar *v* **1** Reunir en un mateix punt: *La gent es va concentrar a la plaça.* **2** **concentrar-se** Posar tot l'interès i tota l'atenció en una cosa: *M'haig de concentrar en l'estudi d'aquest tema.* Es conjuga com *cantar.*

concèntric concèntrica concèntrics concèntriques *adj* Que té un mateix centre: *Dues circumferències concèntriques.*

concepció concepcions *nom f* **1** Idea, pensament: *Molta gent té una concepció equivocada del teu cosí, i es pensen que és més llest del que en realitat és.* **2** Formació d'un fill a l'interior del cos.

concepte conceptes *nom m* **1** Pensament, idea; paraula o paraules que expressen un pensament o una idea. **2** *Li han donat sis-cents euros* **en concepte d'**ajut *per fer el treball:* com a ajut.

concernir *v* Afectar: *Res d'això que dius no em concerneix, és a dir, no m'afecta, no té res a veure amb mi, i per això no em preocupa.* Es conjuga com *servir.*

concert concerts *nom m* **1** Interpretació d'obres musicals davant de públic: *Els músics van fer un concert.* **2** *En aquesta classe* **no hi ha ordre ni concert** *hi ha un gran desordre.*

concertar *v* Posar-se d'acord per fer alguna cosa: *Van concertar una entrevista, és a dir, es van posar d'acord per veure's i parlar.* Es conjuga com *cantar.*

concessió concessions *nom f* **1** Acció de concedir, de donar una cosa a algú: *Avui es fa l'acte de concessió dels premis.* **2** El fet d'acceptar allò que vol un altre: *Al començament deia de tot que no, però al final va fer moltes concessions i va acabar acceptant tot el que proposàvem.*

concili concilis*nom m* Reunió de bisbes, capellans i altres membres de l'Església catòlica per a decidir sobre qüestions religioses.

conciliació conciliacions *nom f* Acció de conciliar-se, de posar-se d'acord diverses persones: *Després de moltes discussions, finalment han arribat a una conciliació.*

conciliar*v* Posar d'acord diverses persones; fer compatibles diverses coses.
Es conjuga com *canviar.*

concís concisa concisos concises *adj* Dit amb les paraules necessàries i prou: *Una carta clara i concisa.*

conciutadà conciutadana conciutadans conciutadanes*nom m* i *f* Persona que és de la mateixa ciutat o país que una altra.

concloent concloents *adj* Que demostra completament una cosa: *El fiscal va presentar una prova concloent que demostrava que l'acusat era culpable.*

concloure*v* Acabar: *La reunió va concloure a les sis de la tarda.*
La conjugació de *concloure* és a la pàg. 833.

conclusió conclusions*nom f* Idea o resultat a què s'arriba després d'una discussió, d'una lectura, d'estudiar una cosa, etc.: *Vam discutir molt sobre el problema, però no vam arribar a cap conclusió.*

conco concos *nom m* Home que continua solter en una edat en què ja hauria de ser casat: *És un conco de cinquanta anys que diu que no es casarà mai.*

concordança concordances*nom f* Correspondència o acord entre dues o més coses: *L'adjectiu fa concordança amb el nom en gènere i nombre.*

concordar*v* Fer concordança, estar d'acord: *El que tu dius concorda amb el que jo penso.* ▪ *L'article concorda en gènere i nombre amb el nom.*
Es conjuga com *cantar.*

concòrdia concòrdies *nom f* Pau entre persones, grups o països que han arribat a un acord.

concorregut concorreguda concorreguts concorregudes*adj* Es diu dels llocs que són molt visitats o per on passa molta gent: *Un carrer concorregut.*

concórrer*v* Coincidir en un lloc amb altres persones; participar en un concurs o una competició: *Hi havia molts alumnes que volien concórrer al concurs literari de l'escola.*
Es conjuga com *córrer.*

concret concreta concrets concretes *adj* Que es refereix a una cosa real, material, precisa, que no és abstracte ni general: *Xerres molt, però no dius res concret.* ▪ *Digues l'hora i el lloc concrets de la reunió.*

concretament*adv* D'una manera concreta: *Hem quedat per veure'ns demà a la tarda, concretament a les sis i a casa seva.*

concretar*v* Precisar: *Què em demanes exactament, vols concretar la pregunta?* ▪ *Hem de concretar el dia i el lloc de la reunió.*
Es conjuga com *cantar.*

conculcar*v* No respectar els drets d'una persona, d'un país, etc.
Es conjuga com *cantar.* S'escriu *c* davant de *a, o, u* i *qu* davant de *e, i: conculco, conculques.*

concurrència concurrències*nom f* Conjunt de persones que van a un lloc, una botiga, un teatre, etc.: *La reunió va tenir molta concurrència, és a dir, hi va participar molta gent.*

concurs concursos*nom m* Prova o conjunt de proves que han de passar diverses persones per veure qui fa millor una cosa: *La Sandra i en Cisco han guanyat el concurs de ball de la festa del barri.*

concursant concursants*nom m* i *f* Persona que participa en un concurs.

concursar*v* Participar en un concurs.
Es conjuga com *cantar.*

condecoració condecoracions*nom f* Medalla o insígnia que es dóna a una persona en senyal d'homenatge o com a premi per una acció que ha dut a terme: *Tots els voluntaris que van participar en la lluita contra els incendis van rebre una condecoració.*

condecorar*v* Donar una condecoració a algú, posar-li una medalla en senyal d'homenatge.
Es conjuga com *cantar.*

condemna condemnes *nom f* Càstig que la llei i el jutge posen a una persona que ha comès un delicte; acció de condemnar algú: *Van castigar el lladre amb una condemna de tres anys de presó.*

condemnar*v* Declarar algú culpable d'una cosa i castigar-lo amb una pena: *Han condemnat el lladre a sis anys de presó.*
Es conjuga com *cantar.*

condensar v Fer més dens, més espès. Es conjuga com *cantar*.

condescendent condescendents adj Es diu de la persona que tendeix a acceptar el que li demanen els altres: *És un professor molt condescendent, li vam proposar que ajornés l'examen i ho va acceptar de seguida*.

condescendir v Acceptar el que proposa o demana algú altre: *Vam demanar un ajornament de l'examen i el professor hi va condescendir*. Es conjuga com *servir*.

condícia condícies nom f Mirament en l'ordre i la netedat de les coses: *Treballa amb molta condícia*.

condició condicions nom f **1** Fet necessari perquè se'n produeixi un altre: *Per fer volar un estel ha de fer vent, sense aquesta condició l'estel no podria volar*. ■ *Et regalaré una cosa amb la condició que et portis bé*. **2** Qualitat d'una persona o d'una cosa: *Aquest noi és fort i ràpid, té condicions per a ser un atleta*. ■ *Un cotxe en bones condicions*.

condicional condicionals adj **1** Que només és vàlid si es compleix una condició: *El jutge l'ha deixat en llibertat condicional, és a dir, de moment no el farà tancar a la presó a condició que es porti bé i es presenti al jutjat un cop cada quinze dies*. **2** Es diu de les frases que expressen una condició: *En l'expressió "si ens portem bé anirem d'excursió", la frase "si ens portem bé" és condicional*. **3** nom m Temps verbal que serveix per a formar oracions que expressen un fet que depèn d'una condició: *En l'oració "si tingués diners, em compraria una pilota", el verb "compraria" està en condicional*.

condicionar v **1** Fer dependre una cosa d'una condició: *La professora li va condicionar l'augment de la nota a una millora de l'expressió escrita de la redacció*. **2** Fer que la temperatura i la humitat d'un local es mantinguin en unes condicions agradables. Es conjuga com *cantar*.

condiment condiments nom m Substància que s'afegeix a un aliment perquè tingui més gust: *El pebre és un condiment que dóna un gust picant*.

condó condons nom m Preservatiu, funda de goma que es col·loca al penis abans de l'acte sexual per impedir que la dona quedi prenyada o per evitar el contagi de malalties.

condol condols nom m **1** Dolor que se sent per la desgràcia o la pena que pateix una altra persona. **2** **donar el condol** Donar a conèixer el nostre dolor a una persona a la qual se li ha mort una persona estimada o un familiar.

còndor còndors nom m Ocell rapinyaire que viu als Andes, fa uns tres metres d'envergadura, té el bec fort i corbat i un collar de plomes blanques al coll. ■ **6**

conducció conduccions nom f **1** Acció de conduir: *Com que la carretera era molt estreta i plena de revolts, la conducció resultava difícil*. **2** Conjunt de conductes, tubs, etc. per on passa l'aigua, el gas, etc.: *Els tècnics han revisat la conducció del gas*.

conducta conductes nom f Manera de comportar-se, comportament: *Avui has tingut molt mala conducta, només has fet que xerrar i fer bestieses*.

conducte conductes nom m Tub, canal per on circula un líquid o un fluid.

conductor conductora conductors conductores **1** adj i nom m i f Es diu de la persona que condueix un vehicle, com ara un cotxe, un camió, un autobús, etc. **2** adj Es diu d'un material que serveix per a transmetre l'electricitat, la calor, etc.: *El coure és un bon conductor de l'electricitat*.

conduir v **1** Dirigir, portar una cosa o una persona a algun lloc. **2** Dirigir, portar, fer anar un vehicle com ara un carro, un cotxe, un camió, etc.: *Al meu pare, no li agrada de conduir de nit*. Es conjuga com *reduir*.

conduir

conegut coneguda coneguts conegudes **1** adj Es diu d'algú o d'alguna cosa que es coneix: *Una malaltia coneguda*. ■ *Un escriptor molt conegut*. **2** nom m i f Persona que coneixem: *Vam sortir a passejar i vam ensopegar molts coneguts, a qui vam saludar*.

coneixedor coneixedora coneixedors coneixedores *adj* i *nom m* i *f* Es diu de la persona que sap o coneix una cosa o que entén molt en una cosa: *El nostre pare és un bon coneixedor de la geografia de Catalunya.*

coneixement coneixements *nom m* **1** Conjunt de coses que sabem sobre un tema: *No tinc gaires coneixements de matemàtica.* **2 perdre el coneixement** Desmaiar-se.

coneixença coneixences *nom f* **1** Coneixement, fet de conèixer una cosa: *No tenia coneixença que hagués passat això, és a dir, no en sabia res.* **2** Relació, tracte entre persones: *Entre totes dues famílies hi havia molta coneixença.* **3** Persona coneguda: *Li vaig presentar algunes de les meves coneixences, és a dir, algunes de les persones que jo coneixia.*

conèixer *v* Saber una cosa, estar-ne informat, tenir-ne experiència: *Conec la ciutat de Manresa perquè hi he estat.* ▪ *No coneixia aquell senyor perquè no l'havia vist mai.*
La conjugació de *conèixer* és a la pàg. 833.

confabulació confabulacions *nom f* Tracte secret que fan diverses persones per anar en contra d'algú: *Es queixa d'una confabulació dels seus enemics per perjudicar-lo.*

confabular-se *v* Posar-se d'acord en secret diverses persones per perjudicar algú: *Tots tres s'han confabulat en contra d'un dels companys de la classe.*
Es conjuga com *cantar*.

confecció confeccions *nom f* **1** Acció de fer una cosa amb elements o peces diverses: *La confecció d'un llibre és molt llarga i difícil.* **2 roba de confecció** Peça de vestir fabricada en sèrie sense prendre les mides al comprador: *En aquell taller fan roba de confecció, fabriquen una mitjana de dues-centes cinquanta camises diàries.*

confeccionar *v* Fer alguna cosa combinant diverses peces o elements: *Confeccionar un dibuix.*
Es conjuga com *cantar*.

confederació confederacions *nom f* Unió lliure de persones, de grups o de països per defensar uns interessos comuns, però conservant cada part la pròpia llibertat.

confegir *v* **1** Refer una cosa trencada afegint-ne els trossos. **2** Llegir les lletres i les paraules de manera ordenada i clara: *Aquest nen de cinc anys ja ha après a confegir.*
Es conjuga com *servir*.

conferència conferències *nom f* Xerrada o discurs que fa una persona davant un grup de gent.

conferenciant conferenciants *nom m* i *f* Persona que fa una conferència.

conferir *v* Donar, atribuir una cosa a algú: *El rei li va conferir el càrrec de capità general.*
Es conjuga com *servir*.

confés confessa confessos confesses *adj* Es diu de la persona que ha confessat el seu delicte: *Un criminal confés, és a dir, que ell mateix ha reconegut que ha comès el crim.*

confessar *v* **1** Dir a algú un secret, expressar un sentiment o un pensament molt personal, declarar una cosa sense amagar res: *Vaig confessar que jo havia trencat el vidre.* **2** Dir els pecats a un capellà per rebre el perdó de Déu, segons la religió catòlica.
Es conjuga com *cantar*.

confessió confessions *nom f* Acció de confessar-se; allò que un diu quan es confessa amb algú.

confessor confessors *nom m* Capellà que confessa, que escolta els pecats de les persones i els dóna el perdó en nom de Déu.

confeti confetis *nom m* Paperets de diferents colors que es llancen en una desfilada o en una festa.

confí confins *nom m* **1** Límit, frontera, lloc on acaba un país o un territori. **2 confins de la terra** Els llocs més allunyats de la terra: *Aquest aventurer ha viatjat als confins de la terra.*

confiança confiances *nom f* Seguretat que tenim de l'amistat d'una persona, de l'ajuda que ens donarà, etc.: *Tinc molta confiança en el meu amic i li explico els meus problemes.*

confiar *v* **1** Tenir fe, confiança en algú o en alguna cosa: *Confio en en Jordi, sempre compleix el que promet.* ▪ *Confiem que demà farà bon temps i no plourà.* **2** Donar una cosa a algú perquè ens la cuidi o ens la guardi: *Et confio la bicicleta, vigila que no me la prenguin.*
Es conjuga com *canviar*.

confidència confidències *nom f* Cosa que s'explica a una persona en la qual es confia: *Ens vam fer molt amics i ens vam fer algunes con-*

fidències, de manera que jo li vaig explicar algunes coses de mi que no he explicat a ningú més.

confidencial confidencials *adj* Es diu d'allò secret que s'explica a algú a qui es té confiança: *Això que t'he explicat és confidencial, no ho diguis a ningú.*

confident confidents **1** *adj* i *nom m* i *f* Es diu de la persona que rep confidències d'algú. **2** *nom m* i *f* Persona que té tracte amb delinqüents i que d'amagat explica a la policia coses que els delinqüents li han explicat a ella, espia.

configurar *v* Posar una cosa d'una manera determinada, donar a una cosa una forma o una estructura determinada: *Aquesta obra de teatre està configurada en tres actes, en tres grans parts.*
Es conjuga com *cantar.*

confinar *v* Obligar algú a estar-se dins un espai tancat: *El mal temps ens ha tingut confinats a l'habitació de l'hotel.*
Es conjuga com *cantar.*

confirmació confirmacions *nom f* **1** Acció de confirmar, de fer més segura una cosa. **2** Sagrament, acte religiós en què una persona que ja ha estat batejada és confirmada en la fe.

confirmar *v* **1** Assegurar, fer més segura, més certa una cosa: *La setmana passada van dir que vindrien i avui ens han confirmat que arriben demà.* **2** Conferir a algú el sagrament de la confirmació.
Es conjuga com *cantar.*

confiscar *v* Apropiar-se d'una cosa algú que té autoritat: *L'exèrcit va confiscar tots els camions del poble.*
Es conjuga com *cantar.* S'escriu *c* davant de *a, o, u* i *qu* davant de *e, i: confisco, confisques.*

confit confits *nom m* Petita bola de sucre amb un pinyó, una ametlla, etc. a dins: *S'ha menjat una bossa de confits.*

confitar *v* **1** Conservar aliments en un recipient amb suc: *Hem comprat un pot de bolets confitats.* **2** *Si no em vols deixar la pilota, m'és igual, ja te la pots confitar:* ja te la pots quedar perquè no la vull pas.
Es conjuga com *cantar.*

confiteria confiteries *nom f* Lloc on es fan i es venen confits i pastissos.

confitura confitures *nom f* Fruita ensucrada que es pot conservar: *Hem menjat una llesca de pa amb mantega i confitura de maduixa.*

conflagració conflagracions *nom f* Guerra o conflicte armat entre diversos països.

conflentí conflentina conflentins conflentines **1** *nom m* i *f* Habitant de la comarca del Conflent; persona natural o procedent de la comarca del Conflent. **2** *adj* Es diu de les persones o de les coses naturals o procedents de la comarca del Conflent.

conflicte conflictes *nom m* Lluita, baralla, problema: *Hem tingut un conflicte amb uns veïns que posaven la ràdio massa alta i ens molestaven.*

conflictiu conflictiva conflictius conflictives *adj* Que té relació amb un conflicte o que provoca conflictes: *Un problema conflictiu, que és molt difícil de resoldre.* ■ *Un individu conflictiu, que sempre es baralla amb tothom.*

confluència confluències *nom f* Acció de confluir, d'ajuntar-se els rius o dos corrents d'aigua en un punt determinat; acció de trobar-se coses o persones en un punt determinat: *Han posat un semàfor a la confluència de les dues carreteres.*

confluir *v* Ajuntar-se dos rius, dos corrents d'aigua en un punt determinat; trobar-se coses o persones en un punt determinat: *Els dos carrers més importants del poble conflueixen a la plaça major.*
Es conjuga com *reduir.*

confondre *v* **1** Barrejar-se dues coses de manera que no es puguin distingir: *A l'horitzó, el blau del mar es confonia amb el blau del cel.* **2** Prendre una cosa per una altra: *Tu i el teu germà us assembleu tant, que sovint us confonc.* **3** Desorientar, desconcertar: *No entenc res, tantes complicacions m'han confós.*
La conjugació de *confondre* és a la pàgina 834.

conformar-se *v* **1** Acceptar una cosa, trobar bé o conforme una cosa: *No he tret el primer premi, però ja em conformo.* **2** **conformar** Donar una forma determinada a una cosa.
Es conjuga com *cantar.*

conforme conformes *adj* Que està d'acord amb algú o accepta una cosa: *Estic conforme amb el que dius.*

conformisme conformismes *nom m* Actitud de la persona que es conforma fàcilment: *En aquest país hi ha un gran conformisme, la població no protesta mai contra l'actuació del govern.*

conformista conformistes adj i nom m i f Es diu de la persona que es conforma fàcilment: No es queixa mai de res, és molt conformista.

conformitat conformitats nom f **1** Aprovació: Van decidir de quedar-se una hora més a treballar amb la conformitat de tothom **2 de conformitat amb** D'acord amb, segons: Hem actuat de conformitat amb el que disposa la llei, seguint el que diu la llei. **3** Resignació, acceptació de la realitat: S'ha pres la malaltia amb conformitat.

confort conforts nom m Comoditat, benestar.

confortable confortables adj Còmode: Un pis gran i confortable.

confortar v Donar ànims, força, esperança a algú que passa un moment difícil: Estava molt trist per la mort del pare, però les paraules dels amics el van confortar. Es conjuga com cantar.

confrare confraressa confrares confraresses nom m i f Persona que és membre d'una confraria.

confraria confraries nom f Associació que agrupa persones que són devotes d'un sant determinat, que tenen un mateix ofici, etc.: Una confraria de pescadors.

confraternitzar v Tenir un tracte d'amic amb algú: El nou alumne de seguida ha confraternitzat amb la resta de la classe. Es conjuga com cantar.

confrontació confrontacions nom f **1** Acció d'acarar o de confrontar dues coses per poder-les comparar. **2** Lluita, combat.

confrontar v Acarar dues coses per poder-les comparar. Es conjuga com cantar.

confús confusa confusos confuses adj Poc clar, difícil de distingir: Va dir unes paraules confuses que no vaig poder entendre.

confusió confusions nom f **1** Equivocació, error consistent a prendre una cosa per una altra: He tingut una confusió, m'he pensat que havíem quedat a les sis en comptes de les cinc i he arribat tard. **2** Barreja, desordre: Després de l'accident hi va haver molta confusió, tothom corria i cridava.

congelació congelacions nom f **1** Fet de passar un cos de l'estat líquid al sòlid per mitjà del fred. **2** Acció de conservar un aliment per mitjà del fred. **3** Ferida produïda per l'acció del fred: Finalment, els excursionistes perduts van poder ser rescatats, i es va veure que presentaven símptomes de congelació als dits dels peus i de les mans.

congelador congeladors nom m Aparell que serveix per a congelar aliments i conservar-los en bon estat: Aquesta nevera té un congelador massa petit.

congelar v **1** Glaçar, fer passar un cos de l'estat líquid al sòlid per mitjà del fred. **2** Conservar un aliment a una temperatura molt baixa, molt freda: Avui hem menjat peix congelat. Es conjuga com cantar.

congeniar v Avenir-se dues persones perquè tenen el mateix caràcter, la mateixa manera de pensar, etc.: Van congeniar des del primer dia que es van conèixer. Es conjuga com canviar.

congènit congènita congènits congènites adj Es diu d'allò que una persona ja té en el moment que neix: Aquest nen va néixer amb una malaltia congènita.

congesta congestes nom f Neu que es conserva en un racó d'una muntanya alta quan ja ha passat l'hivern i la major part de la neu ja s'ha fos.

congestió congestions nom f **1** El fet d'inflar-se la cara o una altra part del cos a causa d'un augment de la quantitat de sang. **2** Embús provocat per una gran arribada de persones, vehicles, etc.: Una congestió del trànsit.

congestionar v **1** Inflar-se la cara o una altra part del cos a causa d'un augment de la quantitat de sang: Se li ha congestionat la cara. **2** Produir una congestió, un embús o un excés de trànsit: Els carrers s'han congestionat per culpa de l'accident. Es conjuga com cantar.

conglomerat conglomerats nom m Massa formada per fragments de diverses matèries ajuntats: Aquesta taula és feta amb un conglomerat de fustes diferents.

congost congosts o congostos nom m Vall, pas estret entre dues muntanyes que ha sigut excavat per les aigües d'un riu.

congratular v **1** Felicitar algú per un èxit o un fet feliç: Et congratulo de tot cor per la teva victòria. **2 congratular-se** Alegrar-se per la

felicitat, l'èxit o la bona sort d'algú: *Tothom es congratulava del seu triomf.*
Es conjuga com *cantar.*

congre congres *nom m* Peix semblant a l'anguila, però amb l'aleta dorsal més avançada i la pell sense escata.

congregació congregacions *nom f* **1** Acció de congregar. **2** Conjunt de religiosos o de religioses que segueixen unes regles establertes pel seu fundador, però que no constitueixen un orde. **3** Associació de creients que es reuneixen per a dur a terme obres de caritat i exercicis de pietat.

congregar *v* Reunir, aplegar un nombre de persones: *L'arribada de la cursa ciclista va congregar molta gent a la plaça del poble.*
Es conjuga com *cantar.* S'escriu *g* davant de *a, o, u* i *gu* davant de *e, i: congrego, congregues.*

congrés congressos *nom m* **1** Reunió de persones per a discutir sobre un tema determinat, que sol durar més d'un dia: *Un congrés de metges.* **2** Part del parlament d'alguns estats: *El congrés dels diputats.*

congressista congressistes *nom m i f* Persona que participa en un congrés.

congriar-se *v* Formar-se alguna cosa: *El cel s'anava ennuvolant i ennegrint, i això era senyal que es congriava una tempesta.*
Es conjuga com *canviar.*

congruència congruències *nom f* Qualitat de congruent: *El seu discurs tenia molta congruència.*

congruent congruents *adj* Es diu d'una cosa que és adequada, que convé al conjunt: *Un discurs molt congruent.*

conhortar *v* Animar o consolar algú.
Es conjuga com *cantar.*

cònic cònica cònics còniques *adj* Que té forma de con: *Una teulada cònica.*

conill conilla conills conilles *nom m i f* **1** Animal mamífer, petit, d'orelles llargues i potes curtes, amb molt pèl, que viu al bosc o es cria en granges, molt apreciat per la seva carn. **2** **conill porquí** Animal mamífer d'orelles curtes, molt petit, sense cua i amb els pèls llargs i aspres. **3** *adj En Ramon i en Marc es banyaven al riu ben conills:* despullats, sense gens de roba.

conjectura conjectures *nom f* Suposició, idea que ens fem d'un fet a partir d'alguns senyals o indicis poc segurs: *Potser és veritat això que dius, però com que no ho pots provar és només una conjectura.*

conjugació conjugacions *nom f* **1** Conjunt de verbs que tenen unes mateixes terminacions: *"Cantar" i "ballar" són verbs de la primera conjugació, "vèncer" i "témer" de la segona i "dormir" i "partir" de la tercera.* **2** Conjunt de les terminacions de tots els temps d'un verb: *El verb "fer" té una conjugació irregular.*

conjugal conjugals *adj* Que té relació amb els cònjuges o amb el matrimoni: *Una baralla conjugal, és a dir, una baralla entre marit i muller.*

conjugar *v* **1** Dir totes les formes d'un verb: *Els verbs cantar i menjar es conjuguen igual, perquè tots dos tenen els mateixos acabaments.* **2** Compaginar, adaptar-se entre elles les parts que formen un tot.
Es conjuga com *cantar.* S'escriu *g* davant de *a, o, u* i *gu* davant de *e, i: conjugo, conjugues.*

cònjuge cònjuges *nom m i f* Cadascuna de les dues persones que formen un matrimoni.

conjuminar *v* Combinar i coordinar diverses coses de manera que vinguin bé per aconseguir una finalitat determinada: *M'ho he conjuminat per poder venir a l'excursió.*
Es conjuga com *cantar.*

conjunció conjuncions *nom f* Paraula que uneix dues paraules, dues oracions, com "o" o "i": *Mar i cel.* ▪ *Vols venir amb mi a comprar o t'estimes més quedar-te a casa?*

conjunt conjunta conjunts conjuntes **1** *adj* Que està unit amb una altra cosa: *Assistirem a una actuació conjunta de tres cantants.* **2** *nom m* Reunió de persones o de coses que totes juntes formen un tot: *Els nens, les nenes i el mestre formen el conjunt de la classe.* **3** *nom m* Grup de músics i de cantants que interpreten una peça musical: *El conjunt de rock va tocar molt bé.*

conjuntament *adv* A la vegada, tots junts: *Els de tercer i els de quart surten al pati conjuntament, tots plegats.*

conjuntura conjuntures *nom f* Situació en un moment donat: *La conjuntura econòmica que es viu actualment és molt difícil, hi ha molts problemes.*

conjur conjurs *nom m* Gest o paraules que serveixen per a allunyar un perill: *La fada va* fer un conjur per evitar que algú pogués fer mal a la princesa.

conjura conjures *nom f* Acció de conjurar-se, de posar-se d'acord diverses persones per anar contra algú: *Una conjura contra el govern.*

conjurar *v* 1 Fer un conjur per allunyar un perill: *El mag va dir unes paraules màgiques per conjurar les amenaces de la bruixa.* 2 **conjurar-se** Fer una conjura, posar-se d'acord diverses persones per anar contra algú: *S'havien conjurat per assassinar el president del govern.*
Es conjuga com *cantar.*

connectar *v* 1 Fer un contacte elèctric: *Connecta el televisor i engega'l.* 2 Unir, establir una relació: *Gràcies a en Manel, vaig connectar amb la Lluïsa i en Jordi.* 3 Unir o estar en contacte dues o més coses: *Connecta la mànega a l'aixeta, que regarem el jardí.*
Es conjuga com *cantar.*

connector connectora connectors connectores *adj* Que serveix per a connectar.

connexió connexions *nom f* Lligam, contacte, unió: *S'ha tallat la connexió per ràdio amb l'avió i ara no sabem on és.*

conqueridor conqueridora conqueridors conqueridores *adj i nom m i f* Que conquereix, que conquista: *El rei Jaume I de Catalunya i Aragó va conquerir moltes terres, per això se l'anomena el Conqueridor.*

conquerir *v* Apoderar-se per la força d'un país, d'un territori, etc., conquistar.
Es conjuga com *servir.*

conquesta conquestes *nom f* Acció de conquerir; cosa, persona o país conquerits.

conquilla conquilles *nom f* Closca que protegeix un mol·lusc.

conquista conquistes *nom f* Conquesta.

conquistador conquistadora conquistadors conquistadores *adj i nom m i f* Conqueridor.

conquistar *v* 1 Conquerir, apoderar-se per la força d'un país, d'un territori, etc. 2 Aconseguir l'amor o l'estimació d'una persona: *En Lluís volia conquistar l'Olga.*
Es conjuga com *cantar.*

conrear *v* 1 Treballar els camps, la terra; cultivar. 2 Dedicar-se a una activitat: *Aquell senyor conrea la música.*
Es conjuga com *canviar.*

conreu conreus *nom m* Conjunt de feines destinades a cuidar la terra i les plantes: *El conreu del blat.* ■ *El conreu de la vinya.*

consagrar *v* 1 Convertir una cosa en sagrada, dedicant-la a un ús religiós o sagrat: *Han consagrat la nova església.* 2 Dedicar tot el temps, tot l'esforç al servei d'algú o d'alguna cosa: *Ha consagrat la seva vida a la música.*
Es conjuga com *cantar.*

consciència consciències *nom f* 1 Capacitat d'adonar-se de les coses, del que passa, de si una cosa està ben feta o està mal feta, etc. 2 **no tenir consciència** Ser molt dolent. 3 **tenir la consciència tranquil·la** Estar un mateix convençut que no ha fet res mal fet, que ha fet el que havia de fer.

conscienciar *v* Fer algú conscient d'alguna cosa, fer-lo adonar d'alguna cosa: *Els ecologistes volen conscienciar la gent de la necessitat de conservar el medi natural.*
Es conjuga com *canviar.*

conscient conscients *adj* Que té consciència, que s'adona de les coses, que veu les coses: *Hem de ser conscients que la fam és un problema que afecta molts milions de persones.*

consecució consecucions *nom f* Acció d'aconseguir o d'obtenir una cosa: *S'ha entrenat molt de cara a la consecució del triomf.*

consecutiu consecutiva consecutius consecutives *adj* Es diu de les coses que van seguides, l'una darrere l'altra: *Hem perdut tres partits consecutius.*

conseqüent conseqüents *adj* 1 Que segueix com a resultat de les coses anteriors: *Els danys conseqüents al temporal són molt elevats.* 2 **per conseqüent** Com a conseqüència: *No va aprovar, i per conseqüent va haver de repetir el curs.*

conseqüentment *adv* Per conseqüent, en conseqüència.

consell consells *nom m* 1 Opinió que una persona dóna a una altra dient-li allò que ha de fer: *El consell que ens dóna el mestre és que a l'hora d'escriure no correm, que pensem bé les coses abans d'escriure-les.* 2 Reunió de persones encarregades de dirigir o de governar una ciutat, una associació, un partit polític, etc.: *Avui s'ha reunit el Consell Executiu de la Generalitat.* 3 **consell de guerra** Judici que es fa contra un militar o contra algú que ha comès un delicte contra la justícia militar.

conseller consellera consellers conselleres *nom m i f* **1** Persona que dóna consells: *El rei va fer cas del seu conseller.* **2** Persona que forma part d'un consell: *El conseller d'educació visitarà la nostra escola.*

conselleria conselleries *nom f* Part d'una institució, d'un govern, etc. que s'ocupa d'un tema determinat: *La conselleria de salut s'ocupa dels temes relacionats amb la sanitat.*

consens consensos *nom m* Acceptació, acord general: *Hi ha un gran consens entre la gent del poble sobre la manera de solucionar el problema de l'aigua, és a dir, tothom està d'acord en la manera com s'ha de solucionar.*

consentiment consentiments *nom m* Acceptació d'una petició, d'una proposta, etc.: *Van demanar al pare que els deixés anar a l'excursió i en van obtenir el consentiment, és a dir, els hi va deixar anar.*

consentir *v* **1** Deixar fer, permetre, tolerar una cosa: *Al final la mare va consentir que anéssim a donar una volta amb bici per la carretera, encara que no li feia gaire gràcia.* **2 consentir-se** Espatllar-se una mica, fer-se una mica malbé a conseqüència d'un cop: *Ahir em vaig girar el peu i avui encara el tinc una mica consentit.* Es conjuga com *dormir.*

consentit consentida consentits consentides *adj* **1** Es diu de la persona a qui es permet de fer-ho tot: *Un nen molt consentit.* **2** Una mica espatllat o ferit però sense que es noti gaire: *Aquesta cadira té una pota consentida.*

conseqüència conseqüències *nom f* **1** Fet que ve provocat per un altre d'anterior, que és el resultat d'una cosa que ha passat abans: *Les conseqüències de l'accident són molt greus: un mort i tres ferits.* ■ *S'han destruït ponts i carreteres com a conseqüència de l'aiguat.* **2 en conseqüència** Per tant: *Se'ns ha tractat injustament i, en conseqüència, ens hem queixat.*

conseqüent conseqüents *adj* Que té lògica, que una cosa no contradiu l'anterior: *Va dir que si el molestaven se n'aniria i va ser conseqüent, se'n va anar tan bon punt algú el va començar a empipar.*

conserge conserges *nom m i f* Persona encarregada de vigilar i de cuidar un edifici

públic com ara un hospital, una escola, un institut, etc.

conserva conserves *nom f* Aliment que es manté en bon estat perquè ha estat ben tancat a dins un envàs i ha estat tractat de manera que no es pugui fer malbé: *Una llauna de sardines en conserva.*

sardines en conserva

conservació conservacions *nom f* Acció de conservar o de conservar-se: *La conservació dels aliments.* ■ *Tots els éssers vius tenen l'instint de conservació, és a dir, d'evitar els perills.*

conservador conservadora conservadors conservadores *adj i nom m i f* Es diu de les persones o de les idees que són contràries als canvis, que volen conservar les creences, els costums i les lleis que hi ha en una societat sense adaptar-los als nous temps.

conservant conservants *nom m* Substància que serveix per a conservar un aliment o un producte en bon estat.

conservar *v* **1** Tenir una cosa en bon estat, cuidant-la, protegint-la: *Aquest museu conserva unes pintures molt antigues.* ■ *Encara conservo el primer llibre que vaig fer servir a l'escola.* **2** Tractar un aliment perquè es mantingui en bon estat i no es faci malbé. **3 conservar-se** Mantenir-se en bon estat: *L'avi té vuitanta-cinc anys, però es conserva molt bé i té molta salut.* Es conjuga com *cantar.*

conservatori conservatoris *nom m* Escola de música oficial.

considerable considerables *adj* Important, que cal tenir en compte: *Aquest carrer té una amplada considerable, deu fer més de vint metres.*

considerablement *adv* D'una manera considerable, en una quantitat important: *Aquest any ha plogut considerablement.*

consideració consideracions *nom f* **1** Acció de considerar, de pensar detingudament en una cosa: *El conferenciant va fer algunes consideracions importants, és a dir, va dir algunes idees* importants sobre el tema de què parlava. **2** Tracte amable i respectuós que es fa a algú: *Vam ser tractats amb molta consideració.* **3 prendre en consideració** Tenir en compte una cosa, fer-ne cas: *El jutge va prendre en consideració les opinions de l'advocat.*

considerar *v* **1** Pensar detingudament en una cosa: *Has de considerar bé el que et convé, abans de decidir què vols fer.* **2** Pensar, creure: *Considero que l'esport és important per a la salut.* Es conjuga com *cantar.*

consigna consignes *nom f* **1** Ordre que algú dóna perquè sigui seguida: *L'entrenador va donar als jugadors la consigna de controlar la pilota tant com poguessin.* **2** Paraula o frase que ha de conèixer i de dir algú que vol entrar en un lloc vigilat perquè els vigilants el deixin passar. **3** Lloc que hi ha a les estacions, als aeroports, etc. on la gent pot deixar les maletes i els paquets perquè hi siguin guardats.

consigna

consirós consirosa consirosos consiroses *adj* Preocupat, trist, pensatiu.

consistent consistents *adj* **1** Fort, sòlid: *El ferro és un material molt consistent.* **2** Que consisteix: *Un ganivet és una eina consistent en una fulla d'acer i un mànec.*

consistir *v* Estar una cosa formada d'una altra cosa: *El ganivet consisteix en un mànec i una fulla d'acer.* ■ *Aquell joc consistia a no deixar-se prendre la pilota per l'equip contrari.* Es conjuga com *servir.*

consistori consistoris *nom m* Ajuntament.

consogre consogra consogres *nom m* i *f* Sogre d'una persona en relació als pares d'aquesta persona.

consol consols *nom m* Acció de consolar; persona o cosa que consola: *Encara que perdéssim el campionat, guanyar aquell partit va ser un gran consol per a l'equip.*

cònsol cònsols **1** *nom m* i *f* Representant d'un país en una ciutat d'un altre país. **2** *nom*

m Nom que rebien abans diversos càrrecs polítics de molta importància.

consola consoles *nom f* **1** Moble en forma de taula de potes corbades que es col·loca arrambat a la paret, generalment sota un mirall, i damunt del qual es posa un gerro, un rellotge, etc. **2** Aparell que serveix per a poder jugar amb videojocs.

consolar *v* **1** Calmar o fer passar la pena a algú: *El nen petit plorava perquè s'havia fet mal i jo el vaig consolar.* **2 consolar-se** Conformar-se, acontentar-se: *Amb poca cosa es consola.* Es conjuga com *cantar.*

consolidar *v* Fer més sòlida o més forta una cosa: *El govern diu que cal consolidar l'economia del país.* Es conjuga com *cantar.*

consomé consomés *nom m* Menjar líquid fet amb el suc d'un aliment que ha bullit molta estona.

consonant consonants *nom f* Lletra o so que no és vocal: *Les lletres a, e, i, o, u són vocals; la resta són consonants.*

consonàntic consonàntica consonàntics consonàntiques *adj* Que està relacionat amb les consonants: *Les lletres ema (m) i erra (r) representen dos sons consonàntics.*

consorci consorcis *nom m* Unió de persones, associacions, empreses, etc., que tenen un interès comú.

consort consorts *nom m* i *f* Cònjuge.

conspiració conspiracions *nom f* Acció de conspirar, de posar-se d'acord en secret diverses persones per anar contra algú.

conspirador conspiradora conspiradors conspiradores *nom m* i *f* Persona que conspira, que participa en una conspiració.

conspirar *v* Posar-se d'acord en secret diverses persones per cometre un delicte, per perjudicar algú altre, per fer caure un govern, un règim polític, etc. Es conjuga com *cantar.*

constància constàncies *nom f* **1** Qualitat de constant: *Aquesta noia estudia amb molta constància, cada dia hi dedica un parell d'hores, i no falla mai.* **2** Fet de conèixer una cosa de manera certa: *No hi ha constància que això que expliques hagi passat de debò, és a dir, no existeix cap document que ho demostri.*

constant constants *adj* Que no para mai, que no canvia, que insisteix: *El soroll constant de les onades del mar.* ▪ *En Raül és un noi molt constant a l'hora d'estudiar, cada dia ho fa una estoneta.*

constantment *adv* D'una manera constant: *Va ploure constantment durant tot el dia, sense parar ni un minut.*

constar *v* **1** Estar format: *El pis consta de cuina, lavabo, menjador i tres habitacions.* **2** Saber de cert una cosa: *Em consta que en Lluís és a casa de la seva tieta.*
Es conjuga com *cantar.*

constatar *v* Comprovar una cosa: *Hem constatat que, tal com tu deies, en Miquel se n'ha anat de viatge.*
Es conjuga com *cantar.*

constel·lació constel·lacions *nom f* Conjunt d'estels: *L'Óssa Major i l'Óssa Menor són dues constel·lacions.*

consternació consternacions *nom f* Pena molt forta produïda per una desgràcia.

consternar *v* Produir una pena molt forta: *L'accident ha consternat la ciutat.*
Es conjuga com *cantar.*

constipar-se *v* Agafar un constipat, un refredat.
Es conjuga com *cantar.*

constipat constipats *nom m* Refredat, malaltia produïda pel fred o la humitat que ataca el coll, el nas i el pit i provoca tos i mocs.

constipat

constitució constitucions *nom f* **1** Llei principal d'un estat on s'indiquen els drets i els deures dels ciutadans. **2** Acció de constituir, de fundar: *Avui s'ha fet la constitució d'una nova associació de veïns.* **3** Conjunt de les característiques físiques d'una persona.

constituir *v* **1** Formar, crear una associació, etc.: *Es va constituir un nou club de futbol.* **2** Ser parts o elements d'un conjunt: *El cap, el pit, els* braços, les cames, etc. són parts que constitueixen el cos humà.
Es conjuga com *reduir.*

constrènyer *v* Obligar algú a fer una cosa en contra de la seva voluntat: *La pobresa el va constrènyer a acceptar una feina que no li agradava.*
Es conjuga com *témer.* Participi: *constret, constreta.*

construcció construccions *nom f* **1** Acció de construir: *La construcció de la catedral va durar molts anys.* **2** Art o tècnica de construir: *A la indústria de la construcció hi treballa molta gent: arquitectes, paletes, manobres, etc.*

constructiu constructiva constructius constructives *adj* **1** Que serveix per a construir: *Material constructiu.* **2** Es diu de la persona que sempre proposa millorar les coses, que fa crítiques positives, que dóna bons consells: *Aquests nois són molt constructius, sempre pensen com es poden millorar les coses.*

constructor constructora constructors constructores *adj* i *nom m* i *f* Es diu de la persona o de l'empresa que es dedica a construir: *Un constructor de cases.* ▪ *Una empresa constructora d'avions.*

construir *v* Fer, formar alguna cosa ajuntant-ne les parts segons un pla o un esquema: *Volen construir una cabanya amb aquestes canyes i aquelles fustes.*
Es conjuga com *reduir.*

consuetud consuetuds *nom f* Costum habitual.

consulta consultes *nom f* **1** Consell o informació que es demana a algú o es busca en algun lloc: *Vaig fer una consulta al professor abans de l'examen.* **2** Entrevista entre un metge i un malalt, entre un advocat i el seu client, etc.

consultar *v* Demanar consell a algú, demanar informació o buscar-la en algun lloc, fer preguntes, etc.: *Abans de comprar-me el cotxe nou, m'agradaria de consultar el meu germà perquè em digués què en pensa.* ▪ *He hagut de consultar al diccionari el significat d'algunes paraules.*
Es conjuga com *cantar.*

consultori consultoris *nom m* Lloc on un metge, un advocat, etc. atén les consultes de la gent.

consum consums *nom m* Acció de consumir; compra de productes fabricats: *Aquest any hi ha un gran consum d'aparells elèctrics.*

consumar v Fer una cosa prevista, acabar una acció.
Es conjuga com *cantar*.

consumició consumicions nom f Beguda o menjar que una persona pren en un bar o en un restaurant: *Hem de pagar les consumicions.*

consumidor consumidora consumidors consumidores adj i nom m i f Es diu de la persona que consumeix un producte, que el fa servir: *Els nens són els principals consumidors de joguines i llaminadures.*

consumir v 1 Gastar, destruir: *Aquest cotxe consumeix molta gasolina.* ▪ *El foc ha consumit el bosc.* 2 Prendre alguna cosa com a aliment: *A l'estiu la gent consumeix més fruita que a l'hivern.*
Es conjuga com *servir* o com *dormir*.

consumista consumistes adj i nom m i f Es diu de la persona a qui agrada de consumir, de comprar moltes coses.

contacte contactes nom m 1 Fet de tocar-se dues coses, dues persones: *El contacte de l'aigua amb la pell em va fer venir fred.* 2 **estar en contacte** Estar en comunicació dues o més persones.

contagi contagis nom m Transmissió d'una malaltia d'un individu malalt a un altre de sa per contacte directe o indirecte.

contagiar v Transmetre, encomanar una malaltia.
Es conjuga com *canviar*.

contagiós contagiosa contagiosos contagioses adj Que s'encomana fàcilment: *El grip és una malaltia molt contagiosa, que passa d'una persona a l'altra molt fàcilment.*

contaminació contaminacions nom f Brutícia o impureses que hi ha a l'aire, a l'aigua, etc.: *El fum de les fàbriques produeix contaminació en l'aire de la ciutat.*

contaminant contaminants adj Que contamina: *Una indústria contaminant.*

contaminar v 1 Embrutar un riu, el mar, l'aire, etc. amb escombraries, amb brutícia, amb fum, amb residus d'una indústria: *Algunes fàbriques llencen els residus al riu i el contaminen.* 2 Infectar, transmetre una malaltia infecciosa.
Es conjuga com *cantar*.

contar v Explicar una història, un fet, etc.: *L'àvia em va contar una història de fantasmes.*
Es conjuga com *cantar*.

conte contes nom m Història curta que explica uns fets reals o fantàstics, amb la intenció d'entretenir, de divertir, etc.: *Saps com s'acaba el conte de la Caputxeta Vermella?*

contemplació contemplacions nom f 1 Acció de contemplar. 2 Tracte o atenció especial que es té amb una persona: *Van tractar els convidats amb moltes contemplacions.* ▪ *La policia va tractar els lladres sense contemplacions, és a dir, sense miraments, amb duresa.*

contemplar v 1 Mirar amb atenció una cosa: *Es va passar tota la nit contemplant els estels.* 2 Donar a algú tots els gustos, satisfer tots els seus desitjos.
Es conjuga com *cantar*.

contemporani contemporània contemporanis contemporànies adj 1 Es diu d'una persona o d'una cosa que és del mateix temps, de la mateixa època que una altra: *Són dos pintors contemporanis, tots dos han viscut durant la primera meitat del segle XX.* 2 Es diu d'una persona o d'una cosa que és moderna, de l'època actual: *M'agrada molt la música antiga, però també m'agrada la contemporània.*

contendent contendents adj i nom m i f Que lluita contra un altre: *No ha guanyat cap dels contendents.*

contenidor contenidors nom m Recipient molt gros que serveix per a recollir runa, escombraries, etc. o traslladar mercaderies i que es pot carregar a dalt d'un camió, en un vaixell, etc.

contenidor

contenir v 1 Tenir a dins seu alguna cosa: *Aquesta ampolla conté un líquid inflamable.* 2 No deixar que una cosa surti enfora; no deixar fer una cosa a algú: *Volia llançar-se a l'aigua vestit, però el vam contenir.*
Es conjuga com *mantenir*.

content contenta contents contentes *adj* Alegre, satisfet, feliç: *Estan contents perquè demà se'n van d'excursió.*

contesa conteses *nom f* Lluita, baralla, disputa: *Els partits es preparen de cara a la nova contesa electoral, és a dir, de cara a les noves eleccions.*

contesta contestes *nom f* Resposta, acció de contestar.

contestador contestadors *nom m* Aparell connectat al telèfon que contesta automàticament les trucades i pot gravar els missatges de la gent que truca: *Quan no som a casa, deixem el contestador automàtic connectat i, quan tornem, escoltem els missatges de la gent que ens ha trucat.*

contestar *v* **1** Respondre, donar resposta a una carta, a una pregunta, etc.: *Vaig rebre una carta abans-d'ahir i la vaig contestar ahir.* **2** Protestar, queixar-se quan ens diuen o ens manen una cosa: *No vols fer mai el que et manen, sempre contestes.* Es conjuga com *cantar.*

contestatari contestatària contestataris contestatàries *adj i nom m i f* Es diu de la persona que no està d'acord amb el sistema polític i social, i que protesta contínuament contra aquest sistema.

context contexts o contextos *nom m* **1** Part d'un text, d'un escrit en què es troba una paraula, una frase. **2** Conjunt de circumstàncies que envolten un fet.

contigu contigua contigus contigües *adj* Es diu d'una cosa que està tocant-ne una altra, que és ben bé al costat: *Els nens dormen en una habitació contigua a la dels pares.*

continent continents *nom m* Cadascuna de les grans extensions de terra que hi ha en el nostre planeta separades pel mar: *Àfrica és un continent.*

continental continentals *adj* Que està relacionat amb un continent: *Anglaterra és una illa, però França és un país de l'Europa continental.*

contingut continguts *nom m* Cosa que hi ha dins d'una altra: *La caixa estava tancada i no sabíem què hi havia a dins, és a dir, no sabíem quin era el seu contingut.*

continu contínua continus contínues *adj* Que continua, que no es talla, que no para: *Un corrent d'aigua continu.*

continuació continuacions *nom f* **1** Acció de continuar, allò que continua: *Avui veurem la continuació de la pel·lícula de la setmana passada.* **2 a continuació** Tot seguit: *Primer dinarem i a continuació sortirem a passejar.*

contínuament *adv* De manera contínua, sense parar: *Viure amb ell és molt pesat, perquè es queixa de tot, contínuament, sense parar.*

continuar *v* **1** Seguir fent allò que es feia, reprendre allò que s'havia deixat de fer: *Ara plego de dibuixar, ja continuaré després.* **2** Seguir, durar, no parar: *La pluja continua.* Es conjuga com *canviar.*

continuïtat continuïtats *nom f* Qualitat de continu; el fet que una cosa no s'acabi, sinó que continuï: *Els problemes econòmics van posar en perill la continuïtat de l'empresa.*

contorn contorns *nom m* Línia que limita una cosa per l'exterior: *Els contorns d'una taula.*

contorsió contorsions *nom f* Moviment estrany del rostre o del cos: *El dolor li provocava contorsions a la cara.*

contra *prep* **1** En direcció cap a alguna persona o alguna cosa fins a tocar-la o xocar-hi: *La pilota va anar contra el vidre.* **2** En contacte amb alguna cosa, tocant-la: *Posa la cadira contra la paret.* **3** En sentit oposat o contrari: *Nedar contra el corrent del riu.* ■ *Avançar contra l'enemic.* **4 en contra** Indica que no s'està d'acord amb algú o alguna cosa: *Estic en contra del que ha dit el mestre.* **5 portar la contra a algú** Estar en contra del que pensa o vol algú. **6 contra** contres *nom m* Part desfavorable d'una cosa: *Estudiarem tots els pros i els contres de la teva proposta.*

contra- Prefix, element que s'afegeix al davant d'una paraula i que vol dir "contrari": *Nedar a contracorrent vol dir nedar en sentit contrari al del corrent de l'aigua.*

contraatac contraatacs *nom m* Atac ràpid i per sorpresa que es fa per recuperar un terreny que han ocupat els enemics en un atac anterior.

contrabaix contrabaixos **1** *nom m* Instrument musical de corda semblant a un violí però molt gros. **2** *nom m i f* Músic que toca el contrabaix.

contraban contrabans *nom m* Delicte que consisteix a fer entrar productes en un país sense permís i sense haver pagat els impostos que es paguen a la frontera: *El tabac americà que arriba de contraban és més barat que el que ha entrat legalment al país.*

contrabandista contrabandistes *nom m* i *f* Persona que passa coses de contraban per fer-hi negoci.

contracció contraccions *nom f* **1** Disminució del volum d'un cos: *El fred produeix contracció en els materials.* **2** Unió de dues paraules que acaben i comencen en vocal, respectivament: *"Del" és una contracció de la preposició "de" i de l'article "el".*

contracepció contracepcions *nom f* Conjunt de tècniques que permeten que un home i una dona puguin mantenir relacions sexuals sense que la dona quedi prenyada.

contraceptiu contraceptius *nom m* Producte o tècnica que impedeix que la dona quedi prenyada.

contraclaror contraclarors *nom f* **1** Llum que travessa un objecte transparent. **2** *Va agafar el paper i el va mirar a contraclaror per poder llegir més bé el que deien aquelles lletres petites i fluixes:* mirar una cosa posant-la entre la llum i l'ull.

contracor Paraula que apareix en l'expressió a contracor, que vol dir "sense voler, sense tenir-ne ganes": *Volien anar d'excursió i els vaig seguir a contracor, perquè m'hauria agradat més de quedar-me a casa veient la tele.*

contracorrent contracorrents *nom m* **1** Corrent que va en sentit contrari al del corrent principal. **2** a contracorrent En direcció contrària a la principal, a la que segueix més gent: *Li agrada d'anar a contracorrent i de fer les coses al revés de com les fa tothom.*

contractar *v* Arribar a un acord amb algú perquè ens faci una feina o un servei, llogar algú perquè faci una feina: *En aquella empresa contracten gent per treballar-hi durant l'estiu.* Es conjuga com *cantar*.

contracte contractes *nom m* Acord a què arriben dues persones o dues empreses a l'hora de fer un negoci, de llogar una casa, etc.

contrada contrades *nom f* Territori que envolta un lloc determinat: *He passat l'estiu al Montseny i ara conec molt bé aquelles contrades.*

contradicció contradiccions *nom f* Acció de contradir; paraules o fets que en contra-diuen uns altres: *Dir "sí" i "no" a una mateixa cosa al mateix temps és una contradicció.*

contradictori contradictòria contradic-toris contradictòries *adj* Que contradiu o que es contradiu: *Té una manera de ser molt contradictòria, perquè tan aviat sembla molt valent com molt covard.*

contradir *v* **1** Dir una cosa diferent de la que ha dit un altre o que va en contra del que ha dit un altre: *Aquell xicot explicava mentides i jo el vaig haver de contradir.* **2** contradir-se Dir una cosa diferent del que un mateix ha dit abans: *Abans deies que no sabies res i ara dius que sí, no veus que et contradius?* Es conjuga com *dir*.

contrafet contrafeta contrafets con-trafetes *adj* Fet d'una manera que no és l'habitual, fet d'una manera defectuosa: *Un cos contrafet.*

contrafoc contrafocs *nom m* Foc que es fa per apagar un incendi: *Els bombers van fer un contrafoc, és a dir, van cremar un tros de bosc perquè quan l'incendi arribés allà, ja no hi hagués res per a cremar i d'aquesta manera s'apagués.*

contraindicació contraindicacions *nom f* **1** Indicació contrària a la que s'ha donat abans. **2** Situació en la qual no es pot prendre un medicament determinat.

contraindicat contraindicada contra-indicats contraindicades *adj* Perjudicial, no convenient, no aconsellable: *Fumar és especialment contraindicat per a les dones embarassades, ja que pot perjudicar la salut del fill que ha de néixer.*

contrallum contrallums *nom m* Posició en què una cosa rep la llum pel costat contrari al d'on es mira: *Vaig mirar el paper a contrallum.*

contraordre contraordres *nom f* Ordre que anul·la o canvia una altra ordre anterior: *Els soldats tenien l'ordre d'avançar, però van rebre una contraordre que els manava de recular.*

contrapartida contrapartides *nom f* Allò que es dóna o s'aconsegueix a canvi d'una cosa: *Ell em va deixar la bicicleta i, en contra-partida, jo li vaig deixar els patins.*

contrapèl Paraula que apareix en l'expressió a contrapèl, que vol dir "en direcció contrària a aquella en la qual s'inclina el pèl": *S'afaita a contrapèl perquè diu que així li queda la barba més fina.*

contrapès contrapesos *nom m* Pes que fa força contra un altre pes per contrarestar-lo o equilibrar-lo: *Les balances funcionaven amb un contrapès.* ■ *La nostra opinió favorable farà de contrapès a l'opinió de l'altre grup, que és desfavorable.*

contraposar *v* Oposar, posar una cosa en contra d'una altra: *Vam contraposar la nostra opinió a la seva.*
Es conjuga com *cantar*.

contraproduent contraproduents *adj* Que produeix un resultat contrari al que volíem aconseguir: *El remei que s'ha pres ha sigut contraproduent, ara encara es troba més malament que abans de prendre-se'l.*

contrarestar *v* Anul·lar una cosa amb una altra: *Reguen els camps per contrarestar la falta de pluges.*
Es conjuga com *cantar*.

contrari contrària contraris contràries *adj* i *nom m* i *f* **1** Que s'oposa, que va en contra d'una cosa: *L'Enric és contrari a anar d'excursió.* ■ *Un cotxe que va en direcció contrària a la que hauria d'anar.* **2 al contrari** Al revés: *En Pere és callat i en Jaume, al contrari, és molt xerraire.*

contrariar *v* **1** Posar dificultats o impediments a algú: *La pluja va contrariar el nostre projecte d'anar d'excursió a la muntanya.* **2** No agradar, provocar un disgust: *El fet de suspendre l'examen l'ha contrariat molt.*
Es conjuga com *canviar*.

contrarietat contrarietats *nom f* Obstacle, dificultat amb què topem a l'hora de fer una cosa: *Per aconseguir l'èxit, va haver de superar moltes contrarietats.*

contrasentit contrasentits *nom m* Contradicció o falta de sentit: *Això que dius és un contrasentit, no pot ser que ell fos a casa i a l'escola al mateix temps!*

contrasenya contrasenyes *nom f* Paraula o grup de paraules que s'han de dir per poder entrar en un lloc vigilat; senyal que s'ha de presentar per poder entrar en un lloc.

contrast contrasts o contrastos *nom m* Diferència forta entre dues o més coses: *El cel tan blau feia contrast amb els arbres tan verds.*

contrastar *v* Fer contrast, ser diferents dues coses: *Aquell noi tan baixet contrastava al costat d'aquell home tan alt.*
Es conjuga com *cantar*.

contratemps els contratemps *nom m* Problema inesperat, dificultat que es presenta quan es fa una cosa.

contraure *v* Mira **contreure**.
Es conjuga com *treure*.

contravenir *v* Anar en contra d'una llei o d'una norma: *Si un defensor toca la pilota amb les mans, contravé el reglament del futbol, i l'àrbitre ha de castigar el seu equip amb un penal.*
Es conjuga com *mantenir*.

contreure *v* **1** Reduir el volum d'una cosa sense que perdi gens de massa: *El cor es contreu i es dilata per enviar la sang a tot el cos.* **2 contreure una malaltia** Agafar una malaltia. **3 contreure matrimoni** Casar-se. **4 contreure deutes** Quedar obligat a tornar els diners que algú ens ha deixat.
Es conjuga com *treure*.

contribució contribucions *nom f* **1** Acció de contribuir, d'ajudar. **2** Impost que paguen els propietaris de cases, pisos i locals.

contribuent contribuents *nom m* i *f* Persona que paga una contribució; persona que paga impostos a l'estat: *Els contribuents tenen dret a rebre uns bons serveis de l'estat, a canvi dels impostos que paguen.*

contribuir *v* Ajudar, participar en una cosa, tenir-hi part: *Tots vam contribuir a netejar i a endreçar la classe.*
Es conjuga com *reduir*.

contrincant contrincants *nom m* i *f* Persona que lluita o s'enfronta amb una altra: *Cap dels dos equips contrincants no va fer cap gol i el partit va acabar amb un empat a zero.*

control controls *nom m* Vigilància, comprovació, direcció: *El pilot porta el control de l'avió.* ■ *Des de la torre de control vigilen el trànsit d'avions.*

controlar *v* **1** Comprovar, examinar, vigilar: *La policia de trànsit controla les carreteres.* **2** Manar, dominar: *La mestra sap controlar molt bé la classe.*
Es conjuga com *cantar*.

controvèrsia controvèrsies *nom f* Discussió entre dues persones o més: *L'ecologia és un tema que ha produït molta controvèrsia.*

controvertit controvertida controvertits controvertides *adj* Es diu d'un tema sobre el qual hi ha molta discussió: *L'avortament és*

*un tema controvertit, ja que algunes persones con-
sideren que no hauria d'estar permès.*

contundent contundents *adj* **1** Es diu dels
objectes que poden produir una contusió: *La
policia diu que l'assassí va colpejar la víctima amb
un objecte contundent, potser un martell.* **2** Es
diu dels arguments, dels discursos que con-
vencen, que deixen sense resposta: *L'advocat
va demostrar la innocència de l'acusat amb
arguments contundents.*

contusió contusions *nom f* Ferida produïda
per un cop violent: *Va caure de la bicicleta i es
va fer algunes contusions al cap.*

contusió

convalescent convalescents *adj i nom m i
f* Es diu de la persona que s'està recuperant
d'una malaltia: *El moment fort de la malaltia ja
ha passat, però ara encara està convalescent i
el metge ha dit que necessita tranquil·litat i fer
molt repòs.*

convèncer *v* Fer que algú acabi pensant com
nosaltres: *Vaig convèncer en Jordi que era millor
anar-se'n abans que plogués.*
Es conjuga com *vèncer.*

convenciment convenciments *nom m* Acció
de convèncer algú; fet d'estar molt convençut
d'una cosa: *L'advocat va defensar la innocència
de l'acusat amb un gran convenciment.*

convenció convencions *nom f* **1** Costum,
norma, opinió general de la societat que
tothom accepta: *El costum de saludar les
persones dient "hola!" o "bon dia!" és una con-
venció social.* ▪ *Els senyals de trànsit són una
convenció.* **2** Reunió que fan persones que
treballen en una mateixa empresa o que
tenen una mateixa professió per tractar els
seus assumptes.

conveni convenis *nom m* **1** Acord al qual
arriben diverses persones, empreses, etc. **2**
conveni col·lectiu Acord entre els treballa-
dors d'una empresa o d'un sector d'empreses
amb els empresaris sobre les condicions de
treball i el sou que han de cobrar.

conveniència conveniències *nom f* **1** Uti-
litat, qualitat de convenient: *Ens van parlar de
la conveniència d'estudiar per preparar-se per al
futur.* **2** Allò que és convenient per a algú: *No
es preocupa gaire dels altres, només pensa en les
seves conveniències.*

convenient convenients *adj* Que convé,
que és útil: *Per anar d'excursió a la muntanya,
és convenient portar unes bones botes.*

convenir *v* **1** Anar bé, ser útil: *Convindria
que plogués, perquè la terra està molt seca.* ▪
*Ara, després de suar, ens convé una bona dut-
xa.* **2** Posar-se d'acord: *Els meus amics i jo
hem convingut de fer una excursió.*
Es conjuga com *mantenir.*

convent convents *nom m* Casa on viu un
grup de religiosos o de religioses.

convergir *v* **1** Dirigir-se dues línies rectes
cap a un mateix punt. **2** Dirigir-se cap a un
mateix punt diverses persones procedents de
llocs diferents: *Les colles sortien dels diferents
barris i, al final, van convergir totes a la plaça del
poble, on es va fer un gran ball.*
Es conjuga com *servir.*

convers conversa conversos converses
adj i nom m i f Es diu de la persona que s'ha
convertit a una religió o a una creença.

conversa converses *nom f* Xerrada entre
dues o més persones: *En Pau i la Pepa tenen
unes converses molt divertides.*

conversar *v* Enraonar, xerrar dues o més
persones: *Vam conversar quasi una hora i vam
parlar de moltes coses.*
Es conjuga com *cantar.*

conversió conversions *nom f* Acció de con-
vertir o de convertir-se: *Aquell mag intentava la
conversió del ferro en or.* ▪ *Predicaven la conversió
de la gent al cristianisme.*

convertir *v* **1** Transformar, fer que una cosa
sigui diferent: *La bruixa va convertir el príncep
en un cavall.* ▪ *El nen petit, amb els anys, va
créixer i es va convertir en un noi alt, fort i va-
lent.* **2** Convèncer algú perquè cregui en una
religió diferent de la que tenia abans o perquè
pensi o es comporti d'una manera diferent de
com ho feia abans.
Es conjuga com *servir.*

convex convexa convexos convexes *adj*
Que és corbat com la part de fora d'una
pilota.

convicció convviccions *nom f* Convenciment que es té d'alguna cosa: *Parla amb molta convicció, amb molta seguretat.* ▩ *És una persona de conviccions fermes, és a dir, que està molt convençuda de les seves idees.*

convicte convicta convictes *adj* Es diu de les persones de les quals s'ha pogut demostrar que han comès un delicte: *Un criminal convicte.*

convidar *v* **1** Demanar a algú que vingui a una festa, a un dinar, a una reunió, etc.: *Van convidar tots els amics al casament.* **2** Fer venir ganes de fer una cosa: *Fa tan bon temps, que convida a anar a passejar.*
Es conjuga com *cantar.*

convidat convidada convidats convidades *nom m* i *f* Persona que va a una casa, a una festa, etc.; invitat.

convincent convincents *adj* Que convenç: *Com que aquest argument és molt convincent, ens has convençut i farem el que tu dius.*

convit convits *nom m* Acte, banquet o festa al qual es conviden persones.

conviure *v* Viure plegades dues o més persones: *En aquest pis hi conviuen set persones.*
Es conjuga com *viure.*

convocar *v* **1** Avisar, cridar algú perquè vingui a una reunió: *Em van convocar a l'escola a les sis de la tarda per fer una reunió de curs.* **2** Donar a conèixer públicament un concurs, una competició, etc. i convidar la gent a participar-hi.
Es conjuga com *cantar.* S'escriu *c* davant de *a, o, u* i *qu* davant de *e, i: convoco, convoques.*

convulsió convulsions *nom f* **1** Moviment sobtat del cos o d'una part del cos: *Va caure a terra i va començar a tenir unes fortes convulsions.* **2** Trencament de la tranquil·litat d'una societat a causa d'un esdeveniment important: *La notícia de la mort de l'alcalde va causar una gran convulsió a la ciutat.*

convulsiu convulsiva convulsius convulsives *adj* Que està relacionat amb una convulsió: *Moviments convulsius.*

conxorxa conxorxes *nom f* Acord entre dues o més persones per a fer una cosa contra una altra persona.

cony conys **1** *nom m* Vulva. **2** *interj* Paraula que es fa servir quan una cosa sorprèn, molesta, agrada, etc.

conya conyes *nom f* Broma, cosa que es diu per fer riure.

conyac conyacs *nom m* Beguda alcohòlica molt forta que es fa a partir del vi envellit en bótes de roure o alzina.

cooficial cooficials *adj* Es diu d'una cosa que és oficial juntament amb una altra: *El català i el castellà són llengües cooficials a Catalunya.*

cooperació cooperacions *nom f* Acció de cooperar: *La cooperació entre tots dos països és important, és a dir, tots dos països s'ajuden molt.*

cooperar *v* Participar juntament amb altres persones en una tasca: *Tots els veïns van cooperar i, així, es van poder organitzar unes bones festes del barri.*
Es conjuga com *cantar.*

cooperativa cooperatives *nom f* Fàbrica o botiga en què la gent que hi treballa són al mateix temps els propietaris o els socis de l'empresa.

coordenada coordenades *nom f* Cadascuna de les dues magnituds, horitzontal i vertical, que determinen la posició d'un punt en l'espai.

coordinació coordinacions *nom f* Acció de coordinar o coordinar-se.

coordinar *v* Combinar dues o més coses, fer que diverses coses funcionin al mateix temps sense fer-se nosa, posar d'acord coses i persones: *El nostre grup i el grup d'en Carles ens hem de coordinar: mentre ells netegen les taules, nosaltres netejarem els vidres.*
Es conjuga com *cantar.*

cop cops *nom m* **1** Xoc violent i sobtat de dues coses: *Va caure de la bici i es va clavar un cop al cap contra una pedra.* **2** Vegada: *Aquesta setmana he anat dos cops a cal dentista.* **3** Desgràcia, fet que impressiona molt: *La mort del seu amic va ser un cop per a ella.* **4** Operació breu, ràpida, que es fa amb un instrument: *Abans de sortir, dóna't un cop de pinta.* ▩ *Donaré un cop de planxa al vestit.* **5 cop de puny** Cop que es dóna amb el puny contra algú o alguna cosa: *M'han clavat un cop de puny al nas.* **6 cop de cap** Decisió sobtada, poc pensada: *Tothom li deia que no ho fes, però ell va fer un cop de cap i va comprar el cotxe més car.* **7 cop d'estat** Fet d'aconseguir el poder d'un estat un grup petit de persones per mitjà d'una acció de força, sovint amb participació de militars. **8 cop d'ull** Mirada ràpida: *He cla-vat un cop d'ull al llibre*. **9 cop de mà** Ajuda: *Com que tens molta feina, et donaré un cop de mà*. **10 de cop i volta** De sobte, inespera-dament: *Passejàvem tranquil·lament i de cop i volta va començar a ploure*. **11** *Un pis* **com un cop de puny**: molt petit. **12** *Un cop acabat el dibuix, el pintarem*: quan estigui acabat.

copa copes *nom f* **1** Vas que es fa servir per a beure, en forma de campana, que s'aguanta amb una columna prima que acaba en una petita plataforma. **2** Objecte en forma de copa que es dóna com a premi al guanyador d'una competició esportiva: *A l'equip que guanyi el campionat, li donaran una copa de plata*. **3** **barret de copa alta** Barret que té molt alta la part on es fica el cap.

copa

copar *v* **1** Envoltar algú i no deixar-lo fugir per enlloc: *La policia va copar els lladres fent una barrera amb els cotxes patrulla*. **2** Apoderar-se de tots els llocs, de tots els càrrecs, de tots els premis, etc. sense deixar-ne cap per als altres: *Els d'aquella escola van copar els millors llocs del teatre*.
Es conjuga com *cantar*.

copejar *v* Colpejar, donar cops a algú o a alguna cosa: *Va copejar la pedra amb un bastó*. Es conjuga com *cantar*. S'escriu *j* davant de *a, o, u* i *g* davant de *e, i: copejo, copeges*.

còpia còpies *nom f* **1** Escrit copiat d'un altre escrit; dibuix copiat d'un altre dibuix, etc.: *Hem de fer una còpia d'aquest capítol del llibre, amb dibuixos i tot*. **2 a còpia de** Fent servir molt una cosa, insistint molt en una cosa: *En Miquel, a còpia d'entrenar-se, s'ha tornat un bon nedador*.

copiar *v* **1** Escriure una cosa tal com està escrita en un altre lloc, sense canviar res; fer un dibuix tal com està dibuixat en un altre lloc, procurant que surti igual, etc.: *Copieu en un paper les paraules que hi ha escrites a la pis-*

sarra. **2** Intentar d'assemblar-se a algú fent les mateixes coses, comportant-se de la mateixa manera. **3** En un examen, escriure el mateix que escriu un altre procurant de no ser vist pel qui vigila.
Es conjuga com *canviar*.

copilot copilots *nom m* i *f* Persona que seu al costat del pilot d'un vehicle i l'ajuda en les tasques de conducció: *En aquella cursa pel desert la feina del copilot era molt important, ja que havia de mirar els mapes i comprovar que no es perdien*.

copiós copiosa copiosos copioses *adj* Abun-dós, en gran quantitat: *En aquell restaurant vam fer un àpat copiós*.

copista copistes *nom m* i *f* Persona que an-tigament es dedicava a copiar escrits, llibres, etc.: *Abans de la invenció de la impremta la feina dels copistes era molt important, ja que gràcies a ells podien circular diverses còpies fetes a mà d'un mateix llibre*.

copisteria copisteries *nom f* Lloc on es fan còpies d'escrits, gràfics o documents per mitjà de fotocopiadores o d'altres aparells.

copsar *v* **1** Agafar, atrapar una cosa al vol: *Em van tirar la pilota i la vaig copsar*. **2** Entendre una cosa: *De seguida vaig copsar què volia dir*. Es conjuga com *cantar*.

còpula còpules *nom f* **1** Paraula que serveix per a unir paraules o frases: *La paraula "i" és una còpula, perquè uneix paraules, per exemple en l'expressió "vent i pluja"*. **2** Unió sexual d'un mascle i una femella.

copulatiu copulativa copulatius copula-tives *adj* Que lliga una cosa amb una altra, com ara la conjunció "i" en l'expressió *"un nen i una nena"*.

coqueta coquetes *adj* i *nom f* Es diu de la dona que procura d'agradar i d'atreure l'aten-ció dels homes: *Aquesta noia és molt coqueta, fixa't com parla i com somriu als nois*.

coqueteria coqueteries *nom f* Acció o actitud pròpies d'una coqueta: *Aquesta noia parla i es mou amb molta coqueteria*.

coquí coquina coquins coquines *adj* **1** Es diu de la persona avara, a qui no agrada gens d'haver de gastar diners. **2** Es diu de la per-sona covarda i que és capaç de trair.

cor[1] **cors** *nom m* **1** Òrgan muscular que tenim a dins del pit i que amb els seus moviments o batecs continus fa circular la sang pel nostre cos: *Després de córrer, el cor ens anava més de pressa.* **17 2 estar amb l'ai al cor** Estar pendent que passi alguna cosa perillosa o desagradable: *Estan amb l'ai al cor, sempre tement que el malalt torni a tenir un atac.* **3** *La Lluïsa és molt bona noia, sempre va amb el cor a la mà*: és bona, és sincera, no enganya. **4 obrir el cor** Explicar a algú secrets o sentiments molt personals. **5 sortir del cor** Fer una cosa amb sinceritat, espontàniament o per impuls. **6 arribar al cor** Commoure, emocionar: *Les seves paraules em van arribar al cor.* **7 fer el cor fort** Mantenir la serenitat enfront d'una desgràcia, d'un perill o una dificultat. **8** *Aquells nois que van pegar al nen petit* **no tenen cor**: són molt dolents, no tenen sentiments. **9** *Amb aquesta pluja,* **no em veig amb cor** *de sortir al carrer*: no atrevir-se, no ser capaç de fer una cosa. **10** *Se sap el poema* **de cor**: de memòria. **11** *Vam menjar* **a cor què vols cor què desitges**: tant com vam voler. **12** Part central o essencial d'una cosa: *Aquesta plaça és al cor de la ciutat.*

cor² cors *nom m* **1** Conjunt de persones que canten plegades, coral: *El cor de l'escola va cantar unes cançons molt boniques.* **2** Conjunt de persones que dansen o es mouen seguint un ritme. **3** Part d'una església on es col·loca el cor per cantar.

coral corals *nom f* Conjunt de persones que canten plegades.

corall coralls *nom m* Animal marí amb un esquelet dur de color vermellós, molt apreciat per a fer joies: *Un collaret de corall.*

coratge coratges *nom m* Valentia, valor davant el perill i les dificultats.

corb¹ corba corbs corbes **1** *adj* Que no és recte, que fa arc: *Una línia corba.* **2** corba *nom f* Línia corba, tros corb d'una cosa: *Les corbes d'una carretera.*

corb² corbs *nom m* Ocell de color negre lluent, bec gruixut i potes amb ungles fortes.

corbar *v* Fer tornar una cosa corba: *Tenia tanta força, que va corbar una barra de ferro.* Es conjuga com *cantar.*

corbata corbates *nom f* Peça de vestir en forma de tira de seda o de roba fina lligada amb un nus al voltant del coll, que penja damunt el pit i que algunes persones, sobretot homes, porten per fer bonic: *Un senyor molt ben vestit, amb americana i corbata.*

corc corcs *nom m* Nom que reben diversos insectes que es mengen la fusta o el gra d'algunes plantes: *Aquest moble vell està ple de corcs.*

corcar *v* **1** Rosegar el corc la fusta, el gra, etc. i fer-los malbé: *Aquesta fusta és corcada i es trenca de seguida.* **2** Fer-se malbé una dent: *Se m'ha corcat un queixal i me l'hauran d'arrencar.* Es conjuga com *cantar.* S'escriu *c* davant de *a, o, u* i *qu* davant de *e, i: corca, corqui.*

corcó corcons *nom m* **1** Corc. **2** Es diu d'una persona que no para de parlar, de criticar, de moure's, de molestar, etc.: *Quin corcó que estàs fet, no pares mai d'empipar la gent!*

corcoll corcolls *nom m* **1** En una baldufa, petit sortint de fusta on s'enrotlla el cordill per a fer-la ballar. **2 anar de corcoll** Anar malament alguna cosa.

corda cordes *nom f* **1** Conjunt de fils units els uns amb els altres de manera que formen com una tira llarga, gruixuda i forta que serveix per a lligar coses: *Baixaven els mobles per la finestra lligats amb una corda.* **2 saltar a corda** Joc que consisteix a fer passar una corda ben de pressa per sobre del cap i a saltar-la cada cop que toca a terra. **3** Fil que tenen alguns instruments musicals que quan vibra produeix música: *S'han de tensar les cordes de la guitarra.* **4 instrument de corda** Instrument musical que produeix el so mitjançant cordes que vibren: *La guitarra és un instrument de corda.* **5 corda d'un rellotge** Part del mecanisme d'un rellotge, formada per una tira d'acer enrotllada, que serveix per a fer-lo funcionar. **6 cordes vocals** Músculs petits que tenim al coll, que vibren al pas de l'aire i que serveixen per a produir la veu. **20 7** Segment d'una línia recta que uneix els extrems de l'arc d'una corba.

saltar a corda

cordar *v* **1** Lligar els cordons d'una sabata perquè quedi ben agafada al peu: *El meu germà petit encara no se sap cordar les sabates.* **2** Ficar els botons a dins dels traus d'una peça de vestir perquè quedi ben agafada al cos: *Em vaig cordar tots els botons de l'abric perquè feia molt fred.*
Es conjuga com *cantar*.

cordell cordells *nom m* Cordill.

corder corders *nom m* Anyell, xai.

cordial cordials *adj* Amable, sincer, intens, que surt del cor d'una persona: *En aquella casa donen un tracte molt cordial als convidats.*

cordialment *adv* D'una manera cordial, amable i sincera: *El teu germà ens va saludar cordialment.*

cordill cordills *nom m* Fil gruixut i fort, fet de fils més prims, que serveix per a lligar, fer paquets, etc.: *El nen petit va lligar un cordill al camió de joguina i va començar a arrossegar-lo.*

cordó cordons *nom m* Corda petita i prima que es fa servir per a cordar les sabates, fent-hi un nus.

cordovès cordovesa cordovesos cordoveses **1** *nom m i f* Habitant de Còrdova; persona natural o procedent de Còrdova. **2** *adj* Es diu de les persones o de les coses naturals o procedents de Còrdova.

coreà coreana coreans coreanes **1** *nom m i f* Habitant de Corea; persona natural o procedent de Corea. **2** *adj* Es diu de les persones o de les coses naturals o procedents de Corea.

corejar *v* **1** Cantar una cançó en cor un grup de persones: *Tothom va corejar la cançó.* **2** Repetir el que ha dit algú altre com a mostra d'acord.
Es conjuga com *cantar*. S'escriu *j* davant de *a, o, u* i *g* davant de *e, i: corejo, coreges.*

coreografia coreografies *nom f* Art de compondre danses i ballets, de forma que els moviments dels dansaires combinin amb la música, el decorat i altres elements d'un espectacle.

corfa corfes *nom f* Clofolla, closca d'alguns fruits.

corista coristes *nom m i f* **1** Persona que canta en un cor. **2** Artista que forma part del conjunt que actua en un espectacle musical.

corn corns *nom m* **1** Banya buida per dins que es bufa i fa un so molt fort. **2** Instrument musical de vent en forma de banya.

corn

cornada cornades *nom f* Cop de corn, de banya: *El toro va clavar una cornada al torero.*

cornamenta cornamentes *nom f* Conjunt de les banyes d'un animal.

cornamusa cornamuses *nom f* Sac de gemecs, gaita, instrument musical de vent que consisteix en un sac de cuir que s'infla d'aire per mitjà d'un tub i del qual pengen tres o quatre tubs, un dels quals fa la melodia.

cornamusaire cornamusaires *nom m i f* Persona que toca la cornamusa.

cornellanenc cornellanenca cornellanencs cornellanenques **1** *nom m i f* Habitant de Cornellà de Llobregat; persona natural o procedent de Cornellà de Llobretgat. **2** *adj* Es diu de les persones o de les coses naturals o procedents de Cornellà de Llobregat.

córner córners *nom m* Falta que fa un jugador de futbol quan fa sortir la pilota del camp pel costat on el seu equip té la porteria; aquesta falta es castiga amb un xut que fa un jugador de l'equip contrari des de l'angle del camp que es troba més a prop del lloc per on ha sortit la pilota.

corneta cornetes **1** *nom f* Instrument musical de vent semblant a la trompeta però més petit. **2** *nom m i f* Persona que toca la corneta.

còrnia còrnies *nom f* Part transparent de l'ull que cobreix l'iris i la pupil·la. **15**

cornisa cornises *nom f* **1** Sortint de la façana d'una casa. **2** Part rocosa que sobresurt d'una muntanya. **3** **cornisa de neu** Neu acumulada en el sortint d'un cingle.

cornut cornuda cornuts cornudes *adj* **1** Que té corns o banyes. **2** Es diu de la persona a qui la seva parella ha enganyat amb algú altre. **3 ser cornut i pagar el beu-re** Fer una cosa que perjudica a qui la fa però que alhora serveix perquè un altre se n'aprofiti.

corol·la corol·les *nom f* Part de la flor formada pels pètals i envoltada pel calze.

corona corones *nom f* **1** Objecte en forma de rodona, fet de flors, de fulles, de metall, etc., que es posa damunt el cap i serveix per a fer bonic: *Com que era el sant de la Maria, la mestra li va posar una corona al cap.* **2** Joia en forma de rodona que els reis porten al cap i que és un símbol del seu poder: *La corona del rei era d'or.* **3** Institució de la monarquia, del poder del rei. **4** Nom de la moneda de diversos països europeus com ara Dinamarca, Islàndia, Noruega, Suècia, la República Txeca i Estònia.

coronació coronacions *nom f* Acció de coronar algú, de proclamar rei algú.

coronar *v* **1** Posar una corona a algú. **2** Proclamar rei una persona.
Es conjuga com *cantar*.

coronel coronela coronels coroneles *nom m i f* Cap de l'exèrcit de terra o de l'aire que mana un regiment i que està sota les ordres d'un general i per sobre del tinent coronel.

coroneta coronetes *nom f* Espai sense cabells al capdamunt del cap d'una persona.

còrpora còrpores *nom f* Cos d'una persona o d'un animal sense les extremitats.

corporació corporacions *nom f* **1** Grup organitzat de persones, associació. **2 corporació municipal** Conjunt de les persones que formen l'ajuntament d'un municipi.

corporal corporals *adj* Que està relacionat amb el cos: *Saltar i córrer són exercicis corporals.* ▪ *Cal cuidar la salut corporal.*

corprendre *v* Emocionar, arribar al cor: *Aquella música ens corprenia.*
Es conjuga com *aprendre*.

corpulent corpulenta corpulents corpulentes *adj* Que té el cos gros i fort: *Un home corpulent.*

corral corrals *nom m* Pati tancat que serveix per a guardar-hi el bestiar, amb una part per als conills, una altra per als porcs, una altra per a les gallines, etc.

correbou correbous *nom m* Cursa amb bous que es fa pels carrers i les places d'un poble: *En aquell poble fan un correbou, engeguen alguns bous pel carrer i la gent corre perquè no els envesteixin.*

correcció correccions *nom f* **1** Acció de corregir. **2** Canvi que es fa en un escrit com a conseqüència d'haver-lo corregit.

correctament *adv* D'una manera correcta: *Els nens es van comportar correctament.*

correcte correcta correctes *adj* Que està bé, que no té errors ni defectes: *Una resposta correcta.* ▪ *Una redacció correcta.* ▪ *Una persona correcta, educada.*

corrector correctora correctors correctores **1** *nom m i f* Persona que corregeix escrits i en millora la redacció: *Gairebé tots els llibres que es publiquen han estat repassats pels correctors de les editorials.* **2** *nom m* Pinzell, llapis, etc. que conté una substància blanca que serveix per a tapar els errors d'un escrit o d'un dibuix.

corre-cuita Paraula que apareix en l'expressió a **corre-cuita**, que vol dir "de pressa, sense entretenir-s'hi gaire": *Has fet els deures a corre-cuita i per això has fet tantes faltes.*

corredís corredissa corredissos corredisses *adj* Es diu de les finestres i de les portes que s'obren i es tanquen fent-les córrer per unes guies.

corredissa corredisses **1** *nom f* Correguda curta: *Vam haver de fer una corredissa perquè el tren no se'ns escapés.* **2 corredisses** *nom f pl* Acció de córrer un grup de gent: *A l'hora de sortir de l'escola sempre hi ha corredisses.*

corredor[1] corredora corredors corredores *adj* i *nom m i f* Es diu de la persona que corre en una cursa, atleta que practica la cursa: *Una cursa amb deu corredors.*

corredor[2] corredors *nom m* Passadís, peça de pas, llarga i estreta, on donen les portes de les habitacions d'una casa: *Per arribar a la nostra classe, hem de passar per un corredor molt llarg.*

correfoc correfocs *nom m* Joc de carrer en què la gent corre empaitada per dracs, diables i altres personatges fantàstics que fan focs artificials.

corregir v Eliminar els defectes i els errors, fer bé una cosa que s'havia fet malament: *Abans de donar la redacció al mestre perquè la corregeixi, la repassaré i miraré de corregir-ne jo mateix les faltes.*

correguda corregudes nom f Acció de córrer: *Hem fet una bona correguda de casa fins a l'escola.*

correlació correlacions nom f Relació entre dos fenòmens o dues sèries de coses: *En general, hi sol haver una correlació entre el nivell de vida d'un país i l'esperança de vida dels seus habitants, és a dir, com més ric és un país més anys viuen els seus habitants.*

correligionari correligionària correligionaris correligionàries adj Es diu de la persona que té la mateixa religió o les mateixes idees que una altra.

corrent corrents 1 adj Que corre, que no està quiet: *Aigua corrent.* 2 nom m Líquid o força en moviment: *Un corrent d'aigua.* ▪ *El corrent elèctric.* ▪ *Un corrent d'aire.* 3 nom m Moda, ús general. 4 **anar contra corrent** En direcció contrària a la del moviment de l'aigua; actuar al revés de com ho fa la majoria de gent. 5 *M'heu de **posar al corrent** de tot:* informar. 6 adj Que és normal, que no és especial: *Un noi molt corrent.* ▪ *El conill és un animal corrent al nostre país.*

correntment adv D'una manera corrent, normalment, habitualment.

corrents adv Molt de pressa, corrent: *Vaig fer el dibuix corrents i no em va sortir gaire bé.*

córrer v 1 Anar de pressa, caminant, fent una cosa, etc. 2 Estendre's, escampar-se una malaltia, una notícia, etc.: *Corren notícies alarmants.* 3 **córrer com un llamp** Anar a gran velocitat, molt ràpid. 4 **córrer món** Viatjar per molts països, visitar molts llocs. 5 **deixar córrer una cosa** Deixar d'ocupar-se o de preocupar-se d'una cosa: *No te'n preocupis més, d'aquesta qüestió, deixa-ho córrer.* 6 **arrencar a córrer** Començar a córrer: *Van sentir que els cridaven i van arrencar a córrer.*

La conjugació de córrer és a la pàg. 834.

correspondència correspondències nom f 1 Relació mútua entre dues coses: *El so [i] té correspondència amb la lletra "i", que serveix per a representar-lo per escrit.* 2 Conjunt de cartes i d'impresos que s'envien per correu: *El carter ja ha portat la correspondència d'avui.* ▪ *Em comunico amb el meu amic per correspondència, és a dir, per carta.*

correspondre v 1 Estar dues coses en relació l'una amb l'altra: *A cada número premiat, li correspon un premi diferent.* 2 Tocar a algú de fer una cosa: *Al mestre li correspon la feina d'orientar el treball dels alumnes.*

Es conjuga com confondre. Participi: correspost, corresposta.

corresponent corresponents adj 1 Que està en relació mútua amb una altra cosa, que es correspon: *El número corresponent a la panera és el 3.225.* 2 Que és propi d'una cosa, que li pertany: *Tothom va agafar el seu abric corresponent.*

corresponsal corresponsals nom m i f Periodista que envia informacions al seu periòdic des d'una altra ciutat o d'un altre país.

corretja corretges nom f Cinta de cuir, que pot servir de cinturó, per a lligar un rellotge al puny, etc.: *Se m'ha tornat a trencar la corretja del rellotge.*

correu correus nom m 1 Servei públic encarregat de portar les cartes al seu destí: *M'ha arribat una carta per correu.* ▪ *Haig d'anar a l'oficina de correus a tirar una carta.* ▪ *Una bústia de correus.* 2 Persona que porta cartes, avisos, etc. d'un lloc a l'altre: *El rei va enviar correus per tot el país perquè fessin saber la notícia.* 3 **correu electrònic** Sistema que permet d'enviar i rebre missatges per mitjà d'una xarxa d'ordinadors.

corrida corrides nom f Espectacle que es fa en una plaça de toros i en què diversos toreros s'enfronten amb un toro i al final el maten amb una espasa.

corriment corriments nom m Moviment de terres: *Hi ha hagut un corriment de terres que amenaça de colgar un poble sencer.*

corriol corriols nom m Camí estret que travessa un bosc, un camp, una muntanya, etc.

corriola corrioles nom f Roda que gira al voltant d'un eix i fa córrer una corda, que serveix per a aixecar pesos o canviar el sentit d'una força; politja.

corró corrons *nom m* **1** Eina per a pintar formada per un cilindre que gira sobre un pal que serveix de mànec. **2** Cilindre de fusta, de metall, de pedra, etc. que es posa a sota d'una cosa pesada per arrossegar-la més fàcilment. **3** Estri de cuina que consisteix en un cilindre de fusta acabat en dos mànecs curts que es fa servir per a aplanar o estirar masses.

corroborar *v* Dir que és veritat una cosa que ja s'havia dit: *Els testimonis van corroborar el que havia dit l'acusador.*
Es conjuga com *cantar.*

corroir *v* Destruir o gastar una cosa de mica en mica, com rosegant-la.
Es conjuga com *reduir.*

corrompre *v* **1** Fer malbé una cosa: *La calor corromp els aliments.* **2** Fer tornar dolent algú, apartar-lo del bon camí: *Els mals amics han corromput aquell noi.*
Es conjuga com *perdre.*

corromput corrompuda corromputs corrompudes *adj* **1** Es diu dels aliments o de les coses que s'han fet malbé. **2** Es diu de les persones que per diners o altres motius s'han deixat apartar del camí correcte: *Aquell polític corromput va afavorir els interessos d'algunes empreses a canvi de diners.*

corrosió corrosions *nom f* Acció de corroir, de destruir lentament.

corrosiu corrosiva corrosius corrosives *adj* Que desgasta, que ataca: *Un àcid corrosiu que destrueix allò que toca.* ■ *Una persona corrosiva que ho critica tot.*

corrua corrues *nom f* Conjunt de persones, d'animals, de carros, etc. que avancen els uns darrere els altres, formant una fila llarga: *A la carretera hi havia una gran corrua de cotxes.*

corrua de cotxes

corrupció corrupcions *nom f* **1** Acció de corrompre o de fer malbé una cosa. **2** Acció de fer malbé o de fer tornar dolenta una persona amb enganys o diners.

cors corsa corsos corses **1** *nom m* i *f* Habitant de l'illa de Còrsega; persona natural o procedent de l'illa de Còrsega. **2** *adj* Es diu de les persones o de les coses naturals o procedents de l'illa de Còrsega. **3** *nom m* Llengua que es parla a l'illa de Còrsega.

corsari corsària corsaris corsàries *adj* i *nom m* i *f* **1** Pirata 1. **2** Es deia dels vaixells o de les persones que abans es dedicaven, amb permís del govern, a atacar i a robar els vaixells enemics: *Un vaixell corsari.*

corsecar-se *v* **1** Fer-se malbé una planta per falta d'humitat: *Per culpa de la secada, les plantes es corsequen.* **2** Perdre la força i la salut a causa d'un mal o d'una desgràcia: *Aquest home es corseca per culpa del dolor que li produeix la malaltia de la seva dona.*
Es conjuga com *cantar.* S'escriu c davant de *a, o, u* i *qu* davant de *e, i*: em corseco, et corseques.

cort[1] corts *nom f* Lloc tancat i a cobert que serveix per a guardar-hi el bestiar d'una casa de pagès.

cort[2] corts *nom f* **1** Conjunt format pel rei i les persones que l'envolten: *El rei i la seva cort passaven el dia celebrant grans festes.* **2** corts *nom f pl* Reunió dels representants d'un país o d'un estat, parlament.

cortès cortesa cortesos corteses *adj* Que es comporta amb molta educació, que és molt amable i correcte.

cortesà cortesana cortesans cortesanes *adj* i *nom m* i *f* Es diu de les coses o de les persones que estan relacionades amb la cort d'un rei o d'un príncep.

cortesia cortesies *nom f* Qualitat de cortès, d'amable i d'educat: *Aquell senyor tan elegant saluda tothom amb molta cortesia.*

cortina cortines *nom f* **1** Peça de roba que es penja per fer bonic darrere les portes o les finestres, per separar dues parts d'una habitació, etc. **2** Qualsevol cosa que impedeix de veure'n una altra, que la tapa: *Una cortina de fum ens impedia de veure el que passava a davant nostre.*

cortinatge cortinatges *nom m* Conjunt de cortines d'una porta, d'una finestra, etc.

cos cossos *nom m* **1** Conjunt de totes les parts d'un ésser viu: *El cos humà és una màquina molt complicada.* 15 16 17 18 19 20 **2** en cos i ànima Totalment, amb tota confiança, sense reserves: *Es va lliurar en cos i ànima a la feina.* **3 anar de cos** Defecar, fer caca. **4** *Els soldats* **lluitaven cos a cos**: agafats els uns amb els altres, a una distància molt petita. **5** *En Manel sembla que* **tingui un rei al cos**, *sempre fa el que vol*: es diu d'una persona que no vol ser manada, que vol fer sempre la seva. **6** Grup de persones que fan una mateixa funció: *El cos de policia garanteix la seguretat i l'ordre públic.* **7 cos callós** Làmina que uneix els dos hemisferis del cervell. 18 **8 cos vertebral** Massa compacta de forma cilíndrica que constitueix la part del davant d'una vèrtebra. 15 **9 cos vitri** Zona de l'ull on hi ha l'humor vitri. 15

cosa coses *nom f* **1** Tot allò que existeix: *Un gos rabiós és una cosa molt perillosa.* ▪ *M'ha dit una cosa per telèfon, però ara no me'n recordo.* **2** Objecte, ésser no animat: *Hi havia tantes coses al mig de l'habitació, que no es podia passar.* **3** *El teu germà menja* **com una mala cosa**: molt.

cosí cosina cosins cosines *nom m i f* Fill o filla de l'oncle o de la tia d'una persona: *En Pere és fill d'un germà de la meva mare, per tant ell i jo som cosins.*

cosir *v* **1** Unir una cosa a una altra mitjançant l'agulla i el fil: *Se'm va estripar la màniga de la camisa i la mare me la va cosir.* **2 cosir algú a cops de puny** Pegar a algú molt fort, donar-li molts cops de puny. **3 màquina de cosir** Màquina que serveix per a cosir de manera ràpida i uniforme.
Es conjuga com *collir*. Present d'indicatiu: *cuso, cuses, cus, cosim, cosiu, cusen.*

cosmètic cosmètica cosmètics cosmètiques *adj i nom m* Es diu de qualsevol producte que serveix per a conservar o fer més bonics els ulls, els llavis, la pell, etc.: *Un pintallavis és un cosmètic.*

còsmic còsmica còsmics còsmiques *adj* Que té relació amb el cosmos.

cosmo- cosm- Element amb què comencen algunes paraules i que vol dir "món": *Una cosmonau és una nau que viatja per l'espai, pel cosmos.*

cosmonauta cosmonautes *nom m i f* Astronauta.

cosmopolita cosmopolites **1** *adj i nom m i f* Es diu de la persona que ha viscut en molts països i que considera que la seva pàtria és el món sencer. **2** *adj* Es diu del país o de la ciutat on hi ha sempre gent de molts països: *Barcelona és una ciutat cosmopolita.*

cosmos els cosmos *nom m* Univers, el conjunt de la Terra, els planetes i els estels.

cosó cosona cosons cosones *adj i nom m i f* Persona que es fa pesada perquè sempre vol que li facin carícies, que estiguin per ella, etc.

cossi cossis *nom m* Recipient gros que sol servir per a rentar la roba.

cost costs o costos *nom m* **1** Allò que costa una cosa: *Aquest producte té un cost molt alt.* **2 cost de la vida** Allò que s'ha de gastar per a comprar menjar, roba i tot el que calgui per a viure.

costa[1] Paraula que apareix en l'expressió **a costa de**, que vol dir "mitjançant, gràcies a": *Va aprovar l'examen a costa de moltes hores d'estudi.*

costa[2] costes *nom f* **1** Tros de terra que està en contacte amb el mar: *Anirem a passar l'estiu a la costa.* **2** Pendent que fa un terreny: *La costa era difícil de pujar amb bicicleta.* **3** *Fer això ara em* **ve costa amunt**: se'm fa difícil, no en tinc ganes, em costa.

costaner costanera costaners costaneres *adj* Que és a la costa, que està relacionat amb la costa: *Calella és una població costanera.*

costar *v* **1** Valdre una cosa una determinada quantitat de diners, que s'han de pagar per aconseguir-la: *Aquesta moto és molt cara, costa molts diners.* **2 costar un ull de la cara** o **costar un ronyó** Valer molts diners una cosa.
Es conjuga com *cantar*.

costat costats *nom m* **1** Part dreta o esquerra del cos de la persona o d'un animal: *La mare té dolor al costat dret.* **2** Banda, part dreta o esquerra d'una cosa: *Els costats del camí.* **3** Cadascuna de les línies que limiten una superfície: *Un triangle té tres costats.* **4 al costat de** A prop de, a la vora de: *La cadira és al costat de la taula.* **5** *Tots van* **fer costat** *a en Jordi quan li volien pegar*: ajudar, protegir algú.

costejar[1] *v* Navegar sense allunyar-se de la costa: *El vaixell va anar costejant de Barcelona a València.*
Es conjuga com *cantar*. S'escriu *j* davant de *a, o, u* i *g* davant de *e, i*: *costejo, costeges.*

costejar² *v* Pagar el que val una cosa: *Els seus avis li han costejat el viatge a Amèrica.*
Es conjuga com *cantar.* S'escriu *j* davant de *a, o, u* i *g* davant de *e, i: costejo, costeges.*

costella costelles *nom f* **1** Cadascun dels ossos que hi ha al pit i que protegeixen els pulmons: *Va caure i es va trencar una costella.* ▪**15** **2** Tros de carn de xai, de bou, etc. enganxada a una costella: *Avui per dinar hem menjat costelles.*

costellada costellades *nom f* Menjada de costelles: *Van anar d'excursió i van fer una costellada en una font.*

costerut costeruda costeruts costerudes *adj* Que fa molta costa, molt pendent, molta pujada: *Un camí costerut pujava la muntanya.*

costes *nom f pl* Diners que val la celebració d'un judici: *Ha perdut el judici i ara haurà de pagar-ne les costes.*

costós costosa costosos costoses *adj* Que costa molt, que val molts diners: *Aquests pisos són molt costosos perquè són de luxe.*

costum costums *nom m* **1** Cosa que es fa perquè s'ha fet moltes vegades, que es fa sovint, que es repeteix: *En Pere té el costum de dormir una estona després de dinar.* **2** Festa, acte, etc. que és propi d'un lloc i que la gent practica des de fa molt temps: *El costum de celebrar el Nadal és molt antic.*

costura costures *nom f* **1** Sèrie de punts que uneixen dues parts d'una peça de roba: *Les costures d'un abric.* **2** Acció de cosir: *Ara aprenem costura.*

cot cota cots cotes *adj* Inclinat, mirant a terra: *Estava trist i caminava amb el cap cot.*

cota¹ cotes *nom f* Peça feta de cuir, de làmines o d'anelles de ferro cosides que antigament servia per a protegir el cos dels guerrers.

cota² cotes *nom f* Nombre que en un pla o en un mapa indica l'altitud d'un lloc: *Els meteoròlegs han anunciat que demà nevarà a partir de la cota dels 800 metres.*

cotilla cotilles *nom f* **1** Faixa ampla que serveix per a aguantar el pit i els costats de les dones. **2** Aparell que es col·loca ajustat al cos de les persones que tenen algun problema a la columna vertebral o que han d'estar immòbils durant un temps després d'una operació.

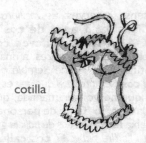
cotilla

cotitzar *v* **1** Pagar una quota o la part que ens toca d'una despesa: *Tots els mesos cotitzem a l'associació, és a dir, cada mes paguem la quota.* **2** Donar un valor o un preu a una cosa: *Van cotitzar aquell quadre en cinc mil dos-cents euros.*
Es conjuga com *cantar.*

cotna cotnes *nom f* **1** Pell grossa i dura. **2** Pell del porc un cop se n'ha tret el pèl.

cotó cotons *nom m* **1** Tela que es fa amb una fibra que es treu d'una planta anomenada cotoner: *Uns mitjons de cotó.* ▪**5** **2 cotó fluix o cotó en pèl** Cotó blanc que serveix per a curar ferides: *Li han fregat la ferida amb una mica de cotó fluix mullat amb alcohol.*

cotoner cotonera cotoners cotoneres **1** *adj* Que està relacionat amb la producció i l'elaboració del cotó: *Una indústria cotonera.* **2** *nom m* Gènere de plantes de flors blanques o groguoses i fruits recoberts de borra que es conreuen per extreure'n el cotó.

cotorra cotorres *nom f* **1** Ocell semblant al papagai, que té el cap gros, les ales i la cua llargues i és de color verdós. **2** Es diu d'una persona que xerra molt: *En Nicolau és una cotorra.*

cotxe cotxes *nom m* **1** Vehicle automòbil que pot transportar unes quantes persones: *S'ha comprat un cotxe que pot anar a 200 km per hora.* **2** Vagó de tren que transporta passatgers. **3** Carruatge de dues o quatre rodes que transporta passatgers.

cotxer cotxera cotxers cotxeres *nom m* i *f* Persona que té per ofici conduir un cotxe de cavalls.

cotxet cotxets *nom m* Vehicle petit que serveix per a portar-hi infants, empenyent-lo.

coure¹ *v* **1** Preparar un aliment perquè es pugui menjar posant-lo al foc: *S'ha de coure la carn del dinar.* **2** Posar guix, porcellanes, maons, etc. al foc perquè es tornin forts i durs. **3** Fer mal, fer picor: *Els ulls em couen per culpa del fum.*

Es conjuga com *concloure.* Participi: *cuit, cuita.* Quan el verb significa "fer mal, fer picor", el participi és: *cogut, coguda.*

coure² coures*nom m* Metall de color vermell fosc, que és bon conductor de l'electricitat i que s'utilitza per a fer cables elèctrics, objectes d'aram, etc.

cova coves *nom f* **1** Cavitat que hi ha sota terra, a dins una roca, que pot ser alta o baixa, gran o petita: *A la muntanya hi havia moltes coves per amagar-s'hi.* **2 cova de lladres** Lloc o casa on viu o es reuneix gent que no és honrada.

covar *v* **1** Estar l'ocell sobre els ous perquè tinguin escalfor i puguin néixer les cries: *La gallina cova els ous durant vint-i-un dies.* **2** Portar una malaltia, quan encara no s'ha manifestat: *Avui ha començat a estossegar, però fa dies que covava el refredat.* **3** Preparar alguna cosa: *Avui el director ens ha explicat els projectes que feia molt temps que covava.* **4** Fer llit per curar un refredat o la grip. **5 covar-se** Reposar massa estona un menjar després de treure'l del foc: *Aquest arròs s'ha covat i ara no té tan bon gust.*

Es conjuga com *cantar.*

covard covarda covards covardes *adj i nom m i f* Que té por, que s'espanta, que no és valent.

covardia covardies *nom f* Qualitat de covard; acció o actitud pròpia d'una persona covarda: *Fugir corrents va ser una covardia.*

cove coves*nom m* **1** Recipient gros i fondo, fet de vímets o de canyes: *Un cove ple de fruita.* **2 fer-ne una com un cove** Fer un disbarat, una ximpleria. **3 voler agafar la lluna amb un cove** Voler una cosa impossible.

cove

cowboy cowboys *nom m* Vaquer de l'oest americà.

coxal coxals*nom m* Cadascun dels dos ossos plans situats a la zona de les anques que unei-

xen el sacre amb el fèmur formant la cavitat de la pelvis. 15

crac **1** Onomatopeia, paraula que imita el soroll que fa una cosa quan es trenca. **2** *La fàbrica va* **fer crac***: es va arruïnar.*

cranc¹ *nom m* Quart signe del zodíac, també anomenat càncer: *Les persones nascudes entre el 21 de juny i el 23 de juliol són del signe de cranc.*

cranc² crancs *nom m* Animal de mar o de riu que té el cos cobert amb una closca, el cap i el tòrax molt més grossos que l'abdomen i el primer parell de potes en forma de pinça.

crani cranis *nom m* Espai dins els ossos del cap on hi ha el cervell. 15

cranial cranials*adj* Que està relacionat amb el crani: *Els nervis cranials.* 18

cràpula cràpules *nom m* Home que porta una vida de disbauxa.

cràter cràters *nom m* **1** Forat per on un volcà llança fum, foc, cendra, lava, etc. **2 cràter lunar** Cadascun dels forats rodons de la Lluna.

creació creacions *nom f* Acció de crear: *Aquesta nova fàbrica provocarà la creació de molts llocs de treball.* ■ *La Bíblia explica la creació del món per Déu.*

creador creadora creadors creadores *adj i nom m i f* Es diu de les coses, els éssers o les persones que creen alguna cosa o que inventen alguna cosa: *Diuen que Déu va ser el creador del món.* ■ *Aquest pintor és un gran creador artístic.*

crear *v* **1** Fer una cosa que abans no existia: *Han creat una nova empresa dedicada a fer i a vendre joguines.* **2** Fer una obra d'art: *Els escriptors i els artistes creen les seves obres a partir de la imaginació.*

Es conjuga com *canviar.*

creatiu creativa creatius creatives*adj* Que crea coses noves: *Aquell pintor va ser molt creatiu i va renovar la pintura de la seva època.*

creativitat creativitats*nom f* Capacitat de crear coses noves per mitjà de la intel·ligència o la imaginació: *Aquest escriptor té una gran creativitat.*

crec Onomatopeia, paraula que imita el soroll d'una cosa que es trenca: *Quan es va trencar el bastó, es va sentir un crec molt fort.*

credencial credencials *nom f* Document que serveix per a acreditar o demostrar una cosa: *L'agent ens va ensenyar la credencial de policia.*

credibilitat credibilitats *nom f* Qualitat de creïble que tenen les coses que semblen veritat: *Aquell individu no té gens de credibilitat, perquè sempre explica mentides.*

crèdit crèdits *nom m* 1 Quantitat de diners que el banc deixa a una persona i que s'han de tornar de mica en mica. 2 Confiança que inspira una persona.

creditor creditora creditors creditores *nom m i f* Persona a la qual algú deu diners: *Devia diners a molta gent i els creditors no paraven d'empaitar-lo.*

credo credos *nom m* 1 Oració que resumeix aspectes importants de la fe catòlica i que comença amb la paraula llatina *credo*, que significa "jo crec". 2 Conjunt de les idees bàsiques d'un partit, d'una religió, etc.

crèdul crèdula crèduls crèdules *adj* Es diu de la persona que creu massa fàcilment les coses que li diuen.

creença creences *nom f* Allò que creu una persona o un grup de persones: *Cal respectar les creences religioses de les persones.*

cregut creguda creguts cregudes *adj i nom m i f* Es diu de la persona que es creu molt intel·ligent, molt important, etc.: *És molt creguda, es pensa que és la més maca i la més llesta de la classe.*

creïble creïbles *adj* Es diu d'una cosa que es pot creure: *La història que ens ha explicat sembla creïble, sembla que és veritat.*

creient creients *adj i nom m i f* Persona que creu, que té fe religiosa.

creïlla creïlles *nom f* Patata.

creixement creixements *nom m* Acció de créixer, augment de la mida d'una cosa: *Aquest nen està fent un bon creixement, cada dia és més alt.* ▪ *La ciutat té un creixement molt important, cada dia ve més gent a viure-hi.*

creixença creixences *nom f* Creixement.

créixens *nom m pl* Planta que creix vora l'aigua, de flors blanques i fulles petites i verdes de gust picant que es posen a l'amanida.

creixent creixents *adj* Que creix, que va en augment.

créixer *v* Augmentar de mida, fer-se gros de mica en mica, fer-se gran: *Els arbres creixen molt a poc a poc.*
La conjugació de *créixer* és a la pàg. 835.

crema[1] cremes *nom f* 1 Plat dolç fet amb ous, llet, sucre, farina, vainilla, etc.: *Avui per postres menjarem crema.* 2 Part grassa de la llet. 3 Substància mig sòlida mig líquida: *Una crema que fa tornar la pell fina.* 4 La part que es considera millor d'una cosa: *En aquella festa hi va acudir la crema de la ciutat.* 5 *adj* De color groc blanquinós, com el de la crema: *Un jersei crema. Uns pantalons crema.*

crema[2] cremes *nom f* Acció de cremar o de cremar-se.

cremada cremades *nom f* Ferida a la pell produïda per una forta calor a causa del foc o del sol: *El cuiner ha tocat l'olla calenta i s'ha fet una cremada al dit.*

cremador cremadora cremadors cremadores 1 *adj* Que crema. 2 *nom m* Lloc on es cremen escombraries, residus, restes d'animals morts, etc. 3 *nom m* Lloc per on surt el gas i crema en una cuina, un escalfador, una calefacció, etc.

cremallera cremalleres *nom f* 1 Mecanisme que serveix per a tancar una peça de vestir, una maleta, una cartera, etc. i que consisteix en dues tires amb dents damunt les quals corre una peça que les uneix o les separa: *Corda't la cremallera del vestit.* 2 Tren de muntanya amb una màquina que té unes dents que encaixen en les d'una via especial, per tal de fer més força i de superar grans desnivells: *A Núria hi puja un tren cremallera.*

cremar *v* 1 Destruir alguna cosa amb l'acció del foc: *En aquest carrer s'ha cremat una casa.* 2 Ser molt calenta una cosa: *La sopa crema.* 3 *En Miquel va cremar-se les celles estudiant matemàtiques:* va estudiar molt fort. 4 *Tot això que ha passat fa pudor de cremat:* és molt sospitós, sembla que amaga alguna cosa més que no coneixem.
Es conjuga com *cantar.*

cremat cremats *nom m* Beguda feta amb rom, cafè, llimona, sucre, etc. que abans de beure's es deixa cremar una estona perquè se'n vagi l'alcohol.

cremor cremors *nom f* Escalfor o picor forta que se sent en una part del cos: *Aquesta salsa tan forta m'ha fet venir cremor d'estómac.*

crep creps *nom f* Menjar consistent en una capa prima de pasta de farina, llet i ous, cuita a la paella, que s'acompanya de formatge, melmelada, mantega, etc.

crepitar *v* Fer sorolls com els que fa la llenya quan crema al foc.
Es conjuga com *cantar.*

crepuscle crepuscles *nom m* Claror que hi ha al cel abans de sortir el sol o després de pondre's.

crepuscular crepusculars *adj* Que està relacionat amb el crepuscle: *La llum crepuscular encara permetia de veure el paisatge.*

crescuda crescudes *nom f* Fet de créixer: *Aquest any el nen ha fet una bona crescuda.* ▪ *La pluja ha provocat una forta crescuda del riu.*

cresp crespa cresps crespes *adj* Es diu dels cabells arrissats que formen ondes molt petites: *Tenia els cabells negres i cresps.*

crespell crespells *nom m* Bunyol prim fet de pasta dolça.

crespó crespons *nom m* **1** Teixit de seda que té una superfície arrugada o arrissada. **2** Tros de tela negra que es fa servir en senyal de dol: *Una bandera amb un crespó negre.*

cresta crestes *nom f* **1** Tros de carn vermella que hi ha al cap dels galls i de les gallines. **2** **picar la cresta a algú** Renyar-lo. **3** **cresta d'una muntanya** Punt més alt d'una muntanya.

cretí cretina cretins cretines *adj* i *nom m* i *f* Estúpid, imbècil.

creu creus *nom f* **1** Objecte format per un pal vertical clavat a terra travessat per un altre d'horitzontal que trobem al cim d'una muntanya, al cementiri, a l'església i que és el símbol de la religió cristiana: *Al cim de la muntanya hi ha una creu.* **2** *L'assignatura de matemàtiques és la meva creu:* el meu sofriment, la cosa que em fa patir més. **3** Senyal, marca en forma de (+): *Veus aquesta llista d'alumnes? els senyalats amb una creu són els que avui no han vingut.* **4** He posat la cullera i la forquilla **en creu**: travessats en forma de creu. **5** Una de les dues cares de la moneda: *Tiraré la moneda enlaire: si surt cara pararé la taula jo, si surt creu, la pares tu.* **6** **fer-se creus d'una cosa** Admirar-se o estranyar-se d'una cosa insòlita o difícil de creure. **7** **fer creu i ratlla** No voler saber res més d'una cosa: *Des d'aquell dia que m'hi vaig barallar, vaig fer creu i ratlla i no l'he tornat a veure més.*

creu

creuar *v* Travessar un carrer, un riu, etc. passant d'un costat a l'altre: *Abans de creuar un carrer, vigilem si ve cap cotxe.*
Es conjuga com *cantar.*

creuer creuers *nom m* Viatge o passeig pel mar amb vaixell.

creure *v* **1** Considerar una cosa certa, veritable, real: *Em va dir que eren les quatre i m'ho vaig creure.* **2** Obeir, fer el que ens manen: *La Núria creu molt els seus pares, fa tot el que li diuen.* **3** Imaginar-se, pensar-se una cosa: *Em creia que en Pere estava malalt.* **4** Tenir fe en una persona, en una cosa. **5** *Aquest nen és molt presumit, **es creu qui sap què**:* pensar-se ser molt important, molt intel·ligent, molt maco, etc.
Es conjuga com *seure.*

cria cries *nom f* **1** Activitat destinada a fer que neixin animals per després engreixar-los i vendre'ls: *Aquell pagès es dedica a la cria de conills i de gallines.* **2** Animal petit que encara mama.

criar *v* **1** Alimentar un infant o un animal petit, sobretot quan es fa amb llet de la mare. **2** Cuidar i alimentar animals, en una granja o en una casa de pagès, per després vendre'ls: *En aquesta masia crien conills i gallines.* **3** Educar un infant: *Aquell nen l'han criat malament, perquè és molt mal educat.* **4** Tenir fills un animal: *La gata ha criat i ha tingut sis gatets.*
Es conjuga com *canviar.*

criat criada criats criades *nom m* i *f* Persona que treballa en una casa fent les feines de comprar, cuinar, netejar, etc. a canvi d'un sou i de poder menjar i dormir a la casa: *Quan hem trucat a la porta, ha sortit la criada i ens ha dit que la senyora no hi era.*

criatura criatures *nom f* Infant, nen petit.

criaturada criaturades *nom f* Cosa que sembla feta o dita per una criatura: *Aquest noi tan gran es passa tot el dia fent criaturades.*

cric crics *nom m* Aparell que serveix per a aixecar coses pesants, com el que es fa servir per a aixecar un cotxe, quan se n'ha de canviar una roda rebentada.

cric-crac Onomatopeia, paraula que imita el soroll que fan algunes màquines o alguns mecanismes quan funcionen.

crida crides *nom f* Avís, comunicació que es fa a la gent perquè facin una cosa: *L'alcalde va fer una crida als ciutadans demanant-los que no embrutessin els carrers.*

cridaner cridanera cridaners cridaneres *adj i nom m i f* **1** Es diu de la persona que crida molt, que parla cridant: *Aquest xicot és un cridaner, sempre crida.* **2** Es diu de les coses que criden l'atenció pel color, la forma, etc.: *Aquest jersei tan vermell que portes és molt cridaner.*

cridar *v* **1** Fer crits, parlar alt, dir alguna cosa a crits: *Cridava de tant mal que li feia la ferida.* **2** Avisar algú, fer venir algú: *Es va espatllar el cotxe i vam haver de cridar el mecànic.* ■ *Vols parlar amb la Carme? Ara la cridaré.* **3** *Portes un vestit que* **crida l'atenció**: que convida a mirar-lo, que és atractiu.
Es conjuga com *cantar*.

cridòria cridòries *nom f* Crits, desordre: *A la classe hi havia una gran cridòria.*

crim crims *nom m* Acte contra la llei, com un robatori, un assassinat, etc.

criminal criminals *nom m i f* Persona que ha comès un crim.

criminalitat criminalitats *nom f* Quantitat de crims o de delictes que s'han comès en un lloc durant un temps determinat: *Aquest any ha augmentat la criminalitat a la nostra ciutat, és a dir, s'hi han comès més crims que l'any passat.*

crin crins *nom m o f* Pèls aspres i llargs que alguns animals tenen al clatell i a la cua: *Els crins d'un cavall.*

crinera crineres *nom f* Conjunt de pèls llargs que alguns animals, com el cavall o el lleó, tenen al coll.

crinera

cripta criptes *nom f* Església o capella petita situada a sota de l'església principal.

críptic críptica críptics críptiques *adj* Molt difícil d'entendre: *Parla d'una manera críptica, és a dir, d'una manera complicada.*

crisàlide crisàlides *nom f* Fase del desenvolupament d'alguns insectes, entre la fase de larva i la fase adulta, durant la qual estan quiets, no mengen ni fan cap canvi aparent: *Les crisàlides es converteixen en papallones.*

crisantem crisantems *nom m* Planta perenne de flors abundants i de color morat, groc, daurat o blanc, que s'utilitza molt en decoració.

crisi crisis *nom f* Situació difícil, dolenta, delicada per la qual passa una persona, un país, etc.: *La fàbrica està en crisi.* ■ *Aquell senyor va tenir una crisi nerviosa.*

crisma crismes *nom f* Cap: *Vigila, que et trencaràs la crisma!*

crispar *v* **1** Causar un moviment brusc, sobtat. **2** Fer enfadar algú, fer-lo posar nerviós: *No suporto que cridis d'aquesta manera, em crispa els nervis.*
Es conjuga com *cantar*.

crispeta crispetes *nom f* Gra de blat de moro cuit: *Quan vaig al cine m'agrada de comprar una bossa de crispetes i menjar-me-les mentre em miro la pel·lícula.*

cristall cristalls *nom m* **1** Vidre pesant i brillant; qualsevol objecte fet amb aquest vidre: *Unes copes de cristall.* **2** Cos que s'ha solidificat amb els àtoms disposats segons una forma que es va repetint.

cristalleria cristalleries *nom f* **1** Fàbrica o botiga d'objectes de cristall. **2** Conjunt d'objectes de cristall, conjunt de copes i de gots.

cristal·lí cristal·lina cristal·lins cristal·lines **1** *adj* Que és de cristall, que és com el cristall, net i transparent com el cristall: *Una aigua cristal·lina.* **2** *nom m* Part transparent de l'ull, situada darrere la pupil·la. **15**

cristal·litzar *v* **1** Agafar les formes pròpies del cristall: *Hi ha diversos minerals que cristal·litzen.* **2** Arribar una cosa a un resultat: *El projecte de fer una escola nova finalment va cristal·litzar i ja l'han començada a construir.*
Es conjuga com *cantar*.

cristià cristiana cristians cristianes **1** *adj* Que està relacionat amb Jesucrist o el cristianisme: *La religió cristiana.* **2** *nom m* i *f* Persona que creu i practica el cristianisme: *Els cristians estan escampats per tot el món.*

cristiandat cristiandats *nom f* Conjunt de les persones i els països de religió cristiana.

cristianisme cristianismes *nom m* Religió que es basa en la doctrina de Jesucrist.

cristianitzar *v* Convertir persones o països al cristianisme.
Es conjuga com *cantar.*

crit crits *nom m* **1** So molt fort produït amb la veu per una persona o per un animal: *D'un tros lluny sentíem els crits dels nens al pati.* **2** *En Tomàs parla a crits*: en veu molt alta. **3** *Vaig arribar tard a casa i la mare em va fer crits*: em va renyar.

criteri criteris *nom m* Norma que serveix per a valorar o classificar una cosa: *Dividirem aquestes boles en dos grups, segons aquest criteri: les grogues i les vermelles, les posarem a l'esquerra i les verdes i les blaves, a la dreta.*

crític crítica crítics crítiques **1** *adj* Que està relacionat amb una crisi: *Aquesta empresa passa per un moment crític, difícil.* **2** *nom m* i *f* Persona que expressa la seva opinió sobre un fet, un llibre, una obra de teatre, una pel·lícula, etc. valorant-ne les qualitats i els defectes.

crítica crítiques *nom f* **1** Acció de fer notar els defectes d'algú o d'alguna cosa: *El professor va fer una crítica del funcionament de la classe.* **2** Examen i estudi del valor d'un llibre, d'una obra d'art, etc.: *Aquest llibre ha tingut una bona crítica, diuen que és molt bo.*

criticable criticables *adj* Que pot ser criticat perquè no està bé o té defectes: *Això que has fet és molt criticable, no està ben fet.*

criticar *v* **1** Fer notar els defectes d'una cosa, parlar malament d'algú o d'alguna cosa. **2** Examinar, estudiar el valor d'un fet, d'un llibre, d'una obra de teatre, etc.
Es conjuga com *cantar.* S'escriu c davant de *a, o, u* i *qu* davant de *e, i*: *critico, critiques.*

crivellar *v* Fer una gran quantitat de forats: *Van disparar i el van crivellar a trets.*
Es conjuga com *cantar.*

croada croades *nom f* **1** Cadascuna de les guerres que a l'edat mitjana els cristians van fer contra els musulmans amb l'objectiu de conquerir Terra Santa, és a dir, la terra on

va viure Jesucrist i on va començar la religió cristiana. **2** Lluita de cristians contra pobles o reis considerats infidels o heretges.

croat croata croats croates **1** *nom m* i *f* Habitant de Croàcia; persona natural o procedent de Croàcia. **2** *adj* Es diu de les persones o de les coses naturals o procedents de Croàcia. **3** *nom m* Variant de la llengua serbocroata que es parla a Croàcia.

crocant crocants *nom m* Pasta que porta barrejades ametlles i avellanes: *Un gelat de crocant.*

croissant croissants *nom m* Pasta que té una forma de mitja lluna i que se sol menjar per esmorzar o per berenar.

cromàtic cromàtica cromàtics cromàtiques *adj* Que està relacionat amb el color o amb els colors.

cromo cromos *nom m* Fotografia o dibuix de mida petita que s'enganxa en un àlbum i serveix per a formar una col·lecció sobre un determinat tema: *A l'Arnau, li falten dos cromos per a acabar la col·lecció sobre els animals de la selva.*

crònic crònica crònics cròniques *adj* Que dura molt temps: *Pateix una malaltia crònica, que es pot tractar però no es pot curar mai del tot.*

crònica cròniques *nom f* Llibre o escrit en què s'expliquen uns fets històrics o actuals: *La "Crònica" de Jaume I ens explica la vida i les batalles d'aquest rei.* ▪ *A mi m'agrada de llegir la crònica d'esports del diari per saber com han anat els partits de futbol.*

cronista cronistes *nom m* i *f* Persona que ha escrit una crònica.

crono- cron- Element amb què comencen algunes paraules i que vol dir "temps": *Ordenar una llista de fets per ordre cronològic vol dir ordenar-los segons el temps o les dates en què van passar.*

cronologia cronologies *nom f* Conjunt de fets històrics ordenats d'acord amb les dates en què es van produir.

cronològic cronològica cronològics cronològiques *adj* Que segueix l'ordre en què es van produir les coses en el temps: *Hem fet un mural amb una llista cronològica dels fets més importants de la història de Catalunya.*

cronometrar *v* Controlar o mesurar el temps amb un cronòmetre: *Van cronometrar el que trigava el ciclista a fer una volta a la pista.*
Es conjuga com *cantar.*

cronòmetre cronòmetres *nom m* Rellotge que pot mesurar espais de temps molt curts i que es pot parar de cop: *Amb un cronòmetre controlaven els minuts, els segons i les dècimes de segon que trigava el ciclista a fer una volta a la pista.*

cronòmetre

croqueta croquetes *nom f* Aliment que es fa amb carn o peix aixafat i barrejat amb patata, farina, ou, etc. i que es menja arrebossat.

croquis uns **croquis** *nom m* Dibuix ràpid, sense detalls: *En un moment, et faré un croquis de la casa, perquè vegis com és.*

cros *nom m* Competició esportiva que consisteix a córrer diversos quilòmetres camps a través a peu, amb bicicleta, amb moto, etc.

crossa crosses *nom f* Bastó que pot tenir diverses formes i que serveix per a ajudar a caminar els que van coixos.

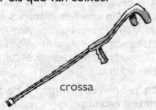

crossa

crosta crostes *nom f* **1** Capa dura que cobreix la part tova del pa, del formatge, etc.: *Del pa, m'agrada més la crosta que la molla.* **2** Capa de sang seca: *En Roc es va pelar el genoll i ara se li ha fet una crosta.*

crostó crostons *nom m* **1** Cadascuna de les puntes d'una barra de pa; part del pa on hi ha molta crosta: *El crostó és la part del pa que m'agrada més.* **2 tocar el crostó** Pegar a algú, renyar-lo.

crostó de pa

cru crua crus crues *adj* **1** Es diu del menjar que no és cuit: *Aquesta carn és crua, s'ha de coure més.* **2** Un hivern molt cru: molt dur, molt fred. **3 color cru** Color groc pàl·lid, com el del teixit abans de ser tenyit.

cruci- Element amb què comencen algunes paraules i que vol dir "creu": *Un objecte cruciforme és un objecte que té forma de creu.*

crucial crucials *adj* Important, decisiu: *Va passar un fet crucial que li va fer canviar la vida.*

crucificar *v* **1** Clavar en una creu: *Jesucrist va ser crucificat.* **2** Turmentar, molestar molt: *Aquest soroll em crucifica.*
Es conjuga com *cantar*. S'escriu *c* davant de *a, o, u* i *qu* davant de *e, i: crucifico, crucifiques.*

crucifix crucifixos *nom m* Creu amb la imatge de Jesucrist.

crucifixió crucifixions *nom f* Acció de crucificar, de clavar algú en una creu.

cruel cruels *adj* Que és molt dolent, que li agrada de fer mal i de fer patir: *Aquell ogre era molt cruel i li agradava de fer mal a la gent.*

crueltat crueltats *nom f* Qualitat de cruel; acció cruel: *Maltractar els infants és una crueltat.*

cruent cruenta cruents cruentes *adj* Que provoca morts i ferits: *Va ser una guerra cruenta, amb molts morts i ferits, amb molta sang vessada.*

cruesa crueses *nom f* **1** Qualitat de cru. **2** Qualitat de dur: *Li va donar la mala notícia amb molta cruesa, directament, sense dissimular-la.*

cruïlla cruïlles *nom f* Lloc on s'encreuen o es travessen dos camins o més.

cruixent cruixents *adj* Que cruix, que fa un seguit de petits sorolls: *M'agraden les patates rosses ben cruixents.*

cruixir *v* Fer un seguit de petits sorolls: *El terra de fusta cruixia sota els nostres peus. Tenia tanta por, que va començar a tremolar i les dents li cruixien.*
Es conjuga com *dormir*. Present d'indicatiu: *cruixo, cruixes, cruix, cruixim, cruixiu, cruixen.*

cruixit cruixits *nom m* Soroll que fa una cosa que cruix: *Sentíem els cruixits que feia la fusta vella del terra del pis de dalt quan algú la trepitjava.*

crural crurals *adj* Que està relacionat amb la cuixa: *El bíceps crural és un múscul que està situat a la part posterior de la cuixa.* 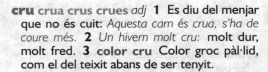 16

cruspir-se v Menjar un aliment amb molta gana: *Ja us heu cruspit totes les ametlles?* Es conjuga com *servir*.

crustaci crustacis *nom m* Classe d'animals que estan coberts per una closca dura i tenen moltes potes: *Els crancs, les llagostes i els escamarlans són crustacis.*

cu cus *nom f* Nom de la lletra q Q.

cua cues *nom f* **1** Part de darrere del cos dels animals que surt més cap a fora: *Els gats i els cavalls tenen la cua llarga i els conills la tenen curta.* **2** Part del darrere dels peixos, dels ocells, etc.: *Avui hem menjat peix, a mi m'ha tocat la cua.* **3** *La Rosaura porta una* **cua de cavall**: cabells lligats amb una goma o cinta que baixen de forma que semblen una cua. **4** *La gent* **fa cua** *per agafar entrades, la pel·lícula és molt bona:* fer fila llarga, mentre s'esperen, un grup de persones l'una darrere l'altra. **5** Part d'una cosa que s'allarga imitant una cua d'animal: *La núvia portava un vestit amb cua.* **6** *Van haver d'anar-se'n* **amb la cua entre cames**: sense aconseguir el que s'havien proposat. **7** *Ja pots* **girar cua**, *no et vull veure més:* anar-te'n, marxar. **8** Part posterior o final d'una cosa, d'un conjunt: *Vam seure a la part de la cua de l'autocar.*

cuacurt cuacurta cuacurts cuacurtes *adj* Que té la cua curta: *Un gos cuacurt.*

cuadret cuadreta cuadrets cuadretes *adj* **1** Que té la cua dreta, que va amb la cua dreta: *Un gos cuadret.* **2** **anar cuadret** Anar molt satisfet, molt confiat de si mateix.

cuallarg cuallarga cuallargs cuallargues *adj* Que té la cua llarga: *Un gos cuallarg.*

cub cubs *nom m* **1** Cos geomètric regular format per sis cares quadrades. **2** Resultat que s'obté multiplicant tres vegades un nombre per si mateix: *El cub de 3 és 27.*

cubà cubana cubans cubanes **1** *nom m* i *f* Habitant de Cuba; persona natural o procedent de Cuba. **2** *adj* Es diu de les persones o de les coses naturals o procedents de Cuba.

cubell cubells *nom m* Recipient gros i rodó de metall, de fusta, de plàstic, etc., més estret de baix que de dalt.

cubeta cubetes *nom f* Recipient rectangular i no gaire fondo que es fa servir en laboratoris, etc.

cúbic cúbica cúbics cúbiques *adj* **1** Que té forma de cub: *Els daus són cúbics.* **2** **metre cúbic** Unitat de mesura de volum que és igual a la capacitat d'un cub que té els costats d'un metre.

cúbit cúbits *nom m* Os més llarg i més interior de l'avantbraç. **15**

cuc cucs *nom m* **1** Animal petit, sense ossos, de cos tou i en forma de tub, que es desplaça arrossegant-se: *Demà, amb la mestra, sortirem al bosc a buscar cucs de terra.* **2** *Amb aquest trosset de pa* **mataré el cuc**, *ja que encara falta una hora per dinar:* menjar una mica per fer-se passar la gana. **3** **cuc de seda** Papallona jove, larva que fa una gran quantitat de fil de seda per construir-se una capa protectora.

cuca cuques *nom f* **1** Bestiola petita, com ara un escarabat, un centpeus, insectes, etc.: *En aquesta paret, hi viuen moltes cuques.* **2** **cuca de llum** Insecte que, quan és de nit, brilla amb una llum de color verd.

cucanya cucanyes *nom f* **1** Pal llarg i llis, que es posa dret i s'ensabona perquè rellisqui, per on cal enfilar-se per agafar un premi lligat al capdamunt. **2** **jocs de cucanya** Jocs populars infantils, entre els quals hi ha la cursa de sacs, el joc de trencar l'olla, etc.

cucurull cucurulls *nom m* **1** Tros de paper enrotllat en forma de con. **2** Galeta en forma de con que s'utilitza per a posar-hi boles de gelat.

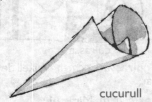

cucurull

cucurutxo cucurutxos *nom m* Cucurull en què es posen confits o gelats.

cucut cucuts *nom m* Ocell d'un color gris blau i de cua llarga i grisa amb taques blanques.

cuejar v Remenar la cua, moure la cua. Es conjuga com *cantar*. S'escriu *j* davant de *a, o, u* i *g* davant de *e, i: cueja, cuegi.*

cuidar v **1** Vigilar, fer allò que calgui perquè una persona o una cosa estiguin bé, ocupar-se d'una cosa o d'algú: *Cuida el nen mentre estigui malalt.* ▪ *Has de cuidar la bicicleta, si no se t'espatllarà en quatre dies.* **2** Pensar, creure; estar

a punt de passar una cosa a algú: *He relliscat i he cuidat trencar-me la cama.*
Es conjuga com *cantar.*

cuina cuines *nom f* **1** Habitació, lloc de la casa on es cuina i es fa el menjar: *El pare fa el sopar, és a la cuina.* **2** Aparell que pot funcionar amb gas, electricitat, llenya, etc. i que serveix per a coure el menjar: *La cuina de casa funciona amb gas butà.* **3** Conjunt de menjars d'un determinat país, conjunt de plats típics d'un país.

cuinar *v* Coure i preparar menjar.
Es conjuga com *cantar.*

cuiner cuinera cuiners cuineres *nom m* i *f* Persona que té per ofici fer menjars: *En aquell restaurant tenen un bon cuiner.*

cuir cuirs *nom m* **1** Pell d'animal gruixuda i dura que ha estat treballada i que serveix per a fer cinturons, bosses, etc.: *Un cinturó de cuir.* **2** **cuir cabellut** Pell del cap on creixen els cabells.

cuirassa cuirasses *nom f* **1** Protecció de ferro que cobria el cos dels soldats. **2** Conjunt de planxes de ferro que protegeixen els vaixells de guerra anomenats cuirassats.

cuirassa

cuirassat cuirassats *nom m* Vaixell de guerra gros i pesat.

cuiro cuiros *nom m* Mira **cuir**.

cuit cuita cuits cuites *adj* Es diu de l'aliment o de la matèria que han estat transformats per l'acció del foc: *En aquesta botiga venen mongetes i cigrons cuits.*

cuita-corrents Paraula que apareix en l'expressió a **cuita-corrents**, que vol dir "a corre-cuita, de pressa": *Vam haver de dinar a cuita-corrents perquè si no se'ns hauria escapat el tren.*

cuitar *v* Córrer, afanyar-se a fer una cosa sense perdre temps.
Es conjuga com *cantar.*

cuixa cuixes *nom f* Part de la cama que va des del genoll fins al tronc del cos: *L'Àngels té un morat a la cuixa perquè va caure.* ▪ *Em menjaré una cuixa de pollastre.*

cuixot cuixots *nom m* Pernil.

cul culs *nom m* **1** Part del tronc sobre la qual descansa el cos quan seiem: *Em fa molt mal el cul de tant seure.* ▪ *Les mones tenen el cul pelat.* **2** Part inferior d'una cosa, d'un recipient, fons. **3** Part que queda d'una cosa quan s'ha acabat o s'ha consumit gairebé del tot: *Només queda un cul de licor.* **4** **anar de cul** Estar molt enfeinat: *He d'acabar aquesta feina per la setmana que ve i ara vaig de cul tot el dia.* **5** **ser cul i merda** Ser inseparables dues persones, anar sempre juntes. **6** **semblar el cul d'en Jaumet** Es diu d'una persona que no s'està mai quieta, que sempre es belluga: *Aquesta noia no para mai, sembla el cul d'en Jaumet.* **7** **fer caure de cul** Produir una gran impressió: *S'ha comprat un cotxe tan luxós, que fa caure de cul.* **8** **llepar el cul** Mostrar-se molt obedient, molt servil amb algú: *Alguns nens de la classe només fan que llepar el cul als professors.* **9** **tenir el cul pelat** Haver fet molt sovint una cosa, tenir-hi molta experiència: *Ha participat en molts concursos i hi té el cul pelat, per això no es posa mai nerviós.*

culata culates *nom f* **1** Part de darrere d'algunes armes de foc, que serveix per a poder-les recolzar a l'espatlla: *La culata d'un fusell.* **2** **sortir el tret per la culata** Sortir una cosa malament, al revés de com un s'esperava que sortís.

cul-de-sac culs-de-sac *nom m* Carrer sense sortida.

culer culera culers culeres *adj* i *nom m* i *f* Es diu de la persona que segueix, que és partidària del Futbol Club Barcelona.

culinari culinària culinaris culinàries *adj* Que està relacionat amb la cuina o amb la preparació del menjar: *L'art culinari és l'art de la cuina, és a dir, l'art de preparar el menjar.*

culivat culivada culivats culivades *adj* Ajupit.

culler cullers *nom m* Cullera grossa que serveix per a posar la sopa als plats, cullerot.

cullera culleres *nom f* Estri de metall, de plata, de fusta, etc. que té forma de pala petita i serveix per a menjar aliments més aviat líquids.

cullerada cullerades *nom f* Allò que cap dins una cullera: *D'aquesta medecina, n'has de prendre tres cullerades cada vuit hores.*

cullereta culleretes *nom f* Cullera petita per a prendre cafè, te, llet, etc.: *Has portat culleretes per a prendre cafè?*

cullerot cullerots *nom m* Culler.

culler o cullerot

culminació culminacions *nom f* Acció de culminar, d'arribar una cosa al punt més alt: *Aquesta gran victòria ha representat la culminació de la seva carrera esportiva.*

culminant culminants *adj* Que és el més alt, el més important: *El punt culminant de la muntanya.* ▪ *El moment culminant d'una pel·lícula.*

culminar *v* Arribar al punt més alt, a la importància màxima: *La festa va culminar en un gran ball de comiat.*
Es conjuga com *cantar.*

culots *nom m pl* Pantalons curts cenyits que arriben fins a mitja cuixa.

culpa culpes *nom f* **1** Falta, acció dolenta feta per una persona. **2** *En Joan va **tenir la culpa** de la baralla, perquè és qui va començar a pegar als altres nens:* ser la causa d'una cosa, ser el responsable d'un fet.

culpabilitat culpabilitats *nom f* Qualitat de culpable: *L'acusat va reconèixer la seva culpabilitat.*

culpable culpables *adj* i *nom m* i *f* Que té la culpa d'una cosa, que ha comès una falta, un crim, etc.: *Han descobert els culpables del robatori de les joies.*

culpar *v* Donar a algú la culpa d'alguna cosa: *Tothom culpa aquell noi d'haver començat la baralla.*
Es conjuga com *cantar.*

culte¹ culta cultes *adj* Que sap coses, que té cultura: *Aquella dona és molt culta.*

culte² cultes *nom m* Adoració per algú o alguna cosa: *A les esglésies es dóna culte a Déu.* ▪ *Tots els pobles del món donen culte als seus morts.*

cultiu cultius *nom m* Conreu.

cultivar *v* Conrear.
Es conjuga com *cantar.*

cultura cultures *nom f* **1** Conjunt de coneixements que ha après una persona estudiant, llegint, viatjant i vivint: *Aquell professor tenia molta cultura.* **2** Conjunt de tradicions, de coneixements i de formes de vida d'una societat o de tota la humanitat: *La cultura japonesa és poc coneguda entre nosaltres.* ▪ *L'escriptor Jacint Verdaguer i el pintor Joan Miró són dues grans figures de la cultura catalana.*

cultural culturals *adj* Que està relacionat amb la cultura: *Llegir i escoltar música són activitats culturals.*

cúmul cúmuls *nom m* **1** Munt, quantitat important de coses: *Hem tingut un cúmul de desgràcies!* **2** Núvol blanc de formes arrodonides.

cuneta cunetes *nom f* Excavació a cada banda d'una carretera o d'un camí que serveix per a recollir l'aigua de la pluja.

cunyat cunyada cunyats cunyades *nom m* i *f* Persona casada amb el germà o la germana d'algú; germà o germana de l'home o de la dona d'una persona.

cup cups *nom m* Recipient molt gros sobre el qual es trepitja el raïm i on es fa el vi.

cup

cúpula cúpules *nom f* Coberta o sostre rodó que cobreix un edifici, una torre, etc.

cúpula

cura cures *nom f* **1** Tractament que es dóna a un malalt per curar-lo, perquè es posi bo; tractament que es fa d'una ferida: *Ara li fan* la cura de la ferida. **2** Interès, atenció que es posa a fer una cosa: *En Joan dibuixa i escriu amb molta cura i per això ho fa tan bé.* **3** *La biblioteca-cària va* **tenir cura de** *la biblioteca durant vint anys:* va encarregar-se de vigilar, de cuidar la biblioteca.

curandero **curandera curanderos curanderes** *nom m* i *f* Persona que es dedica a fer de metge sense ser-ho.

curar *v* Cuidar un malalt, tractar un mal, una ferida o una malaltia: *El metge li va curar la ferida amb alcohol i cotó fluix.*
Es conjuga com *cantar*.

curiós **curiosa curiosos curioses** *adj* **1** Que ho vol veure tot, que ho vol saber tot, que s'interessa per les coses dels altres: *Quin nen més curiós, tot el dia em fa preguntes, ho vol saber tot!* **2** Que és interessant de veure, de conèixer: *Un dibuix curiós.*

curiosament *adv* Amb curiositat; de manera sorprenent: *Em pensava que em dirien que no, però curiosament tothom hi va estar d'acord.*

curiositat **curiositats** *nom f* **1** Ganes de saber, de conèixer una cosa: *Tinc curiositat de veure qui guanyarà la cursa.* **2** Cosa rara, estranya, que desperta interès: *Una botiga de regals i de curiositats.*

curós **curosa curosos curoses** *adj* Es diu de la persona que fa una cosa amb cura, és a dir, amb interès i posant-hi molta atenció: *Quan escriu és molt curós, repassa el text moltes vegades i el presenta sense cap error.*

curosament *adv* Amb molta atenció.

currículum **currículums** *nom m* **1** Escrit en què una persona fa constar els estudis i les feines que ha fet i que presenta a l'hora de demanar una feina: *Una de les persones que volien la feina tenia molt bon currículum, és a dir, tenia l'experiència i els estudis que es necessitaven per a fer la feina.* **2** Conjunt de matèries i assignatures que ha de fer un estudiant al llarg dels estudis.

curs **cursos** *nom m* **1** Camí que fa un riu o qualsevol altra cosa que es mou de forma contínua: *El curs d'un riu.* ▪ *El curs de la vida.* **2** Temps que duren les classes en les escoles dins cada any: *El curs passat va ser molt divertit.* **3** Conjunt d'estudiants d'un mateix grau o nivell d'estudis: *La Maria va a la classe de quart*

curs. **4** Sèrie de lliçons sobre una matèria: *Un curs d'història universal.*

cursa **curses** *nom f* Competició entre diversos corredors, que tracten d'arribar en primer lloc a un punt assenyalat: *Avui a l'escola hem fet curses de sacs.* ▪ *La cursa de bicicletes passarà pel mig del poble.*

cursar *v* **1** Estudiar una matèria, seguir un curs: *El meu germà cursa tercer de medicina.* **2** Enviar un document al lloc on ha d'anar: *L'advocat va cursar al jutge la petició de llibertat provisional per al detingut.*
Es conjuga com *cantar*.

curset **cursets** *nom m* Curs de poca durada sobre un tema: *Farem un curset de natació.*

cursi **cursis** *adj* i *nom m* i *f* Es diu de les persones i de les coses que volen semblar molt fines i elegants, però que en realitat no ho són.

cursileria **cursileries** *nom f* Comportament o acció propis d'una persona cursi; qualitat de cursi.

cursiu **cursiva cursius cursives** *adj* Es diu del tipus de lletra que està inclinada cap a la dreta: *En aquest diccionari els exemples van escrits en cursiva.*

curt **curta curts curtes** *adj* **1** De poca llargada: *Els cabells curts.* ▪ *Pantalons curts.* **2** De poca durada: *A l'hivern els dies són molt curts.* **3** *No tenim prou pa,* **farem curt**: *ens en faltarà, no en tindrem prou.* **4** Poc intelligent: *Aquest individu és molt curt, no entén res.* **5** **curt de vista** Que s'hi veu poc, que de lluny no hi veu gaire bé.

curtejar *v* Ser curta o escassa una cosa: *Aquests pantalons et curtegen.* ▪ *En aquella casa els diners curtejaven, és a dir, no en tenien gaires.*
Es conjuga com *cantar*. S'escriu *j* davant de *a, o, u* i *g* davant de *e, i*: *curteja, curtegi.*

una paperina curulla de cacauets

curull curulla curulls curulles *adj* Ple fins dalt, ple a vessar.

curullar *v* Omplir un recipient fins a vessar. Es conjuga com *cantar*.

curvatura curvatures *nom f* Qualitat de corb: *Aquest arc té una curvatura de 90 graus.*

curvi- Element amb què comencen algunes paraules i que vol dir "corb, que no és recte, que fa arc": *Un objecte curvilini és un objecte que té línies corbes.*

curvilini curvilínia curvilinis curvilínies *adj* Que segueix una línia corba: *La fletxa va seguir una trajectòria curvilínia.*

cuscús cuscussos *nom m* Menjar típic de l'Àfrica del nord, que es fa amb farina de blat de moro o d'arròs i trossets de carn i que pot anar acompanyat de sal, cigrons, mantega, etc.

cúspide cúspides *nom f* Punta; punta d'una piràmide o d'un con; punt més alt d'un objecte, d'un cos.

custòdia custòdies *nom f* **1** Fet de vigilar o de cuidar una cosa o una persona: *Els pares es van divorciar i el jutge va donar la custòdia dels fills a la mare, és a dir, va dir que els fills haurien de viure amb la mare.* **2** Objecte on es col·loca l'hòstia consagrada perquè la gent la veneri.

custodiar *v* Guardar una cosa vigilant-la i cuidant-la. Es conjuga com *canviar*.

cutani cutània cutanis cutànies *adj* Que està relacionat amb la pell, amb el cutis: *Té una malaltia cutània, una malaltia de la pell.*

cúter cúters *nom m* Estri que serveix per a tallar paper, cartó, etc. que consisteix en un mànec dintre del qual hi va una fulla metàl·lica molt fina, la punta de la qual es pot anar trencant quan està gastada per tal de fer-ne pujar un tros nou.

cutis els cutis *nom m* Pell humana, pell de la cara: *Aquesta pomada va bé per al cutis, perquè fa tornar la pell més fina.*

dacsa dacses nom f Blat de moro.

dactilar dactilars adj Que està relacionat amb els dits: Les empremtes dactilars són les marques que deixen els dits en els objectes que hem tocat.

dada dades nom f Informació sobre una persona, un fet, un lloc, etc.: Aquestes són algunes dades sobre la ciutat de Vic: el municipi té una extensió de 30,92 quilòmetres quadrats, la ciutat està situada a 484 metres sobre el nivell del mar, i l'any 2008 tenia 38.964 habitants.

daga dagues nom f Arma semblant a l'espasa, però més curta.

daga

daina daines nom f 1 Animal mamífer més petit que el cérvol, amb banyes. 2 Aquest noi és lleuger **com una daina**, corre **com una daina**: és àgil, és molt ràpid, corre molt.

daixò Mira **daixonses**.

daixonses Paraula que es fa servir per dir una cosa quan no es troba la paraula exacta: Per arreglar aquesta màquina, necessito un martell i un daixonses, ara no em surt el nom, un… un tornavís!

dàlia dàlies nom f Flor d'una planta de jardí, molt bonica, que pot tenir els pètals de diferents colors. **3**

dalla dalles nom f Eina consistent en un mànec llarg i en una fulla d'acer una mica corbada que serveix per a tallar l'herba dels camps.

dallar v Tallar amb la dalla.
Es conjuga com cantar.

dallò Mira **daixonses**.

dallonses Mira **daixonses**.

dàlmata dàlmates 1 nom m i f Habitant de Dalmàcia; persona natural o procedent de Dalmàcia. 2 adj Es diu de les persones o de les coses naturals o procedents de Dalmàcia. 3 nom m Llengua que es parlava a Dalmàcia. 4 nom m Gos de mida mitjana que té el pèl blanc amb taques negres.

dalt adv i prep 1 A la part alta, a sobre: A dalt, hi viu el meu cosí. 2 **dalt de tot** A la part més alta, al cim: He pujat a dalt de tot de la muntanya. 3 Portava el vestit cordat **de dalt a baix**: d'un extrem fins a l'altre. 4 prep El gat és dalt de la teulada: damunt. 5 **dalt dalts** nom m Part alta d'una cosa: Els dalts de la casa encara no estan edificats.

daltabaix 1 adv De dalt d'una cosa fins a baix, a terra: La Lola es va enfilar a la teulada i va caure daltabaix. 2 **daltabaix daltabaixos** nom m Problema, fet greu que provoca un canvi negatiu, una desgràcia, etc.: En aquella fàbrica hi ha hagut un daltabaix: han despatxat dos-cents treballadors.

daltonisme daltonismes nom m Malaltia de la vista que impedeix de veure alguns colors.

dama dames nom f 1 Senyora, dona de la noblesa: La reina i les seves dames. 2 **joc de dames** Joc que es juga amb unes fitxes rodones i planes, dotze de blanques i dotze de negres, sobre el mateix tauler de jugar a escacs.

damisel·la damisel·les nom f 1 Senyoreta, dama jove. 2 Nom donat a diversos insectes.

damnificat damnificada damnificats damnificades adj i nom m i f Es diu de la persona que ha sofert un dany, una desgràcia, un accident, etc.: Els damnificats pels incendis rebran un ajut econòmic del govern.

damunt adv i prep 1 Indica la posició d'una cosa que és a sobre d'una altra: Poseu les mans damunt la taula. 2 Cobrint alguna cosa: Em posaré el jersei damunt les espatlles. 3 Ha parlat de la festa molt **per damunt**: molt superficialment, amb pocs detalls. 4 **damunt damunts** nom m Part superior d'una cosa: Té el damunt del peu ben adolorit.

dandi dandis nom m Home que vesteix amb una gran elegància.

danès danesa danesos daneses 1 nom m i f Habitant de Dinamarca; persona natural o procedent de Dinamarca. 2 adj Es diu de les persones o de les coses naturals o procedents de Dinamarca. **3** *nom m* Llengua parlada a Dinamarca.

dansa dansa *nom f* **1** Ball, acció de ballar: *La Pepa ens ha fet ballar una dansa de Mallorca.* **2** Art de dansar, de ballar: *En Dídac vol estudiar dansa i dedicar-s'hi.*

dansaire dansaires *nom m i f* Persona que dansa o balla.

dansar *v* Ballar.
Es conjuga com *cantar*.

dany danys *nom m* Mal o perjudici que ha sofert una persona o una cosa: *La pluja tan forta ha fet molts danys, ha perjudicat molt els camps.*

danyar *v* Causar dany, perjudicar: *Fumar danya la salut.*
Es conjuga com *cantar*.

danyós danyosa danyosos danyoses *adj* Que provoca un dany: *El consum excessiu d'alcohol és danyós per a la salut.*

dar *v* Donar.
Es conjuga com *cantar*. Present d'indicatiu: *dono, dónes, dóna, dem, deu, donin*. Present de subjuntiu: *doni, donis, doni, dem, deu, donin*. Imperatiu: *dóna, doni, dem, deu, donin*. Participi: *dat, dada*. Gerundi: *dant*.

dard dards *nom m* **1** Arma semblant a una llança petita que es tira amb la força del braç. **2** Projectil semblant a una llança petita que es tira amb la mà i amb el qual es juga a encertar una diana.

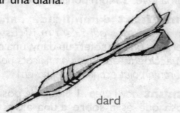

dard

darrer darrera darrers darreres *adj* Que no en té cap més al darrere, que va al final de tot, que és l'últim: *M'agrada de ser el darrer de la fila.* ■ *Avui és el darrer dia de vacances.*

darrera *adv i prep* Mira **darrere**.

darrerament *adv* En els darrers temps: *Darrerament no ha plogut gaire, és a dir, en els últims mesos no ha plogut gaire.*

darrere *adv i prep* **1** Indica posició o cantó oposat a la cara: *Poseu-vos les mans darrere*

l'esquena. **2 Després de:** *Els soldats passaven l'un darrere l'altre.* **3 anar al darrere d'algú** Perseguir algú per obtenir alguna cosa: *Aquella noia era molt maca: tots els nois li anaven al darrere.* **4 darrere darreres** *nom m* Part posterior d'una cosa: *Li van aixafar el darrere del cotxe.* ■ *Han convertit els darreres de la casa en un garatge.*

darreria darreries *nom f* Darrer període de la durada d'una cosa, part final: *A la darreria de l'hivern ja no fa gaire fred.*

dàrsena dàrsenes *nom f* Lloc protegit del port on les embarcacions poden carregar i descarregar.

data dates *nom f* **1** Dia concret: *Encara no ens han dit la data de començament del curs.* **2** Dia que s'ha fet una cosa: *No t'oblidis de posar la data a la carta.*

datar *v* Posar la data: *No t'has d'oblidar mai de datar les cartes, de posar-hi el dia en què les escrius.*
Es conjuga com *cantar*.

dàtil dàtils *nom m* Fruit comestible d'un tipus de palmera.

dau daus *nom m* Peça en forma de cub, de plàstic, de fusta, etc. que porta marcat a cada cara un nombre diferent de punts, des de l'u fins al sis, i serveix per a diversos jocs: *Hem perdut el dau i no podem jugar a parxís.*

daurar *v* **1** Cobrir una cosa amb una capa fina d'or. **2** Fer que una cosa agafi un color semblant al de l'or: *El sol daurava el paisatge.*
Es conjuga com *cantar*.

daurat daurada daurats daurades *adj* **1** Que està cobert amb una capa fina d'or: *Un anell daurat.* **2** Que té un color semblant al de l'or: *Un paper de color daurat.*

davall *adv i prep* Sota: *Perquè no els toqués el sol, es van asseure davall d'un arbre.*

davallada davallades *nom f* Baixada.

davallar *v* Baixar: *Els excursionistes van davallar de la muntanya.*
Es conjuga com *cantar*.

davant *adv i prep* **1** Indica posició enfront d'algú o d'alguna cosa: *El bar que dic és davant mateix del teatre.* **2** Abans de, immediatament abans de: *Jo vaig davant la Maria.* **3** *La Dolors i en Ricard estaven asseguts davant per davant: donant-se la cara.* **4** En presència d'algú: *L'Ignasi va haver de declarar davant el jutge.* **5 davant davants** *nom m* **Part anterior d'una cosa:** *S'ha aixafat el davant del cotxe.*

davantal davantals *nom m* Peça de roba, de cuir, etc. que serveix per a protegir el vestit de cintura per avall o de pit per avall, a la cuina, a la carnisseria, a la peixateria, etc.: *Si vols ajudar-me a fer el dinar, posa't un davantal i així no t'embrutaràs el vestit.*

davanter davantera davanters davanteres **1** *adj* Que va o està situat al davant: *La part davantera de la casa dóna al carrer.* **2** *nom m i f* Jugador d'un equip de futbol, d'hoquei, etc. que juga a primera línia i que té sobretot la funció d'atacar.

de¹ d' *prep* **1** Indica el lloc d'on ve o d'on surt alguna cosa o algú: *Aquest tren ve de Terrassa.* ▪ *Encara no ha sortit de l'escola.* ▪ *Se sent olor de flors.* **2** Indica la causa o el motiu: *Tremolen de fred.* **3** Indica de qui o de què és una cosa: *La bicicleta d'en Manel.* ▪ *La porta de l'escola.* ▪ *Una ampolla de vidre.*

de² des *nom f* Nom de la lletra d D.

dea dees *nom f* Deessa.

deambular *v* Passejar, anar d'un lloc a un altre.
Es conjuga com *cantar.*

debades *adv* En va, inútilment: *Van provar moltes vegades de despenjar la pilota de la teulada, però va ser debades, perquè no van poder.*

debanadora debanadores *nom f* Aparell que gira i que serveix per a aguantar la madeixa de fil que es va debanant.

debanar *v* Anar prenent i enrotllant el fil d'una madeixa.
Es conjuga com *cantar.*

debat debats *nom m* Discussió o diàleg sobre un tema entre dues o més persones: *Avui farem un debat sobre si és millor anar de vacances a la platja o a la muntanya.*

debatre *v* **1** Discutir dues o més persones sobre un tema: *A l'assemblea de classe, van estar molta estona debatent sobre el problema de la neteja de l'aula.* **2** Remenar, batre: *Has de debatre els ous en un plat fins que quedi un líquid groc, si vols que la truita et surti bé.* **3 debatre's** Lluitar, fer esforços per

escapar-se: *El van agafar entre tres, però ell es debatia per escapar-se.*
Es conjuga com *perdre.*

dèbil dèbils *adj* Que no té força, feble: *Un senyor dèbil* ▪ *La malaltia el va deixar molt dèbil, sense forces.*

debilitar *v* Fer tornar dèbil, fer perdre la força a algú: *Aquesta feina tan pesada l'ha debilitat molt.*
Es conjuga com *cantar.*

debilitat debilitats *nom f* **1** Feblesa, manca de força: *La malaltia l'ha deixat en un estat de gran debilitat.* **2** Gran interès o inclinació que se sent per alguna cosa: *Té una gran debilitat pels pastissos.*

dèbit dèbits *nom m* **1** Allò que algú deu. **2** En un compte, suma de totes les quantitats que es deuen.

debò Paraula que apareix en l'expressió de debò, que vol dir "realment, seriosament, de veritat": *En Robert s'ha fet mal de debò.*

debut debuts *nom m* Primer cop que actua un actor, un cantant, que es presenta un espectacle, etc.

debutar *v* Fer el debut, presentar un espectacle per primer cop, actuar un artista per primer cop.
Es conjuga com *cantar.*

deca- Element amb què comencen algunes paraules i que vol dir "deu": *Un decàmetre és una unitat de mesura de longitud que equival a deu metres.* ▪ *Un vers decasíl·lab és un vers de deu síl·labes.*

deçà *adv i prep* A la banda on es troba la persona que parla respecte al lloc o a la cosa de què es parla: *Nosaltres som deçà la riera; els altres són dellà, a l'altra banda.*

dècada dècades *nom f* Període de deu anys: *De l'any 1900 al 1910 va ser la primera dècada del segle xx.*

decadència decadències *nom f* Procés lent de caiguda d'un imperi, de ruïna d'un país, etc: *La decadència de l'imperi romà.*

decadent decadents *adj* Que decau, que perd importància: *Una cultura decadent.*

decaïment decaïments *nom m* Estat de feblesa, de falta de forces o d'ànim.

decalatge decalatges *nom m* Distància o separació entre dues coses en el temps o en l'espai.

decàleg decàlegs *nom m* **1** Els deu manaments que Déu va donar a Moisès. **2** Conjunt de deu ordres, consells, manaments, etc.

decandir-se *v* Anar perdent força i salut: *Aquest nen s'ha decandit molt durant la malaltia.* Es conjuga com *servir.*

decantar *v* Inclinar cap a un costat, fer caure cap a un cantó: *Si decantes tant la galleda, se't vessarà l'aigua.* Es conjuga com *cantar.*

decapitar *v* Tallar el cap a una persona o a un animal. Es conjuga com *cantar.*

decaure *v* Perdre força, perdre importància: *Quan van haver marxat la meitat dels convidats, la festa va decaure molt.* Es conjuga com *caure.*

decebedor decebedora decebedors decebedores *adj* Que decep, que no és com ens pensàvem que seria: *L'actuació del cantant va ser decebedora, no ens va agradar gens, i això que ens pensàvem que seria tan bona!*

decebre *v* No ser una cosa com s'esperava que fos: *La pel·lícula ens va decebre molt, ens pensàvem que seria molt bona i no ho va ser gens.* Es conjuga com *perdre.* **Present d'indicatiu:** *decebo, deceps, decep, decebem, decebeu, deceben.*

decència decències *nom f* Qualitat de decent, honestedat, correcció.

decenni decennis *nom m* Període de temps de deu anys.

decent decents *adj* **1** Que no va contra allò que es consideren bons costums o bones maneres, que és honrat: *Un senyor decent.* **2** Que no hi falta res, que està bé: *Abans vivien en una barraca, però ara viuen en una casa decent.*

decepció decepcions *nom f* Disgust que produeix veure que una persona o una cosa no són com ens pensàvem que eren: *Tenia moltes ganes de veure aquell partit de futbol, però després de veure'l me'n vaig endur una decepció perquè tots dos equips van jugar molt malament.*

decibel decibels *nom m* Unitat de mesura de la intensitat dels sons.

decidir *v* Arribar a una idea sobre el que s'ha de fer, després de pensar molt sobre una cosa: *Al final vam decidir que era millor esperar-nos i no marxar fins que no parés de ploure.* Es conjuga com *servir.*

decidit decidida decidits decidides *adj* Que no dubta, que de seguida sap què s'ha de fer, que es decideix de seguida: *Un noi decidit.*

dècim dècima dècims dècimes *adj* **1** Cadascuna de les deu parts en què s'ha dividit un tot, desè: *La dècima part de 100 és 10.* **2** Que fa deu en una sèrie, que en té nou al davant, desè. **3** *nom m* Desena part d'un bitllet de loteria.

dècima dècimes *nom f* Cadascuna de les deu parts en què es divideix un grau de temperatura: *La petita de casa ahir tenia unes dècimes de febre.*

decimal decimals *nom m* Cadascuna de les xifres que formen la part no entera d'un nombre, i que s'escriuen després d'una coma: *El nombre 3.254,25 té dos decimals.*

decisió decisions *nom f* Idea, pensament sobre el que s'ha de fer, al qual s'arriba després de pensar molt sobre una cosa: *Al final, vam prendre la decisió de regalar-li un bolígraf.*

decisiu decisiva decisius decisives *adj* Que és important, que decideix: *Guanyar aquella batalla va ser decisiu per a guanyar la guerra.*

decisori decisòria decisoris decisòries *adj* Que decideix, que ajuda a decidir una cosa: *El partit d'avui és decisori, l'equip que guanyi obtindrà el campionat.*

declamar *v* Recitar un text marcant el sentit amb l'entonació i el gest: *L'actor va declamar el poema tan bé, que el públic es va emocionar.* Es conjuga com *cantar.*

declaració declaracions *nom f* Acció de declarar: *En la declaració feta davant la policia el detingut va reconèixer que era l'autor del robatori.*

declarar *v* **1** Dir algú allò que pensa, allò que ha fet, allò que vol o sent, etc.: *En Jordi ens va declarar que no li agrada anar a l'escola.* **2** Comunicar una cosa de manera seriosa, oficial: *Un país ha declarat la guerra a un altre país.* ■ *En el judici, van haver de declarar cinc testimonis.* **3** **declarar-se** Començar a manifestar-se una cosa: *S'ha declarat un incendi.* **4** Confessar algú els seus sentiments a la persona que estima: *En Miquel s'ha declarat a la Maria.* Es conjuga com *cantar.*

declinar v **1** Baixar, després d'haver aconseguit arribar al punt més alt: *La fama d'aquest actor comença a declinar.* **2** No acceptar, refusar una cosa: *Ens van convidar a la festa, però nosaltres vam declinar la invitació.* **3** Separar-se o desviar-se d'una direcció determinada.
Es conjuga com *cantar.*

declivi declivis nom m Pendent o inclinació d'un terreny: *Aquell carrer baixava en declivi suau fins a la plaça.*

decor decors nom m **1** Allò que serveix per a decorar un edifici, com les pintures. **2** Art de decorar els edificis.

decoració decoracions nom f Conjunt d'objectes, dibuixos, etc. que decoren un lloc o un objecte: *La decoració de la casa era molt bonica.*

decorador decoradora decoradors decoradores adj i nom m i f Es diu de la persona que té per ofici decorar cases, objectes, etc.

decorar v Adornar, guarnir amb objectes una habitació, un moble, etc.: *L'Aina ha decorat la seva habitació amb dibuixos i fotografies de motos.*
Es conjuga com *cantar.*

decorat decorats nom m Conjunt d'elements que serveixen per a ambientar l'escenari en una obra de teatre o en una pel·lícula: *Van haver de construir uns grans decorats per poder fer la pel·lícula de romans.*

decoratiu decorativa decoratius decoratives adj Que serveix per a decorar: *Els bibelots són petits objectes decoratius.*

decorós decorosa decorosos decoroses adj Que es comporta amb correcció, amb decòrum.

decòrum decòrums nom m Correcció i educació en el comportament: *Aquella senyora menja amb molt decòrum.*

decreixent decreixents adj **1** Que cada vegada es fa més petit. **2** Que disminueix, que decreix.

ordre
decreixent

decréixer v Disminuir a poc a poc: *En els últims anys està decreixent molt la població de la ciutat, molta gent se'n va a viure a altres llocs.*
Es conjuga com *créixer.*

decrèpit decrèpita decrèpits decrèpites adj Que ha perdut força o salut perquè s'ha fet vell.

decret decrets nom m Ordre, llei que fa una autoritat: *El rei va fer un decret que obligava tots els nois joves a anar a la guerra.*

decretar v Ordenar una cosa per decret: *El govern va decretar una reducció dels impostos.*
Es conjuga com *cantar.*

decúbit decúbits nom m Posició del cos quan s'està jaient, quan s'està completament estirat: *El metge va fer posar el malalt en posició de decúbit dorsal, és a dir, estirat de panxa enlaire.*

decurs decursos nom m Transcurs: *En el decurs de la discussió es van dir algunes coses interessants.*

dèdal dèdals nom m Laberint.

dedicació dedicacions nom f Acció de dedicar o de dedicar-se: *Aquesta mestra ja té trenta anys de dedicació a l'ensenyament.*

dedicar v **1** Fer una cosa en honor o en memòria d'algú, posar a un carrer el nom d'una persona important: *La ciutat va dedicar un monument i un carrer al gran pintor.* **2** Destinar molt temps, esforços, diners, etc. a una cosa: *Aquest noi es dedica a estudiar la vida dels ocells.* **3** Tenir una feina, una professió: *Aquell home es dedica a arreglar cotxes i té un petit taller.*
Es conjuga com *cantar.* S'escriu c davant de a, o, u i qu davant de e, i: *dedico, dediques.*

dedicatòria dedicatòries nom f Petit escrit o frase amb què algú dedica una cosa a algú altre: *En la primera pàgina del llibre hi ha una dedicatòria de l'autor que diu "Als meus pares".*

deducció deduccions nom f **1** Acció de deduir, de treure conseqüències d'un fet: *Com que el terra era moll, vam fer la deducció que havia plogut.* **2** Acció de restar una quantitat d'una altra.

deduir v **1** Treure conseqüències d'un fet: *Com que la casa era ben tancada i tenia els llums apagats, vaig deduir que en aquell moment no hi havia ningú.* **2** Restar una quantitat d'una altra.
Es conjuga com *reduir.*

deessa deesses *nom f* Déu de sexe femení: *Entre els antics grecs, Atena era la deessa de la saviesa i de la intel·ligència.*

defalliment defalliments *nom m* El fet de defallir, de perdre les forces o els ànims: *Després de tantes hores sense dormir ni menjar, li va venir un defalliment.*

defallir *v* Perdre les forces o els ànims: *Estàvem tan cansats de pujar, que vam estar a punt de defallir i de no arribar al cim de la muntanya.* Es conjuga com *servir.*

defecar *v* Expulsar els excrements del cos, cagar.
Es conjuga com *cantar.* S'escriu *c* davant de *a, o, u* i *qu* davant de *e, i: defeco, defeques.*

defecció defeccions *nom f* Acció d'abandonar una persona o una causa a la qual s'estava lligat per un acord, una obligació, etc.: *La manifestació va fracassar a causa de la defecció d'alguns sindicats que s'havien compromès a participar-hi.*

defecte defectes *nom m* Allò que falta en algú o en alguna cosa; imperfecció, allò que està malament en algú o en alguna cosa: *Aquest vestit està molt ben fet, però té un defecte, i és que no té cap butxaca.* ▪ *En Pep té el defecte de ser molt xerraire.* ▪ *Aquest bolígraf que he comprat té un defecte de fabricació i no escriu bé, l'hauré de tornar a la botiga.*

defectiu defectiva defectius defectives *adj* Que hi falta alguna cosa: *"Ploure" és un verb defectiu, perquè no es pot conjugar en totes les formes; així, per exemple, no es pot dir "jo ploc".*

defectuós defectuosa defectuosos defectuoses *adj* Es diu d'alguna cosa que té algun defecte o algun problema: *Aquest producte és defectuós, l'hem d'anar a canviar.*

defendre *v* Defensar.
Es conjuga com *aprendre.*

defenestrar *v* **1** Tirar algú o alguna cosa daltabaix d'una finestra. **2** Treure a algú d'un càrrec: *Han defenestrat el president de l'associació de veïns, i ja n'han elegit un de nou.*
Es conjuga com *cantar.*

defensa defenses *nom f* **1** Protecció contra alguna cosa: *Un bon abric és la millor defensa contra el fred.* **2** Acció de defensar algú o alguna cosa: *Tots els nois de la classe han sortit en defensa de l'Enric.* **3** *nom m i f* Jugador que en un equip de futbol, de bàsquet, etc. procura treure la pilota de l'àrea pròpia i que té sobretot la funció de defensar: *En Jaume és un defensa del nostre equip.*

defensar *v* **1** Ajudar i protegir algú en un perill, en una baralla, etc.: *L'Alba va defensar l'Ernest contra els qui volien atacar-lo.* **2** Explicar que algú no és culpable d'una cosa: *Han acusat en Pep d'haver robat els diners, però ell s'ha defensat molt bé.*
Es conjuga com *cantar.*

defensiu defensiva defensius defensives *adj* **1** Que serveix per a defensar-se: *L'escut i el casc són armes defensives.* **2 a la defensiva** En actitud de defensa: *Tenen por de ser atacats, per això sempre estan vigilant i a la defensiva.*

defensor defensora defensors defensores *adj i nom m i f* Es diu de la persona que defensa algú o alguna cosa: *El defensor de l'acusat va dir que era innocent.*

deferència deferències *nom f* Respecte, atenció o amabilitat especial que es té per algú: *El van tractar amb gran deferència.*

deficiència deficiències *nom f* Defecte, falta d'alguna cosa: *El professor va dir que el meu treball tenia moltes deficiències.*

deficient deficients *adj* **1** Que queda curt, que no arriba a on hauria d'arribar, que no és prou bo: *Té una salut molt deficient, sempre està malalt.* ▪ *Ha tret una nota deficient, molt baixa.* **2 deficient mental** Persona que té una capacitat intel·lectual inferior a la de la majoria de gent.

dèficit dèficits *nom m* **1** Diferència entre els diners que es deuen i els que es tenen: *Tinc mil euros i en dec mil cinc-cents; per tant, tinc un dèficit de cinc-cents euros.* **2** Cosa que hauríem de tenir i que ens falta: *Aquest nen té un dèficit de vitamines.*

definició definicions *nom f* **1** Explicació del significat d'una paraula, d'un concepte, etc.: *El diccionari és ple de definicions.* **2** Reproducció molt fidel i exacta d'una imatge o d'un so: *Un equip musical d'alta definició.*

definir *v* **1** Explicar breument i de la manera més exacta possible el significat d'una paraula, d'un concepte, etc. **2 definir-se** Dir l'opinió sobre una cosa: *L'August es va definir a favor de no dir res al mestre.*
Es conjuga com *servir.*

definit definida definits definides *adj* **1** Que té límits concrets, precisos: *Té idees clares i molt definides.* **2 article definit** Es diu dels articles *el, la, els, les.*

definitiu definitiva definitius definitives *adj* **1** Que posa fi a una cosa: *Al minut 45 de la segona part es va marcar el gol que va fer que el resultat definitiu fos tres a zero.* **2 En definitiva,** jo tenia raó: al capdavall, al final.

defora **1** *adv* i *prep* Fora: *Tots són defora la ciutat.* **2 defora defores** *nom m* Part exterior d'una cosa: *S'han de pintar els defores del cotxe.*

deformació deformacions *nom f* Acció de deformar: *El pas dels anys ha produït una deformació de l'estructura de la casa i per això ara sembla que estigui mig ensorrada.*

deformar *v* **1** Fer canviar la forma normal d'una cosa, espatllant-la: *El cop va deformar la pilota.* **2** Explicar una cosa d'una manera diferent de com va ser en realitat, dient mentides: *Aquell diari va deformar els fets.*
Es conjuga com *cantar.*

deforme deformes *adj* Que no té la forma habitual o normal.

deformitat deformitats *nom f* Qualitat de deforme; cosa que no té la forma habitual o normal.

defraudar *v* **1** Estafar diners, deixar de pagar impostos a l'estat. **2** No ser una persona o una cosa tan bona o tan bonica com s'esperava que fos: *El regal el va defraudar, es pensava que li regalarien una bicicleta i li van regalar una màquina d'escriure.*
Es conjuga com *cantar.*

defugir *v* Esquivar, evitar algú o alguna cosa: *Hi volíem parlar, però ell ens va defugir.*
Es conjuga com *dormir.* **Present d'indicatiu:** *defujo, defuges, defuig, defugim, defugiu, defugen.*

defunció defuncions *nom f* Mort d'una persona.

degà degana degans deganes *nom m* i *f* **1** El més antic dels membres d'una institució o d'un grup. **2** Persona que ha sigut elegida o designada per a dirigir una facultat universitària, una institució, etc.

degenerar *v* Convertir-se una persona o una cosa en dolenta o pitjor de com era: *Abans era bona persona, però ha anat degenerant fins a convertir-se en un individu poc de fiar.*
Es conjuga com *cantar.*

degenerat degenerada degenerats degenerades *adj* i *nom m* i *f* Es diu de la persona o de la cosa que ha degenerat, que ha empitjorat fins a convertir-se en una persona o una cosa dolenta.

deglució deglucions *nom f* Pas d'aliments des de la boca fins a l'estómac.

deglutir *v* Empassar-se els aliments.
Es conjuga com *servir.*

degollar *v* Tallar el coll a una persona o a un animal.
Es conjuga com *cantar.*

degotall degotalls *nom m* Lloc per on cau aigua de gota en gota.

degotar *v* Caure un líquid de gota en gota: *Havia plogut i l'aigua degotava de les fulles dels arbres.*
Es conjuga com *cantar.*

degotar

degoteig degoteigs o degotejos *nom m* Acció de degotar, de caure un líquid de gota en gota: *Se sentia el degoteig d'una aixeta mal tancada.*

degoter degoters *nom m* Gotera, forat o esquerda del sostre per on cau aigua.

degradació degradacions *nom f* Acció de degradar, de fer baixar de qualitat o de grau: *Els ecologistes critiquen la degradació del medi ambient.*

degradant degradants *adj* Que degrada, que fa baixar de qualitat o de grau: *Ha tingut un comportament degradant, és a dir, ha fet coses mal fetes que el degraden.*

degradar *v* Fer baixar de qualitat, de grau: *Al militar que va cometre el crim el van degradar i el van expulsar de l'exèrcit.*
Es conjuga com *cantar.*

degudament *adv* Tal com cal, correctament: *S'han de demanar les coses degudament, amb educació i sense cridar.*

degustació degustacions *nom f* **Acció de** degustar, de tastar un aliment o una beguda: *Ens han convidat a una degustació de vins i de formatges.*

degustar *v* Tastar un aliment per veure si té bon gust.
Es conjuga com *cantar.*

deïtat deïtats *nom f* Déu o deessa.

deix deixos *nom m* To de veu, manera de parlar que indica alguna cosa sobre qui parla: *Parlava amb un deix de superioritat.*

deixadesa deixadeses *nom f* Qualitat de deixat, brut, desordenat: *Hauries de corregir la teva deixadesa i procurar rentar-te, pentinar-te i canviar-te la roba més sovint.*

deixalla deixalles *nom f* **1** Allò que es llença perquè no es pot aprofitar, escombraries. **2** Allò que queda al plat després d'haver menjat, com ara ossos, peles de fruita, etc.: *Llença totes les deixalles a la bossa de les escombraries.*

deixant deixants *nom m* Marca que va deixant un vaixell a damunt de l'aigua; rastre de fum que un avió deixa en el cel.

deixar *v* **1** Parar de tenir alguna cosa, de portar-la damunt: *Duia el barret a la mà i el va deixar damunt el banc.* **2** Permetre; donar permís: *El seu pare el va deixar anar d'excursió.* **3** No continuar una cosa: *Hem deixat la carretera i hem seguit per un camí de carro.* **4** Fer que algú tingui alguna cosa durant un temps: *En Narcís m'ha deixat un disc.* **5** Donar una cosa com a herència: *Va morir el pare i va deixar tots els diners i les propietats als fills.* **6** No agafar, no tocar, no emportar-se una cosa: *Agafa els llibres, però deixa les revistes.* **7 deixar-se una cosa** Descuidar-se una cosa: *No puc obrir la porta perquè m'he deixat les claus.* **8 deixar-se** No arreglar-se, no cuidar-se: *Últimament aquest noi s'ha deixat molt, no es pentina, no es renta les dents i sempre va molt desmanegat.* **9 deixar córrer** Abandonar, deixar de fer una cosa, deixar de preocupar-se per una cosa: *Era tan difícil aconseguir entrades, que ho vam deixar córrer.* **10 deixar-se veure** Aparèixer en públic, presentar-se en un lloc, visitar: *Fa dies que no et deixes veure per aquí, què et passa?* **11 deixar de banda** No tenir en compte una cosa: *Deixant de banda aquest ventilador, que està espatllat, tots els altres aparells funcionen perfectament.* **12 deixar enrere** Passar algú, avançar-lo: *El nostre cotxe nou va més ràpid i deixa enrere tots els altres.* **13 deixar-hi la pell** Treballar molt en una cosa, arriscar-se molt en una cosa fins al punt de donar-hi la vida. **14 no deixar de petja** Anar darrere d'algú contínuament, seguir-lo contínuament. **15 no deixar viure** Molestar contínuament: *Aquest soroll no ens deixa viure.* **16 no deixar res per verd** Agafar-ho tot, sense deixar res: *S'ho ha endut tot, no ha deixat res per verd.*
Es conjuga com *cantar.*

deixat deixada deixats deixades *adj i nom m i f* Es diu de la persona que és desordenada i poc neta.

deixatar *v* Fer que un sòlid es converteixi en líquid a força de barrejar-lo amb un líquid i de remenar-lo: *Per fer una truita, primer s'ha de deixatar l'ou.*
Es conjuga com *cantar.*

deixeble deixebla deixebles *nom m i f* Persona que rep ensenyament d'un mestre; alumne.

deixondir *v* Despertar, sortir d'un estat d'ensopiment: *El soroll que fèiem va deixondir la Marta, que s'havia començat a adormir.*
Es conjuga com *servir.*

deixuplines *nom f pl* Instrument fet de cordes petites o de cadenes que serveix per a donar cops a algú.

dejorn *adv* D'hora, de bon matí.

dejú dejuna dejuns dejunes *adj* Que encara no ha menjat res des que s'ha llevat: *M'acabo de llevar i encara no he esmorzat, estic dejú.*

dejunar *v* No menjar o menjar molt poc durant un temps més o menys llarg.
Es conjuga com *cantar.*

dejuni dejunis *nom m* Acció de deixar de menjar voluntàriament durant un cert temps.

del dels Contracció de la preposició **de** i de l'article **el**.

delatar *v* Descobrir, denunciar, fer saber una cosa que ha fet algú: *Un lladre va robar un banc i ho va dir a un seu amic, però aquest el va delatar a la policia i el van agafar.*
Es conjuga com *cantar.*

delator delatora delators delatores *nom m i f* Persona que delata un fet, que explica un secret.

delectar v Proporcionar un plaer, fer-ho passar bé: *Els músics ens van delectar amb el seu art.* Es conjuga com *cantar.*

delegació delegacions nom f **1** Acció de delegar una cosa. **2** Conjunt de persones que representen algú: *El govern ha enviat una delegació en aquell país.*

delegar v Encarregar a una persona o a un grup de persones que ens representi davant d'algú: *Vam delegar tres companys nostres perquè anessin a queixar-se al director.* Es conjuga com *cantar.* S'escriu g davant de *a, o, u* i gu davant de *e, i: delego, delegues.*

delegat delegada delegats delegades adj i nom m i f Es diu de la persona a qui un grup de persones han elegit perquè els representi davant d'algú: *Els mestres van escoltar els delegats dels alumnes.*

deler delers nom m Desig molt fort d'una cosa: *Aquest nen té deler per l'aigua, li agrada molt de banyar-se.*

delerós delerosa delerosos deleroses adj Que té deler, desig molt fort d'una cosa: *Ens hi vam acostar, delerosos d'escoltar la seva història.*

delfí delfins nom m **1** Fill gran del rei de França, que havia de succeir-lo. **2** Persona que ha de succeir algú important en el càrrec que ocupa: *Diuen que aquell és el delfí del president de la companyia.*

deliberació deliberacions nom f Acció de deliberar, de pensar detingudament una decisió: *La deliberació del jurat va durar moltes hores, és a dir, van estar moltes hores a decidir el guanyador del concurs.*

deliberadament adv D'una manera deliberada, havent-ho pensat abans: *Algú ha espatllat el telèfon deliberadament.*

deliberar v Pensar detingudament una decisió, examinant les raons a favor i en contra de prendre-la: *Després de deliberar molta estona, van decidir d'ajornar el viatge.* Es conjuga com *cantar.*

deliberat deliberada deliberats deliberades adj Es diu d'una acció que ha estat pensada prèviament: *L'agressió no va ser involuntària sinó deliberada.*

delicadesa delicadeses nom f **1** Qualitat de delicat: *La delicadesa d'una flor.* **2** Acció delicada, detall o atenció especial envers algú: *Ha tingut la delicadesa de felicitar-me pel dia del meu sant i fer-me un regalet.*

delicat delicada delicats delicades adj Que és molt fi, molt fàcil d'espatllar o de fer malbé: *Una flor delicada.* ▪ *Una salut delicada.* ▪ *Una pell molt delicada.*

delícia delícies nom f Plaer, satisfacció que produeix una cosa bonica i agradable: *Sentir aquesta música és una delícia.*

deliciós deliciosa deliciosos delicioses adj Que produeix plaer o delícia, que és bo o gustós: *Quin sol que fa avui!, quin dia més deliciós.* ▪ *Un menjar deliciós.*

delicte delictes nom m Acció que va contra la llei: *Robar, matar, assassinar, etc. són delictes castigats per la llei.*

delictiu delictiva delictius delictives adj Que va contra la llei, que es considera un delicte: *Estava acusat de robatori i altres fets delictius.*

delimitar v Marcar els límits d'una cosa. Es conjuga com *cantar.*

delineant delineants nom m i f Persona que té per ofici dibuixar plans d'edificis o màquines seguint les idees d'un arquitecte o d'un enginyer.

delinear v Dibuixar el contorn d'una figura, traçar les línies d'una figura. Es conjuga com *canviar.*

delinqüència delinqüències nom f Qualitat de delinqüent, el fet de cometre delictes: *En aquest barri hi ha molta delinqüència, és a dir, s'hi cometen molts delictes, sobretot robatoris.*

delinqüent delinqüents nom m i f Persona que ha fet una cosa que va contra la llei, com ara un robatori o un assassinat: *Uns delinqüents van atracar el banc.*

delinquir v Cometre un delicte: *La persona detinguda havia delinquit diverses vegades anteriorment.* Es conjuga com *servir.*

delir-se v Tenir moltes ganes d'una cosa: *Em deleixo per beure una beguda fresca.* Es conjuga com *servir.*

delirar v Dir coses incoherents, que no s'entenen gaire, a causa de la febre, d'una malaltia, dels nervis. Es conjuga com *cantar.*

deliri deliris *nom m* Estat de confusió mental que fa dir a una persona coses sense sentit, produït per la febre, els nervis, etc.

delit delits *nom m* Plaer; gust fort que se sent quan es fa una cosa que agrada: *Menjava amb delit.*

dellà *adv* i *prep* A l'altra banda del lloc o de la cosa a què ens referim: *El fum sortia dellà la muntanya.*

delme delmes *nom m* Tipus d'impost que consistia a pagar a l'Església, al rei o al senyor feudal una desena part de la collita.

delta deltes *nom m* Espai de terres en forma de triangle que s'han dipositat a la desembocadura d'un riu: *El delta del riu Ebre és molt ric.*

delta

deltebrenc deltebrenca deltebrencs deltebrenques **1** *nom m* i *f* Habitant de Deltebre; persona natural o procedent de Deltebre. **2** *adj* Es diu de les persones o de les coses naturals o procedents de Deltebre.

deltoide deltoides *nom m* Múscul que uneix el braç a l'espatlla. **16**

demà *adv* **1** El dia que segueix l'avui: *Avui és dimarts, demà serà dimecres.* **2** *Els nostres amics no vindran fins demà passat:* el dia que fa dos després d'avui. **3** *Què vols ser el dia de demà?:* quan seràs gran, d'aquí a uns anys.

demacrat demacrada demacrats demacrades *adj* Molt prim i amb mal aspecte: *La llarga malaltia l'havia deixat demacrat.*

demagog demagoga demagogs demagogues *nom m* i *f* Polític que es guanya la simpatia del poble dient coses que agraden de sentir a la gent, però que no són veritat: *Aquest polític és un demagog, ha promès que si sortia elegit trauria tots els impostos, i tothom sap que això és impossible.*

demanar *v* **1** Sol·licitar, intentar aconseguir alguna cosa d'algú: *Vaig demanar cinquanta cèntims a la mare per comprar una llibreta nova.*

2 Preguntar: *Va demanar com s'anava al pavelló d'esports.* **3** Tenir necessitat de parlar, de veure algú: *Meritxell, la teva mare et demana, vol que hi vagis.* **4** *La terra demana pluja:* necessita pluja. **5** **demanar la mà** Demanar de casar-se amb una noia: *El príncep va demanar la mà de la princesa als seus pares.*
Es conjuga com *cantar.*

demanda demandes *nom f* **1** Acció de demanar a algú una cosa que es vol obtenir. **2** Escrit que es presenta en un jutjat per demanar que algú sigui obligat a tornar-nos el que ens deu o ens ha pres, o que sigui castigat per un perjudici o una ofensa que ens ha fet. **3** Conjunt de productes que volen adquirir els compradors: *Actualment hi ha molta demanda d'ordinadors.*

demandar *v* **1** Presentar una demanda a algú. **2** Demanar en un judici que algú sigui obligat per la justícia a tornar-nos el que ens deu o ens ha pres: *Va demandar el seu veí perquè deia que li havia pres un tros de terreny.*
Es conjuga com *cantar.*

demarcació demarcacions *nom f* **1** Territori que té uns límits marcats: *Una diòcesi és la demarcació en què té autoritat un bisbe.* **2** Acció de demarcar, de separar: *Hem de fer la demarcació del que ha de fer cada un de nosaltres.*

demarcar *v* Assenyalar els límits d'un territori, d'una responsabilitat, etc.: *Finalment s'han demarcat les fronteres entre els dos països.*
Es conjuga com *cantar.* S'escriu *c* davant de *a, o, u* i *qu* davant de *e, i: demarco, demarques.*

demència demències *nom f* Bogeria.

dement dements *adj* i *nom m* i *f* Boig.

demo- dem- Element amb què comencen algunes paraules i que vol dir "poble": *La democràcia és el sistema polític en què els parlaments i els governs són elegits pel poble.*

democràcia democràcies *nom f* Sistema polític en què els parlaments i els governs són elegits pel poble, i en què hi ha llibertat per a expressar les idees, per a associar-se en partits polítics i per a manifestar-se.

demòcrata demòcrates *adj* i *nom m* i *f* Es diu de la persona que està a favor de la democràcia.

democràtic democràtica democràtics democràtiques *adj* Que està relacionat amb la democràcia: *Farem una elecció democràtica i elegirem els nostres representants.*

demografia demografies *nom f* Ciència que estudia la població: *La demografia estudia l'evolució de la població d'un país: la gent que mor, la gent que neix, la gent que hi va a viure i la que se'n va a viure a altres països.*

demogràfic demogràfica demogràfics demogràfiques *adj* Que està relacionat amb la demografia o amb la població: *En els últims vint anys hi ha hagut un important creixement demogràfic de la ciutat, és a dir, ha augmentat molt el nombre d'habitants de la ciutat.*

demolir *v* Aterrar un edifici, enderrocar una construcció.
Es conjuga com *servir.*

demoníac demoníaca demoníacs demoníaques *adj* Que està relacionat amb el dimoni, que sembla propi del dimoni: *Aquell criminal tenia una ment demoníaca.*

demora demores *nom f* Retard: *Hi va haver una demora, l'acte va començar més tard.*

demostració demostracions *nom f* Acció de demostrar una cosa; explicació que demostra una cosa.

demostrar *v* **1** Fer veure que una cosa és veritat: *Va demostrar que ell tenia raó.* **2** Ensenyar, deixar veure, mostrar una cosa: *Va fer un gran crit i un gran salt per demostrar la seva alegria.*
Es conjuga com *cantar.*

demostratiu demostrativa demostratius demostratives *adj* **1** Que demostra. **2** Es diu dels adjectius i dels pronoms que serveixen per a situar en el temps i en l'espai: *En la frase "aquest llibre és d'aquella nena", les paraules "aquest" i "aquella" són adjectius demostratius.*

dempeus *adv* Dret: *Vam estar una hora dempeus sense poder seure.* ▪ *El soldat que feia guàrdia estava immòbil i dempeus.*

denegar *v* No concedir allò que algú ha demanat: *Va demanar permís per sortir de classe, però el professor l'hi va denegar.*
Es conjuga com *cantar.* S'escriu g davant de *a, o, u* i gu davant de *e, i:* denego, denegues.

denigrar *v* Dir mal d'algú o d'alguna cosa perquè la gent en tingui una mala opinió.
Es conjuga com *cantar.*

denominació denominacions *nom f* **1** Acció de denominar, de donar nom a una persona o a una cosa. **2** Nom que es dóna a algú o a alguna cosa. **3 denominació d'origen** Distinció de qualitat que es dóna a un producte originari d'una zona determinada: *Els vins del Priorat tenen denominació d'origen.*

denominador denominadors *nom m* Nombre escrit sota la barra d'una fracció o trencat i que expressa el nombre de parts en què es pot dividir la unitat: *El denominador de la fracció 6/2 és 2.*

denominar *v* Donar un nom a una persona o a una cosa: *A aquella muntanya, se la denomina el "Pedraforca".*
Es conjuga com *cantar.*

denotar *v* Indicar una cosa: *L'expressió de la seva cara denotava alegria pel triomf.*
Es conjuga com *cantar.*

denou denous *nom m i adj* Dinou.

dens densa densos denses *adj* **1** Espès, compacte, que hi ha molta matèria en poc espai: *Un bosc molt espès, molt dens, que té molts arbres i molt junts.* ▪ *Un fum dens.* **2** Pesant: *El plom és un material dens.* **3** Que conté molta cosa, molta matèria: *Un llibre dens.*

densitat densitats *nom f* Espessor: *La gran densitat de la boira no ens deixa veure la ratlla de la carretera.*

dent dents *nom f* **1** Cadascun dels ossos blancs de la boca que serveixen per a tallar i rosegar els aliments; alguns animals les utilitzen per a defensar-se. 15 **2** Part d'un objecte que fa pensar en dents: *Alguns ganivets tenen la fulla dentada, amb dents.* **3 dent de llet** Cadascuna de les dents que surten primer en els infants i en els animals petits i que després cauen i són substituïdes per les dents definitives. **4 anar armat fins a les dents** Portar moltes armes al damunt, anar molt ben armat. **5 ensenyar les dents** Plantar cara, enfrontar-se a algú.

dents

dentada dentades *nom f* Mossegada, cop de dents: *El gos em va clavar una dentada al braç.*

dentadura dentadures *nom f* Conjunt de les dents d'una persona o d'un animal.

 dentadura

dental dentals *adj* Que està relacionat amb les dents: *La higiene dental és molt important per a la salut.*

dentat dentada dentats dentades **1** *adj* Que té dents: *La ganiveta de tallar el pa té la fulla dentada.* **2** *nom m* Conjunt de les dents.

denteta Paraula que apareix en l'expressió **fer denteta**, que vol dir "fer enveja a algú": *Es va posar a menjar el gelat davant nostre només per fer-nos denteta.* ▪ *Va fer un petó a la noia a davant de tothom per fer denteta al seu amic.*

dentició denticions *nom f* Procés de formació i d'aparició de les dents en una persona o en un animal.

dentífric dentífrica dentífrics dentífriques *adj* i *nom m* Dentifrici.

dentifrici dentifrícia dentifricis dentifrícies *adj* i *nom m* Es diu de les substàncies que es fan servir per a netejar les dents: *Hem comprat un tub de pasta dentifrícia.*

dentista dentistes *nom m* i *f* Persona que té per ofici tractar malalties dentals i posar dents postisses; metge de les dents: *L'Eulàlia ha anat a cal dentista perquè li tragués un queixal que li feia mal.*

denúncia denúncies *nom f* **1** Acció de denunciar. **2** Escrit en què es denuncia algú o alguna cosa: *Van anar a la policia a presentar una denúncia per robatori.*

denunciar *v* Fer conèixer un delicte, una injustícia a la policia, a les autoritats, a l'opinió pública, etc.: *Li van robar el cotxe i ho va anar a denunciar a la policia.*
Es conjuga com *canviar.*

departament departaments *nom m* Cadascuna de les parts en què està dividida una oficina, una botiga, una empresa, un govern, etc. i que s'encarrega de fer una tasca determinada: *L'Helena i l'Antoni treballen a la mateixa*

empresa, ella al departament de publicitat i ell al de vendes.

depauperar *v* Empobrir, fer tornar pobre: *Els llargs anys de guerra han depauperat el país.*
Es conjuga com *cantar.*

dependència dependències *nom f* **1** Lloc, habitació, etc. que forma part d'un edifici: *Les dependències de l'escola.* **2** El fet de dependre una cosa d'una altra: *L'escola pública catalana està sota la dependència de la Generalitat.*

dependent[1] dependenta dependents dependentes *nom m* i *f* Persona que té per ofici vendre en una botiga o en un comerç: *El dependent de la pastisseria ens ha tornat malament el canvi.*

dependent[2] dependents *adj* Es diu d'una persona o d'una cosa que depèn d'una altra.

dependre *v* **1** Estar una cosa relacionada amb una altra: *El que farem demà depèn del temps: si plou, ens quedarem a casa; si fa sol, anirem a passeig.* **2** Estar una persona o una cosa sota el poder d'una altra: *La policia municipal depèn de l'ajuntament.*
Es conjuga com *aprendre.*

depilar *v* Arrencar el pèl o fer-lo caure: *Les noies se solen depilar les cames.*
Es conjuga com *cantar.*

deplorable deplorables *adj* Es diu d'una cosa que fa pena, lamentable.

deplorar *v* Saber molt greu una cosa, sentir molta pena: *Tothom va deplorar la mort de l'esportista.*
Es conjuga com *cantar.*

deport deports *nom m* Activitat d'esbarjo que es fa a l'aire lliure.

deportació deportacions *nom f* Acció de deportar, càstig que consisteix a desterrar algú, a portar-lo a la força a un altre país.

deportar *v* Castigar algú desterrant-lo a un altre país: *El van expulsar del país i el van deportar a una illa llunyana.*
Es conjuga com *cantar.*

deposar *v* Abandonar una cosa, deixar de fer una cosa: *L'exèrcit va derrotar els rebels i els va obligar a deposar les armes, és a dir, a abandonar la lluita.*
Es conjuga com *cantar.*

depòsit depòsits *nom m* Dipòsit.

depravat depravada depravats depravades *adj* Es diu de la persona que fa coses molt dolentes.

depreciar *v* Rebaixar el preu o el valor d'una cosa.
Es conjuga com *canviar*.

depredador depredadora depredadors depredadores *adj i nom m i f* Es diu de l'animal que mata altres animals per alimentar-se: *El lleó és un animal depredador*.

depredar *v* **1** Robar, saquejar. **2** Malgastar.
Es conjuga com *cantar*.

depressió depressions *nom f* **1** Tros de terra que està a un nivell més baix que les terres que l'envolten: *Una depressió del terreny*. **2** Estat de tristesa i de desànim: *La desgràcia li va produir una forta depressió*. **3** depressió atmosfèrica Nucli de baixes pressions que pot provocar tempestes i pluges.

depressiu depressiva depressius depressives *adj* Que produeix depressió o que tendeix a deprimir-se: *Una persona depressiva, que s'enfonsa per qualsevol petit problema*.

depriment depriments *adj* Que deprimeix, que fa posar trist: *L'espectacle de la inundació era depriment*.

deprimir *v* **1** Produir un enfonsament en una superfície. **2** Produir una depressió, causar tristesa, desànim, etc.: *Els dies plujosos el deprimeixen*.
Es conjuga com *servir*.

depuradora depuradores *nom f* Màquina o instal·lació que serveix per a netejar i per a depurar l'aigua contaminada.

depurar *v* Netejar, treure les brutícies d'una cosa: *Han depurat l'aigua del riu*.
Es conjuga com *cantar*.

derbi derbis *nom m* Partit important entre dos equips rivals de la mateixa ciutat o país.

dèria dèries *nom f* Idea fixa que té una persona: *En Francesc té la dèria dels cotxes, i en coneix totes les marques i tots els models*.

deriva derives *nom f* **1** Desviació en el comportament normal d'un fenomen. **2** anar a la deriva Anar sense control: *El vaixell anava a la deriva empès per la força dels corrents marins*.

derivar *v* Tenir una cosa l'origen en una altra, provenir-ne: *El català, el portuguès, el castellà, l'italià i el francès són llengües que deriven de la* llengua llatina. ■ *La paraula "visitant" deriva de "visita"*.
Es conjuga com *cantar*.

derivat derivada derivats derivades **1** *adj* Es diu d'una cosa que ve d'una altra: *El formatge i la mantega són productes derivats de la llet*. **2** *adj i nom m* Es diu de la paraula que ve d'una altra: *La paraula "forner" és un derivat de "forn"*.

dermato- dermat- dermo- derm- Element amb què comencen algunes paraules i que vol dir "pell": *Una dermatòloga és una metgessa especialista en les malalties de la pell*.

dermatòleg dermatòloga dermatòlegs dermatòlogues *nom m i f* Metge especialista que tracta les malalties de la pell.

derogar *v* Anul·lar una llei canviant-la per una altra de nova.
Es conjuga com *cantar*. S'escriu g davant de *a, o, u* i gu davant de *e, i: derogo, derogues*.

derrapar *v* Patinar les rodes d'un vehicle per l'excés de velocitat, per culpa de la humitat del terra, etc.
Es conjuga com *cantar*.

derrota derrotes *nom f* El fet de ser guanyat o vençut: *La derrota del nostre equip va ser total: ens van guanyar per 6 a 0*.

derrotar *v* Causar una derrota: *L'exèrcit va derrotar els invasors*.
Es conjuga com *cantar*.

derrotista derrotistes *adj i nom m i f* Es diu d'una persona que pensa que les coses aniran malament: *Tothom es pensava que guanyaríem el partit menys en Llorenç, que és un derrotista i deia que perdríem*.

derruir *v* Enderrocar un edifici.
Es conjuga com *reduir*.

des des de *prep* Indica un punt de partida en el temps o en l'espai: *Va ploure des de dilluns fins a dijous*. ■ *Des que la va conèixer, sempre està molt content*. ■ *Vaig estudiar alguns anys en aquella escola, des del 1990 fins al 1995*. ■ *Han anat des de Barcelona fins a Tona amb bicicleta*.

des- Prefix, element que s'afegeix al davant d'una paraula i que vol dir "fer el contrari": *"Desfer", "despentinar" i "desabrigar" volen dir el contrari de "fer", "pentinar" i "abrigar"*.

desabrigat desabrigada desabrigats desabrigades *adj* Poc abrigat, amb poca roba.

221

desacatar v No tenir respecte a una llei o a una autoritat, no acceptar una llei o una autoritat.
Es conjuga com *cantar*.

desaconsellar v Aconsellar a algú que no faci una cosa: *El metge li va desaconsellar que sortís de casa.*
Es conjuga com *cantar*.

desacord desacords *nom m* El fet de no haver-hi acord, de no estar d'acord en una cosa.

desacostumar v Fer perdre un costum a algú: *T'has de desacostumar de llevar-te tan tard.*
Es conjuga com *cantar*.

desacostumat desacostumada desacostumats desacostumades *adj* Que no és habitual, que no passa sovint: *El vent bufava amb una força desacostumada.*

desacreditar v Fer perdre el prestigi d'algú o la bona opinió que es té d'algú: *Per desacreditar-lo, deien que era un gandul.*
Es conjuga com *cantar*.

desactivar v 1 Fer que deixi de funcionar o d'estar activa una cosa: *El mecanisme es desactiva pitjant aquest botó.* 2 Desmuntar el mecanisme d'una bomba per evitar que exploti: *La policia va poder desactivar la bomba.*
Es conjuga com *cantar*.

desaferrar v Separar algú o alguna cosa d'allò a què està aferrat o agafat: *El nen petit s'havia agafat a la seva mare i va costar que se'n desaferrés, però al final va entrar a l'escola.*
Es conjuga com *cantar*.

desafiar v Provocar algú perquè accepti una lluita o una competició: *Et desafio a córrer, a veure qui arriba primer a aquell arbre.*
Es conjuga com *canviar*.

desafinar v No tocar o no cantar bé una peça musical: *Aquest músic desafina molt.*
Es conjuga com *cantar*.

desafinat desafinada desafinats desafinades *adj* Es diu de l'instrument que no fa bona música, i que s'ha d'ajustar.

desaforat desaforada desaforats desaforades *adj* Boig, desmesurat, exagerat: *Quan li vam dir que s'havia equivocat, es va enfadar molt i es va posar a cridar d'una manera desaforada.*

desafortunat desafortunada desafortunats desafortunades *adj* Desgraciat, que no té sort: *Un accident desafortunat.*

desagradable desagradables *adj* Que no agrada gens, que no és gens agradable: *Un lloc desagradable.* ▪ *Una persona mal educada i desagradable.*

desagradar v No agradar: *Em desagrada que facis aquests crits.*
Es conjuga com *cantar*.

desagraït desagraïda desagraïts desagraïdes *adj i nom m i f* Malagraït, que no agraeix les coses: *Li vaig fer un favor i encara no m'ha dit ni gràcies, és un desagraït.*

desajust desajusts o desajustos *nom m* Falta d'ajust entre dues peces, entre dues coses, entre dues persones: *La màquina s'ha espatllat perquè s'ha produït un desajust en un dels mecanismes.*

desallotjar v Treure una persona o una cosa del lloc on s'està: *A causa de l'incendi van haver de desallotjar tots els malalts de l'hospital.*
Es conjuga com *cantar*. S'escriu *j* davant de *a, o, u* i *g* davant de *e, i*: *desallotjo, desallotges.*

desamor desamors *nom m o f* Falta d'amor: *És molt trist que hi hagi desamor entre germans.*

desànim desànims *nom m* Falta d'ànim, de força o de ganes de fer una cosa: *El fracàs li va produir un gran desànim.*

desanimar v Fer perdre les ganes d'una cosa, fer perdre els ànims: *Com que sempre perdia, es va desanimar i va plegar de jugar a escacs.*
Es conjuga com *cantar*.

desaparèixer v 1 Deixar de veure's una cosa: *Miràvem el globus fins que va desaparèixer enmig del cel.* 2 Perdre's una cosa: *M'ha desaparegut el llapis.* 3 Anar-se'n d'un lloc: *A mitja reunió, vaig desaparèixer i em sembla que ningú no se'n va adonar.*
Es conjuga com *conèixer*.

desaparellar v Separar una parella o un parell de persones o coses: *Els balladors s'aparellaven i es desaparellaven seguint la música.*
Es conjuga com *cantar*.

desaparició desaparicions *nom f* Acció de desaparèixer: *Ningú no s'explica encara la desaparició dels diners que hi havia a la caixa forta.*

desapercebut desapercebuda desapercebuts desapercebudes *adj* Enmig de tanta gent el lladre va passar desapercebut i es va poder escapar: **sense que ningú no se n'adoni.**

desaprensiu desaprensiva desaprensius desaprensives adj i nom m i f Es diu de la persona dolenta, sense escrúpols, a qui no fa res de cometre un delicte o de perjudicar algú.

desaprofitar v No aprofitar, no utilitzar una cosa amb profit: *Ha desaprofitat el temps que tenia per a estudiar i ara no aprovarà l'examen.* Es conjuga com *cantar.*

desaprovar v Trobar malament o mal feta una cosa: *Tothom va desaprovar que jo hagués dit aquella mentida.* Es conjuga com *cantar.*

desar v Posar una cosa en un lloc per tenir-la-hi guardada: *Quan comença l'estiu, la mare desa la roba d'hivern.* Es conjuga com *cantar.*

desarmar v Prendre les armes a algú. Es conjuga com *cantar.*

desarrelat desarrelada desarrelats desarrelades adj Que ha perdut les arrels, que està separat del seu país d'origen o de la seva família: *És un individu desarrelat, que va marxar del seu país i ha viscut a molts llocs i no s'ha quedat en cap.*

desarticular v Desorganitzar, desmuntar: *La policia va desarticular un grup que preparava un atemptat.* Es conjuga com *cantar.*

desassossec desassossecs nom m Falta de tranquil·litat: *La notícia de l'accident de l'autocar va causar un gran desassossec entre els familiars dels viatgers.*

desastre desastres nom m Desgràcia greu, fracàs: *La inundació ha provocat un gran desastre en l'agricultura de la comarca.* ▪ *La pel·lícula ha sigut un desastre, no ha agradat a ningú.*

desastrós desastrosa desastrosos desastroses adj Que és un desastre, que provoca un desastre.

desatendre v No fer la feina que s'ha de fer, no atendre o no ajudar una persona: *El van acusar de ser un gandul i de desatendre les seves obligacions.* Es conjuga com *pretendre.*

desavantatge desavantatges nom m Cosa desfavorable: *Viure en un poble petit té alguns desavantatges, perquè no hi ha tants llocs per a divertir-se com a la ciutat.*

desavesar v Desacostumar: *Molta gent es vol desavesar de fumar.* Es conjuga com *cantar.*

desballestar v Desmuntar una màquina, separar les parts d'un vehicle vell per aprofitar-ne les peces o els materials: *Aquí desballesten els cotxes vells i en separen les peces aprofitables i el material que pot tornar a ser utilitzat.* Es conjuga com *cantar.*

desbancar v Fer perdre a algú el lloc o el càrrec que té per ocupar-lo nosaltres: *Va aconseguir desbancar l'antic director de l'empresa i ara és ell el qui ocupa el càrrec.* Es conjuga com *cantar.* S'escriu c davant de a, o, u i qu davant de e, i: desbanco, desbanques.

desbandada desbandades nom f Acció de separar-se desordenadament un grup de persones o d'animals: *Quan el caçador va tirar el primer tret, hi va haver una gran desbandada d'ocells.*

desbarat desbarats nom m Disbarat.

desbaratar v Desfer, desorganitzar una cosa: *La policia va poder desbaratar un pla per a segrestar el director d'un gran banc.* Es conjuga com *cantar.*

desbarrar v 1 Treure la barra que serveix per a mantenir tancada una porta o una finestra. 2 Dir bestieses, disbarats, dir coses exagerades o inconvenients. Es conjuga com *cantar.*

desbocar-se v Posar-se a córrer un cavall sense que se'l pugui controlar: *Quan van sentir el soroll de la canonada, els cavalls es van desbocar.* Es conjuga com *cantar.* S'escriu c davant de a, o, u i qu davant de e, i: es desboca, es desboqui.

desbordar-se v Vessar-se l'aigua d'un riu o d'un torrent per damunt de les vores: *Ha plogut tant, que el riu s'ha desbordat i ha inundat alguns pobles.* Es conjuga com *cantar.*

descabdellar v Desenrotllar el fil d'un cabdell. Es conjuga com *cantar.*

descafeïnat descafeïnada descafeïnats descafeïnades adj 1 Es diu d'una substància de la qual s'ha tret la cafeïna: *Un cafè descafeïnat.* 2 Es diu d'una cosa de la qual s'ha tret una part important; es diu d'una cosa que és una imitació dolenta d'una altra: *Ens van publicar la novel·la, però ens hi van fer canviar tantes coses que va quedar descafeïnada, és a dir, molt diferent de com era en un principi.*

descalç descalça descalços descalces *adj* Amb els peus nus, sense sabates: *Als infants, els agrada molt de treure's les sabates i anar descalços.*

descalçar *v* Treure les sabates: *La mare va descalçar el nen per travessar el riu.*
Es conjuga com *cantar*. S'escriu ç davant de *a, o, u* i c davant de *e, i: descalço, descalces.*

descamisat descamisada descamisats descamisades *adj* i *nom m* i *f* **1** Es diu de la persona que és molt pobra. **2** Es diu de la persona que porta la camisa o la roba mal posada.

descampat descampats *nom m* Terreny sense cases ni conreus: *Vam sortir de la ciutat i vam arribar a un descampat on hi havia un abocador de deixalles.*

descans descansos *nom m* Acció de descansar, de reposar: *Després de tres hores de caminar, vam fer un breu descans i vam menjar una mica.*

descansar *v* **1** Reposar, fer passar el cansament: *Tinc ganes d'arribar a casa, seure en una cadira i descansar.* **2** Dormir, reposar dormint: *Bona nit, que descansis bé!*
Es conjuga com *cantar*.

descanviar *v* Donar una moneda o un bitllet i rebre a canvi el seu valor en monedes o bitllets més petits: *Em vol descanviar aquest bitllet de cent euros per deu bitllets de deu euros?*
Es conjuga com *canviar*.

descapotable descapotables *adj* i *nom m* Es diu del vehicle que té la capota plegable.

cotxe descapotable

descarat descarada descarats descarades *adj* i *nom m* i *f* Que és mal educat, que s'atreveix a dir coses que li hauria de fer vergonya de dir: *El pare li va dir "què fas?" i el fill, que és un descarat, li va dir: "no n'has de fer res!"*

descargolar *v* Treure un cargol: *Les peces de la taula anaven collades amb cargols i, per desmuntar-la, els vam haver de descargolar amb un tornavís.*
Es conjuga com *cantar*.

descarnat descarnada descarnats descarnades *adj* **1** Que no té carn, molt prim: *El malalt tenia la cara descarnada.* **2** Sense detalls ni comentaris que ho facin més suau: *L'acusador va fer una explicació descarnada de com s'havia dut a terme el crim.*

descàrrec descàrrecs *nom m* Acció de treure's de sobre una responsabilitat, una culpa, una acusació: *Un testimoni va declarar en descàrrec de l'acusat, és a dir, a favor de l'acusat.*

descàrrega descàrregues *nom f* **1** Acció de descarregar: *Han començat la descàrrega del camió.* **2** Explosió d'una arma de foc quan dispara: *Vam sentir les descàrregues de les escopetes dels caçadors.*

descarregador descarregadora descarregadors descarregadores *nom m* i *f* Persona que té per ofici descarregar mercaderies en un port, en una estació, etc.

descarregar *v* Treure una càrrega d'un camió, d'un tren, d'un vaixell, etc.: *Dissabte vaig ajudar el pare a descarregar llenya del camió.*
Es conjuga com *cantar*. S'escriu g davant de *a, o, u* i gu davant de *e, i: descarrego, descarregues.*

descarrilament descarrilaments *nom m* Acció de descarrilar: *El descarrilament del tren va causar moltes víctimes.*

descarrilar *v* Sortir les rodes d'un tren dels carrils per on circula.
Es conjuga com *cantar*.

descartar *v* Excloure, apartar una cosa d'un conjunt; no tenir en compte una cosa: *La policia descarta la hipòtesi que el crim fos obra d'un criminal sol i pensa que va ser obra d'un grup.*
Es conjuga com *cantar*.

descavalcar *v* Baixar del cavall.
Es conjuga com *cantar*. S'escriu c davant de *a, o, u* i qu davant de *e, i: descavalco, descavalques.*

descendència descendències *nom f* Conjunt de les persones que descendeixen d'algú: *Aquell matrimoni va tenir molta descendència, molts fills, filles, néts i nétes.*

descendent descendents 1 *adj* Que baixa, que descendeix: *Un camí descendent.* 2 *nom m* i *f* Persona que descendeix o prové d'una altra: *Aquest avi té molts descendents, molts fills i néts.*

descendir *v* 1 Baixar. 2 Venir d'algú, d'alguna cosa: *La llengua catalana descendeix del llatí.* Es conjuga com *servir.*

descens descensos *nom m* Baixada.

descentralitzar *v* Repartir el sistema de govern per tot el territori d'un país, de manera que no quedi tot concentrat en el centre o en la capital. Es conjuga com *cantar.*

descentrat descentrada descentrats descentrades *adj* 1 Tret o sortit del centre: *Col·loca bé aquest quadre, que està descentrat.* 2 Es diu d'algú que no està adaptat a un ambient, que està despistat: *A la festa hi havia molta gent que no coneixia i per això em trobava una mica descentrat.*

desclavar *v* Fer que una cosa deixi d'estar clavada, treure els claus: *Va desclavar la tapa de la caixa.* Es conjuga com *cantar.*

descloure *v* Obrir: *Quan es desclogui la poncella, sortirà una flor bonica.* Es conjuga com *concloure.* **Participi:** desclòs, desclosa.

descoberta descobertes *nom f* Acció de descobrir una cosa, un territori desconegut, etc.: *La descoberta d'Amèrica va ser obra de Cristòfor Colom.*

descobridor descobridora descobridors descobridores *adj* i *nom m* i *f* Es diu de la persona que descobreix alguna cosa: *Cristòfor Colom va ser el descobridor d'Amèrica.*

descobriment descobriments *nom m* El fet de descobrir, allò que es descobreix: *El descobriment d'Amèrica va ser l'any 1492.*

descobrir *v* 1 Trobar algú o alguna cosa després de buscar-la: *La policia va descobrir qui eren els lladres que havien robat les joies del museu.* 2 Inventar: *Edison va descobrir la bombeta elèctrica.* 3 Treure allò que cobria una cosa: *Avui han inaugurat i descobert la nova estàtua.* Es conjuga com *servir.* **Participi:** descobert, descoberta.

descodificar *v* Interpretar un missatge, desxifrar uns signes: *Les instruccions estaven escrites en clau i les vam haver de descodificar.* Es conjuga com *cantar.* S'escriu c davant de *a, o, u* i qu davant de *e, i*: *descodifico, descodifiques.*

descolgar *v* Desenterrar una cosa que estava colgada. Es conjuga com *cantar.* S'escriu g davant de *a, o, u* i gu davant de *e, i*: *descolgo, descolgues.*

descolgar

descollar *v* Descargolar, afluixar una cosa, fer que una cosa deixi d'estar collada: *Descolla la roda de la bicicleta, que la traurem i la canviarem per una de nova.* Es conjuga com *cantar.*

descol·locar *v* Treure una cosa del lloc on estava col·locada. Es conjuga com *cantar.* S'escriu c davant de *a, o, u* i qu davant de *e, i*: *descol·loco, descol·loques.*

descolorir *v* Fer perdre el color a alguna cosa: *El sol ha descolorit la tovallola de platja.* Es conjuga com *servir.*

descolorit descolorida descolorits descolorides *adj* Que ha perdut el color: *Portava un jersei vell i descolorit.*

descompartir *v* Separar dues o més persones que es barallen: *La mestra va haver de descompartir dues nenes que s'estaven pegant i esgarrapant.* Es conjuga com *servir.*

descompondre *v* 1 Separar els components o les peces d'una cosa: *Va descompondre el trencaclosques.* 2 **descompondre's** Espatllar-se, fer-se malbé, podrir-se: *El menjar que vam deixar fora de la nevera s'ha descompost.* 3 Perdre la calma, la serenitat, posar-se molt nerviós. Es conjuga com *confondre.* **Participi:** descompost, descomposta.

descomposició descomposicions *nom f* Acció de descompondre o de descompondre's, de fer-se malbé, de podrir-se: *La descomposició dels cadàvers.*

descompost descomposta descompostos descompostes *adj* Que ha perdut la calma o la serenitat, que s'ha posat molt nerviós: *Quan va saber la notícia de la desgràcia, va quedar descompost.*

descomptar *v* **1** Rebaixar, treure una part d'un compte, d'una quantitat: *Si pagues de seguida, et descomptarem un euro, i en lloc de sis en pagaràs cinc.* **2** *Per descomptat* que vindré!: no ho dubtis, segur que vindré. **3** descomptar-se Equivocar-se fent un càlcul, una suma, etc.: *He de tornar a començar a comptar, perquè m'he distret i m'he descomptat.* Es conjuga com *cantar.*

descompte descomptes *nom m* Quantitat de diners que es rebaixa d'una quantitat, d'un preu, etc.: *He pagat al comptat i m'han fet un descompte de cinc euros.*

descomunal descomunals *adj* Molt gros, fora de tota mesura: *El gegant duia una espasa descomunal.*

desconcert desconcerts *nom m* Desordre, desorientació: *Quan es van sentir els trets de pistola, hi va haver un gran desconcert a tot l'edifici.*

desconcertar *v* Desorientar, fer perdre l'ordre o la calma: *La notícia de l'accident era tan inesperada, que ens va desconcertar.* Es conjuga com *cantar.*

desconegut desconeguda desconeguts desconegudes *adj i nom m i f* Es diu de les persones o de les coses no conegudes: *Se'ns va acostar un desconegut i ens va demanar quina hora era.*

desconeixement desconeixements *nom m* El fet de no conèixer una cosa, falta de coneixement sobre una cosa: *El desconeixement de l'idioma del país va fer que li costés d'adaptar-s'hi.*

desconèixer *v* No conèixer, no saber una cosa: *Desconec què ha passat.* Es conjuga com *conèixer.*

desconfiança desconfiances *nom f* Falta de confiança: *Em va mirar amb molta desconfiança, com si no se'm cregués.*

desconfiar *v* No tenir confiança en algú o en alguna cosa. Es conjuga com *canviar.*

descongelar *v* Fer que una cosa deixi d'estar congelada: *Primer deixarem que el peix es descongeli i després el fregirem.* Es conjuga com *cantar.*

descongestionar *v* Fer que un lloc no estigui tan ple de coses o de gent: *Fan una nova carretera per descongestionar el trànsit que entra i surt de la ciutat.* Es conjuga com *cantar.*

desconnectar *v* Desfer una connexió, deixar de tenir una cosa connectada: *Desconnecta el televisor.* Es conjuga com *cantar.*

desconsideració desconsideracions *nom f* Falta de consideració o de respecte envers algú: *Ens van tractar amb desconsideració, sense gens d'amabilitat.*

desconsol desconsols *nom m* Falta de consol, tristesa: *Plorava amb gran desconsol a causa de la mort del seu germà.*

desconsolat desconsolada desconsolats desconsolades *adj* Que està molt trist i sense consol: *Plorava desconsolat perquè li havien robat la bicicleta.*

descontent descontenta descontents descontentes *adj* Que no està content amb algú o alguna cosa: *Tothom estava descontent del dinar que els havien donat en aquell restaurant.*

descontentament descontentaments *nom m* Estat de la persona que no està contenta: *El mal joc de l'equip va provocar el descontentament dels espectadors.*

descontrol descontrols *nom m* Falta de control: *Aquesta casa és un descontrol, tothom fa el que vol i no hi ha ningú que mani.*

desconvocar *v* Avisar que no es farà un acte o una reunió: *Han desconvocat la reunió de mestres que s'havia de fer avui.* Es conjuga com *cantar*. S'escriu *c* davant de *a, o, u* i *qu* davant de *e, i*: desconvoco, desconvoques.

descoratjador descoratjadora descoratjadors descoratjadores *adj* Que descoratja, que desanima: *El resultat de l'examen ha sigut descoratjador, és a dir, ha tret una mala nota i aquest fet l'ha desanimat.*

descoratjar *v* Fer perdre el coratge, fer passar les ganes de fer una cosa, desaconsellar de fer una cosa: *Volia estudiar medicina, però els*

seus pares el van descoratjar perquè li van dir que s'havia d'estudiar molt.
Es conjuga com *cantar.* S'escriu *j* davant de *a, o, u* i *g* davant de *e, i: descoratjo, descoratges.*

descordar *v* Treure els botons de dins dels traus, obrir una cremallera, desfer el nus dels cordons de les sabates, etc.: *Es va atipar tant, que es va haver de descordar el cinturó.*
Es conjuga com *cantar.*

descordar

descórrer *v* Fer córrer una cortina, de manera que deixi la finestra descoberta: *Aquí no hi ha gaire claror, haurem de descórrer les cortines perquè entri la llum del sol.*
Es conjuga com *córrer.*

descortès descortesa descortesos descorteses *adj* Que no té cortesia, que no és educat.

descortesia descortesies *nom f* Falta d'educació o de cortesia: *No haver convidat els seus amics a la festa ha estat una descortesia.*

descosir *v* Fer que una cosa deixi d'estar cosida: *Aquests pantalons et van curts, hauré de descosir la vora per allargar-te'ls.*
Es conjuga com *collir.* Present d'indicatiu: *descuso, descuses, descús, descosim, descosiu, descusen.*

descosit descosits *nom m* **1** Part que ha deixat d'estar cosida: *Tinc un descosit a la butxaca dels pantalons i les coses em cauen.* **2 xerrar pels descosits** Parlar molt.

descotxar-se *v* Apartar-se la roba del llit: *Al llit has de procurar de no descotxar-te si no et vols refredar.*
Es conjuga com *cantar.*

descrèdit descrèdits *nom m* Pèrdua de la bona opinió que la gent té d'algú o d'alguna cosa: *El fet de veure's afectada per una estafa ha provocat un gran descrèdit de l'empresa.*

descregut descreguda descreguts descregudes *adj* i *nom m* i *f* Que no creu en la religió.

descremat descremada descremats descremades *adj* Es diu de la llet o dels productes derivats de la llet dels quals s'ha tret la matèria grassa o crema: *Una ampolla de llet descremada.*

descripció descripcions *nom f* Explicació detallada d'una cosa: *Et faré una descripció de la meva escola, perquè sàpigues com és.*

descriptiu descriptiva descriptius descriptives *adj* Que descriu algú o alguna cosa: *Ens han fet redactar un text descriptiu que expliqués com és la nostra habitació.*

descriure *v* Explicar de paraula o per escrit com és una cosa: *Ens han dit que féssim una redacció intentant de descriure un animal qualsevol.*
Es conjuga com *escriure.*

descuidar-se *v* Oblidar-se d'alguna cosa, no recordar-se d'alguna cosa: *La Marta s'ha descuidat les claus del cotxe a casa seva.*
Es conjuga com *cantar.*

descuit descuits *nom m* Acció de descuidar-se una cosa, oblit: *Vaig tenir un descuit i no vaig agafar les claus de casa.*

descurat descurada descurats descurades *adj* **1** Que ha estat fet sense cura i no ha quedat gaire bé: *Aquest escrit és molt descurat, ple d'errors i amb les idees mal expressades.* **2** Que no té cura a l'hora de fer les coses o a l'hora de vestir-se, brut i desmanegat: *Ets molt descurat a l'hora d'escriure i per això sempre fas moltes faltes.*

desdejuni desdejunis *nom m* Aliment que es pren al matí després de llevar-se, esmorzar.

desdeny desdenys *nom m* Menyspreu: *Tu ets molt orgullós i sempre tractes la gent amb desdeny.*

desdenyar *v* Menysprear.
Es conjuga com *cantar.*

desdibuixat desdibuixada desdibuixats desdibuixades *adj* Imprecís, poc definit: *A través de la boira, les cases i els arbres es veien desdibuixats.*

desdir-se *v* **1** Canviar de pensament o d'intenció, no dir o fer el que s'havia dit que es faria: *Al final es van desdir i no van anar d'excursió.* **2 a desdir** En gran abundància, en gran quantitat: *A la festa hi havia menjar i beure a desdir.*
Es conjuga com *dir.*

desdoblar v Formar dues coses a partir d'una de sola: *Han desdoblat en dues classes aquella classe que tenia tants alumnes.*
Es conjuga com *cantar.*

desè desena desens desenes adj **1** Que fa deu en una sèrie, que en té nou al davant. **2** Es diu de cadascuna de les parts d'una quantitat dividida en deu parts iguals.

deseixit deseixida deseixits deseixides adj Es diu de la persona que sap superar les dificultats en què es troba, que sap arribar al final d'allò que comença.

desembalar v Treure de la capsa, de la caixa, del cartó o del paper una cosa que estava embalada.
Es conjuga com *cantar.*

desembarassar v Treure allò que fa nosa d'un lloc: *Abans de posar-me a estudiar, desembarassaré la taula, és a dir, trauré els llibres i els papers que em fan nosa.*
Es conjuga com *cantar.*

desembarcament desembarcaments nom m Acció de desembarcar.

desembarcar v Baixar en terra sortint d'una barca o d'un vaixell.
Es conjuga com *cantar.* S'escriu c davant de *a, o, u* i qu davant de *e, i: desembarco, desembarques.*

desembeinar v Treure l'espasa de la beina.
Es conjuga com *cantar.*

desembenar v Treure una bena: *Com que la ferida ja estava curada, li van desembenar el dit on s'havia fet mal.*
Es conjuga com *cantar.*

desembocadura desembocadures nom f Lloc on un riu desemboca al mar o en un altre riu; lloc on un carrer desemboca en una plaça o en un altre carrer, etc.

desembocar v Anar a sortir en un lloc ample: *Els rius desemboquen al mar.* ■ *Aquest camí estret desemboca a la carretera.*
Es conjuga com *cantar.* S'escriu c davant de *a, o, u* i qu davant de *e, i: desemboco, desemboques.*

desembolicar v Treure el paper que cobreix un caramel, un paquet, un regal, etc.: *La Fina va desembolicar els regals davant de tothom.*
Es conjuga com *cantar.* S'escriu c davant de *a, o, u* i qu davant de *e, i: desembolico, desemboliques.*

desemborsar v Pagar una quantitat de diners, desembossar[1].
Es conjuga com *cantar.*

desembossar[1] v Treure diners de la bossa, pagar una quantitat de diners, desemborsar: *Va haver de desembossar vint mil euros pel cotxe nou.*
Es conjuga com *cantar.*

desembossar[2] v Desembussar.
Es conjuga com *cantar.*

desembre desembres nom m Dotzè mes de l'any, l'últim, té 31 dies.

desembullar v Fer que una cosa deixi d'estar embullada o enredada: *Amb la pinta es va desembullar els cabells.*
Es conjuga com *cantar.*

desembussar v Fer que una cosa deixi d'estar embussada: *El meu pare va aconseguir desembussar el forat de l'aigüera de la cuina.*
Es conjuga com *cantar.*

desembutxacar v **1** Treure una cosa de la butxaca. **2** Pagar una quantitat de diners: *Per tenir aquest videojoc he hagut de desembutxacar cent euros.*
Es conjuga com *cantar.* S'escriu c davant de *a, o, u, i* qu davant de *e, i: desembutxaco, desembutxaques.*

desemmascarar v Treure la màscara a algú; descobrir com és algú en realitat: *Tothom es pensava que aquell estafador era una bona persona, fins que la policia el va desemmascarar.*
Es conjuga com *cantar.*

desempallegar-se v Treure's de sobre algú o alguna cosa molesta: *Al final em vaig poder desempallegar d'aquell senyor tan pesat, dient-li que havia de tornar a casa aviat.*
Es conjuga com *cantar.* S'escriu g davant de *a, o, u* i gu davant de *e, i: em desempallego, et desempallegues.*

desempantanegar v Fer que una cosa deixi d'estar empantanegada, encallada: *L'ajuntament ha aconseguit desempantanegar la construcció del nou hospital, és a dir, ha aconseguit que el govern aprovés la construcció del nou hospital.*
Es conjuga com *cantar.* S'escriu g davant de *a, o, u* i gu davant de *e, i: desempantanego, desempantanegues.*

desempaquetar v Treure una cosa del paquet, desembolicar.
Es conjuga com *cantar.*

desemparar v Deixar algú sense ajuda, sense protecció o sense defensa.
Es conjuga com *cantar.*

d

desempatar v Desfer l'empat: *El partit ha acabat amb empat a zero, i ara jugarem vint minuts més per veure si algú fa un gol i el desempatem.*
Es conjuga com *cantar.*

desena desenes *nom f* Conjunt de deu unitats.

desencadenar v 1 Treure les cadenes: *Van desencadenar els presoners i els van alliberar.* 2 Provocar, donar origen a una cosa: *Aquell conflicte va desencadenar una guerra.*
Es conjuga com *cantar.*

desencaixar v 1 Treure una cosa de la caixa. 2 **desencaixar-se** Canviar l'expressió de la cara a causa d'una malaltia, del dolor o d'una emoció forta: *A causa de la llarga malaltia se li havia desencaixat la cara.*
Es conjuga com *cantar.*

desencallar v Treure un vehicle o una cosa del lloc on s'ha encallat: *El cotxe s'havia encallat per culpa del fang, però al final el van desencallar posant una fusta sota les rodes de davant.*
Es conjuga com *cantar.*

desencantar v Fer deixar d'estar encantat: *El príncep va fer un petó a la Bella Dorment i la va desencantar.*
Es conjuga com *cantar.*

desencert desencerts *nom m* El fet de no encertar una cosa, error, equivocació: *El concursant que va perdre va fer molts desencerts.*

desencisar v Fer perdre l'encís, desencantar: *La mala actuació del cantant va desencisar els seus admiradors.*
Es conjuga com *cantar.*

desendollar v Separar una cosa d'allà on és endollada, desconnectar: *Desendolla el televisor!*
Es conjuga com *cantar.*

desendreçar v Desordenar, esbarriar les coses que estaven ordenades: *Jugueu tant com vulgueu, però no desendreceu l'habitació.*
Es conjuga com *cantar.* S'escriu ç davant de a, o, u i c davant de e, i: *desendreço, desendreces.*

desendreçat desendreçada desendreçats desendreçades *adj* Que no està endreçat, que està desordenat: *Una habitació desendreçada.*

desenfeinat desenfeinada desenfeinats desenfeinades *adj* Que no té feina: *Aquesta tarda estic desenfeinat, podríem anar a jugar un partit de futbol.*

desenfocar v No enfocar bé: *Quan vas fer la fotografia, vas desenfocar i per això t'ha sortit borrosa.*
Es conjuga com *cantar.* S'escriu c davant de a, o, u i qu davant de e, i: *desenfoco, desenfoques.*

desenfrenat desenfrenada desenfrenats desenfrenades *adj* Que no té fre, que a l'hora de fer una cosa no sap parar: *Es va llançar a la beguda d'una manera desenfrenada.*

desenfundar v Treure una cosa de la funda: *Va desenfundar les ulleres.*
Es conjuga com *cantar.*

desenganxar v Separar dues coses que estaven enganxades: *Han desenganxat un vagó del tren. Va desenganxar el segell del sobre de la carta.*
Es conjuga com *cantar.*

desengany desenganys *nom m* Acció de desenganyar o de desenganyar-se: *Es va endur un desengany molt fort, quan va saber que el seu amic li havia dit una mentida.*

desenganyar v Fer sortir algú d'un engany, d'un error o d'una falsa il·lusió: *S'havia fet moltes il·lusions amb la nova feina, però es va desenganyar de seguida, quan va veure que es tractava d'un treball molt dur.*
Es conjuga com *cantar.*

desenllaç desenllaços *nom m* Final d'una obra de teatre, d'una pel·lícula, d'un problema, etc.: *La pel·lícula va tenir un desenllaç feliç.*

desenraonat desenraonada desenraonats desenraonades *adj* Es diu de les persones o de les accions que no segueixen la raó: *Com que es va posar nerviós, va insultar la gent i va dir algunes frases molt desenraonades.*

desenredar v Desfer una cosa que s'havia enredat: *Va desenredar el fil del telèfon.*
Es conjuga com *cantar.*

desenrotllar v 1 Desplegar una cosa que estava enrotllada: *Desenrotlleu les cartolines i comenceu a fer els dibuixos.* 2 Desenvolupar.
Es conjuga com *cantar.*

desenrotllar

desentendre's *v* **1** No voler participar en alguna cosa: *Nosaltres ens vam desentendre d'aquell problema i els vam deixar que ho arreglessin sols.* **2 fer-se el desentès** Fer veure que no s'entén una cosa o que no ens importa: *La culpa del que ha passat és teva, Josep, no et facis el desentès.*
Es conjuga com *pretendre.*

desenterrar *v* Treure de sota terra allò que hi estava colgat: *El gos va desenterrar l'os que tenia amagat sota terra.*
Es conjuga com *cantar.*

desentonar *v* **1** No entonar, desafinar. **2** No fer joc, no combinar bé amb una altra cosa: *El vestit t'està molt bé, però aquestes sabates trobo que hi desentonen.*
Es conjuga com *cantar.*

desentranyar *v* **1** Aclarir un misteri, una qüestió complicada, etc. : *Després d'una llarga investigació, el detectiu va desentranyar el cas i va descobrir l'assassí.* **2** Treure les entranyes a algú.
Es conjuga com *cantar.*

desentrenat desentrenada desentrenats desentrenades *adj* Que no està prou entrenat: *L'equip va perdre el partit perquè estava molt desentrenat.*

desentumir *v* Fer que una part del cos que estava entumida o inflada deixi d'estar-ho: *Després de passar molta estona asseguts, vam sortir a passejar per desentumir les cames.*
Es conjuga com *servir.*

desenvolupament desenvolupaments *nom m* Acció de desenvolupar-se, creixement, progrés: *Aquests anys hi ha hagut un gran desenvolupament de la indústria.*

desenvolupar-se *v* Créixer, progressar, avançar, anar endavant una cosa: *La medicina s'ha desenvolupat molt en els darrers anys.* ■ *Un país desenvolupat econòmicament és un país ric, que progressa.*
Es conjuga com *cantar.*

desequilibrar *v* **1** Fer perdre l'equilibri: *L'empenta el va desequilibrar i el va fer caure.* ■ *Aquell gol va desequilibrar el partit.* **2 desequilibrar-se** Tornar-se boig, perdre el seny.
Es conjuga com *cantar.*

desequilibrat desequilibrada desequilibrats desequilibrades **1** *adj* Que no té equilibri: *Unes balances desequilibrades.* **2** *adj i nom m i f* Boig, persona que ha perdut el seny.

desequilibri desequilibris *nom m* Falta d'equilibri: *A la nostra societat hi ha molts desequilibris econòmics, perquè hi ha persones molt riques i persones molt pobres.*

deserció desercions *nom f* Acció de desertar, d'abandonar un lloc o un grup que no es podia abandonar.

desert[1] deserta deserts desertes *adj* **1** Que no hi viu ningú: *Un poble desert.* **2** Es diu del premi que no s'ha donat a ningú perquè cap de les obres presentades no tenia prou qualitat: *El jurat va decidir declarar desert el primer premi a causa de l'escassa qualitat de les poesies presentades.*

desert[2] deserts *nom m* Territori extens sense vegetació, cobert de sorra: *Les caravanes de camells travessen el desert.*

desert

desertar *v* Abandonar un lloc o un grup que no es podia abandonar: *Desertar l'exèrcit en temps de guerra està molt castigat.*
Es conjuga com *cantar.*

desèrtic desèrtica desèrtics desèrtiques *adj* Que està relacionat amb el desert: *Un paisatge desèrtic, sense cap planta ni cap arbre.*

desertitzar-se *v* Tornar-se desèrtica una zona: *A causa dels incendis forestals, aquesta regió s'ha desertitzat, és a dir, ha perdut els arbres i la vegetació.*
Es conjuga com *cantar.*

desertor desertora desertors desertores *adj i nom m i f* Es diu de la persona que deserta, que abandona un lloc o un grup que no es podia abandonar: *Va deixar l'exèrcit sense permís i per això l'han declarat desertor.*

desesperació desesperacions *nom f* Sentiment de la persona que no té cap esperança, que creu que els seus problemes no tenen solució: *El terratrèmol va causar molts morts, va destruir moltes cases i va portar la desesperació a moltes famílies que ho havien perdut tot.*

desesperança desesperances *nom f* Falta d'esperança.

desesperant desesperants *adj* Que fa perdre l'esperança: *Un problema desesperant, que no s'hi troba solució.*

desesperar-se *v* Deixar de tenir esperança en una cosa: *Aquell home es desesperava perquè necessitava diners i no sabia d'on treure'ls.* Es conjuga com *cantar.*

desesperat desesperada desesperats desesperades *adj* **1** Es diu de la persona que ha perdut tota esperança: *No sabia com pagar els deutes i estava desesperat.* **2** Es diu d'allò que es fa com a últim recurs en una situació difícil: *Quan tot semblava perdut, van decidir de llançar un atac desesperat contra els enemics.* **3 a la desesperada** Amb molta rapidesa i posant-hi tot l'esforç de què s'és capaç: *Hem hagut de fer el treball a la desesperada per poder-lo presentar a temps.*

desestabilitzar *v* Fer perdre l'equilibri o l'estabilitat a una cosa, fer que una cosa trontolli: *Els atemptats dels terroristes volien desestabilitzar el país, és a dir, provocar molèsties entre els polítics i la població.* Es conjuga com *cantar.*

desestimar *v* Tenir poca estimació a algú o a alguna cosa; no tenir en compte una cosa: *El jutge va desestimar una nova prova que volia aportar l'advocat defensor.* Es conjuga com *cantar.*

desfalc desfalcs *nom m* Acció de quedar-se una quantitat de diners que són de l'empresa o del banc on es treballa: *L'acusen d'haver comès un desfalc, d'haver-se quedat diners del banc on treballa.*

desfasat desfasada desfasats desfasades *adj* Endarrerit, antiquat, que no va d'acord amb l'època: *Aquest equip de música ha quedat desfasat, s'ha fet vell.*

desfavorable desfavorables *adj* Que no va a favor sinó en contra: *El resultat del partit va ser desfavorable a l'equip local.*

desfer *v* **1** Tornar a deixar les coses com eren abans: *Com que no farem el viatge, haurem de desfer aquesta maleta i tornar a posar la roba al seu lloc.* **2** Descordar, deslligar el nus d'alguna peça de vestir: *Desfés-te el nus de la corbata i torna-te'l a fer.* **3** Dissoldre's, fondre's: *La sal es desfà a dins l'aigua.* **4** Aclarir uns fets, uns

dubtes, uns malentesos: *Va costar molt desfer l'embolic, aclarir el problema.* **5** Encara hi ha el **llit desfet**?: amb la roba sense ordenar, amb moltes arrugues. **6** *El castell de sorra* **se'ns ha desfet**, perquè la sorra no era gaire molla: ensorrar-se, destruir-se. **7** *Aquella família* **es va desfer** per atendre els convidats: fer un gran esforç, esforçar-se. La conjugació de *desfer* és a la pàg. 835.

desfermar *v* Fer que una cosa deixi d'estar lligada o fermada: *Desferma el gos, que corri una mica.* ▪ *S'ha desfermat la tempesta, finalment ha començat a ploure.* Es conjuga com *cantar.*

desferra desferres *nom f* Allò que queda d'una cosa destruïda, vella o feta malbé: *Aquestes són les desferres del cotxe que va tenir un accident.*

desfet desfets *nom m* Fet de caure pluja, de bufar vent, etc. amb força, en abundància: *Un desfet de pluja.* ▪ *A l'hora de dir-se adéu hi va haver un desfet de plors, abraçades i llàgrimes.*

desfeta desfetes *nom f* Derrota total.

desfici desficis *nom m* Nerviosisme, agitació a causa d'un mal, d'una desgràcia o del desig molt fort d'una cosa: *Aquest nen petit té un gran desfici per l'aigua, sempre voldria estar banyant-se a la piscina.*

desfigurar *v* **1** Canviar la figura d'una cosa, canviar el rostre d'una persona: *En aquesta fotografia no has quedat gaire bé, perquè aquesta ombra t'ha desfigurat la cara.* **2** No dir la veritat sobre una cosa, explicar-la de manera diferent a la realitat: *Aquell noi ha desfigurat tota la història i l'ha explicada d'una manera totalment diferent.* Es conjuga com *cantar.*

desfilada desfilades *nom f* Acció de desfilar: *Els soldats van fer una gran desfilada pels carrers de la ciutat.*

desfilar *v* Passar un conjunt de persones en ordre, en files, fent una mena de processó: *Els soldats desfilaven pels carrers.* Es conjuga com *cantar.*

desfogar-se *v* Treure's una pena o una preocupació de sobre plorant o parlant amb algú. Es conjuga com *cantar.* S'escriu *g* davant de *a, o, u* i *gu* davant de *e, i: em desfogo, et desfogues.*

desforestació desforestacions *nom f* Acció de fer desaparèixer el bosc d'un territori: *Els incendis i la falta de pluges poden provocar la* desforestació d'un país, és a dir, la pèrdua dels boscos.

desfrenar v Fer que un vehicle, un mecanisme, etc. deixi d'estar frenat.
Es conjuga com *cantar*.

desgana desganes nom f Falta de gana o de ganes: *Menjava amb desgana.* ▪ *Els futbolistes jugaven amb desgana.*

desganat desganada desganats desganades adj Que no té gana: *Fa dies que menja poc, està com desganat.*

desgast desgasts o desgastos nom m Acció de desgastar: *La pedra d'aquest edifici antic ha sofert un gran desgast al llarg dels segles.*

desgastar v Fer perdre volum o força a una cosa, fer-la malbé de mica en mica: *El vent i la pluja han desgastat la façana de la casa.* ▪ *De tant caminar, se m'han desgastat les soles de les sabates.*
Es conjuga com *cantar*.

desgavell desgavells nom m Desordre, desorganització, confusió total.

desgel desgels nom m Desglaç.

desglaç desglaços nom m El fet de fondre's la neu i el glaç, que es tornen aigua, quan comença de fer calor: *A la primavera comença el desglaç de la neu de les muntanyes.*

desglaçar v Deixar d'estar glaçat: *El sol del matí desglaça l'aigua de la bassa que s'havia glaçat durant la nit.*
Es conjuga com *cantar*. S'escriu ç davant de *a, o, u* i *c* davant de *e, i*: *desglaça, desglaci*.

desglossar v Separar coses que estaven juntes: *El total de la factura puja noranta euros; si la desglosses veuràs que els pantalons en valen trenta i les quatre camises quinze cada una.*
Es conjuga com *cantar*.

desgràcia desgràcies nom f **1** Fet trist o dolent: *La mort d'una persona és una desgràcia.* **2** *Per desgràcia he arribat tard:* per mala sort.

desgraciadament adv Per desgràcia: *Desgraciadament, quan els bombers hi van arribar la casa ja havia cremat del tot i no es va poder salvar res.*

desgraciar v Fer malbé una cosa, fer un mal irreparable a una persona: *L'accident el va desgraciar.*
Es conjuga com *canviar*.

desgraciat desgraciada desgraciats desgraciades adj i nom m i f Que té desgràcia o mala sort: *Aquell home és un desgraciat, sempre li passen coses dolentes.*

desgrat desgrats nom m **1** El fet de no agradar una cosa: *Menjava amb desgrat, sense ganes.* **2** *Al final hi va anar, però a desgrat:* de mal grat, sense que li agradés. **3** *A desgrat de la pluja, vam continuar passejant:* tot i la pluja, malgrat la pluja, vam continuar.

desguàs desguassos nom m Lloc per on se'n va l'aigua de l'aigüera de la cuina, dels lavabos, etc. o bé l'aigua de la pluja d'un terrat, d'un pati, etc.

desguàs

desguassar v Treure l'aigua d'un lloc on està aturada: *Han desguassat el pantà per netejar-ne el fons.*
Es conjuga com *cantar*.

deshabitat deshabitada deshabitats deshabitades adj Que no hi viu gent: *Una casa deshabitada.*

desheretar v Deixar algú sense herència, deixar-lo de considerar hereu: *El pare es va barallar amb el fill gran i el va desheretar; així, doncs, quan es va morir totes les riqueses van ser per als altres germans i al gran, no li va deixar res.*
Es conjuga com *cantar*.

deshidratar v Treure l'aigua d'una substància.
Es conjuga com *cantar*.

deshonest deshonesta deshonestos deshonestes adj Que no és honest, que no és honrat: *Aquell individu és deshonest i no te'n pots fiar.*

deshonor deshonors nom m o f Falta d'honor, pèrdua de la bona fama d'una persona: *Es va descobrir que mentia i aquesta va ser la causa del seu deshonor.*

deshonra deshonres nom f Falta d'honra, pèrdua de la fama d'honrat que té algú: *El van acusar de fer una estafa i això va representar la seva deshonra.*

deshonrar v Fer perdre la fama d'honrat a una persona.
Es conjuga com *cantar*.

deshora Paraula que apareix en l'expressió **a deshora**, que vol dir "en una hora que no és normal": *Vam arribar molt tard a casa i vam haver de dinar a deshora, a les quatre de la tarda.*

desiderata desiderates *nom f* Demanda que fa un lector o una persona encarregada d'una biblioteca per tal que sigui comprat un llibre determinat.

desideràtum desideràtums *nom m* Allò que es voldria tenir o aconseguir: *El nostre desideràtum és ser admesos a la vostra associació.*

desídia desídies *nom f* Falta d'interès per la feina, mandra, deixadesa: *Ha suspès a causa de la seva desídia, ja que no solament no ha estudiat, sinó que ni tan sols no s'ha preocupat de saber què entraria a l'examen.*

desig desigs o desitjos *nom m* Ganes d'alguna cosa, atracció: *La Natàlia té desig de menjar maduixes.*

designar v 1 Donar a algú una feina o una funció determinada: *Hem designat un responsable d'esborrar la pissarra després de la classe.* 2 Referir-se amb un nom a algú o a alguna cosa: *La paraula "mamífer" serveix per a designar una classe d'animals.*
Es conjuga com *cantar*.

designi designis *nom m* Intenció, propòsit: *Els designis del tirà eren apoderar-se de tot el país.*

desigual desiguals *adj* 1 Que no és igual a una altra cosa, que és diferent: *Aquests dos trossos de pastís són desiguals, l'un és més gros que l'altre.* 2 **terreny desigual** Que no és pla, que té alts i baixos. 3 **lluita desigual** Que hi ha desigualtat entre els dos adversaris que lluiten, perquè l'un és més fort o va armat, etc. i l'altre no.

desigualtat desigualtats *nom f* Diferència, falta d'igualtat: *A la nostra societat hi ha moltes desigualtats socials, és a dir, hi ha gent molt rica i gent molt pobra.*

desil·lusió desil·lusions *nom f* Pèrdua de la il·lusió, sentiment que se sent quan es descobreix que una cosa no és tan bona com ens pensàvem: *Quan van dir-li que havia guanyat el segon premi es va endur una desil·lusió, perquè ell es pensava que guanyaria el primer.*

desil·lusionar v Fer perdre la il·lusió.
Es conjuga com *cantar*.

desimbolt desimbolta desimbolts desimboltes *adj* Que fa les coses amb rapidesa i facilitat.

desimboltura desimboltures *nom f* Rapidesa i facilitat a l'hora de fer les coses: *Sap parlar en públic amb molta desimboltura, sense posar-se nerviosa.*

desinfecció desinfeccions *nom f* Acció de desinfectar.

desinfectant desinfectants *adj* i *nom m* Es diu de la substància o del producte que desinfecta: *L'alcohol és un desinfectant que es fa servir per a netejar les ferides.*

desinfectar v Eliminar els gèrmens o els microbis d'un lloc on podria haver-n'hi: *Rentarem la ferida amb alcohol per desinfectar-la.*
Es conjuga com *cantar*.

desinflar v 1 Fer que una cosa deixi d'estar inflada: *Vam desinflar el matalàs d'aire.* 2 **desinflar-se** Deixar d'estar inflada una cosa. 3 Perdre les ganes de fer una cosa: *Volíem escalar aquella roca, però ens vam desinflar.*
Es conjuga com *cantar*.

desinflar-se

desinformat desinformada desinformats desinformades *adj* Que no està informat d'una cosa: *Com que no llegeix el diari ni escolta les notícies per la ràdio ni la televisió, està ben desinformat del que passa al món.*

desintegrar v Destruir completament una cosa.
Es conjuga com *cantar*.

desinterès desinteressos *nom m* Falta d'interès per algú o alguna cosa: *Aquell nen demostrava un gran desinterès per la gimnàstica i no s'esforçava gens a fer bé els exercicis.*

desinteressat desinteressada desinteressats desinteressades *adj* 1 Que no té interès en una cosa: *Li vam proposar que formés part de l'equip, però ell s'hi va mostrar desinteressat.* 2 Que fa una cosa per generositat i no per interès o ganes de treure'n un benefici: *Els* comerços del barri han col·laborat a organitzar la festa de forma desinteressada, és a dir, sense voler res a canvi.

desintoxicar v Fer desaparèixer una intoxicació: *Els metges han aconseguit desintoxicar els malalts que havien pres un aliment en mal estat.* Es conjuga com *cantar.* S'escriu c davant de a, o, u i qu davant de e, i: *desintoxico, desintoxiques.*

desistir v Abandonar, deixar de fer una cosa, deixar d'intentar una cosa: *Van provar d'escalar la roca tres o quatre vegades, però no podien i al final van desistir.* Es conjuga com *servir.*

desitjable desitjables adj Es diu d'allò que es voldria tenir o que seria bo que passés: *Després de tants dies de secada, seria desitjable que plogués.*

desitjar v Tenir desig, ganes, sentir atracció per algú o alguna cosa; voler posseir, voler tenir alguna cosa: *Desitjaria que el curs s'acabés ben aviat.* Es conjuga com *cantar.* S'escriu j davant de a, o, u i g davant de e, i: *desitjo, desitges.*

desitjós desitjosa desitjosos desitjoses adj Que desitja alguna cosa: *L'Ester està desitjosa de tornar a veure en Joel després de les vacances.*

deslleial deslleials adj Que no és lleial, que és un traïdor: *Alguns dels seus amics van ser deslleials perquè van explicar el secret a tothom, després d'haver promès que no l'explicarien a ningú.*

deslletar v Deixar de donar de mamar a un nen petit o a un animal petit, desmamar. Es conjuga com *cantar.*

deslligar v Fer que alguna cosa, persona o animal deixin d'estar lligats: *Deslliga el gos i deixa'l córrer.* Es conjuga com *cantar.* S'escriu g davant de a, o, u i gu davant de e, i: *deslligo, deslligues.*

deslliurar v Alliberar: *Han deslliurat el presoner.* Es conjuga com *cantar.*

desllorigador desllorigadors nom m **1** Articulació. **2 trobar el desllorigador** Trobar la solució d'un problema.

desllorigar v Treure una cosa fora del seu lloc, desmuntar-la: *Va caure i es va desllorigar el colze.* Es conjuga com *cantar.* S'escriu g davant de a, o, u i gu davant de e, i: *desllorigo, desllorigues.*

deslluir v Fer que una cosa no surti tan bé com era d'esperar: *El mal temps va deslluir les festes del poble.* Es conjuga com *reduir.*

desllunat desllunats nom m Celobert.

desmai desmais nom m **1** Pèrdua dels sentits durant una estona: *La Rosa va tenir un desmai i va caure a terra, la van haver de retornar mullant-li el cap amb aigua.* **2** Arbre amb les fulles i les branques que sembla que caiguin cap a terra.

desmaiar-se v Perdre els sentits durant una estona. Es conjuga com *remeiar.*

desmamar v Deslletar, deixar de donar de mamar a un nen petit o a un animal petit. Es conjuga com *cantar.*

desmanegar v Treure el mànec d'un ganivet, d'una eina; espatllar o desorganitzar una cosa: *La pluja ens va desmanegar totes les activitats a l'aire lliure.* Es conjuga com *cantar.* S'escriu g davant de a, o, u i gu davant de e, i: *desmanego, desmanegues.*

desmanegat desmanegada desmanegats desmanegades adj **1** Es diu de la persona que és desordenada: *En Vicenç és molt desmanegat, no sap mai on té les coses.* **2** Es diu d'una cosa que està en mal estat, mig espatllada, etc.: *Quin cotxe més vell i desmanegat que portes!*

desmantellar v Desmuntar una cosa totalment. Es conjuga com *cantar.*

desmanyotat desmanyotada desmanyotats desmanyotades adj Es diu de les persones que tenen poca traça a l'hora de fer treballs manuals: *És tan desmanyotat que no sap ni canviar una bombeta fosa!*

desmaquillar v Treure el maquillatge. Es conjuga com *cantar.*

desmarcar-se v Apartar-se un jugador dels jugadors contraris que el vigilen, en el futbol i altres esports: *El davanter va aconseguir desmarcar-se del defensa, acostar-se a la porteria i fer gol.* Es conjuga com *cantar.* S'escriu c davant de a, o, u i qu davant de e, i: *em desmarco, et desmarques.*

desmembrar v **1** Dividir el cos d'un animal separant-ne els membres. **2** Dividir una cosa, un país, etc. separant-ne les parts: *L'antiga Unió*

Soviètica es va desmembrar en un conjunt d'estats independents.
Es conjuga com *cantar*.

desmemoriat desmemoriada desmemoriats desmemoriades *adj* Que no té gaire memòria, que no es recorda de les coses.

desmenjament desmenjaments *nom m* Falta de ganes de menjar o de fer una cosa.

desmenjat desmenjada desmenjats desmenjades *adj* i *nom m* i *f* **1** Es diu d'una persona que no té gana o a qui no li ve de gust menjar. **2** Es diu de la persona a qui no agraden les coses que en general agraden a tothom. **3 fer el desmenjat** Fer veure que no interessa una cosa que en realitat interessa molt: *El van convidar a l'excursió, i ell, que tenia moltes ganes d'anar-hi, es va fer el desmenjat i va dir que potser hi aniria, que ja s'ho pensaria.*

desmentir *v* Dir que no és veritat alguna cosa que algú ha dit: *L'alcalde va desmentir que pensava apujar els impostos de la ciutat, tal com havien dit abans alguns diaris.*
Es conjuga com *servir* o com *dormir*.

desmesurat desmesurada desmesurats desmesurades *adj* Massa gros, massa gran, que fa una mesura superior a la que caldria, excessiu: *Pel temps que som fa una calor desmesurada.*

desmillorat desmillorada desmillorats desmillorades *adj* Es diu d'algú o d'alguna cosa que no té tan bon aspecte com abans: *La malaltia l'ha deixat molt desmillorat.*

desmitificar *v* Fer veure que una persona o una cosa que havia estat mitificada no és en realitat tan bona o tan important com es pensava: *Tothom considerava que aquell cantant era insuperable, però en els darrers anys els crítics musicals l'han desmitificat.*
Es conjuga com *cantar*. S'escriu *c* davant de *a, o, u* i *qu* davant de *e, i*: *desmitifico, desmitifiques*.

desmoralitzar *v* Fer perdre els ànims a algú: *La derrota els va desmoralitzar completament.*
Es conjuga com *cantar*.

desmuntar *v* **1** Baixar del cavall: *El genet va desmuntar del cavall*. **2** Separar les parts, les peces que formen un tot, com ara un rellotge, una màquina, etc.: *El mecànic ha desmuntat el motor del cotxe per trobar l'avaria.*
Es conjuga com *cantar*.

desmuntar

desnatat desnatada desnatats desnatades *adj* Es diu de la llet o del iogurt dels quals s'ha eliminat la grassa: *Li agrada la llet desnatada.*

desnaturalitzar *v* Fer canviar profundament la naturalesa d'una cosa.
Es conjuga com *cantar*.

desnerit desnerida desnerits desnerides *adj* Que ha crescut poc i és prim, que sembla mal alimentat: *Un noi desnerit.*

desnivell desnivells *nom m* Diferència de nivell o d'altura entre dos punts: *Entre la casa i el camí hi havia un desnivell d'un metre.*

desnodrit desnodrida desnodrits desnodrides *adj* Que està mal alimentat, que està molt dèbil a causa de la falta d'alimentació.

desnonar *v* **1** Desfer un compromís; fer fora algú de la casa que té llogada: *Els han desnonat perquè no pagaven el lloguer i ara hauran de deixar el pis*. **2** Considerar que un malalt té una malaltia que no pot ser curada: *Tots els metges que ha visitat l'han desnonat, li han dit que la seva malaltia no es podia curar.*
Es conjuga com *cantar*.

desnucar-se *v* Trencar-se els ossos de la nuca: *El xoc del vehicle contra l'arbre va ser molt violent i el conductor es va desnucar.*
Es conjuga com *cantar*. S'escriu *c* davant de *a, o, u* i *qu* davant de *e, i*: *em desnuco, et desnuques.*

desnutrició desnutricions *nom f* Debilitat produïda per la falta d'aliment.

desobediència desobediències *nom f* Acció de desobeir: *L'acusen de desobediència a les ordres de l'autoritat.*

desobedient desobedients *adj* Es diu de la persona que no obeeix, que no fa cas de les ordres.

desobeir *v* No obeir: *Va desobeir l'ordre del capità.*
Es conjuga com *reduir*.

desocupació desocupacions *nom f* **Falta d'ocupació; falta de feina:** *Un dels problemes més greus d'avui és la desocupació, la falta de feina que fa que molta gent que vol treballar no pugui fer-ho.*

desocupar *v* **Deixar buit un lloc, marxar d'un lloc:** *Ens van fer desocupar aquella taula perquè estava reservada.*
Es conjuga com *cantar.*

desocupat desocupada desocupats desocupades **1** *adj* **Es diu del lloc buit, que no està ocupat per ningú:** *Una taula desocupada.* **2** *adj i nom m i f* **Es diu de la persona que no té feina, parat, aturat:** *L'empresa va plegar i va deixar molts treballadors desocupats.*

desodorant desodorants *nom m* **Producte que s'escampa pel cos i que serveix per a fer marxar la pudor de suat i les males olors.**

desolació desolacions *nom f* **1 Gran destrucció:** *El terratrèmol va provocar una gran desolació.* **2 Tristesa molt gran:** *La mort del pare li va produir una gran desolació.*

desolador desoladora desoladors desoladores *adj* **Que causa desolació:** *Una desgràcia desoladora.*

desolar *v* **1 Produir una gran destrucció:** *El terratrèmol va desolar el país.* **2 Produir una gran tristesa:** *La mort del germà el va desolar.*
Es conjuga com *cantar.*

desolat desolada desolats desolades *adj* **1 Es diu d'un lloc desert, abandonat, deshabitat:** *El bosc es va cremar i ara ha quedat un paisatge desolat.* **2 Molt trist:** *La notícia de la desgràcia els va deixar desolats.*

desorbitat desorbitada desorbitats desorbitades *adj* **Molt gran, molt alt, exagerat:** *Aquest abric té un preu desorbitat.*

desordenar *v* **Fer que una cosa deixi d'estar ordenada, desendreçar, esbarriar:** *La Maria Alba m'ha desordenat tots els llibres de la biblioteca.*
Es conjuga com *cantar.*

desordenat desordenada desordenats desordenades **1** *adj* **Que no té ordre:** *Una taula desordenada.* **2** *adj i nom m i f* **Es diu d'una persona que fa les coses sense ordre, que és desendreçada:** *Com que és desordenat, no sap mai on té les coses.*

habitació desordenada

desordre desordres *nom m* **Falta d'ordre, confusió:** *La circulació era un desordre, els cotxes passaven per allà on volien sense fer cas dels semàfors.*

desorganització desorganitzacions *nom f* **Falta d'organització.**

desorganitzar *v* **Desfer l'organització d'alguna cosa:** *Han vingut aquests, han començat a remenar, a canviar les coses de lloc i ens ho han desorganitzat tot!*
Es conjuga com *cantar.*

desori desoris *nom m* **Desordre, confusió molt gran.**

desorientació desorientacions *nom f* **Falta d'orientació, situació de qui està desorientat:** *Aquella boira tan espessa va ser la causa de la desorientació dels excursionistes que es van perdre a la muntanya.*

desorientar *v* **Fer perdre l'orientació, el bon camí:** *La boira els va desorientar i es van perdre.*
Es conjuga com *cantar.*

desorientat desorientada desorientats desorientades *adj* **Que ha perdut l'orientació, que està despistat:** *En aquella gran ciutat sovint m'hi trobava desorientat.*

desossar *v* **Separar els ossos de la carn i dels teixits:** *Hem de desossar el pollastre abans de posar-lo al forn.*
Es conjuga com *cantar.*

despanyar *v* **Espanyar.**
Es conjuga com *cantar.*

desparar *v* **1 Treure les coses de la taula després d'haver menjat:** *Com que vam acabar de sopar molt tard, ens en vam anar a dormir sense desparar la taula.* **2 Desmuntar una cosa, fer que deixi d'estar a punt per a funcionar.**
Es conjuga com *cantar.*

despatx despatxos *nom m* **Lloc on rep els clients un director, un advocat, un metge,**

etc.; oficina d'un negoci, d'una empresa, d'un comerç, etc.: *La secretària em va fer passar al despatx del director d'aquella fàbrica.*

despatxar *v* **1** Vendre al públic en una botiga: *El dependent de la farmàcia ens va despatxar de seguida.* **2** Donar comiat a algú, fer-lo fora, treure-se'l de sobre: *La fàbrica va tancar i van despatxar tots els treballadors.* **3** Acabar, enllestir una feina: *Ja estic!, ja ho he despatxat tot.* Es conjuga com *cantar.*

despectiu despectiva despectius despectives 1 *adj* Es diu de les persones o coses que expressen menyspreu envers altres persones o coses: *En comptes de felicitar-nos pel nostre treball, ens va dir aquestes paraules despectives: "El vostre treballot no té gaire qualitat".* **2** *adj i nom m* Es diu de la paraula derivada que afegeix un matís de menyspreu a la paraula primitiva: *"Homenot" i "donota" són els derivats despectius dels mots "home" i "dona".*

despendre *v* Gastar temps, diners, esforços, etc. en alguna cosa: *Hem hagut de despendre molt temps i molts diners per organitzar la festa.* Es conjuga com *aprendre.*

despenjar *v* Treure o separar una cosa d'un clau, d'un penjador, etc. que la mantenia aguantada, penjada: *Per a treure la pols d'aquest quadre, l'haurem de despenjar de la paret.* ■ *Va despenjar el telèfon i va marcar el número.* Es conjuga com *cantar.* S'escriu *j* davant de *a, o, u* i *g* davant de *e, i: despenjo, despenges.*

despentinar *v* Desfer el pentinat: *Feia molt vent i vaig quedar despentinat.* Es conjuga com *cantar.*

desperfecte desperfectes *nom m* Dany petit que ha sofert alguna cosa: *L'accident només va causar alguns desperfectes en un parell de cotxes.*

despert desperta desperts despertes *adj* **1** Que no està adormit: *En Josep dormia, però la Rosa ja estava desperta.* **2** Es diu de la per-

El despatx **1** armari per als arxivadors **2** ordinador **3** disquet **4** teclat **5** ratolí **6** impressora **7** telèfon **8** llum de taula **9** cinta adhesiva **10** suport de la cinta adhesiva **11** intèrfon **12** agenda **13** arxivador apaïsat **14** clip **15** calculadora **16** arxivador **17** grapadora / engrapadora **18** corrector **19** fitxer **20** màquina d'escriure **21** fax **22** màquina de fer forats **23** fotocopiadora

sona que és viva, espavilada: *En Ciset és un noi despert, capta de seguida les coses.*

despertador despertadors *nom m* Rellotge amb un timbre que sona quan arriba l'hora que hem marcat prèviament: *A les vuit del matí va sonar el despertador i en Jordi es va llevar.*

despertar *v* **1** Deixar de dormir; acabar la son i obrir els ulls: *Aquesta nit ha plogut molt fort i el soroll dels trons m'ha despertat.* **2** Fer venir ganes de fer una cosa: *Aquesta conversa sobre menjars m'ha despertat la gana, anem a dinar!* Es conjuga com *cantar.*

despesa despeses *nom f* Quantitat de diners que s'han gastat, que s'han pagat per una cosa: *Aquest mes hem tingut moltes despeses, perquè hem hagut de comprar una estufa i una nevera noves.*

despietat despietada despietats despietades *adj* Que no té pietat: *Un assassí despietat.*

despistar-se *v* Desorientar-se, desconcertar-se, tenir un oblit. Es conjuga com *cantar.*

despistat despistada despistats despistades *adj* i *nom m* i *f* Es diu de la persona distreta, que sovint no es recorda de les coses: *És tan despistat, que un dia buscava les ulleres i no s'adonava que les duia posades!*

despit despits *nom m* **1** Irritació que produeix el fet que algú ens menyspreï o que s'estimi més una altra persona. **2** a despit de Malgrat, contra la voluntat d'algú o d'alguna cosa: *Farem la festa a despit de totes les crítiques que ens han fet per organitzar-la.*

desplaçament desplaçaments *nom m* Acció de desplaçar una cosa o de desplaçar-se: *Per dintre la ciutat farem els desplaçaments amb metro i autobús.*

desplaçar *v* **1** Treure una cosa del lloc on és: *Hem de desplaçar la taula cap al racó perquè hi càpiga l'estufa.* **2** desplaçar-se Moure's d'un lloc a un altre, una persona, un vehicle, etc.: *Aquest autocar es desplaça cada dia de Barcelona a Perpinyà.* Es conjuga com *cantar.* S'escriu ç davant de *a, o, u* i c davant de *e, i: desplaço, desplaces.*

desplaçat desplaçada desplaçats desplaçades *adj* Es diu de la persona que no està adaptada a un ambient: *A la festa hi havia* molta gent desconeguda i jo em sentia una mica desplaçat, fora de lloc.

desplegable desplegables *adj* Que es pot desplegar: *Un plànol desplegable de la ciutat.*

plànol desplegable

desplegar *v* Fer que una cosa deixi d'estar plegada, estendre-la: *Despleguem el mapa de carreteres.* ■ *L'ocell va desplegar les ales.* Es conjuga com *cantar.* S'escriu g davant de *a, o, u* i gu davant de *e, i: desplego, desplegues.*

desplomar-se *v* Caure una cosa: *Els fonaments van fallar i l'edifici es va desplomar.* Es conjuga com *cantar.*

despoblar-se *v* Perdre molta població un territori: *Aquesta comarca de muntanya s'ha despoblat i molts dels seus antics habitants ara viuen a la ciutat.* Es conjuga com *cantar.*

despoblat despoblada despoblats despoblades *adj* Que no hi viu gent, deshabitat: *Una comarca despoblada.*

desposseir *v* Privar algú d'alguna cosa que tenia: *Els lladres el van desposseir de tot el que portava.* Es conjuga com *reduir.*

dèspota dèspotes *nom m* i *f* Persona que té poder i que oprimeix els altres, que sempre fa fer el que ella vol que es faci: *Aquest individu és un dèspota, a casa seva es fa sempre tot el que ell ordena, sense discussió.*

desprendre's *v* **1** Separar-se una cosa d'una altra a la qual està enganxada: *S'ha desprès una roca de la muntanya i ha caigut al mig de la carretera.* **2** Saber una cosa a través d'una altra: *Del que tu dius, es desprèn que aquell noi ens va enganyar.* **3** Alliberar-se d'una cosa, abandonar-la: *La noia estava contenta perquè finalment s'havia desprès d'aquells documents tan comprometedors.* **4** desprendre Emetre, deixar anar: *La joia desprenia uns reflexos brillants.* Es conjuga com *aprendre.*

despreniment despreniments *nom m* Acció de desprendre's: *El vent ha provocat el despreniment d'algunes rajoles de la façana de l'edifici.*

despreocupar-se *v* Deixar de preocupar-se per una cosa o deixar de cuidar-se'n: *Cada dia es despreocupa més d'estudiar.*
Es conjuga com *cantar.*

despreocupat despreocupada despreocupats despreocupades *adj* Que no té preocupacions, tranquil.

després *adv* **1** Més tard: *Ara fem la feina, després ja anirem a jugar.* **2** *En Manel ha arribat* **després de** *tu:* darrere teu.

desprès despresa despresos despreses *adj* Es diu de la persona generosa que es desprèn amb facilitat del que té per donar-ho als altres: *A l'hora de pagar, sempre convida ell, és molt desprès.*

desprestigi desprestigis *nom m* Acció de desprestigiar, de fer perdre el prestigi o la bona fama a algú.

desprestigiar *v* Fer perdre el prestigi o la bona fama a algú: *Van explicar coses falses d'ell per desprestigiar-lo.*
Es conjuga com *canviar.*

desprevingut desprevinguda desprevinguts desprevingudes *adj* Es diu de la persona que no ha pres precaucions davant un perill, que no està preparat per a una cosa: *El xàfec ens va agafar desprevinguts i com que no dúiem paraigua, vam quedar ben xops.*

desproporcionat desproporcionada desproporcionats desproporcionades *adj* Que no té proporció, que és massa gros o massa petit en relació amb una altra cosa: *Els han posat un càstig desproporcionat, massa gros per una falta tan petita.*

despropòsit despropòsits *nom m* Cosa que es diu o es fa i que no té cap sentit: *Tot el dia diu despropòsits, bestieses.*

desproveït desproveïda desproveïts desproveïdes *adj* Que no té una cosa: *Estem desproveïts de paper, és a dir, ens falta paper.*

despulla despulles *nom f* Allò que queda d'una persona morta o d'una cosa destruïda o desfeta: *Van enterrar les despulles dels morts a la batalla.*

despullar *v* **1** Treure tota la roba, tots els vestits, deixar nu algú: *Vam despullar el nen*

perquè l'havíem de banyar. **2** *A l'hivern els arbres* **es despullen:** es queden sense fulles.
Es conjuga com *cantar.*

despullat despullada despullats despullades *adj* **1** Nu, sense roba, sense vestit: *Es banyaven completament despullats.* **2** Que no té res afegit: *Una branca despullada, sense fulles.* ■ *Una paret despullada, sense quadres ni altres adorns.*

despuntar *v* **1** Trencar la punta d'una cosa: *He despuntat el llapis, deixa'm la maquineta.* **2** Començar a sortir: *Ja comença a sortir el sol, ja despunta el dia.* **3** Sobresortir, ser superior: *Aquest noi despunta molt a la classe de dibuix.*
Es conjuga com *cantar.*

despús-ahir *adv* Abans-d'ahir.

despús-demà *adv* Demà passat.

desqualificar *v* **1** Impedir que algú pugui fer una determinada tasca. **2** Impedir que un esportista que ha fet alguna cosa incorrecta pugui participar o puntuar en una prova: *Han desqualificat aquell atleta, perquè s'ha demostrat que havia pres un producte prohibit per poder córrer més.* **3** Criticar molt durament algú, tractant-lo d'inepte.
Es conjuga com *cantar.* S'escriu *c* davant de *a, o, u* i *qu* davant de *e, i: desqualifico, desqualifiques.*

dessagnar-se *v* Perdre molta sang: *El ferit es dessagnava.*
Es conjuga com *cantar.*

dessalar *v* Treure la sal d'una cosa salada: *Posarem el bacallà en remull per dessalar-lo.*
Es conjuga com *cantar.*

dessecar *v* **1** Treure l'aigua d'una substància o d'un lloc. **2** Treure el suc d'una cosa.
Es conjuga com *cantar.* S'escriu *c* davant de *a, o, u* i *qu* davant de *e, i: desseco, desseques.*

desset dessets *nom m* i *adj* Disset.

dessobre *adv* Sobre.

dessota *adv* Sota, davall: *El germà gran es va enfilar a la taula i el petit es va estirar al dessota.*

destacament destacaments *nom m* Grup de soldats, de tancs, de vaixells de guerra, etc. enviats en un lloc a vigilar o a complir una missió.

destacar *v* **1** Ser una cosa més alta, més bonica, més visible, etc. que les altres que té al costat: *Aquella muntanya destaca entre totes les altres per la gran alçada.* **2** Separar

d'un grup o d'un conjunt alguns dels seus components per realitzar una missió especial: *El capità va destacar uns quants soldats en una missió d'observació.*
Es conjuga com *cantar*. S'escriu *c* davant de *a, o, u* i *qu* davant de *e, i: destaco, destaques.*

destapar *v* **1** Fer que una cosa deixi d'estar tapada, treure el tap d'un recipient. **2** des-tapar-se Comportar-se algú tal com és en realitat, dir algú el que passa de debò, sense amagar res.
Es conjuga com *cantar*.

destarotar *v* Desconcertar, desorganitzar: *Tots aquests problemes que jo no sabia i que tu m'has explicat m'han destarotat i ara no sé què fer.*
Es conjuga com *cantar*.

destenyir *v* Fer perdre el color a una cosa tenyida.
Es conjuga com *servir*.

desterrar *v* Castigar algú a viure lluny de la seva ciutat o del seu país.
Es conjuga com *cantar*.

destí destins *nom m* **1** Allò que ha de passar a una persona o a una cosa al llarg de la seva vida: *Ningú no sap quin serà el seu destí.* **2** Punt final al qual arriba una persona o una cosa: *Els carters porten les cartes al seu destí, és a dir, a l'adreça que hi ha escrita al sobre.* ■ *Ha sortit un tren de Barcelona que té València com a destí, és a dir, que ha d'arribar a València.*

destil·lar *v* **1** Deixar caure un líquid gota a gota: *Els ulls de l'infant destil·laven llàgrimes.* **2** Separar els elements de què està format un lí-quid: *Destil·len el petroli per treure'n la gasolina.*
Es conjuga com *cantar*.

destinació destinacions *nom f* **1** Lloc on es dirigeix o s'envia una persona o una cosa: *A les sis surt un tren amb destinació a Tarragona.* **2** Fi-nalitat d'alguna cosa: *La destinació dels diners estalviats és comprar una bicicleta nova.*

destinar *v* **1** Fer servir una cosa per a una finalitat determinada: *Destinarem aquests diners a comprar un regal per al nostre company que és a l'hospital.* **2** Enviar una persona a fer una feina determinada: *Van destinar aquell capità a una caserna de la frontera.*
Es conjuga com *cantar*.

destinatari destinatària destinataris des-tinatàries *adj i nom m i f* Es diu de la persona a la qual va destinada una cosa, a la qual s'adreça

una carta, un paquet: *No us oblideu d'escriure el nom i l'adreça completa del destinatari de les cartes a la part de davant del sobre.*

destituir *v* Privar algú d'un càrrec: *El president va destituir uns quants ministres del govern perquè va considerar que no feien prou bé la feina.*
Es conjuga com *reduir*.

destorb destorbs *nom m* Qualsevol cosa o persona que fa nosa, que destorba.

destorbar *v* Fer nosa a algú, no deixar-li fer una cosa, molestar-lo: *Aquesta música tan alta em destorba perquè no em deixa estudiar.* ■ *No em destorbis xerrant, que estic treballant!*
Es conjuga com *cantar*.

destra destres *nom f* Mà dreta: *Seien a la seva destra, a la seva dreta.*

destral destrals *nom f* Eina de tall que té una fulla d'acer ampla i un mànec llarg, i que serveix per a tallar la fusta: *El llenyataire tallava els troncs a cops de destral.*

destrals

destralada destralades *nom f* Cop de destral.

destraler destralera destralers destrale-res *adj i nom m i f* Es diu de la persona que fa les coses de qualsevol manera, que les espatlla: *Aquell nen és un destraler, va començar a remenar les joguines i me'n va espatllar moltes.*

destre destra destres *adj* **1** Que és al costat dret: *La mà dreta o destra.* **2** Hàbil, que sap fer molt bé una cosa: *Un motorista destre, que sap portar molt bé la moto.*

destrempar *v* Deixar d'estar trempat o animat, destarotar: *Estàvem molt engrescats i volíem guanyar el partit, però quan els altres ens van fer el primer gol vam quedar destrempats.*
Es conjuga com *cantar*.

destresa destreses *nom f* Habilitat: *Tenia molta destresa a fer jocs de mans.*

destret destrets *nom m* Situació difícil, greu, angoixosa.

destriar v Separar alguna cosa que està barrejada amb altres coses: *Destriar el gra de la palla.*
Es conjuga com *canviar.*

destronar v Apartar un rei del tron, fer perdre el poder a algú: *Hi va haver una revolta i van destronar el rei.*
Es conjuga com *cantar.*

destrossa destrosses *nom f* Acció de destrossar; producte d'una destrossa: *L'aiguat va fer moltes destrosses, va arrencar arbres, va inundar cases, va arrossegar cotxes, etc.*

destrossar v Fer malbé una cosa, destruir-la totalment.
Es conjuga com *cantar.*

destrucció destruccions *nom f* Acció de destruir: *El foc va causar la destrucció total de la fàbrica.*

destructiu destructiva destructius destructives *adj* Que destrueix: *Una tempesta forta i destructiva.* ▪ *Una crítica destructiva.*

destructor destructora destructors destructores 1 *adj* Que destrueix: *Una ventada forta i destructora.* 2 *nom m* Vaixell de guerra més aviat petit, veloç i ben armat.

destruir v Desfer una cosa, espatllar-la totalment: *El foc ha destruït la casa.*
Es conjuga com *reduir.*

desunió desunions *nom f* Falta d'unió: *Entre els nens de la classe hi ha molta desunió, no s'ajuden gaire entre ells.*

desunir v Fer que deixi d'estar unit: *La baralla pels diners d'una herència ha desunit aquests germans.*
Es conjuga com *servir.*

desús desusos *nom m* El fet de no usar una cosa, de no fer servir una cosa: *Al costat del poble hi havia una fàbrica vella, ja en desús, mig aterrada.*

desvagat desvagada desvagats desvagades *adj* i *nom m* i *f* Que no té feina: *Avui faig vacances i estaré ben desvagat.*

desvalgut desvalguda desvalguts desvalgudes *adj* Es diu d'una persona que necessita l'ajut dels altres perquè ella sola no es pot valer.

desvalisar v Prendre a algú els diners i les altres coses de valor.
Es conjuga com *cantar.*

desvalorar v Fer perdre valor a una cosa.
Es conjuga com *cantar.*

desvariar v Desvariejar.
Es conjuga com *canviar.*

desvariejar v Dir o pensar coses sense sentit: *La febre el feia desvariejar i va començar a insultar el metge.*
Es conjuga com *cantar.* S'escriu *j* davant de *a, o, u* i *g* davant de *e, i: desvariejo, desvarieges.*

desvelar v Descobrir, revelar una cosa que estava amagada: *Finalment es va desvelar el secret.*
Es conjuga com *cantar.*

desventura desventures *nom f* Desgràcia, mala sort.

desventurat desventurada desventurats desventurades *adj* Desgraciat.

desvergonyiment desvergonyiments *nom m* Falta de vergonya.

desvergonyit desvergonyida desvergonyits desvergonyides *adj* i *nom m* i *f* Que diu o fa coses sense vergonya, que no té respecte a la gent: *Aquesta noia insulta tothom, és una desvergonyida.*

desvestir-se v Treure's la roba, despullar-se.
Es conjuga com *servir.*

desvetllar v 1 Despertar, treure la son, les ganes de dormir: *La pel·lícula de por em va desvetllar i a les quatre encara estava despert.* 2 Fer venir ganes de fer una cosa, fer venir interès per una cosa: *Aquell mestre sabia desvetllar l'interès per la lectura en els alumnes.*
Es conjuga com *cantar.*

desviació desviacions *nom f* Acció de desviar, de fer sortir una cosa del seu camí o de la direcció que seguia: *Vam continuar el camí per una desviació, és a dir, per un altre camí que es desviava del que seguíem.*

desviar-se v 1 Sortir algú o alguna cosa del seu camí, de la direcció que segueix: *Quan va arribar a la cruïlla, l'autocar es va desviar cap a la dreta.* 2 **desviar** Separar algú o alguna cosa del seu camí, de la direcció que segueix: *A causa de les obres han desviat el trànsit per un altre carrer.*
Es conjuga com *canviar.*

desvincular v Fer que una cosa deixi d'estar vinculada o lligada a una altra: *La policia des-*

vincula el robatori de l'incendi, és a dir, pensa que aquests dos fets no tenen cap relació.
Es conjuga com *cantar.*

desvirtuar *v* Disminuir el valor, la força d'una cosa o canviar-ne la naturalesa: *Quan els diaris van explicar el que havia dit l'alcalde, van desvirtuar les seves paraules, és a dir, no van dir ben bé el que ell havia dit.*
Es conjuga com *canviar.*

desviure's *v* Esforçar-se molt a ajudar algú o a fer una cosa: *Aquesta dona es desviu cuidant els fills.*
Es conjuga com *viure.*

desxifrar *v* Llegir un escrit difícil d'entendre, arribar a comprendre un problema, un misteri, etc.: *La lletra de la carta era tan petita que costava de desxifrar tot el que deia.*
Es conjuga com *cantar.*

detall **detalls** *nom m* **1** Part petita i característica d'una cosa: *En aquest dibuix hi ha molts detalls; es veuen fins i tot les fulles dels arbres ben dibuixades.* **2** Acte que es fa per demostrar atenció, educació, etc.: *La tieta ha tingut el detall d'enviar-me una postal i desitjar-me un feliç aniversari.* **3 vendre al detall** Vendre en petites quantitats, com fan a les botigues. **4 comprar al detall** Comprar en petites quantitats.

detallar *v* Explicar una cosa amb tots els detalls.
Es conjuga com *cantar.*

detallista **detallistes** **1** *adj i nom m i f* Es diu de la persona que cuida molt els detalls: *És un dibuixant molt detallista, fixa't amb quin detall ha dibuixat els plecs de la roba i fins i tot les arrugues de les mans.* **2** *nom m i f* Persona que ven coses al detall, en petites quantitats.

detectar *v* Descobrir que hi ha una cosa amagada, trobar-la: *Els tècnics han detectat que en aquesta zona hi ha petroli sota terra.*
Es conjuga com *cantar.*

detectiu **detectiva detectius detectives** *nom m i f* Persona que es dedica a investigar sobre qualsevol cosa que se li encarrega: *La detectiva va descobrir qui era el lladre abans que la policia.*

detector **detectors** *nom m* Aparell que serveix per a detectar una cosa: *Abans de pujar a l'avió, tots els passatgers han de passar per un detector de metalls per veure si porten armes.*

detenció **detencions** *nom f* Acció que fa la policia quan agafa algú sospitós d'haver comès un delicte.

deteniment **deten128iments** *nom m* El fet d'aturar-se a fer una cosa, estudiant-la amb atenció: *Va repassar el treball amb molt deteniment abans de donar-lo al professor.*

detenir *v* **1** Agafar algú la policia: *La policia ha detingut els lladres.* **2** Parar, no deixar anar endavant: *Ens va fer detenir una pedra que hi havia al mig del camí.* **3 detenir-se** Aturar-se a pensar una cosa, a estudiar-la detalladament.
Es conjuga com *mantenir.*

detergent **detergents** *nom m* Producte químic que es dissol en aigua i que serveix per a rentar.

deteriorar *v* Espatllar, fer malbé.
Es conjuga com *cantar.*

determinació **determinacions** *nom f* Acció de decidir o de determinar una cosa: *Després de la lesió del porter, la determinació dels jugadors va ser de continuar el partit.*

determinant **determinants** **1** *adj* Es diu del fet, de la persona, etc. que és decisiu, que és molt important perquè passi una cosa: *No sabem si podrem arribar al cim de la muntanya, però el temps serà determinant, perquè si plou o neva és segur que no hi podrem arribar.* **2** *adj i nom m* Es diu de les paraules que solen anar al davant del nom i que li fan agafar un sentit més definit o precís, com els articles o els adjectius demostratius: *En l'oració "aquest llibre és vermell", hi trobem el determinant "aquest" i el nom "llibre".*

determinar *v* **1** Decidir: *Hem determinat d'explicar-ho tot a l'Arnau.* **2** Ser la causa d'una cosa: *La pluja va determinar que ens quedéssim a casa.*
Es conjuga com *cantar.*

determinat **determinada determinats determinades** *adj* **1** Concret, particular: *Ens trobarem a una hora determinada, a les set de la tarda.* **2** Decidit a fer una cosa: *Estic determinat a participar en la cursa.* **3** Es diu dels articles *el, la, els, les.*

determinatiu **determinativa determinatius determinatives** *adj i nom m* Es diu de les paraules que acompanyen el nom sense indicar-ne cap qualitat, com ara les paraules entre cometes dels exemples: *"Aquest" nen, "algun" arbre, "qualsevol" moment,* etc.

determini determinis *nom m* Decisió, determinació; acció de determinar una cosa, de decidir una cosa.

detestable detestables *adj* Molt dolent, que mereix de ser detestat: *Un individu detestable, que ha fet moltes coses dolentes.*

detestar *v* Ser molt contrari a algú o a alguna cosa: *Detesto que la gent arribi tard a les cites.* ▪ *Detesto el fum del tabac.*
Es conjuga com *cantar*.

detingudament *adv* Amb atenció, a poc a poc, fent servir el temps que calgui: *He llegit detingudament aquest escrit i no hi he trobat cap falta d'ortografia.*

detingut detinguda detinguts detingudes **1** *adj i nom m i f* Es diu de la persona que ha estat agafada per la policia: *La policia va dur els detinguts a comissaria.* **2** *adj* Es diu d'un estudi, d'una anàlisi, etc. fets amb molta cura, amb molt detall: *Cal fer un estudi detingut del problema per tal de trobar-hi la millor solució.*

detonació detonacions *nom f* Explosió, soroll que fa una arma de foc cada vegada que dispara un projectil.

detractor detractora detractors detractores *nom m i f* Persona que critica algú o que diu coses contra algú: *Aquell cantant té molts admiradors i també alguns detractors que el critiquen.*

detriment detriments *nom m* Dany o perjudici que es fa a alguna cosa: *Prendre massa el sol per tornar-se moreno va* **en detriment de** *la pell, que envelleix més de pressa.*

deturar *v* Aturar, parar: *El cotxe es va deturar perquè el semàfor estava vermell.*
Es conjuga com *cantar*.

deu[1] deus *nom m i adj* Paraula que expressa la quantitat representada per la xifra 10.

deu[2] deus *nom f* Font, lloc per on surt aigua de terra.

déu déus *nom m* **1** Nom dels éssers superiors en els quals creuen les diverses religions: *Hi ha gent que creu que existeix un Déu que ha creat el món, però també hi ha gent que creu que no existeix cap déu.* ▪ *Hi ha pobles que creuen que existeix més d'un déu.* ▪ *Les persones religioses creuen en Déu i l'adoren.* **2 Déu n'hi do!** Força,

bastant: *Déu n'hi do!, la gent que hi havia a la festa.* **3 gràcies a Déu** Per sort: *Van xocar dos cotxes, però gràcies a Déu ningú no es va fer mal.* **4 no haver-hi ni déu** No haver-hi ningú: *Feia molt fred i pel carrer no hi havia ni déu, tothom era a casa seva.* **5 tot déu** Tothom, molts: *A la nostra classe tot déu té ganes de fer una excursió.* **6 com Déu mana** Tal com ha de ser, degudament: *Torna a repetir el dibuix i fes-lo bé, com Déu mana.*

deure[1] *v* **1** Ser probable o possible que passi una cosa: *Ara en Jordi ja deu ser a casa seva, oi?* ▪ *Quan vam arribar a casa devien ser les nou del vespre.* **2** Haver de pagar una cosa, haver de tornar alguna cosa a algú: *La Maria va deixar-me dos euros, i ara jo els hi dec.* **3** Tenir l'obligació de fer una cosa.
Es conjuga com *beure*.

deure[2] deures **1** *nom m* Obligació, allò que s'ha de fer: *Tenim el deure de mantenir la classe neta.* **2 deures** *nom m pl* Treballs d'escola que els alumnes han de fer a casa: *Avui hem de fer molts deures.*

deute deutes *nom m* Allò que tenim l'obligació de tornar a una altra persona; quantitat de diners que hem de tornar o pagar a una altra persona: *En Jesús em va deixar tres euros i ara jo tinc aquest deute amb ell.*

deutor deutora deutors deutores *adj i nom m i f* Es diu de la persona que deu diners o favors a algú altre.

devaluar *v* Abaixar el valor d'alguna cosa, abaixar el valor de la moneda: *La moneda es devalua contínuament; amb cinc euros ara pots comprar menys coses de les que podies comprar fa un any.*
Es conjuga com *canviar*.

devastador devastadora devastadors devastadores *adj* Que destrueix, que devasta: *Un incendi devastador.*

devastar *v* Destruir un territori, una ciutat, etc.: *La inundació va devastar la ciutat i els seus voltants.*
Es conjuga com *cantar*.

devers *prep* En direcció a: *Els cavallers han marxat devers la ciutat.*

devesa deveses *nom f* Extensió de terra coberta d'arbres i d'altra vegetació natural de la qual s'aprofita la llenya i la caça i on pasturen animals.

devessall devessalls *nom m* Gran quantitat d'una cosa que cau o es vessa de cop: *Un devessall de pluja.* ■ *Un devessall de llàgrimes.* ■ *Un devessall de paraules.*

devoció devocions *nom f* Gran interès i respecte per la religió.

devolució devolucions *nom f* Acció de tornar una cosa: *Els vam deixar diners fa molt temps, ja és hora que els n'exigim la devolució.*

devora *prep* Vora, prop.

devorar *v* Menjar un animal la seva presa, menjar amb moltes ganes: *El llop va devorar l'ovella que havia atrapat.* ■ *En Pere ha devorat l'arròs en un moment.*
Es conjuga com *cantar.*

devot devota devots devotes *adj* i *nom m* i *f* Es diu de les persones que tenen molta devoció, que són molt religioses i que participen en molts actes religiosos.

devuit devuits *nom m* i *adj* Divuit.

dia dies *nom m* **1** Temps que triga la Terra a donar una volta sobre si mateixa: *El dia té vint-i-quatre hores.* **2** Temps de claror entre una nit i la següent: *A l'hivern el dia dura molt poc.* **3** **fer-se de dia** Sortir el sol. **4** **fer bon dia** Fer bon temps. **5** *Avui tot ens ha sortit malament, però* **demà serà un altre dia**: les coses sortiran millor. **6** **dia feiner** Dia que no és festa, que s'ha de treballar. **7** **dia festiu** Dia que no es treballa, perquè és diumenge o se celebra una festa. **8** **dia i nit** Durant el dia i la nit, contínuament, sense parar: *Va ploure dia i nit, sense parar.* **9** **bon dia!** Expressió que es fa servir per a saludar a qualsevol hora del dia, especialment al matí. **10** **al dia** Sense retard: *Porta la seva feina al dia, i sempre acaba les coses quan ha d'acabar-les.* **11** **viure al dia** Gastar tots els diners que es guanyen, sense estalviar-ne cap. **12** **del dia** Del dia present, dels temps presents: *Pa del dia.* **13** *L'examen va* **ser més llarg que un dia sense pa**: ser molt llarg, no acabar-se mai. **14** *Hem treballat* **tot el sant dia**: el dia sencer, sense parar.

diabetis les diabetis *nom f* Malaltia provocada per un excés de sucre a la sang.

diable diablessa diables diablesses **1** *nom m* i *f* Dimoni, personatge que representa el mal. **2** *interj* Paraula que expressa sorpresa, estranyesa, que s'està enfadat, etc.: *Qui diable ha trencat el vidre?* **3** **anar-se'n al diable**

Perdre's o espatllar-se completament una cosa. **4** **pobre diable** Persona infeliç, que és considerada de poca vàlua.

diabòlic diabòlica diabòlics diabòliques *adj* Que està relacionat amb el diable; que és molt dolent: *Un crim diabòlic.*

diàbolo diàbolos *nom m* Joc que consisteix a fer rodar, tirar enlaire i tombar amb un cordill una mena de rodet en forma de dos petits cons units per les puntes.

diacrític diacrítica diacrítics diacrítiques *adj* i *nom m* Es diu de tot allò que serveix per a distingir, especialment del signe que serveix per a distingir una paraula d'una altra que s'escriu igual i indicar com s'ha de pronunciar una lletra: *En català la paraula "ós" (animal), que es pronuncia amb o tancada, s'escriu amb un accent diacrític per distingir-la de "os" (part del cos), que es pronuncia amb o oberta.*

diada diades *nom f* Dia important en què se celebra una festa: *La diada de l'Onze de Setembre és la festa nacional de Catalunya.*

diadema diademes *nom f* **1** Cercle de metall, de plàstic, etc. que algunes dones porten al cap per adornar i per agafar-se els cabells. **2** Corona, cinta amb joies que els reis porten al cap.

diàfan diàfana diàfans diàfanes *adj* Transparent.

diafragma diafragmes *nom m* **1** Membrana que separa l'abdomen i el tòrax. **20** **2** Forat per on entra la llum en una màquina de fotografiar.

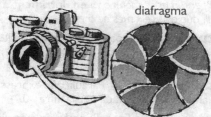

diafragma

diagnòstic diagnòstics *nom m* Descripció que un metge fa de la malaltia d'un malalt després d'haver-lo examinat: *Després d'examinar-lo i de fer-li algunes proves, el metge va fer el diagnòstic i va dir que el malalt tenia una infecció de la panxa.*

diagnosticar *v* Fer un diagnòstic, examinar un metge una persona i dir quina malaltia

pateix: *El metge li va diagnosticar una pul-monia.*
Es conjuga com *cantar.* S'escriu *c* davant de *a, o, u* i *qu* davant de *e, i: diagnostico, diagnostiques.*

diagonal diagonals *adj* i *nom f* Es diu de la línia recta que uneix dos cantons d'una figura geomètrica passant-hi pel mig: *Si unim el vèrtex d'un dels costats d'un quadrat amb el vèrtex d'un altre costat fem una diagonal.*

diagrama diagrames *nom m* Representació gràfica d'un fenomen o d'uns fenòmens: *A la classe hem fet un diagrama de les temperatures de tots els dies d'aquest mes.*

dial dials *nom m* Escala graduada que tenen els aparells de ràdio i que serveix per a localitzar i sintonitzar les diverses emissores.

dialectal dialectals *adj* Que està relacionat amb un dialecte: *El rossellonès és una modalitat dialectal del català, és a dir, la manera de parlar el català del Rosselló i de les altres zones de la Catalunya Nord.*

dialecte dialectes *nom m* Cadascuna de les maneres de parlar una mateixa llengua en diferents parts del territori on es parla: *A Barcelona i a Mallorca es parla el dialecte oriental del català, i a València i a Lleida, l'occidental.*

dialeg dialegs *nom m* Conversa entre dues o més persones.

dialogar *v* Conversar, tenir un diàleg amb una persona o un grup de persones.
Es conjuga com *cantar.* S'escriu *g* davant de *a, o, u* i *gu* davant de *e, i: dialogo, dialogues.*

diamant diamants *nom m* Mineral molt dur i molt apreciat com a pedra preciosa: *En aquesta joieria venen diamants.*

diametralment *adv* De forma totalment oposada: *La meva opinió i la teva són diametralment contràries, no ens posarem pas d'acord.*

diametre diàmetres *nom m* Línia recta que divideix una circumferència passant pel centre: *Una circumferència de deu centímetres de diàmetre.*

diana dianes *nom f* **1** Centre d'un blanc on es fa punteria: *Va tirar una fletxa i es va clavar just a la diana del blanc.* **2** **tocar diana** Tocar música o fer un so per indicar que és l'hora de llevar-se.

diantre diantres *nom m* **1** Paraula que es diu en comptes de la paraula "dimoni": *Aquests diantres de criatures m'han tornat a remenar els papers.* **2** Paraula que es fa servir per a expressar sorpresa: *Què diantre vols tu, ara?*

diapasó diapasons *nom m* Instrument petit de metall que quan vibra produeix un so musical que serveix per a regular la veu i els instruments musicals.

diapasó

diapositiva diapositives *nom f* Imatge fotogràfica que es pot projectar en una pantalla amb un aparell especial: *Avui a l'escola ens han passat unes diapositives sobre el cos humà.*

diari diària diaris diàries *adj* Que es fa o passa cada dia: *Tenim una hora diària de classe de llengua.*

diari diaris *nom m* **1** Publicació, fulls impresos que surten cada dia i informen dels fets més importants que passen a tot el món: *Avui a la classe hem llegit el diari per saber què passa al món.* **2** Quadern on una persona escriu les coses que li passen cada dia, els seus pensaments, etc.: *La Núria escriu tot el que li passa al seu diari.*

diariament *adv* Cada dia: *Ens veiem diàriament.*

diarrea diarrees *nom f* Malaltia que provoca mal de panxa i que fa que hàgim de fer caca moltes vegades en un mateix dia.

diatriba diatribes *nom f* Crítica molt forta contra algú o alguna cosa.

dibuix dibuixos *nom m* **1** Conjunt de formes representades damunt un paper o una altra superfície, amb línies i taques de color: *Vam fer un dibuix del nostre carrer en una làmina.* **2** *Hem vist una pel·lícula de* **dibuixos animats** pel·lícula feta amb fotografies de molts dibuixos que, en passar molt de pressa, sembla que es moguin, semblen vius.

dibuixant dibuixants *nom m* i *f* Persona que fa dibuixos.

dibuixar *v* Representar les formes d'una cosa en un paper, en una paret, etc., amb llapis, pinzell o qualsevol altre instrument: *La Rosa va dibuixar la seva família en un paper.* Es conjuga com *cantar*.

dic dics *nom m* Paret, mur que es construeix al mar per parar les onades i protegir un port.

dicció diccions *nom f* Manera de pronunciar o dir les paraules, les frases, etc.: *Aquest actor té una dicció molt clara i se l'entén molt bé.*

diccionari diccionaris *nom m* Llibre que dóna informacions sobre un conjunt de paraules ordenades alfabèticament: *Hi ha diccionaris que expliquen el significat de les paraules, d'altres que serveixen per a buscar-hi sinònims, d'altres que donen la traducció de les paraules en una altra llengua, etc.*

dictador dictadora dictadors dictadores *nom m i f* Persona que té tot el poder en un país i que deixa el poble sense llibertat.

dictadura dictadures *nom f* Règim polític en què tot el poder depèn d'una persona o d'un grup reduït de persones, i en el qual no hi ha llibertat d'expressar-se ni de formar grups d'oposició al govern.

dictamen dictàmens *nom m* Informe o opinió que dóna una persona experta o entesa en el tema que es tracta: *El dictamen dels experts deia que la carretera no podia passar tan a prop del poble.*

dictar *v* **1** Dir o llegir una cosa a una persona perquè aquesta la vagi escrivint: *El director dictava una carta comercial a la seva secretària.* **2** Imposar una llei, una norma, una sentència, etc.: *El govern va dictar un decret que prohibia de fumar als edificis públics.* Es conjuga com *cantar*.

dictat dictats *nom m* Text escrit que una persona llegeix en veu alta i que unes altres han d'escriure: *Aquest matí el mestre ens ha fet fer un dictat molt llarg.*

dictatorial dictatorials *adj* Que està relacionat amb un dictador o amb una dictadura: *El franquisme era un règim polític dictatorial perquè tot el poder era en mans d'un general anomenat Franco.*

dida dides *nom f* Dona que dóna la seva llet al fill petit d'una altra dona.

didàctic didàctica didàctics didàctiques **1** *adj* Que està relacionat amb l'ensenyament, que serveix per a ensenyar: *Li han regalat un joc didàctic que l'ajuda a aprendre geografia.* **2** **didàctica** *nom f* Ciència que estudia les qüestions relacionades amb l'ensenyament.

didal didals *nom m* Petit casquet de metall que en cosir es posa al cap del dit que pitja l'agulla per protegir-lo.

didal

dièresi dièresis *nom f* Signe ortogràfic (¨) consistent en dos puntets que, en català, es posen sobre la *i* i la *u* en algunes paraules per a indicar que no hi ha diftong, o sobre la *u* per a indicar que s'ha de pronunciar: *Les paraules "raïm", "reüll" i "aigües" porten dièresi.*

dièsel **1** *adj* Es diu del motor que funciona amb gasoil en comptes de gasolina: *Els cotxes equipats amb motors dièsel no gasten tant com els cotxes amb motors que van amb gasolina.* **2** **dièsel** dièsels *nom m* Motor que funciona amb gasoil en comptes de gasolina: *En aquella botiga de cotxes només venen dièsels.*

dieta dietes *nom f* **1** Control dels aliments, que sol comportar la prohibició d'alguns menjars o d'algunes begudes i la reducció de la quantitat d'aliment: *El metge li ha recomanat una dieta a base de carn i fruita.* **2** Quantitat de diners que s'afegeixen al sou d'un treballador i que serveixen per a compensar el fet que, a causa de la feina, hagi de menjar o dormir fora de casa, viatjar lluny, etc.

dietari dietaris *nom m* **1** Llibre on s'expliquen els fets que passen cada dia a una persona, en una ciutat, en un país, etc. **2** Llibre on cada dia s'apunten els diners que es guanyen i els que es gasten en una casa.

difamar *v* Dir mal d'algú per fer-li agafar mala fama. Es conjuga com *cantar*.

diferència diferències *nom f* **1** Allò que fa que una persona o una cosa no s'assembli a una altra, que siguin diferents: *La diferència que hi ha entre aquests dos retoladors és que l'un guixa més gruixut que l'altre.* **2** **a diferència de** Al contrari de: *A diferència del nostre país, a Escòcia* els estius no són gaire calorosos. **3 fer diferèn-cies** Tractar de manera diferent diverses persones o coses: *Els professors han de tractar igual tots els alumnes, sense fer diferències.* **4 Resultat de restar dues quantitats:** *La diferència entre 100 i 75, és de 25.*

diferenciar *v* **1** Distingir dues o més coses, notar que són diferents entre elles: *Ara sé diferenciar els ànecs de les oques: els ànecs són més petits i les oques més grosses.* **2 diferenciar-se** Ser diferents dues coses: *En què es diferencia un gat d'un gos?* Es conjuga com *canviar.*

diferent diferents *adj* **1** Que no s'assemblen, que no són iguals: *La Lluïsa i la Joana són germanes, però són molt diferents.* **2** *En Pere va visitar diferents països:* uns quants països.

diferir *v* **1** Ajornar, deixar per a més endavant. **2** No ser igual, ser diferent: *El meu dibuix difereix molt del seu.* Es conjuga com *servir.*

diferit diferida diferits diferides *adj* Es diu del programa de ràdio o de televisió que no es transmet en directe, sinó algun temps després d'haver estat realitzat: *El partit de futbol serà transmès en diferit, dues hores després d'haver acabat en la realitat.*

difícil difícils *adj* **1** Que costa de fer, d'entendre, de solucionar, etc.: *Havíem de resoldre un problema molt complicat i molt difícil.* **2** Es diu de la persona que costa de tractar, de fer contenta, etc.: *Aquella nena és una persona difícil.*

difícilment *adv* D'una manera difícil, amb dificultat: *Si no estudies, difícilment aprovaràs l'examen.*

dificultar *v* Fer difícil una cosa: *El mal temps va dificultar la pujada de la muntanya.* Es conjuga com *cantar.*

dificultat dificultats *nom f* Allò que fa difícil una cosa.

dificultós dificultosa dificultosos dificultoses *adj* Difícil, que té dificultats.

difondre *v* Escampar, estendre en totes direccions: *La llum del sol es difon per tota la terra.* ▪ *La notícia es va difondre per tot el país.* Es conjuga com *confondre.*

diftong diftongs *nom m* Grup format per dues lletres vocals quan es pronuncien en una mateixa síl·laba: *Les paraules "ou" i "rei" tenen diftong.*

difuminar *v* Escampar una taca de color de manera que sigui més fluixa però ocupi més espai. Es conjuga com *cantar.*

difunt difunta difunts difuntes *adj* i *nom m* i *f* Mort: *Acabada la cerimònia de l'enterrament, molta gent va donar el condol a la família del difunt.*

difús difusa difusos difuses *adj* Es diu de les coses que no estan concentrades sinó escampades: *Per tota la vall hi havia una boira difusa.*

difusió difusions *nom f* Acció de difondre o de difondre's: *La ràdio es va encarregar de la difusió de la notícia per tot el país.*

digerir *v* Pair els aliments, fer la digestió: *Tinc un bon estómac, digereixo molt bé tot el que menjo.* Es conjuga com *servir.*

digestió digestions *nom f* Procés pel qual el cos absorbeix els aliments.

digestiu digestiva digestius digestives *adj* **1** Que està relacionat amb la digestió. **2 aparell digestiu** Conjunt d'òrgans del cos que treballen en la digestió dels aliments. **19**

dígit dígits *nom m* Cadascun dels signes que es fan servir per a representar els nombres: *El nombre 725 té tres dígits.*

digital digitals *adj* **1** Que està relacionat amb els dits: *Les impressions digitals són les marques que deixen els dits damunt les coses que han tocat.* **2** Es diu d'un aparell que dóna la informació en dígits o xifres: *Un rellotge digital.*

dignar-se *v* Acceptar finalment de fer una cosa: *Després de demanar-li-ho moltes vegades, al final es va dignar a rebre'ls al seu despatx.* Es conjuga com *cantar.*

digne digna dignes *adj* **1** Que s'ho mereix: *Una persona digna de confiança.* ▪ *Un dibuix digne d'un premi.* **2** Honrat, noble: *Un home digne.* **3** Decent, suficient: *Tothom hauria de cobrar un sou digne per poder viure.*

dignitat dignitats *nom f* Sentiment que fa que les persones no vulguin ser insultades ni maltractades: *Els insults i els maltractaments ataquen la dignitat de les persones.*

dígraf dígrafs *nom m* Grup de dues lletres que representa un so, com ara el grup "ny" en català.

digressió digressions *nom f* Part d'un discurs o d'un escrit que es desvia del tema principal:

Aquell professor quan està explicant un tema sempre fa digressions per parlar d'altres coses.

dijous els **dijous** *nom m* **1** Quart dia de la setmana, que ve després del dimecres. **2 dijous gras** o **dijous llarder** Últim dijous abans de quaresma que se celebra menjant botifarra, truita o coca de llardons.

dilació dilacions *nom f* Retard o ajornament d'una cosa: *Aquest problema s'ha de resoldre sense dilació, és a dir, immediatament.*

dilapidar *v* Malgastar els diners o les riqueses fins a quedar-se sense.
Es conjuga com *cantar.*

dilatació dilatacions *nom f* Acció de dilatar o de dilatar-se: *La calor provoca la dilatació del ferro.*

dilatar *v* Fer més ampla, fer més grossa una cosa sense que n'augmenti el pes: *La calor dilata el ferro.*
Es conjuga com *cantar.*

dilema dilemes *nom m* Situació en què s'ha de triar entre dues coses: *El futbolista tenia un dilema: continuar jugant, amb el risc de tenir una lesió greu, o bé retirar-se del camp i perdre l'oportunitat de jugar aquell gran partit.*

diligència diligències *nom f* **1** Qualitat de diligent. **2** Vehicle tirat per cavalls que antigament servia per a transportar persones i mercaderies: *Els indis van atacar la diligència.* **3** Feina, encàrrec: *Haig de sortir un parell d'hores a fer algunes diligències.*

diligència

diligent diligents *adj* Que fa les coses bé i de pressa: *Un treballador diligent.*

dilluns els **dilluns** *nom m* Primer dia de la setmana, que ve després del diumenge.

dilucidar *v* Explicar, aclarir una cosa: *El professor va dilucidar els dubtes.*
Es conjuga com *cantar.*

diluir *v* Desfer una substància en un líquid: *Aquest medicament s'ha de diluir en aigua abans de prendre'l.*
Es conjuga com *reduir.*

diluvi diluvis *nom m* Pluja molt forta, inundació.

diluviar *v* Ploure molt.
Es conjuga com *canviar.*

dimanar *v* Provenir: *Una llum feble dimanava d'una bombeta.*
Es conjuga com *cantar.*

dimarts els **dimarts** *nom m* Segon dia de la setmana, que ve després del dilluns.

dimecres els **dimecres** *nom m* Tercer dia de la setmana, que ve després del dimarts.

dimensió dimensions *nom f* Mesura d'un cos segons la seva llargada, la seva alçada, la seva amplada o el seu gruix: *Una habitació de grans dimensions.*

diminut diminuta diminuts diminutes *adj* Molt petit.

diminutiu diminutiva diminutius diminutives *adj* i *nom m* Es diu de la paraula derivada que expressa que una cosa és petita: *Un llitet és un llit petit; "llitet" és el diminutiu de llit.*

dimissió dimissions *nom f* El fet de dimitir, de plegar d'un càrrec: *La directora de l'escola ha presentat la dimissió, perquè diu que està cansada de fer aquesta feina tan difícil.*

dimitir *v* Deixar un càrrec o plegar d'una feina voluntàriament: *Després dels últims partits perduts, l'entrenador de l'equip de bàsquet va dimitir i el club en va haver de buscar un de nou.*
Es conjuga com *servir.*

dimoni dimonis *nom m* **1** Diable, personatge que representa el mal i viu a l'infern. **2** Persona entremaliada: *Aquests nens són uns dimonis, tot el dia fan bestieses.*

dinàmic dinàmica dinàmics dinàmiques *adj* Es diu de les persones o de les coses molt actives, que realitzen una gran activitat, un gran moviment: *Un noi dinàmic.* ▪ *Una música dinàmica, moguda.* ▪ *Una indústria dinàmica, que no para de renovar-se.*

dinamita dinamites *nom f* Explosiu molt potent: *Van aterrar la casa amb un cartutx de dinamita.*

dinamitar v Destruir una cosa fent explotar una càrrega de dinamita: *Van dinamitar el pont vell que estava a punt de caure.*
Es conjuga com *cantar.*

dinamitzar v Fer agafar més energia o més activitat a algú o a alguna cosa: *El nou director vol dinamitzar l'escola, és a dir, vol que hi hagi més moviment i que s'hi facin més activitats de tot tipus.*
Es conjuga com *cantar.*

dinamo dinamos nom f Màquina elèctrica que roda i produeix un corrent continu.

dinar[1] v Menjar el dinar, l'àpat que es fa cap al migdia: *Vam dinar en un restaurant.*
Es conjuga com *cantar.*

dinar[2] dinars nom m Menjar que es fa cap al migdia: *Ahir a casa vam fer un bon dinar per celebrar el sant de la mare.*

dinastia dinasties nom f Sèrie de reis o de persones importants que són d'una mateixa família: *Els reis d'Espanya són de la dinastia dels Borbons.*

dindi Paraula que apareix en la denominació **gall dindi**, que vol dir "gall gros amb el cap sense plomes, de color fosc amb taques blanques i cua molt llarga, indiot": *Per Nadal matarem el gall dindi.*

diner diners nom m **1** Allò que es fa servir per a pagar una cosa quan es compra i que pot tenir forma de bitllet de paper o de moneda de metall. **2 diners** nom m pl Riquesa, quantitat de monedes, euros, cèntims: *Aquell home té molts diners.* **3 fer diners** Fer-se ric, guanyar molts diners. **4 diner negre** Es diu del diner que no es declara per no pagar impostos, i que generalment ha estat guanyat de manera il·legal.

dineral dinerals nom m Gran quantitat de diners: *Aquest cotxe costa un dineral!*

dinosaure dinosaures nom m Nom donat a diversos rèptils que van viure a la terra fa més de dos-cents milions d'anys i que van desaparèixer fa uns seixanta milions d'anys: *Hi havia moltes menes de dinosaures, com ara el diplodocus, el braquiosaure, l'estegosaure, el pteranòdon i el brontosaure.* 13

dinosaure

dinou dinous nom m i adj Paraula que expressa la quantitat representada per la xifra 19.

dins adv i prep **1** A l'interior d'un lloc, d'un objecte, d'un local, etc.: *Porto els llibres a dins de la cartera.* ▓ *A fora fa fred, veniu a dins la casa i estarem calents.* **2** No més enllà d'un espai de temps: *Ha de tornar els diners dins el termini acordat.* **3 dins** els **dins** nom m Part interior d'una cosa: *Ahir vaig netejar l'armari per fora i avui en netejaré el dins.*

dintre 1 adv i prep Mira **dins 1. 2 dintre dintres** nom m Mira **dins 3.**

dinyar-la v Morir: *El gegant va caure de la teulada i la va dinyar.*
Es conjuga com *cantar.*

diòcesi diòcesis nom f Territori que està sota l'autoritat d'un bisbe, bisbat.

diòptria diòptries nom f Unitat de potència d'una lent que serveix per a mesurar la potència de les ulleres: *Haurà de portar unes ulleres amb unes lents de 4 diòptries.*

diorama diorames nom m **1** Espectacle que consisteix a exposar una o diverses pintures damunt teles verticals tot produint diferents il·lusions òptiques per mitjà de jocs de llum. **2** Decoració teatral amb figuretes que representa una escena, una situació.

diòxid diòxids nom m Compost químic que conté dos àtoms d'oxigen.

diplodoc diplodocs nom m Mira **diplodocus.**

diplodocus uns diplodocus nom m Tipus de dinosaure que va viure fa milions d'anys, que tenia el cos molt gros, el cap petit i el coll i la cua molt llargs. 13

diploma diplomes nom m Document que dóna una escola, una universitat, etc. a una persona per demostrar que hi ha fet uns estudis.

diplomàcia diplomàcies nom f **1** Organització de les relacions internacionals que un país té amb altres països. **2** Habilitat que té una persona per tractar amb la gent, sobretot a l'hora de demanar-los o de negar-los una cosa: *Amb molta diplomàcia els va donar a entendre que no els podia ajudar.*

diplomat diplomada diplomats diplomades adj i nom m i f Es diu de la persona que té un diploma que demostra que ha fet uns estudis.

diplomàtic diplomàtica diplomàtics diplomàtiques **1** *nom m i f* Persona que representa el govern d'un país a l'hora de parlar o d'entendre's amb el govern d'un altre país. **2** *adj* Es diu de la persona que sap tractar amb la gent, sobretot a l'hora de demanar-los o de negar-los una cosa.

dipòsit dipòsits *nom m* **1** Lloc on es guarda o s'emmagatzema alguna cosa: *Es va aturar a la gasolinera per omplir de benzina el dipòsit del cotxe.* **2** Cosa dipositada en un lloc: *Aquell senyor té al banc un dipòsit d'un milió d'euros.*

dipositar *v* **1** Posar alguna cosa en un lloc segur: *Hem dipositat els diners en un banc.* ▪ *Va dipositar la maleta dins l'armari i el va tancar amb clau.* **2** **dipositar-se** Caure al fons les parts sòlides d'un fluid: *Els trossets de taronja d'aquest suc de taronja s'han dipositat al fons de l'ampolla.*
Es conjuga com *cantar.*

diputació diputacions *nom f* Organisme encarregat d'administrar una província.

diputat diputada diputats diputades *nom m i f* Persona elegida per a ser membre d'un parlament: *Tots els diputats del parlament van votar a favor de la llei presentada pel govern.*

dir *v* **1** Pronunciar paraules, expressar-se, comunicar-se amb la paraula: *Va dir només una paraula.* ▪ *Ens va dir moltes coses.* **2** *Ahir vam parlar del lloc on ens agradaria més anar d'excursió i tothom va* **dir-hi la seva**: donar l'opinió, dir el que un creu o pensa sobre un tema, etc. **3** **dir-s'ho tot** Insultar-se molt fort: *En Robert i la Júlia s'han barallat i s'ho han dit tot.* **4** **no dir ni piu** No dir res, ni una paraula: *En Manel no ha dit ni piu.* **5** *Ens vam divertir* **una cosa de no dir**: moltíssim. **6** **dit i fet** Fet de seguida, immediatament després d'haver-ho pensat: *Va dir "em tiraré a l'aigua" i, dit i fet, s'hi va tirar.* **7** **és a dir** Expressió que serveix per a explicar o aclarir el que s'ha dit abans: *Aquell rei va regnar durant un lustre, és a dir, cinc anys.* **8** **tal dit, tal fet** Expressió que es fa servir per a explicar que una cosa ha passat tal com s'havia dit que passaria: *Jo li deia "no t'hi enfilis, que cauràs" i, tal dit, tal fet, s'hi va enfilar i va caure.* **9** **voler dir** Significar: *Què vol dir la paraula "cercar"? Doncs el mateix que "buscar".* **10** **dir-se** Tenir nom, anomenar-se: *Em dic Pere.* ▪ *D'aquest objecte, en diem retolador.*
La conjugació de *dir* és a la pàg. 836.

direcció direccions *nom f* **1** Persona o persones encarregades de dirigir una escola, una companyia de teatre, una empresa, etc.: *Aquest és el despatx de la direcció de l'escola.* **2** Punt cap al qual avança una cosa que es mou: *Ara la direcció del vent va cap al nord.* ▪ *El cotxe anava per la carretera en direcció a Tarragona.* **3** Mecanisme que fa possible dirigir un vehicle: *El cotxe no va bé, deu tenir la direcció avariada.*

directament *adv* D'una manera directa: *Quan va sortir d'escola va anar directament a casa seva, sense entretenir-se pel camí.* ▪ *Aniré a queixar-me directament al director.*

directe directa directes *adj* **1** Que va de dret on ha d'anar, que va d'un punt a l'altre sense aturar-se enlloc ni fer voltes: *Un tren que va directe de Ripoll a Puigcerdà.* ▪ *Aquest noi és molt directe, és molt clar quan parla.* **2** Es diu del programa de ràdio o de televisió que es transmet al mateix moment que es fa: *Un partit de futbol retransmès* **en directe**.

directiu directiva directius directives **1** *adj* Que està relacionat amb la direcció: *Avui es reuneix la junta directiva de l'entitat, és a dir, avui fa una reunió el grup de persones que dirigeix l'entitat.* **2** *nom m i f* Persona que forma part d'un grup que dirigeix una empresa, una entitat, una associació, etc.: *Abans-d'ahir es van reunir els directius de l'empresa.*

director directora directors directores *nom m i f* Persona que dirigeix una organització, una empresa, una companyia, etc.: *La directora de l'escola va reunir tots els professors.*

directriu directrius *nom f* Norma que serveix per a orientar l'actuació d'un grup de persones d'una empresa, d'un partit polític, etc.: *Les directrius de l'empresa adreçades als venedors els aconsellen que procurin augmentar les vendes dels nous productes.*

dirigent dirigents *adj i nom m i f* Que dirigeix: *Els dirigents del partit van dir que guanyarien les eleccions.*

dirigible dirigibles *nom m* Vehicle volador que porta un gran dipòsit de forma rodona i allargada, ple d'un gas més lleuger que l'aire, com ara l'hidrogen o l'heli, té motor i pot ser dirigit.

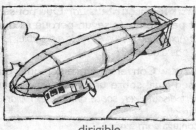
dirigible

dirigir v **1** Fer moure, fer anar un objecte, un vehicle, etc. cap a un punt determinat: *El capità dirigia el vaixell cap al port.* **2 Anar:** *En Maurici es va dirigir cap al despatx del director.* **3** Girar, adreçar els ulls, la paraula a una persona, a un objecte: *Tothom va dirigir els ulls a l'altra banda de la sala.* **4** Fer funcionar, governar: *En Xavier dirigeix una companyia de teatre.*
Es conjuga com *servir.*

dirimir v Acabar o resoldre una discussió, un problema: *Hem dirimit els punts de desacord i hem tancat el tracte.*
Es conjuga com *servir.*

disbarat disbarats *nom m* Paraula o fet sense sentit, bestiesa: *Vam començar a explicar disbarats i tothom reia.* ■ *Dir que hi ha cotxes que corren més que un avió és un gran disbarat.*

disbauxa disbauxes *nom f* Excés de diversió, de menjar, de beure, etc.: *La festa va ser una gran disbauxa.*

disbauxat disbauxada disbauxats disbauxades *adj* Es diu de la persona que fa disbauxes: *Aquell noi porta una vida molt disbauxada, sempre va a festes i a festetes.*

disc discs o discos *nom m* **1** Objecte pla i rodó: *Mirat des de la terra, el sol té forma de disc.* **2** Objecte pla i rodó, molt prim, d'un material especial, on es pot gravar música, cançons, etc. que després es poden sentir per mitjà d'un aparell anomenat tocadiscos: *La Ramona té molts discos de música moderna.* **3** **disc compacte** Disc petit on s'hi han gravat música, programes d'ordinador. **4** **disc dur** Part de l'ordinador on es graven els programes, les dades, etc.

discernir v Distingir una cosa amb els sentits o amb el pensament: *No saps discernir el bé del mal.*
Es conjuga com *servir.*

disciplina disciplines *nom f* **1** Conjunt de normes per a mantenir l'ordre en un grup:

En aquesta escola hi ha molta disciplina, tot són prohibicions i càstigs. **2** Matèria d'estudi i d'ensenyament: *La matemàtica és una disciplina molt interessant.*

disciplinari disciplinària disciplinaris disciplinàries *adj* Que està relacionat amb la disciplina, amb les normes destinades a mantenir l'ordre en un grup: *S'ha aprovat una nova mesura disciplinària, d'ara endavant seran expulsats de l'escola els alumnes que agredeixin altres alumnes.*

disciplinat disciplinada disciplinats disciplinades *adj* Que segueix una disciplina, que obeeix un conjunt de normes destinades a mantenir l'ordre: *Els alumnes d'aquesta classe són molt disciplinats.*

discjòquei discjòqueis *nom m* i *f* Persona que tria i posa els discos en una discoteca, en un programa de ràdio, en una festa amb música, etc.

díscol díscola díscols díscoles *adj* Es diu de la persona que no es deixa manar, que no es deixa guiar o corregir: *És un jove díscol, que no fa cas de la gent gran.*

disconforme disconformes *adj* Que no està conforme amb una cosa, que no hi està d'acord.

discontinu discontínua discontinus discontínues *adj* Que no és continu: *Si la línia que hi ha al mig de la carretera és discontínua, vol dir que els cotxes poden avançar els vehicles que tenen al davant.*

discordant discordants *adj* Que no està d'acord: *A la reunió hi va haver tres o quatre opinions discordants.*

discòrdia discòrdies *nom f* Falta d'acord: *En aquella família hi ha moltes baralles i discòrdies.*

discórrer v **1** Pensar: *Encara no has trobat la solució? Doncs discorre una mica més.* **2** Circular, transitar, passar: *L'aigua del riu discorria tranquil·lament, el temps discorria a poc a poc.*
Es conjuga com *córrer.*

discoteca discoteques *nom f* **1** Lloc on la gent balla i escolta música. **2** Col·lecció de discos.

discreció discrecions *nom f* **1** Qualitat de discret, pròpia de la persona que no enraona més del compte, que no crida l'atenció i que no es fa notar gaire: *Una persona molt correcta, que parla, es comporta i vesteix amb molta discreció.* **2** **a discreció** En la mesura que cadascú vulgui o cregui convenient: *El capità va cridar "foc a discreció!", és a dir, va ordenar que cada soldat disparés quan volgués i tantes vegades com volgués.*

discrepància discrepàncies *nom f* Diferència entre les maneres de pensar de dues o més persones: *Sobre aquest tema hi ha una gran discrepància d'opinions, és a dir, hi ha moltes opinions diferents.*

discrepar *v* No estar d'acord en una cosa, pensar de manera diferent: *El teu amic va ser l'únic que va discrepar, tots els altres vam estar d'acord amb la solució que proposava el professor.* Es conjuga com *cantar.*

discret discreta discrets discretes *adj* Que no enraona més del compte, que no explica els secrets, que no crida l'atenció, que no es fa notar gaire: *En Pere és molt discret, li ho pots explicar tot i estar segur que no dirà res a ningú.* ■ *Aquest vestit és discret, és bonic però no crida l'atenció.*

discriminació discriminacions *nom f* Acció de discriminar, de tractar de manera diferent: *S'ha d'evitar tota mena de discriminació per raons de raça, religió, edat o sexe, és a dir, s'ha de tractar tothom igual.*

discriminar *v* Diferenciar, tractar de manera diferent: *Les lleis del nostre país prohibeixen de discriminar les persones per raons de raça, edat o sexe, ja que s'ha de tractar tothom igual.* Es conjuga com *cantar.*

disculpa disculpes *nom f* Acció de disculpar o de disculpar-se: *Vaig haver de demanar disculpes per haver arribat tard.*

disculpar-se *v* **1** Excusar-se d'una cosa, explicar que no es té la culpa d'una cosa: *Vaig arribar tard a la reunió i em vaig disculpar explicant que l'autobús no havia passat a l'hora.* **2** disculpar Creure, explicar, provar que algú no té la culpa d'una cosa: *El vam disculpar davant el professor.* Es conjuga com *cantar.*

discurs discursos *nom m* Conjunt ordenat de frases sobre un tema que pronuncia una persona davant un grup de gent: *El director de l'escola ens va fer un discurs sobre la importància dels estudis.*

discussió discussions *nom f* Conversa entre persones que no pensen igual sobre una cosa, en què cada una d'elles mira de convèncer les altres.

discutible discutibles *adj* Que pot ser discutit perquè no és segur, perquè és dubtós, etc.: *Això que tu dius és molt discutible, jo no hi estic pas d'acord.*

discutir *v* Conversar entre persones que no pensen igual sobre una cosa: *En Miquel i en Robert discuteixen sobre quin és el millor equip de futbol.* Es conjuga com *servir.*

disfressa disfresses *nom f* Vestit, calçat, etc. que es fa servir per a canviar l'aspecte, per a semblar diferent del que s'és en realitat: *Necessitem una disfressa de reina i una disfressa de rei per a l'obra de teatre.*

disfressa

disfressar *v* Arreglar, vestir, guarnir de manera que una persona o una cosa sembli allò que no és i que no es pugui reconèixer: *Amb un barret vell, una capa negra i una espasa de fusta em vaig disfressar de pirata.* Es conjuga com *cantar.*

disgregar *v* Separar les parts d'una cosa, desunir: *El grup de persones que s'havia format per escoltar-lo es va disgregar un cop ell va haver acabat de parlar.* Es conjuga com *cantar.* S'escriu g davant de *a, o, u* i gu davant de *e, i: disgrego, disgregues.*

disgust disgusts o disgustos *nom m* Sensació desagradable que produeix un fet: *Li van espatllar la bicicleta i va tenir un gran disgust.*

disgustar *v* No agradar, produir un disgust, fer enfadar: *Les paraules del fill van disgustar el seu pare.* Es conjuga com *cantar.*

disjunt disjunta disjunts disjuntes *adj* **1** Es diu de dos conjunts que no tenen cap element en comú. **2** Que està format per parts separades.

dislèxia dislèxies *nom f* Dificultat especial que tenen algunes persones per a aprendre de llegir i d'escriure.

dislocar v Treure alguna cosa de lloc: *Va caure i se li va dislocar un os del braç.*
Es conjuga com *cantar.* S'escriu *c* davant de *a, o, u* i *qu* davant de *e, i: disloco, disloques.*

disminució disminucions *nom f* Acció de disminuir, de tornar-se més petita una cosa: *Si els conductors fossin més prudents, es produiria una disminució dels accidents de trànsit, és a dir, no n'hi hauria tants.*

disminuir v Fer més petit, tornar-se més petit: *La pluja comença a disminuir, ja no plou tant.* ▨ *Els problemes han disminuït, ja no n'hi ha tants.*
Es conjuga com *reduir.*

disminuït disminuïda disminuïts disminuïdes *adj* i *nom m* i *f* Es diu de la persona que té alguna característica física o mental que fa que no tingui les mateixes capacitats que la resta de persones.

dispar dispars *adj* Desigual, diferent: *Entre els seus amics hi havia persones molt dispars, és a dir, molt diferents.*

disparar v Fer que una arma llanci el projectil, la bala, la fletxa, etc.: *El caçador va disparar l'escopeta i va matar un conill.*
Es conjuga com *cantar.*

disparitat disparitats *nom f* Desigualtat, diferència: *Hi ha una gran disparitat entre la seva manera de pensar i la meva.*

dispendi dispendis *nom m* Despesa molt grossa: *Comprar aquell cotxe representava un dispendi que no es podien permetre.*

dispensa dispenses *nom f* Permís per a deixar de fer una cosa, per a deixar de complir una obligació.

dispensar v 1 Donar permís per a deixar de complir una obligació: *Com que haig d'anar al metge, demà m'han dispensat d'anar a l'escola.* 2 Perdonar: *Ai!, dispensi, li he trepitjat el peu sense voler.*
Es conjuga com *cantar.*

dispensari dispensaris *nom m* Centre sanitari públic en què els metges visiten la gent.

dispers dispersa dispersos disperses *adj* Escampat, que està separat dels altres: *En aquella comarca només hi havia unes quantes cases de pagès disperses, lluny l'una de l'altra.*

dispersar v Escampar, separar en diverses direccions: *La policia va dispersar la gent que estava reunida.*
Es conjuga com *cantar.*

dispesa dispeses *nom f* Casa on una persona es pot quedar a dormir i a menjar a canvi de pagar uns diners.

dispeser dispesera dispesers dispeseres *nom m* i *f* Persona que té gent a dispesa, que els dóna menjar i una habitació on dormir a canvi de diners.

displicent displicents *adj* Es diu de la persona que no troba gust en res, a qui res no desperta interès.

disponible disponibles *adj* Es diu d'una cosa de la qual es pot disposar: *En aquest moment no tinc diners disponibles, vine demà i te'ls deixaré.*

disposar v 1 Posar alguna cosa de manera que vagi bé per a fer una acció determinada: *Van disposar les taules i les cadires de la classe de manera que fessin com una rodona al voltant del mestre.* 2 Decidir, ordenar: *L'ajuntament va disposar que en aquell terreny s'hi construiria una escola.* 3 Tenir la possibilitat de fer servir una cosa: *Som quatre nois i disposem de tres bicicletes, només ens en falta una.* 4 disposar-se Preparar-se a fer una cosa: *Els nedadors es disposen a saltar a l'aigua.*
Es conjuga com *cantar.*

disposició disposicions *nom f* 1 Manera com està col·locada o disposada una cosa: *La classe té una bona disposició per a passar la pel·lícula, les cadires i les taules estan ben col·locades.* 2 Conjunt de circumstàncies en què es troba algú per a fer una cosa: *Ara estic cansat i no estic en disposició de caminar més.* 3 Poder de tenir o de disposar d'una cosa: *Era molt ric i tenia deu criats a la seva disposició.* 4 Ordre: *Les disposicions del rei es van fer conèixer a tothom.*

dispositiu dispositius *nom m* Peça o conjunt de peces d'un instrument o d'una màquina que fa una funció determinada: *Aquest paraigua porta un dispositiu que permet d'obrir-lo i tancar-lo automàticament.*

dispost disposta disposts o dispostos dispostes *adj* Que està en disposició o que té disposició per a fer una cosa: *La policia vigila el camp de futbol i està disposta per actuar si hi ha cap problema.*

disputa disputes *nom f* Acció de disputar, de discutir.

disputar v **1** Discutir. **2** **disputar-se** Barallar-se, lluitar amb un altre per aconseguir una mateixa cosa: *Aquests dos atletes es disputen el primer premi.*
Es conjuga com *cantar.*

disquet disquets *nom m* Disc petit, portàtil i de poca capacitat, que va dins una funda quadrada i on es poden gravar programes o dades amb els quals pot treballar un ordinador.

disquisició disquisicions *nom f* Discussió o estudi detallat sobre una qüestió.

dissabte dissabtes *nom m* **1** Sisè dia de la setmana, que ve després del divendres. **2** **fer dissabte** Netejar a fons una casa: *Avui farem dissabte, escombrarem i fregarem totes les habitacions del pis.*

dissecar v **1** Fer que un animal mort es conservi per fora com un animal viu: *Una àguila dissecada.* **2** Obrir un animal o una planta amb l'objectiu de separar-ne les parts i fer un estudi de la seva anatomia.
Es conjuga com *cantar.* S'escriu c davant de *a, o, u* i *qu* davant de *e, i: disseco, disseques.*

dissecció disseccions *nom f* **1** Preparació d'un animal mort perquè es conservi per fora com un animal viu. **2** Obertura d'un animal o d'una planta amb l'objectiu de separar-ne les parts i fer un estudi de la seva anatomia.

dissemblant dissemblants *adj* Que no és semblant: *Aquests dos nois tenen uns caràcters dissemblants, molt diferents.*

disseminar v Escampar, difondre: *Els sembradors van disseminar les llavors per tot el camp.*
Es conjuga com *cantar.*

dissentir v No estar d'acord amb una opinió o una decisió: *Alguns veïns dissentien de l'acord de l'ajuntament de prohibir la circulació de vehicles pel carrer.*
Es conjuga com *servir.*

disseny dissenys *nom m* Dibuix, representació gràfica d'un objecte a fi de poder-lo construir: *El meu pare va fer el disseny d'aquesta taula i un fuster la va construir.*

dissenyar v Fer el disseny d'alguna cosa: *Han dissenyat un nou model de cotxe.*
Es conjuga com *cantar.*

dissertació dissertacions *nom f* Acció de dissertar, de fer un discurs o d'escriure un text sobre un tema científic, literari, artístic, etc.

dissertar v Parlar o escriure ordenadament sobre un tema científic, literari, artístic, etc.
Es conjuga com *cantar.*

disset dissets *nom m i adj* Paraula que expressa la quantitat representada per la xifra 17.

dissident dissidents *adj i nom m i f* Es diu de la persona que no està d'acord amb una opinió dominant en un país, en un grup, etc.: *Tothom pensa igual, menys tres o quatre dissidents.*

dissimulació dissimulacions *nom f* Acció de dissimular, de no deixar veure els sentiments o els pensaments: *No sabia qui li havia fet la broma, i nosaltres dos rèiem amb dissimulació perquè no ho endevinés.*

dissimuladament *adv* Amb dissimulació, amagant-se: *Reia dissimuladament.*

dissimular v **1** Amagar, no deixar veure els sentiments o els pensaments: *Com que tothom estava trist, vaig haver de dissimular la meva alegria.* **2** No deixar veure una cosa: *Aquell home es pentinava els cabells cap amunt per dissimular que era cap pelat.*
Es conjuga com *cantar.*

dissipar v **1** Fer desaparèixer una cosa, escampant-ne les parts: *El vent dissipa els núvols.* **2** Malgastar: *Ha dissipat tots els diners i ara és pobre.*
Es conjuga com *cantar.*

dissipat dissipada dissipats dissipades *adj* Es diu de la persona que perd el temps i es dedica a divertir-se i a passar-s'ho bé; es diu també de la manera de viure d'aquesta mena de persona: *Aquell individu porta una vida molt dissipada.*

dissociar v Separar coses que estaven unides o associades.
Es conjuga com *canviar.*

dissoldre v **1** Desfer un cos, dividint-ne les parts: *Va fer dissoldre el terròs de sucre en un got d'aigua.* **2** Desfer una reunió de gent: *La manifestació es va dissoldre després d'haver llegit un manifest de protesta davant de l'ajuntament.*
Es conjuga com *valer.* **Participi:** *dissolt, dissolta.*

dissolució dissolucions *nom f* Acció de dissoldre: *La dissolució del sucre en un got d'aigua.*

d

dissolut dissoluta dissoluts dissolutes *adj* Es diu d'algú que porta una vida desordenada, que té vicis.

dissolvent dissolvents *adj* i *nom m* Que serveix per a dissoldre: *Si vols treure la pintura del pinzell, l'hauràs de rentar amb dissolvent.*

dissonant dissonants *adj* **1** Es diu del so que combina malament amb un altre so: *Una música dissonant, sense harmonia.* **2** Es diu de la cosa que és diferent o que discrepa d'una altra cosa: *Sobre aquest tema hi ha opinions molt dissonants.*

dissort dissorts *nom f* Desgràcia.

dissortadament *adv* Desgraciadament, per desgràcia: *Ens agradaria d'ajudar-lo, però dissortadament no ho podem fer.*

dissortat dissortada dissortats dissortades *adj* i *nom m* i *f* Desgraciat.

dissuadir *v* Convèncer algú de no fer una cosa: *Volia saltar des del trampolí més alt, però entre tots el vam dissuadir de fer-ho dient-li que encara no estava prou entrenat.* Es conjuga com *servir.*

dissuasió dissuasions *nom f* Acció de dissuadir, de convèncer algú de no fer una cosa.

distància distàncies *nom f* **1** Espai de lloc o de temps que hi ha entre dues coses: *La distància de Ripoll a Barcelona és d'uns cent quilòmetres.* **2** *Aquest quadre s'ha de mirar* **a distància**: des de lluny. **3 guardar les distàncies** Procurar de no tractar gaire o amb gaire familiaritat una persona.

distanciar *v* Posar lluny, posar una cosa a distància: *Vam distanciar els pals per fer la porteria més ampla.* Es conjuga com *canviar.*

distant distants *adj* **1** Que és a una certa distància: *Els dos pobles no són gaire distants.* **2** Fred, poc simpàtic: *És un noi una mica distant.*

distar *v* Trobar-se a una certa distància: *La casa dista dos quilòmetres del poble.* Es conjuga com *cantar.*

distinció distincions *nom f* **1** Acció de distingir: *Hi havia poca llum i es feia difícil la distinció dels colors.* **2** Premi, honor: *Li van donar una distinció pel seu comportament.*

distingir *v* **1** Diferenciar una persona o una cosa d'unes altres: *Vam distingir la casa d'en Guillem perquè era la més alta del carrer.* **2** So-

bresortir, ser superior: *Aquell noi és un estudiant que es distingeix per les bones notes.* Es conjuga com *servir.*

distingit distingida distingits distingides *adj* Es diu de les persones o de les coses que sobresurten per la gràcia, l'elegància, etc.: *En aquell restaurant de luxe hi dinaven unes persones molt distingides.*

distint distinta distints distintes *adj* Que no és el mateix, que és clarament diferent, que es distingeix d'una altra cosa: *Són dos colors distints.*

distintiu distintiva distintius distintives *adj* i *nom m* Que serveix per a distingir: *La corona és un distintiu dels reis.*

distorsió distorsions *nom f* Deformació de l'aspecte o de la imatge d'una cosa: *L'avaria provocava una distorsió de les imatges del televisor i tot es veia tort.*

distracció distraccions *nom f* **1** Oblit, descuit: *Va tenir una distracció i es va deixar la porta oberta.* **2** Diversió: *La seva distracció és anar amb bicicleta.*

distraure *v* Mira distreure. Es conjuga com *treure.*

distret distreta distrets distretes **1** *adj* Que distreu, que diverteix: *Una pel·lícula distreta.* **2** *adj* i *nom m* i *f* Es diu de la persona que es distreu i oblida les coses fàcilment: *Aquell és un distret, no es recorda mai de tancar els llums.*

distreure *v* **1** Apartar l'atenció d'algú de la cosa en què treballa: *La música el distreia i no el deixava treballar.* **2** Oblidar-se: *M'he distret de tancar la porta.* **3** Divertir: *La televisió em distreu, em fa passar una bona estona.* Es conjuga com *treure.*

distribució distribucions *nom f* Divisió i repartiment d'una cosa: *Aquests tubs fan la distribució de l'aigua per tota la casa.*

distribuir *v* Dividir un conjunt de coses i repartir-les: *Van distribuir els fulls a tota la classe.* ▪ *Val més que ens distribuïm la feina i que cadascú faci una cosa.* ▪ *El carter distribueix les cartes.* Es conjuga com *reduir.*

districte districtes *nom m* Cadascuna de les parts en què està dividida una ciutat o un territori per tal de ser administrat amb eficàcia.

disturbi disturbis nom m Desordre als carrers produït per una revolta o una protesta: *Hi va haver una manifestació i es van produir alguns disturbis i baralles entre la policia i alguns dels manifestants.*

dit dits nom m **1** Cadascuna de les parts primes i llargues en què acaben els peus i les mans: *A cada mà hi tenim cinc dits.* 15 **2** *Aquella fusta ens va anar com l'anell al dit* per fer el sostre de la cabana: anar molt bé una cosa, anar a la mida. **3 fer córrer els dits** Robar, prendre les coses dels altres: *No et fiïs d'aquell noi, que fa córrer els dits.* **4** *Quina xocolata, n'hi ha per llepar-se'n els dits:* es diu d'una cosa que és molt bona, que té molt bon gust. **5 picar els dits** Castigar algú per escarmentar-lo. **6 picar-se els dits** Tenir un fracàs, sortir malament una cosa, sortir perjudicat en un negoci. **7 mamar-se el dit** Ser molt ingenu: *Us penseu que em mamo el dit! Ja ho sé, que m'enganyeu!* **8 no moure ni un dit** No fer res: *No van moure ni un dit per ajudar-nos.* **9 tenir el dit a l'ull** Tenir mania a algú, no poder veure algú: *Aquell noi més gran ens té el dit a l'ull.* **10** *Al vas hi ha un dit d'aigua:* una mica, poca. **11 no tenir dos dits de front, de seny, d'enteniment** No ser gaire intel·ligent o no ser gaire assenyat.

dit

dita dites nom f Cosa que es diu, refrany, frase popular: *Hi ha una dita que diu "qui dia passa any empeny", que vol dir que les coses es fan de mica en mica i amb paciència.*

ditada ditades nom f Cop de dit; taca o senyal fet amb el dit: *El nen petit havia fet unes grans ditades de xocolata a la paret de la cuina.*

ditades

ditisc ditiscs nom m Insecte adaptat per a viure a l'aigua, que té el cos pla en forma d'el·lipse i les potes en forma de rems. 8

diumenge diumenges nom m Setè dia de la setmana, que ve després del dissabte.

diürètic diürètica diürètics diürètiques adj Que fa orinar, que fa augmentar l'orina: *Un medicament diürètic.* ■ *Una beguda diürètica.*

diürn diürna diürns diürnes adj Que està relacionat amb el dia: *La "llum diürna" vol dir la "llum del dia".* ■ *Un ocell diürn és un ocell que dorm de nits i vola i menja de dies.*

divagació divagacions nom f Acció de divagar: *Després de moltes divagacions, finalment es va tractar el tema.*

divagar v **1** Anar d'un costat a l'altre fora del lloc on s'hauria d'estar. **2** Parlar o pensar sense cap ordre, anant d'un tema a un altre: *Aquell conferenciant no va parlar gaire del tema, sinó que es va dedicar a divagar.*
Es conjuga com *cantar.* S'escriu g davant de *a, o, u* i gu davant de *e, i: divago, divagues.*

divan divans nom m Sofà baix sense respatller, adornat amb coixins, que es col·loca contra la paret.

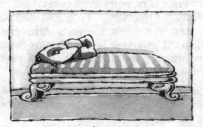

divan

divendres els divendres nom m Cinquè dia de la setmana, que ve després del dijous.

divergent divergents adj Que divergeix, que va en una direcció diferent: *Dues opinions divergents.*

divergir v Anar en direccions diferents; pensar de maneres diferents: *Estem d'acord en moltes coses, però en algunes divergim.*
Es conjuga com *servir.*

divers diversa diversos diverses adj **1** Es diu de les coses que són diferents o que són d'una espècie o mena diferent: *Un calaix ple de joguines diverses.* **2** Alguns, uns quants: *A damunt la taula hi havia diversos llibres.*

diversificar v Fer més diversa o variada una cosa o una activitat: *Aquest grup musical ha diversificat molt el seu repertori, és a dir, ara canten moltes més cançons d'estils diferents.*
Es conjuga com *cantar*. S'escriu c davant de *a, o, u* i qu davant de *e, i: diversifico, diversifiques*.

diversió diversions nom f Allò que diverteix: *Llegir és una bona diversió.*

diversitat diversitats nom f Conjunt de coses diverses: *En aquell bosc hi havia una gran diversitat d'arbres.*

divertir v Distreure, entretenir, fer-ho passar bé: *Aquesta obra de teatre diverteix molt la gent.*
Es conjuga com *servir*.

divertit divertida divertits divertides adj Que diverteix, que distreu: *Un programa divertit.*

diví divina divins divines adj 1 Que està relacionat amb Déu o amb els déus. 2 Molt bo, perfecte: *Una música divina.* ▪ *Aquest menjar té un gust diví.*

dividend dividends nom m Nombre o quantitat que s'ha de dividir per un altre nombre.

dividir v Fer dues o més parts d'una cosa; partir una quantitat en diverses quantitats més petites; separar un conjunt de coses en grups, en classes.
Es conjuga com *servir*.

divinament adv Molt bé, perfectament: *En aquell restaurant vam menjar divinament.*

divinitat divinitats nom f 1 Ésser diví, déu o deessa. 2 Qualitat de diví.

divisa divises nom f 1 Frase que expressa les intencions d'algú o d'alguna associació o entitat: *La divisa d'aquell grup ecologista és: "Salvem la natura!"* 2 Moneda estrangera en relació a la del propi país: *L'euro ha perdut valor enfront del dòlar i altres divises.*

divisió divisions nom f 1 Operació que consisteix a repartir una cosa a parts iguals, fer d'un tot dues o més parts, distribuir-se una cosa entre uns quants: *Per saber quants caramels tocaven per cap, vam fer la divisió del nombre de caramels pel nombre de persones que érem.* 2 *En aquesta classe hi ha molta divisió:* la gent no s'entén.

divisor divisors nom m Nombre que divideix un altre nombre.

divisori divisòria divisoris divisòries adj Que indica una divisió, una separació: *Les fronteres marquen línies divisòries entre els països.*

divorci divorcis nom m Anul·lació del matrimoni de dues persones que abans eren casades.

divorciar-se v Deixar d'estar casades dues persones que formaven un matrimoni.
Es conjuga com *canviar*.

divuit divuits nom m i adj Paraula que expressa la quantitat representada per la xifra 18.

divulgar v Fer conèixer una cosa a un gran nombre de persones: *Els diaris van divulgar la notícia.*
Es conjuga com *cantar*. S'escriu g davant de *a, o, u* i gu davant de *e, i: divulgo, divulgues*.

do[1] dons nom m 1 Cosa donada: *Li van fer un gran do, un gran regal.* 2 Qualitats, facilitat per a fer una cosa determinada: *Aquell noi té un do per a la música.* 3 **do de gents** Facilitat de tractar amb la gent que té una persona. 4 **do de llengües** Facilitat d'una persona per aprendre diverses llengües.

do[2] dos nom m Primera nota de l'escala musical.

doblar v 1 Fer doble, augmentar una cosa fins al doble: *La població de la ciutat s'ha doblat en trenta anys.* 2 Posar veu a una pel·lícula que era parlada en una altra llengua: *Han doblat al català una pel·lícula americana que era parlada en anglès.*
Es conjuga com *cantar*.

doblatge doblatges nom m Acció de posar els diàlegs a una pel·lícula; acció de traduir els diàlegs d'una pel·lícula a una altra llengua.

doble dobles 1 adj Dues vegades una quantitat, el nombre d'una cosa: *20 és el doble de 10.* ▪ *A la nostra classe hi ha vint alumnes i a la del costat n'hi ha el doble: n'hi ha quaranta.* 2 nom m i f Persona que s'assembla molt a una altra, amb la qual és fàcil de confondre: *En Joaquim sembla el doble d'en Xevi; són ben iguals.*

doblec doblecs nom m Part per on s'ha doblegat una cosa; tros en què una cosa doblegada està en doble: *Li agradaven aquells pantalons que tenien un doblec a l'extrem dels camals.*

doblegar v Plegar un objecte, roba, paper, etc. en dos trossos: *Vaig doblegar el full de paper i me'l vaig ficar a la butxaca.*
Es conjuga com *cantar*. S'escriu g davant de *a, o, u* i gu davant de *e, i: doblego, doblegues*.

dobler doblers *nom m* Diner.

docència docències *nom f* Activitat de les persones que es dediquen a l'ensenyament: *Aquesta professora ha fet trenta anys de docència, és a dir, ha fet classe durant trenta anys.*

docent docents *adj i nom m i f* Es diu de les persones o de les coses directament relacionades amb l'ensenyament: *Els professors d'una escola són el personal docent del centre; el porter, els treballadors del menjador, etc. són el personal no docent del centre.* ▪ *Una escola és un centre docent.*

dòcil dòcils *adj* Que es pot dominar fàcilment, que no és rebel: *Aquest gos és molt dòcil, sempre fa el que li dius.*

docilitat docilitats *nom f* Qualitat de dòcil, característica de les persones i dels animals fàcils de dominar i d'educar: *Aquell gos demostrava una gran docilitat i obeïa el seu amo a la primera.*

docte docta doctes *adj* Que té molta ciència, que és molt savi: *Una professora docta en història.*

doctor doctora doctors doctores *nom m i f* **1** Metge: *El doctor Cases és un especialista d'ossos.* **2** Persona que ha estudiat a la universitat i que, un cop obtinguda la llicenciatura, ha continuat estudiant, s'ha especialitzat en un tema determinat i ha obtingut el doctorat: *En Joan és doctor en geografia.*

doctorat doctorats *nom m* Títol universitari superior al grau i al màster.

doctrina doctrines *nom f* Conjunt d'idees defensades per un grup polític, religiós, etc.: *La doctrina cristiana.*

document documents *nom m* **1** Escrit que dóna una informació sobre algú o alguna cosa: *El document demostrava que el castell tenia més de 500 anys.* **2** Dada que permet de conèixer una cosa: *Els monuments són un document per a conèixer la nostra història.* **3** document nacional d'identitat o **DNI** A l'Estat espanyol, carnet que serveix per a demostrar que una persona és ella mateixa.

documentació documentacions *nom f* Conjunt de documents: *L'advocat portava en una maleta tota la documentació sobre el cas que s'havia de jutjar.* ▪ *Vaig perdre la cartera amb tota la documentació: el carnet d'identitat, el de conduir, el passaport, etc.*

documental documentals *nom m* Pel·lícula o programa de televisió que informa sobre un tema determinat: *Hem vist un documental sobre els volcans.*

documentar *v* Provar o justificar una opinió o una informació amb documents: *Si vols escriure un article sobre la història del barri, hauràs d'anar a la biblioteca a documentar-te, a buscar informació.*
Es conjuga com *cantar*.

dofí dofins *nom m* Animal mamífer marí d'uns dos metres, de morro prim i llarg, que salta fora de l'aigua per respirar: *El dofí és un peix molt intel·ligent i molt amic de l'home.*

dofí

dogal dogals *nom m* **1** Corda que es posa al coll d'una bèstia per lligar-la o arrossegar-la. **2** tenir un dogal al coll Estar en una situació difícil. **3** posar-se el dogal al coll Posar-se un mateix en una situació difícil.

dogma dogmes *nom m* Veritat que és considerada indiscutible.

dogmàtic dogmàtica dogmàtics dogmàtiques *adj* Es diu de la persona que considera que el que ella pensa és veritat i no pot ser discutit: *Les persones dogmàtiques no accepten que algú pensi diferent que elles, ni que ningú els discuteixi allò en què elles creuen.*

doina Paraula que apareix en l'expressió en doina, que vol dir "que una cosa s'ha mogut de lloc, que s'ha espatllat": *Aquests nens tan moguts ho fan anar tot en doina.*

dojo Paraula que apareix en l'expressió a dojo, que vol dir "en gran quantitat": *De la font sortia aigua a dojo.*

dol dols *nom m* **1** Tristesa causada per la mort d'una persona estimada: *En aquella casa hi havia un gran dol per la mort de l'àvia.* **2** Conjunt de persones que van a un enterrament. **3** vestir de dol o anar de dol o portar dol

Portar vestits negres en senyal de dolor per la mort d'algú.

dòlar dòlars nom m Nom de la moneda dels Estats Units d'Amèrica, del Canadà, d'Austràlia i d'altres països.

dolç dolça dolços dolces adj **1** Que té un gust com el del sucre o la mel: *Quina beguda més dolça!* **2** Que hi falta sal, que té poc gust: *Aquesta truita és dolça.* **3** *Als rius hi ha* **aigua dolça**: aigua que no és salada com la del mar. **4** Es diu d'una persona delicada, amable, suau: *La Teresa és molt dolça.* **5** nom m Menja feta amb sucre o mel, com ara les pastes dolces i les fruites confitades.

dolçaina dolçaines nom f Instrument musical de vent, fet de fusta, que té un tub cònic i de doble llengüeta.

dolcesa dolceses nom f Dolçor, qualitat de dolç.

dolçor dolçors nom f Qualitat de dolç: *A la boca sentia la dolçor del caramel.*

doldre v Causar un sentiment de tristesa, de dolor, saber molt greu: *Al seu pare li va doldre que no aprovés el curs.*
Es conjuga com *valer*.

dolent dolenta dolents dolentes adj **1** Capaç de fer mal: *D'aquella persona no te'n fiïs, que és molt dolenta.* **2** Es diu d'una persona moguda, entremaliada: *La Núria s'ha enfilat a la taula i sense voler ha trencat el gerro: quina nena més dolenta!* **3** Es diu d'un aliment, d'una medecina, etc. que té mal gust: *Quin vi més dolent!* **4** Es diu d'un objecte o d'una cosa mal feta, de mala qualitat: *Aquest bolígraf és molt dolent: ja s'ha espatllat.* **5** nom m i f Persona dolenta: *Els dolents de la pel·lícula al final van acabar a la presó.*

dolenteria dolenteries nom f Acció dolenta; entremaliadura: *Aquest nen fa moltes dolenteries.*

doler v Mira **doldre**.
Es conjuga com *valer*.

doll dolls nom m Raig d'aigua que surt amb força: *De la font sortia un doll d'aigua molt gruixut.*

dolmen dòlmens nom m Monument prehistòric fet amb pedres grosses col·locades en forma de taula que servia de tomba.

dolor dolors nom m o f **1** Sensació de mal: *Va caure de cap i va sentir un gran dolor.* **2** Sen-
timent de pena, tristesa: *La mort del seu amic li va produir un fort dolor.*

dolorit dolorida dolorits dolorides adj Que té pena, dolor: *Està molt dolorit per totes les desgràcies que ha sofert la família.*

dolorós dolorosa dolorosos doloroses adj Que provoca dolor: *Una ferida dolorosa.*

domador domadora domadors domadores nom m i f Persona que doma animals, que els ensenya a fer el que ella vol: *El que em va agradar més del circ va ser el domador de lleons.*

domar v Fer tornar mansa una bèstia salvatge: *Han domat un cavall salvatge.*
Es conjuga com *cantar*.

domàs domassos nom m Tela d'un sol color, de seda o d'un altre material, amb adorns, que s'utilitza per a guarnir esglésies, sales, balcons, etc. en dies de festa.

domèstic domèstica domèstics domèstiques adj Que està relacionat amb la casa: *El gos és un animal domèstic.* ■ *Cuinar i rentar els plats són feines domèstiques.*

domesticar v Domar, fer domèstic un animal: *El gos és un animal domesticat per l'home.*
Es conjuga com *cantar*. S'escriu *c* davant de *a, o, u* i *qu* davant de *e, i*: domestico, domestiques.

domicili domicilis nom m Lloc on viu una persona, adreça: *El domicili d'en Jeroni és: carrer de la Creu, número 10, 08700 Igualada.*

dominació dominacions nom f Acció de dominar: *L'imperi romà va exercir la seva dominació sobre una gran part d'Europa i de l'Àfrica del Nord.*

dominador dominadora dominadors dominadores adj i nom m i f Es diu de la persona que tendeix a dominar les altres: *Aquella noia no s'entén amb ningú perquè és una dominadora.* ■ *Els romans van ser un poble dominador.*

dominant dominants adj Que domina, que és superior en força o en quantitat: *La religió dominant a Catalunya és la catòlica, les altres no tenen tants seguidors.*

dominar v **1** Tenir poder sobre les persones o les coses: *El rei dominava tot el país.* ■ *La Marta està dominada pel seu germà, que li fa fer el que vol.* **2** Ser entès en una cosa, conèixer molt bé un tema, una matèria: *Aquella nena domina la geografia.* **3** Poder veure una cosa des d'un lloc elevat: *Des* de dalt la muntanya es domina tota la co-marca.

Es conjuga com *cantar.*

domini dominis *nom m* **1** Poder de dominar: *El rei tenia el domini de tot el país.* **2** Terra sobre la qual es té el domini o la propietat: *Els dominis d'aquell rei eren molt extensos.* **3 domini lingüístic** Territori en què una llengua és parlada.

dominical dominicals *adj* Que està relacionat amb el diumenge: *Els diaris publiquen cada diumenge un suplement dominical.*

dòmino dòminos *nom m* Joc que es juga amb 28 fitxes rectangulars, dividides en dues parts iguals, cadascuna de les quals porta marcats de 0 a 6 punts: *Ahir vam fer una partida de dòmino i va guanyar l'Aleix.*

dòmino

dona dones *nom f* **1** Persona del sexe femení: *Al mercat hi havia molts homes i moltes dones.* **2** Muller, esposa, senyora d'algú: *Hem conegut la dona del nostre professor.* **3** Persona adulta del sexe femení: *La Júlia ha fet 16 anys i ja no és una nena, és una dona.*

donació donacions *nom f* Acció de donar una cosa: *Aquell senyor va fer donació de tots els seus llibres a la biblioteca del poble.*

donant donants *nom m i f* Persona que dóna una cosa; persona que dóna sang; persona que dóna un òrgan del cos perquè pugui ser trasplantat a una altra persona.

donar *v* **1** Oferir una cosa a canvi de res: *El botiguer em va donar un caramel.* **2** Posar alguna cosa a l'abast d'algú: *Dóna'm aquest pot que hi ha al prestatge.* **3** Fer guanyar molts diners: *Aquest negoci dóna molts diners.* **4** Estar situat de cara a un lloc: *Aquesta finestra dóna al pati, està situada de cara al pati.* **5 donar-se** Rendir-se: *Em va tenir agafat fins que em vaig donar.* **6 donar-se** Tornar-se més ampla una cosa després d'haver-la fet servir molt: *Els primers dies*

aquestes sabates m'anaven molt estretes, però ara ja s'han donat.

Es conjuga com *cantar.* Les formes **dóna, dónes** porten accent diacrític per distingir-les del nom *dona dones:* "Dóna els diners a aquella dona".

donatiu donatius *nom m* Quantitat de diners que es dóna per contribuir a alguna cosa: *Recullen donatius per ajudar les víctimes de les inundacions.*

doncs *conj* Indica la conseqüència d'alguna cosa: *No vols venir?, doncs hi anirem nosaltres sols.*

donzell donzella donzells donzelles 1 *nom m i f* Persona verge, jove. **2 donzella** *nom f* Dona al servei d'una senyora: *La reina i les seves donzelles.*

dopar *v* Drogar, donar un medicament o una droga a un esportista perquè millori la seva actuació: *Dopar els esportistes està prohibit.* **Es conjuga com** *cantar.*

dorment dorments *adj* Que dorm: *El conte de la Bella Dorment explica la història d'una noia que una bruixa havia adormit per sempre, fins que un príncep la va despertar amb un petó.*

dormida dormides *nom f* Acció de dormir: *A l'estiu, després de dinar, sempre fa una dormida curta.*

dormilec dormilega dormilecs dormilegues *adj i nom m i f* Dormilega.

dormilega dormilegues *adj i nom m i f* Que dorm molt, que li agrada molt de dormir: *L'Albert és un dormilega, es passaria tot el dia dormint.*

dormir *v* **1** Estar en estat de repòs, sense sentir ni veure res, durant un cert temps, generalment a la nit: *Vaig dormir profundament tota la nit.* **2 dormir com un tronc** o **dormir com un sac** Dormir molt fort. La conjugació de *dormir* és a la pàg. 836.

dormitar *v* Estar mig adormit: *L'avi es passa moltes hores dormitant al sofà.* **Es conjuga com** *cantar.*

dormitori dormitoris *nom m* Habitació, part de la casa amb un o més llits on dormen una o més persones.

dors dorsos *nom m* **1** Esquena: *Els futbolistes porten un número al dors.* **2** Revers d'una cosa: *L'escrit continua al dors d'aquest full.* **3** Part superior d'alguns òrgans com el nas, la llengua, el peu, etc. **15**

dorsal dorsals **1** *adj* Que està relacionat amb el dors, amb l'esquena, amb la part de darrere: *Aquest peix té una aleta dorsal*. **2** *nom m* Número que porten a l'esquena els participants en una cursa, en un partit de futbol, etc. per tal que se'ls pugui distingir. **3 vèrtebres dorsals** Vèrtebres situades a la zona de l'esquena. 15

dos dues **1** *adj* Paraula que expressa la quantitat representada per la xifra 2: *Les persones tenim dues mans i dos peus*. **2 dos dosos** *nom m* Nom de la xifra 2: *Fa els dosos que semblen vuits*. **3 cada dos per tres** Sovint: *Això passa cada dos per tres*. **4 tocar el dos** Anar-se'n.

dosi dosis *nom f* Quantitat d'un medicament o d'una substància: *El metge li va receptar prendre una petita dosi diària d'un xarop espès i amarg*.

dosificar *v* Decidir la dosi o quantitat que s'ha de prendre d'un medicament, d'una substància.
Es conjuga com *cantar*. S'escriu c davant de *a, o, u* i *qu* davant de *e, i*: *dosifico, dosifiques*.

dosser dossers *nom m* Ornament de forma rectangular que és com un sostre que es col·loca sobre els trons, els llits de luxe, etc.

dossier dossiers *nom m* Recull de documents, d'escrits, etc. sobre un tema determinat: *Estem fent un dossier sobre la festa major del nostre poble*.

dot dots *nom m* **1** Diners o riqueses que abans una dona oferia al seu marit quan es casava. **2** Qualitat, do: *Aquell noi té un dot especial per a la música*.

dotació dotacions *nom f* **1** Acció de dotar, de proveir o d'equipar algú o alguna cosa amb allò que necessita. **2** Conjunt de persones o coses de què disposa una institució, una empresa, un vaixell, etc.: *Aquest hospital té una dotació de quaranta infermeres i vint metges*.

dotar *v* Proveir o equipar algú o alguna cosa amb tot allò que necessita per a fer una determinada tasca o funció: *Ha procurat dotar els seus fills amb una bona educació*.
Es conjuga com *cantar*.

dotze dotzes *nom m* i *adj* Paraula que expressa la quantitat representada per la xifra 12.

dotzè dotzena dotzens dotzenes *adj* **1** Que fa dotze en una sèrie, que en té onze al davant. **2** Es diu de cadascuna de les parts d'una quantitat dividida en dotze parts iguals.

dotzena dotzenes *nom f* Conjunt de dotze coses de la mateixa mena: *En Pere ha anat a comprar una dotzena d'ous*.

drac dracs *nom m* Animal imaginari dels contes que és molt gros, té quatre potes, ales i treu foc per la boca: *Sant Jordi va matar el drac per salvar la princesa*.

drac

dracma dracmes *nom f* Antiga moneda grega.

dragar *v* Treure pedres, fang o porqueries del fons d'un riu, d'un pantà, etc.
Es conjuga com *cantar*. S'escriu g davant de *a, o, u* i *gu* davant de *e, i*: *drago, dragues*.

dragó dragons *nom m* **1** Nom de diversos animals rèptils. **2** Drac.

drama drames *nom m* **1** Obra de teatre diferent de la comèdia i de la tragèdia, en la qual predomina l'acció. **2** Fet de la vida real que destaca per la desgràcia, per la tristesa que provoca, etc.: *Aquell accident va ser un drama*.

dramàtic dramàtica dramàtics dramàtiques *adj* **1** Que està relacionat amb el teatre o amb un drama: *Una obra dramàtica és una obra de teatre*. **2** Que commou, que fa venir tristesa: *Un accident dramàtic*.

dramatitzar *v* **1** Donar forma de drama o d'obra de teatre a una història: *Han dramatitzat la novel·la i l'han convertida en una sèrie televisiva*. **2** Fer que un problema o un conflicte sembli més greu del que és: *Aquest sempre dramatitza les coses, de qualsevol petit problema en fa una tragèdia*.
Es conjuga com *cantar*.

dramaturg dramaturga dramaturgs dramaturgues *nom m* i *f* Persona que escriu obres de teatre.

drap draps *nom m* **1** Tros de roba que serveix per a eixugar-se les mans, netejar mobles, etc.: *Vols portar-me un drap per a eixugar els plats?* **2** Sé que en Marçal, parlant amb la Roser, em va **deixar com un drap brut**: criticar algú, parlar-ne malament. **3** a

tot drap Amb gran abundància, molt de pressa, etc.: *La moto va passar a tot drap pel nostre costat.*

drapaire drapaires *nom m i f* Persona que compra i ven roba vella, papers, ferros vells, vidre usat, etc.: *No llencis aquestes ampolles buides, les portarem al drapaire i hi guanyarem alguns diners.*

drassana drassanes *nom f* Taller vora el mar on es fabriquen o s'arreglen vaixells i barques.

dràstic dràstica dràstics dràstiques *adj* Es diu de tot allò que actua de forma ràpida i forta: *El govern ha anunciat que prendria mesures dràstiques contra els traficants de droga.*

dreçar *v* **1** Posar una cosa dreta, vertical: *Hem de dreçar aquell pal que el vent ha tombat.* **2** Alçar un monument, una estàtua, etc., erigir: *L'ajuntament ha fet dreçar un monument a un personatge important de la ciutat.* **3 dreçar-se** Aixecar-se: *Estava assegut, però quan va sentir que el cridaven es va dreçar de cop.*
Es conjuga com *cantar*. S'escriu ç davant de *a, o, u* i c davant de *e, i: dreço, dreces.*

drecera dreceres *nom f* Camí més curt que el principal per a arribar a un lloc: *Si en comptes de seguir la carretera trenquem per aquest cami-net, farem drecera i arribarem abans.*

drenar *v* Treure l'aigua d'un terreny humit.
Es conjuga com *cantar.*

drenatge drenatges *nom m* Acció de drenar, de treure l'aigua d'un terreny.

dret¹ dreta drets dretes *adj* **1** Recte, sense tortes: *Els xiprers solen tenir el tronc molt dret.* **2** No hi havia cadires i vam haver d'**estar drets**: no seure. **3** Alçat, en posició vertical: *Quan va entrar el president, tothom es va posar dret.* **4** Els nens van **anar de dret** a casa seva: sense aturar-se enlloc, sense torbar-se pel camí. **5 tirar pel dret** Caminar en línia recta, anar pel camí més curt: *Si tirem pel dret, arribarem més aviat al poble.* **6** Contrari d'esquerre: *La majoria de la gent escriu amb la mà dreta.* **7** Que fa molta pujada: *Per arribar a la plaça de l'església, hem de pujar per un carrer molt dret.* **8 ser el braç dret** Ser el principal ajudant o col·laborador d'algú.

arbre dret / arbre tort

dret² drets *nom m* **1** Conjunt de les lleis que organitzen la vida i les relacions en una societat. **2 no hi ha dret** No és just, no s'hi val: *No hi ha dret que hi hagi gent que passi al davant sense fer cua, i que els que fa estona que ens esperem hàgim d'anar a darrere d'ells.*

dreta dretes *nom f* Sector de la societat i dels partits polítics amb idees conservadores.

dretà dretana dretans dretanes *adj* **1** Es diu de la persona que per escriure, per menjar, etc. fa servir la mà dreta. **2** Es diu de les persones, de les idees i dels partits conservadors o de dreta.

dreturer dreturera dreturers dretureres *adj* Que va en línia recta, sense desviar-se: *Un camí dreturer.*

driblar *v* Esquivar un jugador contrari i evitar que ens prengui la pilota en futbol i en altres esports.
Es conjuga com *cantar.*

dring drings *nom m* Soroll que fa un objecte de metall o de vidre quan xoca: *Vam sentir el dring d'una moneda en caure a terra.*

dringar *v* Fer soroll el vidre o el metall en xocar o caure a terra: *Va fer dringar les claus* ■ *La moneda va caure a terra i va dringar.*
Es conjuga com *cantar*. S'escriu g davant de *a, o, u* i gu davant de *e, i: dringa, dringui.*

droga drogues *nom f* **1** Qualsevol substància que produeix un canvi en l'estat d'ànim de les persones i que perjudica la salut: *L'alcohol i el tabac són drogues.* **2** Qualsevol substància que s'utilitza per a la fabricació de medicines, pintures, etc.

drogar *v* **1** Donar droga. **2 drogar-se** Prendre droga: *La gent que es droga s'exposa a agafar moltes malalties.*
Es conjuga com *cantar*. S'escriu g davant de *a, o, u* i gu davant de *e, i: drogo, drogues.*

drogoaddicte drogoaddicta drogoaddic-tes *adj* i *nom m* i *f* Persona que habitualment pren una droga: *Hi ha molts drogoaddictes que volen deixar de drogar-se, però no poden perquè el seu cos hi està acostumat i s'ho passen molt malament.*

drogueria drogueries *nom f* Botiga on es venen productes de neteja, pintures, insecticides, etc.

dromedari dromedaris *nom m* Camell que només té un gep a l'esquena, camell comú.

dropo dropa dropos dropes *adj* i *nom m* i *f* Es diu de la persona a qui no agrada de treballar i que es passa el dia sense fer res.

druida druides *nom m* Sacerdot dels antics celtes, encarregat de conservar les seves tradicions religioses i d'ocupar-se de l'educació i la justícia.

drupa drupes *nom f* Tipus de fruit de polpa carnosa i que té pinyol, com ara el préssec, la cirera, la pruna, etc.

dual duals *adj* Que consta de dues parts: *Aquest televisor porta un sistema dual, és a dir, un sistema de so que permet de triar entre la versió doblada o la versió en la llengua original a l'hora de seguir una pel·lícula.*

duana duanes *nom f* Lloc de la frontera on la policia controla el pas de persones i mercaderies d'un país a un altre.

duaner duanera duaners duaneres **1** *adj* Que està relacionat amb la duana: *A la frontera hi havia un control duaner.* **2** *nom m* i *f* Persona que treballa en una duana.

dubitatiu dubitativa dubitatius dubitati-ves *adj* Que dubta o que expressa dubte: *La seva resposta va ser dubitativa, com si li costés de decidir-se pel "sí" o pel "no".*

dubtar *v* **1** Estar insegur, indecís, no saber què fer, no saber una cosa amb seguretat. **2** Desconfiar: *Dubto de la paraula d'aquell noi, perquè és molt mentider.*
Es conjuga com *cantar.*

dubte dubtes *nom m* **1** Estat en què una persona no sap què fer, no sap què triar, no sap què és millor, etc.: *Tinc el dubte de si és millor quedar-me o marxar, no sé què fer.* **2** Qüestió o punt sobre el qual es dubta, sobre el qual no se sap què pensar. **3** *No hi ha dubte* que tens raó: és ben veritat, ben cert. **4** *Sens dubte* faran això: seguerament.

dubtós dubtosa dubtosos dubtoses *adj* **1** Es diu d'una cosa que fa venir dubtes, que no se sap com acabarà: *El resultat del partit és dubtós perquè tots dos equips juguen molt bé.* **2** Es diu de la persona que dubta: *Estic dubtós i no sé què fer, si quedar-me o venir.*

duc[1] ducs *nom m* **1** Ocell semblant al mussol amb plomes llargues a les orelles i ulls grossos. **2** *duc blanc* Duc de color blanc, amb el cap rodó i sense orelles. **6**

duc

duc[2] duquessa ducs duquesses *nom m* i *f* Persona de la noblesa que està per damunt del marquès i per sota del príncep.

ducat ducats *nom m* **1** Territori que antigament estava sota el control d'un duc. **2** Moneda d'or que s'havia utilitzat en diversos països.

dúctil dúctils *adj* **1** Es diu dels materials als quals es pot fer adoptar formes diverses amb facilitat. **2** Es diu de les persones que es deixen ensenyar o convèncer fàcilment.

duel duels *nom m* Combat entre dues persones que han tingut abans alguna discussió o s'han barallat per algun motiu: *El príncep va desafiar el marquès a un duel perquè aquest havia dit una cosa contra el seu honor.*

dues *adj* Forma de femení de **dos** *Hi havia dos nois i dues noies, és a dir, quatre persones en total.*

duet duets *nom m* Duo.

dulcificar *v* Endolcir, fer tornar dolça una cosa. Es conjuga com *cantar.* S'escriu *c* davant de *a, o, u* i *qu* davant de *e, i*: *dulcifico, dulcifiques.*

duna dunes *nom f* Muntanya petita de sorra, com les que hi ha al desert i a les platges.

ınes

duo duos *nom m* **1** Conjunt de dos cantants que canten plegats. **2** Composició musical per a dues veus o dos instruments.

duodè duodens *nom m* Primera part de l'intestí prim. █19█

dúplex dúplexs *adj i nom m* Es diu de les coses que tenen dues parts o dos nivells, com ara els habitatges que consten de dos pisos: *S'han traslladat i viuen en un dúplex, al pis de baix hi ha la cuina, el menjador i la sala, i al pis de dalt hi ha les habitacions.*

duplicar *v* Fer doble: *Aquest any la botiga ha duplicat les vendes, ha venut dues vegades més que l'any passat.*
Es conjuga com *cantar*. S'escriu *c* davant de *a, o, u* i *qu* davant de *e, i: duplico, dupliques.*

duquessa duquesses *nom f* Mira duc².

dur¹ *v* Portar: *La mare em va dir que li portés una barra de pa i jo em vaig despistar i li vaig dur un pa rodó.* ▪ *La Maria duia una faldilla vermella.*
La conjugació de *dur* és a la pàg. 837.

dur² dura durs dures *adj* **1** Resistent, que no es dobla fàcilment: *La fusta és una matèria dura.* **2** Es diu de l'aliment fort, que costa de mastegar: *No m'he menjat el bistec, aquesta carn és massa dura.* **3** Que exigeix molt esforç, molta força: *La feina del meu pare és molt dura.* **4** Que oposa resistència a funcionar: *Aquesta porta va dura.* **5** Que no és amable: *Has dit unes paraules molt dures als teus amics.* **6** Que no s'impressiona fàcilment: *És una noia dura.*

duració duracions *nom f* Durada.

durada durades *nom f* Espai de temps que dura una cosa: *La classe té una hora de durada.*

durador duradora duradors duradores *adj* Es diu d'una cosa que dura: *Aquestes sabates són molt duradores, ja veuràs com passarà molt temps abans no se't gastin o se't facin malbé.*

durament *adv* Amb duresa, d'una manera dura: *El mestre es va enfadar molt amb els nens que s'havien barallat i els va renyar durament.*

durant *prep* Mentre dura una cosa: *Va ploure durant tot el partit.*

durar *v* **1** Allargar-se una cosa, prolongar-se un temps determinat: *La pel·lícula dura dues hores.* **2** Resistir molt, no espatllar-se fàcilment: *Aquesta roba és gruixuda, durarà molt.*
Es conjuga com *cantar*.

duresa dureses *nom f* Qualitat de dur: *Una roca de gran duresa.*

durícia durícies *nom f* Pell dura que es fa a les mans o als peus a conseqüència del contacte continuat amb una eina, de caminar molt, etc.: *Ha treballat tant fent anar la destral, que li han sortit durícies als dits.*

duro duros *nom m* Antiga moneda de cinc pessetes.

dutxa dutxes *nom f* **1** Raig continuat d'aigua que serveix per a rentar-se: *Quan arribi a casa prendré una dutxa, estic ben suat i tinc molta calor.* **2** Aparell que té uns foradets petits per on surt l'aigua i que serveix per a dutxar-se: *La dutxa de casa està espatllada, m'hauré de banyar en comptes de dutxar-me.*

dutxar-se *v* Prendre una dutxa.
Es conjuga com *cantar*.

e es *nom f* nom de la lletra e E.

eben ébens *nom m* Banús.

ebenista ebenistes *nom m i f* Persona que té per ofici fer mobles amb fustes fines.

ebri èbria ebris èbries *adj* Embriac, borratxo.

ebullició ebullicions *nom f* **1** Fet de convertir-se un líquid en vapor: *L'ebullició de l'aigua es produeix a 100 graus de temperatura.* **2** Agitació, moviment continu: *En aquella gran ciutat hi ha molta ebullició als carrers.*

eclèctic eclèctica eclèctics eclèctiques *adj i nom m i f* Es diu de la persona que accepta diferents opinions sobre les coses i que forma el seu criteri escollint allò que li sembla millor de cadascuna d'elles.

eclesiàstic eclesiàstica eclesiàstics eclesiàstiques **1** *adj* Es diu de les persones i de les coses que estan relacionades amb l'Església. **2** *nom m* Home dedicat al servei de l'Església.

eclipsar *v* Tapar, un astre, un altre astre, impedint que es vegi la seva llum.
Es conjuga com *cantar*.

eclipsi eclipsis *nom m* Fenomen que es produeix quan un astre tapa un altre astre, impedint que es vegi la seva llum: *Avui hi haurà un eclipsi de Sol.*

eco ecos *nom m* Fenomen que es produeix quan un so es torna a repetir perquè les ones sonores xoquen contra un obstacle: *Aquella muntanya fa eco: crido "hola!" i al cap d'uns moments torno a sentir "hola!"*

eco- Element amb què comencen algunes paraules i que vol dir "casa", "medi": *L'ecologia estudia la relació entre els éssers vius i el medi on viuen.*

ecografia ecografies *nom f* Tècnica que s'utilitza en medicina per a explorar l'interior del cos per mitjà d'un aparell que funciona amb ones de so i que permet d'obtenir imatges del funcionament d'un òrgan, del fetus du-

rant l'embaràs, etc.: *La mare està embarassada i cada tres mesos el metge li controla el fetus a través d'ecografies.*

ecologia ecologies *nom f* Part de la biologia que estudia la relació entre els diferents éssers vius i el medi on viuen.

ecològic ecològica ecològics ecològiques *adj* Es diu de les coses que estan relacionades amb l'ecologia: *Diuen que aquest material és ecològic, perquè no produeix residus i es pot tornar a aprofitar.*

ecologista ecologistes *adj i nom m i f* Es diu de les persones que defensen el medi ambient i la conservació de la natura: *Els ecologistes van fer una manifestació per protestar contra la contaminació del riu.*

economat economats *nom m* Establiment on els treballadors d'una empresa, els socis d'una cooperativa, etc. poden comprar aliments i altres productes a més bon preu que a la resta de botigues.

economia economies *nom f* **1** Sistema de produir riquesa en una societat: *Aquest país té una economia basada en el turisme i en la petita indústria.* **2** Ciència que estudia la manera com es produeix, es reparteix i es gasta la riquesa. **3** economies *nom f pl* Allò que s'estalvia o es deixa de gastar: *Aquest mes hem fet economies: no hem comprat tantes coses i hem estalviat alguns diners.*

econòmic econòmica econòmics econòmiques *adj* **1** Que està relacionat amb l'economia: *La pesca i la indústria són activitats econòmiques.* **2** Que estalvia, que no gasta: *És un cotxe molt econòmic, no gasta gaire benzina.* **3** Barat: *Els preus d'aquesta botiga són molt econòmics.*

economista economistes *nom m i f* Persona que es dedica a l'economia: *Els economistes de l'empresa diuen que l'any que ve es guanyaran més diners.*

economitzar *v* Estalviar: *Comprarem un cotxe més senzill per economitzar.*
Es conjuga com *cantar*.

ecosistema ecosistemes *nom m* Conjunt d'éssers vius de diferents espècies que viuen en un territori: *Un bosc és un ecosistema on viuen plantes, arbres i animals.*

ecs *interj* Paraula que expressa fàstic: *No toquis això, ecs!, que és brut.*

èczema èczemes *nom m* Malaltia que fa que a la pell hi apareguin taques vermelles.

edat edats *nom f* **1** Temps que ha passat des del moment que una persona o un animal ha començat a viure: *Les edats dels meus germans són: dos anys, el petit, i quinze anys, el gran.* **2** Època: *Aquestes coves van ser habitades a l'edat de la pedra, perquè s'hi han trobat instruments de pedra i altres restes molt primitives.* ■ *L'edat mitjana i l'edat moderna són etapes de la història.* **3** Cadascuna de les etapes de la vida d'una persona: *La infantesa, la joventut, la maduresa i la vellesa són les edats de la vida.*

edèn edens *nom m* Paradís, lloc on segons la Bíblia hi va haver el paradís terrenal, anomenat també jardí de l'Edèn.

edició edicions *nom f* **1** Preparació, impressió i publicació d'un llibre, d'una revista, etc.: *Estan preparant una nova edició, revisada i ampliada, d'aquest diccionari de sinònims.* **2** Conjunt dels exemplars d'una obra publicats en una mateixa data: *D'aquesta novel·la, se n'han fet ja vuit edicions i encara en sortirà una altra abans de l'estiu.* **3** Cadascuna de les vegades que es fa un concurs, una celebració, etc.: *Aquest any se celebrarà la vuitena edició del festival de cinema de terror.*

edicte edictes *nom m* Ordre o avís que dóna a conèixer una autoritat: *Els edictes de l'ajuntament surten publicats al setmanari de la localitat.*

edificació edificacions *nom f* **1** Acció d'edificar. **2** Edifici, casa o construcció: *En aquell barri hi ha moltes edificacions noves.*

edificant edificants *adj* Es diu de la persona o de la conducta que dóna bon exemple, que ensenya a l'altra gent la manera de portar-se bé: *Aquesta dona té una conducta molt edificant, sempre ajuda la gent que ho necessita.*

edificar *v* **1** Fer, construir un edifici: *Han edificat un nou hospital.* **2** Influir les altres persones amb el bon exemple.
Es conjuga com *cantar*. S'escriu *c* davant de *a, o, u* i *qu* davant de *e, i: edifico, edifiques.*

edifici edificis *nom m* Construcció d'una certa grandària com ara una casa de pisos, una església, un teatre, etc.: *La Dolors viu a l'edifici del costat de l'església.*

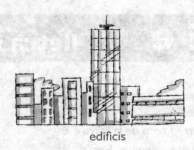
edificis

editar *v* Publicar i posar a la venda un llibre, una revista, etc.
Es conjuga com *cantar*.

editor editora editors editores *adj i nom m i f* Es diu de la persona o de l'empresa que es dedica a editar llibres, revistes, etc.

editorial editorials **1** *adj* Que està relacionat amb l'edició, amb la publicació de llibres: *A Barcelona hi ha moltes empreses editorials.* **2** una **editorial** *nom f* Empresa que es dedica a publicar llibres. **3** un **editorial** *nom m* Article que dóna l'opinió d'un diari o d'una revista sobre un tema d'actualitat.

edredó edredons *nom m* Peça de roba farcida de plomes, de llana o de fibres sintètiques que es posa al damunt de la roba que cobreix el llit.

edredó

educació educacions *nom f* **1** Acció d'educar. **2** Bon comportament, bones maneres, bones formes: *Aquest noi demostra que té molta educació.* **3** **educació física** Conjunt d'exercicis físics per a conservar el cos fort i sa, gimnàstica.

educador educadora educadors educadores *adj i nom m i f* Es diu de les coses o de les persones que eduquen.

educar *v* Formar i ensenyar els infants i també les persones grans perquè desenvolupin la seva personalitat: *L'escola ha d'educar els infants en el respecte a la natura.* ■ *Cal educar els pares perquè participin en la vida de l'escola.*
Es conjuga com *cantar*. S'escriu *c* davant de *a, o, u* i *qu* davant de *e, i: educo, eduques.*

educat educada educats educades *adj* Que té bones maneres, bones formes: *Un senyor molt amable i educat.*

educatiu educativa educatius educatives *adj* Que està relacionat amb l'educació, que educa: *Una col·lecció de jocs educatius que serveixen per a educar o aprendre alguna cosa tot jugant.*

efa efes *nom f* nom de la lletra f F.

efecte efectes *nom m* **1** Resultat d'una causa: *L'efecte que ha produït la pluja ha estat bo per als camps.* **2** *En efecte*, com tu dius, no hi havia ningú: en realitat, certament. **3** *Em va fer l'efecte* que ens enganyaven: semblar, donar la sensació, fer la impressió. **4** *El davanter va xutar la pilota amb efecte*: la pilota va seguir una trajectòria inesperada, diferent de la que semblava que havia de seguir.

efectiu efectiva efectius efectives **1** *adj* Es diu d'una cosa o d'una persona eficaç, que fa allò que es volia que fes: *Aquest medicament és molt efectiu, demà ja et trobaràs bé.* ■ *El nou jugador de l'equip és molt efectiu, sempre fa gols.* **2** efectius *nom m pl* Quantitat de persones que formen un exèrcit, un cos de policia, etc.: *Els efectius militars d'aquell país eren 300.000 soldats ben preparats i ben armats.* **3** *en efectiu* Es diu dels diners quan es paguen o es cobren amb monedes o en bitllets, en metàl·lic: *En aquesta botiga es pot pagar en efectiu o amb targeta de crèdit.*

efectivament *adv* En efecte, en realitat: *Ens va dir que vindria i, efectivament, va venir.*

efectuar *v* Realitzar, fer una cosa: *Acabem d'efectuar una prova difícil.*
Es conjuga com *canviar*.

efemèride efemèrides *nom f* **1** Fet important que mereix ser recordat: *L'efemèride dels Jocs Olímpics de 1992 a Barcelona.* **2** Escrit o article on es recorda un fet important.

efeminat efeminada efeminats efeminades **1** *adj* Es diu dels gestos, dels comportaments, etc. d'un home que semblen d'una dona: *Aquell noi té unes actituds efeminades.* **2** *adj* i *nom m* Es diu de l'home que per la manera de moure's, de parlar o de comportar-se sembla una dona.

efervescent efervescents *adj* Es diu d'un producte o d'un líquid que fa bombolles.

eficaç eficaços eficaces *adj* **1** Que funciona, que fa efecte, que dóna bons resultats: *Un xarop eficaç contra la tos.* **2** Es diu d'una persona que sap solucionar els problemes amb rapidesa o que és molt eficient a la feina.

eficàcia eficàcies *nom f* Qualitat d'eficaç: *Aquesta secretària treballa amb molta eficàcia, de pressa i bé.*

eficiència eficiències *nom f* Qualitat d'eficient: *Tothom parla de la gran eficiència d'aquella metgessa, que en sap molt, de tractar els malalts i curar-los.*

eficient eficients *adj* Que funciona bé, que treballa bé: *En Joan és un treballador eficient, que fa la feina ben feta.*

efígie efígies *nom f* Imatge d'una persona que hi ha en una medalla, en una moneda, etc.

efímer efímera efímers efímeres **1** *adj* Que dura molt poc: *El nostre equip va fer un gol i vam estar molt contents, però l'alegria va ser efímera ja que al cap de poc en van fer un els contraris.* **2** efímera *nom f* Gènere d'insectes d'ales transparents amb taques fosques i que viuen molt poc temps. **8**

efluvi efluvis *nom m* Olor, vapor, líquid, etc. que s'escapa d'un lloc o d'una cosa: *Ens arribaven els efluvis del jardí.*

efusió efusions *nom f* **1** Fet de comunicar a algú sentiments d'amor, d'estimació o de tendresa amb grans mostres d'afecte: *Ens va felicitar amb una gran efusió.* **2** Acció d'escampar-se un líquid o un gas.

efusiu efusiva efusius efusives *adj* Que demostra molt afecte, molta estimació: *Ens va saludar d'una manera efusiva.*

egipci egípcia egipcis egípcies **1** *nom m* i *f* Habitant d'Egipte; persona natural o procedent d'Egipte. **2** *adj* Es diu de les persones o de les coses naturals o procedents d'Egipte.

egoisme egoismes *nom m* Preocupació excessiva per un mateix sense tenir en compte els altres: *Demostra un gran egoisme, ho voldria tot per a ell i tant li fa que els altres es quedin sense res.*

egoista egoistes *adj* i *nom m* i *f* Es diu de la persona que només es preocupa d'ella mateixa, que no té en compte els altres.

egua egües *nom f* Mira euga.

eguinar *v* Manera de cridar del cavall, renillar. Es conjuga com *cantar*.

eh *interj* **1** Paraula que es fa servir per a cridar l'atenció d'algú: *Eh, Pere, no te'n vagis!* **2** Paraula que es fa servir quan es pregunta una cosa que no sabem o quan es demana un aclariment: *Eh que diumenge que ve el Barça juga amb l'Espanyol?* **3** Paraula que es fa servir per a demanar que ens confirmin allò que diem: *Demà vindràs, eh?*

ei *interj* Expressió que es fa servir per a cridar l'atenció d'algú o per a saludar-lo: *Ei, Josep, no te'n vagis que t'he de dir una cosa!*

eina eines *nom f* Instrument manual com ara un martell, un tornavís, una llima, etc. que es fa servir en un ofici determinat.

eivissenc eivissenca eivissencs eivissenques **1** *nom m* i *f* Habitant de l'illa d'Eivissa; persona natural o procedent de l'illa d'Eivissa. **2** *adj* Es diu de les persones o de les coses naturals o procedents de l'illa d'Eivissa. **3** *nom m* Manera de parlar el català pròpia de l'illa d'Eivissa.

eix[1] eixa eixos eixes *adj* i *pron* Indica les persones o les coses que són més a prop de la persona a qui es parla que no pas d'aquella que parla, aqueix.

eix[2] eixos *nom m* **1** Peça cilíndrica i llarga al voltant de la qual gira una roda o més d'una: *Les rodes dels cotxes giren al voltant d'un eix.* **2** Cosa o persona que és la més important per al funcionament d'un conjunt de coses, d'un grup: *L'autopista és un dels grans eixos de comunicació d'aquell territori.*

eixalar *v* Tallar o escurçar les ales d'un ocell per impedir que voli.
Es conjuga com *cantar*.

eixam eixams *nom m* **1** Grup nombrós d'abelles format per una reina i les obreres. **2** Grup nombrós de persones, d'animals o de coses: *Un eixam de mosques.*

Eines **1** claus fixes **2** discos de polir **3** claus Allen **4** serjant **5** serra de metalls **6** soldador elèctric **7** trepant elèctric **8** ribot **9** alicates **10** estenalles **11** rascador **12** martell **13** raspall de pues d'acer **14** bec de lloro **15** serra **16** clau anglesa **17** claus **18** visos / cargols **19** femelles **20** xerrac **21** llima **22** raspa **23** escaire **24** tornavís **25** tornavís d'estrella **26** enformador **27** gúbia **28** barrina **29** cúter **30** destral **31** serra circular **32** metre plegable **33** corró de pintar **34** cubeta amb reixeta **35** soldador **36** pinzell **37** paletina **38** brotxa **39** pistola de pintar **40** paleta **41** gaveta **42** paleta plana **43** garbell **44** carretó **45** pala **46** pic

eixamplar v **1** Fer més ample: *Han eixamplat la carretera perquè els cotxes hi puguin passar millor.* **2** Separar els braços o les cames: *Vaig eixamplar els braços per abraçar-lo.*
Es conjuga com *cantar.*

eixample eixamples *nom m* Conjunt de carrers, de places i d'edificis nous amb què s'eixampla una ciutat o un poble.

eixancarrar v Separar les cames: *El pare va eixancarrar les cames i la nena petita li va passar per sota.*
Es conjuga com *cantar.*

eixarcolar v Arrencar les males herbes d'un camp.
Es conjuga com *cantar.*

eixarrancar v Mira **eixancarrar.**
Es conjuga com *cantar.* S'escriu *c* davant de *a, o, u* i *qu* davant de *e, i*: *eixarranco, eixarranques.*

eixarreir v Fer tornar molt sec, molt eixut: *Feia tants dies que no plovia, que la terra i les plantes es van eixarreir.*
Es conjuga com *reduir.*

eixarreït eixarreïda eixarreïts eixarreïdes *adj* Que és molt sec, molt eixut: *Aquesta carn és eixarreïda i costa molt de mastegar.*

eixelebrat eixelebrada eixelebrats eixelebrades *adj i nom m i f* Es diu de la persona que fa les coses sense pensar, esbojarrada: *Porta el cotxe com un eixelebrat: de pressa i sense fixar-s'hi.*

eixerit eixerida eixerits eixerides *adj* **1** Despert, viu, espavilat: *Aquest nen petit és molt eixerit, encara que no parla ho entén tot.* **2** eixerit com un pèsol o com un gínjol Molt eixerit, molt despert.

eixida eixides *nom f* **1** Sortida. **2** Galeria o pati que hi ha al darrere d'una casa.

eixir v Sortir.
La conjugació d'*eixir* és a la pàg. 837.

eixorbar v Treure els ulls a una persona o a un animal, deixar sense vista una persona o un animal.
Es conjuga com *cantar.*

eixorc eixorca eixorcs eixorques *adj* Estèril, que no dóna fruits, que no pot tenir ni engendrar fills.

eixordador eixordadora eixordadors eixordadores *adj* Que eixorda, que deixa com sord, que fa molt soroll: *El soroll de l'avió, quan s'enfila cel amunt, és eixordador.*

eixordar v Quedar com sord durant un moment a causa d'un soroll molt fort: *No cridis tant, que m'eixordes!*
Es conjuga com *cantar.*

eixorivir v Fer que algú deixi d'estar ensopit o adormit: *L'aire fresquet del matí m'eixoriveix.* ▪ *Avui a aquest malalt se'l veu més animat, sembla que s'ha eixorivit una mica.*
Es conjuga com *servir.*

eixugacabells uns **eixugacabells** *nom m* Assecador de cabells.

eixugamà eixugamans *nom m* Drap que serveix per a eixugar-se les mans, que se sol tenir penjat en un lloc de la cuina: *Després de rentar els plats, va agafar l'eixugamà.*

eixugamans uns **eixugamans** *nom m* Mira **eixugamà.**

eixugaparabrisa eixugaparabrises *nom m* Aparell que serveix per a apartar l'aigua de la pluja del parabrisa del cotxe.

eixugaparabrisa

eixugar v **1** Assecar una cosa molla passant-hi una tovallola, un drap, etc.: *En Miquel eixugava els plats i els gots i la Maria els endreçava.* **2** eixugar-se Desaparèixer la humitat d'un objecte, d'una peça de roba, etc. per efecte del vent o de la calor: *Amb aquesta calor s'eixugarà la roba ben aviat.*
Es conjuga com *cantar.* S'escriu *g* davant de *a, o, u* i *gu* davant de *e, i*: *eixugo, eixugues.*

eixugar-se

eixugavidres uns **eixugavidres** *nom m* Rasclet de goma que serveix per a eixugar o netejar vidres.

eixut eixuta eixuts eixutes *adj* **1** Que no és humit, que és sec, que se n'ha tret el líquid: *Com que no m'he banyat, tinc el vestit de bany eixut.* ■ *La roba ja està eixuta, el sol l'ha eixugada.* **2** Es diu de la persona que no és gens simpàtica: *Aquell noi és molt eixut, no diu mai res.*

ejacular *v* Expulsar el semen.
Es conjuga com *cantar.*

el[1] la l' els les *art* Article determinat que va al davant d'una paraula quan és una persona o una cosa coneguda: *La teva germana. El meu amic. L'avi d'en Pere. Els arbres del parc. Les claus de casa meva. L'Anna i l'Antònia.*

el[2] la l' 'l -lo els les 'ls -los *pron* Pronom que es refereix a la persona o cosa de la qual es parla, i que va al costat del verb, sol o acompanyat d'un altre pronom: *No trobo el llibre, em sembla que el té en Pere.* ■ *La Maria s'ha tallat els cabells i ha canviat tant, que no la coneixeràs.*

ela eles *nom f* **1** nom de la lletra l L. **2** ela doble o ela palatal nom del signe ll LL: *El mot "palla" s'escriu amb ela doble.* **3** ela geminada nom del signe l·l L·L: *El mot "col·laborar" s'escriu amb ela geminada.*

elaboració elaboracions *nom f* Procés de fabricació, de construcció o de creació d'una cosa: *L'elaboració del pa.*

elaborar *v* Fabricar, fer, produir una cosa: *Les abelles elaboren la mel.*
Es conjuga com *cantar.*

elàstic elàstica elàstics elàstiques *adj* Que s'estira i s'arronsa amb facilitat: *Aquesta cinta és elàstica.*

elasticitat elasticitats *nom f* Qualitat d'elàstic: *Aquest material té molta elasticitat, es pot estirar i arronsar fàcilment.*

elàstics *nom m pl* Tires de goma o de teixit que s'estiren i serveixen per a aguantar els pantalons perquè no caiguin: *Si portessis elàstics, no et caurien els pantalons.*

elecció eleccions *nom f* Acte d'elegir, de triar una cosa o una persona, d'escollir una persona per votació: *Avui es fan les eleccions dels diputats al Parlament de les Illes Balears.*

electe electa electes *adj* Es diu d'una persona que ha estat elegida per exercir un càrrec, però que encara no ha començat a exercir-lo: *Abans de la primera sessió del Parlament, els diputats electes de cada partit han de fer un jurament.*

elector electora electors electores *nom m i f* Persona que pot votar quan hi ha una elecció: *Els electors han de tenir més de divuit anys.*

electoral electorals *adj* Que està relacionat amb les eleccions: *Els dies d'eleccions, aquesta escola es converteix en un col·legi electoral, un lloc on la gent del barri va a votar.*

elèctric elèctrica elèctrics elèctriques *adj* Que està relacionat amb l'electricitat, que funciona amb electricitat: *Li agraden molt els trens elèctrics.*

electricista electricistes *nom m i f* Persona que arregla aparells, maquinària, etc. que funcionen amb electricitat o que munta instal·lacions elèctriques: *Ha vingut l'electricista a arreglar el llum del menjador.*

electricitat electricitats *nom f* Energia que circula a través de fils elèctrics i que permet el funcionament de màquines i aparells connectant-los a un endoll: *La televisió i la ràdio de casa funcionen amb electricitat.* ■ *L'electricitat es pot obtenir de diferents fonts d'energia, i pot ser produïda en centrals tèrmiques, hidroelèctriques o nuclears.*

electrificar *v* Posar electricitat en una indústria, etc., fer arribar l'electricitat a un lloc: *Aquesta fàbrica funcionava amb carbó, però el 1930 la van electrificar i va començar a funcionar amb electricitat.*
Es conjuga com *cantar.* S'escriu c davant de *a, o, u* i *qu* davant de *e, i: electrifico, electrifiques.*

electró electrons *nom m* Cadascuna de les partícules de càrrega elèctrica negativa que es troben a l'exterior del nucli de l'àtom.

electrocutar *v* Causar la mort d'algú amb una descàrrega elèctrica: *Va tocar el fil elèctric i va morir electrocutat.*
Es conjuga com *cantar.*

electrodomèstic electrodomèstica electrodomèstics electrodomèstiques *adj i nom m* Es diu dels aparells domèstics que funcionen amb electricitat, com ara la nevera, la màquina de rentar, el televisor, etc.

electroimant electroimants *nom m* Dispositiu que produeix una força d'atracció provocada per un corrent elèctric.

electromagnètic electromagnètica electromagnètics electromagnètiques *adj* Que està relacionat amb l'electromagnetisme.

electromagnetisme electromagnetismes *nom m* **1** Magnetisme produït per un corrent elèctric. **2** Part de la física que tracta de les relacions entre l'electricitat i el magnetisme.

electrònic electrònica electrònics electròniques *adj* **1** Que està relacionat amb l'electró o els electrons. **2** Que està relacionat amb l'electrònica. **3** **electrònica** *nom f* Part de la física i de la tècnica que ha fet possible el desenvolupament de la televisió, de la ràdio, del vídeo, dels ordinadors, del radar, etc.

elefant elefanta elefants elefantes *nom m i f* Animal mamífer, el més gros dels animals terrestres, que té la pell molt gruixuda, les orelles grosses, el nas allargat en forma de trompa i dues dents punxegudes molt llargues anomenades ullals: *Al parc hi havia elefants, girafes, mones i cangurs.*

elefant

elegància elegàncies *nom f* Qualitat d'elegant: *Vesteix sempre amb una gran elegància.*

elegant elegants *adj* **1** Que va molt ben vestit, que té molt bon gust en el vestir, en la decoració, etc.: *Una persona elegant.* **2** Que és una mostra de bon gust: *Un vestit elegant.* ▪ *Un restaurant elegant.*

elegia elegies *nom f* Poesia que tracta un tema més aviat trist, com ara l'allunyament d'una persona, la mort d'algú, etc.

elegir *v* Triar, escollir algú o alguna cosa, escollir algú per votació: *Els alumnes van elegir un delegat de curs.*
Es conjuga com *servir.*

element elements *nom m* **1** Cadascuna de les parts senzilles que constitueixen peces d'un tot: *Aquesta màquina és molt complicada i està formada per molts elements.* **2** Persona, individu: *La policia ha agafat un element sospitós d'haver robat en una botiga.* **3** L'aigua o l'aire considerats com l'ambi-ent en què viu un ésser: *L'aigua és l'element dels peixos.* **4** **element químic** Substància que està formada per la mateixa classe d'àtoms i que no pot ser descomposta en altres de més senzilles: *L'oxigen és un element químic.* **5** **elements** *nom m pl* Conjunt de les forces naturals, com ara el vent, la pluja, etc., que agiten el mar o la terra: *La tempesta va ser fortíssima i la fúria dels elements va provocar grans destrosses.*

elemental elementals *adj* **1** Bàsic, fàcil, senzill: *És un problema elemental que es pot resoldre molt fàcilment.* **2** Que és una part bàsica i imprescindible: *Un pètal és una part elemental de la flor.*

elevació elevacions *nom f* Muntanyeta, turó, tros de terreny que és més alt que el del seu costat.

elevar *v* **1** Pujar, anar cap amunt, portar a un nivell més alt: *El fum s'elevava cap al cel.* **2** Dirigir una petició, una queixa, un escrit, etc. a una autoritat o a un organisme d'una categoria superior.
Es conjuga com *cantar.*

elevat elevada elevats elevades *adj* Alt, situat en una posició o en un grau alt: *Aquest cotxe té un preu molt elevat.*

elf elfs *nom m* Esperit de l'aire, dels boscos o de les coves, follet.

elidir *v* No dir i de vegades no escriure una vocal àtona en contacte amb una altra vocal: *Quan diem "una eina", no pronunciem la "a" final de la paraula "una", sinó que l'elidim i diem "uneina".*
Es conjuga com *servir.*

eliminació eliminacions *nom f* Acció d'eliminar.

eliminar *v* **1** Treure, fer desaparèixer, matar algú o alguna cosa: *Aquí abans hi havia un parc, però el van eliminar i hi van fer pisos.* **2** Treure un jugador d'un joc: *Va fer una falta i el van eliminar.*
Es conjuga com *cantar.*

eliminatori eliminatòria eliminatoris eliminatòries *adj i nom f* Que serveix per a eliminar, per a seleccionar: *El partit d'avui és una eliminatòria, és a dir, l'equip que guanyi podrà continuar participant en la competició i el que perdi en quedarà a fora.*

elis *interj* Paraula que es diu quan es fa una broma a algú o quan volem fer venir enveja a algú: *Elis, elis!, jo tinc un caramel i tu no!*

271

elisió elisions *nom f* Acció d'elidir, de fer desaparèixer un element: *El signe de l'apòstrof representa l'elisió d'una vocal.*

elit elits *nom f* Minoria de persones privilegiades o destacades en la cultura, la política, l'economia, etc.

èlitre èlitres *nom m* Cadascuna de les dues ales dures que tenen alguns insectes i que serveixen per a protegir el cos de l'animal.

elixir elixirs *nom m* Beguda que es considera que cura una malaltia o que té efectes saludables o màgics sobre les persones i les coses.

ell ella ells elles *pron* Paraula amb la qual es designa la persona o persones de les quals es parla: *Ella no vindrà, els seus pares no la deixen venir.*

el·lipse el·lipses *nom f* Figura geomètrica corba, torçada i plana, però que té una forma diferent de la circumferència.

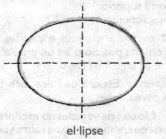

el·lipse

el·lipsi el·lipsis *nom f* Fenomen que consisteix a no dir o a no escriure un element d'una frase que ja pot ser entès pel context: *En la frase "ells van riure però jo no" hi ha una el·lipsi del verb, ja que la frase completa seria "ells van riure però jo no vaig riure".*

el·líptic el·líptica el·líptics el·líptiques *adj* Que té la forma d'una el·lipse.

elm elms *nom m* Casc de forma punxeguda que duien els cavallers de l'edat mitjana, part de l'armadura que cobria el cap.

elogi elogis *nom m* Discurs o escrit en què s'alaba una persona o una cosa: *L'alcalde va fer un elogi de la nostra ciutat.*

elogiar *v* Lloar, alabar una persona o una cosa.
Es conjuga com *canviar.*

eloqüència eloqüències *nom f* Qualitat de les persones que saben parlar bé, que són elo-

qüents: *El conferenciant va parlar amb eloqüència i va convèncer tothom.*

eloqüent eloqüents *adj* Que parla amb facilitat i d'una manera que agrada, interessa i convenç: *Una persona agradable i eloqüent.*

elucubració elucubracions *nom f* Obra, raonament, pensament, etc. molt complicat, enginyós i que és molt difícil d'entendre: *Aquest savi fa unes elucubracions que ningú no entén.*

eludir *v* Evitar amb habilitat de fer una cosa difícil o desagradable: *Durant tot el sopar va eludir de parlar dels problemes del negoci.*
Es conjuga com *servir.*

em -me m' 'm *pron* Pronom que es refereix a la persona que parla, i que va al costat del verb, sol o acompanyat d'un altre pronom: *Em podries vendre una barra de pa?* ■ *Dóna'm el bolígraf!* ■ *M'hi porteu amb el cotxe, a l'escola?*

ema emes *nom f* nom de la lletra m M.

emanació emanacions *nom f* Acció d'emanar, d'escapar-se un gas, una olor: *Els bombers van detectar emanacions de gas i van desallotjar la gent de l'edifici davant el perill d'una explosió.*

emanar *v* Escapar-se d'un lloc un gas, una olor, etc.: *En aquell jardí se sentia una olor que emanava de les flors i de les plantes.*
Es conjuga com *cantar.*

emancipar *v* Alliberar algú d'una dependència o d'una esclavitud.
Es conjuga com *cantar.*

embadalir *v* **1** Fer que algú quedi encantat mirant o sentint algú o alguna cosa: *Aquell conferenciant parlava tan bé, que embadalia la gent.* **2** embadalir-se Quedar encantat mirant una cosa: *Els nens més petits s'embadalien mirant la pel·lícula de dibuixos animats.*
Es conjuga com *servir.*

embadalir-se

embadalit embadalida embadalits embadalides *adj* Que s'ha quedat encantat mirant una cosa: *Els infants miraven embadalits l'actuació dels trapezistes.*

embadocar *v* Atreure l'atenció d'algú fins a distreure'l de qualsevol altra cosa: *La gent estava embadocada mirant el castell de focs.* Es conjuga com *cantar*. S'escriu *c* davant de *a, o, u* i *qu* davant de *e, i*: *embadoco, embadoques.*

embafador embafadora embafadors embafadores *adj* Que embafa, que atipa, que avorreix, que es fa pesat: *Aquest menjar tan dolç és embafador.* ■ *Aquesta persona és molt embafadora, tot el dia parla sense parar.*

embafar *v* **1** Deixar molt tip, treure la gana: *Aquesta pasta tan dolça m'embafa.* **2** Avorrir, fer-se pesat algú o alguna cosa: *El teu amic és tan xerraire, que de vegades embafa i tot.* Es conjuga com *cantar*.

embalar *v* **1** Cobrir o embolicar un objecte amb un embalatge com ara paper, cartó, etc.: *Les rentadores i les neveres surten de la fàbrica molt ben embalades.* **2 embalar-se** Agafar velocitat, córrer molt, esverar-se: *A les baixades les bicicletes s'embalen molt.* Es conjuga com *cantar*.

embalatge embalatges *nom m* Capsa, caixa, paper, etc. amb què es cobreix o es protegeix un objecte.

embalsamar *v* Evitar que un cadàver es descompongui omplint-lo de líquids que el conserven i de bàlsams perquè faci bona olor: *Els antics egipcis embalsamaven els morts.* Es conjuga com *cantar*.

embalum embalums *nom m* Volum que fa una cosa, sobretot quan és molt gran: *Aquesta màquina fa molt embalum, és immensa.*

embaràs embarassos *nom m* **1** Estat d'una dona prenyada, que espera un fill. **2** Qualsevol cosa que fa nosa, que embarassa: *Traieu aquests mobles d'aquí, que són un embaràs.*

embarassar *v* **1** Fer que una dona quedi embarassada, prenyada. **2** Fer nosa, dificultar el pas o els moviments: *L'habitació estava plena de mobles vells que embarassaven el pas.* Es conjuga com *cantar*.

embarassat embarassada embarassats embarassades **1** *adj* Es diu de la persona que no es pot moure o actuar amb llibertat per culpa d'una cosa que li fa nosa: *Ens vam endur massa maletes i durant tot el viatge vam anar embarassats per culpa de l'equipatge.* **2** *adj i nom f* Es diu de la dona que està prenyada, que espera un fill: *Aquella senyora que fa tanta panxa està embarassada de vuit mesos.*

embarbussament embarbussaments *nom m* Joc de paraules que consisteix a dir de pressa una frase que té molts sons repetits i difícils de pronunciar: *La frase "setze jutges d'un jutjat mengen fetge d'un penjat" és un embarbussament.*

embarbussar-se *v* Parlar de forma confusa, tallant-se, embolicant-se, de manera que gairebé no es pot entendre el que es diu. Es conjuga com *cantar*.

embarcació embarcacions *nom f* Vaixell, barca, nau: *Al port hi havia embarcacions de tot tipus.*

embarcador embarcadors *nom m* Lloc preparat per a poder embarcar gent o mercaderies en una embarcació.

embarcament embarcaments *nom m* Acció d'embarcar o d'embarcar-se: *L'embarcament de les mercaderies va durar molta estona.*

embarcar *v* **1** Pujar en una embarcació persones o mercaderies que han de ser transportades per mar. **2 embarcar-se** Ficar-se en un afer, en una feina, en un negoci, etc. difícil, complicat: *Es va embarcar en un negoci molt estrany i hi va perdre tots els diners.* Es conjuga com *cantar*. S'escriu *c* davant de *a, o, u* i *qu* davant de *e, i*: *embarco, embarques.*

embargar *v* Retenir els diners o les propietats d'una persona que ha de pagar un deute o una multa: *El jutge ha ordenat embargar les propietats d'aquell empresari que deu tants diners als bancs.* Es conjuga com *cantar*. S'escriu *g* davant de *a, o, u* i *gu* davant de *e, i*: *embargo, embargues.*

embarrancar *v* Encallar-se una embarcació en unes roques o en un altre obstacle que hi ha a sota l'aigua. Es conjuga com *cantar*. S'escriu *c* davant de *a, o, u* i *qu* davant de *e, i*: *embarranco, embarranques.*

embassament embassaments *nom m* Llac artificial molt gran que es forma tancant amb una paret molt alta la boca d'una vall per on passa un riu.

embassar *v* Fer que l'aigua es vagi acumulant en un lloc i formi una bassa: *Han fet una paret perquè l'aigua del riu s'embassi i després es pugui aprofitar per regar.* Es conjuga com *cantar*.

embastar *v* **1** Cosir una mica allò que després s'ha de cosir bé: *Les mànigues del vestit només es-*

tan embastades, encara s'han de cosir **2** Començar una feina i deixar-la sense acabar: *Encara no he acabat el dibuix, tot just el tinc embastat.*
Es conjuga com *cantar.*

embat embats *nom m* **1** Cop fort, com el que dóna una onada contra les roques. **2** Atac, cop: *Els soldats van resistir l'embat dels enemics.*

embeinar *v* Ficar una arma o un instrument a la beina: *El cavaller va embeinar l'espasa.*
Es conjuga com *cantar.*

embellir *v* **1** Fer tornar algú o alguna cosa més bell, més bonic: *Aquestes flors embelleixen el jardí.* **2 embellir-se** Tornar-se algú o alguna cosa més bell, més bonic.
Es conjuga com *servir.*

embenar *v* Embolicar, tapar amb benes: *Es va fer mal al braç i l'hi van haver d'embenar.*
Es conjuga com *cantar.*

embenar

embenat embenats *nom m* Bena o conjunt de benes lligades al voltant d'una part del cos per mantenir-la protegida, tapada o immòbil: *Li han hagut de fer un embenat al braç per curar-li la ferida.*

emblanquinar *v* Pintar una cosa de color blanc: *Aquell poblet mariner tenia totes les cases emblanquinades.*
Es conjuga com *cantar.*

emblema emblemes *nom m* Dibuix o objecte que representa una cosa, una idea: *L'emblema d'un club de futbol.* ▪ *L'emblema de la justícia és una balança.*

emblemàtic emblemàtica emblemàtics emblemàtiques *adj* Es diu d'una cosa que és molt característica d'un lloc, d'un grup de persones, etc.: *El blau i el vermell són els colors emblemàtics del nostre equip de futbol.*

embocadura embocadures *nom f* **1** Peça dels instruments de vent que el músic es fica a la boca per fer vibrar l'aire de l'instrument i produir el so. **2** Obertura per on s'entra en

un carrer, en un port, etc. **3** Lloc per on les aigües d'un canal, d'un riu, etc. desemboquen a la mar, a un llac o a un altre riu.

embogir *v* **1** Fer tornar boig: *Aquesta música tan alta fa embogir, feu el favor d'abaixar-la.* **2** Tornar-se boig.
Es conjuga com *servir.*

emboirar-se *v* **1** Cobrir-se de boira un lloc: *La vall va començar a emboirar-se fins que gairebé no es va poder veure res a més de vint metres.* **2** Tornar-se boirós o fosc el pensament o el record: *Tinc el cap emboirat i no puc estudiar més, val més que me'n vagi a dormir.*
Es conjuga com *cantar.*

èmbol èmbols *nom m* **1** Peça que s'ajusta a les parets d'un recipient cilíndric i que es pot moure amunt i avall per expulsar o absorbir líquids: *Les xeringues tenen un èmbol per fer moure el líquid cap endins o cap enfora.* **2** Grumoll situat en un vas sanguini que obstaculitza la circulació de la sang.

embolcall embolcalls *nom m* Material que serveix per a embolcallar una cosa: *El gerro anava a dins d'un embolcall de palla, plàstic, cartó i paper.*

embolcallar *v* Cobrir una cosa envoltant-la de roba, de paper, etc.: *Es va embolcallar amb un llençol per disfressar-se de fantasma.*
Es conjuga com *cantar.*

embòlia embòlies *nom f* Obstrucció d'un vas sanguini produïda per un èmbol que circula pel corrent sanguini.

embolic embolics *nom m* Complicació, problema, situació difícil: *Els semàfors no funcionaven i hi va haver un gran embolic de circulació.* ▪ *En Pere sempre està ficat en embolics, perquè es discuteix i es baralla amb tothom.*

embolicador embolicadora embolicadors embolicadores *adj i nom m i f* Es diu de la persona a qui agrada d'embolicar les coses i causar problemes i conflictes.

embolicar *v* **1** Cobrir de paper, de tela, etc. un regal o qualsevol objecte: *Hem embolicat el regal del pare amb un paper de color blau.* **2** Barrejar-se dues o més coses entre elles de tal manera que costa molt de separar-les: *Aquests fils de pescar s'han embolicat els uns amb els altres.* **3** Fer més difícil, més complicada una cosa: *En Jordi volia arreglar el problema i encara el va embolicar més.* **4**

embolicar la troca Complicar les coses: *Si ells us critiquen, vosaltres no us hi torneu, que no us convé embolicar la troca.* **5 embolica que fa fort!** Expressió que es fa servir per a indicar que una cosa s'ha complicat encara més: *Ell t'insulta, tu t'hi tornes i embolica que fa fort! És que no sabeu estar tranquils sense barallar-vos?* Es conjuga com *cantar.* S'escriu *c* davant de *a, o, u* i *qu* davant de *e, i: embolico, emboliques.*

emborratxar-se *v* Beure molt vi o altres begudes alcohòliques fins a quedar borratxo. Es conjuga com *cantar.*

emboscada emboscades *nom f* Atac contra l'enemic que fan tropes que surten per sorpresa d'un lloc on eren amagades.

embossar[1] *v* Posar una cosa a la bossa. Es conjuga com *cantar.*

embossar[2] *v* Embussar. Es conjuga com *cantar.*

embotellar *v* Posar líquid dins una botella o ampolla: *En aquesta fàbrica embotellen aigua mineral.* Es conjuga com *cantar.*

embotir *v* **1** Omplir una cosa fins al màxim: *Els pantalons li anaven molt estrets, però al final s'hi va poder embotir.* ▪ *Els carrers estaven embotits de gent, és a dir, molt plens de gent.* **2 embotir-se** Inflar-se una cosa fins a posar-se la pell tibant. Es conjuga com *servir.*

embotit[1] embotida embotits embotides *adj* Molt ple, inflat: *Per dinar he menjat tant, que ara em sento l'estómac embotit.*

embotit[2] embotits *nom m* Aliment que es fa omplint un budell amb carn de porc i altres ingredients: *La botifarra i la llonganissa són embotits.*

embotornar-se *v* Inflar-se els ulls o una altra part del cos: *Havia dormit malament i se li havien embotornat els ulls.* Es conjuga com *cantar.*

embragatge embragatges *nom m* Mecanisme d'un vehicle que serveix per a canviar de marxa.

embrancar-se *v* **1** Enredar-se algú o alguna cosa entre les branques. **2** Embolicar-se en una feina, en un problema o en una discussió d'on és difícil sortir-ne: *Podia haver triat un treball més senzill, però s'ha embrancat en un estudi sobre la història del barri que li exigeix treballar moltes hores i fer moltes consultes a la biblioteca.* Es conjuga com *cantar.* S'escriu *c* davant de *a, o, u* i *qu* davant de *e, i: m'embranco, t'embranques.*

embranzida embranzides *nom f* **1** Impuls, velocitat que agafa una persona o una cosa: *La pilota que va tirar el davanter centre portava molta embranzida.* **2 agafar embranzida** Córrer una mica per agafar velocitat: *Abans de saltar, l'atleta ha corregut una mica per agafar embranzida.*

embriac embriaga embriacs embriagues *adj i nom m i f* Que ha begut molt alcohol i li ha fet mal, que està sota els efectes de l'alcohol, borratxo: *Va beure molt vi i va acabar embriac.*

embriagar-se *v* Emborratxar-se. Es conjuga com *cantar.* S'escriu *g* davant de *a, o, u* i *gu* davant de *e, i: m'embriago, t'embriagues.*

embriaguesa embriagueses *nom f* Estat de la persona que s'ha embriagat, que ha begut molt alcohol.

embrió embrions *nom m* Ésser viu que comença a formar-se i a créixer després de la fecundació.

embrollar *v* Complicar una cosa o una situació: *En lloc d'aportar solucions, el que fas és embrollar encara més el problema.* Es conjuga com *cantar.*

embruixar *v* Influir una persona, amb arts màgiques, per aconseguir que faci determinades coses: *El mag va embruixar el príncep i el va convertir en un ratolí.* Es conjuga com *cantar.*

embrutadís embrutadissa embrutadissos embrutadisses *adj* Que s'embruta fàcilment: *El terra de marbre d'aquesta casa és molt embrutadís.*

embrutar *v* Quedar una cosa plena de brutícia, de taques, de pols, etc.: *Amb la pluja m'he embrutat de fang els pantalons.* Es conjuga com *cantar.*

embrutir *v* **1** Fer tornar algú com una bèstia: *Les guerres embruteixen les persones i les fan tornar més violentes i salvatges.* **2** Embrutar. Es conjuga com *servir.*

embull embulls *nom m* Embolic, complicació: *Un embull de fils que no es pot desfer.* ▪ *Un embull de cabells.*

embullar v **1** Fer que diverses coses s'emboliquin entre elles i costi de separar-les: *Després de rentar-me el cap, els cabells em queden ben embullats.* **2** Desordenar, capgirar, complicar: *Els meus germans petits em remenen l'armari i m'ho embullen tot.*
Es conjuga com *cantar*.

embús embussos *nom m* Obstacle qualsevol que no deixa circular un líquid, els cotxes, etc.: *A l'aigüera hi ha un embús i l'aigua no se'n va.* ■ *Hem estat aturats mitja hora perquè hi ha hagut un embús de cotxes a la carretera.*

embussar v Tapar un conducte amb un obstacle, no deixar circular: *Els cabells han embussat el lavabo i ara l'aigua no se'n va.* ■ *Els camions embussaven l'entrada de la ciutat.*
Es conjuga com *cantar*.

embut embuts *nom m* **1** Estri de metall o de plàstic en forma de con buit i acabat en un tub, que es fa servir per a omplir una ampolla sense que es vessi gens de líquid. **2 anar amb embuts** Parlar sense dir ben bé la veritat: *No vagis amb embuts i digues el que ha passat.* **3 llei de l'embut** Es diu d'una norma o obligació que els que tenen poder fan complir als altres, però que ells mateixos no obeeixen: *Tothom ha de complir les seves normes, però ell se les salta sempre que vol: això és la llei de l'embut.*

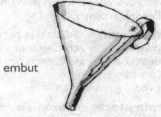
embut

embutxacar v **1** Ficar una cosa a la butxaca. **2 embutxacar-se** Aconseguir o guanyar una quantitat de diners: *Ha guanyat el premi i s'ha embutxacat sis mil euros.* **3** Robar: *El comptable s'ha embutxacat els diners de l'empresa i ha fugit.*
Es conjuga com *cantar*. S'escriu c davant de *a, o, u* i qu davant de *e, i: embutxaco, embutxaques.*

emergència emergències *nom f* Situació perillosa o difícil que exigeix estar preparat per a actuar de pressa: *En cas d'emergència com ara un incendi, un accident o un robatori, telefoneu urgentment a la policia, a l'ambulància o als bombers.*

emergir v Sortir a la superfície d'un líquid dins del qual s'estava enfonsat: *El submarí va emergir a la superfície.*
Es conjuga com *servir*.

emetre v **1** Produir una cosa enviant-la lluny: *El Sol emet la llum.* ■ *La ràdio emet música.* **2** Donar una opinió, manifestar un pensament o una decisió: *El jurat va emetre el veredicte i va declarar que l'acusat era innocent.*
Es conjuga com *perdre*. **Participi:** *emès, emesa.*

èmfasi èmfasis *nom m* o *f* Força d'expressió o d'entonació amb què es remarca la importància del que es diu o es llegeix: *El director va posar èmfasi en les paraules que va dirigir als alumnes que acabaven els estudis.*

emigració emigracions *nom f* Moviment de persones que deixen la seva terra per anar a viure en un altre lloc per motius de feina: *Hi ha molta emigració del camp a la ciutat.*

emigrant emigrants *adj* i *nom m* i *f* Que emigra, que deixa la seva terra i se'n va a viure en un altre lloc.

emigrar v Deixar la pròpia terra per anar a viure en un altre lloc: *Molta gent ha emigrat a l'estranger.* ■ *Els ocells a l'hivern emigren cap al sud.*
Es conjuga com *cantar*.

eminència eminències *nom f* **1** Persona d'una intel·ligència extraordinària que destaca molt en una ciència determinada: *És un gran matemàtic, tota una eminència.* **2** Tractament que reben els cardenals.

eminent eminents *adj* Que sobresurt, que destaca molt: *Una científica eminent.*

emissari emissària emissaris emissàries *nom m* i *f* Missatger, persona encarregada d'una missió secreta.

emissió emissions *nom f* Fet de propagar-se una cosa, d'emetre's: *Aquest aparell detecta i controla l'emissió de gasos tòxics.*

emissor emissora emissors emissores *adj* i *nom m* i *f* Es diu de la persona, de l'aparell, de l'òrgan del cos, etc. que emet una cosa: *En una conferència, el conferenciant és l'emissor del missatge i el públic és el receptor.*

emissora emissores *nom f* Conjunt d'aparells i d'instal·lacions que serveixen per a emetre so o imatges: *Una emissora de ràdio, de televisió.*

emmagatzemar v Posar en un magatzem, guardar, acumular: *Hem d'emmagatzemar tota aquesta llenya que han deixat al carrer.*
Es conjuga com *cantar*.

emmalaltir v Agafar una malaltia, posar-se malalt.
Es conjuga com *servir*.

emmandrir-se v Tenir mandra, agafar mandra.
Es conjuga com *servir*.

emmanillar v Lligar les mans d'algú amb manilles: *Els policies van emmanillar els lladres i els van portar a la comissaria.*
Es conjuga com *cantar*.

emmanillar

emmarat emmarada emmarats emmarades adj Es diu de la persona que no pot estar sense la mare, que no pot fer res sense ella.

emmarcar v Posar dins un marc una pintura, una fotografia, etc.: *Aquesta foto m'ha sortit tan bé, que la faré emmarcar.*
Es conjuga com *cantar*. S'escriu c davant de *a, o, u* i qu davant de *e, i: emmarco, emmarques.*

emmarranar-se v Posar-se tossut en una idea, en una decisió: *S'ha emmarranat que volia tenir la pilota de l'aparador d'aquella botiga.*
Es conjuga com *cantar*.

emmascarar[1] v Embrutar o embrutar-se algú amb carbó o sutge: *T'has emmascarat les mans remenant el carbó.* ■ *No agafis l'olla per sota, que emmascara.*
Es conjuga com *cantar*.

emmascarar[2] v Tapar la cara amb una màscara.
Es conjuga com *cantar*.

emmascarat[1] emmascarada emmascarats emmascarades adj Que s'ha embrutat amb alguna substància fosca que deixa taques: *Els miners porten la cara emmascarada de carbó.*

emmascarat[2] emmascarada emmascarats emmascarades adj i nom m i f Es diu de la persona que porta la cara coberta amb una màscara: *El banc va ser assaltat per uns emmascarats.*

emmenar v Emportar-se una cosa: *El vent emmena les fulles dels arbres.*
Es conjuga com *cantar*.

emmerdar-se v 1 Embrutar-se de merda. 2 Embolicar-se algú en un assumpte: *Escolta, a mi no m'emmerdis amb els teus problemes que ja tinc prou feina amb els meus.*
Es conjuga com *cantar*.

emmetzinar v Donar a algú una metzina, un verí o una substància verinosa: *Han emmetzinat el gat i l'han matat.*
Es conjuga com *cantar*.

emmidonar v Mullar la roba amb aigua barrejada amb midó i planxar-la perquè quedi ben rígida: *Abans les dones emmidonaven els enagos i, així, les faldilles quedaven ben estarrufades.*
Es conjuga com *cantar*.

emmirallar-se v Mirar-se en un mirall.
Es conjuga com *cantar*.

emmoquetar v Cobrir una superfície amb moqueta.
Es conjuga com *cantar*.

emmordassar v Posar una mordassa, és a dir, un drap o un objecte a la boca d'algú perquè no parli o no cridi: *A la pel·lícula es veia com els lladres entraven a la casa i lligaven i emmordassaven les quatre persones que hi vivien.*
Es conjuga com *cantar*.

emmorenir v Fer que la pell es torni morena: *Els rajos del sol emmoreneixen la pell.*
Es conjuga com *servir*.

emmotllar v 1 Donar forma a una substància per mitjà d'un motlle: *Aquesta màquina serveix per a emmotllar la pasta i fer-ne galetes.* 2 **emmotllar-se** Conformar-se, acceptar una cosa: *Aquest noi s'emmotlla a tot, és una persona flexible.*
Es conjuga com *cantar*.

emmudir v 1 Tornar-se mut, perdre la paraula, callar. 2 Deixar de pronunciar-se un so d'una paraula en una determinada posició: *La "t" de les paraules "santa" i "lenta" emmudeix quan es troba en posició final: "sant" i "dolent".*
Es conjuga com *servir*.

emmurallar v Envoltar un espai amb una muralla: *A l'edat mitjana emmurallaven les*

e

ciutats per protegir la població dels exèrcits enemics.
Es conjuga com *cantar*.

emmurallat emmurallada emmurallats emmurallades *adj* Voltat de muralles: *Una ciutat emmurallada.*

emmurriar-se *v* Enfadar-se molt i demostrar-ho: *Tota la tarda va estar emmurriat per culpa del suspens de música.*
Es conjuga com *canviar*.

emmurriat emmurriada emmurriats emmurriades *adj* Enfadat.

emmusteir-se *v* Pansir-se.
Es conjuga com *reduir*.

emoció emocions *nom f* Excitació produïda per un sentiment de plaer, de pena, de por, d'odi, etc.: *Aquell regal em va produir una gran emoció.* ■ *Les aventures provoquen emocions fortes.*

emocional emocionals *adj* Que està relacionat amb l'emoció o les emocions: *El conductor del vehicle accidentat ha resultat ferit, mentre que l'acompanyant n'ha sortit il·lès, però es troba sota els efectes d'un fort impacte emocional.*

emocionant emocionants *adj* Que fa sentir molta emoció: *El viatge amb veler va ser molt emocionant.*

emocionar *v* Causar emoció: *Tornar-lo a veure després de tant temps, m'ha emocionat.*
Es conjuga com *cantar*.

emotiu emotiva emotius emotives *adj* Que causa emoció, que emociona: *L'acte d'homenatge al mestre del poble va ser molt emotiu.*

empadronar *v* Apuntar algú en una llista municipal on consten els noms i altres dades de tots els habitants d'una població: *En Pere viu a Olot i està empadronat a l'ajuntament d'aquesta ciutat.*
Es conjuga com *cantar*.

empaitar *v* Anar darrere d'algú per atrapar-lo, perseguir algú: *Els gats empaiten les rates per caçar-les.*
Es conjuga com *cantar*.

empal·lidir *v* Fer tornar pàl·lid: *La notícia de la desgràcia el va fer empal·lidir.*
Es conjuga com *servir*.

empalmar *v* Unir per les puntes fils elèctrics, tubs, etc. de manera que quedin enganxats i que connectin entre ells.
Es conjuga com *cantar*.

empanada empanades *nom f* Pasta de farina cuita farcida de carn, de tonyina o de formatge.

empantanegar *v* Parar la marxa normal d'un treball, d'una acció: *Tinc el treball de ciències empantanegat perquè m'he hagut de dedicar a preparar l'examen de matemàtiques.*
Es conjuga com *cantar*. S'escriu g davant de *a, o, u* i *gu* davant de *e, i*: empantanego, empantanegues.

empantanegat empantanegada empantanegats empantanegades *adj* Es diu d'una feina que es deixa a mig fer, d'una situació que està molt embolicada i no hi ha manera de resoldre-la: *Se'n va anar a fer un viatge i va deixar tots els assumptes empantanegats.*

empaperar *v* Cobrir de paper una superfície.
Es conjuga com *cantar*.

empaquetar *v* Col·locar una cosa o un conjunt de coses de manera que formin un paquet.
Es conjuga com *cantar*.

emparar *v* **1** Protegir i defensar algú contra un perill: *El parallamps ens empara dels llamps.* **2 emparar-se** Utilitzar algú o alguna cosa com a protecció o defensa: *Els nens tiraven papers i nosaltres ens emparàvem amb les carteres.* **3** Apoderar-se d'una cosa per la força: *Els enemics es van emparar de la fortalesa.*
Es conjuga com *cantar*.

emparaular *v* Prometre de paraula, concertar de paraula algun compromís: *El llogater ens ha emparaulat el pis que té terrassa.*
Es conjuga com *cantar*.

emparedat emparedats *nom m* Entrepà fet amb dues llesques primes de pa de motlle i algun aliment entremig.

emparentar *v* Fer que una persona sigui parenta d'una altra per matrimoni: *Quan es van casar en Pere i la Mercè, cadascun d'ells es va emparentar amb la família de l'altre.*
Es conjuga com *cantar*.

empassar *v* **1** Fer passar els aliments o la saliva coll avall fins a l'estómac: *Tinc molt mal de coll i em costa d'empassar els aliments.* **2** *Li agrada molt de llegir, s'empassa un llibre cada dia:* llegeix un llibre sencer cada dia. **3** *El teu pare s'ha empassat la mentida, es pensa que véns a casa a estudiar:* s'ha cregut la mentida. **4** *L'anell es va empassar pel forat del lavabo:* anar-se'n una cosa per un forat, per un conducte, etc.
Es conjuga com *cantar*.

empastar *v* Tapar un forat d'una dent o d'un queixal corcat amb una pasta especial.
Es conjuga com *cantar*.

empastifar *v* Embrutar amb una substància pastosa i enganxosa: *El fang m'ha empastifat els pantalons.*
Es conjuga com *cantar*.

empat empats *nom m* Resultat d'un partit de futbol, d'una votació, etc. en què ningú no guanya ni perd, perquè tothom té la mateixa puntuació, el mateix nombre de vots.

empatar *v* No guanyar ni perdre en un joc, en una votació, per haver obtingut la mateixa puntuació, el mateix nombre de vots: *Vam empatar a zero gols.*
Es conjuga com *cantar*.

empatollar-se *v* Dir coses sense sentit o inventades: *Però què t'empatolles, ara! Digues sí o no i no xerris tant!*
Es conjuga com *cantar*.

empatx empatxos *nom m* Sensació de molèstia a l'estómac o al ventre per culpa d'haver menjat massa.

empatxar-se *v* Sentir molèsties a l'estómac o al ventre per haver menjat massa: *Aquest dinar tan fort m'ha empatxat.*
Es conjuga com *cantar*.

empedrat empedrats *nom m* **1** Terra format amb pedres: *L'empedrat del pati s'ha fet malbé.* **2** Amanida de mongetes seques amb bacallà esqueixat, pebrot, ceba, olives i tomàquet.

empedreït empedreïda empedreïts empedreïdes *adj* Es diu d'una persona que està atrapada per un vici: *En Marçal és un fumador empedreït.*

empegueir-se *v* Avergonyir-se.
Es conjuga com *reduir*.

empelt empelts *nom m* **1** Acció d'ajuntar dues o més parts de plantes diferents per millorar la qualitat del fruit, de la flor, etc. **2** Operació que consisteix a posar pell d'una part del cos en una ferida d'una altra part del cos.

empeltar *v* Fer un empelt.
Es conjuga com *cantar*.

empenta empentes *nom f* **1** Cop fort, força que fem sobre algú o alguna cosa movent-la de lloc bruscament: *La Marta em va donar una empenta tan forta, que de poc em fa*

caure. **2** *La Pilar fa tot el que es proposa: és una persona d'empenta:* és una persona activa i decidida.

empentar *v* Empènyer algú o alguna cosa, donar una empenta: *Per poder pujar a dalt del tren, aquell senyor va empentar la dona que tenia al davant.*
Es conjuga com *cantar*.

empenya empenyes *nom f* Part de damunt del peu que arriba fins als dits, oposada a la planta; part de la sabata que cobreix aquesta part del peu.

empènyer *v* **1** Moure, intentar de moure algú o alguna cosa fent força: *El cotxe es va quedar sense gasolina i el vam haver d'empènyer fins a la gasolinera.* **2** Fer pressió sobre algú perquè faci una cosa: *Els amics el van empènyer a presentar-se al concurs.*
Es conjuga com *témer*. **Participi:** *empès, empesa.*

empènyer

empenyorar *v* Donar a algú una cosa com a penyora, a canvi de diners: *En Miquel es va arruïnar i va haver d'empenyorar les joies de la família.*
Es conjuga com *cantar*.

emperador emperadriu emperadors emperadrius **1** *nom m i f* Sobirà d'un imperi, rei molt poderós que domina més d'un país o un país molt gran. **2** *nom m* Peix de mar, gros, de cos allargat, amb el maxil·lar en forma d'espasa, que és molt apreciat com a aliment.

emperò *conj* Però.

empescar-se *v* Inventar-se una estratègia, un pla, etc. per tal d'aconseguir una cosa: *No sé quina mentida s'ha empescat, però els seus pares l'han deixat sortir abans d'acabar els deures.*
Es conjuga com *cantar*. S'escriu *c* davant de *a, o, u* i *qu* davant de *e, i*: *m'empesco, t'empesques.*

empestar *v* Omplir de pudor un espai: *Aquestes escombraries empesten tota la casa.*
Es conjuga com *cantar*.

empetitir v Fer més petita una cosa: *Perquè la sala fos més gran, han hagut d'empetitir una habitació.*
Es conjuga com *servir*.

empiocar-se v Posar-se pioc, una mica malalt.
Es conjuga com *cantar*. S'escriu *c* davant de *a, o, u* i *qu* davant de *e, i: m'empioco, t'empioques.*

empiocat empiocada empiocats empiocades *adj* Malalt.

empipador empipadora empipadors empipadores *adj* Que empipa, que molesta: *Un noi empipador.* ■ *Quines mosques tan empipadores!*

empipar v Molestar, destorbar o fer enfadar algú: *Uns quants volíem treballar, però els altres ens empipaven i no ens deixaven tranquils.*
Es conjuga com *cantar*.

empíric empírica empírics empíriques *adj* Es diu d'un estudi, d'un experiment, etc. que es basa en la pràctica, en l'observació dels fenòmens, dels fets i no pas solament en la teoria.

empitjorar v Passar a una situació pitjor, canviar negativament algú o alguna cosa: *El malalt ha empitjorat, avui té més febre que ahir.*
Es conjuga com *cantar*.

emplaçament emplaçaments *nom m* Lloc on està situat algú o alguna cosa: *Aquest hotel té un bon emplaçament, al centre de la ciutat.*

emplaçar v Col·locar, situar en un lloc: *L'ajuntament ha emplaçat el nou mercat a la plaça de l'església.*
Es conjuga com *cantar*. S'escriu *ç* davant de *a, o, u* i *c* davant de *e, i: emplaço, emplaces.*

emplastre emplastres *nom m* **1** Massa enganxosa amb finalitats medicinals feta amb alguna substància adhesiva. **2** Cosa mal feta, bunyol.

empleat empleada empleats empleades *nom m i f* Persona que treballa a canvi d'un sou en una botiga, en un despatx, etc.: *En aquella botiga tenen sis empleats.*

emplenar v Omplir.
Es conjuga com *cantar*.

empobriment empobriments *nom m* El fet de tornar-se pobre, d'empobrir-se.

empobrir v Fer tornar pobre: *Les guerres empobreixen els països que les pateixen.*
Es conjuga com *servir*.

empolainar-se v Vestir-se de manera elegant, amb robes boniques: *Molta gent s'empolaina els dies festius.*
Es conjuga com *cantar*.

empolsar v Cobrir de pols: *Aquest cotxe està ben empolsat.*
Es conjuga com *cantar*.

empolsinar v Cobrir de pols, empolsar.
Es conjuga com *cantar*.

empolvorar-se v Escampar-se maquillatge en pols a la cara: *Abans de sortir de casa, la mare s'empolvora les galtes i el front i es pinta els llavis.*
Es conjuga com *cantar*.

empordanès empordanesa empordanesos empordaneses **1** *nom m i f* Habitant de l'Empordà; persona natural o procedent de l'Empordà. **2** *adj* Es diu de les persones o de les coses naturals o procedents de l'Empordà.

empori emporis *nom m* **1** Ciutat que té un comerç molt important, que és un centre de comerç. **2** Lloc de gran riquesa o de molta importància cultural o artística.

emportar-se v **1** Endur-se algú o alguna cosa d'un lloc: *Demà dinarem a fora, però ens emportarem el menjar de casa.* **2** *El riu baixava tan ple, que es va emportar el pont:* el va fer anar aigua avall, el va destruir. **3** *En Pere es va emportar tots els premis del concurs:* els va aconseguir tots.
Es conjuga com *cantar*.

empostissat empostissats *nom m* Conjunt de posts, de peces de fusta planes, col·locades les unes al costat de les altres, que cobreixen una superfície, com ara un terra, un sostre o una paret.

emprar v Fer servir una cosa, usar-la, utilitzar-la: *Per clavar els claus, va emprar un martell.*
Es conjuga com *cantar*.

empremta empremtes *nom f* Senyal, marca que deixa una cosa sobre la superfície d'una altra: *Les empremtes de les sabates van quedar marcades en el fang del camí.*

emprendre v Començar a fer una cosa, una feina: *Els paletes han emprès avui la construcció d'un gran edifici.*
Es conjuga com *aprendre*.

emprenedor emprenedora emprenedors emprenedores *adj* Es diu de la persona que és molt decidida, que té iniciativa i valor per dur a terme empreses difícils o arriscades: *La Joana és una noia emprenedora, té vint anys i ja ha muntat el primer negoci.*

emprenyador emprenyadora emprenyadors emprenyadores *adj* Es diu de la persona o de la cosa que molesta molt.

emprenyar *v* **1** Prenyar. **2** Molestar, empipar: *Aquest mosquit no para de donar voltes per aquí i emprenya molt.* **3 emprenyar-se** *v* Enfadar-se molt fort.
Es conjuga com *cantar.*

empresa empreses *nom f* **1** Indústria, taller, fàbrica: *En aquesta empresa hi treballen cent persones.* **2** Pujar al cim d'aquella muntanya és una empresa difícil i perillosa: *una acció difícil o perillosa.*

empresari empresària empresaris empresàries *nom m i f* Propietari d'una empresa.

empresonar *v* Tancar algú a la presó: *Han empresonat els lladres.*
Es conjuga com *cantar.*

emprèstit emprèstits *nom m* Diners que es demanen a un banc, a una persona, etc. i que cal tornar al cap d'un temps amb interessos, préstec.

emprovador emprovadors *nom m* Espai petit i tancat que serveix per a emprovar-se una peça de roba en una botiga.

emprovar-se *v* Comprovar si un vestit ens va bé o ens queda bé: *M'emprovaré aquests pantalons i, si em van bé, me'ls compraré.*
Es conjuga com *cantar.*

empudegar *v* Omplir de pudor un espai.
Es conjuga com *cantar.* S'escriu g davant de *a, o, u* i gu davant de *e, i: empudega, empudeguen.*

empunyadura empunyadures *nom f* Part d'una arma per on s'agafa, mànec d'una raqueta, d'un paraigua, etc.

empunyar *v* Agafar una cosa amb la mà, estrenyent-la ben fort: *El lladre empunyava una pistola.*
Es conjuga com *cantar.*

emular *v* Intentar d'igualar o de superar algú o les seves accions: *Tots els atletes intentaven emular les marques del campió.*
Es conjuga com *cantar.*

emulsió emulsions *nom f* Barreja de dues substàncies líquides en què un dels líquids conté partícules petites de l'altre líquid que no s'han dissolt: *Quan barregem oli i aigua, es produeix una emulsió.*

en[1] *prep* **1** Indica el lloc on és alguna cosa, on va una cosa o on passa alguna cosa: *En Lluís viu en aquest carrer.* ■ *El vent va en direcció nord.* ■ *Seurem en aquest sofà.* **2** Indica el temps durant el qual passa alguna cosa: *Vam acabar la feina en una setmana.* **3** Va a darrere d'alguns verbs i n'introdueix els complements: *Pensa en això.* ■ *Confia en la seva força.* **4** Va a darrere d'alguns noms i n'introdueix els complements: *Un doctor en medicina.* **5** Va a davant d'una frase d'infinitiu quan aquesta expressa una circumstància: *En sortir de l'escola, ens vam trobar el teu amic.*

en[2] na n' *art* Paraula que es posa a davant d'un nom propi de persona: *En Manel i na Júlia són cosins.*

en[3] -ne n' 'n *pron* **1** Pronom que substitueix una paraula en un context en què aquesta no pot anar precedida de l'article determinant ni de cap demostratiu i que va al costat del verb, sol o acompanyat d'un altre pronom: *Jo tinc deu anys i la meva germana aviat en farà tretze.* ■ *La Maria s'ha comprat un jersei blau i jo en porto un de verd.* **2** Pronom que substitueix un grup de paraules que porten al davant la preposició "de", i que va al costat del verb, sol o acompanyat d'un altre pronom: *En Jaume és de Badalona i la mestra també n'és.* ■ *Ell es recorda molt bé de l'excursió, però jo no me'n recordo gaire.* ■ *Els nens entren a l'escola a les nou i en surten a les cinc.*

ena enes *nom f* nom de la lletra n N.

enagos *nom m pl* Faldilla de tela molt fina i prima, generalment amb farbalans, que abans es portava sota el vestit.

enaiguar *v* **1** Cobrir d'aigua. **2 enaiguar-se** Tornar-se, un infant, flac, trist, amb mal aspecte perquè no pot obtenir una cosa. **3** Omplir-se els ulls de llàgrimes: *Quan la mare va sentir que aplaudien el seu fill, els ulls se li van enaiguar.*
Es conjuga com *cantar.* S'escriu gu davant de *a, o, u* i gü davant de *e, i: enaigua, enaigüi.*

enaltir *v* Elevar, apujar el mèrit, el valor o la qualitat d'algú: *La participació en la campanya contra la pobresa va enaltir aquell jugador de futbol tan famós.*
Es conjuga com *servir.*

enamoradís enamoradissa enamoradissos enamoradisses *adj* Es diu de la persona que s'enamora amb molta facilitat.

enamorament enamoraments *nom m* El fet d'enamorar-se, de sentir amor profund cap a una persona.

enamorar *v* **1** Fer venir amor i admiració a algú: *En Lluís i la Rosa s'han enamorat.* **2** Agradar molt una cosa: *Aquestes flors són tan maques, que enamoren.*
Es conjuga com *cantar*.

enamorat enamorada enamorats enamorades *adj* i *nom m* i *f* Que sent molta admiració, atracció i amor per una persona o per una cosa. *En Bernat és un enamorat dels esports.* ▪ *La Raquel es passa el dia pensant en el seu enamorat.*

enarborar *v* **1** Alçar una bandera, una senyera: *Un noi va enarborar una bandera des del balcó de l'ajuntament.* **2** Avivar molt les flames, agitar, excitar: *El vent enarbora les flames de l'incendi.* ▪ *La mar s'anava enarborant a causa del vent.*
Es conjuga com *cantar*.

enardir *v* Excitar, animar algú perquè faci una cosa: *Els crits dels espectadors enardien els jugadors.*
Es conjuga com *servir*.

ençà *adv* **1** Cap aquí, en direcció on som: *D'aquell poble ençà només hi ha un quilòmetre.* **2** A partir d'un moment passat: *De l'estiu ençà no hem vist més els nostres amics anglesos.*

encabir *v* Fer cabre algú o alguna cosa en un lloc: *Vam encabir tots els fulls en un calaix.*
Es conjuga com *servir*.

encaboriar-se *v* Agafar cabòries, obsessionar-se per alguna cosa: *El meu pare es va encaboriar amb els problemes de la feina i no hi havia manera que es distragués amb res.*
Es conjuga com *canviar*.

encabritar-se *v* Esverar-se un cavall alçant-se sobre les potes del darrere.
Es conjuga com *cantar*.

encadenar *v* **1** Lligar amb cadenes: *Van encadenar el gos a la porta.* **2** Enllaçar una cosa amb una altra: *Durant aquella setmana, una desgràcia s'encadenava amb una altra.*
Es conjuga com *cantar*.

encaix encaixos *nom m* **1** Acció d'encaixar, de fer entrar una cosa dins d'una altra. **2** Peça o part d'un objecte que s'ajusta perfectament dins d'un forat, dins d'una altra peça o dins d'una part d'un altre objecte.

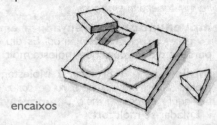

encaixos

encaixar *v* **1** Entrar una cosa dins d'una altra de manera que s'hi ajusti: *Aquesta peça encaixa en aquest forat del trencaclosques.* **2** Donar-se les mans dues persones en senyal d'amistat: *Abans de dir-nos adéu, vam encaixar.* **3** Posar una cosa dins d'una caixa. **4** Aguantar bé un cop o una desgràcia: *Va encaixar la mala notícia sense plorar.*
Es conjuga com *cantar*.

encaixonar *v* **1** Posar objectes en un caixó. **2** Estar en un lloc molt estret: *S'han hagut d'encaixonar en un pis molt petit.*
Es conjuga com *cantar*.

encaixonat encaixonada encaixonats encaixonades *adj* Situat en un lloc molt estret: *Vaig trobar el meu cotxe encaixonat entre dos camions a l'aparcament.*

encalç encalços *nom m* **1** Acció d'encalçar, de córrer darrere algú per atrapar-lo. **2** anar a l'encalç Esforçar-se per atrapar algú o alguna cosa: *Els lladres van a l'encalç dels diners i dels objectes de valor.*

encalçar *v* Córrer darrere d'algú per atrapar-lo: *La policia va sortir corrent a encalçar el lladre.*
Es conjuga com *cantar*. S'escriu ç davant de *a, o, u* i *c* davant de *e, i: encalço, encalces.*

encallar *v* Estar aturat un vehicle, un mecanisme, etc. i no poder avançar: *El fang va fer encallar el cotxe.* ▪ *Aquesta màquina s'ha encallat i no funciona.*
Es conjuga com *cantar*.

encalmar-se *v* Tornar-se calmat el temps, el mar, etc.: *Aquest matí hi havia molta mala mar, però ara s'ha encalmat.*
Es conjuga com *cantar*.

encaminar-se *v* Posar-se en camí, en direcció a un lloc: *Aquest ciclista s'encamina cap a Sabadell.*
Es conjuga com *cantar*.

encanonar v Apuntar algú o alguna cosa amb el canó d'una arma.
Es conjuga com *cantar*.

encant encants **1** *nom m* Allò que ens agrada molt d'una persona o d'una cosa, que ens encanta: *Aquesta noia és molt bonica, té molts encants.* **2 encants** *nom m pl* Mercat on es venen objectes molt vells o de segona mà: *Han anat als encants per veure si hi troben una màquina d'escriure de segona mà a bon preu.*

encantador encantadora encantadors encantadores **1** *adj* Es diu de la persona agradable, gentil, afectuosa i amable. **2** *nom m i f* Persona que fa encantaments.

encantament encantaments *nom m* **1** Acció extraordinària que fa actuar algú d'una manera estranya o que produeix un efecte sorprenent: *La princesa es va despertar de l'encantament gràcies a un petó del príncep després de dormir cent anys.* **2** *Els diners han desaparegut per art d'encantament*: sense saber com.

encantar v **1** Agradar moltíssim: *Aquesta pintura m'encanta.* **2** Fer alguna cosa a algú per mitjà de la màgia: *La bruixa va encantar el príncep i el va convertir en una granota.* **3** **encantar-se** Quedar parat mirant una cosa: *La gent s'encanta mirant els aparadors de les botigues.* ■ *Au!, treballeu i no us hi encanteu, que no acabarem la feina a temps.*
Es conjuga com *cantar*.

encantat encantada encantats encantades *adj* i *nom m i f* Es diu de la persona que està sempre distreta o despistada, sense fer el que hauria de fer: *Au, va, no siguis tan encantat i fes el que has de fer!!*

encanteri encanteris *nom m* Sèrie d'accions o de paraules màgiques que fan o que diuen les bruixes o els bruixots per a encantar algú.

encanyissat encanyissats *nom m* Tanca feta de canyes col·locades l'una al costat de l'altra.

encaparrar v **1** Fer venir mal de cap: *Aquest soroll tan fort m'encaparra.* **2** **encaparrar-se** Preocupar-se molt: *No t'hi encaparris, tots els problemes tenen solució.*
Es conjuga com *cantar*.

encapçalament encapçalaments *nom m* Conjunt de paraules que es posen al començament d'un escrit: *"Benvolgut amic"* o *"Estimat*

amic" són fórmules d'encapçalament de les cartes adreçades a persones que coneixem.

encapçalar v **1** Escriure una cosa al capdamunt d'un paper: *Encapçalaré la carta al meu cosí amb les paraules "Estimat cosí".* **2 Anar al davant:** *Una gran pancarta encapçalava la manifestació.*
Es conjuga com *cantar*.

encapotat encapotada encapotats encapotades *adj* Es diu del cel quan està cobert de núvols que anuncien pluja.

encapritxar-se v Tenir un desig sobtat, moltes ganes de fer alguna cosa o de posseir-la sense cap motiu.
Es conjuga com *cantar*.

encara *adv* **1** Paraula que es fa servir per a expressar que una cosa continua passant o bé que no ha començat: *A les vuit del vespre encara estàvem jugant a futbol.* ■ *El tren de les sis encara no ha arribat.* **2** *El meu avi és molt alt, però el meu pare* **encara** *ho és més:* el meu pare és més alt que el meu avi, tot i que el meu avi també és molt alt. **3** *Vindré a casa teva* **encara que** *no m'hi vulguis:* a pesar o malgrat que no m'hi vulguis.

encarar v **1** Orientar una arma, un llum o un objecte cap a un punt determinat: *El policia va encarar la pistola cap al detingut.* ■ *Posa aquesta cadira aquí, encarada a la finestra.* **2** Posar les cares de dues coses l'una damunt de l'altra: *Per saber si aquests dos papers són iguals, els hauràs d'encarar.* **3** Desafiar, enfrontar-se a algú o a alguna cosa: *Es van encarar mirant-se de mala manera i van començar a discutir.*
Es conjuga com *cantar*.

encarcarat encarcarada encarcarats encarcarades *adj* Rígid, tibat, inflexible: *Tenia els dits encarcarats a causa del fred.* ■ *La teva cosina, que és molt presumida, sempre camina encarcarada.*

encarir v Apujar el preu d'alguna cosa: *Cada any, per Nadal, els aliments s'encareixen.*
Es conjuga com *servir*.

encarnar v **1** Representar un paper, un personatge: *En Jaume encarnava el personatge del rei a l'obra de teatre.* **2** Representar o simbolitzar una idea, una virtut, etc.: *Aquell home era la bondat encarnada.*
Es conjuga com *cantar*.

encàrrec encàrrecs *nom m* Feina que es mana de fer, que s'encarrega: *Haig d'anar al* quiosc a comprar el diari, és un encàrrec que m'ha fet el pare.

encarregar v Donar a algú una feina, confiar-li la responsabilitat de fer una cosa: *Em van encarregar que esborrés la pissarra cada dia.* Es conjuga com *cantar.* S'escriu g davant de *a, o, u* i gu davant de *e, i: encarrego, encarregues.*

encarregat encarregada encarregats encarregades *adj* i *nom m* i *f* Es diu de la persona que té al seu càrrec alguna cosa: *A la classe, la Teresa és l'encarregada de repartir els fulls de paper.*

encarrilar v 1 Col·locar un vehicle de manera que vagi pels carrils o pel camí que ha de seguir. 2 Portar pel bon camí una persona que se n'havia desviat: *Els amics han encarrilat aquell noi que abans feia tantes bogeries.* 3 Portar pel bon camí un negoci, un assumpte, etc. que se n'havia desviat. Es conjuga com *cantar.*

encartonat encartonada encartonats encartonades *adj* Rígid, encarcarat: *La roba emmidonada queda ben rígida i encartonada.*

encasquetar-se v 1 Ficar-se un barret al cap de manera que hi quedi ben ajustat: *Es va encasquetar la gorra fins a les orelles i se'n va anar corrents cap a casa, perquè feia fred.* 2 Encallar-se una arma a l'hora de fer-la servir per a disparar. Es conjuga com *cantar.*

encastar v 1 Fixar, enganxar una cosa en una altra de manera que hi quedi parcialment inclosa: *Aquest anell porta encastada una pedra preciosa.* 2 Hi havia tanta gent, que amb la pressió vam quedar encastats a la paret: adherits, enganxats sense poder-nos moure. Es conjuga com *cantar.*

encaterinar-se v Encapritxar-se d'una persona o d'una cosa: *En Lluís s'ha ben encaterinat de la Mercè.* Es conjuga com *cantar.*

encauar-se v Ficar-se en el cau: *Quan ens va veure, el conill va fugir corrents i es va encauar.* Es conjuga com *cantar.*

encavalcar-se v Posar-se, una cosa, damunt d'una altra: *Dissabte tinc dues activitats que s'encavalquen; hauré de triar fer-ne només una.* Es conjuga com *cantar.* S'escriu c davant de *a, o, u* i qu davant de *e, i: encavalco, encavalques.*

encavallar v Encavalcar. Es conjuga com *cantar.*

encèfal encèfals *nom m* Part del sistema nerviós central situada a dins del crani i formada pel cervell, el cerebel i el bulb raquidi.

encegament encegaments *nom m* Pèrdua de la visió, de la raó o de l'enteniment: *Aquella llum era tan forta que provocava encegament.* *Estàs tan enfadat, que la ràbia et fa reaccionar amb encegament, sense pensar bé les accions.*

encegar v 1 Privar de la vista: *Aquesta llum tan forta m'encega i no puc veure res.* 2 Estic tan **encegat de ràbia**, que no puc fer res: *no poder pensar de tanta ràbia, de tanta passió.* Es conjuga com *cantar.* S'escriu g davant de *a, o, u* i gu davant de *e, i: encego, encegues.*

encenall encenalls *nom m* 1 Trosset prim de fusta que salta d'una fusta quan s'hi passa el ribot. 2 **foc d'encenalls** Cosa que dura poc, que té menys importància de la que sembla: *La baralla dels dos nois ha sigut un foc d'encenalls, ara ja tornen a ser molt amics.*

encendre v 1 Fer que una cosa comenci a cremar: *A la nit vam encendre un gran foc enmig del campament.* 2 Pitjar l'interruptor d'un llum perquè passi el corrent elèctric, engegar un aparell electrònic: *Encén el llum, que és fosc.* 3 *Quan em renyen sense raó,* **se m'encén la sang:** *m'enfado molt.* Es conjuga com *pretendre.*

encenedor encenedors *nom m* Instrument que serveix per a encendre.

encens encensos *nom m* Resina d'una olor molt forta que s'extreu d'alguns arbres i que es fa servir a les esglésies, fent-la cremar durant alguns actes religiosos.

encerar v Cobrir amb una capa de cera la superfície d'un terra de fusta, d'un moble, etc. perquè quedi net i brillant i es conservi millor. Es conjuga com *cantar.*

encerclar v Envoltar, tancar dins d'una rodona o d'un cercle. Es conjuga com *cantar.*

encert encerts *nom m* 1 Cosa que es fa ben feta, sense errors, sense equivocacions: *Ha estat un encert que m'acompanyessis fins a casa, ara ja no tinc por.* 2 Acció d'endevinar: *He tingut tres encerts i he guanyat el joc.*

encertant encertants *adj* i *nom m* i *f* Es diu de la persona que endevina les respostes en un concurs o que té el número premiat en un

sorteig: *Els encertants del resultat de la travessa van obtenir un premi de setanta mil euros.*

encertar v **1** Tocar ben bé el punt contra el qual es dispara: *La fletxa va encertar el blanc.* **2** Fer molt bé una cosa, una tria, etc.: *Aquest dibuix t'ha sortit molt bé: has encertat els colors.* **3** Endevinar, descobrir per casualitat: *Si encertes el número, guanyaràs un premi.* ■ *Han encertat la combinació premiada.*
Es conjuga com *cantar*.

encès encesa encesos enceses *adj* **1** Que crema, que té foc. **2** Molt enrabiat i ple d'ira: *No havia vist mai en Nicolau tan encès de ràbia.*

encetar v **1** Començar a gastar o a menjar una cosa tallant-ne un tros: *Hem acabat una barra de pa i ara n'encetarem una altra.* **2** Començar una cosa: *El conferenciant va encetar el discurs recordant-nos la importància de l'acte que se celebrava.* **3** Fer una petita ferida a la pell: *Aquestes sabates noves m'han encetat una mica els peus.*
Es conjuga com *cantar*.

enciam enciams *nom m* Planta comestible que es conrea a l'hort, de fulles grosses i tendres, que es mengen crues i amanides: *Vam menjar una amanida amb olives, enciam i tomàquet.*

enciclopèdia enciclopèdies *nom f* **1** Llibre o conjunt de llibres en què s'informa sobre el coneixement de les diferents ciències. **2** *La Remei és una enciclopèdia:* saber algú moltes coses.

encimbellar v Posar algú o alguna cosa al cim d'un lloc elevat: *El mestre feia la classe encimbellat dalt de la tarima.*
Es conjuga com *cantar*.

encís encisos *nom m* Bellesa, encant: *Aquesta ciutat té un gran encís, té moltes coses boniques.*

encisador encisadora encisadors encisadores *adj* Encantador, bonic, atractiu.

encisam encisams *nom m* Enciam.

encisar v **1** Impressionar alguna cosa a algú per la seva bellesa, el seu atractiu, etc.: *Aquest paisatge ens encisa.* **2** Encantar 2: *La bruixa va encisar el príncep i el va convertir en un ratolí.*
Es conjuga com *cantar*.

encistellar v **1** Posar en un cistell. **2** En el bàsquet, introduir la pilota dins la cistella.
Es conjuga com *cantar*.

enclastar v Encastar, adherir.
Es conjuga com *cantar*.

enclaustrar-se v Tancar-se algú en un lloc i no voler-ne sortir: *Aquell científic es passa el dia enclaustrat dins del laboratori i només se'l veu a les hores dels àpats.*
Es conjuga com *cantar*.

enclavament enclavaments *nom m* Territori situat dins d'un altre, que es distingeix perquè s'hi parla una llengua diferent o hi viu una població diferent de la del territori que l'envolta.

enclotat enclotada enclotats enclotades *adj* Enfonsat en un sot, en un clot: *El poble està situat en una vall enclotada entre muntanyes molt altes.*

encloure v Incloure, contenir, implicar.
Es conjuga com *concloure*.

enclusa encluses *nom f* **1** Bloc d'acer de forma característica sobre el qual es treballen els metalls a cops de martell. **2** Os petit de l'orella situat entre el martell i l'estrep.

encobrir v Ajudar algú a amagar un fet perquè no sigui descobert: *Han detingut el lladre i el còmplice que l'encobria.*
Es conjuga com *servir*. Participi: encobert, encoberta.

encofrador encofradora encofradors encofradores *nom m i f* Persona que té per ofici muntar encofrats.

encofrat encofrats *nom m* Motlle que serveix per a donar forma a la pasta de formigó.

encofurnar v Ficar en una cofurna, en un lloc fosc i estret: *Tots els hotels estaven plens i ens vam haver d'encofurnar en una habitació petita i fosca d'una pensió.*
Es conjuga com *cantar*.

encofurnat encofurnada encofurnats encofurnades *adj* Es diu d'un lloc fosc i estret: *Molta gent viu pobrament en pisos humits i encofurnats.*

encolar v Cobrir o enganxar una cosa amb cola: *Hem d'encolar aquests cartells i enganxar-los a les parets.*
Es conjuga com *cantar*.

encolomar v Passar a un altre un treball, una feina, endossar: *M'han encolomat la feina més pesada: primer he d'anar a comprar el menjar, i després a preparar els entrepans per a la festa.*
Es conjuga com *cantar*.

encomanadís encomanadissa encoma-
nadissos encomanadisses *adj* Que s'en-
comana fàcilment, contagiós: *La grip és una
malaltia molt encomanadissa.* ■ *Aquella noia té
una rialla encomanadissa.*

encomanar *v* **1** Encarregar a algú que faci
una cosa: *M'han encomanat que faci un dibuix
per decorar la classe.* **2** Fer agafar una malal-
tia, passar una malaltia d'una persona a una
altra: *El meu germà tenia un refredat i me l'ha
encomanat.*
Es conjuga com *cantar.*

encongir-se *v* Empetitir-se una cosa: *Algunes
peces de roba s'encongeixen, quan es renten per
primera vegada.*
Es conjuga com *servir.*

encontrar *v* Topar, xocar amb algú.
Es conjuga com *cantar.*

encontre encontres *nom m* Acció d'encon-
trar o d'encontrar-se.

encoratjar *v* Donar ànims i coratge a algú:
*El professor va encoratjar els alumnes a continuar
escrivint.*
Es conjuga com *cantar.* S'escriu *j* davant de *a, o, u*
i *g* davant de *e, i: encoratjo, encoratges.*

encorbar *v* Fer agafar forma corba: *Vaig ha-
ver d'encorbar l'esquena per entrar a la cova.*
Es conjuga com *cantar.*

encrespar *v* **1** Arrissar formant ondes molt
petites. **2** Alçar, elevar una cosa per damunt
de la seva superfície: *El vent encrespava les ones
de la mar.* **3** encrespar-se Enfadar-se molt,
enfurismar-se.
Es conjuga com *cantar.*

encreuament encreuaments *nom m* **1** Punt
en què es troben dues o més vies de comu-
nicació, cruïlla: *Un encreuament de carreteres.*
2 Acció d'encreuar.

encreuar *v* **1** Col·locar dues coses de ma-
nera que formin una creu, que es travessin
entre elles: *Quan una carretera s'encreua
amb la via del tren, hi sol haver un pas a nivell
amb barrera.* **2** Fer tenir relacions sexuals
a un mascle i una femella de dues races
diferents d'animals per aconseguir-ne des-
cendència: *Van encreuar dues races de gossos
molt diferents.*
Es conjuga com *cantar.*

encreuat encreuada encreuats encreua-
des *adj* **1** Que està col·locat de través o en

forma de creu. **2 mots encreuats** Joc que
consisteix a omplir unes caselles buides amb
paraules que cal endevinar a partir d'unes
definicions escrites.

encunyar *v* Fabricar una moneda gravant-hi
unes inscripcions que serveixen per a distingir-
la d'altres monedes.
Es conjuga com *cantar.*

encuriosir *v* Fer venir a algú curiositat de
conèixer una cosa: *Em vaig encuriosir per saber
què era allò que feia tant soroll.*
Es conjuga com *servir.*

endarrere *adv* En direcció a un lloc que és
al darrere: *La neu no ens va deixar continuar
endavant i vam haver de tornar endarrere.*

endarreriment endarreriments *nom m*
1 Retard: *L'endarreriment del tren és degut a
una avaria.* **2** Falta de progrés: *Aquell país és
poc desenvolupat, hi ha un gran endarreriment
en tots els aspectes i la gent hi viu igual que cent
anys enrere.*

endarrerir-se *v* **1** Anar amb retard: *El tren
s'ha endarrerit, ja hauria de ser aquí fa estona.*
■ *Aquest rellotge s'endarrereix, ara són les sis i
marca només dos quarts de sis.* **2** Quedar-se
endarrere: *Jo no podia caminar tan de pressa i
em vaig endarrerir.* ■ *Amb tants dies de festa, la
feina es va endarrerint.*
Es conjuga com *servir.*

endavant *adv* **1** En direcció a un lloc que
és al davant: *La neu no ens va deixar continuar
endavant i vam haver de tornar endarrere.* **2** *El
rellotge va endavant:* anar avançat respecte
al temps real. **3** *Vam pagar les despeses de les
obres de la casa per endavant, quan encara no
estaven acabades:* abans, amb antelació.

endebades *adv* En va, inútilment, debades:
*Hem vingut endebades a veure la pel·lícula, ja fa
estona que ha començat i no ens deixen entrar.*

endegar *v* **1** Donar a alguna cosa una direc-
ció adequada, un bon camí a seguir: *L'empresa
anava malament, però ara l'han endegada una
altra vegada.* **2** Arreglar, endreçar, ordenar:
*Hem d'endegar una mica la classe, que està
molt desendreçada.* **3** Emprendre, engegar,
començar una cosa.
Es conjuga com *cantar.* S'escriu *g* davant de *a, o, u*
i *gu* davant de *e, i: endego, endegues.*

endemà *nom m* **1** Dia que segueix imme-
diatament després del dia del qual es parla:

L'endemà de Nadal és Sant Esteve. **2 l'endemà passat** Dia que segueix immediatament l'endemà. **3 l'endemà passat l'altre** Dia que segueix immediatament l'endemà passat.

endemés *adv* D'altra banda.

endergues *nom f pl* Mobles o objectes vells, inútils: *A les golfes de casa hi ha quadres, mobles vells i moltes altres endergues.*

enderiar-se *v* Agafar una obsessió, una dèria per una cosa: *Ara s'ha enderiat que vol comprar-se un cotxe esportiu molt car.*
Es conjuga com *canviar.*

enderroc **enderrocs** *nom m* **1** Conjunt de materials que queden després d'enderrocar o d'ensorrar-se un edifici. **2** Acció d'enderrocar un edifici.

enderrocar *v* **1** Aterrar un edifici, fer-lo caure, destruir-lo: *Han enderrocat una casa per eixamplar el carrer.* **2 enderrocar un govern** Fer caure un govern per la força.
Es conjuga com *cantar.* S'escriu *c* davant de *a, o, u* i *qu* davant de *e, i: enderroco, enderroques.*

endeutar-se *v* Carregar-se de deutes.
Es conjuga com *cantar.*

endeví **endevina endevins endevines** *nom m i f* Persona que anuncia per endavant coses que passaran en el futur.

endevinador **endevinadora endevinadors endevinadores** *nom m i f* Persona que endevina alguna cosa.

endevinalla **endevinalles** *nom f* Frase o versos que diuen una cosa que costa de veure i que s'ha de descobrir: *En Ramon pregunta: "A veure si encertes aquesta endevinalla: 'Una capseta blanca que s'obre i no es tanca'. I en Pere contesta: "Un ou".*

endevinar *v* Descobrir una cosa, trobar la solució d'un problema, d'un enigma: *Si endevines en quina mà tinc amagada la moneda, te la regalo.* ■ *Ahir vaig dir que avui plouria i ho vaig endevinar; mira, està plovent!*
Es conjuga com *cantar.*

endins *adv* En direcció a l'interior d'una cosa: *La barca va anar mar endins.* ■ *Ens vam ficar molt endins de la cova.*

endinsar *v* Ficar una cosa dins d'una altra: *Va endinsar el clau a la paret perquè quedés més fort.* ■ *Quan us banyeu al mar, no us endinseu gaire!*
Es conjuga com *cantar.*

endintre *adv* Endins.

endinyar *v* **1** Llançar una cosa contra algú, donar o clavar un cop, una bufetada, pegar. **2** Traspassar a algú altre una feina difícil o complicada, un problema molest, etc.: *Ens han endinyat la preparació de la festa.* **3** Donar o vendre una cosa dolenta a algú com si fos bona: *Ens va endinyar un cotxe espatllat i ens el va fer pagar com si fos bo.*
Es conjuga com *cantar.*

endívia **endívies** *nom f* Planta comestible que es conrea a l'hort, de fulles blanques allargades i apinyades que es menja amanida.

endívia

endolcir *v* Fer tornar dolça una cosa: *Tiraré sucre al cafè per endolcir-lo.*
Es conjuga com *servir.*

endoll **endolls** *nom m* Peça o conjunt de peces que serveixen per a agafar o donar corrent elèctric: *Si vols que el televisor funcioni, has de connectar aquest endoll.*

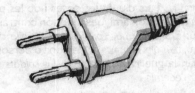
endoll

endollar *v* Ficar la clavilla en els forats de la presa de corrent per tal de fer una connexió elèctrica: *Si vols engegar la tele, primer l'has d'endollar.*
Es conjuga com *cantar.*

endormiscar-se *v* Mig adormir-se: *Els nens, durant el viatge, s'anaven endormiscant.*
Es conjuga com *cantar.* S'escriu *c* davant de *a, o, u* i *qu* davant de *e, i: m'endormisco, t'endormisques.*

endossar *v* Passar a un altre un treball, una tasca, etc., encolomar: *Ens han endossat la feina més pesada, rentar els plats i escombrar el terra.*
Es conjuga com *cantar.*

endrapar *v* Empassar-se el menjar amb moltes ganes: *Nosaltres tot just començàvem i ell ja havia endrapat el primer plat.*
Es conjuga com *cantar*.

endreça endreces *nom f* Acció de netejar i de posar en ordre una casa, una habitació, un calaix, etc.: *Després de jugar, farem endreça de totes les joguines.*

endreçar *v* Netejar, posar en ordre, col·locar les coses al seu lloc: *Abans de marxar, hem d'endreçar la classe.*
Es conjuga com *cantar*. S'escriu ç davant de *a, o, u* i c davant de *e, i: endreço, endreces.*

endreçat endreçada endreçats endreçades *adj* **1** Es diu de la persona que és neta, polida i ordenada. **2** Es diu del lloc que ha estat netejat i ordenat.

endur-se *v* Agafar una cosa per portar-la a un altre lloc, emportar-se una cosa: *Pensa a endur-te l'esmorzar a l'escola, no te'l deixis.* ■ *El vent s'enduia les fulles seques.*
Es conjuga com *dur*.

endurir *v* Fer tornar dura una cosa: *L'exercici endureix els músculs.* ■ *La falta de pluja ha endurit la terra dels camps.* ■ *El govern ha decidit endurir les multes contra els conductors imprudents.*
Es conjuga com *servir*.

enemic enemiga enemics enemigues *adj* i *nom m* i *f* **1** Es diu de les coses i de les persones que no són amigues, que són contràries a algú: *El teu germà, com que es baralla amb tothom, té molts enemics.* **2** Persona o persones que fan la guerra contra algú: *Els soldats van atacar l'enemic.*

enemistar-se *v* Perdre l'amistat amb algú, deixar de ser-hi amic: *Abans eren molt amics, fins que es van barallar per un problema de diners i es van enemistar.*
Es conjuga com *cantar*.

enemistat enemistats *nom f* Sentiment d'odi, de desconfiança entre dues persones que no són amigues, que no s'estimen.

energètic energètica energètics energètiques *adj* **1** Que produeix o dóna energia, que està relacionat amb l'energia: *El sucre és un aliment molt energètic.* **2 recursos energètics** Recursos naturals d'un país, com ara carbó, aigua, petroli, etc., capaços de produir energia per al funcionament de la indústria, de les ciutats i dels transports.

energia energies *nom f* **1** Força d'un organisme, d'un cos, etc. capaç de produir moviment, treball, etc.: *La natació és un esport que exigeix als nedadors molta energia.* ■ *L'energia produïda per l'aigua, en córrer, és aprofitada per fer electricitat.* **2 energia nuclear** Energia obtinguda mitjançant la fusió o la fissió de nuclis atòmics.

enèrgic enèrgica enèrgics enèrgiques *adj* Es diu d'una persona decidida, que té força caràcter i que és activa.

energumen energúmena energúmens energúmenes *nom m* i *f* Persona excitada que fa por per la seva agressivitat: *Per poca cosa, es posa a cridar i a amenaçar com un energumen.*

enèsim enèsima enèsims enèsimes *adj* **1** Que ocupa un lloc indefinit dins una sèrie. **2** Es diu d'un fet que ja s'ha repetit moltes vegades: *Li he dit per enèsima vegada que em torni el disc que li vaig deixar.*

enfadar-se *v* Enrabiar-se, posar-se de mal humor contra algú o alguna cosa: *El meu germà em va agafar la bicicleta sense dir-m'ho, i jo em vaig enfadar.*
Es conjuga com *cantar*.

enfadós enfadosa enfadosos enfadoses *adj* **1** Que cansa, que molesta: *Quin soroll més enfadós!* **2 la cançó de l'enfadós** Expressió que fem servir quan algú diu o fa moltes vegades una mateixa cosa que ens cansa o ens molesta: *No em diguis més que endreci l'habitació, sembla la cançó de l'enfadós.*

enfangar *v* Embrutar de fang: *Si vas al bosc després de ploure, la bicicleta se t'enfangarà molt.*
Es conjuga com *cantar*. S'escriu g davant de *a, o, u* i gu davant de *e, i: enfango, enfangues.*

enfarfegar *v* Omplir un vestit, una habitació, etc. d'adorns o de coses que fan nosa: *Tots aquests llaços del vestit m'enfarfeguen.*
Es conjuga com *cantar*. S'escriu g davant de *a, o, u* i gu davant de *e, i: enfarfego, enfarfegues.*

enfarfollar-se *v* Entrebancar-se amb les paraules, parlar malament: *Es va posar tan nerviós, que s'enfarfollava i va acabar que ningú no entenia el que deia.*
Es conjuga com *cantar*.

enfarinar *v* Cobrir de farina: *Abans de fregir el peix a la paella, l'has d'enfarinar.*
Es conjuga com *cantar*.

enfaristolar-se v Enfadar-se molt, anar-se encenent d'orgull o de ràbia.
Es conjuga com *cantar*.

enfavat enfavada enfavats enfavades *adj* i *nom m* i *f* Es diu de la persona que sempre està com encantada: *Aquell noi és una mica enfavat, sempre està distret.* ▪ *Vam sortir a comprar i em vaig quedar enfavada mirant aparadors.*

enfebrar-se v Agafar febre.
Es conjuga com *cantar*.

enfeinat enfeinada enfeinats enfeinades *adj* Que té molta feina: *A final de curs els professors van molt enfeinats.*

enfervorir v Produir molt entusiasme, molta admiració: *Aquest cantant sempre enfervoreix el públic.*
Es conjuga com *servir*.

enfiladís enfiladissa enfiladissos enfiladisses *adj* Es diu de les plantes que s'enfilen per una paret, per un tronc d'arbre, etc. arrapant-s'hi: *L'heura és una planta enfiladissa.*

enfilall enfilalls *nom m* Conjunt de coses enfilades en un fil, en una corda, etc. o col·locades l'una darrere l'altra: *Un enfilall de perles.*

enfilar v 1 Fer passar un fil pel forat d'una cosa, especialment d'una agulla: *Aquesta agulla té el forat molt petit i costa d'enfilar.* 2 **enfilar-se** Pujar en un lloc agafant-se amb els peus i les mans, arrapant-se: *Li agrada d'enfilar-se als arbres.* 3 Irritar-se, enfadar-se molt: *Li han suspès el dibuix i ara s'enfila i no sap què es diu.*
Es conjuga com *cantar*.

enfitar v Empatxar, sentir molèstia a l'estómac o al ventre per haver menjat massa.
Es conjuga com *cantar*.

enfocament enfocaments *nom m* 1 Acció d'enfocar: *La imatge d'aquesta fotografia es veu molt clara, has aconseguit un bon enfocament.* 2 Acció de tractar un assumpte donant-hi una orientació determinada: *El bon enfocament del problema et donarà la solució esperada.*

enfocar v 1 Aconseguir que l'objectiu d'una càmera reprodueixi exactament la imatge que es vol fotografiar o filmar. 2 Orientar, dirigir la vista, un llum, etc. cap a un lloc o un objecte determinat: *El lladre va enfocar la llanterna a la porta de la caixa forta.*
Es conjuga com *cantar*. S'escriu c davant de *a, o, u* i *qu* davant de *e, i*: *enfoco, enfoques.*

enfollir v 1 Fer tornar com boig. 2 Tornar-se foll.
Es conjuga com *servir*.

enfonsar v 1 Anar cap al fons, submergir-se sota l'aigua: *Hi va haver un temporal molt fort i la barca es va enfonsar.* 2 Aterrar, destruir, arruïnar: *Van enfonsar la paret.* ▪ *Aquest problema econòmic enfonsarà l'empresa.*
Es conjuga com *cantar*.

enfora *adv* Cap a la banda de fora, cap a l'exterior: *El balcó surt molt enfora de la façana.*

enformador enformadors *nom m* Eina de tall de fulla allargada i amb un mànec de fusta que fa servir el fuster per a rebaixar la fusta i donar-li forma.

enforquillar v Agafar alguna cosa amb una forquilla.
Es conjuga com *cantar*.

enfortir v Fer tornar més forta una cosa: *L'esport enforteix el cos.*
Es conjuga com *servir*.

enfosquir v 1 Fer tornar fosca una cosa: *Va apagar els llums per enfosquir l'habitació.* ▪ *Els núvols han enfosquit el cel i comença a ploure.* 2 **enfosquir-se** Tornar-se més fosca una cosa: *Abans tenia els cabells molt rossos, però amb els anys se li han enfosquit.*
Es conjuga com *servir*.

enfredorir-se v Agafar fred.
Es conjuga com *servir*.

enfront Paraula que apareix en l'expressió **enfront de**, que vol dir "davant per davant de": *Enfront de casa meva hi ha una perruqueria.*

enfrontament enfrontaments *nom m* Acció d'enfrontar-se contra algú, baralla: *Entre aquells dos jugadors de bàsquet hi va haver un enfrontament i l'àrbitre va haver d'expulsar-los.*

enfrontar-se v 1 Trobar-se davant per davant: *Els dos exèrcits es van enfrontar a les portes de la ciutat.* 2 Barallar-se, discutir-se o plantar cara: *En Miquel i en Ramon sempre s'enfronten per tot.*
Es conjuga com *cantar*.

enfundar v Ficar una cosa dins d'una funda: *El guerrer va enfundar l'espasa.*
Es conjuga com *cantar*.

enfurir v Posar furiós, fer enfadar molt fort: *Aquella mentida va enfurir el professor.*
Es conjuga com *servir*.

enfurismar v Posar furiós, fer enfadar molt fort: *A tots ens enfurisma que ens insultin.*
Es conjuga com *cantar.*

engabiar v Tancar dins d'una gàbia: *Van caçar un ocell i el van engabiar.*
Es conjuga com *canviar.*

engalanar v Adornar alguna cosa: *Per la festa major, els veïns engalanaran els carrers amb cintes de paper de tots colors.*
Es conjuga com *cantar.*

engalipar v Enganyar amb falses promeses.
Es conjuga com *cantar.*

engaltar v **1** Apuntar una escopeta recolzant-la a l'espatlla i acostant-hi la galta. **2** *En Joan* **les diu sense engaltar**, *no té pèls a la llengua*: no tenir escrúpols ni vergonya a l'hora de dir una cosa.
Es conjuga com *cantar.*

engalzar v Ajustar una cosa de manera que entri dins d'una altra i hi quedi ben encaixada.
Es conjuga com *cantar.*

enganxar v **1** Unir dues coses amb un ganxo o ganxos: *Van haver d'enganxar un altre vagó al tren.* **2** Unir dues coses amb cola, pega, etc.: *Has d'enganxar el segell al sobre de la carta.* **3** Quedar una cosa atrapada per un altre objecte: *Em vaig enganxar la bata en aquests ferros.* **4** Atrapar algú fent una cosa d'amagat: *El van enganxar copiant en un examen.* **5** Agafar una malaltia: *He enganxat un bon refredat.*
Es conjuga com *cantar.*

enganxós enganxosa enganxosos enganxoses *adj* Que enganxa o s'enganxa: *Aquests caramels són molt enganxosos.* ▨ *Aquell nen és molt enganxós, tot el dia em ve al darrere i no me'l puc treure de sobre.* ▨ *La música d'aquesta cançó és molt enganxosa, de seguida se't queda gravada al cap.*

engany enganys *nom m* Acció d'enganyar: *L'etiqueta d'aquest jersei posa que val trenta euros i cinquanta cèntims i me n'han cobrat trenta-cinc: això és un engany!*

enganyar v Mentir, no dir la veritat, enredar algú: *Aquest llapis val trenta-cinc cèntims i me'n van fer pagar cinquanta: em van enganyar.*
Es conjuga com *cantar.*

enganyifa enganyifes *nom f* Engany, trampa: *Aquest producte que diu que treu totes les taques és una enganyifa, perquè no va bé.*

enganyós enganyosa enganyosos enganyoses *adj* Que enganya: *El clima d'aquest país és molt enganyós, al matí et penses que farà bon dia perquè fa molt sol, però a la tarda el cel s'ennuvola de cop i comença a ploure.*

engarjolar v Ficar algú a la presó, a la garjola: *Han engarjolat els lladres.*
Es conjuga com *cantar.*

engatar-se v Emborratxar-se, embriagar-se.
Es conjuga com *cantar.*

engavanyar v Tenir la sensació que la roba o una altra cosa que es porta fa nosa, priva de moviment.
Es conjuga com *cantar.*

engegar v **1** Fer que una cosa comenci a anar, a funcionar, posar-la en marxa: *Vol engegar el cotxe.* ▨ *A les sis engegarem la televisió per veure els dibuixos animats.* **2** Disparar: *El caçador va engegar un tret.* **3** Fer fora, no voler escoltar algú: *Vaig anar a demanar explicacions al dependent, però ell em va engegar.* **4** Deixar anar: *Es va enfadar i va engegar uns quants insults.*
Es conjuga com *cantar.* S'escriu g davant de *a, o, u* i gu davant de *e, i*: engego, engegues.

engelosir v Fer agafar gelosia.
Es conjuga com *servir.*

engendrar v **1** Donar vida: *Es van casar i van engendrar un fill.* **2** Produir, causar: *Les rates poden engendrar malalties.*
Es conjuga com *cantar.*

enginy enginys *nom m* Capacitat d'una persona per a idear o inventar coses amb intel·ligència: *En Tomàs és un home amb molt d'enginy, ell sol s'ha construït un cotxe que funciona amb energia solar.*

enginyar v Idear o inventar alguna cosa fent servir la intel·ligència, l'enginy: *Ha enginyat un cotxe petit que funciona amb pedals.*
Es conjuga com *cantar.*

enginyer enginyera enginyers enginyeres *nom m i f* Persona que té per ofici aplicar els coneixements científics en la invenció de màquines o de tècniques noves destinades a la indústria, a l'agricultura, a la construcció de vies de comunicació, de vehicles, etc.: *Els enginyers de la fàbrica han dissenyat una màquina nova que fa el doble de feina en la meitat del temps que hi trigaven les màquines velles.*

enginyós enginyosa enginyosos enginyoses *adj* Es diu de la persona que té capacitat per a idear i inventar coses, que té enginy.

engiponar *v* Arreglar o preparar una cosa molt de pressa, de qualsevol manera: *Vaig haver d'engiponar el dibuix en un minut.* Es conjuga com *cantar.*

englobar *v* Incloure, reunir: *El continent europeu engloba molts països i moltes llengües.* Es conjuga com *cantar.*

engolir *v* **1** Empassar, fer passar un aliment o una beguda gola avall fins a l'estómac: *S'ha engolit una ampolla de llet sencera!* **2** Fer desaparèixer una cosa: *El mar esvalotat va engolir la barqueta.* Es conjuga com *servir.*

engonal engonals *nom m* Part del cos en què cada cuixa s'ajunta amb el ventre.

engorronir *v* Fer agafar mandra, agafar peresa. Es conjuga com *servir.*

engranatge engranatges *nom m* Mecanisme de rodes amb dents en contacte, de manera que el moviment que fa cada roda va passant a les altres: *Un rellotge porta molts engranatges petits.*

engrandir *v* Fer més gran una cosa: *Aterrarem aquest envà i, així, engrandirem l'habitació.* Es conjuga com *servir.*

engrapadora engrapadores *nom f* Màquina que serveix per a posar les grapes i subjectar-les ben fort, grapadora.

engrapar *v* **1** Agafar amb força una cosa o una persona amb les mans: *El defensa va engrapar el davanter pel braç i l'àrbitre va xiular una falta.* **2** Unir, cosir amb grapes, grapar: *Si no vols perdre aquests papers, els hauràs d'engrapar.* Es conjuga com *cantar.*

engreix engreixos *nom m* Acció d'engreixar un animal.

engreixar *v* **1** Fer posar greix, fer tornar gras: *En aquesta granja engreixen porcs.* ■ Diuen que la xocolata engreixa. **2** engreixar-se Tornar-se gras: *En poc temps t'has engreixat molt, hauries de mirar de fer exercici.* **3** Posar greix en una cosa, greixar: *Has d'engreixar la cadena de la bicicleta perquè no grinyoli.* Es conjuga com *cantar.*

engreixinar *v* Untar de greix, embrutar amb greix: *No toquis aquestes paelles que engreixinen.* Es conjuga com *cantar.*

engrescador engrescadora engrescadors engrescadores *adj* Que fa venir ganes de fer alguna cosa, que anima: *Les vacances són engrescadores.*

engrescar *v* Fer venir ganes de fer una cosa: *En Lluís em va engrescar perquè anés a banyar-me a la piscina.* Es conjuga com *cantar.* S'escriu *c* davant de *a, o, u* i *qu* davant de *e, i*: engresco, engresques.

engripat engripada engripats engripades *adj* Que té la grip: *S'ha passat quatre dies al llit, engripat i amb febre.*

engronsadora engronsadores *nom f* Gronxador, balancí.

engronsar *v* Gronxar. Es conjuga com *cantar.*

engròs Paraula que apareix en l'expressió **a l'engròs**, que vol dir "en gran quantitat": *En aquest magatzem venen roba a l'engròs, no hi pots comprar només una tovallola, sinó que n'hi has de comprar una dotzena com a mínim.*

engrossir *v* Fer tornar més grossa una cosa. Es conjuga com *servir.*

engruixir *v* Augmentar el gruix d'una cosa. Es conjuga com *servir.*

engruna engrunes *nom f* Trosset molt petit de pa o d'una altra cosa: *La taula ha quedat plena d'engrunes de pa.*

engrunes

engrut engruts *nom m* **1** Pasta feta amb farina i aigua que es fa servir per a enganxar paper. **2** Capa superficial de brutícia que es fa sobre la pell, la roba, etc.

enguany *adv* Aquest any: *L'estiu de l'any passat va fer molta calor, enguany no n'ha feta tanta.*

enguixador enguixadora enguixadors enguixadores *nom m i f* Persona que té per ofici enguixar parets o altres superfícies.

enguixar v **1** Cobrir una paret, un sostre, etc. amb una capa de guix. **2** Col·locar un embenat amb guix en una part del cos per immobilitzar-la: *Es va trencar un braç i li van haver d'enguixar.*
Es conjuga com *cantar.*

enhorabona enhorabones *nom f* Felicitació: *Va guanyar el primer premi del concurs i tothom li donava l'enhorabona.*

enigma enigmes *nom m* Misteri, cosa difícil de conèixer, de descobrir o d'endevinar: *Ningú no sap com va desaparèixer aquell llibre, és un enigma.*

enigmàtic enigmàtica enigmàtics enigmàtiques *adj* Misteriós, difícil de conèixer.

enjogassat enjogassada enjogassats enjogassades *adj* Es diu de la persona o de l'animal a qui agrada molt de jugar: *Un nen molt enjogassat.* ■ *En Floc és un gosset molt enjogassat.*

enjoiar v **1** Adornar amb joies. **2 enjoiar-se** Posar-se moltes joies: *Per anar a la festa, es va ben enjoiar.*
Es conjuga com *remeiar.*

enjús *adv* Avall.

enlairament enlairaments *nom m* Acció d'enlairar o d'enlairar-se una cosa: *Ens agrada d'anar a l'aeroport a veure l'aterratge i l'enlairament dels avions.*

enlairar v Alçar una cosa enlaire: *Els manifestants enlairaven banderes i pancartes.* ■ *L'avió s'anava enlairant cel amunt.*
Es conjuga com *cantar.*

enlaire *adv* **1** A una distància més o menys gran de terra, amunt: *Tirarem una moneda enlaire per decidir qui comença.* ■ *Els atracadors van treure la pistola i van dir: "Mans enlaire!"* **2 de panxa enlaire** D'esquena a terra amb la cara i la part de davant del cos mirant cap amunt: *Es va estirar a terra de panxa enlaire.*

enllà *adv* Cap allà, en direcció d'aquí cap allà: *Aneu més enllà, a l'altra banda del camí.*

enllaç enllaços *nom m* **1** Unió, connexió de dues o més coses. **2** Casament: *Un enllaç matrimonial.* **3** Persona amb qui s'ha d'establir contacte: *L'espia i el seu enllaç s'havien de trobar a Ginebra.*

enllaçar v Unir, ajuntar dues o més coses: *Hem d'enllaçar aquests dos fils.* ■ *Aquest tren enllaça Barcelona amb París.*
Es conjuga com *cantar.* S'escriu ç davant de *a, o, u* i c davant de *e, i: enllaço, enllaces.*

enllaminir v Fer venir moltes ganes de fer una cosa agradable, de menjar una cosa apetitosa, atraure.
Es conjuga com *servir.*

enllardar v Untar amb llard, embrutar amb una substància greixosa.
Es conjuga com *cantar.*

enllaunar v **1** Envasar en una llauna: *Hem enllaunat les sardines després d'adobar-les amb oli i vinagre.* **2** Recobrir un objecte, com ara una capsa, un marc, etc. amb una làmina de llauna.
Es conjuga com *cantar.*

enllepolir v Atreure o convèncer algú mostrant-li una cosa atractiva: *En Pere no volia venir a l'excursió, però la Carme el va enllepolir prometent-li que no se separaria d'ell durant tot el viatge.*
Es conjuga com *servir.*

enllestir v **1** Acabar de fer una feina: *Estic a punt d'enllestir el dibuix, només em falta un petit detall.* **2** Córrer, anar de pressa: *Si no vols perdre el tren, ja pots enllestir.*
Es conjuga com *servir.*

enllitar-se v Ficar-se al llit a causa d'una malaltia.
Es conjuga com *cantar.*

enlloc *adv* En cap banda: *He perdut el bolígraf, l'he buscat per tota la casa i no l'he trobat enlloc.*

enllorar v Entelar: *El vapor de l'aigua calenta que sortia de la dutxa va deixar el mirall ben enllorat.*
Es conjuga com *cantar.*

enlluernador enlluernadora enlluernadors enlluernadores *adj* **1** Que enlluerna i no deixa veure bé les coses a causa d'una llum molt viva. **2** Que fascina perquè és molt bonic o molt sorprenent.

enlluernar v **1** Fer que algú no pugui veure-s'hi bé a causa d'una llum molt viva: *Aquest sol tan fort m'enlluerna.* ■ *No m'apuntis la llanterna als ulls, que m'enlluernes.* **2** Provocar admiració una cosa a causa de la seva bellesa, el seu luxe, etc.: *Aquell palau em va enlluernar.*
Es conjuga com *cantar.*

enllumenat enllumenats *nom m* Conjunt de llums d'un carrer, d'una ciutat, etc.: *En aquest carrer no hi ha prou enllumenat.*

enllustrador enllustradora enllustradors enllustradores *nom m i f* Persona que té per ofici enllustrar sabates.

enllustrar v Fer brillar una cosa: *Has d'enllustrar-te les sabates.*
Es conjuga com *cantar.*

enmig Paraula que apareix en l'expressió **enmig de**, que vol dir "a dins d'un conjunt de persones o de coses": *Enmig d'aquests llibres trobaràs el que busques.* ▪ *La nena petita s'ha perdut enmig de la gentada.*

ennegrir v Fer tornar negre: *El fum ha ennegrit les pedres de la llar de foc.*
Es conjuga com *servir.*

ennuegar v No poder respirar perquè el menjar, la saliva, etc. fan com un tap a la gola: *Es va empassar un os de pollastre i es va ennuegar.*
Es conjuga com *cantar.* S'escriu g davant de *a, o, u* i gu davant de *e, i: ennuega, ennuegui.*

ennuvolar-se v Omplir-se de núvols el cel: *S'ha ennuvolat i està a punt de ploure.*
Es conjuga com *cantar.*

enòleg enòloga enòlegs enòlogues nom m i f Persona especialitzada en la tècnica de preparació i conservació dels vins.

enorgullir-se v Sentir-se orgullós d'algú o d'alguna cosa: *L'avi s'enorgullia dels èxits del seu nét.*
Es conjuga com *servir.*

enorme enormes adj Molt gran, molt gros: *Un edifici enorme.* ▪ *L'elefant és una bèstia enorme.*

enquadernació enquadernacions nom f **1** Acció d'enquadernar, de posar llom i tapes a un plec de fulls de manera que formin un llibre, un quadern, etc. **2** Manera d'estar enquadernat un llibre: *Aquesta enciclopèdia té una bona enquadernació amb tapes dures.*

enquadernador enquadernadora enquadernadors enquadernadores nom m i f Persona que té per ofici enquadernar llibres.

enquadernar v Posar llom i tapes a un plec de fulls de manera que formin un llibre, un quadern, etc.: *Volem enquadernar aquest plec de fulls, que són redaccions que hem fet a l'escola.*
Es conjuga com *cantar.*

enquadrar v Emmarcar, posar una pintura, una fotografia, etc. dins un marc.
Es conjuga com *cantar.*

enquesta enquestes nom f Conjunt de preguntes sobre un tema que es fa a diferents persones per conèixer-ne l'opinió, per obtenir-ne informació, etc.: *Hem fet una enquesta a tots els nens i nenes de la classe per veure quin era el seu esport preferit.*

enquestar v Fer una enquesta a algú: *Van enquestar set-centes persones per obtenir dades sobre l'èxit d'aquell concurs de televisió.*
Es conjuga com *cantar.*

enquibir v Encabir, fer cabre algú o alguna cosa en un lloc.
Es conjuga com *servir.*

enquitranar v Posar una o més capes de quitrà en un paviment: *Fa poc han arreglat i enquitranat la carretera i ara ja no hi ha sotracs.*
Es conjuga com *cantar.*

enrabiada enrabiades nom f Sensació molt forta de ràbia i d'irritació, disgust.

enrabiar-se v Enfadar-se molt fort.
Es conjuga com *canviar.*

enrajolar v Cobrir una paret o un terra amb rajoles: *Hem fet enrajolar les parets de la cuina i del bany.*
Es conjuga com *cantar.*

enramar v **1** Adornar un lloc amb rams i branques: *El dia del casament van enramar tota l'església amb rams de clavells i branques de boix.* **2** **enramar-se** Enfilar-se, embrancar-se: *Van començar discutint-se, es van enramar i van acabar a bufetades.*
Es conjuga com *cantar.*

enrampada enrampades nom f Acció d'enrampar-se: *El nen petit va tocar l'endoll i va patir una enrampada molt forta.*

enrampar v **1** Produir rampa: *La fredor de l'aigua li va enrampar les cames.* **2** Produir una descàrrega elèctrica: *No toqueu aquests fils, que enrampen.* **3** **enrampar-se** Rebre una descàrrega elèctrica.
Es conjuga com *cantar.*

enrampar-se

enraonar v Parlar: *El fill petit d'aquesta parella enraona molt clar.* ▪ *A l'hora de classe aquelles dues nenes enraonaven tota l'estona i la mestra les va castigar.*
Es conjuga com *cantar.*

enraonat enraonada enraonats enraonades *adj* Que s'ajusta a la raó, que actua segons la raó: *La Montse és una noia enraonada, t'hi entendràs molt bé.* ◼ *El tracte que m'ofereixes és molt enraonat.*

enraonia enraonies *nom f* Fet que la gent critica o comenta i que no se sap si és veritat o mentida: *Pel carrer corrien enraonies que aquella parella no s'avenia i estava a punt de separar-se.*

enrarir *v* Carregar-se i fer-se irrespirable una habitació, un ambient: *El fum dels cigarrets va enrarir l'aire de la sala.*
Es conjuga com *servir.*

enravenar-se *v* **1** Posar-se una cosa dura, rígida. **2** Adoptar una persona una actitud tibant, orgullosa, hostil.
Es conjuga com *cantar.*

enredada enredades *nom f* Engany, ensarronada.

enredaire enredaires *adj* i *nom m* i *f* Es diu de la persona que enganya o que provoca embolics: *Ens has tornat a enganyar, ets un enredaire!*

enredar *v* **1** Embolicar: *Aquests fils s'han enredat.* **2** Enganyar: *Aquestes cireres no són bones, a la botiga m'han enredat.* **3** Ficar algú en un embolic: *M'he deixat enredar en un negoci que no rutlla.*
Es conjuga com *cantar.*

enregistrador enregistradora enregistradors enregistradores *adj* **1** Que enregistra: *Un magnetòfon és un aparell enregistrador del so.* **2 caixa enregistradora** Aparell que serveix per a comptar i enregistrar el valor de les vendes i guardar-hi els diners que es fan en un establiment.

enregistrament enregistraments *nom m* Acció d'enregistrar, gravació de dades, de sons, d'imatges, etc. en un disc, en una casset o en un disquet.

enregistrar *v* **1** Registrar, escriure en un registre: *Enregistra en aquesta llibreta els noms de les persones que vinguin.* **2** Gravar, emmagatzemar dades, sons, imatges, etc. en un disc, en una casset o en un disquet: *Aquell grup musical ha enregistrat un nou disc.*
Es conjuga com *cantar.*

enreixat enreixats *nom m* Conjunt de barres de ferro, de llistons de fusta, etc. disposats de manera que formen una reixa.

enrenou enrenous *nom m* Desordre, gran moviment de coses, renou: *Cada cop que canviem les taules i les cadires de lloc, a la classe hi ha molt enrenou.*

enrere *adv* Mira **endarrere**.

enretirar *v* Apartar, posar més lluny una cosa: *Enretireu les bicicletes cap a un costat, que no deixen obrir la porta.*
Es conjuga com *cantar.*

enreveixinar *v* **1** Posar dreta o dura una cosa: *El gat va enreveixinar la cua.* **2 enreveixinar-se** Enfadar-se, negar-se a fer una cosa que es mana.
Es conjuga com *cantar.*

enrevenxinar *v* Enreveixinar.
Es conjuga com *cantar.*

enrevessat enrevessada enrevessats enrevessades *adj* Difícil, complicat: *Un problema enrevessat.*

enriquir-se *v* Fer-se ric: *Aquella dona s'ha enriquit fent negocis.*
Es conjuga com *servir.*

enrogallar-se *v* Tornar-se la veu ronca a causa d'un refredat o d'un mal de coll: *Estic enrogallat i quasi no puc parlar.*
Es conjuga com *cantar.*

enrogir *v* Fer tornar roig, de color vermell: *El sol li ha enrogit la pell.*
Es conjuga com *servir.*

enrojolar-se *v* Tornar-se vermell: *És tan tímid, que quan li diuen alguna cosa s'enrojola i abaixa el cap.*
Es conjuga com *cantar.*

enrolar-se *v* Apuntar-se algú en una llista per entrar a l'exèrcit, a la companyia d'un vaixell, etc., allistar-se: *En Llorenç s'ha enrolat en un vaixell mercant com a mariner.*
Es conjuga com *cantar.*

enroscar *v* **1** Cargolar, unir dues coses que tenen rosca: *S'ha d'enroscar bé la bombeta perquè faci llum.* **2** Torçar, entortolligar una cosa.
Es conjuga com *cantar.* S'escriu *c* davant de *a, o, u* i *qu* davant de *e, i: enrosco, enrosques.*

enrossir *v* Fer tornar ros: *Aquest xampú enrosseix els cabells.* ◼ *Les patates fregides són bones ben enrossides amb la fregidora.*
Es conjuga com *servir.*

enrotllar v Donar a alguna cosa la forma d'un rotlle: *Enrotlleu aquestes cartolines i deseu-les a l'armari.*
Es conjuga com *cantar.*

enrunar v Convertir en runes un edifici, aterrar-lo, destruir-lo: *Els anys i les pluges han anat enrunant el vell castell.*
Es conjuga com *cantar.*

ens[1] uns ens *nom m* **1** Ésser. **2** Institució, entitat.

ens[2] -nos 'ns *pron* Pronom amb el qual la persona que parla designa dues o més persones entre les quals s'inclou ella mateixa, i que va al costat del verb, sol o acompanyat d'un altre pronom: *La pilota era nostra i aquells nois ens l'han presa.* ▪ *Ensenya'ns els regals!*

ensabonar v **1** Mullar amb aigua i sabó: *Per rentar-te bé, t'has d'ensabonar molt.* **2** Alabar una persona per treure'n profit: *Aquell nen sempre està ensabonant el professor, perquè es pensa que així li posarà més bona nota.*
Es conjuga com *cantar.*

ensacar v Ficar alguna cosa dins d'un sac: *S'ha d'ensacar tota aquesta farina.*
Es conjuga com *cantar.* S'escriu *c* davant de *a, o, u* i *qu* davant de *e, i: ensaco, ensaques.*

ensagnar v Tacar de sang: *Va ajudar a portar el ferit a l'ambulància i li van quedar la roba i les mans ensagnades.*
Es conjuga com *cantar.*

ensaïmada ensaïmades *nom f* Pastís fet amb farina, ou i sucre, rodó, que fa un dibuix en forma de cargol.

ensaïmada

ensalada ensalades *nom f* **1** Amanida. **2** ensalada russa Ensalada feta amb patates i verdures bullides, tallades a trossets i amanides amb maionesa.

ensangonar v Tacar algú o alguna cosa de sang: *S'ha fet un tall a la cama i s'ha ensangonat els pantalons.*
Es conjuga com *cantar.*

ensarronada ensarronades *nom f* Engany, trampa.

ensarronar v Enganyar, estafar, fent creure a algú una cosa falsa.
Es conjuga com *cantar.*

ensellar v Posar la sella a un cavall, a una mula, etc.
Es conjuga com *cantar.*

ensems *adv* Juntament, al mateix temps, alhora: *Reia i plorava ensems.*

ensenya ensenyes *nom f* Escut, bandera, estendard d'un país, d'una ciutat, d'un club, etc.

ensenyament ensenyaments *nom m* **1** Acció, art d'ensenyar: *Estan experimentant un nou mètode d'ensenyament d'idiomes.* ▪ *En els països avançats es dóna molta importància a l'ensenyament.* **2** Cosa que és ensenyada a algú: *Aquest alumne fa molt cas dels ensenyaments del mestre.*

ensenyança ensenyances *nom f* Ensenyament.

ensenyar v **1** Deixar veure una cosa, mostrar: *En Lluís em va ensenyar la bicicleta nova.* **2** Ajudar algú a aprendre una cosa, a fer una cosa, donant-li explicacions, consells, lliçons, etc.: *Vull que m'ensenyeu a anar amb bicicleta.* ▪ *Aquella noia ens va ensenyar a tocar la flauta.* **3** ensenyar les dents Mostrar-se capaç d'atacar els altres o de defensar-se'n: *Si em continua molestant, li hauré d'ensenyar les dents.* **4** ensenyar l'orella Deixar veure involuntàriament una intenció o un propòsit que es volia amagar: *No en sap gaire, d'enganyar, perquè de seguida ensenya l'orella.*
Es conjuga com *cantar.*

ensibornar v Convèncer algú amb enganys perquè faci alguna cosa.
Es conjuga com *cantar.*

ensinistrar v Ensenyar algú a fer una cosa: *El germà gran ensinistrava el germà petit en el maneig de l'ordinador.*
Es conjuga com *cantar.*

ensobrar v Ficar alguna cosa en un sobre.
Es conjuga com *cantar.*

ensonyar-se v Agafar son.
Es conjuga com *cantar.*

ensopegar v **1** Xocar amb el peu contra alguna cosa: *Vaig ensopegar amb la cadira i vaig caure.* **2** Encertar, trobar allò que es volia o es necessitava: *Aquest vestit, el vaig ben enso-*

pegar, perquè m'està molt bé. **3 ensopegar-se** Coincidir, escaure's: *Aquest any el dia del meu aniversari s'ensopega en diumenge.*
Es conjuga com *cantar*. S'escriu g davant de *a, o, u* i *gu* davant de *e, i: ensopego, ensopegues.*

ensopiment ensopiments *nom m* **1** Estat de qui està com mig adormit, de qui té el cap espès, etc. **2** Falta d'interès, d'empenta, etc.

ensopir *v* **1** Avorrir, fer venir son o mandra: *Per la televisió feien una pel·lícula tan dolenta, que m'he ensopit.* **2** No tenir ànims: *Aquell malalt no millora, cada dia s'ensopeix més.*
Es conjuga com *servir*.

ensordar *v* Eixordar.
Es conjuga com *cantar*.

ensordir *v* **1** Eixordar, fer tornar sord. **2 ensordir-se** Tornar-se sord: *L'avi a poc a poc es va ensordint.*
Es conjuga com *servir*.

ensorrada ensorrades *nom f* Acció d'ensorrar-se una cosa, de caure una construcció.

ensorrament ensorraments *nom m* Ensorrada, caiguda d'un edifici, d'una construcció: *Al carrer del Sol hi ha hagut l'ensorrament d'una casa vella.*

ensorrar-se *v* **1** Enfonsar-se, caure un sostre, un edifici, etc.: *Aquella casa tan vella es va ensorrar.* **2** Arruïnar, anar malament des del punt de vista econòmic: *El negoci es va ensorrar i van haver de plegar.* **3** Fer perdre l'ànim, desanimar del tot: *La malaltia de la seva dona el va ensorrar.* **4** Enfonsar-se en la sorra.
Es conjuga com *cantar*.

ensotat ensotada ensotats ensotades *adj* Que forma un sot, que està situat en un lloc enfonsat: *El poble on hem passat les vacances queda situat en un terreny molt ensotat, al fons d'una petita vall.*

ensucrar *v* Posar sucre en alguna cosa: *Convé ensucrar bé el pastís abans de ficar-lo al forn.*
Es conjuga com *cantar*.

ensumar *v* Olorar, aspirar amb força l'aire pel nas: *El gos policia ensumava el terra i seguia el rastre dels lladres.*
Es conjuga com *cantar*.

ensurt ensurts *nom m* Espant, sobresalt: *Quin ensurt!, m'ha caigut el plat i ha estat a punt de trencar-se.*

ensús *adv* Amunt.

entabanar *v* Enganyar, omplir el cap a algú amb falses promeses o amb falses esperances a fi de convèncer-lo que faci una cosa.
Es conjuga com *cantar*.

entaforar *v* Amagar una cosa ficant-la en un forat, en un racó, etc.: *Va entaforar els diners en un forat de la paret.*
Es conjuga com *cantar*.

entapissar *v* Folrar, recobrir parets, mobles o altres objectes amb roba de tapisseria: *El meu pare ha fet entapissar les butaques de la sala amb roba de vellut.*
Es conjuga com *cantar*.

entatxonar *v* Omplir de coses i de qualsevol manera un recipient fins a deixar-lo atapeït: *Va anar entatxonant la roba al calaix i després no el podia tancar.*
Es conjuga com *cantar*.

entaular-se *v* **1** Asseure's a taula: *Ens vam entaular per dinar.* **2 entaular** Començar una discussió, una conversa, una partida d'un joc, etc.: *Havent dinat, van entaular una discussió sobre on era millor passar les vacances.*
Es conjuga com *cantar*.

enteixinat enteixinats *nom m* **1** Sostre fet de bigues i d'elements decoratius que formen caselles quadrades o polígons. **2** Sostre.

entelar *v* Cobrir d'un tel una cosa: *La boira entelava el cel i no deixava passar la llum del sol.* ▪ *El vapor de l'aigua calenta va entelar el mirall del lavabo.* ▪ *Les llàgrimes li entelaven els ulls.*
Es conjuga com *cantar*.

entendre *v* **1** Comprendre, captar el sentit d'alguna cosa, allò que vol dir o que significa: *De seguida vaig entendre el problema.* ▪ *Aquell noi entén l'anglès.* **2 entendre's** Anar d'acord, avenir-se: *En Jordi i la Maria són molt amics i s'entenen molt bé.* **3** Tenir relacions sexuals d'amagat. **4 al meu entendre** De la manera que jo ho veig, segons el que jo en penso: *No estic d'acord amb tu; al meu entendre, el problema no se solucionarà mai d'aquesta manera.*
Es conjuga com *pretendre*.

entendrir *v* **1** Fer tornar més tendra una cosa: *Si bulls els cigrons molta estona, s'entendriran.* **2** Emocionar, fer venir un sentiment de tendresa a algú: *Aquella pel·lícula ens va entendrir i vam estar a punt de plorar.*
Es conjuga com *servir*.

entenedor entenedora entenedors entenedores adj Que és fàcil d'entendre, que s'entén bé: *Aquest llibre explica les coses amb paraules entenedores.*

enteniment enteniments nom m **1** Intel·ligència, capacitat d'entendre les coses. **2** Prudència, seny, serenitat.

entenimentat entenimentada entenimentats entenimentades adj Prudent, que fa les coses pensant-les, amb seny: *En Roger és un nen molt entenimentat, no fa mai coses perilloses.*

enter entera enters enteres adj **1** Que té totes les seves parts, que no hi falta res, sencer: *Hem estat una hora entera caminant.* **2** nombre enter nombre que no té decimals.

enteranyinar-se v Omplir-se de teranyines un sostre, un moble, etc.
Es conjuga com *cantar.*

enterbolir v **1** Fer tornar tèrbola una cosa: *Va remenar l'aigua de la bassa i la va enterbolir.* **2** Privar d'intel·ligència, de visió, etc.: *L'alcohol enterboleix el cap.*
Es conjuga com *servir.*

enteresa entereses nom f Capacitat de comportar-se amb valor i serenitat davant d'un problema o una dificultat: *En Magí va resistir la malaltia amb una gran enteresa.*

enterrament enterraments nom m Cerimònia que es fa quan s'enterra un mort; conjunt de gent que acompanya una persona morta al cementiri: *Vam anar a l'enterrament d'un amic del meu pare.*

enterramorts uns enterramorts nom m i f Persona que té per ofici enterrar els morts.

enterrar v **1** Soterrar, colgar a terra: *El gos va enterrar un os al jardí.* **2** Colgar un mort a terra o ficar-lo a dins d'un nínxol: *Ahir van enterrar al cementiri del poble el noi que va morir d'accident.*
Es conjuga com *cantar.*

entès entesa entesos enteses adj i nom m i f Es diu d'una persona que sap molt d'una cosa: *Aquell noi és molt entès en música moderna.*

entesa enteses nom f El fet d'entendre's amb algú, acord, pacte: *Entre els veïns de l'escala hi ha molt bona entesa.*

entestar-se v Posar-se tossut i no voler canviar d'idea o de decisió: *S'ha entestat a no sortir*

de casa fins que no hagi acabat tota la feina.
Es conjuga com *cantar.*

entitat entitats nom f Associació, grup de persones associades amb una finalitat: *Els clubs de futbol són entitats esportives.*

entomar v Agafar una cosa que algú ens tira o que cau d'un lloc parant-la amb la mà: *El nen petit ha fet caure la figureta de vidre, però jo l'he entomada amb la mà i, per sort, no s'ha trencat.*
Es conjuga com *cantar.*

entonació entonacions nom f Acció d'entonar; successió de tons alts i baixos que es fan amb la veu a l'hora de parlar o de cantar: *Has de llegir aquest poema amb una entonació més viva, més marcada.*

entonar v **1** Començar a cantar una cançó, una melodia, etc.: *El director va entonar l'himne i tots els assistents el van seguir.* **2** Cantar bé, donant a cada nota el seu to just. **3** Fer agafar força, ànims: *Aquesta beguda forta m'ha entonat.*
Es conjuga com *cantar.*

entorn entorns **1** nom m Contorn. **2** entorns nom m pl Espai que envolta una cosa: *Els entorns del poble són molt bonics.* **3** a l'entorn de Al voltant de: *Tots ens vam asseure a l'entorn de la taula per començar a dinar.*

entorpir v Torbar, impedir que una cosa funcioni bé o que tiri endavant: *Tants dies de festa entorpeixen la marxa del curs.*
Es conjuga com *servir.*

entortolligar v Fer que una cosa quedi lligada amb una altra tot fent cercles al seu voltant moltes vegades: *Se li va entortolligar una serp a la cama.*
Es conjuga com *cantar.* S'escriu g davant de *a, o, u* i gu davant de *e, i: entortolligo, entortolligues.*

entossudir-se v Posar-se tossut, no voler canviar d'idea o de decisió: *El professor es va entossudir a fer-nos fer totes les operacions.*
Es conjuga com *servir.*

entrada entrades nom f **1** Espai per on s'entra en un lloc, primera peça d'un edifici després del portal: *La nostra escola té una entrada molt gran.* **2** Bitllet que dóna dret a entrar en un local on es fa un espectacle: *He comprat dues entrades per al cine.* **3** Cadascuna de les paraules que són definides en un diccionari: *El meu germà té un diccionari molt gruixut que té més de 50.000 entrades.* **4** En el futbol i altres esports, el fet de tallar el pas al jugador contrari per prendre-li la pilota: *El defensa va fer una entrada molt brusca al davanter de l'equip contrari.* **5** Quantitat de diners que es paga com a primera part d'un pagament molt alt: *Els pares d'en Jordi han comprat un pis nou i han pagat una entrada de divuit mil euros.* **6 a entrada de fosc** Quan quasi no hi ha claror, quan es comença a fer fosc: *Vam sortir a passejar tard, a entrada de fosc.* **7 d'entrada** En primer lloc, per començar: *D'entrada li vaig preguntar com es deia, després li vaig demanar l'edat.*

entramat entramats *nom m* Conjunt de bigues de fusta, de ferro, de formigó, etc. que serveix per a construir un sostre, una paret, etc.

entrampar-se *v* Caure en una trampa, embolicar-se en una situació complicada, carregar-se de deutes: *Va quedar entrampat per culpa d'un negoci que va anar malament.* Es conjuga com *cantar.*

entrant entrants *adj* **1** Que entra: *Aquest edifici té una part entrant entre dues de sortints.* **2** Vinent: *Vindran la setmana entrant, la setmana vinent.* **3** *nom m* Es diu de la part que entra en un lloc: *Han construït l'edifici en un entrant del bosc.* **4** *nom m* Primer plat d'un àpat. **5** *nom m* Entrada d'una casa, d'un edifici: *El senyor Gustau ha deixat el barret al penjador de l'entrant del pis.* **6 a l'entrant** A l'entrada: *El vaig ensopegar a l'entrant de l'escola.*

entranya entranyes *nom f* **1** Cadascun dels òrgans que hi ha a dins del cos. **2 sense entranyes** Es diu d'una persona dolenta, que no té compassió: *És un individu sense entranyes, capaç de cometre qualsevol crim.*

entranyable entranyables *adj* Es diu d'una persona que provoca un sentiment profund d'amistat o d'estimació: *Un amic entranyable.*

entrar *v* **1** Passar de fora cap a dins d'un lloc: *Vam entrar a la casa per la porta principal.* **2** Passar d'un període de temps a un altre: *Quin fred que fa!, es nota que hem entrat a l'hivern.* **3** Entendre: *La geografia no m'entra gens, és molt difícil.* **4** Ingressar, formar part d'un grup, participar en alguna cosa: *Vull entrar a l'equip de bàsquet de l'escola.* Es conjuga com *cantar.*

entravessar *v* **1** Posar de través: *Hi havia un camió entravessat a l'autopista.* **2 entravessar-se** Trobar antipàtica i desagradable una persona o una cosa: *Aquesta assignatura se m'entravessa, no m'agrada gens.* Es conjuga com *cantar.*

entre *prep* **1** En l'espai que separa dues coses o dues persones: *En Miquel està assegut entre la Júlia i en Llorenç.* **2** En el temps que separa dos moments: *El pare ha dit que arribarà entre les vuit i les nou del vespre.* **3** De l'un a l'altre, de l'un respecte a l'altre: *Entre en Pau i la Pepa sempre hi ha baralles.* ▪ *La diferència entre 10 i 6 és 4.* **4** Enmig: *El nen s'havia perdut entre la gent que visitava el museu.* **5** Dins d'un conjunt de persones o de coses: *En Pere destaca entre tots els nois de la classe per la seva intel·ligència.*

entreacte entreactes *nom m* Descans entre dos actes d'una obra de teatre, d'una representació, etc.

entrebanc entrebancs *nom m* Obstacle, impediment.

entrebancar-se *v* Topar amb alguna cosa que es posa entre les cames i no deixa caminar o fa caure: *M'he entrebancat amb aquelles pedres.* ▪ *Has posat la cama expressament per entrebancar-me.* Es conjuga com *cantar.* S'escriu *c* davant de *a, o, u* i *qu* davant de *e, i: m'entrebanco, t'entrebanques.*

entrecella entrecelles *nom f* Espai que hi ha entre les dues celles.

entrecot entrecots *nom m* Tros gruixut de carn de vedella o de bou tallat entre dues costelles: *De segon plat demanaré un entrecot no gaire cuit amb patates fregides.*

entrecot amb patates

entrecreuar-se *v* Travessar-se mútuament dues o més coses: *Des d'un avió es pot veure com les autopistes s'entrecreuen en molts punts.* Es conjuga com *cantar.*

entrecuix entrecuixos *nom m* Part del cos on s'uneixen les dues cuixes.

entreforc entreforcs *nom m* **1** Punt on el tronc d'un arbre es divideix en dos. **2** Cruïlla de camins: *Ens vam trobar a l'entreforc de les dues carreteres.*

entregar v Lliurar.
Es conjuga com *cantar*. S'escriu g davant de *a, o, u* i *gu* davant de *e, i: entrego, entregues*.

entregirar-se v Girar-se parcialment, a mitges: *Va sentir una mà que li tocava l'espatlla i es va entregirar per veure qui era*.
Es conjuga com *cantar*.

entrellaçar v Enllaçar, lligar una cosa amb una altra: *Per fer aquest jersei, s'han hagut d'entrellaçar fils de molts colors*.
Es conjuga com *cantar*. S'escriu ç davant de *a, o, u* i *c* davant de *e, i: entrellaço, entrellaces*.

entrellat entrellats nom m **1** Manera com ha estat feta una cosa. **2 treure'n l'entrellat** Trobar la solució: *Aquest problema és molt complicat i no sé treure'n l'entrellat, no sé veure com s'ha de solucionar*.

entremaliadura entremaliadures nom f Malifeta pròpia d'una criatura: *En Biel i la Rosa, quan la mestra no els veu, fan entremaliadures, i després rebem tots els de la classe*.

entremaliat entremaliada entremaliats entremaliades adj Es diu de l'infant que fa malifetes pròpies d'una criatura: *En Jaume és molt entremaliat i sempre que pot remena les coses de la seva mare*.

entremès entremesos nom m Plat de menjar que, en un dinar o en un sopar, se serveix abans dels altres plats, i que sol consistir en embotits, anxoves, olives, etc.

entremesclar v Barrejar dues o més coses.
Es conjuga com *cantar*.

entremig adv Al mig de, entre: *En Pere és entremig dels seus pares*.

entrenador entrenadora entrenadors entrenadores nom m i f Persona que es dedica a preparar físicament i tècnicament els esportistes: *El germà d'en Jordi és l'entrenador de l'equip de bàsquet de l'escola*.

entrenament entrenaments nom m Preparació per a una competició, per a una prova esportiva, etc.: *Aquell atleta fa uns entrenaments molt durs abans de les competicions*.

entrenar-se v Preparar-se, fent exercicis, per a una activitat, sobretot esportiva: *Els jugadors de l'equip de bàsquet s'entrenen cada dia*.
Es conjuga com *cantar*.

entreobrir v Obrir només una mica: *Vam entreobrir la porta per veure qui havia picat el timbre*.
Es conjuga com *obrir*.

entrepà entrepans nom m Menjar que consisteix en un tall de pernil, de formatge, de carn, de botifarra, etc. que es posa dins d'un panet partit o entre dues llesques de pa.

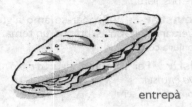

entrepà

entresòl entresòls nom m Pis que està a un nivell no gaire més alt que el carrer i just abans del primer pis: *En aquest edifici de cinc pisos, abans del primer pis hi ha l'entresòl*.

entresuar v Suar una mica, lleugerament.
Es conjuga com *canviar*.

entretant adv Mentrestant.

entreteixir v Ajuntar, enllaçar materials com ara fils, cordons, canyes, etc. de manera que formin un teixit, un conjunt.
Es conjuga com *servir*.

entretemps els entretemps nom m **1** Temps comprès entre l'estiu i l'hivern. **2 d'entretemps** Es diu de la roba de vestir que no és tan prima com la d'estiu ni tan gruixuda com la d'hivern: *Haig d'anar a un casament per l'octubre: em compraré una jaqueta d'entretemps*.

entreteniment entreteniments nom m Activitat que entreté, distracció: *Jugar a escacs és un gran entreteniment*.

entretenir v **1** Fer aturar algú en un lloc i distreure'l de les seves obligacions. *Mira, no m'entretinguis explicant-me coses, que vull acabar la feina*. **2** Divertir, distreure: *Aquesta pel·lícula m'ha entretingut una bona estona*. **3 entretenir la gana** Menjar una mica per fer passar la gana de moment: *Menjaré aquestes galetes abans de dinar per entretenir la gana*.
Es conjuga com *mantenir*.

entreveure v Veure a mitges una cosa, no veure-la gaire bé: *La boira era tan espessa, que només deixava entreveure una mica la casa*.
Es conjuga com *veure*.

entrevista entrevistes nom f Conversa concertada amb anterioritat entre dues o més persones: *El periodista vol fer una entrevista al cantant perquè surti publicada al diari*.

e

entrevistador entrevistadora entrevistadors entrevistadores *nom m i f* **Persona que fa entrevistes:** *L'entrevistador del programa de televisió va demanar al convidat què feia en el seu temps lliure.*

entrevistar-se *v* **Trobar-se amb algú per conversar sobre un assumpte, un tema.** Es conjuga com *cantar.*

entristir *v* **Fer posar trist algú:** *La mala notícia ens va entristir.* Es conjuga com *servir.*

entroncar *v* **Enllaçar una cosa amb una altra, tenir una cosa un punt de coincidència amb una altra:** *El riu Freser entronca amb el riu Ter prop de Ripoll.* Es conjuga com *cantar.* S'escriu c davant de *a, o, u* i qu davant de *e, i: entronca, entronques.*

entropessada entropessades *nom f* **Ensopegada, xoc amb alguna cosa, topada amb els peus:** *En Pere s'ha pelat la cama d'una entropessada i s'ha estripat els pantalons.*

entropessar *v* **Ensopegar, xocar amb alguna cosa.** Es conjuga com *cantar.*

entumir-se *v* **1 Inflar-se una part del cos. 2 Tornar-se insensible una part del cos:** *El fred ens entumia les mans.* **3 Ensopir-se.** Es conjuga com *servir.*

entusiasmar *v* **Fer venir alegria i molts ànims a algú, fer venir moltes ganes de fer una cosa:** *En Jaume s'entusiasma fent qualsevol esport: natació, futbol, bàsquet, etc.* Es conjuga com *cantar.*

entusiasme entusiasmes *nom m* **Alegria, ànims, admiració apassionada:** *L'entusiasme dels seguidors va animar els jugadors a guanyar el partit.*

entusiasta entusiastes *nom m i f* **Persona que sent entusiasme per algú o per alguna cosa, persona molt aficionada a una activitat:** *L'Oleguer és un entusiasta dels escacs.*

enuig enuigs o enutjos *nom m* **Disgust que sent algú que està molt enfadat:** *Que no el deixessin entrar a la festa li va produir un gran enuig.*

enumeració enumeracions *nom f* **Acció de dir, l'una darrere l'altra, totes les coses que formen un conjunt.**

enumerar *v* **Dir, l'una darrere l'altra, totes les coses que formen un conjunt:** *Els monitors ens van enumerar totes les coses que havíem de portar per anar de colònies.* Es conjuga com *cantar.*

enunciat enunciats *nom m* **1 Sèrie de paraules amb què s'explica un problema, es fa una pregunta, etc.:** *L'enunciat del problema explicava tot el que havia comprat la senyora Roser, i acabava preguntant quants diners s'havia gastat.* **2 Expressió, parlada o escrita, d'una idea, d'un fet.**

enutjar *v* **Causar disgust, ràbia o irritació.** Es conjuga com *cantar.* S'escriu j davant de *a, o, u* i g davant de *e, i: enutjo, enutges.*

envà envans *nom m* **1 Cadascuna de les parets primes que separen les diferents parts d'una casa. 2 Os o cartílag que separa les dues parts d'un òrgan:** *L'envà nasal separa les dues fosses nasals.*

envair *v* **Entrar a la força en un país, en una ciutat, etc. per a ocupar-los, apoderar-se'n o destruir-los:** *Els pobles germànics van envair l'imperi romà.* Es conjuga com *reduir.*

envalentir-se *v* **Tornar-se valent, agafar valentia.** Es conjuga com *servir.*

envanir-se *v* **Sentir-se orgullós, ple de vanitat:** *Abans era una persona senzilla i amable, però ara que té èxit s'ha envanit i gairebé no ens saluda.* Es conjuga com *servir.*

envàs envasos *nom m* **Recipient en el qual es posa un producte per transportar-lo o conservar-lo:** *Aquests envasos de cartó van molt bé per a conservar els sucs de fruita.*

envasar *v* **Posar algun producte dins d'un vas o d'un envàs:** *En aquesta fàbrica envasen suc de tomàquet.* Es conjuga com *cantar.*

enveja enveges *nom f* **Ganes de tenir una cosa que té un altre, odi, ràbia que se sent contra algú que té una cosa que nosaltres no tenim:** *Els nens de la classe del costat ens tenen enveja perquè la nostra classe és més gran.* ◾ *La madrastra tenia enveja de la Blancaneu.*

envejar *v* **Tenir enveja, sentir enveja, desitjar una cosa que té algú altre:** *En Lluís enveja la Maria perquè té un ordinador més potent que el seu.* Es conjuga com *cantar.* S'escriu j davant de *a, o, u* i g davant de *e, i: envejo, enveges.*

envejós envejosa envejosos envejoses *adj* Es diu de la persona que desitja tenir les coses que tenen els altres, que té enveja dels altres.

envelat envelats *nom m* Construcció coberta amb veles que es fa a l'aire lliure i dins la qual se celebren balls, concerts, etc. durant les festes majors dels pobles.

envelliment envelliments *nom m* Acció de fer-se vell: *Hi ha estudis que diuen que l'alimentació equilibrada retarda l'envelliment del cos de les persones.*

envellir *v* **1** Fer tornar vella una cosa: *El pas del temps envelleix els objectes.* **2 envellir-se** Fer-se vell: *En pocs anys el teu avi s'ha envellit molt.*
Es conjuga com *servir*.

envergadura envergadures *nom f* **1** Distància entre les puntes de les ales d'un ocell quan les té completament obertes: *Les àguiles són ocells de gran envergadura.* **2** Grandesa o importància d'una cosa: *El desviament del riu és un projecte de gran envergadura.*

enverinament enverinaments *nom m* Malaltia, intoxicació produïda per un verí: *El gat es va morir per culpa d'un enverinament.*

enverinar *v* **1** Matar algú amb verí, emmetzinar: *Pobre gat, li han posat verí al plat de menjar i l'han enverinat.* **2 enverinar-se** Fer-se més greu un mal, una situació.
Es conjuga com *cantar*.

envermellir *v* Fer tornar de color vermell: *A la tardor les fulles d'alguns arbres envermelleixen.* ▪ *La vergonya el va fer envermellir.*
Es conjuga com *servir*.

envernissar *v* Donar una capa de vernís a un moble, a una porta, etc.
Es conjuga com *cantar*.

envers *prep* **1** Cap a, en direcció a, vers: *Han anat envers aquell poblet.* **2** Amb relació a: *Té una bona actitud envers els professors.*

envestida envestides *nom f* Cop fort donat per algú o alguna cosa que se'ns tira a sobre, atac: *L'envestida del toro va ser tan forta, que amb les banyes va fer un forat a la porta de fusta.*

envestir *v* Anar a topar contra algú o alguna cosa, atacar: *El toro va envestir el cavall.* ▪ *Un cotxe em va envestir per darrere i em va tirar per terra.*
Es conjuga com *servir*.

enviar *v* Fer arribar, fer portar una cosa a algú en algun lloc, trametre: *Enviarem una carta al teu cosí.*
Es conjuga com *canviar*.

envidriar-se *v* Prendre l'aspecte del vidre, tornar-se rígid: *Amb el fred, la sorra del camí s'ha envidriat.*
Es conjuga com *canviar*.

envilir *v* Fer que algú es torni vil o menyspreable.
Es conjuga com *servir*.

environament environaments *nom m* Decoració, ambientació d'un espai amb diferents materials amb la finalitat de transformar-lo.

envistes Paraula que apareix en l'expressió **a les envistes de**, que vol dir "en un punt des del qual es pot veure un lloc": *Al cap d'una hora de caminar vam arribar a les envistes de l'ermita.*

envitricollat envitricollada envitricollats envitricollades *adj* Es diu d'una cosa complicada i difícil de resoldre: *La trama d'aquest llibre és molt envitricollada, no hi ha qui pugui entendre-la.*

enviudar *v* Quedar-se vidu o vídua: *Quan tenia cinquanta anys, va enviudar.*
Es conjuga com *cantar*.

envol envols *nom m* Acció d'envolar-se, d'emprendre el vol.

envolar-se *v* **1** Emprendre el vol: *En aquest aeroport s'envolen cents d'avions cada dia.* **2** Ser endut pel vent.
Es conjuga com *cantar*.

envoltar *v* Voltar, posar-se tot al voltant d'alguna cosa: *Abans les muralles envoltaven les ciutats importants.* ▪ *Els soldats van envoltar la patrulla enemiga.*
Es conjuga com *cantar*.

enxampar *v* Atrapar: *La policia ha enxampat el lladre.* ▪ *Has enxampat un bon refredat!*
Es conjuga com *cantar*.

enxubat enxubada enxubats enxubades *adj* Es diu del lloc tancat on l'aire no es renova fàcilment: *Treballaven en un local enxubat i fosc.*

enyor enyors *nom m* Enyorança.

enyoradís enyoradissa enyoradissos enyoradisses *adj* Que s'enyora amb facilitat.

enyorament enyoraments *nom m* Enyorança.

enyorança enyorances *nom f* Sentiment de pena o de dolor que se sent quan s'està lluny d'una persona o d'un lloc que s'estima: *Fa un mes que no veu la seva mare i té una gran enyorança.*

enyorar *v* Sentir pena de ser lluny d'un país, trobar a faltar algú o alguna cosa: *En Lluís ha anat a viure a França i ara enyora Catalunya.* ■ *El nen enyorava la mare.*
Es conjuga com *cantar*.

enze enzes *nom m i f* **1** Es diu de la persona poc intel·ligent, poc llesta: *Aquest no entén mai res, és un enze.* **2 fer l'enze** Fer veure que no s'entén una cosa: *Em van dir que allò no es podia fer, però jo vaig fer l'enze i ho vaig fer.*

eòlic eòlica eòlics eòliques *adj* **1** Que està relacionat amb el vent. **2** Es diu de l'energia produïda pel vent.

ep *interj* **1** Expressió que es fa servir per a cridar l'atenció d'algú: *Ep, nois, sóc aquí!* **2** Expressió que es fa servir per a mostrar desacord amb una cosa: *Ep!, això no es pot tocar, deixeu-ho tot tal com estava.*

èpic èpica èpics èpiques *adj* Es diu de les obres literàries, escrites generalment en vers, que expliquen les aventures d'uns herois: *"L'Atlàntida" i "Canigó" són dos poemes èpics de Verdaguer.*

epicentre epicentres *nom m* Punt de la superfície terrestre més proper al punt de l'interior de la Terra on s'origina un terratrèmol.

epidèmia epidèmies *nom f* Malaltia infecciosa que s'escampa i afecta un gran nombre de persones d'un territori o d'una regió, ja sigui per contacte directe amb altres malalts o per mitjà d'aliments contaminats: *Hi ha una epidèmia de grip i tothom està malalt.*

epidermis les epidermis *nom f* Capa exterior de la pell.

epíleg epílegs *nom m* Part final d'un llibre o d'un discurs que sol consistir en una conclusió de tot el que s'hi ha dit.

epilèpsia epilèpsies *nom f* Malaltia del cervell que es caracteritza per uns atacs sobtats i curts, durant els quals el malalt pot arribar a perdre la consciència.

episcopal episcopals *adj* Es diu de tot el que pertany o està relacionat amb el bisbe: *El bisbe de Vic viu al palau episcopal, que està situat al costat de la catedral.*

episodi episodis *nom m* Part d'un poema, d'una novel·la, d'una història, etc. en què s'explica un fet concret i que s'enllaça amb les altres parts tot formant un conjunt.

epístola epístoles *nom f* Carta.

epistolari epistolaris *nom m* Conjunt de cartes escrites per una persona a una altra persona.

epitafi epitafis *nom m* Inscripció feta en una tomba, escrit dedicat a una persona difunta.

època èpoques *nom f* Espai de temps en la història d'un país o de la humanitat, en la vida d'una persona, etc.

epopeia epopeies *nom f* Poema molt llarg que narra les aventures d'uns herois, poema èpic.

equador equadors *nom m* Cercle imaginari que envolta la Terra per la part més ampla i queda perpendicular a la línia que uneix els pols: *L'equador divideix la Terra en dos hemisferis: l'hemisferi nord i l'hemisferi sud.*

equànime equànimes *adj* **1** Es diu d'una persona que actua amb serenitat i justícia, que és imparcial: *Quan hi ha conflictes entre els alumnes, els mestres han de fer com els jutges, és a dir, han de ser equànimes i mirar de resoldre'ls sense tenir preferències per ningú.* **2** Es diu d'una decisió, d'una opinió, etc. justa i imparcial.

equatorial equatorials *adj* Que està relacionat amb l'equador: *Clima equatorial, vegetació equatorial.*

eqüestre eqüestres *adj* Que està relacionat amb els cavalls, amb l'equitació: *Una estàtua eqüestre és una estàtua que representa un personatge a dalt d'un cavall.*

equí equina equins equines *adj* Que està relacionat amb els cavalls.

equi- Element amb què comencen algunes paraules i que vol dir "igual": *Dues coses equivalents són dues coses que valen igual, que són iguals.*

equidistant equidistants *adj* Es diu de les coses que es troben a la mateixa distància d'un lloc determinat: *Tots els punts d'una circumferència són equidistants d'un punt que hi ha al seu interior anomenat centre.*

equidistar *v* Trobar-se dues o més coses a la mateixa distància d'un lloc determinat.
Es conjuga com *cantar*.

equilàter equilàtera equilàters equilàteres *adj* Es diu de la figura geomètrica que té els costats iguals: *Un triangle equilàter.*

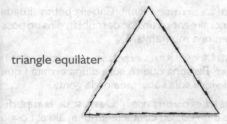

triangle equilàter

equilibrar *v* Fer iguals dos pesos o dues forces, posar en equilibri: *Si vols equilibrar la balança has de posar més pes al plat de l'esquerra.* Es conjuga com *cantar.*

equilibrat equilibrada equilibrats equilibrades *adj* Es diu de la persona o de la cosa que té les qualitats, les parts que la formen, etc. ben distribuïdes.

equilibri equilibris *nom m* **1** Estat de repòs o de moviment uniforme d'un cos. **2** Estat en què una persona o un objecte es mantenen drets i s'aguanten sense caure: *No caminis pel costat del cingle, que si perdies l'equilibri cauries a baix i et mataries.*

equilibrista equilibristes *nom m i f* Persona que practica exercicis d'equilibri amb el seu propi cos o amb objectes, acròbata: *L'equilibrista caminava pel damunt d'un cable situat a una gran alçada.*

equinocci equinoccis *nom m* Cada un dels dos moments de l'any en què el Sol passa per l'equador i el dia i la nit tenen la mateixa durada en tots els punts de la Terra: *L'equinocci de primavera i l'equinocci de tardor.*

equip equips *nom m* **1** Conjunt de coses necessàries per a realitzar una feina, una activitat, un esport, etc.: *Per a esquiar, es necessita un bon equip: esquís, botes, guants, ulleres, anorac, etc.* **2** Grup organitzat de persones format per fer una determinada activitat, per practicar un esport, etc.: *En un equip de futbol hi ha onze jugadors.* **3 equip estereofònic** Conjunt d'aparells que reprodueixen els sons amb molta perfecció, cadena musical.

equipament equipaments *nom m* Conjunt de coses necessàries per a poder fer una feina, una activitat: *Han instal·lat els equipaments de la sala de gimnàstica i demà passat ja podran començar les classes.*

equipar *v* Proveir algú o alguna cosa de les coses necessàries per a fer una feina, una activitat: *Si vols anar a esquiar, t'has d'equipar amb bona roba i uns bons esquís.* ■ *Després de construir les instal·lacions esportives, van equipar-les amb tot el material necessari.* Es conjuga com *cantar.*

equiparable equiparables *adj* Es diu de dues o més coses que es poden equiparar, que es poden considerar iguals: *El valor d'aquestes dues cases és equiparable.*

equiparar *v* Considerar iguals dues coses comparant-les entre elles: *Els sous dels treballadors qualificats i els dels encarregats d'aquesta empresa gairebé es poden equiparar.* Es conjuga com *cantar.*

equipatge equipatges *nom m* Conjunt de maletes, de paquets, etc. que porta una persona quan se'n va de viatge.

equitació equitacions *nom f* Art de muntar a cavall, conjunt d'exercicis esportius que es practiquen a cavall.

equitatiu equitativa equitatius equitatives *adj* Just, que es reparteix de manera justa: *Es van repartir els diners de manera equitativa.*

equivalència equivalències *nom f* **1** Qualitat d'equivalent, igualtat de valor entre dues o més coses: *L'equivalència de 1.000 metres és un quilòmetre.* **2 relació d'equivalència** Relació entre els elements d'un conjunt que permet de classificar-los de manera que cadascun quedi en una classe i que aquestes classes no tinguin cap element comú.

equivalent equivalents *adj* Que equival, que té el mateix valor: *Una lliura de pes és equivalent a 400 grams.*

equivaler *v* Tenir el mateix valor, el mateix preu: *Una moneda d'un euro equival a cinc monedes de vint cèntims.* Es conjuga com *valer.*

equívoc equívoca equívocs equívoques **1** *adj* Que pot ser entès o interpretat de dues maneres diferents: *La pregunta de l'entrevistador era equívoca i el cantant la va interpretar malament.* **2** *nom m* Paraula o acció que pot ser entesa de dues o més maneres diferents, malentès.

equivocació equivocacions *nom f* Error, falla, cosa mal feta: *Aquesta suma està malament, hi ha una equivocació.*

equivocar-se v Fallar, fer un error, confondre una cosa per una altra: *M'he equivocat i, en comptes d'escriure "bosc", he escrit "bocs".*
Es conjuga com *cantar*. S'escriu *c* davant *a, o, u* i *qu* davant *e, i*: *m'equivoco, t'equivoques.*

era[1] **eres** nom f Espai de temps de durada indefinida que comença amb un esdeveniment important del qual sovint agafa el nom, època: *Actualment estem vivint l'era de l'electrònica.*

era[2] **eres** nom f Espai pla que hi ha al davant de les cases de pagès i que s'utilitza per a batre i separar el gra de la palla dels cereals.

eradicar v Treure, extirpar, eliminar de cop una cosa dolenta: *Les vacunes han servit per a eradicar algunes malalties greus.*
Es conjuga com *cantar*. S'escriu *c* davant de *a, o, u* i *qu* davant de *e, i*: *eradica, eradiquen.*

erecció **ereccions** nom f **1** Augment de volum del penis, del clítoris o dels mugrons de manera que quedin rígids i forts. **2** Acció d'erigir.

erecte **erecta** **erectes** adj **1** Que està dret, en posició vertical. **2** Que està en erecció.

eriçar-se v Aixecar-se alguna cosa i posar-se rígida com les punxes d'un eriçó: *Es va espantar i se li van eriçar els cabells.*
Es conjuga com *cantar*. S'escriu *ç* davant de *a, o, u* i *c* davant de *e, i*: *s'eriça, s'ericen.*

eriçó **eriçons** nom m **1** Animal mamífer que té la part superior del cos coberta de punxes, que és capaç d'enrotllar-se formant una bola i que s'alimenta d'insectes. **2 eriçó de mar** Animal marí, petit, de color fosc, amb el cos arrodonit i la closca coberta de punxes, garota.

eriçó

erigir v **1** Alçar i edificar una construcció: *Van erigir un monument a Pau Casals davant del teatre municipal.* **2** Elevar de categoria, passar a una condició més alta: *Era príncep i el van erigir en rei.*
Es conjuga com *servir*.

erm **erma** **erms** **ermes** adj Es diu d'un lloc sec i amb poca vegetació: *Una terra erma, sense arbres ni camps.*

ermini **erminis** nom m Mamífer carnívor, de pelatge blanc a l'hivern i vermellós a l'estiu, que és molt apreciat per la seva pell.

ermita **ermites** nom f Capella petita situada generalment en un lloc despoblat, dins un bosc o en una muntanya.

ermità **ermitana** **ermitans** **ermitanes** nom m i f Persona que té cura d'una ermita i que sol viure sola i apartada de la gent.

erosió **erosions** nom f Desgast de la superfície d'un cos en contacte amb un altre: *L'aigua del mar produeix l'erosió de les roques de la costa que, per això, estan plenes de forats i tenen formes tan curioses.*

erosionar v Produir erosió, desgastar la superfície d'un cos: *El vent i la pluja erosionen les muntanyes.*
Es conjuga com *cantar*.

eròtic **eròtica** **eròtics** **eròtiques** adj Que està relacionat amb el desig o el plaer sexual.

erra **erres** nom f nom de la lletra **r R**.

errada **errades** nom f Error, equivocació.

errant **errants** adj Que va d'una banda a l'altra sense aturar-se gaire temps enlloc: *La gent del circ porta una vida errant.*

errar v **1** Equivocar-se: *He errat la resposta una altra vegada.* **2** Anar d'una banda a l'altra sense seguir un camí determinat, a l'atzar: *La caravana estava perduda i errava pel desert.* **3 anar errat** Estar equivocat: *Em pensava que em sortiria bé, però anava ben errat i tot em va sortir malament.*
Es conjuga com *cantar*.

errata **errates** nom f Errada, equivocació feta en un llibre o en un text imprès: *Alguns llibres contenen un full anomenat "fe d'errates" on hi ha la llista dels errors i de les seves correccions.*

erroni **errònia** **erronis** **errònies** adj Que conté una equivocació, un error.

error **errors** nom m Equivocació, cosa que no és certa, cosa que no s'hauria d'haver fet: *En les meves respostes hi havia molts errors, i per això vaig tenir una nota baixa de l'examen.*

ert **erta** **erts** **ertes** adj Rígid i dret.

eructar v Fer rots, rotar.
Es conjuga com *cantar*.

eructe **eructes** nom m Rot.

erudit erudita erudits erudites *adj* i *nom m* i *f* Que té un gran coneixement sobre una matèria o un tema: *Aquest professor és un erudit en història d'Egipte.*

eruga erugues *nom f* **1** Larva d'alguns insectes, com ara la papallona, que té forma de cuc. 7 **2** Cinta metàl·lica que envolta les rodes dels tancs i d'alguns tractors, que permet que el vehicle avanci per terrenys difícils.

erupció erupcions *nom f* **1** Sortida de lava, de gasos i d'altres elements pel cràter d'un volcà. **2** Lesió de la pell que consisteix en l'aparició de taques vermelles o grans o bé totes dues coses.

es¹ sa s' ets ses *art* Article determinat, anomenat salat, que es fa servir a Mallorca i en alguns llocs de Catalunya i del País Valencià: *Es camí: el camí; sa casa: la casa.*

es² -se s' 's *pron* Pronom que es refereix a la persona o cosa de la qual es parla, quan és el subjecte de la frase, i que va al costat del verb, sol o acompanyat d'un altre pronom: *El nen s'ha embrutat la bata.* ▪ *La mare es mira al mirall.*

esbadellar-se *v* Obrir-se una flor: *A la primavera les flors s'esbadellen.*
Es conjuga com *cantar.*

esbalair-se *v* Quedar parat, sorprès, meravellar-se d'una cosa: *Quan ens van ensenyar les joies, ens vam esbalair.*
Es conjuga com *reduir.*

esbandir *v* Passar aigua clara a una cosa perquè se'n vagi el sabó.
Es conjuga com *servir.*

esbargiment esbargiments *nom m* Acció d'esbargir-se, distracció, diversió.

esbargir-se *v* **1** Dedicar-se a un entreteniment, a un esport, a una activitat, etc. per distreure's o divertir-se: *Els nens s'esbargeixen nedant a la piscina.* **2** esbargir Fer desaparèixer una cosa, escampant-la: *Aquella estona de diversió li va esbargir els maldecaps.*
Es conjuga com *servir.*

esbarjo esbarjos *nom m* Entreteniment, diversió, estona que no es treballa: *Ara tenim un quart d'hora d'esbarjo i podem sortir al pati; després tornarem a la classe i acabarem la feina.*

esbarriar *v* Treure alguna cosa del seu lloc i deixar-la en un altre on és difícil de trobar-la, escampar coses que estaven juntes i ordenades: *En Lluís ha tornat a esbarriar totes les joguines de la Marta i ara ella no troba la nina.*
Es conjuga com *canviar.*

esbart esbarts *nom m* **1** Grup de persones o animals: *Un esbart d'ocells.* **2** Associació de persones que es dediquen a ballar danses tradicionals.

esbarzer esbarzers *nom m* Arbust que té moltes punxes i que produeix un fruit anomenat móra.

esbatanar *v* Obrir de bat a bat, completament, una cosa: *Les finestres estaven esbatanades i la llum del sol entrava a l'habitació.*
Es conjuga com *cantar.*

esbatussar-se *v* Barallar-se a cops, pegar-se.
Es conjuga com *cantar.*

esberlar *v* Obrir d'un cop una cosa en dues o més parts: *Has picat tan fort que, en comptes de clavar-hi el clau, has esberlat la fusta.* ▪ *Un llamp va esberlar el tronc d'aquell arbre.*
Es conjuga com *cantar.*

esbiaixar *v* Tallar, travessar o col·locar una cosa en diagonal, de biaix.
Es conjuga com *cantar.*

esbirro esbirros *nom m* Persona que, sota les ordres d'algú, priva de llibertat, tortura o comet assassinat.

esblaimar-se *v* Perdre el color normal, tornar-se d'un color més apagat: *Quan li van dir la mala notícia, es va esblaimar i es va tornar blanc com la cera.*
Es conjuga com *cantar.*

esblanqueir-se *v* Descolorir-se, tornar-se més blanc i d'un color més pàl·lid.
Es conjuga com *reduir.*

esbocinar *v* Fer bocins, trencar o partir una cosa en petits trossets: *Va tirar un got a terra i es va esbocinar.*
Es conjuga com *cantar.*

esbojarrat esbojarrada esbojarrats esbojarrades *adj* i *nom m* i *f* Que fa les coses sense pensar-les, que li agrada de fer bestieses, que és molt mogut: *En Lluís és un esbojarrat, mira com va amb la bicicleta, sense mans i amb els ulls tancats.*

esbombar *v* Estendre una notícia o un secret: *El diari va esbombar ràpidament la notícia del segrestament que els jutges mantenien en secret.*
Es conjuga com *cantar.*

esborrador esborradors *nom m* Tros de drap, d'esponja, de raspall, etc. que serveix per a esborrar una pissarra: *Agafa l'esborrador i esborra aquests ninots de la pissarra.*

esborrany esborranys *nom m* Primera redacció d'un escrit, que permet d'anar-hi fent correccions i canvis abans de fer l'escrit definitiu, que és el que es passa en net: *Abans de la redacció definitiva, farem un esborrany que inclogui les idees principals.*

esborrar *v* **1** Fer desaparèixer una cosa escrita, dibuixada, etc. fregant-la amb una goma d'esborrar, amb un drap, etc.: *Com que no em va quedar gaire bé, vaig esborrar el dibuix i el vaig tornar a fer.* **2** **esborrar-se** Desaparèixer, fondre's: *Aquesta tinta és molt dolenta, al cap d'uns dies s'esborra i no es veu res.* Es conjuga com *cantar*.

esborrifat esborrifada esborrifats esborrifades *adj* Es diu dels cabells o dels pèls eriçats o estarrufats.

esborronador esborronadora esborronadors esborronadores *adj* Que esborrona, que espanta, que fa venir por: *Un incendi esborronador.*

esborronar *v* Espantar, posar els pèls de punta, horroritzar: *L'incendi de la casa va esborronar la gent del veïnat.* Es conjuga com *cantar*.

esbós esbossos *nom m* Forma primera que adquireix un dibuix, un treball, un pla, un projecte abans d'agafar la forma definitiva: *La professora ens ha dit que abans de fer el treball sobre els mamífers li hauríem d'ensenyar un esbós, per veure com pensem fer-lo.*

esbotifarrar *v* Rebentar una cosa coberta de roba o d'un embolcall tou: *Els nens petits van esbotifarrar amb les tisores el cuc de roba que els vas regalar.* Es conjuga com *cantar*.

esbotzar *v* Rebentar una cosa, fer que una cosa s'obri o es trenqui a causa d'una pressió: *Va quedar tancat a l'habitació i, per treure'l, vam haver d'esbotzar la porta a cops de peu.* Es conjuga com *cantar*.

esbravar-se *v* **1** Perdre un líquid el seu gust, la seva olor, el seu gas: *Vas deixar l'ampolleta de la colònia oberta i ara s'ha esbravat, ja no fa gens d'olor.* ▪ *El xampany s'ha de beure de seguida després de destapar l'ampolla; si no, s'esbrava i*

no és bo. **2** Desfogar-se, quedar-se tranquil plorant o parlant quan es tenen nervis o se sent ràbia: *Com que ha perdut la cursa, ara s'esbrava insultant el guanyador.* Es conjuga com *cantar*.

esbrinar *v* Investigar i descobrir la veritat sobre un fet: *El detectiu va esbrinar qui havia comès l'assassinat del milionari.* Es conjuga com *cantar*.

esbroncar *v* Cridar, renyar algú molt fort. Es conjuga com *cantar*. S'escriu *c* davant de *a, o, u* i *qu* davant de *e, i*: *esbronco, esbronques.*

esbufec esbufecs *nom m* Cadascuna de les bufades curtes de la respiració d'una persona fatigada: *Quan pujo aquella escala tan llarga, faig cada esbufec!*

esbufegar *v* Respirar molt de pressa, amb dificultat, a conseqüència d'haver fet un esforç, dels nervis, etc.: *Quan vam arribar al cim de la muntanya, tots esbufegàvem i estàvem molt cansats.* Es conjuga com *cantar*. S'escriu *g* davant de *a, o, u* i *gu* davant de *e, i*: *esbufego, esbufegues.*

esbullar *v* Despentinar, escabellar, escampar: *Amb el vent, li van quedar els cabells esbullats.* Es conjuga com *cantar*.

esca esques *nom f* **1** Matèria molt seca, com ara branquillons, palla, etc. que es fa servir per a encendre foc. **2** **ser l'esca del pecat** Ser la causa o el motiu d'una cosa, d'una baralla, d'una discussió, d'un problema: *Aquest nen és l'esca del pecat, sempre que els altres nens juguen amb ell acaben tots barallats.*

escabellar *v* Desordenar els cabells d'algú, despentinar-lo: *Em vaig pentinar molt bé, però quan vaig sortir al carrer el vent em va escabellar.* Es conjuga com *cantar*.

escabetx escabetxos *nom m* Salsa feta amb vinagre, oli, fulles de llorer i altres ingredients, que serveix per a condimentar el peix i altres aliments: *Hem menjat sardines en escabetx.*

escabetxar *v* **1** Guisar amb escabetx. **2** Suspendre un estudiant que fa un examen: *El professor ha escabetxat la meitat de la classe.* **3** Matar. Es conjuga com *cantar*.

escabrós escabrosa escabrosos escabroses *adj* **1** Ple d'entrebancs, de perills i de dificultats, arriscat: *Van passar per terrenys escabrosos.* ▪ *Aquest afer és escabrós, en sortirem malparats.* **2** Que es considera apartat de la decència o de la moral.

escac escacs *nom m* **1** Cadascun dels quadres blancs o negres d'un tauler d'escacs o de dames. **2** Paraula que es diu quan, en una partida d'escacs, un jugador fa un moviment que amenaça el rei del contrari. **3 escac i mat** Expressió que es diu quan, en una partida d'escacs, un jugador fa un moviment que deixa el rei del contrari sense escapatòria.

escacs

escacs *nom m pl* Joc que juguen dues persones amb trenta-dues peces, cadascuna de les quals es mou segons unes regles determinades sobre un tauler de quadres blancs i negres; guanya el jugador que aconsegueix matar la peça corresponent al rei del contrincant.

escadusser escadussera escadussers escadusseres *adj* Es diu d'una cosa que sobra, que queda sola, que no fa joc amb un conjunt: *Hi ha dotze plats plans i dotze de fondos i un de petit i escadusser.* ■ *En aquesta botiga no hi entra gaire gent, només de tant en tant algun client escadusser.*

escafandre escafandres *nom m* Vestit, casc i conjunt d'aparells que permeten a les persones d'anar per sota l'aigua o sortir de les naus espacials en òrbita.

escagarrinar-se *v* **1** Tenir molta por, anar amb molta por. **2** Patir diarrea.
Es conjuga com *cantar*.

escaient escaients *adj* Que es posa bé, que queda bé, que és adequat, oportú: *Aquest vestit és molt escaient per a una persona jove.*

escaig escaigs *nom m* Part que passa d'un tot: *Si diem que algú té vint anys i escaig, volem dir que té vint anys i una mica més.*

escaiola escaioles *nom f* Pasta feta amb guix i aigua que, en assecar-se, es torna rígida i serveix per a recobrir alguna cosa com ara una figura, una paret, etc.

escaire escaires *nom m* **1** Instrument de fusta, de metall o de plàstic en forma de triangle rectangle que es fa servir per a traçar línies rectes, paral·leles, etc. **2** Angle recte.

escala escales *nom f* **1** Conjunt d'esglaons que serveixen per a pujar d'un nivell a un altre de més alt: *L'ascensor s'ha espatllat, haurem de pujar per l'escala.* **2 escala de cargol** Escala amb els esglaons col·locats de manera circular, que imita la forma d'un cargol. **3 ull de l'escala** Forat de l'escala: *En Pau és molt entremaliat, va tirar la maleta per l'ull de l'escala.* **4** Proporció entre les mides d'un mapa o d'un plànol i les mides reals del que hi ha representat: *Fes un plànol de la teva habitació a escala 1/50, és a dir, que cada centímetre del plànol representi 50 centímetres reals.* **5** Cadascuna de les parades que fa un avió o un vaixell que fa una ruta llarga: *L'avió anava de Barcelona a Nova York i feia escala a Londres.* **6 escala musical** Sèrie graduada de les notes musicals. **7 fer una cosa a gran escala** Fer una cosa en grans proporcions: *En aquesta gran fàbrica fabriquen automòbils a gran escala.*

escalabrar-se *v* Trencar-se el cap o una altra part del cos a causa d'una caiguda.
Es conjuga com *cantar*.

escalada escalades *nom f* Esport que consisteix a pujar una muntanya per un lloc difícil agafant-se amb les mans i els peus i fent servir cordes, claus, etc.

escalador escaladora escaladors escaladores **1** *nom m i f* Persona que practica l'escalada. **2** *adj* Es diu de la persona que escala.

escalafó escalafons *nom m* Llista de les persones que treballen en una institució o en un centre oficial, classificades segons el càrrec que ocupen, els anys que fa que treballen, etc.

escalar *v* **1** Pujar una muntanya, una paret, etc. per un lloc difícil, agafant-se amb les mans i els peus i fent servir cordes, claus, etc. **2** Pujar de categoria social, pujar de categoria en una feina, etc.: *En només dos anys ha escalat fins a la direcció de l'empresa.*
Es conjuga com *cantar*.

escaldar *v* **1** Posar un menjar dins l'aigua bullent, cremar amb aigua bullent: *Se li va vessar l'aigua de l'olla bullent i li va escaldar la mà.* **2** Escarmentar: *Sempre que he treballat amb ell n'he sortit escaldat, perquè jo he fet tota la feina i ell se n'ha endut tot el mèrit.*
Es conjuga com *cantar*.

escaldufar *v* **1** Escalfar, coure superficialment. **2** Escaldar.
Es conjuga com *cantar*.

escalè escalena escalens escalenes adj **1** Es diu del triangle que no té cap dels tres costats iguals. **2** Es diu del con, o de la piràmide, etc. que té l'eix oblic a la base.

escalf escalfs nom m Calor, escalfor que produeix una cosa: *Amb aquest fred, un cafè amb llet ens donarà una mica d'escalf.* ■ *Quan estem desanimats l'escalf dels amics és un gran ajut.*

escalfador escalfadors nom m Aparell que serveix per a escalfar l'aigua, sobretot d'una casa, i que funciona amb gas o electricitat.

escalfapanxes uns escalfapanxes nom m Xemeneia, llar de foc petita que serveix per a escalfar una habitació.

escalfar v **1** Donar calor, fer tornar una cosa calenta: *A l'hivern tenim tres estufes de butà per a escalfar les habitacions.* **2 escalfar-se** Tornar-se una cosa més calenta, tenir un cos més calor: *Amb aquests jerseis de llana ens escalfarem el cos.* **3** Enfurismar-se, excitar-se: *La discussió era molt forta i els ànims s'escalfaven de mica en mica.* **4 escalfar algú** Pegar-li, apallissar-lo.
Es conjuga com *cantar.*

escalfor escalfors nom f Calor que fa algun objecte que té foc a dintre i una temperatura superior a la del medi que l'envolta: *Les estufes, les calefaccions, el foc, etc. fan escalfor.*

escalinata escalinates nom f Escala molt ampla situada a la part de fora o al vestíbul d'un edifici.

escalivada escalivades nom f Menjar fet amb pebrots, albergínies, cebes i patates cuits al caliu.

escalivar v Coure al caliu.
Es conjuga com *cantar.*

escaló escalons nom m Graó, esglaó.

escalonar v Posar un conjunt de coses l'una darrere l'altra, formant escala de la més petita a la més grossa o a l'inrevés.
Es conjuga com *cantar.*

escalopa escalopes nom f Tall de carn prim que es menja arrebossat i fregit.

escama escames nom f Escata.

escamarlà escamarlans nom m Animal crustaci marí que té el cos cobert amb una closca de color rosa i dues grans pinces, i que és molt apreciat com a aliment.

escamarlar v Separar, eixamplar les cames o els dits de la mà.
Es conjuga com *cantar.*

escambell escambells nom m **1** Tamboret que serveix per a posar-hi els peus quan s'està assegut o per a pujar-hi de peus: *Per agafar la melmelada del prestatge de dalt, em vaig haver d'enfilar en un escambell.* **2 fer caure algú de l'escambell** Prendre a algú la situació privilegiada en què es trobava.

escamot escamots nom m Grup petit de persones que van juntes: *Un escamot de policies. Un escamot de soldats.*

escampall escampalls nom m Estesa de coses escampades: *A la classe hi havia un escampall de papers per terra.*

escampar v **1** Dispersar un líquid, una substància per damunt d'una superfície: *Les nenes van vessar el pot de pintura i se'ls va escampar per tota la taula.* **2** Dispersar-se: *Vam sortir junts de la classe i, quan vàrem arribar al pati, ens vàrem escampar ràpidament.* **3** Divulgar: *Van escampar la notícia del robatori abans que ho sabés la policia.* **4** *Els nens començaven a cridar i l'àvia els va dir que anessin a* **escampar la boira**: anar-se'n d'un lloc, sortir a passejar.
Es conjuga com *cantar.*

escandalitzar v **1** Ofendre els sentiments o les creences d'una persona amb paraules o fets: *Va insultar el professor i tothom es va escandalitzar.* **2** Fer soroll, xivarri.
Es conjuga com *cantar.*

escandalós escandalosa escandalosos escandaloses adj **1** Que causa sorpresa i escàndol, que ofèn els sentiments: *La construcció d'aquell edifici en un espai públic va ser un fet escandalós.* **2** Que fa molts crits i molt soroll.

escandinau escandinava escandinaus escandinaves **1** nom m i f Habitant de la península d'Escandinàvia, on es troben Noruega i Suècia; persona natural o procedent de la península d'Escandinàvia. **2** adj Es diu de les persones o de les coses naturals o procedents de la península d'Escandinàvia.

escàndol escàndols nom m **1** Acció d'escandalitzar, acció que ofèn els sentiments i que causa vergonya. **2** Soroll, xivarri: *Què és aquest escàndol? Calleu d'una vegada!*

escànner escànners nom m Qualsevol aparell que serveix per a explorar una part del cos humà, un objecte, etc. i que permet d'obtenir-ne imatges.

escantellar-se v Trencar-se un tros o la vora d'una cosa: *El cendrer de ceràmica ha caigut a terra i s'ha escantellat.*
Es conjuga com *cantar.*

escanyapobres uns/unes **escanyapobres** nom m i f Usurer.

escanyapolls uns **escanyapolls** nom m Escarabat que té unes mandíbules molt llargues que semblen banyes de cérvol.

escanyar v **1** Matar algú o algun animal no deixant-lo respirar, estrenyent-li el coll: *L'assassí va escanyar la noia amb un mocador de seda.* **2** Oprimir, explotar: *Aquell senyor tan ric escanyava els pobres pagesos que estaven al seu servei i els feia pagar molts impostos.*
Es conjuga com *cantar.*

escanyolit escanyolida escanyolits escanyolides adj Molt prim i dèbil: *Un noi escanyolit.*

escapament escapaments nom m **1** Fuita d'aigua, gas, etc. **2 tub d'escapament** Tub d'una moto o d'un cotxe per on surten a l'exterior els gasos del motor.

escapar-se v **1** Fugir, anar-se'n: *En Xavier plora, perquè se li ha escapat el canari de la gàbia.* **2** No arribar a temps per agafar un tren, un autocar, etc.: *La Rosa ha arribat tard a l'escola perquè se li ha escapat l'autobús.* **3** Dir alguna paraula sense voler, sense tenir intenció de dir-la: *No li volia dir aquella paraula tan gruixuda, se'm va escapar.*
Es conjuga com *cantar.*

escaparata escaparates nom f Vitrina en què es guarda la imatge d'un sant, un objecte artístic, etc.

escapat escapada escapats escapades adj Amb una gran rapidesa, a tot córrer: *Se n'han anat escapats perquè perdien el tren.*

escapatòria escapatòries nom f Excusa per sortir d'un conflicte, sortida: *Hauràs de dir la veritat, no hi ha escapatòria.*

escapçar v **1** Tallar el cap o la punta d'una cosa: *Si trobes massa llarg aquest bastó, escapça'l una mica.* **2** Dividir un joc de cartes en dues piles.
Es conjuga com *cantar.* S'escriu ç davant de *a, o, u* i c davant de *e, i: escapço, escapces.*

escàpol escàpola escàpols escàpoles adj Es diu de la persona que desapareix, que s'escapa amb habilitat: *Els estafadors es van fer escàpols enmig de la gent.*

escapolir-se v Escapar-se, desaparèixer sense que els altres se n'adonin: *La policia va voltar tot el barri, però el lladre es va escapolir enmig de la gent amb facilitat.*
Es conjuga com *servir.*

escapulari escapularis nom m **1** Tros de roba amb un forat per on passa el cap, que penja sobre el pit i que porten algunes persones que pertanyen a ordes religiosos. **2** Conjunt de dos trossets de tela beneïts, units per dues cintes llargues que es pengen al coll, que porten algunes persones per devoció.

escaquer escaquers nom m Tauler quadrat dividit en seixanta-quatre compartiments que formen vuit rengles de vuit compartiments cadascun, els quals són alternativament de color blanc i negre, i que serveix per a jugar-hi a escacs i a dames.

escarabat escarabats nom m **1** nom donat als insectes coleòpters: *A dins de la col hi havia un escarabat de color negre.* **7 8 2** Tipus d'insecte coleòpter de cos en forma d'el·lipse que s'alimenta dels excrements de les vaques, dels cavalls, etc., amb els quals fa boletes que fa rodolar per terra fins a ficar-les en uns foradets on diposita els ous. **3** nom que es dóna a qualsevol animal petit que és de color fosc i es mou per terra mitjançant potes.

escarabats

escarafalls nom m pl Paraules i gestos exagerats, falsos, que es fan per demostrar disgust, molèstia, etc.: *Es queixa de tot, no li agrada res i sempre fa escarafalls.*

escaramussa escaramusses nom f Combat entre destacaments de soldats enemics que es troben per sorpresa, sense planejar-ho prèviament.

escarbotar v Fer caure o saltar una part d'alguna cosa gratant o raspant: *No et gratis els grans, que te'ls escarbotaràs i encara et faran més picor.*
Es conjuga com *cantar.*

escarceller escarcellera escarcellers escarcelleres *nom m i f* Guardià encarregat de vigilar una presó, carceller.

escardalenc escardalenca escardalencs escardalenques *adj* **1** Es diu d'una persona molt prima: *Aquella ballarina és alta i escardalenca.* **2** Es diu d'una veu alta i prima.

escarlata[1] **1** *adj* D'un color vermell molt viu: *Uns vestits escarlata.* **2** escarlata escarlates *nom m* Color vermell molt viu.

escarlata[2] escarlates *nom f* Matèria vermella que s'utilitza per a donar color: *Un vestit tenyit d'escarlata.*

escarlatina escarlatines *nom f* Malaltia contagiosa que es manifesta amb unes taques de color vermell a la pell, amb febre i molt mal de coll.

escarment escarments *nom m* Acció que provoca que una cosa no es torni a fer més o que no torni a passar: *La caiguda li ha servit d'escarment, ja no es tornarà a enfilar més a dalt de l'armari.*

escarmentar *v* Aprendre que una cosa és dolenta o perjudicial per no tornar-la a fer una altra vegada: *Va tenir un accident i es va escarmentar; ara quan va amb cotxe, ja no corre com abans.*
Es conjuga com *cantar.*

escarni escarnis *nom m* Burla que deixa algú en ridícul, ofensa.

escarnir *v* **1** Burlar-se d'algú per deixar-lo en ridícul o ofendre'l. **2** Imitar les maneres, la veu, els gestos, etc. d'una altra persona per riure-se'n: *Aquest nen escarneix la veu del professor davant dels companys.*
Es conjuga com *servir.*

escarola escaroles *nom f* Planta comestible que es conrea a l'hort, de fulles arrissades que es mengen crues i amanides.

escarpat escarpada escarpats escarpades *adj* Que fa un pendent molt fort: *Aquesta muntanya és molt escarpada i és molt difícil de pujar-hi.*

escarpir *v* Desfer els nusos dels cabells, de la llana, etc.
Es conjuga com *servir.*

escarpra escarpres *nom f* Eina consistent en una barra de ferro que té la punta tallant i que, picant-la ben fort a cops de martell, serveix per a treballar la pedra.

escarransit escarransida escarransits escarransides *adj* **1** Petit, dèbil, prim: *Un arbre escarransit.* **2** Es diu de la persona que és poc generosa i solidària: *És tan escarransida, que mai no regala res a ningú.*

escarràs escarrassos *nom m* Es diu de la persona que fa les feines més pesades: *La Maria és l'escarràs de la colla, ella sola va netejar l'habitació mentre els altres s'ho miraven sense fer res.*

escarrassar-se *v* Esforçar-se molt en una feina: *No t'escarrassis tant a fregar els vidres, no veus que plourà i es tornaran a embrutar?*
Es conjuga com *cantar.*

escarritx escarritxos *nom m* **1** Soroll que es produeix quan les dents de dalt freguen amb les de baix. **2** Soroll aspre que es produeix quan dues coses dures es freguen.

escarxofa escarxofes *nom f* Fruit comestible de l'escarxofera, de color verd, de fulles ovalades i dures, de les quals només es menja la part de sota.

escarxofa

escarxofar-se *v* Posar-se ben ample i còmode en un seient.
Es conjuga com *cantar.*

escàs escassa escassos escasses *adj* Que no n'hi ha gaire, que en falta, que no és gaire abundant: *Anem escassos de diners.* ▪ *La pel·lícula va durar una hora escassa.* ▪ *L'or és un material escàs.*

escassejar *v* No haver-n'hi prou, d'una cosa, faltar-ne: *Al desert l'aigua escasseja molt.*
Es conjuga com *cantar.* S'escriu *j* davant de *a, o, u* i *g* davant de *e, i: escasseja, escassegi.*

escassetat escassetats *nom f* Falta d'una cosa: *Aquest estiu, a molts pobles, hi ha hagut escassetat d'aigua, perquè ha plogut molt poc.*

escata escates *nom f* **1** Cadascuna de les petites làmines que formen la pell d'alguns peixos i rèptils. **2** Qualsevol de les làmines o plaques en què es pot dividir el gruix d'una superfície.

escatainar *v* Manera de cridar de les gallines.
Es conjuga com *cantar*.

escatar *v* **1** Treure les escates d'un peix: *Escata les sardines abans de fregir-les.* **2** Gratar una superfície per treure la pintura, el vernís o qualsevol cosa que hi estigui enganxada: *Abans de pintar la paret, l'haurem d'escatar.*
Es conjuga com *cantar*.

escatimar *v* Donar a algú menys coses de les que li toquen: *En aquest restaurant escatimen el menjar: en donen poc i en fan pagar molt.*
Es conjuga com *cantar*.

escatir *v* **1** Procurar de saber com s'ha produït un fet, una acció: *Els investigadors van voler escatir la veritat de la trama d'aquell assumpte.* **2** Esporgar, tallar.
Es conjuga com *servir*.

escaure *v* **1** Anar bé, quedar bé: *Aquest vestit t'escau molt.* **2 escaure's** Trobar-se en un lloc en un moment donat: *Es va escaure que jo passava per allà quan hi va haver l'accident.* **3** Passar una cosa en una data determinada: *El dia del meu aniversari aquest any s'escau en diumenge.* **4 si s'escau** Si passa, si es produeix: *Si s'escau que tens algun dubte, pots consultar el diccionari.*
Es conjuga com *caure*.

escena *escenes nom f* **1** Lloc del teatre on es representa l'obra, l'espectacle: *Els actors ja han sortit a escena.* **2** Cadascuna de les petites parts en què es pot dividir una obra de teatre o una pel·lícula en les quals intervenen els mateixos personatges.

escenari *escenaris nom m* **1** Part d'un teatre on es col·loquen els decorats, els mobles, etc. i on els actors representen l'obra. **2** Lloc on es produeix una cosa: *Aquella gran plana va ser l'escenari de la batalla.*

escenificació *escenificacions nom f* Acció d'escenificar una obra de teatre, representació.

escenificar *v* Representar una obra de teatre; adaptar una obra al teatre.
Es conjuga com *cantar*. S'escriu *c* davant de *a, o, u* i *qu* davant de *e, i*: *escenifico, escenifiques.*

escenografia *escenografies nom f* **1** Conjunt de decorats, de mobles i d'objectes que formen l'escenari on actuen els actors d'una obra de teatre. **2** Art i tècnica de muntar decorats per a l'escena teatral.

escèptic *escèptica escèptics escèptiques adj i nom m i f* Es diu d'una persona que dubta de tot i a la qual costa de creure les coses: *Sóc un escèptic pel que fa a l'existència de vida en altres planetes.*

escindir-se *v* Dividir-se, separar-se: *El partit polític es va escindir entre els que volien participar en les eleccions i els que no hi volien participar.*
Es conjuga com *servir*.

escissió *escissions nom f* Separació, divisió d'una cosa que abans estava unida: *En aquell partit polític hi ha hagut una escissió, i una part de les persones que hi militaven se n'ha separat i ha fundat un nou partit.*

esclafar *v* Trencar, espatllar, xafar una cosa a causa d'una pressió forta o d'un xoc violent: *Amb un martell esclafava els pinyons.* ▪ *Li van caure els ous a terra i van quedar esclafats.* ▪ *Li va donar un cop de puny i el va esclafar contra la paret.*
Es conjuga com *cantar*.

esclafir *v* **1** Fer un soroll sobtat, sec, agut. **2 esclafir a riure** o **a plorar** Riure o plorar molt fort, fent soroll: *Quan vam sentir allò, vam esclafir a riure.*
Es conjuga com *servir*.

esclarir *v* **1** Desembolicar, desembullar: *Aquesta nena s'ha d'esclarir els cabells.* **2 esclarir-se** Asserenar-se, desaparèixer els núvols: *Ja no plourà més, el cel s'ha ben esclarit.* **3 esclarir-se el dia** Fer-se clar, fer-se de dia.
Es conjuga com *servir*.

esclarissat *esclarissada esclarissats esclarissades adj* Es diu d'una cosa poc espessa, poc atapeïda: *Aquest és un bosc esclarissat, amb pocs arbres.*

esclat *esclats nom m* **1** Acció d'esclatar: *L'esclat de la bomba va fer molt soroll.* **2** Llum forta que enlluerna: *L'esclat del sol. L'esclat d'un diamant. L'esclat de la seva bellesa.*

esclatar *v* **1** Rebentar, explotar: *La bomba va esclatar i va fer molt soroll.* **2** Començar un xàfec, una tempesta, etc.: *La guerra va esclatar de cop.* **3** Aparèixer o produir-se de sobte una cosa: *En sentir allò, va esclatar una gran riallada del públic.* **4 esclatar una flor** Obrir-se una flor.
Es conjuga com *cantar*.

esclau *esclava esclaus esclaves adj i nom m i f* Es diu de la persona que no és lliure, sinó que és propietat d'un amo per al qual ha de treballar, i que pot ser venuda i comprada com si fos un objecte: *A l'època dels romans els esclaus eren els presoners de guerra.*

esclavitud esclavituds *nom f* Falta de llibertat, estat d'algú que depèn totalment d'una persona o d'una situació: *La població africana va patir molts segles d'esclavitud.* ▪ *Considerava que haver de treballar tant per guanyar un sou tan baix era una forma d'esclavitud.*

esclavitzar *v* Fer que algú sigui un esclau i tenir-ne la propietat absoluta.
Es conjuga com *cantar.*

escleròtica escleròtiques *nom f* Membrana dura i blanca que recobreix el globus ocular.

escletxa escletxes *nom f* **1** Obertura estreta entre dues peces que no ajusten bé i que permet que hi passi la claror: *El sol entrava per les escletxes dels finestrons.* **2** Obertura estreta entre dues roques, en una paret, etc.

esclop esclops *nom m* Calçat de fusta d'una sola peça que serveix per a caminar per llocs humits.

escó escons *nom m* **1** Banc llarg, generalment de fusta, amb un respatller ample. **2** Seient que ocupa un diputat en un parlament.

escocès escocesa escocesos escoceses **1** *nom m i f* Habitant d'Escòcia; persona natural o procedent d'Escòcia. **2** *adj* Es diu de les persones o de les coses naturals o procedents d'Escòcia.

escodrinyar *v* Examinar algú o explorar, escorcollar alguna cosa amb molta atenció: *La Carme va perdre l'anell i va escodrinyar tots els calaixos de casa per trobar-lo.*
Es conjuga com *cantar.*

escola escoles *nom f* **1** Establiment on s'ensenya: *En aquesta escola hi treballen 30 professors i hi estudien 400 alumnes.* **2** Conjunt de persones que segueixen les idees d'un mateix mestre, que tenen uns mateixos pensaments, etc.

escolà escolana escolans escolanes *nom m i f* **1** Infant o jove que ajuda el capellà a dir missa. **2** Membre d'una escolania.

escolania escolanies *nom f* **1** Conjunt d'escolans d'una església. **2** Escola d'un monestir on s'ensenya als infants matèries generals i, sobretot, música: *Els nens que canten a l'escolania de Montserrat tenen molt bona veu.*

escolar escolars **1** *adj* Que està relacionat amb l'escola: *Un llibre escolar.* **2** *nom m i f* Persona que va a l'escola.

escolar-se *v* **1** Sortir un líquid d'un recipient per un forat, un conducte, etc.: *L'aigua de la galleda va anar escolant-se per un foradet.* ▪ *Es va fer un tall a la mà per on se li escolava molta sang.* **2** Passar el temps: *El temps s'escola de pressa.*
Es conjuga com *cantar.*

escolaritat escolaritats *nom f* Temps que duren uns estudis determinats: *Actualment, el temps d'escolaritat obligatòria dura fins als setze anys.*

escolaritzar *v* Proporcionar escola a algú, especialment a un infant: *Tots els infants de 4 a 16 anys d'aquell país estan escolaritzats.*
Es conjuga com *cantar.*

escollir *v* Triar, elegir: *Em podia quedar un jersei groc o un de vermell, i vaig escollir el groc.*
Es conjuga com *collir.*

escolta[1] escoltes *nom f* **1** Acció d'escoltar. **2** Persona encarregada d'escoltar, d'espiar, de descobrir el que diuen o fan els enemics. **3** estar a les escoltes Estar atent a captar allò que es diu.

escolta[2] escoltes *nom m i f* Infant o jove que pertany a l'escoltisme.

escoltar *v* **1** Sentir, parar atenció, oir una cosa: *Asseguts a les roques, tancàvem els ulls i escoltàvem el soroll del mar.* **2** Fer cas d'algú o d'allò que es diu: *En Martí sempre fa la seva i no vol escoltar ningú.*
Es conjuga com *cantar.*

escoltisme escoltismes *nom m* Moviment, agrupació d'infants i de joves que fan activitats i projectes comuns amb la finalitat de conviure, d'ajudar-se i de respectar i valorar la natura.

escombra escombres *nom f* Pal acabat en una mena de raspall que serveix per a escombrar, per a netejar el terra d'una habitació, etc. empenyent la brossa: *Mentre la Teresa renta els plats, en Lluís passa l'escombra pel menjador.*

escombrar *v* Netejar el terra amb l'escombra: *En Jordi cada dia para i despara la taula i la Joana escombra la cuina.*
Es conjuga com *cantar.*

escombraries *nom f pl* Brutícia, coses que s'arrepleguen amb l'escombra, deixalles, restes del menjar, etc. que es llencen en una bossa o en una galleda: *No et mengis el caramel que t'ha caigut a terra: llença'l a les escombraries.*

escombriaire escombriaires *nom m i f* Persona que té per ofici escombrar i netejar els carrers o arreplegar les escombraries de les cases: *Actualment els escombriaires porten un camió que tritura les escombraries.*

escomesa escomeses *nom f* **1** Acció d'escometre. **2** Atac contra algú: *Els soldats van resistir l'escomesa de l'enemic.*

escometre *v* **1** Dirigir-se contra algú per atacar-lo: *El gos va escometre el visitant a la porta de la casa.* **2** Dirigir-se a algú per saludar-lo o parlar-hi: *A la sortida de l'escola, el vaig escometre i li vaig dir que volia ser amic seu.* Es conjuga com *perdre*. Participi: *escomès, escomesa.*

escon escons *nom m* Escó.

escopeta escopetes *nom f* Arma de foc que té un o dos canons muntats en una peça de fusta on hi ha el gallet per a disparar i que serveix per a caçar: *Els caçadors maten els conills amb l'escopeta.*

escopetada escopetades *nom f* Tret disparat amb una escopeta, amb un fusell.

escopetejat escopetejada escopetejats escopetejades *adj* Es diu de la persona que té molta feina, que està molt ocupada i que ha d'anar d'un lloc a un altre: *Avui vaig tot el dia escopetejat.*

escopinada escopinades *nom f* Saliva que s'escup de cop: *S'han barallat amb tanta ràbia, que fins i tot s'han tirat escopinades a la cara.*

escopinya escopinyes *nom f* Animal marí molt petit amb dues closques arrodonides, que és molt apreciat com a aliment.

escopir *v* **1** Llançar saliva de la boca, llançar qualsevol cosa que es té a la boca: *La medicina tenia tan mal gust, que el malalt la va escopir.* **2** No deixar passar: *Aquest material escup la pintura.* Es conjuga com *collir*.

escorbut escorbuts *nom m* Malaltia causada per la falta de vitamina C que produeix debilitat i lesions a les genives.

escorça escorces *nom f* **1** Part exterior que cobreix l'arrel, el tronc i les branques dels arbres i dels arbustos: *L'escorça del roure és de color fosc.* **2 escorça terrestre** Crosta sòlida que forma la superfície de la Terra. **3 escorça cerebral** Capa externa del cervell. 18

escorça

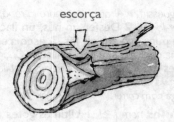

escorcoll escorcolls *nom m* Acció d'escorcollar, d'examinar atentament una persona o un lloc per veure si s'hi descobreix alguna cosa amagada.

escorcollar *v* Examinar detalladament una persona o un lloc per veure si s'hi descobreix alguna cosa amagada: *Li vam escorcollar les butxaques, però no hi vam trobar els diners que ens pensàvem que ens havia robat.* ■ *La policia escorcollava els cotxes que passaven la frontera.* Es conjuga com *cantar*.

escòria escòries *nom f* **1** Material que s'obté de les restes de minerals quan es fonen. **2** Gent que no es mereix estimació: *Els traficants de droga són l'escòria de la societat.*

escorpí escorpins *nom m* Animal petit de vuit potes, amb un fibló a la cua que té verí i que sol viure a sota de les pedres.

escorpió *nom m* Vuitè signe del zodíac: *Les persones nascudes entre el 21 d'octubre i el 21 de novembre són del signe d'escorpió.*

escórpora escórpores *nom f* Peix marí de color vermellós i de cos cobert d'espines que viu a les roques i que és molt apreciat com a aliment.

escorredor escorredora escorredors escorredores *adj* **1** Es diu d'un nus, d'un llaç, etc. que es pot desfer escorrent-lo. **2 llaç escorredor** Baga que es fa fent passar una corda per un forat o una anella que ella mateixa té en un dels extrems de manera que s'estreny quan s'escorre.

escorredora escorredores *nom f* Recipient amb forats o fet d'una matèria filtrant que serveix per a separar el líquid d'un menjar.

escorreplats uns escorreplats *nom m* Estri on es posen els plats després d'haver-los rentat perquè s'escorrin i quedin eixuts.

escórrer *v* **1** Fer que se'n vagi l'aigua o el líquid que queda en un recipient, a la roba, etc.: *Vam penjar els plats molls sobre l'aigüera perquè*

s'escorreguessin. ■ *Abans d'estendre la roba, has d'escórrer-la bé.* **2** Desfer un nus, un llaç, un teixit de punt estirant els fils. **3 escórrer-se** Sortir una cosa del seu lloc, relliscar: *Quan em rentava les mans, se'm va escórrer la pastilla del sabó i em va caure a terra.*
Es conjuga com *córrer.*

escorrialles *nom f pl* **1** Últimes gotes d'un líquid que queden en un recipient: *El refresc era tan bo, que se'l va beure de cop i no en va deixar ni les escorrialles.* **2** Restes, trossos que sobren de qualsevol cosa.

escorta escortes *nom f* Grup de persones armades que protegeixen una o més persones: *Els reis viatgen acompanyats d'una escorta.*

escortar *v* Acompanyar algú o alguna cosa per donar-li protecció, per evitar que s'escapi, etc.: *Un grup de policies escortava el jutge que va dictar sentència contra dos delinqüents molt perillosos.*
Es conjuga com *cantar.*

escorxador[1] escorxadora escorxadors escorxadores *nom m i f* Persona que té per ofici matar i escorxar bestiar.

escorxador[2] escorxadors *nom m* Edifici on es mata i s'escorxa el bestiar destinat al consum humà.

escorxar *v* Treure la pell d'un animal, l'escorça d'un arbre, etc.
Es conjuga com *cantar.*

escot escots *nom m* **1** Part del pit o de l'esquena que no queda coberta pel vestit. **2** Obertura en una peça de roba que deixa descobert el coll, una part del pit i de vegades una part de l'esquena.

escotat escotada escotats escotades **1** *adj* Es diu d'una peça de vestir que deixa la part del pit o de l'esquena sense cobrir: *A l'estiu la gent porta les bruses i els vestits molt escotats.* **2** *nom m* Escot, obertura en una peça de roba que deixa descobert el coll, una part del pit i de vegades una part de l'esquena.

escotilla escotilles *nom f* Qualsevol de les obertures que hi ha a la coberta d'una nau, per les quals s'hi pot entrar a dins o sortir-ne.

escotorit escotorida escotorits escotorides *adj* Eixerit, viu, trempat, espavilat.

escreix escreixos *nom m* **1** Allò que s'afegeix a la quantitat que s'havia de pagar. **2** amb

escreix Més del que és necessari o suficient: *El vaig ajudar a portar les maletes i ell em va donar les gràcies amb escreix.*

escridassar *v* Fer crits a algú, renyant-lo: *Vaig arribar molt tard a casa i els meus pares em van escridassar.*
Es conjuga com *cantar.*

escriptor escriptora escriptors escriptores *nom m i f* Persona que escriu llibres, articles, etc.: *Va venir un escriptor famós a l'escola a fer-nos una conferència.*

escriptori escriptoris *nom m* **1** Taula per a escriure-hi, amb calaixos per a guardar-hi papers. **2** Sala o habitació on hi ha persones que escriuen, despatx.

escriptura escriptures *nom f* **1** Manera o sistema d'escriure: *La nostra escriptura és molt diferent de la dels xinesos.* **2** Document que serveix per a demostrar que s'ha comprat o venut una casa, un terreny, etc.

escrit escrits *nom m* Cosa escrita, allò que hi ha escrit en un paper, en una làpida, etc.: *L'escrit de la pissarra deia: "No diguis blat que no sigui al sac i encara ben lligat."*

escriure *v* **1** Representar mitjançant lletres i signes idees, frases, paraules, etc. en una superfície: *A la Laia li agrada molt d'escriure contes.* ■ *La paraula "vaca" s'escriu amb "v".* **2** Donar notícies a través d'una carta, d'una postal, etc.: *En David és de viatge i ens escriu cada setmana.*
La conjugació d'*escriure* és a la pàg. 838.

escrivent escriventa escrivents escriventes *nom m i f* Persona que treballa en un despatx o en una oficina.

escrostonar-se *v* Caure a trossets una cosa.
Es conjuga com *cantar.*

escrot escrots *nom m* Bossa que forma la pell de fora dels testicles i que serveix per a protegir-los.

escruixidor escruixidora escruixidors escruixidores *adj* Impressionant, que fa molt efecte, que escruixeix: *Vaig veure una pel·lícula de terror escruixidora.*

escruixir *v* **1** Impressionar, produir molt efecte: *Les imatges de la guerra feien escruixir.* **2** Deixar consentida o una mica malmesa una cosa a causa d'una pressió o d'un cop: *El terratrèmol va escruixir les parets de la casa.*
Es conjuga com *servir.*

escrúpol escrúpols *nom m* **1** Dubte o por que es té de fer una cosa que pugui resultar injusta, dolenta: *La Dolors no s'atreveix a demanar diners al seu germà; té molts escrúpols.* ▪ *Aquell individu és una persona sense escrúpols, egoista i capaç de fer qualsevol cosa per aconseguir allò que vol.* **2** Mania, fàstic: *Beu amb el meu got, no tinguis tants escrúpols!*

escrupolós escrupolosa escrupolosos escrupoloses *adj i nom m i f* Es diu de la persona que té escrúpols, que és molt neta, molt polida, que fa les coses amb molta atenció, mirant-s'hi molt: *Dibuixa molt bé perquè és molt escrupolós i repeteix les coses fins que li surten perfectes.*

escrutar *v* **1** Mirar amb atenció, escodrinyar: *El revisor escrutava els viatgers que pujaven i baixaven del tren per veure si localitzava la senyora que buscaven.* **2** Comptar amb molta cura i atenció els vots d'unes eleccions, d'unes votacions.
Es conjuga com *cantar*.

escrutini escrutinis *nom m* Acció de comptar els vots en unes eleccions.

escuar *v* Tallar la cua a un animal.
Es conjuga com *canviar*.

escuat escuada escuats escuades *adj* Sense cua: *Després d'aquell accident, el gos va quedar escuat.*

escudar-se *v* **1** Protegir-se amb l'escut. **2** Utilitzar algú o alguna cosa com a excusa o justificació d'un fet: *Per justificar que no havia fet la feina, va escudar-se rere una pretesa malaltia.*
Es conjuga com *cantar*.

escudella escudelles *nom f* Menjar fet amb arròs, pasta o llegums cuits en brou o en aigua amb algun altre condiment: *L'escudella i la carn d'olla són dos plats típics de Catalunya.*

escudellar *v* Servir un menjar líquid com ara sopa, escudella, brou, etc. abocant-lo als plats amb un cullerot.
Es conjuga com *cantar*.

escuder escuders *nom m* A l'edat mitjana, noi jove que acompanyava un cavaller durant un temps, fins que ell mateix es convertia en cavaller.

escuderia escuderies *nom f* Equip de cotxes o de motos, de pilots, de mecànics i de tècnics que participa en una competició esportiva.

escull esculls *nom m* **1** Roca que surt molt poc de la superfície de l'aigua del mar i que és un perill per als vaixells i les barques perquè hi poden xocar. **2** Obstacle perillós, dificultat greu.

escullera esculleres *nom f* Construcció feta amb grans pedres tirades dins l'aigua, de manera que formin com un gran mur que protegeix les embarcacions d'un port contra les onades fortes i els corrents de la mar.

esculpir *v* Fer una escultura, un ornament, etc. treballant la pedra, la fusta o el metall.
Es conjuga com *servir*.

escultor escultora escultors escultores *nom m i f* Persona que esculpeix, que fa escultures.

escultura escultures *nom f* Obra d'art com ara una figura, una estàtua, etc. feta de pedra, de metall, de fusta, etc.

escuma escumes *nom f* Capa de bombolles blanques que es formen a la superfície de l'aigua o de qualsevol altre líquid: *Quan em banyo, m'agrada que a la banyera hi hagi molta escuma; per això hi tiro molt sabó.*

escumadora escumadores *nom f* Cullera grossa i plana amb forats que serveix per a separar el líquid d'un menjar o per treure l'escuma d'un líquid.

escumadora

escumejar *v* Produir o llançar escuma: *La mar escumeja.*
Es conjuga com *cantar*. S'escriu *j* davant de *a, o, u* i *g* davant de *e, i: escumeja, escumegi.*

escumós escumosa escumosos escumoses *adj* Que fa o treu escuma: *Aquest sabó és molt escumós.* ▪ *El cava és un vi escumós.*

escurabutxaques uns/unes escurabutxaques *nom m i f* **1** Lladre que roba carteres i diners a la gent. **2** Persona o cosa que fa gastar els diners a algú. **3** màquina escurabutxaques Màquina de joc que funciona tirant-hi monedes i que, si s'encerta una determinada

315

combinació de números, de dibuixos, etc., dóna premis en diners: *A molts bars hi ha màquines escurabutxaques.*

escuradents uns escuradents *nom m* Bastonet de fusta, punxegut per cada cap, que es fa servir per a treure el menjar que ha quedat entre les dents.

escuradeta escuradetes *nom f* Fireta.

escurar *v* **1** Netejar una cosa traient-ne tot allò que té enganxat: *Abans de rentar-los, has d'escurar bé els plats i treure'n totes les restes d'aliments que tenen enganxades.* ■ *A en Pere li agrada molt de menjar conill i escurar-ne els ossos.* **2** Beure o menjar totalment el que hi ha en un recipient o en un plat: *Tenia molta gana i ha deixat el plat ben escurat.* **3 escurar-se el coll** Estossegar per treure's alguna cosa de la gola. **4 escurar-se les dents** Treure's els trossets de menjar que s'han ficat entre les dents. **5 escurar les butxaques a algú** Fer-li gastar tots els diners que porta.
Es conjuga com *cantar.*

escura-xemeneies uns/unes escura-xemeneies *nom m i f* Persona que té per ofici escurar o netejar xemeneies.

escurçar *v* Fer més curta una cosa: *Aquest jersei em va massa llarg de mànigues, s'hauran d'escurçar.*
Es conjuga com *cantar.* S'escriu ç davant de *a, o, u* i c davant de *e, i: escurço, escurces.*

escurçó escurçons *nom m* **1** Serp verinosa d'uns 50 centímetres de llargària, de color gris amb taques negres i que té el morro aixecat. **2** Persona dolenta, maligna.

escut escuts *nom m* **1** Peça de metall, de fusta, etc. que antigament servia per a protegir el cos contra l'atac de l'enemic: *Els guerrers portaven un escut i una llança.* **2** Peça en forma d'escut amb dibuixos i colors que representa un equip de futbol, una ciutat, un país, etc.: *Molts seguidors d'aquell equip de futbol porten l'escut enganxat a la camisa, al jersei o a l'americana.* **3** Antiga moneda de Portugal.

esdentegat esdentegada esdentegats esdentegades *adj* Que no té dents o que n'hi falten moltes.

esdevenidor esdevenidors *nom m* Futur: *Ningú no sap com serà l'esdevenidor.*

esdeveniment esdeveniments *nom m* **1** Cosa que passa o s'esdevé, fet: *La mort d'aque-*

lla persona va ser un esdeveniment molt trist. **2** Fet molt important: *La fi de la guerra va ser un gran esdeveniment.*

esdevenir *v* **1** Passar d'un estat a un altre, convertir-se, transformar-se: *Aquell home era molt pobre, li va tocar la loteria i va esdevenir ric de cop i volta.* ■ *La larva amb el temps esdevindrà papallona.* **2 esdevenir-se** Passar, produir-se un fet: *La rendició de Barcelona va esdevenir-se l'11 de setembre de 1714.*
Es conjuga com *mantenir.*

esdrúixol esdrúixola esdrúixols esdrúixoles *adj* Que té l'accent sobre l'antepenúltima síl·laba: *Les paraules "fàbrica" i "ciència" són esdrúixoles.*

esfera esferes *nom f* **1** Figura geomètrica que té una superfície corba en què tots els punts estan a la mateixa distància del centre. **2 esfera celeste** Representació de la superfície del cel on hi ha situats els astres. **3 esfera terrestre** Representació de la Terra en forma de bola, amb els oceans i els continents dibuixats.

esfereïdor esfereïdora esfereïdors esfereïdores *adj* Que esfereeix, que espanta: *Un monstre esfereïdor.*

esfereir *v* Espantar, provocar un gran espant: *Vam sentir un crit que ens va esfereir.*
Es conjuga com *reduir.*

esfèric esfèrica esfèrics esfèriques *adj* Que té forma d'esfera: *Les pilotes de futbol són esfèriques.*

esfilagarsar-se *v* Desfer-se una roba o un teixit fent que en pengin els fils: *Aquesta camisa és vella i totes les vores s'esfilagarsen.*
Es conjuga com *cantar.*

esfínter esfínters *nom m* Múscul en forma d'anell que hi ha al voltant d'algunes obertures del cos i que permet d'obrir-les i de tancar-les: *L'esfínter de l'anus.*

esfinx esfinxs *nom m o f* Figura fantàstica formada amb cap humà, pit de dona, ales d'àguila i cos de lleó o de gos.

esfondrament esfondraments *nom m* Acció d'esfondrar, d'ensorrar, d'aterrar.

esfondrar *v* Fer anar a fons una cosa, ensorrar, destruir un edifici, un monument, etc.
Es conjuga com *cantar.*

esforç esforços *nom m* Acció d'esforçar-se: *Va fer un esforç en els últims metres i va aconseguir arribar el primer de la cursa.*

esforçar-se *v* Lluitar, treballar amb totes les forces per aconseguir una cosa: *Els atletes s'esforcen per guanyar la cursa.*
Es conjuga com *cantar*. S'escriu ç davant de *a*, *o*, *u* i *c* davant de *e*, *i* : *m'esforço, t'esforces.*

esfullar *v* Treure o fer caure les fulles d'una planta, d'un arbre o els pètals d'una flor: *El vent esfulla els arbres.* ▪ *Ella esfulla la margarida per saber si ell l'estima.*
Es conjuga com *cantar*.

esfumar-se *v* **1** Anar-se fonent, anar desaparereixent una cosa: *Les muntanyes i el poble es van anar esfumant a mesura que la boira es feia més i més espessa.* **2** Desaparèixer, fugir: *Quan va arribar la policia, els lladres ja s'havien esfumat.* **3** Escampar una taca de color, una línia, etc. de manera que cada cop sigui més fluixa.
Es conjuga com *cantar*.

esgargamellar-se *v* Cridar molt, fins a quedar sense veu, fins a fer-se mal a la gola.
Es conjuga com *cantar*.

esgarip esgarips *nom m* Crit molt fort, xiscle.

esgarrany esgarranys *nom m* Esgarrinxada, estrip.

esgarrapada esgarrapades *nom f* **1** Ferida superficial que es fa amb les ungles o les urpes: *El gat de l'àvia m'ha fet una esgarrapada a la cama.* **2** amb una esgarrapada Ràpidament: *Ens hem menjat el berenar amb una esgarrapada.*

esgarrapada

esgarrapar *v* **1** Fer ferides superficials a la pell amb les ungles o les urpes: *No juguis amb el gat que t'esgarraparà.* **2** Gratar la terra amb les urpes apartant la sorra: *Els conills i les gallines esgarrapen la terra.* **3** Treure profit d'una cosa amb mètodes poc lícits, poc delicats: *Una colla de nens espellifats seguien els turistes i els oferien tota mena de serveis per veure si els podien esgarrapar alguns diners.*
Es conjuga com *cantar*.

esgarrar *v* Esgarrinxar, estripar.
Es conjuga com *cantar*.

esgarriacries uns/unes esgarriacries *nom m i f* Persona que sempre crea dificultats i que posa impediments perquè les coses surtin bé: *Ets un esgarriacries, sempre que juguem a cartes fas trampes i hem de deixar el joc a mig.*

esgarriar-se *v* **1** No trobar el camí bo, perdre's separant-se de la colla o del ramat: *El pastor buscava les ovelles que s'havien esgarriat.* **2** Anar pel mal camí: *Aquesta persona abans era molt treballadora, però ara s'ha esgarriat.*
Es conjuga com *canviar*.

esgarrifança esgarrifances *nom f* Tremolor involuntari i sensació de fredor que poden ser produïts pel fred, la por, la febre, una emoció, etc.: *Amb el cos moll tinc esgarrifances de fred.*

esgarrifar *v* Produir una esgarrifança; espantar: *Aquells crits ens van esgarrifar perquè no sabíem d'on venien.*
Es conjuga com *cantar*.

esgarrifós esgarrifosa esgarrifosos esgarrifoses *adj* Que fa venir esgarrifances; que espanta: *Un monstre esgarrifós.*

esgarrinxada esgarrinxades *nom f* Ferida superficial produïda per les espines de les plantes o per objectes que tenen punxes: *Va anar al bosc a buscar bolets i va tornar amb els braços plens d'esgarrinxades.*

esgarrinxar *v* Ferir superficialment la pell d'una part del cos amb una agulla, amb una punxa, etc.: *Volia collir una rosa i em vaig esgarrinxar.* ▪ *Vam passar per un bosc molt espès i em vaig esgarrinxar els braços i les cames.*
Es conjuga com *cantar*.

esglai esglais *nom m* Por, espant que se sent a causa d'un perill: *Quin esglai!, he estat a punt de caure escales avall.*

esglaiar *v* Fer venir por, espantar: *Aquell soroll sobtat i fort va esglaiar tothom.*
Es conjuga com *remeiar*.

esglaó esglaons *nom m* Cadascuna de les parts d'una escala que serveix per a posar-hi els peus quan es puja o es baixa: *Abans d'arribar a la porta d'entrada de la casa, has de pujar nou esglaons.*

esglaonar *v* Disposar les coses de manera que formin una escala: *He col·locat els diccionaris de la biblioteca esglaonant-los dels més alts als més baixos.*
Es conjuga com *cantar*.

església esglésies *nom f* **1** Comunitat de persones que tenen una mateixa religió cristiana: *El cap de l'Església catòlica és el papa de Roma.* **2** Edifici destinat a celebrar-hi actes religiosos: *L'església del poble és a la plaça Major.*

esgotador esgotadora esgotadors esgotadores *adj* Es diu d'una cosa que cansa molt, que esgota: *Aquesta feina que estem fent és esgotadora.*

esgotament esgotaments *nom m* **1** Acció d'acabar-se, d'esgotar-se una cosa fins que no en queda gens. **2** Cansament, fatiga: *Ha caigut malalt d'esgotament.*

esgotar *v* **1** Gastar, buidar una cosa fins que no en queda gens: *Ja no ens queda gens de vi: l'hem esgotat tot.* **2** **esgotar-se** Acabar-se una cosa: *Aquest llibre ja no es troba a les llibreries, s'ha esgotat.* **3** Cansar-se molt: *M'he esgotat pujant la muntanya amb bicicleta.*
Es conjuga com *cantar.*

esgrafiar *v* Decorar una paret amb dibuixos que es fan ratllant-ne la pintura i deixant així al descobert la capa de sota.
Es conjuga com *canviar.*

esgrima esgrimes *nom f* Art de saber manejar l'espasa, el sabre o el floret de manera que es pugui tocar el contrari sense que ell et toqui.

esgrimir *v* **1** Aguantar una arma o un objecte per atacar o defensar-se: *Em va atacar esgrimint un garrot molt gruixut.* **2** Fer servir un argument, una excusa, etc. per defensar-se d'algú o d'alguna cosa: *Els arguments que va esgrimir l'acusat van convèncer el jutge i la condemna va ser molt petita.*
Es conjuga com *servir.*

esgrogueït esgrogueïda esgrogueïts esgrogueïdes *adj* Que ha perdut el color natural i ha agafat un color groc clar: *Els fulls d'aquest llibre vell són ben esgrogueïts.*

esguard esguards *nom m* Mirada.

esguardar *v* Mirar.
Es conjuga com *cantar.*

esgüell esgüells *nom m* Crit del porc, del conill i de la rata.

esgüellar *v* Fer esgüells.
Es conjuga com *cantar.*

esguerrar *v* Fer malament una cosa: *He esguerrat el dibuix i l'hauré de repetir.*
Es conjuga com *cantar.*

esguerrat esguerrada esguerrats esguerrades *adj* i *nom m* i *f* Es diu de la persona a qui falta algun membre del cos o que el té deformat: *Un cotxe el va atropellar, li va aixafar una cama i va quedar esguerrat.*

esguitar *v* Esquitxar.
Es conjuga com *cantar.*

eslàlom eslàloms *nom m* Cursa d'esquí que consisteix a baixar amb rapidesa fent zigazagues per una pista plena de pals que fan d'obstacles.

eslau eslava eslaus eslaves *adj* i *nom m* i *f* **1** Es diu dels individus que pertanyen a un grup de pobles de l'est d'Europa que compareixen algunes característiques lingüístiques i culturals: *Els russos, els ucraïnesos, els polonesos, els búlgars, etc. són eslaus.* **2** **llengües eslaves** Llengües que tenen moltes característiques comunes i que són parlades en diversos països de l'est d'Europa: *El rus, el polonès, el búlgar, etc. són llengües eslaves.*

eslip eslips *nom m* Peça de vestir masculina que serveix per a cobrir les anques i el ventre, que no arriba a les cuixes i que s'usa com a roba interior o com a banyador, calçotets.

esllanguir-se *v* Aprimar-se molt, debilitar-se.
Es conjuga com *servir.*

esllavissada esllavissades *nom f* Esllavissament.

esllavissament esllavissaments *nom m* Caiguda d'una massa de roca o de terra d'un marge, d'una muntanya, etc., esllavissada: *El terratrèmol va produir esllavissaments de terres que van cobrir algunes cases de la ciutat.*

esllavissament

esllavissar-se *v* Caure un pilot de terra, de sorra, de rocs, etc. d'un marge o d'un cingle: *Ha plogut molt i els marges de la carretera s'han esllavissat.*
Es conjuga com *cantar.*

esllomar-se *v* Fer-se malbé l'esquena i els lloms de tant treballar o com a conseqüència d'un esforç extraordinari.
Es conjuga com *cantar.*

eslògan eslògans nom m Frase curta que serveix per a fer propaganda d'un producte, d'una empresa, etc.: L'eslògan de la nostra colla és "Som els millors!"

eslora eslores nom f Llargada d'una embarcació: El veler del meu amic fa nou metres d'eslora, és a dir, fa 9 metres des de proa fins a popa.

eslovac eslovaca eslovacs eslovaques **1** nom m i f Habitant d'Eslovàquia; persona natural o procedent d'Eslovàquia. **2** adj Es diu de les persones o de les coses naturals o procedents d'Eslovàquia. **3** nom m Llengua parlada a Eslovàquia.

eslovè eslovena eslovens eslovenes **1** nom m i f Habitant d'Eslovènia; persona natural o procedent d'Eslovènia. **2** adj Es diu de les persones o de les coses naturals o procedents d'Eslovènia. **3** nom m Llengua parlada a Eslovènia.

esma esmes nom f **1** Facilitat per a fer una cosa quasi sense adonar-se'n: Després de saber la desgràcia, no va tenir ni esma de parlar. **2** perdre l'esma Perdre l'orientació, no saber per on es va ni què es fa.

esmalt esmalts nom m **1** Pintura forta i brillant que s'aplica a un metall, a una porcellana, etc. i després es cou en un forn a una temperatura molt forta. **2** Substància dura i blanca que cobreix per fora les dents i els queixals.

esmaltar v Recobrir un objecte amb esmalt. Es conjuga com cantar.

esmaperdut esmaperduda esmaperduts esmaperdudes adj Que ha perdut les ganes de fer una cosa, l'esma, que no sap on és ni què es fa.

esmena esmenes nom f Correcció que es fa en un escrit, en un projecte, en una llei: Entre tots els de la classe hem escrit un conte i demà hi farem les esmenes que calgui.

esmenar v Fer millor una cosa corregint-ne els defectes: Esmenaré el dibuix i quedarà millor. Es conjuga com cantar.

esment esments nom m **1** Coneixement d'un fet: No tinc cap esment d'això que dius. **2** fer esment Parlar breument d'una persona o d'una cosa: El professor, en el seu discurs, va fer esment de la fundadora de l'escola. **3** parar esment o posar esment Posar atenció en alguna cosa, fixar-s'hi: Pareu esment al que us explicaré, que és molt important.

esmentar v Parlar breument d'algú o d'alguna cosa enmig d'un discurs: El director va esmentar els avantatges dels ordinadors, mentre parlava amb els pares dels alumnes. Es conjuga com cantar.

esmerçar v Dedicar esforços, diners, temps, etc. a fer una cosa: Ha esmerçat moltes hores a pintar aquest quadre. Es conjuga com cantar. S'escriu ç davant de a, o, u i c davant de e, i: esmerço, esmerces.

esmicolar v Partir o trencar una cosa de manera que només en quedi un conjunt de petits trossets, fer-ne miques: El got va caure i va quedar esmicolat. Es conjuga com cantar.

esmolar v Fer més aguda, més tallant la punta o la fulla d'un ganivet o d'una eina: Aquest ganivet no talla gaire, s'hauria d'esmolar. Es conjuga com cantar.

esmolat esmolada esmolats esmolades adj **1** Es diu d'una cosa que s'ha fet més aguda, més tallant, més dura: Un ganivet esmolat. **2** Es diu de la persona decidida, que de seguida està disposada a barallar-se, a discutir, etc.

esmolet esmolets nom m **1** Persona que té per ofici esmolar ganivets, tisores, etc. **2** Aquesta criatura és un esmolet, té cinc anys i ja llegeix molt bé: es diu d'un infant espavilat, molt eixerit.

esmòquing esmòquings nom m Jaqueta d'home, generalment de color negre, amb la solapa arrodonida i de seda brillant, que s'utilitza en algunes cerimònies, com ara un casament, una festa molt important, etc.

esmorteir v Fer que una cosa sigui menys forta, menys violenta: Vaig caure a baix, però els coixins van esmorteir el cop i no em vaig fer mal. ■ La cortina esmorteeix la llum del sol. Es conjuga com reduir.

esmortir v **1** Esmorteir. **2** Deixar com mort. **3** esmortir-se Perdre els sentits, desmaiar-se. Es conjuga com servir.

esmorzar[1] v Menjar l'esmorzar, el primer àpat del dia: El pare, quan esmorza, es pren una tassa de cafè amb llet. Es conjuga com cantar.

esmorzar[2] esmorzars nom m Menjar que es fa al matí: Quan es lleva, la primera cosa que fa després de vestir-se és preparar l'esmorzar.

esmunyir-se v Passar una cosa per un lloc estret, lliscant, escorrent-se: *La serp es va esmunyir entre les pedres.* ▪ *El lladre es va esmunyir entre la gentada.*
Es conjuga com *dormir.*

esmussar v Fer menys tallant, menys aguda la punta o el tall d'una eina: *No tallis aquest cartró tan gruixut amb les tisores, que les esmussaràs.*
Es conjuga com *cantar.*

esnob esnobs nom m i f Persona que acostuma a seguir les modes, els costums, les idees noves, etc. només perquè li sembla que així serà considerada més intel·ligent o més distingida.

esòfag esòfags nom m Conducte digestiu que va de la faringe a l'estómac. ▪19

esotèric esotèrica esotèrics esotèriques adj Misteriós, ocult, secret.

espacial espacials adj Que està relacionat amb l'espai: *Els astronautes viatgen en una nau espacial.*

espadat espadats nom m Roca o tros de terreny vertical o de molt pendent, penyasegat.

espadatxí espadatxina espadatxins espadatxines nom m i f Persona que maneja molt bé l'espasa, que sap lluitar molt bé amb l'espasa.

espagueti espaguetis nom m Menjar fet amb pasta de farina que té forma de fideu molt llarg i prim.

espai espais nom m 1 Lloc que ocupen les persones, les coses i els animals i dins del qual poden canviar de posició. 2 Lloc, més enllà de l'atmosfera, on es mouen tots els astres i tots els planetes: *L'espai és immens i hi ha milions d'estels i de planetes.* 3 Distància que hi ha entre dues o més coses: *Entre les taules de la classe hi ha un petit espai.* 4 **espai de temps** Part o porció de temps. 5 Cadascuna de les parts de què consta un programa de ràdio o de televisió: *Els espais informatius ocupen bona part de la programació diària de ràdio.*

espaiar v 1 Col·locar els objectes de manera que quedi un espai entre ells. 2 Deixar passar temps entre una acció i una altra: *Abans anàvem a dinar cada diumenge al restaurant; ara ho espaiem i hi anem un cop al mes.*
Es conjuga com *remeiar.*

espaiat espaiada espaiats espaiades adj Es diu de les coses que estan posades a una certa distància l'una de l'altra: *A cada banda del camí hi havia una filera d'arbres espaiats.*

espaiós espaiosa espaiosos espaioses adj Ample, gran: *Una habitació espaiosa.*

espalmador espalmadors nom m Raspall.

espalmar[1] v Raspallar.
Es conjuga com *cantar.*

espalmar[2] v Esglaiar.
Es conjuga com *cantar.*

espalmatòria espalmatòries nom f Mira palmatòria.

espant espants nom m 1 Por forta i sobtada, ensurt: *Quan vaig sentir que arribava la mare, em vaig amagar darrere la porta i li vaig donar un espant.* 2 **estar curat d'espants** Estar acostumat a patir coses desagradables: *Em van tornar a renyar sense raó, però no em va afectar perquè ja estic curada d'espants.*

espantadís espantadissa espantadissos espantadisses adj Que s'espanta fàcilment, per poca cosa.

espantall espantalls nom m 1 Ninot fet amb pals i roba que es posa en un camp o en un jardí per espantar els ocells. 2 Cosa que espanta.

espantaocells uns espantaocells nom m Espantall.

espantar v 1 Fer venir por a algú: *Es va disfressar i el va espantar.* 2 **espantar-se** Tenir por del perill, agafar por: *En Lluís s'espanta de seguida, és un covard.*
Es conjuga com *cantar.*

espanta-sogres uns espanta-sogres nom m Tub de paper enrotllat que, quan es bufa, es desenrotlla i fa soroll: *No em tornis a fer broma amb l'espanta-sogres!*

espantós espantosa espantosos espantoses adj Que fa venir por, que causa espant: *Un monstre espantós.*

espanyaportes uns/unes espanyaportes nom m i f Lladre de cases.

espanyar v Fer saltar un pany a la força: *Per entrar a la casa, els lladres van espanyar la porta.*
Es conjuga com *cantar.*

espanyol espanyola espanyols espanyoles 1 nom m i f Habitant d'Espanya; persona natural o procedent d'Espanya. 2 adj Es diu de les persones o de les coses naturals o procedents d'Espanya. **3** *nom m* Castellà, llengua d'una part de l'Estat espanyol i d'alguns països d'Amèrica central i del sud.

espaordidor espaordidora espaordidors espaordidores *adj* Que fa venir molta por, que espaordeix: *Un xiscle espaordidor.*

espaordir *v* Fer agafar por, espantar: *Aquell animal tan gros i ferotge ens va espaordir.* Es conjuga com *servir.*

esparadrap esparadraps *nom m* Cinta adhesiva de teixit, de paper, de plàstic, etc. que per una de les dues bandes s'enganxa a la pell o a la roba i que es fa servir per a protegir les ferides: *Li van tapar la ferida amb gases i esparadrap.*

espardenya espardenyes *nom f* Calçat amb sola de goma o d'espart i amb la part superior de roba o de pell que a vegades pot cordar-se amb vetes que es lliguen al turmell: *A l'estiu vaig més còmoda amb espardenyes que amb sabates, els peus no em suen tant.*

espardenyer espardenyera espardenyers espardenyeres *nom m i f* Persona que fa o ven espardenyes.

espardenyeria espardenyeries *nom f* Taller o botiga on es fan o es venen espardenyes.

espargir *v* Escampar, dispersar: *La notícia es va espargir ràpidament per tot el país.* Es conjuga com *servir.*

esparpillar *v* Despertar a algú la seva intel·ligència, fer-lo adonar de les coses, espavilar-lo. Es conjuga com *cantar.*

esparracar *v* **1** Estripar: *He caigut i se m'han esparracat els pantalons.* **2** anar esparracat Anar mal vestit, amb la roba estripada. Es conjuga com *cantar.* S'escriu *c* davant de *a, o, u* i *qu* davant de *e, i: esparraco, esparraques.*

espàrrec espàrrecs *nom m* Brot tendre comestible de l'esparreguera, de color groc clar o verd, que té unes fulles petites a la punta en forma d'escates.

esparreguerí esparreguerina esparreguerins esparreguerines **1** *nom m i f* Habitant d'Esparreguera; persona natural o procedent d'Esparreguera. **2** *adj* Es diu de les persones i de les coses naturals o procedents d'Esparreguera.

espart esparts *nom m* Planta amb la qual es fan cordes, cabassos, espardenyes, etc.

esparver esparvers *nom m* Ocell de rapinya, d'uns 38 centímetres, amb l'esquena d'un color marró grisenc i el pit ratllat, que s'alimenta d'ocells petits.

esparverar *v* Fer agafar por, esverar: *La tempesta va esparverar el bestiar de la granja.* Es conjuga com *cantar.*

espasa espases *nom f* **1** Arma d'acer o de ferro llarga acabada en punta, que talla molt, que té un puny per on agafar-la i que s'acostuma a guardar en una beina o funda: *Lluitaven contra l'enemic amb espases i llances.* **2** estar entre l'espasa i la paret Estar en una situació complicada, de la qual és difícil sortir.

espasme espasmes *nom m* **1** Contracció involuntària d'un múscul del cos. **2** Por, basarda.

espaterrant espaterrants *adj* Que causa espant, admiració o sorpresa: *En Narcís va venir a la festa amb una moto espaterrant.*

espaterrar *v* Impressionar, espantar, meravellar una cosa per les seves qualitats: *El jardí era tan bonic, que ens vam quedar espaterrats.* Es conjuga com *cantar.*

espatla espatles *nom f* Espatlla.

espatlla espatlles *nom f* **1** Cadascuna de les dues parts superiors del cos que tenim a cada costat del coll: *La meva cartera té una cinta perquè es pugui portar penjada a l'espatlla.* **2** *Vam demanar a en Miquel si sabia el que passava, i ell va* **arronsar les espatlles**: encongir, alçar les espatlles donant a entendre que no sabem alguna cosa o que no ens interessa. **3** Quarter del davant dels porcs, dels xais, dels conills, etc.

espatllar *v* Fer malbé una cosa deixant-la en mal estat, provocar que una cosa deixi de funcionar bé, avariar-la: *Va obrir el rellotge per veure com funcionava i el va espatllar.* ■ *Ahir es va espatllar el televisor i no vam poder veure la pel·lícula.* Es conjuga com *cantar.*

espatllat espatllada espatllats espatllades *adj* **1** Que no funciona o que funciona malament: *Un rellotge espatllat, un televisor espatllat.* **2** Es diu de la persona malaltissa, que té mal color, però que no té febre. **3** Es diu de la persona que s'ha fet una petita lesió a causa d'un mal gest, sobretot quan afecta la part superior del tòrax.

espatllera espatlleres *nom f* **1** Aparell consistent en unes barres de fusta horitzontals enganxades a la paret i que serveix per a fer-hi exercicis de gimnàstica. **2** Respatller. **3** Peça de l'armadura que protegia l'espatlla.

espàtula espàtules *nom f* Instrument en forma de pala petita i prima, que serveix per a barrejar o estendre sobre una superfície substàncies com ara pintura, mantega, etc.

espàtula

espavilar-se *v* Tornar-se espavilat, viu, llest: *Abans la Mireia era molt tímida, però d'ençà que juga a futbol, ha fet amics, s'ha espavilat molt.* Es conjuga com *cantar*.

espavilat espavilada espavilats espavila-des *adj* i *nom m* i *f* Viu, despert, llest, intel-ligent: *La Maria és una noia espavilada, treu molt bones notes.*

espècia espècies *nom f* Substància vegetal i aromàtica que es posa al menjar perquè tingui més gust: *L'orenga és una espècia que es posa a les pizzes.*

especial especials *adj* Que no és corrent, que es distingeix dels altres: *Aquest moble està fet amb una fusta molt especial, més forta que les altres.* ▪ *Aquella nena té un caràcter especial, mai no saps si està contenta o enfadada.*

especialista especialistes *adj* i *nom m* i *f* Es diu de la persona que es dedica especialment a una cosa i que en sap molt: *Un especialista en electricitat.* ▪ *Un metge especialista en ossos.*

especialitat especialitats *nom f* Part d'una professió, d'una ciència a la qual algú es dedi-ca amb molta intensitat: *L'especialitat d'aquell professor és la història dels Països Catalans.*

especialitzar-se *v* Dedicar-se a una especi-alitat: *Aquest metge es va especialitzar en l'estudi de les malalties dels infants.* Es conjuga com *cantar*.

especialment *adv* D'una manera especial, particularment, sobretot: *M'agrada de llegir tota mena de llibres, especialment els de viatges.*

espècie espècies *nom f* **1** Grup de vegetals o d'animals que tenen característiques co-munes, classe, mena de coses o de persones:

L'espècie humana. ▪ *Aquell instrument és una espècie de guitarra, però més petita.* **2 pagar en espècie** En comptes de pagar en diner, pagar amb productes, serveis, etc.

específic específica específics específiques **1** *adj* Que és propi, característic d'una espècie i no d'una altra: *La capacitat de parlar és espe-cífica dels humans.* **2** *nom m* Medicament que serveix per a una determinada malaltia.

especificar *v* Explicar una cosa clarament i amb tots els detalls: *L'etiqueta dels medicaments especifica en quins casos i de quina manera s'han de prendre.* Es conjuga com *cantar*. S'escriu *c* davant de *a, o, u* i *qu* davant de *e, i: especifico, especifiques.*

espècimen espècimens *nom m* Mostra, exemplar d'una planta, d'un animal, etc. que dóna una idea de la resta del conjunt.

espectacle espectacles *nom m* **1** Tot allò que pot ser mirat o contemplat, que és digne d'atenció: *Ens agrada de mirar l'espectacle de la sortida del sol.* **2** Representació davant de públic d'una obra de teatre, projecció d'una pel·lícula etc.: *A Barcelona cada nit es poden veure molts espectacles: teatre, cinema, etc.*

espectacular espectaculars *adj* Que crida l'atenció perquè és una cosa que no passa gaire sovint, perquè és sorprenent: *L'accident va ser espectacular i va afectar trenta cotxes.*

espectador espectadora espectadors espectadores *nom m* i *f* Persona que mira un espectacle: *Al cine hi havia un miler d'es-pectadors.*

espectre espectres *nom m* **1** Aparició, imatge imaginària d'un mort en forma de fantasma, molt habitual a les pel·lícules i a les històries fantàstiques. **2** Gamma, sèrie, conjunt: *En aquella reunió hi havia persones representatives de tot l'espectre social, és a dir, de totes les classes i sectors socials.*

especulador especuladora especuladors especuladores *nom m* i *f* Persona que es dedica a especular, a comprar una cosa a preu molt baix i a vendre-la oportunament a preu molt alt per treure'n profit.

especular *v* **1** Imaginar, fer teories sobre una cosa. **2** Comprar una cosa a preu molt baix i vendre-la oportunament a preu molt alt per treure'n profit. Es conjuga com *cantar*.

espeleòleg espeleòloga espeleòlegs espeleòlogues *nom m i f* Persona que, equipada de cordes i de llums, baixa a les coves per explorar-les i estudiar-les.

espellar *v* Treure la pell.
Es conjuga com *cantar*.

espellifat espellifada espellifats espellifades *adj* Que porta la roba estripada o molt vella: *Aquell vagabund anava tot espellifat.*

espelma espelmes *nom f* **1** Candela, barra de cera, més petita que un ciri, que crema a poc a poc i serveix per a fer llum: *Es va tallar el corrent elèctric i, com que no hi havia llum, vam haver d'encendre una espelma.* **2 aguantar l'espelma** Acompanyar una parella d'enamorats per vigilar-los.

espelma

espenta espentes *nom f* Mira **empenta**.

espentejar *v* Donar empentes a algú o alguna cosa.
Es conjuga com *cantar*. S'escriu *j* davant de *a, o, u* i *g* davant de *e, i*: *espentejo, espenteges.*

espenyar *v* Fer caure una cosa daltabaix d'un precipici, estimbar.
Es conjuga com *cantar*.

espera esperes *nom f* **1** Acció d'esperar: *L'espera del tren va ser molt llarga.* **2 sala d'espera** Lloc on s'espera la gent que ha de ser visitada pel metge, que ha de pujar al tren o a un autobús, etc. **3 tenir espera** Tenir la paciència i la calma d'esperar: *Volíem anar al cine al vespre, però els nens no tenien espera i hi hem hagut d'anar havent dinat.*

esperança esperances *nom f* Confiança que una cosa que esperem es realitzi, que tindrem una cosa que volem, etc.: *Està molt malalt, però ell té l'esperança que es posarà bo aviat.*

esperanto esperantos *nom m* Llengua artificial creada amb la finalitat que tota la humanitat pugui parlar-la i comprendre-la, i que pugui ser una llengua mundial comuna.

esperar *v* **1** Creure que serà realitat una cosa, tenir confiança d'aconseguir-la, desitjar que passi: *En Manel i la Roser esperen treure bones notes.* **2** Passar estona en un lloc o no començar a fer una cosa fins que arribi algú o alguna cosa: *Avui l'autobús ha vingut tard i ens hem hagut d'esperar molta estona a la parada.* **3 esperar una criatura** Estar embarassada una dona: *La mare d'en Lluís espera una altra criatura.*
Es conjuga com *cantar*.

esperit esperits *nom m* **1** Allò que no és material i que, per tant, no es pot veure ni tocar, ànima. **2** Ésser que no té cos, invisible: *La gent deia que aquella casa estava plena de mals esperits.* **3** Idea, sentiment que domina en una persona, en un llibre, etc.: *Era un jove amb un gran esperit de sacrifici, que sempre ajudava als altres.* **4 esperit de vi** Alcohol.

esperitat esperitada esperitats esperitades *adj* **1** Que està en poder dels mals esperits, boig: *Aquell sembla boig, mira quins ulls d'esperitat que fa!* **2** Esverat, excitat: *Quan es va declarar l'incendi, tothom va sortir de l'hotel corrent i cridant com esperitats.*

esperma espermes *nom f* Semen, líquid on hi ha els espermatozoides.

espermatozoide espermatozoides *nom m* Cèl·lula sexual masculina destinada a fecundar l'òvul.

espernetegar *v* Moure violentament les potes o les cames.
Es conjuga com *cantar*. S'escriu *g* davant de *a, o, u* i *gu* davant de *e, i*: *espernetego, espernetegues.*

esperó esperons *nom m* **1** Peça de metall amb unes punxes que es porta lligada a la part de darrere de la bota de muntar i que serveix per a punxar el cavall perquè corri més. **2** Apèndix punxegut, unglot que tenen alguns animals a les potes: *Els galls tenen un esperó a cada pota.*

esperó

esperonar v **1** Punxar el cavall amb els esperons perquè corri més. **2** Animar, engrescar, estimular algú: *Perquè estudiï, se l'ha d'esperonar.* Es conjuga com *cantar*.

esperpèntic esperpèntica esperpèntics esperpèntiques *adj* Es diu d'una persona, d'una situació, d'una obra de teatre, etc. que es mostra exagerada o ridícula: *Els personatges d'aquesta obra no semblen reals, van vestits i maquillats de manera esperpèntica.*

espès espessa espessos espesses *adj* **1** Que no és clar, que és concentrat, dens: *Aquesta sopa és molt espessa.* ■ *Aquest matí hi havia una boira espessa, gairebé no es veien les cases.* **2** Es diu del conjunt de coses poc separades, molt juntes: *Vam passar per un bosc molt espès.* **3 estar espès** o **tenir el cap espès** Tenir dificultats per pensar, estar distret: *Avui no sé què em passa, estic espès i no entenc res.*

espesseir v Espessir. Es conjuga com *reduir*.

espessir v Fer més espessa una cosa: *Aquesta pintura s'ha d'espessir més.* Es conjuga com *servir*.

espessor espessors *nom f* Qualitat d'espès: *L'espessor del bosc no deixa veure les cases de la vall.*

espetarregar v Produir una sèrie de petits sorolls la llenya, el carbó, etc. quan cremen. Es conjuga com *cantar*. S'escriu *g* davant de *a, o, u* i *gu* davant de *e, i*: *espetarrega, espetarregui.*

espetec espetecs *nom m* **1** Soroll que fa una cosa quan es trenca de cop, quan esclata: *Vam sentir l'espetec de la branca en trencar-se.* **2** Esclat de claror: *L'espetec del llamp.* **3** Fuet de menjar, prim i llarg.

espetegar v **1** Fer espetecs: *El foc espetegava en cremar la llenya.* ■ *La bomba va espetegar allà mateix.* **2** Xocar amb força: *El cotxe va espetegar contra el mur.* **3 anar a espetegar en un lloc** Anar a parar en un lloc sense voler-ho: *Ens vam perdre, però al final vam anar a espetegar en una carretera que duia a la ciutat.* Es conjuga com *cantar*. S'escriu *g* davant de *a, o, u* i *gu* davant de *e, i*: *espetega, espetegui.*

espeternegar v Mira **espernetegar**. Es conjuga com *cantar*. S'escriu *g* davant de *a, o, u* i *gu* davant de *e, i*: *espeternego, espeternegues.*

espia espies *nom m i f* Persona que espia, que observa i vigila algú o alguna cosa d'amagat, amb la finalitat d'informar-ne a d'altres persones: *A la guerra, els espies estan encarregats de veure què fa l'enemic.*

espiadimonis uns espiadimonis *nom m* Insecte que té els ulls molt grossos i l'abdomen de colors vius i lluents i que viu prop de l'aigua.

espiar v **1** Mirar algú d'amagat per veure què fa: *Amagats darrere del sofà, vam espiar en Manel com trucava per telèfon.* **2** Explicar a algú una cosa que ha fet un altre: *Llegia un còmic d'amagat, fins que algú el va espiar al professor.* Es conjuga com *canviar*.

espicossar v Picar els grans, les pedretes, etc. les gallines i altres ocells. Es conjuga com *cantar*.

espiell espiells *nom m* Reixeta, foradet que hi ha a la porta d'entrada d'algunes cases i que serveix per a mirar què hi ha a l'altra banda, qui toca el timbre, etc.

espiera espieres *nom f* Forat fet per a poder mirar des de dins d'una casa el que passa a fora.

espieta espietes *nom m i f* Persona que explica el que ha fet algú a una altra persona: *Aquest nen és un espieta, explica al mestre tot el que fem.*

espifiar v **1** Fer malament alguna cosa, errar el cop. **2 espifiar-la** Cometre un error: *Aquest vestit no t'està gaire bé; si te'l quedes, l'espifiaràs.* Es conjuga com *canviar*.

espiga espigues *nom f* Conjunt de grans que hi ha a la part final de la tija d'algunes plantes, com ara el blat.

espigat espigada espigats espigades *adj* Es diu d'una persona o d'una planta que ha crescut molt i que és molt alta.

espigó espigons *nom m* Construcció de pedra a la vora del mar que serveix per a protegir un port de les onades.

espígol espígols *nom m* Planta que fa molta olor i que serveix per a fabricar una classe de colònia.

espigolar v **1** Collir les espigues que han quedat en un camp després de segar. **2** Recollir coses d'aquí i d'allà: *Per fer aquell treball sobre la població, vaig haver d'espigolar dades de diversos llocs.* Es conjuga com *cantar*.

espill espills *nom m* Mirall.

espina espines *nom f* **1** Punta dura i forta d'algunes plantes, que punxa: *El roser és una planta que té espines.* **2** Persona o cosa que porta problemes contínuament, que causa dolor o preocupació: *Les ciències naturals són la meva espina, em costen molt d'entendre.* **3** **fer mala espina** Fer poca gràcia una cosa, fer pensar que passarà una cosa dolenta. **4** Os de peix: *Menjant lluç se'm va clavar una espina a la geniva.* **5** **espina dorsal** Columna vertebral.

espinac espinacs *nom m* Planta que es conrea a l'hort i que té les fulles de color verd fosc i es menja com a verdura. ▪

espinacs

espinada espinades *nom f* Columna vertebral.

espinal espinals *adj* Que està relacionat amb l'espinada o amb la columna vertebral: *La medul·la espinal.* **18**

espingarda espingardes *nom f* Arma semblant a un fusell, que té el canó molt llarg.

espinguet espinguets *nom m* **1** Veu aguda, so o crit molt agut. **2** Persona cridanera, que sovint fa xiscles o crits.

espinós espinosa espinosos espinoses *adj* **1** Que té espines: *Una planta espinosa.* **2** Difícil, problemàtic: *Vam haver de tractar un tema molt espinós.*

espionatge espionatges *nom m* Acció d'espiar, activitat secreta que consisteix a obtenir informació secreta d'un govern o d'una empresa mitjançant un espia.

espira¹ espires *nom f* Qualsevol de les voltes que fa una espiral o una hèlice.

espira² espires *nom f* Guspira.

espiral espirals *nom f* Corba que va fent voltes al voltant d'un punt fix i se n'allunya contínuament: *Les molles del sofà tenen forma d'espiral.* ▪ *M'he comprat una llibreta*

que té els fulls enganxats en una espiral de filferro.

espirall espiralls *nom m* Obertura feta en una paret, al sostre, etc. d'un lloc tancat per a deixar entrar-hi l'aire o la llum.

espirar *v* Bufar no gaire fort.
Es conjuga com *cantar.*

espiritisme espiritismes *nom m* Teoria pròpia d'algunes persones que pensen que és possible comunicar-se amb els esperits dels morts.

espiritual espirituals *adj* Es diu de tot el que no és material, que és propi de l'esperit.

espitllera espitlleres *nom f* Forat rectangular, llarg i estret, fet en un mur de pedra: *Els soldats disparaven des de les espitlleres de les muralles del castell.*

espitregat espitregada espitregats espitregades *adj* Que va amb la roba descordada de la part del pit.

esplai esplais *nom m* **1** Conjunt d'activitats de diversió, d'entreteniment: *Aquest estiu anirem cada dia a un centre d'esplai on fan activitats divertides per als infants.* **2** Centre on s'organitzen jocs i altres activitats per als nois i les noies.

esplaiar-se *v* **1** Explicar-se, mostrar un sentiment dient tot allò que es tenia ganes de dir: *Es va esplaiar amb mi i em va explicar totes les seves penes.* **2** Divertir-se, passar l'estona, distreure's: *Després d'estudiar, aquells nois s'esplaien jugant a futbol.*
Es conjuga com *remeiar.*

esplanada esplanades *nom f* Tros de terreny pla o aplanat: *A davant del castell hi havia una esplanada molt gran.*

esplèndid esplèndida esplèndids esplèndides *adj* **1** Que brilla molt: *Un sol esplèndid.* **2** Estupend, magnífic, molt bo: *Una pel·lícula esplèndida.* **3** Generós: *La Joana és molt esplèndida: ahir era el seu sant i ens va comprar un gelat a cadascú.*

esplendor esplendors *nom f* **1** Esclat de molta claror. **2** Moment d'èxit o de riquesa pel qual està passant algú: *Aquell pianista ha guanyat molts premis: està en un moment de gran esplendor.*

esplet esplets *nom m* Collita abundant, gran quantitat, abundància d'una cosa: *Al jardí aquest any hi ha un esplet de roses.*

espluga esplugues *nom f* Cova.

esplugar v Netejar de polls o de puces: *Aquest gos es grata molt, s'hauria d'esplugar.* Es conjuga com *cantar*. S'escriu *g* davant de *a, o, u* i *gu* davant de *e, i: esplugo, esplugues.*

espluguí espluguina espluguins espluguines **1** *nom m i f* Habitant de l'Espluga de Francolí o d'Esplugues de Llobregat. **2** *adj* Es diu de les persones o de les coses naturals o procedents de l'Espluga de Francolí o d'Esplugues de Llobregat.

espoliar v Deixar algú sense els seus béns, sense la seva riquesa. Es conjuga com *canviar*.

espolsar v **1** Treure la pols d'un vestit, d'unes sabates, etc. **2** Treure's de sobre alguna cosa o algú que ens molesta: *Aquell és un pesat, sempre se m'enganxa i me l'haig d'espolsar.* ▪ *El cavall s'espolsava les mosques amb la cua.* Es conjuga com *cantar*.

espona espones *nom f* Cadascun dels costats d'un llit.

esponerós esponerosa esponerosos esponeroses *adj* Molt abundant, molt carregat: *Al jardí hi ha un arbre esponerós, amb moltes fulles i molts fruits.*

esponja esponges *nom f* **1** Classe d'animals que semblen plantes i viuen al mar enganxats a les roques i que tenen el cos elàstic i ple de forats petits. **2** Utensili fet de l'esquelet d'una esponja natural o bé de material artificial que serveix per a la neteja de les persones o de les coses, ja que xucla i escup l'aigua amb molta facilitat: *Quan et banyis, procura fregar-te bé amb l'esponja.*

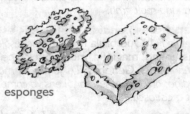
esponges

esponjar v **1** Eixugar amb una esponja. **2** Repartir, eixamplar una cosa de manera que no quedi gens atapeïda, fer més flonja una cosa: *Posarem el pastís al forn perquè s'espongi.* Es conjuga com *cantar*. S'escriu *j* davant de *a, o, u* i *g* davant de *e, i: esponjo, esponges.*

esponjós esponjosa esponjosos esponjoses *adj* Que és tou, elàstic i suau com una esponja.

espontaneïtat espontaneïtats *nom f* Impuls que fa fer una cosa sense pensar-la gaire, sense preparar-la: *No s'hi pensa gaire abans de fer les coses, sempre actua amb molta espontaneïtat.*

espontani espontània espontanis espontànies *adj* **1** Es diu de tot allò que es fa sense que hagi estat preparat ni previst: *Com que el tren tardava molt, es va produir una protesta espontània de la gent que s'esperava a l'estació.* **2** Es diu de la persona que actua o parla de manera impulsiva, sense pensar-s'ho, sense preparar-s'ho: *És molt espontani i sempre diu el que pensa.*

espontàniament *adv* D'una manera espontània, sense haver-ho pensat ni preparat abans: *Aquesta herba no l'ha sembrada ningú: creix aquí espontàniament.*

espora espores *nom f* Cèl·lula reproductora d'alguns vegetals i dels fongs.

esporàdic esporàdica esporàdics esporàdiques *adj* Es diu del fet aïllat, que passa una vegada o molt poques vegades: *El professor em va dir que el meu treball estava molt bé i que només tenia alguns errors esporàdics.*

esporangi esporangis *nom m* Òrgan que produeix i guarda les espores.

esporgar v Podar, tallar les branques d'un arbre o d'un arbust. Es conjuga com *cantar*. S'escriu *g* davant de *a, o, u* i *gu* davant de *e, i: esporgo, esporgues.*

esport esports *nom m* Exercici físic individual o col·lectiu que se sol practicar segons unes regles a l'aire lliure o en espais tancats, per afecció o competició: *El futbol és un esport que agrada a molta gent.*

esportista esportistes *nom m i f* Persona que practica un o més esports.

esportiu esportiva esportius esportives *adj* Que està relacionat amb l'esport: *Jugar a tennis és una activitat esportiva.*

esportivitat esportivitats *nom f* Actitud de respecte a les normes i als adversaris en qualsevol competició esportiva.

esporuguir v Fer agafar por, espantar: *El gos va esporuguir el gat, que va fugir corrents.* Es conjuga com *servir*.

espòs esposa esposos esposes *nom m i f* Persona que és casada amb una altra, cònjuge.

esposalles *nom f pl* Promesa de casar-se que es fan dues persones.

esposar *v* **1** Prendre algú per marit o per muller: *La princesa va esposar un príncep.* **2 esposar-se** Casar-se.
Es conjuga com *cantar.*

esposori esposoris *nom m* Esposalles; casament.

espot espots *nom m* Anunci de publicitat breu que es difon per la ràdio o la televisió.

esprai esprais *nom m* Envàs que, prement una vàlvula, permet que el líquid de dins surti a pressió, en forma de núvol de gotes molt petites.

espremedora espremedores *nom f* Estri que serveix per a esprémer taronges, llimones, etc. i treure'n el suc.

espremedora

esprémer *v* **1** Estrènyer fortament una cosa per fer-ne sortir el suc o el líquid que té a dins: *He espremut quatre taronges per fer-ne suc.* **2** Treure d'algú o d'alguna cosa tot el profit que es pot: *En aquesta botiga de regals saben esprémer els clients i fer-los gastar els diners.* **3 esprémer-se el cervell** Esforçar-se, pensar molt per trobar la solució d'alguna cosa.
Es conjuga com *témer.*

esprimatxat esprimatxada esprimatxats esprimatxades *adj* Es diu de la persona poc proporcionada, massa prima per la seva alçada: *La Laura és una noia alta i esprimatxada.*

esprint esprints *nom m* Esforç ràpid de velocitat que es fa cap al final d'una cursa per intentar avançar els adversaris i guanyar.

espuma espumes *nom f* Escuma.

espumós espumosa espumosos espumoses *adj* Que fa espuma, escumós: *Un vi espumós.*

espuntar *v* Trencar la punta d'alguna cosa: *Se m'ha espuntat el llapis.*
Es conjuga com *cantar.*

espurna espurnes *nom f* **1** Partícula petita de foc que salta d'una cosa que crema: *No t'acostis tant al foc, que et podria saltar una espurna a l'ull.* **2** Tros molt petit d'una cosa, esquitx.

espurnejar *v* **1** Llançar espurnes: *El foc espurneja.* **2 espurnejar els ulls** Brillar els ulls de llàgrimes.
Es conjuga com *cantar.* S'escriu *j* davant de *a, o, u* i *g* davant de *e, i: espurneja, espurnegi.*

esput esputs *nom m* Massa de mocs, saliva o sang que s'escup per la boca.

esquadra esquadres *nom f* **1** Colla de persones armades i manades per algú. **2** Grup de vaixells o d'avions de guerra. **3 mosso d'esquadra** Membre de la policia pròpia de Catalunya.

esquadrilla esquadrilles *nom f* Petit grup de vaixells o d'avions de guerra.

esquadró esquadrons *nom m* **1** Conjunt de soldats de cavalleria que formen una unitat militar. **2** Conjunt d'avions de combat que formen una unitat militar.

esquaix esquaixos *nom m* Esport en què dos jugadors competeixen llançant la pilota amb una raqueta contra les parets d'una pista tancada.

esqual esquals *nom m* Nom donat als taurons i a altres peixos semblants.

esquarterar *v* Tallar una cosa en quarters, fer trossos alguna cosa: *El carnisser va esquarterar el pollastre i en va fer quatre trossos.*
Es conjuga com *cantar.*

esqueix esqueixos *nom m* **1** Tros de branca o de tija que es planta perquè arreli i neixi una nova planta. **2** Tros d'una cosa esqueixada, esquinç.

esqueixada esqueixades *nom f* Amanida feta amb trossets de bacallà o de tonyina esqueixats, enciam, olives, tomàquet, etc.

esqueixar *v* **1** Esquinçar, estripar, fer trossos un paper, un vestit, etc. d'una estirada: *El va estirar per la camisa i sense voler la va esqueixar.* **2** Arrencar una branca d'un arbre o d'una planta: *La tieta ha esqueixat una branca del roser plena de roses i ens l'ha donada.*
Es conjuga com *cantar.*

esquela esqueles *nom f* Escrit que es reparteix per les cases o es publica al diari per informar de la mort d'una persona.

esquelet esquelets *nom m* **1** Conjunt dels ossos del cos d'una persona o d'un animal vertebrat. 15 **2** Part o estructura interior d'una cosa que sosté les altres parts.

esquelètic esquelètica esquelètics esquelètiques *adj* Prim com un esquelet: *Després de la malaltia el seu aspecte era esquelètic.*

esquella esquelles *nom f* Campana petita que els xais, les cabres o les vaques d'un ramat porten lligada al coll per poder-les sentir quan caminen i així saber on són.

esquella

esquellot esquellots *nom m* Esquella.

esquema esquemes *nom m* **1** Conjunt de les línies principals d'un dibuix: *Ja tinc fet l'esquema del dibuix de la catedral.* **2** Conjunt dels punts o dels aspectes principals d'un escrit, d'un pla a seguir, etc.

esquemàtic esquemàtica esquemàtics esquemàtiques *adj* Que té forma d'esquema, que conté només les idees principals: *L'alumna va fer un quadre esquemàtic de la lliçó a la pissarra.*

esquena esquenes *nom f* **1** Part de darrere del cos, que va des de sota del coll fins a la cintura: *Va estar molta estona prenent el sol i se li va cremar l'esquena.* **2 caure d'esquena** Quedar molt sorprès, admirar-se molt d'una cosa: *Quan li van dir que li regalarien la moto, va caure d'esquena, no s'ho podia creure.* **3 posar-se d'esquena** Amb l'esquena girada a algú o a alguna cosa: *Posa't d'esquena a la finestra i el sol no et molestarà.* **4 tirar-s'ho a l'esquena** No preocupar-se de res, no posar interès en les coses: *En Lluís és molt tranquil: s'ho tira tot a l'esquena.* **5 girar l'esquena** No fer cas d'algú, negar un favor: *Els vaig demanar un favor, però tots em van girar l'esquena.* **6 viure amb l'esquena dreta** Viure sense treballar. **7 tenir un os a l'esquena** Ser gandul: *Aquest no treballa mai, sembla que tingui un os a l'esquena.* **8** Part superior del cos dels animals des del coll fins a les anques.

esquenadret esquenadreta esquenadrets esquenadretes *adj i nom m i f* Gandul.

esquer esquers *nom m* **1** Tros petit de menjar que serveix per a fer venir els peixos a picar l'ham d'una canya de pescar, o bé per a fer caure ocells i animals en una trampa. **2** Allò que serveix per a fer caure algú en una trampa o per a atreure'l.

esquerda esquerdes *nom f* Obertura llarga i estreta en una paret, en un vidre, etc.: *La casa era vella i les parets estaven plenes d'esquerdes.* ■ *Aquesta finestra és molt perillosa, el vidre té una esquerda.*

esquerdar *v* Fer una esquerda: *El cop de pilota ha esquerdat el vidre de la finestra.* ■ *El terra de la carretera s'ha esquerdat.* Es conjuga com *cantar.*

esquerp esquerpa esquerps esquerpes *adj* Es diu de la persona poc simpàtica, aspra, a qui no agrada el tracte amb l'altra gent: *Aquest noi és molt esquerp; quan se li fa una pregunta, no vol contestar mai.*

esquerrà esquerrana esquerrans esquerranes *adj i nom m i f* **1** Es diu de la persona que fa servir la mà esquerra o el peu esquerre per a fer aquelles accions que la resta de persones en general fan amb la mà dreta o amb el peu dret. **2** Que està relacionat amb un partit polític d'esquerra o amb idees polítiques d'esquerra.

esquerre esquerra esquerres *adj* **1** Es diu del costat d'una persona o d'un animal oposat al costat dret: *Tenim el cor situat cap al costat esquerre.* **2** Es diu de tot allò que queda situat al costat oposat al dret: *Tinc picor a l'ull esquerre.* ■ *Tu escrius amb la mà esquerra, però la majoria de la gent ho fa amb la dreta.* ■ *En un automòbil, el conductor seu al costat esquerre de la part del davant.* **3 l'esquerra** *nom f* Part d'una cosa situada al costat esquerre, espai que queda situat al costat esquerre d'una cosa: *Tu seuràs a la meva dreta i ell a la meva esquerra.* **4 a mà esquerra** En direcció a l'esquerra: *Per arribar a la plaça, trenqueu a mà esquerra quan trobeu la primera cruïlla.* **5 l'esquerra** *nom f* El conjunt de partits i persones que tenen idees avançades i progressistes.

esquí esquís *nom m* **1** Cadascuna de les planxes llargues i estretes que es posen lligades als peus i que serveixen per a lliscar per damunt la neu. **2** Esport que es practica a la neu amb esquís. **3 esquí aquàtic** Esport que consisteix a lliscar per damunt de l'aigua, amb l'ajuda d'una barca amb motor que arrossega l'esquiador.

esquiador esquiadora esquiadors esquiadores *nom m* i *f* Persona que esquia, que practica l'esquí.

esquiar *v* Lliscar per la neu amb esquís, practicar l'esport de l'esquí.
Es conjuga com *canviar.*

esquifit esquifida esquifits esquifides *adj* Petit, que no fa la mida: *Portava un barret molt esquifit, que no li cobria el cap.* ■ *Aquest gos és molt esquifit: no espanta ni els gats.*

esquila Paraula que s'utilitza en l'expressió **prendre** o **agafar algú de cap d'esquila**, que vol dir "tenir mania a algú, donar-li la culpa de tot": *El monitor d'esport m'ha agafat de cap d'esquila i sempre creu que tinc la culpa de tot.*

esquilador esquiladora esquiladors esquiladores *nom m* i *f* Persona que té per ofici esquilar animals.

esquilar *v* **1** Tallar ben arran el pèl o la llana d'un animal, tallar ben arran els cabells d'una persona: *En Ramon ha anat a la barberia i l'han esquilat.* **2** Robar o deixar algú sense diners: *Aquell senyor va anar a jugar al casino, va perdre i en va sortir esquilat.*
Es conjuga com *cantar.*

esquimal esquimals **1** *nom m* i *f* Individu que viu a les regions més fredes del nord d'Amèrica i de Groenlàndia. **2** *nom m* Llengua parlada pels esquimals.

esquinç esquinços *nom m* **1** Estrip. **2** Torçada violenta d'una articulació del cos que produeix una petita lesió interna, sovint muscular.

esquinçar *v* Fer trossos un paper, un teixit, una pell, etc. amb una estirada forta: *Ens va agafar el paper i ens el va esquinçar davant nostre.*
Es conjuga com *cantar.* S'escriu ç davant de *a, o, u* i c davant de *e, i: esquinço, esquinces.*

esquirol[1] esquirols *nom m* Animal mamífer rosegador, de cua llarga i peluda i dits forts i ungles molt punxegudes que li permeten d'enfilar-se als arbres: *Els esquirols mengen pinyes.*

esquirol

esquirol[2] esquirols *nom m* i *f* Persona que continua treballant quan els seus companys fan vaga o bé que ocupa el lloc d'un d'aquests.

esquitllada Paraula que apareix en l'expressió **d'esquitllada,** que vol dir "de manera ràpida", "gairebé sense ser vist": *Va passar pel meu davant i el vaig veure d'esquitllada.*

esquitllar-se *v* **1** Relliscar alguna cosa escapant-se del lloc on era agafada, on es volia clavar, etc.: *Clavava el clau, però se li va esquitllar i va caure a terra.* **2** Passar d'amagat per un lloc vigilat sense ser vist: *El comando va aconseguir esquitllar-se a dins del castell sense ser vist pels guardes.*
Es conjuga com *cantar.*

esquitllentes Paraula que apareix en l'expressió **d'esquitllentes,** que vol dir "amb rapidesa, mirant de no ser vist": *Mentre estàvem dinant, el gat va passar d'esquitllentes cap a la cuina i se'ns va menjar el peix que havíem preparat.*

esquitx esquitxos *nom m* **1** Quantitat petita d'aigua, de fang, etc. que surt disparada a causa d'un cop o d'un moviment violent: *Van tirar una pedra molt grossa al riu i va fer molts esquitxos.* **2** Persona molt menuda, petita i baixeta.

esquitxar *v* **1** Mullar, embrutar d'esquitxos: *El cotxe va passar per un bassal i ens va ben esquitxar.* **2** Haver de donar diners sense tenir-ne ganes: *Si no esquitxes els deu euros, explicaré el teu secret a tothom.*
Es conjuga com *cantar.*

esquiu esquiva esquius esquives *adj* Que esquiva la gent, que se n'aparta, que no és gaire sociable: *Per culpa del seu caràcter esquiu, en Joan no té amics.*

esquivar *v* Apartar-se perquè alguna cosa no ens toqui o per no coincidir amb algú, evitar alguna cosa: *Els soldats esquivaven les bales de l'enemic.* ■ *Aquell noi és un solitari, sempre esquiva la gent.*
Es conjuga com *cantar.*

essa esses *nom f* **1** nom de la lletra s **S**. **2 fer esses** Caminar, avançar fent tortes: *El cotxe va frenar de cop, va relliscar i va fer unes quantes esses per la carretera.*

essència essències *nom f* **1** Part més important d'una cosa, allò invariable. **2** Substància que s'extreu de les plantes i que fa molta olor.

essencial essencials *adj* Important, necessari, que està relacionat amb l'essència d'una cosa: *Per anar a esquiar és essencial anar ben equipat.*

ésser¹ *v* Mira **ser**.
Es conjuga com *ser*.

ésser² éssers *nom m* **1** Qualsevol cosa que existeix, que és. **2 ésser viu** Individu d'una espècie animal o vegetal: *Al nostre planeta, hi viuen molts milions d'éssers vius.*

est¹ *nom m* Punt cardinal, costat de l'horitzó per on surt el sol: *Catalunya i el País Valencià són a l'est de la península Ibèrica.*

est² esta estos estes *adj i pron* Aquest, aquesta, aquests, aquestes.

estabilitat estabilitats *nom f* Tendència a quedar-se en una mateixa situació o posició durant un cert temps, a no patir cap canvi: *Si treballes des de fa algun temps en una empresa, vol dir que tens una certa estabilitat laboral.*

estabilitzar-se *v* Fer-se estable una cosa: *El temps s'ha estabilitzat i la temperatura es manté com aquests darrers dies.* ■ *Finalment, el preu dels pisos s'ha estabilitzat i ha parat de pujar.*
Es conjuga com *cantar*.

establa estables *nom f* Lloc tancat i cobert on viuen alguns animals de granja com ara porcs, vaques, etc.: *Vam anar a una casa de pagès i ens van ensenyar les estables.*

estable¹ estables *nom m* Mira **establa**.

estable² estables *adj* Que no es mou, que no canvia de lloc, que està en una posició molt segura: *La mare de la Joana ha trobat una feina estable en una fàbrica i li han fet un contracte per un any.*

establia establies *nom f* Establa.

establiment establiments *nom m* **1** Acció d'establir o d'establir-se. **2** Botiga, bar, negoci obert al públic: *Aquest bar és un establiment molt tranquil.*

establir *v* **1** Fundar o crear una cosa: *Els meus pares han establert un negoci de compra i venda*

de cotxes. **2** Ordenar una cosa: *L'alcalde va establir una norma segons la qual no es podia aparcar a la plaça.* **3 establir-se** Anar-se'n a viure a un lloc: *La família d'en Pere s'ha establert a Figueres.*
Es conjuga com *servir*. Participi: *establert, establerta.*

estabornir *v* Fer perdre els sentits amb un cop violent: *La pilota el va tocar al cap, el va estabornir i va caure a terra.*
Es conjuga com *servir*.

estabular *v* Criar animals en estables o en instal·lacions adequades.
Es conjuga com *cantar*.

estaca estaques *nom f* Pal acabat en punta en un extrem per a clavar-lo a terra: *La casa de pagès estava voltada amb una tanca d'estaques.*

estaca

estacada Paraula que apareix en l'expressió **deixar a l'estacada**, que vol dir "abandonar algú davant d'un perill o d'una situació difícil": *Quan aquells dos nois em volien pegar, els meus amics se'n van anar espantats i em van deixar a l'estacada.*

estacar *v* **1** Lligar un animal a una estaca clavada a terra, tenir un animal lligat a una corda sense que es pugui moure lliurement: *Van estacar el gos perquè no s'escapés.* **2 estacar-se** Encallar-se, no poder avançar.
Es conjuga com *cantar*. S'escriu c davant de *a, o, u* i *qu* davant de *e, i: estaco, estaques.*

estació estacions *nom f* **1** Lloc on s'aturen els trens o els autobusos per deixar pujar i baixar la gent o les mercaderies: *El tren anava molt a poc a poc perquè s'acostava a l'estació.* **2 estació de servei** Edifici situat a la vora d'una carretera o d'una autopista per a atendre els automobilistes, gasolinera. **3** Cadascuna de les quatre divisions de l'any: primavera, estiu, tardor i hivern: *L'hivern és l'estació més freda i l'estiu la més calorosa.* **4 estació meteorològica** Conjunt d'instal·lacions amb aparells i instruments destinats a mesurar i preveure els fenòmens meteorològics com ara la pluja, la neu, etc.

estacionar v **1** Deixar un vehicle aparcat en un lloc durant un espai de temps determinat **2** estacionar-se Estar una malaltia en un moment en què ni millora ni empitjora.
Es conjuga com *cantar*.

estacionari estacionària estacionaris estacionàries *adj* Es diu d'una cosa que no es mou, que no canvia, que no millora ni empitjora: *El metge ens va dir que el malalt es trobava en un estat estacionari.*

estada estades *nom f* Temps que es passa en un lloc, temps que s'està en un lloc: *Hem anat a Mallorca i hi hem fet una estada de quinze dies.*

estadant estadanta estadants estadantes *nom m i f* Inquilí, llogater.

estadi estadis *nom m* Instal·lació esportiva de grans dimensions on es fan curses, partits, etc.: *Hem anat a l'estadi a veure un partit de futbol.*

estadista estadistes *nom m i f* Persona que governa un estat o que és molt experta en l'art de governar: *El president d'aquell país és considerat un bon estadista.*

estadística estadístiques *nom f* Conjunt de dades i d'informacions classificades i relacionades amb un mateix aspecte o àmbit: *Les estadístiques diuen que a la tardor plou molt més que a l'estiu.*

estafa estafes *nom f* Delicte que consisteix a robar diners a una altra persona per mitjà d'un engany: *M'han venut aquest rellotge pel doble del que val, això és una estafa!*

estafador estafadora estafadors estafadores *nom m i f* Persona que fa una estafa.

estafar v Fer una estafa, enganyar.
Es conjuga com *cantar*.

estafeta estafetes *nom f* Oficina on es lliuren les cartes que s'envien per correu.

estalactita estalactites *nom f* Cadascuna de les agulles de gel o de roca calcària que pengen del sostre d'una cova.

estalagmita estalagmites *nom f* Cadascuna de les agulles de gel o de roca calcària que hi ha al terra d'una cova i que es formen a partir de les gotes que cauen del sostre.

estalonar v **1** Fer sortir la sabata del taló d'algú trepitjant-la per darrere. **2** Seguir algú molt de prop, trepitjant-li els talons.
Es conjuga com *cantar*.

estalvi[1] estàlvia estalvis estàlvies *adj* Que ha escapat d'un perill, que no ha pres mal: *Totes les persones que vivien a la casa que es va incendiar estan sanes i estàlvies.*

estalvi[2] estalvis **1** *nom m* Allò que s'ha estalviat, quantitat de diners que es tenen guardats: *Aquest home és molt ric, té molts estalvis al banc.* ■ *Els ordinadors permeten de fer moltes feines amb un gran estalvi de temps.* **2** estalvis *nom m pl* Objecte pla de metall, de fusta, etc. sobre el qual es posen les olles i les cassoles calentes quan es porten a la taula perquè no cremin les estovalles.

estalviador estalviadora estalviadors estalviadores *adj* Es diu de la persona que sap estalviar diners: *El meu oncle, com que és molt estalviador, ara s'ha pogut fer una casa amb totes les comoditats.*

estalviar v **1** No gastar i guardar una part del diner que es té: *No et gastis tots els diners avui, estalvia'n i així demà també en tindràs.* **2** Evitar gastar molt d'una cosa: *Hem d'estalviar paper o aviat ens quedarem sense.*
Es conjuga com *canviar*.

estam estams *nom m* **1** Òrgan reproductor masculí de les plantes amb flors. **2** Roba feta amb fil que es treu de la fibra de llana.

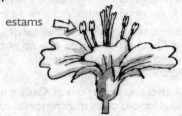
estams

estament estaments *nom m* Conjunt de les persones que formen un mateix grup social o que es dediquen a una mateixa activitat: *L'estament religiós. L'estament militar.*

estamordir v **1** Deixar algú sense sentits, com un mort: *Li va donar un cop de puny tan fort, que el va deixar estamordit a terra.* **2** Esporuguir, fer agafar por, espantar.
Es conjuga com *servir*.

estampa estampes *nom f* **1** Imatge, dibuix, etc. imprès o estampat sobre un paper: *El capellà ens va donar una estampa de la Mare de Déu.* **2** Aspecte d'una persona o d'un animal: *Aquella noia té molt bona estampa.* **3** Impremta. **4** ser l'estampa d'algú Assemblar-s'hi molt.

estampar v **1** Marcar un dibuix o un escrit en un paper, en un vestit, etc. mitjançant un motlle: *L'oficinista estampava el segell de la seva empresa a les factures.* ▪ *La Maria porta un vestit estampat, amb flors dibuixades.* **2** Imprimir. **3** Deixar marcada l'empremta d'una cosa: *No m'empipis més, que t'estamparé els cinc dits a la cara.*
Es conjuga com *cantar.*

estampir v Col·locar una cosa en un espai buit o entre dues altres coses, de manera que quedi ben pressionada: *Vaig estampir la pilota de goma entre la bossa de la roba i la capsa de les nines, al fons del portaequipatge del cotxe.*
Es conjuga com *servir.*

estanc[1] **estanca estancs estanques** *adj* Tancat hermèticament, sense que pugui entrar-hi o sortir-ne res.

estanc[2] **estancs** *nom m* Botiga on es ven tabac, segells, etc.: *Aniré a l'estanc a comprar un segell per a la carta.*

estança **estances** *nom f* **1** Habitació. **2** Estrofa formada per versos de deu i de sis síl·labes.

estancar-se v Estar sense moure's, sense córrer, les aigües d'un riu, d'un corrent, etc. formant una bassa o un llac: *L'aigua de la pluja s'estanca formant bassals en terrenys enclotats.*
Es conjuga com *cantar.* S'escriu *c* davant de *a, o, u* i *qu* davant de *e, i*: *m'estanco, t'estanques.*

estancat **estancada estancats estancades** *adj* Que no pot córrer, que no pot moure's: *L'aigua del riu és aigua corrent, la de la bassa és aigua estancada.*

estand **estands** *nom m* Cadascuna de les instal·lacions on es mostren productes en una fira o en una exposició.

estàndard **estàndards** **1** *adj* Es diu d'un producte, d'un objecte que té unes característiques comunes o que segueix un model general: *Aquest llit té una mida estàndard, ja que, com la majoria dels llits, fa 1,90 m de llargada.* **2** *nom m* Varietat d'una llengua formada amb les estructures, les paraules i les formes considerades més generals i més comunes: *Els mitjans de comunicació audiovisuals utilitzen l'estàndard en la majoria dels seus programes.*

estanquer **estanquera estanquers estanqueres** *nom m i f* Persona que ven tabac, segells i altres productes en un estanc.

estant[1] Paraula que apareix en l'expressió **veure** o **sentir una cosa d'un lloc estant,** que vol dir "veure o sentir una cosa des del lloc on s'està": *Del balcó estant, vam veure tot el que passava a baix al carrer.*

estant[2] **estants** *nom m* Prestatge.

estany[1] **estanys** *nom m* Llac petit, massa d'aigua no gaire gran envoltada de terra: *Has visitat mai l'estany de Banyoles?*

estany[2] **estanys** *nom m* Metall blanc brillant, tou, que es fon fàcilment.

estanyol **estanyols** *nom m* Estany molt petit.

estaquirot **estaquirots** *nom m* Persona poc participativa, que no es vol moure: *Sempre seu al darrere de tot de la sala i s'està quiet i callat com un estaquirot.*

estar v **1** No moure's d'un lloc, quedar-s'hi durant un temps: *Ahir vam anar al zoo i ens hi vam estar tot el matí.* **2** **estar-se** Viure, habitar, residir en un lloc: *Els meus cosins abans s'estaven a Badalona, però ara s'estan a Manresa.* **3** Trobar-se, mantenir-se per algun temps en una posició, en un estat o fent una cosa: *Hem hagut d'estar drets tot el matí.* ▪ *En Lluís va estar malalt, però ara ja està bo.* ▪ *Ha estat estudiant tota la tarda.* **4** Tardar un temps a fer alguna cosa: *Vaig estar una hora a fer el dibuix.* **5** Acabar de fer una cosa: *Com que ja estic de fer els deures, me'n puc anar a jugar.* **6** **estar a punt de** Faltar molt poc perquè passi una cosa: *Estan a punt de començar la pel·lícula.* **7** **estar-se de fer una cosa** Privar-se de fer una cosa: *El dentista em va dir que m'havia d'estar de menjar dolços.*
La conjugació d'*estar* és a la pàg. 838.

estarrufar-se v **1** Aixecar el pèl, les plomes, etc.: *En Miquel porta els cabells molt estarrufats i sembla que tingui el cap més gros.* ▪ *Quan s'estarrufa, el gall dindi ensenya els colors del seu plomatge.* **2** Mostrar satisfacció, orgull per alguna cosa: *La Roser, quan li diuen que és maca, s'estarrufa i està contenta.*
Es conjuga com *cantar.*

estàrter **estàrters** *nom m* Dispositiu que permet d'engegar ràpidament un vehicle encara que el motor estigui fred.

estat **estats** *nom m* **1** Manera de ser o d'estar d'algú o d'alguna cosa: *En Lluís es troba en un estat de tristesa.* ▪ *Aquest camp de futbol no està en gaire bon estat per jugar, perquè ha plogut i hi ha fang i bassals.* ▪ *El gel és aigua en estat sòlid.*

2 estar en estat Estar embarassada o prenyada una dona, esperar un fill. **3** Conjunt de poders i institucions polítiques que governen i administren una societat, un territori: *L'exèrcit i la policia estan al servei de l'estat.* **4** Territori que pot estar format per una nació o per més d'una nació i que està sota un mateix poder polític: *A l'Estat espanyol hi ha quatre nacions.* **5 cop d'estat** Fet d'aconseguir el poder d'un estat un grup petit de persones per mitjà d'una acció de força, sovint amb participació de militars.

estatal estatals *adj* De l'estat: *Les fronteres estatals entre França i Espanya.*

estatge estatges *nom m* Habitació, lloc on s'està o viu una persona, local: *Aquesta casa és l'estatge del nostre club de futbol, aquí hi ha els despatxos i s'hi fan les reunions dels socis.*

estatger estatgera estatgers estatgeres *nom m i f* Llogater, inquilí.

estàtic estàtica estàtics estàtiques *adj* Que no es mou, que no avança: *La seva mirada era estàtica i inexpressiva.*

estàtua estàtues *nom f* Figura feta amb pedra, marbre, metall, fusta, etc. que representa una persona, un animal, etc.: *Al museu hi ha moltes estàtues antigues.*

estatura estatures *nom f* Alçada d'una persona: *El meu germà és molt alt, té una estatura d'un metre noranta centímetres.*

estatut estatuts *nom m* Llei que diu com ha de funcionar una associació, una institució, etc.: *Els estatuts de l'associació de pares de l'escola diuen que s'ha de fer una reunió cada mes.* ▪ *El País Valencià, les Illes i Catalunya tenen un estatut d'autonomia, és a dir, una llei que deixa que es governin elles mateixes en algunes àrees.*

estavellar *v* Fer trossos una cosa, destruir-la llançant-la violentament contra una altra: *El cotxe es va desfrenar i es va estavellar contra un arbre.* Es conjuga com *cantar*.

estegosaure estegosaures *nom m* Tipus de dinosaure que tenia l'esquena molt geperuda i armada d'un rengle de plaques triangulars. 13

estel estels *nom m* **1** Astre que brilla al firmament amb llum pròpia, estrella: *Ahir a la nit es veien molts estels al cel.* **2** Tros de paper o de tela muntat sobre bastonets o canyetes i lligat a un cordill llarg que es va deixant anar perquè

pugi enlaire amb la força del vent: *Com que feia vent, vam fer volar l'estel.* **3 estel fugaç** Meteor lluminós que apareix com un estel que es mou ràpidament i s'apaga tot seguit.

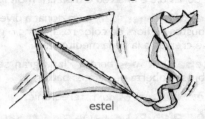
estel

estelat estelada estelats estelades *adj* **1** Ple d'estels: *Un cel clar i estelat.* **2** Adornat amb un estel: *Una bandera estelada.*

estella estelles *nom f* **1** Cadascun dels trossos de fusta tallats al llarg a cops de destral i amb els quals es fa foc. **2** Tros petit d'una fusta trencada: *Jugava amb una fusta i es va clavar una estella al dit, entre carn i ungla.*

estellar *v* Trencar un tros de fusta, un moble, etc. fent-ne estelles: *Podeu estellar aquestes cadires, així les aprofitarem per cremar.* Es conjuga com *cantar*.

estellós estellosa estellosos estelloses *adj* Es diu de la carn i d'altres menjars quan tenen fibres molt dures que costen de mastegar: *Uns espàrrecs estellosos.*

estenalles *nom f pl* Eina que consisteix en dues peces de metall encreuades que es poden separar i ajuntar i amb la qual es poden arrencar o tallar claus.

estendard estendards *nom m* Bandera amb una insígnia que representa una associació, un exèrcit, un estat, etc.

estendre *v* **1** Posar plana una cosa que estava plegada o enrotllada: *Vam desplegar un mapa i el vam estendre damunt la taula.* ▪ *Va estendre els braços per abraçar-me.* **2** Posar la roba molla al sol, penjada d'un cordill o d'un filferro perquè s'eixugui: *La meva mare sol estendre la roba al terrat.* **3 estendre's** Ocupar una certa superfície, una certa extensió: *El foc es va estendre ràpidament per tota la casa.* ▪ *La malaltia s'ha estès per tot el país.* **4** Parlar o escriure llargament sobre un tema: *El conferenciant es va estendre molt parlant del seu poble.* Es conjuga com *pretendre*.

estenedor estenedors *nom m* Conjunt de cordes, de filferros, etc. que es fan servir per a penjar-hi alguna cosa perquè s'eixugui, especialment la roba.

estentori estentòria estentoris estentòri-es *adj* Es diu d'una veu o d'un crit molt forts.

estepa[1] estepes *nom f* nom donat a diversos arbustos de flors de color rosa, blanc o groc, que creixen a la zona mediterrània.

estepa[2] estepes *nom f* Plana gran sense arbres i coberta de plantes baixes.

estèreo estèreos *adj* Estereofònic.

estereofònic estereofònica estereofònics estereofòniques *adj* Es diu dels aparells que graven o reprodueixen els sons amb una gran qualitat, de manera que sembla que s'estan escoltant en directe.

estèril estèrils *adj* **1** Que no dóna fruit, que no produeix: *Una terra estèril.* **2** Que no pot tenir ni engendrar fills: *Un home estèril, una dona estèril.* **3** Que no té microbis ni bacteris: *Les habitacions de l'hospital són estèrils.*

esterilitzar *v* **1** Fer tornar estèril. **2** Netejar un objecte de microbis i d'impureses. Es conjuga com *cantar.*

esterlí esterlina esterlins esterlines **1** *adj* Que està relacionat amb la lliura esterlina o amb l'esterlí. **2** *nom m* Moneda anglesa. **3** lliura esterlina Moneda de la Gran Bretanya.

estern esterns *nom m* Os pla i allargat del mig del pit on s'ajunten les costelles, estèrnum. **15**

esternoclidomastoïdal esternoclido-mastoïdals *nom m* Múscul del coll que permet de moure'l i girar-lo. **16**

esternudar *v* Fer un esternut. Es conjuga com *cantar.*

estèrnum estèrnums *nom m* Mira estern. **15**

esternut esternuts *nom m* Expulsió violenta d'aire pel nas i la boca, acompanyada d'un soroll fort: *S'ha refredat i no para de fer esternuts.*

estès estesa estesos esteses *adj* Que està posat tot llarg o pla: *L'ocell porta les ales esteses.* ▪ Hi ha roba estesa que s'està eixugant al sol.

estesa esteses *nom f* Quantitat gran de coses o de persones esteses o escampades: *Mira quina estesa de gent que hi ha a la platja prenent el sol!*

estètic estètica estètics estètiques *adj* Relacionat amb l'art i la bellesa: *A aquests estudiants els agrada molt d'observar l'efecte estètic de les pintures i de les escultures.*

estètica estètiques *nom f* **1** Part de la filosofia que tracta de l'art i de la bellesa. **2** Conjunt de tècniques que es fan servir per a fer el cos més bonic i, particularment, la pell.

esteticista esteticistes *nom m i f* Persona que té per ofici fer tractaments de bellesa de la pell i del cos.

estetoscopi estetoscopis *nom m* Aparell que serveix per a escoltar els batecs del cor o els sorolls que es produeixen en una altra part del cos: *El metge va examinar el malalt amb l'estetoscopi.*

estiba estibes *nom f* Conjunt de coses ben posades l'una al damunt de l'altra: *Al magatzem hi ha moltes estibes de caixes.*

estibador estibadora estibadors estiba-dores *nom m i f* Persona que treballa en un port i que s'encarrega de col·locar i d'apilar la mercaderia o la càrrega d'una embarcació.

estibar *v* **1** Col·locar objectes ben junts aprofitant bé l'espai. **2** Carregar i repartir adequadament la mercaderia en un vaixell. Es conjuga com *cantar.*

estic estics *nom m* Bastó que en l'hoquei serveix per a empènyer la pilota cap a la porteria.

estigma estigmes *nom m* **1** Senyal, marca que no es pot esborrar. **2** Part de la flor encarregada de rebre el pol·len.

estil estils *nom m* **1** Manera de fer una cosa pròpia d'una època, d'un país, d'una persona, etc.: *L'estil narratiu d'aquest escriptor és molt personal.* ▪ *Aquest nedador té molt bon estil.* **2** per l'estil D'una manera semblant, igual: *Vés a la pastisseria i porta un pastís o qualsevol cosa per l'estil.* **3** Prolongació de l'ovari de les flors, que té forma allargada i sosté l'estigma.

estilar-se *v* Ser un costum, ser una moda: *Avui dia no s'estila gaire portar enagos a sota les faldilles.* Es conjuga com *cantar.*

estilet estilets *nom m* Punyal de fulla molt prima i estreta.

estilitzar *v* Fer tenir la figura més alta, prima i esvelta: *Els modistes diuen que els vestits llargs*

i estrets estilitzen més el cos que els amples i curts. ▪ *S'ha aprimat i el cos li ha quedat més estilitzat.*
Es conjuga com *cantar*.

estilogràfic estilogràfica estilogràfics estilogràfiques *adj* i *nom f* Es diu de l'instrument per a escriure que té un dipòsit d'on va baixant la tinta fins que surt per una punta metàl·lica enganxada al mànec: *Regalarem al pare una ploma estilogràfica.*

ploma estilogràfica

estima estimes *nom f* **1** Valor, preu d'una cosa: *L'or és un metall de molta estima.* **2** Bona opinió que es té d'algú o d'alguna cosa: *Aquest professor té l'estima de tots els seus alumnes.*

estimació estimacions *nom f* **1** Sentiment d'afecte i d'amor. **2** Valoració aproximada del preu d'una cosa, del pes que té, etc.: *Abans de vendre la casa, vam contractar un arquitecte perquè fes una estimació dels diners que en podríem demanar.*

estimar *v* **1** Sentir amor o afecte per algú: *En Pere estima molt la seva germana.* ▪ *La Lluïsa i en Jordi s'estimen.* **2** Determinar el valor o el preu d'una cosa: *Els experts estimen que el valor de la joia és de quinze mil euros.* **3** Valorar positivament, tenir bona opinió d'algú o d'alguna cosa: *Estimem molt la vostra col·laboració en el projecte.* **4** **estimar-se més** Preferir, desitjar més una cosa que una altra: *Es va estimar més anar al cine que sortir a passeig.*
Es conjuga com *cantar*.

estimball estimballs *nom m* Lloc per on és fàcil d'estimbar-se o caure daltabaix, precipici.

estimbar *v* Caure o fer caure daltabaix d'un precipici, d'una certa altura: *El cotxe va sortir de la carretera i es va estimbar pel precipici.*
Es conjuga com *cantar*.

estímul estímuls *nom m* Allò que fa venir ganes de fer una cosa, que excita: *El concurs tenia uns premis molt bons que eren l'estímul perquè la gent hi participés.*

estimulant estimulants *adj* i *nom m* Es diu de les coses que estimulen, que exciten: *El cafè és una beguda estimulant.* ▪ *Alguns medicaments tenen efectes estimulants.*

estimular *v* Animar, excitar algú a fer una cosa: *El bon resultat del partit ha estimulat els jugadors a continuar lluitant per guanyar la competició.*
Es conjuga com *cantar*.

estintolar *v* Apuntalar.
Es conjuga com *cantar*.

estipular *v* Acordar, convenir: *Han estipulat una activitat per a cada dia de la setmana.* ▪ *Han estipulat apujar el preu del carbó.*
Es conjuga com *cantar*.

estirabot estirabots *nom m* Paraula o paraules d'una conversa o d'un escrit que no vénen al cas: *Amb quin estirabot surts tu ara! Això que dius no té cap sentit!*

estirada estirades *nom f* **1** Acció d'estirar una cosa: *Em va arrencar el botó de l'abric d'una estirada.* **2** Acció d'estirar-se, de créixer, crescuda ràpida: *En Jaume als tretze anys va fer una estirada molt forta.*

estira-i-arronsa estira-i-arronses *nom m* Seguit d'exigències i de concessions que es produeixen quan dues persones negocien una cosa: *Després d'un llarg estira-i-arronsa van arribar a una solució que satisfeia tothom.*

estirar *v* **1** Fer força pels dos extrems d'una cosa per allargar-la, fer força per portar una cosa cap a nosaltres: *Va estirar tant el cordill, que el va trencar.* ▪ *No estiris tan fort el calaix, que et caurà a terra.* **2** **estirar-se** Posar-se pla, ajeure's, per descansar o dormir: *El gos es va estirar a terra.* **3** Créixer: *En Jordi s'ha estirat molt, aquest any, ja és tan alt com la seva mare.* **4** **a tot estirar** Com a màxim, com a molt: *Em sembla que no hi anirem pas gaires, a l'excursió; a tot estirar serem cinc persones.* **5** **estirar les orelles** Renyar, castigar algú: *Si no et portes bé, t'estirarem les orelles.*
Es conjuga com *cantar*.

estirat estirada estirats estirades *adj* **1** Que està allargat, estès, tibant: *Té els cabells molt estirats.* ▪ *Camina amb els braços estirats.* **2** Ajagut: *El nen està estirat al llit.* ▪ *El gos està estirat a terra.* **3** Tibat, orgullós: *Es creu superior als altres i per això sempre va tan estirat.*

estireganyat estireganyada estireganyats estireganyades *adj* Deformat de tant

estirar-lo: *El coll del jersei t'ha quedat estireganyat de tant estirar-te'l.*

estiregassar *v* Estirar una cosa amb força, per arrossegar-la, per arrencar-la, etc.
Es conjuga com *cantar.*

estirp estirps *nom f* Origen d'una persona, tenint en compte els seus avantpassats: *Un individu d'estirp reial, descendent de reis.*

estisores *nom f pl* Instrument per a tallar que té dues peces de metall acabades en un mànec i unides per una peça que els permet d'obrir-se i tancar-se, tisores.

estiu estius *nom m* Estació de l'any, entre la primavera i la tardor: *A l'estiu, com que fa calor, a la gent li agrada de banyar-se.*

estiueig estiueigs o estiuejos *nom m* Vacances d'estiu que es passen en un lloc diferent d'aquell en què es viu durant la resta de l'any.

estiuejant estiuejants *nom m i f* Persona que estiueja, que passa l'estiu en una ciutat o en un poble diferent d'aquell en què viu durant la resta de l'any.

estiuejar *v* Passar l'estiu en un lloc diferent d'aquell on es viu durant tot l'any, per passar-hi les vacances, descansar, etc.: *Molta gent de la ciutat estiueja a la platja o a la muntanya.*
Es conjuga com *cantar.* S'escriu *j* davant de *a, o, u* i *g* davant de *e, i: estuejo, estuieges.*

estiuenc estiuenca estiuencs estiuenques *adj* Que és propi de l'estiu: *Pel juny ja comença la temporada estiuenca de concerts.*

estival estivals *adj* Que és propi de l'estiu.

estoc[1] estocs *nom m* Espasa llarga amb què només es pot ferir per la punta.

estoc[2] estocs *nom m* Quantitat de productes emmagatzemats en un comerç o en una empresa i destinats a la venda.

estofat estofats *nom m* Menjar fet amb trossos de carn i de patates, cebes, pastanagues, tomàquet, pèsols, etc., que s'han deixat coure a foc lent en una cassola o en una olla ben tapada.

estoig estoigs o estotjos *nom m* Capsa que serveix per a desar-hi un o més objectes: *Vam posar l'anell en un estoig molt bonic.* ■ *A la Mercè, els Reis li han passat un estoig de compassos.*

estol estols *nom m* **1** Colla, grup: *Un estol d'ocells.* **2** Grup de vaixells que van junts: *Un estol de vaixells.*

estoma estomes *nom m* Obertura petita de la pell de les fulles de les plantes.

estomac estomacs *nom m* Acció d'estomacar, d'apallissar.

estómac estómacs *nom m* Part ampla del tub digestiu on es paeixen els aliments: *He menjat massa i ara em trobo l'estómac carregat.* ■ 19

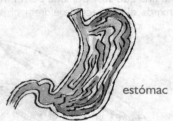

estómac

estomacal estomacals *adj* **1** Que està relacionat amb l'estómac. **2** Que és bo per a l'estómac, per a la digestió: *Una beguda estomacal.*

estomacar *v* Apallissar, pegar molt fort a algú.
Es conjuga com *cantar.* S'escriu *c* davant de *a, o, u* i *qu* davant de *e, i: estomaco, estomaques.*

estona estones *nom f* **1** Espai de temps més o menys llarg: *El tren va arribar tard i ens vam haver d'esperar molta estona.* **2** De tant en tant: *M'agrada llegir a estones.* **3** anar a estones Ser bo o dolent algú o alguna cosa, segons el moment: *És una persona que va a estones, de vegades és molt amable i d'altres vegades no s'hi pot parlar.*

estonià estoniana estonians estonianes **1** *nom m i f* Habitant d'Estònia; persona natural o procedent d'Estònia. **2** *adj* Es diu de les persones o de les coses naturals o procedents d'Estònia. **3** *nom m* Llengua que es parla a Estònia.

estontolar *v* Apuntalar.
Es conjuga com *cantar.*

estora estores *nom f* Peça de teixit fort que es posa al terra de les habitacions: *Abans d'entrar a casa, frega't els peus a l'estora que hi ha a davant de la porta.*

estordir *v* Deixar algú mig estabornit amb un cop.
Es conjuga com *servir.*

estoreta estoretes *nom f* **1** Estora petita. **2** estoreta elèctrica Coixí o peça de tela que s'escalfa amb corrent elèctric i que es posa sobre una part del cos per escalfar-la.

estornell estornells *nom m* Ocell que té el bec punxegut, les plomes fosques amb puntets de reflexos metàl·lics i la cua curta, i que vola en estols.

estossec estossecs *nom m* Moviment i soroll que es fa quan s'estossega.

estossegar *v* Tossir, tenir tos: *El meu cosí està refredat i no para d'estossegar.*
Es conjuga com *cantar*. S'escriu g davant de *a, o, u* i gu davant de *e, i*: estossego, estossegues.

estossinar *v* Destruir, matar a cops.
Es conjuga com *cantar*.

estovalles *nom f pl* Peça de roba que es posa damunt de la taula a l'hora de menjar: *Es va vessar el gerro d'aigua i es van mullar les estovalles.*

estovar *v* **1** Fer tornar tou o més tou: *La xocolata s'estova amb la calor.* ▪ *L'aigua estova la terra.* **2** Fer venir a algú sentiments de llàstima o de compassió: *El pare estava molt enfadat, però les llàgrimes del fill el van estovar i el va perdonar.* **3** Pegar: *Ens vam barallar i el vaig estovar.*
Es conjuga com *cantar*.

estrabisme estrabismes *nom m* Defecte de la vista que fa que cada ull miri en una direcció diferent.

estrada estrades *nom f* Part d'una sala o d'una habitació que té el terra a un nivell més alt que la resta, i a on es posa una taula, una cadira, etc.: *La taula del professor és la de damunt de l'estrada.*

estrafer *v* **1** Imitar una altra persona: *En Llorenç sap estrafer la veu de tots els professors.* **2** Canviar la veu d'un mateix perquè la gent no la pugui reconèixer: *Si vols fer-te passar per un altre, quan parlis per telèfon has d'estrafer la veu.*
Es conjuga com *desfer*.

estrafolari estrafolària estrafolaris estrafolàries *adj* Que es comporta, es vesteix, etc. d'una manera no gens normal, estranya: *Mira quin vestit més estrafolari que porta aquell noi!*

estragó estragons *nom m* Planta aromàtica que s'usa per a donar gust al menjar.

estrall estralls *nom m* Gran dany, gran destrucció: *La tempesta va fer molts estralls a les cases del poble.* ▪ *Les guerres causen molts estralls.*

estrambòtic estrambòtica estrambòtics estrambòtiques *adj* Extravagant, estrafolari, estrany: *Un barret molt estrambòtic.*

estranger estrangera estrangers estrangeres **1** *adj i nom m i f* Que és d'un altre país: *A l'estiu vénen al nostre país molts turistes estrangers.* **2** l'**estranger** *nom m* Conjunt dels països que no són el nostre: *Ha anat a estudiar cinc anys a l'estranger.*

estrangerisme estrangerismes *nom m* Paraula provinent d'una llengua estrangera: *"Stop" és un estrangerisme, una paraula agafada de l'anglès.*

estrangular *v* Escanyar, matar algú o algun animal prement-li el coll i no deixant-lo respirar.
Es conjuga com *cantar*.

estranquis Paraula que apareix en l'expressió d'**estranquis**, que vol dir "d'amagat": *Van travessar la frontera d'estranquis.*

estrany estranya estranys estranyes **1** *adj* Que és poc normal, que sorprèn: *Anant pel bosc vam veure un animal molt estrany.* ▪ *Aquell noi té un caràcter estrany.* ▪ *El cotxe fa un soroll estrany.* **2** *nom m i f* Desconegut, foraster: *En Tomàs era un estrany en aquella casa.* **3 fer estrany** Sorprendre, venir de nou: *Se'm fa estrany que en aquesta hora els nens no hagin arribat.*

estranyar *v* Causar sorpresa una cosa que és poc normal: *M'estranya que avui hagin vingut tan pocs nens a classe.*
Es conjuga com *cantar*.

estranyesa estranyeses *nom f* **1** Sensació de sorpresa que produeix una cosa estranya, poc normal: *La notícia de la desaparició del quadre va causar molta estranyesa a la policia.* **2** Allò que fa que una persona o una cosa sigui poc normal, estranya: *Una persona carregada d'estranyeses.*

estrassa estrasses *nom f* **1** Trossos de drap que es fan servir per a netejar els rajols. **2 paper d'estrassa** Paper de poca qualitat, que es fa servir per a embolicar paquets.

estrat estrats *nom m* Cadascuna de les capes que formen una cosa: *En els cingles d'algunes muntanyes es veuen molt bé els diferents estrats de roca que les formen.* ▪ *Els problemes econòmics afecten tots els estrats socials: empresaris, professionals, treballadors, jubilats, etc.*

estratagema estratagemes *nom m* Trampa, truc que es fa servir amb la intenció d'aconseguir una cosa: *El general va guanyar la batalla* gràcies a un estratagema, ja que va fer creure a l'enemic que atacaria per davant, però en realitat ho va fer per darrere.

estratègia estratègies *nom f* Conjunt d'accions planificades que es fan per aconseguir una cosa: *L'estratègia que va utilitzar aquell general per guanyar la guerra va consistir, primer, a apoderar-se dels nusos de comunicacions i de les ciutats més importants del país i, després, de la resta del territori.*

estrebada estrebades *nom f* Estirada forta i sobtada d'una cosa: *El lladre va robar la bossa de la senyora d'una estrebada.*

estrebar *v* Estirar amb força i de cop: *Han estrebat la corda i han arrencat l'arbust on estava lligada.*
Es conjuga com *cantar*.

estrella estrelles *nom f* **1** Astre que brilla al firmament amb llum pròpia, estel: *Hi ha un cel ben ple d'estrelles.* **2** Figura que representa un estel: *La bandera d'Europa té una estrella per a cada estat.* **3** Artista famós: *Aquell cantant s'ha convertit en una gran estrella.* **4 estrella de mar** Animal marí que té el cos pla en forma d'estrella. **5 tenir mala estrella** Tenir mala sort. **6 estrella fugaç** Meteor lluminós que apareix com un estel que es mou ràpidament i s'apaga tot seguit.

estrellat estrellada estrellats estrellades *adj* **1** Ple d'estrelles, estelat: *Un cel estrellat.* **2** Que té forma d'estrella. **3 ou estrellat** Ou ferrat.

estremir-se *v* Tremolar fortament: *Sols, de nit, enmig del bosc, ens estremíem de por.*
Es conjuga com *servir*.

estrena estrenes **1** *nom f* Acció d'estrenar una cosa: *Ahir es va fer l'estrena de l'obra de teatre.* **2** estrenes *nom f pl* Regal que es fa a algú per agrair-li un servei.

estrenar *v* **1** Usar, portar per primera vegada una peça de vestir nova, unes sabates, un cotxe, etc.: *Diumenge estrenaré les sabates noves.* **2** Representar per primera vegada: *L'obra de teatre es va estrenar ahir.*
Es conjuga com *cantar*.

estrènyer *v* **1** Perdre l'amplada, fer-se més estret: *Passada l'església, el carrer es va estrenyent.* **2** Fer pressió al voltant d'una cosa: *En Dídac es va estrènyer el cinturó perquè li anava massa ample.* **3** Posar o fer posar persones

o coses més acostades de manera que ocupin menys espai: *Si estrenyeu una mica més les taules, hi cabrem millor.* **4** Fer que una cosa quedi lligada amb més força: *Estreny més els nusos de les sabates, així no se't descordaran.*
Es conjuga com *témer*. Participi: *estret, estreta.*

estrep estreps *nom m* **1** Cadascuna de les peces de metall en les quals fica els peus la persona que munta a cavall. **2** Esglaó que serveix per a pujar o baixar d'un vehicle. **3** Os de l'orella. █ 5 **4 perdre els estreps** Perdre la paciència, posar-se molt nerviós, enfadar-se molt.

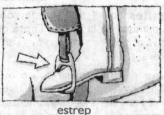
estrep

estrèpit estrèpits *nom m* Soroll molt fort: *L'estrèpit d'una bomba.*

estrepitós estrepitosa estrepitosos estrepitoses *adj* Que fa un soroll molt fort, que fa estrèpit, que fa molta impressió: *El tro va fer un soroll tan estrepitós que els vidres de la sala van tremolar.* ▪ *La victòria del nostre equip va ser estrepitosa, vam quedar 6 a 0.*

estrès estressos *nom m* Estat de cansament, de nervis i de tensió en què es troba una persona durant un temps, per culpa d'un excés de feina, de problemes, etc.

estret[1] estreta estrets estretes *adj* Poc ample, que estreny: *Vam haver de passar per un camí molt estret.* ▪ *Les sabates em van estretes i em fan mal.*

estret[2] estrets *nom m* Pas de poca amplada entre dues terres a través del qual es comunica un mar amb un altre: *L'estret de Gibraltar.*

estreta estretes *nom f* Acció d'estrènyer: *En Jordi i la Mercè es van saludar amb una estreta de mans.*

estretor estretors *nom f* **1** Qualitat d'estret: *L'estretor del carrer no deixava que hi passessin camions.* **2** Pobresa, falta de diners: *En temps de guerra, la gent passa moltes estretors.*

estri estris *nom m* Objecte qualsevol que serveix per a fer una feina, que fa un servei, etc.: *Un clauer és un estri per a guardar les claus.*

estria estries *nom f* **1** Solc, ratlla que hi ha en una superfície: *La columna estava decorada amb estries.* **2** Ratlla que surt a la pell quan s'ha estirat massa.

estribord estribords *nom m* Costat dret d'un vaixell, mirant-lo de popa a proa, és a dir, de darrere a davant.

estricte estricta estrictes *adj* **1** Que s'ha de complir rigorosament: *Les normes de la biblioteca de l'escola són molt estrictes i, si no les complim, no hi podrem entrar.* **2** Es diu de la persona que actua d'una manera severa i rigorosa, seguint les regles o les normes establertes: *La meva mestra és molt estricta: si no presentem els treballs amb correcció, els hem de tornar a fer.*

estrident estridents *adj* **1** Que té un so agut, desagradable: *Un crit estrident.* **2** Que no lliga amb el conjunt, que s'aparta del to normal: *Un vestit de colors massa estridents.*

estrip estrips *nom m* Tall llarg en una peça de roba produït per una estirada violenta o per una enganxada amb un objecte: *La Quima porta un estrip als pantalons.*

estripar *v* Fer malbé la roba o el paper, partint-lo, esqueixant-lo o esquinçant-lo: *D'una estirada se m'ha estripat la màniga del vestit.* ■ *Aquests papers ja es poden estripar.*
Es conjuga com *cantar*.

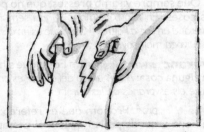
estripar

estrofa estrofes *nom f* Cadascun dels grups de versos d'un poema: *Un poema de tres estrofes de quatre versos cadascuna.*

estroncar-se *v* **1** Parar de rajar la sang d'una ferida, l'aigua d'una font, etc.: *Em vaig fer un tall molt profund i em rajava molta sang, però ja se m'ha estroncat.* **2** No continuar: *La seva carrera de cantant va quedar estroncada als vint anys a causa d'una malaltia.*
Es conjuga com *cantar*. S'escriu c davant de *a, o, u* i qu davant de *e, i*: *s'estronca, s'estronqui.*

estruç estruços *nom m* Ocell molt gros, que té el coll i les potes llargues i les ales petites, que no vola però que pot córrer molt.

estructura estructures *nom f* **1** Manera en què estan col·locats els elements, les parts, els òrgans d'un objecte o d'un cos: *L'estructura del cos humà és molt complicada.* **2** Conjunt d'elements resistents com ara columnes, bigues, etc. que aguanten un edifici. **3** Part interior d'una cosa que aguanta les altres parts.

estructurar *v* Organitzar una cosa de manera ordenada donant-hi una disposició i una forma determinades.
Es conjuga com *cantar*.

estuari estuaris *nom m* Tros estret de mar que ve a ser com la prolongació de la desembocadura d'un riu.

estudi estudis *nom m* **1** Acció d'estudiar: *Abans de sopar, fa una hora d'estudi cada dia.* **2** Treball d'investigació sobre alguna cosa: *El meu veí ha fet un estudi sobre la història del meu poble.* **3** Habitació on hi ha un escriptori, una llibreria, etc.; habitació on treballa un pintor, un escultor, etc. **4** Local preparat per a fer o enregistrar programes de ràdio i de TV: *Hem anat a visitar els estudis de TV3.* **5 fugir d'estudi** Canviar de conversa quan una cosa no interessa: *En Jaume, quan li parles de treballar, sempre fuig d'estudi.*

estudiant estudiants *nom m i f* Persona que estudia en una escola, a la universitat, en un institut, etc.

estudianta estudiantes *nom f* Noia o dona que estudia en una escola, a la universitat, etc.

estudiantil estudiantils *adj* Que té relació amb els estudiants.

estudiar *v* **1** Dedicar-se a aprendre una matèria, preparar-se per a una feina: *En Robert ha estudiat medicina i ja és metge.* **2** Preparar una lliçó, aprendre-la: *Hem d'estudiar la lliçó de ciències per demà.* **3** Analitzar un fet, una situació, un problema, etc., considerant-ne tots els aspectes: *Hem d'estudiar bé la situació abans de prendre una decisió.*
Es conjuga com *canviar*.

estudiós estudiosa estudiosos estudioses *adj i nom m i f* Es diu d'una persona que estudia molt o que és una experta en una matèria: *En Pau és un estudiós de les plantes aquàtiques.*

339

estufa estufes *nom f* Aparell que produeix calor, que funciona amb electricitat, gas, petroli, llenya, etc. i que serveix per a escalfar una habitació, una sala, etc.: *Haurem d'encendre l'estufa de llenya perquè fa molt fred.*

estufar-se *v* **1** Inflar-se, sentir-se satisfet: *Quan li van dir que el seu dibuix estava molt ben fet, es va estufar tot ell.* **2** Augmentar de volum una cosa fent-se menys atapeïda: *Aquesta porta s'estufarà quan l'escalfem.* Es conjuga com *cantar.*

estupefacte estupefacta estupefactes *adj* Molt admirat, molt sorprès d'una cosa: *Ens vam mirar, estupefactes, l'actuació de l'acròbata.*

estupefaent estupefaents *nom m* Droga que costa de deixar, que crea addicció.

estupend estupenda estupends estupendes *adj* Molt bo, magnífic, admirable: *Des de dalt de la muntanya vèiem una vista estupenda.*

estúpid estúpida estúpids estúpides *adj* i *nom m* i *f* Molt poc intel·ligent.

estupidesa estupideses *nom f* **1** Cosa estúpida, bestiesa: *Si has de dir una altra estupidesa, més val que callis!* **2** Qualitat d'estúpid.

estupor estupors *nom m* o *f* Sorpresa o admiració molt gran, que provoca una emoció molt forta: *Aquell fet tan greu va causar estupor entre els veïns.*

esturió esturions *nom m* Peix gros de cos allargat que viu al mar i pon els ous al riu, els quals són un menjar molt apreciat anomenat caviar.

esvair *v* Escampar, desfer, fer desaparèixer: *El vent va esvair la boira.* Es conjuga com *reduir.*

esvalot esvalots *nom m* Soroll molt fort, cridòria: *Quin esvalot que fan els nens quan surten de l'escola!*

esvalotador esvalotadora esvalotadors esvalotadores *adj* Que esvalota, que provoca cridòria i excitació: *Un infant molt esvalotador.*

esvalotar *v* Fer soroll, crits, desordre, etc.: *Quan el professor va sortir de la classe, els nens es van esvalotar.* Es conjuga com *cantar.*

esvalotat esvalotada esvalotats esvalotades *adj* i *nom m* i *f* Que fa les coses sense pensar-s'hi, esbojarrat: *En Miquel és un noi molt esvalotat, no està mai quiet i sempre fa les coses de pressa i corrents.*

esvarar *v* Relliscar. Es conjuga com *cantar.*

esvelt esvelta esvelts esveltes *adj* De figura bonica, de formes boniques, primes i llargues, àgils: *Una persona molt esvelta. Un edifici esvelt.*

esventar *v* **1** Escampar alguna cosa al vent. **2** Fer córrer una notícia: *Els diaris van esventar la notícia de l'atemptat.* Es conjuga com *cantar.*

esventrar *v* **1** Obrir el ventre d'un animal. **2** Rebentar una cosa: *El terratrèmol va esventrar els edificis vells del nucli antic de la ciutat.* Es conjuga com *cantar.*

esverament esveraments *nom m* Alarma, espant, situació de nervis: *La notícia va provocar un esverament general.*

esverar *v* Fer posar algú nerviós, alarmar-lo, espantar-lo: *El soroll del tro va esverar el cavall, que va començar a córrer i a renillar.* Es conjuga com *cantar.*

esverat esverada esverats esverades *adj* i *nom m* i *f* **1** Nerviós, alarmat, espantat: *El gos ens empaitava i nosaltres corríem esverats.* **2** Que sempre va amb presses, que no pensa les coses: *En Martí té molta feina i sempre va esverat d'un lloc a l'altre.* ▪ *Com que és un esverat, s'equivoca molt sovint.*

esvoranc esvorancs *nom m* Forat que s'ha fet en alguna cosa: *A la muralla del castell es podien veure els esvorancs de les bombes.*

et -te t' 't *pron* Pronom que es refereix a la persona a qui es parla i que va al costat del verb, sol o acompanyat d'un altre pronom: *Si m'ajudes, et donaré tres euros.* ▪ *T'agrada jugar a bàsquet?*

etapa etapes *nom f* Cadascuna de les parts en què es divideix una cursa, un viatge, un procés, etc.: *La cursa ciclista tindrà tres etapes de 100 quilòmetres cadascuna.* ▪ *La vellesa és l'última etapa de la vida.*

etc. Forma abreujada d'escriure la paraula "etcètera".

etcètera Paraula que vol dir "i els altres", "i la resta", "i altres coses", i que se sol escriure amb l'abreviatura "etc.": *A l'aparcament hi havia molts vehicles: camions, cotxes, carros, etcètera.*

èter èters *nom m* **1** Conjunt dels espais celestes. **2** Líquid volàtil i molt inflamable.

eteri etèria eteris etèries *adj* **1** Que està relacionat amb l'èter. **2** Es diu de qualsevol cosa que és molt poc concreta, irrealitzable: *Les seves propostes sempre són molt etèries i mai no es concreten en res.*

etern eterna eterns eternes *adj* Que no té principi ni fi, que ha existit i existirà sempre.

eternitat eternitats *nom f* Duració eterna, sense final.

eternitzar-se *v* Durar molt una cosa, no acabar-se mai: *L'hivern s'eternitzava i la primavera no acabava d'arribar.*
Es conjuga com *cantar*.

ètic ètica ètics ètiques *adj* **1** Que està relacionat amb l'ètica. **2** Es diu d'un comportament que és correcte, moral, adequat: *Enganyar les persones per aprofitar-se'n no és ètic.*

ètica ètiques *nom f* Part de la filosofia que tracta de com s'han de comportar les persones, d'allò que està ben fet o mal fet, etc.

etílic etílica etílics etíliques *adj* Que té relació amb l'alcohol, amb les begudes alcohòliques.

etiqueta etiquetes *nom f* **1** Tros de paper, de cartolina, etc. que s'enganxa a un objecte i que porta escrit el preu, la marca, etc.: *L'etiqueta d'aquest vestit diu que val cent vuitanta euros.* **2 anar vestit d'etiqueta** Anar molt ben vestit, molt elegant, com quan s'ha d'assistir a un acte solemne: *Tots els convidats al sopar ofert pel president anaven vestits d'etiqueta.*

etiquetar *v* Enganxar etiquetes: *Després d'envasar el vi, etiqueten les ampolles.*
Es conjuga com *cantar*.

ètnia ètnies *nom f* Conjunt de persones que comparteixen algunes característiques importants, com ara la llengua, la cultura, els costums, etc.

etno- Element amb què comencen algunes paraules i que vol dir "ètnia, raça, poble".

etzibar *v* **1** Pegar, donar un cop amb la mà o amb algun objecte: *Un jugador de l'equip contrari em va etzibar un cop de peu.* ■ *Aquell nen m'ha etzibat un roc i m'ha tocat la cama.* **2** Dir una cosa de cop i sense pensar-s'hi gaire: *Li vaig etzibar les meves opinions i ell va quedar glaçat.*
Es conjuga com *cantar*.

eucaliptus uns eucaliptus *nom m* **1** Arbre propi d'Austràlia, molt apreciat per la seva fusta, amb la qual es fa paper. **2** Substància que es treu de les flors de l'eucaliptus i que fa molta olor: *Els caramels d'eucaliptus van bé per a la tos.*

eucaristia eucaristies *nom f* Celebració religiosa en la qual es commemora la mort i la resurrecció de Jesucrist i que totes les Esglésies cristianes consideren el sagrament més important.

eufòria eufòries *nom f* Alegria que no es pot dissimular, sensació agradable de vitalitat i de benestar: *L'arribada del bon temps sempre em produeix eufòria.*

euga eugues *nom f* Femella del cavall, egua.

euro euros *nom m* Moneda dels Estats membres de la Unió Europea.

europeu europea europeus europees *adj* i *nom m* i *f* Es diu de les persones o de les coses naturals o procedents d'Europa.

èuscar èuscara èuscars èuscares **1** *adj* Que està relacionat amb la llengua basca, també anomenada èuscar: *La llengua èuscara és la llengua pròpia del País Basc.* **2** *nom m* Llengua basca.

eutanàsia eutanàsies *nom f* **1** Mort sense sofriment que es provoca a una persona que té una malaltia dolorosa i incurable, a fi que s'estalviï de patir: *Hi ha gent que creu que s'hauria de permetre de practicar l'eutanàsia als malalts incurables que ho demanin.* **2 eutanàsia passiva** Mort que es produeix quan a un malalt greu no se li fa un tractament o una operació per tal d'evitar-li sofriments inútils.

evacuació evacuacions *nom f* Acció de fer marxar, de treure la gent d'un lloc perquè hi ha un perill: *L'incendi va obligar a fer l'evacuació de tots els habitants de les cases.*

evacuar *v* **1** Fer marxar un grup de persones del lloc on s'estaven: *Davant el perill que la casa s'ensorrés, la policia va evacuar tota la gent que hi vivia.* **2** Fer caca, defecar.
Es conjuga com *canviar*.

evadir-se *v* **1** Escapar-se d'una presó. **2** Procurar allunyar-se d'un problema, desentendre-se'n, distreure's: *Per evadir-se dels problemes, cada dia es passa una hora jugant a tennis.*
Es conjuga com *servir*.

evangeli evangelis *nom m* **1** Missatge cristià: *Després de la mort i la resurrecció de Jesucrist, els seus deixebles van començar de predicar l'evangeli.* **2** Cadascun dels quatre llibres del Nou Testament que expliquen la doctrina, la vida i els miracles de Jesucrist.

evaporació evaporacions *nom f* Transformació d'un líquid en vapor.

evaporar *v* **1** Convertir un líquid en vapor: *La calor evapora l'aigua.* **2** evaporar-se Escapar-se, desaparèixer: *Aquell pobre home va anar a buscar el cotxe al garatge, però s'havia evaporat, l'hi havien robat.*
Es conjuga com *cantar*.

evasió evasions *nom f* Acció d'evadir-se, d'escapar-se d'una situació que no agrada o no interessa, fugida: *Els diaris d'avui publiquen la notícia de l'evasió dels lladres de la presó.*

eventual eventuals *adj* **1** Es diu d'una feina que només es fa durant una temporada, que no és fixa: *El meu pare ha trobat una feina eventual de sis mesos.* **2** Es diu d'una cosa que tant pot ser que passi com que no, segons les circumstàncies: *La policia estarà preparada per intervenir en els desordres eventuals que es puguin produir durant el partit.*

evidència evidències *nom f* **1** Cosa clara, evident, que no admet dubtes: *L'autor de la malifeta va ser castigat davant l'evidència del delicte que havia comès.* **2** posar algú en evidència Fer que un defecte, una mala acció, etc. es descobreixi davant algú: *La seva mala educació el va posar en evidència davant els amics.*

evident evidents *adj* Clar, segur, que no presenta dubtes: *Com que els carrers són molls, és evident que ha plogut.*

evidentment *adv* Com ja era d'esperar, d'una manera evident: *No m'has fet cas i, evidentment, t'has tornat a equivocar.*

evitar *v* **1** Impedir, no deixar que passi una cosa: *Hem d'evitar que el foc destrueixi els boscos del nostre país.* **2** Procurar de no trobar algú: *En Miquel està enfadat amb mi i ara m'evita.*
Es conjuga com *cantar*.

evocar *v* Recordar, fer venir alguna cosa a la memòria, a la imaginació: *L'avi sol evocar els temps de la seva joventut.*
Es conjuga com *cantar*. S'escriu *c* davant de *a, o, u* i *qu* davant de *e, i*: *evoco, evoques.*

evolució evolucions *nom f* **1** Procés de canvi, de transformació, de desenvolupament d'una cosa: *La ciència ha sofert una gran evolució durant el segle xx.* **2** Moviment que forma part d'una sèrie de moviments: *Els ballarins feien unes complicades evolucions a l'escenari.*

evolucionar *v* **1** Canviar, desenvolupar-se, transformar-se una cosa: *La medicina evoluciona molt de pressa i ha donat grans remeis.* **2** Fer evolucions.
Es conjuga com *cantar*.

ex- Prefix, element que s'afegeix al davant d'una paraula i que vol dir que "algú era però ja no és el que aquesta paraula significa": *El senyor Roca és l'expresident de la companyia; l'actual president és el seu fill.*

exabrupte exabruptes *nom m* Cosa que es diu bruscament, sense pensar-la, d'una manera grollera: *Li vaig demanar la clau amb molta amabilitat, però em va respondre amb un exabrupte, dient "i tu per què carai la vols?"*

exacerbar *v* Irritar, exasperar, fer més fort un sentiment o una emoció: *Les trampes que feia aquell nen, quan jugava, feien exacerbar els ànims dels companys de joc.*
Es conjuga com *cantar*.

exacte exacta exactes *adj* **1** Que coincideix amb la veritat: *Això que dius és exacte.* **2** Que està ben calculat, ben mesurat, precís: *La mida exacta d'aquest bastó és de 80 centímetres. Aquest rellotge és molt exacte.* **3** Es diu de coses o de dues persones que s'assemblen molt: *El caràcter d'aquest nen és exacte que el del seu pare.*

exactitud exactituds *nom f* Qualitat d'exacte: *Hem de calcular amb exactitud els diners que necessitem per a l'excursió.*

exageració exageracions *nom f* Acció d'explicar o de fer una cosa de manera que sembli més greu o més important del que és en realitat: *Dir que avui ha plogut tot el dia és una exageració: només han caigut quatre gotes.*

exagerar *v* Explicar o fer una cosa de manera que sembli més greu o més important del que és en realitat; fer més del que és necessari de fer: *Tu sempre exageres, només va ploure una mica i dius que hi va haver una inundació.* Es conjuga com *cantar.*

exagerat exagerada exagerats exagerades **1** *adj* Que és més del necessari, que sembla més important del que és en realitat: *El preu d'aquesta camisa és exagerat, és molt cara.* **2** *adj i nom m i f* Es diu de la persona que exagera, que explica les coses de forma exagerada: *En Jaume és molt exagerat, diu que està molt malalt i només està una mica refredat.*

exalçar *v* Alabar algú o alguna cosa dient-ne coses molt bones: *L'endemà de l'exposició, la premsa va exalçar molt l'obra d'aquell artista.* Es conjuga com *cantar.* S'escriu *ç* davant de *a, o, u* i *c* davant de *e, i: exalço, exalces.*

exaltació exaltacions *nom f* Fet o acció d'exaltar-se, d'esverar-se: *Quan l'àrbitre va anul·lar el gol, entre la gent es va produir una gran exaltació.*

exaltar-se *v* Esverar-se molt, posar-se nerviós, deixar-se emportar per una emoció o un sentiment. Es conjuga com *cantar.*

exaltat exaltada exaltats exaltades *adj i nom m i f* Molt nerviós, molt esverat, que s'exalta amb facilitat.

examen exàmens *nom m* **1** Acció d'examinar: *El metge va fer l'examen del malalt i va dir que la malaltia no era greu.* **2** Prova escrita o oral que es fa a un estudiant per comprovar el coneixement que té d'una matèria: *Estic estudiant molt fort perquè demà passat tinc un examen de matemàtiques.*

examinar *v* **1** Mirar, observar algú o alguna cosa atentament, amb detall, etc.: *El metge va examinar el malalt i va veure que li havien sortit unes taques a la pell.* **2** Comprovar els coneixements adquirits per algú. Es conjuga com *cantar.*

exasperant exasperants *adj* Que fa posar nerviós, que exaspera: *Trobo exasperant que m'hagi d'esperar tanta estona al carrer fins que arribis.*

exasperar *v* Fer que algú es posi nerviós o s'enfadi: *Aquell càstig injust va exasperar els alumnes.* Es conjuga com *cantar.*

excavació excavacions *nom f* **1** Forat fet a terra. **2** Exploració que es fa d'un terreny, excavant-lo, per trobar restes d'objectes o de monuments antics.

excavadora excavadores *nom f* Màquina que serveix per a excavar i que pot remoure grans quantitats de terra amb una gran pala dentada.

excavadora

excavar *v* **1** Fer un sot o una cavitat a terra. **2** Explorar un terreny, fent-hi sots, per trobar restes d'objectes o de monuments antics. Es conjuga com *cantar.*

excedència excedències *nom f* Període de temps en què una persona deixa una feina per dedicar-se a una altra cosa, sabent que després pot tornar a agafar la feina d'abans: *La meva professora ha de tenir un fill i tindrà quatre mesos d'excedència per a poder-lo cuidar; després tornarà a la feina.*

excedent excedents *adj i nom m* Que sobra: *L'empresa va invertir el capital excedent en la construcció d'un nou edifici.*

excedir *v* **1** Passar dels límits previstos: *La quantitat de pluja caiguda va excedir totes les previsions.* **2** excedir-se Passar-se del límit considerat convenient: *No convé excedir-se en el menjar.* Es conjuga com *servir.*

excel·lència excel·lències *nom f* **1** Qualitat d'excel·lent: *El venedor ens va explicar les excel·lències d'aquell cotxe que ens agradava tant.* **2** Tractament d'honor que es dóna a algunes persones que tenen càrrecs molt importants: *Sa Excel·lència el Governador.* **3** per excel·lència Allò més representatiu, a què més s'escau un nom o una qualitat: *Els Beatles són el conjunt de rock per excel·lència.*

excel·lent excel·lents **1** *adj* Molt bo, magnífic, que destaca per sobre dels altres: *Un estudiant excel·lent. Un menjar excel·lent. Una pel·lícula excel·lent.* **2** *nom m* Nota màxima en un examen, en una assignatura: *Aquest any he tingut un excel·lent de llengua.*

excel·lentíssim excel·lentíssima excel·lentíssims excel·lentíssimes *adj* Tractament d'honor que es dóna a algunes persones que tenen càrrecs importants: *Vaig escriure una carta a l'alcalde i la vaig començar dient "Excel·lentíssim senyor..."*

excels excelsa excelsos excelses *adj* Es diu d'algú o d'alguna cosa que sobresurt de la resta perquè té molta qualitat: *La novel·la "Tirant lo blanc" és una obra excelsa.*

excèntric excèntrica excèntrics excèntriques *adj i nom m i f* Que fa coses estranyes i incomprensibles per a la majoria de persones: *Aquell senyor era molt excèntric i, en comptes de treure a passejar un gosset, treia a passejar un porquet.*

excepció excepcions *nom f* Allò que no segueix la regla o la norma, que és diferent dins un conjunt de coses, que no es comporta igual: *Tothom va sortir al pati, amb l'excepció del mestre, que es va quedar treballant dins la classe.* ▪ *Les paraules femenines solen acabar en "a", però "mare" és una excepció.*

excepcional excepcionals *adj* Poc corrent, no gaire normal, extraordinari: *Aquell atleta és excepcional, molt bo.* ▪ *Que nevi prop del mar és una cosa estranya, excepcional.*

excepte *prep* Fora de: *Tothom reia, excepte en Cebrià, que plorava.*

exceptuar *v* No incloure en un conjunt, fer una excepció: *Si exceptuem el diumenge i el dilluns, la majoria de les botigues estan obertes matí i tarda durant tota la setmana.* Es conjuga com *canviar.*

excés excessos *nom m* Allò que passa de la mida o del límit: *Al cine hi havia un excés de gent, hi cabien 1.000 persones i n'hi havia 1.200.* ▪ *L'excés de menjar perjudica la salut.*

excessiu excessiva excessius excessives *adj* Que passa de la mida, que passa del límit: *Estudiar deu hores diàries és excessiu.*

excessivament *adv* Amb excés, d'una manera excessiva: *Ha menjat excessivament i ara té mal de panxa.*

excitació excitacions *nom f* 1 Acció d'excitar. 2 Estat de nervis, de molta activitat, de molta emoció.

excitant excitants *adj i nom m* Que produeix excitació, que fa posar nerviós: *El cafè és una beguda excitant.*

excitar *v* Fer perdre la calma, posar nerviós, fer que una sensació o un sentiment se senti d'una manera més forta: *Aquesta música m'excita i no em deixa treballar tranquil.* Es conjuga com *cantar.*

exclamació exclamacions *nom f* Paraula o paraules que es diuen per a expressar una emoció forta, una pena, una alegria, una sorpresa, etc.

exclamar *v* 1 Dir paraules d'admiració, de sorpresa, d'alegria, etc.: *Quan va veure les flors, va exclamar: "Oh, que boniques!"* 2 **exclamar-se** Queixar-se, protestar amb força: *La gent s'exclama que la vida és molt cara.* Es conjuga com *cantar.*

exclamatiu exclamativa exclamatius exclamatives *adj* 1 Propi de l'exclamació. 2 Es diu de la frase que expressa dolor, ràbia, alegria, etc. i que, per escrit, porta el signe "!" al final: *"Que bé que t'ha sortit aquesta prova!" és una frase exclamativa.*

excloure *v* Separar, treure algú d'un grup, no deixar-lo participar en una activitat: *Tots els qui feien trampa han estat exclosos del joc.* Es conjuga com *concloure.*

exclusió exclusions *nom f* Acció de separar algú d'un grup, de fer-lo fora, de no deixar-lo participar en una activitat: *La direcció del club va acordar l'exclusió dels membres que es negaven a complir les normes.*

exclusiu exclusiva exclusius exclusives *adj* Que no és per a tothom, que és reservat per a uns quants: *Aquesta piscina és d'ús exclusiu per a la gent que s'està en aquest hotel.*

exclusivament *adv* D'una manera exclusiva, excloent tota altra cosa o persona: *La llar de jubilats és exclusivament per a la gent gran.*

excreció excrecions *nom f* 1 Acció d'excretar, de treure fora del cos substàncies que ja no es poden aprofitar. 2 Substància que es treu fora del cos, que s'excreta: *La suor és una excreció.*

excrement excrements *nom m* Residu dels aliments que s'han digerit i que s'elimina per l'anus.

excretar *v* Treure fora del cos substàncies que l'organisme ja no pot aprofitar. Es conjuga com *cantar.*

excretor excretora excretors excretores *adj* 1 Que està relacionat amb l'excreció. 2

aparell excretor Conjunt d'òrgans encarregats de treure fora del cos les substàncies que ja no es poden aprofitar. **19**

exculpar *v* Dir o provar que algú no és culpable d'una cosa: *Els acusats del robatori han estat exculpats pel testimoni, que no els ha reconegut.* Es conjuga com *cantar*.

excursió excursions *nom f* Viatge curt que es fa per passar-ho bé, per visitar algun lloc, etc.: *Demà, amb els de la classe, anirem d'excursió a Arenys de Mar.*

excursionisme excursionismes *nom m* Conjunt d'activitats de muntanya que inclouen l'exercici, l'esport i el coneixement de la natura.

excursionista excursionistes **1** *nom m i f* Persona que fa excursions, a qui agrada d'anar d'excursió. **2** *adj* Que està relacionat amb l'excursionisme: *Un centre excursionista.*

excusa excuses *nom f* Raó que explica o justifica una cosa, paraula o paraules que es diuen per a demanar perdó o disculpes, per a excusar-se: *Va arribar tard i va donar l'excusa que havia hagut d'anar al metge.*

excusar-se *v* Demanar perdó d'una cosa, explicar el motiu pel qual no s'ha fet una cosa que s'havia d'haver fet: *Es va excusar d'haver arribat tard dient: "Em sap greu, però he hagut de fer uns encàrrecs."* Es conjuga com *cantar*.

execrable execrables *adj* Es diu d'una cosa molt dolenta, que mereix ser fortament criticada i rebutjada.

execució execucions *nom f* **1** Acció de fer una cosa, d'executar-la: *Els soldats van executar l'ordre del coronel.* **2** Acció de matar una persona que ha estat condemnada a mort.

executar *v* **1** Fer, realitzar una cosa que s'havia decidit de fer: *El soldat va executar tot el que li havia manat el capità.* **2** Matar una persona que ha estat condemnada a mort. Es conjuga com *cantar*.

executiu executiva executius executives *adj i nom m i f* **1** Es diu de la persona que és membre de la direcció d'una empresa: *La mare de la Marina és executiva d'una empresa de productes farmacèutics.* **2** **òrgan executiu** o **consell executiu** Grup de persones que s'encarreguen de dirigir un partit, un govern, una empresa, etc.

exemplar exemplars **1** *adj* Que pot servir d'exemple: *En Pere treballa molt, és un estudiant exemplar.* **2** *nom m* Cadascun dels éssers d'una espècie: *Un bon exemplar de cavall.* **3** *nom m* Cadascun dels llibres d'una mateixa edició: *D'aquest llibre, se n'han publicat 10.000 exemplars.*

exemple exemples *nom m* **1** Fet, cas, situació concreta que serveix per a aclarir una explicació: *El professor, quan explica matemàtiques, ens posa molts exemples.* ▪ *Al nostre país hi ha molts tipus d'arbres; per exemple: el roure, el pi, l'alzina, etc.* **2** Persona o cosa que es posa com a model a seguir: *La Llúcia estudia molt, és un exemple per als altres alumnes.*

exemplificar *v* Posar exemples per fer més comprensible una explicació, per demostrar una afirmació. Es conjuga com *cantar*. S'escriu *c* davant de *a, o, u* i *qu* davant de *e, i*: exemplifico, exemplifiques.

exempt exempta exempts exemptes *adj* Que ha quedat lliure d'una obligació, que no està obligat a fer una cosa: *Com que tinc el braç trencat, he quedat exempt de fer els deures durant tot el mes.*

exèquies *nom f pl* Cerimònies religioses que es fan per a algú que ha mort.

exercici exercicis *nom m* **1** Treball pràctic que serveix per a aprendre o repassar una matèria, un aprenentatge, una activitat: *El deure d'avui consisteix a fer cinc exercicis de matemàtiques.* **2** Acció de practicar o d'exercir una professió, etc.: *Aquell metge fa quaranta anys que es dedica a l'exercici de la medicina.* **3 fer exercici** Fer activitat física, córrer, fer esport, etc.: *Els metges recomanen fer exercici.*

exercir *v* **1** Fer les feines o els deures propis d'una professió: *Aquell senyor exerceix de metge.* **2** Fer servir algú el poder o l'autoritat que té: *El rei va exercir el seu poder per castigar els enemics.* **3** Realitzar una funció: *La llum exerceix una acció beneficiosa per a les plantes.* Es conjuga com *servir*.

exèrcit exèrcits *nom m* **1** Conjunt dels soldats i de les forces militars d'un país. **2** Gran multitud: *Ens va atacar un exèrcit de mosquits.*

exercitar *v* Fer exercicis a fi d'aprendre a fer una cosa: *Cada dia s'exercita dues hores tocant el piano.* Es conjuga com *cantar*.

exhalar *v* Deixar anar una olor, un gas, etc.: *Les flors exhalaven els seus perfums.* Es conjuga com *cantar*.

exhaurir *v* Gastar, consumir totalment una cosa, esgotar-la: *Hem anat a comprar el llibre de contes, però a la llibreria ens han dit que no els en quedava cap exemplar, que estava exhaurit.* Es conjuga com *servir*.

exhaust exhausta exhausts o exhaustos exhaustes *adj* Esgotat, exhaurit, molt cansat, sense forces: *Vam arribar exhaustes al cim de la muntanya.*

exhaustiu exhaustiva exhaustius exhaustives *adj* Extens, complet, que no deixa res per fer o per tractar: *El metge em va fer una revisió exhaustiva de tot el cos.* ■ *Han fet un estudi exhaustiu de la fauna de la zona.*

exhibició exhibicions *nom f* Acció d'exhibir, de mostrar una cosa davant d'algú: *Els dissenyadors de roba i els modistes han organitzat una exhibició de la moda d'aquesta temporada per a dissabte vinent.*

exhibir *v* Ensenyar, mostrar una cosa públicament: *Els aparadors de les botigues exhibeixen les coses que venen.* Es conjuga com *servir*.

exhortar *v* Animar algú a fer una cosa amb paraules que convencen. Es conjuga com *cantar*.

exhumar *v* Desenterrar. Es conjuga com *cantar*.

exigència exigències *nom f* Acció d'exigir, de demanar una cosa amb totes les forces.

exigent exigents *adj* Que demana, que exigeix molt: *És un mestre exigent, que fa treballar molt els alumnes.*

exigir *v* Demanar una cosa amb totes les forces, perquè es té el dret o el poder per a aconseguir-la: *Els veïns exigeixen a l'ajuntament que els asfalti el carrer.* ■ *El policia ens va exigir que li ensenyéssim el carnet de conduir.* Es conjuga com *servir*.

exigu exigua exigus exigües *adj* Molt petit, insuficient, escàs.

exili exilis *nom m* Obligació en què es troba una persona o un grup de persones d'anar-se'n a viure fora del seu país, per motius polítics, de guerra, etc.

exiliar *v* **1** Condemnar algú a viure fora del seu país; expulsar una persona del seu país per motius polítics, de guerra, etc. **2** exiliar-se Anar-se'n a viure una persona fora del seu país per motius polítics, de guerra, etc. Es conjuga com *canviar*.

exiliat exiliada exiliats exiliades *adj i nom m i f* Es diu de la persona que s'ha vist obligada a deixar el seu país, sobretot per motius polítics, i que ha de viure en un altre país.

eximir *v* Alliberar algú d'una obligació: *L'han eximit de fer el servei militar a causa de la lesió que té a l'esquena.* Es conjuga com *servir*.

existència existències *nom f* Fet d'existir una cosa: *S'ha descobert l'existència d'una planta fins ara desconeguda.*

existències *nom f pl* Productes que es guarden en un magatzem o en una botiga per a ser venuts: *Aquesta botiga ven tant, que sovint acaba les existències.*

existent existents *adj* Que existeix, que és.

existir *v* Ser realitat una cosa: *Les estrelles de mar existeixen, però les sirenes, no.* Es conjuga com *servir*.

èxit èxits *nom m* Bon resultat que aconsegueix una cosa, una activitat, un producte, etc.: *L'obra de teatre ha tingut molt èxit.*

ex-libris uns ex-libris *nom m* Marca, sovint consistent en un dibuix, impresa en un full petit que es posa a dins dels llibres per a indicar-ne el propietari.

èxode èxodes *nom m* Emigració d'un grup molt nombrós de gent d'un lloc cap a un altre: *Les guerres produeixen l'èxode massiu de població cap als països veïns.*

exorbitant exorbitants *adj* Excessiu, que supera molt els límits: *El preu d'aquest cotxe és exorbitant, no me'l podré pas comprar mai.*

exorcisme exorcismes *nom m* Ritu que es fa per a expulsar els mals esperits de l'interior d'una persona.

exòtic exòtica exòtics exòtiques *adj* Estrany, estranger, propi d'un país llunyà: *Un jardí de plantes exòtiques.*

expandir-se *v* Créixer, augmentar, eixamplar-se o escampar-se una cosa: *La notícia es va expandir ràpidament arreu del país.* Es conjuga com *servir*.

expansió expansions *nom f* Creixement, eixamplament, augment del volum d'una cosa, acció d'expandir-se, d'escampar-se una cosa.

expansionar-se*v* Mostrar de forma oberta els sentiments, esbravar-se: *Va treure la ràbia que tenia a dins expansionant-se amb els amics i fent-los crits.*
Es conjuga com *cantar.*

expectació expectacions *nom f* Espera d'una cosa que ha de passar aviat: *L'arribada de la cursa ciclista en aquell poblet va despertar una gran expectació i tota la gent era al carrer o als balcons, esperant el moment.*

expectativa expectatives *nom f* **1** Espera d'una cosa que ha de passar: *L'expectativa dels exàmens el posa neguitós.* **2** Previsió de com serà o evolucionarà una cosa: *Les expectatives són que la situació econòmica millorarà al llarg de l'any.* **3 estar a l'expectativa** Mantenir-se atent al que passa, sense prendre de moment cap decisió, tot esperant com evolucionaran les coses: *De moment hem decidit no comprar el pis i estem a l'expectativa a veure si s'abaixen els preus dels habitatges.*

expedició expedicions *nom f* Conjunt de persones que van o que són enviades a un lloc amb una missió determinada: *Ha sortit una expedició de muntanyencs que volen pujar a l'Everest.*

expedicionari expedicionària expedicionaris expedicionàries*adj i nom m i f* Es diu de la persona que participa en una expedició.

expedient expedients *nom m* Conjunt de documents en què consta tota la informació que es té d'un assumpte, d'una investigació, d'uns estudis, etc.: *Quan vaig acabar la carrera, vaig demanar una còpia del meu expedient on consten totes les assignatures que he fet amb les notes corresponents.*

expedir *v* **1** Elaborar i donar un document oficial a la persona que el reclama: *Expedir un títol, un carnet d'identitat, un passaport, etc.* **2** Enviar, trametre una cosa.
Es conjuga com *servir.*

expeditiu expeditiva expeditius expeditives*adj* Es diu d'una persona que diu o fa una cosa amb rapidesa i eficàcia: *Aquell noi que ha entrat a treballar a l'empresa és molt expeditiu, va molt de pressa a fer la feina que li encarreguen.*

expel·lir*v* Llançar a fora: *Expel·lia l'aire pel nas.*
Es conjuga com *servir.*

experiència experiències *nom f* **1** Pràctica, costum que una persona té de fer una cosa: *El meu pare fa vint anys que porta cotxe i té molta experiència com a conductor.* ■ *Les persones grans tenen molta experiència de la vida.* **2** Fet o situació en la vida d'una persona que li fa conèixer una cosa nova: *Aquell accident va ser una experiència que no oblidaré mai.*

experiment experiments *nom m* Acció o accions que es fan per a comprovar el funcionament d'una cosa o per a demostrar un raonament: *En Josep es passa tot el dia fent experiments de química al laboratori.*

experimentar*v* **1** Fer experiments, observar i comprovar una cosa, un fet, etc.: *Ahir vam experimentar un nou model d'ordinador.* **2** Sentir una sensació, un sentiment, etc.: *Quan vam veure que perdíem el partit, vam experimentar una gran tristesa.*
Es conjuga com *cantar.*

experimentat experimentada experimentats experimentades*adj* Que té molta experiència o pràctica en una cosa, que és un entès en una matèria: *La Berta és una química molt experimentada.*

expert experta experts expertes*adj i nom m i f* Que té molt coneixement i molta pràctica d'una cosa: *Aquest pilot d'aviació és molt expert, ha fet molts viatges amb avió.*

expiar *v* Compensar una falta comesa per mitjà del compliment d'un càstig: *Va haver d'expiar el delicte del robatori amb cinc anys de presó.*
Es conjuga com *canviar.*

expiració expiracions*nom f* **1** Moment de la respiració en què es deixa anar l'aire dels pulmons cap a l'exterior del cos. **2** Acció d'expirar, d'acabar-se una cosa.

expirar*v* **1** Treure dels pulmons l'aire que ha servit per a la respiració. **2** Morir una persona, acabar-se una cosa: *El termini per a matricular-se al curset de natació expira demà passat.*
Es conjuga com *cantar.*

explicació explicacions *nom f* **1** Conjunt de paraules que expliquen, aclareixen o fan entendre alguna cosa: *El mestre va fer una explicació molt clara del problema.* **2** Acció d'explicar. **3 demanar**o **exigir explicacions** Demanar a algú que aclareixi per què ha fet o ha dit una cosa.

explicar v Comunicar, contar, exposar, ensenyar, fer entendre alguna cosa: *L'avi cada dissabte ens explica un conte.* ▪ *La bibliotecària ens ha explicat com funciona la biblioteca de l'escola.* Es conjuga com *cantar*. S'escriu c davant de *a, o, u* i *qu* davant de *e, i*: *explico, expliques.*

explícit explícita explícits explícites *adj* Que s'expressa o es diu de manera clara: *Us he donat l'ordre explícita d'endreçar la classe; per això no podeu fer veure que no ho heu entès.*

exploració exploracions *nom f* Acció d'examinar i d'observar detalladament una cosa, un lloc, etc.: *Van fer una exploració del bosc per veure si hi podien trobar aquella planta tan exòtica.*

explorador exploradora exploradors exploradores *adj* i *nom m* i *f* Es diu de la persona que explora una zona desconeguda.

explorar v Observar, examinar detalladament una cosa o un lloc per veure què hi ha: *Van baixar del vaixell i van explorar aquella illa que semblava deserta, però no van trobar-hi res d'interessant.* Es conjuga com *cantar*.

explosió explosions *nom f* Sortida violenta i sobtada d'energia, que produeix calor, gasos i soroll: *L'explosió de la bomba va fer caure un edifici sencer.*

explosió

explosiu explosiva explosius explosives *adj* i *nom m* Es diu de qualsevol material capaç d'explotar: *La dinamita és un explosiu molt potent.*

explotació explotacions *nom f* 1 Conjunt d'instal·lacions que es fan servir per a explotar un terreny agrícola, una mina, etc.: *En aquesta comarca hi ha moltes explotacions agrícoles i ramaderes, és a dir, moltes cases de pagès i granges que es dediquen a treballar la terra i a criar bestiar.* 2 Acció d'abusar d'algú per treure'n profit.

explotador explotadora explotadors explotadores *adj* i *nom m* i *f* 1 Es diu de la persona que abusa dels altres per treure'n profit personal. 2 Que treu profit d'alguna cosa: *Kuwait és un país amb companyies explotadores de petroli.*

explotar¹ v 1 Treure profit d'una cosa: *Els pagesos treballen i exploten la terra.* ▪ *Durant molts anys van explotar una mina de carbó.* 2 Aprofitar-se d'una altra persona: *En aquesta empresa exploten els treballadors, els fan treballar moltes hores i els paguen molt pocs diners.* Es conjuga com *cantar*.

explotar² v Esclatar, fer explosió: *Durant la guerra van explotar moltes bombes.* Es conjuga com *cantar*.

exponent exponents *nom m* 1 Allò que serveix d'exemple o de mostra d'una cosa: *La quantitat de diaris que es ven cada dia és un exponent del nivell cultural d'un país.* 2 Xifra petita que s'escriu a la dreta d'una quantitat i que indica les vegades que aquesta quantitat s'ha de multiplicar per ella mateixa: *En $2^3 = 2 \times 2 \times 2 = 8$, la xifra 3 és l'exponent que indica quantes vegades la xifra 2 s'ha de multiplicar per ella mateixa.*

exportació exportacions *nom f* Acció d'exportar, de transportar i de vendre coses a un altre país.

exportador exportadora exportadors exportadores *adj* i *nom m* i *f* Que exporta i ven coses a un altre país: *L'Índia és un país exportador de te.*

exportar v Transportar i vendre coses a un altre país: *El País Valencià exporta taronges a molts països del món.* Es conjuga com *cantar*.

exposar v 1 Posar alguna cosa en un lloc apropiat perquè sigui vista per la gent: *Les botigues exposen els productes als aparadors.* 2 Explicar, donar a conèixer una cosa: *El professor ens va exposar la lliçó.* 3 **exposar-se** Fer que algú o alguna cosa pugui sofrir un accident, una malaltia, etc.: *Els que corren molt amb el cotxe s'exposen a tenir un accident.* Es conjuga com *cantar*.

exposició exposicions *nom f* 1 Conjunt de quadres, d'escultures, d'objectes, etc. que durant un temps es mostren o s'ensenyen en algun lloc: *Hem anat a veure l'exposició de pintures d'aquell pintor tan famós.* 2 Explicació detallada d'un tema, d'una opinió, etc.: *En Xavier i la Maria faran l'exposició del tema de les abelles aquest matí.*

exprés expressa expressos expresses *adj*
1 Que s'ha dit de forma clara, explícita: *Per ordre expressa del director, està prohibit córrer pels passadissos de l'escola.* **2** Que té una finalitat determinada, un objectiu especial: *A les cinc surt el tren exprés cap a València.* **3** *adv* Expressament: *Ho ha fet exprés per fer-te enfadar.*

expressament *adv* Paraula que serveix per a indicar que una cosa ha estat feta amb tota la intenció o amb un objectiu clar i determinat: *He vingut expressament a casa teva per veure't i parlar.*

expressar *v* **1** Manifestar una idea, un pensament, una sensació, etc. amb paraules, amb gestos, amb una mirada, etc.: *Va expressar la seva alegria fent un crit de joia.* ■ *Els seus ulls expressaven la por que sentia.* **2** **expressar-se** Manifestar el propi pensament amb la paraula o amb un altre mitjà: *Aquella nena s'expressa molt bé, tant de forma oral com escrita.*
Es conjuga com *cantar*.

expressió expressions *nom f* **1** Manifestació d'una idea, d'un pensament, d'una sensació, etc. amb paraules, amb gestos, amb una mirada, etc.: *En els seus ulls hi havia una expressió de tristesa.* **2** Capacitat de donar a conèixer als altres el que una persona sent o pensa: *Aquell nen té una bona expressió escrita, escriu molt bé i es fa entendre molt bé.* **3** Manera de parlar o d'expressar-se, paraula o grup de paraules amb un sentit determinat: *L'expressió "tenir la paella pel mànec" significa "manar, dirigir".*

expressiu expressiva expressius expressives *adj* Que expressa clarament els sentiments: *És una persona molt expressiva, mirant-li la cara de seguida saps si està trista o contenta.*

expropiar *v* Prendre legalment una propietat a algú, donant-li una quantitat de diners com a indemnització: *L'ajuntament ha expropiat els terrenys de prop del castell perquè hi ha de passar la nova carretera.*
Es conjuga com *canviar*.

expulsar *v* **1** Llançar una cosa a fora: *Per fer aquest exercici de gimnàstica s'ha d'expulsar l'aire dels pulmons amb força.* **2** Treure algú d'un lloc: *Com que xerrava, el van expulsar de la classe.*
Es conjuga com *cantar*.

expulsió expulsions *nom f* Acció d'expulsar, de fer fora algú d'un lloc o de llançar a fora alguna cosa.

exquisit exquisida exquisits exquisides *adj* Molt agradable, molt delicat, molt bo, excel·lent: *En aquell dinar van servir uns menjars exquisits.*

èxtasi èxtasis *nom m* Estat de la persona que experimenta un gran sentiment d'admiració, que fa que perdi la consciència d'ella mateixa.

extasiar *v* Fer sentir una admiració extraordinària, insuperable: *La bellesa d'aquell paisatge ens va extasiar.*
Es conjuga com *canviar*.

extens extensa extensos extenses *adj* Que té una gran extensió: *Un camp extens. Un llibre extens, amb moltes pàgines.*

extensió extensions *nom f* **1** Tros més o menys gran d'espai: *Des de dalt de la muntanya es veia una gran extensió de terres i boscos.* **2** Acció d'estendre una cosa: *Aquest exercici de gimnàstica consisteix a fer una extensió ràpida dels braços i després a plegar-los.*

extensiu extensiva extensius extensives *adj* **1** Que afecta una gran extensió: *Les agricultures poc desenvolupades es caracteritzen perquè fan un conreu extensiu de la terra: treballen molt terreny i en treuen poca producció.* **2** Que pot ser aplicat a d'altres coses o situacions: *Menjar en excés és dolent, i això és extensiu al beure o al treballar massa.* **3** Que produeix l'extensió d'una cosa: *El moviment extensiu del braç.*

extenuar *v* Deixar cansat i sense forces, esgotar: *La passejada amb bicicleta m'ha extenuat.*
Es conjuga com *canviar*.

exterior exteriors **1** *adj* i *nom m* Que està situat a fora d'una cosa: *Un pati exterior.* ■ *Va obrir la porta i va sortir a l'exterior de la casa, al carrer.* **2** *nom m* Aspecte d'una persona: *Et fixes massa en l'exterior de les persones.*

exterioritzar *v* Mostrar, comunicar un sentiment, un pensament, etc. amb paraules o amb gestos: *Va exterioritzar el dolor plorant.*
Es conjuga com *cantar*.

exterminar *v* Eliminar, matar, fer desaparèixer completament un grup d'animals o de persones: *Van exterminar els polls dels cabells amb un líquid molt eficaç.* ■ *Van exterminar l'exèrcit enemic.*
Es conjuga com *cantar*.

extermini exterminis *nom m* Acció d'exterminar, gran matança de persones o d'animals.

extern externa externs externes *adj* Que està situat a fora o que ve de fora: *Aquesta* *pomada és d'ús extern, s'ha d'escampar per la pell del cos però no s'ha d'empassar.*

extinció extincions *nom f* **1** Acció d'apagar un foc, d'extingir-lo: *Els bombers van aconseguir l'extinció del foc.* **2** Acció d'eliminar, de matar, de no deixar-ne cap: *La contaminació ha provocat l'extinció de tots els peixos d'aquest riu.*

extingir *v* **1** Fer que un foc deixi de cremar, apagar-lo: *Els bombers van poder extingir el foc que cremava la casa.* **2** Eliminar, matar, no deixar-ne cap: *Els caçadors han extingit moltes espècies d'animals.*
Es conjuga com *servir.*

extintor extintors *nom m* Aparell que serveix per a apagar foc.

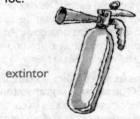

extintor

extirpar *v* Destruir, eliminar, arrencar d'arrel una cosa: *Li van extirpar el tumor i el van curar.*
Es conjuga com *cantar.*

extra extres **1** *adj* Que té una qualitat superior als altres, molt bo: *Aquest vi és extra.* **2** *nom m* Cosa que surt del que és habitual: *Avui podeu fer un extra i menjar un pastís en comptes de pa amb xocolata.* **3** *nom m i f* Actor de poca importància en una pel·lícula: *Filmaven una pel·lícula de romans i necessitaven molts extres per a fer de soldats.*

extra- Prefix, element que s'afegeix al davant d'una paraula i que vol dir "fora de" o "més que": *"Extralimitar-se" vol dir "anar més enllà dels límits"; "extradolç" vol dir "més que dolç".*

extracció extraccions *nom f* Acció d'arrencar una cosa del seu lloc, d'extreure-la: *L'extracció del carbó d'una mina. L'extracció d'un queixal.*

extracte extractes *nom m* Resum d'un text, d'un discurs; conjunt de fragments seleccionats d'un text, d'un discurs, etc.

extractor extractors *nom m* Aparell que xucla i elimina els fums i els gasos d'un local: *Hem canviat l'extractor de la cuina perquè feia massa soroll i no anava gaire bé.*

extradició extradicions *nom f* Entrega d'una persona refugiada en un país al govern del seu país, on se l'ha de jutjar o on ha de complir una pena.

extralimitar-se *v* Excedir-se en el poder, en la tasca o en la funció que s'exerceix: *A l'hora de controlar la manifestació, alguns policies es van extralimitar i van maltractar algunes persones.*
Es conjuga com *cantar.*

extraordinari extraordinària extraordinaris extraordinàries *adj* **1** Que és poc habitual, desacostumat, que és molt bo: *Avui hem fet una despesa extraordinària perquè hem hagut de comprar una cartera nova.* ■ *He llegit un conte extraordinari, molt bo.* **2 hora extraordinària** o **hora extra** Hora que un treballador treballa de més en una empresa i que li paguen també de més.

extraplà extraplana extraplans extraplanes *adj* Es diu d'un objecte que és molt més prim i pla del que és habitual: *Aquesta calculadora ocupa poc espai, és extraplana.*

extrapolar *v* Treure conclusions o generalitzar a partir d'un fet poc significatiu: *A casa teva compreu tres diaris cada dia, però això no es pot extrapolar al conjunt de la població, ja que la majoria de la gent només en compra un o no en compra cap.*
Es conjuga com *cantar.*

extraradi extraradis *nom m* Zona, part d'una ciutat situada cap als afores, abans d'arribar al camp.

extraterrestre extraterrestres *adj i nom m i f* Es diu de l'ésser que ve d'un altre planeta.

extraure *v* Mira **extreure**.
Es conjuga com *treure.*

extravagància extravagàncies *nom f* Cosa estranya, poc corrent, poc normal: *Mira quina extravagància! Aquell noi porta un frac i unes espardenyes.*

extravagant extravagants *adj* Estrany, poc corrent, poc normal: *Quin vestit més extravagant!*

extravertit extravertida extravertits extravertides *adj* Es diu de la persona que és oberta, a qui agrada de comunicar els sentiments i les opinions.

extraviar-se *v* Perdre's algú o alguna cosa: *Els nens es van extraviar pel bosc.* ■ *Se m'ha extraviat el bolígraf.*
Es conjuga com *canviar.*

extrem extrema extrems extremes *adj* i *nom m* **Que està al final de tot, al punt màxim:** *Aquest és el poble més extrem de la comarca.* ■ *Els peus són en un extrem del cos.*

extremar *v* **Portar una cosa a l'extrem, al punt màxim:** *El servei de seguretat ha extremat les mesures de control a l'estadi perquè no hi pugui haver actes de violència.*
Es conjuga com *cantar*.

extremeny extremenya extremenys extremenyes **1** *nom m* i *f* **Habitant d'Extremadura; persona natural o procedent d'Extremadura. 2** *adj* **Es diu de les persones o de les coses naturals o procedents d'Extremadura**

extremista extremistes *adj* i *nom m* i *f* **Que té idees radicals, extremes:** *Tots els partits polítics estaven d'acord amb la decisió del govern, menys els extremistes, que conside-raven que s'haurien d'haver pres mesures més radicals.*

extremitat extremitats *nom f* **Part extrema d'una cosa:** *Els braços i les cames són les extremitats del cos humà.*

extreure *v* **Arrencar, treure alguna cosa del seu lloc, fent força:** *Li han extret un queixal corcat.* ■ *D'aquesta mina, n'extreuen carbó.*
Es conjuga com *treure*.

exuberant exuberants *adj* **Molt abundant:** *A la selva hi ha una vegetació exuberant.*

exultant exultants *adj* **Molt alegre, molt content.**

exvot exvots *nom m* **Objecte, com ara una fotografia, una figura de cera, etc., que algunes persones pengen a la paret o al sostre d'una capella o d'una ermita per agrair a un sant o a la Mare de Déu un favor que n'han rebut.**

e

fa *fas nom m* Quarta nota de l'escala musical.

fàbrica *fàbriques nom f* **1** Edifici on hi ha instal·lada una indústria i on treballa força gent per tal de transformar les matèries primeres, amb l'ajuda de màquines, i produir un producte o un objecte en gran quantitat: *Al poble de l'Enric hi ha una fàbrica de sabates.* **2 preu de fàbrica** Preu del que costa fabricar un producte.

fabricació *fabricacions nom f* Elaboració, producció d'una cosa amb l'ajuda de màquines a partir de matèries primeres: *Aquesta empresa està especialitzada en la fabricació de neveres.*

fabricant *fabricants nom m i f* Propietari d'una fàbrica, persona que fabrica alguna cosa.

fabricar *v* Elaborar, produir un producte amb ajuda de màquines a partir de matèries primeres: *En aquesta empresa fabriquen camions.* Es conjuga com *cantar*. S'escriu *c* davant de *a, o, u* i *qu* davant de *e, i: fabrico, fabriques.*

fabulós *fabulosa fabulosos fabuloses adj* Que és propi d'una faula, irreal, increïble, fantàstic, exagerat: *Ens va explicar una història fabulosa.*

faç *faços nom f* **1** Cara. **2 faç de la Terra** Superfície de la Terra.

façana *façanes nom f* Cara d'una casa o d'un edifici on hi ha la porta principal, qualsevol cara exterior d'un edifici.

façana

faccions *nom f pl* Trets, característiques de la fisonomia d'una persona, aspecte de la cara: *El protagonista d'aquella pel·lícula tenia unes faccions molt dures.*

facècia *facècies nom f* Allò que es fa o es diu per riure o divertir-se, broma, acudit.

faceta *facetes nom f* **1** Cadascun dels aspectes que presenta una persona o una cosa: *En Manel té moltes facetes: és metge, periodista i dibuixant.* **2** Cadascuna de les cares d'una figura polièdrica: *Les facetes d'un prisma.*

facial *facials adj* Que està relacionat amb la cara: *L'esteticista em va fer un massatge facial.* ▪ *El nervi facial.* **18**

fàcil *fàcils adj* **1** Que no costa gaire de fer, d'aprendre, d'aconseguir, etc.: *Aquesta lliçó és fàcil.* **2** *Amb el fred que fa, és fàcil que nevi:* és probable que nevi.

facilitar *v* **1** Fer que una cosa sigui fàcil, fer que sigui menys difícil: *Aquesta màquina facilita molt la feina.* **2** Proporcionar o donar alguna cosa a algú que la necessita: *El professor em va facilitar tots els llibres que necessitava.* Es conjuga com *cantar*.

facilitat *facilitats nom f* **1** Capacitat de fer bé una cosa sense gaire esforç: *La Teresa té facilitat per als esports.* **2** Allò que fa que una cosa sigui més fàcil, ajuda: *Hem comprat el pis perquè l'empresa constructora ens ha donat facilitats de pagament.*

fàcilment *adv* D'una manera fàcil: *Vam resoldre el problema fàcilment.*

facinerós *facinerosa facinerosos facineroses adj i nom m i f* Es diu de la persona que comet accions criminals, malfactor.

factible *factibles adj* Es diu d'una cosa que es pot fer, que és possible de realitzar: *Resoldrem el problema, si trobem solucions factibles.*

factor *factors nom m* **1** Cadascun dels fets o de les coses que ajuden a produir un resultat: *La mala sort i la pluja van ser els factors que em van fer perdre la cursa.* **2** Cadascun dels nombres que intervenen en una multiplicació: *8 x 8 és una multiplicació de dos factors.*

factoria *factories nom f* Fàbrica, instal·lació industrial: *Aquella empresa té moltes factories instal·lades arreu del món.*

factòtum *factòtums nom m i f* Persona que en un assumpte, en una empresa, etc. s'ocupa de fer-ho tot.

factura *factures nom f* Escrit on hi ha apuntades les coses que compra una persona i el preu que n'ha de pagar.

facturar *v* **1** Fer constar una mercaderia en una factura: *Hem comprat sis cadires i només ens*

353

n'han facturat quatre. **2 Enviar** un paquet, una mercaderia, etc. al lloc on va destinat: *Ahir vaig facturar l'equipatge i demà sortirem nosaltres.* **Es conjuga com** *cantar.*

facultat facultats *nom f* **1 Poder,** dret o capacitat de fer alguna cosa: *Les persones tenim la facultat de parlar; els animals, no.* **2 Cada** una de les seccions en què es divideix una universitat: *El meu germà estudia a la facultat de ciències.*

facultatiu facultativa facultatius facultatives **1** *adj* **Que no és obligatori:** *En aquesta assignatura es poden fer dos treballs: un d'obligatori i un altre de facultatiu.* **2** *nom m i f* **Persona que** té un títol que li permet d'exercir una professió científica o tècnica, com ara la de metge.

fada fades *nom f* **Dona** amb poders màgics que surt en alguns contes: *La fada va tocar el vestit vell i estripat de la Ventafocs amb la vareta màgica, i el va convertir en un vestit nou i bonic.*

fadrí fadrina fadrins fadrines *nom m i f* **1** Persona jove que comença a tenir l'edat de casar-se. **2 Persona soltera:** *Té quaranta anys i encara és fadrí.*

faena faenes *nom f* **Feina.**

fageda fagedes *nom f* **Bosc de faigs.**

fagina fagines *nom f* **Animal** mamífer carnívor, semblant a la mostela però més gros, de pèl de color terrós al llom i blanc al coll i al pit, que té la cua llarga i que és apreciat per la seva pell.

fagot fagots **1** *nom m* **Instrument** musical de vent que produeix un so greu a través d'un tub de fusta molt llarg amb forats que es tapen amb els dits o amb claus. **2** *nom m i f* **Músic** que toca el fagot.

faiçó faiçons *nom f* **Forma** que es dóna a un objecte que es fa amb les mans, amb una màquina, etc.

faig faigs *nom m* **Arbre** de fulla caduca, alt, de tronc gris, propi de zones humides i fredes: *Al Montseny i al Collsacabra hi ha molts faigs.*

faisà faisans *nom m* **Ocell** de cos esvelt i cua llarga que té les plomes de colors molt vius: *La carn de faisà és molt gustosa.*

faisó faisons *nom f* **Manera:** *Té una faisó de parlar molt estranya.*

faixa faixes *nom f* **1** Peça de roba molt més llarga que ampla que es porta entortolligada a la cintura i que cenyeix el cos, l'estreny. **2** Qualsevol cosa llarga i estreta: *A totes les parets de la casa hi havia pintada una faixa de color blau.* **3** Peça de roba interior, elàstica, semblant a unes calces que estreny el cos per la cintura i el ventre.

faja fages *nom f* **Fruit del faig.**

falaguer falaguera falaguers falagueres *adj* **Es diu de** la persona que resulta agradable perquè és amable, afectuosa: *La Maria és molt falaguera: quan em veu sempre em fa petons i abraçades i em demana com estic, què faig, etc.*

falange falanges *nom f* **Cadascun** dels ossos dels dits de la mà o del peu. **15**

falangeta falangetes *nom f* **Tercera** falange d'un dit. **15**

falangina falangines *nom f* **Segona** falange d'un dit. **15**

falç falços *nom f* **Eina** que serveix per a segar o tallar blat, herba, etc. que consisteix en un mànec i en una fulla d'acer corba i acabada en punta.

falç

falca falques *nom f* **1** Objecte que es fica entre dues coses per assegurar-ne l'equilibri: *Aquesta taula balla perquè té una pota més curta que les altres; hi haurem de posar una falca.* **2 falca publicitària** Espai de temps breu dedicat a la publicitat que s'intercala enmig d'un programa de ràdio o de televisió.

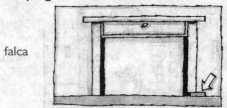

falca

falcar *v* **Posar una falca.** **Es conjuga com** *cantar.* **S'escriu** c davant de *a, o, u* i *qu* davant de *e, i: falco, falques.*

falciot falciots *nom m* **Ocell** de plomes fosques amb les ales llargues i estretes que s'assembla molt a una oreneta.

falcó falcons *nom m* Nom de diversos ocells rapinyaires més petits que l'àguila, d'ales punxegudes i cua llarga i estreta: *El falcó pelegrí és de color gris, té el coll de color blanc i el pit d'un blanc vermellós tacat de negre.* 6

falda faldes *nom f* **1** Espai pla que formen les cames d'una persona quan està asseguda: *El gatet dormia a la falda de l'avi.* **2** Part de baix d'una muntanya: *Aquell poble estava situat a la falda de la muntanya.*

faldeta faldetes *nom f* Faldilla.

faldilla faldilles *nom f* Peça de vestir de dona que va de la cintura avall i que cobreix totalment o parcialment les cames: *La Montserrat porta una faldilla llarga i ampla de color vermell.*

faldó faldons *nom m* Part d'una peça de vestir com ara una camisa, una brusa, etc. que queda per sota de la cintura i que pot quedar amagada o a l'exterior.

falguera falgueres *nom f* Planta de fulles grosses i verdes que neix en llocs humits on no hi toca gaire el sol.

falla¹ falles *nom f* Fractura de l'escorça terrestre al llarg de la qual s'ha produït un desplaçament del terreny.

falla² falles *nom f* **1** Conjunt de branques seques, fustes, etc. enceses que es porten a la mà per fer claror, per encendre una foguera, etc. **2** Foguera. **3** Construcció de fusta, de cartró, etc. amb moltes figures en forma de ninots que representen personatges famosos i que es crema a València la nit del dia de Sant Josep: *Aquest any anirem a València a veure les falles.*

fal·làcia fal·làcies *nom f* Mentida, engany, falsedat: *Durant el judici l'advocat va demostrar que totes les acusacions contra el processat eren una fal·làcia.*

fallada fallades *nom f* **1** Errada. **2** Mal funcionament d'una cosa, avaria: *Una fallada del motor va provocar l'incendi del cotxe.*

fallar *v* **1** Equivocar-se, no fer el que calia fer, no encertar, no fer bé una cosa: *Va disparar contra l'ampolla i va fallar el tret, no la va tocar.* ■ *Aquest jugador ha tornat a fallar: podia fer un gol i no l'ha fet.* **2** No funcionar bé una cosa, no actuar de la manera adequada: *Li falla la memòria i no es recorda de res.* Es conjuga com *cantar*.

faller fallera fallers falleres *adj* Que té relació amb les falles de València.

fal·lera fal·leres *nom f* Desig o ganes molt fortes d'una cosa, interès o afecció molt forts per una cosa: *Aquest nen té una gran fal·lera pel futbol.*

fallida fallides *nom f* Fet de deixar de pagar els deutes una empresa o un comerç per falta de diners: *El negoci va fer fallida i va haver de tancar.*

fal·lus uns **fal·lus** *nom m* **1** Objecte llarg i una mica punxegut que simbolitza un penis. **2** Penis.

falòrnia falòrnies *nom f* Idea equivocada, excusa falsa que es dóna com a certa: *No em vingueu amb falòrnies: si heu trencat el vidre amb la pilota, l'haureu de pagar.*

fals falsa falsos falses *adj* Que no és veritat, que no és de debò: *Això que dieu és fals, perquè jo hi era i no va anar pas així.* ■ *Aquests diners són falsos.*

falsedat falsedats *nom f* Paraula o acció falsa: *Tot el que has dit contra el meu amic és una falsedat.*

falsejar *v* Deformar una notícia, un fet, dient coses que no són veritat: *Els periodistes van falsejar els fets ocorreguts durant el partit de bàsquet.* Es conjuga com *cantar*. S'escriu *j* davant de *a, o, u* i *g* davant de *e, i: falsejo, falseges.*

falsificació falsificacions *nom f* Acció de falsificar una cosa: *Van detenir la banda que es dedicava a la falsificació de diners.*

falsificar *v* Canviar una cosa amb la intenció d'enganyar, fer que una cosa falsa sembli autèntica: *Els lladres van fugir a l'estranger amb passaports falsificats.* Es conjuga com *cantar*. S'escriu *c* davant de *a, o, u* i *qu* davant de *e, i: falsifico, falsifiques.*

falta faltes *nom f* **1** El fet de no haver-hi o no tenir una cosa necessària: *Fa dies que no plou i hi ha falta d'aigua.* **2** **fer falta** Ser necessària una cosa: *Ens fa falta un ganivet per a tallar el pa.* **3** Equivocació, error: *En aquesta redacció hi ha moltes faltes.* **4** El fet de no assistir a una reunió, de no anar a un lloc, etc.: *La Ramona fa moltes faltes, molts dies no ve a l'escola.* **5** **sens falta** Sense faltar a la promesa, a l'obligació, de manera segura: *Vindré sens falta a les quatre.*

faltar *v* **1** No haver-hi o no tenir una cosa necessària: *Aquesta sopa és molt bona, però hi falta sal.* **2** No complir el que s'ha jurat o promès: *En Jordi va faltar al seu jurament.* **3** Insultar, ofendre, maltractar de paraula una persona: *La*

Glòria ha faltat a la seva mare. **4 trobar a faltar** Adonar-se que una cosa que hauria de ser en un lloc no hi és; enyorar una persona o una cosa que és lluny: *Aquest matí he obert l'estoig i hi he trobat a faltar la maquineta.* ▪ *El meu germà és a l'estranger i el trobo molt a faltar.*
Es conjuga com *cantar*.

faltat faltada faltats faltades *adj* Que li falta alguna cosa: *Vaig una mica faltada de diners, i aquesta setmana no podré dinar cap dia al restaurant.*

faluga falugues *nom f* Persona o animal petit i que es belluga molt.

fam fams *nom f* **1** Ganes molt fortes de menjar: *Quina fam que tinc, em menjaria un pollastre sencer!* **2** Desig exagerat de tenir alguna cosa: *Aquella persona té fam de diners.*

fama fames *nom f* **1** Coneixement que molta gent té d'una persona o d'una cosa que destaca per algun motiu: *Aquesta artista de cine és molt coneguda, té molta fama.* **2** Opinió bona o

La família En Josep és l'**avi** d'en Joan, la Concepció, l'Andreu, la Dolors i en Joaquim. La Caterina és l'**àvia** o la **iaia** d'en Joan, la Concepció, l'Andreu, la Dolors i en Joaquim. En Joan, la Concepció i l'Andreu són **cosins** de la Dolors i d'en Joaquim. En Lluís és **cunyat** de l'Eva i d'en Vicenç. En Lluís, en Jaume i la Maria són **fills** d'en Josep i de la Caterina. En Vicenç és el **gendre** de la Caterina i d'en Josep. La Dolors i en Joaquim són **germans**. L'Eva és la **jove** o la **nora** de la Caterina i d'en Josep. La Maria i en Vicenç són **marit i muller**. La Dolors i en Joaquim són **nebots** d'en Lluís, en Jaume i l'Eva. En Joan, la Concepció, l'Andreu, la Dolors i en Joaquim són **néts** de la Caterina i d'en Josep. En Vicenç i la Maria són l'**oncle** i la **tia** d'en Joan, la Concepció i l'Andreu. La Maria i en Vicenç són la **mare** i el **pare** de la Dolors i d'en Joaquim. En Josep i la Caterina són els **pares** d'en Lluís, en Jaume i la Maria. La Caterina i en Josep són els **sogres** de l'Eva i d'en Vicenç.

dolenta que la gent té d'una persona: *Aquest noi té fama d'antipàtic, i tothom l'esquiva.*

famèlic famèlica famèlics famèliques *adj* Que acostuma a passar gana, a no tenir res per a menjar: *En aquella casa hi ha una colla de gats famèlics.*

família famílies *nom f* **1** El pare, la mare i els seus fills. **2** Grup de persones que són parentes i se solen relacionar: *Vam fer un dinar de família on hi havia els meus pares, els meus germans, els meus avis, el meu oncle, la meva tieta i els meus cosins.* **3** Grup d'animals, de plantes o de coses que tenen característiques en comú: *A la classe de ciències naturals ens han explicat que els llops, els gossos i les guineus són de la mateixa família.* ■ *Les paraules "carn", "carnisser" i "carnisseria" pertanyen a la mateixa família de mots perquè tenen una mateixa arrel.*

familiar familiars **1** *nom m i f* Cadascuna de les persones que formen una família, parent: *En aquesta casa hi viuen uns familiars d'en Robert, uns seus cosins.* **2** *adj* Que està relacionat amb la família: *Jugar a parxís és una diversió familiar.* **3** *adj* Que és conegut, que no és estrany: *Aquesta persona m'és molt familiar, la tinc molt vista.*

familiaritat familiaritats *nom f* Tracte de confiança: *En Bernat tracta el seu director amb molta familiaritat, perquè són amics de tota la vida.*

familiaritzar-se *v* Anar-se acostumant a una cosa o a una persona que és nova, poc coneguda: *M'he comprat un ordinador nou i, com que encara no m'hi he familiaritzat, sovint no sé com es fan algunes coses.* Es conjuga com *cantar.*

famolenc famolenca famolencs famolenques *adj* Que té molta fam.

famós famosa famosos famoses *adj* Que té molta fama, que és molt conegut o apreciat: *Avui actuarà per la televisió un cantant molt famós.*

fan fans *nom m i f* Persona que admira molt un cantant, un artista, etc.: *Aquell cantant de rock tan famós té molts fans.*

fanal fanals *nom m* Aparell que consisteix en un llum ficat dins una caixa o una bola de vidre i que serveix per a il·luminar els carrers, les places, etc.: *Al meu carrer hi ha uns fanals que fan molta llum.*

fanalet fanalets *nom m* Fanal petit de paper com els que es fan servir per a guarnir els carrers i els envelats a les festes majors.

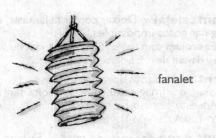
fanalet

fanàtic fanàtica fanàtics fanàtiques *adj i nom m i f* Es diu d'una persona que creu en una cosa d'una manera molt exagerada: *Aquell noi és tan fanàtic del Barça, que sempre porta algun objecte amb els colors de l'equip.*

fanerògam fanerògama fanerògams fanerògames *adj i nom f* Es diu de les plantes que tenen els òrgans reproductors visibles.

fanfarró fanfarrona fanfarrons fanfarrones *adj i nom m i f* Es diu de la persona que sempre presumeix de ser molt valenta, de tenir força, de fer coses importants, etc. i sovint no és així.

fanfarronejar *v* Presumir de ser molt valent, de fer coses importants; fer el fanfarró. Es conjuga com *cantar.* S'escriu *j* davant de *a, o, u* i *g* davant de *e, i: fanfarronejo, fanfarroneges.*

fang fangs *nom m* Barreja de terra i aigua: *Com que fa molts dies que plou, els camins són plens de fang.*

fanga fangues *nom f* Eina de ferro en forma de forquilla amb un mànec de fusta que serveix per a girar la terra.

fangar[1] *v* Girar la terra amb la fanga. Es conjuga com *cantar.* S'escriu *g* davant de *a, o, u* i *gu* davant de *e, i: fango, fangues.*

fangar[2] fangars *nom m* Extensió de terreny coberta de fang.

fangós fangosa fangosos fangoses *adj* Ple de fang: *Un terreny fangós, un camí fangós.*

fangueig fangueigs o fanguejos *nom m* Fang que es fa en un camí, en un carrer, etc. per on passa molta gent: *Va ploure durant tot el partit i al camp hi havia un gran fangueig.*

fantasia fantasies *nom f* Capacitat d'imaginar coses que no són reals: *Els germans Grimm eren uns escriptors que tenien molta fantasia i escrivien uns contes meravellosos.*

fantasiejar v Deixar córrer la fantasia, imaginar coses impossibles.
Es conjuga com *cantar*. S'escriu *j* davant de *a, o, u* i *g* davant de *e, i: fantasiejo, fantasieges.*

fantasiós fantasiosa fantasiosos fantasioses *adj* Imaginatiu, que té molta fantasia: *Aquesta història no se la creu ningú, és molt fantasiosa.*

fantasma fantasmes *nom m* Personatge imaginari, que surt en alguns contes, que representa una persona morta que s'apareix a la gent, i que se sol dibuixar en forma de llençol blanc amb braços i cara: *La gent deia que el castell estava ple de fantasmes.*

fantàstic fantàstica fantàstics fantàstiques *adj* **1** Que no és real, que és imaginari o de fantasia: *El drac és un animal fantàstic, no existeix.* **2** Extraordinari, molt bo, magnífic: *Hem passat un dia fantàstic al parc.*

faquir faquirs *nom m i f* Artista que fa coses que semblen impossibles, com ara empassar-se vidres, estirar-se damunt de claus, treure foc per la boca, etc.

far fars *nom m* **1** Torre amb un llum molt potent a la part superior que es construeix en un lloc ben visible de la costa, i que serveix de senyal perquè els vaixells es puguin orientar, tant de nit com de dia. **2** Cadascun dels llums del davant d'un vehicle que serveixen per a il·luminar el camí a la nit o quan no hi ha prou claror.

faramalla faramalles *nom f* Conjunt de coses que es veuen molt, que criden l'atenció, però que no serveixen de res, que són poc importants: *Aquella persona no duia res de valor, tot era faramalla.*

faraó faraona faraons faraones *nom m i f* Persona que governava a l'antic Egipte.

farbalà farbalans *nom m* Tros de roba que fa arrugues i va cosit només per la part de dalt a un vestit, a una faldilla, a unes cortines, etc. i que serveix per a fer bonic.

farcell farcells *nom m* **1** Qualsevol cosa embolicada amb un mocador de fer farcells o amb un drap per a poder ser portada d'un lloc a l'altre. **2** mocador de fer farcells Mocador gran, generalment de quadres, que es fa servir per a embolicar coses que es porten d'un lloc a un altre.

farcir v **1** Omplir un menjar amb un altre menjar: *Avui hem menjat un pollastre farcit amb*

botifarra, ceba i tomàquet. ■ *M'agraden molt les olives farcides.* **2** Omplir una cosa totalment: *Aquest escrit està farcit de faltes d'ortografia.* Es conjuga com *servir*.

farga fargues *nom f* **1** Taller on es treballa el ferro i on es fan i s'arreglen eines de ferro. **2** Lloc on abans es produïa ferro a partir del mineral per mitjà d'un procediment conegut arreu d'Europa amb el nom de farga catalana.

farigola farigoles *nom f* Planta de mata baixa, de fulles molt petites, que fa molta olor i que es fa servir sovint com a remei medicinal.

farina farines *nom f* **1** Pols blanca que s'aconsegueix triturant grans de blat o d'altres cereals i que serveix per a fer pa, galetes, pastissos, etc. **2** farina de galeta Pa torrat i ratllat que serveix per a arrebossar un menjar.

fariner farinera fariners farineres *adj* **1** Que està relacionat amb la farina. **2** farinera borda Bolet molt verinós de barret convex o aplanat amb estries grogues, verdoses i brunes, que té una cama amb anell. [4]

farinetes *nom f pl* Menjar que es prepara barrejant farina de cereals amb aigua o llet i que serveix d'aliment als infants quan encara no tenen dents per a mastegar.

faringe faringes *nom f* Conducte que forma part del tub digestiu i de l'aparell respiratori i que va de la boca fins a l'esòfag i la laringe. [20]

faringitis unes faringitis *nom f* Malaltia produïda per una inflamació de la faringe que provoca mal de coll.

farinós farinosa farinosos farinoses *adj* Que conté molta farina o que té la consistència de la farina.

fariseu farisea fariseus farisees *nom m i f* Persona hipòcrita, que fa veure que és molt religiosa, però que no ho és.

faristol faristols *nom m* Moble de fusta o de metall, amb peu o sense, que serveix per a aguantar un llibre, un quadern de música, etc. i poder-lo llegir sense haver-lo d'agafar amb les mans.

faristol

fàrmac fàrmacs nom m Substància que es fa servir com a medicament o per a fer medicaments.

farmacèutic farmacèutica farmacèutics farmacèutiques 1 adj Que té relació amb la farmàcia. 2 nom m i f Persona que ha estudiat la carrera de farmàcia, persona que té una farmàcia i prepara i ven medicaments.

farmàcia farmàcies nom f 1 Botiga on es preparen i es venen medicaments i altres productes com ara xampú, pasta de dents, etc. que serveixen per a cuidar la salut i la higiene de les persones. 2 Ciència que estudia les substàncies que es fan servir per a fer medicaments i la manera de combinar-les.

farmaciola farmacioles nom f Armari petit o estoig amb medicaments i productes que serveixen per a curar ferides poc greus o per a tractar casos d'urgència.

farola faroles nom f Far I.

faroner faronera faroners faroneres nom m i f Persona encarregada d'un far.

farratge farratges nom m Conjunt de plantes, d'herbes que serveixen de menjar per al bestiar.

farsa farses nom f 1 Acció falsa que es vol fer passar per autèntica i que es fa per a enganyar algú, engany: Deien que estaven malalts i tot era una farsa. 2 Obra de teatre còmica, generalment curta, on es creen situacions divertides perquè els personatges s'enganyen.

farsant farsants adj i nom m i f Es diu de la persona que fingeix, que enganya.

fart farta farts fartes adj 1 Que ha menjat fins a quedar molt tip, fins a no poder menjar més: He menjat molt i ara estic ben fart. 2 Cansat d'una cosa: Estic fart de veure la televisió, vull sortir a passejar. 3 fer-se un fart de treballar, de riure, de córrer, etc. Treballar molt, riure molt, córrer molt, etc.

fartaner fartanera fartaners fartaneres adj i nom m i f Es diu de la persona que menja grans quantitats de menjar i que mai no en té prou, golafre.

fartanera fartaneres nom f Acció de menjar molt.

fascicle fascicles nom m Cadascun dels quaderns que es col·leccionen i formen un llibre: A casa comprem una enciclopèdia de la salut per fascicles.

fascinació fascinacions nom f Atracció, admiració per algú o per alguna cosa.

fascinador fascinadora fascinadors fascinadores adj Que atrau per la seva bellesa, que fascina: Els ulls del nen d'aquest quadre són fascinadors.

fascinar v Agradar molt una cosa, atreure molt fort algú: La bellesa d'aquell paisatge ens va fascinar.
Es conjuga com cantar.

fase fases nom f Cadascun dels estats pels quals passa una cosa o un ésser viu en el curs del seu desenvolupament: La infància, la joventut i la vellesa són tres fases de la vida humana.

fàstic fàstics nom m 1 Sentiment desagradable que ens causa una cosa lletja, dolenta, repugnant: Aquesta habitació tan bruta fa fàstic. 2 dir fàstics d'algú Parlar malament d'una persona. 3 dir quatre fàstics a algú Renyar una persona, insultar-la.

fastigós fastigosa fastigosos fastigoses adj Que fa venir fàstic: Quina rata més lletja i més fastigosa!

fastiguejar v Molestar molt: Em fastigueja que sempre arribis tard.
Es conjuga com cantar. S'escriu j davant de a, o, u i g davant de e, i: fastiguejo, fastigueges.

fastuós fastuosa fastuosos fastuoses adj Fet amb molt de luxe i abundància: L'ambaixador va oferir un banquet fastuós a les autoritats de la ciutat.

fat[1] fada fats fades adj Sense gust: Un menjar fat.

fat[2] fats nom m Destí d'algú o d'alguna cosa, força que fa que la vida d'algú sigui d'una manera determinada.

fatal fatals adj 1 Molt dolent, que té conseqüències molt greus: Aquesta calor serà fatal per als camps. 2 Es diu d'una cosa que ha de passar per força, que no es pot evitar.

fatalitat fatalitats nom f Desgràcia, mala sort: Van caure i es van fer molt mal: quina fatalitat!

fatídic fatídica fatídics fatídiques adj Que porta desgràcia i mala sort: Aquella trobada va ser fatídica.

fatiga fatigues nom f Cansament molt fort: Va estudiar tres hores seguides i li va venir una gran fatiga.

fatigar *v* Produir fatiga, cansar. Es conjuga com *cantar*. S'escriu *g* davant de *a, o, u* i *gu* davant de *e, i*: *fatigo, fatigues*.

fato fatos *nom m* Equipatge, quantitat de paquets, de coses, etc.: *Aquest cabàs pesa molt perquè hi ha molt fato*.

fatu fàtua fatus fàtues *adj* Es diu de la persona que està massa orgullosa d'ella mateixa i que presumeix de les seves qualitats i dels seus mèrits davant dels altres.

fatxa[1] fatxes *nom f* Aspecte exterior d'una persona: *Aquell lladre feia molt mala fatxa*.

fatxa[2] fatxes *adj* i *nom m* i *f* Feixista.

fatxada fatxades *nom f* Façana.

fatxenda fatxendes **1** *nom m* i *f* Persona que presumeix d'una cosa, que es dóna molta importància: *Aquest xicot és un fatxenda*. **2** *nom f* El fet de presumir: *Aquests nois gasten molta fatxenda*.

faula faules *nom f* **1** Narració, història d'animals que actuen com si fossin persones i en què s'expliquen uns fets meravellosos dels quals es pot extreure un ensenyament, un consell: *Estic llegint un llibre de faules*. **2** Cosa que s'explica i no és veritat, sinó que és inventada: *Tot això que expliqueu del castell dient que hi ha fantasmes és una faula, jo no m'ho crec*.

fauna faunes *nom f* Conjunt d'espècies animals que habiten en un territori determinat: *La fauna dels Pirineus és molt rica, perquè hi viuen molts animals diferents*.

fava faves *nom f* **1** Fruit comestible de la favera que té forma de grans que van dins d'una beina. ■ **2** *Si et vaig deixar sis euros i només me n'has tornat tres, vol dir que encara me'n deus tres*: **són faves comptades**: és una cosa segura, certa, en què no hi pot haver dubte. **3 no dir ni fava** No dir res. **4** Bufetada, cop: *El germà gran va clavar una fava al germà petit*. **5** *adj* i *nom m* i *f* Fleuma: *Aquesta persona és tan fava, que sempre li prenen el pèl i ni se n'adona*.

favera faveres *nom f* Planta que es conrea a l'hort, de flor blanca i tija llarga, molt apreciada per les seves llavors, les faves.

favor favors *nom m* **1** Allò que fem per tal d'ajudar una altra persona quan ens ho demana: *Anna, fes-me un favor: vés-me a buscar el diari*. **2 per favor** Expressió que es fa servir per a demanar alguna cosa a algú: *Per favor, em podria dir on puc trobar una farmàcia oberta?* **3 anar a favor de** o **estar a favor de** Defensar algú o alguna cosa, ser partidari d'algú o d'alguna cosa: *Tots estem a favor de fer l'excursió encara que plogui*.

favorable favorables *adj* Que va a favor d'algú o d'alguna cosa: *El públic és favorable a l'equip de casa*.

favorablement *adv* D'una manera favorable: *El professor va parlar favorablement dels seus alumnes i va dir que eren bons estudiants*.

favorit favorita favorits favorites *adj* i *nom m* i *f* Que és més estimat, més apreciat que els altres: *Aquell atleta era el favorit, tothom es pensava que guanyaria la prova*.

favoritisme favoritismes *nom m* Fet de preferir una cosa o una persona a una altra no pels mèrits que té sinó perquè agrada més, és més amic, etc.: *Els jurats han de ser justos a l'hora de donar els premis i no deixar-se portar per favoritismes*.

fax faxs *nom m* **1** Aparell que serveix per a enviar còpies de documents per mitjà de la línia telefònica. **2** Còpia d'un document que s'envia o que es rep per mitjà d'un fax.

fe fes *nom f* **1** Creença profunda en algú o en una cosa, fet d'estar convençut que algú o una cosa existeix o és d'una manera determinada: *Aquell home té molta fe en Déu*. ■ *Tinc molta fe en aquesta medecina, va molt bé per als refredats*. **2 bona fe** Bona intenció: *Ho va fer de bona fe, per ajudar-nos*. **3 mala fe** Mala intenció. **4 donar fe** Assegurar una cosa, certificar-la: *Va donar fe que havia ingressat els diners al banc*.

feble febles *adj* **1** Que té poca força, dèbil: *És un nen molt feble, sempre està malalt*. ■ *Un soroll feble, que quasi no se sent*. **2** Es diu dels pronoms monosíl·labs formats per una única síl·laba àtona: *"Em", "et", "us", "li" són pronoms febles*.

feblesa febleses *nom f* Debilitat, manca de forces: *La feblesa del seu cos no li permet de fer esforços físics*.

febrada febrades *nom f* Febre molt alta que ve de cop.

febre febres *nom f* **1** Augment de la temperatura normal del cos, que es produeix a causa d'alguna malaltia: *La Mercè va estar malalta i va tenir molta febre*. **2** Moltes ganes d'una cosa, desig molt fort de fer una cosa: *Ara té la febre de la bicicleta, després ja li passarà.*

febrer febrers *nom m* Mes de l'hivern, segon mes de l'any, té 28 dies, tret dels anys bixests, en què en té 29.

febril febrils *adj* **1** Que està relacionat amb la febre. **2** Es diu d'algú o d'alguna cosa que es troba en un estat de gran agitació: *En aquesta empresa hi ha una activitat febril.*

fecal fecals *adj* Que està relacionat amb els excrements.

fècula fècules *nom f* Substància de color blanc, farinosa, que tenen alguns vegetals com ara les patates.

fecund fecunda fecunds fecundes *adj* Que dóna molt de fruit, que produeix molt, fèrtil: *La terra d'aquella comarca és molt fecunda.*

fecundació fecundacions *nom f* Procés dins la reproducció sexual en què dues cèl·lules en formen una de sola que és l'origen d'un nou ésser.

fecundar *v* **1** Produir la fecundació d'un òvul: *De l'òvul fecundat, en sorgirà l'embrió.* **2** Fer fecund o productiu: *La pluja fecunda els camps.* Es conjuga com *cantar.*

federació federacions *nom f* **1** Agrupació que aplega diverses associacions de la mateixa temàtica: *La federació d'àrbitres de Catalunya.* **2** Unió política de diversos estats dins la qual cadascun conserva un grau molt elevat de llibertat.

federal federals *adj* Que està format per diverses associacions o països units, però que conserven un grau elevat de llibertat: *Suïssa és un país amb una organització federal.*

federar *v* **1** Organitzar en federacions. **2** federar-se Fer-se soci d'una federació: *L'equip de bàsquet del poble s'ha hagut de federar per a poder participar en la lliga oficial.* Es conjuga com *cantar.*

feina feines *nom f* **1** Treball que es fa per obligació o per interès; treball amb què una persona es guanya la vida, ofici: *En Roger té molta feina a fer el dibuix que ha de presentar demà.* ■ *El meu pare treballa de bomber, és la seva feina.* **2** *A la nostra classe* **amb prou feines** *som vint nens: a penes en som vint, quasi no arribem a ser-ne vint.*

feinada feinades *nom f* Molta feina: *Tenim una gran feinada, perquè hem d'endreçar totes les joguines.*

feinejar *v* Fer una feina o diverses feines petites, que no cansen gaire: *Al meu pare li agrada feinejar pel jardí.* Es conjuga com *cantar.* S'escriu *j* davant de *a, o, u* i *g* davant de *e, i: feinejo, feineges.*

feiner feinera feiners feineres *adj* **1** Es diu de la persona a qui agrada de treballar o que treballa força: *Una dona molt feinera.* **2 dia feiner** Dia que es treballa, que no és festa.

feix feixos *nom m* **1** Quantitat de branques, de bastons, etc. posats tots junts i lligats: *Un feix de llenya.* **2** Gran quantitat de coses: *Hem anat al bosc a buscar bolets i n'hem trobat un bon feix.*

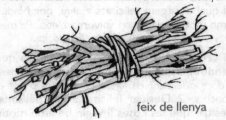

feix de llenya

feixa feixes *nom f* Camp, tros de terra aplanada en el vessant d'una muntanya que es fa servir per a conrear-hi blat, vinya, patates, etc.

feixisme feixismes *nom m* Ideologia política contrària a la democràcia i a la llibertat i que és partidària de la violència per aconseguir els seus objectius.

feixista feixistes *adj i nom m i f* Que té relació amb el feixisme, que és partidari del feixisme.

feixuc feixuga feixucs feixugues *adj* **1** Que pesa molt: *No puc aixecar aquesta caixa tan feixuga.* **2** Que és difícil de suportar o de fer: *Tallar llenya és una feina feixuga.* **3** Que costa de moure's, que és lent: *Aquell jugador de bàsquet ja no és tan àgil com abans, ara va molt feixuc.*

fel fels *nom m o f* **1** Bilis. **2 amarg com el fel** Molt amarg.

feldspat feldspats **1** *nom m* Qualsevol dels minerals del grup dels feldspats. **2 feldspats** *nom m pl* Grup de minerals que es troben en la composició de moltes roques.

felí felina felins felines *adj* **1** Que té relació amb els animals mamífers que pertanyen a la família dels gats, com ara el lleó, el tigre, el lleopard, etc. **2** Es diu d'un gest, d'una mirada, d'un comportament que sembla propi d'un gat: *Tenia una astúcia felina i aconseguia tot el que es proposava.* **3** *nom m* Qualsevol dels animals mamífers que pertanyen a la mateixa família que els gats: *El tigre és un felí.* **10**

feliç feliços felices*adj* **1** Es diu d'una persona que està contenta i satisfeta perquè les coses li van bé. **2** Que dóna satisfacció, que és encertat, que té èxit: *Una idea feliç. Un viatge feliç.* **3** Es diu de la persona que no es preocupa gaire per les coses, que és molt tranquil·la: *La Irene ha perdut les claus de casa seva i està tan feliç!*

felicitació felicitacions *nom f* **1** Acció de felicitar: *Després de la conferència va rebre la felicitació de molts dels assistents.* **2** Escrit amb el qual desitgem felicitats a algú, per Nadal, amb motiu del sant o l'aniversari, etc.: *Pel meu aniversari sempre rebo moltes felicitacions.*

felicitar *v* **1** Expressar a algú l'alegria que sentim perquè li ha sortit bé una cosa: *Hem d'anar a felicitar en Jordi per haver guanyat el concurs.* **2** Desitjar felicitat a una persona, desitjar que les coses li vagin bé amb motiu d'una festa, d'un aniversari, etc.: *Per Nadal sempre felicito els meus amics.*
Es conjuga com *cantar.*

felicitat felicitats*nom f* **1** Estat de la persona que es troba bé, que està contenta, etc. **2** felicitats!Expressió que es fa servir per a desitjar bona sort a algú, per a felicitar-lo, etc.

feligrès feligresa feligresos feligreses*nom m i f* Persona que forma part d'una parròquia: *El rector de la parròquia va reunir els feligresos a l'església.*

feltre feltres*nom m* Teixit de llana o de cotó, gruixut i pelut fet amb fibres enganxades i entrellaçades les unes amb les altres.

fem fems **1** *nom m* Excrement de qualsevol animal: *Els pagesos escampen els fems de les vaques pels camps perquè la terra sigui més fèrtil.* **2** fems*nom m pl* Escombraries, deixalles.

femater femetera femeters femeteres *nom m i f* Escombriaire.

femella femelles *nom f* **1** Animal o vegetal del sexe femení: *La lleona és la femella del lleó.* **2** Peça de metall amb un forat amb rosca on es fica un cargol.

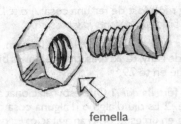

femella

femení femenina femenins femenines *adj* **1** Que és propi de la dona, de la femella: *La veu femenina sol ser més suau que la veu masculina.* **2** Es diu dels noms de gènere gramatical femení, és a dir, dels noms que poden anar precedits de les paraules "la", "les" o "una", "unes" i també es diu de les formes dels adjectius i dels articles que poden acompanyar aquests noms: *El mot "postres" és femení; per tant, s'ha de dir "unes bones postres", "unes postres delicioses", etc.*

femer femers *nom m* Lloc, en una casa de pagès, on es guarden els fems.

feminisme feminismes *nom m* Ideologia, moviment que defensa que les dones tenen els mateixos drets que els homes en la societat.

femoral femorals*adj* Que està relacionat amb el fèmur o amb la cuixa: *L'artèria femoral.* **17**

femta femtes *nom f* Excrement d'animal o de persona.

fèmur fèmurs*nom m* Os de la cuixa, que va de la pelvis fins al genoll. **15**

fenc fencs*nom m* Planta, herba que creix als prats de la muntanya i que, un cop tallada i assecada, serveix de menjar per al bestiar.

fendir *v* Fendre.
Es conjuga com *servir.* Participi: *fes, fesa.*

fendre *v* **1** Tallar, travessar l'aire, l'aigua, el vent, etc. de manera ràpida i suau. **2** Esberlar.
Es conjuga com *aprendre.* Participi: *fes, fesa.*

fenomen fenòmens*nom m* **1** Fet, cosa que es pot observar i estudiar: *La formació dels núvols i de la pluja és un fenomen molt interessant.* **2** Persona o cosa que destaca per algun motiu: *Aquesta nena és un fenomen jugant a escacs, sempre guanya.*

fenomenal fenomenals*adj* Extraordinari, molt bo: *Hem vist una pel·lícula fenomenal.*

fer[1] *v* **1** Construir, crear, produir, formar una cosa: *Vam fer una cabanya.* ■ *He fet una*

cançó. ■ *Aquest camp fa moltes patates.* ■ *Avui la meva mare farà arròs.* **2 Sumar:** *Tres i set fan deu.* **3 fer-se amb algú** Tenir amistat: *En Pere i la Maria són molt amics i es fan molt.* **4** Prendre, beure una beguda, menjar un aliment: *Van entrar en un bar a fer un cafè.* **5** Pagar, costar: *D'aquell conte, va fer-se'n cinc euros.* **6** Arreglar adequadament, preparar: *Cada matí m'he de fer el llit.* **7** Realitzar una acció, un moviment, etc.: *En Joan va fer un salt molt alt, en Ramon va fer un crit molt fort, la mare va fer un petó al nen petit.* **8** Dir, expressar una cosa: *Quan ho va sentir, la Maria va fer: "Jo no m'ho crec."* **9** Ser el temps bo, dolent, plujós, etc.: *Ahir va fer bo, avui fa mal temps.* **10** Provocar, causar que algú altre faci alguna cosa o que passi alguna cosa: *No feu plorar el nen petit.* ■ *El professor ens va fer fer una redacció.* **11 fer-se** Tornar-se, convertir-se: *En Manel s'ha fet molt gran.* ■ *El meu germà s'ha fet soci d'un club d'escacs.* **12 fer-se el savi, el distret, etc.** Simular que s'és d'una determinada manera: *Tu sempre et fas el savi.* **13 fer veure** Simular: *En Joan feia veure que llegia el llibre però mirava els cromos que tenia amagats a la falda.* **14** Mesurar: *Aquesta paret fa dos metres d'alt.* **15** Passar el temps: *Fa un any que va néixer el meu germà petit.* **16 fer malbé** Espatllar, destruir: *El meu germà ha fet malbé les joguines.* **17 fer temps** Esperar que sigui el moment de fer una cosa: *Com que encara no és hora de dinar, passejarem una mica per fer temps.* **18** *Aneu on vulgueu, a mi* **tant me fa** m'és indiferent, m'és igual. **19 fer per a algú** Ser adequat, convenient: *Aquest vestit fa per a tu.* **20 fer de** Treballar en un ofici, ocupar un càrrec: *El meu germà gran fa de taxista.* **21 fer tard** Arribar tard: *Haig de córrer, que si no faré tard.* **22** *La taula de casa meva és* **si fa no fa** *com aquesta:* gairebé, aproximadament.
Es conjuga com *desfer*. **Present d'indicatiu:** *faig, fas, fa, fem, feu, fan.* **Imperfet de subjuntiu:** *fes, fessis, fes, féssim, féssiu, fessin.*

fer² *fera fers feres adj* **1** Es diu d'un animal salvatge, ferotge. **2 porc fer** Porc senglar.

fera *feres nom f* **1** Animal salvatge i perillós: *El lleó i el tigre són dues feres.* **2 posar-se fet una fera** Enfadar-se molt.

feredat *feredats nom f* Por molt forta, horror: *Aquella tempesta amb tants llamps i trons feia feredat.*

feréstec *feréstega feréstecs feréstegues adj* **1** Es diu d'un animal salvatge, no domesticat. **2** Es diu d'una persona difícil de tractar, esquerpa, que fuig de la gent. **3** Que fa molta por, que fa feredat: *Un paisatge feréstec.*

fèretre *fèretres nom m* Caixa de morts, taüt.

ferida *ferides nom f* Mal produït al cos a causa d'un cop, d'una caiguda, etc.: *Va caure del cavall i es va fer una ferida a la cama.*

ferir *v* **1** Produir una ferida a algú: *Li van tirar una pedra i el van ferir.* **2** Ofendre: *Aquelles paraules la van ferir molt.*
Es conjuga com *servir*.

ferit *ferida ferits ferides adj i nom m i f* Es diu d'algú que ha pres mal, que ha sofert una ferida: *A l'accident hi va haver morts i ferits.*

ferm *ferma ferms fermes adj* **1** Es diu d'una cosa resistent, que s'aguanta bé: *Aquesta bicicleta és molt ferma, no s'espatlla mai.* **2** Es diu d'una persona valenta, treballadora, simpàtica, etc.: *La Joana és una noia molt ferma, sempre ajuda les seves amigues.* **3 en ferm** D'una manera segura, fora de dubtes: *Li va fer la comanda en ferm.*

fermall *fermalls nom m* Peça de metall, d'or o de plata que serveix per a subjectar la roba i per a adornar-la.

fermar *v* Lligar fort una cosa amb una altra, lligar un animal amb una corda, una cadena, etc.: *A davant de la casa hi havia un gos fermat amb una cadena perquè no es llancés a damunt de la gent.*
Es conjuga com *cantar*.

ferment *ferments nom m* **1** Substància capaç de produir una fermentació. **2** Causa, origen d'una baralla, d'una discussió, d'una revolta.

fermentació *fermentacions nom f* Transformació que sofreix una substància a causa de l'acció de llevats, de fongs, etc.: *El iogurt i el formatge s'obtenen de la fermentació de la llet.*

fermentar *v* Transformar-se una substància per l'acció de llevats, de fongs, etc.: *El vi s'obté fent fermentar el raïm.*
Es conjuga com *cantar*.

fermesa *fermeses nom f* Seguretat, capacitat d'obrar amb fortalesa: *Els germans van actuar amb fermesa i van resoldre el problema.*

feroç *feroços feroces adj* **1** Es diu de l'animal salvatge que ataca i menja altres animals: *El* llop és un animal feroç. **2** Cruel, molt dur: *Una lluita feroç.*

ferotge ferotges *adj* Feroç, salvatge.

ferradura ferradures *nom f* Peça de ferro en forma d'arc que es clava amb claus a les peülles d'un cavall, d'un mul, etc. i serveix per a protegir-les.

ferradura

ferralla ferralles *nom f* Trossos de ferro vell, eines de ferro que ja no serveixen.

ferramenta ferramentes *nom f* Conjunt d'eines de ferro o d'acer.

ferrar *v* **1** Clavar les ferradures a les peülles d'un cavall, d'un mul, etc. **2** Adornar amb ferro, revestir una cosa de ferro.
Es conjuga com *cantar.*

ferrat ferrada ferrats ferrades *adj* **1** Adornat amb ferro, revestit de ferro. **2 ou ferrat** Ou fregit.

ferreny ferrenya ferrenys ferrenyes *adj* Es diu de la persona que té el cos o el caràcter fort, dur: *Aquell senyor té una cara ferrenya.*

ferrer ferrera ferrers ferreres *nom m* i *f* Persona que treballa el ferro o que fabrica objectes de ferro: *Aquesta barana de ferro forjat la va fer un ferrer molt traçut.*

ferreria ferreries *nom f* Taller on es treballa el ferro.

ferreteria ferreteries *nom f* Botiga on es venen objectes de ferro i d'altres metalls com ara claus, eines, etc.

ferrets *nom m pl* Instrument musical que consisteix en un triangle de ferro que es pica amb una vareta, triangle.

ferri[1] fèrria ferris fèrries *adj* **1** De ferro: *A la via del tren se l'anomena via fèrria.* **2** Dur, ferm: *Una voluntat fèrria.*

ferri[2] ferris *nom m* Vaixell gran i pla que transporta gent, cotxes i mercaderies d'una banda a l'altra d'un riu, d'un llac, etc.

ferro ferros *nom m* **1** Metall de color gris, molt fort i sòlid, dúctil, que es rovella fàcilment en contacte amb l'aire humit i que serveix per a fer màquines, bigues, vies, baranes, etc.: *Les vies del tren són de ferro.* **2** Tros de ferro, peça de ferro: *Els ferros d'una reixa.* **3 de ferro** Molt dur, molt resistent: *La Consol no està mai malalta: té una salut de ferro.*

ferrocarril ferrocarrils *nom m* Sistema de comunicació en què els vehicles, anomenats trens, circulen pel damunt de dues guies de ferro paral·leles, anomenades carrils o vies.

ferroviari ferroviària ferroviaris ferroviàries *adj* i *nom m* i *f* Es diu de les persones o de les coses que estan relacionades amb el ferrocarril: *El seu avi era ferroviari.* ■ *La revisora del tren és una treballadora ferroviària.*

fèrtil fèrtils *adj* Que és capaç de reproduir-se o de donar fruits: *Aquesta terra és molt fèrtil, molt bona per a l'agricultura.*

fertilitzant fertilitzants *adj* i *nom m* Es diu de la substància que serveix per a adobar la terra, per a fer-la fèrtil.

fertilitzar *v* Fer fèrtil o més fèrtil: *La pluja fertilitza la terra.*
Es conjuga com *cantar.*

ferum ferums *nom f* Pudor, olor forta, com la que fan alguns animals o la carn i el peix quan comencen a podrir-se.

fervent fervents *adj* Que mostra molt entusiasme per una cosa: *En Maurici és un admirador fervent d'aquell conjunt de rock.*

fervor fervors *nom m* o *f* Entusiasme, passió que es mostra per una cosa.

fervorós fervorosa fervorosos fervoroses *adj* Que mostra fervor i entusiasme per una cosa, fervent.

fesol fesols *nom m* Mongeta.

fesomia fesomies *nom f* **1** Conjunt de trets, de característiques de la cara d'una persona: *Aquest nen petit té la mateixa fesomia que la seva mare.* **2** Aspecte que té una cosa per fora.

festa festes *nom f* **1** Dia que se celebra o es recorda un fet important, i que no es treballa: *El dia 25 de desembre és la festa de Nadal.* **2** Espectacle, ball, menjar, etc. que s'organitza per celebrar un fet, per divertir-se, etc.: *A l'escola farem una festa i hi haurà un berenar i un ball.* **3 festa major** Festa d'una ciutat, d'un poble, etc. per celebrar el dia del seu patró o la seva patrona: *La festa major de Barcelona és el dia de la Mare de Déu de la Mercè.* **4 fer festa** No anar a treballar: *Avui m'agradaria fer festa.* **5** Carícia: *A aquest gosset li agrada molt que li facin festes.*

festejar *v* Relacionar-se un noi i una noia que s'estimen i volen casar-se o viure junts.
Es conjuga com *cantar.* S'escriu *j* davant de *a, o, u* i *g* davant de *e, i: festejo, festeges.*

festí **festins** *nom m* Dinar o sopar amb molt menjar i molts convidats que es fa per celebrar alguna cosa.

festiu **festiva festius festives** *adj* **1** Es diu dels dies que no s'ha de treballar, que són festa: *Els diumenges són dies festius.* **2** Alegre: *L'ambient del carrer era festiu.*

festival **festivals** *nom m* Gran festa, conjunt d'espectacles o d'actuacions d'artistes: *Un festival de cançó. Un festival de dansa i música.*

festivitat **festivitats** *nom f* Dia que se celebra alguna festa religiosa important: *La festivitat dels Reis.*

festós **festosa festosos festoses** *adj* Que li agrada de fer festes, carícies, etc.: *Un gatet molt festós.*

festuc **festucs** *nom m* Pistatxo.

fet **fets** *nom m* **1** Acció de realitzar, de fer una cosa; allò que s'ha realitzat: *La història recull els fets més importants de la humanitat.* **2 de fet** Ben mirat, en realitat, efectivament: *Tothom es pensava que el treball seria molt difícil, però de fet no ens va costar gaire.*

feta **fetes** *nom f* Fet, acció important: *Al poble d'en Ramon tothom parla encara d'aquella feta de quan ell va caure a dins d'un pou.*

fetal **fetals** *adj* Que està relacionat amb el fetus.

fetge **fetges** *nom m* **1** Òrgan del cos de les persones i dels animals que segrega la bilis i que té moltes funcions indispensables per a la vida: *Les persones tenim el fetge situat a sota dels pulmons.* 🔟 **2 treure el fetge per la boca** Cansar-se a causa d'un excés de feina, d'un gran esforç físic, etc. *Vam córrer tant i ens vam cansar tant, que trèiem el fetge per la boca.*

fètid **fètida fètids fètides** *adj* Que fa molta pudor, que és molt pudent.

fetiller **fetillera fetillers fetilleres** *nom m i f* Persona que fa encanteris, bruixa, bruixot.

fetitxe **fetitxes** *nom m* Objecte que algunes persones creuen que té poders màgics, que creuen que porta bona sort, etc.

fetor **fetors** *nom f* Pudor molt forta.

fetus uns **fetus** *nom m* Ésser que s'està formant en el ventre de la mare.

feu **feus** *nom m* **1** Pacte politicoeconòmic de l'edat mitjana segons el qual un senyor feudal concedia terres i protecció a un vassall que, a canvi, li havia de jurar fidelitat i prestar alguns serveis. **2** Conjunt de les terres concedides en feu pel senyor al vassall.

feudal **feudals** *adj* Que està relacionat amb el feu o el feudalisme.

feudalisme **feudalismes** *nom m* Sistema d'organització politicoeconòmic de l'edat mitjana, en què hi havia alguns senyors que tenien feus i molts vassalls i serents a les seves ordres.

fi[1] **fina fins fines** *adj* **1** Petit, prim, delicat, suau: *Una pluja molt fina. Una sorra fina. Un llapis amb una punta molt fina. Un paper fi.* **2** Es diu de la persona que és educada, elegant, bonica, etc.: *Una noia fina.* **3 anar fi** Funcionar bé: *Aquest cotxe va molt fi.* **4 estar fi** Trobar-se bé de salut: *El meu avi no està fi i el portarem a l'hospital.*

fi[2] **fins** **1** *nom f* Final, moment últim, acabament d'una cosa: *Vam mirar la pel·lícula fins a la fi.* **2** *nom m* Objectiu, finalitat, allò a què es destina una cosa: *El fi de l'escola és educar.* **3 a la fi** A l'últim: *Vam haver de buscar el paper perdut durant molta estona, però a la fi el vam trobar.* **4 per fi** Finalment, en conclusió: *Per fi arribes, ja era hora!* **5 a fi de** Per tal de: *Les empreses fan propaganda a fi d'augmentar les vendes.* **6 a fi que** Per tal que: *Ho van fer d'aquesta manera a fi que tothom estigués content.*

fiable **fiables** *adj* Es diu d'una persona o d'una cosa de la qual et pots fiar, en la qual es pot confiar.

fiança **fiances** *nom f* Quantitat de diners que es dóna a algú com a penyora per demostrar que es vol complir una obligació: *Per sortir de la presó, el jutge li demanava una fiança de sis-cents euros.*

fiar *v* **1** Deixar que algú compri una cosa sense pagar al moment: *No porto cèntims, m'hauràs de* fiar. **2 fiar-se** Tenir confiança en algú o alguna cosa: *En Pere es fia dels seus amics i per això els deixa la bicicleta, perquè sap que la hi tornaran.* Es conjuga com *canviar*.

fiasco fiascos *nom m* Fracàs, actuació sense èxit d'un artista, d'un autor, etc.

fiblada fiblades *nom f* **1** Punxada de fibló. **2** Dolor agut, semblant a una punxada, que se sent en alguna part del cos.

fibló fiblons *nom m* Òrgan en forma de punxa amb què ataquen i fan picades alguns insectes, com ara l'abella, el mosquit, etc.

fibló

fibra fibres *nom f* Cadascun dels elements en forma de fil en què es pot descompondre un teixit animal o vegetal: *Les fibres d'un múscul.*

ficar *v* **1** Posar, fer entrar, introduir una cosa dins una altra: *Per obrir la porta has de ficar la clau al pany.* **2 ficar el nas** Fer esforços per saber les coses dels altres: *La Maria és molt xafardera: fica el nas a tot arreu.* **3 ficar-se de peus a la galleda** Dir una cosa poc encertada, ridícula: *Vaig preguntar-li pel seu pare i resulta que es va morir l'any passat: em vaig ficar de peus a la galleda!* **4 ficar-se al cap** Tenir una idea fixa: *Se li ha ficat al cap que hem d'anar a dinar a un restaurant!*
Es conjuga com *cantar*. S'escriu *c* davant de *a, o, u* i *qu* davant de *e, i: fico, fiques.*

ficció ficcions *nom f* Allò que és fingit o imaginat: *Les novel·les solen ser històries de ficció.*

fictici fictícia ficticis fictícies *adj* Que no existeix en la realitat, que és de ficció: *Una història fictícia, inventada, que no ha passat de debò.*

fidel fidels *adj* **1** Es diu de la persona que compleix el que ha promès, que ajuda els amics, que no els deixa quan el necessiten: *Tothom es va posar en contra d'en Jordi, només en Pere va ser-li fidel i el va defensar.* **2** Exacte, sense canvis: *Una còpia fidel.* **3 els fidels** *nom m pl* Conjunt dels creients d'una religió: *Les campanes criden els fidels a l'oració.*

fidelitat fidelitats *nom f* Capacitat de complir les promeses, de ser fidel als amics, a les persones estimades.

fideu fideus *nom m* **1** Pasta de farina en forma de fil: *Avui hem menjat fideus a la cassola.* **2** Persona molt prima.

figa figues *nom f* **1** Fruit comestible de la figuera, en forma de pera i de pell verdosa, morada o negra, que de dins és de color vermell i té com uns granets. **2 figues seques** Figues que, un cop collides, s'han deixat assecar perquè tinguin més sucre. **3** *Ara que hem parlat de futbol, podríem parlar també de bàsquet, però això ja* **són figues d'un altre paner**: és diferent, és un altre tema, no té relació o contradiu el que hem dit abans. **4 fer figa** Afluixar, perdre les energies, la força, fallar: *Vaig córrer molt bé els primers vint metres, però al final de la cursa vaig fer figa i vaig arribar l'últim.* **5 pesar figues** Adormir-se, estar mig endormiscat: *En Manel s'ha passat tota la classe pesant figues.* **6** *adj i nom m i f* Es diu de la persona massa delicada, que no suporta el dolor, les incomoditats, etc.

figa

figaflor figaflors **1** *nom f* Fruit comestible d'una varietat de figuera, més gros que la figa normal però no tan dolç. **2** *adj i nom m i f* Persona fleuma, de poc caràcter, que es deixa enredar fàcilment.

figuera figueres *nom f* Arbre de fulles caduques que fa un fruit comestible anomenat figa.

figuerenc figuerenca figuerencs figuerenques **1** *nom m i f* Habitant de Figueres; persona natural o procedent de Figueres. **2** *adj* Es diu de les persones o de les coses naturals o procedents de Figueres.

figura figures *nom f* **1** Forma externa, visible d'una cosa o d'una persona: *Vam pujar a la muntanya i des d'allà vam veure la figura* del campanar de l'església del poble. **2 Dibuix,** escultura, miniatura, etc. que representa una persona, un animal o una cosa: *Als nens, els agrada de jugar amb les figures del pessebre.* **3 figura geomètrica** Un triangle, un quadrat, un cercle, un polígon, un cub, un cilindre, etc. són figures geomètriques. **4** Persona que destaca per sobre de les altres per les seves habilitats: *Aquell jugador era la figura de l'equip.*

figuració figuracions *nom f* Cosa que ens pensem que ha passat, però que en el fons és imaginària: *No és veritat que la Montserrat ha vingut, són figuracions teves.*

figurant figurants *nom m i f* Persona que en una obra de teatre fa un paper poc important, que no ha de parlar.

figurar *v* **1** Semblar, representar una cosa: *Aquestes ratlles blaves i gruixudes del mapa figura que són els rius.* **2 Imaginar:** *No sé figurar-me què hauria passat si haguéssim arribat tard.* **3 Formar** part d'un conjunt de coses o de persones: *El meu nom figurava a la llista dels guanyadors del concurs.* **4** Fer-se veure, aparentar: *Li agrada molt de figurar quan condueix aquell cotxe descapotable.* Es conjuga com *cantar.*

figurat figurada figurats figurades *adj* **1** Que té una figura o una forma determinada. **2 sentit figurat** Significat que es dóna a una paraula o a una frase i que és diferent del seu sentit real: *La frase "tenir la paella pel mànec" té un sentit figurat perquè vol dir "manar".*

figurí figurins *nom m* **1** Dibuix que serveix de model per a fer un vestit. **2** Ninot de la mida d'una persona que serveix de model de vestits.

fil fils *nom m* **1** Material prim i flexible, semblant a un cabell, fet de fibres, que serveix per a cosir, fer teixits, etc.: *Porta fil i agulla, que et cosiré el botó.* **2 posar fil a l'agulla** Començar a fer una cosa: *Si demà haig de presentar el dibuix, ja cal que posi fil a l'agulla ara mateix.* **3** Cosa llarga i prima, semblant a un fil: *Els fils del telèfon.* ■ *Aquestes mongetes tendres fan fils.* **4** Quantitat molt petita d'una cosa que raja, que surt de dins: *Només rajava un fil d'aigua de la font.* ■ *Estava tan afònic que no tenia ni un fil de veu.* **5** *Ara no sé què volia dir,* **he perdut el fil**: no recordar el que s'estava dient.

fila files *nom f* **1** Conjunt de coses o de persones col·locades l'una al costat de l'altra o bé l'una darrere l'altra en línia recta. **2 en fila**

índia L'un darrere l'altre: *Vam pujar l'escala en fila índia.* **3** Aspecte d'una persona: *Quina mala fila que fas, amb aquest vestit tan vell! Ja te'l pots treure.*

filaberquí filaberquins *nom m* Eina per a fer forats amb una maneta giratòria que fa enfonsar la broca.

filaberquí

filador filadora filadors filadores *adj* i *nom m i f* Es diu de la persona que té per ofici filar teixits en una fàbrica tèxtil.

filadora filadores *nom f* Màquina que serveix per a filar.

filagarsa filagarses *nom f* Conjunt de fils que pengen d'un tros de roba: *Aquest jersei és molt vell i està ple de filagarses.*

filament filaments *nom m* Cosa que té forma de fil.

filar *v* **1** Convertir en fil: *La llana de les ovelles s'ha de filar per poder fer-ne vestits.* **2 filar prim** Ser escrupolós, adonar-se de tot: *El porter de la discoteca fila molt prim i no deixa entrar ningú sense carnet.* Es conjuga com *cantar.*

filat filats *nom m* **1 Fil:** *Una fàbrica de filats.* **2** Xarxa de filferro, de plàstic, etc. que serveix per a tancar un espai exterior, un jardí, etc.

filatèlia filatèlies *nom f* Afició a estudiar i a col·leccionar segells.

filatura filatures *nom f* **1** Conjunt d'operacions que s'han de fer per convertir una fibra en fil. **2** Fàbrica on es transforma una fibra en fil.

filera fileres *nom f* Sèrie de coses o de persones col·locades en línia recta, fila: *A cada banda del carrer hi ha una filera d'arbres.*

filet filets *nom m* **1** Ratlla molt prima pintada en una paret, impresa en un paper, etc. **2** Tros prim de carn, de peix, etc. sense ossos o sense espines. **3** Tros del llom de la vedella, del porc, etc. que no té ossos ni tendons.

filferro filferros *nom m* Fil d'acer fort i flexible que serveix per a fer tanques, estenedors, etc.: *El camp on pasturaven les vaques estava voltat d'una tanca de filferro, i no s'hi podia entrar.*

filial filials **1** *adj* Que té relació amb els fills: *Els deures filials.* **2** *nom f* Empresa, botiga o negoci que depèn d'una societat mare: *Aquella empresa de París ha obert filials a altres ciutats franceses.*

filigrana filigranes *nom f* Obra molt elaborada, d'una gran perfecció: *Les puntes d'aquest coixí són una filigrana.*

filipí filipina filipins filipines **1** *nom m* i *f* Habitant de les illes Filipines; persona natural o procedent de les Filipines. **2** *adj* Es diu de les persones o de les coses naturals o procedents de les Filipines.

filípica filípiques *nom f* Discurs violent contra algú.

filis Paraula que apareix en l'expressió **estar de filis**, que vol dir "estar de bon humor, estar ben disposat per a una cosa": *Avui la mare no estava gaire de filis i no m'ha deixat anar al cine amb els amics.*

fill filla fills filles *nom m* i *f* **1** Nom que es dóna a una persona o a un animal amb relació al seu pare o a la seva mare: *Aquell home i aquella dona tenen tres fills.* **2** **fill polític** Gendre. **3** **filla política** Nora. **4** Persona amb relació al poble, a la nació on ha nascut: *En Martí és fill de Solsona.*

fillastre fillastra fillastres *nom m* i *f* Fill o filla que només ho és d'un dels membres del matrimoni, amb relació a l'altre membre: *En Lluís s'ha casat amb una dona que tenia un fill, i ara aquest noi és el seu fillastre.*

fillol fillola fillols filloles *nom m* i *f* Nom que es dóna a una persona amb relació als seus padrins de bateig.

fil·loxera fil·loxeres *nom f* **1** Insecte molt petit que fa malbé les vinyes. **2** Malaltia de les vinyes en ser atacades per l'insecte del mateix nom.

film films *nom m* Pel·lícula.

filmar *v* Gravar imatges en una pel·lícula amb una càmera.
Es conjuga com *cantar*.

filmoteca filmoteques *nom f* Lloc on hi ha una col·lecció ordenada de films.

filó filons *nom m* Mineral de forma allargada i prima que hi ha dins l'esquerda d'una roca: *En aquesta cova han descobert un filó d'or.*

filo- Element amb què comencen algunes paraules i que vol dir "amic": *Una persona "filo-*

socialista" és una persona que és amiga del partit socialista o de les idees socialistes.*

filòleg filòloga filòlegs filòlogues *nom m* i *f* Persona que es dedica a l'estudi de la llengua, a la filologia.

filologia filologies *nom f* Disciplina que estudia l'estructura i l'evolució d'una llengua per mitjà de l'anàlisi dels textos escrits.

filosa filoses *nom f* Instrument que serveix per a filar, que consisteix en un bastó acabat amb un cap ample al voltant del qual s'enrotlla el material que s'ha de filar.

filòsof filòsofa filòsofs filòsofes *nom m* i *f* Persona que es dedica a l'estudi de la filosofia.

filosofia filosofies *nom f* **1** Conjunt de disciplines que per mitjà del pensament i de la reflexió intenten explicar la natura, la persona humana, el comportament de les persones, l'existència, tota mena de coneixement, etc. **2** Doctrina, conjunt d'idees d'un pensador, d'una escola o d'una època. **3** **prendre's una cosa amb filosofia** Saber resistir de forma intel·ligent els contratemps que poden ocórrer: *No té mai cap problema, tot s'ho pren amb filosofia.*

filtrar *v* **1** Fer passar un líquid per un filtre per a separar-ne la matèria sòlida que porta barrejada: *L'aigua d'aquest dipòsit s'ha de filtrar per a separar-ne les brutícies i la sorra.* **2** **filtrar-se** Passar un líquid a través d'una paret, d'una teulada, etc.: *Plovia i l'aigua es filtrava per les parets de la casa.*
Es conjuga com *cantar*.

filtre filtres *nom m* **1** Qualsevol objecte o làmina amb forats o amb molts porus que serveix per a separar les parts sòlides d'un líquid o un gas: *A la cafetera hi ha un filtre que només deixa passar el líquid i que fa quedar a dins la pols del cafè.* **2** Beguda màgica: *El bruixot va donar un filtre màgic a la princesa, que la va fer despertar.*

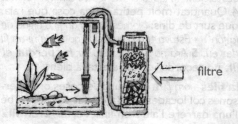

filtre

filustrar v Clissar, veure, adonar-se d'una cosa.
Es conjuga com *cantar*.

fimbrar v Vibrar una biga, un bastó, etc. quan rep una força en direcció contrària: *Quan algú corre pel pis de dalt, el sostre fimbra.*
Es conjuga com *cantar*.

fimosi fimosis *nom f* Estretor de la pell que cobreix la part del final del penis i que impedeix la sortida del gland: *Quan tenia nou anys, el van operar de fimosi.*

final finals **1** *adj* Que és l'últim, darrer: *L'examen final serà el mes de maig.* **2** *nom m* Acabament d'una cosa, l'última part, la fi: *El final de la pel·lícula no m'ha agradat.* **3** *nom f* Prova que decideix el guanyador d'una competició, d'un concurs, etc.: *Demà es juga la final europea de futbol.*

finalista finalistes *adj i nom m i f* Que ha arribat a la final d'un concurs, d'una competició, etc.

finalitat finalitats *nom f* Fi, objectiu: *La campanya de publicitat tenia com a finalitat aconseguir que la ciutat fos més neta.*

finalitzar v Acabar.
Es conjuga com *cantar*.

finalment adv A la fi, per fi: *Van parlar-ne molta estona i finalment es van posar d'acord.*

finançar v Aportar diners per a la realització d'un projecte, com ara la construcció d'una empresa, la celebració d'un concert, etc.
Es conjuga com *cantar*. S'escriu ç davant de *a, o, u* i c davant de *e, i: finanço, finances.*

financer financera financers financeres **1** *adj* Que té relació amb el món dels negocis i de les finances. **2** *nom m i f* Persona que domina el món de les finances i s'hi dedica professionalment.

finances *nom f pl* Conjunt d'activitats relacionades amb els diners: *Els bancs i les caixes són empreses que es dediquen a les finances.*

finar v Morir.
Es conjuga com *cantar*.

finca finques *nom f* Tros de terreny, casa, edifici, al camp o a la ciutat, que és propietat d'una persona: *Un senyor molt ric, propietari de moltes finques.*

finès finesa finesos fineses **1** *nom m i f* Individu d'un poble establert a Finlàndia i a altres països del nord d'Europa. **2** *adj* Que està relacionat amb els finesos. **3** *nom m* Llengua que parlen els finesos.

finestra finestres *nom f* **1** Obertura que hi ha en una paret, en un vehicle, etc. per deixar entrar la llum i l'aire: *Per la finestra entrava molta claror i vam haver d'abaixar la persiana.* **2 tirar la casa per la finestra** Gastar molts diners: *Si traiem la rifa, tirarem la casa per la finestra.*

finestral finestrals *nom m* Finestra gran: *L'església tenia uns grans finestrals amb vitralls de colors.*

finestreta finestretes *nom f* **1** Finestra petita, com les que hi ha als cotxes, als trens, als avions, etc. **2** Obertura generalment coberta per un vidre, com les que hi ha en un banc, una estació, etc., per on es despatxen els bitllets o s'atén el públic.

finestreta

finestró finestrons *nom m* Porta petita de fusta que serveix per a tapar els vidres d'una finestra.

fingir v Fer veure que és real una cosa que no ho és: *Aquell nen es trobava ben bé, però va fingir que estava malalt per no haver d'anar a l'escola.*
Es conjuga com *servir.*

finir v Acabar, finalitzar: *L'any fineix el 31 de desembre.*
Es conjuga com *servir.*

finit finita finits finites *adj* Que té límit, que algun dia s'acabarà: *L'existència de les persones, dels animals i de les plantes és finita.*

finlandès finlandesa finlandesos finlandeses **1** *nom m i f* Habitant de Finlàndia; persona natural o procedent de Finlàndia. **2** *adj* Es diu de les persones o de les coses naturals o procedents de Finlàndia. **3** *nom m* Llengua parlada a Finlàndia, finès.

finolis uns/unes finolis *adj i nom m i f* Es diu de la persona que és exageradament fina i ben educada: *És tan finolis, que no es va voler asseure* *a les escales, com tothom, per no embrutar-se el vestit.*

finor finors *nom f* Qualitat de fi, suavitat: *La finor de la pell dels infants.*

fins *prep* **1** Paraula que indica el lloc o el moment a què arriba una cosa: *Hem anat des de Mataró fins a Barcelona amb tren.* ▪ *El metge visita de les nou fins a les deu.* **2 fins i tot** També, àdhuc: *Tothom ballava, fins i tot la iaia.*

finta fintes *nom f* Moviment que fa un jugador de futbol, de bàsquet, etc. amb la intenció d'enganyar el jugador contrari.

fiord fiords *nom m* Braç de mar llarg i estret que entra molt endins entre muntanyes: *A Noruega es poden visitar els fiords.*

fira fires *nom f* **1** Mercat, reunió de comerciants que exposen, venen o compren algun producte com ara bestiar, vins, ceràmica, etc.: *Diumenge anirem a la fira del llibre.* **2** Conjunt d'instal·lacions com ara tómboles, barraques de tir, autos de xoc, cavallets, etc. que es munten en un poble o en una ciutat amb motiu d'una festa.

firaire firaires *nom m i f* Persona que es dedica a anar per les fires comprant o venent coses.

firal firals *nom m* Espai d'una ciutat o d'un poble on es fan les fires.

firar-se *v* Comprar alguna cosa en una fira, en una botiga, etc.: *He anat al mercat i m'he firat.* Es conjuga com *cantar.*

fireta firetes *nom f* Conjunt d'estris i d'objectes de cuina petits fets de terrissa, de llauna, etc. per a jugar a cuinar: *En Pere i l'Anna són al menjador jugant amb la fireta.*

firma firmes *nom f* Nom i cognom acompanyats d'un gargot que cada persona fa per a certificar una cosa, signatura: *Al capdavall d'aquest document hi ha un espai per a posar-hi la firma.*

firmament firmaments *nom m* Cel: *El firmament és ple d'estels.*

firmar *v* Posar el nom i el cognom en un document, en una carta, etc., signar, posar-hi la firma. Es conjuga com *cantar.*

fisc fiscs o fiscos *nom m* Conjunt dels diners de què disposa l'Estat obtinguts per mitjà dels impostos.

fiscal fiscals **1** *nom m i f* Persona que, en un judici, defensa els interessos públics intervenint en la investigació del delicte i demanant una pena per a l'acusat. **2** *adj* Que té relació amb el fisc: *El sistema fiscal d'un estat és el conjunt de lleis i d'organismes que permeten de recaptar els impostos.*

fiscalitzar *v* Controlar, observar amb molta atenció, sense deixar cap detall, una cosa o una acció que fa un altre. Es conjuga com *cantar.*

fiscorn fiscorns **1** *nom m* Instrument musical de vent, de metall, que té un tub llarg cargolat acabat en forma de copa. **2** *nom m i f* Músic que toca el fiscorn.

físic física físics físiques **1** *adj* Que està relacionat amb les coses materials i no amb les coses de l'esperit o de la ment: *Aquell noi té molta força física.* **2** *nom m* Cos d'una persona: *Aquell atleta es cuida molt el físic.* **3** *nom m i f* Persona que es dedica a l'estudi de la física.

física físiques *nom f* Ciència que estudia i investiga els fenòmens de la natura.

fisiologia fisiologies *nom f* Branca de la biologia que estudia les funcions dels éssers vius.

fisonomia fisonomies *nom f* Fesomia.

fissió fissions *nom f* **1** Acció de fendre. **2** Escissió d'un nucli atòmic en diversos fragments per mitjà d'un bombardeig de neutrons: *L'energia nuclear s'obté de la fissió de nuclis atòmics.*

fissura fissures *nom f* Esquerda, clivella en una roca o en una superfície dura: *En Martí va caure i té una fissura al turmell.*

fit fita fits fites *adj* **1** Es diu dels ulls quan miren fixament una cosa o una persona: *Tenia els ulls fits en el llibre.* **2 mirar de fit a fit** Mirar fixament una cosa o una persona.

fita fites *nom f* **1** Pedra clavada a terra que indica el límit d'un territori o la distància des de l'origen en una carretera, en un camí, etc. **2** Objectiu final: *La fita d'aquells nois era pujar al cim de l'Everest, la muntanya més alta del món.*

fita

fitar v **1** Mirar algú o alguna cosa fixament. **2** Posar senyals que indiquen l'acabament d'un territori o d'una propietat.
Es conjuga com *cantar*.

fitora fitores nom f **Forca de tres puntes que** s'utilitza per a pescar, trident: *El déu del mar sempre és representat amb una fitora o trident a la mà.*

fitxa fitxes nom f **1** Cartolina petita on hi ha escrites les dades i la informació més important d'un llibre, d'una persona, etc. i que forma part d'un fitxer: *Estem organitzant la biblioteca i hem de fer una fitxa de cada llibre.* **2** Peça petita de fusta, de plàstic, etc. que serveix per a jugar a jocs de taula com ara el parxís, l'oca, etc. **3** Exercici de classe que ha de fer l'alumne seguint unes instruccions.

fitxar v **1** Fer la fitxa d'una cosa, d'una persona, d'una empresa, etc.: *La bibliotecària fitxa tots els llibres nous que arriben a la biblioteca.* ■ *Després de l'incident van portar el noi a la comissaria i el van fitxar.* **2** Contractar un jugador per a un equip de futbol, de bàsquet, etc.
Es conjuga com *cantar*.

fitxer fitxers nom m **1** Moble, calaix, capsa, etc. per a posar-hi fitxes. **2** Conjunt de fitxes.

fix fixa fixos fixes adj **1** Col·locat de manera que no pot moure's ni caure: *Aquesta corda és fixa, està enganxada al sostre, pots pujar-hi tranquil·lament, no cauràs pas.* **2** Es diu dels ulls quan miren atentament una cosa: *Té els ulls fixos en el llibre.* **3** Que està en una situació laboral segura: *Aquest hotel té deu treballadors fixos, que hi treballen tot l'any, i quatre treballadors de temporada, que només hi treballen a l'estiu.* **4** Concret, determinat: *Hem de quedar un dia fix per fer la festa.*

fixació fixacions nom f **1** Acció de fixar. **2** Idea fixa, obsessió.

fixador fixadora fixadors fixadores adj i nom m **Es diu de la substància líquida i espessa,** semblant a la goma, que fixa i que dóna un to brillant a una cosa: *Es posa fixador als cabells i li queden ben aixafats.* ■ *Les fotografies porten fixador perquè la imatge quedi clara i brillant.*

fixar v **1** Clavar, enganxar una cosa de manera que no es pugui moure: *Les butaques del cine estan fixades a terra.* **2** Dirigir l'atenció cap a una cosa: *T'has fixat en aquell aparador? Hi havia l'abric que t'agrada.* **3** Decidir quan i on ha de tenir lloc un fet: *Encara no hem fixat la data del viatge.*
Es conjuga com *cantar*.

flabiol flabiols nom m **1** Flauta de canya que fa uns sons molt aguts: *El pastor toca un flabiol.* **2 anar darrere d'algú amb un flabiol sonant** Perseguir inútilment algú perquè faci alguna cosa.

flac flaca flacs flaques adj **1** Prim: *Quin gos tan flac!* **2** Dèbil, sense forces.

flaca flaques nom f **Tendència, inclinació, afició** a una cosa: *La seva flaca és el futbol.*

flàccid flàccida flàccids flàccides adj **Tou,** flonjo.

flagell flagells nom m **1** Instrument de càstig fet amb cordes plenes de nusos o de punxes. **2** Càstig, turment, desgràcia que cau sobre un poble, una família, etc.: *El flagell de la fam.*

flagel·lar v **Pegar amb un flagell, amb un** instrument de càstig.
Es conjuga com *cantar*.

flagrant flagrants adj **Que no es pot negar,** que és evident: *M'han suspès l'examen perquè he fet una falta flagrant: m'han enxampat copiant l'examen del meu company.*

flairar v **1** Olorar. **2** Fer olor.
Es conjuga com *cantar*.

flaire flaires nom f **Olor.**

flaix flaixos nom m **Aparell que produeix una** llum molt intensa que s'encén durant uns segons i que s'utilitza per a fer fotografies quan no hi ha prou llum natural.

flam flams nom m **Pastís fet de llet, de sucre i** d'ous que es posa al bany maria dins un motlle i es deixa reposar perquè es torni sòlid: *Diumenge, per postres, vam menjar els flams que havia fet la mare.*

flama flames nom f **Llengua de foc que** surt d'una cosa que crema: *Hem vist com es cremava una casa, i les flames feien més de vint metres.*

flama

flamant flamants adj **Molt nou, acabat de** fer, acabat d'estrenar: *Aquell noi es passeja pel poble amb un cotxe flamant.*

flamarada flamarades *nom f* Gran flama que surt d'un foc i que s'apaga de seguida: *Els papers que vaig tirar al foc van fer unes grans flamarades.*

flamejar *v* Cremar, fer flames: *Des de lluny es veia com flamejaven els focs de Sant Joan.* Es conjuga com *cantar*. S'escriu *j* davant de *a, o, u* i *g* davant de *e, i: flamejo, flameges.*

flamenc[1] flamenca flamencs flamenques **1** *nom m* i *f* Habitant de Flandes; persona natural o procedent de Flandes. **2** *adj* Es diu de les persones o de les coses naturals o procedents de Flandes. **3** *nom m* Manera de parlar el neerlandès pròpia de Flandes. **4** *adj* i *nom m* Es diu de la música, de la dansa, dels costums andalusos que s'assemblen als d'origen gitano.

flamenc[2] flamencs *nom m* Ocell que té les potes i el coll molt llargs i les plomes blanques i rosades.

flamera flameres *nom f* Motlle on es posa el flam perquè es torni sòlid.

flamerada flamerades *nom f* Flamarada.

flamet flamets *nom m* Pastís petit en forma de flam fet amb rovell d'ou ensucrat.

flanc flancs *nom m* Costat, cadascuna de les dues parts laterals d'una cosa: *Els flancs d'un vaixell són molt més llargs que les parts de davant i del darrere.*

flanquejar *v* Estar col·locat al llarg d'una cosa, paral·lelament a una cosa: *Dues fileres de soldats flanquejaven el ministre i tota la comitiva.* Es conjuga com *cantar*. S'escriu *j* davant de *a, o, u* i *g* davant de *e, i: flanquejo, flanqueges.*

flaquejar *v* **1** Perdre forces mentre s'està fent una cosa: *Les cames de l'atleta començaven a flaquejar, i era poc probable que guanyés la cursa.* **2** No haver-hi prou quantitat d'una cosa, anar escassa una cosa: *Quan la feina flaqueja, la gent es preocupa.* Es conjuga com *cantar*. S'escriu *j* davant de *a, o, u* i *g* davant de *e, i: flaquejo, flaqueges.*

flaquesa flaqueses *nom f* Debilitat, falta de forces: *Li vaig donar diners i no ho havia d'haver fet, vaig tenir un moment de flaquesa.*

flasc flasca flascs o flascos flasques *adj* Fleuma, poc decidit, poc valent.

flascó flascons *nom m* Recipient petit, en forma d'ampolleta, on s'envasen líquids, perfums, medicines, etc.: *Un flascó de colònia.*

flassada flassades *nom f* Peça gruixuda, de llana o de cotó, que es posa al llit per estar més abrigat, manta.

flastomar *v* Blasfemar. Es conjuga com *cantar*.

flat flats *nom m* Conjunt de gasos que s'acumulen a l'aparell digestiu i que de vegades provoca punxades de dolor: *Vaig córrer després de dinar i em va venir flat.*

flauta flautes **1** *nom f* Instrument musical de vent, de diferents mides, que consisteix en un tub llarg i buit de fusta o d'altres materials, amb un forat que és per on es bufa i amb uns altres forats que es tapen i es destapen amb els dits: *En Cinto va a l'escola de música per aprendre a tocar la flauta.* **2** *nom m* i *f* Músic que toca la flauta.

flautí flautins *nom m* Instrument musical de vent de so agut, semblant a una flauta però més petit.

flautista flautistes *nom m* i *f* Músic que toca la flauta.

fleca fleques *nom f* Forn de pa, botiga on es ven pa.

flectar *v* Posar els genolls a terra, en agenollar-se. Es conjuga com *cantar*.

flegmàtic flegmàtica flegmàtics flegmàtiques *adj* Es diu de la persona que té un caràcter tranquil, que és calmosa, que no es posa nerviosa per res.

flegmó flegmons *nom m* Inflamació interna de la pell, generalment de les genives, que fa molt de mal.

flequer flequera flequers flequeres *nom m* i *f* Persona que fa o que ven pa, forner.

fletxa fletxes *nom f* **1** Arma que es llança amb un arc i que consisteix en un pal llarg i prim que té una punta afilada de ferro en un dels extrems, sageta: *Antigament els animals es caçaven amb un arc i fletxes.* **2** Senyal que indica una direcció: *Aquella fletxa indica la direcció correcta.*

fletxa①

fletxa②

fleuma fleumes *adj* i *nom m* i *f* Es diu de la persona poc decidida, poc valenta, fàcil d'enganyar.

flexibilitat flexibilitats *nom f* Elasticitat, possibilitat de doblegar-se i de corbar-se que tenen algunes persones i alguns materials: *La goma és un material que té molta flexibilitat.*

flexible flexibles *adj* **1** Que pot corbar-se sense trencar-se: *Un bastó flexible.* **2** Es diu de la persona que s'adapta a una situació nova, que sap cedir, etc.

flexió flexions *nom f* Acció de fer corbar una cosa, de fer-la arronsar: *La flexió del braç.*

flexionar *v* Doblegar, torçar una cosa. Es conjuga com *cantar*.

flirt flirts *nom m* Relació amorosa entre dues persones poc seriosa i que dura poc temps.

flist–flast Onomatopeia, paraula que imita el soroll que fan dues bufetades seguides.

flit flits *nom m* Insecticida que s'aplica ruixant-lo damunt una cosa, a l'interior d'una habitació, etc.

flitar *v* Ruixar amb un insecticida una cosa, una habitació, etc. Es conjuga com *cantar*.

floc flocs *nom m* **1** Petita porció de llana, d'encenalls, etc. **2** Cada una de les petites porcions de neu que cauen quan neva.

flonjo flonja flonjos flonges *adj* Tou i esponjós: *Aquests coixins del sofà són molt flonjos.*

flor flors *nom f* **1** Part de la planta que conté els òrgans reproductors i que sol ser de colors: *Posarem aquestes flors en un gerro ple d'aigua.* **3 2 flor de neu** Herba que es fa a l'alta muntanya i que fa unes flors blanques. **3 ser flors i violes** Ser fàcil una cosa: *Aprendre aquesta lliçó són flors i violes.* **4 a la flor de la vida** Època de plena joventut: *Tens vint anys: ets a la flor de la vida.* **5** Paraules agradables que es diuen per fer content algú: *Aquell noi sempre tira flors a les noies de la classe.* **6 a flor de** A la superfície d'una cosa: *Va sentir una esgarrifança a flor de pell.*

flora flores *nom f* Conjunt d'espècies vegetals que creixen en un territori: *Els països mediterranis tenen una flora molt variada.*

floració floracions *nom f* Fer la flor, treure la flor: *Moltes plantes fan la floració a la primavera.*

floral florals *adj* **1** Que està relacionat amb les flors. **2 jocs florals** Concurs literari: *El meu germà ha guanyat el primer premi de poesia dels jocs florals de l'escola.*

florent florents *adj* **1** Que té flor. **2** Es diu d'una cosa que va molt bé, que funciona cada vegada millor: *Una indústria florent.*

floret florets *nom m* Espasa de fulla molt prima que s'utilitza en l'esport de l'esgrima.

floreta floretes *nom f* Paraula agradable, frase que diem a algú per alabar alguna de les seves qualitats: *Aquell noi sempre tira floretes a les noies que passen.*

florí florins *nom m* Antiga moneda dels Països Baixos.

floricultor floricultora floricultors floricultores *nom m* i *f* Persona que té per ofici cultivar les plantes i obtenir-ne flors.

floricultura floricultures *nom f* Conreu de les flors: *A la comarca del Maresme hi ha moltes persones que es dediquen a la floricultura.*

floridura floridures *nom f* Capa de fongs que es forma a la superfície dels aliments i d'altres objectes a causa de la humitat.

florir *v* **1** Fer flor les plantes, sortir les flors: *A la primavera les plantes floreixen.* **2** Passar un bon moment, tenir molta força: *Al segle XIX, a Catalunya, hi va florir la indústria.* **3 florir-se** Fer-se malbé una cosa, cobrir-se de floridura: *Aquest formatge s'ha florit, l'haurem de llençar.* **4** Acabar la paciència, desesperar-se: *Vam esperar a la porta durant tres hores, ens hi vam florir.* Es conjuga com *servir*.

florista floristes *nom m* i *f* Persona que ven flors en una botiga o en una parada.

floristeria floristeries *nom f* Botiga on venen flors.

florit florida florits florides *adj* **1** Que té flors: *Un arbre florit.* **2 barba florida** Barba blanca. **3** Es diu del llenguatge molt adornat. **4** *nom m* Floridura.

floritura floritures *nom f* Adorn exagerat, innecessari.

floronco floroncos *nom m* Inflamació de la pell que treu pus i que és molt dolorosa, furóncol.

flota flotes *nom f* **1** Grup de vaixells que naveguen junts o que formen part d'un mateix conjunt: *Aquell país té una flota de vaixells de guerra.* **2** Tros de terra on les plantes creixen molt espesses: *Una flota d'arbres.* **3** Reunió de persones que van juntes.

flotador flotadors *nom m* Objecte que s'aguanta sobre l'aigua i que una persona fa servir per a no enfonsar-se: *El meu germà petit encara no sap nedar i, per això, es banya amb un flotador de plàstic d'aquells que s'inflen.*

flotant flotants *adj* **1** Que flota. **2** Es diu de les dues últimes costelles.

flotar *v* Aguantar-se en la superfície de l'aigua sense enfonsar-se, surar: *Vam trobar una ampolla que flotava i a dins hi havia un missatge.* Es conjuga com *cantar*.

flotó flotons *nom m* Grup petit de coses o de persones: *Al peu d'aquell arbre hi ha un flotó de bolets.*

fluctuar *v* Moure's com una onada, amunt i avall o d'un costat a l'altre: *El preu d'alguns dels aliments fluctua: tan aviat puja com baixa.* Es conjuga com *canviar*.

fluid fluida fluids fluides **1** *adj* Que flueix, que corre com un líquid: *La sang és una substància fluida.* ■ *Avui el trànsit era molt fluid, no hi havia embussos enlloc.* ■ *Parla amb un llenguatge fluid.* **2** *nom m* Líquid o gas: *El cos humà té un fluid molt important: la sang.*

fluïdesa fluïdeses *nom f* Qualitat de les coses fluides, que llisquen, que no s'encallen: *Els companys que han exposat el treball davant la classe parlaven amb molta fluïdesa.*

fluir *v* Córrer un líquid, l'aigua d'un riu, etc. Es conjuga com *reduir*.

fluix fluixa fluixos fluixes *adj* **1** Que no tiba, que no estreny fort: *Les cordes que aguantaven la vela del circ estaven fluixes, i el vent la va aterrar.* **2** Amb poca intensitat, dèbil, suau: *Tenia por de despertar el nadó i parlava amb una veu molt fluixa.* **3** Incomplet, poc adequat, que no està a l'altura dels altres: *El professor m'ha dit que he fet un examen molt fluix.* **4** *adv* Sense força: *Parla tan fluix, que gairebé no se'l sent.*

fluixejar *v* Tirar a fluix, ser més aviat fluixa una cosa, de poca qualitat: *Aquesta novel·la comença molt bé, però cap a la meitat comença a fluixejar.* Es conjuga com *cantar*. S'escriu *j* davant de *a, o, u* i *g* davant de *e, i: fluixejo, fluixeges.*

fluor fluors *nom m* Element químic gasós, d'un color groc verdós: *El fluor s'utilitza en l'elaboració de productes que protegeixen les dents contra la càries.*

fluorescent fluorescents *nom m* Tipus de llum en forma de tub que fa una llum molt clara.

fluorita fluorites *nom f* Mineral del qual s'extreu el fluor. ■ 14

fluvial fluvials *adj* Que està relacionat amb els rius: *La pesca fluvial és la que es fa als rius.*

flux fluxos *nom m* **1** Moviment continu d'una cosa que es mou en una direcció determinada: *El flux de l'aigua d'un canal.* **2** Moviment d'una cosa en un sentit que va seguit d'un altre moviment en sentit contrari: *Ara estem estudiant el flux i el reflux de la mar, és a dir, la marea alta i la marea baixa.*

fòbia fòbies *nom f* Por molt gran d'alguna cosa que provoca angoixa i malestar: *El meu germà té fòbia als gossos.*

foc focs *nom m* **1** Calor i llum que produeix un cos que crema: *El foc serveix per a escalfar.* **2** **calar foc** Incendiar: *Es va calar foc al bosc.* **3** Foguera: *Els infants del barri arrepleguen fustes per a fer el foc de Sant Joan.* **4** Incendi: *Aquest estiu hi ha hagut molts focs.* **5** **focs artificials** Coets i altres petards de pólvora que, quan esclaten, omplen el cel de llums de diferents colors: *Per la festa major faran focs artificials.* **6** **arma de foc** Arma que es carrega amb pólvora o una altra substància explosiva, com ara una escopeta o un canó. **7** Descàrrega d'una arma de foc: *El capità va dir "foc!" i els soldats van disparar.* **8** **treure foc pels queixals** Estar molt enfadat, molt irritat.

foca foques *nom f* Animal mamífer carnívor que viu a la costa, en llocs molt freds, amb potes que semblen aletes que li serveixen tant per a nedar com per a arrossegar-se per terra.

focus uns focus *nom m* **1** Punt d'on neix una cosa que s'escampa: *Un focus de llum. El focus d'una malaltia.* **2** Llum molt potent que concentra la claror en un lloc concret: *Durant el concert un gran focus il·luminava el cantant.*

fofo fofa fofos fofes *adj* Es diu d'una persona grassa i que té la carn tova.

fogata fogates *nom f* Foguera.

fogó fogons *nom m* Cadascuna de les peces d'una cuina per on surt el foc i sobre les quals es posen les olles, les cassoles, etc. que es volen escalfar.

fogós fogosa fogosos fogoses *adj* Ple de vida, ardent.

fogots Paraula que apareix en l'expressió **tenir fogots**, que vol dir "tenir molta calor de cop", "sufocar-se", "pujar els colors a la cara".

foguer[1] foguera foguers fogueres *adj* **1** Que serveix per a fer foc. **2 pedra foguera** Tros de sílex que, si es rasca amb un tros d'acer, treu espurnes, i que serveix per a fer foc.

foguer[2] foguers *nom m* Fogó.

foguera fogueres *nom f* Pilot de fustes, cartons, etc. que cremen: *Per Sant Joan la gent fa grans fogueres als carrers.*

foguerada foguerades *nom f* Foc que fa molta flama: *Amb aquests papers i aquests cartons farem una bona foguerada.*

foie gras *nom m* Pasta feta amb fetge d'oca o d'ànec i amb altres ingredients: *Per berenar hem menjat torrades untades amb foie gras.*

folgat folgada folgats folgades *adj* Es diu d'una cosa que és còmoda i que no estreny: *Una jaqueta folgada.*

foli folis *nom m* Full de paper que fa 22 per 32 cm.

folíol folíols *nom m* Cadascuna de les parts que formen una fulla composta.

folklore folklores *nom m* Conjunt de costums, de tradicions, de festes, de llegendes, de cançons populars, etc. pròpies d'un país.

folklòric folklòrica folklòrics folklòriques *adj* Que té relació amb el folklore: *En Sergi forma part d'un grup de dansa folklòrica mallorquina.*

foll folla folls folles **1** *adj* i *nom m* i *f* Boig. **2** *adj* Es diu d'una bèstia rabiosa: *Un gos foll és molt perillós.*

follar[1] *v* Aixafar trepitjant: *Demà follaran el raïm de la verema.*
Es conjuga com *cantar*.

follar[2] *v* Fer l'acte sexual.
Es conjuga com *cantar*.

follet follets *nom m* Personatge imaginari dels contes, molt petit i entremaliat, que viu a les cases i surt de nit quan la gent dorm: *Els gegants i els follets són personatges de contes.*

follia follies *nom f* Bogeria.

folrar *v* **1** Cobrir una cosa per la part de dins o de fora, per protegir-la, per fer-la més forta, més gruixuda: *Amb aquesta jaqueta no tindràs fred, perquè està folrada de llana. Si folres els llibres amb aquest paper, et duraran més temps.* **2 folrar-se** Guanyar molts diners en poc temps: *Aquella gent s'ha folrat venent ordinadors.*
Es conjuga com *cantar*.

folre folres *nom m* Roba, paper, etc. amb què es folra una cosa: *Aquest abric té un folre de color vermell.*

folro folros *nom m* Mira **folre**.

fomentar *v* Promoure una cosa, fer que augmenti, que es practiqui: *Per la televisió fan un programa per fomentar l'esport.*
Es conjuga com *cantar*.

fona fones *nom f* Instrument que serveix per a llançar pedres, que consisteix en una tira de cuir, on es posa la pedra, lligada per cada extrem a dues cordes primes.

fona

fonament fonaments *nom m* **1** Base d'un edifici que està enterrada: *Aquesta casa no caurà pas, té uns fonaments molt fondos.* **2** Allò en què es basa una idea: *Això que dius no té cap fonament, no és veritat.*

fonamental fonamentals *adj* Molt important, essencial, bàsic: *Saber les taules de multiplicar és fonamental per a poder fer bé les multiplicacions.*

fonamentalment *adv* Principalment, sobretot.

fonamentar *v* **1** Posar les bases, els fonaments d'alguna cosa: *L'explicació d'aquell professor ens va convèncer perquè fonamentava les seves idees amb bons arguments.* **2** Construir els fonaments, les bases d'un edifici.
Es conjuga com *cantar*.

fonda fondes *nom f* Hostal, lloc on es pot menjar i dormir.

fondal fondals *nom m* Fondalada.

fondalada fondalades *nom f* Tros de terreny baix entre uns altres que són més elevats, depressió.

fondària fondàries nom f Qualitat de fondo, distància que hi ha de la superfície d'una cosa al fons, profunditat: *Aquest pou té quaranta metres de fondària.*

fondejar v Tirar les àncores un vaixell per quedar parat: *Al port de Barcelona hi ha molts vaixells fondejats.*
Es conjuga com *cantar.* **S'escriu** *j* **davant de** *a, o, u* **i** *g* **davant de** *e, i: fondejo, fondeges.*

fondo fonda fondos fondes adj Profund: *Una piscina molt fonda.*

fondre v **1** Fer que un sòlid es torni líquid per acció de la calor: *El sol fondrà la neu.* ■ *El gelat es fon a la boca.* **2** Deixar de fer llum una bombeta perquè l'escalfor ha trencat els fils que hi ha a dintre: *Aquesta bombeta s'ha fos, l'hem de canviar.* **3** Barrejar i dissoldre una cosa dins una altra: *El sucre es fon en aigua.* **4** Desaparèixer d'un lloc sense saber com: *Fa molt de temps que no el veig, sembla que s'hagi fos.*
Es conjuga com *confondre.* **Participi:** *fos, fosa.*

fondue fondues nom f Plat d'origen suís fet amb trossets de pa sucats en formatge i vi blanc que es fon en un recipient especial que es porta a la taula, o bé fet amb trossets de carn tallada a daus que es couen en oli.

fonedís fonedissa fonedissos fonedisses adj **1** Que es fon o desapareix amb facilitat: *La neu és fonedissa.* **2 fer-se fonedís** Desaparèixer d'un lloc de sobte: *Els lladres es van fer fonedissos enmig de la gentada.*

fonedor fonedora fonedors fonedores adj i nom m i f Es diu de la persona que es dedica a fondre metalls per modelar-los en estat líquid.

fonendoscopi fonendoscopis nom m Aparell que utilitzen els metges per a escoltar els batecs del cor o els sorolls interns de l'organisme.

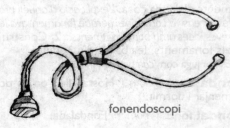
fonendoscopi

foneria foneries nom f Indústria on es fonen i es treballen els metalls.

fonètica fonètiques nom f Part de la lingüística que estudia els sons de les paraules d'una llengua.

fong fongs nom m Organisme que s'alimenta de matèria orgànica i que viu enganxat a diferents llocs com ara el tronc dels arbres, els aliments, algunes parts del cos humà, etc.

fònic fònica fònics fòniques adj Que està relacionat amb la veu o amb els sons d'una llengua.

fono- Element amb què comencen algunes paraules i que vol dir "veu".

fonoll fonolls nom m Planta, herba alta de flors grogues, que fa una olor semblant a la de l'anís.

fonoteca fonoteques nom f Lloc on hi ha una col·lecció ordenada de documents sonors, com ara discos, cintes magnetofòniques, etc.

fons els fons nom m **1** Part més baixa o interior d'una cosa, part inferior d'un recipient, etc.: *Queda una mica de llimonada al fons de l'ampolla.* ■ *Aquest peix viu al fons del mar.* ■ *Al fons de la sala hi havia un sofà.* **2** Part que queda entre les figures principals d'un dibuix: *He dibuixat unes flors grogues sobre un fons negre.* **3** Diners, objectes, etc. que es tenen per a fer alguna cosa: *Aquesta biblioteca té un fons de llibres molt important.* **4** Contingut, part essencial d'una cosa: *Aquesta novel·la té un fons molt interessant.* **5** Hem investigat **a fons** les causes de la fuita de gas: profundament, fixant-nos en tots el detalls.

font fonts nom f **1** Lloc per on surt aigua de la terra: *Vam anar a berenar en una font que hi ha al mig del bosc.* **2** Origen d'una cosa, d'una informació, etc.: *L'electricitat és una font d'energia.*

fora adv **1** A l'exterior: *A fora hi fa molt fred, abriga't.* **2 anar a fora** Anar al camp, lluny del poble o de la ciutat: *Aquesta tarda anirem a fora a buscar fulles.* **3 fora de** A l'exterior de: *L'han tret fora de la classe, perquè es portava malament.* **4 fora de** Excepte, tret de: *Fora d'en Sergi, ningú no havia acabat la feina.* **5 fora de perill** Que ja no està en perill: *Els accidentats ja són fora de perill.*

forà forana forans foranes adj De fora.

forabord forabords nom m Embarcació lleugera que té el motor situat a la part de fora de la popa.

foradar v **1** Fer forats: *Amb la cigarreta, en Pere ha foradat el llençol.* **2 tenir les mans foradades** Malgastar els diners: *El meu germà té les mans foradades, es gasta tots els diners de qualsevol manera.*
Es conjuga com *cantar.*

foragitar v Treure a fora, expulsar: *Vam ruixar l'habitació amb un líquid per foragitar-ne les mosques.*
Es conjuga com *cantar.*

forassenyat forassenyada forassenyats forassenyades adj Que no té seny, molt empipat, molt enfadat.

foraster forastera forasters forasteres adj i nom m i f Es diu de la persona que es troba en un poble, en una ciutat, en un país, etc. que no és el seu: *Per la festa major del meu poble vénen molts forasters.*

forat forats nom m Obertura que travessa una cosa o que s'hi fica cap a dins: *Les agulles de cosir tenen un forat per a passar-hi el fil.* ▪ *Els ratolins van fer un forat a la paret de la cuina.* ▪ *Vam fer dos forats a cada full per posar-los a la carpeta d'anelles.*

forca forques nom f **1** Eina formada per un pal amb dues o tres puntes en un extrem que serveix per a remenar o apilotar palla, fems, etc. **2** Aparell en forma de T, generalment fet amb fustes, on abans es penjaven els condemnats a mort. **3 a la quinta forca** Molt lluny: *Aquella noia viu a la quinta forca.*

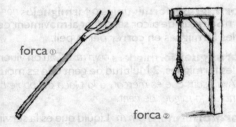

forca ①

forca ②

força[1] **1** adj Una gran quantitat de, un gran nombre de: *Al cine hi havia força gent.* **2** adv En gran nombre, en alt grau, en gran quantitat: *Avui ha plogut força.*

força[2] forces **1** nom f Potència, resistència, capacitat d'esforç: *La Roser és molt petita, però té molta força.* **2 forces** nom f pl Conjunt de soldats o de membres de la policia: *Les forces armades.* **3 per força** Sense tenir-ne ganes: *No tinc ganes d'anar a la festa, però hi haig d'anar per força, ja que jo l'he organitzada.* **4 a força**

de Fent servir molt una cosa, insistint molt en una cosa: *A força d'entrenar molt ha arribat a ser un bon atleta.*

forçar v **1** Obrir una cosa a la força: *Els lladres van forçar la porta de la casa i hi van entrar.* **2** Obligar algú a fer una cosa a la força: *Aquells homes van forçar el noi a seguir-los, però ell no ho volia.*
Es conjuga com *cantar.* S'escriu ç davant de a, o, u i c davant de e, i: forço, forces.

forcat forcada forcats forcades adj Que té forma de forca, que acaba en dues o tres puntes: *Un arbre forcat.*

forcejar v Fer força per vèncer una resistència: *Va haver de forcejar el pany per poder entrar a casa, s'havia deixat les claus a dintre.*
Es conjuga com *cantar.* S'escriu j davant de a, o, u i g davant de e, i: forcejo, forceges.

forçós forçosa forçosos forçoses adj Que s'ha de fer per força.

forçut forçuda forçuts forçudes adj Que té molta força: *Un atleta forçut.*

forense forenses adj i nom m i f Es diu del metge que s'encarrega d'examinar els cadàvers per investigar la causa d'una mort: *Segons el forense, el verí va provocar la mort de la víctima.*

forestal forestals adj Que està relacionat amb els boscos: *Un incendi forestal. Un camí forestal.*

forfollar v Forfollejar.
Es conjuga com *cantar.*

forfollejar v **1** Remenar amb la mà les coses que hi ha dins una bossa, un calaix, etc.: *Buscava les claus i anava forfollejant per totes les butxaques.* **2** Moure una clau, un ferro, etc. dins el pany o un altre mecanisme mirant d'obrir-lo, de fer-lo funcionar: *Aquest pany està espatllat i, encara que forfollegis, no l'obriràs pas.*
Es conjuga com *cantar.* S'escriu j davant de a, o, u i g davant de e, i: forfollejo, forfolleges.

forja forges nom f Taller on es treballen els metalls escalfant-los al foc i donant-los una forma amb el martell, farga.

forjar v **1** Treballar el metall amb el martell, fer-li agafar una forma determinada. **2** Imaginar, crear, inventar.
Es conjuga com *cantar.* S'escriu j davant de a, o, u i g davant de e, i: forjo, forges.

forma formes *nom f* **1** Aparença externa d'un objecte a part del seu color: *Aquesta capsa té una forma rodona.* **2** Manera: *No estic d'acord amb la forma com l'has tractat.* **3 estar en forma** Estar en bones condicions físiques: *En Dídac fa molt esport, està en forma.*

formació formacions *nom f* **1** Acció de formar una cosa: *Avui a classe hem estudiat la formació dels núvols.* **2** Educació, preparació que rep una persona: *A l'escola els infants han de rebre una bona formació.* **3** Conjunt de soldats ordenats en files: *Els soldats desfilaven en formació.*

formal formals *adj* Que té un comportament seriós, d'acord amb les normes establertes.

formalitat formalitats *nom f* Manera de comportar-se amb seny i correcció amb els altres: *Els alumnes van rebre la visita d'un escriptor i es van comportar amb molta formalitat.*

formalitzar *v* Donar a una cosa la forma correcta, precisar-la: *Avui s'ha formalitzat l'acord entre les dues empreses.*
Es conjuga com *cantar*.

formar *v* **1** Fer alguna cosa donant-li una forma determinada: *L'aigua de la pluja va anar formant bassals a terra.* ■ *Vam formar entre tots una gran rotllana.* **2** Educar, ensenyar, preparar algú: *L'escola forma les dones i els homes del futur.* **3** Posar-se en ordre els soldats.
Es conjuga com *cantar*.

format formats *nom m* Dimensió, mida, forma d'un llibre, d'una revista, etc.: *Els atles solen ser llibres de format gran.*

formatge formatges *nom m* Aliment que s'obté fent fermentar la llet, que es torna sòlida, i donant-li una forma normalment rodona: *A les rates, els agrada molt el formatge.*

formatgera formatgeres *nom f* Plat, generalment de fusta, amb una coberta de vidre en forma de campana que serveix per a guardar-hi el formatge.

formatgera

formatget formatgets *nom m* Cadascun dels trossos de formatge embolicats en paper metàl·lic, de plàstic, etc. que van dins una capsa.

forment forments *nom m* Blat.

formenterenc formenterenca formenterencs formenterenques **1** *nom m i f* Habitant de l'illa de Formentera; persona natural o procedent de l'illa de Formentera. **2** *adj* Es diu de les persones o de les coses naturals o procedents de l'illa de Formentera.

fòrmica fòrmiques *nom f* Material plàstic que es fa servir per a recobrir mobles de fusta de tota mena, que és molt resistent i que va molt bé de netejar: *Els mobles d'aquella cuina són de fòrmica.*

formidable formidables *adj* D'una gran força, molt gran, molt bo, etc.: *Hem vist una pel·lícula formidable.* ■ *Una tempesta formidable.* ■ *Aquell cantant té una veu formidable.*

formiga formigues *nom f* Insecte molt petit de sis potes i dues antenes i amb un coll molt estret, que mastega els aliments i que viu en colònies sota terra o en els troncs dels arbres.

formigó formigons *nom m* Material de construcció fet amb una barreja de grava, sorra, aigua i ciment.

formigonera formigoneres *nom f* Màquina o camió que té un dipòsit giratori on es barregen la grava, la sorra, l'aigua i el ciment per a fer formigó.

formigueig formigueigs o **formiguejos** *nom m* Sensació de picor semblant al moviment de les formigues en córrer per la pell.

formiguer formiguers *nom m* **1** Cau on viuen les formigues. **2** Multitud de gent que es mou: *Avui, com que és mercat, a la plaça del poble hi ha un formiguer de gent.*

formol formols *nom m* Líquid que es fa servir com a desinfectant i per a conservar els cossos d'animals morts.

formós formosa formosos formoses *adj* Bonic, bell, de formes boniques, ben fetes.

fórmula fórmules *nom f* **1** Expressió, mitjançant símbols, dels elements que formen una substància: *La fórmula de l'aigua és H_2O.* **2** Manera, procediment de fer una cosa: *M'has d'explicar la fórmula d'aquesta salsa.* **3** Forma que es fa servir normalment per a expressar una cosa: *Les cartes solen començar amb la fórmula "Senyors".*

formular v **1** Expressar una cosa de manera clara i precisa i d'acord amb les normes establertes: *Si volem visitar el museu fora de l'horari habitual, haurem de formular la petició per escrit al director.* **2** Expressar una cosa per mitjà d'una fórmula.
Es conjuga com *cantar*.

formulari formularis nom m **1** Document on hi ha un conjunt de preguntes que cal contestar i alguns buits que cal omplir amb la informació que es demana: *Si vols demanar un ajut per renovar el pis, hauràs d'omplir un formulari.* **2** Conjunt ordenat de fórmules.

forn forns nom m **1** Lloc tancat on es produeix calor a través de l'energia que dóna el gas, el carbó, etc. i que serveix per a coure-hi objectes, menjars, etc.: *Quan les peces de fang estiguin fetes, les posarem a coure al forn.* ▪ *Avui hem menjat pollastre al forn.* **2** Botiga on es fa o es ven pa, fleca: *La Jordina ha anat al forn a comprar una barra de pa.* **3** Es diu d'un lloc on fa molta calor: *Aquesta habitació és un forn.*

fornada fornades nom f Quantitat de pa, de terrissa, etc. que es cou d'una vegada al forn.

forner fornera forners forneres nom m i f Persona que fa o que ven pa, flequer.

fornicar v Tenir relacions sexuals fora del matrimoni.
Es conjuga com *cantar*. S'escriu c davant de *a, o, u* i qu davant de *e, i: fornico, forniques*.

fornícula fornícules nom f Espai buit que hi ha en una paret on es col·loca una imatge.

fornir v Proporcionar allò que es necessita, proveir: *Aquesta central forneix corrent elèctric a la ciutat.*
Es conjuga com *servir*.

fornit fornida fornits fornides adj Fort i robust: *Una persona alta i fornida.*

forqueta forquetes nom f **1** Peça de ferro o de fusta en forma de U on es lliga una goma i que serveix per a disparar pedres. **2** Forquilla.

forquilla forquilles nom f **1** Estri de fusta, d'alumini, etc. en forma de forca, amb tres o quatre puntes, que serveix per a punxar trossos de menjar i portar-los a la boca: *La carn s'ha de menjar amb forquilla i ganivet.* **2** Peça de la bicicleta que uneix la roda al quadre.

forra forres nom f Espessor de cabells: *Amb aquesta forra de cabells que tens és difícil de pentinar-te.*

forrellat forrellats nom m Barreta que s'aguanta amb dues anelles clavades a una finestra o a una porta i que fent-la córrer es fica en un forat de la paret de manera que la finestra o la porta ja no es pot obrir: *La cort dels porcs està tancada amb un forrellat.*

forrolla Paraula que apareix en l'expressió **fer forrolla**, que vol dir "tenir èxit, estar de moda": *Aquest conjunt de rock està fent molta forrolla.*

fort forta forts fortes **1** adj Que té força física, que és resistent, dur, potent, etc.: *En Lluís és el més fort de la classe: és el que té més força física.* ▪ *La fusta del roure és molt forta: aguanta molt.* ▪ *Aquest licor és molt fort: té molt gust, fa molt efecte.* **2** nom m Allò que agrada més o se sap fer més bé; part més important, de més intensitat: *El fort de l'Enric són les matemàtiques.* ▪ *El fort de l'estiu encara no ha arribat.* **3** nom m Construcció destinada a defensar una ciutat, un port, etc. **4** adv Amb força: *No piquis tan fort.*

fortalesa fortaleses nom f **1** Qualitat de fort: *Aquesta atleta té molta fortalesa física.* **2** Edifici voltat de muralles i molt ben defensat.

fortament adv D'una manera forta: *Els van renyar fortament per la seva malifeta.*

fortificació fortificacions nom f Conjunt d'obres destinades a defensar un edifici, una ciutat, etc.: *Antigament es construïen fortificacions per a protegir les ciutats dels atacs de l'enemic.*

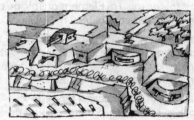
fortificació

fortificar v **1** Fer fort. **2** Construir una muralla o una fortificació al voltant d'un edifici, d'una ciutat, etc. per protegir-los de possibles atacs.
Es conjuga com *cantar*. S'escriu c davant de *a, o, u* i qu davant de *e, i: fortifico, fortifiques*.

fortor fortors nom f Pudor forta: *Vam passar prop de l'abocador d'escombraries i vam sentir-ne la fortor.*

fortuït fortuïta fortuïts fortuïtes adj Que es produeix per casualitat, per atzar: *Vaig* trobar les claus del cotxe de manera fortuïta, ja les donava per perdudes.

fortuna fortunes nom f **1 Sort**: En Pere té bona fortuna, perquè sempre li toquen els premis del sorteig. **2** Riqueses que té una persona: Aquell senyor és molt ric, té una gran fortuna.

fòrum fòrums nom m **1** Centre de les ciutats romanes on hi havia el mercat, es reunia la gent, etc. **2** Reunió de persones que discuteixen i parlen sobre una tema.

fosc fosca foscos fosques adj **1** Sense llum, sense claror, obscur: Avui fa una nit molt fosca, no es veuen ni la lluna ni les estrelles. ■ El mar era d'un color blau fosc. **2 ser fosc** Ser de nit: Quan es van llevar, a les cinc del matí, encara era fosc. **3 fer-se fosc** Fer-se de nit: A l'hivern es fa fosc molt d'hora. **4** Difícil, complicat, poc clar: El que avui ens ha explicat el professor m'ha quedat una mica fosc, no ho he entès gaire.

fosca fosques nom f **1** Obscuritat, foscor, manca de llum o de claror en un lloc: La fosca de la nit. **2 a les fosques** Sense llum, sense claror, sense poder-hi veure: Vam haver de pujar l'escala a les fosques.

foscor foscors nom f Qualitat de fosc, obscuritat: La foscor de la nit.

fosfat fosfats nom m Substància química que conté fòsfor i que s'utilitza per a adobar i fertilitzar els camps.

fòsfor fòsfors nom m Element químic de color groguenc, molt inflamable i molt tòxic.

fosforescent fosforescents adj Que té la propietat de fer llum a les fosques: Els números que marquen les hores del meu despertador són fosforescents i es veuen en la foscor.

fosquejar v Començar a fer-se fosc. Es conjuga com cantar. S'escriu j davant de a, o, u i g davant de e, i: fosqueja, fosquegi.

fossa fosses nom f **1 Sot** excavat a terra: Van fer una fossa per a enterrar-hi el mort. **2 fossa marina** Depressió submarina llarga i profunda. **3 fossa nasal** Cadascuna de les cavitats del nas.

fossar fossars nom m Cementiri.

fossat fossats nom m Excavació que volta un castell o una fortalesa.

fòssil fòssils **1** nom m Resta o conjunt de restes d'una planta o d'un animal que va viure molts anys enrere i que s'ha conservat petrificat en els materials de l'escorça terrestre. **2** adj Que ha estat extret de l'interior de la terra; que ha estat molt temps enterrat i petrificat: El petroli és un combustible fòssil. ■ Una planta fòssil. **3** adj i nom m Es diu d'una persona o d'una cosa exageradament antiquada: Aquest individu és un fòssil, parla i es comporta com si fos del segle passat.

fòssil

fossilitzar-se v Petrificar-se, convertir-se en fòssil les restes d'animals o plantes prehistòrics. Es conjuga com cantar.

fotesa foteses nom f Cosa de poca importància: Pel meu sant em van regalar foteses: un llapis, una goma, una maquineta, etc.

fòtil fòtils nom m Qualsevol moble, estri, etc. que es pot transportar o manejar i que té poc valor: Les golfes estan plenes de fòtils.

fotimer fotimers nom m Gran quantitat d'una cosa, gran quantitat de gent: En aquella botiga hi havia un fotimer de gent.

foto fotos nom f Fotografia.

foto- Element amb què comencen algunes paraules i que vol dir "llum".

fotocòpia fotocòpies nom f Còpia d'un escrit, d'un dibuix, etc. feta amb una màquina especial mitjançant un procediment fotogràfic.

fotocopiadora fotocopiadores nom f Màquina que fa fotocòpies.

fotocopiar v Fer fotocòpies. Es conjuga com canviar.

fotogènic fotogènica fotogènics fotogèniques adj Es diu de la persona que queda molt bé a les fotografies.

fotògraf fotògrafa fotògrafs fotògrafes nom m i f Persona que fa fotografies o que es dedica a fer i a vendre fotografies.

fotografia fotografies nom f Retrat, imatge d'una cosa, d'una persona, d'un lloc, etc. que podem aconseguir amb una màquina especial que té un sistema de lents que fa que els rajos de llum quedin impressionats en una pel·lícula.

fotografiar v Fer una fotografia.
Es conjuga com *canviar*.

fotogràfic fotogràfica fotogràfics fotogràfiques adj Que està relacionat amb la fotografia: *Un aparell fotogràfic*.

fotonovel·la fotonovel·les nom f Novel·la il·lustrada amb fotografies i disposada com en un còmic.

fotosíntesi fotosíntesis nom f Conjunt de reaccions de les plantes per tal d'aprofitar l'energia de la llum.

fotre v 1 Fer, clavar, llançar, ficar: *Vaig caure i em vaig fotre mal.* ▪ *Se'n va anar enfadat i va fotre un cop de porta.* 2 Enganyar, estafar, robar: *El metro anava ple de gent i algú m'ha fotut la cartera.* 3 **fotre-se'n** Riure's, burlar-se d'algú o d'alguna cosa: *Vaig caure a terra i la gent encara se'n fotia.* 4 *Tant se'ns en fot,* que no vinguis: ens és igual, no ens importa gens. 5 **fotre el camp** Anar-se'n.
Es conjuga com *perdre*.

fotut fotuda fotuts fotudes adj 1 Trist, malalt, preocupat: *Aquell noi està tot fotut, perquè no ha aprovat l'examen.* 2 Espatllat, vell, atrotinat: *Aquell cotxe està fotut, ja no corre.*

fra Abreviació de la paraula "frare", que es fa servir davant d'un nom propi: *Fra Joan.*

frac fracs nom m Peça de vestir masculina amb mànigues, que per davant arriba fins a la cintura i per darrere porta dos faldons llargs fins a les cuixes, i que s'utilitza per a les grans cerimònies.

frac

fracàs fracassos nom m Resultat dolent, desastrós: *L'obra de teatre va ser un fracàs, va anar molt poca gent a veure-la.*

fracassar v No tenir èxit, anar malament: *Aquell experiment va fracassar, no va sortir bé.*
Es conjuga com *cantar*.

fracassat fracassada fracassats fracassades adj i nom m i f Es diu d'algú que no ha tingut èxit, a qui han anat malament les coses que s'havia proposat: *Una persona fracassada.*

fracció fraccions nom f 1 Part d'una cosa: *El llamp només va durar una fracció de segon.* 2 Part dels nombres enters, trencat.

fraccionar v Dividir una cosa en parts o fraccions.
Es conjuga com *cantar*.

fraccionari fraccionària fraccionaris fraccionàries adj Es diu del nombre, de la quantitat que s'expressa amb una fracció: $5/9$ és un nombre fraccionari.

fractura fractures nom f Acció de trencar-se una cosa dura, com ara un os o un cartílag: *Va caure i es va fer una fractura a l'os de la cama.*

fracturar v Trencar un os o un cartílag: *La topada amb la pedra li va fracturar el braç.*
Es conjuga com *cantar*.

fraga fragues nom f Fruit semblant a una maduixa, però més gros, també anomenat maduixot.

fragància fragàncies nom f Perfum, olor suau i agradable, aroma.

fragata fragates nom f 1 Vaixell de vela de tres pals. 2 Vaixell de guerra que acompanya altres vaixells i els protegeix dels atacs de l'enemic.

fràgil fràgils adj Que es trenca fàcilment, dèbil, delicat: *El vidre és un material molt fràgil.* ▪ *Una salut fràgil.*

fragilitat fragilitats nom f Qualitat de les coses delicades, que es trenquen fàcilment, que són fràgils: *La fragilitat d'unes figures de vidre.*

fragment fragments nom m 1 Tros d'una cosa trencada: *El gerro va caure, es va trencar i els fragments van quedar escampats a terra.* 2 Part d'un text escrit, d'una obra musical, etc.

fragmentar v Fer fragments d'una cosa: *Amb el cop, la roca es va fragmentar.*
Es conjuga com *cantar*.

fragor fragors nom m o f Soroll fort, estrèpit: *El fragor de les onades esclafant-se contra el penya-segat.*

franc franca francs franques adj 1 Que diu el que pensa, que no diu mentides: *Aquell noi és molt franc, t'ho explica tot.* 2 **de franc** Sense pagar: *Avui el cine és de franc, no s'ha de pagar entrada.* **3** *nom m* Antiga moneda de diversos països europeus, com ara França, Bèlgica i Luxemburg. **4** Moneda de Suïssa i d'alguns països africans.

francament *adv* Amb franquesa, amb sinceritat: *En Toni ens va dir francament el que pensava.*

francès francesa francesos franceses **1** *nom m* i *f* Habitant de França; persona natural o procedent de França. **2** *adj* Es diu de les persones o de les coses naturals o procedents de França. **3** *nom m* Llengua que es parla a França, a una part de Bèlgica, de Suïssa i del Canadà i a alguns països de l'Àfrica.

franco- Element amb què comencen algunes paraules i que vol dir "francès": *La frontera francoalemanya és la que separa França i Alemanya.*

franctirador franctiradora franctiradors franctiradores *nom m* i *f* Persona que, en una guerra, lluita pel seu compte, sense pertànyer a cap exèrcit.

franel·la franel·les *nom f* Teixit de llana molt lleuger: *Una camisa de franel·la.*

franja franges *nom f* Banda o tira de roba, de paper, etc. d'un color determinat que es posa damunt una cosa: *Portava un vestit amb una franja vermella a la cintura.*

franquejable franquejables *adj* Es diu d'un lloc, d'un pas, etc. que es pot travessar.

franquejar *v* **1** Pagar el cost del transport d'una carta o d'un paquet mitjançant els segells. **2** Travessar: *Franquejar la porta.*
Es conjuga com *cantar*. S'escriu *j* davant de *a, o, u* i *g* davant de *e, i: franquejo, franqueges.*

franquesa franqueses *nom f* Sinceritat, confiança: *En Jordi i en Pere són molt bons amics i es parlen i es tracten amb franquesa.*

franquesí franquesina franquesins franquesines **1** *nom m* i *f* Habitant de les Franqueses del Vallès; persona natural o procedent de les Franqueses del Vallès. **2** *adj* Es diu de les persones o de les coses naturals o procedents de les Franqueses del Vallès.

franquisme franquismes *nom m* Règim polític dictatorial imposat pel general Franco a l'Estat espanyol entre 1939 i 1975, com a resultat de la guerra de 1936-1939.

frare frares *nom m* Home religiós de certs ordes que, normalment, viu en un convent.

frase frases *nom f* **1** Oració, conjunt organitzat de paraules que consta de dues parts anomenades subjecte i predicat: *En la frase "la Maria menja pomes", "la Maria" és el subjecte i "menja pomes" és el predicat.* **2** frase feta Frase que es diu sempre igual i que de vegades té un sentit figurat: *L'expressió "ficar-se de peus a la galleda" és una frase feta que vol dir "equivocar-se, fer el ridícul".*

fratern fraterna fraterns fraternes *adj* Propi de germans: *Un amor fratern.*

fraternal fraternals *adj* Que és propi de germans, fratern: *Una amistat fraternal.*

fraternitat fraternitats *nom f* Sentiment d'amistat, d'unió i de solidaritat entre les persones, germanor.

fratricida fratricides *adj* i *nom m* i *f* Es diu de la persona que mata un seu germà o una seva germana.

frau[1] fraus *nom m* Engany, estafa.

frau[2] fraus *nom f* Congost.

fraudulent fraudulenta fraudulents fraudulentes *adj* Que és fet amb engany, estafant: *Un negoci fraudulent.*

fraula fraules *nom f* Maduixa.

fre frens *nom m* **1** Mecanisme que serveix per a disminuir la velocitat d'un vehicle com ara un cotxe, una bicicleta, etc. o per a aturar-lo: *No podien parar el cotxe perquè no funcionaven els frens.* **2** Barra de ferro lligada a les regnes que es posa a la boca dels cavalls i que serveix per a dirigir-los.

frec frecs *nom m* **1** Acció de fregar una cosa contra una altra: *Des de la taula sentíem el frec que feia el guix a la pissarra.* **2** frec a frec Molt acostats, a punt de tocar-se, de fregar-se: *Aquells dos cotxes van passar frec a frec.* **3** a frec Molt a la vora: *L'avió es va estavellar a frec d'una casa.*

fred[1] freda freds fredes *adj* **1** Que té una temperatura baixa, inferior a la normal: *L'aigua del riu és molt freda.* **2** Poc amable, poc animat, que no expressa allò que sent: *Un caràcter fred. Una rebuda freda.* **3** tenir sang freda Tenir serenitat, tranquil·litat: *En Pere té molta sang freda.*

fred² freds *nom m* Sensació que ens produeix una temperatura baixa, inferior a la que és normal: *Aquest hivern ha fet molt fred.*

fredeluc fredeluga fredelucs fredelugues **1** *adj* Fredolic, que és molt sensible al fred. **2** *nom m* Fredolic, bolet comestible amb el barret gris i la cama blanca que es fa a la tardor. ▪ **4**

fredolic fredolica fredolics fredoliques **1** *adj* Que és molt sensible al fred, fredeluc: *Apugeu la temperatura de la calefacció, perquè sóc molt fredolic.* **2** *nom m* Bolet comestible amb el barret gris i la cama blanca que es fa a la tardor. ▪ **4**

fredor fredors *nom f* Qualitat de fred: *No es banya, perquè no pot aguantar la fredor de l'aigua.* ▪ *Ens van rebre amb molta fredor.*

frega fregues *nom f* Acció de fregar una part del cos amb un medicament com ara un líquid, una pomada, etc.: *Per curar-li el dolor, a en Jordi, li feien fregues a l'esquena amb una pomada.*

fregadís fregadissos *nom m* Fregament continu de dues coses: *El fregadís d'aquestes dues peces acabarà espatllant l'aparell.*

fregall fregalls *nom m* Peça de plàstic, de fils d'alumini, etc. que serveix per a fregar: *He comprat dos fregalls: un per a rentar plats i un altre per a netejar els lavabos.*

fregall

fregament fregaments *nom m* Acció de fregar-se, frec: *Els pneumàtics es gasten a causa del fregament constant que fan amb el terra.*

fregar *v* **1** Netejar el terra, els plats, etc. passant-hi una baieta o un fregall molls: *Aquest pis és molt brut: s'ha de fregar.* **2** Passar una cosa per damunt d'una altra: *Per a treure aquella taca d'oli del vestit, vaig haver de fregar molt fort la roba.* **3** Tocar-se dues coses entre elles superficialment; passar, moure's una cosa per damunt d'una altra: *Sense adonar-me'n, vaig fregar la pissarra amb el braç i la màniga del jersei em va quedar bruta de guix.*

Es conjuga com *cantar*. S'escriu g davant de *a, o, u* i gu davant de *e, i*: *frego, fregues.*

fregidora fregidores *nom f* Cassola especial per a fer bullir oli, que té una escorredora a dins i que serveix per a fregir-hi aliments com ara patates, croquetes, etc.

fregir *v* Coure un menjar en oli, llard o mantega bullents: *Fregirem les patates en aquesta paella.* Es conjuga com *servir.*

freixe freixes *nom m* Arbre de fulla caduca, alt, que creix en boscos humits i que és molt apreciat per la seva fusta.

freixura freixures *nom f* Entranyes, pulmons d'un animal.

frenada frenades *nom f* Acció de frenar: *La frenada del cotxe va ser tan forta, que van quedar les rodes marcades a la carretera.*

frenar *v* Fer disminuir, reduir la velocitat d'un vehicle o aturar-lo per mitjà dels frens. Es conjuga com *cantar.*

frenesí frenesís *nom m* Passió, bogeria, exaltació, excitació molt gran.

frenètic frenètica frenètics frenètiques *adj* Que està molt exaltat, molt excitat, molt nerviós.

frenopàtic frenopàtica frenopàtics frenopàtiques *adj* Que està relacionat amb les malalties mentals.

freqüència freqüències *nom f* Qualitat de freqüent, repetició continuada d'una cosa: *La tia Maria visita els nebots amb molta freqüència, molt sovint.*

freqüent freqüents *adj* Que passa sovint: *Per desgràcia, els accidents de cotxe són molt freqüents.*

freqüentar *v* Anar sovint a un lloc: *L'Anna freqüenta aquest restaurant.* Es conjuga com *cantar.*

freqüentment *adv* D'una manera freqüent, sovint.

fresa freses *nom f* **1** Eina que té diverses peces tallants que giren a l'entorn d'un eix i que serveix per a donar forma a una peça de metall. **2** Màquina agrícola que s'acobla al tractor i que serveix per a remoure i aplanar la terra dels camps.

fresadora fresadores *nom f* Màquina que serveix per a fresar, fresa.

fresar v **1** Eixamplar l'entrada d'un forat, donar forma a una peça de metall, de fusta, etc. amb la fresa. **2** Remoure i aplanar la terra d'un camp amb la fresa.
Es conjuga com *cantar*.

fresc fresca frescos fresques *adj* **1** Una mica fred, poc calent: *Prendrem una beguda fresca.* ■ *Ahir va fer calor, però avui hem tingut un dia més fresc.* **2** Acabat de fer, ben conservat: *He comprat ous frescos i peix fresc.* **3** Que no es preocupa per res, tranquil: *La Rosa és una fresca: ella fa el que vol i no li fa res que la renyin.* **4** *nom m* Pintura mural feta en una paret preparada amb calç i sorra.

fresca fresques *nom f* **1** Temps fresc, fred no gaire intens: *Aquest matí feia calor, però ara fa fresca.* **2 anar a la fresca** Vestir amb poca roba: *Com que feia molta calor, tothom anava a la fresca.* **3 prendre la fresca** Prendre l'aire fresc per a fer-se passar la calor: *Van sortir a fora a prendre la fresca.* **4 prendre's les coses a la fresca** Agafar-se les coses tranquil·lament, sense preocupar-se: *El teu germà tot s'ho pren a la fresca, no es preocupa mai.*

frescor frescors *nom f* Qualitat de fresc: *La pluja deixa una frescor que és molt agradable.*

fresquejar v Fer fresca: *Durant el dia encara fa calor, però a la nit ja fresqueja.*
Es conjuga com *cantar*. S'escriu *j* davant de *a, o, u* i *g* davant de *e, i: fresqueja, fresquegi.*

fressa fresses *nom f* Soroll continuat: *Des d'aquí se sent la fressa de l'aigua del riu.*

fressar v Trepitjar sovint un camí, un terreny, passar-hi moltes vegades, fer-lo fàcil de seguir.
Es conjuga com *cantar*.

fressat fressada fressats fressades *adj* Es diu d'un camí molt trepitjat, d'un lloc per on es veu que ha passat molta gent.

fretura fretures *nom f* Escassetat, manca d'una cosa necessària.

freturar v Estar mancat d'alguna cosa, tenir necessitat d'una cosa.
Es conjuga com *cantar*.

freturós freturosa freturosos freturoses *adj* Que està faltat d'una cosa, que necessita una cosa.

frèvol frèvola frèvols frèvoles *adj* Flac, sense forces.

fricandó fricandós *nom m* Plat de carn guisada amb suc.

fricció friccions *nom f* **1** Acció de fregar una cosa amb una altra. **2** Acció de fregar el cap o els cabells amb un líquid per netejar-los. **3** Desacord, discussió lleugera entre dues o més persones: *Entre els veïns de l'escala hi ha algunes friccions.*

friccionar v Fregar una cosa amb una altra, fer friccions: *Em vaig friccionar la pell amb un líquid especial i les taques em van desaparèixer.*
Es conjuga com *cantar*.

frigorífic frigorífica frigorífics frigorífiques **1** *adj* Que produeix fred. **2** *nom m* Nevera.

frisança frisances *nom f* **1** Neguit, inquietud que se sent quan es desitja molt una cosa. **2** Picor molt forta.

frisar v Estar nerviós mentre s'espera una cosa, no tenir paciència: *Ens n'hem d'anar a les set i, tot i que encara no són les sis, en Joan ja frisa.*
Es conjuga com *cantar*.

frisó frisona frisons frisones **1** *nom m i f* Habitant de Frísia; persona natural o procedent de Frísia. **2** *adj* Es diu de les persones o de les coses naturals o procedents de Frísia. **3** *nom m* Llengua que es parla a Frísia.

frisós frisosa frisosos frisoses *adj* Molt impacient, molt neguitós i nerviós.

frívol frívola frívols frívoles *adj* **1** Que no és important, que no és seriós: *Sempre parlen de coses frívoles.* **2** Es diu d'una persona que dóna molta importància a les coses superficials, que no es pren les coses seriosament.

fronda frondes *nom f* **1** Fulla de les falgueres. **2** Fullatge d'un arbre.

frondós frondosa frondosos frondoses *adj* Que té moltes branques i moltes fulles: *Un arbre frondós.*

front fronts *nom m* **1** Part de dalt de la cara que va des de les celles fins als cabells: *En Marcel va caure de cap i es va donar un cop al front.* **2** Extensió de terreny on tenen lloc els combats i les batalles en temps de guerra: *Els soldats van al front a fer la guerra.* **3** Part del davant: *El cotxe va xocar de front contra la paret.* **4** Unió de diversos partits o forces de cara a aconseguir un objectiu comú: *Tots els sindicats han fet un front comú per impedir que el govern retalli els ajuts als aturats.* **5** Massa d'aire que avança i provoca canvis de temps atmosfèric: *Han informat que s'acosta un front fred que provocarà una baixada molt forta de la temperatura.*

front

frontal frontals **1** *adj* Que té relació amb el front, amb la part del davant d'una cosa: *Hi va haver un xoc frontal entre dos cotxes.* **2** *nom m* Os del front. **3** *nom m* Múscul que hi ha a la part de davant del crani. **16**

frontera fronteres *nom f* Límit que separa dos territoris, dos països, etc.

fronterer fronterera fronterers frontereres *adj* Que està relacionat amb la frontera, que està situat prop de la frontera: *La Jonquera és una població fronterera.*

frontissa frontisses *nom f* Peça consistent en dues plaques de metall unides a un eix comú que els permet de girar, com les que hi ha a les portes, a les finestres, etc.

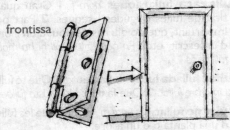

frontissa

frontó frontons *nom m* **1** Part superior d'una façana, d'un pòrtic, etc. en forma de triangle. **2** Paret alta contra la qual es tira la pilota en alguns jocs. **3** Lloc on es juguen alguns esports que consisteixen a llançar la pilota contra una paret.

fructífer fructífera fructífers fructíferes *adj* Que dóna fruits, que fa profit: *L'esforç va ser molt dur, però els resultats van ser fructífers.*

fructificar *v* Donar fruit.
Es conjuga com *cantar*. S'escriu *c* davant de *a, o, u* i *qu* davant de *e, i: fructifica, fructifiquen.*

frugal frugals *adj* **1** Es diu d'un àpat poc abundant i fet amb menjars senzills. **2** Es diu

de la persona que menja coses senzilles, que no menja grans quantitats.

fruïció fruïcions *nom f* Plaer, goig que sentim per una cosa que ens agrada: *En Magí llepava el caramel amb fruïció.*

fruir *v* Sentir un gran plaer per haver aconseguit una cosa que es desitjava, gaudir: *Després de treballar de valent, vam fruir de les vacances.* Es conjuga com *reduir*.

fruit fruits *nom m* **1** Producte de les plantes que conté les llavors i que de vegades és comestible. **2** Qualsevol cosa que és el resultat d'un esforç, d'un treball: *Aquests dibuixos tan ben fets són el fruit de moltes hores de feina.*

fruita fruites *nom f* **1** Fruit comestible dels vegetals, especialment dels arbres: *Per postres menjarem fruita: pomes, plàtans i taronges.* **2 2 fruita seca** Fruita deixada assecar o que va a dins d'una clofolla o closca: *M'agrada molt la fruita seca: les avellanes, les nous, les panses, les figues, etc.*

fruiter fruitera fruiters fruiteres **1** *adj* Es diu de la planta o de l'arbre que produeix fruita: *La perera és un arbre fruiter.* **2** *nom m i f* Persona que ven fruita. **3 fruitera** *nom f* Plat o recipient per a posar-hi fruita i servir-la a taula.

fruiteria fruiteries *nom f* Botiga on es ven fruita.

frustració frustracions *nom f* Sensació que tenim quan una cosa no ens ha sortit bé, desengany, fracàs.

frustrar *v* **1** Fer fracassar una cosa, impedir que es realitzi o que tiri endavant: *La neu ha frustrat el nostre viatge.* **2** Tenir la sensació de fracàs: *Aquella veïna va perdre una feina molt bona i estava frustrada.*
Es conjuga com *cantar*.

fúcsia¹ 1 *adj* D'un color rosa fosc tirant a morat, com el de la flor del mateix nom: *Unes sabates fúcsia.* **2 fúcsia** fúcsies *nom m* Color rosa fosc tirant a morat, com el de la flor del mateix nom.

fúcsia² fúcsies *nom f* Planta que fa una flor de color rosa fosc tirant a morat.

fuel fuels *nom m* Combustible líquid, espès i de color fosc, que s'obté del petroli: *Una calefacció de fuel.*

fuet fuets *nom m* **1** Corretja o corda prima lligada a un mànec amb què es pega als cavalls, als muls, etc. **2** Llonganissa llarga i prima que s'ha deixat assecar.

fuetejar v Donar cops de fuet.

Es conjuga com *cantar*. S'escriu *j* davant de *a, o, u* i *g* davant de *e, i: fuetejo, fueteges.*

fuga fugues *nom f* **1** Fugida. **2** Fet d'escapar-se el gas, l'aigua, etc. per una esquerda de la paret, d'un tub, etc.

fugaç fugaços fugaces *adj* Que dura molt poc: *Un estel fugaç.*

fugida fugides *nom f* Acció de fugir, d'escapar-se: *La policia no va poder evitar la fugida dels lladres.*

fugir v **1** Escapar-se, anar-se'n corrents d'un lloc per salvar-se d'un perill: *Les gallines van fugir del galliner.* ■ *Els lladres fugien i la policia els perseguia.* **2 fugir d'estudi** Canviar de tema, fer-se el desentès: *Volíem parlar al professor de l'excursió, però ell va fugir d'estudi.*

Es conjuga com *dormir*. Present d'indicatiu: *fujo, fuges, fuig, fugim, fugiu, fugen.* Imperatiu: *fuig, fugi, fugim, fugiu, fugin.*

fugisser fugissera fugissers fugisseres *adj* Que passa ràpidament, que no dura gaire, fugaç.

fugitiu fugitiva fugitius fugitives *adj* i *nom m* i *f* Que ha fugit o s'ha escapat: *La policia busca els fugitius de la presó.*

fuita fuites *nom f* **1** Sortida d'un gas o d'un líquid d'un tub o d'un recipient a través d'un forat, d'una esquerda: *Al carrer hi ha hagut una fuita de gas i han fet marxar la gent per por d'una explosió.* **2** Fugida.

fulard fulards *nom m* Mocador de seda que es porta al coll.

fulgent fulgents *adj* Brillant, resplendent.

fulgor fulgors *nom m* o *f* Resplendor que fa un cos lluminós: *El fulgor dels estels.*

fulgurar v Llançar raigs de llum, brillar: *Les joies del tresor fulguraven.*

Es conjuga com *cantar.*

full fulls *nom m* **1** Tros de paper rectangular, generalment de color blanc, que serveix per a escriure-hi; cadascun dels trossos de paper que formen un llibre, un quadern, etc.: *La redacció, l'he escrita en aquest full.* ■ *Aquest llibre és molt gruixut perquè té molts fulls.* **2 girar full** Canviar de conversa, de tema: *De la pel·lícula, ja n'hem parlat prou, ara girem full*

i parlem d'una altra cosa. **3** Cadascuna de les làmines o de les escames d'una cosa que està formada per capes.

fulla fulles *nom f* **1** Part d'un vegetal, generalment de color verd i molt lleugera, que creix a les branques dels arbres i d'algunes plantes: *Les fulles de l'alzina són més petites que les del roure.* ■ *A molts arbres, els cauen les fulles a la tardor.* ■ *Les fulles del pi són primes.* **2** Làmina prima de metall d'una eina de tall, com ara un ganivet, unes estisores, etc.: *Aquest ganivet té una fulla molt esmolada.* **3 fulla d'afaitar** Làmina d'acer prima i flexible que es col·loca en una màquina d'afaitar i serveix per a tallar els pèls de la barba, del bigoti, etc. **4** Cadascuna de les parts que s'obren o es tanquen d'una porta o d'una finestra.

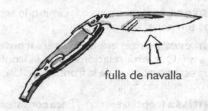

fulla de navalla

fullam fullams *nom m* Gran quantitat de fulles caigudes, fullatge.

fullaraca fullaraques *nom f* **1** Gran quantitat de fulles caigudes i seques. **2** Part poc important, que no diu res de nou, d'un llibre, d'un escrit, etc.: *En aquest treball hi ha molta fullaraca.*

fullat fullada fullats fullades *adj* **1** Que té fulla: *Un arbre fullat.* **2** Que fa fulls: *Una pasta fullada.*

fullatge fullatges *nom m* Conjunt de les fulles d'una planta o d'un arbre.

fullejar v Passar els fulls d'un diari, d'un llibre, etc. llegint-ne només els titulars o algunes línies: *Vaig fullejar aquella revista i no hi vaig trobar res d'interessant.*

Es conjuga com *cantar.* S'escriu *j* davant de *a, o, u* i *g* davant de *e, i: fullejo, fulleges.*

fullet fullets *nom m* Llibre prim, de menys de cinquanta pàgines.

fulletó fulletons *nom m* Cadascuna de les parts d'un diari, d'una revista, etc. que es col·leccionen i que se solen relligar en un sol volum quan es tenen totes.

fullola fulloles *nom f* Làmina molt prima de fusta.

fulminant fulminants *adj* **1** Que actua d'una manera molt ràpida, com un llamp. **2** Es diu d'una malaltia, d'un mal que ve de sobte i amb molta violència: *Va tenir un atac de cor fulminant.*

fulminar *v* **1** Un llamp tocar, matar una persona. **2 fulminar algú amb la mirada** Llançar una mirada dura, que amenaça: *Va passar pel costat del seu enemic i el va fulminar amb la mirada.*
Es conjuga com *cantar.*

fum fums *nom m* **1** Espècie de núvol blanc o negre que surt del foc, d'una cosa que crema: *Surt fum de la xemeneia.* ▪ *Van fer una gran foguera i en va sortir molt fum.* **2 tenir fums** Ser orgullós, creure's superior als altres: *En Jaume té molts fums.* **3 pujar els fums al cap** Tornar-se orgullós: *Com que l'Antoni sempre té bones notes, li han pujat els fums al cap.*

fumador fumadora fumadors fumadores *nom m i f* Persona que té el costum de fumar.

fumar *v* **1** Xuclar el fum del tabac d'una cigarreta, d'una pipa, etc. i després treure'l a fora: *Fumar és dolent per a la salut.* **2** Fer fum una cosa que crema, que és molt calenta: *La cendra encara fuma.* **3** Fer que a una cosa li toqui el fum, tornar-se negra una cosa a causa del fum: *Les parets de la cuina eren ben fumades.*
Es conjuga com *cantar.*

fumarada fumarades *nom f* Gran quantitat de fum.

fumarel·la fumarel·les *nom f* Fumerol, fumera petita; boira poc espessa que surt d'un lloc humit.

fumat fumada fumats fumades *adj* Es diu dels aliments com ara el pernil, la cansalada, el salmó, etc. que s'han exposat al fum per tal de conservar-los: *Avui he menjat salmó fumat.*

fumejant fumejants *adj* Que fumeja, que deixa escapar fum.

fumejar *v* Deixar escapar fum: *La sopa era tan calenta que fumejava.*
Es conjuga com *cantar.* S'escriu *j* davant de *a, o, u* i *g* davant de *e, i: fumeja, fumegi.*

fúmer *v* Fotre.
Es conjuga com *témer.*

fumera fumeres *nom f* Massa de fum que fa una cosa que crema: *De la xemeneia sortia una gran fumera.*

fumeral fumerals *nom m* Xemeneia.

fumerol fumerols *nom m* Fumera petita; boira poc espessa que surt d'un lloc humit.

fumigar *v* Desinfectar un camp, una planta, etc. escampant gasos o líquids capaços d'eliminar els paràsits: *Si fumiguem aquestes patateres, eliminarem els escarabats.*
Es conjuga com *cantar.* S'escriu *g* davant de *a, o, u* i *gu* davant de *e, i: fumigo, fumigues.*

fumut fumuda fumuts fumudes *adj* Fotut.

funàmbul funàmbula funàmbuls funàmbules *nom m i f* Equilibrista que fa exercicis sobre un cable o una corda tibada i situada molt enlaire.

funció funcions *nom f* **1** Feina, tasca, missió que té una persona, una màquina, un òrgan del cos, etc.: *La funció del mestre és ajudar els nens i nenes a aprendre.* ▪ *La funció d'aquesta màquina és omplir les ampolles.* ▪ *La funció del cor és empènyer la sang perquè corri per les venes.* **2** Representació d'una obra de teatre, actuació d'un circ, etc.: *Avui hi torna a haver funció de teatre.*

funcional funcionals *adj* Es diu d'una cosa que és simple, útil i pràctica i que fa la funció que ha de fer: *Aquestes cadires són molt funcionals: són còmodes, ocupen poc espai i es pleguen amb facilitat.*

funcionament funcionaments *nom m* Acció de funcionar, manera de funcionar una cosa: *Han canviat el funcionament de la biblioteca, ara només et deixen un llibre durant deu dies i abans te'l deixaven durant quinze dies.*

funcionar *v* Anar bé una màquina, un aparell, etc., fer el que ha de fer, complir la seva funció: *Aquest tocadiscos s'havia espatllat però ara ja torna a funcionar.* ▪ *Aquesta escola funciona molt bé.*
Es conjuga com *cantar.*

funcionari funcionària funcionaris funcionàries *nom m i f* Persona que treballa en un col·legi, un hospital, una oficina, etc. que depèn de l'administració pública.

funda fundes *nom f* Coberta de roba, de cuir, etc. amb què es tapa un moble, un instrument, etc. perquè no s'embruti o no es faci malbé: *La funda de les ulleres.*

fundació fundacions *nom f* **1** Acció de fundar, de crear una ciutat, una empresa, una associació, etc.: *La fundació d'aquest col·legi* *es va fer l'any 1925.* **2** Organització que té per finalitat ajudar les persones per mitjà de beques, premis, etc.

fundador fundadora fundadors fundadores *adj i nom m i f* Es diu de la persona que ha fundat una cosa, que l'ha creada.

fundar *v* **1** Crear una institució, construir una escola, un hospital, una empresa, etc.: *La nostra escola va ser fundada ara fa vint anys.* **2** Recolzar una idea, una teoria, una opinió, etc. en una altra: *En què et fundes per dir que aquells dos nois no són amics?*
Es conjuga com *cantar.*

fúnebre fúnebres *adj* **1** Que té relació amb un mort, amb un difunt: *Després de la cerimònia fúnebre, han enterrat el difunt al cementiri.* **2** Molt trist, molt apagat, relacionat amb la mort: *Un color fúnebre.*

funeral funerals **1** *nom m* Conjunt de cerimònies que es fan quan s'enterra una persona difunta. **2** *adj* Que té relació amb l'enterrament d'un difunt.

funerala **1** Paraula que apareix en l'expressió **ull a la funerala**, que vol dir "ull de vellut", "ull morat a causa d'un cop". **2** Paraula que apareix en l'expressió **portar les armes a la funerala**, que vol dir "boca avall en senyal de dol".

funerari funerària funeraris funeràries *adj* Que té relació amb l'enterrament d'un difunt.

funerària funeràries *nom f* Empresa que es dedica a la venda de caixes de morts i de nínxols i que s'ocupa dels enterraments.

funest funesta funests o funestos funestes *adj* Que porta la mort o una desgràcia molt grossa: *Les guerres són funestes.*

funicular funiculars *nom m* Tren de muntanya que serveix per a pujar pendents molt forts i que és arrossegat per un cable que va lligat a una màquina immòbil que fa la força: *Vam pujar a dalt de Montjuïc amb el funicular.*

funicular

fur furs *nom m* **1** Llei especial d'un territori. **2** Situació especial respecte de la justícia que tenen algunes persones, com ara els diputats, a causa del càrrec que ocupen.

fura fures *nom f* **1** Animal mamífer carnívor semblant a la mostela, de cos llarg, que es fa servir per a caçar conills. **2** Persona molt activa, que ho vol saber tot, que es fica pertot arreu.

furgar *v* Remenar una cosa ficant-hi la mà, el dit, un bastó, etc.: *El jardiner va furgar el tou de fulles amb un bastó.* ■ *Aquest nen té el mal costum de furgar-se el nas amb el dit.*
Es conjuga com *cantar.* S'escriu *g* davant de *a, o, u* i *gu* davant de *e, i: furgo, furgues.*

furgó furgons *nom m* **1** Vehicle llarg i cobert que es fa servir per a transportar mercaderies. **2** Vagó de tren destinat al transport d'equipatges.

furgoneta furgonetes *nom f* Cotxe amb seients només a la part de davant, per a conductor i una altra persona, i amb una porta al darrere per carregar i descarregar mercaderies.

fúria fúries *nom f* **1** Ràbia, violència, ira: *Els soldats es barallaven amb fúria.* **2** **estar fet una fúria** Estar molt enfadat, molt enrabiat.

furiós furiosa furiosos furioses *adj* Molt enfadat, molt enrabiat pel furor.

furóncol furóncols *nom m* Inflamació de la pell que treu pus i que és molt dolorosa, floronco.

furor furors *nom m* o *f* **1** Ràbia, violència, ira. **2** **fer furor** Tenir molt èxit una persona o una cosa.

furot furots *nom m* Mascle de la fura.

furt furts *nom m* Acció de robar una cosa sense fer servir la violència.

furtar *v* Robar, prendre una cosa d'amagat, sense amenaçar ni fer servir la violència.
Es conjuga com *cantar.*

furtiu furtiva furtius furtives *adj* Que es fa d'amagat, sense que la gent ho vegi, il·legal: *Els caçadors furtius són perseguits per la policia.*

fus fusos *nom m* Barreta rodona de fusta, més prima dels extrems que del mig, que serveix per a tòrcer el fil i enrotllar-lo quan es fila a mà.

fusell fusells nom m Arma llarga de foc, pròpia dels soldats d'infanteria: *Els soldats desfilaven amb el fusell carregat a l'espatlla.*

fusellatge fusellatges nom m Carcassa d'una embarcació o d'un avió.

fusible fusibles nom m Mecanisme que es posa en un circuit elèctric o en una instal·lació elèctrica per evitar que s'espatlli si hi ha un excés de corrent o qualsevol altre problema.

fusió fusions nom f **1** Acció de fondre's una cosa; pas de l'estat sòlid a l'estat líquid a causa de la calor: *La fusió de la neu.* **2** Acció d'ajuntar, d'unir dues o més coses, de fusionar-se.

fusionar v Fer la fusió de dues o més coses, ajuntar, unir: *Les dues empreses es van fusionar en una de sola.*
Es conjuga com *cantar.*

fusta fustes nom f **1** Matèria llenyosa del tronc i de les branques dels arbres, que serveix per a fer mobles, caixes, joguines i altres objectes. **2** Qualsevol tros o peça de fusta: *Amb quatre fustes hem fet una barca.*

fuster fustera fusters fusteres nom m i f Persona que treballa la fusta i en fa mobles i altres objectes: *Aquesta cadira tan maca l'ha feta un fuster amic meu.*

fusteria fusteries nom f Lloc on treballa el fuster, on es fan mobles i altres objectes de fusta.

fustigar v Fuetejar, pegar als cavalls amb les xurriaques perquè corrin més: *El conductor del carruatge fustigava els cavalls perquè anessin més de pressa.*
Es conjuga com *cantar.* S'escriu g davant de *a, o, u* i gu davant de *e, i: fustigo, fustigues.*

futbol futbols nom m **1** Esport que es practica a l'aire lliure entre dos equips d'on-ze jugadors cadascun que han de procurar ficar una pilota a la porteria del contrari amb l'objectiu de marcar més gols: *Avui jugarem un partit de futbol.* **2** **futbol sala** Futbol que es juga en una pista petita entre dos equips de sis jugadors cadascun.

futbolí futbolins nom m **1** Joc que es juga en una taula que representa un camp de futbol, amb figuretes subjectades a unes barres de ferro que es fan anar d'una banda a l'altra. **2** Taula on es juga al futbolí.

futbolista futbolistes nom m i f Persona que practica el futbol: *El meu avi era un bon futbolista.*

fútil fútils adj Que no té cap importància, que es preocupa de coses que no valen la pena, frívol.

fúting fútings nom m Exercici físic que consisteix a córrer a un ritme més aviat lent durant una estona: *Els meus pares cada dia a les set del matí fan fúting pels voltants del parc que hi ha vora casa.*

futur[1] futura futurs futures adj Que serà, que passarà, que encara falta temps perquè passi: *La vida futura.*

futur[2] futurs nom m **1** Allò que serà, allò que passarà, el temps que encara ha de venir: *Ningú no pot saber què passarà en el futur.* **2** Temps verbal que indica que l'acció tindrà lloc en un moment que encara ha de venir: *En la frase "demà no vindré a entrenar", el verb "venir" està en futur.*

futuròleg futuròloga futuròlegs futuròlogues nom m i f Persona que es dedica a estudiar el futur.

futurologia futurologies nom f Conjunt d'estudis sobre el futur.

f

G g lletra ge

gàbia gàbies *nom f* Caixa tancada feta de llistons, de filferros, de reixes, etc., que serveix per a guardar-hi animals: *El canari s'ha escapat de la gàbia.*

gàbia

gabial gabials *nom m* Gàbia gran per a ocells o animals petits.

gabiejar *v* **1** Bellugar-se dins la gàbia. **2 fer gabiejar algú** Fer esperar una persona quan desitja molt una cosa, entretenir-la: *Va, dóna-li el regal d'una vegada i no el facis gabiejar més!* Es conjuga com *cantar.* S'escriu *j* davant de *a, o, u* i *g* davant de *e, i: gabieja, gabiegen.*

gabinet gabinets *nom m* **1** Despatx on els metges, els advocats, etc. atenen els clients. **2** Sala, lloc destinat a l'estudi, a la lectura, etc. **3** Lloc on es reuneixen els ministres d'un govern.

gaèlic gaèlica gaèlics gaèliques *adj* i *nom m* Es diu de la llengua que es parla a Irlanda i a Escòcia.

gafa gafes *nom f* Peça de ferro que serveix per a ajuntar dues coses o per a aguantar un objecte.

gafarró gafarrons *nom m* Ocell molt petit de color groc verdós, que menja gra, viu als arbres dels costats dels camps i és molt cantador.

gafet gafets *nom m* Peça petita de metall corbada en forma de ganxo que es fica dintre d'una anella i serveix per a cordar una peça de roba.

gafeta gafetes *nom f* Anella petita per on es fa passar el gafet.

gag gags *nom m* Situació còmica curta en una obra de teatre, en una pel·lícula, etc. que sorprèn els espectadors.

gai gais *nom m* Home homosexual.

gaiato gaiatos *nom m* Bastó que fan servir els pastors i que té la part superior encorbada.

gaig gaigs *nom m* Ocell de plomatge bru amb una taca blanca al capdavall del cos i plomes blaves i negres a les ales.

gaire[1] *adv* **1** Paraula que, en frases negatives, indica "poca quantitat": *No treballa gaire.* **2** Paraula que, en frases interrogatives o condicionals, vol dir "una certa quantitat": *T'ha costat gaire fer l'exercici?* ▪ *Si t'abrigues gaire pot ser que tinguis calor.*

gaire[2] gaires *adj* **1** Paraula que, en frases negatives, indica "poca quantitat": *No té gaires amics.* **2** Paraula que, en frases interrogatives o condicionals, vol dir "una certa quantitat": *Hi va anar gaire gent, a la conferència?* ▪ *Si menges gaires llaminadures tindràs mal de panxa.*

gairebé *adv* Quasi, no ben bé, no del tot: *Gairebé no ha plogut, només han caigut quatre gotes.* ▪ *Tenim la feina gairebé acabada.*

gairell Paraula que apareix en l'expressió **de gairell**, que vol dir "de costat": *Aquell senyor porta el barret de gairell, inclinat cap a una banda del cap.*

gaita gaites *nom f* Instrument musical de vent que consisteix en un sac petit que s'infla d'aire per mitjà d'un tub i del qual pengen quatre tubs, un dels quals fa la melodia; també s'anomena sac de gemecs o cornamusa.

gal gal·la gals gal·les *adj* i *nom m* i *f* **1** Habitant de l'antiga província romana de la Gàl·lia, que comprenia territoris que actualment formen part de França. **2** Francès.

gala gales *nom f* Demostració de luxe: *Un ball de gala. Un vestit de gala.*

galà galana galans galanes *adj* Que és bonic, que agrada pels seus encants: *És una noia molt galana: bonica, simpàtica, amable i elegant.*

galàctic galàctica galàctics galàctiques *adj* Que està relacionat amb una galàxia.

galaic galaica galaics galaiques *adj* Gallec.

galant galants **1** *adj* Es diu de l'home que s'esforça a ser agradable i a agradar a les dones. **2** *nom m* En una pel·lícula o en una obra de teatre, actor jove que representa un dels personatges principals.

galanteria galanteries *nom f* Paraula o acció pròpia de la persona que s'esforça per ser amable i galant: *Plovia i aquell noi ha tingut la galanteria d'acompanyar-me fins a casa amb cotxe.*

galàpet galàpets *nom m* Gripau.

galàxia galàxies *nom f* Gran quantitat d'estels agrupats en el firmament: *El Sol és una estrella que forma part d'una galàxia anomenada Via Làctia.*

galdós galdosa galdosos galdoses *adj* Es diu d'un fet, d'una situació que surt malament, que és ridícula, etc.: *No vam tenir prou temps per assajar i ens va sortir una actuació ben galdosa.*

galera galeres *nom f* Vaixell de guerra antic, mogut amb rems i amb veles.

galeria galeries *nom f* **1** Sala gran i llarga que serveix per a exposar quadres, escultures, ceràmiques, etc.: *En aquella galeria hi ha exposats catorze quadres d'un pintor molt famós.* **2** Camí subterrani excavat en una mina: *Els miners treballaven en la tercera galeria.* **3** Balcó construït a la part del darrere d'un edifici, destinat a estendre-hi la roba, a situar-hi el safareig, etc. **4** *És amable, però tot ho* **fa de cara a la galeria**: no actua amb sinceritat, sinó perquè els altres tinguin bona opinió d'ell. **5** galeries *nom f pl* Planta baixa d'un edifici molt gran amb corredors i moltes botigues petites a banda i banda.

galet galets *nom m* **1** Forat petit d'un porró, d'un càntir, etc. per on surt un raig prim de líquid. **2** **beure a galet** Beure fent caure a la boca el líquid que surt del galet d'un càntir o d'un porró que s'aguanta alçat enlaire. **3** galets *nom m pl* Pasta de sopa que té forma de colze o de cistell, que quan es cou augmenta molt de volum.

galeta galetes *nom f* **1** Pastís petit fet de farina, sucre, ous, llet, etc. que es cou al forn. **2** Bufetada.

galifardeu galifardeus *nom m* Xicot, noi: *Aquella colla de galifardeus tot el dia es passegen en lloc d'estudiar.*

galimaties uns **galimaties** *nom m* Discurs, escrit, etc. confús, complicat.

galindaina galindaines *nom f* **1** Adorn de poc valor. **2** Cosa poc important: *No em vinguis amb galindaines, ara tinc feina!*

galindó galindons *nom m* Deformació de l'os del dit gros del peu, que sobresurt per un costat i que fa molt mal quan la sabata l'estreny.

galió galions *nom m* Vaixell antic de càrrega o de guerra, gros, amb tres o quatre pals de veles.

galipàndria galipàndries *nom f* Refredat fort: *En Josep va poc abrigat i amb el temps que fa agafarà una bona galipàndria.*

gall galls *nom m* **1** Mascle de la gallina, amb cresta vermella al cap i esperons a les potes: *Aquell animal s'assembla a la gallina, però té una cua molt grossa i plomes de colors: deu ser un gall.* **2** **gall dindi** Gall gros amb el cap sense plomes, de color fosc amb taques blanques i cua molt llarga, indiot: *Per Nadal matarem el gall dindi.* **3** Persona que imposa la seva voluntat, que vol organitzar-ho tot: *En Tomàs és un gall, sempre vol manar.* **4** Nota desafinada que fa una persona quan canta.

gallard gallarda gallards gallardes *adj* **1** Es diu d'una persona bonica, ben plantada. **2** Es diu d'una persona valenta, que no té por.

gallaret gallarets *nom m* Rosella, planta amb flors de color vermell que es fa als camps de cereals i als marges: *A la primavera els camps de blat s'omplen de gallarets.*

gallec gallega gallecs gallegues **1** *nom m i f* Habitant de Galícia; persona natural o procedent de Galícia. **2** *adj* Es diu de les persones o de les coses naturals o procedents de Galícia. **3** *nom m* Llengua que es parla a Galícia.

galleda galledes *nom f* **1** Recipient de forma cònica de ferro, de plàstic, etc. amb una nansa semicircular que l'aguanta i que serveix per a posar-hi líquids: *Hem anat a la font a omplir una galleda d'aigua.* **2** **ficar-se de peus a la galleda** Equivocar-se, dir alguna cosa que no s'ha de dir: *T'has ficat de peus a la galleda: el que has dit era un secret que no havia de saber ningú.*

gallejar *v* Fer-se l'important, fer-se el valent, presumir.
Es conjuga com *cantar*. S'escriu *j* davant de *a, o, u* i *g* davant de *e, i: gallejo, galleges.*

gal·lès gal·lesa gal·lesos gal·leses **1** *nom m i f* Habitant de Gal·les; persona natural o procedent de Gal·les. **2** *adj* Es diu de les persones o de les coses naturals o procedents de Gal·les. **3** *nom m* Llengua que es parla a Gal·les.

gallet gallets *nom m* Palanca petita que es mou amb el dit i que serveix per a disparar les armes de foc.

gallet

gal·licisme gal·licismes *nom m* Paraula o expressió d'origen francès que s'utilitza en una altra llengua: *La paraula "xampinyó" és un gal·licisme.*

gallina gallines *nom f* **1** Ocell que té el cap adornat amb una cresta carnosa vermella, bec curt i en forma d'arc, i plomes abundants i brillants; el mascle, anomenat gall, és més gros que les femelles i té una cresta més vistosa; les gallines femelles es crien en granges i ponen ous, que són molt apreciats com a aliment. **2** Femella del gall, més petita que el mascle, amb la cresta també més petita i sense esperons: *L'àvia té set gallines al corral que ponen ous.* **3** *adj i nom m i f* Es diu d'una persona covarda, que de seguida s'espanta: *Aquell noi és un gallina, tot l'espanta.* **4** **gallina de Guinea** Tipus de gallina de color negre amb taques blanques molt petites, també anomenada pintada. **5** **gallina cega** Joc en el qual algú amb els ulls tapats ha d'atrapar una altra persona i endevinar qui és.

gallinassa gallinasses *nom f* Excrement de les gallines.

galliner galliners *nom m* **1** Cort o corral on es tanquen les gallines. **2** *Quan el mestre no hi és, la nostra classe és un galliner:* hi ha molt desordre, molts crits. **3** Pis més alt d'un teatre o d'un cine, la part que queda més lluny de l'escenari o de la pantalla.

gal·lo- Element amb què comencen algunes paraules i que vol dir "gal, francès".

galó galons *nom m* Cinta estreta de teixit de seda, de llana, de fil d'or, etc.: *Els militars porten galons a l'uniforme.*

galop galops *nom m* Manera ràpida de córrer del cavall, fent salts: *El cavall corria al galop.*

galopar *v* Córrer al galop: *El cavall galopava tot baixant la muntanya.* Es conjuga com *cantar*.

galta galtes *nom f* **1** Cadascun dels costats de la cara que va des dels ulls fins a la barba: *Tinc les galtes ben vermelles del fred que fa.* **2** **ser un galtes** Ser un desvergonyit, un descarat.

galtes

galtaplè galtaplena galtaplens galtaplenes *adj* Es diu de la persona que té les galtes plenes, grassonetes.

galteres *nom f pl* Malaltia produïda per una inflamació de les glàndules salivals que fa que les galtes s'inflin molt.

galvana galvanes *nom f* Mandra.

galzeran galzerans *nom m* Arbust de fulles petites i fruits rodons i vermells que viu prop de les alzines i que sovint s'utilitza per a decorar: *Per Nadal es fan rams amb galzeran.*

gamarús gamarussa gamarussos gamarusses **1** *nom m i f* Persona poc intel·ligent i no gaire espavilada: *Aquell individu era un gamarús, no entenia mai res!* **2** *nom m* Ocell rapinyaire nocturn de cap arrodonit, ulls negres i plomatge fosc, que viu al bosc.

gamba gambes *nom f* Crustaci marí comestible amb closca de color vermell o rosat i de carn molt gustosa: *Avui hem menjat arròs amb gambes.*

gambada gambades *nom f* Passa llarga: *Amb quatre gambades vam fer tot el camí i vam arribar d'hora a casa.*

gambals Paraula que apareix en l'expressió **curt de gambals**, que vol dir "poc intel·ligent": *Aquell senyor és curt de gambals, no entén mai res del que li diuen.*

gamberrada gamberrades *nom f* Acció pròpia d'un gamberro.

gamberro gamberra gamberros gamberres *nom m i f* Bretol, persona capaç de fer qualsevol cosa dolenta.

gamma gammes *nom f* Sèrie de colors o de coses semblants: *En aquella botiga tenen una gran gamma de televisors, en tenen de totes les* marques. ■ *Aquella marca de pintures té una gran gamma de colors.*

gana ganes *nom f* **1** Desig de menjar: *Dóna'm una mica de pa, que tinc gana.* **2** Desig de fer una cosa o que passi alguna cosa: *Avui no tinc ganes de fer res, només tinc ganes de dormir.* **3 de mala gana** Sense voluntat, sense interès a fer una cosa: *Faig la feina, però de mala gana.* **4 de bona gana** Amb molt de gust, amb interès. **5** *En Nicolau ha dit a la seva mare que sortiria a passejar perquè **li donava la gana**:* voler fer una cosa tant si agrada com si no agrada a una altra persona.

ganàpia ganàpies *nom m i f* Persona que es comporta com una criatura sense ser-ho: *Ganàpia! No hauries de plorar perquè el teu germà petit t'ha pres el llapis.*

gandesà gandesana gandesans gandesanes **1** *nom m i f* Habitant de Gandesa; persona natural o procedent de Gandesa. **2** *adj* Es diu de les persones o de les coses naturals o procedents de Gandesa.

gandià gandiana gandians gandianes **1** *nom m i f* Habitant de Gandia; persona natural o procedent de Gandia. **2** *adj* Es diu de les persones o de les coses naturals o procedents de Gandia.

gandul gandula ganduls gandules *adj i nom m i f* Es diu de la persona que no vol treballar ni en té ganes, que no fa la feina que ha de fer, que no li agrada de treballar: *Aquella nena és molt gandula, es passa el dia sense fer res.*

gandula gandules *nom f* Cadira plegable, molt còmoda, que permet de recolzar el cap i les cames: *Aquest matí he pres el sol al jardí estirada en una gandula.*

gandulejar *v* Fer el gandul.
Es conjuga com *cantar*. S'escriu *j* davant de *a, o, u* i *g* davant de *e, i: gandulejo, ganduleges.*

ganduleria ganduleries *nom f* Qualitat de gandul: *La seva ganduleria és tan gran, que fins i tot li fa mandra jugar.*

ganga gangues *nom f* Qualsevol cosa que es compra a un preu molt més baix del normal: *Aquest bolígraf és una ganga: normalment costa vuitanta cèntims, però jo el vaig comprar per quaranta.*

gangli ganglis *nom m* **1** Massa de cèl·lules nervioses o de teixit limfàtic. **2** Tumor petit que es forma als tendons o als músculs.

gangrena gangrenes *nom f* Mort dels teixits d'una part del cos, que generalment es produeix perquè no hi circula bé la sang.

gàngster gàngsters *nom m* Lladre o criminal que forma part d'una banda.

gànguil gànguils *nom m* **1** Persona molt alta i prima. **2** Gos que serveix per a caçar llebres.

ganivet ganivets *nom m* Instrument que consisteix en una fulla d'acer afilada i un mànec, i que serveix per a tallar: *Tallaré la carn amb el ganivet que talla més.*

ganiveta ganivetes *nom f* Ganivet gros que generalment serveix per a llescar pa: *Al calaix no hi ha la ganiveta del pa.*

ganivetada ganivetades *nom f* Ferida produïda per un cop de ganivet.

ganso gansa gansos ganses *adj i nom m i f* Que va molt lent a caminar, a fer les coses: *Vinga, acabeu la feina d'una vegada, que sou uns gansos!*

gansoner gansonera gansoners gansoneres *adj* Es diu de la persona que va molt a poc a poc a fer les coses: *El nen petit, quan menja, és molt gansoner.*

ganxet ganxets *nom m* **1** Barreta prima de metall, de fusta, etc. amb la punta doblegada, que serveix per a fer a mà peces de punt, com ara jerseis, bosses, etc. **2** Treball fet amb un ganxet: *La meva mare em fa un jersei de ganxet.*

ganxo ganxos *nom m* Peça de metall de forma corbada que acaba en punta i que serveix per a penjar-hi alguna cosa: *El carnisser penja les peces de carn amb ganxos.*

ganxo

ganxut ganxuda ganxuts ganxudes *adj* Que té forma de ganxo.

ganya ganyes *nom f* **1** Obertura dels òrgans de la respiració dels peixos situada a cada costat del cap. **2 tenir mala ganya** Tenir una cara o un aspecte poc agradable.

ganyot ganyots *nom m* **1** Part de dins del coll, faringe. **2** Ganyota, gest que es fa amb la cara.

ganyota ganyotes *nom f* Gest que fem amb la cara per a expressar fàstic, estranyesa, sorpresa, etc.: *El menjar no li agrada i ha fet una ganyota de fàstic.*

gara-gara Paraula que apareix en l'expressió **fer la gara-gara**, que vol dir "fer compliments, dir coses agradables a algú per tal d'aconseguir que ens doni alguna cosa, que sigui amic nostre, etc.".

garantia garanties *nom f* **1** Acció d'assegurar que una cosa es complirà, que funcionarà, etc.: *Ens han donat garanties que aquesta rentadora funciona molt bé.* **2** Compromís del fabricant de cobrir, durant un temps determinat, les despeses de reparació d'un producte que ha comprat el client: *Hem comprat un rellotge que té una garantia d'un any.*

garantir *v* Fer tenir confiança en una cosa, assegurar: *El dependent ens va garantir que aquests bolígrafs duraven molt.*
Es conjuga com *servir.*

garapinyat garapinyada garapinyats garapinyades *adj* Es diu de l'ametlla o d'una altra fruita seca quan està recoberta d'una capa de sucre cuit: *Amb els pares vam anar a la fira i vam comprar cacauets i ametlles garapinyades.*

garatge garatges *nom m* Local on es guarden vehicles com ara cotxes, motos, etc.

garba garbes *nom f* Feix d'espigues tallades: *Una garba de blat.*

garbell garbells *nom m* Recipient que té el fons ple de forats i que serveix per a separar coses: *Per a separar la sorra de les pedretes farem servir un garbell.*

garbellar *v* **1** Passar pel garbell. **2** Seleccionar coses que estan barrejades.
Es conjuga com *cantar.*

garbera garberes *nom f* Pila de garbes.

garbí garbins *nom m* Vent del sud-oest.

garbuix garbuixos *nom m* **1** Barreja, confusió, embolic, desordre: *En aquest calaix tan desordenat hi tens un bon garbuix de coses.* ■ *No he entès les explicacions del professor i m'he fet un garbuix.*

gardènia gardènies *nom f* Arbust de flors blanques que fan molt bona olor.

garfi garfis *nom m* Ganxo de punta aguda com el que porten en lloc d'una de les mans els pirates dels contes.

garfir *v* Agafar molt fort una cosa, clavant-hi les ungles.
Es conjuga com *servir.*

gargall gargalls *nom m* Escopinada.

gargamella gargamelles *nom f* Gola.

gargamelló gargamellons *nom m* Úvula, campaneta del coll.

gàrgara gàrgares *nom f* Acció de remoure un líquid dins de la gola amb la boca oberta, fent-lo pujar i baixar sense empassar-se'l: *Tinc mal de coll i el metge m'ha recomanat fer gàrgares.*

gàrgola gàrgoles *nom f* Canal que surt d'un edifici per on vessa l'aigua de la pluja, i que sol tenir forma d'animal, de persona o d'ésser fantàstic.

gargot gargots *nom m* Dibuix o lletra mal fets, ratlles guixades en un full: *La meva germana petita té la llibreta plena de gargots.*

gargotejar *v* Fer gargots.
Es conjuga com *cantar.* S'escriu *j* davant de *a, o, u* i *g* davant de *e, i: gargotejo, gargoteges.*

garita garites *nom f* Caseta petita que serveix per a protegir del fred i de la pluja un guarda, un soldat, etc.

garita

garjola garjoles *nom f* Presó: *Han tancat els lladres a la garjola.*

garlaire garlaires *adj i nom m i f* Xerraire, persona a qui agrada molt de xerrar, garlar.

garlanda garlandes *nom f* Cadena de flors de paper, de plàstic, etc. que es posa com a adorn a les portes o als carrers quan hi ha una festa.

garlar *v* Parlar de qualsevol cosa només pel gust de parlar, xerrar.
Es conjuga com *cantar.*

garlopa garlopes *nom f* Eina de fuster, ribot gros que serveix per a rebaixar la fusta, que té una peça de ferro que talla i una altra de fusta per on es fa la força amb la mà.

garneu garneua garneus garneues *adj* Mal intencionat, astut.

garota garotes *nom f* Animal marí rodó i amb el cos cobert d'una closca plena de punxes, eriçó de mar.

garra garres *nom f* **1** Extremitat inferior d'un home o d'un animal des del genoll fins al turmell. **2** Mà o peu d'un animal que té ungles corbes i agudes.

garrafa garrafes *nom f* Ampolla grossa de coll curt, que pot anar ficada dins d'una coberta de plàstic, de ferro o de vímet, amb nanses per a agafar-la millor: *Una garrafa de cinc litres d'aigua.*

garrafenc garrafenca garrafencs garrafenques **1** *nom m i f* Habitant de la comarca del Garraf; persona natural o procedent de la comarca del Garraf. **2** *adj* Es diu de les persones o de les coses naturals o procedents de la comarca del Garraf.

garranyic garranyics *nom m* Grinyol, soroll que fan dues coses quan es freguen: *Aquesta bicicleta vella fa molts garranyics.*

garratibat garratibada garratibats garratibades *adj* **1** Rígid, tibat, sense moviment: *He segut molta estona en aquesta cadira tan incòmoda i he quedat garratibat.* **2** Molt sorprès, molt parat, meravellat: *Quan ens van dir que el teu cosí havia tingut un accident, vam quedar garratibats.*

garrell garrella garrells garrelles *adj* Que té les cames tortes, de manera que camina amb els genolls separats.

garrepa garrepes *adj i nom m i f* Es diu de la persona que procura no gastar mai diners, avar: *Aquell noi no va mai al cinema per no gastar, és un garrepa.*

garrí garrina garrins garrines *nom m i f* Porc petit.

garric garrics *nom m* Arbust baix de fulles perennes i verdes i fruits en forma de gla.

garriga garrigues *nom f* Conjunt de plantes baixes i de fulla dura, entre les quals predomina el garric.

garriguenc garriguenca garriguencs garriguenques **1** *nom m i f* Habitant de la comarca de les Garrigues; persona natural o procedent de la comarca de les Garrigues. **2** *adj* Es diu de les persones o de les coses naturals o procedents de la comarca de les Garrigues.

garró garrons *nom m* **1** Turmell. **2** *Sempre porta els mitjons al garró*: arrugats cap avall, al turmell.

garrofa garrofes *nom f* **1** Fruit del garrofer, de coberta forta i polpa carnosa. **2** **guanyar-se les garrofes** Guanyar els diners necessaris per a viure: *Es guanya les garrofes fent de mecànic en un taller.*

garrofer garrofers *nom m* Arbre de fulla perenne que es conrea pels seus fruits, les garrofes.

garrot garrots *nom m* Bastó gruixut.

garrotada garrotades *nom f* Cop de garrot o de bastó.

garrotxí garrotxina garrotxins garrotxines **1** *nom m i f* Habitant de la comarca de la Garrotxa; persona natural o procedent de la comarca de la Garrotxa. **2** *adj* Es diu de les persones o de les coses naturals o procedents de la comarca de la Garrotxa.

garsa garses *nom f* Ocell més aviat gros, de color negre, amb el pit i la panxa blancs, de cua llarga, molt cridaner i que es troba sovint pels conreus.

gas gasos *nom m* Allò que no és ni sòlid ni líquid i que ocupa l'espai del recipient on es troba, com ara el gas butà o el gas natural: *Han deixat la bombona de butà oberta i se sent pudor de gas.*

gasa gases *nom f* Tela prima i poc espessa: *M'he tapat la ferida amb una gasa i una mica d'esparadrap.*

gasela gaseles *nom f* Animal mamífer amb banyes, ulls grossos, cos petit i molt àgil que viu a l'Àfrica del Nord.

gasela

gaseta gasetes *nom f* Publicació periòdica que informa de literatura, política, etc.

gasiu gasiva gasius gasives *adj i nom m i f* Es diu de la persona que procura no gastar mai diners, avar, garrepa.

gasoducte gasoductes *nom m* Conducció de tubs que transporta gas d'un lloc a un altre.

gasòfia gasòfies *nom f* Menjar fet amb restes d'altres menjars: *En aquell restaurant no es menja gaire bé: sempre donen gasòfies.*

gasoil gasoils *nom m* Líquid inflamable que s'obté del petroli i que serveix per a fer funcionar els motors d'alguns vehicles, màquines, calefaccions, etc.

gasolina gasolines *nom f* Líquid molt inflamable que s'obté del petroli i que serveix per a fer funcionar els motors dels vehicles i d'algunes màquines: *Se m'ha acabat la gasolina del cotxe.*

gasolinera gasolineres *nom f* Lloc on es ven gasolina, gasoil i altres combustibles destinats als automòbils: *Anirem a la gasolinera a omplir el dipòsit de la moto.*

gasós gasosa gasosos gasoses *adj* Es diu de les coses que no són ni sòlides ni líquides: *El vapor és gasós.*

gasosa gasoses *nom f* Beguda refrescant, més aviat dolça, que a més de gas té aromes de llimona i taronja.

gaspatxo gaspatxos *nom m* Sopa freda i crua feta amb tomàquet, all, aigua, oli, vinagre, sal i molla de pa barrejats.

gastar *v* **1** Consumir, espatllar una cosa de tant fer-la servir: *Ens hem gastat tots els diners al mercat.* ■ *Se m'ha gastat la goma i n'hauré de comprar una de nova.* **2** Utilitzar diners per a comprar coses: *Hauries d'estalviar una mica i no gastar tant.*
Es conjuga com *cantar*.

gàstric gàstrica gàstrics gàstriques *adj* Que està relacionat amb l'estómac.

gastronomia gastronomies *nom f* Coneixement de tot el que té relació amb la cuina i la preparació de plats: *Els llibres de gastronomia expliquen com s'han de cuinar els bons menjars.*

gat gata gats gates *nom m i f* **1** Animal mamífer carnívor, sovint domèstic, de cua llarga i prima, ungles afilades i pèl de diversos colors: *El gat de casa m'ha esgarrapat amb les ungles.* **2** gat mesquer Animal mamífer carnívor, de pèl terrós amb taques negres i una cua llarga amb ratlles horitzontals negres, geneta. **3** estar com el gat i el gos Barallar-se tot sovint: *En Gil i la Joana sempre estan com el gat i el gos.* **4** gat vell Persona de molta experiència en una cosa, que no es deixa enganyar. **5** orgue de gats Reunió de persones en què tothom crida i ningú no s'entén: *Calleu, això sembla un orgue de gats!* **6** quatre gats Poca gent: *A la sala hi havia quatre gats.* **7** *nom m* Instrument que serveix per a aixecar el cotxe quan s'ha de canviar una roda rebentada.

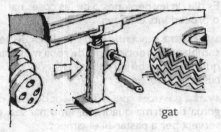
gat

gatejar *v* Anar per terra de quatre grapes com fan els nens petits que encara no saben caminar.
Es conjuga com *cantar*. S'escriu *j* davant de *a, o, u* i *g* davant de *e, i*: *gateja, gategi.*

gatera gateres *nom f* Gatonera.

gatinada gatinades *nom f* Conjunt de gats nascuts d'un mateix part.

gatinar *v* Tenir cries una gata.
Es conjuga com *cantar*.

gatonada gatonades *nom f* Gatinada.

gatonar *v* Gatinar.
Es conjuga com *cantar*.

gatonera gatoneres *nom f* Forat rodó que hi ha en algunes portes per on poden entrar i sortir els gats.

gatosa gatoses *nom f* Arbust petit, espinós, amb poques fulles i flors de color groc.

gatzara gatzares *nom f* Soroll, crits que fa una colla de gent quan està contenta: *A la festa de l'escola vam fer molta gatzara.*

gatzoneta Paraula que apareix en l'expressió **a la gatzoneta**, que vol dir "ajupit, amb les cames arronsades de manera que els talons toquin les natges".

gaudi gaudis *nom m* Acció de gaudir, plaer, alegria.

gaudir *v* **1** Sentir plaer, alegria: *A l'estiu la gent gaudeix amb les vacances i el bon temps.* **2** Tenir una cosa que ens produeix profit, que ens dóna un benefici, etc.: *Aquell avi gaudeix d'una bona salut.* ▪ *Aquell senyor tan ric gaudeix d'una gran fortuna.* Es conjuga com *servir.*

gavadal gavadals *nom m* Gran nombre de coses: *Aquell nen tenia un gavadal de joguines.*

gavanenc gavanenca gavanencs gavanenques **1** *nom m i f* Habitant de Gavà; persona natural o procedent de Gavà. **2** *adj* Es diu de les persones o de les coses naturals o procedents de Gavà.

gavardina gavardines *nom f* Peça de vestir semblant a un abric, però de roba més prima, que resisteix bé la pluja: *Com que plou, em posaré la gavardina.*

gaveta gavetes *nom f* Recipient de fusta o de goma de forma quadrada, amb nanses, que serveix per a pastar-hi el ciment.

gavial gavials *nom m* Rèptil molt gros, semblant al cocodril, que viu a prop dels rius de l'Índia.

gavina gavines *nom f* Ocell de plomes blanques o grises que viu prop del mar i s'alimenta sobretot de peix.

ge ges *nom f* Nom de la lletra g **G**.

gebrada gebrades *nom f* Fet de posar-se gebre damunt de les coses: *Aquest matí hi havia una gran gebrada.*

gebrar *v* Glaçar-se la rosada: *Aquesta matinada ha gebrat i semblava que hagués nevat.* Es conjuga com *cantar.*

gebre gebres *nom m* o *f* Rosada glaçada: *Aquest matí feia molt fred i l'herba dels camps era blanca de gebre, perquè l'aigua de la rosada s'havia glaçat.*

gec gecs *nom m* Peça de vestir que cobreix el tronc fins a la cintura, amb màniques.

geca geques *nom f* Gec.

gegant geganta gegants gegantes *nom m i f* **1** Personatge imaginari dels contes molt alt i gros: *El gegant d'aquell conte era més alt que els arbres.* **2** Persona que és molt alta: *Aquella noia és extraordinàriament alta, és una geganta.* **3** *adj* Molt gros, immens, de grans proporcions: *Aquest bolet és gegant.* **4** *nom m i f* Ninot de gran estatura fet de cartó, de

fusta, etc. que és típic de molts pobles de Catalunya i que sol ballar o desfilar durant les festes locals.

gegantí gegantina gegantins gegantines *adj* Molt gros, molt alt: *Un home gegantí. Un edifici gegantí.*

gel gels *nom m* Aigua que s'ha tornat sòlida a causa del fred, glaç: *Ahir va fer molt fred i a la bassa s'hi va fer una capa de gel.*

gel

gelada gelades *nom f* Glaçada, transformació de l'aigua en gel, quan la temperatura baixa per sota dels zero graus.

gelar *v* Transformar l'aigua en gel, glaçar: *L'hivern passat va fer tant fred, que el riu es va gelar.* Es conjuga com *cantar.*

gelat gelada gelats gelades **1** *adj* Que és molt fred, glaçat: *Tinc les mans gelades de tant fred que fa.* **2** *nom m* Aliment fred que s'obté després d'haver congelat una pasta feta de diverses matèries com ara llet, sucre, fruita, etc.: *Els nens han menjat un gelat de maduixa.*

gelateria gelateries *nom f* Botiga on fan o venen gelats.

gelatina gelatines *nom f* **1** Brou, caldo de carn que, a causa del fred, s'ha tornat espès, tou i transparent: *La carn en conserva sol estar coberta de gelatina.* **2** Substància tova i elàstica.

gelea gelees *nom f* **1** Aliment tou i elàstic que es fa bullint suc de fruites amb sucre i que és com una gelatina. **2** **gelea reial** Substància que fan les abelles i que es pren com a vitamina, perquè porta molt aliment.

gelera geleres *nom f* Lloc en una muntanya molt alta on la neu no es fon, congesta.

gèlid gèlida gèlids gèlides *adj* Fred com el glaç.

gel·laba gel·labes *nom f* Vestit llarg fins als peus, amb caputxa, propi dels països àrabs.

gelós gelosa gelosos geloses *adj* Que sent gelosia: *Aquest nen és molt gelós, sempre es pensa que el mestre fa més cas dels altres nens que d'ell.*

gelosia gelosies *nom f* **1** Sentiment de desconfiança d'una persona que es pensa que no és tan estimada com una altra; enveja que sentim d'una persona que té una cosa que nosaltres també volem tenir: *El germà gran té gelosia del germà petit, perquè tothom diu més coses al petit.* **2** Reixa de fusta que es posa en una finestra i que permet de veure el que passa a fora sense ser vist.

gema gemes *nom f* **1** Rovell d'ou. **2** Pasta petita i rodona feta amb rovell d'ou i sucre.

gemat gemada gemats gemades *adj* Es diu d'un camp, d'un prat, d'un arbre, etc. molt verd, ple d'ufana.

gemec gemecs *nom m* So de queixa que fa una persona a causa del dolor o d'una pena: *El ferit feia uns gemecs terribles.*

gemegar *v* Fer gemecs.
Es conjuga com *cantar*. S'escriu g davant de *a, o, u* i *gu* davant de *e, i: gemego, gemegues.*

geminat geminada geminats geminades *adj* En parell, doble: *A la paraula "pel·lícula" hi ha una ela geminada.*

gèminis *nom m* Tercer signe del zodíac, també anomenat bessons: *Les persones nascudes entre el 21 de maig i el 21 de juny són del signe de gèminis.*

gemir *v* Fer gemecs, gemegar.
Es conjuga com *servir*.

gemma[1] gemmes *nom f* Pedra preciosa, perla, etc. que un cop tallada i polida es fa servir per a fer joies.

gemma[2] gemmes *nom f* Brot d'una planta d'on surt una branca, una flor o una tija.

gemma
d'una planta

gen gens *nom m* Element que és propi dels éssers vius i que transmet les característiques de l'espècie, de la família, del grup, etc.

gendarme gendarmes *nom m i f* Nom que es dóna a França i a d'altres països als policies que s'ocupen de mantenir l'ordre.

gendre gendres *nom m* Home que és casat amb la filla d'una persona.

genealogia genealogies *nom f* **1** Conjunt d'avantpassats d'una persona o d'una família. **2** Ciència que estudia la composició de les famílies, els matrimonis, els seus membres, els fills que han tingut, etc.

genealògic genealògica genealògics genealògiques *adj* **1** Que té relació amb els avantpassats, amb la família. **2 arbre genealògic** Esquema en forma d'arbre on es representa la composició d'una família

gener geners *nom m* Mes de l'hivern, primer mes de l'any, té 31 dies.

generació generacions *nom f* **1** Conjunt de persones nascudes en una mateixa època, que viuen en una mateixa època, etc. **2** Acció de generar, de crear, de produir.

generador generadora generadors generadores **1** *adj* Que genera. **2** *nom m* Màquina que produeix energia elèctrica.

general[1] generala generals generales *nom m i f* Militar que mana un conjunt important de soldats de l'exèrcit.

general[2] generals *adj* **1** Que afecta un conjunt sencer de persones o de coses; que és freqüent, normal: *Avui hi ha una reunió general de tota l'escola.* ■ *L'opinió general de la classe és que guanyarem el partit.* **2 en general** En conjunt, tenint en compte allò que és més corrent o normal: *En general tothom va estar molt content, només una persona va protestar.*

generalitat generalitats *nom f* **1** Idea general, poc concreta, poc precisa: *En lloc de contestar la pregunta de manera precisa, has escrit quatre generalitats.* **2** La majoria d'un conjunt de persones o de coses: *La generalitat de la gent del poble vol que arreglin la carretera.* **3** Nom que es dóna als governs de Catalunya i del País Valencià.

generalitzar *v* **1** Fer general, extreure una idea general d'una colla de fets particulars, aplicar una cosa a tots els casos: *Hi ha conductors joves que condueixen de manera imprudent, però no es pot generalitzar i dir que tots els conductors joves condueixen de manera imprudent.* **2** Fer-se general una cosa: *Aquesta setmana les pluges s'han generalitzat a tot el país.*
Es conjuga com *cantar*.

generalment *adv* D'una manera general.

generar *v* Crear, formar, produir, construir, fer néixer: *El foc genera calor.* Es conjuga com *cantar.*

gènere gèneres *nom m* **1** Grup de coses, d'animals o de persones que s'assemblen entre ells perquè tenen en comú característiques molt importants: *L'esparver i el falcó són dos ocells del mateix gènere.* **2** Categoria gramatical que serveix per a classificar els noms, els pronoms, els articles i els adjectius en masculins i femenins: *En català, molts noms femenins acaben en "a", com ara "casa", "sabata" i "pera".* **3** Conjunt de coses que es venen en un comerç, en una botiga: *En aquesta botiga tenen molt gènere, venen moltes coses.* **4 gènere de punt** Teixit elàstic de roba.

genèric genèrica genèrics genèriques *adj* Que no és específic, que no és particular, que té relació amb un conjunt de coses, d'animals o de persones: *"Arbre" és una paraula genèrica, perquè serveix per a designar moltes classes d'arbres, com ara el pi, l'alzina, etc.*

generós generosa generosos generoses *adj* Es diu de la persona a qui agrada de donar o de regalar coses, a qui agrada d'ajudar la gent: *En Miquel és molt generós, sempre dóna joguines seves als amics.*

generositat generositats *nom f* Qualitat de les persones que són generoses, que ajuden els altres sense cap interès personal.

gènesi gènesis *nom f* Inici de la formació d'una cosa, creació.

genet geneta genets genetes *nom m i f* Persona que va a dalt d'un cavall.

geneta genetes *nom f* Animal mamífer carnívor, de pèl terrós amb taques negres i una cua llarga amb ratlles horitzontals negres, gat mesquer.

genètic genètica genètics genètiques *adj* **1** Que té relació amb la gènesi, amb el naixement. **2** Que té relació amb la genètica.

genètica genètiques *nom f* Branca de la biologia que estudia les característiques dels éssers vius que es transmeten per herència i els canvis que hi ha en les diferents espècies.

geni genis *nom m* **1** Caràcter, manera de ser d'una persona, d'un poble, etc.: *Aquell noi té molt mal geni, de seguida s'enfada.* **2** Persona que sobresurt en una activitat artística o cien-tífica: *Verdaguer és un geni de la poesia.* **3** Personatge imaginari dels contes que té poders màgics.

genial genials *adj* Que és únic, que és propi d'un geni, molt bo: *Has tingut una idea genial.*

genital genitals **1** *adj* Que està relacionat amb l'aparell reproductor. **2 genitals** *nom m pl* Òrgans de la reproducció.

geniüt geniüda geniüts geniüdes *adj* Que té un caràcter fort, que s'enfada molt i amb molta facilitat: *El pare d'aquell noi és molt geniüt, quan s'enfada és terrible.*

geniva genives *nom f* Carn que cobreix les mandíbules i en la qual estan clavades les dents. ▪15▪

genocidi genocidis *nom m* Matança d'un poble o d'un grup molt nombrós de gent: *Les guerres entre els pobles han causat molts genocidis.*

genoll genolls *nom m* **1** Part del cos que ajunta la cama i la cuixa i que permet doblegar la cama: *En Josep s'ha pelat un genoll jugant a futbol.* **2 de genolls** Amb els genolls tocant a terra, suportant el pes del cos.

genollera genolleres *nom f* Peça de roba o de pell que va cosida sobre els genolls dels pantalons perquè no es gastin o que es posa sobre els genolls per a protegir-los.

genollons Paraula que apareix en l'expressió **de genollons**, que vol dir "amb els genolls tocant a terra, suportant el pes del cos".

gens *adv* **1** Paraula que, en frases negatives, vol dir "cap quantitat": *En aquesta ampolla no hi ha gens d'aigua.* ▪ *No treballa gens.* ▪ *No és gens intel·ligent.* **2** Paraula que, en frases interrogatives o condicionals, vol dir "certa quantitat": *Ha sobrat gens de llimonada?* ▪ *Si tens gens de temps, vine'm a veure.*

gent gents *nom f* Conjunt de persones: *Hi havia molta gent passejant per la plaça.*

gentada gentades *nom f* Gran quantitat de persones, de gent, que hi ha en un lloc: *Hem anat a veure els Reis de l'Orient i hi havia una gentada que no es podia passar.*

gentil gentils *adj* Educat, amable.

gentilesa gentileses *nom f* Amabilitat, cortesia.

gentilici gentilicis *nom m* Classe de paraula que serveix per a indicar el país, la ciutat, la comarca, etc. d'on és una persona: *Els mots "barceloní" i "valencià" són gentilicis.*

gentussa gentusses *nom f* Mala gent.

genuflexió genuflexions *nom f* Acció de doblegar el genoll en senyal de respecte.

genuí genuïna genuïns genuïnes *adj* Pur, autèntic, que no és fals.

geo- ge- Element amb què comencen algunes paraules i que vol dir "terra".

geògraf geògrafa geògrafs geògrafes *nom m i f* Persona que es dedica a la geografia.

geografia geografies *nom f* Ciència que estudia la forma de la Terra, els rius, els mars, els llacs, les muntanyes, les ciutats, els països, etc.: *A la classe de geografia estem estudiant els països d'Europa.*

geogràfic geogràfica geogràfics geogràfiques *adj* Que està relacionat amb la geografia: *Un golf és un accident geogràfic.*

geòleg geòloga geòlegs geòlogues *nom m i f* Persona que es dedica a la geologia.

geologia geologies *nom f* Ciència que estudia la composició de la Terra, els minerals, etc.

geològic geològica geològics geològiques *adj* Que està relacionat amb la geologia: *Els estudiants faran un estudi geològic de les muntanyes d'aquella comarca.*

geometria geometries *nom f* Part de les matemàtiques que estudia les mesures i les propietats de les línies, de les figures planes i de les figures amb volum.

geomètric geomètrica geomètrics geomètriques *adj* Que està relacionat amb la geometria: *El triangle és una figura geomètrica.*

geoplà geoplans *nom m* Joc per a estudiar la geometria del pla, que consisteix en una taula on hi ha uns claus clavats a una distància sempre igual, de manera que enganxant-hi unes gomes es poden formar figures geomètriques.

georgià georgiana georgians georgianes **1** *nom m i f* Habitant de Geòrgia; persona natural o procedent de Geòrgia. **2** *adj* Es diu de les persones o de les coses naturals o procedents de Geòrgia. **3** *nom m* Llengua que es parla a Geòrgia.

gep geps *nom m* **1** Bony de l'esquena provocat per una desviació de la columna vertebral: *En Joan Gep és el personatge principal d'una*

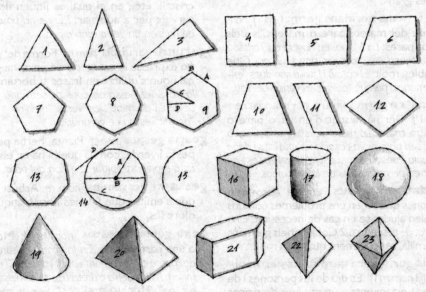

Figures geomètriques **1** triangle equilàter **2** triangle isòsceles **3** triangle escalè **4** quadrat **5** rectangle **6** trapezi **7** pentàgon **8** octàgon **9** hexàgon **A** costat **B** vèrtex **C** radi **D** apotema **10** trapezi isòsceles **11** paral·lelogram **12** rombe **13** heptàgon **14** circumferència **A** radi **B** diàmetre **C** secant **D** tangent **15** semicircumferència **16** cub **17** cilindre **18** esfera **19** con **20** piràmide **21** prisma **22** tetraedre **23** octaedre

rondalla; diuen que tenia a l'esquena un gep gros com una casa. **2** Bony que els camells i els dromedaris tenen a l'esquena.

gepa gepes *nom f* Gep.

geperut geperuda geperuts geperudes *adj i nom m i f* Que té un gep a l'esquena.

gerani geranis *nom m* Planta de flors vermelles, roses, blanques, liles, etc. i que s'utilitza per a adornar les finestres i els balcons. **3**

gerd[1] gerda gerds gerdes *adj* Tendre i fresc: Herba gerda.

gerd[2] gerds *nom m* Fruit comestible de la gerdera, de color vermell, semblant a una móra.

gerdera gerderes *nom f* Planta que neix al bosc i que fa gerds.

gerent gerents *nom m i f* Persona encarregada de dirigir l'economia d'una empresa.

geriatria geriatries *nom f* Branca de la medicina que estudia les malalties pròpies de la gent gran.

geriàtric geriàtrica geriàtrics geriàtriques **1** *adj* Que està relacionat amb la geriatria. **2** *nom m* Residència, lloc on s'ocupen de les persones grans.

germà germana germans germanes **1** *nom m i f* Fills del mateix pare o mare, fills dels mateixos pares: La Maria, en Roger i en Toni són germans, tenen els mateixos pares. **2** *adj* Que s'assemblen molt: El català i l'italià són dues llengües germanes, perquè totes dues vénen del llatí.

germanastre germanastra germanastres *nom m i f* Germà nascut d'un altre pare o d'una altra mare: La mare de la Ventafocs es va morir i el seu pare es va casar amb una altra dona que ja tenia dues filles; aquestes dues filles es van convertir en germanastres de la Ventafocs.

germandat germandats *nom f* **1** Associació de persones que tenen uns problemes comuns i que volen ajudar-se en cas de necessitat: Una germandat de pescadors. **2** Conjunt dels germans d'una família, especialment quan són molts.

germànic germànica germànics germàniques *adj i nom m i f* Es diu de les persones i de les coses pertanyents a un conjunt de països del centre i del nord d'Europa que parlen llengües amb unes característiques comunes: L'alemany és una llengua germànica.

germano- Element amb què comencen algunes paraules i que vol dir "alemany".

germanor germanors *nom f* Sentiment d'amor i d'unió com el que senten els germans o els companys entre ells, fraternitat: Els mestres i els alumnes de l'escola farem un dinar de germanor a final de curs.

germen gèrmens *nom m* **1** Cèl·lula o part d'un organisme a partir de la qual es forma un nou individu. **2** Microorganisme: Aquest menjar que era fora de la nevera s'ha fet malbé i deu estar ple de gèrmens.

germinació germinacions *nom f* Acció de germinar, de començar a créixer o a desenvolupar-se una llavor.

germinar *v* Començar a créixer o a desenvolupar-se: La llavor del blat ja comença a germinar. Es conjuga com *cantar*.

gernació gernacions *nom f* Gran quantitat de gent: Pels carrers hi havia una gernació esperant l'arribada de la cercavila i de les autoritats.

gerra gerres *nom f* **1** Recipient gran de terrissa, ample de la part de dalt i més estret de la part de baix. **2** Got alt amb una nansa: Es va beure dues gerres de cervesa seguides.

gerro gerros *nom m* Vas gros de vidre, de cristall, etc., en el qual es fiquen flors i que serveix per a adornar: L'Enric ha posat el ram de flors en un gerro amb aigua.

gerundi gerundis *nom m* Forma del verb que no expressa la categoria de persona gramatical i que s'utilitza en frases subordinades: En la frase "es passa els caps de setmana menjant, bevent i dormint", els verbs "menjar", "beure" i "dormir" estan en gerundi.

gespa gespes *nom f* Planta, herba petita, espessa i verda, com la que hi ha en els jardins: Està prohibit trepitjar la gespa del parc.

gessamí gessamins *nom m* Arbust de jardí que s'enfila i que fa unes flors blanques molt oloroses.

gest gests o gestos *nom m* **1** Moviment d'una part del cos: En la nostra cultura, el gest de moure el cap amunt i avall vol dir "sí" i el gest de moure'l d'esquerra a dreta i de dreta a esquerra vol dir "no". **2 fer un mal gest** Fer un moviment que causa dolor o una lesió: Jugant a futbol vaig fer un mal gest amb el peu i ara el tinc tot inflat.

gesta gestes *nom f* Acció valenta, que mereix ser recordada: Les cançons de gesta són poemes que expliquen les aventures d'antics herois.

gestació gestacions *nom f* Embaràs, procés de formació i de creixement de l'embrió en una femella: *En l'espècie humana, el temps de gestació dura nou mesos.*

gestar *v* **1** Formar una femella un ésser viu a dins del seu ventre fins al moment de parir-lo. **2** Planejar alguna cosa: *Feia temps que s'estava gestant el projecte de formar un grup musical.* Es conjuga com *cantar.*

gesticular *v* Fer gestos amb el cap, amb els braços, amb les mans, etc. mentre es parla. Es conjuga com *cantar.*

gestió gestions *nom f* **1** Cadascun dels passos que es fan per aconseguir una cosa: *El director fa gestions per aconseguir diners per engrandir l'edifici de l'escola.* **2** Acció de gestionar.

gestionar *v* **1** Fer les gestions, els passos necessaris per a aconseguir una cosa: *A les oficines del banc et gestionaran els documents necessaris per a obrir un compte corrent.* **2** Portar, dirigir, encarregar-se dels assumptes d'una empresa, d'un negoci, etc. Es conjuga com *cantar.*

gestor gestora gestors gestores **1** *adj i nom m i f* Que gestiona: *La comissió gestora del festival s'encarrega de tota l'organització.* **2** *nom m i f* Persona que s'encarrega dels assumptes d'una altra persona o d'una empresa.

gestoria gestories *nom f* Oficina que s'ocupa de fer tràmits de documents per a una persona o per a empreses.

gibrell gibrells *nom m* Recipient rodó de metall, de plàstic, etc., no gaire alt, més ample de dalt que de baix, que es fa servir per a rentar-hi els plats, roba, etc.

gibrelleta gibrelletes *nom f* Recipient petit que serveix per a orinar-hi, orinal.

gimcana gimcanes *nom f* Cursa amb cotxes, motos, bicicletes o a peu durant la qual s'ha de passar una sèrie d'obstacles i de proves.

gimnàs gimnasos *nom m* Lloc on es fan exercicis de gimnàstica i on hi ha aparells per a fer aquests exercicis.

El gimnàs 1 corda de saltar **2** halters **3** trampolí **4** cavall de salts / poltre **5** paral·leles **6** matalàs dur **7** cavall amb arcs **8** corda de nusos **9** plint **10** cèrcol **11** corda **12** matalàs tou **13** barra d'equilibri **14** barra fixa **15** anelles **16** espatllera

gimnasta gimnastes *nom m i f* Persona que practica la gimnàstica.

gimnàstic gimnàstica gimnàstics gimnàstiques **1** *adj* Es diu dels exercicis físics que desenvolupen la força i l'agilitat del cos: *A l'escola hem fet mitja hora d'exercicis gimnàstics.* **2 gimnàstica** *nom f* Conjunt d'exercicis que serveixen per a desenvolupar la flexibilitat, l'agilitat i la força del cos: *Vaig a fer gimnàstica tres dies a la setmana.*

exercici gimnàstic

ginebra ginebres *nom f* Beguda alcohòlica molt forta feta amb sègol, alcohol i fruits del ginebre.

ginebre ginebres *nom m* Arbust de fulles punxegudes que produeix uns fruits petits que fan molta olor.

ginebró ginebrons *nom m* Fruit del ginebre, petit i de color blau fosc.

gineco- gino- gin- Element amb què comencen algunes paraules i que vol dir "dona".

ginecòleg ginecòloga ginecòlegs ginecòlogues *nom m i f* Metge especialista en l'aparell genital de la dona.

ginesta ginestes *nom f* Arbust de branques verdes i flors grogues: *A la primavera floreix la ginesta i fa molt bonic.*

gingival gingivals *adj* Que té relació amb les genives.

gingivitis unes gingivitis *nom f* Inflamació de les genives.

gínjol gínjols *nom m* **1** Fruit comestible del ginjoler, de color vermellós. **2 més content que un gínjol** Molt content, molt trempat, molt eixerit.

ginjoler ginjolers *nom m* Arbre petit, el fruit del qual és el gínjol.

giny ginys *nom m* **1** Pla, truc per a aconseguir alguna cosa. **2** Invent, màquina, aparell.

gir girs *nom m* Acció de girar: *L'agulla grossa triga dotze hores a fer un gir complet en l'esfera del rellotge.*

gira gires *nom f* **1** Part de la banda de dins o de sota d'una cosa, que es veu quan es doblega: *La gira del llençol.* **2** Conjunt d'actuacions que un artista, una orquestra, etc. fa a diferents llocs.

girada girades *nom f* **1** Acció de girar o de girar-se. **2 girada de peu** Torçada de peu. **3 trencar la girada a algú** Dir-li que no pot fer una cosa que té moltes ganes de fer, contradir-lo: *Quan li trenques la girada, aquell nen s'enfada molt i et fa mala cara durant una setmana.*

girafa girafes *nom f* Animal mamífer molt alt, de coll molt llarg amb les potes de davant més llargues que les de darrere i de color clar amb taques fosques: *Les girafes arriben a dalt de l'arbre amb el cap.*

giragonsa giragonses *nom f* Torta, revolt: *El riu fa moltes giragonses abans d'arribar al mar.*

girar *v* **1** Donar voltes una cosa al voltant d'una altra cosa o sobre ella mateixa: *La Terra gira al voltant del Sol.* ▪ *El plat del tocadiscos gira contínuament.* **2** Canviar de direcció, tombar, trencar: *Quan arribeu al segon carrer, gireu a l'esquerra.* **3** Fer passar una cosa d'una posició a una altra fent-li donar la volta: *Si gires la plana del diari, podràs llegir aquell article que t'interessa tant sobre la conservació dels boscos.* **4 girar-se un peu** Torçar-se'l: *L'Octavi, quan esquiava, s'ha girat un peu.* **5 girar cua** Anar-se'n: *Vam girar cua perquè en aquella sala no hi cabia ningú més.* **6 girar-se** Fer mitja volta: *Gira't, que vas ben brut i t'espolsaré el jersei.* **7 girar la cara** Tombar la cara cap a una altra banda per demostrar que s'està ofès, no saludar: *La Mercè es va enfadar amb mi i ara, cada vegada que em veu, em gira la cara.* **8 girar-se la truita** Canviar radicalment una situació. **9** Venir una cosa de cop, de sobte: *S'ha girat un vent molt fort.* ▪ *Se m'ha girat feina.*
Es conjuga com *cantar*.

gira-sol gira-sols *nom m* Planta de fulles amples, amb flors molt grosses de color groc, de la qual s'obté oli i altres productes: *Les llavors del gira-sol es mengen torrades i salades.* **5**

gira-sol

giratori giratòria giratoris giratòries *adj* Que gira al voltant d'un eix: *La porta d'entrada de l'hotel és giratòria, i és molt divertit entrar i sortir.*

giravolt giravolts *nom m* Volta completa que fa algú o alguna cosa sobre ella mateixa quan és enlaire: *El nedador va saltar des del trampolí i, abans de caure a l'aigua, va fer dos giravolts.*

giravolta giravoltes *nom f* **1** Acció de giravoltar. **2** Giragonsa.

giravoltar *v* **1** Moure's en cercle al voltant d'un eix: *El vent fa giravoltar el molí.* **2** Fer giragonses.
Es conjuga com *cantar*.

gironí gironina gironins gironines **1** *nom m i f* Habitant de Girona; persona natural o procedent de Girona. **2** *adj* Es diu de les persones o de les coses naturals o procedents de Girona.

gitano gitana gitanos gitanes **1** *nom m i f* Individu d'una raça molt antiga procedent de l'Índia que està escampada per diversos països i que té una llengua, una manera de viure i uns costums propis. **2** *adj* Que té relació amb els gitanos. **3** *nom m* Llengua parlada pels gitanos.

gitar *v* **1** Llançar, tirar: *Van gitar una pedra a aquell pobre gos.* **2** Treure d'un lloc, vomitar: *Es va trobar malament i va gitar el dinar.* **3** gitar-se Ficar-se al llit, ajeure's.
Es conjuga com *cantar*.

gla glans *nom f* Fruit sec de l'alzina i del roure: *Als porcs, els agrada molt menjar glans.*

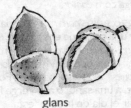

glans

glaç glaços *nom m* Aigua que s'ha tornat sòlida a causa del fred, gel.

glaçada glaçades *nom f* Gelada, transformació de l'aigua en glaç que es produeix quan la temperatura baixa per sota dels zero graus.

glaçar *v* Transformar l'aigua en glaç, gelar: *El fred ha glaçat l'aigua de la bassa del jardí.*
Es conjuga com *cantar*. S'escriu ç davant de *a, o, u* i c davant de *e, i: glaça, glaci.*

glacera glaceres *nom f* Massa de glaç que baixa pels pendents de les muntanyes.

glacial glacials *adj* **1** Molt fred, com el glaç: *Aquest hivern ha fet un fred glacial.* **2** Es diu de les terres i del mar que hi ha a les zones més fredes de la Terra, al pol nord i al pol sud.

glaçó glaçons *nom m* Tros petit de glaç com els que es fiquen als gots per refrescar la beguda.

glaçó

glaçonera glaçoneres *nom f* **1** Motlle per a fer glaçons. **2** Recipient per a conservar o servir els glaçons.

gladiador gladiadors *nom m* Persona que lluitava amb una arma en els circs de l'època dels romans.

gladiol gladiols *nom m* Planta de jardí de flors de diferents colors que s'utilitza molt per a fer rams decorats.

gland glands *nom m* Extrem, part del final del penis i del clítoris.

glàndula glàndules *nom f* Òrgan que produeix un líquid o una substància: *Les glàndules salivals produeixen la saliva.* **19**

glatir *v* **1** Tenir desig d'alguna cosa que els altres tenen o que és difícil d'aconseguir: *Si et menges el caramel davant del nen, el faràs glatir.* **2** Bategar el cor amb força.
Es conjuga com *servir*.

glavi glavis *nom m* Espasa.

gleva gleves *nom f* **1** Massa de terra enganxada a les arrels d'un arbre, d'una planta, etc. quan s'arrenca. **2** Bufetada. **3** Coàgul, grumoll: *Una gleva de sang.*

405

glicerina glicerines *nom f* Producte que es fa servir per a suavitzar la pell.

glícid glícids *nom m* Glúcid.

global globals *adj* Total, sense detallar les parts d'una cosa, en conjunt: *Si comptem les vendes globals, avui hem venut molt més que ahir.*

glòbul glòbuls *nom m* Partícula de forma rodona: *A la sang hi ha glòbuls blancs i glòbuls vermells.*

globus uns globus *nom m* **1** Bossa de goma que s'infla d'aire i agafa una forma arrodonida: *Els infants juguen a tirar-se un globus.* **2** Vehicle per a volar que consisteix en una gran bossa plena d'un gas més lleuger que l'aire, amb una cistella on van els viatgers. **3** Objecte de forma rodona: *La Terra té forma de globus.* **4** Objecte en forma de globus que tapa un llum i que serveix per a protegir-lo, per a repartir la claror, etc. **5** Bafarada d'un còmic. **6 globus terraqüi** La Terra; esfera on hi ha representada la Terra i els accidents de la seva superfície.

gloc-gloc Onomatopeia, paraula que imita el soroll que fa un líquid quan surt de l'ampolla.

glop glops *nom m* Quantitat petita de líquid que ens empassem de cop quan bevem: *S'anava bevent la llet a glops.*

glopada glopades *nom f* Quantitat petita de líquid o de fum que omple la boca o que es treu per la boca d'un sol cop: *Va beure unes quantes glopades d'aigua.* ▪ *El fumador va treure una gran glopada de fum.*

glopejar *v* Tenir durant uns moments dins la boca un glop de líquid tot agitant-lo: *Després de raspallar-te les dents, glopeja una mica d'aigua.*
Es conjuga com *cantar*. S'escriu *j* davant de *a, o, u* i *g* davant de *e, i: glopejo, glopeges.*

glòria glòries *nom f* **1** Fama, admiració que té la gent per una persona o una cosa: *Els esportistes que guanyen la medalla d'or als Jocs Olímpics aconsegueixen la glòria.* **2** Lloc fora de la Terra on, segons algunes religions, es considera que viu Déu, cel.

gloriejar-se *v* Estar molt satisfet un mateix de les coses que fa, de les coses que té, i presumir-ne davant dels altres.
Es conjuga com *cantar*. S'escriu *j* davant de *a, o, u* i *g* davant de *e, i: gloriejo, glorieges.*

glorieta glorietes *nom f* En un jardí, lloc cobert, de vegades amb reixes de fusta al voltant per on s'enfilen plantes i flors.

glorificar *v* Lloar molt, alabar molt els mèrits, les qualitats, etc. d'una persona o d'una cosa.
Es conjuga com *cantar*. S'escriu *c* davant de *a, o, u* i *qu* davant de *e, i: glorifico, glorifiques.*

gloriós gloriosa gloriosos glorioses *adj* Que és digne de glòria, de fama i d'admiració: *Un esdeveniment gloriós.*

glossa glosses *nom f* Explicació, comentari de les paraules o dels episodis difícils d'un text.

glossari glossaris *nom m* Recull d'explicacions de les paraules o dels episodis difícils que surten en una novel·la, en un conte, etc.

glúcid glúcids *nom m* Substància natural o artificial composta de carboni, hidrogen i oxigen, com el sucre.

glucosa glucoses *nom f* Substància, tipus de sucre, molt abundant en la natura, que es troba als fruits, als teixits de molts vegetals i a la sang de les persones i dels animals.

gluti glútia glutis glúties *adj* Que està situat a les natges o que hi està relacionat: *Músculs glutis.* **16**

gnom gnoms *nom m* Personatge imaginari molt petit, en forma de nan, que viu a sota terra.

gobelet gobelets *nom m* Vas de plàstic, de cuir, etc. que es fa servir per a tirar els daus, fer jocs de mans, etc.

gobelet

godall godalls *nom m* Porc petit, garrí.

godallar *v* Tenir garrins, parir, la truja.
Es conjuga com *cantar*.

goig goigs o gojos *nom m* **1** Alegria, emoció causada per una cosa que ens agrada: *Quan el príncep es va casar, tot el poble va sentir un gran goig.* **2 fer goig** Ser molt bonic: *Aquestes flors fan goig, són molt maques.* **3 goigs** *nom m pl* Poesia dedicada a un sant, a una santa o a la Verge Maria i que se sol cantar el dia de la seva festa.

gol gols *nom m* Acte de fer passar la pilota per la porteria en el futbol i en altres jocs de pilota: *L'Agustí ha marcat tres gols.*

gola goles *nom f* **1** Part del davant del coll; part de dins del coll, per on passen els líquids i els aliments. **2** Boca d'alguns animals: *La gola del llop.* **3** Ganes exagerades de menjar i de beure: *Aquell noi té el vici de la gola, li agrada molt de beure i menjar.*

golafre golafres *adj* i *nom m* i *f* Es diu de la persona que menja molt, a qui agrada molt de menjar.

golafreria golafreries *nom f* Necessitat de menjar molt; gust que es troba menjant molt.

golejar *v* Marcar molts més gols que l'equip contrari en un partit.
Es conjuga com *cantar.* S'escriu *j* davant de *a, o, u* i *g* davant de *e, i: golejo, goleges.*

goleta goletes *nom f* Vaixell de vela amb dos o més pals.

golf[1] golfs *nom m* Entrada de mar en la costa, més gran que una badia.

golf[2] golfs *nom m* Joc que consisteix a anar ficant en uns sots fets a terra una pilota petita que es llança donant-li cops amb uns bastons especials.

golfa golfes *nom f* Espai que hi ha entre el sostre i la teulada d'una casa, on se solen guardar les coses velles que ja no es fan servir.

golfista golfistes *nom m* i *f* Persona que practica el golf.

golfo golfos *nom m* Conjunt de dues peces de metall que s'encaixen l'una dins de l'altra i que serveix per a aguantar una finestra, una porta, etc. i poder obrir-la o tancar-la.

goll golls *nom m* Bony gros que de vegades es forma a la part de davant del coll a causa d'una inflamació de la glàndula tiroide.

golut goluda goluts goludes *adj* i *nom m* i *f* Es diu de la persona a qui agrada de menjar molt, golafre.

gom Paraula que apareix en l'expressió de gom a gom, que vol dir "completament ple": *La sala d'actes era plena de gom a gom.*

goma gomes *nom f* **1** Material tou, elàstic, que no es trenca ni es deforma: *Les pilotes de goma boten més que les de cuiro.* **2** Objecte que s'utilitza per a esborrar: *Deixeu-me la goma*

d'esborrar, que m'he equivocat. **3** Tira elàstica: *Porta els cabells recollits amb una goma.* **4** Substància que serveix per a enganxar: *Necessito la goma per a enganxar els cromos a l'àlbum.*

gomet gomets *nom m* Adhesiu que pot tenir diferents colors i formes, de mida generalment petita, que utilitzen els infants a l'escola per a fer exercicis o fitxes: *Aquest exercici consisteix a dibuixar una rodona i enganxar-hi gomets a dins.*

góndola góndoles *nom f* Barca petita, llarga i estreta, típica de Venècia.

góndola

gong gongs *nom m* Instrument format per un disc de metall que fa un so molt fort i ressonant quan es pica amb una maça.

gorg gorgs *nom m* Bassa fonda que es forma en el curs d'una riera o d'un torrent.

gorga gorgues *nom f* Gorg.

gorgera gorgeres *nom f* **1** Peça de l'armadura que protegia la gola. **2** Peça de roba amb moltes puntes, amb molts plecs, etc. que es feia servir per a adornar el coll.

goril·la goril·les **1** *nom m* Animal mamífer, el més gros i fort de la família dels simis, que viu a l'Àfrica. **2** *nom m* i *f* Guardaespatlles.

gorja gorges *nom f* **1** Part de dins del coll, per on passen els líquids i els aliments, gola. **2** Pas estret entre dos cingles: *En aquella vall, només s'hi podia entrar per una gorja que hi havia entre dues muntanyes.*

gormand gormanda gormands gormandes *adj* i *nom m* i *f* Es diu de la persona a qui agrada de menjar molt i bé.

gorra gorres *nom f* **1** Peça de roba que s'ajusta al cap, sense ales ni copa, generalment amb visera: *Els soldats porten gorra.* **2** Peça de punt que s'adapta al cap i que serveix per a protegir-se del fred: *M'han regalat una gorra vermella i negra per anar a esquiar.* **3** Avui he sopat *de gorra* Sense pagar, de franc, perquè ha pagat un altre.

gorrejar v Menjar, beure, etc. de gorra, fent que pagui un altre.
Es conjuga com *cantar*. S'escriu *j* davant de *a, o, u* i *g* davant de *e,i: gorrejo, gorreges.*

gorrer gorrera gorrers gorreres *nom m* i *f* Persona que abusa dels altres fent que hagin de pagar tot el que ella consumeix, fent-se convidar.

gos gossa gossos gosses *nom m* i *f* **1** Animal mamífer carnívor, molt amic de les persones i molt fidel, de mides, formes, color i pelatge molt diversos: *Els gossos acostumen a lladrar quan s'acosta una persona desconeguda.* **9** **2 ser el gos d'algú** Estar molt dominat per una persona, seguir-la a tot arreu, fer tot el que ella vol. **3 gos d'atura** Gos que serveix per a vigilar i guiar el ramat d'ovelles.

gos

gosadia gosadies *nom f* Atreviment.

gosar v Tenir la valentia de fer una cosa, atrevir-se: *Tothom tenia por i ningú no va gosar entrar en aquella habitació fosca.*
Es conjuga com *cantar*.

got gots *nom m* **1** Recipient de vidre, de metall, etc. sense peu, de forma cilíndrica que serveix per a beure, vas: *El meu pare s'ha begut un got de vi.* **2 ofegar-se en un got d'aigua** No saber solucionar el més petit problema, convertir una petita dificultat en un problema molt gros: *Aquell noi s'ofega en un got d'aigua.*

gota gotes *nom f* **1** Petita quantitat d'un líquid que cau formant una mena de boleta petita: *Les gotes de suor li queien cara avall.* **2** *No va ploure gaire, només van caure quatre gotes* : ploure poc. **3** Quantitat molt petita d'un líquid, una mica: *He begut una gota de xampany i m'ha fet mal.* **4 gotes** *nom f pl* Tipus de medicament que es pren amb un comptagotes: *El metge li ha receptat unes gotes per al mal d'orella.* **5 gota** *adv* Gens: *No tinc gota de paciència.*

gotejar v **1** Caure gotes, ploure poc. **2** Degotar.

Es conjuga com *cantar*. S'escriu *j* davant de *a, o, u* i *g* davant de *e, i: goteja, gotegi.*

gotellada gotellades *nom f* Pluja curta, de gotes grosses.

gotera goteres *nom f* Forat o esquerda en el sostre d'una casa per on entra l'aigua de la pluja, degoter.

gòtic gòtica gòtics gòtiques *adj* i *nom m* Es diu de l'art que es va desenvolupar en els segles XIII, XIV i XV, després del romànic: *L'església de Santa Maria del Mar de Barcelona és un gran edifici gòtic.*

gotim gotims *nom m* Gra de raïm.

govern governs *nom m* **1** Acció de governar, de dirigir una cosa. **2** Conjunt de persones que governen o dirigeixen un país, un estat.

governador governadora governadors governadores *nom m* i *f* Persona que governa un territori.

governant governants *adj* i *nom m* i *f* Es diu de la persona que governa un país: *En un estat democràtic, els governants són elegits pel poble.*

governar v **1** Manar, dirigir un país, un estat, etc. **2** Dirigir una embarcació, un vaixell amb el timó.
Es conjuga com *cantar*.

gra grans *nom m* **1** Fruit dels cereals, com el blat, l'ordi, la civada, etc.: *Les gallines mengen grans de blat de moro.* **2** Cadascuna de les llavors amb polpa que formen el raïm: *Per cap d'any hem menjat dotze grans de raïm.* **3** Tros petit i més o menys rodó d'una substància: *Dóna'm un parell de grans de pebre per tirar a la carn.* **4** *Has cridat molt, potser n'has fet un gra massa* : una mica massa. **5** Petit bony que surt en alguna part del cos i fa pus: *Aquests grans de la cara em fan molta picor.*

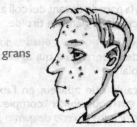

grans

gràcia gràcies *nom f* **1** Allò que agrada, que atreu, que satisfà: *L'Agnès balla amb molta gràcia.* **2 no tenir cap gràcia** Ser molest, desagradable: *El que acabes de fer no té cap gràcia.*

3fer gràcia Agradar, plaure: *A en Lluís, li faria gràcia tenir un cotxe.* **4gràcies** Expressió que es fa servir per agrair a algú alguna cosa que ens ha donat, algun favor que ens ha fet, etc.: *Gràcies d'haver-me ajudat.* **5 donar les gràcies** Agrair: *Li vaig donar les gràcies per haver-me portat fins a casa amb cotxe.* **6Gràcies a Déu** que has arribat, ja començava a patir: expressió que es fa servir quan es compleix una cosa favorable, una cosa que desitgem. **7gràcies a** A causa de, amb l'ajut de: *Gràcies a la pluja no hi ha tanta contaminació.*

graciós graciosa graciosos gracioses *adj* Que és divertit, que fa gràcia: *Aquella nena petita és molt graciosa.*

grada grades *nom f* Seient, generalment de pedra, molt llarg i sense respatller que hi ha als estadis o als camps de futbol.

gradació gradacions *nom f* Sèrie, escalat, cadascuna de les fases per les quals passa una cosa de manera gradual: *Una gradació de colors de foscos a clars.*

graderia graderies *nom f* Conjunt de grades disposades com si formessin una escala: *En els estadis de futbol la gent seu a les graderies que hi ha tot al voltant del camp.*

graduable graduables *adj* Que es pot graduar: *El ventilador que ens hem comprat té una velocitat graduable, segons la quantitat d'aire que vols.*

graduació graduacions *nom f* **1** Acció de graduar. **2** Nombre de graus que té una cosa: *En Pau porta unes ulleres amb molta graduació per corregir un defecte de la vista.*

gradual graduals *adj* Que es fa de mica en mica, seguint una sèrie, una gradació: *Les obres del pis, les hem fetes de manera gradual: primer, la cuina i el menjador; després, les habitacions.*

gradualment *adv* De mica en mica.

graduar *v* **1** Posar una cosa a un nivell determinat: *Hem graduat la calefacció perquè mantingui la casa a una temperatura de 20 graus.* **2** Determinar el nombre de graus que té una cosa: *La Maria porta unes ulleres graduades, perquè no s'hi veu bé.* **3graduar-se** Obtenir un grau o un títol en una universitat, en l'exèrcit.
Es conjuga com *canviar*.

graella graelles *nom f* Estri de cuina que consisteix en una sèrie de barretes de ferro sobre les quals es posa la carn perquè es cogui.

graellada graellades *nom f* Carn o peix de molts tipus cuits a la graella.

grafia grafies *nom f* Lletra o grup de lletres que serveix per a representar un so per escrit: *La paraula "any" s'escriu amb dues grafies: la "a" i la "ny".*

gràfic gràfica gràfics gràfiques **1** *adj* Que està relacionat amb l'escriptura o amb el dibuix: *Les paraules "cafè" i "cançó" porten accent gràfic.* **2** *nom m* Dibuix que serveix per a representar unes dades, perquè es puguin veure i interpretar ràpidament: *A l'escola hem fet uns gràfics que representen les temperatures de cada dia de la setmana.*

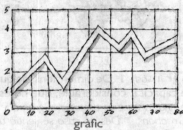

gràfic

grafit grafits *nom m* **1** Mineral de color negre amb què es fabriquen les mines dels llapis. **2** Escrit o dibuix fet en una paret: *Les parets dels lavabos eren plenes de grafits.*

grafo- graf- Element amb què comencen algunes paraules i que vol dir "escriure".

gralla gralles *nom f* **1** Ocell de color negre que té el clatell i una part del cap de color gris. **2** Instrument musical de vent, de fusta, que fa un so estrident i que se sol tocar en cercaviles, balls populars, etc.

grallar *v* Cridar un corb o una gralla.
Es conjuga com *cantar*.

graller grallera grallers gralleres *nom m i f* Persona que toca la gralla.

gram grams *nom m* Unitat de mesura de pes que equival a la mil·lèsima part d'un quilogram.

gramàtica gramàtiques *nom f* **1** Ciència que estudia el funcionament del llenguatge en general o d'una llengua en particular. **2** Llibre que explica el funcionament d'una llengua i dóna orientacions i normes per a parlar-la i escriure-la correctament.

gramatical gramaticals *adj* Que està relacionat amb la gramàtica.

g

gramòfon gramòfons *nom m* Aparell que serveix per a fer sonar la veu o la música gravades en un disc mitjançant procediments mecànics.

gramola gramoles *nom f* Gramòfon.

grampó grampons *nom m* Sola metàl·lica amb punxes que s'ajusta a la sola de la bota i que serveix per a caminar sobre el glaç o la neu molt dura.

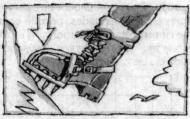

grampó

gran grans *adj* **1** De dimensions, de quantitat o de capacitat considerable, que no és petit: *Hem anat a viure en un pis més gran que el que teníem abans.* ■ *Des de casa se sentia un gran soroll.* **2 en gran** En molta proporció: *Gasten diners en gran.* **3 fer-se gran** Créixer: *Aquest nen sí que s'ha fet gran!* **4** De més edat: *L'Eusebi és el més gran de tots els germans.* **5** Es diu d'una persona madura, que avança cap a la **vellesa**: *Pau Casals va morir gran: ja tenia més de noranta anys.* **6** Es diu d'una persona de moltes qualitats, molt important: *Narcís Oller era un gran escriptor.*

grana¹ 1 *adj* D'un color vermell fosc: *Unes samarretes grana.* **2 grana granes** *nom m* Color vermell fosc.

grana² granes *nom f* Llavor de les plantes: *Hem sembrat grana de flors al jardí.*

granada granades *nom f* Bomba que es llança amb la mà o que es dispara amb una arma i que explota en el moment de l'impacte.

granadí grandina granadins granadines **1** *nom m i f* Habitant de Granada; persona natural o procedent de Granada. **2** *adj* Es diu de les persones o de les coses naturals o procedents de Granada.

granar *v* **1** Produir gra una planta: *A l'estiu el blat ja ha granat.* **2** Treure la grana, els grans d'una cosa: *Has de granar la magrana, si te la vols menjar.*
Es conjuga com *cantar.*

granat granada granats granades *adj* **1** Que ja té el gra ben format: *El blat ja és granat.* **2** Es diu d'una persona ja feta, que té anys: *Una noia granada.* **3 anar granat** Portar molts diners a la butxaca, ser ric: *Aquell noi sempre va molt granat i convida tothom.*

grandària grandàries *nom f* Volum i dimensions d'una cosa: *La sala d'actes de l'escola té molta grandària.*

grandejar *v* Tirar a gran, ser més o menys gran: *Aquestes sabates em grandegen.*
Es conjuga com *cantar.* S'escriu *j* davant de *a, o, u* i *g* davant de *e, i*: *grandeja, grandegen.*

grandesa grandeses *nom f* **1** Qualitat de gran. **2** Cosa pròpia d'una persona, d'un país, d'un poble que té poder.

grandiloqüent grandiloqüents *adj* Es diu de la persona, del text, etc. que fa servir un llenguatge elevat, amb frases molt llargues, amb moltes comparances, etc.

grandiós grandiosa grandiosos grandioses *adj* Molt gran: *Aquella catedral és un edifici grandiós.*

granel Paraula que apareix en l'expressió **a granel**, que vol dir "sense envasar, sense empaquetar": *Als forns de pa venen farina a granel: en pots comprar la quantitat que vulguis.*

granellut granelluda granelluts granelludes *adj* Ple de grans, que fa grans: *Una cara granelluda. Una paret granelluda.*

graner graners *nom m* Lloc on es guarda el gra, en una casa de pagès.

granera graneres *nom f* Escombra.

granger grangera grangers grangeres *nom m i f* Persona que porta una granja.

granissa granisses *nom f* **1** Erupció, sortida de grans petits a la pell d'una persona. **2** Calamarsa.

granissat granissats *nom m* Beguda molt refrescant que se serveix amb gel trinxat.

granit granits *nom m* Tipus de roca compacta, molt abundant, de color no gaire fosc, que es fa servir molt com a material de construcció i de decoració. ■ **14**

granívor granívora granívors granívores *adj* Es diu dels animals que s'alimenten de grans: *Els pardals són ocells granívors.*

granja granges *nom f* **1** Casa de pagès, masia. **2** Lloc destinat a criar-hi bestiar: *Les granges s'han modernitzat molt; ara tenen ordinadors que controlen el que mengen les vaques.* **3** Lloc on se serveixen esmorzars i berenars: *Hem anat a la granja a prendre xocolata desfeta amb nata.*

granollerí granollerina granollerins granollerines **1** *nom m i f* Habitant de Granollers; persona natural o procedent de Granollers. **2** *adj* Es diu de les persones o de les coses naturals o procedents de Granollers.

granot granots *nom m* Granota.

granota granotes *nom f* **1** Animal amfibi sense cua, de pell llisa i cames molt llargues, que fa grans salts i s'alimenta de peixos petits, de cucs, etc.: *Les granotes que hi ha a la vora del riu es passen la nit raucant i no em deixen dormir.* ■ **2** Vestit d'una sola peça amb mànigues i pantalons que serveix per a treballar: *Els mecànics acostumen a portar una granota per a treballar.*

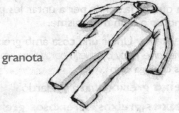

granota

graó graons *nom m* Esglaó.

grapa grapes *nom f* **1** Part de les potes d'un animal que toca a terra quan camina: *Les grapes d'un lleó.* **2** Mà grossa, que estreny amb força: *Amb aquestes grapes que tens, més val que no toquis res, tot ho espatlles.* **3** de quatre grapes Amb tots dos peus i totes dues mans tocant a terra: *El nen petit encara no sabia caminar i anava de quatre grapes.* **4** Traça a fer una cosa: *En Miquel té molta grapa per a dibuixar.* **5** Peça petita de metall que es doblega i que serveix per a unir papers, fustes, roba, etc.

grapada grapades *nom f* **1** Acció de posar la grapa o la mà damunt d'algú o d'alguna cosa per agafar-la. **2** Grapat, quantitat d'una cosa que cap dins el puny o dins la mà tancada: *Va agafar una grapada de sorra i la va tirar a la cara del seu amic.*

grapadora grapadores *nom f* Màquina que serveix per a unir roba, papers, etc. amb grapes, engrapadora.

grapar *v* Unir, cosir amb grapes, engrapar. Es conjuga com *cantar*.

grapat grapats *nom m* **1** Porció d'una cosa que cap a dins del puny o de la mà tancada: *Tira un grapat d'arròs a la cassola.* **2** a grapats En grans quantitats: *Es gastaven els diners a grapats.* **3** Aquest cavall té **un grapat d'**anys: *molts anys.*

grapejar *v* Tocar algú o alguna cosa amb la mà de manera graponera, sense delicadesa. Es conjuga com *cantar*. S'escriu *j* davant de *a, o, u* i *g* davant de *e, i*: *grapejo, grapeges.*

graponer graponera graponers graponeres *adj* Que no té traça ni habilitat a fer les coses: *Qui és tan graponer, que ha fet aquests dibuixos tan mal fets?*

gras grassa grassos grasses *adj* **1** Que té molt greix: *El teu cosí està molt gras.* ■ *La mantega, alguns formatges i la cansalada són aliments grassos.* **2** dijous gras Últim dijous abans de la quaresma, també anomenat dijous llarder, que se celebra menjant botifarra, truita i coca de llardons. **3** Aquest gos està **gras com un toixó**: *molt gras.*

grat grata grats grates *adj* **1** Agradable: *Vam rebre la grata visita d'uns amics.* **2** *nom m* Satisfacció, gust que es troba en algú o en alguna cosa: *Aquesta feina no és del seu grat.* **3** Fer una cosa **de bon grat**: per gust, voluntàriament, amb ganes de fer-la. **4** Fer una cosa **de mal grat**: per força, sense ganes de fer-la. **5** Haver de fer una cosa **de grat o per força**: per obligació, tant si se'n tenen ganes com si no se'n tenen.

gratacel gratacels *nom m* Edifici de molts pisos, que és molt alt: *Hem vist un gratacel de quaranta pisos.*

gratar *v* **1** Fregar una cosa amb les ungles: *La Mònica es gratava el braç, perquè li feia picor.* **2** Fregar amb les urpes o amb les ungles una cosa enduent-se'n una part: *El gos gratava la terra per fer un sot i amagar un os.* **3** gratar-se la butxaca Pagar, gastar diners. **4** gratar-se la panxa Estar-se sense fer res, no treballar. Es conjuga com *cantar*.

gratera grateres *nom f* Ganes de gratar-se.

gratificar *v* Donar una recompensa a algú per un servei que ens ha fet: *Després de vint-i-*

cinc anys de treball, l'empresa va decidir gratificar-lo amb una bona quantitat de diners.
Es conjuga com cantar. S'escriu c davant de a, o, u i qu davant de e, i: gratifico, gratifiques.

gratinar v Torrar un menjar per damunt: Posarem els canelons al forn per gratinar-los.
Es conjuga com cantar.

gratis adv Sense haver de pagar, de franc: Avui es pot visitar el museu gratis.

gratitud gratituds nom f Agraïment, sentiment de simpatia envers algú que ens ha fet un servei, un favor, etc.: Em va fer un regal com a mostra de gratitud després d'haver-lo ajudat a solucionar aquell problema tan gros.

gratuït gratuïta gratuïts gratuïtes adj Es diu de les coses que es donen de franc, sense haver de pagar-les: Avui l'entrada al circ és gratuïta, no s'ha de pagar res.

grau graus nom m **1** Unitat de mesura de la temperatura: Avui ha fet molta calor, la temperatura màxima ha arribat a 37 graus. **2** Unitat de mesura dels angles: Un angle recte fa 90 graus. **3** Cadascun dels nivells o dels valors d'un procés, d'una classificació, etc.: Els dies que no fa vent el grau de contaminació de les grans ciutats és molt elevat. **4** Port, lloc on es pot desembarcar: Al grau de València sempre hi ha molts vaixells. **5** Títol universitari de primer nivell.

grava graves nom f Pedra picada, molt petita, que es fa servir per a arreglar el terra dels carrers i de les carreteres.

gravació gravacions nom f Acció de gravar: Una gravació musical. ▪ La gravació del nom en un anell.

gravar v **1** Escriure o dibuixar sobre una superfície dura, fent-hi una marca: A la porta hi ha una placa de metall on hi ha gravat el nom de l'escola. **2** Fixar, emmagatzemar, enregistrar sons, imatges, dades, etc. en un disc, en una casset, en un disquet, etc. **3** Fixar-se una idea, un sentiment, etc. en la memòria o en el cor d'una persona: Aquelles paraules del meu avi em van quedar gravades per sempre.
Es conjuga com cantar.

gravat gravats nom m Dibuix imprès en una planxa de ferro que, després de posar-hi tinta, serveix per a fer-ne moltes còpies.

gravetat gravetats nom f **1** Qualitat de greu: El cotxe va xocar i el conductor es va fer molt mal, va quedar ferit de gravetat. **2** Força d'atracció de

la Terra: La força de la gravetat fa que les coses caiguin a terra.

gravíssim gravíssima gravíssims gravíssimes adj Molt greu.

grec grega grecs gregues **1** nom m i f Habitant de Grècia; persona natural o procedent de Grècia. **2** adj Es diu de les persones o de les coses naturals o procedents de Grècia. **3** nom m Llengua que es parla a Grècia.

greco- Element amb què comencen algunes paraules i que vol dir "grec".

gregal gregals nom m Vent que ve del nord-est.

gregari gregària gregaris gregàries adj Es diu dels animals que viuen en ramats o de les plantes que creixen en grups.

greix greixos nom m **1** Matèria blanca untosa que hi ha entre la pell i la carn d'una persona o d'un animal: Aquestes costelles de be tenen molt greix. **2** Substància humida i enganxosa, com la que es fa servir per a untar les peces d'un motor o d'un mecanisme.

greixar v Untar una cosa amb greix: Hem de greixar el pany d'aquella porta si volem que s'obri.
Es conjuga com cantar.

greixó greixons nom m Llardó.

greixós greixosa greixosos greixoses adj Que té greix, que és brut o tacat de greix: Aquesta carn de be és molt greixosa. ▪ Aquell mecànic porta els pantalons bruts i greixosos.

gremi gremis nom m Associació de persones que tenen la mateixa professió: El gremi de pastissers ha convocat una reunió per parlar dels problemes de la professió.

grenya grenyes nom f Floc de cabells desordenats.

gresca gresques nom f Soroll, rialles, crits amb què la gent demostra la seva alegria: A la festa de l'aniversari d'en Pere hi havia molta gresca, tothom cantava i ballava.

gresol gresols nom m Vas petit on es posa oli i un o més blens i serveix per a fer llum.

greu greus adj **1** Molt important, molt difícil de solucionar, molt perillós: El càncer és una malaltia greu, difícil de curar. **2** Que manifesta serietat, respecte: Els assistents a la cerimònia tenien un posat greu. **3 to greu** To baix, no agut. **4 accent greu** Accent obert, que baixa d'esquerra a dreta: *La paraula "mà" porta un accent greu.* **5 saber greu** Sentir pena: *A en Lluís, li va saber greu que no el convidessin a la festa.*

greuge greuges *nom m* Acció o paraula que perjudica, que ofèn, que molesta una persona.

grèvol grèvols *nom m* Arbust de fulla perenne que fa uns fruits petits, vermells i rodons, boix grèvol: *Per Nadal es fan rams de boix grèvol per adornar.*

grèvol

grier griers *nom m* Pedrer dels ocells.

grill[1] grills *nom m* Insecte de cos curt i de color negre que fa un soroll agut.

grill[2] grills *nom m* **1** Cadascuna de les parts en què es divideixen alguns fruits, com ara la taronja, la mandarina, la llimona, etc. **2** Brot que surt d'una llavor, d'un bulb, etc: *Aquestes patates tenen molts grills i costen molt de pelar.*

grillar *v* **1** Fer grills una planta, germinar. **2** Tornar-se boig, perdre el seny.
Es conjuga com *cantar*.

grilló grillons *nom m* **1** Peça de ferro en forma d'argolla que es feia servir per a lligar una cadena al coll o al peu d'algú. **2** Grill[2].

grimpar *v* Enfilar-se en un lloc ajudant-se de les mans.
Es conjuga com *cantar*.

grinyol grinyols *nom m* **1** Soroll produït per una cosa que frega en una altra: *Des de l'habitació van sentir el grinyol que feia la porta de la casa quan s'obria.* **2** Crit de dolor del gos i d'altres animals.

grinyolar *v* Fer soroll, fer grinyols: *Aquesta porta grinyola quan algú l'obre o la tanca.*
Es conjuga com *cantar*.

grip grips *nom f o m* Malaltia contagiosa que s'agafa generalment a l'hivern i que es manifesta amb febre i cansament: *La Irene té la grip i per això no ve a classe.*

gripau gripaus *nom m* Animal amfibi semblant a la granota, però que té la pell aspra i viu més a terra que a l'aigua.

gris grisa grisos grises *adj i nom m* Del color que s'obté barrejant el blanc i el negre: *Abans de nevar, el cel és de color gris.*

grisenc grisenca grisencs grisenques *adj* D'un color que tira a gris.

griso grisos *nom m* Aire fi i gelat.

grisor grisors *nom f* Qualitat de gris: *Avui està tapat i la grisor dels núvols no deixa veure la blavor del cel.*

groc groga grocs grogues *adj i nom m* Del color de la pell dels plàtans i de les llimones: *La bandera del nostre país té quatre barres vermelles sobre un fons groc.*

grogor grogors *nom f* Qualitat de groc.

groguenc groguenca groguencs groguenques *adj* D'un color que tira a groc: *Els fulls d'aquest llibre són groguencs.*

grogui groguis *adj* **1** Es diu del boxejador que ha perdut una mica els sentits per efecte dels cops que ha rebut i que està a punt de ser vençut. **2** Es diu d'algú que no està gaire clar de cap per alguna causa passatgera: *Aquesta nit he dormit molt poc i ara estic grogui.*

groller grollera grollers grolleres *adj* Es diu de les coses bastes, mal fetes, o de les persones mal educades o malparlades: *Aquell noi és molt groller, quan parla sempre insulta la gent.*

grolleria grolleries *nom f* Acció grollera i basta, paraula gruixuda, insult.

gronxador gronxadors *nom m* Seient penjat d'unes cordes o cadenes que es lliguen a una barra travessera i que serveix per a gronxar-s'hi: *En aquella plaça hi havia un gronxador, un tobogan i una piscina de sorra per a jugar els infants.*

gronxador

gronxar *v* Moure un objecte de manera que vagi endavant i endarrere o d'un costat a un altre: *La Pilar seia en el gronxador i el seu pare la gronxava.* ■ *El vent gronxa les fulles dels arbres.*
Es conjuga com *cantar*.

g

grop grops *nom m* Tempesta forta que es forma en pocs moments.

gropa gropes *nom f* Part de darrere de l'esquena d'un cavall, d'un ase o d'un mul.

gros grossa grossos grosses *adj* **1** Que té un volum considerable, que ocupa molt espai: *Hem vist un camió molt gros.* ∎ *El peix gros es menja el petit.* **2** Que té més volum de l'habitual: *Ha plogut molt i el riu baixa gros.* **3 mar grossa** Mar de grans onades: *Avui hi ha mar grossa.* **4** Que és important, abundant: *Un disgust molt gros.* **5 la grossa** *nom f* Primer premi d'una rifa: *Si ens toqués la grossa de Nadal, faríem un viatge per tot el món.*

grosella groselles *nom f* Fruit d'un arbust del qual es fa un xarop molt dolç.

grosser grossera grossers grosseres *adj* Es diu de la persona mal educada, basta, poc fina, grollera.

grosseria grosseries *nom f* Paraula o acte de mala educació, grolleria.

grossor grossors *nom f* Volum d'una cosa.

grotesc grotesca grotescs o grotescos grotesques *adj* Que fa riure de tan estrany, de tan lleig, de tan absurd: *Aquella persona portava la cara tan pintada i tan maquillada, que tenia un aspecte grotesc.*

grua grues *nom f* **1** Màquina que serveix per a alçar i transportar pesos, que té un braç mecànic amb un cable acabat en ganxo: *Els paletes feien servir una grua per a pujar els maons al pis de dalt de la casa que estaven fent.* **2** Cotxe o camió que té una grua i que serveix per a arrossegar els cotxes mal aparcats, que s'han espatllat o que han tingut un accident: *El cotxe es va espatllar i la grua el va haver de treure de la carretera.*

gruar *v* Desitjar molt alguna cosa que és difícil d'aconseguir, que es fa esperar molt: *Per fi hem fet el viatge, però l'hem hagut de gruar molt.*
Es conjuga com *canviar.*

gruix gruixos *nom m* Tercera dimensió d'un objecte, que no és ni la llargada ni l'amplada: *Aquests totxos fan 10 centímetres de gruix.*

gruixut gruixuda gruixuts gruixudes *adj* **1** Que té molt gruix: *En Manel té els braços molt gruixuts.* ∎ *Porto un jersei gruixut.* ∎ *Llegia un llibre molt gruixut.* **2** Que és important, greu: *Aquella noia ha fet una cosa molt gruixuda: s'ha escapat de casa seva.* **3 paraula gruixuda** Insult, renec, mala paraula.

grum grums *nom m i f* Persona jove que fa encàrrecs i feines senzilles en un hotel, en un restaurant, etc.

grumet grumets *nom m* Aprenent de mariner.

grumoll grumolls *nom m* Petita massa d'una substància: *Aquesta salsa té grumolls, no ha quedat gaire fina.*

gruny grunys *nom m* Crit del porc.

grunyir *v* **1** Manera de cridar dels porcs. **2** Rondinar una persona o un animal. **3** Deixar-se sentir un soroll llunyà, apagat.
Es conjuga com *dormir.*

grup grups *nom m* Conjunt, colla de persones o de coses amb alguna semblança o característica comuna: *En Jordi, en Pere, la Rosa, en Miquel i la Maria són un grup d'amics.*

gruta grutes *nom f* Cova.

guaita guaites **1** *nom m i f* Vigilant, persona que vigila, sentinella: *A la torre més alta del castell hi havia un guaita per a vigilar si venia l'enemic.* **2** *nom f* Acció de guaitar, de vigilar.

guaitar *v* **1** Vigilar un lloc amb la mirada: *Des de dalt del turó el vigilant guaitava la gent que passava pel camí.* **2** Mirar, observar: *Guaita què fan per la televisió!*
Es conjuga com *cantar.*

gual guals *nom m* **1** Tros de vorera més baix i on no es pot aparcar, a davant de l'entrada d'un garatge o d'un magatzem: *A davant del garatge de casa meva hi ha un gual perquè els cotxes hi puguin entrar més fàcilment.* **2** Part poc fonda d'un riu per on es pot travessar bé.

guant guants *nom m* Peça de vestir de pell, de llana, etc. que cobreix la mà i els dits i que serveix per a protegir-los.

guantera guanteres *nom f* Calaixet que hi ha sota el tauler del cotxe que s'utilitza per a guardar-hi petits objectes: *A la guantera del cotxe hi trobaràs una llanterna i els papers de l'assegurança.*

guany guanys *nom m* Diners o coses que ha guanyat una persona, benefici: *Vaig comprar aquest llapis per vint cèntims i l'he venut per quaranta: he fet un guany de vint cèntims.*

guanyador guanyadora guanyadors
guanyadores *adj* i *nom m* i *f* Que guanya
una cosa: *Els guanyadors de la cursa van pujar al
pòdium per rebre els trofeus.* ▪ *El meu canari va
ser el guanyador del concurs de cant.*

guanyar *v* **1** Obtenir una cosa com a resultat
d'un esforç, d'una feina, d'una venda, d'un
canvi, etc.: *La meva germana té un bon sou
i guanya més diners que el meu germà.* ▪ *Vaig
comprar un segell per vint-i-cinc cèntims i me l'he
venut per quaranta: hi he guanyat quinze cèntims.*
2 Vèncer, quedar primer en una cursa, en un
joc, etc.: *En Manel ha guanyat la cursa dels 100
metres.* **3** Millorar: *Aquesta casa, amb la façana
pintada, ha guanyat molt.*
Es conjuga com *cantar.*

guapo guapa guapos guapes *adj* Bonic, bell:
Un actor molt guapo.

guarda guardes **1** *nom m* i *f* Persona encar-
regada de vigilar, de guardar un edifici, una
fàbrica, un bosc, etc.: *A l'entrada de la fàbrica hi
havia un guarda.* **2** *nom f* Acció de guardar.

guardaagulles uns/unes guardaagulles
nom m i *f* Persona encarregada de manejar
les agulles del ferrocarril.

guardabarrera guardabarreres *nom m* i
f Persona encarregada de fer baixar les barre-
res d'un pas a nivell quan s'acosta el tren.

guardabosc guardaboscs o guardaboscos
nom m i *f* Persona que té per ofici vigilar un
bosc.

guardacostes uns guardacostes *nom m*
Vaixell encarregat de protegir les costes i
d'impedir el contraban.

guardaespatlles uns/unes guardaespatlles
nom m i *f* Persona encarregada de la protecció
d'un personatge important.

guardapols uns guardapols *nom m* Bata llar-
ga que porten les persones que treballen en un
magatzem per a protegir-se de la pols.

guardar *v* **1** Vigilar, protegir una cosa o una
persona: *Guardeu-me la bicicleta un moment
mentre sóc a la botiga.* **2** Conservar una cosa,
mantenir-la, quedar-se-la en comptes de llen-
çar-la: *No llencis el segell d'aquesta carta, guarda'l
per a en Lluís, que en fa col·lecció.* **3** Tothom va
guardar silenci mentre el professor parlava: va
callar. **4 Déu nos en guard** Expressió que es
fa servir per a dir que no ens agradaria que
passés una cosa: *Déu nos en guard que plogui*

diumenge!, no podríem anar d'excursió. **5 Déu
vos guard** Expressió que es fa servir per
a saludar quan entrem en una casa, en una
botiga, etc.
Es conjuga com *cantar.*

guarda-roba guarda-robes *nom m* Lloc
on es guarden els vestits, els abrics, etc.:
*Abans d'entrar al teatre deixarem els abrics al
guarda-roba.*

guarda-rodes uns guarda-rodes *nom m*
Piló que hi ha a la vora d'una carretera o d'un
camí i que serveix per a evitar que els cotxes
surtin de la calçada.

guarderia guarderies *nom f* Lloc on vigilen i
cuiden els infants que encara no van a l'escola,
jardí d'infants.

guàrdia guàrdies **1** *nom f* Conjunt de soldats
o de persones armades que s'encarreguen de
vigilar i de protegir una persona o una cosa:
*El presoner va burlar la guàrdia de la presó i es va
escapar.* **2** *nom m* i *f* Persona que forma part
d'una guàrdia: *Els guàrdies municipals vigilen el
trànsit i els carrers de la ciutat.* **3 guàrdia urba-
na** Cos de policia que depèn d'un ajuntament i
s'encarrega de regular el trànsit de la ciutat, de
vigilar els carrers, etc. **4 guàrdia civil** Membre
d'un cos de policia especial de l'Estat espanyol.
5 estar de guàrdia Treballar, oferir un servei
durant la nit i els dies de festa: *La farmàcia del
costat de casa avui està de guàrdia.*

guardià guardiana guardians guardianes
nom m i *f* Persona que vigila un lloc: *El guardià del
museu feia deixar les bosses de la gent a l'entrada.*

guardiola guardioles *nom f* Recipient tancat
de metall, de plàstic, de terrissa, etc. que té
una petita obertura per on podem ficar mo-
nedes i que serveix per a guardar i estalviar
diners: *Cada dia tiro un duro a la guardiola i, quan
serà plena, tindré molts diners i em podré comprar
una joguina ben maca.*

guardó guardons *nom m* Premi, recompensa.

guardonar *v* Premiar, donar una recompensa.
Es conjuga com *cantar.*

guaret guarets *nom m* Terra de conreu que es
deixa sense sembrar durant un temps perquè
reposi i es torni més fèrtil.

guarir *v* Tornar la salut a un malalt, fer que
acabi una malaltia, curar: *Aquesta medecina ha
guarit el refredat de l'avi.*
Es conjuga com *servir.*

guarnició guarnicions *nom f* **1** Conjunt de soldats que ocupen i defensen un poble, un edifici, etc. **2** Menjar que acompanya la carn, el peix, etc., com ara patates o verdures.

guarniment guarniments **1** *nom m* Adorn. **2** guarniments *nom m pl* Conjunt dels estris que serveixen per a poder muntar un cavall, com ara les corretges, la sella, els estreps, etc.

guarnir *v* **1** Adornar: *Per Nadal guarnirem la classe amb cintes i boles de colors.* **2** Vestir d'una manera estranya: *Mireu aquell com va guarnit!, sembla un pallasso.* **3** Posar els guarniments a un cavall.
Es conjuga com *servir.*

guatlla guatlles *nom f* **1** Ocell de color de terra molt apreciat pels caçadors. **7** **2** Mentida: *Aquell sempre diu moltes guatlles.*

gúbia gúbies *nom f* Enformador que té la fulla semicircular.

guèiser guèisers *nom m* Forat a la superfície de la terra d'on surten aigua i vapor amb molta força i de manera intermitent.

guenyo guenya guenyos guenyes *adj* Es diu de la persona que té la mirada desviada.

guepard guepards *nom m* Animal carnívor semblant al lleopard, de cap petit, cos molt àgil i potes altes, de color groc terrós amb taques negres i que és el més ràpid dels mamífers. **10**

guerra guerres *nom f* **1** Lluita armada llarga entre els exèrcits de dos o més països: *La guerra entre aquells dos països va durar molts anys i hi van morir moltes persones.* **2** guerra civil Lluita armada entre persones d'un mateix país.

guerrejar *v* Fer la guerra, combatre.
Es conjuga com *cantar.* S'escriu *j* davant de *a, o, u* i *g* davant de *e, i: guerrejo, guerreges.*

guerrer guerrera guerrers guerreres **1** *adj* Que està relacionat amb la guerra. **2** *nom m i f* Persona que lluita, que fa la guerra.

guerrilla guerrilles *nom f* Grup petit de combatents armats que ataquen per sorpresa i viuen d'amagat a les muntanyes o als boscos.

guerriller guerrillera guerrillers guerrilleres *adj i nom m i f* Es diu de la persona que forma part d'una guerrilla.

guerxo guerxa guerxos guerxes *adj* **1** Que no és recte, tort: *Un pal guerxo.* **2** Es diu de la persona que té la mirada desviada, guenyo.

guia guies *nom m i f* **1** Persona que acompanya algú per ensenyar-li el camí: *Els turistes tenien un guia que els ensenyava la ciutat.* **2** Cosa que orienta, que ensenya la manera d'arribar a un lloc: *Ens vam perdre a la muntanya i els llums de les cases ens serviren de guia.* **3** *nom f* Llibre que dóna informacions sobre una ciutat, un país o un tema determinat: *Per anar de vacances, hem comprat una guia de la Costa Brava, una guia de càmpings i una guia d'hotels.* **4** *nom f* Peça o aparell que serveix per a dirigir el moviment d'una cosa: *Aquests calaixos van amb una guia que ens permet d'obrir-los fàcilment.*

guiar *v* **1** Acompanyar algú per ensenyar-li el camí, fer de guia, orientar: *El professor ens va guiar per dins el zoo.* **2** Fer que un vehicle vagi en una direcció, conduir.
Es conjuga com *canviar.*

guilla guilles *nom f* Guineu.

guillar *v* **1** Fugir. **2** guillar-se Tornar-se boig.
Es conjuga com *cantar.*

guillot guillots *nom m* Mascle de la guilla.

guillotina guillotines *nom f* **1** Instrument que es feia servir per a tallar el cap als condemnats a mort. **2** Instrument amb una fulla de tall molt esmolada que serveix per a tallar paper, cartró, etc.

guillotina

guillotinar *v* **1** Tallar el cap d'algú amb la guillotina. **2** Tallar paper o cartró amb una guillotina.
Es conjuga com *cantar.*

guimbarro guimbarros *nom m* Tros gros de pa, crostó gros de pa.

guinda guindes *nom f* Fruit semblant a la cirera, però més àcid.

guineà guineana guineans guineanes **1** *nom m i f* Habitant de Guinea; persona natural o procedent de Guinea. **2** *adj* Es diu de les persones o de les coses naturals o procedents de Guinea.

guineu guineus *nom f* Animal mamífer carnívor, d'orelles punxegudes, cos prim, cua llarga i grossa, pèls suaus rogencs, que és més petit que el llop: *A la nit una guineu va entrar al galliner i va matar dues gallines.*

guinyol guinyols *nom m* Teatre petit, de fusta, que s'utilitza per a fer representacions amb titelles.

guinyol

guió guions *nom m* **1** Resum breu d'un tema, d'una conferència, d'un discurs, etc. **2** Argument d'una pel·lícula, d'un programa de televisió, etc. **3** Signe de puntuació (–) que, en un diàleg, separa el que diu cada un dels personatges que parla.

guionet guionets *nom m* Guió petit (-) que es fa servir per a unir un verb amb un pronom, per a partir una paraula al final d'una ratlla o per a separar alguns mots compostos: *La paraula "busca-raons" s'escriu amb guionet.*

guionista guionistes *nom m i f* Persona que té per ofici fer guions de pel·lícules o de programes de ràdio i televisió.

guipar *v* **1** Mirar d'amagat: *Durant l'examen, aquell nen guipava el llibre que tenia a sota la taula.* **2 guipar-hi** Veure-hi: *Sense ulleres no hi guipo.*
Es conjuga com *cantar.*

guipuscoà guipuscoana guipuscoans guipuscoanes **1** *nom m i f* Habitant de Guipúscoa; persona natural o procedent de Guipúscoa. **2** *adj* Es diu de les persones o de les coses naturals o procedents de Guipúscoa. **3** *adj* Manera de parlar el basc pròpia de Guipúscoa.

guirigall guirigalls *nom m* Desordre i soroll que fan unes quantes persones quan parlen o criden totes alhora: *Avui a la nostra classe hi ha hagut un guirigall de crits i de sorolls, i la mestra ens ha hagut de renyar.*

guisar *v* Cuinar, preparar un menjar coent-lo amb suc i diversos ingredients.
Es conjuga com *cantar.*

guisat guisats *nom m* Menjar cuinat, cuit amb sucs i altres ingredients: *Vaig menjar un guisat de mongetes amb xoriço.*

guitarra guitarres *nom f* **1** Instrument musical de sis cordes, que té una caixa de ressonància en forma de vuit, el fons pla i un mànec llarg. **2 guitarra elèctrica** Guitarra que, mitjançant l'electricitat, pot fer sonar més fort les vibracions de les cordes. **3** *Volíem sortir a jugar al pati, però la pluja ens va aixafar la guitarra*: no ens va deixar fer el que volíem fer.

guitarrista guitarristes *nom m i f* Persona que es dedica a tocar la guitarra.

guitza guitzes *nom f* **1** Cop de pota d'un cavall, d'un ase, etc.: *El cavall es va esverar, va alçar una pota de darrere i va clavar unes quantes guitzes.* **2 fer la guitza** Molestar, destorbar, empipar algú.

guix guixos *nom m* **1** Mineral del qual s'obté una substància blanca que, barrejada amb aigua, s'endureix ràpidament i s'utilitza en la construcció, en l'escultura, etc. **14** **2** Material blanc en forma de barreta que serveix per a escriure a la pissarra: *Va escriure el seu nom a la pissarra amb guix.* **3** Material blanc que fan servir els paletes per a cobrir les parets abans de pintar-les: *A les parets, entre els totxos i la pintura, hi ha una capa de guix.* **4** Material blanc que fan servir els metges per a immobilitzar una part del cos i facilitar que se soldin els ossos trencats: *A la meva germana, ja li han tret el guix de la cama.*

guixada guixades *nom f* Marca feta amb un llapis, un bolígraf, etc.: *La paret estava plena de guixades.*

guixar *v* **1** Fer una marca o una ratlla en un paper, en un llibre, en una paret, etc. amb un llapis, un guix, etc.: *En Jaume i la Núria van guixar les parets de la classe amb els retoladors i el mestre els va renyar.* ■ *El nen que seu al meu costat em va guixar el llibre amb un llapis de color.* **2** *Aquest bolígraf guixa massa gruixut:* fa les línies molt gruixudes, escriu molt gruixut.
Es conjuga com *cantar.*

gurmet gurmets *nom m i f* Persona aficionada a menjar bé, que coneix i aprecia la bona cuina.

guspira guspires *nom f* Espurna.

guspirejar *v* Deixar anar guspires, espurnes: *El foc guspirejava perquè la llenya era verda.*
Es conjuga com *cantar.* S'escriu *j* davant de *a, o, u* i *g* davant de *e, i*: guspireja, guspiregi.

gust gusts o gustos *nom m* **1** Sentit amb el qual notem les diferents sensacions o sabors dels aliments i de les begudes, sabor: *Quan estem refredats, perdem una mica el sentit del gust i no notem tan bé el gust dels aliments.* **2** Sensació agradable, plaer que produeixen certs sabors, certes coses: *Avui he menjat molt de gust.* ▪ *És molt important treballar de gust.* **3** Capacitat de distingir entre les coses boniques, ben fetes i les que no ho són, saber triar bé: *La teva mare vesteix amb gust.* **4** Preferència per una cosa, allò que agrada, que interessa: *Com que li conec molt bé els gustos, ja sé quin regal comprar-li.* **5 tant de gust!** o **molt de gust!** Expressió que es diu per saludar algú que ens acaben de presentar.

gustós gustosa gustosos gustoses *adj* Que és bo, que té bon gust.

H h lletra hac

ha *interj* Paraula que, repetida diverses vegades, expressa la rialla d'una persona: *Ha, ha, ha!, quin acudit més divertit.*

hàbil hàbils *adj* Es diu de la persona que és capaç de fer molt bé una cosa: *Aquest tennista és molt hàbil llançant i retornant pilotes.*

habilitar *v* Arreglar, posar en condicions una casa, un edifici, etc.: *L'ajuntament ha habilitat una sala per a l'associació de veïns del barri.* Es conjuga com *cantar.*

habilitat habilitats *nom f* **1** Capacitat que té una persona de fer molt bé una cosa, destresa: *L'equilibrista caminava per la corda amb una gran habilitat.* **2** Exercici que s'ha de fer amb destresa: *Aquell noi ens va demostrar que una de les seves millors habilitats era tocar el piano.*

hàbit hàbits *nom m* **1** Costum, cosa que es fa sovint: *Diuen que l'hàbit de fumar perjudica la salut.* **2** Vestit que porten els religiosos: *Les monges porten hàbit.*

habitable habitables *adj* Es diu d'un lloc, d'un espai preparat perquè s'hi pugui viure.

habitació habitacions *nom f* Cadascuna de les peces o parts en què es divideix una casa o un pis; sobretot es diu d'aquelles que serveixen de dormitori: *La família de la Carmina viu en una casa molt gran de set habitacions.*

habitacle habitacles *nom m* Lloc preparat perquè s'hi pugui viure: *Les cases i els pisos són habitacles.*

habitant habitants *nom m* i *f* Cadascuna de les persones que viuen en una casa, un poble, un país, etc.: *Catalunya té uns 7 milions d'habitants.*

habitar *v* Viure en un lloc: *L'ós blanc habita les zones polars.* ▪ *En aquest pis, hi habiten sis persones.* Es conjuga com *cantar.*

hàbitat hàbitats *nom m* Medi en què viu un animal, una planta, etc.

habitatge habitatges *nom m* Casa o pis on viu una persona o un grup de persones.

habitual habituals *adj* Es diu d'allò que se sol fer sempre igual, que és normal: *El meu esmorzar habitual és un got de llet i una pasta.*

habituar *v* Acostumar algú a fer una cosa sovint, avesar. Es conjuga com *canviar.*

hac hacs *nom f* Nom de la lletra h H.

haca haques *nom f* Cavall petit i fort.

haig Forma que pot prendre la primera persona del present d'indicatiu del verb "haver" quan expressa la idea d'obligació: *Es pot dir "he d'anar al metge" o també "haig d'anar al metge".*

haixix haixixs *nom m* Droga extreta del cànem que es fuma o es mastega

hala *interj* Paraula que es fa servir per a animar algú o per a dir-li que vagi de pressa a fer una cosa: *Hala!, aixequem-nos i marxem.*

halterofília halterofílies *nom f* Esport que consisteix a aixecar un aparell anomenat **halters** que consta d'una barra de ferro que porta uns discos pesants a cada extrem.

ham hams *nom m* Ganxo petit de ferro que es posa al capdavall del fil de pescar, amb un cuc o amb una mica de menjar, i on els peixos queden atrapats.

ham

hamaca hamaques *nom f* Xarxa, roba o lona que es lliga entre dos pals o dos arbres i que serveix per a gronxar-s'hi, per a dormir-hi, etc.

hamburguesa hamburgueses *nom f* Aliment fet amb carn picada, de forma rodona i plana que es menja cuit.

hampa hampes *nom f* Conjunt de delinqüents que es relacionen entre ells i cometen robatoris i altres delictes: *El lladre era un delinqüent habitual, molt conegut en el món de l'hampa.*

hàmster hàmsters *nom m* Animal mamífer rosegador, semblant a un ratolí, amb el cos rodó i les orelles, les potes i la cua curtes.

handbol handbols *nom m* Esport que es juga entre dos equips de set jugadors cadascun, que només poden tocar la pilota amb les mans i que han de provar de ficar-la dins la porteria de l'equip contrari.

hangar hangars nom m Espai gran cobert que serveix per a guardar-hi vehicles o avions: A l'aeroport hi ha un hangar on guarden i arreglen els avions.

harem harems nom m Conjunt de les dones d'un musulmà i lloc on habiten.

harmonia harmonies nom f **1** Combinació agradable de sons, colors, etc.: Aquesta música té una gran harmonia. **2** Bona relació entre persones: En aquesta família hi ha molta harmonia, no es discuteixen mai entre ells.

harmònic harmònica harmònics harmòniques adj Combinat de manera agradable, que té una bona relació entre les parts: Les veus d'aquell cor d'infants feien un so molt harmònic.

harmònica harmòniques nom f Instrument musical de vent, petit, que té forma de capsa rectangular foradada pels costats més llargs i que conté una sèrie de llengüetes que fan un so diferent segons si es bufa o s'aspira.

harmònica

harmoniós harmoniosa harmoniosos harmonioses adj Que té harmonia, que és agradable de sentir: El cant d'aquells ocells era molt harmoniós.

harmònium harmòniums nom m Instrument amb tecles, de llengüetes grosses que vibren amb l'aire que prové d'unes manxes que es posen en moviment amb uns pedals.

haure v Mira haver². Es conjuga com heure. Infinitiu: haver, heure o haure.

havà havana havans havanes **1** nom m i f Habitant de l'Havana; persona natural o procedent de l'Havana. **2** adj Es diu de les persones o de les coses naturals o procedents de l'Havana. **3** nom m Cigar fet a l'illa de Cuba.

havanera havaneres nom f Cançó de ritme lent que es canta sobretot a la costa i que prové de Cuba: A la Costa Brava hi ha molts grups que canten havaneres.

haver¹ v **1** Verb auxiliar que serveix per a formar els temps compostos de tots els verbs: Els teus amics no han vingut. ■ Ella ho havia demanat abans. **2** haver-hi Existir, trobar-se una persona o una cosa en un lloc: Al costat de la font hi havia tres arbres molt alts. ■ A la plaça hi havia molta gent. ■ En aquest país hi ha una vegetació molt abundant. **3** haver de Caldre, ser necessari o obligatori: He de plegar més d'hora perquè he d'anar al dentista. **4** temps ha Fa temps: Vaig visitar aquesta ciutat temps ha, però ja no me'n recordo.
La conjugació d'haver és a la pàg. 839.

haver² v **1** Tenir, aconseguir una cosa: Les cireres estaven en una branca molt alta i, per haver-les, ens vam haver d'enfilar a l'arbre. **2** haver-se-les Discutir sobre una cosa: Aquells dos sempre se les heuen per veure qui és més llest. ■ Si no portes el treball fet, te les hauràs amb el mestre.
Es conjuga com heure. Infinitiu: haver, heure o haure.

hebreu hebrea hebreus hebrees **1** nom m i f Individu d'un poble que va conquerir i habitar Palestina. **2** adj Que està relacionat amb el poble hebreu, amb els jueus. **3** nom m Llengua pròpia dels hebreus i que avui és una de les llengües oficials de l'Estat d'Israel.

hecatombe hecatombes nom f Gran matança: El bombardeig de la ciutat va produir una hecatombe.

hectàrea hectàrees nom f Unitat de mesura de superfície equivalent a cent àrees, és a dir, a deu mil metres quadrats.

hecto- hect- Element amb què comencen algunes paraules i que vol dir "cent": Un hectolitre és una unitat de mesura de capacitat que equival a 100 litres.

hectogram hectograms nom m Unitat de mesura de pes equivalent a cent grams.

hectolitre hectolitres nom m Unitat de mesura de capacitat equivalent a cent litres.

hectòmetre hectòmetres nom m Unitat de mesura de longitud equivalent a cent metres.

hegemonia hegemonies nom f **1** Domini d'un país sobre altres països. **2** Superioritat comercial, artística o intel·lectual d'una ciutat, d'un grup de persones respecte d'altres.

hèlice hèlices nom f Mecanisme format per una o més pales que giren al voltant d'un eix, i que serveix per a fer avançar una embarcació, un avió, etc.

helicòpter helicòpters *nom m* Vehicle volador que pot alçar-se i baixar verticalment o estar-se quiet en l'aire i que serveix per a transportar persones o coses: *L'avió vola més de pressa i més alt que l'helicòpter.*

helio- heli- Element amb què comencen algunes paraules i que vol dir "Sol": *Un heliògraf és un aparell que serveix per a fer fotografies del Sol.*

heliògraf heliògrafs *nom m* **1** Aparell que serveix per a fer fotografies del Sol. **2** Aparell que serveix per a fer senyals telegràfics per mitjà dels raigs del Sol reflectits per un mirall.

heliport heliports *nom m* Aeròdrom per a helicòpters.

hèlix hèlixs *nom f* Hèlice.

hel·lènic hel·lènica hel·lènics hel·lèniques *adj* Que està relacionat amb l'antiga Grècia.

helvètic helvètica helvètics helvètiques *adj* Que està relacionat amb les persones o les coses naturals o procedents de Suïssa.

hematoma hematomes *nom m* Blau, taca de color blau morat que surt a sota de la pell a causa d'un cop que ha produït una acumulació de sang a l'interior dels teixits.

hemeroteca hemeroteques *nom f* Lloc on es guarden, es col·leccionen i es poden consultar publicacions periòdiques, com ara diaris, revistes, etc.

hemicicle hemicicles *nom m* Sala o construcció que té la forma de mig cercle.

hemisferi hemisferis *nom m* Cadascuna de les dues meitats d'una esfera: *Europa està situada a l'hemisferi nord de l'esfera terrestre.*

hemo- Element amb què comencen algunes paraules i que vol dir "sang": *Una hemorràgia és una pèrdua important de sang.*

hemorràgia hemorràgies *nom f* Sortida de sang, pèrdua de sang provocada per l'obertura d'una vena o d'una artèria: *Es va clavar un cop i va tenir una hemorràgia, no parava de rajar-li sang del nas.*

hendeca- Element amb què comencen algunes paraules i que vol dir "onze": *A classe vam llegir un poema hendecasíl·lab: tots els versos tenien onze síl·labes.*

hepàtic hepàtica hepàtics hepàtiques *adj* Que té relació amb el fetge: *Una malaltia hepàtica.*

hepatitis les hepatitis *nom f* Inflamació del fetge.

hepato- hepat- Element amb què comencen algunes paraules i que vol dir "fetge": *L'hepatitis és la inflamació del fetge.*

hepta- hept- Element amb què comencen algunes paraules i que vol dir "set": *Un heptàgon és un polígon de set angles i set costats.*

heptaedre heptaedres *nom m* Poliedre de set cares.

heptàgon heptàgons *nom m* Polígon de set angles i set costats.

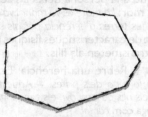

heptàgon

herald heralds *nom m* **1** Persona que antigament portava missatges, anunciava fets importants i participava en les festes dels cavallers. **2** Missatger, capdavanter d'un grup.

herba herbes *nom f* **1** Planta petita que, a diferència dels arbres i arbustos, no té un tronc llenyós, sinó una tija prima: *La casa de pagès estava voltada de prats d'herba.* **2 mala herba** Herba que no serveix per a res i que no deixa créixer les altres plantes: *Hem d'arrencar les males herbes de l'hort.* **3 fines herbes** Barreja de plantes que fan molt bona olor, per exemple el julivert, la farigola, etc., que es fa servir per a preparar alguns plats i alguns aliments: *A la mare li agrada molt el formatge a les fines herbes.*

herbaci herbàcia herbacis herbàcies *adj* Que està relacionat amb l'herba: *Les ortigues són plantes herbàcies.*

herbari herbaris *nom m* Col·lecció de plantes, fulles, etc. dessecades i premsades.

herbei herbeis *nom m* Herba fina i espessa que cobreix el terra: *La casa de pagès està voltada d'herbei.*

herbicida herbicides *adj i nom m* Es diu dels productes que es fan servir per a eliminar les males herbes.

herbívor herbívora herbívors herbívores *adj* Es diu de l'animal que s'alimenta de plantes: *Els cavalls són uns animals herbívors.*

herbolari herbolària herbolaris herbolàries *nom m i f* Persona que cull o que ven herbes i plantes medicinals: *Hem anat a ca l'herbolari i hem comprat camamilla.*

hereditari hereditària hereditaris hereditàries *adj* Que està relacionat amb l'herència, que passa de pares a fills: *Hi ha malalties que són hereditàries i es transmeten de pares a fills.*

herència herències *nom f* **1** Conjunt de les coses que una persona deixa als seus hereus quan es mor: *La mare es va morir i va deixar una casa i unes terres d'herència per als seus fills.* **2** Conjunt de característiques físiques dels pares que es transmeten als fills.

heretar *v* Rebre una herència: *Els fills heretaran la fortuna dels pares.* ※ *Aquesta noia ha heretat els ulls del seu avi, els tenen iguals.* Es conjuga com *cantar.*

heretge heretges *nom m i f* Persona que té unes creences i unes idees contràries als dogmes religiosos o que són considerades falses o errònies segons els principis d'una ciència o d'un art.

hereu hereva o hereua hereus hereves o hereues *nom m i f* Persona que rep una herència: *Aquell senyor tan ric ha mort i el seu fill, que és l'hereu, rebrà totes les riqueses.*

hermafrodita hermafrodites *adj* Es diu de la planta o de l'animal que té els dos sexes, que és alhora mascle i femella.

hermètic hermètica hermètics hermètiques *adj* Es diu de qualsevol cosa que tanca perfectament, de manera que no deixa entrar ni sortir aire ni líquid: *Les portes dels submarins són hermètiques i no deixen entrar l'aigua a dins.*

hermèticament *adv* De manera hermètica, sense deixar passar l'aire ni els líquids.

hèrnia hèrnies *nom f* Sortida total o parcial d'un òrgan del cos per una obertura anormal.

heroi heroïna herois heroïnes *nom m i f* **1** Persona que es distingeix pel seu valor, per la seva valentia: *Aquest noi és un heroi, ha posat en perill la seva vida per salvar una persona que s'ofegava.* **2** Personatge principal d'un conte, d'una novel·la, etc.

heroic heroica heroics heroiques *adj* Que té relació amb els herois: *L'acte d'aquella noia* va ser heroic, va posar la seva vida en perill per salvar un nen.

heroïna heroïnes *nom f* Droga molt forta i molt perillosa que crea addicció.

heroïnòman heroïnòmana heroïnòmans heroïnòmanes *adj i nom m i f* Es diu de la persona que té molta tendència a consumir heroïna.

heroisme heroismes *nom m* Valor, valentia, qualitat de les persones que fan coses heroiques.

hetero- heter- Element amb què comencen algunes paraules i que vol dir "diferents entre ells" o "diferent del que és habitual o normal": *Una heterogeneïtat de coses són una colla de coses molt diferents les unes de les altres.*

heterodox heterodoxa heterodoxos heterodoxes *adj* Que s'aparta del pensament oficial d'una religió, d'una ideologia, etc.

heterogeneïtat heterogeneïtats *nom f* Qualitat d'heterogeni.

heterogeni heterogènia heterogenis heterogènies *adj* Que està format per coses o per persones diferents: *Un grup heterogeni de persones procedents de diferents països.*

heterosexual heterosexuals *adj i nom m i f* Es diu de la persona que se sent atreta per les persones del sexe contrari.

heura heures *nom f* Planta que s'enfila pels arbres, les parets i les roques, que té les fulles de color verd fosc.

heure *v* Mira haver². La conjugació d'*heure* és a la pàg. 839.

hexa- hex- Element amb què comencen algunes paraules i que vol dir "sis": *Haurem de buscar una taula en forma d'hexàgon perquè, com que tindrà sis costats, podrem cabre-hi tots sis a l'hora de dinar.*

hexaedre hexaedres *nom m* Políedre de sis cares.

hexàgon hexàgons *nom m* Polígon de sis angles i sis costats.

hi *pron* **1** Pronom que substitueix un grup de paraules que porten al davant les preposicions "a", "amb", "cap a", "contra", "dalt", "damunt", "dins", "en", "sobre", "sota", "rere" i altres, i que va al costat del verb, sol o acompanyat d'un altre pronom: *Quan jo tornava de l'escola, en Raül hi anava.* ※ *En Benet sempre* escriu amb la ploma i jo no hi escric mai. **2** Pronom que substitueix un adjectiu o un adverbi, i que va al costat del verb, sol o acompanyat d'un altre pronom: —*Té els braços molt llargs, oi?* —*Sí que els hi té.* ■ —*Camina malament, oi?* —*Sí que hi camina.* **3** Forma que acompanya el verb "haver" quan té el sentit d'existir o de trobar-se una persona o una cosa en un lloc: —*No hi ha pa?* —*No, no n'hi ha.* **4** Forma que de vegades es fa servir en comptes del pronom "li": *En Climent es va deixar les claus i l'Empar les hi va portar.*

hiat hiats *nom m* Grup format per dues lletres vocals que no es pronuncien juntes en una mateixa síl·laba: *La paraula "teatre" té un hiat i, doncs, s'ha de pronunciar "te-a-tre".*

hibernació hibernacions *nom f* Estat dels animals que hibernen: *Quan arriba el fred, les marmotes i els lirons entren en estat d'hibernació i es queden adormits.*

hibernar *v* Passar alguns animals l'hivern amb poca activitat física, aïllats i mig adormits. Es conjuga com *cantar*.

híbrid híbrida híbrids híbrides *adj* i *nom m* Que és el resultat de la barreja de dues espècies animals o vegetals diferents.

hidratant hidratants *adj* Es diu de la substància que afegeix aigua o humitat: *M'he comprat una crema hidratant perquè tinc les mans resseques.*

hidràulic hidràulica hidràulics hidràuliques *adj* Que es mou o funciona per mitjà de l'aigua: *Abans les fàbriques es construïen a la vora dels rius per aprofitar l'energia hidràulica.*

hidro- hidr- Element amb què comencen algunes paraules i que vol dir "aigua": *La hidrografia és la part de la geografia que estudia els rius, els mars, els llacs, etc.*

hidroavió hidroavions *nom m* Avió que pot enlairar-se des de l'aigua o aterrar-hi.

hidroelèctric hidroelèctrica hidroelèctrics hidroelèctriques *adj* Es diu de l'energia elèctrica que s'obté aprofitant la força de l'aigua.

hidrogen hidrògens *nom m* Gas que pesa molt poc i que no té color, olor ni gust.

hidrografia hidrografies *nom f* Part de la geografia que estudia les aigües, els mars, els rius, etc.

hidromel hidromels *nom m* Beguda feta d'aigua barrejada amb mel, aiguamel.

hidrosfera hidrosferes *nom f* Capa d'aigua que cobreix aproximadament les dues terceres parts de la superfície de la Terra.

hiena hienes *nom f* Animal mamífer de color gris, amb taques o ratlles fosques, que s'alimenta amb les restes d'animals morts i que es troba a l'Àfrica i a l'Àsia.

higiene higienes *nom f* Conjunt de condicions i de factors que ajuden a conservar la netedat i la salut del cos: *La higiene dental és molt important per conservar les dents en bon estat; per això cal raspallar-les sempre després de menjar.*

higiènic higiènica higiènics higièniques *adj* Que està relacionat amb la higiene i la salut: *Les condicions higièniques dels lavabos d'aquell restaurant eren molt dolentes.*

himne himnes *nom m* Poesia o cançó en honor d'un déu, d'un personatge, d'un país, etc.

hindú hindús *nom m i f* **1** Habitant de l'Índia; persona natural o procedent de l'Índia. **2** Persona que creu i practica l'hinduisme. **3** *adj* Es diu de les persones o de les coses naturals o procedents de l'Índia o que estan relacionades amb l'hinduisme.

hinduisme hinduismes *nom m* Religió pròpia de molts pobles de l'Índia.

hiper- Prefix, element que s'afegeix al davant d'una paraula i que vol dir "sobre", "en gran mesura": *Aquella noia és tan sensible, que es molesta per qualsevol cosa, és realment hipersensible.*

hipermercat hipermercats *nom m* Establiment comercial més gran que un supermercat, amb una zona d'aparcament pròpia, on es venen tota mena de productes d'alimentació, de neteja, etc.

hípica hípiques *nom f* Conjunt d'esports que es practiquen amb cavalls.

hipno- hipn- Element amb què comencen algunes paraules i que vol dir "son": *Aquella nena jugava a hipnotitzar la seva amiga: feia que s'adormís i que li expliqués secrets.*

hipnotitzar *v* Adormir una persona amb la veu i amb la mirada perquè recordi o faci alguna cosa: *Aquell mag va hipnotitzar un senyor i el va fer ballar sense que ell se n'adonés.* Es conjuga com *cantar*.

hipo-[1] Element amb què comencen algunes paraules i que vol dir "cavall": *Van construir un hipòdrom a tocar de casa i vèiem les curses de cavalls des de la finestra del menjador.*

423

hipo-² **hip-** Prefix, element que s'afegeix al davant d'una paraula i que vol dir "sota", "en menys quantitat", "en grau inferior": *Diem que un medicament és hipodèrmic si s'administra a sota la pell.*

hipòcrita hipòcrites *adj* i *nom m* i *f* Es diu de les persones falses, que diuen i fan coses en què no creuen.

hipòdrom hipòdroms *nom m* Lloc on es fan curses de cavalls.

hipòfisi hipòfisis *nom f* Glàndula que té forma de mongeta, que està situada a la part inferior del crani i que regula una gran part de les funcions de l'organisme, com ara el creixement, la sexualitat, etc. **18**

hipopòtam hipopòtams *nom m* Animal mamífer molt gros i pesat que viu prop dels rius i dels llacs de l'Àfrica.

hipotàlem hipotàlems *nom m* Part del sistema nerviós central situada a la zona del cervell. **18**

hipotecar *v* Aconseguir diners posant com a garantia una cosa de la qual som propietaris: *Perquè el banc li deixés diners va haver d'hipotecar la casa.*
Es conjuga com *cantar*. S'escriu *c* davant de *a, o, u* i *qu* davant de *e, i: hipoteco, hipoteques.*

hipotenusa hipotenuses *nom f* Costat d'un triangle rectangle que és oposat a l'angle recte.

hipotenusa

hipòtesi hipòtesis *nom f* Càlcul, suposició que es fa abans de comprovar una cosa: *A la classe de matemàtiques primer hem fet una hipòtesi sobre els metres que crèiem que tenia el pati i després l'hem mesurat per saber si la hipòtesi era certa.*

hirsut hirsuta hirsuts hirsutes *adj* Es diu del pèl que és gruixut, fort i aspre: *Una barba hirsuta.* ▪ *Unes celles hirsutes.*

hisenda hisendes *nom f* **1** Casa de pagès amb moltes terres. **2** Conjunt de riqueses i de béns que té una persona, un estat. **3** ministeri d'hisenda Secció del govern encar-

regada de cobrar els impostos i d'administrar els diners de l'Estat: *Avui he anat a la delegació d'hisenda a presentar la declaració de la renda.*

hispà hispana hispans hispanes *adj* **1** Que està relacionat amb l'antiga província romana d'Hispània, que comprenia la península Ibèrica. **2** Es diu de les persones o de les coses naturals o procedents d'Espanya o dels països d'Amèrica on es parla l'espanyol. **3** *nom m* i *f* Habitant dels Estats Units d'Amèrica que parla en espanyol.

hispànic hispànica hispànics hispàniques *adj* Que està relacionat amb l'antiga província romana d'Hispània, amb Espanya o amb els països d'Amèrica on es parla l'espanyol: *A Amèrica hi viuen moltes persones d'origen hispànic.*

hispano- Prefix, element que s'afegeix al davant d'una paraula i que vol dir "hispànic".

hispanoamericà hispanoamericana hispanoamericans hispanoamericanes **1** *nom m* i *f* Habitant d'Hispanoamèrica, és a dir, dels països d'Amèrica on es parla l'espanyol; persona natural o procedent d'Hispanoamèrica. **2** *adj* Es diu de les persones o de les coses naturals o procedents d'Hispanoamèrica.

hissar *v* Fer pujar enlaire una bandera, una vela, etc. estirant una corda: *El vaixell va hissar les veles.* ▪ *Al balcó de l'ajuntament han hissat les banderes.*
Es conjuga com *cantar*.

hissar

histèria histèries *nom f* Malaltia que provoca una gran excitació nerviosa i, a vegades, convulsions, paràlisis, al·lucinacions, etc.

histèric histèrica histèrics histèriques *adj* i *nom m* i *f* Que té relació amb la histèria.

història històries *nom f* **1** Ciència que estudia els fets, les societats, els costums, etc. dels temps passats: *A l'escola estudiem la història del nostre país.* **2** Narració, conte: *T'explicaré la història de la Caputxeta Vermella.* **3** història natural Descripció de la natura, classificada en els regnes mineral, vegetal i animal: *A l'Eliseu li agrada molt la història natural: la vida dels animals i de les plantes, les classes de minerals, etc.*

historiador historiadora historiadors historiadores *nom m i f* Persona que es dedica a l'estudi de la història.

historial historials *nom m* Conjunt de dades sobre una persona o una cosa: *Els metges tenen unes fitxes en què escriuen tota la informació sobre els pacients; aquesta informació forma l'historial mèdic.*

històric històrica històrics històriques *adj* Que està relacionat amb la història: *L'Onze de setembre és un dia històric per a Catalunya.*

historieta historietes *nom f* Conte, aventura que s'explica amb vinyetes on hi ha lletres i dibuixos, còmic: *Al quiosc venen moltes revistes d'historietes.*

hivern hiverns *nom m* Estació de l'any, entre la tardor i la primavera: *A l'hivern, com que fa fred, la gent va molt abrigada.*

hivernacle hivernacles *nom m* Lloc protegit del fred on es cultiven plantes.

hivernal hivernals *adj* Que està relacionat amb l'hivern: *Avui fa un fred hivernal.*

hivernar *v* Passar l'hivern en un lloc.
Es conjuga com *cantar.*

ho *pron* **1** Pronom que substitueix les paraules "això" i "allò": *Això que et dic, no ho diguis a ningú.* **2** Pronom que substitueix un adjectiu o un sintagma: *En Miquel estava content però la Maria no ho estava pas.* ▪ *El meu pare és paleta i el germà de l'Assumpta també ho és.*

hola *interj* Paraula que es fa servir per a saludar la gent: *Ahir vaig trobar en Lluís i li vaig dir "hola!", però ell no em va dir res.*

holandès holandesa holandesos holandeses **1** *nom m i f* Habitant d'Holanda o dels Països Baixos; persona natural o procedent d'Holanda o dels Països Baixos. **2** *adj* Es diu de les persones o de les coses naturals o procedents d'Holanda o dels Països Baixos. **3** *nom m* Llengua que es parla als Països Baixos i a Flandes, i que també rep el nom de neerlandès. **4** *adj i nom m* Es diu del full de paper més petit que un foli, que fa 22 centímetres d'amplada i 28 centímetres de llargada aproximadament.

hom *pron* Paraula que es fa servir com a subjecte d'un verb i que pot referir-se a una

o més persones: *La frase "hom diu que aquest hivern farà molt fred" equival a la frase "la gent diu que aquest hivern farà molt fred".*

home homes *nom m* **1** Animal mamífer, que té les mans i els peus diferenciats i que es caracteritza pel seu gran desenvolupament mental i perquè pot parlar: *L'home té els braços més curts que els micos.* **2** Persona del sexe masculí; persona adulta del sexe masculí: *A veure futbol hi van més homes que dones.* ▪ *En Celdoni té 16 anys: ja no és un nen, és un home.* **3** Marit, espòs: *Hem conegut l'home de la nostra professora.* **4 home del sac** Personatge imaginari que els adults fan servir per a espantar els infants: *Quan era petita, la mare em deia: "Si no menges vindrà l'home del sac i se t'emportarà".*

homenatge homenatges *nom m* **1** Acte que es fa en honor d'una persona: *Avui al meu barri es fa una festa d'homenatge als avis.* **2 torre de l'homenatge** Torre més alta d'un castell.

homenatjar *v* Celebrar un acte en honor d'algú: *L'ajuntament ha homenatjat els socorristes que van salvar els muntanyencs que s'havien perdut.*
Es conjuga com *cantar.* S'escriu *j* davant de *a, o, u* i *g* davant de *e, i: homenatjo, homenatges.*

homeopatia homeopaties *nom f* Tipus de medicina que tracta les malalties amb petites dosis de substàncies que, administrades a dosis molt grans, produirien en les persones sanes símptomes iguals als de la malaltia que es vol curar.

homicida homicides **1** *adj* Que serveix per a matar: *Han trobat l'arma homicida amb la qual es va cometre el crim.* **2** *nom m i f* Persona que ha matat una altra persona.

homicidi homicidis *nom m* Mort causada a una persona per una altra persona.

homilia homilies *nom f* Discurs, comentari sobre els textos religiosos llegits en una celebració religiosa.

homo- Element amb què comencen algunes paraules i que vol dir "igual", "el mateix": *Una homogeneïtat de coses són una colla de coses iguals o semblants.*

homòfon homòfona homòfons homòfones *adj i nom m* Es diu de la paraula que es pronuncia igual que una altra, però que vol dir una cosa diferent: *Els verbs "beure" i "veure" són mots homòfons.* ▪ *Un homòfon de "cup" és "cub".*

homogeni homogènia homogenis homogènies *adj* Que està format per coses o per persones iguals o semblants: *Aquell grup d'alumnes era molt homogeni, tots tenien la mateixa edat, el mateix nivell i el mateix interès d'aprendre la matèria.*

homògraf homògrafa homògrafs homògrafes *adj i nom m* Es diu de la paraula que s'escriu igual que una altra, però que vol dir una cosa diferent: *Els mots "bec" (d'un ocell) i "bec" (del verb "beure") són homògrafs.* ■ *L'adjectiu "seu" de l'expressió "el seu germà" és un homògraf del nom "seu" de l'expressió "la seu de Barcelona".*

homologar *v* Considerar vàlida, autoritzar una cosa després de comprovar que compleix els requisits establerts oficialment: *En Raül ha anat a viure a França i li han homologat el títol dels estudis musicals que havia fet a Barcelona.*
Es conjuga com *cantar*. S'escriu g davant de *a, o, u* i gu davant de *e, i: homologo, homologues.*

homònim homònima homònims homònimes *adj i nom m* **1** Es diu de la paraula que es pronuncia i s'escriu igual que una altra, però que vol dir una cosa diferent: *Els mots "dur" (adjectiu) i "dur" (verb) són homònims.* ■ *A la frase "faig un objecte de fusta de faig", el primer "faig" és un verb i és un homònim del segon "faig", que és un nom d'arbre.* **2** Que té el mateix nom: *Jo em dic Pere i tu també, ets el meu homònim.*

homosexual homosexuals *adj i nom m i f* Es diu de la persona que se sent atreta per les persones del mateix sexe.

honest honesta honestos honestes *adj* Honrat.

honestedat honestedats *nom f* Qualitat de les persones honestes, honradesa.

hongarès hongaresa hongaresos hongareses **1** *nom m i f* Habitant d'Hongria; persona natural o procedent d'Hongria. **2** *adj* Es diu de les persones o de les coses naturals o procedents d'Hongria. **3** *nom m* Llengua que es parla a Hongria.

honor honors *nom m o f* **1** Sentiment que fa que una persona no vulgui fer coses que li donin mala fama. **2** Fama que té una persona, admiració que se sent per una persona. **3** honors *nom m pl* Demostracions de respecte o d'admiració cap a una persona: *Com que havia guanyat el primer premi, al seu poble el van rebre amb tots els honors.*

honorable honorables *adj* **1** Digne de respecte: *Un senyor honorable.* **2** Tractament donat a alguns governants en senyal de respecte o d'educació.

honorar *v* Honrar.
Es conjuga com *cantar*.

honorari honorària honoraris honoràries **1** *adj* Es diu de la persona que té un títol o un càrrec com un honor, sense que tingui responsabilitats: *L'avi d'en Lluís ara ja és molt gran i l'han fet president honorari del club de bàsquet.* **2** honoraris *nom m pl* Preu que un professional fa pagar per un servei que ha fet: *Per resoldre el cas, l'advocat ens ha fet pagar uns honoraris molt elevats.*

honra honres *nom f* **1** Honor, fama. **2** Respecte i admiració que es té a algú per les seves qualitats.

honradesa honradeses *nom f* Qualitat de les persones honrades, que no fan coses dolentes, que no enganyen, etc.

honrar *v* Mostrar respecte i admiració per algú, tractant-lo bé, amb consideració: *Ens hem sentit honrats amb la presència de les autoritats a la festa de l'escola.*
Es conjuga com *cantar*.

honrat honrada honrats honrades *adj* Es diu de la persona que no fa coses dolentes, que no enganya, etc.

hoquei hoqueis *nom m* Esport que es juga entre dos equips i que consisteix a picar una pilota petita amb uns bastons especials i provar de ficar-la dins la porteria contrària: *Es fan campionats d'hoquei sobre patins, d'hoquei sobre herba i d'hoquei sobre gel.*

hora hores *nom f* **1** Unitat de mesura de temps equivalent a 60 minuts; el dia té 24 hores: *Aquesta pel·lícula dura una hora.* **2 hora extra** Hora que es treballa de més i que es paga de més: *El pare de l'Enric treballa vuit hores diàries, però a més a més treballa una hora extra cada dia.* **3 d'hora** A una hora poc avançada, aviat: *A casa de l'Anna dinen molt d'hora, a la una del migdia.* **4 abans d'hora** Abans del temps, abans del moment que s'havia decidit ser-hi o que calia ser-hi: *Vam arribar a l'estació abans d'hora.* **5 a l'hora** Puntualment, en el moment assenyalat: *El tren va arribar a l'hora.* **6 demanar hora** Demanar a algú que ens assenyali una hora per anar-lo a veure: *La meva mare va demanar hora per anar al dentista.*

7 hora punta Hora en què hi ha molt trànsit pels carrers perquè la gent es traslla a casa o a la feina.

horabaixa horabaixes *nom m o f* **1** Tarda. **2** Capvespre, temps pròxim a la posta del sol.

horari horària horaris horàries **1** *adj* Que està relacionat amb les hores: *A l'hivern es fa un canvi horari per estalviar energia.* **2** *nom m* Distribució de les hores de feina, de classe, etc.: *A la porta de l'oficina hi havia un cartell que deia que l'horari de visita era de les 10 del matí a les 12 del migdia i de les 4 a les 6 de la tarda.* **3** *nom m* Busca d'un rellotge que assenyala les hores.

horitzó horitzons *nom m* Línia que limita el tros de mar o de terra que es veu des d'un lloc determinat.

horitzontal horitzontals *adj* Es diu de tot allò que té una posició paral·lela a l'horitzó; contrari de vertical: *Les potes d'una taula són verticals i la superfície és horitzontal.*

hormona hormones *nom f* Substància química que produeixen algunes glàndules i que és necessària per a regular l'activitat d'alguns òrgans del cos.

horòscop horòscops *nom m* Conjunt de coses que es creu que passaran a una persona segons el seu signe del zodíac: *Cada dia llegeixo el meu horòscop al diari.*

horrible horribles *adj* Que fa venir horror, por, fàstic: *Hem vist una bèstia horrible.*

horripilant horripilants *adj* Horrible: *Els monstres d'aquella pel·lícula de terror són horripilants.*

horror horrors *nom m o f* Por o fàstic que produeix una cosa espantosa o repugnant: *Al cine fan una pel·lícula d'horror.*

horroritzar *v* Fer venir horror.
Es conjuga com *cantar.*

horrorós horrorosa horrorosos horroroses *adj* Horrible, que fa venir horror.

hort horts *nom m* **1** Tros de terra on es conreen verdures i llegums: *Se'ns han acabat els tomàquets, n'hem d'anar a buscar més a l'hort.* **2 venir de l'hort** Ignorar una cosa que és evident, que tothom coneix: *Tothom sabia què passava menys en Jaume, que sempre sembla que vingui de l'hort.*

horta hortes *nom f* Terra que es rega sovint i on es conreen hortalisses, arbres fruiters, etc.

hortalissa hortalisses *nom f* Nom que es dóna a les plantes comestibles que es conreen

---

Les hores

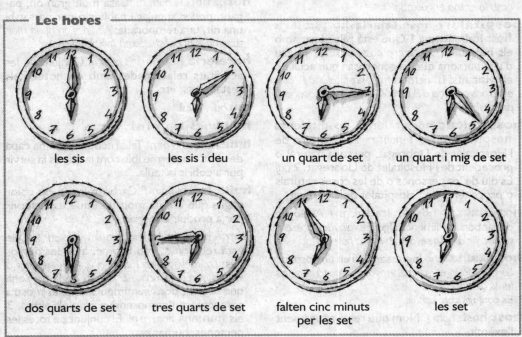

les sis   les sis i deu   un quart de set   un quart i mig de set

dos quarts de set   tres quarts de set   falten cinc minuts per les set   les set

als horts, com ara les cols, els enciams, els tomàquets, etc. ▌

hortalisses

hortènsia hortènsies *nom f* Arbust de jardí que té les flors rosades o blaves agrupades en poms.

horticultor horticultora horticultors horticultores *nom m i f* Hortolà, persona que es dedica a conrear hortalisses.

horticultura horticultures *nom f* Conreu de les plantes de l'horta.

hortolà hortolana hortolans hortolanes *nom m i f* Persona que es dedica a conrear hortalisses i a vendre-les, horticultor.

hospici hospicis *nom m* Lloc destinat a acollir persones que no tenen casa o que no tenen família.

hospital hospitals *nom m* Edifici on es proporciona assistència mèdica als malalts i als ferits: *En Miquel ja fa vuit dies que és a l'hospital amb la cama enguixada.*

hospitalari hospitalària hospitalaris hospitalàries *adj* **1** Que està relacionat amb els hospitals: *Un centre hospitalari.* **2** Es diu d'una persona que és generosa i que acull bé els visitants: *La tieta és molt hospitalària i cada estiu ens convida a Palamós a passar les vacances amb ella.*

hospitalenc hospitalenca hospitalencs hospitalenques **1** *nom m i f* Habitant de l'Hospitalet de Llobregat; persona natural o procedent de l'Hospitalet de Llobregat. **2** *adj* Es diu de les persones o de les coses naturals o procedents de l'Hospitalet de Llobregat.

hospitalitat hospitalitats *nom f* Acció de donar bon acolliment a algú: *Els veïns del poble ens van acollir a casa seva amb molta hospitalitat.*

hospitalitzar *v* Ingressar algú en un hospital: *La Creu Roja es va encarregar d'hospitalitzar els ferits de l'accident.*
Es conjuga com *cantar*.

host hosts *nom f* Nom que rebia antigament l'exèrcit.

hostal hostals *nom m* Casa on, pagant, donen menjar i habitació per passar-hi una nit, una temporada, fonda: *Els diumenges anem a dinar a l'hostal del poble.*

hostaler hostalera hostalers hostaleres *nom m i f* Persona que té un hostal.

hostaleria hostaleries *nom f* Hoteleria.

hoste hostessa hostes hostesses *nom m i f* **1** Persona que passa uns dies a casa d'una altra, en un hotel o en una fonda: *A casa d'en Pere tenen una habitació per als hostes.* **2** Persona que convida algú a passar uns dies a casa seva.

hostessa hostesses *nom f* Dona encarregada d'atendre la gent en un avió, en una reunió, etc.: *Les hostesses de l'avió van dur una safata plena de begudes per als viatgers.*

hòstia hòsties *nom f* **1** Tros prim de pa per a la celebració de la missa. **2** Cop, bufetada.

hostil hostils *adj* Contrari, enemic: *Aquells dos països tenen una relació hostil perquè es disputen alguns territoris de la frontera.*

hostilitat hostilitats *nom f* Disposició negativa que es mostra contra algú que es considera un enemic: *Després de barallar-nos ens vam donar la mà, però ell encara em mirava amb una mica d'hostilitat.*

hotel hotels *nom m* Casa molt gran on, pagant, donen menjar i habitació per passar-hi una nit, una temporada: *Als llocs on hi ha molt turisme, s'hi construeixen molts hotels.*

hoteleria hoteleries *nom f* Conjunt de les activitats relacionades amb els hotels, els restaurants, etc.

hui *adv* Avui.

huit huits *nom m i adj* Vuit.

hule hules *nom m* Tela recoberta d'una capa de plàstic impermeable com la que es fa servir per a cobrir la taula.

hulla hulles *nom f* Carbó mineral de color negre que crema molt bé i que es fa servir per a produir energia.

humà humana humans humanes *adj* **1** Que està relacionat amb l'home, amb les persones: *La intel·ligència humana és molt superior a la dels altres animals.* **2** Es diu de la persona que té molt bons sentiments i que es mostra respectuosa i comprensiva amb els altres. **3** els **humans** *nom m pl* El conjunt de totes les persones, humanitat.

humanitari humanitària humanitaris humanitàries *adj* Es diu de tot allò que es fa pel bé de les persones, de la humanitat: *L'ajuda humanitària dels països rics és molt necessària per als països poc desenvolupats.*

humanitat humanitats *nom f* El conjunt dels homes i de les dones, de totes les persones.

húmer húmers *nom m* Os de l'avantbraç que va des de l'espatlla fins al colze. ▮15▮ ▮16▮

humil humils *adj* **1** Es diu d'una persona que es valora poc ella mateixa, que no presumeix davant dels altres. **2** Pobre: *Una família humil.*

humiliació humiliacions *nom f* Vergonya que es passa quan algú ens insulta o ens fa quedar malament davant els altres.

humiliar *v* Maltractar una persona, ofendre-la, avergonyir-la, etc.
Es conjuga com *canviar.*

humilitat humilitats *nom f* Qualitat de les persones que són humils.

humit humida humits humides *adj* Que és una mica moll, que té una mica d'aigua: *Ahir va ploure i avui l'herba del jardí encara és humida.*

humitat humitats *nom f* Petita quantitat d'aigua que cobreix superficialment un lloc: *En aquest bosc hi ha molta humitat, el terra sempre és una mica moll.*

humitejar *v* Mullar molt poc una cosa: *Va humitejar el mocador amb una mica d'aigua i es va fregar la galta per netejar-se-la.*
Es conjuga com *cantar.* S'escriu *j* davant de *a, o, u* i *g* davant de *e, i*: humitejo, humiteges.

humor humors *nom m* o *f* **1** Estat d'ànim: *En Joan està de bon humor, està content; el seu germà, en canvi, està de mal humor, està trist.* **2 sentit de l'humor** Capacitat de riure i de fer broma de les coses: *La professora de francès té molt sentit de l'humor i sempre ens explica acudits.* **3** Qualsevol líquid del cos d'una persona, d'un animal o d'una planta: *La sang és un humor del cos humà.*

humorista humoristes *nom m i f* Persona que té per ofici fer riure els altres explicant acudits, imitant personatges famosos, etc.

humorístic humorística humorístics humorístiques *adj* Que fa riure: *Un programa humorístic, una representació humorística.*

humus els humus *nom m* Matèria orgànica del terra, formada per restes de vegetals i d'animals.

huracà huracans *nom m* Tempesta amb pluges i vents molt forts.

huracanat huracanada huracanats huracanades *adj* Es diu del vent molt fort.

hurra *interj* Paraula que es fa servir quan es vol manifestar molta alegria, celebrar un triomf, etc.

I i lletra i

i *conj* **1** Paraula que serveix per a unir dos mots, dues idees, dues frases, etc.: *Hem menjat pa amb tomàquet i pernil.* ■ *Plou i neva alhora.* **2** Paraula que serveix per a repetir dos mots i donar intensitat a una expressió: *Fa temps i temps que no sé res de l'Andreu.* **3** *El vent va arrencar els arbres i tot:* també els arbres.

i **is** *nom f* **1** Nom de la lletra **i I**, anomenada i llatina. **2 i grega** Nom de la lletra **y Y**: *En català la i grega s'utilitza per a formar el dígraf "ny", que apareix en paraules com ara "canya", "any", etc. També apareix en algunes paraules procedents d'altres llengües, com ara "whisky", que prové de l'anglès.*

iac **iacs** *nom m* Animal mamífer gros com un toro amb el cos cobert de pèl i amb banyes llargues, que viu al Tibet.

iaia **iaies** *nom f* **1** Àvia, mare del pare o de la mare: *La iaia ha anat a buscar el seu nét a l'escola.* **2 Dona vella.**

iaio **iaios** *nom m* **1** Avi, pare del pare o de la mare: *El iaio sempre explica històries de quan era jove.* **2 Home vell.**

ianqui **ianquis** *adj i nom m i f* Nord-americà.

iber **ibera ibers iberes** *nom m i f* Individu d'un poble antic, d'abans de l'època dels romans, que va viure a la península Ibèrica: *A Catalunya i al País Valencià es troben moltes restes dels antics ibers.*

ibèric **ibèrica ibèrics ibèriques** *adj* Que està relacionat amb els ibers: *A Catalunya i al País Valencià hi ha molts poblats ibèrics.*

iberoamericà **iberoamericana iberoamericans iberoamericanes** **1** *nom m i f* Es diu dels països d'Amèrica on es parla el castellà o el portuguès. **2** *adj* Es diu de les persones o de les coses naturals o procedents d'Iberoamèrica, és a dir, del conjunt de països on es parla el castellà o el portuguès.

iceberg **icebergs** *nom m* Bloc de glaç que flota sobre l'aigua del mar.

icona **icones** *nom f* **1** Imatge religiosa pintada sobre fusta. **2** Imatge que serveix per a representar una cosa a la qual s'assembla.

icono- **icon-** Element amb què comencen algunes paraules i que vol dir "imatge".

icosaedre **icosaedres** *nom m* Poliedre que té vint cares, trenta arestes i dotze vèrtexs.

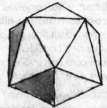

icosaedre

ics **les ics** *nom f* Nom de la lletra **x X**, xeix.

icterícia **icterícies** *nom f* Malaltia del fetge que es manifesta amb una alteració del color de la pell, que es torna d'un color groguenc: *Molts nens petits quan neixen tenen icterícia.*

ictio- Element amb què comencen algunes paraules i que vol dir "peix": *La ictiologia és una ciència que estudia els peixos.*

idea **idees** *nom f* **1** Representació mental d'una cosa real o imaginària: *He tingut una idea: podríem anar a teatre i després a sopar.* **2** *En Pau no té la més petita idea del que és dividir:* no conèixer, no tenir noció d'alguna cosa. **3** *Vaig anar al cine amb la idea de veure aquell actor:* amb el propòsit, la decisió.

ideal **ideals** **1** *adj* Es diu d'una cosa que és molt bona, molt bonica: *Avui fa un dia ideal per anar a la platja, perquè fa molt sol.* **2** *nom m* Aspiració o objectiu que es proposa una persona: *L'ideal d'en Pep és ser metge per poder ajudar els altres.*

idealista **idealistes** *adj i nom m i f* Es diu de la persona que té unes idees molt bones i honestes, però molt difícils de realitzar.

idealitzar *v* Tenir, d'una persona o d'una cosa, una imatge que no correspon a la realitat: *Sempre has idealitzat la professió de metge: és molt més dura del que et penses.*
Es conjuga com *cantar.*

idear *v* Pensar, inventar una cosa: *Han ideat un nou vehicle terrestre que funciona aprofitant la força del vent.*
Es conjuga com *canviar.*

ídem adv Paraula que es fa servir per a evitar la repetició d'una paraula o d'una frase: Ahir vaig menjar peix; avui, també; demà, ídem.

idèntic idèntica idèntics idèntiques adj Exactament igual, sense cap diferència: L'Oriol i en Xevi són germans bessons i són idèntics, són ben iguals.

identificar v Reconèixer que una persona o una cosa és realment ella mateixa: Avui uns familiars han identificat el cadàver de la persona que va morir en l'accident.
Es conjuga com cantar. S'escriu c davant de a, o, u i qu davant de e, i: identifico, identifiques.

identitat identitats nom f Conjunt de característiques (el nom, les dades personals, etc.) que fan que una persona sigui ella mateixa: La policia no va voler descobrir la identitat del pres als periodistes, és a dir, el seu nom, les seves dades personals.

ideo- Element amb què comencen algunes paraules i que vol dir "idea".

ideologia ideologies nom f Conjunt d'idees, de creences i d'opinions que té i que defensa una persona davant els altres, especialment sobre temes de religió o de política.

idil·li idil·lis nom m **1** Tipus de poesia que tracta de l'amor feliç entre pastors i pastores. **2** Relació que hi ha entre dos enamorats que són feliços i no tenen problemes entre ells.

idioma idiomes nom m Llengua: El català és l'idioma del nostre país.

idiota idiotes adj i nom m i f Estúpid, molt poc intel·ligent.

idiotesa idioteses nom f Estupidesa.

ídol ídols nom m **1** Imatge d'un déu. **2** Persona molt admirada: El cantant d'aquell conjunt és el meu ídol.

idolatrar v Admirar molt, adorar algú o alguna cosa com si fos un déu.
Es conjuga com cantar.

idoni idònia idonis idònies adj Que té les qualitats adequades per a fer una cosa: La Carme és la persona idònia per fer de professora de gimnàstica.

ien iens nom m Moneda del Japó.

ieti ietis nom m Ésser imaginari que es creu que existeix, representat en la forma de gegant, de cos pelut i que, segons la llegenda, viu a les muntanyes de l'Himàlaia.

iglú iglús nom m Casa de gel de forma arrodonida pròpia dels esquimals.

iglú

igni- Element amb què comencen algunes paraules i que vol dir "foc".

ignorància ignoràncies nom f Estat de la persona que no sap res sobre un tema o que desconeix coses molt elementals.

ignorant ignorants adj i nom m i f Es diu de la persona que no sap res sobre un tema o que desconeix coses molt elementals.

ignorar v No saber una cosa: Aquell noi ignorava a quina hora arribava l'autobús i ho va haver de preguntar.
Es conjuga com cantar.

igual iguals adj **1** Es diu d'una cosa que no és diferent d'una altra, que té les mateixes característiques: Aquestes dues nenes són iguals, deuen ser germanes bessones. **2** En Quirze estava molt desanimat, *tot li era igual*: tant li era una cosa com una altra. **3** nom m Signe (=) que indica que una cosa és igual a una altra: $5 + 5 + 5 = 15$.

igualadí igualadina igualadins igualadines **1** nom m i f Habitant d'Igualada; persona natural o procedent d'Igualada. **2** adj Es diu de les persones o de les coses naturals o procedents d'Igualada.

igualar v Fer alguna cosa igual a una altra; obtenir un resultat igual a un altre: L'atleta no ha pogut igualar la marca de l'any passat.
Es conjuga com cantar.

igualment adv D'una manera igual: Els nens porten un vestit verd i les nenes van vestides igualment.

igualtat igualtats nom f Qualitat d'igual: A la nostra classe hi ha molta igualtat, el mestre tracta tots els nens de la mateixa manera, sense fer diferències.

iguana iguanes *nom f* Animal rèptil amb una cua llarga, una cresta a l'esquena i una bossa a sota de la boca, que s'alimenta de plantes i viu a Amèrica.

ili ilis *nom m* Budell del final de l'intestí prim.

ilíac ilíaca ilíacs ilíaques **1** *adj* Que està situat a la zona de la pelvis: *Artèries ilíaques, venes ilíaques.* **17** **2** *nom m* Cadascun dels dos ossos plans situats a la zona de les anques que uneixen el sacre amb el fèmur formant la cavitat de la pelvis.

illa illes *nom f* **1** Tros de terra voltada d'aigua per tots costats: *Passarem les vacances a l'illa de Menorca.* **2 illa de cases** Conjunt de cases voltades de carrers. **3 illa de vianants** Conjunt de carrers per on no hi poden passar vehicles, i només hi pot passar la gent que va a peu, els vianants.

il·legal il·legals *adj* Que no és legal, que va en contra de la llei: *Robar un banc és una acció il·legal.* ▪ *Vendre droga és il·legal.*

il·legible il·legibles *adj* Que no es pot llegir: *Les lletres d'aquesta fotocòpia tan borrosa són il·legibles.*

il·legítim il·legítima il·legítims il·legítimes *adj* Es diu d'una cosa que és il·legal, que no es fa d'acord amb la llei: *Un govern il·legítim.*

illenc illenca illencs illenques **1** *nom m i f* Habitant d'una illa; persona natural o procedent d'una illa. **2** *adj* Es diu de les persones o de les coses naturals o procedents d'una illa.

il·lès il·lesa il·lesos il·leses *adj* Que no ha rebut cap dany: *La casa es va ensorrar, però per sort les persones en van sortir il·leses.*

il·lícit il·lícita il·lícits il·lícites *adj* Il·legal, que no està permès.

il·limitat il·limitada il·limitats il·limitades *adj* Que no té límits, que no s'acaba: *L'espai és il·limitat.*

il·localitzable il·localitzables *adj* Que no pot ser localitzat, que no pot ser trobat: *El vam buscar durant tot el dia i no el vam trobar, era il·localitzable.*

il·lògic il·lògica il·lògics il·lògiques *adj* Que no és lògic: *El seu comportament era il·lògic, no era l'adequat en aquella situació.*

illot illots *nom m* Illa molt petita.

il·luminació il·luminacions *nom f* **1** Acció d'il·luminar un lloc, un local, etc. **2** Conjunt dels llums que hi ha en un edifici, en un carrer, etc.: *En aquest poble encara hi ha carrers que no tenen il·luminació.*

il·luminar *v* Fer que hi hagi llum en un lloc: *Els fanals il·luminen el carrer.* ▪ *Els focus de llum il·luminen l'escenari del teatre.*
Es conjuga com *cantar*.

il·luminat il·luminada il·luminats il·luminades **1** *adj* Que rep la llum, que té molta llum: *Un carrer ben il·luminat.* **2** *nom m i f* Persona que creu que rep missatges sobrenaturals i divins.

il·lús il·lusa il·lusos il·luses *adj i nom m i f* Innocent, que viu d'il·lusions: *Ha fet un poema molt dolent i encara creu que li donaran un premi: és un il·lús.*

il·lusió il·lusions *nom f* Alegria, esperança que es té d'aconseguir una cosa que es desitja: *A la Jordina li feia molta il·lusió anar d'excursió amb la seva classe.*

il·lusionar *v* **1** Fer venir ganes de fer una cosa, fer agafar il·lusió per una cosa: *El mestre ens va fer il·lusionar per l'estudi dels insectes.* **2** **il·lusionar-se** Tenir ganes de fer una cosa: *M'il·lusiona molt fer aquest viatge.*
Es conjuga com *cantar*.

il·lusionista il·lusionistes *nom m i f* Persona que es dedica a fer jocs de mans, etc.: *Aquell il·lusionista va fer sortir tres conills del barret.*

il·lusori il·lusòria il·lusoris il·lusòries *adj* Imaginari, irreal.

il·lustració il·lustracions *nom f* Dibuix o fotografia que acompanya un escrit, un llibre, etc.: *En aquesta revista hi ha moltes il·lustracions.*

il·lustrador il·lustradora il·lustradors il·lustradores *nom m i f* Persona que té per ofici fer les il·lustracions dels llibres.

il·lustrar *v* **1** Posar il·lustracions, dibuixos, fotografies, etc.: *Aquest llibre de contes està il·lustrat amb uns dibuixos molt bonics.* **2** Posar exemples perquè s'entengui millor una cosa: *El professor ens va il·lustrar la lliçó amb uns exemples fàcils d'entendre.* **3** **il·lustrar-se** Adquirir coneixements sobretot estudiant i llegint molt, instruir-se: *Aquell vell s'havia il·lustrat al llarg de la seva vida llegint i viatjant.*
Es conjuga com *cantar*.

i

il·lustre il·lustres adj Important, famós: El poeta Joan Maragall és un dels personatges il·lustres de Catalunya.

imaginació imaginacions nom f **1** Facultat que tenen les persones de pensar coses noves que no han vist ni sentit abans: Aquest nen té molta imaginació, sempre s'inventa contes i els explica als seus amics. **2** Cosa que algú s'imagina: Això no és veritat, només són imaginacions teves!

imaginar v Representar-se una cosa en el pensament, però sense veure-la realment: Imagina't que el cotxe es posa a volar. Es conjuga com cantar.

imaginari imaginària imaginaris imaginàries adj Que no és real, que només existeix en la imaginació.

imaginatiu imaginativa imaginatius imaginatives adj Que està fet amb molta imaginació: Els quadres d'aquest pintor són molt imaginatius.

imant imants nom m **1** Mineral que té la propietat d'atreure el ferro. **2** Tros de ferro que ha estat imantat, és a dir, que ha adquirit la propietat d'atreure el ferro.

imantar v Convertir un objecte en un imant. Es conjuga com cantar.

imantat imantada imantats imantades adj Que conté imant: La brúixola té una agulla imantada que assenyala sempre el nord.

imatge imatges nom f **1** Qualsevol cosa com ara una pintura, una estàtua, etc. que en representa una altra: A les esglésies hi ha imatges de sants. **2** Aspecte extern d'una persona o d'una cosa.

imbatible imbatibles adj Que no es pot guanyar: Aquest jugador d'escacs és imbatible, ningú no ha aconseguit de guanyar-lo mai.

imbècil imbècils adj i nom m i f Estúpid, molt poc intel·ligent.

imberbe imberbes adj Que no té barba; es diu d'algú a qui no creix el pèl de la barba: Uns jovenets imberbes.

imbuir v Infondre un sentiment, una idea o una sensació a algú: Algú li ha imbuït la idea que se'l tracta malament. Es conjuga com reduir.

imitació imitacions nom f Cosa que és molt semblant a una altra, però no ben exacta: Aquest collaret de perles és una imitació, les perles no són autèntiques.

imitar v Copiar una cosa, seguir la manera de ser o d'actuar d'una altra persona: La Lluïsa imita molt bé la veu de la professora. Es conjuga com cantar.

immadur immadura immadurs immadures adj **1** Es diu d'una persona adulta que es comporta com si no tingués l'edat que té, com si fos un infant. **2** Es diu d'una cosa que encara no està prou desenvolupada.

immaterial immaterials adj Que no és material i, per tant, que no es pot veure ni tocar: Els sentiments i les sensacions són immaterials.

immediat immediata immediats immediates adj Sense distància d'espai o de temps: Quan es va calar foc a l'edifici, l'arribada dels bombers va ser immediata.

immediatament adv Tot seguit, sense perdre temps: Vam telefonar al metge i va venir immediatament.

immemorial immemorials adj Molt llunyà en el temps, tan antic que no es recorda quan va començar: La celebració de la festa major és immemorial.

immens immensa immensos immenses adj Molt gran.

immerescut immerescuda immerescuts immerescudes adj Que no és merescut: El càstig que ha hagut de suportar no era merescut, la falta no era tan greu.

immergir v Submergir en un líquid. Es conjuga com servir.

immersió immersions nom f Acció de submergir-se dins l'aigua o dins un altre líquid: Els submarinistes fan immersió.

immigració immigracions nom f Acció d'immigrar, d'anar a un lloc per quedar-s'hi a viure: Hi ha molta immigració de gent a la ciutat.

immigrant immigrants adj i nom m i f Es diu de la persona que arriba a un lloc per quedar-s'hi a viure: Vénen molts immigrants en aquesta ciutat per treballar a la indústria.

immigrar v Arribar a un lloc per quedar-s'hi a viure: Molta gent que abans vivia a pagès ha immigrat a la ciutat. Es conjuga com cantar.

immillorable immillorables *adj* Que de tan bo que és, no es pot millorar.

imminent imminents *adj* Que passarà d'un moment a l'altre: *L'arribada del cantant de rock a l'aeroport és imminent.*

immòbil immòbils *adj* Que no es mou: *Els seients d'aquest cotxe són immòbils, no es poden tirar endavant ni endarrere.* ▪ *En Jacint es va estar molta estona immòbil a la seva cadira.*

immobiliari immobiliària immobiliaris immobiliàries **1** *adj* Relacionat amb la indústria de la construcció d'edificis, amb la compra, la venda i el lloguer de pisos, locals, cases, etc. **2 immobiliària** *nom f* Empresa dedicada a la compra i venda de pisos, cases i edificis.

immobilitzar *v* No deixar moure una cosa o una persona: *Dos policies van agafar el lladre pels braços i el van immobilitzar.*
Es conjuga com *cantar.*

immoble immobles *adj* i *nom m* Es diu dels béns i de les propietats que consisteixen en terres i edificis.

immoral immorals *adj* Que és contrari als costums morals de la gent, a les normes establertes d'una societat: *L'assassinat és un acte immoral.*

immortal immortals *adj* Que no pot morir, que sempre serà recordat: *La pintura de Picasso és immortal.*

immund immunda immunds immundes *adj* Molt brut, amb molta porqueria: *Aquella gent vivia en un barri de carrers immunds.*

immundícia immundícies *nom f* Brutícia, escombraries.

immune immunes *adj* Que està protegit contra una malaltia o contra un possible contagi: *Les vacunes ens fan immunes contra algunes malalties greus.*

immunitzar *v* Protegir contra una malaltia o contra un contagi.
Es conjuga com *cantar.*

immutar-se *v* Alterar-se, canviar d'estat emocional.
Es conjuga com *cantar.*

impaciència impaciències *nom f* Estat de nerviosisme que es produeix quan algú té moltes ganes de fer una cosa i s'ha d'esperar.

impacient impacients *adj* Es diu de la persona que no té paciència, que no sap esperar-se, que està en un estat d'impaciència: *Aquella nena està impacient perquè ja voldria començar a menjar el pastís sense esperar que arribin els seus germans.*

impacientar-se *v* Posar-se nerviós, perdre la paciència.
Es conjuga com *cantar.*

impacte impactes *nom m* **1** Xoc molt fort d'una cosa contra una altra: *El soldat va disparar i la bala va fer impacte sobre una paret.* **2** Impressió molt forta produïda per un fet o una cosa: *El primer disc d'aquell conjunt musical va fer un gran impacte.*

impala impales *nom m* Animal mamífer que pastura a la selva d'Àfrica, té el cos molt esvelt de color rogenc i blanc i dues banyes molt llargues.

imparcial imparcials *adj* Just, que no va a favor de ningú: *En la baralla entre els dos nens, el professor es va mostrar imparcial.*

imparell imparella imparells imparelles *adj* Es diu d'un nombre que no és múltiple de dos, senar.

impartir *v* Ensenyar una matèria, una assignatura, etc.: *Aquella professora impartia informàtica.*
Es conjuga com *servir.*

impassible impassibles *adj* Que no mostra cap emoció, que no s'altera per res.

impàvid impàvida impàvids impàvides *adj* Sense por, sense posar-se nerviós: *El cantant va aguantar impàvid els xiulets del públic.*

impecable impecables *adj* Perfecte, en molt bon estat, sense cap defecte.

impediment impediments *nom m* Obstacle que impedeix de fer una cosa: *Per a poder sortir de l'estadi amb el cotxe vaig trobar molts impediments, perquè feien obres a la zona i hi havia tot de màquines i tanques de ferro arreu.*

impedir *v* No deixar fer una cosa: *La pluja va impedir que es fes el recital a l'aire lliure.* ▪ *La policia va impedir que els lladres robessin el banc.*
Es conjuga com *servir.*

impedit impedida impedits impedides *adj* i *nom m* i *f* Que no pot utilitzar les cames per a desplaçar-se: *Després de la caiguda, va quedar impedit de les cames.*

impenetrable impenetrables *adj* **1** Que no es pot penetrar: *Un bosc impenetrable.* ■ *Una selva impenetrable.* **2** Es diu de la persona tancada, que no deixa que ningú conegui els seus sentiments: *La Glòria té un caràcter impenetrable.*

impensable impensables *adj* Es diu d'una cosa que és gairebé impossible que es pugui realitzar: *És impensable que puguem sortir amb aquest mal temps!*

imperar *v* Dominar del tot: *En aquesta escola impera l'ordre i la disciplina.*
Es conjuga com *cantar.*

imperatiu imperativa imperatius imperatives **1** *adj* Que indica obligació, que expressa una ordre o una prohibició: *El pare es va enfadar amb mi i, en un to imperatiu, em va manar que desparés la taula.* **2** *nom m* **Temps** del verb que serveix per a formar oracions que expressen ordres: *"Corre!" i "vine!" són formes de l'imperatiu dels verbs "córrer" i "venir".*

imperceptible imperceptibles *adj* Que no es nota: *Aquesta pluja tan suau és gairebé imperceptible.*

imperdible imperdibles *adj* i *nom m* o *f* Es diu de l'agulla que té forma de U i que es pot tancar per la punta.

imperfecció imperfeccions *nom f* Impuresa, defecte, tara: *Aquesta perla té algunes imperfeccions i per això costa menys diners que aquella altra tan perfecta.*

imperfecte imperfecta imperfectes *adj* Que no és perfecte.

imperfet imperfeta imperfets imperfetes **1** *adj* Que no està acabat: *Una construcció imperfeta.* **2** *nom m* i *adj* Temps verbal que indica una acció passada i alhora expressa durada o continuïtat: *"Cantava" i "corria" són els imperfets de "cantar" i "córrer".*

imperi imperis *nom m* Conjunt de països i de territoris que estan sota el poder d'una autoritat.

imperial imperials *adj* Que està relacionat amb l'emperador o amb l'imperi: *L'emperador portava sobre el cap la corona imperial.*

imperialisme imperialismes *nom m* Política que practiquen alguns estats que dominen molts països fent servir tots els mitjans, fins i tot la guerra.

impermeable impermeables **1** *adj* Que no permet el pas d'un líquid a través seu: *El plàstic és un material impermeable.* **2** *nom m* **Peça** de vestir de roba, de plàstic o de qualsevol material que no deixa passar l'aigua a través seu: *Posa't l'impermeable, que plou.*

impermeable

impersonal impersonals *adj* **1** Sense mostrar confiança, distant; que no mostra cap característica personal: *Si escrius una carta a algú que no coneixes, hauràs de fer servir un to impersonal, correcte i distant.* **2** Es diu de les formes verbals que no distingeixen entre la primera, la segona i la tercera persones gramaticals: *L'infinitiu i el gerundi són formes impersonals del verb.*

impertinent impertinents **1** *adj* i *nom m* i *f* Es diu d'algú que diu o que fa coses que poden molestar els altres: *Una persona impertinent.* **2** *adj* Es diu d'una cosa inadequada, que pot molestar, que no fa al cas: *Una pregunta impertinent.*

ímpetu ímpetus *nom m* **Força, violència:** *El pont es va esbotzar a causa de l'ímpetu de les aigües.*

implacable implacables *adj* **Dur, que no** té pietat: *A les pel·lícules de violència, hi surten personatges implacables que fan venir por.*

implantar *v* **1** Plantar una cosa en una altra: *Li han fet una operació per implantar-li pell de la cuixa al lloc de la cremada.* **2** Fer que una cosa es comenci a posar en funcionament: *El govern ha implantat una reforma educativa.*
Es conjuga com *cantar.*

implicar *v* **1** Comportar, fer que es produeixi una cosa com a conseqüència d'una altra: *Conduir massa de pressa implica exposar-se a tenir un accident.* **2** **implicar-se** Trobar-se al mig d'una cosa: *En Lluís es va veure implicat en una baralla que ell no havia començat.*
Es conjuga com *cantar.* S'escriu *c* davant de *a, o, u* i *qu* davant de *e, i: implico, impliques.*

implorar *v* Demanar una cosa per favor, amb molta insistència, gairebé plorant: *Els presos*

van implorar als guardians que els deixessin en llibertat.
Es conjuga com *cantar*.

imponent imponents*adj* **Que fa molt efecte, que fa molta impressió:** *Aquell home tan ric conduïa un cotxe imponent.*

import imports *nom m* **Quantitat de diners que costa una cosa:** *Per aquest ordinador hem pagat un import de mil dos-cents euros.*

importació importacions *nom f* **Acció d'importar productes de l'estranger.**

importància importàncies *nom f* **Qualitat d'important:** *L'alimentació té molta importància per a la salut.*

important importants *adj* **1 Que té molt interès, que importa, que pot tenir conseqüències:** *No hem pogut fer el dinar perquè hem tingut un problema important: se'ns ha acabat el gas butà.* **2 Es diu d'una persona que ocupa un càrrec de responsabilitat, que té autoritat, que és famosa, etc.:** *En Carles és una persona important, perquè és l'alcalde del poble.*

importar*v* **1 Ser interessant, ser important o necessària una cosa per a algú:** *A mi m'importa molt saber on has posat les claus, perquè sense les claus no puc entrar a casa.* **2 Fer entrar en un país productes o mercaderies fets en un altre país:** *Alemanya importa taronges del País Valencià.*
Es conjuga com *cantar*.

importunar *v* **Dir o fer coses que poden molestar:** *Em va importunar amb preguntes que no tenia ganes de respondre.*
Es conjuga com *cantar*.

imposar*v* **1 Obligar algú a acceptar una cosa, a fer una cosa, etc.:** *La policia imposa multes als conductors que no respecten les normes de circulació.* **2 imposar-se Fer-se respectar, fer-se obeir:** *El nou professor s'ha sabut imposar des del primer dia.*
Es conjuga com *cantar*.

imposició imposicions*nom f* **Acció d'obligar algú a fer o a acceptar una cosa contra la seva voluntat.**

impossibilitat[1] impossibilitada impossibilitats impossibilitades *adj i nom m i f* **Es diu de la persona que no es pot valer d'un o més membres del cos:** *L'accident de cotxe el va deixar impossibilitat en una cadira de rodes.*

impossibilitat[2] impossibilitats*nom f* **Dificultat, impediment:** *Davant la impossibilitat de fer-te arribar el paquet per correu, te'l vindré a portar jo mateixa.*

impossible impossibles*adj* **Que no es pot fer, que no és possible, que no pot ser, que no es pot creure, etc.:** *És impossible d'acabar tota aquesta feina per demà!*

impost imposts o impostos*nom m* **Quantitat de diners que les persones i les empreses paguen a l'estat perquè es puguin mantenir els serveis públics:** *Els impostos que paguem serveixen per a pagar la policia, l'exèrcit, les escoles, les carreteres, etc.*

impostor impostora impostors impostores *nom m i f* **Persona que enganya fent-se passar per algú que no és:** *Es feia passar per metge, però van descobrir que era un impostor i que no tenia títol.*

impotència impotències *nom f* **Manca de força, de capacitat per a fer una cosa:** *La gent sentia impotència de no poder fer res quan les aigües van inundar el camp de futbol.*

impotent impotents*adj* **Que no té capacitat ni força per a fer una cosa.**

imprecís imprecisa imprecisos imprecises *adj* **Confús, incert, indeterminat:** *Aquesta informació és imprecisa i no aclareix res.*

impregnar*v* **Fer que una cosa quedi plena de partícules d'una altra cosa:** *El terra de l'estudi del pintor estava impregnat de pintura de tots colors.*
Es conjuga com *cantar*.

impremta impremtes*nom f* **1 Tècnica que permet de fer moltes còpies d'un escrit o d'un dibuix sobre paper, plàstic o cartró. 2 Taller on s'imprimeixen revistes, llibres, etc.**

imprès impresos *nom m* **Full que ha passat per la impremta, que s'ha reproduït en una impremta:** *La bústia era plena d'impresos de propaganda.*

imprescindible imprescindibles*adj* **Es diu d'una cosa que és necessària, que no se'n pot prescindir:** *L'aigua és imprescindible per a viure.*

impresentable impresentables *adj* **Que està fet de qualsevol manera, que no té un aspecte agradable:** *Aquest treball que has fet està ple de taques: és impresentable.*

impressió impressions *nom f* **1 Efecte fort que ens produeix una cosa:** *Volar amb avió fa* molta impressió. **2** Acció d'imprimir: *En aquesta impremta fan la impressió de la revista de l'escola.*

impressionant impressionants *adj* Que impressiona, que fa molt efecte: *Hem anat al port i hem vist un vaixell immens, impressionant.*

impressionar *v* Produir una impressió, un efecte fort: *Aquelles muntanyes tan altes ens van impressionar.*
Es conjuga com *cantar*.

impressor impressora impressors impressores *nom m i f* Persona encarregada de fer funcionar una màquina d'imprimir, que té una impremta o que hi treballa.

impressora impressores *nom f* Màquina que imprimeix els textos, els gràfics o les dades que surten de l'ordinador.

impressora

imprevisible imprevisibles *adj* Es diu d'una cosa que no es pot imaginar que passarà, que no es pot preveure amb temps.

imprevist imprevista imprevists o imprevistos imprevistes *adj i nom m* Es diu d'un fet inesperat, que no s'ha pogut preveure: *Volíem fer la festa al pati, però una pluja imprevista ho va impedir.*

imprimir *v* Reproduir un escrit o un dibuix sobre paper, plàstic, etc. per mitjà de la impremta, la impressora d'un ordinador, etc., de manera que se'n puguin fer moltes còpies: *A la nostra escola imprimim una revista mensual.*
Es conjuga com *servir*. Participi: *imprès, impresa.*

improductiu improductiva improductius improductives *adj* Que no produeix, que no dóna fruit: *Aquests terrenys són improductius, ens els haurem de vendre.*

improvís Paraula que apareix en l'expressió **d'improvís**, que vol dir "inesperadament, sense preparació".

improvisació improvisacions *nom f* Acció de fer una cosa sense haver-la preparada abans.

improvisar *v* Fer una cosa sense haver-la preparada abans: *No vaig tenir temps d'estudiar i, quan el mestre em va preguntar, vaig haver d'improvisar la resposta.*
Es conjuga com *cantar*.

imprudència imprudències *nom f* Acció que es fa sense tenir en compte els perills que pot comportar: *Conduir una moto sense casc és una imprudència.*

imprudent imprudents *adj i nom m i f* Que no vigila, que fa les coses sense tenir en compte els perills que poden comportar: *Aquesta conductora és imprudent, corre massa.*

impugnar *v* Anar contra una cosa, reclamar contra una cosa que no s'ha fet d'acord amb les lleis o les normes: *L'equip perdedor va impugnar el resultat del partit, perquè l'àrbitre havia afavorit l'equip contrari.*
Es conjuga com *cantar*.

impuls impulsos *nom m* **1** Acció d'empènyer una cosa amb força: *Va picar la pilota amb la raqueta amb tant d'impuls, que la va enviar fora de la pista.* **2** Desig involuntari i sobtat de fer una cosa: *De cop vaig sentir l'impuls d'aixecar-me i posar-me a córrer.*

impulsar *v* **1** Empènyer una cosa amb força: *Amb el peu vaig impulsar la pilota i la vaig enviar molt lluny.* **2** Fer funcionar una cosa, una activitat, etc.: *El professor de llengua impulsa la revista de l'escola.*
Es conjuga com *cantar*.

impulsiu impulsiva impulsius impulsives *adj i nom m i f* Es diu de la persona que actua sense reflexionar, per impulsos.

impune impunes *adj* Que queda sense càstig: *Alguns crims queden impunes, perquè la policia no en pot detenir els autors.*

impur impura impurs impures *adj* **1** Que no és pur. **2** Que va contra les regles de la moral sexual d'una societat: *Una acció impura.*

impuresa impureses *nom f* Allò que fa que una cosa no sigui neta, pura: *L'aigua del riu baixa plena de brutícia i d'impureses de les fàbriques.*

imputar *v* Donar la culpa a algú d'alguna cosa: *Li imputaven una falta que mai no havia comès.*
Es conjuga com *cantar*.

in- Prefix, element que s'afegeix al davant d'una paraula i que vol dir la negació d'una cosa: *Una cosa "visible" és una cosa que es pot* veure; en canvi, una cosa "invisible" és una cosa que no es pot veure.

inacabable inacabables *adj* Que no s'acaba, que tarda molt a acabar-se: *Aquesta pel·lícula és inacabable, ja fa tres hores que dura.*

inacabat inacabada inacabats inacabades *adj* Es diu d'una cosa que no està acabada.

inacceptable inacceptables *adj* Que no es pot acceptar: *Que no hagis vingut a l'acte i ni tan sols no t'hagis excusat és un fet inacceptable.*

inaccessible inaccessibles *adj* Es diu d'un lloc al qual és difícil d'arribar: *El camí que du a la casa és inaccessible, és ple de troncs i de branques.*

inactiu inactiva inactius inactives *adj* Que no té activitat, que no actua: *Un volcà apagat, inactiu.*

inadequat inadequada inadequats inadequades *adj* Que no és adequat: *Portes unes sabates inadequades per a anar d'excursió, posa-te'n unes altres d'esportives.*

inalterable inalterables *adj* Que no s'altera, que no canvia: *En Martí té un caràcter inalterable, res no aconsegueix fer-lo posar nerviós.*

inanició inanicions *nom f* Gran debilitat física causada per la falta d'aliments i que pot produir la mort: *Encara hi ha molts infants al món que moren d'inanició.*

inaudit inaudita inaudits inaudites *adj* Sorprenent, extraordinari, increïble: *Això que expliques és inaudit, no sé si creure-m'ho.*

inauguració inauguracions *nom f* Acció d'inaugurar, d'obrir per primera vegada una cosa al públic: *La inauguració de l'exposició d'escultures es farà demà al vespre.*

inaugurar *v* Obrir per primera vegada una cosa al públic: *L'alcalde va inaugurar la piscina nova.* Es conjuga com *cantar.*

incalculable incalculables *adj* Es diu d'una quantitat, d'un valor, etc. que és tan gran, que no es pot calcular: *Aquest quadre és molt valuós, el seu valor és incalculable.*

incandescent incandescents *adj* Que fa molta claror a causa de l'escalfor: *A dins d'una bombeta hi ha un fil incandescent.*

incansable incansables *adj* Que no es cansa mai.

incapaç incapaços incapaces *adj* Es diu de la persona que no sap o no pot fer una cosa, que no és capaç de fer-la: *Aquella noia és molt bona, és incapaç de fer mal a ningú.*

incapacitat[1] incapacitada incapacitats incapacitades *adj i nom m i f* Es diu de la persona que no pot fer una cosa a causa d'un accident, d'una malaltia o d'algun altre impediment: *Ha quedat incapacitat a causa de l'accident de moto.*

incapacitat[2] incapacitats *nom f* Manca de capacitat per a fer una cosa: *Té una gran incapacitat per als estudis musicals.*

incendi incendis *nom m* Foc molt fort, que destrueix un bosc, una casa, etc.: *A l'estiu hi ha molt perill d'incendis al bosc.*

incendiar *v* Produir un incendi, un foc molt fort. Es conjuga com *canviar.*

incert incerta incerts incertes *adj* Poc segur, imprecís, que no se sap d'una manera certa: *Després dels estudis, el meu futur és incert: no sé si trobaré feina.*

incertesa incerteses *nom f* Situació que provoca desorientació, falta de seguretat i confusió: *Després d'un examen, sempre tinc la incertesa de saber si l'he fet bé o malament.*

incertitud incertituds *nom f* Incertesa.

incident incidents *nom m* Fet imprevist o inesperat, problema, complicació.

incineradora incineradores *nom f* Lloc proveït d'un forn especial per a cremar les substàncies orgàniques procedents de les escombraries, fins que només en queden les cendres.

incinerar *v* Cremar una cosa fins que només en queden cendres: *Hi ha persones que en morir prefereixen ser incinerades en comptes de ser enterrades.* Es conjuga com *cantar.*

incisió incisions *nom f* Tall que es fa amb un instrument tallant.

incisiu incisiva incisius incisives *adj* **1** Que talla. **2 dents incisives** Dents situades al davant de la boca, entre els dos ullals, que serveixen per a tallar l'aliment.

incitar *v* Animar o empènyer algú a fer una cosa: *El van incitar a pegar als qui l'havien insultat.* Es conjuga com *cantar.*

inclinació inclinacions *nom f* **1** Acció d'inclinar: *Per saludar el rei la gent feia inclinacions* de cap. **2** Tendència a fer una cosa: *Tenia una forta inclinació al joc.*

inclinar *v* Desviar alguna cosa de la seva posició o direcció: *La porta era molt baixa i, per poder passar, aquell senyor tan alt va haver d'inclinar el cap.*
Es conjuga com *cantar.*

incloure *v* **1** Posar una cosa dintre d'una altra: *Inclourem el nom de tots els músics en el programa.* **2** Contenir: *El menú valia vint euros i incloïa el pa, la beguda i les postres.*
Es conjuga com *concloure.*

inclusió inclusions *nom f* Acció d'incloure, de posar una cosa dins d'una altra.

incògnita incògnites *nom f* Causa desconeguda d'un fet, cosa desconeguda: *No sabem per què en Robert està trist, és una incògnita.*

incoherent incoherents *adj* Que no és coherent, que no té coherència: *S'expressava amb paraules incoherents.*

incolor incolora incolors incolores *adj* Que no té cap color.

incombustible incombustibles *adj* Que no crema: *Un material incombustible.*

incòmode incòmoda incòmodes *adj* Que no s'hi està bé, que provoca molèsties: *El sofà és incòmode, la butaca és incòmoda i les cadires també, i sempre acabo amb un bon mal d'esquena.*

incomoditat incomoditats *nom f* Manca de comoditat, molèstia, inconvenient.

incompatible incompatibles *adj* Es diu de les persones o de les coses que no són compatibles, que no s'avenen: *Són dos caràcters incompatibles.* ■ *El meu ordinador i el teu són incompatibles.*

incompetent incompetents *adj* Que no val per a fer una feina, que no sap fer bé una cosa.

incomplet incompleta incomplets incompletes *adj* Que no és complet, que no és sencer.

incomprensible incomprensibles *adj* Que no es pot comprendre, que no s'entén.

incomunicar *v* Aïllar algú en un lloc des del qual és impossible de comunicar-se amb els altres: *El poble va quedar incomunicat a causa de la nevada.*

Es conjuga com *cantar.* S'escriu *c* davant de *a, o, u* i *qu* davant de *e, i*: incomunico, incomuniques.

inconcebible inconcebibles *adj* Es diu d'una cosa que és difícil d'imaginar, de concebre.

incongruent incongruents *adj* Es diu d'una cosa que no és congruent, que no és coherent ni lògica, que és absurda.

inconscient inconscients *adj* **1** Es diu de la persona que ha perdut el coneixement: *El cop el va deixar inconscient.* **2** Es diu de la persona que no reflexiona les coses abans de fer-les. **3** Mecànic, involuntari: *Un moviment inconscient.* **4** *nom m* Part no conscient de la personalitat d'una persona, que influeix sobre el seu comportament: *Deia que aquell fet no l'afectava, però en el seu inconscient n'estava molt afectat.*

inconstant inconstants *adj* Que no és constant: *Bufava un vent inconstant, que ara parava i ara tornava a engegar.* ■ *És una persona inconstant, hi ha dies que treballa molt i dies que treballa molt poc.*

inconvenient inconvenients *nom m* Problema, dificultat o desavantatge d'una cosa: *Viatjar amb cotxe té alguns inconvenients, com ara el perill de tenir un accident.*

incorporar *v* **1** Afegir una cosa a un conjunt: *Tres jugadors nous s'han incorporat a l'equip.* **2** incorporar-se Alçar-se de mig cos per amunt: *Estava estirat al llit, però quan ens va veure es va incorporar.*
Es conjuga com *cantar.*

incorrecció incorreccions *nom f* Cosa que es diu o que es fa de manera incorrecta: *Aixecar-se de la taula abans d'acabar de menjar és una incorrecció.* ■ *Aquest escrit és ple d'incorreccions gramaticals.*

incorrecte incorrecta incorrectes *adj* Que no és correcte, que no està bé, que té errors o defectes: *La teva resposta a la pregunta de l'examen era incorrecta i, per això, et van suspendre.*

incrèdul incrèdula incrèduls incrèdules *adj i nom m i f* Es diu de la persona que no es creu una cosa, que no creu en una cosa, en una religió, etc.

increïble increïbles *adj* Que no és creïble, que no es pot creure: *Ens ha donat una excusa increïble.*

increment increments *nom m* Augment, creixement d'una cosa.

incrementar *v* Augmentar: *Aquest any han incrementat els preus de la fruita.*
Es conjuga com *cantar*.

incrustar *v* Ficar una cosa dins d'una altra de manera que hi quedi ben encaixada: *El joier incrustava diamants en un braçalet d'or.*
Es conjuga com *cantar*.

incubadora incubadores *nom f* **1** Aparell que serveix per a mantenir a una temperatura convenient els nens prematurs, que han nascut abans de temps. **2** Aparell que serveix per a covar els ous artificialment.

incubadora

incubar *v* Covar.
Es conjuga com *cantar*.

inculcar *v* Dir i repetir una cosa a algú fins que l'hagi apresa; infondre una idea o un pensament a algú.
Es conjuga com *cantar*. S'escriu *c* davant de *a, o, u* i *qu* davant de *e, i: inculco, inculques.*

inculte inculta incultes *adj* Es diu de la persona ignorant i sense gens de cultura.

incumbència incumbències *nom f* Obligació o tasca que correspon a algú pel seu càrrec o feina: *Aquest problema no és de la nostra incumbència.*

incurable incurables *adj* Que no es cura: *Una malaltia incurable.*

incursió incursions *nom f* **1** Entrada d'un exèrcit en el territori de l'enemic. **2** El fet de dedicar-se excepcionalment a una activitat que no és la pròpia o habitual: *Aquell pintor ha fet alguna incursió en el camp de la fotografia.*

indagar *v* Investigar, fer passos per arribar a saber una cosa.
Es conjuga com *cantar*. S'escriu *g* davant de *a, o, u* i *gu* davant de *e, i: indago, indagues.*

indecent indecents *adj* **1** Que va contra allò que es consideren bons costums, bones maneres. **2** Que hi falten moltes coses, que no està bé: *Abans vivien en una barraca indecent, però ara viuen en una casa.*

indecís indecisa indecisos indecises *adj* Es diu de la persona que no sap decidir-se: *La Quima està indecisa, no sap si quedar-se a casa a veure la televisió o si sortir a jugar amb les amigues.*

indecisió indecisions *nom f* Dubte, incertesa.

indefens indefensa indefensos indefenses *adj* Que no té defensa davant un perill: *Ens atacaven i no teníem cap arma, estàvem indefensos.*

indefinit indefinida indefinits indefinides *adj* **1** Es diu d'una cosa que no és precisa, que és poc determinada: *Un color indefinit, entre groc i vermell.* **2** Que no té final, il·limitat: *A l'empresa, li han fet un contracte indefinit.* **3** **article indefinit** Es diu dels articles *un, una, uns, unes.*

indemnització indemnitzacions *nom f* Quantitat de diners que es dóna a algú per compensar un perjudici que ha sofert: *Va tenir un accident laboral i li van pagar una indemnització.*

indemnitzar *v* Donar diners a algú per compensar un dany, un perjudici que ha sofert.
Es conjuga com *cantar*.

independència independències *nom f* Fet de no dependre d'un altre, de tenir llibertat: *Trobar feina és el primer pas cap a la independència respecte als pares.* ▪ *Aquell partit polític demana la independència del país.*

independent independents *adj* Que no depèn d'un altre, que té llibertat.

independentisme independentismes *nom m* Moviment que lluita per la independència d'una nació o d'un país.

independitzar-se *v* Aconseguir la separació, la llibertat i la independència: *La República d'Irlanda es va independitzar totalment de la Gran Bretanya el 1937.*
Es conjuga com *cantar*.

indestructible indestructibles *adj* Que no pot ser destruït.

indeterminat indeterminada indeterminats indeterminades *adj* **1** Que no és concret: *L'autocar arribarà aquesta tarda a una hora indeterminada, no sabem exactament quan.* **2** Es diu dels articles *un, una, uns, unes.*

índex índexs *nom m* **1** Llista dels capítols o dels temes de què tracta un llibre. **2** dit índex

Segon dit de la mà, que està al costat del dit gros. **15**

indi[1] **índia indis índies 1** *nom m* i *f* Habitant de l'Índia; persona natural o procedent de l'Índia. **2** *nom m* i *f* Habitant d'Amèrica descendent dels antics pobladors que ja hi vivien abans de l'arribada dels europeus. **3** *adj* Es diu de les persones o de les coses naturals o procedents de l'Índia o bé relacionades amb els indis d'Amèrica.

indi[2] **indis** *nom m* **1** Substància colorant de color blavós. **2** Un dels colors de l'arc iris, entre el blau i el violeta.

indicació indicacions *nom f* Explicació, instrucció, senyal: *Quan es condueix, s'ha de fer cas de les indicacions de la carretera.*

indicador indicadora indicadors indicadores 1 *adj* Que indica, que serveix per a indicar una cosa. **2** *nom m* Objecte que serveix per a indicar una cosa: *Aquesta placa vermella amb una barra blanca al mig és un indicador de direcció prohibida.*

indicar *v* **1** Mostrar una cosa amb el dit, assenyalar. **2** Donar a algú un consell o una explicació: *El mestre ens va indicar la manera de solucionar el problema.*
Es conjuga com *cantar*. S'escriu *c* davant de *a, o, u* i *qu* davant de *e, i: indico, indiques.*

indicat indicada indicats indicades *adj* Adequat: *La Ramona és la persona indicada per a fer aquesta feina.*

indicatiu indicativa indicatius indicatives 1 *adj* Que indica, que serveix per a indicar una cosa, indicador: *Aquests núvols tan negres són indicatius de pluja.* **2** *nom m* Conjunt de formes del verb que serveixen per a formar oracions que expressen accions reals: *En l'oració "el nen riu", "riu" està en indicatiu.*

indici indicis *nom m* Senyal, signe que fa que puguem saber una cosa: *No se sentia res i totes les finestres eren tancades; això era un indici que a la casa no hi havia ningú.*

indiferència indiferències *nom f* Falta d'interès per una cosa: *Es mirava la pel·lícula amb indiferència.*

indiferent indiferents *adj* Que no està interessat en una cosa, que tant li fa una cosa com una altra: *A l'Isidre li era indiferent viatjar amb cotxe o amb tren.*

indígena indígenes 1 *nom m* i *f* Persona que ha nascut en el país on viu. **2** *adj* Es diu de qualsevol cosa que és natural o pròpia d'un país.

indigent indigents *adj* i *nom m* i *f* Es diu de les persones a qui falten les coses necessàries per a viure.

indigest indigesta indigests o **indigestos indigestes** *adj* Es diu d'un menjar que és difícil de digerir, de pair.

indigestar-se *v* Patir una indigestió.
Es conjuga com *cantar*.

indigestió indigestions *nom f* Sensació de malestar que se sent quan no es paeix bé el menjar.

indignació indignacions *nom f* Ràbia que se sent quan algú ha causat una injustícia: *Com que el guanyador havia fet trampa, els altres jugadors sentien indignació.*

indignar *v* Fer enfadar molt: *El professor s'indigna quan li diuen mentides.*
Es conjuga com *cantar*.

indigne indigna indignes *adj* Que no és correcte, que no és digne: *Enganyar els amics és una acció indigna.*

indiot indiots *nom m* Gall dindi.

indirecta indirectes *nom f* Es diu d'una manera de parlar que vol donar a entendre una cosa que no es diu directament: *Li va dir "quina bicicleta tan maca", i era una indirecta que volia dir: "m'agradaria que me la deixessis".*

indirecte indirecta indirectes *adj* Que no és directe, que no va immediatament en un lloc, sinó que fa una volta.

indiscret indiscreta indiscrets indiscretes *adj* Es diu de la persona que diu o fa una cosa poc adequada a una situació: *Un comentari indiscret.*

indiscutible indiscutibles *adj* Que no es pot discutir perquè és molt clar o molt evident: *És indiscutible: si plou no anirem d'excursió perquè ens mullaríem.*

indispensable indispensables *adj* Necessari, imprescindible: *Per poder dur cotxe és indispensable tenir el permís de conduir.*

indisposició indisposicions *nom f* Malestar, malaltia de poca importància que dura poques hores.

individu individus *nom m* Persona, ésser animal o vegetal: *A dins d'aquest cotxe hi caben cinc individus.*

individual individuals *adj* Que és d'un sol individu, que ho fa servir només una persona: *Els seients de davant del cotxe són individuals, només hi cap una persona.*

individualista individualistes *adj i nom m i f* Es diu de la persona a qui no agrada de dependre dels altres, que fa les coses sense pensar en els altres, que és egoista.

indivisible indivisibles *adj* Que no es pot dividir.

indo- Element amb què comencen algunes paraules i que vol dir "indi".

indret indrets *nom m* Lloc: *Vam fer una excursió per la muntanya i vam passar per uns indrets molt bonics.*

indubtable indubtables *adj* Que no es pot posar en dubte: *És indubtable que el febrer és el mes més curt de l'any.*

induir *v* Incitar, convèncer algú perquè faci una cosa.
Es conjuga com *reduir.*

indulgent indulgents *adj* Que perdona o disculpa amb facilitat les faltes i els errors dels altres: *Un professor indulgent.*

indult indults *nom m* Perdó de la pena o d'una part de la pena d'un presoner.

indultar *v* Perdonar un càstig: *El tribunal va indultar el lladre perquè va considerar que havia robat per necessitat.*
Es conjuga com *cantar.*

indumentària indumentàries *nom f* Conjunt de peces de vestir que fan servir les persones.

indústria indústries *nom f* Conjunt d'activitats destinades a transformar les matèries primeres amb l'ajuda de màquines, per tal de fabricar productes i objectes: *En aquesta comarca hi ha molta indústria tèxtil: de roba, teixits, etc.*

industrial industrials **1** *adj* Que està relacionat amb la indústria: *Catalunya és un país industrial, hi ha molta indústria.* **2** *nom m i f* Persona que es dedica a la indústria, empresari.

industrialitzar *v* Crear moltes indústries en un lloc: *Moltes ciutats de Catalunya van ser industrialitzades al segle XIX.*
Es conjuga com *cantar.*

ineficaç ineficaços ineficaces *adj* Que no fa l'efecte desitjat, que no funciona com hauria de funcionar, que no serveix per a aconseguir el que es pretén: *La pomada que li va receptar el metge era ineficaç contra el dolor.*

inepte inepta ineptes *adj* Es diu de la persona que no serveix per a fer una cosa, que no en sap.

inèrcia inèrcies *nom f* **1** Propietat que fa que una cosa no pugui canviar per ella mateixa la situació de repòs o de moviment en què es troba: *La pilota va anar rodolant per inèrcia pendent avall, fins que va arribar a baix de tot.* **2** Falta de moviment, d'energia i d'agilitat: *Fa les coses sense ganes, per inèrcia.*

inert inerta inerts inertes *adj* Que no es pot moure o que no es pot aturar per si mateix: *Les pedres són inertes.*

inesperat inesperada inesperats inesperades *adj* Es diu d'una cosa que passa sense que l'esperéssim: *Hem tingut una visita inesperada.*

inestable inestables *adj* Que no és estable, que es mou o canvia fàcilment de lloc, de posició, d'estat.

inevitable inevitables *adj* Que no es pot evitar: *Alguns accidents de circulació són inevitables.*

inexacte inexacta inexactes *adj* Es diu d'una cosa que no és exacta.

inexistent inexistents *adj* Que no existeix.

inexpert inexperta inexperts inexpertes *adj* Que no té experiència, que li falta entrenament: *Tot just ha acabat la carrera de medicina: encara és un metge inexpert.*

inexplicable inexplicables *adj* Que no es pot explicar, que és difícil d'explicar: *Van caure de l'arbre d'una manera inexplicable, ningú no ho entén.*

infal·lible infal·libles *adj* Que no pot fallar, que no falla mai, segur: *La meva àvia sap un remei infal·lible per al mal d'orella.*

infàmia infàmies *nom f* Acció molt dolenta que comporta el deshonor i la mala fama de la persona que la comet.

infància infàncies *nom f* Primera edat, primers anys de la vida d'una persona, des del naixement fins a l'adolescència.

infant[1] infanta infants infantes *nom m i f* Fill, descendent del rei.

infant² infants *nom m* **Nen o nena:** *Els infants jugaven al pati de l'escola.*

infantar *v* **Parir, tenir una criatura:** *La reina va infantar dos bessons.*
Es conjuga com *cantar.*

infanteria infanteries *nom f* **Conjunt de soldats que van i lluiten a peu.**

infantesa infanteses *nom f* **Infància.**

infantil infantils *adj* **Que està relacionat amb la infància o amb els infants, que és propi o típic dels infants:** *L'ajuntament organitza un cicle de cine infantil.*

infart infarts *nom m* **Lesió que es produeix al cor o en algun altre òrgan del cos quan deixa d'arribar-hi la sang:** *L'han hagut d'ingressar urgentment a l'hospital a causa d'un infart de cor.*

infatigable infatigables *adj* **Que no es cansa mai, que té molta resistència.**

infecció infeccions *nom f* **Entrada de microbis, de virus o de bacteris en un organisme, que poden produir una malaltia:** *La Meritxell ha agafat una infecció i ara està refredada i té mal de coll.*

infecciós infecciosa infecciosos infeccioses **1** *adj* **Que és causat per una infecció:** *Una malaltia infecciosa.* **2** *adj i nom m i f* **Es diu de la persona que pateix una infecció:** *En aquesta sala de l'hospital hi ha els malalts infecciosos.*

infectar *v* **Fer agafar una malaltia, produir una infecció:** *No es va netejar la ferida i se li va infectar.*
Es conjuga com *cantar.*

infeliç infeliços infelices **1** *adj* **Que no és feliç. 2** *adj i nom m i f* **Es diu de la persona innocent, sense malícia ni males intencions:** *Pobre infeliç!, com vols anar a peu fins al poble amb aquesta pluja?*

inferior inferiors *adj* **1 Situat més avall que una altra cosa:** *Aquesta casa té dos pisos, nosaltres vivim al pis inferior.* **2 Que no és tan bo, tan important:** *Aquest producte és d'una qualitat inferior, no va tan bé com aquest altre.* **3** *nom m i f* **Persona que obeeix, que està sota les ordres d'una altra persona. 4 membres inferiors Les cames.**

inferioritat inferioritats *nom f* **Qualitat d'inferior:** *Aquest noi té un complex d'inferioritat, es pensa que és inferior als altres.*

infermer infermera infermers infermeres *nom m i f* **Persona que cuida els malalts i que col·labora amb el metge:** *La Cèlia és infermera i treballa en un hospital.*

infermer

infermeria infermeries *nom f* **Lloc on s'atenen malalts i es curen ferides.**

infern inferns *nom m* **1 En algunes religions, lloc on van a parar les persones mortes que s'han portat malament durant la seva vida. 2 Situació dolenta, violenta, difícil, etc.:** *Treballar amb vosaltres és un infern, sempre us esteu barallant.*

infidel infidels **1** *adj* **Que no és fidel, que traeix la confiança. 2** *nom m i f* **Persona que té una religió diferent de la que alguns consideren que és la veritable.**

infiltració infiltracions *nom f* **1 Acció de fer passar un líquid a través d'un cos sòlid. 2 Acció de penetrar, d'infiltrar-se en un lloc:** *La banda d'espies va dur a terme la infiltració d'informació d'un país a un altre.*

infiltrar-se *v* **Penetrar algú en un lloc d'amagat:** *Dos nens de tercer es van infiltrar en la reunió dels de quart i ningú no se'n va adonar.*
Es conjuga com *cantar.*

ínfim ínfima ínfims ínfimes *adj* **De la categoria més inferior, el pitjor de tots:** *La qualitat d'aquestes sabates és ínfima.*

infinit infinita infinits infinites *adj* **1 Que no té fi, que no té límit, que no s'acaba mai:** *Els nombres són infinits, pots comptar i comptar i no acabaries mai.* **2 Molt gran, immens, en gran quantitat:** *La paciència de la Mireia és infinita, no s'enfada mai amb ningú.* **3** *nom m* **Allò que és infinit:** *Des del balcó, a la nit, mirava l'infinit, l'espai il·limitat del cel.*

infinitat infinitats *nom f* **Gran quantitat d'una cosa:** *A la platja hi havia una infinitat de gent.*

infinitiu infinitius *nom m* **Forma del verb que no expressa la categoria de persona gramatical i que es fa servir per a anomenar**

un verb: *"Cantar", "córrer", "vendre" i "dormir"* són infinitius.

inflable inflables *adj* Que es pot inflar: *Una barca inflable.*

inflamable inflamables *adj* Que s'encén i crema amb facilitat: *La gasolina és un producte molt inflamable.*

inflamació inflamacions *nom f* Acció d'inflar-se i de posar-se vermella una part del cos.

inflamar *v* **1** Encendre alguna cosa que cremi amb flama: *Va caure un cigarret encès al bassal de benzina i es va inflamar.* **2 inflamar-se** Inflar-se i posar-se vermella una part del cos: *Se li va inflamar la galta.*
Es conjuga com *cantar.*

inflar *v* **1** Fer augmentar de volum una cosa amb aire, gas, etc.: *Si vols anar amb bicicleta, has d'inflar bé les rodes.* **2** Augmentar de volum un òrgan, una part del cos, a causa d'un cop, d'una malaltia, etc.: *Se m'ha inflat tant l'ull, que no el puc obrir.*
Es conjuga com *cantar.*

inflexible inflexibles *adj* Que no es pot doblegar, que no es pot torçar; que no canvia mai d'opinió: *El ferro és un material molt fort, inflexible.* Quan es parla de política, el meu pare es mostra inflexible, ningú no el fa canviar d'opinió.

influència influències *nom f* Efecte que produeix una cosa sobre una altra: *La influència del sol en el creixement de les plantes és molt important.*

influir *v* Produir un efecte sobre algú o alguna cosa: *L'alimentació influeix molt en la salut.* Aquell noi es deixa influir molt pels seus amics.
Es conjuga com *reduir.*

influx influxos *nom m* Influència.

infondre *v* Produir en algú una sensació, comunicar-li un sentiment, un estat: *El públic va infondre ànims als jugadors de futbol.*
Es conjuga com *confondre.*

informació informacions *nom f* Conjunt de notícies, dades o coneixements que són comunicats a una persona: *La televisió ens dóna molta informació.*

informal informals **1** *adj i nom m i f* Es diu de la persona que no és seriosa, que no compleix les normes o els compromisos. **2** *Vestien de manera informal*: de manera poc seriosa, sense seguir les convencions, amb llibertat.

informar *v* Fer saber una cosa a algú: *Els diaris informen del que passa al món.*
Es conjuga com *cantar.*

informàtic informàtica informàtics informàtiques **1** *adj* Que té relació amb els ordinadors: *Els darrers anys la indústria informàtica ha crescut molt.* **2** *nom m i f* Persona que treballa en informàtica.

informàtica informàtiques *nom f* Ciència que estudia els sistemes de tractament de la informació a través dels ordinadors.

informatiu informativa informatius informatives *adj i nom m* Que està relacionat amb la informació, que serveix per a informar: *Per televisió fan molts informatius.*

informe[1] informes *nom m* Explicació oral o escrita que dóna informació sobre un fet, una situació, etc.: *La policia va fer un informe sobre l'accident.*

informe[2] informes *adj* Que no té una forma gaire precisa: *Una massa informe de pedres i de terra va caure muntanya avall.*

infra- Prefix, element que s'afegeix al davant d'una paraula i que indica inferioritat: *L'Ernest és molt intel·ligent, però com que també és molt tímid, sempre s'infravalora, és a dir, fa creure als altres que és menys intel·ligent del que realment és.*

infracció infraccions *nom f* Falta comesa contra una norma, una llei, etc.: *Li van posar una multa, perquè va cometre la infracció d'aparcar el cotxe en un lloc prohibit.*

infractor infractora infractors infractores *adj i nom m i f* Es diu d'una persona que no compleix la llei, que fa una falta contra la llei.

infraestructura infraestructures *nom f* **1** Allò que és la base on s'aguanta una cosa: *L'economia és la infraestructura de la societat.* **2** Conjunt d'elements com ara les carreteres, les comunicacions, els habitatges, etc. que són fonamentals per al funcionament de les activitats humanes.

infringir *v* Desobeir una ordre, un pacte o una llei, no complir un acord.
Es conjuga com *servir.*

infusió infusions *nom f* Beguda que es fa amb herbes com ara el te, la menta, etc. i aigua bullida: *Estava molt nerviós i es va prendre una infusió de til·la per calmar-se.*

445

ingenu ingènua ingenus ingènues *adj* Innocent, que s'ho creu tot: *En Jaume és un nen molt ingenu, es creu tot el que li diuen els amics.*

ingerir *v* Prendre, empassar-se un menjar, un medicament, etc.: *És perillós d'ingerir aliments en mal estat.*
Es conjuga com *servir.*

ingrat ingrata ingrats ingrates **1** *adj* Desagradable: *Aquesta feina és molt ingrata, molt pesada.* **2** *adj* i *nom m* i *f* Es diu de la persona que és desagraïda.

ingratitud ingratituds *nom f* Característica de les persones desagraïdes.

ingredient ingredients *nom m* Part d'una barreja: *Tomàquet, pebre, sal i oli són els ingredients d'aquesta salsa.*

ingrés ingressos *nom m* Acció d'entrar algú o alguna cosa en un lloc, entrada: *He demanat l'ingrés en un club de natació.* ■ *El meu avi ha fet un ingrés de deu euros a la meva llibreta d'estalvis.*

ingressar *v* **1** Entrar en un lloc com ara una associació, un hospital, etc.: *Els ferits han sigut ingressats en un hospital.* **2** Posar diners en un compte corrent o en una llibreta d'estalvis: *Pel meu sant la meva tieta va ingressar vint euros a la meva llibreta d'estalvis.*
Es conjuga com *cantar.*

inhalar *v* Fer entrar gasos, vapors, etc. als pulmons aspirant per la boca i pel nas.
Es conjuga com *cantar.*

inhibir-se *v* Evitar de participar en una cosa: *Davant d'aquest problema ningú no es pot inhibir, tothom hauria de fer alguna cosa.*
Es conjuga com *servir.*

inhòspit inhòspita inhòspits inhòspites *adj* Es diu d'un lloc solitari i poc acollidor, d'un ambient desagradable, que no és còmode: *La casa estava situada en un terreny inhòspit, lluny de la carretera, envoltat de boscos foscos.*

inhumà inhumana inhumans inhumanes *adj* Que és tan cruel, que no és propi d'una persona: *Les guerres són inhumanes.*

inhumar *v* Enterrar un mort.
Es conjuga com *cantar.*

inici inicis *nom m* Començament, principi d'una cosa.

inicial inicials **1** *adj* Que està relacionat amb el començament d'una cosa: *L'escena inicial de la pel·lícula era molt divertida.* **2** *nom f* Lletra del començament d'un nom, d'un capítol d'un llibre, etc.: *Em dic Assumpta Garcia i Miracle; les meves inicials són, doncs, A. G. M.*

iniciar *v* Començar una cosa.
Es conjuga com *canviar.*

iniciativa iniciatives *nom f* Acció que fa que algú sigui el primer de proposar una idea o d'organitzar alguna cosa: *La Rosa va tenir la iniciativa d'organitzar l'excursió de final de curs, tot ho va començar ella.*

injecció injeccions *nom f* Medicina en forma de líquid que s'introdueix al cos amb una agulla i una xeringa: *En Jordi està malalt i li han de donar injeccions.*

injectar *v* Posar una injecció.
Es conjuga com *cantar.*

injúria injúries *nom f* Insult, ofensa.

injust injusta injusts o injustos injustes *adj* Que no és just, que va contra la justícia: *Només vaig enraonar una mica i em van treure fora de classe, va ser un càstig molt injust.*

injustícia injustícies *nom f* Acció que va contra la justícia: *Uns quants nens han enraonat i el mestre ens ha castigat a tots; això és una injustícia!*

innat innata innats innates *adj* Es diu d'una cosa que es posseeix des del naixement: *Una simpatia innata.*

innecessari innecessària innecessaris innecessàries *adj* Que no és necessari: *No calia que ens vinguéssiu a rebre a l'estació ni que us prenguéssiu tantes molèsties innecessàries.*

innocència innocències *nom f* Qualitat d'innocent.

innocent innocents *adj* i *nom m* i *f* **1** Que no fa mal, que no té la culpa d'una cosa: *La Quima és innocent, ella no ha trencat pas el vidre.* **2** Es diu de la persona que es deixa enganyar fàcilment, que no té malícia: *Li van dir que podia aprendre anglès amb una pastilla màgica i s'ho va creure, és un innocent!*

innocentada innocentades *nom f* Broma que es fa a algú: *El dia 28 de desembre és el dia de les innocentades.*

innombrable innombrables *adj* En molta quantitat, en gran nombre: *Els grans de sorra de la platja són innombrables.*

innovar v Fer més moderna una cosa, introduir-hi novetats.
Es conjuga com *cantar*.

inoblidable inoblidables *adj* Que no es pot oblidar.

inocular v Ficar dins el cos un líquid a través d'una punxada o d'una mossegada: *Els escurçons, quan mosseguen, inoculen el verí dins el cos de la víctima.*
Es conjuga com *cantar*.

inodor inodora inodors inodores *adj* Que no fa olor ni pudor: *L'aigua pura és un líquid inodor.*

inofensiu inofensiva inofensius inofensives *adj* Que no fa mal: *Les sargantanes són uns animals inofensius.*

inorgànic inorgànica inorgànics inorgàniques *adj* **1** Que no és orgànic. **2** Es diu del compost que no conté carboni i d'aquell compost de carboni característic del regne mineral, com els òxids.

inoxidable inoxidables *adj* Que no es pot oxidar, que no es pot rovellar: *Aquesta cassola és d'acer inoxidable.*

inquiet inquieta inquiets inquietes *adj* Que no està quiet, que no sap o no pot estar tranquil: *Aquell gat és molt inquiet, tot el dia corre i salta.*

inquietar v Preocupar, fer posar nerviós a algú: *Fa dues hores que els esperem i ens inquieta que encara no siguin aquí.*
Es conjuga com *cantar*.

inquietud inquietuds *nom f* Nerviosisme, preocupació.

inquilí inquilina inquilins inquilines *nom m i f* Llogater.

inrevés Paraula que apareix en l'expressió a l'inrevés, que vol dir "en sentit oposat": *Em vaig posar el jersei a l'inrevés, és a dir, la part del davant al darrere i la part del darrere al davant.*

insalivació insalivacions *nom f* Acció de barrejar els aliments amb la saliva a dins la boca.

insatisfet insatisfeta insatisfets insatisfetes *adj* i *nom m* i f Que no està content dels resultats d'una cosa: *Estic insatisfet de les notes que he tret de música.*

inscripció inscripcions *nom f* **1** Acció d'inscriure, d'apuntar-se o apuntar algú en un concurs, en una escola, en un curs, etc. **2** Qualsevol text escrit o gravat en una pedra, una làpida, etc. dedicat a una persona o a un fet important.

inscrit inscrita inscrits inscrites *adj* i *nom m* i f Es diu de la persona que forma part de la llista d'un grup: *Hi ha trenta parelles inscrites al concurs de ball de dissabte.*

inscriure's v Apuntar-se en un concurs, en una escola, en un curs, etc.
Es conjuga com *escriure*.

insecte insectes *nom m* Classe d'animals invertebrats petits, amb antenes, sis potes i de vegades ales: *Les mosques, les formigues i les papallones són insectes.*

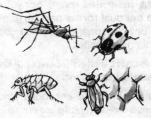

insectes

insecticida insecticides *adj* i *nom m* Es diu de qualsevol producte que serveix per a eliminar insectes: *Han hagut de tractar les plantes del jardí amb insecticides.*

insectívor insectívora insectívors insectívores *adj* i *nom m* Es diu de l'animal que s'alimenta d'insectes: *Alguns mamífers i la majoria d'ocells són insectívors.*

insegur insegura insegurs insegures *adj* Que no és segur, que no té seguretat.

inseguretat inseguretats *nom f* Sensació d'incertesa i de perill, falta de seguretat: *Caminava amb inseguretat per aquells carrers tan foscos i inhòspits.*

inseminació inseminacions *nom f* **1** Arribada de l'esperma a l'òvul per a fecundar-lo. **2** inseminació artificial Fecundació de l'òvul sense intervenció directa dels òrgans sexuals masculins.

insensat insensata insensats insensates *adj* Es diu d'una persona que no és prudent davant un perill, que no reflexiona les coses abans de fer-les.

insensible insensibles *adj* Que no nota les sensacions, les emocions, el dolor, etc.: *Ningú no pot ser insensible a les desgràcies dels altres.*

El soldat estava palplantat i semblava insensible al fred i a la pluja.

inseparable inseparables *adj* Que no es pot separar: *Són dos amics inseparables, sempre van junts, no se separen mai.*

inserir *v* Fer que una cosa quedi introduïda dins una altra: *Vam inserir el nom d'aquell nen en la llista de participants al concurs.*
Es conjuga com *servir.*

inservible inservibles *adj* Es diu d'una cosa que ja no serveix perquè s'ha fet malbé o perquè s'ha fet vella.

insigne insignes *adj* Famós, molt important.

insígnia insígnies *nom f* Senyal que indica el grup del qual forma part algú, el càrrec, el grau d'una persona, etc.: *El mocador de coll és la insígnia dels escoltes.*

insignificant insignificants *adj* De molt poc valor, sense importància.

insinuar *v* Donar a entendre alguna cosa a algú sense dir-la: *El professor ens va insinuar que els que féssim aquest treball voluntari tindríem més bona nota.*
Es conjuga com *canviar.*

insípid insípida insípids insípides *adj* Que no té cap gust: *L'aigua és insípida.* ▪ *Aquest menjar és insípid, perquè hi falta sal.*

insistència insistències *nom f* Acció d'insistir, de demanar moltes vegades una cosa: *Vam tocar el timbre amb molta insistència, però no va sortir ningú a obrir-nos.*

insistir *v* Fer o demanar una cosa moltes vegades: *Li vaig dir que no li volia deixar la bicicleta, però ell va insistir tant que al final la hi vaig deixar.*
Es conjuga com *servir.*

insolació insolacions *nom f* **1** Malaltia causada pel fet de passar-se molta estona sota el sol. **2** Període de temps al llarg del dia durant el qual brilla el sol.

insolent insolents *adj* i *nom m* i *f* Que falta al respecte, que ofèn, impertinent: *Sempre contesta de mala manera: és un insolent.*

insolidari insolidària insolidaris insolidàries *adj* Es diu de la persona, del país, etc. que no ajuda els altres, que no és solidari.

insòlit insòlita insòlits insòlites *adj* Que no és habitual, que és estrany, extraordinari: *Que* nevi a la platja és un fet bastant insòlit, no passa gaire sovint.

insomni insomnis *nom m* Estat d'una persona que no pot dormir: *Aquell home pateix d'insomni i es passa les nits sense dormir.*

insonoritzar *v* Preparar un espai perquè no hi entrin ni en surtin els sorolls: *El suro és un material aïllant que s'utilitza per a insonoritzar habitacions.*
Es conjuga com *cantar.*

inspeccionar *v* Mirar, examinar amb atenció una cosa: *La policia va inspeccionar el local per veure si els lladres hi havien deixat alguna pista.*
Es conjuga com *cantar.*

inspector inspectora inspectors inspectores *nom m* i *f* Persona encarregada d'inspeccionar o de vigilar algú o alguna cosa: *La inspectora de policia va detenir els lladres.*

inspiració inspiracions *nom f* **1** Acció d'inspirar, de fer entrar aire als pulmons. **2** El fet de venir a algú una idea que l'ajuda a crear una obra d'art, una obra literària, una peça musical, etc.: *Aquest músic té molta inspiració.*

inspirar *v* **1** Fer entrar aire als pulmons. **2** Fer venir a algú una idea: *Aquest paisatge ha inspirat molts pintors.*
Es conjuga com *cantar.*

instal·lació instal·lacions *nom f* **1** Acció d'instal·lar alguna cosa en un lloc o d'instal·lar-se en un lloc. **2** Conjunt de les coses que es necessiten per a equipar un edifici, per a practicar un esport, etc.: *Aquest matí han acabat la instal·lació elèctrica de la biblioteca.*

instal·lar *v* **1** Posar una persona o una cosa en un lloc: *Instal·larem els convidats en aquestes habitacions.* **2** Muntar un conjunt de peces o d'aparells que han de fer un servei determinat: *Avui vindran a instal·lar els llums de l'edifici.* **3 instal·lar-se** Quedar-se a viure en un lloc: *Els meus cosins s'han instal·lat en una casa dels afores del poble.*
Es conjuga com *cantar.*

instància instàncies *nom f* Escrit en què es demana una cosa a un superior, a una autoritat, etc.: *Vam presentar una instància a l'ajuntament perquè ens deixessin fer la festa al carrer.*

instant instants *nom m* Espai molt curt de temps, moment: *El vam cridar i va venir a l'instant.*

instantani instantània instantanis instantànies *adj* Que només dura un instant, un moment.

instar *v* Demanar amb molta insistència que algú faci una cosa: *L'alcalde va instar els ciutadans a comportar-se amb civisme.*
Es conjuga com *cantar.*

instaurar *v* Establir un costum, una moda o un comportament perquè se segueixi: *Han instaurat una llei que no permet de tenir els establiments comercials oberts els diumenges.*
Es conjuga com *cantar.*

instigar *v* Animar, empènyer algú a fer una cosa: *Uns desconeguts van instigar la gent a manifestar-se amb violència.*
Es conjuga com *cantar.* S'escriu *g* davant de *a, o, u* i *gu* davant de *e, i: instigo, instigues.*

instint instints *nom m* Facultat dels éssers vius de fer unes coses sense que ningú no els les hagi ensenyades: *Tots els éssers vius tenen l'instint de conservació, d'evitar els perills.*

institució institucions *nom f* Manera de funcionar la societat en un aspecte determinat, organització, entitat: *L'escola és una institució molt important per al funcionament de la societat.*

instituir *v* Fundar, crear una cosa: *L'ajuntament ha instituït un premi literari.*
Es conjuga com *reduir.*

institut instituts *nom m* Centre d'estudis: *El meu germà ha començat a estudiar a l'institut d'ensenyament secundari.*

institutor institutriu institutors institutrius *nom m* i *f* Persona encarregada de l'educació dels infants en una casa particular.

instrucció instruccions *nom f* Ordre, explicació: *Abans de fer servir aquesta màquina, llegiu el full d'instruccions per saber com funciona.*

instructor instructora instructors instructores *adj* i *nom m* i *f* Es diu de la persona que instrueix algú en alguna cosa, monitor, entrenador.

instruir *v* **1** Oferir els coneixements i la informació necessaris per a aprendre un ofici, una ciència, etc., ensenyar. **2** **instruir-se** Adquirir coneixements sobretot estudiant i llegint molt, il·lustrar-se.
Es conjuga com *reduir.*

instrument instruments *nom m* Eina, aparell que serveix per a fer una cosa: *El martell és un instrument de treball que es fa servir en molts oficis.* ▪ *En una orquestra hi ha molts instruments musicals.*

instrumental instrumentals **1** *adj* Es diu de la música en què no hi intervé la veu humana: *Un*

Instruments musicals

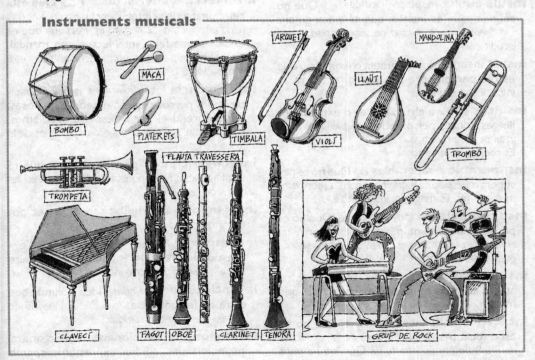

BOMBO — MAÇA — PLATERETS — TIMBALA — ARQUET — VIOLÍ — LLAÜT — MANDOLINA — TROMBÓ — TROMPETA — FLAUTA TRAVESSERA — CLAVECÍ — FAGOT — OBOÈ — CLARINET — TENORA — GRUP DE ROCK

conjunt de música instrumental. **2** nom m **Conjunt d'instruments propis d'un ofici:** Després de les operacions, les infermeres netegen i esterilitzen l'instrumental mèdic que s'ha utilitzat.

instrumentista instrumentistes nom m i f **Persona que toca un instrument musical.**

insubmís insubmisa insubmisos insubmises **1** adj **Que no se sotmet, rebel. 2** nom m **Jove que no vol fer el servei militar ni el servei social que substitueix el servei militar.**

insubordinar-se v **Negar-se a obeir o posar-se en contra d'algú.**
Es conjuga com cantar.

insuficiència insuficiències nom f **Qualitat d'insuficient:** L'ajuntament no ha pogut construir un teatre a causa de la insuficiència de diners.

insuficient insuficients **1** adj **No suficient, poc:** Hem aconseguit molts diners per al viatge de final de curs, però són insuficients, encara ens en falten. **2** nom m **Nota que indica que no s'ha passat una prova, un examen, etc., suspens.**

insular insulars adj **Que està relacionat amb una illa:** Mallorca és un territori insular, és a dir, una illa.

insuls insulsa insulsos insulses adj **Que no té gust, que és insípid; que té poca gràcia:** Un menjar insuls. ▪ Una persona insulsa. ▪ Un acudit insuls.

insult insults nom m **Paraula o expressió que es diu per ofendre una persona:** Li van dir imbècil i altres insults.

insultar v **Dir a algú paraules o expressions lletges i dures per ofendre'l:** Aquella nena va insultar la seva amiga.
Es conjuga com cantar.

insuperable insuperables adj **Que no es pot superar:** L'espectacle que hem anat a veure està molt ben fet, és magnífic, insuperable.

insuportable insuportables adj **Que no es pot suportar, dolent, pesat:** Aquesta noia té un caràcter insuportable, es passa el dia protestant i queixant-se de tot.

insurrecció insurreccions nom f **Revolta, atac d'un grup de persones contra els que manen.**

intacte intacta intactes adj **1 Que no ha estat tocat per ningú:** Després de la nevada, la neu dels boscos és intacta. **2 Que no ha patit**

cap dany: El cotxe va relliscar i va fer una volta de campana, però va quedar intacte.

integral integrals adj **Complet, sencer; es diu sobretot dels aliments que conserven totes les matèries que tenen en estat natural:** El pa integral conté totes les matèries que s'obtenen quan es mol el blat.

integrar v **1 Formar un tot amb diferents elements:** Aquests jugadors són els que integren l'equip de futbol. **2 integrar-se Entrar a formar part d'un conjunt:** En Pere i la Marta s'han integrat molt bé a la seva nova escola.
Es conjuga com cantar.

íntegre íntegra íntegres adj **1 Complet, sencer:** Hem cobrat tot el sou íntegre. **2 Es diu d'una persona d'una honradesa total.**

integritat integritats nom f **1 Qualitat de les coses que són íntegres, és a dir, completes, senceres:** Els vents forts van posar en perill la integritat física de molts conductors. **2 Qualitat d'una persona que té una honradesa total:** Els membres del jurat eren d'una integritat total i el seu veredicte va ser just.

intel·lecte intel·lectes nom m **Intel·ligència, enteniment, capacitat d'entendre les coses.**

intel·lectual intel·lectuals **1** adj **Que està relacionat amb la intel·ligència:** Escriure és una feina intel·lectual. **2** nom m i f **Persona que es dedica a una feina intel·lectual, no manual:** Els professors, els escriptors, els científics, etc. són intel·lectuals.

intel·ligència intel·ligències nom f **Capacitat de les persones per a entendre les coses, per a aprendre, per a resoldre problemes, etc.:** La intel·ligència distingeix les persones de la resta dels animals.

intel·ligent intel·ligents adj **Llest, que té intel·ligència:** La nena és intel·ligent i aprèn les coses de seguida.

intel·ligible intel·ligibles adj **Que es pot entendre:** Una conferència intel·ligible.

intempèrie **Paraula que apareix en l'expressió a la intempèrie, que vol dir "a l'aire lliure":** Hem dormit a la intempèrie.

intenció intencions nom f **Idea, voluntat que es té de fer una cosa:** Avui tinc la intenció de quedar-me a casa a estudiar.

intencionat intencionada intencionats intencionades adj **Fet expressament, amb**

tota la intenció: *El cop al cotxe va ser intencionat, no va ser casual*.

intens intensa intensos intenses *adj* Molt fort, molt potent; que implica un esforç extrem: *Avui fa una calor molt intensa*.

intensificar *v* Augmentar i fer més intensa una cosa: *Després del viatge que van fer plegats, els dos amics van intensificar les seves relacions*. *Es conjuga com* cantar. S'escriu *c* davant de *a, o, u* i *qu* davant de *e, i: intensifico, intensifiques*.

intensitat intensitats *nom f* Qualitat d'intens: *De cop es va posar a ploure molt fort, amb una gran intensitat*.

intensiu intensiva intensius intensives *adj* Que fa que una cosa sigui intensa: *El conreu intensiu de la terra consisteix a treure el màxim profit d'una extensió de terra*.

intent intents *nom m* Acció d'intentar, de provar de fer una cosa: *Van aconseguir fer el cim després de diversos intents d'escalar la muntanya*.

intentar *v* Provar de fer una cosa, provar d'aconseguir una cosa: *Els lladres van intentar robar el banc, però no ho van poder aconseguir*. *Es conjuga com* cantar.

inter- Prefix, element que s'afegeix al davant d'una paraula i que vol dir "entre": *El comerç internacional es fa entre dues o més nacions*.

intercalar *v* Posar una cosa entremig d'altres: *Aquest llibre porta intercalades unes pàgines amb fotos*. *Es conjuga com* cantar.

intercanvi intercanvis *nom m* Canvi de coses entre persones, països, etc.: *Entre els països europeus hi ha molt intercanvi comercial*.

intercanviar *v* Canviar coses entre persones, països, etc. *Es conjuga com* canviar.

intercedir *v* Demanar a algú una cosa en favor d'una altra persona: *El mestre va intercedir perquè en Joan pogués obtenir una beca d'estudis*. *Es conjuga com* servir.

interceptar *v* Apoderar-se d'una cosa abans que arribi al seu objectiu: *La policia ha interceptat un camió carregat de droga*. *Es conjuga com* cantar.

interès interessos *nom m* **1** Allò que afecta una persona i li proporciona un benefici, un profit: *El nostre interès és trobar un hotel barat i còmode per passar les vacances*. **2** Atenció que es posa en una cosa: *Llegeix amb molt interès*.

interessant interessants *adj* Que és atractiu, que interessa.

interessar *v* Fer venir interès per una cosa: *Aquest llibre em va interessar molt i el vaig llegir molt de pressa*. *Es conjuga com* cantar.

interessat interessada interessats interessades *adj i nom m i f* Es diu de la persona que fa una cosa només pensant en el benefici que en podrà treure: *Ets un interessat, només vols la meva companyia perquè et deixi copiar els deures!*

interferència interferències *nom f* **1** Acció d'interferir. **2** Interrupció o pertorbació de les imatges o del so d'un aparell de televisió, de ràdio, etc. causades per una altra font d'energia.

interferir *v* Posar-se una cosa o una persona en el camí d'una altra: *Aquella desgràcia va interferir en la seva vida familiar*. *Es conjuga com* servir.

intèrfon intèrfons *nom m* Aparell que permet que dues persones es puguin comunicar parlant des de diferents llocs d'un mateix edifici.

intèrfon

interí interina interins interines *adj i nom m i f* Es diu d'algú que supleix una altra persona en una feina, en un càrrec durant un temps: *Un professor interí*. ■ *Un metge interí*.

interior interiors *adj i nom m* Situat a la part de dins d'una cosa: *Aquesta habitació és interior, no té cap finestra que doni al carrer*. ■ *L'Oleguer viu en un poble de la costa i la Fina en un de l'interior del país*.

interjecció interjeccions *nom f* Paraula que indica admiració o exclamació: *"Ah!", "eh!", "oh!" són interjeccions*.

interlocutor interlocutora interlocutors interlocutores *nom m i f* Persona que participa en un diàleg o en una conversa.

intermedi intermèdia intermedis intermèdies **1** *adj* Situat entre dos extrems: *La pissarra està a una altura intermèdia entre el terra* *i el sostre.* **2** *nom m* Espai de temps entre dues parts d'un concert, entre dos actes d'una obra de teatre, etc.

intermediari intermediària intermediaris intermediàries *nom m* i *f* Persona que compra els productes als productors, com ara fabricants, pagesos, etc., i els fa arribar als consumidors.

interminable interminables *adj* Inacabable.

intermitent intermitents *adj* i *nom m* Que para i torna a començar i que s'encén i s'apaga: *Una pluja intermitent.* ▪ *Els cotxes porten uns llums intermitents per indicar que giren cap a la dreta o cap a l'esquerra.*

intern interna interns internes **1** *adj* Situat a la part de dins: *Les dents són a la part interna de la boca.* **2** *nom m* i *f* Es diu de la persona que viu en un establiment col·lectiu com ara un col·legi, un hospital, una presó, etc.

internacional internacionals *adj* Que afecta dues nacions o més: *La contaminació del mar és un problema internacional.*

internar *v* **1** Fer entrar a dins. **2** Fer entrar una persona en un establiment col·lectiu com ara un col·legi, un hospital, una presó, etc.: *Com que a casa no podien curar-lo, el van haver d'internar en un hospital.* Es conjuga com *cantar.*

internat internats *nom m* Col·legi en què els alumnes hi mengen i hi dormen.

internauta internautes *nom m* i *f* Persona que fa servir la xarxa informàtica d'Internet.

internet *nom f* Xarxa informàtica constituïda per un gran conjunt d'ordinadors connectats entre ells, que permet intercanviar informació, enviar i rebre missatges per correu electrònic i visitar pàgines web.

interpel·lar *v* Dirigir la paraula a algú per demanar-li que expliqui alguna cosa: *Els diputats van interpel·lar el ministre sobre la nova llei dels lloguers dels habitatges.* Es conjuga com *cantar.*

interposar *v* Posar alguna cosa o posar-se entremig de dues persones o coses: *Es va interposar entre els dos nois que es barallaven.* Es conjuga com *cantar.*

intèrpret intèrprets *nom m* i *f* **1** Persona que va traduint el que diu una altra persona que parla en una llengua estrangera. **2** Ac-

tor que representa una obra; cantant que canta una cançó; músic que toca una peça musical, etc.

interpretació interpretacions *nom f* **1** Actuació d'un artista de teatre, d'un cantant, etc. **2** Acció de trobar explicació a una cosa, d'entendre-la d'una determinada manera: *No has fet una interpretació correcta de la pregunta.*

interpretar *v* **1** Fer un paper en una obra de teatre, cantar una cançó, tocar una peça musical, etc.: *Els alumnes de l'escola van interpretar una obra de teatre.* **2** Explicar una cosa, trobar l'explicació d'una cosa: *El professor ens va interpretar el sentit d'aquell poema.* Es conjuga com *cantar.*

interrogació interrogacions *nom f* **1** Pregunta. **2** signe d'interrogació Interrogant 2.

interrogant interrogants *nom m* **1** Incògnita, qüestió que no ha quedat prou clara. **2** Signe ortogràfic que es col·loca al final (?) i de vegades també al començament (¿) d'una pregunta.

interrogar *v* Fer preguntes a algú: *La policia va interrogar els sospitosos d'haver comès el robatori.* Es conjuga com *cantar.* S'escriu *g* davant de *a, o, u* i *gu* davant de *e, i: interrogo, interrogues.*

interrogatiu interrogativa interrogatius interrogatives *adj* Que serveix per a fer preguntes: *La frase "on és el meu llapis?" és una frase interrogativa.*

interrogatori interrogatoris *nom m* Sèrie de preguntes que es fan a una persona: *La policia va fer un interrogatori molt llarg a la persona sospitosa d'haver robat el cotxe.*

interrompre *v* Tallar, no deixar continuar una cosa, no deixar que algú continuï parlant o fent una cosa: *Vaig interrompre l'explicació del professor per fer-li una pregunta.* Es conjuga com *perdre.*

interrupció interrupcions *nom f* Acció d'interrompre una cosa, de no deixar-la continuar.

interruptor interruptors *nom m* Aparell petit que serveix per a encendre o apagar un llum, per a engegar o parar una màquina que funciona amb electricitat, etc.: *Si pitges l'interruptor, se t'encendrà el llum.*

intersecció interseccions *nom f* **1** Lloc on es troben dues línies, dues superfícies que es tallen l'una a l'altra: *A la intersecció de les dues carreteres hi ha una gasolinera.* **2** Conjunt format per elements que pertanyen a dos o més conjunts alhora.

interurbà interurbana interurbans interurbanes *adj* Que estableix la comunicació entre una ciutat i una altra: *Aquest autobús és interurbà, perquè va de Barcelona a Granollers.*

interval intervals *nom m* Espai entre dues coses; espai de temps entre dues coses: *Entre classe i classe hi ha un interval de cinc minuts perquè la gent pugui descansar.*

intervenció intervencions *nom f* **1** Participació d'algú en una cosa: *La seva intervenció va ser molt important per resoldre el conflicte.* **2** Operació: *Després de la caiguda, li van haver de fer una intervenció urgent a la cuixa.*

intervenir *v* Participar, prendre part en una cosa: *En aquella discussió, hi van intervenir gairebé tots els nens de la classe.*
Es conjuga com *mantenir.*

interviu intervius *nom m* Entrevista.

intestí intestins *nom m* Conducte que forma part del tub digestiu i que va des de l'estómac fins a l'anus: *L'intestí està situat a dins el ventre.* **19**

intestinal intestinals *adj* Que està relacionat amb l'intestí.

íntim íntima íntims íntimes *adj* Molt interior, molt personal: *L'Agustí i jo som amics íntims, ens ho expliquem tot i sempre anem junts.*

intimidar *v* Espantar algú, fer-li agafar por: *El lladre va intimidar la gent amb una pistola.*
Es conjuga com *cantar.*

intolerable intolerables *adj* Es diu d'una cosa insuportable, que no es pot permetre: *Robar és una cosa intolerable.*

intolerant intolerants *adj i nom m i f* Es diu de la persona que no accepta les idees o les opinions dels altres, que és intransigent, que no és tolerant.

intoxicació intoxicacions *nom f* Malaltia produïda per una substància verinosa o tòxica que ha entrat a l'organisme: *Ha menjat aliments contaminats i ara té una intoxicació.*

intoxicar-se *v* Tenir una intoxicació.
Es conjuga com *cantar.* S'escriu *c* davant de *a, o, u* i *qu* davant de *e, i: m'intoxico, t'intoxiques.*

intra- Prefix, element que s'afegeix al davant d'una paraula i que vol dir "dins", "interior": *Parlem d'una injecció intramuscular, si es posa dins dels músculs.*

intranquil intranquil·la intranquils intranquil·les *adj* Que no té tranquil·litat, inquiet: *La mare estava molt intranquil·la perquè la meva germana gran trigava molt a arribar.*

intranscendent intranscendents *adj* Poc important: *La major part de les coses que va dir eren intranscendents, no eren importants ni tenien cap interès.*

intransigent intransigents *adj* Es diu de la persona que no transigeix, que no accepta les idees o les opinions dels altres, que és intolerant.

intrèpid intrèpida intrèpids intrèpides *adj* Es diu de la persona que no té por de cap perill: *La Roser és una noia intrèpida, li agrada molt d'esquiar fora pista.*

intriga intrigues *nom f* Acció complicada i secreta que es fa contra algú per aconseguir una cosa, embolic, misteri: *Hem vist una pel·lícula de policies en què hi havia una gran intriga.*

intrigar *v* **1** Provocar l'interès o la curiositat: *El seu comportament tan estrany ens va intrigar.* **2** Tramar alguna cosa d'amagat.
Es conjuga com *cantar.* S'escriu *g* davant de *a, o, u* i *gu* davant de *e, i: intrigo, intrigues.*

introducció introduccions *nom f* **1** Acció d'introduir o d'introduir-se. **2** Entrada, inici d'una cosa: *En la introducció d'un llibre l'autor explica els objectius de la seva obra.*

introduir *v* Fer entrar, ficar: *S'han d'introduir les monedes per aquest forat de la màquina i les begudes surten per aquell altre.*
Es conjuga com *reduir.*

intromissió intromissions *nom f* El fet de ficar-se algú en un lloc, en un fet, en un problema, etc. que no l'afecta.

introvertit introvertida introvertits introvertides *adj i nom m i f* Es diu de la persona que és tancada, que no li agrada de parlar dels seus sentiments, que no vol saber el que fan o el que diuen els altres: *La Remei té un caràcter introvertit.*

intrús intrusa intrusos intruses *adj i nom m i f* Es diu de la persona que es fica en un lloc on no hi ha de ser.

intuir *v* Preveure, adonar-se que passarà una cosa sense que es pugui explicar per què: *Ahir, no sé per què, ja vaig intuir que guanyaríem.*
Es conjuga com *reduir.*

inundació inundacions *nom f* Acció d'inundar, de cobrir d'aigua un terreny, un poble, etc.: *Ha plogut molt i hi ha hagut moltes inundacions.*

inundació

inundar *v* Cobrir d'aigua un terreny, un poble, etc.: *Ha plogut molt i el riu s'ha desbordat i ha inundat el poble.*
Es conjuga com *cantar.*

inusual inusuals *adj* Rar i estrany, que succeeix poques vegades.

inútil inútils *adj* i *nom m* i *f* Que no serveix, que no és útil: *L'Alba porta la motxilla carregada de coses inútils per anar d'excursió.* ■ *Aquell home és un inútil, tot el que fa ho fa malament, sempre s'equivoca.*

inutilitzar *v* Deixar una cosa com a inútil, fora de servei: *Han fet una carretera nova per un altre camí i han inutilitzat la vella.*
Es conjuga com *cantar.*

invàlid invàlida invàlids invàlides **1** *adj* i *nom m* i *f* Es diu de la persona que, per culpa d'una malaltia o d'un problema físic, no es pot valer per ella mateixa i necessita que algú l'ajudi. **2** *adj* Que no és vàlid.

invalidar *v* Fer, declarar invàlida una cosa, fer que quedi anul·lada.
Es conjuga com *cantar.*

invariable invariables *adj* Que no varia, que no canvia.

invasió invasions *nom f* Acció d'envair, d'entrar un exèrcit en un país i d'ocupar-lo.

invasor invasora invasors invasores *adj* i *nom m* i *f* Es diu de l'exèrcit, del país, etc. que envaeix un territori o un altre país.

invencible invencibles *adj* Que no pot ser vençut: *En algunes llegendes i històries hi surten herois invencibles.*

invenció invencions *nom f* **1** Creació d'un objecte, d'un producte, etc. que abans no existia: *La invenció del telèfon va ser molt important.* **2** Mentida, cosa que no és veritat, que és falsa, inventada: *No crec res del que dius, tot són invencions teves.*

invent invents *nom m* Invenció.

inventar *v* **1** Crear, descobrir algun objecte, un producte que abans no existia: *La impremta fou inventada al segle xv.* **2** Dir una mentida, una cosa falsa: *Inventarem alguna raó per a excusar-nos.*
Es conjuga com *cantar.*

inventari inventaris *nom m* Llista que es fa de les coses que posseeix una persona, una empresa, una institució, etc.: *Abans de fer el trasllat dels llibres de la biblioteca, n'haurem de fer un inventari complet.*

inventiva inventives *nom f* Imaginació, creativitat.

inventor inventora inventors inventores *adj* i *nom m* i *f* Persona que inventa coses.

invers inversa inversos inverses *adj* Oposat, contrari: *Nosaltres anàvem de casa al poble i vosaltres en direcció inversa, del poble a casa.*

inversió inversions *nom f* **1** Acció d'invertir la direcció o la posició d'una cosa. **2** Quantitat de diners o d'esforços que es posen en un negoci per obtenir-ne un benefici.

inversor inversora inversors inversores *adj* i *nom m* i *f* Que inverteix diners en un negoci per obtenir-ne un benefici.

invertebrat invertebrada invertebrats invertebrades *adj* i *nom m* i *f* Es diu dels animals que no tenen columna vertebral: *Els insectes són animals invertebrats.*

invertir *v* **1** Posar una cosa en una direcció o en una posició contrària o oposada: *Va invertir els gots, els va posar cap per avall.* **2** Dedicar diners, esforços, etc. a una cosa: *Aquell empresari va invertir molts diners per renovar la maquinària de la fàbrica.*
Es conjuga com *servir.*

investigació investigacions *nom f* Acció d'investigar: *La policia està fent una investigació per descobrir l'assassí.*

investigador investigadora investigadors investigadores *adj* i *nom m* i *f* Es diu de la persona que investiga, que treballa per descobrir o conèixer una cosa: *Els investigadors de l'empresa han creat un nou producte contra els refredats.*

investigar v Treballar per descobrir o conèixer una cosa: *La policia investiga el robatori del banc per saber qui en són els autors.* ▪ *Aquella científica investiga les causes d'aquella malaltia estranya.* Es conjuga com *cantar*. S'escriu *g* davant de *a, o, u* i *gu* davant de *e, i: investigo, investigues.*

invident invidents *adj* i *nom m i f* Persona que no hi veu, cec.

invisible invisibles *adj* Que no es pot veure.

invitació invitacions *nom f* **1** Sol·licitud, de paraula o per escrit, que convida algú a anar a una festa, a un dinar, a un casament, etc. **2** Escrit amb el qual s'invita: *A l'entrada del ball ens van demanar les invitacions.*

invitar v Demanar a algú que vingui a una festa, a un dinar, etc., convidar: *Ens han invitat a la festa d'aniversari d'un nen de la classe.* Es conjuga com *cantar*.

invitat invitada invitats invitades *adj* i *nom m i f* Convidat, persona que ha rebut una invitació per anar a una festa, a un dinar, a un casament, etc.

involucrar v Ficar algú en una situació, en un conflicte, etc. en què no desitjava de participar: *En les vostres baralles, a mi no m'hi involucreu.* Es conjuga com *cantar*.

involuntari involuntària involuntaris involuntàries *adj* No voluntari, que es fa sense voler: *Quan va passar, em va clavar un cop involuntari amb el colze.*

invulnerable invulnerables *adj* Que no és vulnerable, que no pot ser atacat ni ferit: *El castell, que era al cim d'una muntanya molt alta, era invulnerable.*

ió ions *nom m* Àtom o grup d'àtoms amb càrrega elèctrica positiva o negativa.

iode iodes *nom m* **1** Element químic que fa una olor molt especial i que es troba en l'aigua del mar i en les algues. **2** tintura de iode Líquid que es posa damunt d'una ferida per desinfectar-la.

ioga iogues *nom m* Sèrie d'exercicis corporals que ajuden a meditar i a controlar-se un mateix.

iogui ioguis *nom m i f* Persona que practica el ioga.

iogurt iogurts *nom m* Aliment cremós i de gust agre que s'obté fent fermentar la llet

i que, generalment, es ven envasat en pots petits: *Cada dia per berenar es menja un iogurt.*

iogurtera iogurteres *nom f* Aparell electrodomèstic que s'utilitza per a fer iogurts a casa.

io-io io-ios *nom m* Joguina que consisteix en dos discos de fusta o de plàstic que es fan pujar i baixar amb un fil enrotllat al voltant de l'eix que els ajunta.

io-io

iot iots *nom m* Embarcació particular que es fa servir per a viatjar o per a practicar esports aquàtics.

ira ires *nom f* Ràbia, emoció que sent una persona quan està molt enfadada.

irat irada irats irades *adj* Molt enfadat.

iris els iris *nom m* **1** Membrana rodona de l'ull, situada darrere la còrnia i davant del cristal·lí, en el centre de la qual hi ha la pupil·la. **15** **2** arc iris o arc de Sant Martí Arc format per set colors (violeta, indi, blau, verd, groc, taronja i vermell) que es pot veure al cel quan plou i fa sol.

irisat irisada irisats irisades *adj* Que té els colors de l'arc iris o arc de Sant Martí.

irlandès irlandesa irlandesos irlandeses **1** *nom m i f* Habitant d'Irlanda; persona natural o procedent d'Irlanda. **2** *adj* Es diu de les persones o de les coses naturals o procedents d'Irlanda. **3** *nom m* Llengua que es parla a Irlanda.

ironia ironies *nom f* Tipus d'humor que consisteix a dir el contrari del que en realitat es pensa i que es vol donar a entendre: *Anava amb una bicicleta molt vella i un senyor em va dir amb ironia "apa, quina bicicleta més nova que portes!"*

iròníc irònica irònics iròniques *adj* Que està relacionat amb la ironia: *Jo no sabia com resoldre el problema i el professor em va fer un comentari irònic, em va dir "apa, que n'ets d'espavilat".*

irracional irracionals adj **1** Que no és racional, que no té capacitat de raonar: Llevat de les persones, tots els animals són irracionals. **2** Que no és lògic ni raonable: És irracional que vulguis fer tota aquesta feina en només un dia.

irradiar v Llançar rajos de llum o de calor sobre una cosa: El sol irradia llum i calor sobre la terra.
Es conjuga com canviar.

irreal irreals adj Que no és real, que no existeix: Les fades i els follets són éssers irreals, imaginaris.

irrealitzable irrealitzables adj Es diu d'una cosa impossible de dur a terme, que no es pot realitzar, que no es pot fer: Aquest projecte és irrealitzable, si no obtenim els diners necessaris.

irregular irregulars adj Que no segueix la regla, que s'aparta de la forma normal, que no és regular.

irregularitat irregularitats nom f Qualitat d'irregular, cosa irregular: La superfície de la paret era plena d'irregularitats, de petits bonys i de sotets.

irreparable irreparables adj Que no té remei, que no es pot reparar: Els danys causats per les inundacions són irreparables.

irrespirable irrespirables adj Que no pot ser respirat: L'habitació és plena de fum i l'aire és irrespirable.

irresponsable irresponsables adj i nom m i f Es diu de la persona que no és responsable, que fa les coses sense reflexionar-les abans.

irrigar v **1** Regar. **2** Fer arribar la sang a les parts del cos.
Es conjuga com cantar. S'escriu g davant de a, o, u i gu davant de e, i: irrigo, irrigui.

irrisori irrisòria irrisoris irrisòries adj Que fa riure; que és molt petit, insignificant: Va comprar uns mobles molt barats, va haver de pagar-ne un preu irrisori.

irritable irritables adj Que s'enfada de seguida, amb molta facilitat.

irritació irritacions nom f **1** Ràbia, emoció que sent algú que està enfadat. **2** Petit dolor a la pell, al coll, etc.

irritar v **1** Fer enfadar algú: El professor es va irritar molt quan va saber que ens havíem portat malament. **2** Produir dolor en una part del cos, de la pell, etc. fent-la tornar vermella: Se m'ha irritat el coll i em fa una mica de mal.
Es conjuga com cantar.

irrompible irrompibles adj Que és molt difícil de trencar, de rompre: Els vidres d'aquestes ulleres són irrompibles.

irrompre v Entrar de cop en un lloc: Els nens van irrompre a l'aula cridant i corrent.
Es conjuga com perdre.

isard isards nom m Animal mamífer semblant a la cabra, amb banyes primes i corbades de la punta i pèl fosc amb taques blanques al cap.

islam islams nom m **1** Conjunt de les persones i els països de religió musulmana. **2** Islamisme.

islàmic islàmica islàmics islàmiques adj Que està relacionat amb l'islam o amb l'islamisme.

islamisme islamismes nom m Religió dels musulmans, que es basa en la doctrina de Mahoma.

islandès islandesa islandesos islandeses **1** nom m i f Habitant d'Islàndia; persona natural o procedent d'Islàndia. **2** adj Es diu de les persones o de les coses naturals o procedents d'Islàndia. **3** nom m Llengua que es parla a Islàndia.

iso- is- Element amb què comencen algunes paraules i que vol dir "igual": Un triangle isòsceles és el que té dos costats iguals.

isòsceles adj Es diu dels triangles i dels trapezis que tenen dos costats iguals: Un trapeci isòsceles. ▪ Uns triangles isòsceles.

isotèrmic isotèrmica isotèrmics isotèrmiques adj Que té o indica la mateixa temperatura: Els submarinistes porten vestits isotèrmics.

israelià israeliana israelians israelianes **1** nom m i f Habitant d'Israel; persona natural o procedent d'Israel. **2** adj Es diu de les persones o de les coses naturals o procedents d'Israel.

israelita israelites **1** nom m i f Habitant de l'antic Israel. **2** adj Es diu de tot allò que està relacionat amb l'antic Israel.

istme istmes *nom m* Tros estret de terra que uneix una península amb un continent.

istme

italià italiana italians italianes **1** *nom m* i *f* Habitant d'Itàlia; persona natural o procedent d'Itàlia. **2** *adj* Es diu de les persones o de les coses naturals o procedents d'Itàlia. **3** *nom m* Llengua que es parla a Itàlia, a Còrsega i a una part de Suïssa.

italo- Prefix, element que s'afegeix al davant d'una paraula i que vol dir "italià".

itinerant itinerants *adj* Que no té un lloc fix i que va d'una banda a l'altra: *La gent del circ fa una vida itinerant.* ▪ *Una exposició itinerant.*

itinerari itineraris *nom m* Descripció d'un camí, d'un trajecte, d'un recorregut: *L'itinerari de l'excursió és el següent: Barcelona, Sitges, Reus i Tarragona.*

iugoslau iugoslava iugoslaus iugoslaves **1** *nom m* i *f* Habitant de l'antiga Iugoslàvia; persona natural o procedent de l'antiga Iugoslàvia. **2** *adj* Es diu de les persones o de les coses naturals o procedents de l'antiga Iugoslàvia.

ivori ivoris *nom m* Vori, marfil, matèria de color blanc, dura, que s'obté dels ullals de l'elefant i altres animals: *Les tecles d'aquest piano són d'ivori.*

ixent ixents *adj* Que surt: *Vam marxar a sol ixent, quan sortia el sol.*

i

457

J j lletra jota

jaqueta

ja *adv* **1** Ara mateix, de seguida: *Espereu-me, ja vinc!* **2** *Quan els nens van arribar a l'estació, el tren ja havia marxat:* el tren va marxar abans que arribessin els nens. **3** *conj* **Ja que** *no veniu, almenys truqueu de tant en tant:* com que no veniu.

jaç jaços *nom m* Llit o qualsevol cosa que serveix per a estirar-s'hi al damunt o dormir-hi: *Vam fer un jaç de palla per als gossets.*

jacent jacents *adj* Que està en posició ajaguda: *Una estàtua jacent.*

jaciment jaciments *nom m* **1** Lloc on es troba un mineral en molta quantitat: *En aquesta muntanya, hi han descobert un jaciment de carbó.* **2** Lloc on es troben moltes restes antigues: *En aquestes coves, hi han trobat un jaciment de restes prehistòriques.*

jacint jacints *nom m* Planta de jardí que fa unes flors molt oloroses agrupades en forma de pinya. 3

jactar-se *v* Presumir d'una cosa que s'ha fet, que es té, etc., vanagloriar-se. Es conjuga com *cantar.*

jaguar jaguars *nom m* Animal mamífer carnívor semblant a una pantera, de cos àgil i de pèl curt, normalment amb taques. 10

jan jans *nom m* Persona bona, que tot ho troba bé, que no protesta mai: *En Jordi és un bon jan!*

japonès japonesa japonesos japoneses **1** *nom m i f* Habitant del Japó; persona natural o procedent del Japó. **2** *adj* Es diu de les persones o de les coses naturals o procedents del Japó. **3** *nom m* Llengua que es parla al Japó.

jaqué jaqués *nom m* Peça de vestir per a homes, molt elegant, que per darrere té com dues cues que arriben més o menys a l'alçada dels genolls.

jaqueta jaquetes *nom f* Peça de vestir, amb mànigues, que cobreix el tronc i es posa damunt d'altres peces de vestir: *La Teresa porta una jaqueta del mateix color que la faldilla.*

jardí jardins *nom m* Terreny tancat on es cultiven flors, plantes i arbres que fan bonic: *La casa de l'àvia té un jardí molt gran amb molts arbres.*

jardiner jardinera jardiners jardineres *nom m i f* Persona que té per ofici cuidar un jardí.

jardinera jardineres *nom f* Recipient gran que s'omple de terra i que serveix per a fer-hi créixer plantes i flors.

jardineria jardineries *nom f* Activitat que consisteix en el conreu de plantes i flors.

jaspi jaspis *nom m* Mineral que és una varietat del quars, translúcid, de colors variats, que pot ser polit.

jaspiat jaspiada jaspiats jaspiades *adj* Es diu d'una roca, d'un paper, d'una roba, etc. que té taques i vetes: *Un marbre jaspiat.*

jaure *v* Mira **jeure**. Es conjuga com *treure*. Participi: *jagut, jaguda.*

javelina javelines *nom f* Barra llarga i prima, acabada en una punta de metall, que es llança en algunes proves d'atletisme: *Aquell noi és un gran atleta i tira la javelina molt lluny.*

jazz els jazz *nom m* Tipus de música que va néixer a Amèrica del Nord a principi del segle xx i que té molt ritme.

jeep jeeps *nom m* Tipus d'automòbil molt fort que pot córrer per terrenys dolents, de bosc, de muntanya, etc.

jeia jeies *nom f* **1** Manera d'estar al llit mentre es dorm: *Aquesta nena té molt mala jeia i durant la nit no para de moure's.* **2** **tenir bona** o **mala jeia** o **ser de bona** o **mala jeia** Tenir bon o mal caràcter.

jerarquia jerarquies *nom f* Ordenació de més a menys autoritat que hi ha en una organització, en un grup de persones: *El Papa ocupa el primer lloc en la jerarquia de l'Església catòlica.*

jeroglífic jeroglífica jeroglífics jeroglífiques **1** *adj* Es diu del sistema d'escriptura

j

dels antics egipcis. **2** *nom m* Conjunt de lletres i de dibuixos que representen una paraula o un missatge que s'ha d'endevinar.

jersei jerseis *nom m* Peça de vestir de llana, de fil, etc., generalment amb mànigues, que cobreix el tronc: *Aquesta temporada em faré un jersei de llana de color morat.*

jesuïta jesuïtes *nom m* Membre d'un orde religiós anomenat Companyia de Jesús, fundat per sant Ignasi de Loiola.

jeure *v* Estar estirat en un llit, a terra, etc.: *Aquell és un gandul, tot el dia està jaient al llit.* ▪ *El gos sempre jeia a la vora del foc per estar més calent.*
Es conjuga com *treure.* **Participi:** *jagut, jaguda.*

jo *pron* Paraula amb la qual la persona que parla es designa ella mateixa: *Jo em dic Mercè, i tu?*

joc jocs *nom m* **1** Entreteniment, diversió que té unes regles i en la qual un perd mentre que l'altre guanya: *Avui hem jugat al joc del parxís.* **2** Conjunt, col·lecció d'objectes: *Els pares han comprat un joc de cadires per al menjador.* **3 joc de mans** Joc que fan els mags i que consisteix a fer aparèixer o desaparèixer coses. **4** *Els pantalons han de* **fer joc** *amb la camisa:* combinar bé, no desentonar. **5 joc de paraules** Joc en què es juga amb una paraula de doble sentit o amb dues paraules que sonen igual o de manera semblant: *La frase "triar no és trair" és un joc de paraules.* **6 jocs florals** Concurs literari.

jóc jócs *nom m* **1** Lloc on van a dormir les gallines, els ànecs, etc.: *Quan es fa fosc, les gallines i els pollets se'n van al jóc.* **2 anar a jóc** Anar-se'n a dormir.

jocós jocosa jocosos jocoses *adj* Divertit, que fa riure.

joglar joglaressa joglars joglaresses *nom m* i *f* Persona que a l'edat mitjana es dedicava a cantar cançons, recitar poemes i ballar per divertir la gent.

joguet joguets *nom m* Joguina.

joguina joguines *nom f* Objecte fet expressament per a jugar els infants, per entretenir-se: *Els Reis ens han portat moltes joguines.*

joia joies *nom f* **1** Objecte d'or, de plata o de qualsevol altre metall preciós, sovint amb una o més pedres precioses, que serveix per a adornar el cos d'una persona: *La princesa portava moltes joies: un collaret de perles i dos braçalets d'or.* **2** Alegria: *El pare va sentir una gran joia quan va tornar a veure el seu fill després de tants anys.*

joier joiera joiers joieres *nom m* i *f* Persona que fa joies o en ven.

joieria joieries *nom f* Taller on es fan joies; botiga on es venen joies.

joiós joiosa joiosos joioses *adj* Alegre, content, ple de joia.

joliu joliua jolius jolíues *adj* Es diu de les coses boniques, que ens agrada de mirar: *Hem vist un jardí molt joliu.*

jonc joncs *nom m* Planta amb la tija llarga i prima que viu en llocs amb aigua o molt humits.

joncs

jònec jònega jònecs jònegues *nom m* i *f* Bou o vaca joves, de menys de dos anys.

joquei joqueis *nom m* i *f* Persona que munta a cavall i es guanya la vida participant en curses de cavalls.

jòquer jòquers *nom m* Carta que, en un moment determinat del joc, pot tenir el valor d'una altra carta.

jorn jorns *nom m* Dia.

jornada jornades *nom f* **1** Part del dia en què es treballa: *En aquesta fàbrica fan una jornada de nou hores diàries.* **2** Dia.

jornal jornals *nom m* **1** Quantitat de diners que guanya un treballador per la feina d'un dia. **2** Feina que es fa en un dia.

jornaler jornalera jornalers jornaleres *nom m* i *f* Persona que treballa per una quantitat de diners fixada al dia.

jota[1] jotes *nom f* Nom de la lletra j **J**.

jota[2] jotes *nom f* Música que es canta i es balla: *A l'Aragó, a València, a Mallorca i a Menorca es ballen moltes jotes.*

jou *jous* nom m Peça de fusta o de ferro que serveix per a unir dos animals, bous o mules, pel coll quan han d'estirar una arada o un carro.

jou

jove *joves* **1** adj i nom m i f De poca edat, que es troba en la seva joventut: *En Climent té vint-i-cinc anys: és una persona jove.* **2** la **jove** nom f Dona que és casada amb el fill d'una persona, nora.

jovent *jovents* nom m El conjunt de la gent jove: *El jovent del poble ha organitzat una festa.*

joventut *joventuts* nom f **1** Temps de la vida entre la infància i l'edat madura: *En Josep té 18 anys, està en plena joventut.* **2** El fet de ser jove. **3** El conjunt de la gent jove, jovent.

jovial *jovials* adj De caràcter alegre: *La Lluïsa és una persona jovial, sempre està de bon humor.*

jubilació *jubilacions* nom f **1** Acció de jubilar-se, de deixar de treballar. **2** Quantitat de diners que cobra una persona jubilada: *El president del país va prometre que apujaria les jubilacions.*

jubilar v Fer que una persona deixi la feina a causa de l'edat o d'una malaltia i pagar-li una pensió durant la resta de la seva vida. Es conjuga com *cantar*.

jubilat *jubilada jubilats jubilades* adj i nom m i f Persona que ja no treballa i que cobra una pensió.

judaisme *judaismes* nom m Religió dels jueus.

judicar v Jutjar. Es conjuga com *cantar*. S'escriu c davant de *a, o, u* i qu davant de *e, i: judico, judiques.*

judici *judicis* nom m **1** Acte en què un acusat és declarat innocent o culpable. **2** Opinió que es dóna sobre una cosa després d'haver-hi pensat una mica.

judicial *judicials* adj Que està relacionat amb els jutges o amb la justícia: *La policia tenia una ordre judicial per escorcollar aquella casa.*

judo *judos* nom m Esport de lluita en què cada contrincant intenta d'aprofitar la força de l'altre per fer-lo caure i guanyar-lo amb el mínim esforç.

judoka *judokes* nom m i f Persona que practica el judo.

jueu *jueva jueus jueves* **1** nom m i f Individu d'un poble originari de Judea, a Palestina. **2** adj i nom m i f Es diu de la persona que practica el judaisme. **3** adj Que està relacionat amb els jueus, amb els hebreus.

jugada *jugades* nom f **1** Acció d'un o més jugadors en el moment en què intervenen en el joc: *L'extrem esquerre i el davanter centre van fer una jugada molt bona i van marcar un gol.* **2** Acció dolenta o injusta que es fa contra una persona: *M'han fet una mala jugada! M'han robat la bicicleta!*

jugador *jugadora jugadors jugadores* adj i nom m i f **1** Es diu de la persona que participa en un joc o en un esport: *La Sandra és una bona jugadora d'escacs.* **2** Es diu de la persona que té el vici de jugar, de participar en jocs com ara les cartes, la ruleta, etc. en els quals s'aposten diners.

juganer *juganera juganers juganeres* adj Es diu de la persona o de l'animal a qui agrada molt de jugar, córrer i saltar.

jugar v **1** Participar en un joc, entretenir-se, divertir-se: *En Ramon i en Carles es passen el dia jugant a bales al carrer.* **2** Participar en una competició esportiva: *El Barça jugarà demà la final de la copa d'Europa de bàsquet.* **3** Participar en un sorteig: *En Martí juga sempre a la rifa.* **4** Participar en jocs com ara les cartes, la ruleta, etc. en els quals s'aposten diners. **5** **jugar-la a algú** Fer-li una mala jugada: *Me l'ha jugada, em va dir que m'esperaria i no m'ha esperat.* Es conjuga com *cantar*. S'escriu g davant de *a, o, u* i gu davant de *e, i: jugo, jugues.*

juguesca *juguesques* nom f Joc entre dues persones que discuteixen sobre una cosa i que acorden que la que al final no tingui raó haurà de donar a l'altra una quantitat de diners o una altra cosa: *En Toni i jo vam fer una juguesca a veure qui arribava abans a casa corrent i, com que ell va guanyar, li vaig haver de donar els quatre euros que ens hi havíem jugat.*

jugueta *juguetes* nom f Joguina.

jugular *jugulars* adj Que està situat al coll o a la gola: *La vena jugular.* **17**

juí *juís* nom m Judici.

j

461

juli Paraula que apareix en l'expressió **fer juli**, que vol dir "fer rodar cada vegada més de pressa la corda en el joc de saltar a corda".

juliol juliols nom m Mes de l'estiu, setè mes de l'any, té 31 dies.

julivert juliverts nom m Planta, herba que es fa servir per a donar gust al menjar: Els bolets són molt bons fregits amb all i julivert.

jull julls nom m Planta semblant al blat, però perjudicial per als sembrats, i que és molt difícil d'eliminar, zitzània.

jungla jungles nom f Bosc molt espès dels països tropicals.

júnior júniors adj i nom m i f Es diu de l'esportista que té entre 18 i 21 anys.

junt junta junts juntes **1** adj Que està unit, que està al costat d'una altra cosa, tocant-se: Posarem aquests llibres junts en aquell prestatge. **2** nom m Juntura. **3** adv Juntament: Portaran el matalàs junt amb els mobles. **4 Tot junt**, les pastes i el cafè amb llet són un euro i vuitanta cèntims: tot plegat, tot en conjunt.

junta juntes nom f **1** Grup de persones que dirigeixen una associació, un club, etc.: La junta de pares de l'escola es reuneix dues vegades al mes. **2** Juntura: El fum s'escapava per la junta dels dos canons de l'estufa.

juntament adv En companyia de, en col·laboració amb: Faré el treball juntament amb tu.

juntura juntures nom f Lloc per on s'articulen o es toquen dues peces o dues coses: La juntura d'una porta. ■ La juntura dels ossos.

juny junys nom m Sisè mes de l'any, es troba entre la primavera i l'estiu, té 30 dies.

junyir v Unir dos bous o dues mules amb el jou per fer-los treballar.
Es conjuga com servir.

jupa jupes nom f **1** Peça de vestir que cobreix el tronc, amb mànigues o sense, que fan servir els pagesos en alguns llocs. **2** Americana, jaqueta.

jura jures nom f Acció de jurar obediència a algú o a alguna cosa: Els soldats van fer la jura de la bandera.

jurament juraments nom m Promesa que es fa posant Déu com a testimoni.

jurar v **1** Dir o prometre una cosa posant Déu com a testimoni. **2** Acceptar un càrrec fent un jurament.
Es conjuga com cantar.

jurat jurats nom m Conjunt de persones que decideixen qui és el guanyador d'un concurs, si en un judici un acusat és innocent o culpable, etc.

jurídic jurídica jurídics jurídiques adj Que està relacionat amb les lleis i amb el dret: Hem rebut un informe jurídic del fiscal.

jurista juristes nom m i f Persona entesa en lleis.

just[1] adv **1** En el mateix moment: Han vingut just quan sortia el tren. **2** No cal que corris, **tot just** són les set i la pel·lícula comença a les nou: només són les set.

just[2] justa justs o justos justes adj **1** Que és correcte, que és merescut: Un càstig just, merescut, que és de justícia. ■ Si hem embrutat la classe, és just que ara la netegem. **2** Es diu d'allò que va a la mida, que s'adapta bé: Aquest vestit no et va ni llarg ni curt, et va just a la mida. **3** Que és una mica estret, poc ample: Les sabates em van justes i em fan mal als peus. **4** M'ha dit que no podia venir a esquiar, deu anar **just de diners**: no tenir prou diners. **5 justa la fusta!** Expressió que es fa servir per a demostrar que s'està d'acord amb el que ha dit una altra persona.

justament adv **1** De manera justa, d'acord amb la llei, la justícia, les normes: Els alumnes van ser castigats justament. **2** Precisament: Se li va ocórrer anar amb bicicleta a l'escola justament un dia que plovia.

justícia justícies nom f Allò que és just, allò que s'ha de fer segons la llei: En aquell país no hi havia justícia, els infants negres no podien anar a les mateixes escoles que els infants blancs.

justificació justificacions nom f Acció de justificar; paraules amb què es justifica un fet: Va arribar tard, i la seva justificació va consistir a dir que havia ensopegat un embús de trànsit.

justificant justificants nom m Document que justifica o que prova alguna cosa: Com que vaig estar malalt i no vaig poder assistir a l'examen, el professor em va demanar un justificant signat pels pares.

justificar _v_ Provar que una cosa és justa, excusar: _El cap d'estació va justificar el retard del tren dient que era culpa de la pluja._
Es conjuga com _cantar_. S'escriu c davant de _a, o, u_ i _qu_ davant de _e, i: justifico, justifiques._

jutge jutgessa jutges jutgesses _nom m_ i _f_ Persona encarregada d'aplicar les lleis, de jutjar, de declarar una persona innocent o culpable en un judici i de posar-li la pena o el càstig adequats: _El jutge va condemnar el lladre a cinc anys de presó._

jutjar _v_ **1** Fer un judici per decidir si algú és innocent o culpable: _Van jutjar els acusats del robatori i els van declarar culpables._ **2** Opinar:

Com que sempre arriba tard, la gent el jutja malament perquè es pensen que és un fresc.
Es conjuga com _cantar_. S'escriu j davant de _a, o, u_ i g davant de _e, i: jutjo, jutges._

jutjat jutjats _nom m_ Edifici on treballen els jutges i on es fan els judicis.

juvenil juvenils _adj_ Que està relacionat amb la joventut: _Anar a la discoteca és una diversió juvenil._

juxta- Prefix, element que s'afegeix al davant d'una paraula i que vol dir "prop, a tocar de".

juxtaposar _v_ Posar una cosa al costat d'una altra sense unir-les amb cap lligam ni cap nexe. Es conjuga com _cantar_.

j

K k lletra ca

kàiser kàisers *nom m* Nom que es donava a l'emperador d'Àustria i a l'emperador d'Alemanya.

kamikaze kamikazes *nom m* i *f* Aviador japonès que durant la Segona Guerra Mundial es llançava amb el propi avió sobre una base o un vaixell enemics per destruir-los, encara que hagués de morir ell i tot: *Hi ha persones que condueixen amb tanta temeritat que semblen kamikazes, perquè posen en perill la seva vida i la dels altres.*

karate karates *nom m* Esport de combat que es basa en cops secs als peus, als braços o a les mans, en els punts més vulnerables del cos: *Va clavar un cop de karate amb el cantell de la mà i va partir el maó pel mig.*

karate

karateka karatekes *nom m* i *f* Persona que practica el karate.

kart karts *nom m* Cotxe petit, sense carrosseria i amb un motor de poca potència, que s'utilitza per a fer competicions en circuits especials.

kart

khan khans *nom m* Nom que es donava a l'emperador dels turcs, dels mongols i d'altres pobles d'Àsia.

kilogram kilograms *nom m* Mira **quilogram**.

kilòmetre kilòmetres *nom m* Mira **quilòmetre**.

kilowatt kilowatts *nom m* Mira **quilowatt**.

kiwi kiwis *nom m* Fruit comestible, de color verd per dins i marró per fora.

kurd kurda kurds kurdes **1** *nom m* i *f* Habitant del Kurdistan; persona natural o procedent del Kurdistan. **2** *adj* Es diu de les persones o de les coses naturals o procedents del Kurdistan. **3** *nom m* Llengua que es parla al Kurdistan.

k

L l lletra ela

la las *nom m* Sisena nota de l'escala musical.

laberint laberints *nom m* **1** Lloc tancat amb molts camins que es barregen i d'on és difícil de sortir. **2** Fet, problema complicat, difícil de resoldre, d'aclarir. **3** Conjunt de cavitats sinuoses que es troben a l'interior de l'orella i que formen part de l'òrgan de l'oïda. **15**

labial labials *adj* Que té relació amb els llavis.

labor labors *nom f* **1** Feina, treball que fa algú. **2** Treball manual que es fa cosint, brodant, fent ganxet, etc.: *Moltes persones ocupen el temps fent labors.*

laborable laborables *adj* Es diu del dia que no és festa, que s'ha de treballar: *Els diumenges són dies festius; els dilluns són dies laborables.*

laboral laborals *adj* Que està relacionat amb el treball: *El meu pare treballa en un taller i fa una jornada laboral de vuit hores diàries.*

laboratori laboratoris *nom m* Lloc on es fan experiments i investigacions: *Avui anirem al laboratori de l'escola a fer un experiment de química.*

laboriós laboriosa laboriosos laborioses *adj* **1** Es diu de la persona que treballa molt i ho fa bé. **2** Es diu d'una cosa que requereix molt esforç i atenció: *Fer una construcció amb totes aquestes peces és una feina laboriosa.*

laca laques *nom f* **1** Resina que s'extreu d'alguns vegetals o que produeixen alguns insectes i que es fa servir per a fabricar vernissos. **2** Vernís dur i brillant que es fa servir per a pintar mobles. **3** Producte que es posa als cabells perquè no es despentinin.

lacar *v* Cobrir una superfície o un objecte amb laca.
Es conjuga com *cantar*. S'escriu *c* davant de *a, o, u* i *qu* davant de *e, i: laco, laques.*

lacònic lacònica lacònics lacòniques *adj* Es diu d'una persona, d'un escrit, etc. que fa servir molt poques paraules per a explicar una cosa.

lacrar *v* Tancar una carta o un document amb lacre.
Es conjuga com *cantar*.

lacre lacres *nom m* Pasta espessa de color vermell que, un cop seca, es fa servir sobretot per a tancar cartes o documents.

lacrimal lacrimals *adj* Que està relacionat amb les llàgrimes: *La glàndula lacrimal, situada a l'interior de l'ull, és l'òrgan que produeix les llàgrimes.*

lacrimogen lacrimògena lacrimògens lacrimògenes *adj* Que provoca llàgrimes: *Un gas lacrimogen.*

lactant lactants *adj* i *nom m* i *f* Que encara mama: *Aquella dona té dos fills petits i un encara és lactant i mama diverses vegades al dia.*

lacti làctia lactis làcties *adj* **1** Que està relacionat amb la llet. **2** via làctia Galàxia d'estels on hi ha el Sol.

làctic làctica làctics làctiques *adj* Que està relacionat amb la llet, que prové de la llet: *El formatge i el iogurt són productes làctics.*

lacto- lacti- lact- Element amb què comencen algunes paraules i que vol dir "llet": *La lactosa és el sucre que hi ha a la llet.*

lactosa lactoses *nom f* Sucre de la llet.

lacustre lacustres *adj* Que té relació amb els llacs: *Les plantes lacustres són les que viuen en els llacs.*

laic laica laics laiques **1** *adj* Es diu d'una persona o d'una cosa que no segueix cap religió: *Una escola laica és una escola on no hi ha ensenyament religiós.* **2** *adj* i *nom m* i *f* Es diu de les persones de religió cristiana que no són eclesiàstiques.

lament laments *nom m* Crit, paraula o plany de dolor, de queixa o de pena.

lamentable lamentables *adj* Que fa pena, que és digne de lamentació: *Després de la riuada, vaig trobar el cotxe en un estat lamentable.*

lamentació lamentacions *nom f* Acció de lamentar-se, lament: *El professor no va voler escoltar les seves lamentacions i el va suspendre.*

lamentar *v* **1** Mostrar pena o dolor per alguna cosa: *Tothom va lamentar l'accident.* **2** lamentar-se Queixar-se: *La meva germana es lamenta que la castiguessin sense motiu.*
Es conjuga com *cantar*.

làmina làmines *nom f* **1** Full de paper gran on hi ha alguna cosa dibuixada o estampada: *Posaré les làmines de dibuix en aquesta carpeta.* **2** Tros de metall, de fusta, de plàstic, etc., pla i molt prim: *Aquest objecte està fet de làmines d'acer.*

làmpada làmpades *nom f* Objecte proveït d'un dispositiu que serveix per a fer llum.

lampista lampistes *nom m i f* Persona que té per ofici fer instal·lacions de llum, d'aigua o de gas i reparar-ne les avaries: *Hem avisat el lampista perquè ens faci la instal·lació del llum a la casa nova.*

landó landós *nom m* Cotxe de cavalls, amb quatre rodes i amb capota.

landó

lànguid lànguida lànguids lànguides *adj* Es diu de la persona dèbil, mancada de forces i amb poca energia.

làpida làpides *nom f* Llosa de marbre o de pedra que té un escrit gravat: *A la porta de l'escola hi ha una làpida on hi ha escrit l'any que va ser construïda.*

lapó lapona lapons lapones **1** *nom m i f* Habitant de Lapònia; persona natural o procedent de Lapònia. **2** *adj* Es diu de les persones o de les coses naturals o procedents de Lapònia. **3** *nom m* Llengua parlada a Lapònia.

lapse lapses *nom m* Espai de temps: *Un lapse de temps molt llarg.*

lapsus uns lapsus *nom m* Error que es fa per distracció parlant o escrivint: *Va tenir un lapsus i en comptes de dir "bon dia" va dir "bona nit".*

laringe laringes *nom f* Òrgan de l'aparell respiratori situat a l'interior del coll, que conté les cordes vocals i que està comunicat amb la faringe. **20**

larinx larinxs *nom f* Mira **laringe**.

larva larves *nom f* Primera forma de desenvolupament d'un insecte quan surt de l'ou, abans de fer-se adult: *A la classe de naturals avui hem estudiat una larva de papallona.* **7**

làser làsers *nom m* **1** Aparell que produeix un raig de llum molt potent, que es fa servir per a soldar, per a realitzar operacions delicades,

etc. **2** **raig làser** Raig de llum produït per un làser.

latent latents *adj* Es diu d'una cosa que existeix, però que no es manifesta a l'exterior amb claredat: *Encara que no es notés gens, la seva ràbia era latent.*

lateral laterals *adj* Situat en un costat: *En aquesta casa, a més de la porta principal, que és al centre de la façana, hi ha una porta lateral més petita.*

làtex làtexs *nom m* Líquid semblant a la llet que surt d'algunes plantes, i del qual s'extreu una substància anomenada cautxú, que és molt elàstica i s'utilitza en la fabricació de molts productes.

latifundi latifundis *nom m* Finca, terreny de gran extensió que és propietat d'una sola persona.

latitud latituds *nom f* Distància que hi ha entre un punt qualsevol de la Terra i l'equador.

lava laves *nom f* Material líquid i espès, molt calent, que surt d'un volcà en erupció i que forma rius que baixen per les vessants de la muntanya del volcà.

lavabo lavabos *nom m* **1** Pica de porcellana o de ceràmica amb aixeta d'aigua que es fa servir per a rentar-s'hi la cara, les mans, etc. **2** Habitació destinada a rentar-s'hi on hi sol haver lavabo, vàter, dutxa, etc.

lavabo

lavanda lavandes *nom f* Espígol, planta que fa molta olor i que serveix per a fer un tipus de colònia.

lavativa lavatives *nom f* Preparat líquid que es fica dins el cos per l'anus i que serveix com a medicament.

laxant laxants *adj i nom m* Es diu de la substància que ajuda a anar de ventre.

lectiu lectiva lectius lectives *adj* Es diu del dia que hi ha classe a les escoles: *Tots els dies de la setmana, menys el dissabte i el diumenge, són dies lectius.*

lector lectora lectors lectores *adj* i *nom m* i *f* Es diu de la persona que llegeix: *En Pere és un gran lector, tot el dia llegeix llibres i revistes.*

lectura lectures *nom f* **1** Acció de llegir, temps destinat a llegir: *Avui hem fet una hora de lectura.* **2** Llibre, diari, revista, etc. que es llegeix: *Aquest llibre és una bona lectura, és molt distret.*

legal legals *adj* Que està d'acord amb la llei, que no va contra la llei.

legalitzar *v* Fer legal una cosa: *Algunes persones són partidàries de legalitzar algunes drogues, és a dir, de deixar-les de prohibir, perquè pensen que d'aquesta manera en disminuiria el consum.*
Es conjuga com *cantar.*

legió legions *nom f* **1** Cos especial de soldats que tenen els exèrcits d'alguns països. **2** Grup nombrós de persones: *Ha vingut una legió de persones a interessar-se per la feina.*

legislació legislacions *nom f* Conjunt de lleis que regulen la vida d'un país o d'una comunitat.

legislar *v* Fer o establir lleis: *El parlament és l'òrgan polític encarregat de legislar.*
Es conjuga com *cantar.*

legislatiu legislativa legislatius legislatives *adj* Que fa lleis, que legisla: *El parlament és un òrgan legislatiu.*

legislatura legislatures *nom f* Període de temps que dura un mateix parlament en un país, entre elecció i elecció.

legítim legítima legítims legítimes *adj* Que està d'acord amb la llei o amb el dret: *Si t'ataquen, és legítim que et defensis.*

lema lemes *nom m* Conjunt de paraules que serveixen per a representar i guiar l'activitat d'una empresa, d'una associació, d'un grup de persones, etc.: *El lema de la nostra colla és: "Cal ajudar-nos els uns als altres".*

lent¹ lenta lents lentes *adj* Que va a poc a poc, que no va de pressa: *Aquest cotxe no corre gaire, és lent i tots els altres el passen.*

lent² lents *nom f* **1** Vidre de dues superfícies que serveix per a veure millor les coses: *Els microscopis porten unes lents molt potents.* **2** lents de contacte Peces petites de plàstic o de vidre que es posen als ulls per a veure-hi millor: *A la Roser no li agrada portar ulleres, per això porta lents de contacte.*

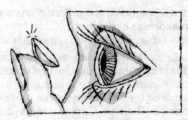
lent de contacte

lentament *adv* D'una manera lenta: *Les tortugues es desplacen lentament.*

lentícula lentícules *nom f* Lent de contacte.

lentitud lentituds *nom f* Qualitat de lent: *Aquest tren avança amb molta lentitud, molt a poc a poc.*

leo *nom m* Cinquè signe del zodíac, també anomenat lleó: *Les persones nascudes entre el 23 de juliol i el 23 d'agost són del signe de leo.*

lepra lepres *nom f* Malaltia infecciosa i contagiosa que afecta la pell i el sistema nerviós de les persones.

leprós leprosa leprosos leproses *adj* i *nom m* i *f* Malalt de lepra.

lesbiana lesbianes *nom f* Dona homosexual.

lesió lesions *nom f* Mal, ferida, dany: *El cop de la pilota li va produir una lesió al genoll de la cama esquerra.*

lesionar *v* Causar una lesió, ferir: *El futbolista va caure malament i es va lesionar una cama.*
Es conjuga com *cantar.*

letal letals *adj* Mortal: *Alguns gasos són letals.*

letargia letargies *nom f* **1** Estat de repòs d'alguns animals quan fa molt fred o molta calor. **2** Son molt fort i profund que de vegades tenen els malalts.

letó letona letons letones **1** *nom m* i *f* Habitant de Letònia; persona natural o procedent de Letònia. **2** *adj* Es diu de les persones o de les coses naturals o procedents de Letònia. **3** *nom m* Llengua que es parla a Letònia.

leucèmia leucèmies *nom f* Malaltia greu de la sang, càncer de la sang.

leucòcit leucòcits *nom m* Cèl·lula de la sang que s'encarrega de lluitar contra els microbis que produeixen les infeccions.

levita levites *nom f* Jaqueta d'home llarga, amb mànigues, ajustada a la cintura i ampla per la part de baix.

lexema lexemes *nom m* Part d'una paraula que n'expressa el significat: *"Cadir-" és el lexema de "cadira", de "cadireta" i de "cadiraire".*

lèxic lèxica lèxics lèxiques **1** *adj* Que està relacionat amb les paraules, amb el vocabulari: *A l'hora d'escriure s'ha de procurar fer-ho amb precisió lèxica, és a dir, fent servir les paraules més precises.* **2** *nom m* Conjunt de les paraules d'una llengua, vocabulari.

li els -los 'ls *pron* Paraula que fem servir per a referir-nos a una tercera persona sense dir el seu nom, i que vol dir el mateix que "a ell", "a ella", "a ells", "a elles": *Li has donat els cèntims?* ▪ *Els has donat els cèntims?*

liana lianes *nom f* Planta que té la tija dura i que s'enfila pels arbres.

libanès libanesa libanesos libaneses **1** *nom m i f* Habitant del Líban; persona natural o procedent del Líban. **2** *adj* Es diu de les persones o de les coses naturals o procedents del Líban.

libar *v* **1** Xuclar un insecte el nèctar de les flors. **2** Beure un petit glop de vi, de licor, etc.; xuclar suaument el suc d'una cosa. Es conjuga com *cantar*.

libèl·lula libèl·lules *nom f* Insecte gros que té l'abdomen allargat i prim, amb quatre ales llargues i transparents i que viu prop de llocs on hi ha aigua. ▪ 8

libèl·lula

liberal liberals **1** *adj i nom m i f* Que és partidari del liberalisme, és a dir, de la ideologia política que defensa la llibertat política i econòmica. **2** *adj* Es diu de la professió que s'exerceix de manera lliure, sense dependre de ningú: *Els advocats i els arquitectes practiquen professions liberals.* **3** *adj* Es diu de la persona generosa, sempre disposada a donar premis i a fer regals.

liberalisme liberalismes *nom m* Ideologia política que defensa la llibertat política i econòmica.

libi líbia libis líbies **1** *nom m i f* Habitant de Líbia; persona natural o procedent de Líbia.

2 *adj* Es diu de les persones o de les coses naturals o procedents de Líbia.

libra *nom f* Setè signe del zodíac, també anomenat balança: *Les persones nascudes entre el 23 de setembre i el 21 d'octubre són del signe de libra.*

lícit lícita lícits lícites *adj* Que és permès, que és legal.

licor licors *nom m* Beguda alcohòlica de gust dolç: *Després de dinar, van beure cafè i licors.*

líder líders *nom m i f* Persona que dirigeix un grup, que va al davant en una cursa, etc.: *El líder d'aquell partit polític és molt admirat pels seus seguidors.*

lignit lignits *nom m* Carbó mineral de color marró o negre, és tou i crema menys que l'hulla.

lila 1 *adj* De color morat clar: *El lilà és un arbust que fa unes flors lila.* **2** lila liles *nom m* Color morat clar.

lilà lilàs *nom m* Arbust de flors lila, entre morades i blanques, que fan molta olor.

limbe limbes *nom m* Part més ampla d'una fulla, que té forma de làmina amb dues cares.

limfa limfes *nom f* Líquid incolor que circula pel nostre cos i que serveix per a alimentar les cèl·lules.

limfàtic limfàtica limfàtics limfàtiques *adj* Que està relacionat amb la limfa.

límit límits *nom m* Lloc on acaba una cosa: *Aquelles muntanyes d'allà baix marquen el límit on acaba la comarca.*

limitació limitacions *nom f* Acció de limitar o de limitar-se.

limitar *v* **1** Fer més petita una cosa, reduir-la, posar-hi límits: *Hi ha una llei que limita la velocitat dels vehicles que circulen per l'autopista.* ▪ *Haurem de limitar el nombre de convidats al casament, perquè tenim massa despeses.* **2** Tenir un país o un territori un altre país, el mar, un riu, etc. al costat: *Catalunya limita a l'oest amb Aragó i al sud amb el País Valencià.* **3** limitar-se Fer només una cosa: *Quan el vam renyar per haver trencat el vidre, ell es va limitar a dir "ho he fet sense voler".* Es conjuga com *cantar*.

limitat limitada limitats limitades *adj* Que té límits, que és escàs o reduït: *A les autopistes, la velocitat és limitada, com a màxim es pot circular a 120 quilòmetres per hora.* ▪ *El nombre d'assistents a l'acte va ser limitat.*

lineal lineals *adj* Que està relacionat amb la línia, que està fet amb línies: *Un dibuix lineal.*

lingot lingots *nom m* Peça de metall en forma de barra que encara no ha estat treballada.

lingual linguals *adj* **1** Que està relacionat amb la llengua. **2** papil·les linguals Papil·les que hi ha al dors de la llengua, que serveixen per a apreciar els gustos. **15**

lingüista lingüistes *nom m i f* Persona que es dedica a estudiar el llenguatge humà.

lingüístic lingüística lingüístics lingüístiques **1** *adj* Que està relacionat amb la llengua o el llenguatge. **2** lingüística *nom f* Ciència que estudia el llenguatge humà.

línia línies *nom f* **1** Conjunt de punts units l'un darrere l'altre, ratlla. **2** Conjunt de paraules escrites l'una darrere l'altra en un paper: *La mestra ens ha dit que hem de fer una redacció sobre la contaminació que, com a mínim, tingui vint línies.* **3** Via de comunicació o de transport: *A Barcelona han obert una nova línia de metro.* **4** Conjunt de fils i d'instal·lacions que fan que es pugui fer servir el telèfon, l'energia elèctrica, etc.: *En aquests moments totes les línies estan ocupades, us haureu d'esperar per poder trucar per telèfon.*

liniment liniments *nom m* Líquid oliós que es fa servir per a fer fregues en alguna part del cos.

linòleum linòleums *nom m* Material de goma enganxat en un teixit de sac que, buidat, serveix de motlle per a estampar dibuixos.

linx linxs *nom m* Animal mamífer salvatge semblant al gat, però més gros, que té les orelles punxegudes i acabades en un pilot de pèls negres. **10**

linxar *v* Executar algú sense que se l'hagi jutjat: *La gent del poble volia linxar els delinqüents, però per sort la policia ho va poder impedir.* Es conjuga com *cantar.*

lionesa lioneses *nom f* Pastís molt petit i dolç farcit de nata, de crema o de xocolata.

lípid lípids *nom m* Substància grassa, d'origen animal o vegetal, que hi ha en alguns aliments com ara l'oli o la mantega.

liquadora liquadores *nom f* Aparell de cuina que serveix per a triturar fruites o verdures i treure'n el líquid.

liquar *v* Convertir una cosa sòlida o gasosa en líquida: *Si liqüem una taronja, obtindrem un suc de taronja.* Es conjuga com *cantar.* S'escriu *qu* davant de *a*, o i *qü* davant de *e*, *i*: *liquo, liqües.*

liquen líquens *nom m* Organisme molt petit format per la unió d'una alga i d'un fong que es troba en llocs humits, damunt les pedres o els troncs dels arbres.

líquid líquida líquids líquides **1** *adj* Es diu de les substàncies que no són ni sòlides ni gasoses: *L'aigua és una substància líquida.* **2** *nom m* Substància que no és ni sòlida ni gasosa.

liquidació liquidacions *nom f* Venda d'un producte a un preu molt baix: *Als grans magatzems sovint es fan liquidacions.*

liquidar *v* **1** Pagar un deute. **2** Acabar de resoldre un problema. **3** Eliminar, matar. Es conjuga com *cantar.*

lira[1] lires *nom f* Instrument musical de corda que feien servir els antics grecs.

lira[2] lires *nom f* **1** Antiga moneda d'Itàlia i de San Marino. **2** Moneda de Turquia.

liró lirona lirons lirones *nom m i f* **1** Animal mamífer semblant a l'esquirol, de color gris, que viu en els arbres, que s'alimenta de fruits i que passa l'hivern amagat. **2** Es diu d'una persona poc intel·ligent, beneita. **3** dormir com un liró Dormir profundament.

literal literals *adj* Es diu d'una frase, d'una expressió, etc. que diu exactament el mateix que una altra que s'ha dit o escrit abans: *El professor va posar a la pissarra uns exemples literals del llibre.*

literari literària literaris literàries *adj* Que està relacionat amb la literatura: *La novel·la "Tirant lo Blanc" és una gran obra literària.* ■ *A l'escola hem fet un concurs literari i hem donat un premi al conte més imaginatiu i un altre al poema més ben escrit.*

literat literata literats literates *adj i nom m i f* Es diu de la persona que es dedica a l'estudi de la literatura o a la producció literària.

literatura literatures *nom f* **1** Art d'escriure. **2** Conjunt de les obres escrites en una llengua determinada: *A la Laura li agrada molt la literatura, sempre llegeix poesies i novel·les.* **3** Estudi de les obres escrites en una llengua determinada i dels seus autors.

litoral litorals *adj i nom m* Es diu de la terra que es troba a la vora del mar: *El litoral del País Valencià és molt visitat pels turistes.*

litosfera litosferes *nom f* Escorça, capa superficial de la Terra.

I

litre litres *nom m* Unitat de mesura de capacitat, la més corrent de totes: *En aquesta ampolla grossa, hi cap un litre d'aigua.*

lituà lituana lituans lituanes **1** *nom m i f* Habitant de Lituània; persona natural o procedent de Lituània. **2** *adj* Es diu de les persones o de les coses naturals o procedents de Lituània. **3** *nom m* Llengua que es parla a Lituània.

litúrgia litúrgies *nom f* **1** Forma de celebrar les cerimònies religioses. **2** Conjunt de cerimònies religioses.

lívid lívida lívids lívides *adj* D'un color blau brut com el que agafa la pell quan ens donem un cop o tenim molt fred.

llac llacs *nom m* Extensió gran d'aigua que ocupa un gran sot de terra a l'interior d'un continent: *A Suïssa hi ha molts llacs.*

llaç llaços *nom m* **1** Nus que es fa amb un cordó, una cinta, una veta, etc. i que serveix per a adornar o per a subjectar una cosa: *La Maria portava un gran llaç a la cintura.* **2 llaç escorredor** Baga que es fa fent passar una corda per un forat o una anella que ella mateixa té en un dels extrems, de manera que s'estreny quan s'escorre: *Els cowboys fan servir llaços escorredors per a atrapar els vedells.*

llaçada llaçades *nom f* Cinta en forma de llaç.

llacuna llacunes *nom f* **1** Llac petit. **2** Espai buit o interrupció en un escrit o en una explicació: *El professor em va dir que a la meva redacció hi havia llacunes i que algunes coses no quedaven ben explicades.*

lladrar *v* Fer lladrucs: *El gos s'ha passat la nit lladrant.*
Es conjuga com *cantar.*

lladre lladres **1** *nom m i f* Persona que roba: *Durant les vacances, uns lladres ens van entrar al pis i ens van robar el televisor.* **2** *nom m* Endoll amb tres o quatre connexions que permet que diversos aparells elèctrics puguin funcionar alhora. **3 lladre de camí ral** Lladre que antigament robava la gent que passava pels camins.

lladregot lladregota lladregots lladregotes *nom m i f* Lladre que fa robatoris de poca importància.

lladruc lladrucs *nom m* Crit fort i curt del gos.

llagost llagosts o llagostos *nom m* Mira llagosta 1.

llagosta llagostes *nom f* **1** Nom de diversos insectes de cos allargat, amb dues ales dures i que caminen fent salts amb les potes del darrere, que són llargues i fortes. **2** Crustaci amb antenes i closca dura molt apreciat com a aliment.

llagostenc llagostenca llagostencs llagostenques **1** *nom m i f* Habitant de la Llagosta; persona natural o procedent de la Llagosta. **2** *adj* Es diu de les persones o de les coses naturals o procedents de la Llagosta.

llagostí llagostins *nom m* Crustaci semblant a la llagosta, però més petit i amb la closca més tova, que és molt apreciat com a aliment.

llàgrima llàgrimes *nom f* **1** Gota produïda per les glàndules lacrimals i que cau dels ulls: *El van renyar sense raó, i aquesta injustícia li va fer saltar les llàgrimes.* **2** *M'és igual que ploris, són llàgrimes de cocodril:* plors falsos, es diu quan una persona fa veure que es penedeix d'haver fet una cosa sense penedir-se'n de debò.

llagrimer llagrimers *nom m* Racó de l'ull, al costat del nas, on s'ajunten les dues parpelles, per on cauen les llàgrimes. **15**

llagut llaguts *nom m* Embarcació petita de vela que serveix per a pescar i per a fer viatges per la costa.

llama llames *nom m o f* Animal mamífer semblant al camell, però més petit i sense gep, que té el cos cobert de llana espessa, el coll llarg i que viu a les muntanyes d'Amèrica del Sud.

llamàntol llamàntols *nom m* Crustaci de cos blavós, amb la closca dura i amb unes pinces molt grosses, que viu a les roques i que és molt apreciat com a aliment.

llamborda llambordes *nom f* Pedra gruixuda que es fa servir per a pavimentar els carrers.

llambordes

llambregada llambregades *nom f* Cop d'ull, mirada ràpida: *Vés a fer una llambregada a la sala, a veure si ja hi és tothom.*

llambregar v Mirar, veure una cosa amb un cop d'ull: *Des de la finestra vaig llambregar un cotxe de bombers que passava pel carrer.*
Es conjuga com *cantar.* S'escriu g davant de *a, o, u* i gu davant de *e, i: llambrego, llambregues.*

llamí llamins *nom m* Llaminadura.

llaminadura llaminadures *nom f* Menjar dolç, com ara els caramels, els pastissos, la xocolata, etc.: *A aquest nen, només li agrada de menjar llaminadures.*

llaminer llaminera llaminers llamineres **1** *adj* i *nom m* i *f* Es diu de la persona a qui agraden les llaminadures, les coses dolces. **2** *adj* Que convida a ser menjat pel seu gust, per la seva presentació, etc.: *La taula estava plena de menjars molt llaminers.*

llamp llamps *nom m* **1** Descàrrega elèctrica que es produeix entre dos núvols o entre un núvol i la terra, i que provoca una resplendor, el llampec, i un soroll fort, el tro: *Va caure un llamp sobre una alzina.* **2** *Aquest gos corre com un llamp:* corre molt, és molt ràpid.

llampant llampants *adj* Que té un color viu, fort i lluent: *Portava un vestit de colors llampants: groc i vermell.*

llampec llampecs *nom m* Resplendor viva i curta que es produeix en els núvols per una descàrrega elèctrica o en caure un llamp: *A l'estiu, quan plou, m'agrada de veure els llampecs des de la finestra de casa.*

llampegar v Fer llampecs: *Plovia i llampegava.*
Es conjuga com *cantar.* S'escriu g davant de *a, o, u* i gu davant de *e, i: llampega, llampegui.*

llamprea llamprees *nom f* Peix de cos llarg, semblant a una serp, que viu al mar però pon els ous al riu.

llampurna llampurnes *nom f* Guspira, espurna.

llana llanes *nom f* Pèl de les ovelles; fibra tèxtil procedent del pèl de les ovelles i d'altres animals peluts, que es teixeix i amb la qual es fan peces de vestir: *L'àvia m'està fent un jersei de llana.*

llança llances *nom f* Arma que consisteix en un pal llarg de fusta que té al capdamunt un tros de ferro tallant i acabat en punta: *Aquells soldats anaven armats amb llances, espases i escuts.*

llançador llançadora llançadors llançadores *adj* i *nom m* i *f* Que llança: *El llançador de javelina francès va guanyar la competició.*

llançagranades uns llançagranades *nom m* Arma de guerra que serveix per a llançar projectils com ara coets o granades.

llançament llançaments *nom m* Acció de llançar: *El llançament del coet cap a l'espai serà aquest vespre.* ▪ *El llançament de disc, de pes i de javelina són tres esports.*

llançar v Deixar anar una cosa amb força de manera que corri un tros per l'aire: *Els indis llançaven fletxes.* ▪ *El volcà llançava foc i pedres.* ▪ *Va saltar i es va llançar de cap a la piscina.*
Es conjuga com *cantar.* S'escriu ç davant de *a, o, u* i c davant de *e, i: llanço, llances.*

llanda llandes *nom f* **1** Cercle de metall de la roda d'un vehicle, sobre el qual es posa el pneumàtic. **2** Llauna.

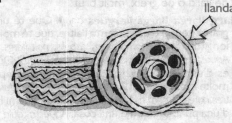

llanda

llangardaix llangardaixos *nom m* Animal rèptil que té el cos i la cua llargs i coberts d'escates petites i que camina arrossegant-se per terra amb quatre potes curtes. **7**

llanta llantes *nom f* Llanda **1**.

llanterna llanternes *nom f* Llum petit que es pot portar amb la mà i que funciona amb piles, gas, etc., lot.

llanterner llanternera llanterners llanterneres *nom m* i *f* **1** Persona que fa o ven llanternes. **2** Llauner.

llàntia llànties *nom f* **1** Llum que consisteix en una metxa que crema amb oli o un altre líquid inflamable. **2** Taca d'oli o de greix: *Porta la camisa ben tacada, plena de llànties.*

llantió llantions *nom m* Llàntia petita.

llanut llanuda llanuts llanudes *adj* Que té molta llana: *Les ovelles són animals llanuts.*

llanxa llanxes *nom f* Embarcació petita i ràpida.

llapis uns llapis *nom m* Objecte cilíndric de fusta, de plàstic, etc. que té al mig una barreta de grafit i que serveix per a dibuixar o escriure: *En Joaquim ha fet un dibuix amb llapis i després l'ha pintat.*

llar llars *nom f* **1** En una casa, paviment, generalment de pedra, amb una xemeneia on es fa foc per a escalfar-se a l'hivern: *La llar de foc és al menjador.* **2** Casa on viu una família: *La nostra llar és petita però confortable.* **3 llar d'infants** Escola on van els infants de menys de tres anys.

llard llards *nom m* Greix de porc.

llarder Paraula que apareix en la denominació **dijous llarder**, que vol dir "dijous gras", és a dir, l'últim dijous abans de la quaresma, que se celebra menjant botifarra, truita i coca de llardons.

llardó llardons *nom m* Trosset petit de llard rostit i premsat.

llardós llardosa llardosos llardoses *adj* Brut de llard o de greix, molt brut.

llarg llarga llargs llargues *adj* **1** Que té una gran extensió d'un extrem a l'altre, que té molta longitud: *La Teresa porta els cabells molt llargs. Aquest camí que hem agafat és el més llarg.* **2** Que és d'una gran durada, que dura molt temps, molta estona: *La pel·lícula era molt llarga, va durar tres hores.* **3** *nom m* Llargada, distància que hi ha d'una punta a l'altra d'una cosa: *Aquesta taula fa un metre i mig de llarg.* **4 passar de llarg** Passar per un lloc sense aturar-s'hi. **5 A la llarga** ens *perdonarà la nostra falta:* amb el temps. **6 saber-la llarga** Ser molt espavilat, molt astut: *Vigila amb aquesta, que la sap molt llarga i t'embolicarà.*

llargada llargades *nom f* Extensió d'un extrem a l'altre d'una cosa, la més gran de les dues dimensions d'una cosa: *El pati de l'escola fa 20 metres de llargada i 15 d'amplada.*

llargària llargàries *nom f* Llargada.

llargarut llargaruda llargaruts llargarudes *adj* Que és molt més llarg que no pas ample: *Viu en un carrer estret i llargarut.*

llargmetratge llargmetratges *nom m* Pel·lícula que dura més de 60 minuts.

llast llasts o llastos *nom m* **1** Conjunt de pedres, de sorra, de trossos de ferro, etc. que es posen al fons d'una embarcació perquè s'aguanti millor damunt l'aigua. **2** Conjunt de sacs de sorra que es porten en un globus i que es deixen caure perquè el globus pugui enlairar-se més. **3** Nosa, obstacle, impediment: *El mal estat de les carreteres és un llast per al desenvolupament econòmic.*

llàstima llàstimes *nom f* **1** Pena, compassió que se sent per algú: *Aquell home que plora em fa llàstima.* **2** *És llàstima* que no vulguis menjar: és una pena, és trist, sap greu. **3 quina llàstima!** o **llàstima!** Expressió que fem servir quan sentim pena per alguna cosa: *Quina llàstima que l'Arnau no hagi pogut venir avui a l'excursió!*

llastimós llastimosa llastimosos llastimoses *adj* Que fa pena, que fa llàstima.

llatí llatina llatins llatines **1** *nom m* Llengua que parlaven els romans antigament. **2** *adj* Es diu de les llengües que vénen del llatí i també dels pobles que antigament havien format part de l'imperi romà: *L'italià, el francès, el català, el castellà i el portuguès són llengües llatines.*

llatinoamericà llatinoamericana llatinoamericans llatinoamericanes **1** *nom m i f* Habitant dels països de l'Amèrica llatina, on es parlen llengües procedents del llatí, com ara el castellà i el portuguès; persona natural o procedent dels països de l'Amèrica llatina. **2** *adj* Es diu de les persones o de les coses naturals o procedents de l'Amèrica llatina, hispanoamericà.

llauna llaunes *nom f* **1** Planxa de ferro prima: *Aquests pots de cuina són de llauna.* **2** Recipient tancat de manera que no hi pugui entrar l'aire i que conté aliments en conserva: *Hem comprat una llauna de sardines i una altra d'anxoves.* **3** *Au!, deixa de* **donar la llauna!**: empipar, fer-se pesat, molestar algú, atabalar-lo.

llauna de conserva

llauner llaunera llauners llauneres *nom m i f* Persona que instal·la i arregla les canonades de l'aigua, les aixetes, etc.

llaurador llauradora llauradors llauradores *nom m i f* Persona que llaura, pagès.

llaurar *v* Fer solcs a la terra d'un camp amb l'arada perquè s'hi pugui sembrar.
Es conjuga com *cantar*.

llaüt llaüts *nom m* **1** Instrument musical de corda, semblant a una guitarra, però més petit i amb la caixa més arrodonida. **2** Llagut, embarcació petita de vela.

llautó llautons *nom m* **1** Metall que s'obté barrejant el coure i el zinc i que s'utilitza per a fabricar diversos objectes: *Un canelobre de* llautó. **2** En Robert deia que ell no havia trencat el vidre, però com que reia tant **se li va veure el llautó**: es va descobrir que ens volia enganyar.

llavar v Rentar.

Es conjuga com cantar.

llavi llavis nom m **1** Cadascuna de les dues parts de carn (inferior i superior) que hi ha al voltant de la boca: La meva germana gran ja es pinta els llavis. **15** **2** La Cinta **no ha obert els llavis** durant tot el sopar: no ha dit ni una paraula, no ha parlat. **3** Cadascuna de les vores de la vulva.

llavor llavors nom f Part del fruit de la qual naixerà una planta.

llavors adv **1** En aquell moment, aleshores: La Llúcia plorava, llavors va venir la seva mare i li va dir que tot s'arreglaria. **2** En aquest cas, com a conseqüència d'això: Si féssim la feina, llavors podríem anar a voltar.

lleba llebes nom f Barra de metall amb una maneta que serveix per a tancar o obrir una finestra, un finestró, etc.

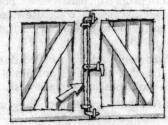

lleba

llebeig llebeigs o **llebetjos** nom m Vent del sud-oest, garbí.

llebre llebres nom f Animal mamífer rosegador molt semblant al conill, de pèl marró, negre i blanc, amb les orelles llargues, la cua curta i les potes del darrere llargues, que corre molt i viu al bosc: El meu cosí ha caçat una llebre.

llebrer llebrera llebrers llebreres **1** adj Es diu del gos que es fa servir per a caçar llebres i conills: Els gossos llebrers solen tenir les potes llargues, el cos prim i el cap petit. **2** nom m Gos que es fa servir per a caçar llebres i conills: L'avi té dos llebrers a la granja.

llebrot llebrots nom m Llebre mascle.

llec llega llecs llegues **1** adj Es diu de la persona que no és eclesiàstica. **2** nom m Es diu de la persona que forma part d'un orde religiós, però que no és clergue. **3** nom m i f Es deia del frare o de la monja que en un convent se solia ocupar de les feines domèstiques. **4** adj Es diu de la persona que té pocs coneixements d'una matèria.

llefiscós llefiscosa llefiscosos llefiscoses adj Es diu d'una cosa que és humida i que enganxa: He menjat pollastre i tinc els dits ben llefiscosos.

lleganya lleganyes nom f Crosta petita que es fa quan s'asseca el líquid que produeix l'ull: Al matí, quan em llevo, sempre tinc els ulls plens de lleganyes.

lleganyós lleganyosa lleganyosos lleganyoses adj Que té els ulls plens de lleganyes: No toquis aquest gos tan brut i lleganyós!

llegar v Deixar alguna cosa a algú com a herència: Quan el pare es va morir, em va llegar tots els seus béns.

Es conjuga com cantar. S'escriu g davant de a, o, u i gu davant de e, i: llego, llegues.

llegat llegats nom m Allò que una persona deixa als seus hereus quan es mor, herència.

llegenda llegendes nom f **1** Narració fantàstica sobre un fet que podia haver passat realment, sobre un personatge que podia haver existit, etc.: Avui ens han explicat la llegenda de sant Jordi i el drac. **2** Escrit que acompanya un mapa, un pla, etc. i que explica què volen dir els signes que s'hi utilitzen.

llegendari llegendària llegendaris llegendàries adj **1** Que té relació amb les llegendes: El comte Arnau és un personatge llegendari. **2** Famós, conegut per tothom.

llegible llegibles adj Que es pot llegir bé, que fa de bon llegir, llegidor.

llegida llegides nom f Acció de llegir, lectura: No he tingut temps de preparar-me l'examen, només he fet una llegida alt per alt dels apunts.

llegidor llegidora llegidors llegidores adj Que fa de bon llegir, que fa venir ganes de llegir: Aquests contes són molt llegidors. ■ La lletra de la Lena no és gens llegidora.

llegir v **1** Entendre un text escrit, conèixer els sons representats per les lletres: La Montserrat ha après a llegir aquest curs. **2** Saber desxifrar, interpretar els signes del llenguatge musical: En Romà, com que sap solfa, pot llegir composicions musicals.

Es conjuga com servir.

llegua llegües nom f Unitat de mesura de longitud antiga que servia per a mesurar distàncies.

llegum llegums *nom m* Fruit petit que creix dins una espècie de funda: *Els pèsols, les faves, les llenties, les mongetes i els cigrons són llegums.*

llei lleis *nom f* **1** Text que diu quines coses s'han de fer i quines coses no es poden fer: *Les lleis són aprovades pel parlament.* ■ Hi ha una *llei que castiga els criminals.* **2** Regla, norma, com les que regulen els fenòmens naturals: *La llei de la gravetat.*

lleial lleials *adj* Que és fidel, que no és traïdor: *Diuen que els gossos són molt lleials i que no traeixen mai el seu amo.*

lleialtat lleialtats *nom f* Fidelitat a una persona o a una cosa: *Entre els amics hi ha d'haver lleialtat i sinceritat.*

lleidatà lleidatana lleidatans lleidatanes **1** *nom m i f* Habitant de Lleida; persona natural o procedent de Lleida. **2** *adj* Es diu de les persones o de les coses naturals o procedents de Lleida.

lleig lletja lleigs o lletjos lletges *adj* **1** Que no és bonic, que és desagradable: *Aquest cotxe no m'agrada, és molt lleig.* **2** Es diu d'una acció que no és bona, sinó que és dolenta, desagradable: *El que has fet és molt lleig, no ho tornis a fer.*

lleixa lleixes *nom f* Prestatge fet d'obra que hi ha en una paret, a sobre la llar de foc, etc.

lleixiu lleixius *nom m* Líquid fet amb aigua i algunes substàncies químiques que serveix per a rentar la roba, per a fregar, etc., que neteja i desinfecta.

llémena llémenes *nom f* Ou d'un insecte anomenat poll que viu als cabells.

llenç llenços *nom m* Tela de lli o de cànem que es teixia a mà.

llenca llenques *nom f* Tros llarg i estret d'alguna cosa, com ara terra, paper, etc.: *Una llenca de paper.* ■ Una llenca de cansalada.

llençar *v* **1** Tirar a terra o en algun recipient especial alguna cosa que no necessitem i que ens fa nosa: *Heu de llençar els papers dels caramels a la paperera.* **2** Llançar.
Es conjuga com *cantar*. S'escriu ç davant de *a, o, u* i c davant de *e, i: llenço, llences.*

llenceria llenceries *nom f* **1** Roba interior, roba de llit, de bany o de taula: *Hi ha botigues on només es venen peces de llenceria.* **2** Botiga on es ven roba interior.

llençol llençols *nom m* Peça de roba prima que es posa al llit i serveix per a abrigar el cos: *Canviaré els llençols del llit, perquè ja són bruts.*

llenega llenegues *nom f* Bolet comestible que té el barret de color bru i de tacte llepissós. **4**

llenegar *v* Relliscar.
Es conjuga com *cantar*. S'escriu g davant de *a, o, u* i gu davant de *e, i: llenego, llenegues.*

llengota llengotes *nom f* Acció de treure la llengua davant d'algú per a burlar-se'n: *Nen, no facis llangotes.*

llengua llengües *nom f* **1** Part tova de carn que hi ha a dins de la boca i que es pot moure, serveix per a parlar i per a trobar el gust que té el menjar: *Tenia vermella la punta de la llengua de tant llepar el gelat de maduixa.* **15 19** **2** *En Gil va arribar corrent,* **traient un pam de llengua** *molt cansat de tant córrer.* **3** *L'Alba* **té molta llengua** *sempre contesta malament:* parlar més del compte i amb males paraules. **4** *El nom del director d'aquesta pel·lícula, el* **tinc a la punta de la llengua** *però ara no em surt:* estar a punt de recordar o de dir una cosa. **5** Llenguatge parlat o escrit propi d'un país: *A les illes Balears es parla la llengua catalana.* **6** Qualsevol objecte o cosa que té forma de llengua: *Les flames són com llengües de foc.*

llenguado llenguados *nom m* Peix de mar de cos pla i ovalat, que té els dos ulls al costat dret i és molt apreciat com a aliment.

llenguallarg llenguallarga llenguallargs llenguallargues *adj* Llengut.

llenguatge llenguatges *nom m* **1** Capacitat humana de comunicar-se a través de la paraula. **2** Llengua, idioma, manera de parlar.

llengüeta llengüetes *nom f* **1** Nom de diferents objectes que tenen forma de llengua: *Les sabates de cordons porten una llengüeta.* **2** Peça que en vibrar produeix el so en els instruments de vent.

llengut llenguda llenguts llengudes *adj* Que té molta llengua, que parla més del que hauria de parlar, que parla sense respecte, etc.

llentia llenties *nom f* Llegum petit, pla i rodó d'una planta també anomenada llentia: *Avui menjarem llenties bullides amanides amb oli i sal.*

llentilla llentilles *nom f* Llentia.

llenya llenyes *nom f* **1** Part dels vegetals que, tallada i feta a trossos, serveix per a cremar: *A casa hi ha una estufa de llenya.* **2** *Ja hi ha prou problemes, ara no convé* **tirar més llenya al**

foc: dir o fer coses perquè hi hagi més baralles. **3** *Durant la discussió* **hi va haver llenya** *per a tothom*: bufetades, insults, etc.

llenyataire llenyataires *nom m* i *f* Persona que té per ofici tallar arbres i fer-ne llenya.

llenyater llenyatera llenyaters llenyateres *nom m* i *f* Llenyataire.

llenyós llenyosa llenyosos llenyoses *adj* Que té llenya: *El tronc dels arbres és llenyós.*

lleó[1] *nom m* Cinquè signe del zodíac, també anomenat leo: *Les persones nascudes entre el 23 de juliol i el 23 d'agost són del signe de lleó.*

lleó lleona lleons lleones *nom m* i *f* **1** Animal mamífer salvatge, bastant gros, de pèl entre roig i groc i de cua llarga, que viu a la sabana i menja la carn dels animals que caça; el mascle té les espatlles i el clatell coberts d'un pèl molt espès. **10** **2** Persona molt valenta i molt forta: *Aquell noi és un lleó.*

lleonera lleoneres *nom f* Gàbia de lleons.

lleonès lleonesa lleonesos lleoneses **1** *nom m* i *f* Habitant de Lleó; persona natural o procedent de Lleó. **2** *adj* Es diu de les persones o de les coses naturals o procedents de Lleó.

lleopard lleopards *nom m* Animal mamífer salvatge, fort i àgil, de pèl groc amb taques negres, que viu a la selva i que menja la carn dels animals que caça. **10**

llepa llepes *nom m* i *f* Persona que acostuma a dir coses agradables als altres, a alabar-los per aconseguir que li facin algun favor, per treure'n algun profit.

llepaculs uns/unes llepaculs *nom m* i *f* Llepa.

llepada llepades *nom f* Acció de passar la llengua per alguna cosa: *El gat m'ha fet una llepada a la cara.*

llepafils uns/unes llepafils *adj* i *nom m* i *f* Es diu de la persona que menja poc i sempre troba el menjar dolent.

llepar *v* **1** Passar la llengua per alguna cosa: *El gat es llepa les potes.* **2** Anar tot el dia al darrere d'algú, alabant-lo, per tal de treure'n algun benefici personal: *A la fàbrica hi ha alguns treballadors que els agrada molt de llepar l'amo.* **3** *Aquest pastís és molt bo,* **us en llepareu els dits**: trobar molt bona una cosa. Es conjuga com *cantar.*

llepissós llepissosa llepissosos llepissoses *adj* Es diu d'una cosa que és enganxosa al tacte, que està untada amb una substància que enganxa: *Les llenegues són llepissoses.*

llépol llépola llépols llépoles *adj* i *nom m* i *f* Llaminer, persona a qui agraden molt les coses dolces.

llepolia llepolies *nom f* Llaminadura.

llesca llesques *nom f* Tros més o menys prim que es treu d'un pa tallant-lo de banda a banda: *Per berenar, ens han donat una llesca de pa amb tomàquet.*

llescar *v* Tallar el pa a llesques. Es conjuga com *cantar*. S'escriu *c* davant de *a, o, u* i *qu* davant de *e, i*: *llesco, llesques.*

llessamí llessamins *nom m* Gessamí.

llest llesta llests o llestos llestes *adj* **1** Es diu de la persona intel·ligent, que entén les coses de seguida. **2** Es diu d'una cosa quan ja està acabada: *Ja tinc la feina llesta.*

llet llets *nom f* **1** Líquid blanc que s'obté de les mamelles de les femelles dels animals mamífers després del part i que serveix d'aliment a les cries: *La Roser té dos mesos i només s'alimenta de llet.* **2** Llet d'alguns animals mamífers domèstics que bevem les persones com a aliment o que fem servir per a fer mantega, formatge, etc. **3** **llet d'ametlles** Beguda d'un color blanquinós que s'obté trinxant ametlles en aigua i sucre. **4** **dents de llet** Primeres dents, abans de ser substituïdes per les segones i definitives.

lletania lletanies *nom f* Pregària formada per un conjunt de discursos breus als quals es respon cada vegada amb una mateixa frase o expressió.

lleter lletera lleters lleteres **1** *adj* Que fa llet: *Una vaca lletera.* **2** *nom m* i *f* Persona que ven llet.

lleteria lleteries *nom f* Botiga on es ven llet i altres productes derivats de la llet, com ara mató, formatge, etc.

lletó lletona lletons lletones *nom m* i *f* **1** Animal que encara mama. **2** Porc petit.

lletós lletosa lletosos lletoses *adj* Que té algunes qualitats semblants a les de la llet: *Aquella planta treu un líquid lletós.* ■ *Té la pell molt blanca, d'un color lletós.*

lletra lletres *nom f* **1** Cadascun dels signes que representen els sons d'una llengua: *La lletra k no és gaire freqüent en català.* **2** Manera d'escriure, escriptura pròpia de cada persona:

Jo no faig bona lletra, per això és millor que escriguis tu la carta. **3** Conjunt de paraules posades en música perquè es puguin cantar: *Sabia la lletra de la cançó però no la música.* **4 Carta.**

lletrat **lletrada lletrats lletrades** **1** *adj* Es diu de la persona que ha estudiat o que ha llegit molt. **2** *nom m i f* Advocat.

lletuga **lletugues** *nom f* Enciam.

lleu **lleus** *adj* Lleuger, de poc pes, de poca importància, que no és greu: *S'ha fet una ferida lleu, poc important.*

lleuger **lleugera lleugers lleugeres** *adj* **1** De poc pes: *Les plomes dels ocells són molt lleugeres.* **2** Ràpid: *El tigre és un animal lleuger, corre amb molta rapidesa.*

lleure **lleures** *nom m* Temps lliure: *El meu pare dedica les seves estones de lleure a llegir.*

lleva **lleves** *nom f* Conjunt de joves que fan el servei militar el mateix any.

llevadís **llevadissa llevadissos llevadisses** *adj* Que es pot alçar i abaixar: *Molts castells tenen un pont llevadís a l'entrada principal.*

pont llevadís

llevador **llevadora llevadors llevadores** *nom m i f* Persona preparada per a ajudar les dones quan tenen una criatura.

llevaneu **llevaneus** *adj* Es diu de la màquina que es fa servir per a treure la neu d'una carretera, de la via del tren, etc.

llevant **llevants** *nom m* **1** Punt per on surt el sol, est, orient. **2** Vent de l'est.

llevantada **llevantades** *nom f* Vent fort que ve de llevant; mal temps que porta el vent de llevant.

llevantí **llevantina llevantins llevantines** *adj* De la part de llevant.

llevar-se *v* **1** Sortir del llit: *Aquest matí m'he llevat molt d'hora, he esmorzat i després he anat a l'escola.* **2 llevar** Treure algú del llit: *Hem hagut de llevar el nen petit més d'hora per dur-lo al metge.* **3 llevar** Separar, treure alguna cosa

d'allò a què està enganxada, unida: *Hem de llevar l'espina al peix.*
Es conjuga com *cantar*.

llevat[1] *prep* **1** Excepte: *Hi vam anar tots, llevat d'en Segimon.* **2** *Ara aprovarem el document* **llevat que** *algú s'hi oposi: si no s'hi oposa ningú.*

llevat[2] **llevats** *nom m* Substància que es barreja amb una massa per a fer-la créixer i fermentar: *Al forn barregen llevat amb la pasta de farina per a fer el pa.*

llevataps **uns llevataps** *nom m* Estri que té una espiral de metall acabada en punta i que serveix per a treure els taps de suro de les ampolles.

llevataques **uns llevataques** *adj i nom m* Es diu del producte que serveix per a treure les taques de la roba.

lli **llins** *nom m* Planta de la qual es treu una fibra que es fa servir per a fer teixits. **5**

llibertar *v* Donar la llibertat, treure algú de l'esclavitud.
Es conjuga com *cantar*.

llibertat **llibertats** *nom f* **1** Situació de qui no és esclau, de qui no és a la presó, de qui pot fer una cosa sense que ningú no li ho impedeixi. **2 prendre's la llibertat de fer una cosa** Actuar amb confiança, però de manera poc correcta: *M'he pres la llibertat de venir a dinar a casa teva encara que no m'hagis convidat.*

llibre **llibres** *nom m* **1** Conjunt de fulls escrits o impresos, posats en ordre i enquadernats, destinats a ser llegits: *Ara que estic de vacances, penso llegir molts llibres.* **2** *M'agradava escoltar aquell senyor, sabia* **parlar com un llibre**: *parlar sàviament, parlar molt bé i de moltes coses.*

llibreria **llibreries** *nom f* **1** Botiga on es venen llibres. **2** Moble per a posar-hi llibres.

llibreta **llibretes** *nom f* **1** Conjunt de fulls de paper en blanc disposats com els d'un llibre, que serveix per a fer-hi deures, exercicis, etc.: *La Carme té una llibreta petita per a apuntar-hi les adreces dels seus amics.* **2 llibreta d'estalvis** Llibreta petita on es van anotant els diners que traiem o posem en un banc o en una caixa d'estalvis.

llibreter **llibretera llibreters llibreteres** *nom m i f* Persona que ven llibres.

llicència **llicències** *nom f* Permís de fer una cosa: *El rei va donar llicència als seus criats perquè anessin a descansar.*

llicenciar *v* **1** Alliberar algú de fer el servei militar o de continuar fent-lo. **2** llicenciar-se Obtenir el títol universitari de llicenciat.
Es conjuga com *canviar*.

llicenciat **llicenciada** **llicenciats** **llicenciades** *nom m i f* Persona que ha obtingut un títol universitari que li permet d'exercir una professió: *La Mariona és llicenciada en química i treballa en un laboratori.*

llicenciatura **llicenciatures** *nom f* Títol que s'aconseguia quan s'acabava de fer una carrera en una facultat d'una universitat.

lliçó **lliçons** *nom f* **1** Part d'una assignatura que un alumne ha d'aprendre per explicar-la al mestre: *Me'n vaig a estudiar la lliçó de ciències que toca per a demà.* **2** Explicació que el professor fa als alumnes sobre un tema que es considera important d'estudiar o treballar a classe.

llicorella **llicorelles** *nom f* Tipus de roca que conté pissarra i que es fa servir per a cobrir teulades en algunes cases de muntanya.

lliga **lligues** *nom f* **1** Competició esportiva entre equips d'una mateixa categoria en què cadascun dels equips ha de jugar contra tots els altres: *Compraré el diari perquè vull saber els resultats de la lliga de futbol.* **2** Pacte, unió entre associacions socials, partits polítics, etc. per tal d'aconseguir alguna cosa.

lligabosc **lligaboscs** o **lligaboscos** *nom m* Planta que s'enfila pels arbres, que creix als boscos mediterranis i que fa unes flors blanques o grogues molt oloroses.

lligacama **lligacames** *nom f* Cinta elàstica que serveix per a subjectar les mitges al voltant de la cuixa perquè no rellisquin cap avall.

lligam **lligams** *nom m* **1** Allò que lliga, que serveix per a lligar: *Fent força i amb unes estisores va aconseguir de trencar els lligams dels paquets.* **2** Relació estreta entre persones o coses: *La meva família té molts lligams amb la família d'en Jaume, perquè els pares es coneixen des de petits.*

lligament **lligaments** *nom m* Conjunt de fibres molt resistents en forma de cordó o de làmina que serveix d'unió entre les articulacions o entre algunes parts dels ossos: *Es va trencar els lligaments del peu esquiant.*

lligar *v* **1** Envoltar i estrènyer amb una corda, cordill, cordó, etc. diferents objectes de manera que no es puguin separar; envoltar un paquet, un ram, etc. perquè no es pugui desfer; subjectar algú o alguna cosa en un lloc: *Hem de lligar ben fort aquestes capses perquè no es puguin obrir.* ▪ *Hem lligat el gos davant de l'entrada de casa perquè vigili.* **2** Encadenar, unir una cosa amb una altra: *Per a llegir cal lligar un so amb un altre fins a formar la paraula.* **3** Anar d'acord, concordar dues o més coses: *El que dius no lliga amb el que fas.* ▪ *Aquest jersei no lliga amb els pantalons que portes.* **4** Avenir-se dues o més persones perquè tenen un caràcter semblant, uns mateixos gustos, etc.: *La Dolors i la Mercè no lliguen, tenen unes opinions massa diferents.* **5** Conèixer-se dues persones i començar una relació sexual, d'amistat, d'amor, etc.: *Molta gent va a la discoteca a lligar.* **6** lligar una salsa Fer que els ingredients d'una salsa es barregin bé: *L'allioli ha de quedar ben lligat, és a dir, la barreja ha de ser uniforme.*
Es conjuga com *cantar*. S'escriu *g* davant de *a, o, u* i *gu* davant de *e, i: lligo, lligues.*

llim **llims** *nom m* Fang.

llima **llimes** *nom f* **1** Eina que consisteix en una barra de ferro que té una superfície que rasca i que serveix per a polir materials durs. **2** Llimona.

llimac **llimacs** *nom m* Animal petit, de cos allargat i pell humida i enganxosa, semblant al cargol, però sense closca o amb una closca molt rudimentària.

llimadures *nom f pl* Trossets petits, residus que es fan quan es llima una cosa.

llimar *v* Polir, treure les parts aspres o sortints d'una cosa: *Aquesta clau nova no entra al pany, l'haurem de llimar una mica.*
Es conjuga com *cantar*.

llimbs *nom m pl* **1** En la religió cristiana, lloc on es creu que van a parar les ànimes dels infants que moren sense batejar. **2** Sempre sol *estar als llimbs,* no sap mai què ha de fer: no estar informat d'una cosa que s'hauria de saber.

llimó **llimons** *nom m* Mira **llimona**.

llimona **llimones** *nom f* Fruit comestible del llimoner, de color groc i forma ovalada i que té un gust àcid. **2**

llimonada **llimonades** *nom f* Beguda refrescant feta amb suc de llimona, aigua i sucre.

llimoner llimoners *nom m* Arbre fruiter que creix en llocs on no fa gaire fred i que fa un fruit anomenat llimona.

llimonera llimoneres *nom f* Llimoner.

llinatge llinatges *nom m* **1** Conjunt dels ascendents i dels descendents d'una mateixa persona per línia masculina. **2** Cognom.

llinda llindes *nom f* **1** Peça de pedra o de fusta que hi ha a la part superior d'una porta o d'una finestra. **2** Pedra que marca el límit entre dues propietats.

llinda

llindar llindars *nom m* **1** Part inferior de la porta d'entrada d'una casa. **2 estar al llindar de** Estar a punt d'iniciar una nova etapa, d'entrar en una nova situació: *Aquell home està al llindar de la vellesa.*

llinosa llinoses *nom f* Llavor de lli de la qual s'obté un oli que es fa servir en la preparació de pintura, vernissos, etc.

lliri lliris *nom m* nom de diverses plantes que fan unes flors molt boniques, moltes de les quals fan molt bona olor i es cultiven als jardins: *Lliri blanc.* ■ *Lliri blau.* **3**

llis llisa llisos llises *adj* **1** Que té una superfície fina, sense arrugues ni ondulacions: *La superfície de la taula de dibuix era ben llisa.* **2** Es diu d'un teixit d'un sol color i sense dibuixos o bé d'una peça de vestir sense adorns.

llisada llisades *nom f* Pallissa².

lliscar *v* Moure's suaument sobre una superfície: *Els esquiadors lliscaven per la neu muntanya avall.*
Es conjuga com *cantar*. S'escriu *c* davant de *a, o, u* i *qu* davant de *e, i: llisco, llisques.*

llista llistes *nom f* **1** Full de paper on hi ha escrits una sèrie de noms de persones o coses, adreces, etc.: *Doneu-me la llista de jugadors de l'equip.* **2** *El nostre mestre cada dijous sol* ***passar llista****:* llegir en veu alta els noms d'una llista per comprovar si falta algú o alguna cosa. **3** Ratlla de color diferent en una tela.

llistat¹ llistada llistats llistades *adj* Es diu de la roba, d'un paper, etc. que té ratlles: *Vaig comprar una tela llistada per fer-me un vestit d'estiu.*

llistat² llistats *nom m* Llista de noms, de dades, etc. impresa per ordinador: *La impressora va imprimir el llistat dels resultats de la lliga de futbol.*

llistó llistons *nom m* Peça de fusta llarga i estreta.

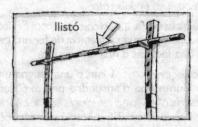

llistó

llit llits *nom m* **1** Moble que consisteix en un suport de fusta o de ferro on es posa un matalàs, un coixí i roba per a abrigar i que serveix per a descansar o dormir: *A la meva habitació hi ha dos llits, un armari, una taula, una cadira i una tauleta de nit.* **2 anar al llit** Anar-se'n a dormir. **3 fer llit** Estar-se al llit descansant durant un temps per recuperar-se d'una malaltia. **4 fer el llit** Ordenar els coixins i la roba que es posa per a abrigar damunt el matalàs. **5** Terreny, fons per on passen les aigües d'un riu: *El llit del riu era massa profund i no el vam poder travessar a peu.*

llitera lliteres *nom f* **1** Conjunt de dos o més llits petits muntats l'un a sobre de l'altre; cadascun d'aquests llits: *El meu germà i jo dormim a la mateixa habitació en dues lliteres.* **2** Llit petit que va sobre dues barres o sobre rodes i que serveix per a transportar malalts o ferits: *Van estirar el malalt a la llitera i el van portar a l'hospital.*

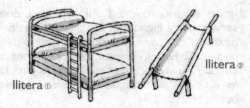

llitera①   llitera②

lliura lliures *nom f* **1** Unitat de mesura de pes equivalent a uns 400 grams. **2** Nom que té la moneda d'alguns països. **3 lliura esterlina** Moneda de la Gran Bretanya. **4 lliura irlandesa** Antiga moneda d'Irlanda.

lliurament lliuraments *nom m* Acció de donar una cosa a algú: *El lliurament del premi al guanyador del concurs serà aquesta tarda.*

lliurar *v* **1** Donar una cosa a algú: *El carter lliura les cartes a la gent.* **2 lliurar-se** Dedicar-se de ple a una activitat: *Picasso es va lliurar a la pintura des de molt jove.*
Es conjuga com *cantar*.

lliure lliures *adj* Que té llibertat, que no està dominat per ningú: *En Manel diu que no és lliure perquè els seus pares no el deixen sortir.* ▪ *Avui tinc el dia lliure, no haig de treballar.* ▪ *Allà hi ha un lloc lliure, no hi ha ningú.*

lloança lloances *nom f* Conjunt de paraules que es diuen per elogiar algú: *El professor va fer una lloança dels alumnes que havien estudiat més.*

lloar *v* Dir coses bones a favor d'algú, elogiar: *L'entrenador va lloar el comportament dels jugadors durant el partit.*
Es conjuga com *canviar*.

lloba llobes *nom f* Femella del llop.

llobarro llobarros *nom m* Peix de mar de forma allargada, de color platejat i amb ratlles negres a cada costat, que és molt apreciat com a aliment.

llobató llobatons *nom m* Fill del llop.

llobina llobines *nom f* Llobarro.

llòbrec llòbrega llòbrecs llòbregues *adj* Es diu d'un lloc fosc i tenebrós: *Ens va fer molta por passejar de nit per aquell bosc tan llòbrec.*

lloc llocs *nom m* **1** Espai, localitat, terreny: *M'agradaria passar les vacances en algun lloc de muntanya.* **2** Plaça, habitació, espai lliure: *No hi ha lloc en cap hotel.* **3** Espai destinat a una cosa, a una persona: *Abans de marxar hauríem de posar cada cosa al seu lloc.* **4 En lloc de** *venir per Nadal, vindrem per cap d'any:* en comptes de. **5** *Jo, al lloc de la Maria, no hi aniria:* si em trobés en la seva situació. **6** *Els actes d'homenatge a la persona més vella de la ciutat van tenir lloc al teatre municipal:* fer-se una cosa en un lloc.

lloca lloques *nom f* Gallina que cova els ous i cuida els pollets.

llocada llocades *nom f* Conjunt de pollets que surten dels ous que cova una mateixa lloca.

lloctinent lloctinenta lloctinents lloctinentes *nom m i f* Persona que té un càrrec que li permet de substituir un superior en cas d'absència, de malaltia, etc.

llodrigó llodrigons *nom m* Cria del conill, llorigó.

llodriguera llodrigueres *nom f* Cau del conill, lloriguera.

llogar *v* Utilitzar una cosa d'una altra persona a canvi de diners: *A la platja llogaven barques i patins.* ▪ *Per anar de vacances, hem llogat un apartament en un poble de la costa.* ▪ *En aquella fàbrica lloguen gent per a treballar-hi.*
Es conjuga com *cantar*. S'escriu *g* davant de *a, o, u* i *gu* davant de *e, i: llogo, llogues.*

llogarret llogarrets *nom m* Poble molt petit.

llogater llogatera llogaters llogateres *nom m i f* Persona que viu en una casa que no és seva a canvi de pagar uns diners a l'amo.

lloguer lloguers *nom m* Tracte pel qual una persona deixa utilitzar una cosa a una altra persona a canvi d'uns diners: *Jo visc en un pis de lloguer i cada mes pago uns diners a l'amo.*

llom lloms *nom m* **1** Tros de l'esquena que va des de les costelles fins al cul. **2** Carn que es treu de l'esquena del porc. **3** Part del llibre on van enganxats els fulls.

llombrígol llombrígols *nom m* Sotet rodó i arrugat que hi ha al mig de la panxa de les persones, que és on hi havia el cordó umbilical en el moment de néixer, melic.

llong llonga llongs llongues *adj* Llarg.

llonganissa llonganisses *nom f* Embotit fet amb carn picada de porc i adobat amb sal i pebre: *La llonganissa de Vic té fama de ser molt bona.*

llonguet llonguets *nom m* Pa petit i allargat per a fer entrepans.

llonza llonzes *nom f* Tros de carn de porc, de xai, etc. que es treu de la part de les costelles.

llop lloba llops llobes *nom m i f* **1** Animal mamífer, d'un metre de llarg, de pèl gris fosc, orelles dretes i cua llarga i peluda, que menja la carn dels animals que caça: *Els llops ataquen les ovelles i se les mengen.* **2 tenir una fam de llop** Tenir molta gana. **3** *Aquella escala era fosca com una gola de llop:* molt fosca.

llora llores *nom f* Nom de diversos bolets de barret verdós, comestibles però no gaire apreciats.

llord llorda llords llordes *adj* Brut.

llorer llorers *nom m* Arbre de fulles perennes, allargades i oloroses, que es fan servir per a donar gust al menjar.

lloretenc lloretenca lloretencs lloretenques **1** *nom m i f* Habitant de Lloret de Mar; persona natural o procedent de Lloret de Mar. **2** *adj* Es diu de les persones o de les coses naturals o procedents de Lloret de Mar.

llorigó llorigons *nom m* Cria del conill, llodrigó.

lloriguera llorigueres *nom f* Cau del conill, llodriguera.

lloro lloros *nom m* **1** Ocell gros, que té les plomes de colors vius i el bec corbat, que és capaç d'imitar la veu humana i es pot domesticar fàcilment i que viu en països càlids: *L'avi té un lloro que sap dir "bon dia".* **2** Es diu d'una persona molt xerraire: *La Núria és un lloro.* **3** Ahir vam **passar la nit del lloro**: passar la nit sense dormir.

llosa lloses *nom f* Pedra plana i poc gruixuda: *A l'alta muntanya hi ha moltes cases que tenen la teulada feta amb lloses de pissarra.* ▪ *El terra d'aquesta vorera és fet amb lloses.*

llosa

llossa llosses *nom f* Cullera grossa.

llossa

llostre llostres *nom m* Claror que hi ha en el moment que es fa de nit o es fa de dia.

llot llots *nom m* Fang tou que es forma en els llocs on hi ha aigua estancada: *Les basses són plenes de llot.*

llotja llotges *nom f* **1** Espai tancat, a dins d'un teatre, des d'on es pot veure l'escenari. **2** Edifici on es reuneixen els comerciants per a fer tractes: *Avui hem anat al port a veure la llotja dels pescadors.*

lluc llucs *nom m* Rebrot d'una planta: *Aquesta olivera ja comença a treure llucs.*

lluç lluços *nom m* Peix de mar de color gris brillant i cos allargat, que és molt apreciat com a aliment.

llucar *v* Veure, mirar, adonar-se d'una cosa: *El meu avi ha de portar sempre ulleres perquè sense no hi lluca.*
Es conjuga com *cantar*. S'escriu *c* davant de *a, o, u* i *qu* davant de *e, i*: lluco, lluques.

llúcera llúceres *nom f* Peix de mar que s'assembla al lluç, però és més petit, té l'esquena de color gris i la panxa de color blanc.

llúdria llúdries *nom f* Animal mamífer de cos prim i orelles petites que viu prop dels rius, té les potes adaptades per a nedar i és molt apreciat per la seva pell.

lluent lluents *adj* Brillant: *A la nit es veuen molts estels lluents.*

lluentor lluentors *nom f* Qualitat de lluent, de brillant.

lluerna lluernes *nom f* **1** Obertura feta a la part alta d'una paret perquè hi entri llum. **2** Cuca de llum, insecte que brilla quan és fosc.

llufa llufes *nom f* **1** Aire que s'expulsa pel cul sense fer soroll. **2** **fer llufa** Fallar, espatllar-se una cosa: *A la pujada el cotxe va fer llufa i el motor es va parar.* **3** Ninot de paper que es penja d'amagat a l'esquena d'algú, per fer broma, el 28 de desembre, dia dels Sants Innocents.

llufar-se *v* Fer llufes, expulsar aire pel cul sense fer soroll.
Es conjuga com *cantar*.

lluir *v* **1** Brillar, reflectir la llum: *Els estels lluïen a dalt del cel.* **2** Mostrar una cosa perquè la gent l'admiri: *Els veïns del costat de casa van sortir a lluir el cotxe nou.* **3** **lluir-s'hi** Fer bé una cosa, tenir èxit: *El cantant va fer un bon recital, s'hi va lluir.*
La conjugació de *lluir* és a la pàg. 840. En les accepcions 2 i 3 es conjuga com *reduir*.

lluïssor lluïssors *nom f* Llum que deixa anar una cosa lluent.

lluït lluïda lluïts lluïdes *adj* Es diu d'un acte, d'una festa, etc. que ha anat molt bé.

lluita lluites *nom f* **1** Combat, acció que emprèn una persona, un poble, un grup contra un altre: *La lluita entre els indis i els soldats americans va ser molt dura.* **2** Esforç, feina, acció dura per aconseguir una cosa: *Hi va haver una lluita molt forta entre els dos equips per guanyar el partit.*

lluitador lluitadora lluitadors lluitadores *adj* i *nom m* i *f* Persona que lluita per aconseguir el que vol, que sap combatre les dificultats: *El meu germà és un lluitador: no ha parat fins que li han donat el premi.*

lluitar *v* **1** Sostenir una lluita, combatre amb algú: *Els dos exèrcits van lluitar i hi va haver molts morts.* **2** Combatre, enfrontar-se a una cosa amb energia esperant vèncer-la: *En Jesús és molt valent: ha lluitat contra la por i ja s'atreveix a entrar en els llocs foscos.*
Es conjuga com *cantar*.

llum[1] **llums** *nom f* **1** Claror, forma d'energia que per l'acció sobre els ulls ens fa veure els objectes, les seves formes, el seu color, etc.: *En aquella habitació hi entra molta llum.* **2 llum natural** Llum que ve directament del Sol: *L'habitació d'en Xavier no té llum natural.* **3** *La Natàlia* **ha donat a llum** *una nena:* l'ha parit, l'ha tingut. **4** *La notícia va* **sortir a la llum** *ahir a través de la premsa:* descobrir-se una cosa en un moment determinat.

llum[2] **llums** *nom m* **1** Estri que serveix per a il·luminar artificialment una habitació, un carrer, etc.: *Encén el llum de la tauleta de nit, que vull saber quina hora és.* **2** *Aquells veïns* **estan com un llum***, fan coses estranyíssimes:* no estan gaire bé del cap, fan coses que no són normals.

llumenera llumeneres *nom f* **1** Llum d'oli que té un petit dipòsit, un peu, un agafador i un o diversos brocs on hi ha el ble. **2** Persona que sap moltes coses, que és molt intel·ligent: *Aquella noia és una llumenera, ho sap tot.*

llumí llumins *nom m* Bastonet curt de fusta, de cartró, etc. que porta, en un dels caps, una petita quantitat de matèria que s'encén quan es frega en una superfície rugosa, misto: *Vaig encendre el foc amb un llumí.*

lluminària lluminàries *nom f* Conjunt de llums, com els que es pengen als carrers quan hi ha festa: *Per Nadal als carrers hi ha moltes lluminàries.*

lluminós lluminosa lluminosos lluminoses *adj* Que fa llum: *En aquest carrer hi ha molts rètols lluminosos.*

lluminositat lluminositats *nom f* Quantitat gran de llum, claredat: *Aquella sala d'estar tenia una gran lluminositat, era alegre i confortable.*

lluna llunes *nom f* **1** Astre, satèl·lit que dóna voltes a la Terra: *Avui hi ha lluna plena.* **2** *Demanar un ordinador el dia del teu sant és*

demanar la lluna en un cove: demanar una cosa que no se'ns pot donar. **3** *En Roc i la Montserrat han anat a passar* **la lluna de mel** *a les Canàries:* el primer viatge dels nuvis després del casament. **4** *El mestre avui està* **de mala lluna***:* de mal humor. **5** *Avui estic* **de bona lluna***:* de bon humor. **6** Vidre d'un mirall.

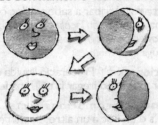

fases de la lluna

llunàtic llunàtica llunàtics llunàtiques *adj* Es diu de la persona que té un humor variable: *Aquella noia és molt llunàtica, un dia pot estar molt contenta i l'endemà pot estar molt enfadada.*

lluny *adv* A una gran distància en l'espai o en el temps: *La ciutat queda deu quilòmetres lluny del poble.* ▪ *Som a l'hivern, les vacances d'estiu encara són lluny.*

llunyà llunyana llunyans llunyanes *adj* Que és lluny: *Volen viatjar a un país llunyà.*

llúpia llúpies *nom f* Quist de greix molt gros que es veu molt.

llúpol llúpols *nom m* Planta enfiladissa que creix als boscos de ribera i que fa unes flors verdes que es fan servir per a la fabricació de la cervesa. **5**

llur llurs *adj* D'ells o d'elles: *Els pares i llurs fills.*

llustre llustres *nom m* **1** Aspecte brillant que agafa un objecte quan el freguem amb un drap, quan el polim, etc. **2** Pasta o líquid que s'utilitza per a fer més net i brillant un objecte: *Hem passat el llustre per les sabates i mira com brillen.*

llustrós llustrosa llustrosos llustroses *adj* Que és lluent i brillant, que és molt net.

lo -los **1** *pron* Forma del pronom **el**, **els** quan va darrere del verb: *El vaig veure pel carrer i vaig cridar-lo.* **2** *art* Forma de l'article **el**, **els** en algunes zones de parla catalana.

lòbul lòbuls *nom m* Part que surt d'un òrgan del cos i que té forma arrodonida: *El lòbul de l'orella.* **15**

local locals **1** *adj* Que està relacionat amb un lloc determinat: *La festa major d'un poble és una*

J

festa local. **2** *nom m* **Lloc, part d'un edifici:** *En aquest local, hi posaran una botiga de roba.*

localitat localitats *nom f* **1** **Poble, ciutat:** *Granollers és una localitat important, la capital del Vallès Oriental.* **2** **Cadascun dels seients d'un teatre, d'un cine, etc.**

localitzar *v* **Arribar a saber el lloc on és algú o alguna cosa:** *Ja han localitzat els excursionistes que s'havien perdut a la muntanya.* **Es conjuga com** *cantar.*

loció locions *nom f* **Preparació líquida que s'utilitza per a rentar o fregar la pell, una ferida, etc.**

locomoció locomocions *nom f* **Acte de moure's d'un lloc a un altre:** *L'automòbil i l'avió són mitjans de locomoció.*

locomotor locomotora o locomotriu locomotors locomotores o locomotrius *adj* **Que produeix la locomoció:** *Les cames i els peus són els nostres òrgans locomotors.*

locomotora locomotores *nom f* **Màquina de tren que fa la força per arrossegar els vagons.**

locució locucions *nom f* **Grup de paraules que es diuen juntes i que equivalen a un nom, un adjectiu, un verb, un adverbi, etc.:** *La locució "de pressa" equival a l'adverbi "ràpidament".*

locutor locutora locutors locutores *nom m i f* **Persona que té per ofici parlar per la ràdio o per la televisió, donant notícies, presentant programes, etc.**

locutori locutoris *nom m* **1** **En una emissora de ràdio, habitació aïllada dels sorolls de l'exterior on treballa el locutor.** **2** **Local equipat amb diversos telèfons des d'on la gent pot fer telefonades.** **3** **En les presons, en els convents, etc., habitació preparada perquè els interns hi puguin rebre visites.**

lògic lògica lògics lògiques **1** *adj* **Que està ben pensat, que és normal:** *Aquesta pregunta només té una resposta lògica, pensa bé i la trobaràs.* **2 lògica** *nom f* **Conjunt de raonaments clars i ordenats que permeten d'arribar a una conclusió intel·ligent:** *Seguint la lògica dels fets, podrem trobar la sortida d'aquest problema tan complicat.*

logo- **Element amb què comencen algunes paraules i que vol dir "paraula", "discurs".**

logopeda logopedes *nom m i f* **Persona especialitzada en la tècnica de correcció dels defectes de la veu o de l'expressió oral i escrita.**

logopèdia logopèdies *nom f* **Tècnica de correcció dels defectes de la veu o de l'expressió oral i escrita.**

lona lones *nom f* **Teixit molt fort que serveix per a fer tendes de campanya, veles, espardenyes, etc.**

londinenc londinenca londinencs londinenques **1** *nom m i f* **Habitant de Londres; persona natural o procedent de Londres.** **2** *adj* **Es diu de les persones o de les coses naturals o procedents de Londres.**

longitud longituds *nom f* **1** **Llargada d'una cosa:** *Aquesta biga fa 10 metres de longitud.* **2** **Distància que hi ha entre un punt qualsevol de la Terra en relació amb l'equador i el meridià de Greenwich.**

lot[1] lots *nom m* **Conjunt de coses que es donen o es regalen a algú:** *Vaig guanyar el concurs i em van donar un lot de llibres.*

lot

lot[2] lots *nom f* **Llanterna.**

loteria loteries *nom f* **Joc de sort que consisteix a vendre uns bitllets numerats, alguns dels quals són premiats amb diners:** *El meu germà va comprar un bitllet de loteria i li ha tocat un premi gros.*

lotus els lotus *nom m* **Planta aquàtica de flors grosses blanques o rosades que suren sobre l'aigua.**

lubricant lubricants *adj i nom m* **Lubrificant.**

lubrificant lubrificants *adj i nom m* **Es diu de la substància oliosa que es fa servir per a suavitzar el contacte entre dues peces d'una màquina, d'un motor, etc.**

lubrificar *v* **Aplicar oli o greix a una superfície sòlida perquè es torni més suau o més fina.** **Es conjuga com** *cantar.* **S'escriu** *c* **davant de** *a, o, u* **i** *qu* **davant de** *e, i: lubrifico, lubrifiques.*

lúcid lúcida lúcids lúcides *adj* **Es diu de la persona que raona i comprèn les coses d'una manera molt clara.**

lucre lucres *nom m* Guany, profit que es treu d'una cosa.

lúdic lúdica lúdics lúdiques *adj* Que està relacionat amb el joc: *A l'escola hi ha estones de treball i també moments lúdics.*

ludoteca ludoteques *nom f* Local semblant a una biblioteca on, en lloc de llibres, hi ha jocs i joguines que els infants es poden endur a casa en préstec.

lúgubre lúgubres *adj* Es diu de les coses, dels llocs, etc. que provoquen por o tristesa: *Enmig de la nit es va sentir un crit llarg i lúgubre.*

lumbago lumbagos *nom m* Dolor que afecta la zona dels lloms.

lumbar lumbars *adj* **1** Que té relació amb la zona dels lloms: *La regió lumbar.* **2 vèrtebres lumbars** Vèrtebres situades a l'alçada dels lloms. **15**

luminotècnia luminotècnies *nom f* Tècnica d'il·luminació d'un espai amb tota mena de llums artificials.

lunar lunars *adj* Que està relacionat amb la Lluna: *La superfície lunar és plena de cràters.*

lupa lupes *nom f* Instrument que té un vidre d'augment que fa veure les coses més grosses: *Si mires una formiga amb lupa, podràs veure molt bé totes les parts del seu cos.*

lupa

lustre lustres *nom m* Espai de temps de cinc anys.

luxació luxacions *nom f* Lesió que es produeix quan un os se surt del seu lloc: *L'atleta va caure malament i es va fer una luxació a l'os de la mà.*

luxe luxes *nom m* Riquesa, demostració de riquesa: *Un hotel de luxe.* ▪ *Un cotxe de luxe.*

luxemburguès luxemburguesa luxemburguesos luxemburgueses **1** *nom m i f* Habitant de Luxemburg; persona natural o procedent de Luxemburg. **2** *adj* Es diu de les persones o de les coses naturals o procedents de Luxemburg. **3** *nom m* Varietat de la llengua alemanya parlada a Luxemburg.

luxós luxosa luxosos luxoses *adj* Ple de luxe, de riquesa: *El cantant portava un vestit molt luxós.*

luxúria luxúries *nom f* Desig molt intens de tenir relacions sexuals.

l

M m lletra ema

ma mes *adj* Mira **mon**.

mà mans *nom f* **1** Part final del braç que comprèn el palmell i els dits: *L'Anna s'ha trencat un dit de la mà esquerra.* **15 2 estrènyer la mà** Donar-se la mà en senyal d'amistat: *En Sergi i la Remei, quan es van trobar, es van estrènyer la mà.* **3 picar de mans** Aplaudir. **4 fet a mà** Fet sense cap màquina, fet manualment: *Aquest jersei està fet a mà.* **5 arribar a les mans** Pegar-se: *En Marc i en Joan es discutien tan fort, que de poc més arriben a les mans.* **6** *El príncep va anar a* **demanar la mà** *de la princesa:* demanar el consentiment del seu pare per casar-s'hi. **7 posar la mà al foc** Estar segur d'una cosa: *Posaria la mà al foc que he perdut la clau al cine.* **8 tenir les mans foradades** Ser un malgastador: *La meva germana gran deu tenir les mans foradades perquè s'ho gasta tot.* **9** *Teniu un entrenador molt bo; el vostre equip ha* **caigut en bones mans***: la direcció d'una cosa és bona i segura.* **10 tenir bones mans** Fer molt bé la feina: *Aquest pintor té bones mans.* **11 a mà** A l'abast, a la vora: *No tinc la bossa a mà.* **12 de segona mà** Venut per segona vegada: *Aquest cotxe és de segona mà.* **13** *Tinc* **una mà** *de llibres a casa!:* un gran nombre, molts. **14 mà de morter** Maça amb què es pica o es remena el que hi ha en el morter.

maça maces *nom f* **1** Eina semblant a un martell però més grossa, que serveix per a picar: *Va clavar els claus de la tenda amb una maça.* **2** Arma antiga que consisteix en un bastó amb una peça de ferro en una punta.

macabre macabra macabres *adj* Es diu de l'espectacle, de la pel·lícula, etc. en què hi surten cadàvers.

maçana maçanes *nom f* Poma.

macarró macarrons *nom m* Aliment fet amb pasta de farina que té forma de petits tubs més gruixuts que els fideus.

macarrònic macarrònica macarrònics macarròniques *adj* Es diu d'una llengua que no es parla bé, que es domina poc: *El meu anglès és macarrònic.*

macat macada macats macades *adj* Fet malbé, que ha rebut cops: *Als mercats venen la fruita macada una mica més barata.*

macedoni macedònia macedonis macedònies **1** *nom m i f* Habitant de Macedònia; persona natural o procedent de Macedònia. **2** *adj* Es diu de les persones o de les coses naturals o procedents de Macedònia.

macedònia macedònies *nom f* Aliment fet amb fruita tallada a trossets i amanida amb sucre i licor o suc de taronja, i que es menja per postres.

macedònic macedònica macedònics macedòniques **1** *adj i nom m i f* Macedoni. **2** *nom m* Llengua que es parla a Macedònia.

macerar *v* Estovar alguna cosa tenint-la dins un líquid durant un temps: *Hem macerat els filets de vedella amb vi negre i espècies.*
Es conjuga com *cantar*.

maco maca macos maques *adj* Bonic, simpàtic, atractiu: *La nena petita de la Concepció és molt maca.* ▪ *Heu vist quina taula tan maca?*

macro- macr- Element amb què comencen algunes paraules i que vol dir "gran".

madeixa madeixes *nom f* Gran quantitat de fil enrotllat.

madeixa

madrastra madrastres *nom f* Dona que es casa amb un home que ja té un o més fills amb relació a aquests fills: *La Dolors no té mare, sinó madrastra, perquè la seva mare es va morir i el seu pare es va tornar a casar.*

madrileny madrilenya madrilenys madrilenyes **1** *nom m i f* Habitant de Madrid; persona natural o procedent de Madrid. **2** *adj* Es diu de les persones o de les coses naturals o procedents de Madrid.

maduixa maduixes *nom f* Fruit de la maduixera, petit, vermell i de bon gust: *Diumenge anirem a collir maduixes al bosc per menjar-les amb nata.*

maduixera maduixeres *nom f* Planta que creix al bosc, en llocs humits i arran de terra, que produeix un fruit de color vermell anomenat maduixa.

maduixera

maduixot maduixots *nom m* Fruit semblant a una maduixa però més gros, també anomenat fraga.

madur madura madurs madures *adj* **1** Es diu dels fruits que ja s'han desenvolupat completament, que ja es poden menjar: *Aquests préssecs són madurs, ja els podem agafar de l'arbre.* **2** Es diu de la persona que està en una edat entre la joventut i la vellesa: *Ja té quaranta anys: és un home madur.*

maduració maduracions *nom f* Procés, acció de madurar: *El clima càlid va bé per a la maduració dels fruits.*

madurar *v* **1** Tornar-se madura una cosa: *Per madurar, els tomàquets necessiten sol.* **2** Reflexionar, pensar sobre una cosa: *Primer us han fet la proposta, ara aneu a casa i madureu-la.* Es conjuga com *cantar*.

maduresa madureses *nom f* **1** Qualitat de les persones o de les coses madures. **2** Etapa de la vida de les persones que hi ha entre la joventut i la vellesa.

màfia màfies *nom f* Grup criminal que controla diversos negocis, legals i il·legals, amb mètodes violents: *Les màfies controlen el tràfic de droga de molts països.*

mafiós mafiosa mafiosos mafioses *adj* i *nom m* i *f* Que està relacionat amb la màfia: *El jutge ha condemnat una colla de mafiosos que es dedicaven al tràfic de drogues.*

mag maga mags magues *nom m* i *f* **1** Persona que fa màgia. **2** **els Reis Mags** Els tres reis d'Orient, Melcior, Gaspar i Baltasar, personatges que, segons la tradició, porten joguines i regals als infants el dia 6 de gener.

magarrufa magarrufes *nom f* Conjunt de mostres exagerades d'afecte, com ara carícies i moixaines a la cara, que es fan a algú.

magatzem magatzems *nom m* Local destinat a guardar-hi grans quantitats de mercaderies o també a vendre-les: *A sota de casa meva hi ha un magatzem de fruites.* ■ *Al centre de la ciutat hi ha uns grans magatzems on venen tota mena de productes.*

magazín magazins *nom m* **1** Revista d'informació general il·lustrada amb fotografies, rètols de colors, etc. **2** Programa de ràdio o de televisió que tracta temes generals sense gaire profunditat.

magdalena magdalenes *nom f* Pastís petit i arrodonit fet amb farina, ous, oli i llet, que es posa en un motlle de paper.

magdalena

magenta[1] **1** *adj* D'un color vermell porpra. **2** **magenta** magentes *nom m* Color vermell porpra.

magenta[2] magentes *nom f* Substància que tenyeix de color vermell porpra.

magí magins *nom m* Cap, cervell: *No sé pas què hi tens, al magí! Ja t'has tornat a equivocar, fas les coses sense pensar.*

màgia màgies *nom f* Joc que consisteix a fer suposar que es fan coses extraordinàries com ara transformar objectes, fer desaparèixer coses, etc.: *Aquell joc de màgia em va agradar molt: el mag va estripar una carta i després la va treure sencera de dins de la seva bossa.*

màgic màgica màgics màgiques *adj* Que té relació amb la màgia perquè produeix uns efectes meravellosos i extraordinaris: *La fada d'aquell conte va tocar la granota amb la vareta màgica i la va convertir en un príncep.*

magisteri magisteris *nom m* **1** Conjunt dels estudis que es fan per ser mestre: *El meu germà gran estudia magisteri.* **2** Professió o activitat pròpia dels mestres.

magistral magistrals *adj* Que és propi d'un mestre, que té molta qualitat: *Un discurs magistral. Una lliçó magistral.*

magistrat magistrada magistrats magistrades *nom m* i *f* Jutge molt important.

magma magmes *nom m* Massa formada per materials que estan a una temperatura molt elevada a l'interior de la Terra i que surt en forma de lava dels volcans en erupció.

magnànim magnànima magnànims magnànimes *adj* Es diu de la persona que és noble, generosa i que sap perdonar: *En Jaume es va mostrar magnànim amb el nen que li havia espatllat la joguina i va oblidar l'incident.*

magne magna magnes *adj* Molt gran.

magnesi magnesis *nom m* Metall blanc i lleuger que de vegades té forma de cristall i que quan crema fa una flama molt brillant.

magnèsia magnèsies *nom f* Substància de color blanc que s'utilitza per a fer medicaments que ajuden a pair bé els aliments.

magnètic magnètica magnètics magnètiques *adj* **1** Que està relacionat amb els imants: *Aquest material és molt magnètic, atreu el ferro.* **2** Molt atractiu, que atreu molt: *Aquella actriu tenia una mirada magnètica.*

magnetisme magnetismes *nom m* **1** Part de la física que estudia les propietats dels imants. **2** Poder d'atracció d'una persona o d'una cosa: *La veu d'en Carles té un magnetisme especial que m'agrada molt.*

magnetitzar *v* Imantar una cosa, afegir-hi imant: *Les targetes de crèdit porten una banda magnetitzada.*
Es conjuga com *cantar.*

magnetòfon magnetòfons *nom m* Aparell que serveix per a gravar sons en una cinta magnètica: *Gravarem la teva veu en un magnetòfon i així te la podràs sentir.*

magnetofònic magnetofònica magnetofònics magnetofòniques *adj* Que està relacionat amb el magnetòfon: *Una cinta magnetofònica.*

magnetoscopi magnetoscopis *nom m* Aparell que grava imatges i sons de la televisió en una cinta magnètica.

magnífic magnífica magnífics magnífiques *adj* Molt bonic, molt bo, extraordinari: *Va ser una festa magnífica!*

magnitud magnituds *nom f* Grandària d'una cosa, en longitud, en extensió, en volum, en velocitat, en pes, etc.

magnòlia magnòlies *nom f* Arbre que té les fulles verdes, de color fosc brillant, i unes flors molt boniques que també s'anomenen magnòlies.

magrana magranes *nom f* Fruit comestible del magraner en forma de bola plena de petits grans vermells.

magraner magraners *nom m* Arbre de flors vermelles, el fruit del qual és la magrana.

magre magra magres *adj* **1** Prim, sense greix: *Menjava molt, però no s'engreixava; sempre estava magre.* **2 carn magra** Carn sense greix. **3** *En aquella casa la ballen magra*: són pobres, els falten diners, tenen molts problemes, etc.

magrebí magrebina magrebins magrebines *adj* i *nom m* i *f* Mira **magribí**.

magribí magribina magribins magribines **1** *nom m* i *f* Habitant del Magrib, regió nord-occidental d'Àfrica, que inclou el Marroc, Algèria i Tunísia; persona natural o procedent del Magrib. **2** *adj* Es diu de les persones o de les coses naturals o procedents del Magrib.

mahometà mahometana mahometans mahometanes *adj* i *nom m* i *f* Musulmà, persona que practica la religió predicada per Mahoma.

mai *adv* **1** Paraula que, en frases negatives, vol dir "cap vegada": *Nosaltres no anem mai al cine.* **2** Paraula que, en frases interrogatives o condicionals, vol dir "alguna vegada": *Has anat mai al zoo?* ⊠ *Si mai véns a veure'm, estaré molt content.*

maig maigs *nom m* Mes de la primavera, cinquè mes de l'any, té 31 dies.

mainada mainades *nom f* Conjunt de nens i nenes: *La mainada del poble estava molt contenta perquè havia vingut un circ.*

mainader mainadera mainaders mainaderes *nom m* i *f* Persona encarregada de cuidar un infant o uns quants infants.

maionesa maioneses *nom f* Salsa de color groc feta amb ou, oli, sal i vinagre o llimona: *De primer plat hem menjat espàrrecs amb maionesa.*

maire maires *nom f* Peix de mar comestible, de cos allargat i de color gris blavós, llúcera.

majestat majestats *nom f* **1** Tractament que es dóna als reis, a les reines, als emperadors i a les emperadrius: *El criat va dir al rei: "Majestat, teniu el dinar a punt."* **2** Admiració que produeix la manera solemne de caminar o de comportar-se d'una persona o d'un animal, els seus gestos i moviments elegants, etc.: *L'elefant caminava amb gran majestat.*

majestuós majestuosa majestuosos majestuoses *adj* Que té majestat, que produeix admiració per la seva grandesa: *El palau era un edifici majestuós.*

m

major majors *adj* **1** Més gran, més important: *La major part dels nens de la classe volen anar d'excursió.* ▪ *Ens trobarem a la plaça major del poble.* ▪ *Per la festa major del poble surten els gegants al carrer.* **2 major d'edat** Persona que ha arribat a una edat determinada, 18 anys al nostre país, i que per això té dret a votar, a conduir, etc.

majordom majordoma majordoms majordomes *nom m* i *f* Criat principal d'una casa.

majordona majordones *nom f* Dona que s'encarrega de mantenir neta la casa d'un capellà, de fer-li el dinar, etc.

majoria majories *nom f* Part més nombrosa d'un conjunt de coses o de persones: *A la majoria dels nens de la classe, els agrada més el futbol que el tennis.*

majorista majoristes *nom m* i *f* Persona que ven productes a l'engròs: *El majorista ven la fruita a l'engròs als botiguers i els botiguers la venen al detall als clients.*

majoritari majoritària majoritaris majoritàries *adj* Que està relacionat amb la majoria, amb la part més nombrosa d'un conjunt de coses o de persones: *Els ciutadans van votar el partit majoritari.*

majúscul majúscula majúsculs majúscules *adj* Molt gros, de grans dimensions: *Un problema majúscul.*

majúscula majúscules *adj* i *nom f* Es diu de la lletra de mida més grossa i sovint de forma diferent de la lletra normal, com la que es fa després d'un punt o al començament dels noms propis: *La primera lletra del nom "Maria" és una majúscula.*

mal[1] *adv* No gens bé, malament: *La Rosa, avui, va molt mal vestida.* ▪ *Aquesta ampolla està mal tapada.*

mal[2] mala mals males *adj* **1** Que és dolent, que no és bo: *Aquell noi és un mal jugador de futbol.* ▪ *En aquell restaurant ens van servir un mal vi.* **2** *Vam arribar de nit en aquell poble de mala mort*: miserable, de quatre cases, petit, lleig, etc.

mal[3] mals *nom m* **1** Dolor, malaltia: *Avui tots els nens estaven malalts: l'un tenia mal de coll, l'altre mal de queixal, l'altre mal de cap, l'altre mal d'orella...* **2** Destrossa, perjudici: *L'incendi va fer molt mal als boscos.* **3** Maldat, allò que és contrari al bé i a la bondat.

malabarista malabaristes *nom m* i *f* Persona que es dedica a fer jocs molt difícils llançant enlaire pilotes i altres objectes i tornant-los a agafar.

malagradós malagradosa malagradosos malagradoses *adj* Es diu de la persona poc simpàtica, poc educada.

malagraït malagraïda malagraïts malagraïdes *adj* i *nom m* i *f* Es diu de la persona que no agraeix els favors: *Li vaig deixar els diners que em demanava i no em va dir ni gràcies; és un malagraït!*

malaguanyat malaguanyada malaguanyats malaguanyades *adj* Que no ha durat gaire, que no s'ha pogut aprofitar: *He passat molta estona fent el dibuix i ara l'he perdut i no el trobo; malaguanyada feina!*

malagueny malaguenya malaguenys malaguenyes **1** *nom m* i *f* Habitant de Màlaga; persona natural o procedent de Màlaga. **2** *adj* Es diu de les persones o de les coses naturals o procedents de Màlaga.

malalt malalta malalts malaltes *adj* i *nom m* i *f* Que té una malaltia, que no es troba bé de salut: *La Cristina no ha vingut a l'escola, està malalta.*

malalt

malaltia malalties *nom f* Estat de la persona o de l'animal que no es troba bé, que té un mal perquè el seu cos o una part del seu cos no funciona bé: *La grip és una de les malalties més corrents a l'hivern.*

malaltís malaltissa malaltissos malaltisses *adj* Que té poca salut, que sovint està malalt: *Una persona malaltissa és una persona que agafa moltes malalties.*

malament *adv* No gens bé: *Avui tot li surt malament.*

malaquita malaquites *nom f* Mineral de color verd amb diferents tons, molt apreciat per fer joies i objectes decoratius.

malària malàries *nom f* Malatia greu que provoca molta febre i que es transmet a través de la picada d'un mosquit infectat.

malastruc malastruga malastrucs malastrugues *adj* **1** Que té mala sort. **2** Que pot portar desgràcia.

malastrugança malastrugances *nom f* Mala sort, desgràcia: *Diuen que trencar un mirall porta malastrugança.*

malauradament *adv* Per desgràcia: *Malauradament, el concert s'ha suspès a causa de la malaltia del director de l'orquestra.*

malaurat malaurada malaurats malaurades *adj* Desgraciat, que no és feliç.

malavingut malavinguda malavinguts malavingudes *adj* Es diu de la persona que no s'avé amb una altra: *Són dues companyes malavingudes.*

malbaratar *v* Malgastar, gastar sense necessitat: *En pocs dies va malbaratar tots els diners que havia guanyat treballant a l'estiu.*
Es conjuga com *cantar.*

malbé Paraula que apareix en l'expressió **fer malbé**, que vol dir "espatllar, destruir una cosa": *En Manel ha fet malbé el tren elèctric.*

malcarat malcarada malcarats malcarades *adj* **1** Es diu de la persona que té la cara lletja, desagradable. **2** Antipàtic, que fa mala cara a tothom.

malcreient malcreients *adj* Es diu de l'infant que és desobedient, que no creu: *La Pilar no fa mai el que li diuen els pares, és una nena malcreient.*

malcriar *v* Educar malament algú deixant-li fer tot el que li ve de gust, consentir.
Es conjuga com *canviar.*

malcriat malcriada malcriats malcriades *adj* Es diu de l'infant mal educat, capritxós, que no ha estat ensenyat a comportar-se bé.

maldar *v* Esforçar-se, treballar molt per aconseguir alguna cosa: *En Lluís va maldar per aconseguir el primer premi del concurs de dibuix.*
Es conjuga com *cantar.*

maldat maldats *nom f* **1** Qualitat de qui és dolent: *Tothom quedava esgarrifat de la maldat d'aquell assassí.* **2** Acció dolenta: *Aquest gat s'enfila per tot arreu i només fa que maldats.*

maldecap maldecaps *nom m* Problema, preocupació: *El negoci no anava bé i l'amo tenia molts maldecaps.*

maldestre maldestra maldestres *adj* Es diu de la persona que té poca traça a fer les coses.

maledicció maledictions *nom f* **1** Conjunt de paraules amb què es desitja a algú una cosa dolenta: *La bruixa del conte va llançar una maledicció a la princesa.* **2** Acció de maleir.

malèfic malèfica malèfics malèfiques *adj* Dolent, que pot causar molt dany: *Les bruixes gairebé a tots els contes són malèfiques.*

malefici maleficis *nom m* Mal causat a algú per art de màgia o d'encantament: *La bruixa va encantar el príncep i el va convertir en granota, i aquest malefici va durar molts anys.*

maleir *v* Desitjar mal o mala sort a algú.
Es conjuga com *reduir.*

maleït maleïda maleïts maleïdes *adj* **1** Molt dolent: *Aquell home té un caràcter maleït i s'enfada per res.* **2** maleït siga Expressió que es diu quan s'està enfadat per culpa d'un problema o d'una dificultat: *Maleït siga!, ja m'he tornat a equivocar.*

malenconia malenconies *nom f* Sensació de tristesa.

malenconiós malenconiosa malenconiosos malenconioses *adj* Trist, que pateix malenconia.

malentès malentesos *nom m* Fet de no entendre's dues o més persones: *Hi va haver un malentès: jo em pensava que havíem quedat de trobar-nos a les quatre i ell es pensava que havíem quedat a les cinc.*

malesa maleses *nom f* Maldat, dolenteria: *La mare va dir als fills que no fessin maleses mentre era fora.*

malestar malestars *nom m* Estat d'una persona que es troba malament, que no es troba bé, que es troba incòmoda, que té problemes o passa dificultats: *Vaig menjar massa i després de dinar tenia malestar.*

maleta maletes *nom f* **1** Capsa portàtil de cuir, de lona, etc. amb nansa, destinada a portar-hi roba i altres objectes, especialment quan es va de viatge: *En Tomàs se'n va de viatge amb dues maletes.* **2** Capsa portàtil de mida no gaire grossa, amb nansa, destinada a portar-hi llibres i altres estris de l'escola: *M'he deixat la maleta a l'escola.*

maleter maleters *nom m* Espai del cotxe que serveix per a posar-hi els paquets i les maletes.

maleter

maletí maletins *nom m* Maleta petita.

malèvol malèvola malèvols malèvoles *adj* Dolent, malvat.

malfactor malfactora malfactors malfactores *adj* i *nom m* i *f* Es diu de la persona que comet accions criminals o robatoris: *La policia busca una banda de malfactors que es dediquen a robar pisos.*

malferit malferida malferits malferides *adj* Que té una ferida greu, important.

malfiar-se *v* No fiar-se d'algú o d'alguna cosa, no tenir confiança en algú o en alguna cosa. Es conjuga com *canviar*.

malformació malformacions *nom f* Defecte físic de naixement o de creixement: *Des de petit pateix una malformació d'ossos que no li permet de caminar bé.*

malgastador malgastadora malgastadors malgastadores *adj* Es diu de la persona que es gasta els diners en coses inútils.

malgastar *v* Gastar els diners en coses inútils. Es conjuga com *cantar*.

malgirbat malgirbada malgirbats malgirbades *adj* Que du la roba mal posada, de manera que sembla que tingui el cos mal format.

malgrat **1** *prep* Sense que ho impedeixi algú o alguna cosa, a pesar de: *Malgrat tantes i tantes dificultats, ho hem aconseguit.* ▪ *Malgrat la pluja, vam anar d'excursió.* **2 malgrat tot** Tanmateix: *Ens vam afanyar molt i, malgrat tot, hi vam arribar tard.* **3 malgrat que** Encara que, tot i que: *Malgrat que ho va repetir moltes vegades, ningú no en va fer cas.*

malgratenc malgratenca malgratencs malgratenques **1** *nom m* i *f* Habitant de Malgrat de Mar; persona natural o procedent de Malgrat de Mar. **2** *adj* Es diu de les persones o de les coses naturals o procedents de Malgrat de Mar.

malhumorat malhumorada malhumorats malhumorades *adj* Que està de mal humor, que està enfadat.

malícia malícies *nom f* **1** Tendència d'algú a fer el mal: *Ha trencat el vidre sense cap motiu, per malícia.* **2** Picardia: *Aquest nen és molt murri, té molta malícia.* **3** *Em va* **fer malícia** *que perdés el meu equip de bàsquet:* saber molt greu que hagi passat una cosa. **4** *Aquell nen li va espatllar la cartera i des de llavors* **li tinc molta malícia**: tenir ràbia a algú.

maliciar *v* Sospitar, tenir recels d'algú o d'alguna cosa: *Em malicio que els companys de la feina m'han preparat una broma pesada.* Es conjuga com *canviar*.

maliciós maliciosa maliciosos malicioses *adj* Murri, que té picardia i malícia, que té tendència a pensar malament: *Aquells dos sempre pensen malament i desconfien de tothom: són un parell de maliciosos.*

malifeta malifetes *nom f* Mala acció, cosa que no s'ha de fer: *Aquest nen és molt entremaliat, tot el dia està fent malifetes.*

maligne maligna malignes *adj* **1** Es diu de la persona dolenta, que vol mal als altres, etc. **2** Es diu d'una malaltia dolenta i molt greu.

malintencionat malintencionada malintencionats malintencionades *adj* Ple de mala intenció: *Una pregunta malintencionada.*

mall malls *nom m* Martell gros i pesat, com el que fan servir els picapedrers.

malla malles *nom f* Cadascun dels forats d'una xarxa, cadascun dels trossos de fils que formen el forat d'una xarxa.

mal·leable mal·leables *adj* **1** Es diu del metall que pot ser estirat en làmines per l'acció d'una força externa. **2** Es diu de la persona de caràcter flexible, que s'adapta fàcilment, que es deixa influir.

mallerenga mallerengues *nom f* **1** Ocell petit de bec curt i plomes de diversos colors que viu als arbres i que vola formant estols. **2** *Aquesta nena no calla mai,* **és una mallerenga**: es diu de la persona que parla molt.

mallorquí mallorquina mallorquins mallorquines **1** *nom m* i *f* Habitant de l'illa de Mallorca; persona natural o procedent de Mallorca. **2** *adj* Es diu de les persones o de les coses naturals o procedents de Mallorca. **3** *nom m* Manera de parlar el català pròpia de Mallorca.

mallot mallots *nom m* Peça de vestir ajustada al cos que es porta per fer esport, gimnàstica, etc.

mallot

malmetre *v* Fer malbé una cosa, espatllar-la: *La pluja tan forta d'ahir va malmetre els camps de blat.*
Es conjuga com *perdre.* Participi: *malmès, malmesa.*

malnom malnoms *nom m* nom que la gent dóna a algú a causa d'un defecte, d'un vici, etc.: *A aquell noi tan alt, se'l coneix amb el malnom de "la girafa".*

malparat malparada malparats malparades *adj* Que ha quedat en mal estat: *El camió va sortir malparat de l'accident.*

malparit malparida malparits malparides *adj* i *nom m* i *f* Es diu de la persona a qui es considera molt dolenta.

malparlar *v* Criticar, dir mal d'algú.
Es conjuga com *cantar.*

malparlat malparlada malparlats malparlades *adj* Es diu de la persona que sempre diu males paraules.

malpensat malpensada malpensats malpensades *adj* Maliciós, que està acostumat a pensar malament d'algú o d'alguna cosa: *El meu oncle és tan malpensat, que creu que tothom li vol mal.*

malsà malsana malsans malsanes *adj* Perjudicial per a la salut: *En aquesta fàbrica es respira un aire malsà.*

malson malsons *nom m* **1** Son intranquil, somni lleig, que ens fa venir por: *Aquesta nit no he dormit gaire bé perquè he tingut un malson, he somiat que em tancaven a la presó i que em pegaven.* **2** Es diu d'una persona o d'una cosa que ens provoca contínuament problemes o malestar: *Aquell individu era com un malson, sempre ens causava problemes.*

malsonant malsonants *adj* Que sona malament, que no agrada de sentir: *No diguis paraules malsonants.*

maltès maltesa maltesos malteses **1** *nom m* i *f* Habitant de Malta; persona natural o procedent de Malta. **2** *adj* Es diu de les persones o de les coses naturals o procedents de Malta. **3** *nom m* Llengua que es parla a Malta.

maltractar *v* Tractar malament algú, pegar-li, insultar-lo, etc.
Es conjuga com *cantar.*

maluc malucs *nom m* Cadascuna de les dues parts sortints del cos que formen els ossos superiors de la pelvis que hi ha a sota de la cintura: *Les dones solen tenir els malucs més sortints que els homes.*

malura malures *nom f* Malaltia d'una planta.

malva malves *nom f* **1** Planta herbàcia amb flors grosses de color violeta. **2 fer malves** Ser mort i enterrat: *Aquesta persona de qui parleu fa tres anys que fa malves, és a dir, fa tres anys que és morta.*

malvasia malvasies *nom f* Vi molt dolç que es fa amb un raïm del mateix nom.

malvat malvada malvats malvades *adj* Molt dolent: *Un criminal malvat.*

malvendre *v* Vendre una cosa a un preu massa baix, de manera que no se'n pot treure gaire benefici.
Es conjuga com *aprendre.* Participi: *malvenut, malvenuda* o *malvengut, malvenguda.*

malvestat malvestats *nom f* Acció dolenta, maldat.

malviure *v* Viure malament: *En aquest pis, sense llum ni aigua, hi malviuen unes quantes famílies molt pobres.*
Es conjuga com *viure.*

mam mams *nom m* **1** Paraula que fan servir els infants per a referir-se a l'aigua. **2** Beguda alcohòlica: *A aquell home li deu agradar molt el mam, perquè tot sovint se'l veu borratxo.*

mama mames *nom f* **1** Paraula que diuen els infants per a referir-se a la mare. **2** Mamella, pit.

mamada mamades *nom f* Quantitat de llet que xucla una criatura cada vegada que mama.

mamar *v* **1** Xuclar amb els llavis i la llengua la llet de les mamelles: *La mare dóna de mamar al nen petit.* **2** Xuclar una cosa: *Aquest nen té el vici de mamar-se el dit.* **3** Beure: *Aquest home s'ha passat tot el dia mamant vi i ara va borratxo.*
Es conjuga com *cantar.*

mamari mamària mamaris mamàries *adj* Que està relacionat amb les mamelles.

mamarratxo mamarratxos *nom m* **1** Persona d'aspecte desagradable i que va vestida de qualsevol manera. **2** Objecte lleig, cosa mal feta: *Aquesta escultura és un mamarratxo.*

mamella mamelles *nom f* Pit.

mamífer mamífers *adj* i *nom m* Classe d'animals que es caracteritza perquè les femelles tenen mamelles que fan llet per a alimentar els petits: *Els gossos i els gats són animals mamífers.*

mampara mampares *nom f* Peça de fusta, d'alumini, etc. en forma de paret que serveix per a dividir una habitació en dues parts.

mamut mamuts *nom m* Animal mamífer prehistòric semblant a un elefant, però amb el pèl molt llarg.

mànager mànagers *nom m i f* **1** Persona que dirigeix una empresa. **2** Persona que treballa per a un artista, un esportista, etc. i que s'ocupa d'organitzar-li activitats, espectacles, competicions, etc.

manament manaments *nom m* Ordre, allò que algú ha manat de fer.

manar *v* **1** Donar ordres a algú, obligar algú a fer alguna cosa: *L'amo li ha manat que fes aquesta feina.* **2** què mana? Què desitja? Què vol? Es conjuga com *cantar*.

manat manats *nom m* Quantitat d'una cosa que es pot agafar i dur amb la mà: *Un manat de cebes.*

manat de cebes

manc manca mancs manques *adj i nom m i f* Es diu de la persona a qui falta un braç o una mà.

manca manques *nom f* Falta d'alguna cosa necessària: *No podrà fer el viatge per manca de diners.*

mancança mancances *nom f* Falta d'alguna cosa necessària, manca: *En aquesta llista de coses que hem de comprar hi ha moltes mancances.*

mancar *v* No tenir una cosa que és necessària, faltar: *A mi em manquen diners per comprar l'entrada del teatre, deixeu-me'n!*
Es conjuga com *cantar*. S'escriu *c* davant de *a, o, u* i *qu* davant de *e, i: manca, manqui.*

mancomunar-se *v* Unir-se persones, associacions, etc. per a dur a terme una mateixa tasca: *Els ajuntaments de la zona s'han mancomunat per organitzar un servei comú d'autobusos.*
Es conjuga com *cantar*.

mancomunitat mancomunitats *nom f* Agrupació de municipis que té com a finalitat realitzar obres conjuntament o gestionar serveis comuns: *Una mancomunitat de municipis.*

mandarí mandarins *nom m* **1** Antic governant de la Xina. **2** Dialecte del xinès que es parla a Pequín.

mandarina mandarines *nom f* Fruita semblant a la taronja, però més petita. **2**

mandariner mandariners *nom m* Arbre que es cultiva en zones de clima càlid, el fruit del qual és la mandarina.

mandíbula mandíbules *nom f* Cadascun dels ossos de la boca de les persones i dels animals on van enganxades les dents i els queixals. **15**

mandolina mandolines *nom f* Instrument musical de corda semblant a la guitarra, però amb la caixa més arrodonida i que es toca amb una pua.

mandonguilla mandonguilles *nom f* Bola de carn picada barrejada amb ou, pa i espècies: *Avui per dinar menjarem mandonguilles.*

mandra mandres *nom f* Falta de ganes de fer coses, de treballar: *Avui tinc mandra, m'estaria tot el dia assegut a la cadira sense fer res.*

mandrejar *v* No treballar perquè es té mandra. Es conjuga com *cantar*. S'escriu *j* davant de *a, o, u* i *g* davant de *e, i: mandrejo, mandreges.*

mandril mandrils *nom m* Mona que té el cos robust, sense cua i amb el morro vermell i blau.

mandrós mandrosa mandrosos mandroses *adj* Que té mandra, que no té ganes de treballar.

manduca manduques *nom f* Menjar: *Vinga!, porteu la manduca que tinc gana!*

mànec mànecs *nom m* **1** Part d'un objecte, com ara una escombra, un ganivet, una paella, etc., que serveix per a agafar-lo: *A la Conxita se li ha trencat el mànec del paraigua.* **2** tenir la paella pel mànec Manar, dominar una situació.

manefla manefles *adj i nom m i f* Xafarder, tafaner.

mànega mànegues *nom f* **1** Tub llarg i flexible a través del qual es fa passar aigua: *Els bombers porten mànegues per apagar els incendis.* **2** Tempesta marina, tromba: *Va caure una mànega d'aigua.* **3** Màniga.

manegar *v* **1** Muntar les peces d'un mecanisme, d'una màquina, etc. perquè funcioni. **2** Solucionar un problema que sembla complicat: *Demà tenim dues reunions a la mateixa hora, no sé pas com ens ho manegarem!*
Es conjuga com *cantar*. S'escriu *g* davant de *a, o, u* i *gu* davant de *e, i: manego, manegues.*

maneig maneigs o manejos *nom m* Acció de manejar, de fer anar una cosa amb les mans: *Els policies estan entrenats en el maneig de les armes.*

manejable manejables *adj* Que fa de bon manejar: *Aquestes tisores petites s'adapten molt bé als dits: són més manejables que les grosses.*

manejar *v* Fer funcionar una cosa, fer anar un instrument amb les mans: *En Pere maneja molt bé la màquina de segar herba.*
Es conjuga com *cantar*. S'escriu *j* davant de *a, o, u* i *g* davant de *e, i: manejo, maneges.*

manera maneres *nom f* **1** Forma particular de fer una cosa, d'actuar, de ser: *El dibuix, el farem d'aquesta manera: jo faré la silueta i tu la pintaràs de dins.* ▪ *Cadascú té la seva manera de caminar.* **2** *De totes maneres, demà vindrem:* costi el que costi, sigui com sigui. **3** *No hi va haver manera que digués la veritat:* ser impossible, no poder aconseguir una cosa. **4** *Ens ha fet sortir de la botiga amb males maneres:* amb mala educació. **5** *El nen no vol menjar de cap manera:* gens, en absolut. **6** *de manera que* Expressió que serveix per a indicar conseqüència o finalitat: *El professor ho va explicar molt a poc a poc, de manera que tothom ho pogués entendre.*

manescal manescala manescals manescales *nom m i f* Veterinari.

maneta manetes *nom f* **1** Part d'una eina, d'una màquina, etc. on es posa la mà per fer-la moure: *Se'ns ha espatllat la maneta de la porta.* **2** Agulla o busca del rellotge. **3** *En Sebastià i la Carme fan manetes:* es donen les mans en senyal d'amor. **4** *tenir manetes* o *ser un* o *una manetes* Tenir molta traça a fer les coses: *La meva mare és una manetes, quan a casa s'espatlla una cosa ella sempre l'arregla.*

maneta d'una porta

mango mangos *nom m* Fruit comestible d'un arbre del mateix nom, de color groc, de gust dolç i que fa molta olor.

mangosta mangostes *nom f* Mamífer carnívor que té les potes curtes, la cua i el cos llargs, i que s'alimenta d'ocells, de serps i de petits mamífers.

mania manies *nom f* **1** Interès especial i exagerat per una cosa: *Aquesta dona té la mania de la neteja, tot el dia està netejant el pis, sempre li sembla que és brut.* **2** Costum, vici: *Aquell nen té la mania de ficar-se el dit al nas.* **3** Sentiment d'antipatia, de rebuig, que se sent per algú o alguna cosa: *Diu que el professor li ha agafat mania.*

maníac maníaca maníacs maníaques *adj i nom m i f* Es diu de la persona que té una mania o una obsessió tan forta per alguna cosa, que es considera un malalt.

maniàtic maniàtica maniàtics maniàtiques *adj i nom m i f* Es diu de la persona que té manies: *Aquest nen és molt maniàtic amb el menjar, hi ha moltes coses que no li agraden.*

manicomi manicomis *nom m* Hospital per a persones amb malalties mentals.

manicura manicures *nom f* Cura, tractament de les ungles i de les mans.

manifestació manifestacions *nom f* **1** Acció de sortir un grup de gent al carrer, cridant i amb pancartes, per demanar una cosa, per protestar, etc.: *Avui hi haurà una manifestació per protestar contra el racisme.* **2** Fet de donar a conèixer una opinió, un sentiment, etc.: *El president del govern ha fet unes manifestacions en contra del projecte.*

manifestant manifestants *nom m i f* Persona que participa en una manifestació.

manifestar *v* **1** Donar a conèixer una opinió, un sentiment, etc.: *Els alumnes van manifestar al professor que no els agradava la seva manera de fer classe.* **2** *manifestar-se* Sortir un grup de gent al carrer, cridant i amb pancartes, per demanar una cosa, per protestar, etc.: *Els veïns s'han manifestat per demanar un parc.*
Es conjuga com *cantar*.

màniga mànigues *nom f* **1** Part d'una peça de vestir que cobreix el braç: *Se m'ha descosit la màniga dreta del vestit.* **2** *anar en mànigues de camisa* Anar sense americana o sense qualsevol altra peça de vestir que cobreixi les mànigues de la camisa. **3** *estirar més el braç que la màniga* Gastar més diners dels que es tenen. **4** *fer mans i mànigues* Esforçar-se molt per aconseguir una cosa.

manilla manilles *nom f* Cadascuna de les anelles de ferro unides per una cadena que es posen al voltant dels punys d'un detingut.

manillar manillars *nom m* Peça de la bicicleta, de la moto, etc. on es posen les mans i que serveix per a dirigir el vehicle.

maniobra maniobres *nom f* **1** Conjunt de moviments que es fan per fer una cosa: *Va haver de fer unes quantes maniobres per poder aparcar el cotxe.* ■ *L'avió va fer unes quantes maniobres per no xocar amb la muntanya.* **2** Conjunt d'accions que es fan per aconseguir una cosa. **3** **maniobres militars** Moviments, exercicis que fa un nombre important de soldats per entrenar-se.

maniobrar *v* Fer maniobres, fer moviments: *El camió va haver de maniobrar per poder entrar al garatge.*
Es conjuga com *cantar*.

manipulació manipulacions *nom f* **1** Acció de manipular, de fer anar una cosa: *La manipulació d'aquest aparell de vídeo és difícil.* **2** Acció d'enganyar, d'influir sobre algú per aconseguir que actuï d'una manera determinada.

manipular *v* **1** Fer anar una cosa amb les mans: *El científic manipulava un microscopi molt potent.* **2** Fer una estafa, un engany: *Vam fer eleccions, però algú les va manipular i va fer guanyar un candidat que la gent no havia votat tant com els altres.* **3** Influir sobre algú per aconseguir que actuï d'una manera determinada.
Es conjuga com *cantar*.

maniquí maniquins **1** *nom m* Figura en forma de persona que es posa als aparadors de les botigues de roba per exposar els vestits al públic. **2** *nom m i f* Persona que fa de model, que es dedica a exhibir peces de vestir en desfilades de moda.

manlleuenc manlleuenca manlleuencs manlleuenques **1** *nom m i f* Habitant de Manlleu; persona natural o procedent de Manlleu. **2** *adj* Es diu de les persones o de les coses naturals o procedents de Manlleu.

manllevar *v* Fer-se deixar una cosa: *He manllevat el compàs d'en Jordi i l'hi tornaré demà.*
Es conjuga com *cantar*.

manobre manobres *nom m i f* Ajudant d'un paleta.

manòmetre manòmetres *nom m* Instrument que mesura la pressió dels gasos i dels líquids.

manòmetre

manotada manotades *nom f* Cop donat amb la mà.

manresà manresana manresans manresanes **1** *nom m i f* Habitant de Manresa; persona natural o procedent de Manresa. **2** *adj* Es diu de les persones o de les coses naturals o procedents de Manresa.

mans mansa mansos manses *adj* Es diu dels animals que no ataquen, que es deixen tocar: *Aquest gos és molt mans, ja t'hi pots acostar, no et mossegarà pas.*

mansió mansions *nom f* Casa gran i luxosa.

mansoi mansoia mansois mansoies *adj* Manyac, mans: *Aquest gos és ben mansoi.*

manta mantes *nom f* **1** Peça de llana, de cotó o de fibra que escalfa i que s'usa per a abrigar-se, generalment en el llit: *En Jeroni dorm amb dues mantes.* **2** **a manta** En gran quantitat, a dojo.

mantega mantegues *nom f* Aliment greixós de color groc clar que s'obté de la llet: *Cada dia per esmorzar em menjo una torrada amb mantega i melmelada.*

mantegós mantegosa mantegosos mantegoses *adj* Que té mantega o que sembla mantega pel gust o per l'aparença: *El gust d'aquest pastís és mantegós.*

manteguera mantegueres *nom f* Recipient que s'utilitza per a servir la mantega a taula.

mantell mantells *nom m* **1** Peça de vestir en forma de capa que es lliga al cap o a les espatlles. **2** Part de la Terra situada entre l'escorça i el nucli.

mantellina mantellines *nom f* Mocador gros de roba fina que abans les dones es posaven al cap per cobrir-se'l quan entraven en una església.

manteniment manteniments *nom m* Acció de mantenir una cosa, de cuidar-la perquè estigui en bon estat: *A la fàbrica hi ha treballadors que fan el manteniment de les màquines perquè puguin funcionar bé cada dia.*

mantenir v **1** Fer que alguna cosa estigui d'una manera determinada, sense canviar: *Fica el gelat a la nevera i es mantindrà fred.* ■ *El meu avi és molt gran, però es manté en bona forma perquè fa esport.* **2** Proporcionar a algú les coses necessàries per a viure, els vestits, els aliments, etc.: *Aquesta dona, amb els diners que guanya treballant, manté tota la família.* **3** Afirmar una cosa amb insistència: *Durant tot el judici l'acusat va mantenir que era innocent.* **4** Tenir relacions, converses, reunions, etc.: *Els treballadors i la direcció mantenen converses per mirar de resoldre el problema.* **5 mantenir en secret** Guardar un secret, no dir un secret. **6 mantenir la paraula** Complir el que s'ha promès.
La conjugació de *mantenir* és a la pàg. 840.

mantó mantons nom m Mocador molt gros que es posa a les espatlles per abrigar-se.

manual manuals **1** adj Que s'ha de fer funcionar amb la mà, que no és automàtic: *Jo tinc una màquina d'escriure manual; el meu cosí en té una d'elèctrica.* **2** nom m Llibre que explica els aspectes més importants d'una matèria: *La meva mare té un manual de cuina que explica les receptes d'alguns plats.*

manubri manubris nom m Piano petit que es fa sonar fent voltar una maneta.

manufactura manufactures nom f **1** Fàbrica, indústria on s'elaboren productes. **2** Producte que s'elabora amb les mans, d'elaboració manual.

manufacturar v Elaborar productes a mà o amb l'ajuda de màquines.
Es conjuga com *cantar*.

manufacturat manufacturada manufacturats manufacturades adj Es diu de qualsevol producte que hagi estat elaborat a mà o amb ajuda de màquines.

manuscrit manuscrita manuscrits manuscrites adj i nom m Escrit a mà: *La majoria dels nens i nenes van presentar les redaccions manuscrites, però en Carles la va presentar escrita a màquina.*

manutenció manutencions nom f Acció de mantenir una persona, de donar-li tot el que necessita per a viure: *Els pares s'ocupen de la manutenció i de l'educació dels fills.*

manxa manxes nom f Instrument que serveix per a fer vent i inflar algun objecte com ara la roda d'una bicicleta, un matalàs pneumàtic, etc.: *Aquí teniu una manxa per a inflar les rodes de la bicicleta.*

manxa

manxar v **1** Inflar algun objecte fent vent amb una manxa. **2** Bufar el vent.
Es conjuga com *cantar*.

manxego manxegos adj i nom m Es diu d'un tipus de formatge fet amb llet d'ovella originari de la Manxa.

manya manyes nom f Habilitat, traça que té algú que sap fer molt bé una cosa: *El meu germà té molta manya i s'ha arreglat la ràdio tot sol.*

manyà manyana manyans manyanes nom m i f Persona que fabrica o arregla panys, claus i objectes de ferro.

manyac manyaga manyacs manyagues adj Es diu de la persona o de l'animal que es deixa tocar, que vol que li facin carícies: *Aquest gos és molt manyac, es deixa tocar i no s'enfada mai.*

manyaga manyagues nom f Carícia.

manyoc manyocs nom m **1** Conjunt de fils, de cabells, etc. que es pot agafar d'un grapat amb la mà. **2** Trossos de paper, de drap, de fils, etc. que han estat convertits en una bola tot estrenyent-los amb la mà.

manyopla manyoples nom f Guant que té només el dit polze separat dels altres dits.

manyós manyosa manyosos manyoses adj Es diu de la persona que té manya i habilitat per a fer les coses.

maó maons nom m Peça d'argila cuita que es fa servir per a fer parets, pilars, etc.

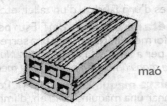

maó

mapa mapes nom m Representació plana i en unes mides reduïdes de la superfície de la Terra o només d'una part, com ara un continent, un país, una comarca, etc.: *Aquest exercici consisteix a situar en el mapa el nom de les ciutats més grans del país.*

mapamundi mapamundis *nom m* Mapa que representa tota la superfície de la Terra.

maqueta maquetes *nom f* Construcció molt petita que representa un edifici, un carrer, etc.: *Avui hem vist una maqueta de l'escola nova que encara s'ha de construir.*

maqueta d'un vaixell

maquillar *v* Pintar la cara per fer-la semblar més bonica o per transformar-la: *Els pallassos van molt maquillats.*
Es conjuga com *cantar.*

maquillatge maquillatges *nom m* **1** Acció de maquillar-se. **2** Conjunt de productes que es posen a la cara per transformar-la una mica o per fer-la semblar més bonica: *Les persones que surten per la televisió porten un maquillatge que els fa ressaltar les faccions.*

màquina màquines *nom f* Instrument o aparell inventat per les persones per a fer una feina: *A casa hi ha màquina de rentar, màquina d'escriure i màquina de cosir.*

maquinal maquinals *adj* Es diu de l'acció, del gest o del moviment que sembla fet d'una manera mecànica, sense pensar, inconscientment: *Un moviment maquinal.*

maquinar *v* Idear un pla per dur a terme una acció, un crim, etc.: *Els lladres maquinaven l'assalt al banc des de feia dies.*
Es conjuga com *cantar.*

maquinària maquinàries *nom f* Conjunt de màquines d'una fàbrica, d'un taller, etc.

maquineta maquinetes *nom f* Estri petit, de moltes formes diferents, amb una serreta que serveix per a fer punta als llapis: *En Narcís ha perdut la maquineta i jo li he deixat la meva.*

maquinista maquinistes *nom m i f* Persona que fa anar una màquina de tren, d'imprimir, etc.

mar mars *nom m o f* **1** Massa d'aigua salada que cobreix una gran part de la Terra: *La Cristina ha anat a banyar-se al mar.* **2** *Els mariners van fer-se a la mar*: començar la navegació. **3** *Avui no ens podem banyar perquè hi ha molta*

mar: *mala mar, amb onades molt fortes.* **4** *La Mercè està feta una mar de llàgrimes*: plorar en abundància. **5** *En aquella situació, l'Andreu no sabia per on tirar*: *estava fet un mar de dubtes*: no saber què s'ha de fer davant d'un problema, d'una situació difícil. **6** *Després de la batalla, el país estava fet un mar de sang*: haver-hi molts morts i ferits.

maraca maraques *nom f* Instrument musical que consisteix en una carbassa petita o en qualsevol fruita semblant, buida per dintre i deixada assecar, dins la qual hi ha pedretes o pinyols, i que sona quan se sacseja amb les mans.

maragda maragdes *nom f* Pedra preciosa de color verd brillant.

marató maratons *nom f* Cursa de resistència en què els atletes han de córrer 42,192 quilòmetres.

marbre marbres *nom m* Roca forta i bonica que es fa servir per a fer estàtues, per a cobrir parets, escales, etc.: *Aquesta casa té l'escala de marbre.* |4

marc marcs *nom m* **1** Conjunt de peces de fusta o de metall que hi ha al voltant d'una porta, d'una finestra, d'un quadre, d'un mirall, etc. **2** Antiga moneda d'Alemanya i de Finlàndia.

març marços *nom m* Mes que es troba entre l'hivern i la primavera, tercer mes de l'any, té 31 dies.

marca marques *nom f* **1** Distintiu, senyal d'un producte que el distingeix d'un altre: *En Lluís coneix totes les marques de moto.* **2** *En Jaume ens va treure un vi de marca*: de bona qualitat, conegut. **3** Senyal en alguna cosa: *Tinc l'esquena plena de marques de les esgarrinxades.*

marcador marcadors *nom m* Instrument en forma de placa, tauler o pantalla on apareix marcat el resultat d'un partit de futbol, de bàsquet, etc.

marcapàs marcapassos *nom m* Aparell petit que es connecta al cor i que ajuda a regular-ne el ritme i les contraccions.

marcar *v* **1** Fer un senyal, una marca, en una cosa per a distingir-la d'altres: *De totes aquestes paraules, marca amb una creu les que tenen la lletra "b".* **2** Assenyalar, fer reconèixer alguna cosa a través d'algun mitjà, com ara un termòmetre, un rellotge, un mapa, etc.: *El termòmetre marcava tres graus sota zero.* **3** Seguir de prop els moviments del jugador contrari per tal de no deixar-li fer el seu joc:

En aquell partit de futbol en Jaume marcava molt bé el seu contrari. **4** Formar el número de telèfon al qual es vol trucar, pitjant els pius o girant el disc d'un aparell telefònic. **5** *Els soldats* **marcaven el pas**: caminaven seguint el mateix moviment amb els peus.
Es conjuga com *cantar*. S'escriu *c* davant de *a, o, u* i *qu* davant de *e, i: marco, marques.*

marcià marciana marcians marcianes **1** *adj* Que està relacionat amb el planeta Mart. **2** *nom m* i *f* Suposat habitant del planeta Mart, extraterrestre.

marcial marcials *adj* **1** Que és propi dels guerrers, dels soldats: *Els soldats desfilaven amb ritme marcial.* **2** **art marcial** Esport d'origen oriental, com el karate, el judo, etc., que consisteix a lluitar sense armes.

marcir-se *v* Assecar-se, perdre la frescor una planta, una flor: *Aquestes flors amb la calor s'han marcit.*
Es conjuga com *servir*.

flors marcides

mare mares *nom f* **1** Dona que ha tingut un o més fills: *La Rita és la mare d'en Xavier.* **2** *Aquesta monja és la* **mare superiora** *del convent:* la que ocupa el càrrec més alt de la comunitat de monges. **3** *La senyora Pilar Rovira és la* **mare política** *d'en Miquel:* la sogra, la mare de la seva dona. **4** *Amb les pluges el riu va* **sortir de mare**: es va desbordar.

marea marees *nom f* Moviment de pujada i de baixada del nivell de l'aigua del mar produït per la força d'atracció de la Lluna i del Sol.

maregassa maregasses *nom f* Estat del mar quan hi ha onades molt fortes, maror.

mareig mareigs o marejos *nom m* Malestar caracteritzat per les ganes de vomitar i la sensació que el cap roda: *De tant anar amb cotxe, em va venir mareig.*

marejada marejades *nom f* **1** Estat del mar quan està bastant mogut, però que no arriba a ser maregassa. **2** Mareig molt fort.

marejar *v* Tenir malestar, ganes de vomitar i la sensació que el cap roda: *L'avi ha anat amb barca i s'ha marejat.*
Es conjuga com *cantar*. S'escriu *j* davant de *a, o, u* i *g* davant de *e, i: marejo, mareges.*

marejol marejols *nom m* Estat del mar quan hi ha ones no gaire fortes.

marengo marengos **1** *adj* D'un color gris fosc: *Uns vestits marengo.* **2** **marengo** marengos *nom m* Color gris fosc.

maresma maresmes *nom f* **1** Terreny pantanós al costat de la mar. **2** Costa baixa que s'inunda sovint per la pujada de les aigües del mar o d'un riu.

maresme maresmes *nom m* Maresma 2.

maresmenc maresmenca maresmencs maresmenques **1** *nom m* i *f* Habitant de la comarca del Maresme; persona natural o procedent de la comarca del Maresme. **2** *adj* Es diu de les persones o de les coses naturals o procedents de la comarca del Maresme.

màrfega màrfegues *nom f* Sac gros ple de palla que serveix de matalàs.

marfil marfils *nom m* Substància blanca i dura de les dents i dels ullals d'alguns mamífers, vori, ivori.

margalida margalides *nom f* Margarida.

margalló margallons *nom m* Arbre semblant a la palmera però més baix, que creix de forma natural al nostre país.

margarida margarides *nom f* Planta que té una flor del mateix nom, de pètals blancs i botó groc, que creix als prats, als jardins, etc. **3**

margarina margarines *nom f* Aliment semblant a la mantega, però fet amb greixos i olis vegetals.

marge marges *nom m* **1** Vora, tros de terra que hi ha al costat d'un camí, d'un camp, etc., que a vegades fa desnivell. **2** Qualsevol dels espais blancs que hi ha al voltant d'una pàgina escrita: *Aquest llibre té unes pàgines molt atapeïdes, amb uns marges molt petits.* **3** Diferència entre el preu a què es compra una cosa i el preu a què es ven: *Cada rosa ens costa un euro i setanta cèntims; com que les vendrem a tres euros, ens quedarà un marge d'un euro i trenta cèntims.* **4** **mantenir-se al marge** No participar en un fet: *Els nens es van barallar, però en Pere se'n va mantenir al marge.*

marginar *v* Deixar de banda algú o alguna cosa, no tenir en compte algú o alguna cosa: *La*

m

nostra societat explota i margina moltes persones, que es veuen obligades a viure en unes condicions molt més dolentes que la resta de la població. Es conjuga com *cantar*.

marginat **marginada marginats margina-des** *adj i nom m i f* Es diu de la persona que la societat deixa de banda: *A moltes ciutats hi ha gent marginada que viu pobrament.*

marí **marina marins marines** 1 *adj* Que està relacionat amb el mar: *El dofí és un animal marí.* 2 *nom m i f* Persona que té per professió navegar, mariner.

marialluïsa **marialluïses** *nom f* Planta de fulles oloroses que es fa servir per a preparar infusions.

marieta **marietes** *nom f* Insecte de cos rodó, de color vermell o groc amb punts negres.

marieta

marihuana **marihuanes** *nom f* Droga que es fuma o es mastega, haixix.

marina **marines** *nom f* 1 Conjunt de vaixells i d'embarcacions d'un país. 2 **marina de guerra** Conjunt dels vaixells de guerra d'un país. 3 **marina mercant** Conjunt dels vaixells d'un país que es dediquen a transportar mercaderies. 4 Zona de terra al costat del mar.

marinada **marinades** *nom f* Vent que bufa del mar cap a terra.

marinar *v* 1 Amanir el peix per conservar-lo. 2 Estovar la carn o el peix amb vinagre, vi, espècies, etc. abans de coure'ls. Es conjuga com *cantar*.

mariner **marinera mariners marineres** 1 *adj* Que està relacionat amb el mar, la marina o la gent de mar. 2 *nom m i f* Persona que treballa en un vaixell.

marisc **mariscs** o **mariscos** *nom m* Animal marí amb closca molt apreciat com a aliment: *Els llagostins, les gambes, els musclos i les ostres són mariscos.*

mariscal **mariscala mariscals mariscales** *nom m i f* En alguns països, militar de grau alt que mana un conjunt important de soldats de l'exèrcit.

marit **marits** *nom m* Home casat, respecte a la muller: *En Josep i la Carme s'han casat, ja són marit i muller.*

marítim **marítima marítims marítimes** *adj* Que està relacionat amb el mar: *L'esquí nàutic és un esport marítim.*

marmita **marmites** *nom f* Olla molt grossa de metall.

marmota **marmotes** *nom f* Animal mamífer rosegador de cos rodó i de pèl espès, que fa vida de nit i es passa l'hivern amagat sota terra.

maroma **maromes** *nom f* Corda gruixuda.

maror **marors** *nom f* 1 Estat de la mar quan hi ha onades fortes, maregassa. 2 **haver-hi mala maror** Haver-hi malestar, baralles, discussions entre un grup de persones: *Avui a classe hi ha hagut mala maror.*

marquès **marquesa marquesos marqueses** *nom m i f* Persona de la noblesa que està per damunt del comte i per sota del duc.

marquesina **marquesines** *nom f* 1 Coberta de lona, de plàstic, de metall, etc. que hi ha a l'entrada d'alguns edificis o a la parada de l'autobús i que serveix per a protegir la gent de la pluja, de la neu o del sol. 2 Coberta de tela que es posa sobre la tenda per protegir-la de la pluja.

marqueteria **marqueteries** *nom f* Decoració plana dels mobles de fusta, feta incrustant peces de nacre, de vori, de fusta, etc.: *L'àvia té unes cadires molt antigues decorades amb marqueteria.*

màrqueting **màrquetings** *nom m* Conjunt de tècniques destinades a promoure la venda dels productes o dels serveis que ofereix una empresa.

marrà **marrana marrans marranes** 1 *nom m* Mascle de l'ovella. 2 *adj i nom m i f* Es diu de la persona molt tossuda, que no creu. 3 *adj i nom m i f* Es diu de la persona que és bruta, que fa porqueries.

marrada **marrades** *nom f* 1 Camí que fa volta, que no va de dret d'un punt a un altre. 2 **fer marrada** No passar pel camí que va de dret al punt on es vol anar, sinó per un altre que fa volta.

marrameu Onomatopeia, paraula que imita el crit del gat, sobretot quan està enfadat.

marranada **marranades** *nom f* 1 Acció bruta, pròpia d'una persona poc neta. 2 Marraneria. **3** Acció dolenta que es fa contra algú: *No em vas deixar els apunts i he suspès l'examen, m'has fet una marranada.*

marraneria marraneries *nom f* Enrabiada d'un infant amb crits, plors i cops de peu quan vol una cosa que no pot tenir: *El meu germà petit ha fet una marraneria perquè no volien comprar-li els caramels.*

marrec marrecs *nom m* Nen, noi petit.

marro marros *nom m* **1** Pasta negra que queda a la cafetera després de bullir el cafè. **2** Embolic, situació fosca, tèrbola: *Aquí hi ha marro!, aquesta gent ha fet molts diners en poc temps i ningú no sap com.*

marró marrons *adj i nom m* Color que surt de la barreja del color verd i del color vermell: *Les castanyes són de color marró.* ▪ *Una jaqueta marró.*

marroquí marroquina marroquins marroquines **1** *nom m i f* Habitant del Marroc; persona natural o procedent del Marroc. **2** *adj* Es diu de les persones o de les coses naturals o procedents del Marroc.

marroquineria marroquineries *nom f* Tècnica de treball que consisteix a adobar el cuir o la pell i fer-ne bosses, maletes, etc., indústria del cuir.

marsopa marsopes *nom f* Dofí negre que té la panxa blanca i que neda prop de la costa. **12**

marsupial marsupials *adj i nom m* Denominació que reben diversos mamífers, com ara el cangur, que tenen una bossa al ventre per a guardar-hi les cries.

mart marta marts martes *nom m o f* Animal mamífer que fa uns 50 centímetres de llarg, que té la cua llarga i el pèl espès i molt suau i que és molt apreciat per la seva pell.

martell martells *nom m* **1** Eina que consisteix en una peça de ferro al capdamunt d'un mànec de fusta i que serveix per a clavar claus, picar metalls, etc. **2** Osset de l'orella que s'articula amb l'enclusa. **15**

martellada martellades *nom f* Cop de martell.

martellejar *v* Donar cops amb un martell. Es conjuga com *cantar*. S'escriu *j* davant de *a, o, u* i *g* davant de *e, i: martellejo, martelleges.*

martinet martinets *nom m* **1** Instrument que serveix per a forjar o batre metalls, que consisteix en un bloc de ferro situat a l'extrem

d'una palanca i que s'alça i es deixa caure sobre el metall col·locat en una enclusa. **2** Ocell de bec llarg i potes primes que s'alimenta de peixos, insectes i granotes. **8**

màrtir màrtirs *nom m i f* Persona que pateix turment, mort o dolor per negar-se a renunciar a les seves creences o idees: *L'Església considera santes moltes persones que van morir màrtirs perquè no van voler renunciar a la fe.*

martiri martiris *nom m* Acció de martiritzar o de torturar algú, turment.

martiritzar *v* Causar un dany o un dolor a algú fent-lo sofrir, turmentar. Es conjuga com *cantar*.

martorellenc martorellenca martorellencs martorellenques **1** *nom m i f* Habitant de Martorell, de Martorelles o de Santa Maria de Martorelles; persona natural o procedent de Martorell, de Martorelles o de Santa Maria de Martorelles. **2** *adj* Es diu de les persones o de les coses naturals o procedents de Martorell, de Martorelles o de Santa Maria de Martorelles.

marxa marxes *nom f* **1** Acció de marxar o de caminar un conjunt de persones: *Els soldats van fer una llarga marxa a peu.* **2** Cadascun dels nivells de velocitat d'un vehicle: *Aquest cotxe nou té cinc marxes, a més a més de la marxa enrere.* **3** Cursa atlètica en què els participants han de marxar a pas lleuger, de manera que sempre hi hagi un peu o l'altre que toqui a terra.

marxant marxanta marxants marxantes *nom m i f* **1** Persona que es dedica a vendre mercaderies anant d'un mercat a l'altre. **2** Comerciant que compra i ven obres d'art.

marxar *v* **1** Caminar un conjunt de persones en un cert ordre: *Els soldats marxaven al mateix pas.* **2** Anar, funcionar un vehicle o un aparell: *El rellotge marxa bé.* **3** Anar-se'n: *Ja fa dues hores que som aquí, hem de marxar de seguida.* Es conjuga com *cantar*.

mas masos *nom m* Conjunt format per una masia o casa de pagès i una extensió de camps de conreu, de pastures i de boscos que en depenen.

màscara màscares *nom f* Careta que cobreix la cara del tot o en part: *El dia del Carnestoltes tots els nens i nenes de la classe portaven una màscara de pallasso.*

mascarar *v* Emmascarar[1]. Es conjuga com *cantar*.

mascaró mascarons *nom m* Figura decorativa que va enganxada a la punta de proa d'un vaixell.

mascle mascles *nom m* **1** Animal o vegetal del sexe masculí: *Els homes són mascles i les dones són femelles.* **2** Peça que encaixa en el forat d'una altra, anomenada femella.

masclisme masclismes *nom m* Actitud d'algunes persones que pensen que els homes són superiors a les dones.

masclista masclistes *adj i nom m i f* Es diu de la persona que pensa que els homes són superiors a les dones.

mascota mascotes *nom f* Persona, animal o cosa que es creu que porta bona sort i que de vegades serveix de símbol a un grup de persones, a una institució, etc.

masculí masculina masculins masculines **1** *adj* Que és propi del mascle: *En Miquel fa una veu molt forta, molt masculina.* **2** *adj i nom m* Es diu dels noms de gènere gramatical masculí, és a dir, dels noms que poden anar precedits de les paraules "el", "els", "un" o "uns", i també es diu de les formes dels adjectius i dels articles que poden acompanyar aquests noms: *El* mot "costum" és masculí, per tant s'ha de dir "un bon costum", "un mal costum", etc.

masegar *v* Tocar, fregar una cosa amb força: *Hi havia molta gent que empenyia i vaig quedar ben masegat.*
Es conjuga com *cantar.* S'escriu *g* davant de *a, o, u* i *gu* davant de *e, i: masego, masegues.*

masia masies *nom f* Casa de pagès, edifici principal d'un mas: *Els avis viuen en una masia situada enmig de camps i boscos.*

masmorra masmorres *nom f* Presó subterrània: *Van fer tancar els presoners a la masmorra del castell.*

masnoví masnovina masnovins masnovines **1** *nom m i f* Habitant del Masnou; persona natural o procedent del Masnou. **2** *adj* Es diu de les persones o de les coses naturals o procedents del Masnou.

masover masovera masovers masoveres *nom m i f* Persona que treballa i viu en una masia que és propietat d'una altra persona.

massa[1] *adv i adj* Excessivament, més del que cal, més del que convé: *Hem comprat massa coses.* ■ *Hi havia massa gent.* ■ *Crideu massa.*

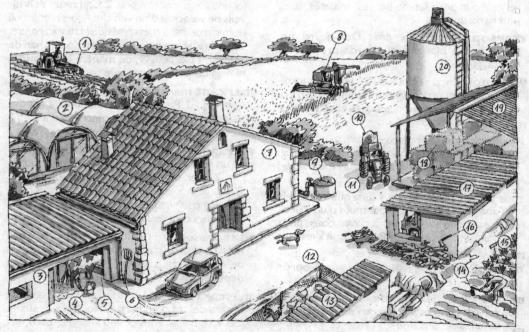

La masia 1 arada **2** hivernacle **3** establa **4** munyidora **5** menjadora **6** forca **7** masia **8** recol·lectora **9** pou **10** remolc **11** tractor **12** tanca **13** galliner **14** aixada **15** hort **16** destral **17** cobert **18** bales de palla **19** pallissa **20** sitja

massa² massesnom f **1** Pasta que es fa barrejant un líquid i una matèria en pols: *Ja hem fet la massa del pa i ara el posarem al forn.* **2** Grup molt gran de gent, multitud: *Una gran massa de gent va anar a veure el partit de futbol.* **3** **en massa** En gran quantitat: *La gent va anar en massa a veure el partit.*

massapà massapansnom m Pasta dolça feta amb ametlles i sucre que s'utilitza per a fer productes de pastisseria com ara panellets, torró, etc.

massatge massatgesnom m Sèrie de petits cops i fregues que una persona fa amb les mans sobre el cos d'una altra persona per fer-lo reaccionar d'una manera saludable: *El jugador es va fer mal al peu i li van haver de fer un massatge perquè es recuperés.*

massatgista massatgistes nom m i f Persona que fa massatges.

masseter masseters nom m Múscul situat a la part de darrere del maxil·lar inferior i que serveix per a moure la mandíbula i mastegar. **16**

massís massissa massissos massisses **1** adj Fort, sòlid: *Aquesta taula és massissa, és feta amb una fusta molt bona i molt forta.* **2** nom m Conjunt de muntanyes més aviat altes i grosses, que no estan alineades sinó agrupades: *El massís del Montseny té una vegetació molt variada.*

massiu massiva massius massives adj De molta gent, d'una gran multitud: *Es va fer un acte massiu a l'estadi olímpic.*

mastegar v Triturar, tallar, xafar els aliments amb les dents i els queixals perquè quedin ben petits i sigui fàcil d'empassar-los i de digerir-los: *Mastega bé la carn, abans d'empassar-te-la.*
Es conjuga com *cantar.* S'escriu g davant de *a, o, u* i gu davant de *e, i: mastego, mastegues.*

mastegot mastegotsnom m Cop donat amb la mà, bufetada forta.

màster màsters nom m Títol universitari de segon nivell, que es pot obtenir després d'haver cursat un grau.

masticació masticacions nom f Acció de mastegar els aliments.

mastodont mastodonts nom m Mamífer prehistòric semblant a l'elefant i al mamut, però amb dos ullals desiguals a cada mandíbula.

masturbació masturbacionsnom f Acció de masturbar-se.

masturbar-se v Excitar-se sexualment un mateix tocant-se els òrgans genitals per obtenir plaer.
Es conjuga com *cantar.*

mat¹ Paraula que apareix en l'expressió **escac i mat**, que es diu quan, en una partida d'escacs, un jugador fa un moviment que deixa el rei del contrari sense escapatòria.

mat² matsadj Que no brilla, que no és lluent: *Hem dit al fotògraf que ens revelés les fotografies en una còpia mat, perquè no ens agrada que brillin.*

mata matesnom f Arbust o planta de petita alçada: *Vam anar al bosc i la meva mare va arrencar una mata de farigola.*

matalaf matalafsnom m Matalàs.

matalàs matalassosnom m Funda grossa de tela, cosida de tots costats i plena de llana, espuma, molles, etc., que es posa sobre el llit i serveix per a dormir-hi.

matalasser matalassera matalassers matalasseres nom m i f Persona que fa matalassos o en ven.

matamosques uns matamosquesnom m Estri que té forma de pala petita flexible i que serveix per a matar mosques.

matança matancesnom f **1** Acció de matar moltes persones: *En aquella batalla hi va haver una gran matança, hi van morir milers de persones.* **2** **matança del porc** Acció de matar el porc per aprofitar-ne la carn: *A les cases de pagès, quan fan la matança del porc, celebren una gran festa.*

mataparent mataparents nom m Nom de diferents tipus de bolets poc apreciats com a aliment, alguns dels quals són verinosos. **4**

matar v **1** Prendre la vida a un ésser viu: *El caçador va matar el llop.* **2** **matar-se** Prendre's la vida un mateix, voluntàriament o en un accident: *Va caure d'un cinquè pis i es va matar.* **3** *El pobre noi* **es matava treballant** *per mantenir la família*: treballar molt, posar molta energia en una cosa. **4** **matar la gana** Menjar una mica per fer passar la gana. **5** *L'obra de teatre que hem vist* **no mata** no és res de l'altre món, no és una cosa tan extraordinària com ens pensàvem. **6** En un joc, eliminar el contrari, jugar una carta superior a la del contrari,

etc.: *Jugant al parxís, en Joan va matar cinc cops la Mercè.*
Es conjuga com *cantar*.

mata-rates uns **mata-rates** *nom m* Substància verinosa que s'utilitza per a matar les rates, raticida.

mataroní matoronina mataronins mataronines **1** *nom m i f* Habitant de Mataró; persona natural o procedent de Mataró. **2** *adj* Es diu de les persones o de les coses naturals o procedents de Mataró.

mata-segells uns **mata-segells** *nom m* **1** Marca que els funcionaris de correus posen damunt els segells de les cartes o dels paquets perquè no es puguin tornar a fer servir. **2** Estri que s'utilitza a les oficines de correus per marcar els segells de les cartes o dels paquets perquè no es puguin tornar a fer servir.

mateix[1] *pron* **1** La mateixa cosa: *Sempre dius el mateix.* **2 així mateix** A més d'això: *A part d'aquestes explicacions, el professor va fer, així mateix, algun comentari sobre les notes.*

mateix[2] mateixa mateixos mateixes *adj* **1** Que no és un altre, que no és diferent, que és igual: *L'Antònia i l'Enric viuen al mateix poble.* ▪ *A tots dos els agrada el mateix model de cotxe.* **2** Que és molt semblant a una altra cosa: *En Sergi té les mateixes mans que el seu pare.* **3** *En Miquel era una bona persona, els seus mateixos enemics ho reconeixen:* fins i tot els enemics ho reconeixen. **4** *Jo mateix* puc aixecar-me a buscar el pa: jo, i no un altre.

matemàtic matemàtica matemàtics matemàtiques **1** *adj* Que té relació amb la matemàtica: *Algunes operacions matemàtiques són molt difícils.* **2** *nom m i f* Persona que té per ofici estudiar i ensenyar matemàtiques.

matemàtica matemàtiques *nom f* Ciència que tracta de la quantitat, dels nombres, de les figures geomètriques, etc.: *A en Vicenç li agraden molt les matemàtiques.*

matèria matèries *nom f* **1** Tot allò que podem notar amb els sentits de la vista, del tacte, de l'oïda, de l'olfacte, etc. **2** Qualsevol substància sòlida, líquida o gasosa de què és feta una cosa: *La fusta és una matèria molt utilitzada en la fabricació de mobles.* **3 matèries primeres** Matèries que es troben en la naturalesa i a partir de les quals es fabriquen productes i objectes: *La fusta és una matèria primera; el plàstic, no.* **4** El tema de què tracta un llibre, una assignatura, etc.: *Les ciències naturals són una matèria difícil.*

material materials **1** *adj* Es diu de tot allò que és fet de matèria, que es pot tocar i veure: *Els cotxes, les cases i les màquines són coses materials.* **2** *nom m* Substància, producte o matèria que té unes qualitats determinades: *El ferro és un material dur i compacte.* ▪ *En la construcció d'edificis s'utilitzen calç, guix, sorra, ciment i altres materials.*

materialista materialistes *adj i nom m i f* **1** Es diu de la persona que només valora les coses materials, com ara objectes, diners, cases, etc. i que s'oblida dels sentiments i dels ideals. **2** Es diu de la persona que creu que la matèria és l'única cosa que existeix.

matern materna materns maternes *adj* Que està relacionat amb la mare: *Els mamífers s'alimenten de llet materna.*

maternal maternals *adj* Que està relacionat amb la mare: *L'amor maternal.*

maternitat maternitats *nom f* **1** Fet de ser mare: *Les treballadores de l'empresa poden obtenir un permís de quatre mesos de baixa per maternitat.* **2** Hospital o secció d'un hospital destinat a assistir les dones que han de tenir un fill.

matí matins *nom m* **1** Part del dia que va des de l'alba o sortida del sol fins al migdia: *Nosaltres esmorzem a primera hora del matí.* **2** Demà ens llevarem **de bon matí** per anar d'excursió: molt d'hora al matí. **3 de matí** Aviat del matí, a primeres hores del matí: *Ens vam llevar molt de matí per veure sortir el sol.*

matinada matinades *nom f* Començament del dia, alba: *El dia comença a la matinada.* **2** Es diu de les hores de la nit que passen de les 12: *No va anar a dormir fins a les 2 de la matinada.*

matinal matinals *adj* Que té lloc al matí: *Tots els nens de la classe de tercer curs han anat a veure una sessió matinal de teatre.*

matinar *v* Llevar-se de matí.
Es conjuga com *cantar*.

matinejar *v* Matinar, llevar-se de matí.
Es conjuga com *cantar*. S'escriu *j* davant de *a, o, u* i *g* davant de *e, i*: *matinejo, matineges.*

matiner matinera matiners matineres *adj* **1** Que passa durant el matí. **2** Es diu de la persona que es lleva molt de matí: *En Robert és molt matiner, cada dia es lleva a les set.*

matís matisos *nom m* **1** Cadascun dels tons o de les variacions d'un mateix color: *Aquest* *vermell té un matís més fosc que aquell vermell d'allà.* **2** Petita variació, petita diferència entre dues coses, dues opinions, etc.: *La teva opinió i la meva són gairebé iguals, només hi ha una diferència de matís.*

matisar *v* **1** Combinar colors per tal d'aconseguir diferents matisos i tonalitats. **2** Introduir petites variacions i matisos en una opinió, en una afirmació, perquè s'entengui més bé: *Hauràs de matisar més aquesta idea perquè no la veig prou clara.*
Es conjuga com *cantar.*

mató matons *nom m* Aliment sòlid de color blanc que es fa a partir de la llet i que se sol menjar barrejat amb sucre o mel.

matoll matolls *nom m* Mata o arbust baix: *Aquell terreny era ple de matolls i sense arbres.*

matraca matraques *nom f* Instrument format per dues o més fustes articulades, que fa un soroll sec i repetit, que es feia sonar abans per Setmana Santa en comptes de les campanes.

matràs matrassos *nom m* Recipient de vidre, rodó i de coll llarg que s'utilitza en els laboratoris per fer experiments químics.

matràs

matrícula matrícules *nom f* **1** Llista on són escrits els noms de les persones admeses en un curset, en una escola, etc. **2** Quantitat de diners que es paga en el moment d'apuntar-se en un curset, d'ingressar en una escola, etc.: *La matrícula del curset de natació costa vint euros.* **3** Placa que indica el lloc on ha estat inscrit un vehicle, el número que té, etc., i que serveix per a identificar-lo: *Aquell cotxe tan gros porta una matrícula de Girona.*

matricular *v* Apuntar algú o alguna cosa en un lloc, fer la matrícula: *Els meus pares ja han matriculat el meu germà petit a l'escola.*
Es conjuga com *cantar.*

matrimoni matrimonis *nom m* **1** Unió legal d'un home i d'una dona que volen viure junts o formar una família. **2** Conjunt del marit i la muller: *Els teus pares són un matrimoni molt*

ben avingut. **3 matrimoni religiós** Matrimoni celebrat segons les normes de l'Església i que és considerat un sagrament. **4 matrimoni civil** Matrimoni celebrat davant una autoritat civil, com ara el jutge, l'alcalde, etc.

matrimonial matrimonials *adj* Que està relacionat amb el matrimoni.

matriu matrius *nom f* **1** Òrgan de l'aparell reproductor femení dels mamífers destinat a protegir el fetus i proporcionar-li aliment, úter. **2** Motlle que serveix per a donar una forma determinada a un objecte, a una peça, etc.

matusser matussera matussers matusseres *adj* Que no és fi, que no és elegant, que és bast: *Quin dibuix més matusser!*

matutí matutina matutins matutines *adj* Que té relació amb el matí, matinal.

matx matxs *nom m* Competició esportiva: *Milions de persones van seguir el matx de tennis per la televisió.*

matxet matxets *nom m* Ganivet llarg i pesat que es fa servir com a arma o per a tallar la vegetació de la selva.

maular *v* Miolar.
Es conjuga com *cantar.*

maurità mauritana mauritans mauritanes **1** *nom m i f* Habitant de Mauritània; persona natural o procedent de Mauritània. **2** *adj* Es diu de les persones o de les coses naturals o procedents de Mauritània.

mausoleu mausoleus *nom m* Tomba molt gran, amb estàtues o adornaments: *El mausoleu d'aquell president és visitat cada dia per milers de persones.*

maxil·lar maxil·lars *nom m* Cadascun dels dos ossos de la mandíbula que hi ha al voltant de la boca.

màxim màxima màxims màximes *adj* **1** Que té el valor o el grau més gran possible, molt gran o molt important: *L'alcalde és la màxima autoritat d'un ajuntament.* **2 com a màxim** Com a molt: *El treball ha de tenir com a màxim tres pàgines, és a dir, no pot ser més llarg de tres pàgines.*

me *pron* Forma del pronom **em.**

meandre meandres *nom m* Cadascuna de les tortes que fa un riu.

mecànic mecànica mecànics mecàniques **1** *nom m i f* Persona que té per ofici muntar, arreglar o reparar màquines, vehicles, etc.: *El* cotxe es va espatllar i van haver de cridar un mecànic perquè l'arreglés. **2** adj Que es fa per mitjà d'una màquina. **3** adj Que es fa de manera inconscient o sense gaire esforç intel·lectual: *Un gest mecànic. Una feina mecànica.*

mecànica mecàniques nom f **1** Manera com funciona un aparell, un objecte, etc.: *La mecànica d'aquest rellotge de paret és molt senzilla.* **2** Estudi de les màquines i de la seva construcció i funcionament: *En Pere ha estudiat mecànica i sap moltes coses sobre la manera com funcionen els motors, les màquines o els aparells.*

mecanisme mecanismes nom m **Conjunt** de peces d'una màquina que fan una funció determinada: *El mecanisme del rellotge és molt complicat.*

mecanitzar v **Fer** que les màquines facin una feina que abans feien les persones: *Actualment l'agricultura està molt mecanitzada.*
Es conjuga com *cantar.*

mecanògraf mecanògrafa mecanògrafs mecanògrafes nom m i f **Persona** que es dedica a escriure a màquina.

mecanografia mecanografies nom f **Tècnica** d'escriure a màquina que consisteix a pitjar les tecles amb rapidesa i sense mirar el teclat.

mecanografiar v **Escriure** amb una màquina d'escriure: *Si mecanografiem aquest document, es podrà llegir millor.*
Es conjuga com *canviar.*

medalla medalles nom f **Peça** petita de metall que es porta penjada com a símbol: *Als esportistes que guanyen una prova, els donen una medalla com a record de la seva victòria.* ▪ *La iaia porta penjada al coll una medalla de la Verge Maria.*

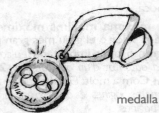
medalla

medalló medallons nom m **1** Medalla grossa. **2** Relleu decoratiu de forma rodona o ovalada, com el que hi ha a les façanes d'alguns edificis. **3** Joia en forma de capsa petita, rodona o ovalada, on es guarda un retrat, un petit record, etc.

medecina medecines nom f **Qualsevol** substància, com ara xarop, pastilles, etc., que es pren per curar una malaltia, remei, medicament: *Quan vaig estar constipat, el metge em va receptar una medecina molt amarga.*

medi medis nom m **1** Element o substància que envolta els éssers vius: *L'aire és el nostre medi; el medi dels peixos és l'aigua.* **2** Ambient, condicions que influeixen en la vida d'algú: *En aquest barri hi ha molt atur i molta delinqüència, és un medi social difícil per a la gent jove.*

mediador mediadora mediadors mediadores adj i nom m i f **Es** diu de la persona que intervé entre les parts d'un conflicte amb la intenció d'ajudar a trobar un acord, una solució: *En Ramon i la Mercè es barallaven i el mestre va venir a fer de mediador.*

mediatriu mediatrius nom f **Línia** recta que divideix un segment per la meitat formant quatre angles de 90 graus.

mèdic mèdica mèdics mèdiques adj **Que** està relacionat amb la medicina o amb els metges: *Avui a l'escola ens han fet una revisió mèdica.*

medicació medicacions nom f **Acció** de medicar, de tractar una malaltia amb medicaments.

medicament medicaments nom m **Medecina**, substància que es pren per curar una malaltia.

medicar v **Administrar**, fer prendre medicaments a un malalt: *Tenia febre i molt mal d'esquena i el metge el va haver de medicar.*
Es conjuga com *cantar.* S'escriu c davant de a, o, u i qu davant de e, i: *medico, mediques.*

medicina medicines nom f **1** Ciència que estudia les causes de les malalties i la manera de curar-les. **2** Medicament.

medicinal medicinals adj **Que** cura, que va bé per a la salut: *Diuen que les aigües d'aquestes fonts són medicinals.*

medieval medievals adj **Que** està relacionat amb l'edat mitjana: *Avui hem visitat un castell medieval.*

mediocre mediocres adj **De** qualitat mitjana, que no destaca gaire, que no és ni bo ni dolent: *El llibre que he llegit no era gaire bo, era mediocre.*

meditació meditacions nom f **Acció** de meditar, reflexió profunda.

meditar v Reflexionar, pensar profundament: *Abans de prendre una decisió important convé meditar-la amb tranquil·litat.* Es conjuga com *cantar*.

mediterrani mediterrània mediterranis mediterrànies *adj* Que està relacionat amb el mar Mediterrani: *El clima mediterrani és bastant suau.* ▪ *Mallorca és una illa mediterrània.*

medul·la medul·les *nom f* **1** Part interior d'alguns òrgans. **2** medul·la espinal Part del sistema nerviós que és a dins de la columna vertebral. **18** **3** medul·la òssia Substància tova que hi ha a dins dels ossos.

medusa meduses *nom f* Animal marí de cos tou i transparent en forma de paraigua, que té la boca a l'extrem d'un peu central, que pot produir una picada molt forta.

mega- megalo- Element amb què comencen algunes paraules i que vol dir "gran".

megàfon megàfons *nom m* Aparell en forma de con que serveix per a fer més fort el so de la veu: *Per parlar davant aquella multitud, el polític va haver de fer servir un megàfon.*

megàfon

megàlit megàlits *nom m* Monument prehistòric de grans dimensions, construït amb pedres molt grosses.

megàlit

meitat meitats *nom f* **1** Cadascuna de les dues parts iguals en què es divideix una cosa o un conjunt de coses: *La meitat de 10 és 5.* ▪ *El meu germà i jo ens vam repartir els caramels: cadascú se'n va quedar la meitat.* **2** Punt que es troba al mig d'un trajecte, d'un espai de temps, etc.: *Ara ja deuen ser a la meitat del camí.*

mel mels *nom f* Substància espessa i pastosa, molt dolça, que fan les abelles amb el nèctar de les flors, i que nosaltres fem servir d'aliment: *Avui, per berenar, menjarem pa amb mel.*

melangia melangies *nom f* Tristesa, malenconia.

melangiós melangiosa melangiosos melangioses *adj* Trist, que fa venir tristesa i malenconia.

melic melics *nom m* Sotet rodó i arrugat que hi ha al mig de la panxa de les persones, en el lloc on hi havia hagut el cordó umbilical, llombrígol.

melindro melindros *nom m* Pastís fet amb sucre, farina, ous, etc. que se sol sucar a la llet, a la xocolata desfeta, etc.

melindrós melindrosa melindrosos melindroses *adj* Es diu de la persona que té una forma de parlar o de comportar-se excessivament delicada.

melis uns melis *nom m* Fusta de diverses espècies de pi, molt apreciada per la seva qualitat.

melmelada melmelades *nom f* Aliment que es fa barrejant i coent fruita triturada i sucre: *Per esmorzar, cada dia menjo torrades amb mantega i melmelada.*

meló melons *nom m* **1** Fruit comestible de la melonera, de gust dolç, bastant gros, de pell gruixuda i de forma ovalada. **2** meló d'Alger Síndria.

melodia melodies *nom f* Conjunt de sons agradables: *Una melodia musical.* ▪ *La melodia d'aquesta cançó és molt fàcil i es pot aprendre molt bé.* ▪ *La melodia de la veu.*

melòdic melòdica melòdics melòdiques *adj* **1** Que té un so agradable i una melodia que se sent molt bé. **2** Es diu dels instruments musicals aptes per a tocar melodies: *El piano és un instrument melòdic.*

melodiós melodiosa melodiosos melodioses *adj* Es diu d'una música, d'una veu, d'un so, etc. dolç i agradable de sentir, que té molta melodia.

melòman melòmana melòmans melòmanes *adj* i *nom m* i *f* Es diu de la persona a qui agrada molt la música.

melonera meloneres *nom f* Planta que es cultiva als horts, de flors grogues, el fruit de la qual és el meló.

m

melós melosa melosos meloses *adj* **1** Que té un gust dolç com el de la mel: *Aquesta fruita madura és molt melosa.* **2** Es diu de la carn si és tendra i suau a l'hora de menjar: *Aquesta carn rostida és molt melosa.* **3** Dolç, suau, tendre: *Una persona melosa. Paraules meloses.*

melsa melses *nom f* Òrgan situat a la part esquerra del cos, darrere de l'estómac, que té forma ovalada.

membrana membranes *nom f* **1** Làmina prima. **2** Làmina prima i flexible del cos humà que té la funció de protegir un òrgan.

membre membres *nom m* **1** Cadascuna de les quatre extremitats del cos: *Les cames són els membres inferiors de les persones, els braços en són els membres superiors.* **2 membre viril** Penis. **3** Cadascuna de les persones o de les coses que formen una família, un conjunt, etc.: *Aquella família tenia quatre membres: el pare, la mare i dos fills.*

memorable memorables *adj* Digne de ser recordat: *L'actuació dels Beatles a la nostra ciutat va ser un fet memorable.*

memòria memòries *nom f* **1** Capacitat que tenen les persones de recordar coses i fets passats: *En Miquel té molta memòria: es recorda de tot el que vàrem fer durant les vacances de l'estiu passat.* **2** *Aquest monument es va construir* **en memòria de** *tots aquells que van morir a la guerra:* per recordar algú i fer-li homenatge. **3 fer memòria** Concentrar-se, esforçar-se a recordar una cosa: *Intento fer memòria per veure si em recordo del nom de l'avi de l'Albert.* **4 memòries** *nom f pl* Llibre que conté els fets més importants de la vida d'una persona: *L'avi llegeix les "Memòries" de Josep Maria de Sagarra.*

memoritzar *v* Fixar alguna cosa en la memòria, retenir-la mentalment: *He memoritzat els números de telèfon dels meus amics i així, si els vull trucar, no haig de consultar la guia telefònica.*
Es conjuga com *cantar.*

mena menes *nom f* Tipus, classe de la qual forma part una persona o una cosa per la seva manera de ser, la seva forma, etc.: *Hi ha gent de totes menes: alts, baixos, prims, grassos, macos, lletjos, etc.* ▪ *A la botiga hi havia jerseis de moltes menes: petits, grossos, de llana, de fibra, prims, gruixuts, etc.*

menar *v* **1** Conduir, guiar, dirigir un ramat de bestiar o algun vehicle tirat per animals: *El* pastor mena el ramat de cabres cap a la casa de pagès. **2** Cuidar-se que un camp o un conjunt de camps produeixin: *Aquest pagès mena tots els camps que hi ha al voltant de la masia.*
Es conjuga com *cantar.*

menció mencions *nom f* Acció de referir-se a algú, de citar-lo durant un discurs, un parlament, una conversa, etc.

mencionar *v* Referir-se breument a algú o a alguna cosa enmig d'un discurs, d'una conversa, etc.: *El professor, quan parlava de les grans obres de la literatura catalana, va mencionar la novel·la "Tirant lo Blanc".*
Es conjuga com *cantar.*

menester **1** Paraula que apareix en l'expressió **haver de menester**, que vol dir "necessitar una cosa": *No t'emportis els llapis de colors, que els hauré de menester per pintar el dibuix.* **2** Paraula que apareix en l'expressió **fer menester**, que vol dir "ser útil o necessària una cosa a algú": *No t'enduguis aquests cartons, que encara ens faran menester per construir el drac per a la festa de l'escola.*

menestral menestrala menestrals menestrales *nom m i f* Persona que practicava un ofici, com ara sabater, sastre, etc.: *A Barcelona, al segle xix hi havia molts menestrals.*

mengívol mengívola mengívols mengívoles *adj* Que fa venir ganes de menjar, que és agradable de menjar: *Aquest pastís de nata és molt mengívol.*

menhir menhirs *nom m* Monument prehistòric molt antic que consisteix en una pedra grossa vertical clavada a terra.

meninge meninges *nom f* Cadascuna de les tres membranes que envolten l'encèfal i la medul·la espinal del cos humà.

meningitis unes meningitis *nom f* Malaltia molt greu causada per la inflamació de les meninges.

menisc meniscs o meniscos *nom m* Cartílag de les articulacions, especialment el que hi ha al genoll, que permet que es pugui doblegar bé: *Han operat el jugador de futbol del menisc del genoll.*

menja menges *nom f* Menjar molt bo: *Les menges del sopar de Nadal eren excel·lents.*

menjador[1] menjadora menjadors menjadores *adj* Es diu de la persona o de l'animal que menja molt.

menjador² menjadors *nom m* Sala o habitació d'una casa o d'un pis destinada a menjar-hi, on hi ha la taula, les cadires, etc.

menjadora menjadores *nom f* Recipient on es posa menjar per als animals: *A les gàbies dels ocells hi ha una menjadora petita.*

menjar¹ *v* **1** Prendre aliments, introduir aliments a l'estómac a través de la boca: *En Lluís ja s'ha menjat dos plats d'arròs.* **2 menjar-se algú a petons** Fer molts petons a algú: *La Núria acariciava el nen i se'l menjava a petons.* **3 menjar-se les paraules** No pronunciar algunes paraules o pronunciar-les a mitges: *En Ramon, de vegades, quan parla, es menja les paraules.*
Es conjuga com *cantar*. S'escriu *j* davant de *a, o, u* i *g* davant de *e, i: menjo, menges.*

menjar² menjars *nom m* Aliment, tot allò que mengem: *A l'escola fan el menjar molt bo.* ■ *Els macarrons són el menjar que m'agrada més.*

menopausa menopauses *nom f* Període de la vida de la dona en què deixa de tenir la menstruació.

menor menors **1** *adj* Més petit: *100 és una quantitat menor que 112.* **2** *nom m i f* Persona que encara no té divuit anys, és a dir, que no és major d'edat: *Com que sóc menor d'edat, encara no puc tenir el carnet de conduir.*

menorquí menorquina menorquins menorquines **1** *nom m i f* Habitant de l'illa de Menorca; persona natural o procedent de l'illa de Menorca. **2** *adj* Es diu de les persones o de les coses naturals o procedents de l'illa de Menorca. **3** *nom m* Manera de parlar el català pròpia de l'illa de Menorca.

menovell menovells *nom m* Dit petit de la mà. [15]

menstruació menstruacions *nom f* Expulsió periòdica de sang i dels òvuls no fecundats de les dones.

mensual mensuals *adj* Que té lloc cada mes, que dura un mes, que serveix per a un mes: *Aquesta revista de dansa és mensual, surt el segon dia de cada mes.*

mensualitat mensualitats *nom f* Quantitat de diners que es cobra o que es paga mensualment: *Les classes de música es paguen en mensualitats.*

mensualment *adv* Cada mes, per mesos: *El lloguer d'aquest pis s'ha de pagar mensualment.*

ment ments *nom f* Paraula que es refereix a la capacitat de pensar, de tenir sentiments, idees, emocions: *La ment humana és molt complicada.*

menta mentes *nom f* **1** Planta de fulles verdes i ovalades molt oloroses, que es fa servir com a remei o per a donar gust a licors, caramels, etc.: *Aquest caramel té gust de menta.* **2** Licor preparat amb menta.

mental mentals *adj* Que té relació amb la ment, amb el pensament: *El càlcul mental es fa de cap, sense escriure.* ■ *Aquella persona tenia una malaltia mental i feia coses estranyes pel carrer.*

mentalitat mentalitats *nom f* Manera de pensar d'una persona, conjunt de les seves idees, opinions, etc.: *Els avis i els néts tenen mentalitats diferents.*

mentalment *adv* Només amb la ment o el pensament: *El mestre ens ha fet sumar mentalment una colla de quantitats.*

mentida mentides *nom f* Cosa falsa, que no és veritat: *En Xavier va dir una mentida perquè va dir que no havia trencat el vidre i l'havia trencat.*

mentider mentidera mentiders mentideres *adj i nom m i f* Es diu de la persona que diu mentides, que menteix.

mentir *v* Dir una mentida, no dir la veritat: *Has mentit, em vas dir que havies estat a París i no és veritat.*
Es conjuga com *servir* o com *dormir*.

mentó mentons *nom m* Part de la cara situada a sota de la boca, barba.

mentre *conj* **1** Durant el temps en què passa una cosa: *Mentre tu prepares el dinar, nosaltres pararem la taula.* **2** En Pere és reposat i tranquil, *mentre que* en Jordi és mogut i nerviós: **en canvi, però.**

mentrestant *adv* Durant el temps en què passa una cosa: *Nosaltres sortirem a comprar el pa i tu, mentrestant, prepara l'amanida.*

menú menús *nom m* Llista de menjars diferents que componen un àpat: *El menú d'avui és el següent: sopa, botifarra amb patates fregides i una taronja.*

menut menuda menuts menudes **1** *adj* De poc volum, més aviat petit: *Té les orelles menudes.* **2** *nom m i f* Nen, nena. **3 vendre a la menuda** Vendre al detall, en petites quantitats, com fan a les botigues. **4 menuts** *nom* *m pl* Entranyes d'un animal mort, com ara els ronyons, el fetge, etc.: *He comprat menuts de gallina per fer caldo.*

menys **1** *adv* i *adj* Inferior, en una quantitat o en un grau més petit que un altre: *L'atleta suec corria menys que l'atleta italià.* ■ *En Miquel és menys alt que en Pere.* ■ *Tinc menys diners que tu.* **2** *prep* Paraula que serveix per a indicar que d'una quantitat se'n treu una altra: *Sis menys dos són quatre.* **3** *nom m* Signe (–) de la resta i de les quantitats negatives: $5 - 3 = 2$.

menysprear *v* No tenir en compte una persona o una cosa, estimar-la menys del compte: *Aquell noi tan forçut menyspreava els qui no tenien tanta força com ell.*
Es conjuga com *canviar*.

menyspreu **menyspreus** *nom m* Sentiment pel qual es considera algú o alguna cosa indignes d'estimació.

menystenir *v* Menysprear: *Aquell tennista va perdre perquè va menystenir el contrincant.*
Es conjuga com *mantenir*.

meravella **meravelles** *nom f* **1** Cosa que impressiona i causa admiració per la seva bellesa o per altres qualitats: *Aquell paisatge nevat era una meravella.* **2** *La Montserrat canta de meravella:* d'una manera excel·lent, molt bé.

meravellar *v* Impressionar una cosa per la seva bellesa o altres qualitats: *Vaig quedar meravellat davant els quadres d'aquell pintor.*
Es conjuga com *cantar*.

meravellós **meravellosa meravellosos meravelloses** *adj* Que causa admiració, que impressiona, que meravella per la seva bellesa o per altres qualitats.

mercadejar *v* Comprar i vendre, fer tractes a l'hora d'adquirir alguna cosa.
Es conjuga com *cantar*. S'escriu *j* davant de *a, o, u* i *g* davant de *e, i: mercadejo, mercadeges.*

mercader **mercadera mercaders mercaderes** *nom m* i *f* Persona que compra i ven tota mena de productes.

mercaderia **mercaderies** *nom f* Producte destinat a ser comprat o venut.

mercant **mercants** *adj* Que està relacionat amb el comerç: *En aquesta part del port hi ha els vaixells mercants, és a dir, els vaixells que es dediquen a transportar mercaderies.*

mercantil **mercantils** *adj* Que està relacionat amb el comerç, amb els negocis comercials.

mercat **mercats** *nom m* **1** Espai a l'aire lliure o dins d'un edifici molt gran on hi ha moltes parades de venedors de menjar, de roba, etc. que venen els productes a la gent que hi va a comprar. **2** Conjunt d'activitats de compra i venda de mercaderies. **3** **mercat negre** Comerç il·legal de mercaderies prohibides.

mercè **mercès** *nom f* **1** Favor o caritat que es fa a algú: *El rei va concedir moltes mercès als seus familiars.* **2** **mercès!** Gràcies: *Moltes mercès pel teu regal!* **3** *El vaixell anava a la mercè dels vents i de la tempesta:* allà on el duien els vents i la tempesta.

mercenari **mercenària mercenaris mercenàries** *adj* i *nom m* i *f* Es diu dels soldats que lluiten en una guerra a canvi de diners: *En els exèrcits dels dos països en guerra hi lluitaven mercenaris estrangers.*

merceria **merceries** *nom f* Botiga on es venen fils, botons, cintes, agulles, etc.

mercuri **mercuris** *nom m* Metall blanc, brillant com la plata, que és líquid a la temperatura ordinària i es fa servir per a marcar els graus en els termòmetres.

merda **merdes** *nom f* **1** Excrement de les persones i dels animals, caca: *Vigila!, no trepitgis la merda del gos.* **2** *Aquesta pel·lícula és una merda:* es diu d'una cosa quan és molt dolenta, avorrida, de baixa qualitat, etc. **3** *Avui tot em surt malament, sembla que hagi trepitjat merda:* es diu quan les coses no surten com esperàvem, quan tenim mala sort. **4** *La Carme i la Dolors són cul i merda, una no pot viure sense l'altra:* es diu quan dues persones són molt amigues i sempre van juntes. **5** **fer el merda** Fer-se veure, presumir.

merder **merders** *nom m* Desordre molt gran: *A la classe es va organitzar un gran merder perquè dos nens es van barallar.*

merèixer *v* Tenir dret a rebre un premi o un càstig perquè s'ha fet una cosa bona o dolenta que ho justifica: *Com que avui heu treballat molt, us mereixeu un premi.*
Es conjuga com *créixer*.

merenga **merengues** *nom f* Pastís dolç fet amb clara d'ou batuda i barrejada amb sucre, cuit al forn i amb una textura molt esponjosa.

merescut **merescuda merescuts merescudes** *adj* Apropiat, justificat: *Els de la classe de cinquè han rebut un càstig merescut.*

meridià meridians nom m Cadascuna de les línies imaginàries que passen pels pols i volten la Terra travessant els paral·lels i l'equador.

meridional meridionals adj Del sud, que està situat al sud: Els països meridionals d'Europa. Un clima meridional.

mèrit mèrits nom m Allò que fa que una cosa tingui valor, que sigui admirada, perquè és molt difícil de fer, es triga molt de temps a fer-la, etc.: Aquest quadre tan bonic té molt mèrit perquè l'ha pintat un nen de sis anys.

merla merles nom f Ocell de plomes negres i bec groc, que fa un cant molt bonic.

merla

merlet merlets nom m Cadascuna de les peces situades en renglera al cim d'una muralla o d'una torre, amb un espai entremig per on es poden llençar projectils.

merlot merlots nom m Mascle de la merla.

mes[1] adj Mira mon.

mes[2] conj Però: Ha parlat durant moltes hores, mes ningú no l'ha entès.

mes[3] mesos nom m Cadascuna de les 12 parts en què està dividit l'any i que duren aproximadament 30 dies: Els mesos de l'any són: gener, febrer, març, abril, maig, juny, juliol, agost, setembre, octubre, novembre i desembre.

més 1 adv i adj Superior, en una quantitat o en un grau superior a un altre: El gust de la coca és més bo que el del pa. ■ Parla més alt! ■ Té més força que tu. 2 prep Paraula que serveix per a indicar que a una quantitat se n'hi afegeix una altra: Cinc monedes més dues són set monedes. 3 nom m Signe (+) de la suma i de les quantitats positives: $2 + 2 = 4$. 4 **a més** o **a més a més** Expressió que indica que a un fet se n'hi afegeix un altre: No tinc ganes de venir i, **a més,** és molt tard. 5 **d'allò més** Molt: A la festa vam riure d'allò més. 6 Si vols un panet, agafa'l, n'hem comprat **de més**: més del compte, de sobres. 7 Pregunta-li **si més no** on anirem: almenys, com a mínim.

mesa meses nom f 1 Conjunt de persones que presideixen una assemblea, un congrés, unes eleccions, etc.: La mesa electoral està formada per un president i uns quants secretaris. 2 Taula de l'altar sobre la qual es diu la missa.

mesada mesades nom f 1 Espai de temps que dura un mes. 2 Paga, salari d'un mes.

mescla mescles nom f Conjunt de coses ajuntades i barrejades de manera que formen un tot: Feu una mescla de vi i aigua.

mesclar v Barrejar, ajuntar coses diferents de manera que formin un tot: Aquí és on es mesclen les aigües del riu amb les del mar.
Es conjuga com cantar.

mesell mesella mesells meselles adj Que no fa cas de res, que sembla que el dolor, les crítiques, etc. no l'afectin: Ets mesell: t'han robat tres vegades la cartera i encara la portes a la mateixa butxaca.

mesencèfal mesencèfals nom m Part del cervell que està situada a la base d'aquest òrgan. 18

mesquer mesquers nom m 1 Animal mamífer de la família dels cérvols, però més petit i sense banyes. 2 **gat mesquer** Animal mamífer semblant al gat, però més gros, que viu als boscos, caça de nit i fa una pudor molt forta, geneta.

mesquí mesquina mesquins mesquines adj Es diu de la persona que no és generosa, que no s'alegra de l'èxit, de la sort, etc. dels altres.

mesquita mesquites nom f Edifici on van a resar els qui segueixen la religió musulmana.

mestís mestissa mestissos mestisses adj i nom m i f Es diu de la persona que té el pare i la mare de races diferents.

mestral mestrals nom m Vent que ve del nord-oest.

mestre mestra mestres nom m i f 1 Persona que ensenya una ciència, un art, un ofici, etc., persona que ajuda altres persones a aprendre coses: El mestre de música ens ensenya a tocar la flauta. 2 Persona que sap molt d'una ciència o d'un art i que per això serveix de model: Picasso és considerat un dels grans mestres de la pintura.

mestressa mestresses nom f 1 Dona que mana en un lloc, com ara una casa, una botiga, etc. perquè n'és la propietària: La mestressa de la botiga era una senyora molt simpàtica. 2 **mestressa de casa** Dona que es dedica exclusivament a les feines de la casa, com ara cuinar, anar a comprar, netejar, etc.

mestretites uns/unes mestretites *nom m* i *f* Persona que presumeix de ser molt sàvia.

mesura mesures *nom f* **1** Acció de mesurar, de valorar la quantitat, el preu, el pes, etc. d'una cosa: *Si calculem els litres que caben en una piscina, tindrem la mesura de la seva capacitat.* **2** Qualsevol cosa que es decideix de fer per solucionar un problema: *El govern ha dictat mesures contra els provocadors d'incendis, com ara augmentar la vigilància dels boscos i endurir els càstigs.* **3** Manera prudent o moderada d'actuar: *S'ha de beure i menjar amb mesura, sense fer excessos.* **4 A mesura que** *es feia fosc, les cases desapareixien dels nostres ulls:* en la proporció que es feia fosc, les cases desapareixien dels nostres ulls.

mesurar *v* **1** Valorar, calcular el pes, la quantitat, el valor, el preu, etc. d'una cosa. **2** Moderar, controlar: *Ja cal que mesuris les teves paraules, si no vols que et diguin que ets un exagerat.* Es conjuga com *cantar*.

meta¹ metes *nom f* **1** Línia que marca el lloc on acaba una cursa: *La ciclista guanyadora va arribar a la meta un minut abans que els altres.* **2** Finalitat, objectiu que s'ha d'aconseguir: *La seva meta és arribar a ser actriu de cinema.*

meta² metes *nom f* Pit, mamella.

metabolisme metabolismes *nom m* Conjunt de processos i transformacions dels aliments que es fan dins el cos dels éssers vius i dels quals s'obté l'energia necessària per a viure.

metacarp metacarps *nom m* Conjunt dels cinc ossos situats a la mà, entre el canell i els dits. 15

metàfora metàfores *nom f* Utilització d'una paraula donant-hi un significat diferent del significat que té, aprofitant el fet que entre els dos significats hi ha una semblança: *Quan diem "gallina" a algú que és covard, fem servir una metàfora, ja que un covard s'assembla a una gallina pel fet que s'espanta i s'esvera fàcilment.*

metall metalls *nom m* nom de diversos elements químics que es caracteritzen entre altres coses per la seva brillantor i perquè poden conduir la calor i l'electricitat: *El ferro, l'alumini, el plom, el coure, etc. són metalls.*

metàl·lic metàl·lica metàl·lics metàl·liques *adj* **1** De metall, que té relació amb el metall o que té les característiques del metall. **2 en metàl·lic** Es diu dels diners quan es paguen o es cobren en monedes o en bitllets, en efectiu:

Vaig comprar-me un abric i el vaig pagar en metàl·lic; en canvi, la meva tia va comprar un jersei i va pagar-lo amb la targeta de crèdit.

objectes metàl·lics

metal·lúrgia metal·lúrgies *nom f* Conjunt de tècniques d'obtenció i de transformació dels metalls.

metal·lúrgic metal·lúrgica metal·lúrgics metal·lúrgiques *adj* Que té relació amb el metall: *Les fàbriques de cotxes pertanyen al sector de la indústria metal·lúrgica.*

metamorfosi metamorfosis *nom f* **1** Canvi, transformació que fa un animal i que consisteix a passar d'una forma a una altra: *Els capgrossos sofreixen una metamorfosi quan arriben a adults i es transformen en granotes.* **2** Canvi total d'una persona o d'una cosa: *El seu caràcter ha experimentat una metamorfosi; abans, sempre estava trist, ara sempre està content.*

metatars metatarsos *nom m* Conjunt dels cinc ossos que hi ha al centre del peu, entre el tars i els dits. 15

meteor meteors *nom m* **1** Fenomen natural que té lloc dins l'atmosfera terrestre, com el vent, la pluja, etc. **2** Fenomen lluminós que es pot observar quan un meteorit passa a través de l'atmosfera terrestre, i que també s'anomena estel fugaç.

meteorit meteorits *nom m* Cos sòlid procedent de l'espai que penetra en l'atmosfera terrestre fins a caure en la superfície.

meteoròleg meteoròloga meteoròlegs meteoròlogues *nom m* i *f* Persona que té per ofici estudiar la meteorologia.

meteorologia meteorologies *nom f* Ciència que estudia els fenòmens de l'atmosfera: el vent, la pluja, la neu, etc.

meteorològic meteorològica meteorològics meteorològiques *adj* Que té relació amb la meteorologia o amb els fenòmens atmosfèrics: *S'ha suspès l'excursió perquè les condicions meteorològiques són poc favorables i segurament nevarà.*

metge metgessa metges metgesses *nom m i f* Persona que ha estudiat la carrera de medicina i que té per ofici examinar els malalts, mirar què tenen i intentar curar-los amb el tractament més apropiat per a cada malaltia: *Com que em feia mal la panxa, la mare em va fer anar a veure el metge.*

meticulós meticulosa meticulosos meticuloses *adj* Es diu de la persona que, quan fa una cosa, té cura de tots els detalls: *Aquell nen, quan fa un treball, és molt meticulós i sempre el presenta molt ben escrit, net i ben enquadernat.*

mètode mètodes *nom m* Sistema, manera de fer una cosa, d'ensenyar-la, d'aplicar-la, etc.: *Han estudiat un nou mètode d'ensenyar música.*

metòdic metòdica metòdics metòdiques *adj* Es diu de la persona que fa les coses amb molta regularitat, seguint un mètode, cuidant tots els detalls: *La Berta és molt metòdica, cada dia es lleva a la mateixa hora, sempre fa els deures després de berenar i llegeix una estona abans d'anar a dormir.*

metralla metralles *nom f* Conjunt de trossos petits de ferro, de coure, etc. amb què es carrega una bomba o un projectil perquè, quan exploti, surtin disparats i causin més dany.

metralladora metralladores *nom f* Arma de foc automàtica que pot disparar un gran nombre de bales a molta velocitat.

metralleta metralletes *nom f* Arma de foc automàtica i portàtil que pot disparar molts trets seguits o bé trets sols.

metre metres *nom m* **1** Unitat de mesura de longitud que serveix per a mesurar la distància entre dos punts i que és igual a 100 centímetres: *Aquest edifici fa 15 metres d'alt.* **2** Barra de fusta o de plàstic, cinta, etc. d'un metre de longitud, que té marcats els centímetres i els mil·límetres, i que serveix per a mesurar objectes: *Porta el metre, que mirarem quina és l'altura d'aquesta taula.* **3** **metre quadrat** Unitat de superfície que equival a un quadrat que té els costats d'un metre. **4** **metre cúbic** Unitat de volum que és igual a la capacitat d'un cub que té els costats d'un metre.

mètric mètrica mètrics mètriques **1** *adj* Que té relació amb el metre, amb la mesura: *La modista té una cinta mètrica per prendre mides dels vestits.* **2** **mètrica** *nom f* Tècnica de fer versos que es basa en el ritme i en el nombre de síl·labes de cada vers.

metro metros *nom m* Tren molt ràpid que passa per sota terra i que transporta viatgers per dins d'una gran ciutat: *A mi m'agrada més viatjar amb metro que amb autobús, perquè va més de pressa.*

metròpoli metròpolis *nom f* Mira **metròpolis**.

metròpolis unes metròpolis *nom f* **1** Ciutat principal d'un país, ciutat molt gran i important. **2** Es diu del país o de l'estat que té colònies, és a dir, altres països dominats que depenen d'ell.

metropolità metropolitana metropolitans metropolitanes *adj* Que és propi d'una gran ciutat, d'una metròpolis: *L'àrea metropolitana de Barcelona disposa d'una gran xarxa de metros i autobusos.*

metxa metxes *nom f* Tros de corda, de roba, de paper, etc. impregnat d'una substància inflamable que serveix per a fer esclatar un explosiu: *Va calar foc a la metxa del coet i al cap d'una mica va sortir disparat enlaire i va explotar.*

metzina metzines *nom f* Verí, substància que pot produir malalties o fins i tot la mort d'un animal o d'una persona.

meu meva meus meves *adj* De mi, que és propi de mi: *Aquest cotxe no és teu ni d'ell, és meu.* ■ *Avui és el sant de la meva mare.*

mèu mèus **1** *nom m* Miol, crit del gat. **2** Onomatopeia, paraula que imita el miol del gat.

meua meues *adj* Formes femenines de la paraula "meu", que es fan servir al País Valencià.

meuca meuques *nom f* Prostituta.

mexicà mexicana mexicans mexicanes **1** *nom m i f* Habitant de Mèxic; persona natural o procedent de Mèxic. **2** *adj* Es diu de les persones o de les coses naturals o procedents de Mèxic.

mi[1] *pron* Paraula que serveix per a referir-se a la mateixa persona que parla o escriu, i que apareix darrere les preposicions "a", "amb", "contra", "de", "en", "per", "sense": *Vosaltres no em dieu mai res, a mi.*

mi[2] mis *nom m* Tercera nota de l'escala musical.

mica[1] miques *nom f* **1** Part petita d'alguna cosa: *Avui, per berenar, com que no tenia gaire gana, només he menjat una mica de pa i una mica de xocolata.* **2** *Vam deixar un plat amb aigua al sol i l'aigua es va anar evaporant de mica en mica*: gradualment, lentament, a poc a poc. **3** *Va travessar el carrer sense mirar i d'una*

mica més *l'atropella un cotxe*: **per poc, va faltar poc perquè passés. 4** *Aquesta pel·lícula és **una mica** llarga, oi?*: més aviat llarga. **5 gens ni mica** Absolutament gens: *No queda gens ni mica de cafè, n'haurem de comprar.* **6 fer miques una cosa** Trencar una cosa completament.

mica² miques **1** *nom f* Qualsevol dels minerals del grup de les miques. **2 miques** *nom f pl* Grup de minerals que contenen silici, de composició molt variada, i que es caracteritzen perquè se separen en làmines transparents i més o menys elàstiques.

mico micos *nom m* **1** Simi de cua llarga. **2** *En Robert s'ha passat tota la tarda **fent el mico***: fer coses que fan riure. **3 mico filós** Es diu d'una persona d'aspecte ridícul.

micro- micr- Element amb què comencen algunes paraules i que vol dir "petit".

microbi microbis *nom m* Microorganisme, organisme molt petit, visible només a través del microscopi: *Alguns microbis provoquen malalties.*

microbús microbusos *nom m* Autobús petit, de poques places.

micròfon micròfons *nom m* Instrument que serveix per a transmetre la veu i els sons perquè se sentin més fort per mitjà d'un altaveu o perquè quedin gravats en una casset, un vídeo, etc.: *El cantant cantava amb un micròfon perquè la seva veu se sentís per tota la sala.*

microones uns microones *nom m* Forn que cou o escalfa els aliments en molt poca estona.

microorganisme microorganismes *nom m* Organisme molt petit, visible només a través d'un microscopi, microbi.

microscopi microscopis *nom m* Aparell que amplia les imatges i permet de veure coses molt petites.

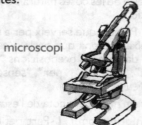

microscopi

microscòpic microscòpica microscòpics microscòpiques *adj* Extraordinàriament petit, que només es pot veure amb un microscopi.

mida mides *nom f* **1** Mesura, dimensions que té una cosa o una persona: *Les mides de* la piscina eren: 3 metres d'ample i 6 de llarg. ■ *T'han de prendre les mides per fer-te un jersei.* ■ *Aquest vestit no et va estret ni ample, et va a la mida.* **2 prendre mides** Mirar la longitud, l'alçada o l'amplada d'una cosa: *Avui ha vingut el fuster a prendre mides de la paret on ha d'anar la prestatgeria.*

midó midons *nom m* Substància blanca que s'obté a partir dels cereals, dels llegums, de les castanyes, etc. i que serveix per a la preparació de coles, d'aliments, de medicaments i per a fer més rígids els teixits.

mig mitja mitjos mitges *adj* **1** Que és la meitat d'una cosa: *S'ha menjat mig panet.* **2** *La plaça major és **al bell mig** del poble*: al mig, al centre. **3** *M'he equivocat **de mig a mig***: completament, del tot. **4** *Va deixar la feina **a mig fer** i se'n va anar*: sense acabar. **5** *La Maria i la Laura han llogat un pis **a mitges** amb la meva germana*: entre dues o més persones. **6** *No han pogut acabar la feina, l'han feta només **a mitges***: no del tot. **7 mig mig** No del tot: *—Ho has pogut arreglar? —Mig mig.*

migdia migdies *nom m* **1** Part central del dia, que és quan el sol està en una posició més alta: *Acabem les classes a les 12 del migdia.* **2** La part que queda més al sud d'un territori o d'un país: *Andalusia és el migdia de la península Ibèrica.*

migdiada migdiades *nom f* Dormida que se sol fer després de dinar.

migjorn migjorns *nom m* Vent que bufa del sud.

migració migracions *nom f* Moviment, canvi de lloc que fan una gran quantitat de persones o d'animals: *A la primavera hi ha la migració de les orenetes, que se'n van dels llocs càlids i van a llocs més frescos.*

migrador migradora migradors migradores *adj* Que migra, que viatja d'un lloc a un altre: *Hi ha ocells migradors com l'oreneta, que a l'hivern se'n van als països càlids.*

migranya migranyes *nom f* Mal de cap que sovint provoca mareig.

migrar *v* Anar-se'n d'un lloc per anar a residir en un altre.
Es conjuga com *cantar*.

migrar-se *v* **1** Consumir-se d'impaciència, entristir-se d'enyorament. **2** Perdre una planta el seu bon aspecte per falta d'aigua, de llum, etc.
Es conjuga com *cantar*.

migrat migrada migrats migrades *adj* Escàs, petit, esquifit: *Treballa molt, però cobra un sou molt migrat.*

migratori migratòria migratoris migratòries *adj* Es diu de les persones, animals, grups, comunitats, etc. que van d'un lloc a un altre per alguna causa: *Les orenetes són ocells migratoris, perquè a l'hivern es traslladen a zones més càlides.*

mil mils *nom m i adj* Paraula que expressa la quantitat representada per la xifra 1.000: *Mil persones.*

milè milena milens milenes *adj* Mil·lèsim.

miler milers *nom m* Conjunt de mil unitats: *Aquella sala de cinema tenia un miler de butaques.*

milhomes uns milhomes *nom m* Persona que es creu ser molt valenta o molt espavilada i saber-ho tot.

mili milis *nom f* Servei militar.

milícia milícies *nom f* **1** Conjunt de gent armada, tropa. **2** Professió dels militars: *Aquell general va dedicar tota la vida a la milícia.*

milió milions *nom m* Paraula que expressa la quantitat representada per la xifra 1.000.000.

milionada milionades *nom f* Quantitat molt gran de diners: *Aquell negoci que va tan bé li ha fet guanyar una milionada en poc temps.*

milionari milionària milionaris milionàries *adj i nom m i f* Es diu de la persona que té molts milions, que és molt rica.

milionèsim milionèsima milionèsims milionèsimes *adj* **1** Es diu de cadascuna de les parts d'una quantitat dividida en un milió de parts iguals. **2** Que fa un milió en una sèrie, que en té nou-cents noranta-nou mil nou-cents noranta-nou al davant

militant militants *adj i nom m i f* Persona que participa activament en un partit polític o en una associació, que hi milita: *Durant la campanya electoral, els militants dels diferents partits repartien propaganda i enganxaven cartells.*

militar[1] *v* Participar activament en un partit polític o en una associació.
Es conjuga com *cantar.*

militar[2] militars **1** *adj* Es diu de les persones o de les coses relacionades amb l'exèrcit o amb la guerra: *En aquella muntanya hi ha una base militar.* **2** *nom m i f* Persona que forma part d'un exèrcit.

mill mills *nom m* Planta de fulles allargades i amples i amb espigues que pengen, de la qual s'obté un gra petit també anomenat mill que serveix d'aliment a molts ocells.

milla milles *nom f* Mesura de longitud utilitzada en la marina i que equival a 1.852 metres.

mil·lenari mil·lenària mil·lenaris mil·lenàries **1** *adj* Es diu d'una cosa que té almenys mil anys, que és molt antiga: *Una església mil·lenària.* **2** *nom m* Espai de temps de mil anys; celebració de l'aniversari que fa mil d'un fet important.

mil·lenni mil·lennis *nom m* Espai de temps de mil anys.

mil·lèsim mil·lèsima mil·lèsims mil·lèsimes *adj* **1** Es diu de cadascuna de les parts d'una quantitat dividida en mil parts iguals. **2** Que fa mil en una sèrie, que en té nou-cents noranta-nou al davant.

mil·ligram mil·ligrams *nom m* Unitat de mesura de pes equivalent a la mil·lèsima part d'un gram.

mil·límetre mil·límetres *nom m* Unitat de mesura de longitud equivalent a la mil·lèsima part d'un metre.

millor millors *adj* **1** Més bo, de més qualitat: *El meu bolígraf és millor que el teu.* **2** Preferible: *És millor que hi vagis tu sola.* **3** *adv* Més bé: *El meu bolígraf escriu millor que el teu.*

millora millores *nom f* Canvi positiu d'algú o d'alguna cosa: *Veig que heu fet millores a la cuina, ara queda molt més bé.*

millorar *v* Canviar positivament, anar millor, més bé, algú o alguna cosa: *El malalt ha millorat molt, ja li ha passat la febre i es troba molt més bé.* Es conjuga com *cantar.*

milotxa milotxes *nom f* Estel, joguina que fan volar els infants.

mim mims **1** *nom m* Representació teatral en què els actors no parlen i només fan servir gestos i moviments. **2** *nom m i f* Actor que fa mim.

mimetisme mimetismes *nom m* **1** Capacitat que tenen alguns animals d'agafar el color i la forma de la terra, de les fulles o de l'herba perquè els animals enemics no els puguin veure. **2** Comportament o actitud d'una persona que té tendència a imitar altres persones.

mímic mímica mímics mímiques *adj* **1** Que està relacionat amb el mim. **2** Que expressa alguna cosa sense fer servir paraules, per mitjà de gestos i moviments: *Un llenguatge mímic.* **3 mímica** *nom f* Mim, manera de representar alguna cosa sense fer servir paraules, per mitjà de gestos i moviments.

mimosa mimoses *nom f* Planta que fa unes flors petites i grogues agrupades com els raïms.

mina mines *nom f* **1** Lloc obert o subterrani d'on s'extreuen minerals com ara la sal, el carbó, etc. **2** Explosiu que està amagat a sota l'aigua o a sota terra: *El vaixell va explotar a causa d'una mina.* **3** Part central d'un llapis, d'un bolígraf, etc. on hi ha la tinta o el material que serveix per a escriure.

minaire minaires *nom m i f* Persona que treballa en una mina, miner.

minaret minarets *nom m* Torre d'una mesquita, d'un temple islàmic, des d'on es crida els fidels a l'oració.

miner minera miners mineres **1** *adj* Que està relacionat amb la mina o amb la mineria: *Una explotació minera.* **2** *nom m i f* Persona que treballa en una mina, minaire.

mineral minerals *adj i nom m* **1** Es diu de la substància inorgànica, que no és ni animal ni vegetal, que és matèria no viva: *El silici és un mineral que es pot trobar a les roques.* **14 2 aigua mineral** Aigua que té substàncies minerals que provenen de les roques i que són bones per al cos: *Vam entrar en un bar i vam beure una ampolla d'aigua mineral.*

mineria mineries *nom f* Conjunt de tècniques i coneixements que serveixen per a treballar i explotar les mines.

minestra minestres *nom f* Menjar guisat fet amb verdures i llegums.

mini- Element amb què comencen algunes paraules i que vol dir "petit": *Unes minivacances són unes vacances que duren pocs dies.*

miniatura miniatures *nom f* **1** Figura o dibuix molt petit fet amb tota mena de detalls i que representa una figura grossa: *El meu oncle té una col·lecció de soldats de miniatura.* ■ *Alguns llibres antics tenen miniatures molt boniques que il·lustren cada capítol.* **2** Cosa molt petita.

minibàsquet minibàsquets *nom m* Tipus de basquetbol practicat per jugadors infantils.

minifundi minifundis *nom m* Propietat agrícola molt petita.

minigolf minigolfs *nom m* Joc que imita el golf i que es practica en un camp petit i de terra dur.

mínim mínima mínims mínimes *adj i nom m* **1** Que té el valor o el grau més petit possible, molt petit o poc important: *Treure bona nota en aquell examen li va costar un esforç mínim, gairebé no va haver d'estudiar.* **2 com a mínim** Pel cap baix: *El treball ha de tenir com a mínim dues pàgines, és a dir, no pot ser més curt de dues pàgines.*

ministeri ministeris *nom m* Cadascuna de les seccions d'un govern dirigida per un ministre: *Han creat un ministeri nou que s'ocuparà del medi ambient.*

ministre ministra ministres *nom m i f* **1** Persona que forma part del govern d'un estat i que s'encarrega d'una part dels afers del seu país: *Aquell senyor és ministre d'Indústria.* **2 primer ministre** Cap del govern d'un estat. **3 consell de ministres** Reunió de tots els ministres per tractar temes del país i prendre decisions.

minoria minories *nom f* Part més petita, menys nombrosa de les dues parts d'un conjunt de persones o de coses: *A la majoria de nens de la classe els agrada molt el futbol, però hi ha una minoria que els agrada més el tennis.*

minoritari minoritària minoritaris minoritàries *adj* Que està relacionat amb la minoria: *Els partits minoritaris són els partits petits, als quals vota poca gent.*

minso minsa minsos minses *adj* Petit, escàs, de poc gruix: *Treballa molt, però guanya un sou molt minso.*

minuciós minuciosa minuciosos minucioses *adj* Es diu de la persona que fa les coses amb molta cura i tenint en compte tots els detalls.

minuend minuends *nom m* En una resta, quantitat de la qual s'ha de treure una altra quantitat anomenada subtrahend: *En la resta 7-3, el 7 és el minuend i el 3 és el subtrahend.*

minúscul minúscula minúsculs minúscules *adj* Molt petit, de petites dimensions: *La sorra està formada de granets minúsculs.*

minúscula minúscules *adj i nom f* Es diu de la lletra que es fa servir normalment per a escriure textos i que es distingeix de la majúscula: *Les lletres a, b, c són minúscules; les lletres A, B, C són majúscules.*

minusvàlid minusvàlida minusvàlids minusvàlides *adj i nom m i f* Es diu de la persona que té un defecte físic o mental que li dificulta o no li permet de fer algunes activitats.

minut minuts *nom m* Unitat de mesura de temps: *Un minut té 60 segons; una hora té 60 minuts.* ▪ *L'estona que tenim de pati dura 30 minuts, és a dir, mitja hora.*

minutera minuteres *nom f* Agulla o busca d'un rellotge que assenyala els minuts.

minvant minvants *adj* Que disminueix, que minva: *Ara la Lluna ja no és plena, és minvant, és a dir, només se'n veu aproximadament una quarta part.*

minvar *v* Disminuir, fer-se més petita una cosa: *La pluja ha minvat.*
Es conjuga com *cantar.*

minyó minyona minyons minyones *nom m i f* Noi, noia, persona jove.

minyona minyones *nom f* Criada, noia o dona que serveix en una casa, netejant, rentant, cuinant, anant a comprar, etc.

miocardi miocardis *nom m* Part muscular del cor.

miol miols *nom m* Crit del gat.

miolar *v* Manera de cridar del gat: *A la teulada hi havia un gat que miolava.*
Es conjuga com *cantar.*

miop miops *adj i nom m i f* Es diu de la persona que té miopia, que no hi veu bé de lluny.

miopia miopies *nom f* Defecte de la vista que consisteix a no veure-hi bé de lluny.

miracle miracles *nom m* **1** Fet extraordinari que no pot explicar-se per causes naturals i que, segons la religió, és obra de Déu o d'un sant. **2** Fet que és molt difícil que passi: *Si aproves aquest examen sense estudiar, serà un miracle.*

mirada mirades *nom f* Acció de mirar, de fixar els ulls sobre algú o sobre alguna cosa: *Vaig fer una mirada a la sala, però no vaig veure ningú.*

mirador miradors *nom m* Lloc des d'on es pot mirar lluny i contemplar una vista bonica o interessant.

mirall miralls *nom m* Superfície llisa, normalment de vidre, que reflecteix la llum i que dóna imatges clares dels objectes i de les persones: *En Ramon es mira al mirall per pentinar-se.*

mirall

mirament miraments *nom m* Atenció que es té a algú com a mostra de respecte i de consideració: *En aquest restaurant de luxe els cambrers tracten els clients amb molts miraments.*

mirar *v* **1** Fixar la vista en una cosa o en una persona per veure-la: *A la nit, m'agrada molt mirar els estels.* **2** Anar amb compte: *Mira de no fer errors.* **3** Procurar: *Mireu de ser puntuals.* **4** El nou professor sol **mirar** molt **prim**: ser exigent, no deixar escapar res. **5** *A en Jordi li surten molt bé els dibuixos perquè* **s'hi mira molt**: hi posa molta atenció perquè li surtin bé.
Es conjuga com *cantar.*

mirat mirada mirats mirades *adj* **1** Es diu de la persona que s'hi mira molt a fer les coses: *En Maurici és un noi molt mirat: quan fa una cosa cuida tots els detalls.* **2 ben mirat** Pensant-ho bé, al capdavall: *Ben mirat, m'estimo més venir amb vosaltres.*

miratge miratges *nom m* Cosa que sembla real, però que només és una imaginació nostra produïda per la llum: *Els exploradors van veure una bassa d'aigua al mig del desert, s'hi van acostar i no hi havia res, només era un miratge.*

mirra mirres *nom f* Resina molt aromàtica que s'utilitza per a elaborar perfums i altres productes.

míser mísera mísers míseres *adj* Molt pobre, miserable.

miserable miserables *adj i nom m i f* **1** Es diu de la persona molt pobra, desgraciada. **2** Es diu de la persona molt dolenta: *Aquell rei és un miserable: per culpa d'ell tot el poble pateix.* **3** *adj* Poc, insuficient: *només ens ha donat vuitanta miserables cèntims.*

misèria misèries *nom f* **1** Pobresa molt gran. **2** Cosa de poc valor, quantitat molt petita d'alguna cosa: *Cobrava un sou de misèria.*

misericòrdia misericòrdies *nom f* Sentiment de compassió que se sent davant una desgràcia i que impulsa a perdonar o a ajudar les persones que pateixen o que tenen dificultats.

miseriós miseriosa miseriosos miserioses *adj* Miserable, que es troba en un estat de misèria.

missa misses *nom f* **1** Acte religiós de celebració de l'eucaristia. **2 missa del gall** Missa que se celebra a la mitjanit de Nadal. **3 arribar a misses dites** Arribar tard, fer tard: *El sopar es va allargar molt i van arribar al teatre a misses dites.*

missal missals *nom m* Llibre que conté els textos per a la celebració de la missa.

missatge missatges *nom m* Notícia, comunicació que s'envia per mitjà d'una carta, de la ràdio, etc.

missatger missatgera missatgers missatgeres **1** *adj* i *nom m i f* Es diu de la persona que porta un missatge. **2** *adj* Que anuncia alguna cosa: *Les orenetes són missatgeres de la primavera.* **3** *nom m i f* Persona que es dedica a transportar cartes o paquets amb moto, amb cotxe, etc. amb molta rapidesa.

míssil míssils *nom m* Arma que consisteix en un coet que es pot llançar a un lloc des de molt lluny i que porta una càrrega explosiva molt potent.

missió missions *nom f* **1** Allò que una persona o un grup de persones ha de fer: *La missió dels guàrdies urbans és vigilar que els cotxes circulin amb seguretat.* **2** Lloc on viu i treballa un grup de missioners.

missioner missionera missioners missioneres *nom m i f* Persona que va a un país llunyà a predicar la religió cristiana i a ajudar la gent.

mistela misteles *nom f* **1** Beguda alcohòlica feta amb aiguardent, aigua, sucre i canyella. **2** Vi dolç fet amb raïm moscatell.

misteri misteris *nom m* Cosa difícil d'entendre, d'explicar: *La desaparició d'aquell quadre del museu és un misteri: ningú no sap com l'han robat.*

misteriós misteriosa misteriosos misterioses *adj* Que no es pot comprendre, que no té una explicació clara, que té misteri: *La desaparició d'aquella persona és una cas molt misteriós.*

misteriosament *adv* D'una manera misteriosa.

misto mistos *nom m* Llumí, bastonet molt petit que porta enganxada en una punta una matèria que s'encén quan es frega en una superfície rugosa: *Porta la capsa de mistos, que encendrem la foguera.*

mite mites *nom m* **1** Història protagonitzada per déus, herois, éssers fantàstics, etc. que explica, de manera simbòlica, l'origen d'un poble, d'una tradició, d'una religió, etc. **2** Cosa o persona que es considera molt important: *Aquell cantant és un mite per a molta gent.*

mitificar *v* Convertir en mite; donar a algú o a alguna cosa una importància molt gran: *Aquell cantant va ser mitificat pels seus fans.*
Es conjuga com *cantar*. S'escriu amb *c* davant *a, o, u* i *qu,* danvant *e, i: mitifico, mitifiques.*

míting mítings *nom m* Reunió que es fa en un lloc públic i on algunes persones pronuncien discursos de tema polític.

mitja mitges *nom f* **1** Cadascuna de les dues peces de vestir de color o transparents que es posen ben ajustades a les cames: *La Maria porta un jersei verd, una faldilla negra i unes mitges de color verd.* **2 fer mitja** Fer jerseis, mitjons, etc. unint i entrellaçant els fils amb unes agulles llargues.

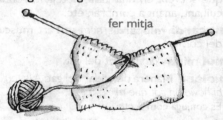

fer mitja

mitjà¹ mitjana mitjans mitjanes *adj* Que no és petit ni gran, que es troba entre el gran i el petit; que està situat al mig, entre dues coses, entre dos períodes de temps, etc.: *En Manel és alt, en Lluís és baix i en Robert té una estatura mitjana.* ◼ *En Jordi és el germà gran, en Pere és el mitjà i en Ramon, el petit.* ◼ *L'edat mitjana és el període de la història comprès entre l'antiguitat i l'època moderna.* ◼ *Uns alumnes de grau mitjà.*

mitjà² mitjans *nom m* **1** Tot allò que serveix per a dur a terme una activitat, per a aconseguir un objectiu: *La ràdio, la premsa i la televisió són mitjans de comunicació.* ◼ *Els cotxes, els trens i els avions són mitjans de transport.* **2** *Faré arribar la carta al meu cosí **per mitjà del** correu: a través del correu, fent servir el correu.*

mitjan Paraula que apareix en l'expressió **a mitjan**, que vol dir "cap a la meitat d'un espai de temps": *Vindrem a mitjan febrer.*

mitjana mitjanes *nom f* **1** Tall de carn, de xai o de vedella, de la part que va des de darrere del coll fins a les costelles. **2** Quantitat que s'obté sumant diverses quantitats i dividint després el resultat pel nombre de les diferents quantitats sumades: *La mitjana de 2, 5 i 8 és 5, ja que 5 és el resultat de dividir 15, que és la suma de 2, 5 i 8, per 3, que és el nombre de quantitats sumades.*

mitjançant *prep* Per mitjà de: *Faré aquest treball mitjançant l'ordinador i la calculadora.*

mitjancer mitjancera mitjancers mitjanceres *adj i nom m i f* Es diu de la persona que intervé entre les parts d'un conflicte amb la intenció d'ajudar a trobar un acord, una solució, mediador: *El cap de la policia va fer de mitjancer entre els segrestadors i la família del segrestat.*

mitjanit mitjanits *nom f* Les dotze de la nit o al voltant de les dotze de la nit.

mitjó mitjons *nom m* Cadascuna de les peces de vestir que es posen ben ajustades als peus i a la part baixa de la cama: *A l'hivern portem mitjons gruixuts per no tenir fred als peus.*

mitologia mitologies *nom f* **1** Conjunt dels mites d'un poble. **2** Ciència que estudia els mites.

mitològic mitològica mitològics mitològiques *adj* Que té relació amb els mites, amb històries protagonitzades per déus, herois, éssers fantàstics, etc.

mix mixa mixos mixes *nom m i f* Gat.

mixt mixta mixtos mixtes *adj* Compost de parts o elements diferents: *En una classe mixta hi ha nens i nenes barrejats.*

mòbil mòbils **1** *adj* Que es mou o es pot moure, que no és fix: *El director de l'escola té una cadira mòbil al seu despatx.* **2** *nom m* Motiu que empeny, que mou algú a fer una cosa: *L'enveja era el mòbil de la baralla.* **3** *nom m* Conjunt d'objectes lligats amb fils que es mouen amb molta facilitat: *Pel meu sant m'han regalat un mòbil per penjar a la meva habitació.* **4** *nom m* Telèfon que funciona per mitjà d'ones sense fils.

mobiliari mobiliaris *nom m* Conjunt de mobles d'una casa, d'una escola, etc.

mobilitat mobilitats *nom f* Capacitat de moviment d'una persona o d'una cosa, qualitat de mòbil.

mobilitzar *v* Posar en moviment una cosa, reunir, organitzar un grup de persones perquè es moguin a favor o en contra d'una cosa: *L'associació de veïns va aconseguir mobilitzar la gent del barri contra la construcció d'un escorxador.* Es conjuga com *cantar*.

moblar *v* Posar mobles en un pis, en una oficina, en una habitació, etc. Es conjuga com *cantar*.

moble mobles *nom m* Cadascun dels objectes com ara taules, llits, sofàs, armaris, etc. que hi ha a dins els edificis i que serveixen per a diferents coses: *A la nostra classe hi ha aquests mobles: taules, cadires, un armari i una llibreria.*

moc mocs *nom m* **1** Líquid espès i pastós que surt del nas. **2** *Li vaig preguntar per què no volia venir amb nosaltres i em va clavar un moc:* dir coses desagradables a algú de forma inesperada.

moca[1] moques *nom f* Varietat de cafè provinent d'Aràbia.

moca[2] moques *nom f* Entranyes d'un animal.

mocador mocadors *nom m* **1** Peça quadrada de roba o de paper, no gaire grossa, que serveix per a mocar-se, eixugar-se la suor o les llàgrimes: *Es va ficar la mà a la butxaca i en va treure un mocador.* **2** Peça de seda o roba fina que cobreix el coll o el cap, que es fa servir per a fer bonic o per a abrigar-se: *La Lluïsa portava un mocador de quadres al coll.* **3 mocador de fer farcells** Mocador gran, generalment de quadres, que es fa servir per a embolicar coses que es porten d'un lloc a un altre: *Va embolicar la cassola amb un mocador de fer farcells.*

mocar *v* **1** Netejar el nas de mocs, traient amb força l'aire i eixugant-lo amb un mocador: *Estic refredat, tinc molts mocs i m'haig de mocar molt sovint.* **2** *Els veïns del costat no es moquen amb mitja màniga:* són molt generosos. Es conjuga com *cantar*. S'escriu *c* davant de *a, o, u* i *qu* davant de *e, i*: em moco, et moques.

mocassí mocassins *nom m* Calçat pla, de pell tova i flexible, que no du cordons.

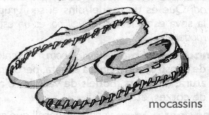
mocassins

moció mocions *nom f* Proposta que es fa en una assemblea, opinió que es dóna en contra de la decisió o de l'actuació d'un govern, de la direcció d'un organisme, etc.

mocós mocosa mocosos mocoses **1** *adj* Que sempre té el nas ple de mocs. **2** *adj i nom m* i *f* Es diu de l'infant que vol actuar com una persona gran.

moda modes *nom f* Manera de vestir, de pentinar-se, etc. que agrada més a la gent durant un quant temps: *La moda d'aquest estiu seran els banyadors de color rosa.*

modalitat modalitats *nom f* Cadascun dels tipus, classes, grups, etc. en què es pot dividir una cosa; cadascuna de les formes que pot prendre una cosa: *Hi ha moltes modalitats de natació.* ■ *El valencià és una modalitat dialectal de la llengua catalana.*

mode modes *nom m* **1** Manera. **2** Categoria gramatical que serveix per a classificar les formes del verb segons que l'acció és considerada com un fet, com una possibilitat, com una intenció, etc.: *El mode imperatiu serveix per a expressar ordres.*

model models *nom m* **1** Cosa que s'ha d'imitar, que serveix d'exemple: *Els alumnes prenen com a model la frase de la pissarra i n'escriuen d'altres a la seva llibreta.* **2** Persona que es pren com a mostra de comportament, d'una actitud, etc.: *La teva germana és un model de generositat.* **3** *nom m i f* Persona que es posa davant un artista perquè aquest la reprodueixi en escultura, pintura, etc. **4** *nom m i f* Persona que exhibeix peces de vestir o pentinats que els modistes o els perruquers volen donar a conèixer.

modelar *v* Donar forma amb argila, cera, guix, etc. a una figura, a un objecte, etc. Es conjuga com *cantar.*

modelatge modelatges *nom m* Acció de modelar, de donar forma amb argila, cera, guix, etc. a una figura, a un objecte, etc.

modèlic modèlica modèlics modèliques *adj* Que és un model dins el seu grup, dins la seva especialitat: *Aquell noi és un estudiant modèlic.*

modelisme modelismes *nom m* Tècnica i art de construir de manera exacta, però en miniatura, diferents models de vaixells, d'avions, de cotxes, etc.

mòdem mòdems *nom m* Aparell que serveix per a enviar i rebre informació des d'un ordinador a un altre per via telefònica.

moderació moderacions *nom f* **1** Qualitat de moderat: *En Pere sempre actua amb moderació, amb prudència, no pren mai decisions radicals.* **2** Acció de moderar.

moderador moderadora moderadors moderadores *nom m i f* Persona que condueix una taula rodona, un debat, un col·loqui i que fa de mitjancera entre les persones que parlen i el públic.

moderar *v* Disminuir la força d'una cosa, d'un fenomen, d'un sentiment, etc.: *En les carreteres estretes cal moderar la velocitat.* Es conjuga com *cantar.*

moderat moderada moderats moderades **1** *adj* Que no és exagerat, que es troba en el seu punt just: *El preu del lloguer del pis és moderat.* **2** *adj i nom m i f* Es diu de la persona que en política, en religió, etc. no és partidària de posicions radicals o extremes.

modern moderna moderns modernes *adj* Del temps actual, d'ara o d'una època pròxima a la nostra: *La ciutat de Barcelona té una part antiga i una part moderna.* ■ *L'avió és un mitjà de transport modern.*

modernitzar *v* Transformar una cosa convertint-la en moderna, fer més moderna una cosa: *L'alcalde ha proposat modernitzar les oficines de l'ajuntament incorporant-hi aparells informàtics.* Es conjuga com *cantar.*

modest modesta modests o modestos modestes *adj* **1** Es diu de la persona que no presumeix dels seus èxits o dels seus mèrits. **2** Que no és luxós, que no és excessiu: *Un pis modest. Un sou modest.*

modèstia modèsties *nom f* Qualitat de les persones que no presumeixen dels seus èxits o dels seus mèrits.

mòdic mòdica mòdics mòdiques *adj* Moderat, que no és excessiu: *En aquesta botiga venen coses a un preu mòdic, és a dir, més aviat barat.*

modificació modificacions *nom f* Canvi lleuger, que no altera l'essència d'una cosa, acció de modificar: *Farem el mateix programa que l'any passat, amb algunes petites modificacions.*

modificar *v* Canviar una mica una cosa sense alterar-la gaire, sense transformar-la totalment: *Han modificat aquest model de cotxe i ara pot córrer més.* Es conjuga com *cantar.* S'escriu *c* davant de *a, o, u* i *qu* davant de *e, i: modifico, modifiques.*

modista modistes *nom m i f* Persona que té per ofici fer vestits per a senyora: *La mare de la Joana és modista i sap fer uns vestits molt macos.*

mòdul mòduls *nom m* Cadascuna de les parts d'una construcció, d'un moble, d'una nau espacial, etc. que es poden separar del conjunt.

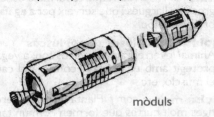

mòduls

modular *v* Regular la veu amb bona entonació passant d'un to a un altre sense talls bruscos ni interrupcions.
Es conjuga com *cantar*.

mofa mofes *nom f* Burla.

mofar-se *v* Burlar-se d'algú.
Es conjuga com *cantar*.

mofeta[1] mofetes **1** *adj* i *nom m* i *f* Es diu de la persona que acostuma a mofar-se o burlar-se de la gent. **2** *adj* De burla: *Un somriure mofeta.*

mofeta[2] mofetes *nom f* Animal mamífer de cos robust, de pell negra amb dues ratlles blanques, que s'alimenta de carn i que es defensa llançant un líquid pudent per l'anus.

mogrebí mogrebina mogrebins mogrebines *adj* i *nom m* i *f* Mira **magribí**.

mogut moguda moguts mogudes *adj* Inquiet, nerviós, agitat: *Aquesta classe és molt moguda, costa de mantenir-hi l'ordre.* ■ *Ahir el mar estava molt mogut.*

moix moixa moixos moixes **1** *adj* Trist, abatut, sense alegria: *El van renyar i va quedar tot moix.* **2** *nom m* i *f* Gat, gata.

moixaina moixaines *nom f* Carícia, feta especialment a la cara.

moixí Paraula que apareix en l'expressió **pèl moixí**, que vol dir "pèl curt i fi com el que tenen els nois joves quan els comença a créixer la barba".

moixó moixons *nom m* Ocell petit.

mola moles *nom f* **1** Pedra rodona i llisa que serveix per a esmolar o polir eines o peces. **2** Cadascuna de les dues pedres de forma circular d'un molí. **3** Cosa massissa i de gran volum: *Des del poble es veia la mola del castell.* **4** Turó que fa molt pendent i que acaba en un pla.

molar molars *nom f* Queixal, dent grossa que serveix per a triturar l'aliment.

moldau moldava moldaus moldaves **1** *nom m* i *f* Habitant de Moldàvia; persona natural o procedent de Moldàvia. **2** *adj* Es diu de les persones o de les coses naturals o procedents de Moldàvia.

moldre *v* **1** Triturar un gra o un sòlid fins a convertir-lo en pols. **2** *Vaig anar al metge i em va visitar de seguida: tot va ser* ***arribar i moldre*** fer una cosa amb molta rapidesa.
Es conjuga com *valer*. Participi: *mòlt, mòlta.*

molècula molècules *nom f* **1** Agrupació d'àtoms. **2** Cosa molt petita, que gairebé no es veu.

molecular moleculars *adj* Que està relacionat amb les molècules.

molest molesta molestos molestes *adj* **1** Que causa molèstia, que és desagradable, que destorba, etc.: *S'ha girat un vent molt molest.* **2** Que s'ha molestat, ofès, empipat: *Està molest perquè no l'han convidat a la festa.*

molestar *v* **1** Causar molèsties a algú, empipar-lo, no deixar-lo estar tranquil, no deixar-li fer bé el que vol fer, fer-lo enfadar: *No poseu el tocadiscos tan alt, que em molesteu i no em deixeu llegir.* **2** **molestar-se** Sentir-se ofès: *Es va molestar perquè no el van convidar a la festa.*
Es conjuga com *cantar*.

molèstia molèsties *nom f* Nosa, destorb, cosa que trenca el benestar o la tranquil·litat: *El soroll del carrer és una molèstia.*

molí molins *nom m* **1** Màquina que serveix per a moldre o triturar el gra i altres materials sòlids fins a convertir-los en pols. **2** Edifici on hi ha instal·lat un molí. **3** **molí de vent** Molí muntat en una torre i que es mou per l'acció del vent.

molinar *v* Moldre.
Es conjuga com *cantar*.

molinenc molinenca molinencs molinenques **1** *nom m* i *f* Habitant de Molins de Rei o de Pont de Molins; persona natural o procedent de Molins de Rei o de Pont de Molins. **2** *adj* Es diu de les persones o de les coses naturals o procedents de Molins de Rei o de Pont de Molins.

moliner molinera moliners molineres *nom m* i *f* Persona que treballa en un molí.

molinet molinets *nom m* **1** Aparell de cuina que serveix per a moldre cafè o altres productes. **2** **molinet de vent** Joguina que consisteix en un tros de paper o de plàstic que forma quatre aspes i que, col·locat al capdamunt d'un bastonet, es mou amb el vent.

moll[1] **molla molls molles** *adj* **1** Molt impregnat d'aigua o d'un altre líquid: *La pluja ens va arreplegar quan tornàvem de l'escola i vam arribar ben molls a casa.* **2** Tou. **3** *nom m* Part més carnosa d'una part del cos, tou: *El moll de la cama.*

roba molla

moll[2] **molls** *nom m* Obra de pedra o de fusta, construïda a la vora del mar i que serveix per a fer més fàcil l'embarcament i el desembarcament de les persones i de les mercaderies: *Aquest matí hem anat al moll i hem vist com carregaven i descarregaven els vaixells.*

moll[3] **molls** *nom m* **1** Part comestible d'algunes fruites com ara les nous, les ametlles, les avellanes, etc. **2 moll de l'os** Medul·la òssia.

moll[4] **molls** *nom m* Peix de color vermellós, molt apreciat com a aliment, roger.

molla[1] **molles** *nom f* Part tova i blanca de dins el pa, tros petit de pa que salta quan el partim o el tallem: *Del pa, a mi m'agrada més la molla que la crosta.*

molla[2] **molles** *nom f* Peça de metall, normalment en forma d'espiral, que és elàstica i es pot arronsar o estirar segons que hi fem força o no: *Se m'ha espatllat la molla del bolígraf, ara no baixa la mina i no escriu.*

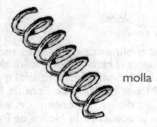

molla

molletà molletana molletans molletanes **1** *nom m i f* Habitant de Mollet del Vallès; persona natural o procedent de Mollet del Vallès. **2** *adj* Es diu de les persones o de les coses naturals o procedents de Mollet del Vallès.

molló mollons *nom m* Fita, pedra clavada a terra que indica el límit d'un territori, o la

distància des de l'origen en una carretera, en un camí, etc.

molls *nom m pl* Estri que té forma d'estisores grosses i llargues i que serveix per a agafar les brases del foc.

mol·lusc mol·luscs o **mol·luscos** *nom m* Animal invertebrat amb el cos tou, a vegades protegit amb una closca, com ara el cargol, el musclo, etc.

molsa molses *nom f* Planta de color verd de tiges molt curtes que formen com un tapís a terra, a les parets o als troncs dels arbres, i que se sol fer servir per a decorar el pessebre.

molsut molsuda molsuts molsudes *adj* Que té molta carn: *Aquest nen té unes mans molsudes.*

molt molta molts moltes *adj i adv* **1** En gran quantitat, en un grau considerable: *Hem menjat molta xocolata.* ■ *En Martí és molt alt.* ■ *Treballeu molt.* **2** Força temps: *Fa molt que no ens veiem.*

mòlta mòltes *nom f* **1** Acció de moldre. **2** Quantitat de gra que es mol d'una vegada.

moltó moltons *nom m* Mascle de l'ovella castrat.

moma momes *nom f* Allò que produeix beneficis sense necessitat d'esforç, ganga: *A en Marc sempre li regalen joguines: quina moma!*

moment moments *nom m* **1** Espai de temps curt: *Espereu-me un moment, torno de seguida.* ■ *Aquella empresa passa per un mal moment.* **2** En Jordi **a cada moment** em demana que li deixi la bicicleta: *molt sovint.* **3 De moment** només farem obres al menjador, més endavant reformarem la cuina: *per ara, ara.* **4** *Vindran* **d'un moment a l'altre**: *molt aviat, de seguida.*

momentani momentània momentanis momentànies *adj* Que dura només un moment o un espai de temps curt: *El dolor de la punxada de la injecció va ser momentani.*

mòmia mòmies *nom f* Cadàver que, per la manera com ha estat enterrat, s'ha dessecat i es conserva durant molt de temps.

mon ma mos mes *adj* El meu, la meva, els meus, les meves: *Mon pare em va regalar un llibre i ma germana un llapis.*

món mons *nom m* **1** Conjunt de totes les coses que existeixen: *La creació del món.* **2** Planeta on vivim: *L'expedició farà la volta al món.* **3** *A mi m'agrada* **rodar món**: *viatjar.* **4** *Quan va caure de la bicicleta, va* **perdre el món de vista**: *des-*

maiar-se, perdre els sentits. **5** *Això que dius* **no és res de l'altre món**: és normal, no és pas res estrany ni extraordinari. **6 l'altre món** Allò que hi ha més enllà de la vida. **7 anar-se'n a l'altre món** Morir-se. **8 el Tercer Món** El conjunt dels països subdesenvolupats.

mona mones *nom f* **1** Simi amb unes durícies sense pèl a les anques i la cua no gaire llarga: *Al zoo vam veure unes mones que s'enfilaven als arbres.* **2** *A en Pere li agrada molt de* **fer la mona**: fer coses que fan riure, imitar o escarnir algú. **3 mona de Pasqua** Pastís amb figuretes de xocolata que es menja per Pasqua. **4** Embriaguesa.

mona

monada monades *nom f* **1** Gest, posat que es fa per ser graciós, per atreure l'atenció: *En Sergi no para de fer monades davant les nenes.* **2** Persona o cosa bufona i delicada.

monarca monarques *nom m i f* Persona que governa en una monarquia, rei.

monarquia monarquies *nom f* Sistema polític en què l'estat és representat per un rei.

monàrquic monàrquica monàrquics monàrquiques *adj* **1** Que té relació amb la monarquia, amb els reis. **2** Partidari de la forma de govern presidida pel rei com a cap d'estat.

monàstic monàstica monàstics monàstiques *adj* Que està relacionat amb els monestirs o amb els monjos o les monges que hi viuen.

moneda monedes *nom f* **1** Unitat de diner que serveix per a mesurar el valor econòmic de les coses a l'hora de comprar-les i vendre-les: *La moneda dels Estats Units és el dòlar i la de l'Estat espanyol és l'euro.* **2** Diner en forma de peça de metall rodona: *Vam comprar una revista que valia cinc euros i la vam pagar amb una moneda de dos euros i tres d'un euro.*

moneder[1] monedera monederes monederes *nom m i f* **1** Persona que fabrica moneda. **2 moneder fals** Persona que fa moneda falsa.

moneder[2] moneders *nom m* Bossa petita que serveix per a portar-hi els diners, portamonedes.

monegasc monegasca monegascs o monegascos monegasques **1** *nom m i f* Habitant de Mònaco; persona natural o procedent de Mònaco. **2** *adj* Es diu de les persones o de les coses naturals o procedents de Mònaco.

monestir monestirs *nom m* Conjunt d'edificis en els quals viu una comunitat de monjos o de monges.

monetari monetària monetaris monetàries *adj* Que està relacionat amb la moneda.

mongeta mongetes *nom f* Fruit comestible de la mongetera: *Les* **mongetes tendres** *són llargues i de color verd i les* **mongetes seques** *són ovalades i de color blanc.*

mongetera mongeteres *nom f* Planta que fa mongetes.

mongol mongola mongols mongoles **1** *nom m i f* Habitant de Mongòlia; persona natural o procedent de Mongòlia. **2** *adj* Es diu de les persones o de les coses naturals o procedents de Mongòlia.

mongòlic mongòlica mongòlics mongòliques *adj* **1** Que té relació amb Mongòlia o amb els mongols. **2** Es diu de la raça humana que comprèn la major part dels pobles de l'Àsia. **3** *adj i nom m i f* Es diu de la persona afectada de mongolisme.

mongolisme mongolismes *nom m* Malaltia de naixement que es caracteritza per una deficiència mental.

moniatera moniateres *nom f* Planta que fa moniatos.

moniato moniatos *nom m* Part subterrània i comestible d'una planta anomenada moniatera, que és de color fosc per fora i taronja per dins, que es menja cuita i té un gust molt dolç: *Per la castanyada menjarem castanyes i moniatos.*

monitor monitora monitors monitores **1** *nom m i f* Persona que ensenya a practicar un esport o una activitat, que acompanya els infants quan van de colònies, etc. **2** *nom m* Pantalla on apareixen imatges: *El meu ordinador té un monitor que emet les imatges en color.*

monjo monja monjos monges **1** *nom m i f* Persona que és membre d'un orde monàstic. **2 monja** *nom f* Religiosa de qualsevol orde.

mono- mon- Element amb què comencen algunes paraules i que vol dir "un": *Un monosíl-lab és una paraula formada per una sola síl·laba.*

monocle monocles *nom m* Lent que es posa davant d'un sol ull.

monòleg monòlegs *nom m* Fet de parlar sol, de parlar amb si mateix: *En aquella obra de teatre hi ha un actor que fa un gran monòleg.*

monolingüe monolingües *adj* Que fa servir una sola llengua, un sol idioma.

monòlit monòlits *nom m* Monument de pedra d'una sola peça.

monopatí monopatins *nom m* Planxa llarga de fusta, de fibra o de ferro muntada damunt de quatre rodes i que serveix per a patinar.

monorail monorails *nom m* Ferrocarril, tren que va sobre un sol carril.

monosíl·lab monosíl·laba monosíl·labs monosíl·labes *adj i nom m* Que està format per una sola síl·laba: *Els mots "mel" i "vent" són monosíl·labs.*

monoteisme monoteismes *nom m* Característica de les religions que creuen en un sol déu.

monòton monòtona monòtons monòto-nes *adj* Que no varia, que té sempre el mateix to, que cansa per la seva falta de varietat o és avorrit per la seva repetició: *Ahir vam anar a veure una pel·lícula molt monòtona, perquè hi sortien pocs personatges i no hi passava res.*

monotonia monotonies *nom f* Qualitat de monòton: *Per trencar la monotonia de cada dia va decidir fer un curset de dansa dos dies a la setmana.*

monsenyor monsenyors *nom m* Tractament que es dóna a determinats eclesiàstics com els bisbes, els arquebisbes i els cardenals.

monsó monsons *nom m* Vent propi de l'oceà Índic i de la costa est de l'Àsia, que bufa del sud-oest des del maig fins al setembre i del nord-est des de l'octubre fins al desembre.

monstre monstres *nom m* **1** Ésser imaginari que té una forma estranya i fa por: *Vam veure una pel·lícula de ciència-ficció en què sortien molts monstres.* **2** Persona molt lletja, molt dolenta o cruel: *Aquell home és un monstre: no estima ningú.*

monstruós monstruosa monstruosos monstruoses *adj* Horrible, que és molt lleig, deformat, d'una grandària exagerada, com un monstre: *El personatge d'aquell conte tenia un cap monstruós.*

montblanquí montblanquina montblan-quins montblanquines **1** *nom m i f* Habitant de Montblanc; persona natural o procedent de Montblanc. **2** *adj* Es diu de les persones o de les coses naturals o procedents de Montblanc.

mont monts *nom m* Muntanya.

montbuienc montbuienca montbuiencs montbuienques **1** *nom m i f* Habitant de Caldes de Montbui o de Santa Margarida de Montbui; persona natural o procedent de Caldes de Montbui o de Santa Margarida de Montbui. **2** *adj* Es diu de les persones o de les coses naturals o procedents de Caldes de Montbui o de Santa Margarida de Montbui.

montcadenc montcadenca montcadencs montcadenques **1** *nom m i f* Habitant de Montcada i Reixac; persona natural o proce-dent de Montcada i Reixac. **2** *adj* Es diu de les persones o de les coses naturals o procedents de Montcada i Reixac.

montenegrí montenegrina montenegrins montenegrines **1** *nom m i f* Habitant de Montenegro; persona natural o procedent de Montenegro. **2** *adj* Es diu de les perso-nes o de les coses naturals o procedents de Montenegro.

monticle monticles *nom m* Muntanya petita, turó.

montornesenc montornesenca mon-tornesencs montornesenques **1** *nom m i f* Habitant de Montornès del Vallès; persona natural o procedent de Montornès del Vallès. **2** *adj* Es diu de les persones o de les coses na-turals o procedents de Montornès del Vallès.

montsianenc montsianenca montsia-nencs montsianenques **1** *nom m i f* Habitant de la comarca del Montsià; persona natural o procedent de la comarca del Montsià. **2** *adj* Es diu de les persones o de les coses naturals o procedents de la comarca del Montsià.

monument monuments *nom m* **1** Edifici important per la seva grandària, pel seu estil, etc., com ara una església o un palau: *A la ciutat de Tarragona hi ha molts monuments.* **2** Obra d'escultura o d'arquitectura que recorda un fet o una persona important: *A Barcelona hi ha un monument a Cristòfor Colom, el descobridor d'Amèrica.*

monumental monumentals *adj* Que té l'aspecte d'un monument, que és grandiós, que és de grans dimensions: *L'edifici del museu del Louvre de París és monumental.*

monyo monyos *nom m* Conjunt de cabells lligats de forma arrodonida que es porta damunt, darrere o als costats del cap.

monyó monyons *nom m* Part que queda d'un membre del cos, com ara la cama o el braç, quan s'ha amputat.

moqueta moquetes *nom f* Teixit fort que es posa al terra o a les parets de les habitacions.

móra móres *nom f* **1** Fruit comestible de la morera, de gust molt agradable. **2** Fruit comestible de l'esbarzer, de forma arrodonida amb tot de boletes petites enganxades les unes a les altres: *Per esmorzar he menjat melmelada de móres.*

moradenc moradenca moradencs moradenques *adj* Que té un color tirant a morat.

moral morals *nom f* **1** Disciplina que estudia les accions i les conductes humanes des del punt de vista de la seva bondat o maldat. **2** Energia, ànims per a fer una cosa: *Els jugadors, després de la victòria, tenien la moral molt forta.* **3** *adj* Que està d'acord amb el bé, amb els bons costums.

moralitat moralitats *nom f* Lliçó, ensenyament que s'extreu d'una història, d'una faula, etc.: *La moralitat d'aquest conte és que no podem menysprear els altres.*

morat morada morats morades **1** *adj* i *nom m* D'un color entre blau i vermell: *La Josefa porta una bufanda de color morat.* **2** *nom m* Taca de color blau morat que surt a la pell a causa d'un cop: *En Miquel ha caigut a terra i li ha sortit un morat a la cama.*

morbós morbosa morbosos morboses *adj* Es diu de la persona que troba gust veient o parlant de coses desagradables, com ara malalties, desgràcies, etc.

mordaç mordaços mordaces *adj* Que ataca la gent, que malparla de la gent o la critica de mala manera: *El diari d'avui publica una crítica mordaç de l'obra de teatre que es va estrenar ahir.*

mordassa mordasses *nom f* Drap o objecte que tapa la boca i que impedeix de parlar o de cridar: *Els lladres van tapar la boca d'aquell pobre home amb una mordassa.*

morè morena morens morenes *adj* Es diu del color de la pell més aviat fosc, bru: *La Rosa té la pell molt blanca i la Lluïsa la té molt morena.*

morena[1] morenes *nom f* Peix de cos llarg i pell gruixuda de color terrós amb taques clares, sense escates, que té la boca grossa i les dents molt punxegudes.

morena[2] morenes *nom f* Bony petit molt dolorós que es forma en les venes de l'anus o del recte.

moreno morena morenos morenes *adj* Es diu del color de la pell més aviat fosc, bru: *La Marta té la pell molt morena.*

morera moreres *nom f* Arbre amb les fulles dentades, el fruit del qual és la móra.

moresc morescs o morescos *nom m* Blat de moro.

morfema morfemes *nom m* **1** Unitat lingüística amb significat, que no es pot descompondre en unitats més petites que també tinguin significat: *La paraula fuster té dos morfemes: "fust" i "er".* **2 morfema gramatical** Morfema que indica el temps, la persona i el nombre en els verbs i el nombre i el gènere en els noms, els adjectius i els pronoms: *La paraula "noies" té dos morfemes gramaticals: "e", que indica gènere femení, i "s", que indica nombre plural.*

morfina morfines *nom f* Droga que es fa amb opi i que es fa servir en medicina per a calmar dolors molt forts.

morfo- morf- Element amb què comencen algunes paraules i que vol dir "forma".

morfologia morfologies *nom f* **1** Branca de la biologia que estudia la forma i l'estructura dels éssers vius. **2** Branca de la lingüística que estudia les formes de les paraules.

morfològic morfològica morfològics morfològiques *adj* Que té relació amb la morfologia, amb la forma o l'estructura d'alguna cosa.

moribund moribunda moribunds moribundes *adj* i *nom m* i *f* Es diu de la persona o de l'animal que s'està morint: *Els metges van provar de reanimar el moribund, però no ho van poder aconseguir.*

morir *v* **1** Deixar de viure: *Totes les persones hem de morir.* ▪ *Les plantes també moren.* **2** *Dóna-li una llimonada, perquè està a punt de* **morir-se de set**: tenir molta set. **3** Acabar: *Aquest camí mor a Sant Joan de les Abadesses.*
Es conjuga com *dormir.* Participi: *mort, morta.*

mormolar v Murmurar, produir un murmuri, un soroll: *El vent feia mormolar les fulles del castanyer.*

Es conjuga com *cantar*.

moro mora moros mores *nom m i f* Es diu de les persones naturals o procedents del nord d'Àfrica, que parlen la llengua àrab o la llengua berber i que en la seva majoria practiquen la religió musulmana.

morós morosa morosos moroses *adj i nom m i f* Es diu de la persona que triga molt a pagar els deutes, a complir les seves obligacions.

morral morrals *nom m* Sarró que es penja al morro dels cavalls per donar-los menjar.

morrejar v Beure agafant amb els llavis l'ampolla, l'aixeta, etc. per on surt el líquid.

Es conjuga com *cantar*. S'escriu *j* davant de *a, o, u* i *g* davant de *e, i: morrejo, morreges.*

morrió morrions *nom m* Peça en forma de reixa feta amb corretges o filferros que es posa al morro d'un animal per impedir que mossegui.

morrió

morro morros *nom m* **1** Part anterior de la cara d'alguns animals, musell: *Els gossos segueixen el rastre dels animals olorant el terra amb el morro.* **2** Llavi d'una persona. **3 ser del morro fort** Ser molt tossut i no estar disposat a fer cas als altres. **4 fer morros** Demostrar que s'està enfadat amb l'expressió de la cara. **5 caure de morros** Caure de cara. **6 inflar els morros** Pegar a algú molt fort a la cara. **7** Part de davant d'un cotxe, d'un avió, etc.

morsa morses *nom f* Animal mamífer semblant a la foca, però més gros, que té dos ullals molt llargs i s'alimenta de peixos: *La carn de morsa és molt apreciada pels esquimals.*

morse *nom m* Sistema de senyals que serveix per a comunicar-se a llarga distància i de manera ràpida.

mort[1] morta morts mortes *adj i nom m i f* **1** Que ha deixat de viure, persona morta: *Al jardí hi ha un arbre mort.* ■ *En l'accident hi va haver tres morts.* **2 estar mort de son, de gana, de por** Tenir molta son, molta gana, molta por. **3 estar més mort que viu** Tenir molta por, estar molt cansat a causa d'un gran esforç. **4 llengua morta** Llengua que ja no es parla: *El llatí és una llengua morta.* **5** *A en Pere, quan va a la piscina, li agrada de* **fer el mort**: aguantar-se sense moure's, estirat i de cara enlaire, damunt de l'aigua. **6** *nom m* Persona o cosa que no serveix per a res, que no té cap valor: *Aquest armari ocupa molt lloc i té molt poc espai per a penjar-hi la roba: és un mort.* **7** *En Manel va trencar el vidre i ens va* **carregar el mort** a *nosaltres:* donar la culpa d'una cosa a algú.

mort[2] morts *nom f* **1** Final de la vida. **2** *Van entrar en un bar* **de mala mort**: poc animat, sense gent. **3 estar entre la vida i la mort** Estar en perill de morir. **4 ferit de mort** Molt malferit, de manera que la ferida provocarà la mort. **5 tornar de mort a vida** Sortir d'una gran dificultat, d'un espant, etc. **6** Personatge que representa la mort, que és un esquelet amb una dalla. **7** Destrucció, eliminació d'una cosa: *Això serà la mort de la indústria.*

mortadel·la mortadel·les *nom f* Embotit cuit, rodó i gruixut, fet amb carn de porc i de bou.

mortal mortals *adj* **1** Que es pot morir: *Totes les persones som mortals.* **2** Que causa o pot causar la mort: *Aquell home té una malaltia mortal.* **3 salt mortal** Salt en què el saltador fa una o més voltes en l'aire.

mortaldat mortaldats *nom f* Conjunt de morts causades per una epidèmia, per la guerra, etc.: *Les aigües brutes dels rius provoquen una gran mortaldat de peixos.*

mortalitat mortalitats *nom f* Nombre de persones que moren en un període de temps determinat: *A l'edat mitjana hi havia molta mortalitat a causa de les pestes.*

mortalla mortalles *nom f* Vestidura o llençol que serveix per a embolcallar un mort.

morter morters *nom m* **1** Vas gros de pedra, de ferro, etc. que serveix per a triturar-hi algunes substàncies amb una peça de fusta o de metall anomenada mà de morter. **2** Arma que serveix per a llançar bombes per sobre d'una muntanya o d'una elevació del terreny. **3** Barreja de calç o de ciment amb sorra i aigua que serveix per a lligar els maons, les pedres, etc. quan es fa una paret.

mortífer mortífera mortífers mortíferes *adj* Que causa o pot causar la mort: *Hi ha substàncies químiques que són mortíferes.*

mortificar *v* Molestar molt algú insultant-lo o fent-lo patir: *Ens ha mortificat tot el matí amb els seus crits i insults.*
Es conjuga com *cantar*. S'escriu *c* davant de *a, o, u* i *qu* davant de *e, i: mortifico, mortifiques.*

mortuori mortuòria mortuoris mortuòries *adj* Que té relació amb la mort i amb les cerimònies que es fan quan algú es mor.

mos[1] *adj* Mira **mon.**

mos[2] mossos *nom m* **1** Mossegada. **2** Part de menjar que es mastega d'un cop, tros petit d'un menjar, d'un aliment: *Un mos de pa.* **3 fer un mos** Menjar una mica. **4** Part del fre que entra dins la boca del cavall.

mosaic mosaics *nom m* **1** Decoració d'una paret, d'un terra, etc. feta amb trossets de pedra, de marbre o d'altres materials de diferents colors. **2** Rajola que es posa al terra, generalment quadrada i fàcil d'abrillantar.

mosca mosques *nom f* **1** Insecte volador de color negre, que es troba pertot arreu: *A l'estiu hi ha moltes mosques.* **2** *En aquella batalla els soldats van* **caure com mosques** morir en gran quantitat. **3** *En Jordi és molt bon noi:* **no faria mal a una mosca** es diu de les persones que són molt bones i molt pacífiques. **4** *No em molesteu més, que em comença a* **pujar la mosca al nas** perdre la paciència, enfadar-se. **5** *En Marcel se n'ha anat corrents, no sabem* **quina mosca l'ha picat** expressió que serveix per a demostrar sorpresa davant una reacció inesperada d'algú.

moscatell moscatells *nom m* **1** Raïm de grans grossos i ovalats que és molt dolç. **2** Vi dolç que es fa amb raïm moscatell.

moscovita moscovites **1** *nom m i f* Habitant de Moscou; persona natural o procedent de Moscou. **2** *adj* Es diu de les persones o de les coses naturals o procedents de Moscou.

mosquejar *v* Fer empipar algú: *Si continues dient coses estúpides, em mosquejaré de debò.*
Es conjuga com *cantar*. S'escriu *j* davant de *a, o, u* i *g* davant de *e, i: mosqueja, mosquegi.*

mosqueter mosqueters *nom m* Soldat amb capa i espasa que estava a les ordres del rei de França i que s'ha fet molt famós en la literatura i en el cinema: *La pel·lícula "Els tres mosqueters" està basada en una novel·la d'Alexandre Dumas.*

mosquetó mosquetons *nom m* **1** Estri d'acer en forma d'anella ovalada que fan servir els escaladors per a fer-hi passar les cordes i suportar molt de pes a l'hora de pujar o baixar per les parets d'una muntanya. **2** Arma de foc més curta que el fusell.

mosquit mosquits *nom m* Insecte volador bastant petit que sol picar les persones i els animals per xuclar-los una mica de sang: *A la vora d'aquell riu hi havia molts mosquits i ens van picar.*

mosquitera mosquiteres *nom f* Tela amb què es cobreix un llit, una finestra, etc., per a evitar que hi entrin els mosquits.

mossada mossades *nom f* **1** Mossegada. **2 fer una mossada** Fer un àpat lleuger, menjar poca cosa, fer un mossec.

mossec mossecs *nom m* Mossegada.

mossegada mossegades *nom f* Cop que es clava amb les dents sobre una cosa, normalment per menjar; ferida feta amb les dents: *Es va menjar la poma amb dues mossegades.* ■ *El gos em va clavar una mossegada al braç.*

mossegar *v* **1** Clavar les dents en una cosa o en algú, per menjar, per fer mal, etc.: *El gos va mossegar el gat.* ■ *En Lluís va començar a mossegar la pera per menjar-se-la.* **2** *Va dir una cosa que em va ofendre, però jo em vaig* **mossegar la llengua** *i no vaig tornar-li-la contesta:* callar una cosa que s'anava a dir, retenir una resposta per prudència.
Es conjuga com *cantar*. S'escriu *g* davant de *a, o, u* i *gu* davant de *e, i: mossego, mossegues.*

mossèn mossens *nom m* Tractament que es dóna als capellans.

mosso mossa mossos mosses **1** *nom m i f* Noi o noia gran, xicot o xicota. **2** *nom m* Home que treballa en una masia, en un magatzem. **3 mosso d'esquadra** Membre de la policia pròpia de Catalunya.

most mosts o mostos *nom m* Suc del raïm abans de fermentar i tornar-se vi.

mostassa mostasses *nom f* Salsa espessa i una mica picant que es fa amb les llavors petites i negres d'una planta que també es diu mostassa.

mostatxo mostatxos *nom m* Bigoti.

mostela mosteles *nom f* Animal mamífer amb el cap allargat, les potes curtes, de color vermell i blanc, molt actiu durant la nit, i que menja animals molt més grossos que ell.

mostra mostres *nom f* **1** Part petita d'una cosa que serveix per a veure'n la qualitat: *A la Cèlia, li han agafat una mostra de sang per veure si té cap malaltia greu.* **2** Cosa que serveix d'exemple: *Aquí us deixo una mostra del que haureu de fer a l'examen.* **3** *Va regalar un ram de flors a l'àvia* **com a mostra** *d'estimació:* com a senyal d'estimació. **4** Exposició: *La mostra de teixits es fa a la primavera.*

mostrar *v* **1** Ensenyar alguna cosa, exposar-la a la vista d'algú: *Ens va mostrar totes les joies.* **2** Indicar amb un gest, amb un signe: *El guàrdia urbà ens va mostrar el camí amb el dit.*
Es conjuga com *cantar.*

mostrari mostraris *nom m* Col·lecció de mostres que el fabricant o el comerciant d'un producte ensenya al client perquè triï les que vol comprar: *El fabricant de teixits va ensenyar el mostrari de la nova temporada al venedor de roba.*

mot mots *nom m* **1** Paraula. **2** *Ha repetit les teves frases* **mot per mot**: exactament, paraula per paraula.

motel motels *nom m* Hotel situat a la vora d'una carretera, especialitzat a allotjar persones que viatgen amb automòbil.

motí motins *nom m* Revolta d'un grup de persones contra el seu superior: *La tripulació va organitzar un motí contra el capità perquè considerava que dirigia malament el vaixell.*

motiu[1] motius *nom m* nom que la gent dóna a una persona, família, casa, etc.: *De casa de la Mercè en diuen "can Pansa", és un motiu molt antic.*

motiu[2] motius *nom m* **1** Raó per la qual es fa alguna cosa: *El motiu del viatge era anar a veure el museu de la ciutat.* **2** *M'has renyat* **sense cap motiu**: sense cap causa, sense haver fet res malament. **3** **amb motiu de** A causa d'una circumstància determinada: *Amb motiu del cinquantenari de la fundació de l'escola, es va celebrar una gran festa.*

motivació motivacions *nom f* Acció de motivar algú, de crear-li interès per fer alguna cosa.

motivar *v* **1** Ser la causa, el motiu d'alguna cosa: *Els teus insults han motivat la baralla.* **2** Donar motius a algú perquè faci alguna cosa, estimular-lo: *Els mestres procuren motivar els alumnes a aprendre coses noves.*
Es conjuga com *cantar.*

motlle motlles *nom m* **1** Peça buida per dintre on s'introdueix una pasta, pols, etc. per tal que

agafi la forma de la peça. **2** Model de cartró, de llauna, etc. que serveix per a marcar lletres, números o dibuixos en una superfície, resseguint-lo amb llapis, retolador, pinzell, etc. **3** **lletres de motlle** Lletres d'impremta: *Li va fer molta gràcia veure el seu conte publicat a la revista de l'escola, escrit amb lletres de motlle.*

motlle

motllo motllos *nom m* Mira **motlle**.

moto motos *nom f* Vehicle de motor de dues rodes, que pot transportar una persona o dues: *Per aquest carrer tan estret no hi poden passar cotxes, només motos.*

moto- Element amb què comencen algunes paraules i que vol dir "motor, que mou".

motocicleta motocicletes *nom f* Moto.

motociclisme motociclismes *nom m* Conjunt d'esports que es practiquen amb la moto.

motociclista motociclistes *nom m i f* Persona que va en moto.

motocròs *nom m* Cursa de motos que es fa en un terreny difícil a camp obert: *Els participants en la cursa de motocròs van haver de donar deu voltes a un circuit ple de bassals, pedres, desnivells i dificultats de tota mena.*

motor[1] motora o motriu motors motores o motrius *adj* Es diu de la força, de la màquina capaç de produir el moviment de qualsevol cosa: *L'aigua del riu és la força motriu de molts molins.*

motor[2] motors *nom m* **1** Màquina que transforma l'energia elèctrica, química, etc. en energia mecànica per fer anar un vehicle, per fer funcionar un aparell, etc.: *Tots els cotxes porten un motor.* ■ *Es va espatllar el motor i la rentadora no funcionava.* **2** Es diu de la persona que impulsa un equip, una empresa, etc.: *Aquella jugadora americana és el motor de l'equip de bàsquet.*

motorista motoristes *nom m i f* Persona que condueix una moto.

motriu motrius Mira **motor**[1].

motxilla motxilles *nom f* Sac, bossa de tela, de cuir, etc. que es porta penjada a l'esquena: *Quan vagis d'excursió, emporta't la motxilla ben plena de menjar i de totes les coses que necessitis.*

motxilla

moure *v* Posar una cosa en moviment, posar-se una persona o una cosa en moviment, bellugar-se, desplaçar-se, deixar d'estar quiet: *El vent feia moure les fulles dels arbres.* ▪ *En Pep és molt nerviós, no està mai quiet, sempre es mou.* ▪ *La bondat el mou a ajudar els altres.* Es conjuga com *beure.*

mousse mousses *nom f* Menjar fet amb diferents ingredients com ara xocolata, llimona, etc. barrejats amb clara d'ou i nata o gelatina: *Per postres hem menjat una mousse de cafè molt bona.*

movedís movedissa movedissos movedisses *adj* Que es mou amb molta facilitat.

moviment moviments *nom m* **1** Acció de moure's, de canviar de lloc o de posició. **2** Circulació animada: *Avui hi ha moviment al carrer: hi deu haver mercat.* **3** Ideologia política, corrent de pensament, tendència estètica, etc.: *A començaments del segle xx van sorgir molts moviments artístics innovadors.*

mucosa mucoses *nom f* Capa que cobreix i protegeix algunes parts internes del cos que comuniquen directament o indirectament amb l'exterior.

mucositat mucositats *nom f* Líquid espès que surt d'una mucosa: *Els refredats provoquen un augment de la mucositat del nas.*

muda mudes *nom f* **1** Acció de transformar o de transformar-se, de canviar: *Les serps fan la muda de la pell de tant en tant.* **2** Conjunt de la roba que ens posem cada vegada que ens vestim: *Per anar de colònies hem de portar una muda de roba neta a la motxilla.* **3** Acció de mudar-se de casa.

mudança mudances *nom f* Trasllat de mobles i d'objectes d'un lloc a un altre: *A les nou del matí vindrà el camió de les mudances i s'emportarà els mobles a la casa nova.*

mudar-se *v* **1** Canviar-se el vestit, treure's el vestit de cada dia i posar-se'n un altre de més nou i de més bonic: *A en Josep els diumenges li agrada de mudar-se.* **2** Canviar de casa, anar a viure a un altre lloc: *La família Rodelles ja no viu en aquesta casa, s'han mudat a una de nova.* Es conjuga com *cantar.*

mudat mudada mudats mudades *adj* Ben vestit, amb roba nova i elegant: *Els convidats del casament anaven molt mudats.*

mufló muflons *nom m* Mamífer salvatge de pèl curt, semblant a l'ovella; el mascle té unes banyes llargues i cargolades cap enrere.

mugir *v* Manera de cridar del bou, bramar. Es conjuga com *servir.*

mugit mugits *nom m* Crit del bou.

mugró mugrons *nom m* Cercle petit de color fosc que hi ha al mig de cada pit, que en les femelles té uns forats molt petits per on surt la llet: *L'infant quan mama xucla el mugró de la mare.*

mul mula muls mules *nom m i f* Fill d'un burro i una euga o d'un cavall i una burra.

mula mules *nom f* **1** Butllofa de sang que surt als dits o a la mà a causa d'un cop o d'un pessic. **2** Femella del mul. **3 ser més tossut que una mula** Ser molt tossut.

mulat mulata mulats mulates *adj i nom m i f* Fill de pare blanc i mare negra o al revés.

mullader mulladers *nom m* **1** Quantitat gran de líquid escampat per terra: *Els dies de pluja a l'entrada de l'escola hi ha un gran mullader.* **2** Discussió, escàndol, embolic: *La gent va protestar i hi va haver molt mullader.*

mullar *v* **1** Tacar, impregnar d'aigua o d'un altre líquid un objecte o una persona: *Ha plogut i els carrers s'han mullat.* ▪ *He caigut en un bassal ple d'aigua i m'he mullat els pantalons.* **2** *En Pere podria dir com ha anat la baralla perquè l'ha vista, però* **no es vol mullar el cul**: no voler implicar-se en un assumpte. Es conjuga com *cantar.*

mullena mullenes *nom f* Aigua que taca la superfície d'una cosa, que mulla els vestits, etc.

muller mullers *nom f* Dona casada, respecte al marit: *En Pau i la Montserrat són casats, són marit i muller.*

multa multes *nom f* Quantitat de diners que s'ha de pagar com a càstig per haver comès

m

una falta: *El guàrdia li ha fet pagar vint-i-cinc euros de multa perquè ha aparcat el cotxe en un lloc prohibit.*

multar *v* Posar una multa a algú: *Ens han multat perquè hem aparcat el cotxe en un lloc prohibit.* Es conjuga com *cantar.*

multi- Prefix, element que s'afegeix al davant d'una paraula i que vol dir "molts", "més que un": *Amb la multicopista podem fer moltes còpies de cada full.*

multicolor multicolors *adj* Que té molts colors: *Un jardí amb flors multicolors.*

multicopista multicopistes *nom f* Màquina que serveix per a fer còpies d'un document, d'un dibuix, etc.

multilingüe multilingües *adj* Que fa servir diverses llengües, diversos idiomes.

multimilionari multimilionària multimilionaris multimilionàries *adj i nom m i f* Que té molts milions, que és molt ric.

multinacional multinacionals **1** *adj* Que està relacionat amb moltes nacions, amb molts estats. **2** *nom f* Empresa molt important establerta en diversos països: *Hi ha marques de productes alimentaris que pertanyen a multinacionals.*

múltiple múltiples **1** *adj* Que no és un de sol, que no és simple, sinó que té diferents parts o està repetit diferents vegades. **2** *adj i nom m* nombre que conté exactament una certa quantitat de vegades un altre nombre: *El 12 és múltiple de 2, de 3 i de 4.*

multiplicació multiplicacions *nom f* Operació que consisteix a trobar un nombre que sigui el resultat de sumar unes quantes vegades un nombre determinat: *La multiplicació de 5 per 3 dóna 15.*

multiplicador multiplicadors **1** *adj* Que multiplica. **2** *nom m* El nombre pel qual és multiplicat un altre nombre anomenat multiplicand: *En la multiplicació 125 x 3, el multiplicador és 3.*

multiplicand multiplicands *nom m* nombre que ha de ser multiplicat per un altre nombre anomenat multiplicador: *En la multiplicació 125 x 3, el multiplicand és 125.*

multiplicar *v* **1** Fer una multiplicació: *En Lluís encara no ha après a multiplicar.* **2** Créixer, augmentar molt el nombre d'una cosa: *L'any passat no hi havia gaires mosques, però aquest any s'han multiplicat.*

Es conjuga com *cantar.* S'escriu *c* davant de *a, o, u* i *qu* davant de *e, i: multiplico, multipliques.*

multitud multituds *nom f* Quantitat gran de persones o de coses.

mundial mundials *adj* Que té relació amb tot el món, amb tota la humanitat: *Una guerra mundial és una guerra en què intervenen molts països.*

munició municions *nom f* Conjunt de bales, d'explosius, de bombes, etc. que serveixen per a carregar fusells, pistoles, canons, etc.

municipal municipals *adj* **1** Que té relació amb el municipi: *Hem anat a sentir un concert de la banda municipal.* **2 guàrdia municipal** Policia que depèn d'un ajuntament i que actua dins els límits del municipi. **3** *nom m i f* Persona que pertany a la policia municipal.

municipi municipis *nom m* **1** Ajuntament. **2** Població i territori que depenen d'un ajuntament: *Aquest barri pertany al municipi de Tàrrega.*

munió munions *nom f* Quantitat gran de persones, d'animals o de coses, multitud.

munt munts *nom m* **1** Muntanya. **2** Conjunt de coses posades les unes sobre les altres formant una muntanya: *Al carrer hi havia un munt de sorra.* **3** Quantitat gran de persones o de coses: *Hi havia un munt de nens esperant a fora el cine.* ▪ *Van haver de pagar-li un munt de diners.*

muntacàrregues uns muntacàrregues *nom m* Ascensor que serveix per a transportar paquets, mercaderies, etc. d'un pis a un altre.

muntant muntants *nom m* Cadascuna de les peces verticals de ferro, de fusta, etc. sobre les quals van muntades les altres peces d'una taula, d'una escala, d'una finestra, etc.

muntanya muntanyes *nom f* **1** Elevació gran del terreny, part del terreny que s'aixeca cap amunt: *Els Pirineus són unes muntanyes molt altes.* **2** *A en Miquel, les matemàtiques li són una muntanya:* ser molt difícil de fer una cosa, trobar-la molt difícil de fer. **3 muntanyes russes** Atracció de fira que consisteix en unes vagonetes que van a gran velocitat per unes vies amb forts desnivells.

muntanyenc muntanyenca muntanyencs muntanyenques **1** *adj* Que té relació amb les muntanyes, que hi viu: *L'avet és un arbre muntanyenc.* **2** *nom m i f* Persona que viu a la muntanya. **3** *nom m i f* Persona que practica l'excursionisme.

muntanyès muntanyesa muntanyesos muntanyeses *adj* i *nom m* i *f* Muntanyenc, que viu a les muntanyes.

muntanyisme muntanyismes *nom m* Excursionisme.

muntanyós muntanyosa muntanyosos muntanyoses *adj* Que té moltes muntanyes: *Catalunya és un país molt muntanyós.*

muntar *v* **1** Pujar a dalt d'un vehicle: *Tothom va muntar a la barca.* **2** Pujar a dalt del cavall i fer-lo avançar, cavalcar: *A en Jordi li agradaria muntar a cavall.* **3** Ajustar les parts d'un objecte, d'una màquina, etc.: *Vam passar molta estona muntant les vies i els vagons del tren elèctric.* **4** Obrir un negoci, una botiga, etc.: *El meu pare ha muntat un taller de reparació de cotxes.* Es conjuga com *cantar.*

muntatge muntatges *nom m* **1** Operació de muntar una màquina, un aparell, etc. **2** Obra de teatre, representació.

muntó muntons *nom m* Munt, pilot.

muntura muntures *nom f* **1** Marc, suport sobre el qual va muntat un objecte: *Jugant a futbol se li ha trencat la muntura de les ulleres.* **2** Bèstia sobre la qual es cavalca: *Al cap d'un parell d'hores, els genets es van aturar perquè poguessin descansar les muntures.*

munyidora munyidores *nom f* Aparell elèctric que serveix per a munyir.

munyir *v* Treure la llet d'una vaca, d'una cabra, d'una ovella, etc. esprement-li les mamelles amb les mans o amb una màquina: *El pagès ha munyit set vaques i cinc ovelles.* Es conjuga com *dormir.*

mur murs *nom m* Paret gruixuda, muralla.

mural murals **1** *adj* Que té relació amb la paret o amb el mur: *Els nens de la nostra escola han fet un concurs de pintura mural a les parets del pati.* **2** *nom m* Dibuix, escrit, pintura, etc. que s'exposa en una paret.

muralla muralles *nom f* Conjunt de murs o de parets que formen un tancat, una barrera: *La muralla del castell era molt alta.* ▪ *A la porta del teatre s'hi havia format una muralla de gent que no deixava passar ningú.*

murcià murciana murcians murcianes **1** *nom m* i *f* Habitant de Múrcia; persona natural o procedent de Múrcia. **2** *adj* Es diu de les persones o de les coses naturals o procedents de Múrcia.

murga murgues *nom f* Molèstia, problema, conflicte: *Ens han tallat l'aigua i no ens podem ni rentar la cara, quina murga!*

múrgola múrgoles *nom f* Bolet comestible que té la cama blanquinosa i el barret en forma d'ou ple de forats, rabassola. **4**

murmurar *v* **1** Produir un soroll lleuger l'aigua, les fulles mogudes pel vent, etc. **2** Parlar en veu molt baixa: *El metge va murmurar alguna cosa a la infermera a cau d'orella.* **3** Parlar malament d'algú: *Els veïns murmuraven d'ell perquè feia una vida rara.* Es conjuga com *cantar.*

murmuri murmuris *nom m* Soroll lleuger i suau, com el de les fulles, el de l'aigua, el de les persones que parlen en veu baixa, etc.

murri múrria murris múrries *adj* i *nom m* i *f* Persona que té habilitat per aconseguir el que vol: *En Candi és molt murri: ha aconseguit que li comprés un gelat sense que jo li volgués comprar.*

mus musos *nom m* Joc de cartes que es juga amb quatre jugadors, amb una baralla de quaranta cartes.

musa muses *nom f* **1** Cosa o persona real o imaginària que inspira un artista i el motiva a crear obres d'art. **2** Qualsevol de les nou deesses de la mitologia grega que afavorien les arts i les ciències: *Urània és la musa de l'astronomia i es representa amb l'esfera celeste i un compàs.*

musaranya musaranyes *nom f* Animal mamífer semblant a un ratolí que té el morro allargat i punxegut i els ulls petits, que surt a caçar de nit i que és molt actiu.

musaranya

muscle muscles *nom m* Part superior i lateral del cos a cada costat del coll, espatlla.

musclera muscleres *nom f* Tros de roba, d'escuma, etc. que es posa a la part del muscle d'una peça de vestir per reforçar-la, alçar-la o decorar-la.

musclo musclos *nom m* Mol·lusc de mar de color negre, que forma colònies sobre les roques i s'alimenta de plàncton i que és molt apreciat com a aliment.

múscul músculs *nom m* Cadascun dels òrgans carnosos del cos que serveixen per a fer els moviments. ▮16▮

muscular musculars *adj* Que té relació amb els músculs: *Aquell individu té una gran força muscular i és capaç d'alçar objectes molt pesants.*

musculat musculada musculats musculades *adj* Que té els músculs molt desenvolupats: *Els atletes que fan llançament de disc solen ser molt musculats.*

musculatura musculatures *nom f* Conjunt dels músculs del cos. ▮16▮

musculós musculosa musculosos musculoses *adj* Que està format per músculs, que té els músculs molt desenvolupats, musculat.

musell musells *nom m* Morro.

museu museus *nom m* Lloc on es guarden i s'exposen al públic objectes relacionats amb el món de l'art, de la ciència, de la tècnica, etc.: *Vam anar al museu a veure pintures i escultures.*

músic música músics músiques *nom m i f* Persona que ha estudiat música i que toca un instrument musical, que compon obres musicals, que dirigeix una orquestra, etc.: *Tinc un cosí que és músic, toca el piano.*

música músiques *nom f* Art d'ordenar els sons de manera harmoniosa i agradable: *A nosaltres ens agrada molt de sentir música.*

musical musicals *adj* Que té relació amb la música: *Per la ràdio ara fan un programa musical molt bo.*

escala musical

mussol[1] mussols *nom m* **1** Ocell rapinyaire nocturn, d'ulls grossos, de color terrós i blanc, que s'alimenta de petits animals i d'insectes. **2** Es diu d'una persona poc animada, que a penes parla. **3 sol com un mussol** Expressió que es fa servir per a indicar que algú està completament sol: *Tots els meus amics van anar a la platja i jo em vaig quedar a casa, sol com un mussol.*

mussol[2] mussols *nom m* Gra que surt a la zona de l'ull, a la vora de la parpella.

musti mústia mustis músties *adj* Es diu de les plantes que han perdut la frescor, que s'han marcit.

planta mústia

musulmà musulmana musulmans musulmanes *adj i nom m i f* Es diu de la persona que practica la religió predicada per Mahoma: *La religió musulmana és la més estesa entre els països àrabs.*

mut muda muts mudes *adj i nom m i f* **1** Que no pot parlar: *Un home mut.* **2** Callat, sense parlar: *En Jordi va estar mut tota l'estona.* **3** Es diu de la pel·lícula que no té so o de la història il·lustrada que s'explica sense paraules: *Una pel·lícula muda.* **4 lletra muda** Lletra que no es pronuncia: *En català la lletra h sempre és muda, s'escriu en algunes paraules, com ara "humitat", però no es pronuncia mai.* **5** Vosaltres, **muts i a la gàbia!**: no digueu res, calleu.

mutació mutacions *nom f* Alteració, canvi important que es produeix en una cosa o en un ésser viu.

mutilar *v* Tallar un membre del cos.

Es conjuga com *cantar.*

mutilat mutilada mutilats mutilades *adj i nom m i f* Es diu de la persona que a causa d'un accident ha perdut una mà, un braç, una cama, etc.

mutis **1** Paraula que apareix en l'expressió **fer mutis**, que vol dir "callar". **2** *interj* Paraula que es diu per a demanar que la gent calli, que hi hagi silenci.

mutisme mutismes *nom m* Fet de callar, de no dir res: *Quan ens van donar la notícia, hi va haver un gran mutisme a la sala.*

mutu mútua mutus mútues *adj* Recíproc, donat i rebut entre dues o més persones: *Ell i jo sentíem una simpatia mútua, és a dir, jo el trobava simpàtic a ell i ell també m'hi trobava a mi.*

N n lletra ena

nació nacions *nom f* Conjunt de persones que tenen en comú una cultura, una història, uns costums, unes institucions polítiques i, de vegades, una llengua pròpia.

nacional nacionals *adj* Que pertany a la nació o hi té relació: *L'11 de setembre és la diada nacional de Catalunya.*

nacionalisme nacionalismes *nom m* Moviment polític que defensa la pròpia nació, i que en reivindica la unitat, l'autonomia, la independència, etc.

nacionalista nacionalistes **1** *adj i nom m i f* Es diu de les persones que defensen la unitat i la independencia de la seva nació **2** *adj* Que té relació amb el nacionalisme.

nacionalitat nacionalitats *nom f* **1** Fet de pertànyer una persona a una nació concreta perquè hi ha nascut o hi ha viscut molts anys: *La Sandra és de nacionalitat portuguesa.* **2** Nació.

nacionalitzar *v* **1** Fer que una cosa passi a ser propietat de l'estat: *El govern va nacionalitzar la indústria elèctrica.* **2** Admetre com a ciutadà d'una nació: *L'avi de la Mònica era un català nacionalitzat francès.*
Es conjuga com *cantar.*

nacrat nacrada nacrats nacrades *adj* Que té l'aspecte del nacre, que està adornat amb nacre.

nacre nacres *nom m* Material blanc, dur i brillant que hi ha a la part de dins de la closca dels mol·luscs i que es fa servir per a fer botons, adorns, etc.

Nadal Nadals *nom m* Festa que se celebra el 25 de desembre, quan els cristians commemoren el naixement de Jesucrist: *Per Nadal farem un dinar amb tota la família i menjarem torrons.*

nadala nadales *nom f* **1** Cançó pròpia de la festa de Nadal. **2** Postal que s'envia per desitjar a algú que passi unes bones festes de Nadal.

nadalenc nadalenca nadalencs nadalenques *adj* Que està relacionat amb les festes de Nadal: *Fer cagar el tió és una tradició nadalenca.* ■ *Avui cantarem cançons nadalenques.*

nadar *v* Mira **nedar.**
Es conjuga com *cantar.*

nadiu nadiua nadius nadiues **1** *adj i nom m i f* Natural, nascut en un poble o nació determinats: *El seu avi és nadiu de Mallorca.* **2** *adj* Es diu del lloc on s'ha nascut i de les coses que hi tenen relació: *El seu poble nadiu és Centelles.*

nadó nadons *nom m* Criatura acabada de néixer.

nafra nafres *nom f* Ferida que deixa la carn al descobert i que, quan es cura, generalment deixa un senyal.

naftalina naftalines *nom f* Substància que es posa als armaris i als calaixos per a protegir la roba de les arnes.

naip naips *nom m* Carta de jugar a cartes.

naixement naixements *nom m* **1** Moment en què neix un ésser viu, en què algú ve al món: *Avui celebrem el setè aniversari del naixement d'en Pere.* **2** Moment o lloc en què comença una cosa: *Vam anar fins al naixement del riu.*

naixença naixences *nom f* Naixement.

naixent naixents *adj* Que neix, que comença a sortir o a aparèixer: *El sol naixent.*

nàixer *v* Mira **néixer.**
Es conjuga com *néixer.*

nan nana nans nanes **1** *adj i nom m i f* Que és molt petit en comparació amb altres del mateix grup o de la mateixa mena: *Aquesta muntanya és molt rocosa i només hi creixen uns quants pins nans.* **2** *nom m i f* Personatge imaginari molt petit: *Al conte de la Blancaneu hi surten set nans.* **3** *nom m* Persona amb el cap ficat a dins un gran cap de cartó, que fa riure pel seu aspecte: *Per la festa major, surten al carrer els gegants i els nans.*

nano nana nanos nanes *nom m i f* Nen, nena.

nansa nanses *nom f* **1** Part que surt d'un objecte i que serveix per a agafar-lo amb la mà. **2** Estri de pesca consistent en un recipient de malla, de vímet, etc. que té l'entrada en forma d'embut.

nap naps *nom m* **1** Arrel comestible d'una planta del mateix nom més aviat grossa, de forma allargada i que es menja cuita com a acompanyament d'alguns plats o bé que

n

serveix d'aliment al bestiar: *Per dinar hem menjat peus de porc amb naps.* **1 2** *Abans a en Tomàs la platja li agradava molt, ara* **tant se li'n dóna naps com cols**: tant li fa una cosa com una altra.

napa napes *nom f* Pell d'ovella, de cabra o de boví tractada i tenyida i amb la qual es fan jaquetes, abrics, etc.

nap-buf nap-bufs *nom m* Criatura de poca alçada per l'edat que té; el més petit d'una colla.

nàpia nàpies *nom f* Nas gros.

narcís narcisos *nom m* Planta de jardí de fulles allargades en forma de cinta i de flors blanques o grogues que fan molta olor. **3**

narcòtic narcòtica narcòtics narcòtiques *adj i nom m* Substància que fa venir molta son i que disminueix la capacitat dels sentits: *Les drogues són narcòtics.*

nard nards *nom m* Planta que fa una flor blanca en forma d'espiga allargada i que és molt apreciada per la seva olor.

nariu narius *nom m* Cadascun dels forats del nas. **20**

narració narracions *nom f* **1** Escrit de creació literària més llarg que un conte i més curt que una novel·la. **2** Explicació d'una història, d'un fet, d'un conte, etc.

narrador narradora narradors narradores *adj i nom m i f* Es diu de la persona que escriu o explica una narració, un conte, una història, etc.

narrar *v* **1** Contar, explicar algun fet, alguna narració exposant-ne les parts ordenadament. **2** Escriure narracions. Es conjuga com *cantar*.

narratiu narrativa narratius narratives **1** *adj* Que està relacionat amb la narració: *Els textos narratius expliquen històries protagonitzades per uns personatges als quals passen una sèrie de fets.* **2** narrativa *nom f* Conjunt dels gèneres narratius, com ara el conte, la narració i la novel·la.

narval narvals *nom m* Cetaci d'uns sis metres de llarg que habita l'oceà Àrtic; el mascle té una dent molt grossa i llarga a la mandíbula superior. **12**

nas nassos *nom m* **1** Part que surt de la cara, entre la boca i el front, que té dos forats, i que és l'òrgan del sentit de l'olfacte: *La Maria té el* nas molt petit i en Robert el té molt gros. **2** *En Lluís* **no hi veu més enllà del nas**: no és gaire llest. **3** *Li va* **pujar la mosca al nas**: es va enfadar. **4** *Vaig anar a* **treure el nas** al pati, però no hi vaig veure ningú: anar un moment en un lloc, sense estar-hi gaire estona. **5** *L'Assumpta* **té nas**, de seguida ha vist la solució: té facilitat per endevinar les coses.

nasal nasals *adj* Que té relació amb el nas o amb l'aparell de l'olfacte.

nassut nassuda nassuts nassudes *adj* Que té el nas gros.

nat nada nats nades *adj* Nascut.

nata nates *nom f* **1** Aliment de color blanc que es treu de la llet: *Avui per postres hem menjat maduixes amb nata.* **2** Bufetada: *Si em molestes, et clavaré una nata.*

natació natacions *nom f* Esport de nedar, activitat de nedar: *A la Maria li agrada molt la natació.* ▪ *En Josep va a classes de natació.*

natal natals *adj* Relacionat amb el naixement d'algú: *El poble natal del poeta Jacint Verdaguer és Folgueroles.*

natalici natalicis *nom m* Dia del naixement d'una persona i cadascun dels aniversaris.

natalitat natalitats *nom f* Nombre de naixements que hi ha en una població durant un temps determinat.

natiu nativa natius natives **1** *adj* Es diu d'una cosa que es té des del naixement, que no s'adquireix després. **2** *adj i nom m i f* Nadiu.

nativitat nativitats *nom f* Naixement.

natja natges *nom f* Cadascuna de les dues parts toves en què està dividit el cul.

natura natures *nom f* **1** Conjunt de les coses que existeixen i que són independents de l'acció de les persones, naturalesa. **2** Conjunt de tot el que existeix en oposició a la ciutat: els camps, els rius, els llacs, el mar, etc. **3** Conjunt de característiques pròpies, essencials d'algú o d'alguna cosa: *Aquest gos és de naturalesa salvatge.*

natural naturals *adj* **1** Produït per la natura, no per les persones, que té relació amb la natura: *La llet és un aliment natural.* ▪ *Aquestes flors són artificials, però aquelles altres són naturals.* **2** Normal, sense exagerar, sense fer o dir coses estranyes: *No parlis d'aquesta manera tan estranya, parla natural.* ▪ *Si no et trobes bé i tens febre,* és *natural que no vagis a treballar.* **3** *adj* i *nom m* i *f* Nascut en un poble o nació determinat: *Nosaltres som naturals de les Illes.*

naturalesa naturaleses *nom f* Natura.

naturalista naturalistes *nom m* i *f* Persona que es dedica a l'estudi de les ciències naturals.

naturalitat naturalitats *nom f* Manera normal, espontània, gens exagerada de fer o de dir una cosa: *Va recitar el poema amb molta naturalitat, sense posar-se nerviós.*

naturalment *adv* De manera natural, evidentment: *Després d'adonar-nos que ens havien robat, ho vàrem denunciar a la policia, naturalment.*

naturisme naturismes *nom m* **1** Doctrina que defensa el retorn a una manera de viure natural, no modificada per l'acció de les persones. **2** Doctrina que considera que es poden curar totes les malalties amb productes naturals.

naturista naturistes **1** *adj* Que està relacionat amb el naturisme. **2** *nom m* i *f* Persona que és partidària del naturisme.

nau naus *nom f* **1** Embarcació, vaixell. **2** En un edifici, espai comprès entre parets, arcades, columnes, etc.: *La nau central d'aquella església és immensa.* **3** **nau espacial** Vehicle que viatja per l'espai.

nàufrag nàufraga nàufrags nàufragues *adj* i *nom m* i *f* Es diu de la persona que anava en una nau que s'ha enfonsat.

naufragar *v* **1** Enfonsar-se una nau. **2** Fracassar, arruïnar-se una empresa, un negoci, etc. Es conjuga com *cantar.* S'escriu *g* davant de *a, o, u* i *gu* davant de *e, i: naufrago, naufragues.*

Naus **1** caravel·la **2** vaixell de guerra romà **3** vaixell víking **4** piragua **5** galera **6** veler de tres pals **7** navili **8** iot **9** petrolier **10** bot pneumàtic **11** transatlàntic **12** vaixell de càrrega

naufragi naufragis *nom m* **1** Fet d'enfonsar-se una nau. **2** Ruïna completa, total.

nàusea nàusees *nom f* Malestar, mareig, sensació desagradable, com la que es té abans de vomitar.

nauseabund nauseabunda nauseabunds nauseabundes *adj* Es diu d'una cosa que produeix nàusees.

nàutic nàutica nàutics nàutiques **1** *adj* Que té relació amb la navegació: *M'agraden tots els esports nàutics: el rem, la vela, l'esquí, etc.* **2** **nàutica** *nom f* Ciència i art de navegar: *Una escola de nàutica.*

naval navals *adj* Que té relació amb les naus i la navegació.

navalla navalles *nom f* **1** Ganivet que es plega ficant la fulla en una ranura que hi ha en el mànec. **2** Instrument d'acer de tall molt fi que serveix per a afaitar el pèl i els cabells. **3** Mol·lusc molt allargat que viu a la sorra fangosa i és molt apreciat com a aliment.

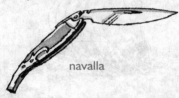

navalla

navarrès navarresa navarresos navarreses **1** *nom m i f* Habitant de Navarra; persona natural o procedent de Navarra. **2** *adj* Es diu de les persones o de les coses naturals o procedents de Navarra.

navegable navegables *adj* Es diu de les aigües per on es pot navegar: *Una part del riu Ebre és navegable, perquè és molt ample i té molta profunditat.*

navegació navegacions *nom f* **1** Acció de navegar. **2** Conjunt de tècniques, de lleis, de coneixements, etc. que tenen relació amb el mar i amb les naus. **3** Viatge per mar. **4** **navegació aèria** Conjunt de tècniques, de lleis, de coneixements, etc. que tenen relació amb la circulació dels avions.

navegador navegadors *nom m* Programa informàtic que permet de connectar-se a Internet, visitar pàgines web, baixar-ne documents, etc.

navegant navegants *adj i nom m i f* Que navega, que va amb una nau.

navegar *v* **1** Anar, viatjar amb una nau. **2** Anar una nau per l'aigua.
Es conjuga com *cantar.* S'escriu *g* davant de *a, o, u* i *gu* davant de *e, i: navego, navegues.*

naveta navetes *nom f* **1** Monument prehistòric fet amb pedres molt grosses, que té forma de nau posada al revés i és típic de Mallorca i Menorca. **2** Vas en forma de nau on es guarda l'encens que es fa servir en algunes cerimònies religioses.

naveta

navili navilis *nom m* Nau gran: *L'exèrcit de mar té molts navilis.*

nazi nazis *adj i nom m i f* Es diu de la persona partidària del nazisme.

nazisme nazismes *nom m* Ideologia política que va sorgir a Alemanya a començaments del segle XX, i que propugnava la superioritat d'una raça per damunt de les altres i l'ús de la violència per arribar al poder.

ne *pron* Forma del pronom **en**.

nebot neboda nebots nebodes *nom m i f* Fill d'un germà o d'una germana: *El fill de la meva germana gran és el meu nebot; jo sóc el seu oncle.*

nebulós nebulosa nebulosos nebuloses *adj* **1** Cobert de boira: *A primera hora del matí, el dia era nebulós.* **2** Poc clar, confús: *Unes explicacions nebuloses.*

nebulosa nebuloses *nom f* Núvol molt gros format per la matèria que hi ha entre els estels i que de vegades es pot veure a la nit.

necessari necessària necessaris necessàries *adj* Es diu d'allò que no pot faltar: *L'aire és necessari per a la respiració.*

necessàriament *adv* D'una manera necessària, per necessitat: *Per jugar a futbol, necessàriament has de tenir una pilota.*

necesser necessers *nom m* Bossa o estoig on es porta la pinta, el sabó, la colònia, el raspall de les dents, etc. quan es va de viatge.

necessitar *v* Tenir necessitat d'algú o d'alguna cosa, fer falta: *Necessito un bolígraf per a escriure.* Es conjuga com *cantar.*

necessitat[1] **necessitada necessitats necessitades** *adj* i *nom m* i *f* Es diu de les persones pobres, que no tenen les coses necessàries per a viure: *Cal ser solidari amb els més necessitats.*

necessitat[2] **necessitats** *nom f* **1** Allò que és necessari, imprescindible: *Alimentar-se és una necessitat dels éssers vius.* **2** Falta de les coses necessàries per a viure: *Aquella família passa moltes necessitats i l'hem d'ajudar.* **3** El gos va **fer les necessitats** darrere un arbre: fer pipí o caca.

neci nècia necis nècies *adj* i *nom m* i *f* Es diu de la persona ximple, que no sap allò que hauria de saber.

nècora nècores *nom f* Cranc de mar de color fosc, que té cinc parells de potes i és molt apreciat com a aliment.

necro- necr- Element amb què comencen algunes paraules i que vol dir "mort".

necrològic necrològica necrològics necrològiques *adj* Es diu de la notícia, de l'escrit, etc. que informa de la mort d'una persona.

necròpoli necròpolis *nom f* Mira **necròpolis.**

necròpolis unes **necròpolis** *nom f* Cementiri d'una època molt antiga: *A Empúries hi ha una necròpolis romana.*

nèctar nèctars *nom m* Líquid dolç que segreguen les flors de moltes plantes i que atreu els insectes i alguns ocells.

nectarina nectarines *nom f* Fruit comestible semblant al préssec, amb la pell llisa i de color vermell i la polpa de color groc intens.

nedador nedadora nedadors nedadores *adj* i *nom m* i *f* Que neda: *La seva mare era una bona nedadora.*

nedar *v* **1** Aguantar-se i avançar en l'aigua per mitjà de moviments de braços i cames: *Es va tirar de cap a la piscina i va nedar una bona estona.* **2** Mantenir-se una cosa sobre un líquid, flotar: *Les gotes d'oli neden sobre l'aigua.* **3** **nedar en l'abundància** Ser molt ric. Es conjuga com *cantar.*

neerlandès neerlandesa neerlandesos neerlandeses *adj* i *nom m* i *f* Holandès.

nefast nefasta nefasts o **nefastos nefastes** *adj* Dolent, molt negatiu: *Aquella pluja va ser nefasta, perquè va provocar inundacions.*

negació negacions *nom f* Acció de dir que no a una cosa, de negar-la.

negar[1] *v* **1** Dir que no és veritat una cosa: *En Joan va negar que ell hagués trencat el vidre.* **2** Dir que no a una petició, no concedir una cosa: *El pare es va negar a deixar-nos anar d'excursió.* Es conjuga com *cantar.* S'escriu *g* davant de *a, o, u* i *gu* davant de *e, i: nego, negues.*

negar[2] *v* **1** Ofegar algú enfonsant-lo en un líquid. **2** Inundar, cobrir d'aigua: *La riuada va negar camps i masies.* **3** *L'allioli s'ha negat:* no ha quedat espès, no s'ha lligat. Es conjuga com *cantar.* S'escriu *g* davant de *a, o, u* i *gu* davant de *e, i: nega, negui.*

negat negada negats negades *adj* i *nom m* i *f* Que és incapaç de fer bé una cosa, que no en sap: *Sóc negada per a la gimnàstica.*

negatiu negativa negatius negatives *adj* **1** Que expressa o vol dir una negació, un no: *El porter no volia que entréssim i ens ha fet un senyal negatiu amb el cap.* ■ *L'oració "el cotxe no funciona" és una oració negativa.* **2** Que no és positiu, que no és bo: *Aquell noi no col·labora mai en res, sempre té una actitud negativa.* **3** Es diu del nombre que és més petit que zero i que porta al davant el signe menys. **4** Es diu del signe (-) que designa els nombres més petits que zero. **5** *nom m* Imatge primera que s'obté en fer una fotografia, en què les coses clares apareixen fosques i les fosques apareixen clares.

negativa negatives *nom f* Fet de no concedir una cosa, de refusar-la.

negligència negligències *nom f* Falta d'atenció, d'interès a l'hora de fer una cosa: *L'accident es va produir per una negligència del conductor.*

negligent negligents *adj* Que fa les coses sense posar-hi interès ni atenció: *Un motorista negligent va avançar prop d'un revolt i va provocar l'accident.*

negoci negocis *nom m* Activitat econòmica que té per finalitat guanyar diners.

negociació negociacions *nom f* Conjunt d'accions que es fan per arribar a fer un tracte, un acord amb algú.

negociant negociants *nom m* i *f* Persona que fa negocis.

negociar *v* **1** Fer negocis, comprar i vendre mercaderies. **2** Discutir una cosa amb algú

537

per arribar a aconseguir-la, per arribar a un **acord**: *Els treballadors i l'empresari van negociar l'augment dels salaris.*
Es conjuga com *canviar*.

negre negra negres **1** *adj* i *nom m* **Del color del sutge o del carbó**: *Té els ulls negres.* **2** *adj* **Molt fosc, sense gens de llum**: *Fa una nit molt negra.* **3 veure-ho tot negre** Veure-ho tot molt difícil de fer o d'aconseguir: *Aquell noi acostuma a veure-ho tot negre.* **4 passar-les negres** Passar-ho malament: *Les vam passar negres per arribar al capdamunt de la muntanya.* **5** *nom m* i *f* **Persona d'una raça de pell negra**: *Vam sentir una cantant negra.* **6 treballar com un negre** Treballar intensament: *Ahir vaig treballar com un negre.*

negreta negretes *nom f* **Lletra més gruixuda i d'un color més fort que les altres lletres**: *Els títols del treball, els he posat en negreta perquè es vegin més bé.*

negror negrors *nom f* **1** **Qualitat de negre**: *Als carboners se'ls enganxa la negror del carbó a la pell.* **2** **Núvols negres i espessos que són senyal de tempesta**: *Mireu quina negror: aviat caurà un xàfec.*

negrós negrosa negrosos negroses *adj* **Molt fosc, tirant a negre.**

neguit neguits *nom m* **Molèstia, inquietud produïda per una gran impaciència i excitació**: *No passis neguit: ja veuràs com l'examen serà fàcil.*

neguitejar *v* **Causar neguit, impaciència, inquietud**: *La teva afició a la velocitat em neguiteja perquè algun dia tindràs un accident.*
Es conjuga com *cantar*. S'escriu *j* davant de *a, o, u* i *g* davant de *e, i*: *neguitejo, neguiteges.*

neguitós neguitosa neguitosos neguitoses *adj* **Que té o sent neguit, impaciència, inquietud**: *Que vinguis tan tard a la nit em fa estar molt neguitós.*

néixer *v* **1** **Sortir de la mare o de l'ou un ésser viu**: *El germà petit de la Núria va néixer fa dos mesos.* ■ *Han nascut dos ànecs.* **2** **Sortir una planta de terra**: *En el jardí hi ha nascut molta herba.* **3** *El va atropellar un cotxe i no li va passar res: va ser com* **tornar a néixer**: salvar-se d'un perill greu quan semblava impossible.
La conjugació de *néixer* és a la pàg. 841.

nen nena nens nenes *nom m* i *f* **Infant, noi o noia petit, de pocs anys**: *A la nostra escola hi van molts nens i nenes.*

nenúfar nenúfars *nom m* **Planta que neix, creix i es desenvolupa en l'aigua dels estanys, dels llacs, etc. i que té unes fulles amples i flotants i flors blanques o grogues.**

nenúfars

neo- Prefix, element que s'afegeix al davant d'una paraula i que vol dir "nou".

neoclàssic neoclàssica neoclàssics neoclàssiques *adj* **Que segueix la doctrina del Neoclassicisme, el moviment estètic del segle** XVIII **que propugnava un retorn a les formes i als temes clàssics.**

neòfit neòfita neòfits neòfites *nom m* i *f* **Persona que fa poc temps que creu en una religió, en unes idees polítiques, etc.**

neolític neolítica neolítics neolítiques **1** *adj* **Que està relacionat amb el període del neolític o hi pertany.** **2** *nom m* **Període de la prehistòria en què la humanitat va començar a polir la pedra per fer-ne eines i utensilis, a conrear la terra i a criar bestiar.**

neologisme neologismes *nom m* **Paraula o expressió nova introduïda en una llengua.**

nero neros *nom m* **Peix de mar de cos gros i allargat, de color fosc amb taques clares, boca ampla i ulls grossos, que és molt apreciat com a aliment.**

nervi nervis *nom m* **1** **Cadascun dels òrgans en forma de fil o de cordó que posen en comunicació les diferents parts del cos amb el cervell i que serveixen per a transmetre les sensacions.** 15 18 **2** *Fins que no passi l'examen* **tindré nervis**: estar nerviós, inquiet a causa d'alguna cosa. **3 tenir nervi** Tenir força, caràcter, energia una persona o una cosa. **4** **Cadascuna de les línies que es veuen en les fulles de les plantes.**

nerviós nerviosa nerviosos nervioses *adj* **1** **Que té relació amb els nervis del cos**: *El sistema nerviós de les persones dirigeix totes les funcions del cos.* **2** **Que s'excita fàcilment**: *Veient el partit de bàsquet em vaig posar molt nerviós.*

nerviosisme nerviosismes *nom m* Estat de nervis, d'excitació, d'inquietud: *El públic va seguir amb nerviosisme els últims minuts del partit, patint que l'equip contrari no fes el gol de l'empat.*

nespla nesples *nom f* Fruit del nespler, que es menja quan és molt madur. **2**

nespler ₒ nesplera nesplers ₒ nespleres *nom m o f* Arbre de fulla caduca que fa nesples.

nespra nespres *nom f* **1** Fruit comestible del nesprer, de color taronja i gust una mica àcid. **2** Nespla.

nesprer ₒ nesprera nesprers ₒ nespreres *nom m o f* **1** Arbre de fulla perenne originari del Japó que fa nespres. **2** Nespler.

net neta nets netes *adj* **1** Sense taques, sense brutícia: *M'he posat una camisa neta.* **2** Es diu de la persona que manté net el seu cos i les seves coses: *La Rosa és molt neta.* **3 fer net d'una cosa** Acabar-se una cosa, consumir-la totalment: *Ahir vam fer net de pa.* **4** He de passar la redacció **en net**, sense errors, de manera definitiva. **5 jugar net** Sense fer trampes: *Quan juguis a cartes no facis trampes, juga net.*

nét néta néts nétes *nom m i f* Fill d'un fill o d'una filla: *Cada diumenge sortien a passejar els avis amb els néts.*

netedat netedats *nom f* Qualitat de net: *En aquella casa hi havia molta netedat, no hi havia res brut.*

neteja neteges *nom f* Acció de fer tornar una cosa neta: *Avui farem neteja de la casa.*

netejar *v* Fer neta alguna cosa traient-ne la brutícia, les taques, etc.: *Has de netejar-te les sabates, que les portes molt brutes.* Es conjuga com *cantar*. S'escriu *j* davant de *a, o, u* i *g* davant de *e, i: netejo, neteges.*

neu neus *nom f* Aigua que cau del cel en forma de petites gotes glaçades, agrupades en volves o borrallons blancs: *A l'hivern hi sol haver neu a les muntanyes.*

neula neules *nom f* Full prim, d'una pasta feta de farina i sucre, enrotllat en forma de tub i cuit: *Per Nadal és costum menjar torrons i neules.*

neuler neulera neulers neuleres **1** *nom m i f* Persona que fa o ven neules. **2** *nom m* Aparell que serveix per a fer neules. **3 carregar els neulers a algú** Deixar per a algú la part més pesada, més difícil, més complicada d'una feina.

neulir-se *v* Anar perdent la força, el vigor. Es conjuga com *servir.*

neulit neulida neulits neulides *adj* Escarransit, sense força.

neuràlgia neuràlgies *nom f* Dolor molt intens i seguit en un nervi.

neuro- neur- Element amb què comencen algunes paraules i que vol dir "nervi".

neuròleg neuròloga neuròlegs neuròlogues *nom m i f* Metge especialitzat en les malalties del sistema nerviós.

neurologia neurologies *nom f* Branca de la medicina que tracta del sistema nerviós.

neurona neurones *nom f* Cèl·lula del teixit nerviós.

neurosi neurosis *nom f* Malaltia mental que provoca alteracions en el comportament de la persona que la pateix.

neuròtic neuròtica neuròtics neuròtiques *adj i nom m i f* Es diu de la persona que pateix una neurosi.

neutral neutrals *adj* Que no és ni d'un bàndol ni de l'altre: *L'àrbitre d'un partit ha de ser neutral, no pot anar a favor d'un equip ni de l'altre.*

neutralitzar *v* Fer neutre, deixar sense efectes una cosa exercint una força contrària: *Aquesta substància neutralitzarà els efectes del verí de la serp.* Es conjuga com *cantar.*

neutre neutra neutres *adj* **1** Que es troba entremig de dues qualitats, de dues característiques oposades, que no és definit, que no destaca perquè no té ni qualitats ni defectes: *Va fer un discurs neutre, ni gaire seriós ni gaire divertit.* **2 vocal neutra** Vocal del català oriental que no és ni "a" ni "e", però s'hi assembla, i que, segons els casos, s'escriu amb la lletra "a" o amb la lletra "e": *En la paraula "Barcelona" totes les vocals, tret de la o, són vocals neutres.*

neutró neutrons *nom m* Cadascuna de les partícules sense càrrega elèctrica que, juntament amb unes altres anomenades protons, constitueixen el nucli de l'àtom.

nevada nevades *nom f* Caiguda de neu, quantitat de neu caiguda.

nevar *v* Caure neu: *Per Nadal, a molta gent li fa gràcia que nevi.* Es conjuga com *cantar.*

nevera neveres *nom f* Aparell, màquina elèctrica que produeix fred i que consisteix en una mena d'armari on es poden guardar els aliments per mantenir-los frescos i en bon estat: *Perquè el menjar no es faci malbé, s'ha de guardar a la nevera.*

nexe nexes *nom m* **1** Connexió, enllaç d'una cosa amb una altra. **2** Paraula que serveix per a relacionar paraules o grups de paraules: *En l'expressió "pa amb tomàquet i pernil" hi ha dos nexes, que són "amb" i "i".*

ni *conj* **1** Paraula que serveix per a enllaçar dues negacions: *No m'agrada la nata ni la crema.* **2** Paraula que serveix per a reforçar una negació: *No tinc ni cinc cèntims.* **3** ni que Encara que, fins i tot: *Hi aniríem ni que plogués.* **4** ni un Cap: *No en tinc ni un, de caramel.*

niar *v* Fer el niu un ocell.
Es conjuga com *canviar.*

nicaragüenc nicaragüenca nicaragüencs nicaragüenques **1** *nom m i f* Habitant de Nicaragua; persona natural o procedent de Nicaragua. **2** *adj* Es diu de les persones o de les coses naturals o procedents de Nicaragua.

nicotina nicotines *nom f* Substància tòxica del tabac que entra dins el cos quan es fuma i que produeix malalties molt greus.

nierada nierades *nom f* Conjunt d'ocellets d'un niu.

nigromància nigromàncies *nom f* Art d'endevinar el futur comunicant-se amb els morts.

nigul niguls *nom m* Núvol.

niló nilons *nom m* Fibra artificial, elàstica i resistent, que serveix per a fer fils i teixits.

nimbus uns nimbus *nom m* Núvol baix i fosc que porta pluja o neu.

nimfa nimfes *nom f* **1** Ésser fabulós amb forma de dona que en les llegendes vivia als boscos, als rius o als estanys. **2** Insecte jove que ja no és una larva i està a punt de transformar-se en adult.

nin nina nins nines *nom m i f* Infant, nen, nena.

nina nines *nom f* **1** Figureta feta amb roba, cartó, plàstic, etc. que representa un nen o una nena i que serveix perquè hi juguin els infants: *A la Maria i a en Jordi els agrada de jugar a nines.* **2** nina o nineta de l'ull Part fosca del centre de l'ull, pupil·la. **3** *La Rosa és la nineta dels ulls de la seva àvia:* ser la persona preferida d'algú.

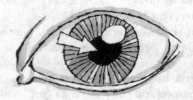

nina o nineta de l'ull

nineta ninetes *nom f* Mira nina **2**.

ning-nang Onomatopeia, paraula que imita el so d'una campana.

ning-ning Onomatopeia, paraula que imita el so d'una campaneta.

ningú *pron* **1** Paraula que, en frases negatives, vol dir "cap persona": *A la classe no hi havia ningú.* **2** Paraula que, en frases interrogatives o condicionals, vol dir "algú": *Ha vingut ningú mentre jo era fora?* ▪ *Si ve ningú, digueu-li que torno de seguida.*

nino ninos *nom m* Nina que representa un nen.

ninó ninona ninons ninones *nom m i f* Infant petit.

ninot ninots *nom m* Figura que representa una persona feta amb draps, cartó, neu, etc. o dibuixada: *Els nens van fer un ninot de neu.* ▪ *Mira quin ninot de cartó més maco!* ▪ *Vaig dibuixar un ninot a la pissarra.*

ninotaire ninotaires *nom m i f* Persona que dibuixa o fa ninots: *Hi ha molts contes il·lustrats per la ninotaire Pilarín Bayés.*

nínxol nínxols *nom m* **1** Cadascun dels forats de les parets del cementiri on són enterrats els morts. **2** Forat fet en una paret per posar-hi una estàtua, un gerro, etc.

nipó nipona nipons nipones *adj i nom m i f* Japonès.

níquel níquels *nom m* Metall que s'assembla a la plata i que es fa servir per a fabricar monedes i altres objectes.

nirvi nirvis *nom m* Nervi.

nissaga nissagues *nom f* Origen d'una persona, tenint en compte els seus avantpassats: *Un home de nissaga noble, descendent de nobles.*

nit nits nom f **1** Període durant el qual no hi ha llum, perquè el sol s'ha post: A la nit la gent dorm. **2 bona nit** Expressió que es fa servir per a dir adéu a algú que no hem de veure fins passada la nit, quan ens n'anem a dormir, etc.: Me'n vaig a dormir, bona nit! **3** En Joan i en Pere són diferents **com de la nit al dia**: molt diferents. **4 fer nit** Passar la nit: Vam fer nit en un hotel. **5 passar la nit en blanc** Passar la nit sense dormir. **6 de la nit al dia** En un moment, en molt poca estona.

nítid nítida nítids nítides adj Clar, precís, sense impureses: La imatge d'aquesta televisió és molt nítida.

nitidesa nitideses nom f Claredat, precisió, puresa.

nitrogen nitrògens nom m Gas que, barrejat amb l'oxigen, forma l'aire que respirem.

niu nius nom m **1** Construcció que els ocells fan amb herbes, branquetes, plomes, etc. per a pondre-hi els ous, covar-los i criar els petits: Els arbres eren plens de nius d'ocell. **2** Lloc on ponen els ous alguns animals, on alimenten les cries: Aquí hi ha un niu d'abelles. ■ Hem trobat un niu de rates. **3 saber-ne un niu** Saber molt d'una cosa. **4** Gran quantitat d'una cosa: En aquell racó hi ha un niu de pols.

nius

nivell nivells nom m **1** Punt fins on arriba una superfície, un líquid, etc., altura: Amb la pluja ha pujat el nivell del riu. **2** Situació en què es troba algú o alguna cosa: El nivell de coneixement d'aquest estudiant és molt alt. **3 nivell de vida** Manera de viure segons els diners que es tenen. **4** Instrument que permet de comprovar si un terreny, una paret, etc. són plans.

no adv Paraula que serveix per a negar, per a indicar que una cosa no va passar o no és d'una determinada manera: Aquell nen no sap nedar. ■ Aquest caramel no és bo.

nobiliari nobiliària nobiliaris nobiliàries adj Que està relacionat amb la noblesa: Un títol nobiliari.

noble nobles **1** adj i nom m i f Es diu de la persona que, en certes comunitats, per herència o per voluntat del rei, pertany a una classe social que es creu superior i que s'anomena noblesa: Els comtes i els marquesos són nobles. **2** adj Bo, sincer, just: En Marià és un noi molt noble.

noblesa nobleses nom f **1** Conjunt dels nobles, classe social que es considera superior per la situació econòmica i familiar. **2** Conjunt de característiques de les persones bones, sinceres, justes: El meu pare és un home d'una gran noblesa.

noces nom f pl **1** Casament, festa amb què se celebra un casament. **2 noces d'argent** Celebració del vint-i-cinquè aniversari d'un casament o d'un altre fet important. **3 noces d'or** Celebració del cinquantè aniversari d'un casament o d'un altre fet important. **4 noces de diamant** Celebració del seixantè aniversari d'un casament o d'un altre fet important. **5 noces de platí** Celebració del setanta-cinquè aniversari d'un casament o d'un altre fet important.

noció nocions nom f Coneixement mínim d'una cosa: En Martí té algunes nocions de física.

nociu nociva nocius nocives adj Que fa mal, que perjudica: Les plagues de llagosta són nocives per a les plantes.

noctàmbul noctàmbula noctàmbuls noctàmbules adj i nom m i f Es diu de la persona a qui li agrada de sortir, de passejar, de treballar, etc. a la nit.

nocturn nocturna nocturns nocturnes adj Que té lloc o que es fa a la nit, que té relació amb la nit: Els mussols són animals nocturns.

nodriment nodriments nom m Acció de donar l'aliment a un ésser viu, de nodrir-lo.

nodrir v Donar a un ésser viu l'aliment necessari per a viure: Les abelles es nodreixen del nèctar de les flors.
Es conjuga com servir.

nodrissa nodrisses nom f Dida.

nogensmenys adv Sense que sigui un obstacle allò que s'acaba de dir, això no obstant: M'han dit que aquesta pel·lícula no és gaire bona, nogensmenys l'aniré a veure.

noguera nogueres nom f Arbre de fulla caduca molt apreciat per la seva fusta i pels seus fruits, les nous.

n

noguerenc noguerenca noguerencs noguerenques **1** *nom m i f* Habitant de la comarca de la Noguera; persona natural o procedent de la comarca de la Noguera. **2** *adj* Es diu de les persones o de les coses naturals o procedents de la comarca de la Noguera.

noi noia nois noies *nom m i f* Persona jove: *El noi que ens va portar el paquet devia tenir uns divuit anys.*

nom noms *nom m* **1** Classe de paraula que designa una persona, un animal o una cosa en particular: *El nom d'aquest noi és Miquel.* ▪ *El mestre sap el nom de tots els nens de la classe.* ▪ *Saps els noms de tots els rius de la comarca?* **2** Classe de paraula que designa les coses d'una mateixa espècie o tipus i les distingeix de les altres: *"Alzina", "roure" i "pi" són noms que designen tres classes d'arbres.* **3** Classe de paraula que serveix per a referir-se a coses, fets, animals i persones i que pot ser complementada per un adjectiu: *En l'expressió "el gat negre" hi ha un nom, "gat", i un adjectiu, "negre".* **4 nom comú** nom que serveix per a anomenar éssers i objectes d'una mateixa classe, gènere, etc.: *La paraula "ciutat" és un nom comú.* **5 nom propi** nom d'una persona, d'una ciutat, etc.: *La paraula "Barcelona" és un nom propi.* **6 conèixer de nom** Haver sentit parlar d'algú sense haver-lo vist mai: *Aquell pintor tan famós, només el conec de nom.* **7 en nom de** En representació de: *Parlo en nom de tota la classe.* **8** *Això que heu fet* **no té nom** *és molt greu.* **9** *Aquest músic deu* **tenir molt nom** *tenir fama.*

nòmada nòmades *adj i nom m i f* Es diu de la persona o grup de persones que practiquen el nomadisme, que es traslladen d'un lloc a un altre buscant condicions de vida millors.

nomadisme nomadismes *nom m* Sistema de vida d'alguns grups de persones que es traslladen constantment d'un lloc a un altre buscant condicions de vida millors.

nombre nombres *nom m* **1** Resultat de comptar les coses; quantitat d'allò que es pot comptar: *Quin és el nombre d'alumnes de la teva escola?* **2** *En aquell bosc hi ha un gran nombre d'arbres:* una gran quantitat. **3** Número, xifra: *El nombre 4 és parell.* **4** Categoria gramatical que indica si els noms, els pronoms, els articles, els adjectius i els verbs estan en singular o bé en plural: *La paraula "llibre" està en nombre singular i es refereix a un únic objecte; en canvi,* *"llibres" està en nombre plural i es refereix a més d'un objecte.*

nombrós nombrosa nombrosos nombroses *adj* Que consta d'una gran quantitat de coses o de persones.

nomenament nomenaments *nom m* Acció de nomenar algú per a un càrrec, una funció, etc.

nomenar *v* Fer que algú tingui un càrrec, un treball, etc.: *A l'Àngel l'han nomenat director de la fàbrica.*
Es conjuga com *cantar*.

només *adv* Solament, únicament: *M'has demanat dos llapis, però jo només en tinc un.*

nòmina nòmines *nom f* Llista dels noms de les persones que treballen en una empresa i que cobren un sou.

nominal nominals *adj* Que té relació amb el nom: *L'expressió "la casa blanca" és un sintagma nominal perquè la paraula més important d'aquest grup de paraules és el nom "casa".*

nones Paraula que apareix en l'expressió **fer nones**, que vol dir "dormir": *La mare va dir al nen: "Au, maco, anem al llit que és hora de fer nones."*

nora nores *nom f* Dona que és casada amb el fill d'una persona, també anomenada jove.

noranta norantes *nom m i adj* Paraula que expressa la quantitat representada per la xifra 90.

nord nords *nom m* **1** Punt, costat de l'horitzó que es troba a davant nostre quan a la nostra dreta tenim l'est: *El País Basc és al nord de la península Ibèrica.* **2 perdre el nord** Desorientar-se, no saber què cal fer, desconcertar-se: *Quan els van fer el segon gol, l'equip visitant va perdre el nord.*

nord-americà nord-americana nord-americans nord-americanes **1** *nom m i f* Habitant de l'Amèrica del Nord, especialment dels Estats Units de l'Amèrica del Nord; persona natural o procedent de l'Amèrica del Nord, especialment dels Estats Units de l'Amèrica del Nord. **2** *adj* Es diu de les persones o de les coses naturals o procedents de l'Amèrica del Nord, especialment dels Estats Units de l'Amèrica del Nord.

nord-est nord-ests *nom m* Punt de l'horitzó entre el nord i l'est.

nòrdic nòrdica nòrdics nòrdiques*adj i nom m i f* Es diu de les persones o de les coses que tenen relació amb els països del nord d'Europa: *Suècia, Noruega i Dinamarca són països nòrdics.*

nord-oest nord-oests *nom m* Punt de l'horitzó entre el nord i l'oest.

no-res *nom m* No existència de res.

norma normes*nom f* Regla que s'ha de seguir per fer alguna cosa: *Les normes de circulació obliguen els cotxes a anar per la dreta.*

normal normals *adj* Es diu de tot allò que no es estrany ni extraordinari, sinó ordinari i natural: *En Ramon té una estatura normal.* ▪ *A l'hivern és normal que faci fred.*

normalitat normalitats *nom f* Qualitat de normal: *L'accident va provocar un embús de trànsit, però al cap d'una hora la situació va tornar a la normalitat.*

normalització normalitzacions*nom f* Acció de normalitzar una cosa, de fer-la normal: *Cal continuar treballant per aconseguir la plena normalització lingüística del català, és a dir, que el català s'usi normalment en totes les situacions.*

normalitzar*v* Fer que una cosa sigui normal: *Dos dies després de la nevada es va començar a normalitzar el funcionament dels trens.* Es conjuga com *cantar.*

normalment*adv* D'una manera normal, natural, generalment, habitualment: *Normalment pleguem a les 5, però avui hem sortit a les 6.*

normatiu normativa normatius normatives *adj* Que té relació amb una norma o un conjunt de normes.

normativa normatives *nom f* Conjunt de normes: *Si volem escriure bé, ens hem d'aprendre la normativa de la llengua catalana.* ▪ *La normativa de l'empresa impedeix de fumar dintre del recinte.*

noruec noruega noruecs noruegues **1** *nom m i f* Habitant de Noruega; persona natural o procedent de Noruega. **2** *adj* Es diu de les persones o de les coses naturals o procedents de Noruega. **3** *nom m* Llengua que es parla a Noruega.

nos*pron* Forma del pronom **ens**

nós*pron* Paraula que fan servir per a referir-se a ells mateixos alguns personatges que tenen molt poder, com ara els reis o els papes: *El rei va dir: "Nós, el Rei, ordenem que es faci saber arreu del regne la nova del casament de la princesa".*

nosa noses*nom f* **1** Cosa que destorba, que dificulta el bon funcionament d'una cosa, el pas, etc.: *En aquest menjador tan petit, aquesta estufa és una nosa perquè ens dificulta el pas a la cuina.* **2** **fer nosa** Destorbar, dificultar el bon funcionament d'una cosa, etc.: *Volíem jugar a pilota al carrer, però els cotxes ens feien nosa.*

nosaltres*pron* Paraula amb la qual la persona que parla designa un grup de dues o més persones entre les quals s'inclou: *Nosaltres jugarem a futbol.*

nostàlgia nostàlgies*nom f* Enyorança, desig de tornar a veure una persona, un lloc que estimem, etc.

nostre nostra nostres*adj i pron* De nosaltres, que és propi de nosaltres: *Aquesta és la nostra pilota.*

nota notes*nom f* **1** Signe que representa cadascun dels sons d'una composició musical. **2** So musical. **3** Qualificació, resultat d'una prova, examen, etc.: *És una bona estudiant, i sempre treu notes altes.* **4** Comunicació breu d'alguna cosa: *En Cassià m'ha deixat una nota que deia: "A les vuit t'espero davant del cine."* **5** Compte, factura d'allò que s'ha gastat o s'ha consumit en un restaurant, botiga, hotel, etc. **6** Cadascuna de les idees més importants que escrivim quan escoltem una conferència, una classe o quan llegim un llibre: *Mentre els professors expliquen, nosaltres prenem notes.*

notable notables **1** *adj* Que es fa notar, que atreu l'atenció d'algú pel seu interès o qualitat: *A la ciutat hi ha alguns edificis notables.* **2** *nom m* En un examen, prova, etc., nota inferior a l'excel·lent però superior a l'aprovat.

notació notacions *nom f* Representació d'alguna cosa mitjançant un sistema de signes o senyals: *Notació musical.*

notar*v* Adonar-se d'alguna cosa: *Amb la cara que heu posat, hem notat que no us agradava la nostra visita.* Es conjuga com *cantar.*

notari notària notaris notàries *nom m i f* Persona entesa en lleis que té per ofici assegurar que els contractes, els testaments i altres fets i documents són autèntics.

notícia notícies*nom f* **1** Informació sobre un fet que dóna algú o bé la ràdio, la televisió o el diari: *Has escoltat les notícies de la ràdio?* ▪ *Avui m'han donat la notícia de la seva mort.* **2** *Fa molt temps que* **no tinc notícies** *d'en Jaume:* no saber el que fa algú, com li van les coses, etc.

noticiari noticiaris *nom m* Secció, en un diari o en un programa de ràdio o de televisió, en què s'informa de les notícies d'actualitat.

notificació notificacions *nom f* Acció de notificar; escrit on es fa saber alguna cosa a algú: *He rebut una notificació amb l'hora i el lloc de la reunió.*

notificar *v* Fer saber alguna cosa a algú: *Els amos del pis li han notificat l'augment del lloguer de cara a l'any vinent.*
Es conjuga com *cantar.* S'escriu c davant de *a, o, u* i qu davant de *e, i: notifico, notifiques.*

notori notòria notoris notòries *adj* Que destaca, que és molt conegut: *La seva habilitat per aconseguir sempre el que vol és notòria.*

nou[1] nous *nom f* **1** Fruita seca, coberta amb una closca molt forta de color marró clar i de forma ovalada, que és la llavor de la noguera: *En Lluís menjava nous i trencava la closca amb les dents.* **2** **nou del coll** Bony petit que hi ha a la part de davant del coll, que sol ser més visible en els homes que no pas en les dones.

nou

nou[2] nous *nom m i adj* Paraula que expressa la quantitat representada per la xifra 9.

nou[3] nova nous noves *adj* **1** Es diu de les coses i de les persones que comencen a existir, a funcionar, a fer una activitat, etc.: *Aquest nen no venia l'any passat: és nou a la classe.* ▪ *Se'm va acabar el llapis vell i n'he hagut de comprar un de nou.* **2** **venir de nou** Fer-se estranya una cosa a algú, resultar-li sorprenent o desacostumada: *Després de tants dies de vacances, em va venir de nou tornar a anar a l'escola.* **3 de nou** Una altra vegada: *Ens tornarem a trobar de nou d'aquí a tres mesos.*

nounat nounada nounats nounades *adj i nom m i f* Acabat de néixer.

nouvingut nouvinguda nouvinguts nouvingudes *adj i nom m i f* Que acaba d'arribar, de venir, foraster.

nova noves *nom f* Notícia.

novaiorquès novaiorquesa novaiorquesos novaiorqueses **1** *nom m i f* Habitant de Nova York; persona natural o procedent de Nova York. **2** *adj* Es diu de les persones o de les coses naturals o procedents de Nova York.

novament *adv* De nou, una altra vegada.

novè novena novens novenes *adj* **1** Que fa nou en una sèrie, que en té vuit a davant. **2** Cadascuna de les parts d'una quantitat dividida en nou parts iguals.

novell novella novells novelles *adj* Que fa poc temps que fa una cosa, que en té poca experiència, nascut, fet, de poc: *L'Enric és un músic novell.* ▪ *El pare ha portat un vi novell.*

novel·la novel·les *nom f* Escrit llarg que explica fets i aventures de personatges imaginaris.

novel·lista novel·listes *nom m i f* Escriptor de novel·les.

novembre novembres *nom m* Mes de la tardor, onzè mes de l'any, té 30 dies.

novetat novetats *nom f* Allò que és nou; cosa que fa poc temps que existeix o que ha passat: *Aquest llibre acaba de sortir: és una novetat.*

novici novícia novicis novícies **1** *adj* Novell, que té poca experiència. **2** *nom m i f* Persona que s'està preparant per ser membre d'una comunitat religiosa.

nu[1] nua nus nues *adj* **1** Despullat, sense gens de roba: *Es va treure tota la roba per dutxar-se i va quedar ben nu.* **2** Sense vegetació, sense adorns: *Una paret nua.* **3** *nom m* Cos despullat: *Pintar un nu.*

nu[2] nus *nom m* Mira **nus**.

nuar *v* Fer un nus o nusos en alguna cosa, lligar dues coses amb un nus.
Es conjuga com *canviar.*

nuc nucs *nom m* Mira **nus**.

nuca nuques *nom f* Clatell, part de darrere del coll.

nuclear nuclears *adj* Es diu de l'energia obtinguda mitjançant la fusió o la fissió de nuclis atòmics: *Una central d'energia nuclear.*

nucli nuclis*nom m* **1** Part que forma el centre d'alguna cosa, part més important d'una cosa. **2** Esfera central de la Terra. **3 nucli de l'àtom** Part interna de l'àtom carregada positivament i integrada pels protons i els neutrons.

nudisme nudismes*nom m* Manera de pensar i de viure segons la qual es prescindeix dels vestits.

nudista nudistes*adj i nom m i f* Que practica el nudisme, que té relació amb el nudisme: *Hi ha platges nudistes.*

nuesa nueses*nom f* Qualitat de nu.

nul nul·la nuls nul·les *adj* Que no existeix, que no és vàlid, que és inútil: *La diferència entre aquests dos vins és nul·la.* ■ *Com que un dels participants ha sortit abans d'hora, han declarat nul·la la prova de natació.*

nul·litat nul·litats *nom f* **1** Qualitat de nul: *Al cap de molts anys els van concedir la nul·litat del matrimoni.* **2** Persona inútil, amb poques qualitats per a fer una cosa: *Com a actor, és una nul·litat.*

numeració numeracions *nom f* Acció de numerar o de posar números.

numerador numeradors*nom m* **1** Element primer de la parella de nombres que formen un nombre trencat i que es col·loca damunt la ratlla horitzontal: *El numerador del trencat ⁴⁄₆ és 4.* **2** Aparell que serveix per a numerar.

numeral numerals *adj* Que representa un nombre, que té relació amb els nombres: *En l'expressió "setze jutges", la paraula "setze" és un adjectiu numeral.*

numerar *v* Marcar amb un número alguna cosa: *Hem numerat les caixes perquè així sabrem quantes en tenim.* Es conjuga com *cantar.*

numèric numèrica numèrics numèriques *adj* Que té relació amb els nombres.

número números*nom m* **1** Nombre que correspon a una cosa que forma part d'una sèrie o d'una col·lecció: *Jo visc a la casa número 53 del carrer major del meu poble.* **2** Cadascuna de les actuacions o peces d'un espectacle de circ, de cançó, etc.: *El número del circ que ens va agradar més va ser el dels pallassos.* **3** Qualsevol de les edicions d'una revista o de qualsevol altra publicació periòdica: *D'aquesta revista de poesia, ja n'han sortit setanta números.*

numismàtica numismàtiques*nom f* Ciència que estudia la història i les característiques de les monedes i de les medalles.

nupcial nupcials *adj* Que té relació amb el casament: *Durant la cerimònia nupcial tothom estava molt emocionat.*

núpcies *nom f pl* **1** Casament, noces. **2 primeres núpcies** Primer casament d'una persona. **3 segones núpcies** Segon casament d'una persona: *El seu primer marit va morir d'accident i ella, en segones núpcies, es va casar amb un metge.*

nus nusos*nom m* **1** Lligam que es fa ajuntant dos trossos de corda, de fil, etc. i que serveix per a lligar una cosa: *Va lligar la corda a la branca de l'arbre i va fer un nus fort perquè no es deslligués.* **2 fer-se un nus a la gola** Sensació que alguna cosa ens estreny la gola, que no ens deixa respirar ni empassar-nos l'aliment, o que no ens deixa parlar: *Quan estic trist, se'm fa un nus a la gola i no tinc gana.* **3** Part d'una narració, d'una obra de teatre, d'una pel·lícula, etc. on passen la majoria d'accions, i que està situada entre el començament i el desenllaç. **4** Defecte de la fusta, espècie de taca més fosca que apareix al lloc on l'arbre tenia una branca que s'ha tallat. **5** Punt on es troben dues parts d'un dit: *Vaig picar la porta amb els nusos dels dits.* **6** Punt on es troben diferents carreteres, línies de tren, etc. **7** Unitat de mesura de la velocitat dels vaixells.

nus del dit

nutrició nutricions*nom f* Alimentació.

nutrient nutrients*nom m* Substància que és nutritiva, que alimenta i és bona per al cos i per a la salut.

nutritiu nutritiva nutritius nutritives*adj* Que serveix per a nodrir, per a alimentar, que té relació amb la nutrició o l'alimentació: *La llet és un aliment nutritiu bàsic.*

nuvi núvia nuvis núvies*nom m i f* Persona que és a punt de casar-se o que s'ha casat fa poc.

núvol núvols *nom m* **1** Massa formada per gotes d'aigua molt petites o partícules de glaç que s'aguanten en l'aire: *Avui potser plourà, perquè el cel és ple de núvols.* **2** estar als núvols Estar molt distret, no assabentar-se mai de res: *En Pere sempre està als núvols.* **3** posar als núvols Deixar molt bé algú, parlar-ne molt bé, alabar-lo molt: *El professor el va posar als núvols.* **4** *adj* Es diu del temps quan el cel és tapat o ple de núvols: *Avui fa un dia núvol.*

nuvolada nuvolades *nom f* Massa de núvols.

nuvolós nuvolosa nuvolosos nuvoloses *adj* Cobert de núvols: *Un dia nuvolós.*

nyac Onomatopeia, paraula que imita el soroll que fan dues coses quan es tanquen de cop i n'agafen una altra: *El gos va obrir la boca i, nyac, va mossegar el bastó.*

nyam-nyam Onomatopeia, paraula que imita l'acció de menjar.

nyanyo nyanyos *nom m* Bony que surt al cap a conseqüència d'un cop.

nyap nyaps *nom m* Cosa mal feta, bunyol: *El dibuix m'ha sortit molt malament, és un nyap i l'hauré de repetir.*

nyec-nyec Onomatopeia, paraula que imita el soroll que fan dues persones que discuteixen contínuament: *Aquells dos tot el dia estan nyec-nyec, tot el dia es barallen.*

nyic Onomatopeia, paraula que imita un soroll agut i estrident, com ara un gemec o un grinyol.

nyic-nyic Onomatopeia, paraula que imita la manera de parlar d'una persona que tot el dia ens atabala.

nyicris uns/unes nyicris *nom m i f* Persona escanyolida, molt prima, que té poca salut.

nyigo-nyigo Onomatopeia, paraula que imita el so d'un violí, d'un violoncel, etc. quan es toca malament.

nyigui-nyogui Paraula que apareix en l'expressió de nyigui-nyogui, que vol dir "fet de qualsevol manera, que és de poca qualitat": *Aquestes sabates et duraran quatre dies, són de nyigui-nyogui.*

nyoca nyoques *nom f* Ametlles, avellanes, pinyons, panses, etc. que es mengen per postres.

nyonya nyonyes *nom f* Mandra, poques ganes de fer coses.

nyora nyores *nom f* Pebrot picant que es fa servir per a fer algunes salses.

nyu nyus *nom m* Animal mamífer que viu a l'Àfrica i que té el cos, les potes i la cua semblants als del cavall i les banyes cap endavant.

nyu

lletra o

o[1] *conj* **1** Paraula que expressa una doble possibilitat: *Agafa el jersei blau o el vermell.* ∎ *Això que dius no sé si és veritat o és mentida.* **2** Paraula que indica que dues coses són equivalents: *La protagonista o personatge principal de la novel·la es diu Laura.* **3 o sia** Expressió que indica que dues coses són equivalents: *La protagonista, o sia, el personatge principal de la novel·la es diu Laura.*

o[2] **os** *nom f* Nom de la lletra **o** O.

oasi oasis *nom m* Lloc amb aigua, arbres i horts al mig del desert.

obac obaga obacs obagues *adj* Es diu d'un lloc on no hi arriba a tocar el sol.

obaga obagues *nom f* Part menys assolellada d'una muntanya, més ombrívola, on hi toca poc el sol.

obcecar-se *v* Perdre la capacitat de raonar perquè s'està molt obsessionat per una cosa: *Diu que tothom li té mania, fins i tot els seus amics: està ben obcecat.*
Es conjuga com *cantar*. S'escriu *c* davant de *a, o, u* i *qu* davant de *e, i: m'obceco, t'obceques.*

obediència obediències *nom f* Acció d'obeir, de fer allò que mana algú o alguna cosa.

obedient obedients *adj* Que obeeix, que fa tot el que li manen: *Tinc un gos molt obedient: fa tot el que jo li dic.*

obeir *v* **1** Fer allò que algú mana, complir una cosa manada: *Els soldats van obeir les ordres del capità.* **2** Una màquina, un aparell, etc. cedir a l'acció d'una altra cosa: *Hauré de portar el cotxe al mecànic perquè els frens no obeeixen.*
Es conjuga com *reduir*.

obelisc obeliscs o obeliscos *nom m* Monument en forma de pilar quadrangular, que va aprimant-se lleugerament de baix a dalt i acaba en una piràmide.

obert oberta oberts obertes *adj* **1** Que ha estat obert, que no és tancat: *Les botigues ja són obertes.* ∎ *Una carretera oberta al trànsit de vehicles.* **2** *Ens va rebre* **amb els braços**

oberts: cordialment, molt bé. **3** Ample, amb molt d'espai: *Un paisatge obert.* **4** Es diu d'una persona que acostuma a explicar el que pensa o sent i que vol saber les opinions i els fets dels altres: *La Ramona té un caràcter obert i alegre.* **5** Es diu de les vocals que es pronuncien amb la boca més oberta, com la *a,* la *e* de la paraula "cel" i la *o* de la paraula "foc".

obertura obertures *nom f* **1** Acció d'obrir o d'obrir-se alguna cosa: *Una sessió d'obertura del parlament.* **2** Forat fet en una paret, en una construcció, etc.: *Hi ha una obertura al sostre de l'habitació.* **3** Peça musical breu que dóna pas a una obra més extensa.

obès obesa obesos obeses *adj* Es diu de la persona excessivament grassa.

obesitat obesitats *nom f* Acumulació excessiva de greix en una persona.

objecció objeccions *nom f* **1** Allò que algú diu per oposar-se a l'opinió d'un altre, per rebutjar una proposta, etc.: *Si no hi ha cap objecció, tirarem el projecte endavant.* **2 objecció de consciència** Actitud de negar-se a fer el servei militar o a fer servir armes, perquè això va en contra de les pròpies idees.

objectar *v* Dir alguna cosa per oposar-se al que ha dit un altre, per rebutjar una proposta, etc.
Es conjuga com *cantar*.

objecte objectes *nom m* **1** Cosa que es pot veure, tocar, etc.: *Aquella noia porta a la bossa tot d'objectes personals: la pinta, el portamonedes, l'agenda, l'encenedor, etc.* **2** Tema d'un llibre, allò que estudia una ciència: *L'objecte de la medicina és l'estudi de les causes de les malalties i de la manera de curar-les.*

objectiu objectiva objectius objectives **1** *adj* Que parla o opina d'una cosa sense deixar-se portar pels propis sentiments: *El jutge ha de ser molt objectiu a l'hora de decidir una sentència.* **2** *nom m* Fi que es vol aconseguir: *El nostre objectiu és arribar al cim de la muntanya.* **3** *nom m* Lent o conjunt de lents que, en una càmera fotogràfica o en altres instruments òptics, serveix per a formar una imatge real del que es vol fotografiar o observar.

objector objectora objectors objectores *nom m i f* **1** Persona que posa objeccions, que manifesta que no està d'acord amb una idea, amb una opinió. **2 objector de consciència**

Persona que es nega a fer el servei militar o a fer servir armes, perquè això va en contra de les seves idees.

oblic obliqua oblics obliqües*adj* **1** Es diu de les rectes o dels plans que coincideixen en un punt, però que no són ni perpendiculars ni paral·lels entre si. **2 oblic extern**Múscul situat a l'abdomen. ■ 16

oblidarv **1** Perdre la memòria d'una persona o d'una cosa, no recordar-la: *He oblidat l'argument de la pel·lícula.* **2** No pensar a agafar alguna cosa, descuidar-se-la: *He oblidat la bossa a la botiga.*
Es conjuga com *cantar.*

obligació obligacions*nom f* Allò que s'ha de fer perquè és un deure, una promesa, perquè t'ho fan fer, etc.: *Tens l'obligació de pagar-me els diners que em deus.*

obligarv **1** Fer que algú faci o digui alguna cosa, forçant-lo o amenaçant-lo: *L'atracador va apuntar el caixer amb una pistola i el va obligar a donar-li els diners.* **2 obligar-se**Comprometre's a fer una cosa: *Jo mateixa m'he obligat a acabar aquesta feina per demà.*
Es conjuga com *cantar.* S'escriu g davant de *a, o, u* i gu davant de *e, i: obligo, obligues.*

obligatori obligatòria obligatoris obligatòries*adj* Que és una obligació, que no és lliure: *És obligatori portar el xandall a l'hora de gimnàstica.*

oblit oblits*nom m* Acció d'oblidar, de no recordar una cosa, de descuidar-se-la: *No posar el nom a l'examen va ser un oblit.*

obnubilarv Fer perdre la capacitat de raonar, de veure les coses clares, ofuscar.
Es conjuga com *cantar.*

oboè oboès*nom m* Instrument musical de vent que consisteix en un tub estret de fusta, amb una doble llengüeta, que s'eixampla cap al final, amb forats i claus.

oboè

obra obres*nom f* **1** Acció, activitat humana: *Construir un hospital és una obra difícil.* **2** Construcció o reparació d'una casa, d'un edifici,

etc.: *Ja hem acabat les obres del menjador de casa.* **3 obres públiques**Construccions destinades al servei col·lectiu, com ara carreteres, ponts, túnels, etc. **4 mà d'obra**Conjunt de treballadors necessaris per fer una feina: *Per construir l'autopista van necessitar molta mà d'obra.* **5** Llibre, escultura, objecte artístic, etc.: *Aquell pintor exposa les seves obres en una galeria molt important.*

obrador obradors*nom m* Taller, lloc on es fa algun treball manual: *Els pastissers fan tota mena de pastissos a l'obrador.*

obrarv **1** Actuar, comportar-se d'una determinada manera: *Ajudant-lo, crec que hem obrat bé.* **2** Tenir eficàcia una cosa, produir el seu efecte.
Es conjuga com *cantar.*

obreampolles uns obreampolles*nom m* Estri per a treure els taps metàl·lics d'algunes ampolles.

obrellaunes uns obrellaunes*nom m* Estri per a obrir llaunes de conserva.

obrer obrera obrers obreres **1** *nom m* i *f* Treballador, persona que fa una feina manual a canvi d'un salari. **2** *adj* Que té relació amb els obrers: *Dijous hi haurà una vaga obrera.* **3** obrera*adj* i *nom f* Femella estèril d'alguns insectes, com ara les formigues o les abelles.

obridor obridors*nom m* Estri o mecanisme que serveix per a obrir alguna cosa.

obrirv **1** Fer que una porta, una capsa, etc. deixi d'estar tancada: *Dóna'm la clau, que obriré la porta i entrarem a dins de la casa.* ■ *Quan es va despertar, va obrir els ulls.* **2 no obrir la boca**Callar. **3** Començar o fer que comenci una cosa: *Han obert un compte al banc per ingressar els donatius.* ■ *La parella de nuvis va obrir el ball.* **4** Inaugurar, instal·lar una botiga, una escola, etc. **5** Fer un forat, una obertura en alguna cosa: *En aquesta paret, hi obrirem una finestra.* **6** Separar dues coses que estan juntes: *L'ocell va obrir les ales.*
La conjugació d'*obrir* és a la pàg. 841.

obscè obscena obscens obscenes*adj* Es diu de les imatges, de les paraules, etc., generalment referides al sexe, que poden ofendre la sensibilitat d'algunes persones.

obscur obscura obscurs obscures*adj* **1** Fosc, que no té llum. **2** Es diu del dibuix, escrit, etc. que no és clar, que és difícil de comprendre.

obscuritat obscuritats *nom f* Foscor, allò que és fosc, obscur: *L'obscuritat era absoluta al fons de la cova.*

obsequi obsequis *nom m* Regal.

obsequiar *v* Tractar molt bé una persona fent-li regals, convidant-la a llocs, tenint-li moltes atencions, etc.
Es conjuga com *canviar.*

observació observacions *nom f* **1** Acció de mirar atentament una cosa. **2** Avís: *El mestre li ha fet una observació sobre el seu comportament a classe.* **3** Acció de complir una ordre, una llei, etc.

observador observadora observadors observadores **1** *adj i nom m i f* Es diu de la persona que mira detingudament les coses, que s'hi fixa molt. **2** *nom m i f* Persona que assisteix a una assemblea, reunió, etc. sense intervenir en el debat, només com a espectador.

observar *v* **1** Mirar una cosa amb atenció, notar, adonar-se d'una cosa: *Després de dinar hem sortit a observar els ocells que hi ha al voltant de casa.* ■ *Passejant pel poble hem observat que hi havia molts papers a terra.* **2** Complir una llei, una norma.
Es conjuga com *cantar.*

observatori observatoris *nom m* Lloc especial per a fer-hi observacions: *Un observatori astronòmic és un lloc des del qual s'observen els astres a través d'un telescopi.*

obsessió obsessions *nom f* Idea fixa, preocupació molt gran per una cosa de manera que no deixa estar tranquil: *Aquell home té una obsessió pels diners i no viu tranquil.*

obsessionar *v* Apoderar-se d'algú una idea fixa o una gran preocupació: *Estava tan obsessionat pels exàmens, que a les nits no podia dormir.*
Es conjuga com *cantar.*

obsessiu obsessiva obsessius obsessives *adj* Es diu d'una idea tan fixa, d'una preocupació tan gran, que fa perdre la tranquil·litat.

obsolet obsoleta obsolets obsoletes *adj* Es diu d'una cosa antiquada, que ja no es fa servir.

obstacle obstacles *nom m* Allò que impedeix el pas o que no deixa fer una cosa: *Aquell tronc al mig de la carretera era un obstacle que no es podia salvar.* ■ *El fet d'estar malalt va ser un obstacle perquè en Joan es pogués presentar a les proves d'atletisme.*

obstaculitzar *v* Posar impediments o obstacles per fer una cosa: *Les pedres que havien caigut a la carretera obstaculitzaven el pas dels cotxes.*
Es conjuga com *cantar.*

obstant **1** Paraula que apareix en l'expressió **no obstant**, que vol dir "malgrat": *No obstant la intensa pluja, es va poder realitzar la cursa.* **2** Paraula que apareix en les expressions **no obstant això** o **això no obstant**, que volen dir "sense que això sigui obstacle": *L'avió va tenir una avaria; no obstant això, va poder aterrar sense problemes.*

obstinar-se *v* Mantenir-se ferm en una decisió, en una opinió, etc.: *Per què t'obstines a no voler sortir de casa?*
Es conjuga com *cantar.*

obstinat obstinada obstinats obstinades *adj* Es diu de la persona que manté amb fermesa una decisió, una idea, etc., que no es deixa convèncer fàcilment.

obstrucció obstruccions *nom f* Acció d'obstruir, de tancar el pas d'una cosa amb un obstacle: *L'obstrucció del canó de l'estufa era la causa del fum que omplia l'habitació.*

obstruir *v* Impedir el pas posant un obstacle: *La sorra obstruïa el desguàs i no deixava marxar l'aigua.*
Es conjuga com *reduir.*

obtenció obtencions *nom f* Acció d'aconseguir una cosa, d'obtenir-la.

obtenir *v* Aconseguir una cosa que es demana, que es desitja, etc.: *En Martí ha obtingut el segon premi del concurs de pintura.*
Es conjuga com *mantenir.*

obturar *v* Tapar o tancar una obertura.
Es conjuga com *cantar.*

obtús obtusa obtusos obtuses *adj* **1** Es diu de la persona que no és gaire intel·ligent, que no és gaire espavilada. **2** **angle obtús** Angle més obert que un angle recte.

obtusangle obtusangles *adj* Es diu del triangle que té un angle obtús.

obús obusos *nom m* **1** Peça d'artilleria que dispara projectils a una distància mitjana. **2** Granada, bomba que es llança amb la mà o que es dispara amb una arma i que explota en el moment de l'impacte.

obvi òbvia obvis òbvies *adj* Es diu d'una cosa que es veu o es comprèn fàcilment, que és evident: *És obvi que, si plou, no podrem anar d'excursió.*

oc *ocs nom m* Mascle de l'oca.

oca *oques nom f* Ocell blanc semblant a l'ànec, però més gros, molt apreciat com a aliment i també per les plomes: *A la casa de pagès hi havia una bassa on nedaven les oques.*

ocapi *ocapis nom m* Animal mamífer herbívor, remugant, de dors descendent, de coll fort i de potes llargues, que viu a la selva.

ocapi

ocàs *ocasos nom m* **1** Posta del sol, d'un astre. **2** Procés de ruïna, de pèrdua d'alguna cosa, decadència.

ocasió *ocasions nom f* **1** Circumstància, moment, situació concreta: *En aquella ocasió no vaig saber solucionar les coses.* **2** Oportunitat, bon moment per a fer una cosa: *Les rebaixes són l'ocasió de comprar roba a bon preu.* **3** *S'ha comprat un cotxe d'ocasió:* que té un preu baix i està en bon estat, encara que sigui usat.

ocasional *ocasionals adj* **1** Es diu d'un fet que passa sense estar previst: *El vaig trobar pel carrer de manera ocasional.* **2** Es diu del fet, de la situació, etc. que és l'ocasió d'alguna cosa.

ocasionar *v* Causar, produir: *Aquesta pedregada ha ocasionat molts danys.* Es conjuga com *cantar.*

occident *occidents nom m* Punt de l'horitzó per on es pon el sol, ponent, oest.

occidental *occidentals adj* **1** Que té relació amb l'occident, que està situat a l'oest: *Portugal està situat a la part occidental de la península Ibèrica.* **2** **català occidental** Manera de parlar el català pròpia de les comarques de l'oest i del sud de Catalunya i també del País Valencià.

occipital *occipitals nom m* Os pla del crani.

occir *v* Matar. Es conjuga com *servir.*

occità *occitana occitans occitanes* **1** *nom m i f* Habitant d'Occitània; persona natural o procedent d'Occitània. **2** *adj* Es diu de les persones o de les coses naturals o procedents d'Occitània. **3** *nom m* Llengua que es parla a Occitània.

oceà *oceans nom m* Cadascuna de les cinc grans parts d'aigua de mar que hi ha entre els continents: *L'oceà Atlàntic està situat entre Europa i Amèrica.*

oceànic *oceànica oceànics oceàniques adj* **1** Que té relació amb els oceans: *La fauna i la flora oceàniques.* **2** Es diu de les persones o de les coses naturals o procedents d'Oceania.

ocell *ocells nom m* **1** Classe d'animals vertebrats que tenen el cos cobert de plomes, que ponen ous i solen volar: *Els ocells tenen bec i dues potes.* **2** **ocell de paper** Figura en forma d'ocell que es construeix doblegant un full de paper diverses vegades.

ocellada *ocellades nom f* Conjunt molt gran d'ocells.

ocellaire *ocellaires nom m i f* Persona que es dedica a caçar ocells vius, a criar-ne o a vendre'n.

ocelleria *ocelleries nom f* Botiga on es venen ocells i, de vegades, altres animals domèstics com ara peixos, gats, gossos, etc.

ocelot *ocelots nom m* Animal mamífer carnívor, de la família dels felins, de color gris terrós amb taques negres, propi d'Amèrica.

ocelot

oci *ocis nom m* **1** Fet d'estar sense fer res. **2** Temps lliure durant el qual no s'ha de treballar i que es pot dedicar a fer una cosa que ens agrada: *El meu pare dedica les estones d'oci a llegir novel·les.*

oclusió *oclusions nom f* Tancament d'un conducte o d'una obertura natural com ara els llavis o les parpelles.

ocórrer *v* **1** Passar, succeir alguna cosa: *Aquest fet va ocórrer l'any 1985.* **2** Venir al pensament:

No sabíem com sortir d'allí, però de sobte a la Montserrat se li va ocórrer saltar per la finestra. **2** Es conjuga com *córrer*.

ocre 1 *adj* D'un color terrós, vermellós o groguenc. **2 ocre ocres***nom m* Color terrós, vermellós o groguenc.

octa- octo- oct-Element amb què comencen algunes paraules i que vol dir "vuit".

octaedre octaedres*nom m* Políedre de vuit cares.

octàgon octàgons *nom m* Polígon de vuit angles i vuit costats.

octau octava octaus octaves*adj* Vuitè.

octògon octògons*nom m* Octàgon.

octubre octubres*nom m* Mes de la tardor, desè mes de l'any, té 31 dies.

ocular oculars 1 *adj* Que té relació amb l'ull. **2** *nom m* Lent o conjunt de lents que, en una càmera fotogràfica o en altres instruments òptics, serveix per a augmentar la imatge produïda per l'objectiu.

oculista oculistes*nom m i f* Metge especialista en malalties dels ulls.

ocult oculta ocults ocultes*adj* Amagat, que no es veu.

ocultar*v* Amagar.
Es conjuga com *cantar*.

ocupació ocupacions*nom f* **1** Cadascuna de les feines o activitats d'una persona: *Les seves ocupacions no li permeten de descansar gaire.* **2** Acció d'ocupar un lloc per establir-s'hi: *L'ocupació del país per les tropes estrangeres va durar cinquanta anys.*

ocupant ocupants*adj i nom m i f* Que omple un lloc, que s'ha apoderat d'un territori: *Els ocupants del vehicle van haver d'ensenyar els carnets al policia.* ■ *L'exèrcit ocupant tenia tota la població presonera.*

ocupar*v* **1** Omplir un lloc, apoderar-se d'un lloc, establir-se en un lloc: *L'aigua del mar ocupa gairebé tres quartes parts de la superfície de la Terra.* ■ *Les tropes enemigues van ocupar la ciutat.* ■ *Aquell home ocupa el càrrec de director.* **2 ocupar-se**Fer-se responsable d'una cosa, d'una feina: *Mentre tu vigiles els nens, jo m'ocuparé de netejar la cuina.* **3** Omplir el temps fent alguna cosa: *En què ocupes les tardes?*
Es conjuga com *cantar*.

ocurrència ocurrències*nom f* Idea que té algú de cop i volta i que sol ser original, divertida.

oda odes*nom f* Poema llarg, dividit en estrofes o parts iguals: *El poeta Bonaventura Carles Aribau va escriure l'oda "La Pàtria".*

odi odis*nom m* Sentiment profund de ràbia que es té contra algú o contra alguna cosa.

odiar*v* Sentir odi contra algú o contra alguna cosa.
Es conjuga com *canviar*.

odiós odiosa odiosos odioses*adj* Que provoca odi o ràbia: *Totes les guerres són odioses.*

odissea odissees *nom f* Conjunt de peripècies, d'aventures, etc. que passa algú per aconseguir alguna cosa difícil, per arribar a algun lloc, etc.

odonto- odont-Element amb què comencen algunes paraules i que vol dir "dent".

odontòleg odontòloga odontòlegs odontòlogues*nom m i f* Dentista.

odontologia odontologies *nom f* Part de la medicina que tracta de les dents i de les seves malalties.

oest oests*nom m* Punt, costat de l'horitzó per on es pon el sol, ponent: *Portugal és a l'oest de la península Ibèrica.*

ofec ofecs*nom m* Dificultat molt gran per a respirar: *Després de pujar les escales, va patir un ofec.*

ofegar*v* **1** Escanyar, morir a causa de no poder respirar: *Li va estrènyer el coll i el va ofegar.* ■ *Va caure a l'aigua, no sabia nedar i es va ofegar.* **2** Apagar, extingir: *Has posat massa llenya al foc i l'has ofegat.* **3** Coure a foc lent un menjar, tapat i amb poca aigua: *Hem menjat faves i pèsols ofegats.* **4 ofegar-se en un got d'aigua**Preocupar-se massa per coses sense importància, no saber solucionar situacions senzilles.
Es conjuga com *cantar*. S'escriu *g* davant de *a, o, u* i *gu* davant de *e, i: ofego ofegues.*

ofendre*v* **1** Fer mal a algú en els seus sentiments, en la seva dignitat: *Amb les seves paraules ha ofès la seva germana i l'ha fet plorar.* **2** Molestar: *Aquest soroll m'ofèn les orelles.*
Es conjuga com *aprendre.*

ofensa ofenses*nom f* Acció o paraula que ofèn.

ofensiu ofensiva ofensius ofensives*adj* Que ofèn, que ataca: *Els insults sempre són ofensius.* ■ *L'exèrcit utilitza tècniques i armes ofensives.*

ofensiva ofensives *nom f* **Atac:** *L'ofensiva de l'exèrcit va ser molt dura i va produir moltes pèrdues a l'enemic.*

oferiment oferiments *nom m* **Acció d'oferir o d'oferir-se, oferta:** *Vam acceptar el seu oferiment i vam passar la nit a casa seva.*

oferir *v* **1** **Posar alguna cosa a disposició d'algú:** *El policia em va oferir protecció.* **2** **Mostrar-se disposat a fer alguna cosa:** *Em vaig oferir a acompanyar-lo a l'hospital.* **3** **Mostrar o tenir un aspecte determinat:** *Després de l'incendi, la muntanya oferia un aspecte molt trist.* **Es conjuga com** *servir.* **Participi:** *ofert, oferta.*

oferta ofertes *nom f* **1** **Acció d'oferir o d'oferir-se, oferiment:** *Ens van fer una bona oferta i vam comprar el pis.* **2** **Conjunt de productes que es venen i es poden comprar en un moment determinat:** *A la fira hi havia una gran oferta de cotxes usats.* **3** *He comprat una nevera d'oferta: que estava a un preu rebaixat.*

ofici oficis *nom m* **1** **Feina o professió d'una persona:** *El pare d'en Pau té l'ofici de bomber.* **2** **Celebració religiosa solemne. 3** *La Gemma va aconseguir la feina gràcies als bons oficis del seu oncle:* **gràcies a les gestions que va fer a favor seu.**

oficial[1] oficiala oficials oficiales *nom m i f* **1** **Persona que té un ofici:** *La Maria és oficiala de perruqueria.* **2** **Persona que té un càrrec en l'exèrcit:** *Els tinents i els capitans són oficials.*

oficial[2] oficials *adj* **Que està autoritzat o protegit pel govern i per les seves institucions:** *El català és l'idioma oficial de Catalunya, del País Valencià, de les Illes i d'Andorra.*

oficina oficines *nom f* **Lloc on es fan els serveis d'administració d'una empresa, d'un negoci, d'una escola, etc.**

oficinista oficinistes *nom m i f* **Persona que treballa en una oficina.**

ofrena ofrenes *nom f* **Allò que s'ofereix a algú, a una divinitat o a un sant:** *Les autoritats van fer una ofrena de flors a la tomba del poeta.*

oftalmo- oftalm- **Element amb què comencen algunes paraules i que vol dir "ull".**

oftalmòleg oftalmòloga oftalmòlegs oftalmòlogues *nom m i f* **Oculista.**

oftalmologia oftalmologies *nom f* **Part de la medicina que tracta de l'ull i de les seves malalties.**

ofuscar *v* **Fer perdre la capacitat de raonar, de veure les coses clares:** *Està ofuscat i no s'adona que ell mateix es perjudica.* **Es conjuga com** *cantar.* **S'escriu** *c* **davant de** *a, o, u* **i** *qu* **davant de** *e, i: ofusco, ofusques.*

ogre ogressa ogres ogresses *nom m i f* **1** **Personatge fantàstic dels contes, gegant molt dolent que es menja les persones. 2** **menjar com un ogre** **Menjar molt, amb molta gana i molt de pressa.**

oh *interj* **Paraula que expressa diferents emocions segons com la pronunciem, com ara admiració, sorpresa, pena, alegria, etc.:** *Oh!, que maco que és aquest vestit!*

oi *interj* **Paraula que fem servir per a demanar a algú si està d'acord amb allò que diem, quan pensem que ens dirà que sí:** *Tu també vindràs a l'excursió, oi?*

oidà *interj* **Paraula que fem servir per a expressar alegria:** *Oidà! Quin dia més bonic que fa, avui!*

oïda oïdes *nom f* **Sentit pel qual es capten els sons de l'exterior:** *Aquell músic té molt bona oïda.*

oient oients *nom m i f* **1** **Persona que escolta:** *Aquest programa de ràdio té molts oients.* **2** **Persona que assisteix a una classe o a un curs sense estar-hi matriculada.**

oir *v* **1** **Percebre amb el sentit de l'oïda, sentir. 2** *Vam anar a Montserrat a oir missa:* **anar a missa.** **Es conjuga com** *reduir.* **Present d'indicatiu:** *oeixo, oeixes* **o** *ous, oeix* **o** *ou, oïm, oïu, oeixen* **o** *ouen.*

olesà olesana olesans olesanes **1** *nom m i f* **Habitant d'Olesa de Bonesvalls o d'Olesa de Montserrat; persona natural o procedent d'Olesa de Bonesvalls o d'Olesa de Montserrat. 2** *adj* **Es diu de les persones o de les coses naturals o procedents d'Olesa de Bonesvalls o d'Olesa de Montserrat.**

olfacte olfactes *nom m* **Sentit pel qual es capten les olors:** *Els gossos tenen un bon olfacte.*

olfactiu olfactiva olfactius olfactives *adj* **Que té relació amb el sentit de l'olfacte:** *Nervi olfactiu.* **18**

oli olis *nom m* **1** **Suc, líquid que es treu de les olives o d'altres fruits o plantes com ara els cacauets, els gira-sols, etc. i que es fa servir per a fer gustosos els menjars, per a cuinar, etc.:** *A l'amanida hi has de tirar sal i oli, si vols que sigui gustosa.* **2** **Substància líquida i untuosa:** *Un llum d'oli.* **3** *Aquest bolígraf deu ser de pa*

sucat amb oli dolent, de poca qualitat, mal fet. **4** *Ahir els alumnes feien molt soroll, però avui la classe era* **com una bassa d'oli** *tranquil·la, calmada.* **5** *La notícia va* **escampar-se com una taca d'oli** *estendre's molt de pressa.* **6** **haver begut oli** No poder-se escapar d'un fet desagradable: *Els qui no han aprovat l'examen ja han begut oli.*

oliaire *oliaires* *nom m i f* Persona que treballa en l'elaboració d'oli, que en compra o en ven.

òliba *òlibes* *nom f* Ocell rapinyaire nocturn, de plomatge daurat o blanc amb petites taques negres o molt fosques, que s'alimenta de petits animals rosegadors.

òliba

oligarquia *oligarquies* *nom f* **1** Tipus de govern en què el poder és en mans d'un grup molt petit de persones. **2** Grup petit de persones que tenen molt poder.

oligo- *olig-* Element amb què comencen algunes paraules i que vol dir "poc", "petit".

olimpíada *olimpíades* *nom f* Celebració dels jocs olímpics.

olímpic *olímpica olímpics olímpiques* *adj* **1** Que té relació amb els jocs olímpics. **2** **jocs olímpics** Conjunt de competicions esportives internacionals que se celebren cada quatre anys.

olímpicament *adv* Sense preocupar-se, sense amoïnar-se per res: *Aquell estudiant se salta les classes olímpicament.*

oliós *oliosa oliosos olioses* *adj* Que té oli, que sembla oli: *Aquesta sopa és molt oliosa.*

oliva *olives* *nom f* Fruit comestible de l'olivera, de color verd fosc o negre, rodó i petit, que per fora és tou i per dins té un pinyol: *A l'amanida hi havia ceba, tomàquet, enciam i olives.*

olivera *oliveres* *nom f* Arbre conreat en la regió mediterrània, de fulla perenne, que té la soca i el tronc gruixuts, flors blanques i petites i que fa olives.

oliverar *oliverars* *nom m* Terreny on hi ha moltes oliveres.

olla *olles* *nom f* **1** Recipient de cuina, de terrissa o de metall, més aviat gros, que sol tenir dues nanses i que serveix per a cuinar o fer bullir un líquid: *Fica les patates a l'olla plena d'aigua i posa-la al foc a bullir.* **2** *Si parleu tots alhora, això* **sembla una olla de grills** hi ha molt xivarri, molt soroll, i la gent no s'entén.

ollada *ollades* *nom f* Quantitat de líquid o d'aliments que cap en una olla grossa: *Avui hem cuit una ollada de cigrons.*

olor *olors* *nom f* Sensació que se sent a través del sentit de l'olfacte, amb el nas: *Les flors fan molt bona olor.* ▪ *Sento olor de colònia.*

olorar *v* Agafar aire pel nas per sentir més bé l'olor que fa una cosa: *Vam passejar pel jardí i vam poder olorar les flors.*
Es conjuga com *cantar*.

olorar

olorós *olorosa olorosos oloroses* *adj* Que fa olor: *Aquestes flors són molt oloroses.*

olotí *olotina olotins olotines* **1** *nom m i f* Habitant d'Olot; persona natural o procedent d'Olot. **2** *adj* Es diu de les persones o de les coses naturals o procedents d'Olot.

om *oms* *nom m* Arbre de fulla caduca i de flors verdoses que es fa sobretot en llocs humits.

ombra *ombres* *nom f* **1** Foscor que es produeix quan un objecte, una persona, etc. tapa la llum: *Els arbres de la vora del camí no deixaven passar el sol i feien molta ombra.* ▪ *No et posis a davant del llum, que em fas ombra i no puc llegir.* **2** Silueta d'un objecte que apareix en una superfície quan aquest objecte tapa els raigs de llum: *A mesura que caminàvem, les nostres ombres s'anaven allargant.*

ombrejar *v* **1** Fer ombra: *Els arbres ombrejaven el camí.* **2** Enfosquir algunes parts d'un dibuix per crear un efecte de volum.
Es conjuga com *cantar*. S'escriu *j* davant de *a, o, u* i *g* davant de *e, i: ombreja, ombregi.*

ombrel·la ombrel·les *nom f* **1** Para-sol petit. **2** Part més ampla del cos d'una medusa, en forma de para-sol.

ombrel·la

ombriu ombriva ombrius ombrives *adj* **1** Ombrívol. **2** Tètric, que fa por, que és molt fosc. **3** *nom m* Lloc on no toca el sol.

ombrívol ombrívola ombrívols ombrívoles *adj* Es diu d'un lloc on hi ha ombra, on hi ha poca llum: *Aquesta part del bosc és molt ombrívola.*

omeda omedes *nom f* Bosc d'oms.

ometre *v* Deixar de dir o deixar de fer intencionadament una cosa: *Van dir el nom de tots els convidats, però van ometre el meu.*
Es conjuga com *perdre*. Participi: *omès, omesa*.

omís Paraula que apareix en l'expressió **fer cas omís**, que vol dir "deixar de banda, no tenir en compte": *Va fer cas omís dels meus consells i es va comprar aquelles sabates tan cares.*

omissió omissions *nom f* Acció d'ometre; allò que es deixa de dir o de fer: *En aquest text hi ha molts errors de repetició i d'omissió de lletres.*

omni- omn- Element amb què comencen algunes paraules i que vol dir "tot".

òmnibus uns òmnibus *nom m* Vehicle gros que transporta molta gent.

omnipotent omnipotents *adj* Que té el poder de fer tot el que vol, que té un poder molt gran.

omnívor omnívora omnívors omnívores *adj* Es diu de l'animal que menja tota mena d'aliments, tant animals com vegetals.

omòplat omòplats *nom m* Os pla, ample i triangular, que forma la part de darrere de l'espatlla. **15**

omplir *v* Ocupar un líquid, un producte, etc. un espai, un recipient, un lloc: *Vaig a la font a omplir l'ampolla d'aigua.* ▪ *El teatre de seguida es va omplir de gent.*
Es conjuga com *obrir*.

on 1 *adv* Paraula que serveix per a preguntar en quin lloc és o passa una cosa: *On és la farmàcia?* ▪ *On va passar l'accident?* **2** *pron* Pronom que es troba al començament d'una frase que complementa el nom que substitueix: *Si diem "el riu on ens banyem no és gaire lluny", el pronom "on" substitueix "el riu" i es troba al començament de la frase "on ens banyem", que fa de complement del nom "riu".*

ona ones *nom f* **1** Moviment de les aigües del mar, que va canviant de direcció, de la terra al mar i del mar a la terra, onada: *Avui fa vent i les ones del mar són molt grosses.* **2** Moviment semblant al de les ones del mar: *Hi ha ones sonores, lluminoses, etc.*

onada onades *nom f* **1** Moviment de les aigües del mar, sobretot quan és fort, ona grossa. **2** Cosa o fet que ve i se'n va de cop, com una onada: *Ja ha passat l'onada de fred.*

onatge onatges *nom m* Moviment de les ones, seguit d'onades.

oncle oncles *nom m* Germà del pare o de la mare d'una persona: *L'oncle i la tieta em van regalar un llibre.*

onco- Element amb què comencen algunes paraules i que vol dir "tumor": *L'oncologia és la branca de la medicina que tracta dels tumors.*

onda ondes *nom f* Ondulació que fan els cabells, la roba, etc.: *La meva germana ha anat a la perruqueria i s'ha fet un pentinat d'ondes.* ▪ *Aquella cortina té moltes ondes i fa molt bonic.*

ondes

ondulació ondulacions *nom f* **1** Allò que presenta un aspecte ondulat, en forma d'ones. **2** Moviment de vaivé en un líquid com ara l'aigua del mar, dels rius, etc.

ondular *v* **1** Moure's o fer que una cosa es mogui formant ones: *Els camps de blat ondulaven amb el vent.* **2** Fer ondes en els cabells: *La perruquera li ha ondulat els cabells.*
Es conjuga com *cantar*.

ondulat ondulada ondulats ondulades _adj_ Que fa ondes: _La Raquel té els cabells ondulats._

onejar _v_ Moure's fent ones: _Aquell vent tan fort feia onejar els camps de blat._ ▪ _Les banderes onegen al vent._
Es conjuga com _cantar_. S'escriu _j_ davant de _a, o, u_ i _g_ davant de _e, i: oneja, onegi._

oníric onírica onírics oníriques_adj_ Que està relacionat amb els somnis.

onomàstic onomàstica onomàstics onomàstiques **1** _adj_ Que té relació amb els noms propis: _Una llista onomàstica dels reis de la Corona d'Aragó, és a dir, dels noms dels reis catalanoaragonesos._ ▪ _En Jordi celebra la seva festa onomàstica el dia 23 d'abril._ **2 onomàstica** _nom f_ Ciència que estudia els noms propis, el seu origen, la seva evolució, etc.

onomatopeia onomatopeies_nom f_ Paraula que imita el so que produeix alguna cosa o algun animal: _"Bub-bub" és l'onomatopeia que imita el so del gos quan lladra._

onsevulga _adv_ En qualsevol lloc: _Onsevulga que vagi, sempre em recordaré de tu._

onsevulla_adv_ Mira onsevulga

onze onzes_nom m i adj_ Paraula que expressa la quantitat representada per la xifra 11.

onzè onzena onzens onzenes_adj_ **1**Que fa onze en una sèrie, que en té deu al davant. **2** Cadascuna de les parts d'una quantitat dividida en onze parts iguals.

opac opaca opacs opaques_adj_ **1** No transparent, que no deixa passar la llum. **2** Que no és brillant.

opció opcions_nom f_ Cadascuna de les possibilitats entre les quals es pot triar: _Tinc dues opcions per al cap de setmana: quedar-me a casa o anar a esquiar._

opcional opcionals_adj_ Que es pot triar de fer, que no és obligatori: _La tercera pregunta de l'examen és opcional, es pot contestar o es pot deixar de contestar._

òpera òperes_nom f_ **1** Obra de teatre cantada i amb música. **2** Teatre on es fa òpera.

operació operacions _nom f_ **1** Acció en què un metge obre una part del cos d'una persona per treure'n un òrgan malalt, per curar-li alguna cosa, per arreglar un os, etc.: _En Jordi es va trencar la cama i li han hagut de_ fer una operació. **2** Suma, resta, multiplicació o divisió: _Per solucionar aquell problema, vaig haver de fer dues operacions: una multiplicació i una resta._ **3** Acció que es fa d'acord amb un pla, amb unes normes o amb unes condicions determinades: _Una operació militar._ ▪ _Una operació bancària._

operador operadora operadors operadores_nom m i f_ **1** Persona que fa funcionar un aparell, una màquina, etc.: _L'operador de la càmera de televisió filmava el partit de futbol._ **2** Metge que opera, cirurgià.

operar_v_ **1** Obrir una part del cos d'una persona per treure'n un òrgan malalt, per arreglar un os, etc., fer una operació. **2** Actuar, fer una funció.
Es conjuga com _cantar_.

operari operària operaris operàries_nom m i f_ Treballador que fa una feina manual.

operatiu operativa operatius operatives _adj_ **1** Que dóna el resultat previst, que és eficaç: _Construir un tercer carril en les carreteres per on circulen més cotxes potser seria operatiu per agilitar el trànsit._ **2 sistema operatiu** Conjunt de programes que controlen el funcionament d'un ordinador.

opercle opercles _nom m_ Peça que serveix per a obrir i tancar un orifici del cos d'alguns animals: _Els peixos tenen opercles a banda i banda del cap._

opercle

opereta operetes_nom f_ Obra de teatre musical, amb parts parlades i parts cantades.

opi opis_nom m_ Substància que s'extreu d'una planta i amb la qual es fan drogues.

opinar_v_ Tenir o donar una idea, un judici, una opinió, etc. sobre una cosa.
Es conjuga com _cantar_.

opinió opinions_nom f_ **1** Manera de pensar, judici, idea que es té d'una cosa o d'una persona: _En tinc molt bona opinió, de la Maria._ **2** _L'_ **opinió pública** _és contrària a la pena de mort:_ el pensament de la majoria de la gent.

opípar *opípara opípars opípares* adj Es diu d'un àpat amb molta quantitat de menjar de bona qualitat.

oportú *oportuna oportuns oportunes* adj Adequat, que encaixa amb el moment, amb el lloc, amb la situació: *Els estudiants van fer unes preguntes molt oportunes, que van servir perquè el professor aclarís alguns punts foscos.*

oportunament adv En el moment adequat, oportú.

oportunista *oportunistes* adj i nom m i f Es diu de la persona que s'aprofita d'un moment o d'una situació determinats en benefici propi.

oportunitat *oportunitats* nom f Moment que cal aprofitar, circumstància oportuna.

oposar v **1** Posar una cosa davant d'una altra per contrarestar-la, per combatre-la: *Vaig oposar un somriure irònic als seus insults.* **2** **oposar-se** Dir o fer una cosa en contra d'una altra: *Vaig oposar-me a les seves afirmacions.* Es conjuga com *cantar.*

oposat *oposada oposats oposades* adj Es diu d'una cosa que està situada a l'extrem contrari o enfront d'una altra: *En un dau, l'u i el sis es troben en cares oposades.*

oposició *oposicions* nom f **1** Acció d'estar en contra d'una cosa: *Els socis manifesten la seva oposició a l'actual president.* **2** Conjunt de partits polítics que no estan d'acord amb el partit que governa un país. **3** Prova o examen que es fa a un grup de persones per triar les més adequades per a fer una feina, per a ocupar un càrrec.

opressió *opressions* nom f **1** Situació en què algú o alguna cosa ens impedeix d'actuar amb llibertat: *Hi ha països on les persones de raça negra pateixen opressió i això és una gran injustícia.* **2** Sensació que s'experimenta quan alguna cosa ens estreny molt fort: *He menjat massa i ara tinc una opressió a l'estómac.*

opressor *opressora opressors opressores* adj i nom m i f Es diu de les persones o de les coses que oprimeixen: *El poble es va revoltar contra els opressors del seu país.*

oprimir v **1** No deixar actuar amb llibertat: *En aquell país hi havia un dictador que oprimia el poble.* **2** Estrènyer molt fort, fer pressió: *Es va haver d'afluixar el cinturó, perquè li oprimia molt la cintura.* Es conjuga com *servir.*

optar v Escollir una opció entre diverses: *Entre viatjar a París o a Londres han optat per la ciutat francesa.* Es conjuga com *cantar.*

optatiu *optativa optatius optatives* adj Que es pot triar o escollir: *En aquesta escola els tallers són optatius, cadascú pot anar al que vulgui.*

òptic *òptica òptics òptiques* **1** adj Que està relacionat amb la llum, amb els ulls o amb la visió: *El microscopi és un instrument òptic.* ■ *El nervi òptic.* |15| |18| **2** nom m i f Persona que es dedica a l'òptica.

òptica *òptiques* nom f **1** Part de la física que estudia tot el que està relacionat amb la llum o amb la visió. **2** Botiga on es preparen i es venen ulleres i altres instruments òptics. **3** Conjunt de lents d'una càmera fotogràfica, d'un vídeo, etc.

òptim *òptima òptims òptimes* adj Que no pot ser millor, que és excel·lent, boníssim.

optimar v Millorar una cosa al màxim, de manera que pugui oferir més avantatges: *Els tècnics han optimat el rendiment de les màquines de la nostra empresa.* Es conjuga com *cantar.*

optimisme *optimismes* nom m Tendència a pensar que les coses aniran bé, que no hi haurà problemes, etc.

optimista *optimistes* adj i nom m i f Es diu de la persona que pensa que les coses aniran bé, que és alegre i confiada: *En Pere és molt optimista, diu que guanyarem el partit per 5 a 0.*

optimitzar v Optimar. Es conjuga com *cantar.*

opulència *opulències* nom f Gran riquesa.

opulent *opulenta opulents opulentes* adj D'una gran riquesa.

opuscle *opuscles* nom m Obra literària o científica breu, que ocupa poques pàgines.

or *ors* nom m **1** Metall preciós de color groc brillant que té molt valor i amb el qual es fan joies: *Aquella senyora portava un braçalet d'or.* **2** *Aquesta nena és* **rossa com un fil d'or** *molt rossa.* **3** **fer-se la barba d'or** *Fer-se molt ric: Els amos d'aquesta fàbrica s'han fet la barba d'or.* **4** *El meu gosset, jo no me'l vendria* **ni per tot l'or del món** *per res, encara que em donessin molts diners.* **5** **or negre** Petroli.

oració oracions*nom f* **1** Conjunt de paraules que es diuen per resar. **2** Frase, conjunt organitzat de paraules que consta de dues parts anomenades "subjecte" i "predicat": *En l'oració "la Maria menja pomes", "la Maria" és el subjecte i "menja pomes" és el predicat.*

orada orades*nom f* Peix de mar de color gris clar, amb els costats platejats i una taca daurada al cap, i que és molt apreciat com a aliment.

orador oradora oradors oradores*nom m i f* Persona que parla en públic, que pronuncia un discurs o una conferència.

oral orals*adj* **1** Que es diu parlant i no per escrit: *Un examen oral.* **2** Que té relació amb la boca: *Aquest medicament es pren per via oral, és a dir, per la boca.*

orangutan orangutans*nom m* Simi que té els braços molt llargs, el cos cobert de pèl llarg i vermellós, i que és molt pacífic i solitari.

orar*v* Resar.
Es conjuga com *cantar.*

orat orada orats orades*adj i nom m i f* Boig.

oratge oratges*nom m* Vent.

oratjol oratjols*nom m* Vent suau.

oratori oratoris*nom m* **1** Lloc d'una casa, d'un edifici, on es va a resar, on es diu missa. **2** Composició musical de tema religiós.

oratòria oratòries*nom f* Art de parlar en públic.

orb orba orbs orbes*adj i nom m i f* Cec.

orbe orbes*nom m* Conjunt de totes les coses, univers.

orbicular orbiculars*adj* **1** Que té el contorn de forma circular. **2 orbicular de les parpelles**Múscul de forma circular que serveix per a tancar els ulls. **16**

òrbita òrbites*nom f* **1** Cadascun dels forats de la cara on hi ha els ulls **2** Trajectòria, camí que segueix un astre quan es mou al voltant d'un altre astre.

orca orques*nom f* Animal mamífer semblant al dofí, molt gros, amb l'esquena de color negre i el ventre de color blanc. **12**

orde ordes*nom m* **1** Conjunt de religiosos o de religioses que segueixen unes regles establertes pel seu fundador i que, normalment, viuen en un monestir o en un convent. **2** Sa-

grament que confereix el bisbe a un membre de l'Església catòlica per promoure'l a l'ofici de servei a la comunitat.

ordenació ordenacions*nom f* **1** Acció, activitat, resultat d'ordenar alguna cosa. **2** Celebració religiosa en la qual el bisbe confereix el sagrament de l'orde a un membre de l'Església catòlica.

ordenar*v* **1** Posar coses en ordre, seguint un criteri com ara de més gran a més petit, del número més baix al més alt, per ordre alfabètic, etc.: *Les paraules del diccionari estan ordenades alfabèticament.* **2** Manar una cosa, donar ordres a algú: *El mestre ens va ordenar que calléssim.* **3** Conferir el sagrament de l'orde a un membre de l'Església catòlica.
Es conjuga com *cantar.*

ordi ordis*nom m* Planta semblant al blat, però amb el gra més allargat, que es fa servir per a fer la cervesa i per a alimentar el bestiar.

ordi

ordinador ordinadors*nom m* Aparell electrònic que funciona amb programes i que ens pot ajudar a fer moltes coses, com ara càlculs, dibuixos, jocs, etc.: *A la nostra escola tenim un ordinador que té un programa per a poder dibuixar figures: rodones, quadrats, fletxes, etc.*

ordinal ordinals*adj* Que indica ordre, el lloc que ocupa un element en una sèrie: *Primer, segon, tercer, etc. són adjectius ordinals.*

ordinari ordinària ordinaris ordinàries*adj* **1** Que és normal, que no té res d'especial: *Aquell dijous, malgrat la gran nevada, vaig anar a la meva feina ordinària.* **2** Vulgar, de poc valor: *Aquests mobles no són gaire bons, són molt ordinaris.* **3 d'ordinari** Normalment.

ordit ordits*nom m* Conjunt de fils que, amb els de la trama, formen un teixit.

ordre ordres*nom m* **1** Col·locació correcta de les coses, seguint un criteri determinat: *Posaré ordre al teu armari: tota la roba està barrejada.* ■ *Les paraules del diccionari estan en ordre alfabètic.* **2** Pau, tranquil·litat, situació de respecte de les normes establertes per la societat: *La policia és l'encarregada de mantenir l'ordre*. **3** Conjunt d'animals o de plantes que tenen unes característiques comunes. **4 ordre del dia** Conjunt de temes que s'han de tractar en una reunió o assemblea: *El primer punt de l'ordre del dia de la reunió és l'augment de la quota dels socis.* **5** *nom f* Allò que cal obeir, manament: *El capità va donar l'ordre d'atacar.*

oreig oreigs o orejos *nom m* Vent suau.

orejar *v* **1** Ventilar. **2 orejar-se** Prendre l'aire: *Feia molta calor i van sortir a orejar-se una mica.*
Es conjuga com *cantar*. S'escriu *j* davant de *a, o, u* i *g* davant de *e, i: orejo, oreges*.

orella orelles *nom f* **1** Òrgan de les persones i dels animals que serveix per a poder sentir els sons i els sorolls, sentit de l'oïda; cadascuna de les dues peces de carn dura que tenim als costats del cap, a través de les quals captem els sons: *L'elefant té les orelles molt grosses.* **15** **2** *La Mercè* **té molt bona orella**: sent tots els sorolls, per petits que siguin. **3** *Li van* **estirar les orelles** *perquè arribava tard*: castigar, renyar. **4** *El que dius li deu* **entrar per una orella i sortir per l'altra**: no fer cas de res.

orella

orellana orellanes *nom f* Tros de préssec prim tallat i deixat assecar.

orellera orelleres *nom f* Peça que va enganxada en una gorra o en un casc i que serveix per a protegir les orelles.

orellera

orellut orelluda orelluts orelludes *adj* Que té les orelles molt grosses: *Els conills i els ases són uns animals orelluts.*

oremus Paraula que apareix en l'expressió **perdre l'oremus**, que vol dir "perdre el control de si mateix": *Aquell xicot va perdre l'oremus i va pegar al seu millor amic.*

oreneta orenetes *nom f* Ocell més aviat petit, amb la part de l'esquena de color blau fosc i la del ventre de color blanc, que passa la tardor i l'hivern en països càlids: *Al nostre país les orenetes arriben a la primavera.*

orenga orengues *nom f* Planta herbàcia aromàtica que serveix per a donar gust al menjar: *Hem menjat tomàquet amanit amb oli i orenga.*

orfe òrfena orfes òrfenes *adj* i *nom m* i *f* Es diu de l'infant a qui s'ha mort el pare o la mare o tots dos.

orfebre orfebres *nom m* i *f* Persona que fabrica o ven objectes d'or o de plata.

orfenat orfenats *nom m* Lloc on viuen i s'eduquen els infants orfes.

orfeó orfeons *nom m* Associació de persones a qui agrada de cantar i que formen una coral.

òrgan òrgans *nom m* **1** Part d'un ésser viu que fa una funció determinada: *El cor és l'òrgan que envia la sang a tot el cos.* **2** Instrument o mitjà que serveix per a fer una acció important: *Els òrgans del govern.*

organdí organdís *nom m* Tela de cotó transparent i una mica rígida: *La núvia portava un vestit d'organdí.*

orgànic orgànica orgànics orgàniques *adj* **1** Que té relació amb els òrgans. **2** Que té relació amb els éssers vius: *Les fulles dels arbres són matèria orgànica.*

organisme organismes *nom m* **1** Ésser viu capaç de néixer, créixer i reproduir-se. **2** Conjunt d'òrgans d'un ésser viu. **3** Institució, conjunt de persones que s'organitzen amb una finalitat: *La Creu Roja és un organisme que s'ocupa d'ajudar els accidentats.*

organista organistes *nom m* i *f* Persona que toca l'orgue.

organització organitzacions *nom f* **1** Acció o manera d'organitzar, de muntar alguna cosa: *L'organització d'aquesta festa ha estat molt bona.* **2** Conjunt de persones que s'organitzen per fer alguna cosa: *L'organització va agrair a tots els concursants la seva participació.*

organitzador organitzadora organitzadors organitzadores *adj i nom m i f* Es diu de la persona que organitza, munta, prepara coses.

organitzar *v* **1** Muntar, preparar, fer que funcioni una cosa: *Organitzarem una festa de final de curs.* **2** organitzar-se Posar ordre en les seves coses una persona o un conjunt de persones: *Si ens organitzem bé, haurem de treballar menys i farem la feina millor.*
Es conjuga com *cantar.*

orgasme orgasmes *nom m* Sensació molt agradable que se sent en el moment de més excitació sexual.

orgia orgies *nom f* Festa en la qual els participants mengen i beuen molt i tenen relacions sexuals.

orgue orgues *nom m* **1** Instrument musical de vent que consisteix en molts tubs que sonen amb l'aire que bufa una manxa i que es toca amb un o més teclats. **2** orgue electrònic Orgue en el qual els diferents sons s'obtenen electrònicament. **3** *Calleu, això sembla un orgue de gats!:* discussió en què tothom enraona alhora i ningú no s'entén.

orguenet orguenets *nom m* Instrument musical semblant a un piano, però més petit, que es fa sonar fent girar una maneta.

orgull orgulls *nom m* **1** Estimació exagerada d'un mateix, que fa que es cregui superior als altres. **2** Sentiment que fa que s'estigui content de les pròpies obres o de les obres d'altres persones: *Sentia orgull de la seva feina.*

orgullós orgullosa orgullosos orgulloses *adj i nom m i f* **1** Que té orgull: *Aquell individu és molt orgullós i es pensa que tot ho fa bé.* **2** Que està satisfet d'alguna cosa: *Aquell professor està orgullós dels seus alumnes i en parla a tothom.*

orient orients *nom m* **1** Part de l'horitzó per on surt el sol, llevant, est. **2** Conjunt dels països situats a l'est del Mediterrani i també dels països situats a Àsia.

orientació orientacions *nom f* **1** Posició d'un edifici, d'una persona, etc. amb relació als punts cardinals: *Aquesta casa té molt bona orientació i hi toca molt el sol.* **2** Consell, informació que es dóna a algú per fer alguna cosa: *El professor ens ha donat moltes orientacions a l'hora de fer el treball.*

oriental orientals *adj* **1** Que té relació amb l'orient, que està situat a l'est. **2** català oriental Manera de parlar el català pròpia de les Illes Balears i de les comarques de l'est de Catalunya. **3** *nom m i f* Persona natural o procedent dels països situats a l'est del Mediterrani i també dels països situats a Àsia.

orientar *v* **1** Col·locar alguna cosa en una posició determinada respecte als punts cardinals. **2** Informar, aconsellar sobre la manera de fer, de tractar o de resoldre una cosa: *El mestre ens va orientar molt a l'hora de fer el treball de matemàtiques.* **3** orientar-se Saber, una persona o un animal, on és i quina direcció ha de seguir per arribar a un lloc determinat.
Es conjuga com *cantar.*

orifici orificis *nom m* Forat, obertura d'entrada o de sortida.

origen orígens *nom m* Punt on comença o s'inicia una cosa: *L'origen de molts incendis són cigarrets mal apagats.*

original originals **1** *adj i nom m* Es diu d'un dibuix, d'un escrit, d'una fotografia, etc. que serveix de base per a fer còpies: *De l'original d'aquesta fotografia, feu-ne 25 còpies.* **2** *adj* Que és rar, estrany, nou, difícil d'imitar: *Aquella noia va vestida d'una manera molt original.*

originalitat originalitats *nom f* **1** Qualitat d'original: *Deien que aquell quadre era de Picasso, però alguns experts dubtaven de la seva originalitat.* **2** Acte propi d'una persona original: *La teva germana sempre fa alguna originalitat, com presentar-se a classe amb el cap cobert amb un barret de bruixa.*

originar *v* Donar origen o començament a alguna cosa: *Aquell petit foc va originar un gran incendi.*
Es conjuga com *cantar.*

originari originària originaris originàries *adj* **1** Que té el seu origen en un lloc determinat: *La seva família és originària de Mallorca.* **2** Que és de l'origen: *Tots els calaixos d'aquest armari tan antic són originaris, no n'hem hagut de canviar cap.*

orina orines *nom f* Líquid que s'expulsa a fora del cos a través de la uretra; pipí.

orinal orinals *nom m* Recipient que serveix per a fer-hi pipí o caca.

orinar v Fer sortir l'orina a fora del cos a través de la uretra; pixar.
Es conjuga com *cantar*.

orins *nom m pl* Pipins, pixats.

oriol oriols *nom m* Ocell de color groc, amb les ales i la cua negres, i que té un cant molt bonic.

oriünd oriünda oriünds oriündes *adj* Que té el seu origen en un lloc determinat, originari: *Aquell jugador de futbol és oriünd del Brasil.*

orla orles *nom f* Adorn, sanefa que es posa a les vores d'un escrit, d'una fotografia, etc. per emmarcar-lo.

ormeig ormeigs o ormejos *nom m* **1** Conjunt de les eines i instruments d'un ofici, utillatge. **2** Qualsevol dels elements que formen un estri de pescar, com ara canyes, palangres, etc.

ornament ornaments **1** *nom m* Allò que s'afegeix a una cosa per adornar-la i fer-la més bonica. **2** ornaments *nom m pl* Vestidures que fan servir els sacerdots per dir la missa.

ornamental ornamentals *adj* Que serveix d'ornament, que acompanya una cosa per a adornar-la.

ornamentar v Posar ornaments: *Quan arriba la festa major, els veïns ornamenten l'església amb flors.*
Es conjuga com *cantar*.

ornar v Adornar.
Es conjuga com *cantar*.

orni Paraula que apareix en l'expressió **fer l'orni**, que vol dir "fer veure que no se sap de què es parla, fer el desentès": *Aquell noi, quan li demano que em torni els diners, sempre fa l'orni.*

ornito- ornit- Element amb què comencen algunes paraules i que vol dir "ocell".

ornitòleg ornitòloga ornitòlegs ornitòlogues *nom m i f* Persona que es dedica a l'estudi dels ocells.

ornitologia ornitologies *nom f* Branca de la zoologia que tracta dels ocells.

ornitorinc ornitorincs *nom m* Mamífer nedador, de cos aplanat i pèl gris i molt fi, que té les potes i el bec com els ànecs.

orografia orografies *nom f* Part de la geografia que tracta de les muntanyes.

oronella oronelles *nom f* Oreneta.

orquestra orquestres *nom f* Conjunt d'instruments musicals i de músics, col·locats per realitzar un concert o una interpretació musical.

orquestrina orquestrines *nom f* Orquestra formada per pocs músics i que sol interpretar música de ball.

orquídia orquídies *nom f* Planta que fa unes flors molt apreciades pels seus colors i que pengen en forma de raïm.

orri orris *nom m* **1** Lloc on es munyen les ovelles i es fa el formatge. **2 anar-se'n en orri** o **en orris** No anar bé una cosa, espatllar-se, perdre's: *Vam preparar una festa al jardí, però tot se'n va anar en orris per culpa de la pluja.*

ortiga ortigues *nom f* Planta herbàcia de fulles ovalades amb les vores en forma de serra, que quan es toca fa venir picor.

ortigada ortigades *nom f* Picor produïda per l'ortiga.

ortigar-se v Sentir picor produïda per les ortigues.
Es conjuga com *cantar*. S'escriu g davant de a, o, u i gu davant de e, i: m'ortigo, t'ortigues.

orto- Element amb què comencen algunes paraules i que vol dir "recte", "dret", "correcte", "regular".

ortodòncia ortodòncies *nom f* Tècnica que s'ocupa de corregir i de prevenir la mala col·locació de les dents.

ortodox ortodoxa ortodoxos ortodoxes *adj* Que segueix fidelment una doctrina, sense desviar-se'n gens.

ortoedre ortoedres *nom m* Prisma de sis cares rectangulars que té tots els angles rectes.

ortografia ortografies *nom f* Manera correcta d'escriure les paraules d'una llengua.

ortogràfic ortogràfica ortogràfics ortogràfiques *adj* Que està relacionat amb l'ortografia: *Un text ple d'errors ortogràfics.*

ortopèdia ortopèdies *nom f* Correcció o prevenció de les deformacions del cos mitjançant aparells i tractaments especials.

ortopèdic ortopèdica ortopèdics ortopèdiques *adj* Que ajuda a corregir o a prevenir deformacions del cos, dels ossos, etc.: *Com que tinc els peus plans, haig de portar unes plantilles ortopèdiques.*

orxata orxates *nom f* Beguda refrescant que es fa amb sucre, aigua i ametlles o xufles aixafades.

orxateria orxateries *nom f* Lloc on es fa o es ven orxata i altres refrescos.

os ossos *nom m* **1** Peça dura, de color blanc, que hi ha a dintre del cos de les persones i d'alguns animals, que aguanta la carn i que protegeix alguns òrgans delicats, com ara el cervell: *El conjunt dels ossos forma l'esquelet.* ■ *El fèmur és l'os que tenim a dins la cuixa.* **15 2** *Has de menjar més, perquè* **no tens més que la pell i l'os**: es diu d'una persona que és molt prima. **3** *Aquesta assignatura* **és un os dur de rosegar**: es diu d'una cosa que és difícil de superar o de resoldre. **4** *Aquell home* **té un os a l'esquena** és molt gandul, no té mai ganes de treballar.

ós óssa óssos ósses *nom m i f* Animal mamífer força gros i fort, de pell peluda, que pot caminar aguantant-se sobre les potes del darrere i que s'alimenta sobretot de la carn dels animals que caça.

osca osques *nom f* Tall petit que es fa en una superfície llisa, com ara un ganivet, un bastó, etc.: *Aquest ganivet té una osca i no talla gens bé.*

oscil·lar *v* Moure's un cos, variar una quantitat ara en un sentit ara en un altre: *El pèndol del rellotge oscil·la.* ■ *La febre oscil·lava entre 38 i 39 graus.* Es conjuga com *cantar*.

osonenc osonenca osonencs osonenques **1** *nom m i f* Habitant de la comarca d'Osona; persona natural o procedent de la comarca d'Osona. **2** *adj* Es diu de les persones o de les coses naturals o procedents de la comarca d'Osona.

ossada ossades *nom f* Conjunt dels ossos de l'esquelet d'una persona o d'un animal.

ossat ossada ossats ossades *adj* Es diu de la persona o de l'animal que té els ossos grossos.

ossi òssia ossis òssies *adj* Que està fet d'os, que té les característiques de l'os.

ossut ossuda ossuts ossudes *adj* Ossat, que té els ossos grossos.

ostatge ostatges *nom m i f* Persona que algú ha fet presonera per obtenir diners o alguna cosa a canvi de posar-la en llibertat: *Els segrestadors de l'avió van retenir el pilot i les hostesses com a ostatges.*

ostensible ostensibles *adj* Es diu d'una cosa que es pot veure, que és feta amb la intenció que tothom se n'adoni.

ostentació ostentacions *nom f* Demostració exagerada de poder, de riquesa, etc.: *Sempre fa ostentació del seu cotxe de luxe ensenyant-lo a tothom.*

ostentar *v* Ensenyar, mostrar una cosa que es té per presumir-ne davant dels altres: *A alguns els agrada d'ostentar les seves riqueses.* Es conjuga com *cantar*.

ostra ostres *nom f* **1** Animal marí cobert per una closca de dues peces, que viu enganxat a les roques i que és molt apreciat com a aliment: *Les ostres són un menjar molt bo, però molt car.* **2** *Ostres!*, la Júlia ha tornat a guanyar: paraula amb la qual expressem admiració, sorpresa, alegria o molèstia davant d'un fet.

ostra

otitis unes otitis *nom f* Inflamació de l'orella.

otomà otomana otomans otomanes **1** *adj i nom m i f* Persona natural d'un poble turc de l'Àsia central. **2** *adj* Que té relació amb els otomans.

otomana otomanes *nom f* Seient llarg i tou sense respatller, amb coixins, que també es pot fer servir com a llit.

otorinolaringòleg otorinolaringòloga otorinolaringòlegs otorinolaringòlogues *nom m i f* Metge especialista en malalties del nas, del coll i de les orelles.

ou ous *nom m* **1** Closca rodona que té a dintre un ocell o un altre animal que encara ha de néixer: *Les femelles dels ocells, dels peixos i d'altres animals ponen ous, i d'aquests neixen els seus fills.* ■ *Les truites es fan amb ous de gallina.* **2** **ou dur** Ou bullit amb el rovell i la clara ben cuits. **3** **ou passat per aigua** Ou bullit però amb el rovell només mig cuit. **4** **ou ferrat** Ou fregit amb oli. **5** *La sala era* **plena com un ou** totalment plena. **6** Òvul. **7** Testicle. **8** Objecte que té forma d'ou: *Al pastís hi havia un ou de xocolata.* **9** **ou**

de reig nom del bolet comestible anomenat reig quan encara no és madur. 4

ouera oueres *nom f* Recipient amb espais buits per a posar-hi ous.

ouera

ovació ovacions *nom f* Demostració d'entusiasme per una cosa amb aplaudiments, crits, etc.: *Quan l'autor de l'obra va sortir a saludar, el públic li va dedicar una gran ovació.*

ovacionar *v* Demostrar entusiasme per una cosa amb aplaudiments, crits, etc.
Es conjuga com *cantar.*

oval ovals *adj* Que té forma d'ou.

ovalat ovalada ovalats ovalades *adj* Que té forma d'ou.

ovari ovaris *nom m* **1** Òrgan de l'aparell reproductor femení dels mamífers que s'encarrega de la formació dels òvuls. **2** Part de la planta que conté les llavors.

ovella ovelles *nom f* Animal mamífer, amb el cos cobert de llana, que menja herba i que és molt apreciat per la carn, la llana i la llet: *Les ovelles mascles es diuen marrans.*

ovi- ovo- Element amb què comencen algunes paraules i que vol dir "ou".

oví ovina ovins ovines *adj* Que té relació amb les ovelles: *A la nostra comarca hi ha molta ramaderia ovina.*

ovípar ovípara ovípars ovípares *adj* Es diu dels animals que es reprodueixen per mitjà d'ous que la femella pon abans que la cria hagi acabat de formar-se.

ovni ovnis *nom m* Objecte volador no identificat.

ovoide ovoides *adj* Que té forma d'ou.

ovovivípar ovovivípara ovovivípars ovovivípares *adj* Es diu dels animals que es reprodueixen per mitjà d'ous que es queden dins el cos de la femella fins que neix la cria.

òvul òvuls *nom m* Cèl·lula femenina produïda per l'ovari que, quan és fecundada per un espermatozoide, forma un nou ésser.

ovulació ovulacions *nom f* Sortida d'un òvul de l'ovari.

ovular *v* Sortir un òvul de l'ovari.
Es conjuga com *cantar.*

òxid òxids *nom m* Combinació de l'oxigen amb qualsevol element químic que no sigui el fluor.

oxidació oxidacions *nom f* Acció d'oxidar-se, de rovellar-se un metall.

oxidar-se *v* Rovellar-se el ferro o un altre metall a causa de la humitat de l'aire, etc.
Es conjuga com *cantar.*

oxigen oxígens *nom m* Gas que, barrejat amb el nitrogen, forma l'aire que respirem.

oxigenar *v* **1** Impregnar d'oxigen. **2** Airejar.
Es conjuga com *cantar.*

ozó ozons *nom m* Gas de color blavós que forma una capa a l'atmosfera que ens protegeix de les radiacions del sol.

pa pans nom m **1** Aliment que es fa barrejant farina, aigua i llevat, de manera que es formi una pasta que després es deixa coure al forn. **2** *Aquell home* **és un tros de pa** *és molt bona persona.* **3** *Aquest bolígraf ja s'ha espatllat,* **és de pa sucat amb oli** *és dolent, de poca qualitat, mal fet.* **4** *Hem tornat a perdre l'autobús: és* **el nostre pa de cada dia** *allò que ens passa sempre, cada dia.* **5** *Aquest llibre és* **més llarg que un dia sense pa** molt llarg. **6 pa d'àngel** Làmina molt prima de pa, de color blanc, que es fa servir per a fer les hòsties, per cobrir alguns torrons, etc.

paciència paciències nom f Qualitat que consisteix a fer les coses amb calma, sense posar-se nerviós, sense enfadar-se: *En Marc té molta paciència i fa uns dibuixos molt ben fets, amb molts detalls.*

pacient pacients **1** nom m i f Persona que té una malaltia: *El metge ha anat a visitar un pacient.* **2** adj Es diu de la persona tranquil·la, que té paciència.

pacientment adv Amb paciència, amb tranquil·litat.

pacífic pacífica pacífics pacífiques adj **1** Que està en calma, en pau, quiet. **2** Es diu de la persona que té un caràcter tranquil, a qui no agrada discutir-se ni barallar-se.

pacificar v Posar pau allí on no n'hi ha, calmar: *Els nens estaven molt esverats i el mestre els va pacificar amb una història molt bonica.* Es conjuga com *cantar.* S'escriu *c* davant de *a, o, u* i *qu* davant de *e, i: pacifico, pacifiques.*

pacifisme pacifismes nom m Manera de pensar de les persones que estan en contra de la guerra i en contra de la violència.

pacifista pacifistes adj i nom m i f Es diu de la persona que practica el pacifisme, que està en contra de la guerra i en contra de la violència.

pacotilla Paraula que apareix en l'expressió **de pacotilla**, que vol dir "de poca qualitat, de poc valor": *És un cantant de pacotilla, valdria més que es retirés dels escenaris.*

pactar v Fer un pacte, arribar a un acord sobre una cosa. Es conjuga com *cantar.*

pacte pactes nom m Acord entre dues o més persones.

padrastre padrastres nom m Home casat amb una dona que ja té un o més fills, amb relació a aquests fills: *En Vicenç no té pare, sinó padrastre, perquè el seu pare es va morir i la seva mare es va tornar a casar.*

padrí padrina padrins padrines nom m i f **1** Persona que quan es bateja un infant es compromet a cuidar-se'n si els pares no poden fer-ho, perquè s'han mort, etc.: *Aquest nen es diu Lluís, igual que el seu padrí.* **2** Persona que protegeix o ajuda algú. **3** Vell, vella.

padró padrons nom m Llista dels habitants d'un municipi, on consta el nom, l'edat, l'adreça, etc.

paella paelles nom f **1** Recipient de metall, rodó, ample i de poca altura, amb mànec, que serveix per a fregir i coure menjar. **2** Arròs fet amb carn, peix, marisc, llegums i hortalisses, que és un menjar típic del País Valencià: *Avui menjarem paella.* **3** *A en Pere li agrada de* **tenir la paella pel mànec** manar, poder fer i desfer segons el seu gust.

paella

paellada paellades nom f Quantitat de carn, de peix, etc. que es pot coure en una paella d'un sol cop: *Vam anar al restaurant i vam demanar una paellada de carn de xai.*

paer paera paers paeres nom m i f Regidor d'un ajuntament: *A Lleida, als regidors de l'Ajuntament, se'ls anomenava paers.*

paf Onomatopeia, paraula que imita el soroll produït pel xoc violent entre dues coses.

paga pagues nom f **1** Allò que es dóna per pagar el que es deu, salari. **2 fer-se pagues** Estar convençut d'obtenir una cosa: *Em feia pagues que pel meu sant em regalarien una màquina d'escriure.* **3 paga i senyal** Part de diners que es dóna perquè et guardin una cosa que vols comprar.

pagà pagana pagans paganes *adj* i *nom m* i *f* Es diu de la persona que adora falsos déus.

pagament pagaments *nom m* Acció de pagar una quantitat de diners.

pagar *v* **1** Donar a algú els diners que li devem per una cosa que ens ha venut, per una feina o un servei que ens ha fet, etc.: *Quan va comprar aquell pis, va haver de pagar molts diners.* **2** Sofrir les conseqüències d'haver fet una cosa mal feta, d'un error, etc.: *Aquell nen m'ha fet mal, però ja me les pagarà!* Es conjuga com *cantar.* S'escriu g davant de *a, o, u* i gu davant de *e, i: pago, pagues.*

pagaré pagarés *nom m* Document en què algú es compromet a pagar una cosa en un temps acordat.

pagerol pagerola pagerols pageroles *nom m* i *f* Pagès, persona que té la manera de comportar-se o de parlar que són considerades pròpies dels pagesos.

pagès pagesa pagesos pageses *nom m* i *f* **1** Persona que viu i que treballa al camp, conreant la terra, criant bestiar, etc.: *El pagès llaurava el camp amb un tractor.* **2** Aquella gent viu *a pagès*: al camp, no pas a la ciutat.

pagesia pagesies *nom f* **1** Conjunt dels pagesos. **2** Conjunt de masies i de camps de conreu.

pàgina pàgines *nom f* **1** Cadascuna de les dues cares d'un full d'un llibre, d'un quadern, etc.: *Aquest llibre és molt gruixut, té uns cinc-cents fulls, és a dir, unes mil pàgines.* **2 pàgina web** Document al qual s'accedeix a través d'Internet que conté informació en forma de textos, imatges, pel·lícules, etc.

pagoda pagodes *nom f* Temple típic de la Xina, de l'Índia, del Japó, etc.

pagoda

paio paia paios paies *nom m* i *f* **1** Paraula que fan servir els gitanos per a referir-se a una persona que no ho és. **2** Persona, individu.

pair *v* **1** Digerir, transformar els aliments a l'estómac i als budells perquè puguin ser absorbits pel cos. **2** Suportar, acceptar: *El seu germà petit el va guanyar als escacs i això en Ramon encara no ho ha paït.* Es conjuga com *reduir.*

pairal pairals *adj* Es diu de la casa, la masia, etc. dels pares o dels avantpassats.

país països *nom m* Lloc, territori que té unes característiques particulars que el diferencien de la resta en alguns aspectes, com ara la geografia, la població, la llengua, la cultura, la història, etc.: *Euskadi i Galícia són països molt plujosos.* ■ *A l'Àfrica hi ha molts països.*

paisà paisana paisans paisanes **1** *adj* i *nom m* i *f* Que és del mateix país que un altre: *En Jaume i jo som paisans: tots dos vam néixer a Girona.* **2** *nom m* i *f* Persona que no és militar, civil: *Els soldats sortien de la caserna vestits de paisà.*

paisatge paisatges *nom m* Tros de territori que es pot veure des d'un lloc i que es diferencia de la resta pel tipus de vegetació, la forma de les muntanyes, dels camps, dels pobles, dels rius, etc.: *Ens agrada de viatjar amb tren i mirar el paisatge per la finestra.*

paisatge

pakistanès pakistanesa pakistanesos pakistaneses **1** *nom m* i *f* Habitant del Pakistan; persona natural o procedent del Pakistan. **2** *adj* Es diu de les persones o de les coses naturals o procedents del Pakistan.

pal pals *nom m* Peça de fusta dreta i recta, d'una certa llargada, com les que aguanten els fils de l'electricitat o les que hi ha a les porteries de futbol: *És perillós enfilar-se als pals de l'electricitat.* ■ *La Lluïsa va xutar contra la porteria, però la pilota va picar al pal.*

pala pales *nom f* **1** Eina formada per una làmina de fusta o de metall, de forma quadrada o rodona, i un mànec llarg, que serveix per a recollir i remoure materials com ara sorra, serradures, runa, etc. **2** Tros de fusta amb una part ampla i prima i una altra en forma de mànec que es fa servir per a picar la pilota en alguns jocs. **3** Part ampla i prima de diversos instruments: *Molts rems acaben en una pala ampla.* ▪ *Les pales d'una hèlice.* **4** Peça davantera mòbil que porten algunes màquines, com les excavadores, que consisteix en una mena de recipient metàl·lic molt gros, que permet d'arrencar, d'arrossegar, de recollir o de transportar terra, sorra, etc.

paladar paladars *nom m* **1** Part superior de la boca per dintre. **2** Sentit del gust: *Li agraden els bons vins: té bon paladar.* **3 paladar tou** Part posterior del paladar anomenada també vel del paladar. 15

paladejar *v* Retenir un aliment o una beguda a la boca per assaborir-ne bé el gust.
Es conjuga com *cantar*. S'escriu *j* davant de *a, o, u* i *g* davant de *e, i: paladejo, paladeges.*

palafrugellenc palafrugellenca palafrugellencs palafrugellenques **1** *nom m* i *f* Habitant de Palafrugell; persona natural o procedent de Palafrugell. **2** *adj* Es diu de les persones o de les coses naturals o procedents de Palafrugell.

palaia palaies *nom f* Peix aplanat que té tots dos ulls a la mateixa banda, s'assembla al llenguado i es menja fregit.

palamosí palamosina palamosins palamosines **1** *nom m* i *f* Habitant de Palamós; persona natural o procedent de Palamós. **2** *adj* Es diu de les persones o de les coses naturals o procedents de Palamós.

palanca palanques *nom f* **1** Peça llarga col·locada sobre un punt de suport que serveix per a alçar coses que pesen. **2** Fustes o taulons que serveixen per a passar d'un lloc a un altre: *Per travessar el riu, hi havia una palanca.*

palangana palanganes *nom f* Recipient rodó, gros i poc fondo que serveix per a posar-hi aigua, rentamans.

palangre palangres *nom m* Manera de pescar en què es fa servir una corda llarga d'on pengen diverses cordes petites, cadascuna de les quals porta un ham.

palanquí palanquins *nom m* Llitera o cadira que es fa servir en alguns països orientals per a transportar una persona.

palatal palatals *adj* Que està relacionat amb el paladar.

palatí palatina palatins palatines *adj* Que està relacionat amb el palau d'un sobirà.

palau palaus *nom m* Edifici molt gran i de molt luxe, on viuen els reis o els grans senyors o en el qual s'ha instal·lat el govern, un museu, un jutjat, etc.: *Vam anar a visitar el Palau de la Generalitat.*

paleo- pale- Element amb què comencen algunes paraules i que vol dir "vell, antic": *La paleografia estudia les inscripcions i els escrits antics.*

paleolític paleolítica paleolítics paleolítiques **1** *nom m* Període més antic de la prehistòria. **2** *adj* Que està relacionat amb el període del paleolític.

palès palesa palesos paleses *adj* Clar, evident: *Amb sis gols d'avantatge, va quedar ben palesa la superioritat del nostre equip.*

palesar *v* Fer clara, evident una cosa: *Els forts aplaudiments del públic palesaven l'èxit del concert.*
Es conjuga com *cantar*.

palestí palestina palestins palestines **1** *nom m* i *f* Habitant de Palestina; persona natural o procedent de Palestina. **2** *adj* Es diu de les persones o de les coses naturals o procedents de Palestina.

palet palets *nom m* Pedra de riu que té una forma arrodonida de tant rodolar per l'aigua.

paleta[1] paletes *nom m* i *f* Persona que treballa en la construcció o en la reparació d'edificis.

paleta[2] paletes *nom f* **1** Eina que té una làmina de metall petita, en forma de triangle, i un mànec curt, que fan servir els paletes: *El paleta remenava el ciment amb una paleta.* **2** Làmina prima de fusta, de forma ovalada, on el pintor té els colors que ha de fer servir: *El pintor tenia la paleta en una mà i l'espàtula en l'altra.*

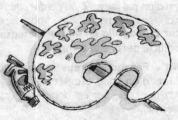

paleta

P

paletina paletines *nom f* Pinzell ample i prim que serveix per a escampar pintura o per a envernissar.

palíndrom palíndroms *nom m* Paraula o grup de paraules que tant es poden llegir d'esquerra a dreta com de dreta a esquerra, per exemple el nom "Anna".

palissada palissades *nom f* Tanca construïda amb troncs o taulons posats ben junts, que es pot fer servir com a defensa: *Els antics soldats romans aixecaven una palissada al voltant del seu campament.*

palla palles *nom f* **1** Tija de blat i d'altres cereals, seca i separada del gra, d'un color groc torrat, que serveix per a alimentar les bèsties, donar-los escalfor, etc.: *El tractor arrossegava un remolc ple de palla.* **2** Tub petit i prim, normalment de plàstic, que serveix per a xuclar una beguda. **3** Allò que sobra, que no diu res d'important en un llibre, en un discurs, en un treball, etc.: *El professor ens ha dit que responguem breument les preguntes de l'examen i que no hi posem gens de palla.* **4 dormir a la palla** Anar despistat, no ser conscient d'un perill, d'un mal, etc.

pallarès pallaresa pallaresos pallareses **1** *nom m i f* Habitant de les comarques del Pallars; persona natural o procedent de les comarques del Pallars. **2** *adj* Es diu de les persones o de les coses naturals o procedents de les comarques del Pallars.

pallassada pallassades *nom f* Acció pròpia d'un pallasso: *Amb les seves pallassades aquell pallasso va fer riure molt.*

pallasso pallassa pallassos pallasses *nom m i f* **1** Artista de circ que fa riure amb les seves actuacions, converses i disfresses divertides. **2** Persona que té un comportament poc seriós, poc responsable: *D'aquell noi no te'n refiïs, és un pallasso.*

paller pallers *nom m* **1** Munt de palla format entorn d'un pal llarg. **2** *Va perdre una arracada a la platja i va ser impossible de trobar-la; era com* **buscar una agulla en un paller**: fer una cosa molt difícil, perdre el temps.

pal·liar *v* Fer menys greus les conseqüències d'un fet, d'un mal, etc.: *Les darreres pluges serviran per a pal·liar els danys causats per la gran secada.*
Es conjuga com *canviar*.

pàl·lid pàl·lida pàl·lids pàl·lides *adj* Que té un color suau, poc intens.

pallissa[1] pallisses *nom f* Lloc on es guarda la palla.

pallissa[2] pallisses *nom f* **1** Gran quantitat de cops donats a algú amb la mà o amb alguna cosa. **2** Derrota molt gran: *Vam perdre per deu gols a zero; quina pallissa!* **3** Es diu d'una conversa, d'una activitat, etc. que se'ns fa pesada i avorrida: *Cada vegada que me'l trobo em clava la pallissa i m'explica tot d'històries que no m'interessen.*

pallús pallussa pallussos pallusses *adj i nom m i f* Es diu de la persona poc espavilada, babaua.

palma palmes *nom f* **1** Palmera. **2** Fulla de palmera de color groc, molt treballada i adornada, que s'acostuma a portar a beneir a l'església la festa del Diumenge de Rams. **3** Palmell, part de dins de la mà.

palmarès palmaresos *nom m* **1** Llista dels guanyadors d'una competició esportiva. **2** Llista dels èxits d'un esportista.

palmatòria palmatòries *nom f* Objecte que consisteix en un plat petit que té una nansa o un mànec i que serveix per a aguantar una espelma.

palmatòria

palmell palmells *nom m* Part de dins de la mà.

palmera palmeres *nom f* Arbre sense branques, que només té unes fulles grosses al capdamunt del tronc, i que creix en els països càlids: *A la ciutat d'Elx hi ha moltes palmeres.*

palmó palmons *nom m* Fulla de palmera lligada i de color groc que s'acostuma a portar a beneir a l'església la festa del Diumenge de Rams.

paló palons *nom m* Pala petita que serveix per a fer clots a terra i sembrar-hi llavors.

paloma palomes *nom f* Papallona.

palometa palometes *nom f* Papallona.

palpable palpables *adj* Que es pot veure clarament, que és evident: *Les llàgrimes que li queien cara avall eren una mostra palpable de la seva pena.*

palpar *v* Tocar una cosa amb les mans per examinar-la: *La policia va palpar el detingut per veure si portava cap arma.*
Es conjuga com *cantar*.

palpentes Paraula que apareix en l'expressió **a les palpentes**, que vol dir "a cegues, ajudant-se de les mans per evitar d'ensopegar o de caure": *Quan érem a mitja escala es va apagar el llum i vam haver d'acabar de pujar a les palpentes.*

palpís palpissos *nom m* Tros de carn que no té os; tou de carn: *Li vaig fer un pessic al palpís de la cuixa.*

palpitar *v* Bategar: *Després de la correguda el cor em palpitava molt de pressa.*
Es conjuga com *cantar*.

palplantat palplantada palplantats palplantades *adj* Dret, sense moure's, com si estigués clavat a terra: *El guàrdia estava palplantat davant la porta.*

pam[1] Onomatopeia, paraula que imita el soroll que fa un tret o un cop violent.

pam[2] pams *nom m* **1** Distància que hi ha entre la punta del dit polze i la punta del dit petit, tenint la mà ben oberta i els dits estesos. **2** Cinquena part d'un metro, aproximadament, és a dir, vint centímetres. **3** *La policia va escorcollar el bosc* **pam a pam** *per descobrir els fugitius que s'hi havien amagat:* completament, sense deixar ni un tros. **4** *El nostre equip va guanyar i els vam* **deixar amb un pam de nas**: decebuts, sense ànims, enganyats. **5** *Vam arribar al poble* **traient un pam de llengua**: cansats, fatigats. **6** **fer pam i pipa** Fer un gest de burla que consisteix a col·locar el dit polze d'una mà tocant la punta del nas i el dit petit enganxat al polze de l'altra, tot movent amunt i avall els altres dits.

pàmfil pàmfila pàmfils pàmfiles *adj* Es diu d'una persona que va massa a poc a poc a fer les coses, que no s'espavila.

pamflet pamflets *nom m* Llibret amb molt poques planes, que generalment no se sap qui l'ha escrit i on es critica o s'ataca algú o alguna cosa.

pampalluguejar *v* Anar-se encenent i apagant un llum moltes vegades seguides.
Es conjuga com *cantar*. S'escriu *j* davant de *a, o, u* i *g* davant de *e, i*: pampallugeja, pampalluguegi.

pampallugues Paraula que apareix en l'expressió **fer pampallugues**, que vol dir "anar-se encenent i apagant un llum, anar-se obrint i tancant els ulls de manera ràpida i seguida": *El llum del sostre feia pampallugues i no anava bé per llegir.*

pàmpol pàmpols *nom m* **1** Protecció que es posa damunt un llum per concentrar la claror i evitar que molesti la vista. **2** Fulla de cep.

pana[1] panes *nom f* Avaria: *El cotxe va tenir pana i va haver de venir la grua a remolcar-lo.*

pana[2] panes *nom f* Roba de vellut: *A l'hivern porto pantalons de pana.*

panacea panacees *nom f* Solució de qualsevol problema, de qualsevol mal, etc.

panarra panarres *nom m* i *f* Persona que acostuma a menjar molt pa.

pancarta pancartes *nom f* Cartell gran fet amb roba, paper, etc. que serveix per a anunciar o comunicar alguna cosa: *A la manifestació hi havia moltes pancartes que deien* "NO A LA CONTAMINACIÓ".

pancreàtic pancreàtica pancreàtics pancreàtiques *adj* Que té relació amb el pàncrees.

pàncrees els pàncrees *nom m* Òrgan situat al ventre, darrere l'estómac, que fa un paper important en la digestió i en la regulació del sucre dins la sang. **19**

panda pandes *nom m* Ós de color negre amb taques blanques, que viu en una petita zona d'Àsia i s'alimenta sobretot de canya de bambú.

pandereta panderetes *nom f* Pandero petit amb cascavells al voltant.

pandero panderos *nom m* **1** Instrument musical de percussió que consisteix en un cèrcol de fusta cobert amb una pell tibant i que es fa sonar picant amb la mà. **2** Cul.

pandero

panegíric panegírics *nom m* Discurs que es fa en lloança d'algú o d'alguna cosa: *El pregoner de la festa major va fer un panegíric de la ciutat.*

panellet panellets *nom m* Pastís molt petit fet bàsicament de massapà i decorat amb pinyons, ametlles, etc. que es menja per la festa de Tots Sants, juntament amb les castanyes.

paner paners *nom m* **1** Cistell: *Un paner ple de pomes.* **2** Cul: *Si no fas bondat, t'estovaré el paner.*

panera paneres *nom f* Recipient fet de joncs, vímet, etc. que serveix per a tenir-hi pa, menjar, roba, etc.: *Per Nadal, l'empresa on treballa va regalar al meu pare una panera plena de torrons i d'ampolles de xampany.*

panet panets *nom m* Pa petit i rodó que serveix per a fer entrepans.

pànic pànics *nom m* Por molt forta.

panís panissos *nom m* Blat de moro.

panorama panorames *nom m* Vista, paisatge, aspecte general: *Des de dalt de tot del Tibidabo es veu el panorama de la ciutat de Barcelona.* ■ *Es van reunir per estudiar el panorama econòmic del país.*

panoràmic panoràmica panoràmic panoràmiques *adj* Que està relacionat amb el panorama: *Des d'aquell mirador es veu una vista panoràmica de la ciutat.*

panotxa panotxes *nom f* Espiga de blat de moro.

pansa panses *nom f* **1** Gra de raïm assecat que es menja com a postres o cuinat amb carn o peix: *Avui per postres hem menjat avellanes, ametlles i panses.* **2** Butllofa que surt al llavi i que quan s'asseca té la forma i el color semblants als d'una pansa: *Després del constipat a en Xavier li ha sortit una pansa.*

pansir-se *v* **1** Assecar-se les flors o les plantes a causa de la calor, marcir-se. **2** Desanimar-se, ensopir-se.
Es conjuga com *servir.*

pansit pansida pansits pansides *adj* **1** Es diu de les flors o de les plantes que han perdut la frescor: *Amb aquest sol tan fort les plantes del jardí estan ben pansides.* **2** Es diu de la persona trista, que no està animada: *Vaig trobar la teva mare asseguda al sofà sense fer res, trista i pansida.*

pantà pantans *nom m* **1** Llac artificial molt gran que es forma tancant amb una paret molt alta la boca d'una vall per on passa un riu. **2** Lloc amb molt fang i aigua, aiguamoll.

pantalla pantalles *nom f* **1** Superfície sobre la qual es projecten diapositives, pel·lícules, etc., on es reprodueixen les imatges: *Aquest cinema té la pantalla molt gran.* **2** Superfície sobre la qual apareixen imatges: *Aquest ordinador té una pantalla molt petita.* **3** Pàmpol d'un llum.

pantaló pantalons *nom m* Peça de vestir que cobreix cadascuna de les cames o només una part i que arriba fins a la cintura: *Baixant pel tobogan, en Jordi s'ha estripat els pantalons.*

pantanós pantanosa pantanosos pantanoses *adj* Es diu del terreny que sempre és moll, ple de fang i d'aigua.

panteixar *v* Respirar amb dificultat a causa d'un esforç: *Vaig pujar les escales corrent i vaig arribar a dalt panteixant.*
Es conjuga com *cantar.*

panteó panteons *nom m* **1** Monument on hi ha les sepultures dels diversos membres d'una família. **2** Temple de l'antiguitat dedicat a tots els déus.

panteó

pantera panteres *nom f* Mamífer fort i àgil que s'alimenta de carn, és una varietat de jaguar o de lleopard: *La pantera és un animal que salta molt.*

pantis *nom m pl* Parell de mitges unides per la part de dalt que arriben fins a la cintura.

pantomima pantomimes *nom f* Representació teatral que es fa només amb gestos i moviments del cos, sense paraules.

panxa panxes *nom f* **1** Ventre, zona del cos que es troba a la part de baix del tronc, a la banda de davant: *He menjat molt i ara em fa mal la panxa.* **2** Es diu del ventre quan és gros i surt

cap enfora: *El meu avi feia molta panxa.* **3** *El meu germà va* **estar de panxa enlaire** *tot el dia:* estar sense fer res, sense treballar. **4** **omplir la panxa** Menjar, atipar-se. **5** Part més ampla o que surt més d'una cosa: *Aquests mitjons m'estrenyen la panxa de la cama.*

panxacontent panxacontenta panxacontents panxacontentes *adj* i *nom m* i *f* Es diu de la persona tranquil·la, que no s'amoïna per res.

panxada panxades *nom f* **1** Cop donat amb la panxa: *Es va tirar de cap a l'aigua des del trampolí, però, com que no en sap gaire, va fer una gran panxada.* **2** **fer-se una panxada de riure** Fer-se un tip de riure, riure molt.

panxell panxells *nom m* Part més tova i ampla de la cama.

panxó panxons *nom m* **1** Acció de menjar molt: *En Martí s'ha fet un panxó d'olives i ara té mal de panxa.* **2** **fer-se un panxó de riure** Fer-se un tip de riure, riure molt.

panxut panxuda panxuts panxudes *adj* Que fa molta panxa.

pany[1] panys *nom m* Mecanisme que serveix per a obrir i tancar una porta amb una clau: *Va ficar la clau al pany de la porta i va obrir-la.*

pany[2] panys *nom m* Tros de paret més o menys gran i llis: *En aquest pany de paret hi penjarem un quadre.*

paó paona paons paones *nom m* i *f* Gall dindi gros que té el cap, el coll i el pit de color blau; el mascle té unes plomes llargues que li cobreixen la cua i és molt vistós quan la desplega en forma de ventall.

paor paors *nom f* Por.

paorós paorosa paorosos paoroses *adj* Que fa por.

pap paps *nom m* **1** Bossa que tenen els ocells entre el coll i l'estómac. **2** Part compresa entre la barba i el coll. **3** *Hem entrat al restaurant a* **omplir el pap**: menjar. **4** **buidar el pap** Desfogar-se, dir tot el que convé. **5** *La meva germana sempre m'agafa la moto sense permís, ja* **en tinc el pap ple**: n'estic tip, cansat, avorrit.

papa papes *nom m* **1** Pare. **2** els **papes** *nom m pl* Els pares, és a dir, la parella del pare i la mare. **3** el **Papa** Nom que es dóna al bisbe de Roma, que és el cap de l'Església catòlica i viu al Vaticà.

papà papàs *nom m* **1** Pare. **2** els **papàs** *nom m pl* Els pares, és a dir, la parella del pare i la mare.

papada papades *nom f* Bossa de carn que es fa entre la barbeta i el coll, sotabarba molt gros.

papada

papagai papagais *nom m* Ocell exòtic, de bec corbat i colors molt vius.

papallona papallones *nom f* **1** Insecte que surt d'una larva o cuc i que té unes ales grosses i de colors: *Hem anat a veure una col·lecció de papallones dissecades.* **7** **2** Estil de natació que consisteix a nedar de cara a l'aigua, fent voltar els braços.

paparra paparres *nom f* **1** Insecte paràsit que s'enganxa al pèl d'alguns animals, per exemple el gos, i els xucla la sang. **2** Persona enganxosa, difícil d'esquivar.

paper papers *nom m* **1** Material que es fa amb fibres vegetals i que pren la forma de làmines molt primes que serveixen per a fer llibres, embolicar, etc.: *Comprarem papers de colors per fer les disfresses.* **2** Part que correspon a cadascun dels personatges d'una obra de teatre, d'una pel·lícula, etc.: *A l'obra de teatre que representarem a l'escola, en Lluís farà el paper de rei.* **3** Actuació, comportament d'una persona en una situació determinada: *En Pere va fer un bon paper a la cursa de bicicletes: va quedar segon.* **4** Document escrit: *El policia li va posar una multa perquè no tenia els papers de la moto en regla.*

paperassa paperasses *nom f* Quantitat gran de papers escrits: *En aquella oficina tenen les taules plenes de paperassa.*

paperera papereres *nom f* Cistella o recipient on es llencen els papers que ja no fan servei: *Llençaré tots aquests papers gastats a la paperera.*

papereria papereries *nom f* Lloc on venen papers, bolígrafs, llapis, etc.

P

papereta paperetes *nom f* **1** Full petit de paper on hi ha escrita alguna cosa. **2** Paper que es tira a l'urna quan es va a votar.

paperets *nom m pl* Trossos molt petits de paper que es tiren a grapats en una festa.

paperina paperines *nom f* Tros de paper cargolat o plegat de manera que serveix per a posar-hi caramels, xurros, llegums, etc.: *La castanyera va agafar un full de diari, en va fer una paperina i hi va ficar les castanyes.*

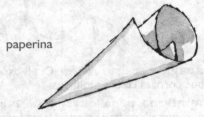

paperina

papil·la papil·les *nom f* **1** Petita protuberància que hi ha a sota l'epidermis i a la superfície de certs òrgans i que conté venes i nervis petits. **2 papil·les linguals** Papil·les que hi ha al dors de la llengua, que serveixen per a apreciar els gustos. 15

papir papirs *nom m* Làmina prima feta a partir de les tiges d'una planta anomenada papir, i que antigament es feia servir per a escriure-hi.

papiroflèxia papiroflèxies *nom f* Tècnica de construir objectes i figures de paper a còpia d'anar plegant i doblegant un sol tros de paper.

papissot papissota papissots papissotes *adj i nom m i f* Es diu de la persona que no pronuncia bé les esses.

papu papus *nom m* Personatge imaginari que serveix per a espantar les criatures: *Nen, si no menges, vindrà un papu i se t'emportarà.*

paquet paquets *nom m* Conjunt de coses lligades o embolicades juntes: *Porto un paquet de llibres.*

para- Element amb què comencen algunes paraules i que vol dir "al costat de", "més enllà", "contra".

paràbola paràboles *nom f* **1** Conte que serveix per a exposar una idea de manera senzilla, perquè tothom l'entengui. **2** Corba oberta, com la trajectòria que segueix un objecte quan el tirem cap amunt i alhora cap endavant.

parabòlic parabòlica parabòlics parabòliques *adj* **1** Que té forma de paràbola: *Els projectils segueixen una trajectòria parabòlica.* **2 antena parabòlica** Antena en forma de disc, de superfície parabòlica, que serveix per a captar imatges o senyals transmesos per mitjà d'un satèl·lit artificial.

parabrisa parabrises *nom m* Vidre de la part de davant d'un cotxe.

paracaiguda paracaigudes *nom m* Aparell en forma de gran paraigua que es desplega i cau lentament i que serveix per a llançar-se a terra des d'un avió.

parada parades *nom f* **1** Acció de parar: *L'autobús va fer una parada a Banyoles.* **2** Lloc on es pot parar un vehicle de transport públic per deixar baixar o pujar els passatgers. **3** Lloc on es venen productes en una fira, en un mercat, etc.: *Comprarem els tomàquets a la parada de verdures.* **4** Acció de parar la pilota, en el futbol i altres jocs, i impedir que entri a la porteria: *El porter va fer una gran parada.*

paradigma paradigmes *nom m* Exemple, model: *Aquest escriptor és un paradigma per a tots els qui es volen dedicar a la literatura.* ■ *El verb "cantar" se sol presentar com a paradigma dels verbs de la primera conjugació.*

paradís paradisos *nom m* Lloc de gran bellesa natural, ple de pau, on s'està molt bé.

parador paradors *nom m* Hostal.

paradoxa paradoxes *nom f* Idea o fet que sorprèn perquè contradiu el que s'acostuma a creure.

paradoxal paradoxals *adj* Es diu d'una idea, d'un fet, etc. que sorprèn perquè va en contra del que s'acostuma a creure, del que sol passar, etc.

parafang parafangs *nom m* Peça que cobreix la roda d'un cotxe, d'una moto, d'una bicicleta, etc. i que serveix per a evitar els esquitxos.

parafrasejar *v* Dir una mateixa cosa amb unes altres paraules perquè s'entengui millor. Es conjuga com *cantar.* S'escriu *j* davant de *a, o, u* i *g* davant de *e, i: parafrasejo, parafraseges.*

paràgraf paràgrafs *nom m* Cadascuna de les parts d'un escrit separades per un punt i a part.

paraigua paraigües *nom m* Estri per a protegir-se de la pluja que consisteix en un tros de tela impermeable que es plega i es desplega i que va unida a un mànec.

paraigüer[1] paraigüera paraigüers paraigüeres *nom m i f* Persona que fa, ven o arregla paraigües.

paraigüer[2] paraigüers *nom m* Moble per a posar-hi paraigües.

paràlisi paràlisis *nom f* Estat en què es troba una persona que no pot moure el cos o una de les parts del cos a causa d'una malaltia o d'un accident.

paralític paralítica paralítics paralítiques *adj i nom m i f* Es diu de la persona que no pot moure el cos o una de les parts del cos a causa d'una malaltia o d'un accident.

paralitzar *v* **1** Produir paràlisi en el cos o en una part del cos. **2** Aturar l'activitat, destruir l'energia d'una cosa: *El diumenge tota la indústria està paralitzada i ningú no treballa.*
Es conjuga com *cantar.*

parallamps uns **parallamps** *nom m* Barra metàl·lica que es col·loca al cim d'un edifici i que serveix per a atreure els llamps i evitar així que facin malbé l'edifici o les construccions del voltant.

paral·lel paral·lela paral·lels paral·leles *adj* **1** Es diu de les rectes i dels plans que no es troben mai, per més que s'allarguin. **2** Semblant, que es pot comparar amb un altre: *Aquests dos pobles tenen històries paral·leles.* **3** *nom m* Cadascun dels cercles de l'esfera terrestre paral·lels a l'equador.

paral·lelament *adv* Igualment, de manera semblant.

paral·leles *nom f pl* Aparell de gimnàstica que consisteix en dues barres paral·leles.

paral·lelisme paral·lelismes *nom m* Comparació, semblança entre dues persones o coses: *L'autor en el seu treball fa un paral·lelisme entre les obres d'aquests dos poetes.*

paral·lelogram paral·lelograms *nom m* Quadrilàter que té els costats oposats paral·lels i iguals.

parament paraments *nom m* **1** Conjunt de coses. **2** **parament de casa** Conjunt de mobles, roba, estris, etc. d'una casa. **3** **parament de taula** Conjunt de plats, gots, coberts, etc.

parangó parangons *nom m* Comparació: *L'èxit d'aquesta expedició no té parangó en la història de l'alpinisme del nostre país.*

paranoia paranoies *nom f* Malaltia mental que fa que una persona tingui obsessions i es pensi que la persegueixen i li volen fer mal, que ella és molt important i els altres no la tenen prou en compte, etc.

parany paranys *nom m* Trampa per a caçar animals o per a atrapar algú o enganyar-lo: *A l'hora de respondre les preguntes havies d'estar molt atent, perquè totes tenien un parany.*

parapet parapets *nom m* Mur, conjunt de sacs de sorra amuntegats, etc. que permet als soldats de disparar i de no ser tocats per l'enemic.

parapet

parapetar-se *v* Protegir-se, resguardar-se de l'enemic amb un parapet, amb un escut, etc.
Es conjuga com *cantar.*

paraplegia paraplegies *nom f* Paràlisi de la part inferior del cos, de la cintura en avall.

parar *v* **1** Aturar-se, deixar d'avançar, de caminar una persona o de funcionar un vehicle, una màquina, etc.: *El cotxe es va parar davant del semàfor vermell.* ■ *Aquesta dona no para mai.* **2** Rebre una cosa que ens cau al damunt com ara el sol, la pluja, etc.: *No portàvem paraigua i vam haver de parar la pluja durant mig partit.* **3** Evitar una cosa que ens tiren: *Vaig parar la pedra amb les mans.* **4** Estendre la mà o aguantar un recipient per rebre una cosa que ens donen o ens tiren: *Tanca els ulls i para la mà, que et donaré una cosa.* **5** Arribar a un lloc: *He perdut les claus i no sé on han anat a parar.* **6** *Avui em toca parar taula*: posar les estovalles, els tovallons, els plats, els gots, els coberts, etc. damunt la taula perquè s'hi pugui menjar. **7** *Jugarem a l'acuit i tu pararàs*: seràs el jugador que porta la part més feixuga del joc i contra el qual van els altres jugadors.
Es conjuga com *cantar.*

P

paràsit paràsita paràsits paràsites *adj* **1** Es diu de la planta o de l'animal que viu sobre una altra planta o un altre animal, del qual obté aliments o altres avantatges. **2** Es diu de la persona que viu a càrrec d'una altra, que se n'aprofita. **3** *nom m* Persona, animal o planta que viu a costa d'un altre: *Aquell nen ni treballa ni fa res: és un paràsit.*

para-sol para-sols *nom m* Estri per a protegir-se del sol, semblant a un paraigua, generalment de colors molt vius: *A la platja hi havia molts para-sols.*

para-sol

parat parada parats parades **1** *nom m* i *f* Persona que no té feina, aturat, desocupat: *Aquella fàbrica va plegar i ara al poble hi ha molts parats que busquen una feina nova.* **2** *adj* Es diu de la persona que no és llesta, que no s'espavila. **3** quedar parat Quedar molt sorprès d'una cosa: *Quan em van dir que havia guanyat el concurs, vaig quedar parat.*

paratge paratges *nom m* Lloc, indret.

paraula paraules *nom f* **1** Mot, conjunt de sons de la llengua que té un significat: *No sé què vol dir la paraula "pol·len"; l'hauré de buscar al diccionari.* **2** *Si et deixo la bici m'has de donar la teva paraula que me la tornaràs d'aquí a una hora:* prometre que es farà una cosa. **3** *Va dir unes paraules molt gruixudes:* insults, paraules vulgars, fortes. **4** *En Jordi va demanar la paraula:* demanar per parlar en una reunió. **5** *Que està enfadat, el teu germà?, l'altre dia no em va dirigir la paraula:* no em va parlar. **6** de paraula Oralment: *A la teva mare no cal que li enviï la invitació, ja la convidaré de paraula quan la vegi.* **7** prendre la paraula Començar a parlar en una reunió.

paraulota paraulotes *nom f* Paraula grollera, vulgar, forta.

paravent paravents *nom m* **1** Moble que consisteix en una tela, pell, etc. emmarcada que serveix per a fer una separació en una habitació, per a resguardar-se de l'aire, etc. **2** Objecte, tanca, que serveix per a resguardar del vent.

para-xocs uns para-xocs *nom m* Cadascuna de les peces que hi ha a davant i a darrere d'un cotxe, d'un camió, etc. i que serveixen per a protegir-lo dels xocs i dels cops.

parc[1] parca parcs parques *adj* Es diu de la persona que és prudent a l'hora de menjar, de beure o de parlar.

parc[2] parcs *nom m* **1** Lloc dins una població o prop d'una població amb arbres, flors, herba, bancs, etc., que serveix perquè la gent hi passegi, perquè els infants hi juguin. **2** *La muntanya del Montseny és un parc natural:* gran extensió de terreny de muntanya o de bosc que està protegit per una llei que no en deixa fer malbé la vegetació ni fer mal als animals que hi viuen. **3** Conjunt de vehicles, d'instruments, de materials, etc. destinats a fer un servei públic: *El parc de bombers de la ciutat és molt modern.* **4** Petit recinte de diferents formes i ben protegit on es deixen els infants molt petits perquè hi juguin sense perill.

parcel·la parcel·les *nom f* Tros petit de terreny: *Aquella família ha comprat una parcel·la i s'hi farà una casa.*

parcer parcera parcers parceres *nom m* i *f* Persona que conrea la terra d'una altra a canvi del pagament d'una part dels fruits que produeix.

parcial parcials *adj* **1** Que no és just, que va a favor d'una part: *L'àrbitre va ser parcial, va anar molt a favor de l'equip de casa i va xiular tres penals contra l'equip visitant.* **2** Que no és sencer, que només n'hi ha una part.

parcialment *adv* D'una manera parcial: *He passat el treball a màquina parcialment, encara me'n queda un tros.*

pardal pardals *nom m* Ocell molt conegut, de color castany, gris i negre, que s'alimenta de gra. **7**

pare pares *nom m* **1** Home que té un o més fills: *El pare de la Mercè és pilot d'aviació.* **2** els pares *nom m pl* Pare i mare: *Avui els meus pares han anat a sopar a fora.*

paredar *v* **1** Fer les parets d'un edifici. **2** Tapar un buit amb una paret: *Han paredat les finestres de la casa deshabitada.*
Es conjuga com *cantar*.

parèixer v Semblar.
Es conjuga com *conèixer*.

parell[1] **parella parells parelles** adj **1** Es diu de dues coses iguals o semblants: *Aquests mitjons no són parells.* **2** Es diu dels nombres que es poden dividir per dos: *Els números 2, 4, 6... són parells.* **3 parells o senars** Joc en què cal endevinar si els dits estirats d'una o dues mans dels jugadors sumen un total parell o un total senar.

parell[2] **parells** nom m Conjunt de dues coses de la mateixa espècie, que acostumen a anar juntes, etc.: *Un parell de sabates.*

parella parelles nom f **1** Conjunt de dues persones o de dos animals que fan una cosa junts: *Una parella de policies.* ▪ *En Josep i la Roser fan molt bona parella.* **2** Mascle i femella de la mateixa espècie: *El meu avi té una parella de canaris.*

parenostre parenostres nom m Pregària de la religió cristiana, que comença amb les paraules "Pare nostre" i que Jesucrist mateix va ensenyar als seus deixebles.

parent parenta parents parentes adj i nom m i f Persona de la mateixa família que una altra.

parentela parenteles nom f Conjunt de parents d'una persona.

parèntesi parèntesis nom m **1** Cadascun dels signes de puntuació ( ) que inclouen una paraula, una frase, una xifra, etc. i que serveixen per a indicar que es tracta d'un aclariment, d'una informació complementària, etc.: *En una enciclopèdia, la data de naixement d'una persona s'acostuma a posar entre parèntesis.* **2** Pausa, interrupció d'alguna cosa: *Ara farem un parèntesi per descansar una mica i a la tarda ens hi tornarem a posar.*

parentiu parentius nom m Relació entre persones que són parentes.

parer parers nom m Opinió sobre el que cal fer en una situació, manera de veure una cosa: *Segons el meu parer, hauríem d'haver anat primer a sopar i després al cine, i no al revés.*

paret parets nom f Construcció vertical que serveix per a tancar un espai de terreny, per a formar les cares d'una casa, d'una habitació, etc. i per a sostenir el sostre d'una construcció: *Es va aterrar la paret del darrere de la casa.*

pària pàries nom m i f **1** A l'Índia, persona que forma part d'un grup social considerat inferior. **2** Persona marginada, a qui en general la societat considera inferior.

parietal parietals nom m Cadascun dels ossos del crani compresos entre l'os del front o frontal i l'occipital.

parió pariona parions pariones adj **1** Es diu d'una cosa que fa parell amb una altra: *Aquell mitjó és parió d'aquest.* **2** Aquella empresa fabrica uns productes d'una qualitat **sense parió**: sense comparació amb qualsevol altra.

parir v Treure el fill en el moment del part: *La dona pareix el fill després de nou mesos de gestació.*
Es conjuga com *servir*.

parisenc parisenca parisencs parisenques **1** nom m i f Habitant de París; persona natural o procedent de París. **2** adj Es diu de les persones o de les coses naturals o procedents de París.

parla parles nom f Llenguatge, llengua.

parlament parlaments nom m **1** Assemblea de representants d'un poble, d'una nació, d'un estat: *Al parlament de Catalunya hi ha més de cent diputats.* **2** Discurs, conferència.

parlamentar v Parlar per a arribar a un acord, per a negociar un tracte, per a posar fi a un conflicte, etc.: *Els presidents dels dos països en guerra han decidit decretar un alto el foc i començar a parlamentar.*
Es conjuga com *cantar*.

parlamentari parlamentària parlamentaris parlamentàries **1** adj Que té relació amb el parlament. **2** nom m i f Membre del parlament.

parlar[1] v **1** Expressar el pensament, les necessitats, etc. mitjançant el llenguatge, la paraula; dir coses: *Quan he vingut parlaves amb la portera.* ▪ *En Marcel té dos anys i ja parla molt bé.* ▪ *En Miquel parla anglès, francès i alemany.* **2** Aquells veïns **no es parlen**: estan renyits, no es fan.
Es conjuga com *cantar*.

parlar[2] **parlars** nom m **1** Manera de parlar, d'expressar-se que té una persona. **2** Dialecte.

paròdia paròdies nom f Imitació de broma d'una obra literària o musical.

parpella parpelles *nom f* Cadascun dels trossos de pell que permeten obrir i tancar els ulls i els protegeixen. 15

parpella

parpellejar *v* **1** Moure les parpelles, tancar i obrir els ulls. **2** Resplendir, de manera intermitent, un cos lluminós: *Els estels parpellegen en el cel.*
Es conjuga com *cantar.* S'escriu *j* davant de *a, o, u* i *g* davant de *e, i: parpellejo, parpelleges.*

parquet parquets *nom m* Paviment fet amb peces de fusta, generalment llargues i primes: *Posarem parquet al menjador i a la sala d'estar.*

pàrquing pàrquings *nom m* Lloc per a aparcar-hi vehicles, aparcament.

parra parres *nom f* Vinya que creix enfilant-se per les parets: *El raïm de la parra del jardí dels meus oncles era molt bo.*

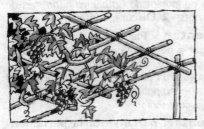
parra

parrac parracs *nom m* Tros de roba estripada, mal cosida.

parricida parricides *nom m i f* Persona que ha matat algun dels parents més pròxims, com el pare, la mare, el fill, etc.

parròquia parròquies *nom f* Església d'un barri o d'un poble dirigida per un rector.

parrupejar *v* Manera de cridar dels coloms.
Es conjuga com *cantar.* S'escriu *j* davant de *a, o, u* i *g* davant de *e, i: parrupeja, parrupegi.*

parsimònia parsimònies *nom f* Manera de fer o de dir les coses molt lenta, amb molta calma, pensant-les molt.

part¹ parts *nom m* Acció, moment de parir o de treure el fetus a fora: *Després de nou mesos*

de gestació, ve el moment del part, que és quan neix la criatura.

part² parts *nom f* **1** Allò que resulta després de dividir una cosa: *En Joan s'ha menjat la seva part de pastís i la meva.* **2** Cosa que, juntament amb una altra o altres, forma un conjunt: *Avui hem estudiat les parts del cos.* **3** Cada persona o conjunt de persones que participen en una discussió, en una lluita, etc., bàndol: *Abans de decidir qui té raó hem d'escoltar les dues parts.* **4** Van ***prendre part*** en el concurs vint-i-cinc persones: participar en una cursa, competició, etc. **5** *Vinc a buscar el pa* **de part de** la tieta: per encàrrec d'algú. **6** *Corria* ***d'una part a l'altra*** *del pis:* d'un lloc a l'altre, d'una banda a l'altra. **7** *Posa aquests ous* **a part**: separats dels altres. **8** les **parts** *nom f pl* Òrgans genitals.

partença partences *nom f* Acció de partir, d'anar-se'n lluny, de posar-se en camí.

partera parteres *nom f* Dona que acaba de tenir un fill.

parterre parterres *nom m* Espai petit, en un jardí, en un carrer, etc., on hi ha flors, plantes o arbres.

partició particions *nom f* Acció de partir, de dividir una cosa o de repartir-la: *El pare va fer la partició de l'herència entre els fills.*

partícip partícips *adj i nom m i f* Que participa, que té part en una cosa: *Tots, professors, alumnes i pares, som partícips del bon funcionament de l'escola.*

participació participacions *nom f* **1** Acció de participar en una cosa. **2** Document que comunica o dóna notícia d'alguna cosa: *Aquest any encara no hem rebut cap participació de casament.*

participant participants *adj i nom m i f* Es diu de la persona que participa en alguna cosa: *A la cursa, s'hi van inscriure 120 participants.*

participar *v* **1** Prendre part, tenir part en una cosa: *Jo també vaig participar en el concurs de ball.* **2** Donar notícia d'alguna cosa.
Es conjuga com *cantar.*

participatiu participativa participatius participatives *adj* Que participa: *Aquells alumnes són molt participatius, ja que col·laboren en tot: a classe, en les festes i activitats de l'escola, etc.*

participi participis *nom m* Forma del verb que no expressa la categoria de persona gramatical i que serveix per a formar els temps compostos: *"Cantat", "perdut" i "dormit" són els participis de "cantar", "perdre" i "dormir".*

partícula partícules *nom f* Part petitíssima d'una cosa.

particular particulars *adj* **1** Individual, que afecta només una persona: *La Lurdes fa classes particulars.* **2** Privat: *No passeu per aquest camí, que és particular.* **3** Diferent, únic, que es distingeix dels altres: *Té una manera de parlar molt particular.*

particularitat particularitats *nom f* Característica particular d'una cosa: *Aquesta pintura té la particularitat d'assecar-se molt de pressa.*

particularment *adv* Especialment, sobretot.

partida partides *nom f* **1** Sèrie de jugades que formen un joc complet: *Per què no fem una partida d'escacs?* **2** Quantitat d'un gènere, d'un material, etc.: *Ha arribat una partida de tovalloles defectuoses.* **3** Partença: *El dia de la partida ja era molt a prop.* **4** Conjunt de persones que actuen juntes: *En aquell casalot, hi vivia una partida de lladres.*

partidari partidària partidaris partidàries *adj* i *nom m* i *f* Que està a favor d'una cosa, d'una idea, d'una persona, etc.: *Tots els veïns eren partidaris de no deixar aparcar en aquell carrer.*

partió partions *nom f* Partició, divisió d'una cosa.

partir *v* **1** Dividir alguna cosa en dues o més parts per distribuir-la: *Joan, si vols, ens partirem la feina: tu ho escrius a mà, i jo ja ho passaré a màquina.* **2** Trencar pel mig, obrir-se alguna cosa: *El meló va caure a terra i es va partir pel mig.* **3** Dividir un número per un altre: *Si partiu el 8 per 2 us donarà 4.* **4** Anar-se'n lluny, posar-se en camí: *Els cavallers van partir cap a la guerra.* **5** Prendre un fet, una data, una idea, etc. com a base d'una altra: *Per calcular el menjar que necessitem, podem partir de la idea que vindrà tothom.*
Es conjuga com *servir*.

partit partits *nom m* **1** Grup de persones que tenen les mateixes idees polítiques i segueixen les mateixes línies de comportament: *A les eleccions, ella sempre vota el mateix partit.* **2** Competició, enfrontament esportiu de dues persones o dos equips que té una limitació de temps o de punts: *El segon temps del partit de bàsquet ha estat decisiu per obtenir la victòria.* **3** Davant d'aquella situació vaig **prendre el partit** de callar: decidir, optar. **4** En Sebastià va **treure partit** del treball: el va aprofitar, li va servir molt.

partitiu partitiva partitius partitives *adj* i *nom m* Es diu de les paraules que serveixen per a expressar una part d'un tot: *En l'expressió "la cinquena part dels alumnes", la paraula "cinquena" és un partitiu.*

partitura partitures *nom f* Representació gràfica, amb lletres i notes, d'una composició musical.

pàrvul pàrvula pàrvuls pàrvules *nom m* i *f* Alumne del parvulari.

parvulari parvularis *nom m* Part d'una escola on hi ha els nens més petits, entre tres i sis anys.

parxís parxissos *nom m* Joc en què els jugadors llancen uns daus i proven d'arribar primers amb les seves fitxes al centre d'un tauler.

pas¹ *adv* Paraula que fem servir per a reforçar la negació d'un fet: *No vindré pas a l'escola, demà.*

pas² passos *nom m* **1** Cadascun dels moviments que fem quan caminem alçant i avançant un peu fins a tornar-lo a posar a terra, passa: *Si camines fent aquests passos tan llargs, no et podré seguir.* **2** Manera de caminar: *Si no accelerem una mica el pas, no acabarem d'arribar mai a dalt la muntanya.* **3** Acció, gestió, coses que cal fer per aconseguir una cosa: *Per aconseguir aquesta feina, he hagut de fer molts passos.* **4** Acció de passar: *Si poses la mà per l'escletxa notaràs el pas de l'aire.* **5** *No facis les coses tan de pressa, has d'anar* **pas a pas**: a poc a poc, amb ordre. **6 fer el primer pas** Començar una cosa. **7 fer un gran pas** Progressar molt. **8** *La Maria va* **seguir els passos** *del seu pare:* va imitar-lo. **9** Lloc per on cal passar o per on es pot passar: *Per anar d'una banda a l'altra de la muntanya, hi havia un pas molt estret.* **10 pas de vianants** Lloc marcat amb ratlles al terra per on la gent que va a peu pot travessar un carrer. **11 pas a nivell** Encreuament d'un camí, d'una carretera, etc. amb una via de tren. **12 de pas** De passada, sense parar-s'hi.

P

pasqua pasqües *nom f* **1** Festa que celebren els cristians a la primavera en record de la resurrecció de Jesucrist: *Per Pasqua ens menjarem la mona i tindrem vacances.* **2** *En Manel ha tornat a casa seva **més content que unes pasqües**: molt content, molt animat.*

pasquí pasquins *nom m* Escrit que s'enganxa o es penja en un lloc públic amb la finalitat de criticar algú o alguna institució o bé de fer saber alguna cosa.

passa passes *nom f* **1** Pas: *Sento soroll de passes al pis de dalt.* **2** De casa meva a l'escola no hi ha gaire tros, és **a quatre passes**: molt a prop. **3** Malaltia que s'encomana molt i s'escampa molt de pressa: *Aquest hivern hi ha una passa de grip i hi ha molts nens malalts.*

passable passables *adj* Es diu d'una cosa que es pot acceptar, que no és ni molt bona ni molt dolenta.

passada passades *nom f* **1** Passa llarga: *Vaig travessar el carrer amb tres passades.* **2** Cadascuna de les vegades que es fa una cosa: *Aquesta paret està molt ben pintada perquè hi hem fet tres passades.* **3** *La tia Roseta va voler **de totes passades** que ens quedéssim a dinar:* tant sí com no. **4** *Aniré a la botiga a comprar i, **de passada**, tiraré les cartes a la bústia:* al mateix temps, tot passant. **5** *A en Miquel, els seus amics li han fet una **mala passada** perquè li han espatllat la bicicleta:* mala acció que provoca un disgust.

passadís passadissos *nom m* Part d'una casa, d'una escola, etc., més aviat estreta, que serveix de pas cap a les habitacions, corredor: *En Roger i la Montserrat van trobar un passadís secret que duia a la presó del castell.*

passador passadors *nom m* Agulla o pinça de plàstic, de metall, etc. que serveix per a aguantar els cabells o adornar el cap.

passamà passamans *nom m* Part superior d'una barana que serveix per a posar-hi la mà i agafar-s'hi.

passamà

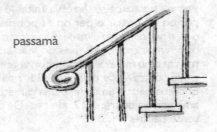

passamuntanyes uns passamuntanyes *nom m* Gorra per a protegir-se del fred que cobreix el cap i la cara i només deixa els ulls al descobert.

passaport passaports *nom m* Document que permet d'entrar en un país estranger.

passar *v* **1** Anar d'un lloc a un altre, travessar algun lloc, fer un camí: *El tren passarà d'aquí a mitja hora.* **2** **passar de llarg** No aturar-se en un lloc: *No hi havia ningú a la parada i l'autobús va passar de llarg.* **3** *Era un lladre i **va fer-se passar** per policia:* representar una cosa sense ser-ho. **4** Ocórrer un fet: *Avui ha passat una desgràcia: s'ha calat foc en una botiga.* **5** *La tarda ens va **passar volant**:* transcórrer el temps molt de pressa. **6** Desaparèixer, cessar una cosa: *El perill de tempesta ja ha passat.* **7** Portar, transportar d'un lloc a un altre algú o alguna cosa: *La secretària va passar els papers al director.* **8** Anar més enllà, ultrapassar: *Aquell home passa dels cinquanta anys.* **9** No voler participar en una cosa, en un joc, etc.: *Jugueu, jugueu, jo passo!* **10** *Aquest peix **s'ha passat**:* fer-se malbé un aliment. **11** **passar via** Anar de pressa a fer una cosa. **12** *Això ja **passa de la ratlla**: fa tres hores que he deixat la bicicleta a en Jaume i encara no me l'ha tornada:* ser excessiva, anormal una cosa. **13** **passar la mà per la cara** Ser superior a algú, avantatjar-lo. **14** Deixar córrer una cosa, dissimular: *Aquesta vegada t'ho passo, però no ho facis més.* **15** **passar per alt** Descuidar-se una cosa, no adonar-se'n.
Es conjuga com *cantar*.

passarel·la passarel·les *nom f* **1** Pont petit i estret. **2** Passadís estret i enlairat per on desfilen els models, els artistes, etc.

passat passats *nom m* **1** Temps que ja ha transcorregut: *Els carros són vehicles del passat.* **2** Temps verbal que indica que una cosa va ser o va fer-se en un moment anterior.

passatemps uns passatemps *nom m* Joc, entreteniment, diversió que serveix per a distreure's i passar el temps: *Els mots encreuats són un passatemps.*

passatge passatges *nom m* **1** Carrer curt i estret que comunica dos carrers. **2** Bitllet que s'ha de comprar per viatjar en un avió, en un vaixell, etc. **3** Fragment més aviat curt d'una obra literària, d'una composició musical, etc.

passatger passatgera passatgers passatgeres **1** adj Que dura poc temps, que passa aviat: He tingut una malaltia passatgera. **2** nom m i f Persona que viatja en un avió, en un vaixell, en un autobús, etc.

passavolant passavolants nom m i f **1** Persona que compra en una botiga però que no acostuma a comprar-hi, que no n'és clienta. **2** Persona que està de pas en un lloc, sense fer-hi estada.

passeig passeigs o passejos nom m **1** Acció de passejar, de caminar una estona: Havent dinat, sortirem a passeig. **2** Espai d'una ciutat o d'un poble que serveix perquè la gent s'hi passegi: Hem anat a prendre el sol i a donar una volta pel passeig.

passejada passejades nom f Camí, recorregut que es fa passejant.

passejar v Caminar tranquil·lament per fer exercici, prendre l'aire, etc.: Diumenge a la tarda vam anar a passejar pel parc.
Es conjuga com cantar. S'escriu j davant de a, o, u i g davant de e, i: passejo, passeges.

passera passeres nom f Palanca, pedres posades l'una davant de l'altra per poder travessar un riu petit.

passera

passerell passerells nom m **1** Es diu de la persona que és nova o aprenent en una cosa: Aquest conductor és un passerell. **2** Ocell petit, de color marró i amb el pit vermellós, que és molt apreciat pel seu cant.

passi passis nom m Document que permet d'entrar en un lloc, en un espectacle, etc. sense haver de pagar.

passi-ho bé Expressió que es fa servir per a dir adéu a una persona.

passió passions nom f **1** Emoció o interès molt fort que sentim per una cosa o persona: En Martí té una gran passió pel futbol. ■ La Conxa estima en Ramon amb passió. **2** Sofriment

molt gran. **3** Representació de la mort de Jesucrist.

passiu passiva passius passives adj Que suporta les coses sense fer res, que deixa fer els altres, que no és actiu.

past pasts o pastos nom m **1** Menjar, aliment, pastura. **2** El bosc va **ser past de les flames**: el bosc va ser completament destruït per l'incendi.

pasta pastes nom f **1** Massa tova, barreja formada d'una substància sòlida en pols i d'un líquid: Aquestes figures estan fetes de pasta de fang. **2** Menjar fet de farina, ou i aigua, de formes molt diverses, com ara els macarrons, els fideus, etc., que es menja com a primer plat: Ara tiraré la pasta de sopa a l'olla. **3** Pastís petit fet de farina, greix, sucre, ou, etc., que ens mengem cuit: Avui hem menjat pastes seques. **4** La Sílvia és una persona **de bona pasta**: que té bon caràcter. **5** Diners.

pastanaga pastanagues nom f Arrel comestible d'una planta del mateix nom, que és de color taronja, gruixuda i molt nutritiva: En aquesta sopa de verdures hi he tirat bleda, patata, tomàquet, porro i pastanaga. ■

pastar v Convertir en pasta, treballar la pasta, mesclar ingredients per fer una pasta: El forner pastava la farina, el llevat, la sal i l'aigua per fer la pasta del pa.
Es conjuga com cantar.

pastat pastada pastats pastades adj **1** Que és com una pasta: Aquest arròs és molt pastat. **2** Molt semblant: Aquesta nena i la seva mare són pastades.

pastel pastels nom m Tipus de llapis fet amb una pasta de color; pintura feta amb llapis d'aquest tipus.

pastera pasteres nom f **1** Recipient que serveix per a pastar-hi alguna cosa, per a fer-hi una pasta. **2** Caixa rectangular on abans es feia la barreja de farina, aigua, sal i llevat per fer després el pa.

pasterada pasterades nom f **1** Pasta que es fa d'un cop a la pastera. **2** Es diu d'una cosa que no ha quedat bé o que no ha sortit bé: Haig de repetir el dibuix perquè m'ha sortit una pasterada.

pastetes nom f pl Fang més aviat líquid: Vam jugar un partit de futbol plovent i davant de la porteria, en lloc de gespa, hi havia pastetes.

pasteuritzat pasteuritzada pasteuritzats pasteuritzades *adj* Es diu dels líquids que han estat sotmesos a temperatures altes a fi de destruir-ne els gèrmens: *Llet pasteuritzada.*

pastilla pastilles *nom f* **1** Tros de pasta sòlida d'alguna matèria com ara sabó, xocolata, etc.: *Se'ns ha acabat la pastilla de sabó.* **2** Medicament petit, generalment de forma arrodonida, que es pren per la boca sol o amb aigua: *El metge li ha receptat unes pastilles contra la tos.*

pastís pastissos *nom m* Massa de farina, ous, mantega, sucre, etc., cuita al forn i després guarnida amb xocolata, crema, fruites, etc., que pot tenir diverses formes: *Hem comprat un pastís de xocolata i mantega per celebrar l'aniversari de l'Amèlia.*

pastisser pastissera pastissers pastisseres *nom m i f* Persona que té per ofici fer pastissos i vendre'ls: *En Joaquim és un bon pastisser: la seva especialitat són els pastissos de xocolata i nata.*

pastisseria pastisseries *nom f* Botiga on es fan i es venen pastissos.

pastor pastora pastors pastores *nom m i f* Persona que té per ofici portar el bestiar a pasturar i vigilar-lo.

pastorets *nom m pl* Representació teatral que es fa per les festes de Nadal i que explica el naixement de Jesús i l'adoració dels pastors.

pastós pastosa pastosos pastoses *adj* Que forma com una pasta, tou.

pastura pastures *nom f* Lloc amb herba on pastura el bestiar.

pasturar *v* Menjar el bestiar l'herba dels camps.
Es conjuga com *cantar.*

pasturatge pasturatges *nom m* Pastura.

patacada patacades *nom f* Cop fort: *Ha caigut per les escales i s'ha clavat una bona patacada.*

patafi patafis *nom m* Cosa mal feta, que no surt bé: *El dibuix m'ha sortit un patafi i l'hauré de repetir.*

patapam Onomatopeia, paraula que imita el soroll que fa una cop, un tret, etc. quan encerta el seu objectiu.

pataplaf Onomatopeia, paraula que imita el soroll que fa una cosa que xoca violentament contra una altra.

patata patates *nom f* **1** Part subterrània i comestible d'una planta anomenada patatera: *Avui per sopar hi ha patates i mongetes tendres.* **2** patates rosses Patates fregides.

patatera patateres *nom f* Planta de flors blanques o morades que es cultiva per les seves arrels comestibles, les patates.

patatxap Onomatopeia, paraula que imita el soroll que fa una cosa quan cau a l'aigua.

paté patés *nom m* Aliment que consisteix en una pasta feta de fetge d'ànec, d'oca, de porc, etc. barrejada amb altres ingredients: *Per esmorzar van menjar un parell de llesques de pa untades amb paté.*

patena patenes *nom f* **1** Platet d'or, de plata, etc. on es posa el pa durant la missa. **2** net com una patena Molt net.

patent patents **1** *adj* Evident, clar. **2** *nom f* Dret que permet a una persona o a una empresa d'explotar en exclusiva un invent, un producte, una marca, etc.

patern paterna paterns paternes *adj* Que està relacionat amb el pare: *Els avis paterns són els pares del pare.*

paternal paternals *adj* **1** Que és propi del pare: *L'amor paternal és el tipus d'amor que els pares senten pels fills.* **2** Que té una actitud protectora: *Aquest professor és molt paternal, escolta els alumnes i procura ajudar-los.*

patètic patètica patètics patètiques *adj* Es diu d'una cosa que produeix un sentiment fort de pena, de tristesa, etc.: *Després de l'incendi, el bosc tenia un aspecte patètic.*

patge patges *nom m* Criat jove al servei d'un príncep, d'un rei, etc.: *A la plaça del poble hi ha el patge del rei Melcior que ha vingut a recollir les cartes dels nens.*

pati patis *nom m* **1** Espai tancat i descobert a l'interior o al costat d'un edifici, destinat a jugar-hi, prendre el sol, estendre la roba, etc.: *Aquest matí no hem pogut sortir al pati perquè plovia.* **2** pati de butaques Platea.

patí patins *nom m* **1** Aparell amb rodes o amb una làmina vertical que es posa als peus i que serveix per a córrer de pressa sobre una superfície llisa: *Els Reis m'han portat uns patins per patinar sobre gel.* **2** Embarcació que té dos flotadors paral·lels, moguda amb rodes i pedals, que serveix per a fer passejos per mar, per llacs, etc.: *A la platja hem llogat un patí per resseguir la costa.*

patíbul patíbuls *nom m* Plataforma on eren executats els condemnats a mort.

patidor patidora patidors patidores *adj* Es diu de la persona que acostuma a patir, a preocupar-se per qualsevol cosa: *Les mares acostumen a ser molt patidores.*

patilla patilles *nom f* Conjunt de pèls que es deixen créixer als costats de la cara, prop de les orelles.

patilla

pàtina pàtines *nom f* Capa de color verd o d'altres colors que es fa sobre els objectes de metall, de pedra, sobre les pintures, etc. a causa de l'aire, de la humitat, de la llum, etc.

patinar *v* **1** Avançar amb uns patins sobre una superfície llisa: *Amb els de la classe vam anar a patinar sobre gel.* **2** Relliscar: *El cotxe ha patinat perquè el terra era glaçat.*
Es conjuga com *cantar.*

patinatge patinatges *nom m* Conjunt d'esports que es practiquen amb els patins.

patinet patinets *nom m* Joguina que consisteix en una planxa de metall o de fusta muntada damunt dues o tres rodes, amb un pal dret i un manillar per a conduir-la: *Els Reis m'han portat una bicicleta i un patinet.*

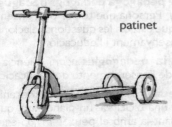

patinet

patir *v* **1** Rebre l'acció d'una cosa que causa dolor o molèstia, sofrir: *Durant el viatge hem patit molta calor.* ▪ *L'avi pateix una malaltia del cor.* **2** Tenir un defecte, una mala qualitat: *Totes aquestes cadires pateixen del mateix defecte: són massa baixes.*
Es conjuga com *servir.*

patologia patologies *nom f* Part de la medicina que tracta de les malalties, de les seves causes i dels organismes que les pateixen.

patracol patracols *nom m* Es diu d'un llibre molt gros, d'un conjunt de documents, de carpetes, etc. que fan molt embalum i costen de portar: *Agafa la cartera i tots els patracols d'anar a escola.*

pàtria pàtries *nom f* País on algú ha nascut: *Aquell home va haver d'anar-se'n a l'estranger i va trigar molts anys a tornar a la seva pàtria.*

patriarca patriarques *nom m* **1** Home que és el cap d'una família molt extensa: *A la Bíblia s'explica la història del patriarca Abraham.* **2** Persona gran a qui tothom respecta: *Aquest professor vell és el patriarca de l'escola.*

patrimoni patrimonis *nom m* Conjunt de riqueses que té una persona o una institució: diners, cases, terrenys, etc.

patró[1] patrona patrons patrones *nom m i f* **1** Sant que protegeix una persona o un grup de persones: *Sant Jordi és el patró de Catalunya i Aragó.* **2** Amo, persona que mana en una empresa, en una fàbrica, etc. **3** Persona que dirigeix una embarcació petita.

patró[2] patrons *nom m* Model segons el qual es tallen les peces per fer un objecte com ara un vestit, una capsa, etc.

patrocinar *v* Ajudar, donar suport a una activitat amb diners o altres mitjans: *El concurs era patrocinat per una empresa de gelats.*
Es conjuga com *cantar.*

patrulla patrulles *nom f* Conjunt de gent armada com ara guàrdies, soldats, etc. que vigila alguna cosa.

patufet patufeta patufets patufetes *nom m i f* Criatura petita.

patuleia patuleies *nom f* Conjunt de nens i nenes petits, quitxalla.

patum patums *nom f* **1** Figura de cartó, etc., que representa un animal fabulós i que es treu en les festes populars. **2** Festa típica de la ciutat de Berga.

patxoca patxoques *nom f* Bon aspecte d'una persona o d'una cosa: *La teva tia fa patxoca.*

P

pau paus *nom f* **1** Temps en què no hi ha guerra: *La guerra va durar tres anys i després va venir la pau.* **2** Calma, quietud, tranquil·litat: *La pau del camp és el que em fa més feliç.* **3** *Sergi, et torno els sis euros que em vas deixar: ara* **estem en paus***: no ens devem res, ja hem arreglat comptes.* **4** *Vols* **deixar en pau** *la Maria?:* deixar de molestar. **5** *En Carles i en Toni van* **fer les paus***:* deixar d'estar barallats, tornar a ser amics.

paüra paüres *nom f* Por molt gran.

pausa pauses *nom f* **1** Interrupció curta. **2** En música, silenci breu. **3** Lentitud.

pauta pautes *nom f* **1** Ratlla o conjunt de ratlles horitzontals en un full de paper que serveix de guia per a escriure. **2** Guia, model, norma: *El professor ens ha donat unes pautes per a fer el treball de geografia.*

pavelló pavellons *nom m* **1** Edifici espaiós construït en uns jardins, en una esplanada, etc.: *A la fira hi ha un pavelló per a cadascuna de les empreses.* **2** **pavelló de l'orella** Part externa de l'orella.

paviment paviments *nom m* Capa de rajoles, de ciment, de lloses, etc. amb què es cobreix el terra d'un carrer, d'una plaça, d'un pati, etc.

pavimentar *v* Cobrir amb rajoles, ciment, lloses, etc. el terra; posar paviment.
Es conjuga com *cantar.*

pe pes *nom f* Nom de la lletra **p P**.

peanya peanyes *nom f* Pedestal.

peatge peatges *nom m* **1** Lloc on es paga en una autopista. **2** Diners que es paguen per poder passar per un lloc.

pebre pebres *nom m* Producte molt picant que s'afegeix a la carn, a l'arròs, etc.; n'hi ha de molts tipus, els més coneguts són el negre i el vermell.

pebrot pebrots *nom m* **1** Fruit comestible de la pebrotera de color verd o vermell que es conrea als horts i que es menja cru o cuit. **2** **tenir pebrots** Ser molt valent, molt atrevit.

peça peces *nom f* **1** Part d'un objecte, d'una màquina, etc.: *El rellotge em va caure a terra i em va saltar una peça.* **2** Element d'un conjunt de coses: *Una peça de vestir.* **3** Habitació d'una casa. **4** Obra musical o de teatre breu: *Aquell pianista va tocar una peça molt difícil.* **5** *La*

Maria és una **bona peça***: és una persona molt entremaliada, molt moguda.* **6** **fer peça** Ser útil, fer servei, interessar: *Si això et fa peça ja t'ho pots quedar.*

pecador pecadora pecadors pecadores *adj* i *nom m* i *f* Es diu de la persona que fa un pecat.

pecar *v* **1** Fer una cosa considerada dolenta segons la religió. **2** Ser excessiu en algun aspecte: *El discurs va pecar de llarg.*
Es conjuga com *cantar.* S'escriu *c* davant de *a, o, u* i *qu* davant de *e, i: peco, peques.*

pecat pecats *nom m* **1** Acció considerada dolenta segons la religió. **2** *Aquest gos és* **lleig com un pecat***:* molt lleig.

pecíol pecíols *nom m* Part estreta i allargada d'una fulla, que la uneix a la branca o a la tija.

pectoral pectorals **1** *adj* Que té relació amb el tòrax o amb el pit: *Fa exercicis per reforçar els músculs pectorals.* **2** *nom m* Múscul situat a la zona del pit.

peculiar peculiars *adj* Que és molt propi d'una cosa o d'una persona: *L'arròs que fa aquell cuiner és boníssim, però té un gust molt peculiar, ningú més no el sap fer com ell.*

pedaç pedaços *nom m* **1** Tros de roba cosit que tapa un forat. **2** *En Joaquim és un* **pare pedaç***:* persona molt bona, que sempre ho arregla tot.

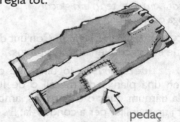

pedaç

pedagog pedagoga pedagogs pedagogues *nom m* i *f* Persona que té per ofici ensenyar i educar, que estudia les qüestions relacionades amb l'ensenyament i l'educació.

pedagogia pedagogies *nom f* Ciència que s'ocupa de l'ensenyament i de l'educació.

pedal pedals *nom m* Peça d'un mecanisme com ara una bicicleta, un piano, etc. que es mou pitjant-la amb el peu: *Se m'han encallat els pedals de la bicicleta.*

pedalar *v* Fer funcionar un pedal amb els peus.
Es conjuga com *cantar.*

pedalejar v Pedalar.
Es conjuga com *cantar*. S'escriu *j* davant de *a, o, u* i *g* davant de *e, i: pedalejo, pedaleges.*

pedant pedants adj i nom m i f Es diu de la persona que sempre vol demostrar que sap moltes coses, que és molt intel·ligent, molt sàvia.

pedestal pedestals nom m Columna més aviat baixa que té una superfície plana al capdamunt i que serveix per a posar-hi una estàtua, un objecte decoratiu, etc.

pedestal

pedestre pedestres adj 1 Que va a peu o que es fa a peu. 2 Es diu de les idees, de les accions, etc. que tenen poca qualitat, que són fetes amb poca intel·ligència.

pediatre pediatra pediatres nom m i f Metge que s'ocupa del creixement i de les malalties dels infants.

pedigrí pedigrís nom m Conjunt d'avantpassats d'un animal de pura raça: *Aquest cavall de curses té un bon pedigrí, els seus avantpassats també eren molt bons corredors.*

pedra pedres nom f 1 Matèria mineral dura, que es troba a la superfície de la terra i que forma les roques: *En Guillem m'ha tirat una pedra al cap.* ■ *La façana d'aquesta casa és tota de pedra.* 2 **pedra foguera** Tros de sílex que, si es rasca amb un tros d'acer, treu espurnes, i que serveix per a fer foc. 3 **pedra preciosa** Pedra dura i transparent, de gran valor, que un cop tallada s'utilitza en joieria per a fer anells, collarets, etc. 4 **quedar-se de pedra** No poder dir res a causa de la sorpresa: *Amb el que m'ha dit l'entrenador m'he quedat de pedra.* 5 Pluja d'aigua glaçada que cau en forma de petits trossos de glaç que semblen pedres, calamarsa: *Ahir va caure pedra i va fer malbé les plantes del jardí.* 6 **no deixar pedra sobre pedra** Enderrocar completament. 7 **tirar la pedra i amagar la mà** Causar un dany i després no reconèixer que s'ha fet. 8 Partícula sòlida que es fa als ronyons, a les vies urinàries, etc. i que fa

molt de mal. 9 **no posar-se cap pedra al fetge** No preocupar-se per res, prendre-s'ho tot amb molta calma.

pedrada pedrades nom f Cop donat amb una pedra.

pedregada pedregades nom f Pluja d'aigua glaçada que cau en forma de petits trossos de glaç rodons que semblen pedres, calamarsada: *La pedregada va fer malbé la collita dels camps.*

pedregar[1] v Caure una pluja d'aigua glaçada en forma de petits trossos de glaç rodons que semblen pedres.
Es conjuga com *cantar*. S'escriu *g* davant de *a, o, u* i *gu* davant de *e, i: pedrega, pedregui.*

pedregar[2] pedregars nom m 1 Lloc ple de pedres. 2 **anar el carro pel pedregar** Anar malament un assumpte, un negoci, etc.

pedregós pedregosa pedregosos pedregoses adj Ple de pedres.

pedrenyal pedrenyals nom m 1 Pedra foguera. 2 Arma de foc curta que es disparava per mitjà d'una pedra foguera.

pedrer[1] pedrera pedrers pedreres nom m i f Persona que treu pedra de les pedreres.

pedrer[2] pedrers nom m Segon estómac dels ocells.

pedrera pedreres nom f Lloc d'on s'extreuen pedres que es fan servir per a la construcció d'edificis, de carreteres, etc.

pedreria pedreries nom f Conjunt de pedres precioses.

pedrís pedrissos nom m Banc de pedra o de maons.

pedró pedrons nom m Pedra grossa que aguanta una creu, un altar, etc.

pedruscall pedruscalls nom m 1 Conjunt de pedretes que cauen de les roques, que salten quan es pica la pedra. 2 Terreny inclinat i cobert de rocs petits que no estan clavats al terra.

pega pegues nom f 1 Substància que serveix per a enganxar coses. 2 **pega dolça** Barreta negra o vermella i dolça que es fa a partir de la regalèssia. 3 *Avui* **estic de pega**, *he perdut dos euros que duia a la butxaca:* estar de mala sort.

P

pegar v Donar un cop, una empenta, una bufetada, etc. a algú: *El nen petit plorava perquè el seu germà li havia pegat una bufetada.*
Es conjuga com *cantar*. S'escriu *g* davant de *a, o, u* i *gu* davant de *e, i*: *pego, pegues.*

pegat pegats nom m **1** Tros de roba, de paper, etc. que s'enganxa a sobre d'un altre. **2** Cosa ajuntada a una altra, però que no s'hi adiu, que no hi lliga: *Enmig del barri antic de la ciutat aquell edifici tan nou i tan alt és un pegat.*

pegot pegots nom m Cosa que no s'adiu amb una altra, que no hi lliga, pegat.

peix peixos nom m **1** Animal vertebrat de cos allargat i preparat per a la natació, que viu a l'aigua: *El meu pare ha pescat molts peixos.* ▪ *Avui, per dinar, hem menjat peix.* **2** **peix blanc** Peix que té poc greix: *El lluç i el rap són peixos blancs.* **3** **peix blau** Peix que té força greix: *La sardina i la tonyina són peixos blaus.* **4** *Aquella casa em va agradar molt, hi vaig estar* **com un peix a l'aigua**: molt a gust, molt bé. **5** *De matemàtiques, vaig* **anar peix** *durant tot el curs*: no saber una matèria, una assignatura, una lliçó. **6** **peix gros** Es diu d'una persona molt important, que té molt poder. **7** **no ser ni carn ni peix** Es diu d'una cosa o d'una persona que no se sap ben bé què és, què pensa, què vol, a favor de qui està, etc.

peixater peixatera peixaters peixateres nom m i f Persona que ven peix.

peixateria peixateries nom f Botiga, lloc on es ven peix: *La Marta ha anat a la peixateria a comprar lluç, rap i musclos.*

péixer v Donar menjar a algú posant-l'hi a la boca: *La mare peixa la sopa al nen petit amb una cullera.*
Es conjuga com *néixer*.

peixera peixeres nom f Recipient que serveix per a tenir-hi peixos.

peixet Paraula que apareix en l'expressió **donar peixet**, que vol dir "deixar guanyar algú en un joc": *És clar que has guanyat la partida, no veus que t'han donat peixet?*

peixos nom m pl Dotzè signe del zodíac, també anomenat pisces: *Les persones nascudes entre el 19 de febrer i el 20 de març són del signe de peixos.*

pejoratiu pejorativa pejoratius pejoratives adj Que té un sentit poc favorable, per exemple la paraula "nàpia", que vol dir "nas gros".

pel pels Contracció de la preposició *per* i de l'article *el* o *els*: *No hi havia gent caminant pels carrers en aquella hora.*

pèl pèls nom m **1** Cadascun dels filaments que cobreixen la pell dels animals mamífers i de les persones: *Aquest gos tan pelut deixa pèls pertot arreu.* ▪ *Els pèls de la barba de l'Oriol són rossos.* **2** **pèl moixí** Pèl suau i curt. **3** **prendre el pèl** Burlar-se d'algú. **4** **posar els pèls de punta** Espantar molt. **5** **no tenir pèls a la llengua** Dir les coses clares. **6** Filaments que sobresurten a la superfície de certes robes, llanes, etc.: *No m'agrada posar-me aquest jersei perquè deixa pèl.* **7** *En Xavier ha fet una descripció del mestre* **amb tots els pèls i senyals**: amb tots els detalls. **8** *Ha vingut* **d'un pèl** *que no xoquéssim*: quasi vam xocar, va faltar molt poc. **9** *Fa* **un pèl** **d'**aire: una mica.

pela peles nom f **1** Coberta exterior de les fruites, d'algunes hortalisses, etc., pell, escorça: *La pela de taronja fa olor.* **2** Allò que és el resultat de pelar alguna cosa: escorça, coberta, etc.

pelacanyes uns/unes pelacanyes nom m i f Persona pobra.

pelada pelades nom f **1** Ferida petita i superficial de la pell: *L'Ernest ha caigut i s'ha fet una pelada al genoll.* **2** Acció de tallar una gran quantitat de cabells, de pèl, etc.: *Renoi, quina pelada que t'ha fet el barber!*

peladures nom f pl Peles que es treuen de la fruita quan es pela: *Llença a les escombraries aquestes peladures de taronja.*

pèlag pèlags nom m Mar.

pelar v **1** Tallar els cabells d'una persona o el pèl d'un animal: *Aquesta vegada el barber m'ha pelat massa.* **2** Treure la pell: *Ja he pelat les patates.* ▪ *Ha caigut i s'ha pelat els genolls.* **3** *Aquest matí* **fa un fred que pela**: fer molt fred. **4** *Després de les festes he* **quedat pelat**: sense diners. **5** Matar. **6** **pelar-se-la** Masturbar-se.
Es conjuga com *cantar*.

pelat pelada pelats pelades **1** adj Sense pèl, sense vegetació, sense coses innecessàries: *Un gos pelat.* ▪ *Una muntanya pelada.* **2**

nom m i f Persona pobra. **3** nom m Part d'un cos, d'una superfície, etc. sense pell o sense pèl: *Vaig caure i em vaig fer un pelat al genoll.* ■ *Aquesta catifa té molts pelats, n'haurem de comprar una de nova.*

pelatge pelatges nom m Pèl d'un animal.

pelegrí pelegrina pelegrins pelegrines nom m i f Persona que viatja o fa una excursió a un lloc on hi ha un sant, una ermita o qualsevol altre motiu religiós.

pelegrinar v Peregrinar. Es conjuga com *cantar.*

pelegrinatge pelegrinatges nom m Viatge a un santuari.

pelfa pelfes nom f Teixit de seda o de llana de pèls llargs, suau i brillant: *Encara tinc un osset de pelfa que em van regalar quan vaig néixer.*

pelicà pelicans nom m Ocell gros que té un bec ample i molt llarg amb una mena de bossa a sota que li serveix per a deixar-hi els aliments.

pell pells nom f **1** Membrana exterior del cos de les persones i dels animals que de vegades està recoberta de pèl: *Amb aquest fred tinc la pell de les mans ben aspra.* ■ *La Roser porta un abric de pell de foca.* **2** Coberta exterior d'algunes fruites, pela: *La pell de préssec no m'agrada, sempre la trec quan me'n menjo un.* **3 quedar-se amb la pell i l'os** Estar molt prim. **4** Vida: *En aquell naufragi molta gent se'n va fer la pell, és a dir, hi va morir.* **5 pell de gallina** Estat de la pell quan tenim una esgarrifança de fred, de por, etc.

pellar v Créixer la pell d'una ferida. Es conjuga com *cantar.*

pelleringa pelleringues nom f **1** Tros de pell o de roba que sobra, que penja. **2 estar fet una pelleringa** Estar molt prim.

pelleteria pelleteries nom f Indústria o comerç on es treballen o es venen pells per a abrigar.

pel·lícula pel·lícules nom f **1** Conjunt d'imatges fotogràfiques projectades molt ràpidament, que representen una història amb moviment, veu, música, etc. **2** Cinta prima i transparent en la qual queden impressionades imatges fotogràfiques: *He portat la pel·lícula a revelar, a veure si sortiran les fotografies.* **3** Pell o membrana molt prima.

pellingot pellingots nom m Parrac.

pellissa pellisses nom f Nom de diferents peces de vestir fetes de pell o folrades de pell.

pellofa pellofes nom f Pell d'una fruita o d'un llegum.

pellroja pellroges nom m i f Individu d'algunes tribus d'Amèrica del Nord.

pellucar v Prendre el menjar a miques, en petites quantitats: *Les gallines pellucaven el blat de moro.* ■ *Mentre faig el dinar sempre vaig pellucant alguna cosa.* Es conjuga com *cantar.* S'escriu c davant de *a, o, u* i qu davant de *e, i: pelluco, pelluques.*

peloia peloies nom f Pela: *Tira les peloies de patata en una galleda.*

pèl-roig pèl-roja pèl-rojos pèl-roges adj Que té els cabells o els pèls de color roig.

peluix peluixos nom m Vellut de llana o de seda: *Pel meu aniversari m'han regalat un osset de peluix.*

pelussa pelusses nom f **1** Borrissol que cau de la roba: *Aquest jersei fa molta pelussa.* **2** Pèl suau i curt que tenen algunes plantes i algunes fruites, com els préssecs.

pelut peluda peluts peludes adj **1** Que té molt de pèl. **2** Que té dificultats, que és difícil de resoldre: *És un assumpte molt pelut.*

pelvis les pelvis nom f Conjunt d'ossos que formen una cavitat a la part inferior del tronc humà.

pena penes nom f **1** Sofriment, dolor, preocupació molt gran: *Vam anar a casa d'en Marc a consolar-lo de les penes que està passant.* **2** Càstig imposat per un delicte o falta: *El tribunal li ha imposat dos anys com a pena pels seus delictes.* **3 A penes** havíem sortit de casa que es va posar a nevar: quasi, gairebé no havíem sortit de casa.

penal penals **1** nom m Càstig per una falta comesa en alguns esports que consisteix a tirar la pilota contra la porteria contrària i veure si el porter la pot parar: *L'àrbitre va assenyalar un penal quan faltava poc perquè s'acabés el partit.* **2** adj Que té relació amb les penes imposades per la llei. **3** nom m Presó, establiment on es compleixen les penes imposades per la llei.

penalitat penalitats nom f Dificultat, sofriment, molèstia, etc.: *El viatge va ser llarg i ple de penalitats.*

P

penalitzar v Imposar un càstig: *Durant el partit l'àrbitre va penalitzar aquell jugador dues vegades.* Es conjuga com *cantar.*

penca penques *nom f* **1** Tira ampla i gruixuda d'una cosa: *Per dinar hem menjat cigrons fregits amb una penca de cansalada.* ■ *Com que no m'agraden gaire les bledes, em menjaré les fulles i deixaré les penques.* **2 tenir moltes penques** Tenir molta barra, ser un pocavergonya.

pencar v Treballar molt.
Es conjuga com *cantar.* S'escriu *c* davant de *a, o, u* i *qu* davant de *e, i: penco, penques.*

pendent pendents **1** *nom m* Terreny que fa baixada; inclinació. **2** *adj* Que encara no està resolt: *Encara tenim un problema pendent.*

pendís pendissos *nom m* Pendent, baixada.

pendó pendons *nom m* **1** Penó. **2** Insígnia d'una església, d'una confraria, etc. que consisteix en un tros de tela rectangular, acabat en dues puntes, que va penjat d'una barreta horitzontal que s'aguanta amb uns cordons lligats al capdamunt d'un pal. **3** Es diu d'una persona que porta una mala vida, que té molts vicis.

pèndol pèndols *nom m* Objecte que pot anar d'una banda a l'altra suspès d'un punt fix: *A casa de la meva àvia hi ha un rellotge de pèndol.*

rellotge de pèndol

penedesenc penedesenca penedesencs penedesenques **1** *nom m i f* Habitant de les comarques del Penedès; persona natural o procedent de les comarques del Penedès. **2** *adj* Es diu de les coses o de les persones naturals o procedents de les comarques del Penedès.

penedir-se v Saber greu d'haver fet o deixat de fer alguna cosa: *Em penedeixo d'haver-te comprat aquestes sabates: no te les poses mai.* Es conjuga com *servir.*

penell penells *nom m* Peça de metall que gira al voltant d'un eix i que serveix per a assenyalar la direcció del vent.

penelló penellons *nom m* Inflamació de la pell dels peus, de les mans, del nas o de les orelles a causa del fred.

penetració penetracions *nom f* Acció d'entrar, d'introduir una cosa dins una altra.

penetrant penetrants *adj* Que es fica molt endins: *Aquest perfum que portes fa una olor penetrant.* ■ *A la sortida del cinema feia un fred penetrant.*

penetrar v Entrar a dins d'un lloc o d'una cosa, introduir-s'hi: *Els exploradors van penetrar a la selva.*
Es conjuga com *cantar.*

pengim-penjam pengim-penjams **1** *nom m i f* Persona que porta la roba de qualsevol manera, que li penja per tots costats. **2** *adv* *En Lluís camina* **pengim-penjam***: movent-se d'un cantó a l'altre, sense gràcia, com si estigués molt cansat.*

penicil·lina penicil·lines *nom f* Medicament antibiòtic que serveix per a curar moltes malalties causades per bacteris.

península penínsules *nom f* Porció de terra voltada d'aigua i unida només per una part anomenada "istme" a una extensió més gran de terra.

peninsular peninsulars *adj* Que té relació amb la península.

penis els penis *nom m* Òrgan sexual que forma part de l'aparell reproductor masculí.

penitència penitències *nom f* En la religió cristiana, sagrament en què són perdonats els pecats al pecador penedit que els confessa i es proposa de no tornar-los a fer.

penjador penjadors *nom m* Clau, moble, peça de fusta, de ferro, etc. que serveix per a penjar-hi o fer-hi aguantar alguna cosa: *Pengeu els vostres abrics al penjador del passadís.*

penjament penjaments *nom m* **1** Paraula o expressió que es diu per ofendre algú. **2 dir penjaments** Parlar malament d'algú: *Aquell home només deia penjaments dels seus veïns: que si eren uns cridaners, que si eren uns desordenats i no sé quantes coses més.*

penjar v **1** Fer aguantar una cosa per la part superior sense que res no l'aguanti per sota: *Ja han penjat el llum al sostre de l'habitació.* ■ *Penja la faldilla a l'armari.* **2** Col·locar una cosa en un lloc alt: *Jugant al pati, vàrem penjar la pilota a la teulada*

d'una casa. **3** Estar una cosa aguantada per la part superior sense que res no la sostingui per sota: *Els fruits pengen de l'arbre.* **4** Interrompre una comunicació telefònica posant l'auricular damunt els pius que el desconnecten: *En Marcel m'ha trucat per felicitar-me però de seguida ha penjat.* **5** Matar una persona lligant-li una corda al voltant del coll: *Van penjar el bandoler enmig de la plaça.* **6** Suspendre un examen, una assignatura: *M'han penjat les matemàtiques.*
Es conjuga com *cantar.* S'escriu *j* davant de *a, o, u* i *g* davant de *e, i: penjo, penges.*

penjarella penjarelles *nom f* **Cosa que penja:** *Per a la festa vam adornar el garatge amb globus i penjarelles de tots colors.* ▪ *Aquestes estovalles estan mal cosides i fan penjarelles per tots cantons.*

penja-robes uns penja-robes *nom m* **Moble, peça de fusta, de ferro, etc. que serveix per a penjar-hi roba.**

penjoll penjolls *nom m* **1** Conjunt de fruits o de flors que pengen plegats: *Ens hem menjat dos penjolls de raïm.* **2** Joia que es porta penjada al coll.

penjoll

penó penons *nom m* **Bandera o estendard petit que servia com a insígnia d'un cavaller, d'un regiment de soldats, etc.**

penombra penombres *nom f* **Mitja claror, espai parcialment il·luminat, que es troba entre la foscor i la claror.**

penós penosa penosos penoses *adj* **1** Que causa molta pena. **2** Ple de penes, de dificultats.

penosament *adv* **Amb moltes dificultats, amb penes i treballs:** *Els alpinistes avançaven penosament a causa del vent i de la neu.*

pensa penses *nom f* **Facultat, capacitat de pensar:** *Per resoldre aquest problema, hauràs de fer servir la pensa i no la força.*

pensada pensades *nom f* **Idea, pensament:** *Amb el fred que fa, encendre la llar de foc ha estat una bona pensada.*

pensament pensaments *nom m* **1** Allò que es pensa, idea; capacitat de pensar. **2** *Hem de fer un pensament i anar-nos-en:* prendre una decisió. **3** *Posa-hi un pensament de pebre:* una quantitat molt petita. **4** Planta de jardí que fa flors de diversos colors.

pensar *v* **1** Tenir una idea, un pensament, una imaginació, una opinió sobre una cosa determinada: *Penso que demà m'agradaria anar al cine.* **2** No oblidar-se d'una cosa, recordar una cosa: *Ja has pensat a portar-me els llibres que et vaig deixar?* **3** Tenir algú o alguna cosa en el pensament: *Tots aquests dies he pensat en tu.* **4** Tenir la intenció de fer una cosa: *Pensava venir, però finalment he decidit que no era necessari.* **5** ni pensar-hi! Expressió que serveix per a negar totalment una cosa: *Vaig demanar el cotxe al meu pare i em va dir: "No, ni pensar-hi!"*
Es conjuga com *cantar.*

pensatiu pensativa pensatius pensatives *adj* **Es diu d'una persona quan està pensant en alguna cosa que la preocupa, que li resulta difícil, interessant.**

pensió pensions *nom f* **1** Diners que cobra una persona que ja no pot treballar perquè està jubilada, ha tingut un accident o una malaltia greu, etc. **2** Lloc on la gent pot menjar i dormir a canvi de pagar uns diners.

pensionista pensionistes *nom m i f* **Jubilat, persona que cobra uns diners quan deixa de treballar perquè està malalta, ja és massa gran, etc.**

penta- pent- **Element amb què comencen algunes paraules i que vol dir "cinc":** *Un pentàgon és un polígon de cinc costats i cinc angles.*

pentàgon pentàgons *nom m* **Polígon de cinc costats i cinc angles.**

pentagrama pentagrames *nom m* **Conjunt de cinc línies i quatre espais que serveix per a marcar l'altura de les notes musicals que s'hi escriuen al damunt.**

pentagrama

pentatló pentatlons *nom m* Prova atlètica que dura un sol dia i que consisteix en cinc proves combinades.

pentinar-se *v* Desembullar i posar bé els cabells, de manera que facin bonic: *Avui m'ha pentinat la meva mare i m'ha fet dues trenes.* Es conjuga com *cantar.*

pentinat pentinats *nom m* Forma que es dóna als cabells: *La Maria va anar a la perruqueria i li van fer un pentinat molt bonic.*

penúltim penúltima penúltims penúltimes *adj* Que va abans de l'últim: *El dissabte és el penúltim dia de la setmana.*

penúria penúries *nom f* Escassetat de les coses necessàries per a viure com ara diners, roba, menjar, etc.: *En una guerra la gent passa moltes penúries.*

penya¹ penyes *nom f* Grup de persones que es reuneixen amb la finalitat de seguir un equip esportiu o de fer una activitat determinada.

penya² penyes *nom f* Pedra grossa.

penyal penyals *nom m* Penya aïllada, bloc gros de pedra aïllat.

penya-segat penya-segats *nom m* Cingle, roca recta o que fa molt pendent i que està a la vora del mar.

penyora penyores *nom f* **1** Cosa que es dóna a algú com a prova que es complirà una ordre, que es pagarà un deute, etc.: *Et dono el meu anell com a penyora: si no et torno els diners, ja te'l pots quedar.* **2** Cosa que es fa fer als qui perden un joc: *Jugàvem al "Pare carbasser" i, com que vaig perdre, com a penyora vaig haver de cantar una cançó.*

peó peons *nom m* **1** Manobre, treballador que fa una feina senzilla. **2** La peça més petita del joc d'escacs.

per *prep* **1** A través de: *Vam entrar per la porta principal.* **2** Indica el temps durant el qual té lloc una cosa: *Per Nadal es mengen torrons.* **3** Indica la causa o el motiu d'un fet: *La ciutat va ser destruïda per un terratrèmol.* ■ *El van castigar per haver arribat tard.* **4** Indica la intenció o el propòsit d'una acció: *He vingut per veure't.* **5** En lloc de, en comptes de: *En Gil no hi és, jo parlaré per ell.* **6** per a Indica la destinació, la finalitat d'un fet o d'una cosa: *El regal és per a en Pere.* ■ *Aquesta medecina és per al mal d'orella.*

pera peres *nom f* Fruit comestible de la pera, té la pell verda, groga, i a vegades rosada, i una forma rodona i allargada. **2**

perbocar *v* Vomitar. Es conjuga com *cantar.* S'escriu *c* davant de *a, o, u* i *qu* davant de *e, i: perboco, perboques.*

percebre *v* **1** Conèixer les coses a través dels sentits: *Quan vaig arribar al jardí, de seguida vaig percebre l'olor dels clavells.* **2** Rebre diners, favors, etc. Es conjuga com *perdre.* Present d'indicatiu: *percebo, perceps, percep, percebem, percebeu, perceben.*

percentatge percentatges *nom m* Tant per cent: *El percentatge de nens de l'escola que estan malalts és d'un 10%, és a dir, de cada 100 nens n'hi ha 10 de malalts.*

percepció percepcions *nom f* Acció de percebre.

perceptible perceptibles *adj* Que es pot percebre.

percudir *v* Picar, donar cops. Es conjuga com *servir* o com *dormir.* Present d'indicatiu: *percudo o percudeixo, percuts o percudeixes, percut o percudeix, percudim, percudiu, percuden o percudeixen.*

percussió percussions *nom f* **1** Acció de percudir, de picar, de donar cops. **2** instrument de percussió Instrument musical que sona fent picar una peça de fusta, de metall, etc. contra una superfície de tripa, de metall, etc.: *La bateria, els platerets, etc. són instruments de percussió.*

instrument de percussió

perdedor perdedora perdedors perdedores **1** *adj* i *nom m* i *f* Es diu de la persona, del grup, de l'equip, etc. que perd en un joc, en una lluita, etc. **2** *adj* Es diu del lloc, del camí, etc. on és fàcil de perdre's: *Aquest camí és molt perdedor perquè no hi ha cap indicador.*

perdició perdicions *nom f* Fet d'amoïnar-se o de sofrir un gran dany a causa del propi comportament o del d'una altra persona: *Va agafar el vici de beure i això va ser la seva perdició.*

perdigó perdigons *nom m* **1** Gra de plom que hi ha a dins un cartutx de caça: *En Jacint s'ha comprat una escopeta de perdigons*. **2** **tenir un perdigó a l'ala** Ser una mica boig.

perdigot perdigots *nom m* Mascle de la perdiu.

perdiguer perdiguera perdiguers perdigueres *adj* Es diu del gos que serveix sobretot per a caçar perdius.

perdiu perdius *nom f* **1** Ocell de color gris, blanc, negre i vermell, molt apreciat com a animal de caça. **2** Pulmons d'un animal, especialment d'ovella.

perdiu

perdó perdons **1** *nom m* Acció de perdonar, de treure un càstig: *Vaig fer enfadar el meu germà i després li vaig demanar perdó*. **2** *interj* Paraula que es fa servir per a demanar disculpes a algú: *Perdó, t'he trepitjat sense voler*.

perdonar *v* **1** Treure un càstig a algú o bé no posar-n'hi cap, deixar de sentir-se enfadat amb algú per alguna cosa que ha fet: *Avui ens havíem de quedar castigats una hora més a l'escola, però el mestre ens ha perdonat*. **2** *Perdoneu-me si us destorbo, que hi ha en Joan, aquí?*: disculpeu-me, excuseu-me.
Es conjuga com *cantar*.

perdonavides uns/unes perdonavides *nom m i f* Persona que presumeix de ser molt valenta, fanfarró.

perdre *v* **1** Deixar de tenir una cosa, una qualitat, etc.: *He perdut les claus de casa i no les trobo enlloc*. ■ *El malalt ha perdut la gana*. ■ *Aquest cotxe perd oli*. **2** No arribar a temps d'agafar el tren, l'autobús, etc. **3** *perdre la vida* Morir. **4** *Aquell home va perdre el cap*: no ser conscient una persona del que fa. **5** *perdre's* Equivocar-se de camí, desorientar-se: *No sabien el camí i es van perdre*. **6** Ésser vençut en una batalla, en un joc, etc.: *Vam perdre el partit per dos gols a zero*. **7** *La Maria va perdre el pare quan encara era molt petita*: se li va morir. **8** *perdre*

de vista Deixar de veure algú, deixar de relacionar-s'hi. **9** *perdre el temps* No aprofitar-lo.
La conjugació de *perdre* és a la pàg. 842.

pèrdua pèrdues *nom f* Fet de perdre una cosa, una persona, etc: *Aquest any les pluges han negat els camps de patates i hi ha hagut pèrdues importants*. ■ *La pèrdua d'un familiar és una cosa molt trista*.

perdulari perdulària perdularis perdulàries *nom m i f* Persona que no s'ocupa gens d'ella mateixa, que va molt bruta, estripada, despentinada, etc.

perdurable perdurables *adj* Que dura sempre.

perdurar *v* Durar sempre.
Es conjuga com *cantar*.

perdut perduda perduts perdudes *nom m i f* Persona que té molts vicis.

peregrí peregrina peregrins peregrines *adj* Rar, estrany, poc corrent.

peregrinació peregrinacions *nom f* Acció de peregrinar, de fer un viatge per motius religiosos: *Han organitzat una peregrinació a Terra Santa*.

peregrinar *v* Anar per terres estranyes, de poble en poble.
Es conjuga com *cantar*.

peremptori peremptòria peremptoris peremptòries *adj* Es diu d'una cosa, d'un assumpte, etc. que és molt urgent, que no pot esperar.

perenne perennes *adj* **1** Es diu dels arbres i de les plantes que no perden les fulles a l'hivern. **2** Que dura sempre.

perepunyetes uns/unes perepunyetes *adj i nom m i f* Es diu de la persona molt exigent, que es preocupa massa pels detalls sense importància.

perera pereres *nom f* Arbre fruiter de fulla caduca que fa peres.

peresa pereses *nom f* Mandra, poques ganes de treballar.

peresós peresosa peresosos peresoses *adj* Mandrós, que té poques ganes de treballar.

perfecció perfeccions *nom f* **1** Manca total de defectes; cosa perfecta: *Aquest dibuix és una* perfecció. **2** *Aquell pianista toca **a la perfecció**:* d'una manera perfecta, molt bé.

perfeccionament perfeccionaments *nom m* Acció de perfeccionar una cosa, de fer-la al més perfecta possible: *El meu germà està fent un curs de perfeccionament de l'anglès.*

perfeccionar *v* Millorar una cosa, fer-la tan perfecta com es pugui: *Ara he acabat d'escriure el conte, demà el tornaré a llegir i l'acabaré de perfeccionar.*
Es conjuga com *cantar.*

perfeccionista perfeccionistes *adj* i *nom m* i *f* Es diu de la persona que vol fer les coses molt perfectes, sense que hi falti cap detall, sense cap defecte: *En Joan és molt perfeccionista: va repetir tot el dibuix només perquè se li havia arrugat una mica una punta del paper.*

perfectament *adv* D'una manera perfecta, molt bé: *No cal que m'ho repeteixis, t'he entès perfectament.*

perfecte perfecta perfectes *adj* Sense defectes, acabat, que no li falta res: *Aquest dibuix t'ha quedat perfecte.*

perfet perfeta perfets perfetes **1** *adj* Perfecte. **2** *nom m* Temps verbal que indica una acció ja passada dins un període de temps que encara no s'ha acabat: *En la frase "avui hem rigut molt", el verb "hem rigut" està en perfet.* **3 temps perfet** Cadascun dels temps del verb formats amb el participi i un auxiliar: *"Hauré menjat" i "hauria menjat" són formes de temps perfets del verb "menjar".*

pèrfid pèrfida pèrfids pèrfides *adj* Traïdor, molt dolent.

perfil perfils *nom m* **1** Contorn d'una figura. **2** Contorn de la cara d'una persona vista de costat.

perfilar *v* **1** Deixar ben acabada una cosa, perfeccionar-la, polir-la: *Demà acabarem de perfilar el treball: el repassarem perquè no hi hagi cap falta, farem la portada, l'enquadernarem, etc.* **2** Dibuixar el contorn o perfil d'un dibuix, d'una pintura, etc.
Es conjuga com *cantar.*

perforació perforacions *nom f* Acció o resultat de perforar una cosa, de fer-hi un forat: *Aquestes màquines fan una perforació a terra per veure si hi ha petroli.*

perforar *v* Fer un forat en una cosa, travessar-la tot foradant.
Es conjuga com *cantar.*

perfum perfums *nom m* **1** Olor agradable, bona olor. **2** Substància que fa olor: *Pel sant de la meva mare li regalaré un perfum.*

perfumar *v* Posar perfum.
Es conjuga com *cantar.*

perfumeria perfumeries *nom f* Botiga on venen perfums i altres productes de bellesa.

pergamí pergamins *nom m* Pell prima d'ovella, de cabra, etc. que antigament es feia servir per a escriure-hi, per a enquadernar llibres, etc.

pèrgola pèrgoles *nom f* Cobert que té un sostre de reixa i unes columnes perquè s'hi enfilin les plantes.

pèrgola

perícia perícies *nom f* Capacitat que té una persona de fer molt bé una cosa, traça, habilitat.

perifèria perifèries *nom f* **1** Contorn, superfície que envolta un cos. **2** Voltants d'un poble, d'una ciutat, etc.: *A la perifèria de Barcelona hi ha moltes ciutats.*

perífrasi perífrasis *nom f* Grup de mots que equival a una sola paraula: *"En aquell moment" és una perífrasi que equival a l'adverbi "llavors".*

perifràstic perifràstica perifràstics perifràstiques *adj* **1** Que té relació amb una perífrasi. **2 passat perifràstic** Temps verbal que indica una acció passada i acabada i que es construeix amb les formes auxiliars "vaig", "vas" o "vares", "va", "vam" o "vàrem", "vau" o "vàreu" i "van" seguides d'un infinitiu.

perill perills *nom m* Lloc, cosa o situació que pot fer mal a algú: *Travessar aquesta carretera amb tant trànsit és un perill.*

perillar *v* Estar en perill: *Amb tanta neu al damunt, les branques d'aquests arbres perillen de trencar-se.*
Es conjuga com *cantar.*

perillós perillosa perillosos perilloses *adj* Que té un perill, que algú s'hi pot fer mal: *Enfilar-se als arbres és perillós.*

perímetre perímetres *nom m* **1** Contorn d'una figura plana. **2** Longitud de la línia que envolta una figura plana.

període períodes *nom m* **1** Porció de temps que comprèn la durada d'una cosa: *Em vaig estar a l'hospital un període de tres mesos.* **2** Menstruació.

periòdic periòdica periòdics periòdiques **1** *adj* Que passa, que apareix en uns espais de temps determinats, com ara dies, setmanes, mesos, etc.: *Els diaris, les revistes, etc. són publicacions periòdiques.* **2** *nom m* Publicació impresa que apareix amb una periodicitat determinada, diari.

periòdicament *adv* De manera periòdica: *Rebem periòdicament, un cop al mes, informació dels nous llibres que publica l'editorial.*

periodicitat periodicitats *nom f* Freqüència amb què es fa una cosa: *La revista de l'escola té una periodicitat mensual, o sigui, surt cada mes.*

periodisme periodismes *nom m* Ciència de la informació; ofici de periodista: *El meu cosí estudia periodisme.*

periodista periodistes *nom m i f* Persona que té per ofici escriure en diaris o altres publicacions periòdiques.

peripècia peripècies *nom f* Problema, dificultat, complicació: *En aquell viatge vam passar moltes peripècies: ens van robar les maletes, se'ns va espatllar el cotxe i vam perdre les claus de l'apartament.*

periple periples *nom m* Viatge que fa un recorregut que comença i acaba al mateix lloc.

periquito periquitos **1** *nom m* Ocell de bec corbat i plomes de colors vistosos que és molt apreciat com a ocell de gàbia. **2** *nom m i f* Persona que és soci o simpatitzant del "Reial Club Deportiu Espanyol" de Barcelona.

periquito

perir *v* Morir, deixar d'existir: *Molts cavallers van perir en el combat.*
Es conjuga com *servir.*

periscopi periscopis *nom m* Instrument amb lents i un tub vertical que permet de veure coses situades en un altre pla: *Els submarins porten un periscopi que els permet de veure la superfície del mar des de dins de l'aigua.*

perit perita perits perites *adj i nom m i f* Expert: *Els perits que han examinat l'edifici diuen que se n'han de reforçar els fonaments i les bigues.*

pèrit pèrita pèrits pèrites *adj i nom m i f* Mira **perit.**

perjudicar *v* Fer mal, causar perjudici: *El tabac perjudica la salut.*
Es conjuga com *cantar.* S'escriu *c* davant de *a, o, u* i *qu* davant de *e, i: perjudico, perjudiques.*

perjudici perjudicis *nom m* Dany, males conseqüències provocades per algun fet: *La tempesta de neu ha ocasionat molts perjudicis als pagesos de la comarca.*

perjudicial perjudicials *adj* Que fa mal, que perjudica.

perjurar *v* **1** Jurar en fals. **2** Jurar repetidament: *Ell jura i perjura que no ha fet res de dolent.*
Es conjuga com *cantar.*

perjuri perjuris *nom m* Acte de jurar en fals, de no complir un jurament: *Si algú jura que dirà la veritat i després diu una mentida, comet perjuri.* ■ *Si algú jura que farà una cosa i després no la fa, també comet perjuri.*

perla perles *nom f* Boleta que es fa a l'interior de la closca d'alguns mol·luscs, especialment les ostres, i es fa servir per a fer joies: *La princesa portava un collaret de perles.*

perllongar *v* Fer més llarga una cosa: *Han perllongat les vacances a la platja.*
Es conjuga com *cantar.* S'escriu *g* davant de *a, o, u* i *gu* davant de *e, i: perllongo, perllongues.*

permanència permanències *nom f* Fet de quedar-se en un lloc, de durar, de ser permanent.

permanent permanents **1** *adj* Que és fix, que no canvia: *La seva afició al futbol és permanent.* **2** *nom f* Ondulació artificial dels cabells que dura molt de temps: *He anat a la perruqueria a fer-me la permanent.*

P

589

permeable permeables *adj* Que deixa passar un gas o un líquid a través dels seus porus: *Aquest terreny és molt permeable.*

permetre *v* Deixar fer una cosa: *El viatge a la ciutat ens va permetre de visitar els monuments més importants.*
Es conjuga com *perdre.* Participi: *permès, permesa.*

permís permisos *nom m* **1** Llibertat que ens dóna algun superior per a fer o deixar de fer una cosa: *Per a sortir de classe necessitem el permís del mestre.* **2** Document que autoritza a fer alguna cosa, com ara conduir un vehicle, viure en un país estranger, etc.: *Per a poder treballar a l'estranger fa falta un permís de treball.*

permissible permissibles *adj* Que es pot permetre.

permissiu permissiva permissius permissives *adj* Es diu de la persona, de la llei, etc. que deixa fer, que no prohibeix gaires coses.

permutar *v* Canviar una cosa per una altra: *Aquell pagès va permutar una de les vaques per un cavall.*
Es conjuga com *cantar.*

pern perns *nom m* **1** Peça metàl·lica, de forma cilíndrica, que serveix per a unir una peça amb una altra o per a fer-la girar. **2** Eix, base, fonament d'una cosa: *La família i l'escola són els perns de l'educació dels infants.*

perniciós perniciosa perniciosos pernicioses *adj* Que fa mal, que perjudica: *Fumar és perniciós.*

pernil pernils *nom m* **1** Cuixa o espatlla de porc salada i assecada perquè es conservi, que és un aliment molt gustós: *Que bo que és, el pa amb tomàquet i pernil!* **2** **pernil dolç** Cuixa o espatlla de porc, sense ossos i cuita, d'un gust més aviat dolç i suau.

pernoctar *v* Passar la nit en un lloc.
Es conjuga com *cantar.*

però **1** *conj* Indica que es dirà una cosa contrària o diferent a una altra que ja s'ha dit abans: *És una bona noia, però té mal geni.* ▪ *Vindrem, però ens has de fer un bon dinar.* **2** **però** peròs *nom m* Defecte, dificultat: *En Joan sempre troba peròs a tot.*

perol perols *nom m* Recipient rodó, de metall, que abans es feia servir per a coure el menjar al foc.

perola peroles *nom f* Perol gros, caldera.

peroné peronés *nom m* Os de la cama situat al costat de la tíbia. **15**

perpendicular perpendiculars *adj* Es diu de la recta o del pla que cau sobre una altra recta o un altre pla formant angle recte.

perpetrar *v* Fer, executar un acte que va contra la llei: *L'assassinat va ser perpetrat en el domicili de la víctima.*
Es conjuga com *cantar.*

perpetu perpètua perpetus perpètues *adj* Que dura sempre, que no acaba mai.

perpetuar *v* Fer que una cosa duri sempre: *Alguns monuments es construeixen per perpetuar el record de persones importants.*
Es conjuga com *canviar.*

perpetuenc perpetuenca perpetuencs perpetuenques **1** *nom m i f* Habitant de Santa Perpètua de Mogoda; persona natural o procedent de Santa Perpètua de Mogoda. **2** *adj* Es diu de les persones o de les coses naturals o procedents de Santa Perpètua de Mogoda.

perpinyanès perpinyanesa perpinyanesos perpinyaneses **1** *nom m i f* Habitant de Perpinyà; persona natural o procedent de Perpinyà. **2** *adj* Es diu de les persones o de les coses naturals o procedents de Perpinyà.

perplex perplexa perplexos perplexes *adj* Es diu d'una persona que dubta, que no sap què dir o què fer davant d'una situació que no s'esperava, que és nova per a ella.

perquè **1** *conj* Indica el motiu, la finalitat, la raó per la qual es fa o passa una cosa: *No hem anat a la platja perquè plovia.* ▪ *Et vaig cridar perquè m'ho expliquessis tot.* **2** **perquè** perquès *nom m* Raó, explicació: *M'agradaria saber el perquè de tot això que passa.*

perruca perruques *nom f* Cabellera falsa, postissa.

perruquer perruquera perruquers perruqueres *nom m i f* Persona que té per ofici tallar els cabells, afaitar, etc.

perruqueria perruqueries *nom f* Lloc on treballa el perruquer, on es tallen i s'arreglen els cabells: *Has d'anar a la perruqueria a tallar-te els cabells.*

perruquí perruquins *nom m* Cabells postissos que porten algunes persones per dissimular la calvície.

persa perses **1** *adj* i *nom m* i *f* Es diu de les persones o de les coses naturals o procedents de l'antiga Pèrsia. **2** *nom m* Llengua que es parla a l'Iran i a part de l'Afganistan.

persecució persecucions *nom f* Acció de perseguir, de seguir algú que fuig.

perseguir *v* **1** Seguir algú que fuig per tal d'agafar-lo, anar al darrere d'algú per aconseguir alguna cosa: *La policia va perseguir el lladre però es va escapar.* ▪ *La Teresa tot el dia persegueix el professor de matemàtiques perquè l'aprovi.* **2** Treballar sense descans per aconseguir alguna cosa: *Aquell cantant persegueix ser molt famós.*
Es conjuga com *servir*.

perseverant perseverants *adj* Es diu de la persona que es manté ferma, que no es desanima a l'hora de fer una cosa: *Si voleu aconseguir bons resultats, heu de ser perseverants.*

perseverar *v* Mantenir-se ferm, ser constant, no desanimar-se en una feina, en una idea, etc.
Es conjuga com *cantar*.

persiana persianes *nom f* Conjunt de tires, de llistons, etc. que es pot enrotllar o desenrotllar damunt d'una finestra per graduar la llum que volem que entri en una habitació: *Abaixa la persiana de la finestra, que fa massa sol.*

persistent persistents *adj* Que dura molt, que no para: *Queia una pluja persistent.* ▪ *Tinc un dolor persistent a la cama dreta.*

persistir *v* **1** Durar molt de temps. **2** Perseverar, mantenir-se ferm en una cosa.
Es conjuga com *servir*.

persona persones *nom f* **1** Individu de l'espècie humana: *En aquesta sala hi caben 100 persones assegudes.* **2** *El ministre* **en persona** *va donar els premis als guanyadors*: ell mateix. **3** Categoria gramatical que fa referència a la persona que parla, a la persona a qui es parla, a la persona de qui es parla o a allò de què es parla: *"Jo", "mi" i "me" són pronoms de primera persona.*

personal personals *adj* **1** Propi de cadascú: *Aquell noi té una manera molt personal de vestir i de parlar.* **2** Es diu dels pronoms i de les formes verbals que expressen la categoria

gramatical de persona: *L'infinitiu, el gerundi i el participi són les formes no personals del verb.* **3** *nom m* Conjunt de persones que treballen en una empresa.

personalitat personalitats *nom f* **1** Conjunt de les característiques que formen la manera de ser d'una persona, com ara el caràcter, els gustos, etc. **2** Persona distingida, famosa, que té autoritat.

personalitzar *v* Referir-se a una persona determinada: *El mestre va fer una crítica del comportament dels alumnes en general, però sense personalitzar, és a dir, sense referir-se a cap alumne concret.*
Es conjuga com *cantar*.

personalment *adv* **1** D'una manera personal: *Personalment, crec que diumenge és un bon dia per anar d'excursió, no sé què en penseu vosaltres.* **2** En persona: *El president del club va felicitar personalment cada un dels jugadors de l'equip.*

personatge personatges *nom m* **1** Cadascuna de les persones que intervenen en l'acció d'una novel·la, d'una obra de teatre, etc.: *Farem la representació d'una obra de teatre que té molts personatges perquè hi puguem participar tots els de la classe.* **2** Persona que té fama o que és important.

personificar *v* **1** Donar a un animal o a una cosa accions o característiques pròpies d'una persona: *En aquella obra de teatre, el Sol era personificat per un actor que duia un vestit de color taronja i la Lluna per una actriu que duia un vestit de color de plata.* **2** Ser representatiu d'una qualitat, d'una característica, etc.: *Aquesta senyora és la bondat personificada.*
Es conjuga com *cantar*. S'escriu c davant *a, o, u* i *qu* davant *e, i*: *personifico, personifiques.*

perspectiva perspectives *nom f* **1** Vista d'un conjunt d'objectes que dóna una impressió de distància: *Des del campanar de l'església, la perspectiva del poble és magnífica.* **2** Visió de com anirà un assumpte, una activitat en el futur: *A l'empresa on treballa, en aquests moments hi ha moltes perspectives de canvi.* **3** Manera de representar els objectes, que tenen tres dimensions, en una superfície plana, que només té dues dimensions.

perspicaç perspicaços perspicaces *adj* Es diu de la persona que és intel·ligent, que sap veure les coses de seguida.

P

perspicu perspícua perspicus perspícues *adj* Es diu de les persones i de les coses que són fàcils d'entendre, que són clares.

persuadir *v* Convèncer, fer que algú acabi pensant com nosaltres.
Es conjuga com *servir*.

pertanyent pertanyents *adj* **1** Que és propietat d'algú: *Un terreny pertanyent als meus pares.* **2** Que forma part d'una cosa: *Ciuret és un nucli rural pertanyent a Vidrà.*

pertànyer *v* **1** Ser propietat d'algú: *Aquest bosc pertany al senyor Serra.* **2** Formar part: *Olot pertany a la comarca de la Garrotxa.*
Es conjuga com *témer*. Participi: *pertangut, pertanguda* o *pertanyut, pertanyuda.*

pertinaç pertinaços pertinaces *adj* Es diu de la persona que no canvia d'opinió, de decisió, etc. encara que estigui equivocada.

pertinença pertinences *nom f* Fet de pertànyer un element a un conjunt determinat.

pertinència pertinències *nom f* Fet de ser pertinent una cosa.

pertinent pertinents *adj* Que és apropiat, que és adequat, que té a veure amb allò que s'està fent o dient.

pertocar *v* Tocar, correspondre alguna cosa a algú: *En aquell treball, a l'Enric li va pertocar la feina més pesada.*
Es conjuga com *cantar*. S'escriu c davant de a, o, u i qu davant de e, i: *pertoca, pertoqui.*

pertorbació pertorbacions *nom f* **1** Acció o efecte de pertorbar: *La pluja va produir algunes pertorbacions en el trànsit.* **2 pertorbació atmosfèrica** Canvi sobtat que es produeix en l'estat d'equilibri de l'atmosfera: *La pertorbació atmosfèrica ha produït tempestes molt fortes.*

pertorbar *v* Causar desordre, provocar inquietud, desviar el curs normal d'una cosa.
Es conjuga com *cantar*.

pertot *adv* A tot arreu, per totes bandes: *Ets un desordenat, deixes els papers escampats pertot.*

peruà peruana peruans peruanes **1** *nom m i f* Habitant del Perú; persona natural o procedent del Perú. **2** *adj* Es diu de les persones o de les coses naturals o procedents del Perú.

pervers perversa perversos perverses *adj* Es diu d'una persona molt dolenta, que li agrada de fer mal i de veure patir els altres.

pervertir *v* Fer que una persona es torni dolenta, que canviï el seu bon comportament. Es conjuga com *servir*.

perviure *v* Continuar vivint, continuar existint: *Encara perviuen restes d'edificis de l'època romana, és a dir, encara es conserven.* ■ *Hi ha costums d'origen molt antic que encara perviuen, com la tradició de fer fogueres la nit de Sant Joan.*
Es conjuga com *viure*.

perxa perxes *nom f* **1** Pal llarg i estret. **2** Barra llarga i flexible que es fa servir en atletisme: *El meu veí fa salt de perxa.*

pes pesos *nom m* **1** Allò que pesa un objecte, un animal o una persona; força amb què la terra atrau els cossos, com a conseqüència de la gravetat: *Faig 32 quilos de pes i 1,35 metres d'alçada.* **2** *Aquest llibre no m'acaba de* **fer el pes**: agradar, satisfer, convèncer. **3** *A la festa hi va col·laborar el poble* **en pes**: tothom. **4** Molèstia, preocupació, sensació desagradable: *Quan he sabut que no us havia passat res m'he tret un pes de sobre.* **5** Importància: *Les opinions de l'Enric tenen molt pes; tothom li fa cas.* **6** Peça de metall d'un pes determinat que serveix per a pesar: *En un plat de la balança hi va posar el sac i en l'altre els pesos.* **7** Objecte metàl·lic de forma esfèrica, massís, que s'utilitza en la prova d'atletisme de llançament de pes.

pesadesa pesadeses *nom f* Sensació de pes que molesta: *Tinc pesadesa d'estómac i no em puc adormir.*

pesant pesants *adj* Que pesa molt.

pesar[1] *v* **1** Mesurar el pes d'un cos; tenir una cosa un pes determinat: *El meu germà pesa 32 quilos.* **2** Saber greu: *Em pesa molt haver-te molestat.*
Es conjuga com *cantar*.

pesar[2] pesars *nom m* **1** Disgust, pena, sensació desagradable per haver fet alguna cosa mal feta. **2 a pesar de** Malgrat: *A pesar de la pluja, vam anar d'excursió.*

pesat pesada pesats pesades *adj* **1** Que pesa molt: *Aquesta cartera és molt pesada, és plena de llibres.* **2** Es diu de la persona que ens atabala o ens destorba perquè ens parla molta estona de coses que no ens interessen, ens molesta, etc.: *Aquell noi és molt pesat, explica unes històries que no interessen a ningú.*

pesca pesques *nom f* Conjunt de tècniques i activitats que serveixen per a agafar peixos de l'aigua dels rius, dels llacs o del mar.

pescador pescadora pescadors pescadores *nom m i f* Persona que té per ofici pescar: *Vam veure un vaixell de pescadors que tornava al port carregat de peix.*

pescaire pescaires *nom m i f* **1** Pescador. **2** **bernat pescaire** Ocell més aviat gros i amb les potes llargues que s'alimenta de peix.

pescant pescants *nom m* Seient exterior des d'on el cotxer dels carruatges antics guia els cavalls.

pescar *v* **1** Agafar peix o altres animals aquàtics traient-los del mar, d'un riu, d'un llac, etc. amb canya, xarxa, etc.: *Avui hem anat al riu a pescar peixos.* **2** *He pescat un bon refredat:* agafar una malaltia. **3** *Han pescat un lladre que volia entrar a robar a l'escola:* atrapar, agafar. Es conjuga com *cantar.* S'escriu *c* davant de *a, o, u* i *qu* davant de *e, i: pesco, pesques.*

pèsol pèsols *nom m* **1** Llegum petit, rodó i de color verd que ens mengem cuit. **2** Pesolera.

pesolera pesoleres *nom f* Planta que es conrea a l'hort, el fruit de la qual són els pèsols.

pesquer pesquera pesquers pesqueres *adj* Que té relació amb la pesca: *La indústria pesquera d'aquest país és molt important i dóna feina a molta gent.*

pesquis els **pesquis** *nom m* Seny, intel·ligència: *No té gaires pesquis, sempre diu bestieses.*

pessebre pessebres *nom m* Representació, amb figures de fang, plàstic, etc., del naixement de Jesucrist que se sol fer durant el temps de Nadal.

pesseta pessetes *nom f* **1** Antiga moneda de l'Estat espanyol. **2** *Anant amb autocar, em vaig marejar i vaig **canviar la pesseta:*** vomitar.

La pesca **1** salabret **2** canya **3** rodet **4** fil de pescar **5** barca d'arrossegament **6** boia de plàstic **7** cistella **8** pot d'esquers **9** aleta / peu d'ànec **10** banc de peixos **11** pesca amb palangre **12** tub respirador **13** ulleres **14** ganivet **15** fusell submarí **16** arpó **17** vestit isotèrmic **18** nansa **19** boia de suro **20** xarxa d'arrossegament **21** plom **22** ham

pessic pessics *nom m* **1** Acció d'agafar fort la pell d'algú amb la punta dels dits: *El nen que seu al meu costat és molt empipador: tot el dia em clava pessics.* **2** Petita part d'una cosa que s'agafa amb la punta dels dits: *Només he menjat un pessic de pa.*

pessigada pessigades *nom f* **1** Pessic. **2** Picada d'un insecte: *Les pessigades d'abella fan molt mal.*

pessigar *v* **1** Agafar fort la pell d'algú amb la punta dels dits: *Es va empipar amb la seva germana i la va pessigar.* **2** Fer una picada un insecte o un animal petit: *M'ha pessigat un mosquit.* **3** Prendre una petita quantitat d'una cosa: *Puc pessigar una mica de coca?*
Es conjuga com *cantar.* S'escriu g davant de *a, o, u* i gu davant de *e, i*: pessigo, pessigues.

pessigolles *nom f pl* **1** Sensació que s'experimenta en certes parts del cos quan es toquen amb els dits, les mans, etc.: *La mare feia pessigolles al coll del seu fill petit.* **2 buscar les pessigolles** Provocar, portar algú a fer una cosa que no s'ha de fer.

pèssim pèssima pèssims pèssimes *adj* Molt dolent.

pessimisme pessimismes *nom m* Tendència a pensar que les coses aniran malament, que hi haurà problemes, etc.

pessimista pessimistes *adj* i *nom m* i *f* Es diu de la persona que sempre pensa que les coses sortiran malament, que hi haurà problemes, etc.: *En Robert és molt pessimista: diu que perdrem el partit per 7 a 0.*

pesta pestes *nom f* **1** Epidèmia, malaltia que s'encomana amb molta rapidesa. **2** Gran abundància d'una cosa desagradable: *Hi ha una pesta de mosques en aquesta quadra.* **3** Pudor molt forta. **4** Persona o cosa molt dolenta, que pot fer mal.

pestanya pestanyes *nom f* Pèls forts i molt fins que hi ha a la punta de les parpelles: *La Maria té uns ulls molt grossos i unes pestanyes molt llargues.* **15**

pestanyejar *v* Moure les pestanyes tancant i obrint els ulls, parpellejar.
Es conjuga com *cantar.* S'escriu j davant de *a, o, u* i g davant de *e, i*: pestanyejo, pestanyeges.

pestell pestells *nom m* Peça del pany que es fa girar amb la clau o per mitjà d'un mecanisme.

pestell

pesticida pesticides *adj* i *nom m* Es diu del producte químic que serveix per a combatre les plagues que ataquen les plantes i els animals domèstics, plaguicida.

pestilent pestilents *adj* Que fa molt mala olor, que fa una pudor insuportable.

pet pets *nom m* **1** Soroll sec que fa una cosa quan es trenca o esclata: *Quan la pedra el va tocar, el vidre va fer un pet i es va trencar.* **2** Aire que s'expulsa pel cul amb soroll: *Al nen que hi havia al meu costat, se li va escapar un pet i tothom va riure.* **3 estar pet** Anar borratxo: *Aquell home està pet.* **4** *El globus va fer un pet com una gla*: rebentar-se. **5 no aguantar-se els pets** Ser molt vell, repapiejar: *Aquell senyor ja no s'aguanta els pets.* **6 de pet** Directament, tot seguit: *Ahir al vespre estava tan cansat que me'n vaig anar de pet al llit, sense sopar.* **7 pet de monja** Galeta molt petita i rodona.

petaca petaques *nom f* **1** Estoig de cuir, de metall, etc. que serveix per a portar cigars, cigarrets o tabac a la butxaca. **2** Ampolla petita, plana i de metall, que es pot portar a la butxaca.

pètal pètals *nom m* Cadascuna de les fulles de colors d'una flor.

petanca petanques *nom f* Joc que es juga amb unes boles de fusta o de metall, anomenades botxes, que es fan rodolar per terra.

petaner petanera petaners petaneres **1** *adj* i *nom m* i *f* Es diu d'una persona que sempre fa pets. **2** *nom m* Gos petit i que no és de cap raça coneguda.

petar *v* **1** Fer soroll sec una cosa que es trenca, que esclata, que s'obre: *Les castanyes peten quan es torren al foc.* **2** Xocar violentament: *El bastó va petar contra la paret.* **3** Trencar una cosa: *Amb un cop de pilota li van petar el braç.* **4** Morir. **5** *Peti qui peti* sortiré aquesta nit: passi el que passi. **6 fer-**

la petar Conversar, parlar una estona de coses poc importants: *Cada dia la fan petar, aquests homes.*
Es conjuga com *cantar*.

petard petards *nom m* Explosiu petit com els que es llancen algunes nits de festa per fer soroll i gresca.

petarrell petarrella petarrells petarrelles *nom m i f* **1** Infant, nen petit: *Aquest és el petar-rell de la casa.* **2 fer el petarrell** Posar la cara típica de quan s'està a punt de plorar.

petició peticions *nom f* Acció de demanar una cosa de paraula o per escrit.

petit petita petits petites *adj* **1** De poca dimensió, de dimensions reduïdes en rela-ció amb una altra cosa: *Aquesta casa és molt petita, només té dues habitacions.* ▪ *En Pere té la boca petita, la Joana la té grossa.* ▪ *Has comès un petit error.* **2** Es diu de la persona que té menys anys en relació amb d'altres: *El germà petit es deia Joan.* **3** *nom m i f* Persona o animal que té pocs anys: *En Marc va a la classe dels petits.*

petitesa petiteses *nom f* Qualitat de petit.

petja petges *nom f* **1** Petjada. **2 no dei-xar de petja** Perseguir constantment algú, no deixar-lo mai tranquil: *Com que sempre li compro llaminadures, aquella nena no em deixa de petja.*

petjada petjades *nom f* Senyal que deixa el peu d'una persona o d'un animal al terra per on ha passat.

petjades

petjapapers uns petjapapers *nom m* Ob-jecte pesant que es posa damunt un pilot de papers perquè no s'escampin.

petó petons *nom m* Acte de tocar amb els llavis una persona o una cosa obrint-los i tan-cant-los, tot fent un petit soroll, bes: *En Lluís va fer un petó a la seva germana.*

petonejar *v* Fer molts petons.
Es conjuga com *cantar*. S'escriu *j* davant de *a, o, u* i *g* davant de *e, i*: *petonejo, petoneges.*

petoner petonera petoners petoneres *adj* Es diu de la persona a qui agrada molt de fer petons.

petri pètria petris pètries *adj* Que és de pedra, que sembla de pedra: *Un edifici petri, fet de pedra.* ▪ *Quan va sentir allò va quedar callat i immòbil, en una actitud pètria.*

petrificar *v* **1** Fer que una cosa es torni de pedra o semblant a una pedra. **2** *La notícia el va deixar petrificat:* molt sorprès, molt parat, immòbil, com si fos una pedra.
Es conjuga com *cantar*. S'escriu *c* davant de *a, o, u* i *qu* davant de *e, i*: *petrifica, petrifiqui.*

petro-¹ Element amb què comencen algunes paraules i que vol dir "petroli".

petro-² petri- Element amb què comencen algunes paraules i que vol dir "pedra".

petroli petrolis *nom m* Líquid negre, espès i inflamable que es troba a les profunditats de la terra i del qual surt la gasolina, el gasoil, etc.

petrolier petroliera petroliers petrolieres *adj* Que està relacionat amb el petroli o amb els productes derivats del petroli: *La indústria petroliera.* ▪ *Un vaixell petrolier és un vaixell que transporta petroli.*

petrolífer petrolífera petrolífers pe-trolíferes *adj* Que conté petroli: *Una zona petrolífera.*

petulant petulants *adj* Es diu d'una perso-na molt orgullosa, que es creu superior als altres.

petúnia petúnies *nom f* Planta que fa una flor en forma de campana, que pot ser de diferents colors, i que es planta en testos i jardins.

petxina petxines *nom f* Animal marí de la branca dels mol·luscs, cobert d'una closca dura; closca buida d'aquest animal: *Anirem a la platja a buscar petxines.*

peu peus *nom m* **1** Part final de la cama que posem a terra per caminar i per aguantar-nos drets. 15 **2 caminar a peu coix** Avançar posant només un peu a terra. **3** *Em va mirar de cap a peus:* de dalt a baix. **4 anar amb peus de plom** Fer una cosa vigilant molt, pensant bé el que es fa. **5 fer una cosa amb els peus** Fer-la molt malament: *Aquest dibuix* sembla fet amb els peus. **6 ficar-se de peus a la galleda** Equivocar-se, dir o fer una cosa que no convenia: *Procura no ficar-te de peus a la galleda*. **7** *Hem de* **tocar de peus a terra**: veure les coses tal com són, no voler fer coses impossibles. **8 pujar-hi de peus** Assegurar que una cosa és veritat: *Això que et dic és veritat: pots pujar-hi de peus.* **9** Part final de les potes d'un animal. **10** Objecte, eina, etc. que té la forma semblant a un peu: *Aquest mitjó té un forat al peu.* **11** Base, part d'un objecte que serveix perquè s'aguanti: *Aquest llum té el peu massa gros i en aquest racó no hi cabrà.* **12** *S'esperava asse-gut* **al peu de** *l'escala*: a la part baixa d'una cosa, oposada a la part alta. **13 a peu pla** Al nivell del carrer: *La botiga és a peu pla, però ells viuen al primer pis.* **14 peu pla** Es diu del peu que té la planta plana o molt poc corbada: *S'ha hagut de posar unes plantilles perquè té els peus plans i camina amb dificultat.* **15 llevar-se amb el peu esquerre** Expressió que es fa servir per a dir que en un dia determinat totes les coses surten malament: *Avui només faig que equivocar-me, em dec haver llevat amb el peu esquerre.* **16 peu de pàgina** Part inferior de la pàgina d'un llibre on hi pot haver notes amb lletra petita, el número de pàgina o altres indicacions.

peüc *peücs nom m* Cadascun dels mitjons curts fets de punt que serveixen per a abrigar els peus quan s'està al llit: *A l'hivern el pare dorm amb peücs.*

peülla *peülles nom f* Part inferior, molt dura, del peu del cavall, de l'ase, del bou, etc.

peüngla *peüngles nom f* Peülla.

peveter *peveters nom m* **1** Recipient on es crema un perfum. **2** Gran recipient on crema una flama durant els dies que duren els jocs olímpics.

pi *pins nom m* Arbre sempre verd, de fulles primes com agulles i que dóna un fruit ano-menat pinya.

piadós *piadosa piadosos piadoses adj* **1** Es diu d'una persona que es preocupa molt per la religió, que resa molt, que va molt a l'església, etc. **2** Es diu de la persona que té compassió d'una altra.

piafar *v* Alçar, un cavall aturat, les potes del davant ara l'una ara l'altra i deixar-les caure a terra amb força: *Els cavalls estaven nerviosos i piafaven.*
Es conjuga com *cantar*.

pianista *pianistes nom m i f* Persona que toca el piano.

piano *pianos nom m* Instrument musical de corda que es toca mitjançant unes tecles.

pianola *pianoles nom f* Piano que conté un mecanisme que li permet de tocar tot sol unes determinades peces de música.

pic¹ *pics nom m* **1** Cop que es dóna a una por-ta, a una campana, etc.: *Quan truca el meu germà sempre fa tres pics.* **2** Puntet marcat amb la punta d'un llapis, d'un bolígraf, etc. **3** Moment més intens, més important d'una acció, d'un espai de temps, etc.: *Ja som al pic de l'hivern.*

pic² *pics nom m* **1** Cim punxegut d'una mun-tanya. **2** Eina que consisteix en una peça de ferro o d'acer, acabada en punta i amb un mànec més o menys llarg.

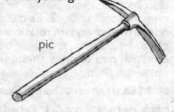

pic

pica¹ *piques nom f* Peça de pedra, de marbre, etc. a on va a parar l'aigua d'una font, d'una aixeta, etc.

pica

pica² *piques nom f* Cim d'una muntanya, pic.

picabaralla *picabaralles nom f* Discussió, baralla.

picada *picades nom f* **1** Ferida produïda pel fi-bló d'un insecte, pessigada; ferida produïda per una agulla, una espina, etc., punxada. **2** Ali-ment que s'ha aixafat picant-lo en un morter per acompanyar un menjar: *En aquest conill guisat hi posarem una picada d'ametlles.*

picadura *picadures nom f* **1** Acció de picar: *La picadura d'un mosquit.* **2** Tabac picat, com el que es fa servir per a fumar amb la pipa.

picamà picamans *nom m* Mà de morter, maça amb què es pica o es remena el que hi ha en el morter.

picant picants *adj* Es diu dels menjars que tenen un gust molt fort i que fan picor a la boca: *El xoriço i el pebre són molt picants.*

picapedrer picapedrera picapedrers picapedreres *nom m i f* Persona que té per ofici treballar la pedra que es fa servir en la construcció de cases, de ponts, de carreteres, etc.

picaporta picaportes *nom m* Peça de ferro collada a la part de fora d'una porta, que serveix per a trucar aixecant-la per la part de baix i deixant-la anar de cop.

picaporta

picar *v* **1** Donar cops a algú o a alguna cosa amb les mans o amb un objecte: *Va picar la pedra amb el martell fins que la va partir.* **2** Fer un petit forat a la pell un insecte, un animaló o un objecte punxegut: *Un mosquit m'ha picat al braç.* **3** Escriure un text amb una màquina o un ordinador pitjant les tecles del teclat: *Ara picaré la carta.* **4** *Per què crides, ara?* **Quina mosca t'ha picat**?: es diu quan algú s'enfada de cop o comença a fer una cosa inesperada. **5** Produir una sensació viva de picor o de cremor en una part del cos: *Aquest arròs pica: hi ha massa pebre.* **6** Agafar, un ocell, el menjar amb el bec: *Els coloms picaven les veces.* **7** Mossegar, un peix, l'esquer de l'ham: *El pescador està enfadat perquè avui els peixos no piquen.* **8** Prendre una mica d'un menjar: *Abans de dinar, picarem patates i olives.* **9** **picar de mans** Aplaudir. **10 picar de peus** Donar cops a terra amb els peus en senyal de protesta. **11** Fer-se malbé una cosa, el vi, un menjar, etc. **12 picar-se** Enfadar-se, molestar-se: *Tu per poca cosa et piques.*
Es conjuga com *cantar*. S'escriu *c* davant de *a, o, u* i *qu* davant de *e, i*: pico, piques.

picardia picardies *nom f* Astúcia, capacitat d'una persona d'adonar-se de les coses i aprofitar-se'n: *Aquest nen té molta picardia: sempre*

fa petons als seus pares abans de demanar-los una joguina nova.

picarol picarols *nom m* Cascavell gros que es posa al coll d'un animal.

pica-soques uns pica-soques *nom m* Ocell de bosc que s'agafa al tronc dels arbres i hi fa forats per deixar-hi els ous, el menjar, etc.

picat Paraula que apareix en l'expressió **caure** o **baixar en picat**, que vol dir "caure o baixar en direcció vertical": *L'avió va tenir una avaria i va caure en picat.*

pícnic pícnics *nom m* Activitat que consisteix a emportar-se entrepans o altres aliments preparats a casa i anar-los a menjar a l'aire lliure.

picolar *v* Tallar en trossos petits, capolar: *Heu de picolar la carn.*
Es conjuga com *cantar*.

piconadora piconadores *nom f* Màquina que serveix per a piconar: *Hem vist una piconadora que allisava la grava que han posat en aquell tros del camí on hi havia tants forats.*

piconar *v* Fer tornar ferma, compacta, una capa de terra, de grava, etc. fent-hi passar pel damunt una màquina anomenada piconadora.
Es conjuga com *cantar*.

picor picors *nom f* Molèstia que produeix una cosa que pica i que fa venir ganes de gratar-se: *La Joaquima ha tocat una ortiga amb la mà i ara li fa molta picor.*

picossada picossades *nom f* Quantitat important de diners: *En Joan va guanyar una bona picossada amb la venda de la casa.*

picotejar *v* Donar cops de bec, agafar una cosa amb el bec: *Els coloms picotejaven les engrunes de pa que els donava la gent.*
Es conjuga com *cantar*. S'escriu *j* davant de *a, o, u* i *g* davant de *e, i*: picoteja, picotegi.

pidolaire pidolaires *nom m i f* Persona que pidola.

pidolar *v* Demanar una cosa per favor, per caritat: *Aquell pobre estava assegut al carrer pidolant a la gent que li donés diners per comprar menjar.*
Es conjuga com *cantar*.

pierrot pierrots *nom m* Personatge de comèdia que va disfressat amb un vestit blanc i amb la cara enfarinada.

P

pietat pietats *nom f* **1** Llàstima o pena que ens fa una persona o una cosa: *El nen es va posar a plorar i el pare li va perdonar el càstig per pietat.* **2** Interès per la religió: *Aquella senyora resava amb molta pietat.*

pietós pietosa pietosos pietoses *adj* Piadós.

pífia pífies *nom f* Equivocació, cosa mal feta, que no surt bé: *El forn no anava bé i el pastís ens ha quedat una pífia.*

piga pigues *nom f* Taca fosca i petita de la pell: *En Jaume té una piga petita a la galta esquerra.*

pigall pigalls *nom m* **1** Noi que antigament acompanyava un cec per guiar-lo. **2** gos pigall Gos que està entrenat per guiar una persona cega.

pigment pigments *nom m* Substància natural o artificial que dóna color a una cosa.

pigmeu pigmea pigmeus pigmees *nom m i f* **1** Individu de diferents pobles d'Àfrica i d'Àsia de pell fosca i estatura molt baixa. **2** Persona de poca alçada o de baixa estatura.

pijama pijames *nom m* Vestit de dormir que consisteix en una jaqueta i uns pantalons, normalment de roba fina: *Au, poseu-vos el pijama i aneu a dormir!*

pila piles *nom f* **1** Grup d'objectes, normalment col·locats els uns damunt dels altres: *Damunt la taula hi havia una pila de llibres.* **2** Gran quantitat: *Davant de l'estadi hi havia una pila de gent.* **3** Recipient de pedra, ample, per contenir aigua: *A dins l'església hi ha una pila que es fa servir per a batejar.* **4** Petit recipient que té a dins una càrrega elèctrica amb la qual podem fer funcionar aparells, joguines, etc.: *Aquesta ràdio no se sent gaire perquè té les piles molt gastades.*

pilar pilars *nom m* Espècie de columna feta de pedres, de maons, etc. que serveix per a aguantar un pont, una teulada, un sostre o alguna altra part d'una construcció.

pillar *v* Apoderar-se violentament d'una cosa.
Es conjuga com *cantar*.

pillatge pillatges *nom m* Robatori, acció d'apoderar-se amb violència d'una cosa.

pillet pilleta pillets pilletes *nom m i f* Murri, múrria.

piló pilons *nom m* **1** Munt, conjunt de coses posades les unes sobre les altres formant una muntanya: *Davant de la casa hi havia un piló de llenya.* **2** Pilar petit, de pedra, de ferro, etc. clavat a terra d'un carrer, d'una plaça, etc. i que serveix per a impedir que els cotxes passin o hi aparquin. **3** Tros de fusta en forma de cilindre que serveix per a posar-hi les coses que s'han de tallar: *El carnisser va deixar el conill damunt el piló i li va tallar el cap.*

pilós pilosa pilosos piloses *adj* **1** Pelut. **2** Que té relació amb els pèls.

pilot[1] pilots *nom m* Munt de coses desordenades: *En un racó de l'habitació hi havia un pilot de roba bruta.*

pilot de fulles

pilot[2] pilots *nom m i f* **1** Persona que condueix un avió, una embarcació o un vehicle de competició: *A la Laura, li agradaria de ser pilot d'avió.* **2** llum pilot Llum petit que hi ha en certs aparells per a indicar que estan engegats o que funcionen. **3** pilot automàtic Mecanisme que porten alguns avions i algunes embarcacions que serveix per a controlar la direcció i la velocitat sense que hi intervingui cap persona.

pilota pilotes *nom f* **1** Bola rodona, de goma o de drap, coberta de cuir o de pell, que serveix per a jugar alguns jocs com ara futbol, bàsquet, tennis, etc. **2** no tocar pilota No encertar, no fer bé res del que es fa: *Avui no toco pilota: tot em surt malament.* **3** *Ell em va dir "burro" i jo li vaig tornar la pilota dient-li "gamarús":* donar una resposta merescuda a un insult, a una crítica injusta, etc. **4** Espècie de mandonguilla, però més grossa i allargada, feta de carn picada, ou, farina, julivert, etc. que forma part de la carn d'olla. **5** pilotes *nom f pl* Testicles.

pilotar *v* Conduir un avió, una embarcació o un vehicle de competició.
Es conjuga com *cantar*.

piloteig piloteigs o pilotejos *nom m* Acció d'anar-se passant la pilota els jugadors abans de començar un partit.

pilotilla pilotilles *nom f* Mandonguilla.

pim-pam Onomatopeia, paraula que imita el soroll produït per un seguit de cops o de trets.

pinacoteca pinacoteques *nom f* Local on es conserven o s'exposen pintures.

pinassa pinasses *nom f* Conjunt de fulles de pi seques que hi ha a terra.

pinça pinces *nom f* **1** Instrument petit que té dues peces llargues i que serveix per a agafar o arrencar coses molt petites: *Necessito unes pinces per a treure l'espina que se m'ha clavat a la pell.* **2** Agulla d'estendre la roba, peça de fusta o de plàstic que serveix per a aguantar la roba en un fil: *Agafa un parell de pinces i estén aquest jersei moll perquè s'eixugui.* **3** Cadascuna de les peces dures i mòbils situades al capdavall de les potes de davant d'alguns animals i que els serveixen per a agafar coses: *La llagosta de mar té unes pinces molt grosses.*

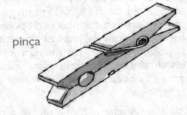

pinça

pinçament pinçaments *nom m* Dolor provocat per un nervi, un múscul, etc. que ha quedat atrapat entre dos ossos.

pinçar *v* Agafar una cosa amb unes pinces o amb alguna cosa semblant.
Es conjuga com *cantar*. S'escriu ç davant de *a, o, u* i c davant de *e, i:* pinço, pinces.

píndola píndoles *nom f* Medicament en forma de boleta recoberta d'una capa fina que s'empassa o es mastega.

pineda pinedes *nom f* Bosc de pins.

pinenca pinenques *nom f* Pinetell, rovelló. **4**

pinetell pinetells *nom m* **1** Bolet comestible de color més clar que el rovelló, que es fa en pinedes de muntanya. **4 2** Rovelló, pinenca. **4**

pinetenc pinetenca pinetencs pinetenques **1** *nom m i f* Habitant de Pineda de Mar;

persona natural o procedent de Pineda de Mar. **2** *adj* Es diu de les persones o de les coses naturals o procedents de Pineda de Mar.

ping-pong ping-pongs *nom m* Joc semblant al tennis però que es juga damunt d'una taula amb una pilota i unes pales petites.

pingüí pingüins *nom m* Ocell que viu en zones fredes, de cos negre amb la part de davant blanca, que no vola però fa servir les ales per a nedar i s'alimenta de peixos.

pinsà pinsans *nom m* Ocell de colors foscos, que s'alimenta de granes i és molt apreciat com a ocell de gàbia.

pinso pinsos *nom m* Menjar per al bestiar, fet a base de cereals, de palla, etc.

pinta[1] pintes *nom f* Làmina prima de metall, de fusta, de plàstic, etc. que té una sèrie de pues i que serveix per a desenredar i pentinar els cabells: *En Pere és molt presumit i sempre porta una pinta a la butxaca.*

pinta[2] pintes **1** *nom f* Aspecte exterior d'una cosa o d'una persona: *Aquest pastís fa molt bona pinta.* **2** *nom m i f* Persona que acostuma a fer malifetes.

pintada pintades *nom f* **1** Acció i efecte de pintar: *Aquesta paret sempre està plena de pintades.* **2** Gallina de color negre amb taques blanques molt petites, també anomenada gallina de Guinea.

pintallavis uns pintallavis *nom m* Barreta de color que serveix per a pintar-se els llavis.

pintar *v* **1** Cobrir una cosa d'una capa de color: *Volem pintar aquesta paret de color verd.* **2** Fer un quadre, dibuixant unes formes i donant-los el color adequat: *Quan té temps, el meu pare es dedica a pintar.* **3** Maquillar-se: *Aquella noia sempre va molt pintada.* **4 no pintar-hi res** No ser important en un lloc: *Se'n va anar de la reunió perquè no hi pintava res.*
Es conjuga com *cantar*.

pintat pintada pintats pintades *adj* **1** Que té diversos colors: *Les gallines de Guinea també s'anomenen pintades perquè són de color negre amb taques blanques.* **2 anar pintat** Anar molt a la mida, ajustar-se bé al cos: *Aquest vestit et va pintat.* **3** *Per aquesta carretera tan estreta i plena de corbes no correria ni* **el més pintat**: el més hàbil, el més experimentat.

P

pintor pintora pintors pintores *nom m* i *f* **1** Persona que té per ofici pintar parets, portes, etc.: *Avui vindran els pintors i pintaran les parets del menjador.* **2** Persona que practica l'art de la pintura: *Aquest quadre el va pintar un pintor molt famós.*

pintoresc pintoresca pintorescs o pin-torescos pintoresques *adj* **1** Es diu d'un paisatge, d'un lloc, etc. que és apropiat per a fer-ne una pintura, perquè és bonic, original, etc. **2** Es diu de les persones i de les coses que són originals, extravagants.

pintura pintures *nom f* **1** Art de pintar: *A en Jordi, li agrada molt la pintura.* **2** Taula, làmina, quadre, paret, etc., en què hi ha alguna cosa pintada: *Aquesta pintura representa l'església de la Sagrada Família.* **3** Material líquid o pastós d'un color determinat que serveix per a pintar: *Necessito un altre pot de pintura blava.*

pinxo pinxos *nom m* Home que presumeix de ser molt valent, que s'imposa als altres fent-los venir por.

pinya pinyes *nom f* **1** Fruit del pi, en forma de con, que conté les llavors o pinyons: *Hem trobat una pinya plena de pinyons.* **2 pinya ame-ricana** Fruit comestible d'una planta tropical, de gust molt dolç, ananàs. **3** Grup de perso-nes, d'amics, molt units entre ells: *Nosaltres tres som una pinya.* **4** Cop, cop de puny: *Li va clavar una pinya i el va fer anar per terra.*

pinyó[1] pinyons *nom m* Llavor del pi, especial-ment la del pi pinyoner, que és comestible i es fa servir molt en pastisseria per a fer coques, panellets, etc.

pinyó[2] pinyons *nom m* Roda dentada petita que s'enganxa a una altra de més grossa o a la cadena de la bicicleta.

pinyol pinyols *nom m* Part dura i llenyosa que trobem a l'interior dels fruits carnosos, com les olives, els préssecs, etc.: *Quan mengem olives, hem de vigilar de no empassar-nos els pinyols.*

pinzell pinzells *nom m* Estri format per un conjunt de pèls o de fibres lligat a l'extrem d'un mànec i que serveix per a pintar: *Per pintar aquest raconet hauràs d'agafar el pinzell més petit que trobis.*

pinzellada pinzellades *nom f* **1** Ratlla feta amb un pinzell. **2** *Amb quatre pinzellades* l'autor descriu el caràcter del protagonista de la novel·la: amb poques paraules, senzilles i precises.

pioc[1] pioca piocs pioques *adj* Que està una mica malalt, que no es troba gaire bé: *Ahir no vaig sortir de casa en tot el dia perquè estava pioc.*

pioc[2] piocs *nom m* Gall dindi.

piolet piolets *nom m* Estri en forma de pic que fan servir els alpinistes per a trencar el glaç, per a assegurar-se, etc.

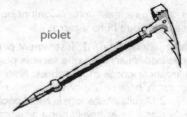

piolet

pioner pionera pioners pioneres *adj* i *nom m* i *f* Capdavanter, que va al davant en una cosa i obre camí als altres.

pipa pipes *nom f* **1** Petit recipient de fusta enganxat en un tub prim que serveix per a fumar-hi tabac: *El pare d'en Josep fuma en pipa.* **2 fer pam i pipa** Fer un gest de burla que consisteix a col·locar el dit polze d'una mà tocant la punta del nas i el dit petit enganxat al polze de l'altra, tot movent amunt i avall els altres dits. **3 fer la pipa** Ficar-se el dit gros a la boca: *El meu germà petit quan dorm fa la pipa.*

pipar *v* Xuclar el fum d'un cigar, d'una pipa, etc.
Es conjuga com *cantar*.

pipeta pipetes *nom f* Estri de laboratori llarg i prim, amb un petit forat al capdamunt, que s'omple de líquid xuclant, es manté ple tapant-lo amb el dit, es buida apartant el dit i es fa servir per a transportar líquids.

pipí pipins *nom m* **1** Orina, líquid que expul-sem del cos. **2 fer pipí** Orinar.

pipioli pipiolis *nom m* Jove sense experi-ència.

piquet piquets *nom m* **1** Grup poc nombrós de treballadors que, quan hi ha una vaga, van a les fàbriques, a les oficines, etc. per evitar que es treballi. **2** Grup poc nombrós de soldats.

pira pires *nom f* Foguera que s'utilitza en alguns països per a cremar els morts.

piragua piragües *nom f* Barca petita, llarga i estreta, moguda a rem.

piràmide piràmides *nom f* **1** Figura geomètrica amb una base i diverses cares triangulars que tenen un vèrtex comú. **2** Monument en forma de piràmide que antigament es feia servir com a sepulcre o temple: *Anirem de viatge a Egipte i visitarem les piràmides.*

pirandó Paraula que apareix en l'expressió **tocar pirandó**, que vol dir "anar-se'n" o "escapar-se".

piranya piranyes *nom f* Peix de petites dimensions, que viu als rius d'Amèrica del Sud i que, formant grans grups, arriba a devorar altres animals de dimensions molt més grans.

pirar *v* Anar-se'n, fugir.
Es conjuga com *cantar*.

pirata pirates *nom m i f* **1** Persona que es dedica a córrer el mar amb un vaixell i a abordar i robar els altres vaixells: *Els pirates van assaltar un vaixell i van robar tot el que portava.* **2** Persona cruel, que s'aprofita dels altres. **3** *adj* Es diu d'una cosa que funciona o s'ha fet sense permís: *Hem escoltat el programa d'una ràdio pirata.*

pirinenc pirinenca pirinencs pirinenques *adj* Que té relació amb els Pirineus.

piro- pir- Element amb què comencen algunes paraules i que vol dir "foc".

piròman piròmana piròmans piròmanes *nom m i f* Persona que troba gust provocant i contemplant incendis.

pirotècnia pirotècnies *nom f* **1** Tècnica de preparar explosius i focs artificials: coets, petards, etc. **2** Lloc on es fabriquen o es venen explosius i focs artificials.

pirueta piruetes *nom f* Salt, moviments del cos difícils de fer, com els que fan els ballarins.

piruleta piruletes *nom f* Caramel que va clavat a un bastonet que serveix per a aguantar-lo.

pirulí pirulins *nom m* Piruleta.

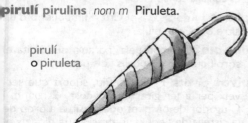

pirulí
o piruleta

pis pisos *nom m* **1** Cadascun dels nivells d'una casa, excepte la planta baixa: *Aquell hotel té* vint pisos. **2** Cadascun dels apartaments d'un edifici que es lloguen o es venen: *Viuen en un pis molt gran i molt antic.* **3** Cadascun dels sostres que té una cosa: *El pastís de casament tenia cinc pisos.*

pisces *nom m pl* Dotzè signe del zodíac, també anomenat peixos: *Les persones nascudes entre el 19 de febrer i el 20 de març són del signe de pisces.*

pisci- Element amb què comencen algunes paraules i que vol dir "peix". *Un piscicultor és una persona que es dedica a criar peixos.*

piscicultura piscicultures *nom f* Tècnica de criar peixos per vendre com a aliment o per repoblar rius o zones marines.

piscina piscines *nom f* Bassa artificial que serveix per a banyar-s'hi i nedar: *Vigileu, aquesta piscina és molt fonda.*

piscolabis uns piscolabis *nom m* Petita menjada o beguda que es fa fora de les hores normals: *A les dotze del migdia, després de la reunió, hi haurà un piscolabis per celebrar el final de curs.*

pispa pispes *nom m i f* Lladre que roba coses que no tenen gaire valor.

pispar *v* Robar coses que no tenen gaire valor.
Es conjuga com *cantar*.

pissarra pissarres *nom f* **1** Superfície que serveix per a dibuixar-hi o escriure-hi amb un guix, un retolador especial, etc.: *Quan arribem a classe, escrivim la data a la pissarra.* **2** Roca fina, de color negre blavós, que es pot partir en làmines: *Moltes cases d'alta muntanya tenen la teulada de pissarra.*

pista pistes *nom f* **1** Espai, lloc cobert o a l'aire lliure on es fan curses, ball, patinatge, circ, etc. **2** Rastre, senyal que porta a descobrir un fet: *La policia va seguir la pista del lladre i el va poder atrapar.* **3** Terreny pla i ben senyalitzat on s'enlairen i aterren els avions. **4 joc de pistes** Joc que consisteix a fer un recorregut seguint unes instruccions que estan amagades i s'han d'anar trobant l'una darrere l'altra.

pistatxo pistatxos *nom m* Fruita seca, de closca dura, que a dins té una llavor d'un color verd-groc molt característic i que es menja torrada i salada.

pistil pistils *nom m* Part de la flor que constitueix l'òrgan reproductor femení.

pistó pistons *nom m* **1** Peça cilíndrica que es mou amunt i avall dins d'una altra i que serveix per a empènyer un líquid. **2** Pasta de sopa en forma d'anelles petites.

pistola pistoles *nom f* **1** Arma de foc curta que s'aguanta amb una mà: *El lladre portava una pistola.* **2** Eina per a pintar, envernissar, etc. en forma de pistola, que té un dipòsit per a la pintura o el vernís.

pistoler pistolera pistolers pistoleres *nom m i f* Persona que va armada amb una pistola i que la utilitza per a espantar la gent mentre comet assalts, robatoris, etc.: *Aquella banda de pistolers va assaltar un tren correu.*

pistolera pistoleres *nom f* Estoig per a posar-hi una pistola.

pistraus Paraula que s'utilitza en l'expressió **anar-se'n a can Pistraus**, que vol dir "anar molt malament, fracassar, fer-se malbé una cosa".

pistrincs *nom m pl* Diners: *Aquells són molt rics i tenen molts pistrincs!*

pit pits *nom m* **1** Part del cos humà que va des del coll fins al ventre: *El cor és a dins el pit.* **2** Cadascuna de les dues parts del cos de la dona que produeixen la llet: *La Mercè donava el pit al nen petit.* **3** Part anterior d'un ocell, immediatament abans del coll: *Què t'agrada més, el pit o la cuixa de pollastre?* **4** Aparell de la respiració que hi ha dins el pit: *Està carregat de pit i té molta tos.* **5** Valor, coratge: *Per fer segons quins esports, cal tenir pit.*

pitafi pitafis *nom m* Mira **patafi**.

pitança pitances *nom f* Menjar: *Tinc molta gana, quan portareu la pitança?*

pitet pitets *nom m* Tros de roba que els nens petits porten lligat al coll quan mengen perquè no s'embrutin el vestit.

pitet

pítima pítimes *nom f* Borratxera: *Ha begut molt vi i ha agafat una bona pítima.*

pitjar *v* Fer força sobre alguna cosa empenyent-la per moure-la o comprimir-la: *Pitgeu el segon botó de l'ascensor i ja veureu com pujarà.* Es conjuga com *cantar*. S'escriu *j* davant de *a, o, u* i *g* davant de *e, i: pitjo, pitges.*

pitjor pitjors **1** *adj* Es diu de la persona o de la cosa més dolenta: *M'he assegut en la cadira pitjor que teniu.* **2** *adv* Més malament: *Aquell noi cada dia escriu pitjor.*

pitó pitons *nom m* Serp no verinosa de la mateixa família que les boes, que pot ser de diverses mides.

pitof pitofa pitofs o pitofos pitofes *adj i nom m i f* Borratxo, embriac.

pitonissa pitonisses *nom f* Dona que prediu les coses que encara han de passar.

pitrera pitreres *nom f* Part anterior del pit, mamelles.

pit-roig pit-roigs o pit-rojos *nom m* Ocell de bosc i de jardí que té el pit, la gola i el front d'un color taronja viu.

pitxer pitxers *nom m* Gerro que serveix per a posar-hi flors.

piu¹ pius *nom m* Peça petita que serveix per a engegar o parar una màquina: *Per engegar la televisió, has de pitjar aquest piu.*

piu² pius *nom m* **1** Crit del poll o de l'ocell petit. **2** no dir ni piu No dir res: *Ha entrat, ha dinat, se n'ha anat i no ha dit ni piu.*

piula piules *nom f* Petard petit i de poca potència.

piuladissa piuladisses *nom f* Conjunt de crits d'ocells: *Mentre passàvem per sota els arbres, sentíem la piuladissa dels ocells.*

piular *v* **1** Manera de cridar dels polls o dels ocells petits. **2** no piular No dir res, callar: *Durant la reunió, aquell noi no va piular.* Es conjuga com *cantar*.

piulet piulets *nom m* Crit d'un pollet o d'un altre ocell que piula.

piu-piu Onomatopeia, paraula que imita el soroll que fan els ocells i els pollets.

pivot pivots **1** *nom m* Piu, suport que serveix per a fer girar alguna cosa. **2** *nom m i f* Jugador de bàsquet que se situa a prop de la cistella de l'equip contrari i que dirigeix el joc d'atac.

pixa pixes *nom f* Penis.

pixacà pixacans *nom m* Bolet verinós que té el barret de color bru i tacat de blanc. **4**

pixallits uns **pixallits** *nom m* Herba que creix en els prats i que fa una flor groga.

pixaner pixanera pixaners pixaneres *adj* i *nom m* i *f* Que pixa molt sovint.

pixar *v* Fer pipí, orinar.
Es conjuga com *cantar*.

pixarada pixarades *nom f* Quantitat d'orina que es fa d'una sola vegada.

pixat pixats *nom m* Pipí: *Aquest carreró fa pudor de pixats.*

pixatinters uns/unes **pixatinters** *nom m* i *f* Es diu de la persona que treballa en una oficina o en un despatx i hi fa una feina que no es considera gaire important.

pixera pixeres *nom f* Ganes d'orinar.

pixum pixums *nom m* Mullena de pipins.

pizza pizzes *nom f* Massa de pa generalment rodona i coberta de salsa de tomàquet, formatge i altres ingredients que es cou al forn.

pizzeria pizzeries *nom f* Establiment on es preparen i se serveixen pizzes i altres menjars.

pla¹ plana plans planes *adj* **1** Que no té desnivells: *El terra dels aeroports ha de ser ben pla.* **2** **paraula plana** Paraula que té forta la penúltima síl·laba: *Les paraules "pèsol" i "examen" són planes.* **3** **ara pla** Expressió que es fa servir per a manifestar sorpresa davant d'un fet que no ens esperàvem: *Ara pla!, s'ha posat a ploure i no portem paraigües.*

pla² plans *nom m* **1** Superfície llisa, sense curvatures ni ondulacions: *Una paret és un pla vertical.* **2** Terreny que no presenta grans ondulacions ni desnivells: *A la vora de Barcelona hi ha el pla del Llobregat.* **3** Dibuix, representació gràfica d'una ciutat, d'un edifici, etc. a nivell més petit: *Per anar a París, ens fa falta un pla de la ciutat.* **4** Conjunt de projectes, d'intencions, de coses que es pensen fer: *Quins plans teniu per dissabte?* **5** Cadascuna de les distàncies en què són col·locades les persones o les coses en una fotografia, en una vinyeta, etc.: *La pel·lícula presenta al començament els personatges en primer pla.*

placa plaques *nom f* **1** Làmina de metall, de fusta, etc. que es posa a sobre d'una superfície plana: *A l'entrada del carrer hi havia una placa de direcció prohibida.* ■ Els cotxes porten el número de matrícula escrit en una placa. **2** Làmina de vidre que té una de les seves cares coberta d'una substància que s'altera per mitjà de la llum, i que serveix per a obtenir el negatiu d'una fotografia.

plaça places *nom f* **1** Espai gran dins una ciutat que està voltat de cases i a on van a parar diferents carrers: *Diumenge fan sardanes a la plaça del poble.* **2** **anar a plaça** Anar a comprar al mercat: *La mare no hi és, ha anat a plaça a comprar.* **3** *En aquell vagó només hi havia dues places buides: dos llocs buits, dos seients.* **4** Lloc a ocupar: *S'han acabat les places a l'escola de música: no hi cap més gent.* **5** **plaça de toros** Edifici descobert, en forma de plaça rodona, on es fan les corrides de toros i altres espectacles.

plàcid plàcida plàcids plàcides *adj* Tranquil, quiet, pacífic.

plaer plaers *nom m* Satisfacció, sensació agradable produïda per alguna causa: *Ficar-se a l'aigua quan fa tanta calor és un plaer.*

plafó plafons *nom m* Peça plana de fusta, de metall o d'altres materials que es fa servir per a cobrir una paret, un sostre, un moble, una porta, etc.

plaga¹ plagues *nom f* **1** Pesta, epidèmia, malaltia molt estesa: *Hi ha una plaga de grip i hi ha molta gent malalta.* **2** Ferida.

plaga² plagues *nom m* i *f* Persona que fa broma de tot, que no es pren mai res seriosament.

plagi plagis *nom m* Fet de copiar una novel·la, una pintura, etc. d'un altre i fer veure que és pròpia.

plaguicida plaguicides *adj* i *nom m* Es diu del producte químic que serveix per a combatre les plagues que ataquen les plantes i els animals domèstics, pesticida.

plana planes *nom f* **1** Extensió de terreny pla: *L'Horta de València és una plana molt extensa.* **2** Pàgina, una cara d'un full de paper.

planador planadors *nom m* Vehicle volador molt lleuger, sense motor, de forma semblant a un avió, que vola aprofitant els corrents d'aire.

planar *v* Volar, sostenir-se enlaire un ocell amb les ales planes, sense moure-les; volar un avió amb els motors parats.
Es conjuga com *cantar*.

P

plançó plançons *nom m* **1** Arbre jove amb aspecte d'arbust. **2** Branca tallada d'un arbre que es planta perquè en surti un altre arbre. **3** Es diu del fill d'una persona.

plàncton plànctons *nom m* Conjunt d'organismes petitíssims que es troben a les aigües dolces o marines i que serveixen d'aliment a molts peixos.

planejar *v* **1** Fer el projecte, el pla d'una cosa com ara un viatge, una excursió, etc. **2** Fer plana o llisa una cosa, aplanar.
Es conjuga com *cantar*. S'escriu *j* davant de *a, o, u* i *g* davant de *e, i: planejo, planeges.*

planell planells *nom m* Lloc pla i elevat.

planer planera planers planeres *adj* **1** Que és pla, sense pendents. **2** Senzill, sense dificultats.

planeta planetes *nom m* Cadascun dels astres que giren al voltant del Sol.

planificar *v* Preparar una activitat, organitzar una cosa seguint un pla: *Vam planificar una excursió a la comarca del Maresme.*
Es conjuga com *cantar*. S'escriu *c* davant de *a, o, u* i *qu* davant de *e, i: planifico, planifiques.*

planisferi planisferis *nom m* Representació de l'esfera terrestre en un mapa o en una superfície plana.

planisferi

plànol plànols *nom m* Representació d'un edifici, d'una ciutat, d'una màquina en un paper i de forma plana.

planta plantes *nom f* **1** Ésser vivent que neix i creix a la terra, vegetal: *Hi ha tres classes d'éssers vius: persones, animals i plantes.* **5** **2** Aspecte físic d'una persona: *En Josep Maria és alt i fort, té bona planta.* **3** **planta del peu** Part de sota del peu, des del taló fins als dits. **15** **4** Qualsevol dels pisos d'un edifici: *Treballo en aquells grans magatzems, a la secció de cuina de la tercera planta.* **5** **planta baixa** Pis situat al nivell del carrer.

plantació plantacions *nom f* Conjunt de plantes o d'arbres que han estat plantats per treure'n un producte com ara fusta, fruita, etc.: *Al Brasil hi ha moltes plantacions de cafè.*

plantar *v* **1** Clavar una planta o enterrar llavors a terra perquè hi arrelin i hi creixin: *L'Emili ha plantat rosers al jardí.* **2** Clavar a terra una estaca, un pal, etc. perquè s'hi mantingui dret: *Hem de plantar els claus de la tenda ben endins perquè el vent no se l'emporti.* **3** Fixar, col·locar, enganxar: *Plantarem aquest cartell a la paret.* **4** *En Ramon em va fer enfadar tant, que el vaig* **deixar plantat**: deixar, abandonar algú.
Es conjuga com *cantar*.

plantat plantada plantats plantades *adj* **1** Es diu de la persona que està dreta i quieta, com si hagués quedat enganxada a terra: *Amb la feina que hi ha, què hi fas aquí plantat?* **2** *En Josep és un noi molt* **ben plantat**: alt, elegant, etc.

plantejament plantejaments *nom m* Exposició d'un problema o d'una qüestió que s'ha de resoldre: *Jo us faig el plantejament del problema i vosaltres haureu de solucionar-lo.*

plantejar *v* Exposar un problema, una qüestió, etc. per tal que es pugui resoldre: *En Joan ha plantejat els problemes de l'excursió a l'assemblea de classe i els hem discutit entre tots.*
Es conjuga com *cantar*. S'escriu *j* davant de *a, o, u* i *g* davant de *e, i: plantejo, planteges.*

planter planters *nom m* **1** Lloc on es crien els arbres i les plantes que després hauran de ser plantats en un altre lloc. **2** Planta petita que generalment després es planta en un altre lloc on pugui créixer més. **3** Es diu del conjunt de jugadors joves d'un club esportista que es preparen per a ser bons jugadors en el futur: *Aquest equip té un bon planter de jugadors.*

plantificar *v* Col·locar, enganxar, fixar una cosa de manera que es nota molt: *Al mig de la plaça han plantificat una escultura molt lletja.*
Es conjuga com *cantar*. S'escriu *c* davant de *a, o, u* i *qu* davant de *e, i: plantifico, plantifiques.*

plantilla plantilles *nom f* **1** Peça que té la forma de la planta del peu i que es fica dins la sabata. **2** Patró que fa de guia per a tallar una cosa. **3** Conjunt de persones que treballen en un lloc de manera fixa. **4** Conjunt de jugadors que formen un equip.

plantofa plantofes *nom f* Sabata sense taló que es porta per a estar per casa.

plantofes

plantofada plantofades *nom f* Cop donat amb la mà, bufetada.

planura planures *nom f* Plana, extensió de terreny pla.

planxa planxes *nom f* **1** Estri que s'agafa per una nansa que té a la part superior i que consisteix en una peça metàl·lica de forma triangular, molt llisa per sota, que s'escalfa i serveix per a planxar la roba: *No toquis la planxa que et cremaràs!* **2** Làmina més o menys gruixuda de metall o d'algun altre material: *Per fora, els cotxes són de planxa de ferro pintada.* **3** *Per dinar menjarem carn* **a la planxa**: feta en una planxa de ferro que es posa damunt el foc de la cuina. **4** *Li va preguntar pel seu marit i resulta que era soltera: quina* **planxa***!*: conjunt de paraules o de fets que fan quedar en una situació ridícula, difícil de dissimular. **5 planxa de surf** Estri de forma plana i allargada sobre el qual un esportista es manté dret o estirat mentre corre per damunt de les onades.

planxar *v* Passar la planxa calenta sobre la roba per a deixar-la ben llisa: *Cada dissabte a la tarda planxo tota la roba de la setmana.* Es conjuga com *cantar*.

planxista planxistes *nom m* i *f* Persona que té per ofici treballar planxes metàl·liques: *Amb el cop el cotxe va quedar molt abonyegat i el vaig haver de portar al planxista.*

plany planys *nom m* Crit de dolor, queixa.

plànyer *v* **1** Sentir compassió d'algú, compadir-lo. **2** *En Miquel es va fer una casa i* **no hi va plànyer els diners***:* s'hi va gastar molts diners, no li va saber greu de gastar-s'hi molts diners. **3** Queixar-se d'alguna cosa. Es conjuga com *témer*. Participi: *plangut, planguda* o *planyut, planyuda*. Present de subjuntiu: *planyi* o *plangui, etc.* Pretèrit imperfet de subjuntiu: *planyés* o *plangués, etc.*

planyívol planyívola planyívols planyívoles *adj* Es diu d'un crit, d'un gemec, etc. que fa pena, que desperta compassió: *Aquell gat abandonat feia uns miols planyívols.*

plaqueta plaquetes *nom f* Cèl·lula de la sang.

plasma plasmes *nom m* Part líquida de la sang.

plasmar *v* Demostrar, deixar veure, donar forma a una cosa: *Aquell pintor plasma la solitud en els seus quadres.* Es conjuga com *cantar*.

plàstic plàstica plàstics plàstiques **1** *adj* Es diu de les matèries toves, fàcils de modelar amb les mans: *La cera és un material plàstic.* **2** *nom m* Material que s'obté amb procediments químics i del qual estan fets molts objectes: *Aquestes flors no són pas naturals, són de plàstic.* **3** **plàstica** *nom f* Assignatura que consisteix a fer treballs artístics i artesans a partir de diversos materials com ara fang, cera, fil, corda, etc.: *Aquesta tarda, a l'escola, farem plàstica.*

plastificar *v* Recobrir una cosa amb plàstic: *Les tapes d'aquest llibre estan plastificades.* Es conjuga com *cantar*. S'escriu *c* davant de *a, o, u* i *qu* davant de *e, i: plastifico, plastifiques.*

plastilina plastilines *nom f* Matèria plàstica de diferents colors que serveix per a modelar: *Aquest any hem fet les figures del pessebre de plastilina.*

plat plats *nom m* **1** Recipient rodó de porcellana, de terrissa, etc. que serveix per a menjar: *Quan pareu la taula poseu-hi cinc plats plans i cinc de fondos.* **2** Quantitat de menjar que cap en un plat: *L'Emili s'ha menjat mig plat de sopa.* **3** Menjar: *El pollastre farcit és un plat que m'agrada molt.* **4** Objecte que té la forma semblant a un plat de menjar: *M'han regalat una bicicleta de muntanya que té tres plats.* **5 plat combinat** Menjar variat que se serveix en un plat únic: *Vaig menjar un plat combinat on hi havia carn, tomàquet, patates i croquetes de peix.* **6 passar el plat** Recollir diners. **7** *Els veïns de dalt van* **tirar-se els plats pel cap***:* barallar-se molt fort. **8 pagar els plats trencats** Carregar-se les culpes d'una malifeta o d'una equivocació que ha fet algú altre.

plata[1] plates *nom f* **1** Recipient de forma ovalada de porcellana, de terrissa, etc., més gran que un plat, que serveix per a portar el menjar a la taula: *Per servir el conill amb bolets, el*

P

posarem en una plata. **2** Quantitat de menjar que cap en una plata: *Una plata d'enciam.*

plata² **plates** *nom f* Metall blanc i brillant que serveix per a fabricar monedes, joies i molts altres objectes de valor: *Li van regalar un cendrer de plata.*

plataforma **plataformes** *nom f* **1** Superfície plana i horitzontal més elevada que el terra. **2** Replà, peça plana i horitzontal d'un vehicle, d'una màquina, etc. que serveix per a posar-hi coses o anar-hi persones: *Els vagons del tren anaven molt plens i ens vam haver de quedar a la plataforma.*

plàtan **plàtans** *nom m* **1** Fruit allargat, de pell groga i gruixuda, que té un gust dolç: *Els plàtans són les postres que m'agraden més.* **2** Arbre de tronc alt, de fulles grosses i amb puntes que se sol trobar a les carreteres, a les ciutats, etc.: *Als carrers de Barcelona hi ha molts plàtans.*

platea **platees** *nom f* Planta baixa d'un teatre, d'un cinema, etc. on hi ha diverses files de butaques separades per passadissos.

platejar *v* Cobrir una cosa amb una capa fina de plata.
Es conjuga com *cantar*. S'escriu *j* davant de *a, o, u* i *g* davant de *e, i*: *platejo, plateges.*

plàtera **plàteres** *nom f* Plata¹.

platerada **platerades** *nom f* **1** Conjunt molt gran de plats: *Com que érem tanta colla a dinar, avui hi ha una platerada per rentar.* **2** Plata plena.

platerets *nom m pl* Instrument musical de percussió que consisteix en dos grans plats metàl·lics que es fan xocar l'un contra l'altre.

platerets

platí **platins** *nom m* Metall de color de plata molt apreciat.

platina **platines** *nom f* **1** Casset, magnetòfon. **2** Peça plana i llisa d'algunes màquines o instruments.

platja **platges** *nom f* Terreny pla vora el mar o un riu gran, format generalment de sorra o pedres: *Aquest cap de setmana anirem a banyar-nos a la platja de Pals.*

plató **platós** *nom m* Lloc, equipat adequadament, que serveix com a escenari per a filmar pel·lícules o programes de televisió.

plaure *v* **1** Agradar. **2** *Si us plau*, *podríeu tancar la porta?*: per favor.
Es conjuga com *concloure*. Participi: *plagut, plaguda.*

plausible **plausibles** *adj* Es diu d'una idea, d'un fet, etc. que té lògica, que és acceptable: *Amb aquesta situació atmosfèrica, el més plausible és que demà encara plogui més que avui.*

ple **plena** **plens** **plenes** *adj* **1** Es diu d'un recipient o d'un espai quan conté una gran quantitat d'una cosa: *L'ampolla és plena de vi.* ■ *El pati és ple de criatures.* **2** *El cinema era ple com un ou*: molt ple de gent. **3** Complet, total: *Tenim plena confiança en aquell metge.* **4** **lluna plena** Fase de la Lluna en què es veu sencera, en tota la intensitat. **5** Es diu d'una persona una mica grassa. **6** *No portàvem paraigua i la pluja ens va mullar de ple*: directament, sense obstacles. **7** *nom m* Reunió general d'un partit, d'un parlament, d'un ajuntament, etc.: *Demà hi ha ple municipal.*

plebeu **plebea** **plebeus** **plebees** *adj i nom m i f* Es diu de les coses i de les persones considerades vulgars, que formen part de la plebs: *Una gent humil de costums plebeus.*

plebiscit **plebiscits** *nom m* Votació que fan els ciutadans d'un país, d'una ciutat, etc. per donar la seva opinió sobre una qüestió concreta: *L'alcalde ha organitzat un plebiscit per saber si la gent del poble està a favor o en contra de la construcció d'una piscina municipal.*

plebs **les plebs** *nom f* **1** Classe baixa del poble de l'antiga Roma. **2** Conjunt de la gent considerada de classe baixa.

plec **plecs** *nom m* **1** Part d'una tela, d'un paper, etc. que s'ha doblegat o que forma una ondulació: *La Carme portava una faldilla amb tres plecs al davant.* **2** Conjunt de papers: *Aquest plec de papers que hi ha damunt la taula són les nostres redaccions.*

plegable **plegables** *adj* Que es pot plegar: *M'he comprat un paraigua plegable per poder portar-lo sempre a la bossa.*

plegamans **uns plegamans** *nom m* Pregadéu, insecte semblant a una llagosta però més grossa, que posa les potes de davant en una postura semblant a la de pregar o resar.

plegar v **1** Doblegar més d'una vegada els papers, la roba, etc.: *Eusebi, ajuda'm a plegar les tovalles!* **2** Ajuntar les parts d'una cosa plegable perquè ocupi menys lloc: *Plegueu les cadires i arrambeu-les a la paret.* **3** Deixar de treballar, deixar de fer una cosa per tornar-la a fer després d'un espai de temps: *Comencem les classes a les nou i pleguem a les dotze.* **4** Tancar: *En Guillem va plegar el negoci.*
Es conjuga com *cantar*. S'escriu g davant de *a, o, u* i gu davant de *e, i: plego, plegues.*

plegat[1] **plegada plegats plegades** adj **1** Que està plegat: *A l'Andreu li agrada de fer ninotets amb paper plegat.* ▨ *Separa la roba plegada de la que s'ha de planxar.* **2** *La Maria i jo sempre juguem plegats:* junts **3** *No et preocupis per l'accident,* **tot plegat** *no ha passat res:* en resum, en definitiva.

plegat[2] **plegats** nom m **1** Manera d'estar plegada una cosa. **2** *Anàvem passejant i* **tot d'un plegat** *es va posar a ploure molt fort:* de sobte, de cop i volta.

plenament adv Del tot, completament: *Estic plenament d'acord amb tu.*

plenari plenària plenaris plenàries adj Es diu de la reunió convocada per un organisme, una societat, etc. a la qual han d'assistir no una part, sinó la totalitat dels seus membres: *Demà el parlament de Catalunya es reunirà en sessió plenària.*

plenitud plenituds nom f Totalitat: *El jugador va acabar el partit amb plenitud de forces.*

pleret Paraula que apareix en l'expressió a **pleret**, que vol dir "a poc a poc, sense pressa": *Aquella noia es mirava les fotos de l'excursió a pleret, li agradava de fer-ho de tant en tant.*

plet plets nom m Conflicte entre dues persones que no es posen d'acord en una qüestió i que van a un judici perquè el jutge decideixi qui té raó: *En Martí ha tingut un plet amb el seu veí perquè diu que li ha pres un tros de terreny.*

pleta pletes nom f Tros de terreny tancat on hi ha bestiar.

pletòric pletòrica pletòrics pletòriques adj **1** Ple de força, d'ànims, etc.: *Un noi pletòric de força i de ganes de treballar.* **2** Que té bona salut, que està molt animat: *D'ençà que va guanyar el concurs, a en Jaume se'l veu pletòric.*

pleura pleures nom f Membrana que cobreix les parets de dins del tòrax.

plica pliques nom f Sobre tancat i segellat que conté una informació que no es pot conèixer fins a un dia determinat: *Les bases del concurs exigeixen que les obres vagin signades amb un pseudònim i que el nom real de l'autor consti en una plica.*

plint plints nom m **1** Aparell gimnàstic consistent en diverses peces de fusta que es poden superposar formant diferents alçades. **2** Part inferior de la base d'una columna, de forma quadrada.

plof Onomatopeia, paraula que imita el soroll que fa una cosa quan cau damunt d'una altra de tova.

plom ploms nom m **1** Metall blanc blavós, molt pesant. **2** *Aquell presentador és* **pesat com un plom**: molt pesat. **3** Tros de plom, com els que es fan servir per a pescar. **4** Dispositiu que serveix per a protegir una instal·lació elèctrica: *Vam engegar el televisor, el rentaplats i la màquina de rentar alhora, i per això es van fondre els ploms, és a dir, es va tallar el corrent elèctric.* **5** *El test va caure del balcó* **a plom**: verticalment.

ploma plomes nom f **1** Cadascun dels elements que cobreixen el cos dels ocells i que fan la mateixa funció que el pèl dels mamífers: *Al canari de casa li cauen moltes plomes.* **2** Instrument per a escriure que té una punta metàl·lica fixada a un mànec de fusta, de plàstic, etc.

plomada plomades nom f Estri que consisteix en un tros de material pesant lligat al capdavall d'un cordill i que serveix per a comprovar si una paret, una finestra, etc. ha quedat ben vertical.

plomada

plomall plomalls nom m **1** Conjunt de plomes que sobresurt del cap d'alguns ocells. **2** Conjunt de plomes d'un barret, d'un casc, etc. **3** Estri que consisteix en un conjunt de plomes lligat a un mànec i que serveix per a treure la pols.

plomar *v* **1** Arrencar les plomes a un ocell. **2** **estar plomat** No tenir diners. **3** Posar plomes un ocell.
Es conjuga com *cantar.*

plomatge plomatges *nom m* Conjunt de plomes d'un ocell: *Els coloms tenen el plomatge gris i blanc.*

plomissol plomissols *nom m* Conjunt de plomes petites i molt fines que tenen els ocells a sota de les plomes grosses o abans que aquestes els neixin: *Els pollets acabats de néixer encara no tenen plomes, només tenen un plomissol molt fi.*

plor plors *nom m* **1** Acció de plorar. **2** *La nena va* **perdre el plor**: perdre uns moments la respiració de tant plorar.

ploramiques uns/unes ploramiques *nom m i f* Persona que plora per poca cosa.

ploraner ploranera ploraners ploraneres *adj i nom m i f* Es diu de la persona que plora molt sovint o per poca cosa.

plorar *v* **1** Vessar llàgrimes, fer sortir llàgrimes dels ulls: *En Marçal plora perquè li han fet mal.* **2** *A la meva mare, de seguida* **li ploren els ulls**: té els ulls humits, amb llàgrimes, a causa del fred, de la pols, etc.
Es conjuga com *cantar.*

plorera ploreres *nom f* Ganes de plorar.

ploricó ploricons *nom m* **1** Plor fingit, fals. **2** **fer el ploricó** Queixar-se molt per tal de convèncer els altres que facin alguna cosa: *Fent el ploricó, dient que tots els seus amics en tenen, que li fa molta il·lusió, etc., en Manel ha aconseguit que li comprin una bicicleta de muntanya.*

ploriquejar *v* Plorar fluix.
Es conjuga com *cantar.* S'escriu *j* davant de *a, o, u* i *g* davant de *e, i: ploriquejo, ploriqueges.*

ploure *v* **1** Caure aigua dels núvols en forma de gotes: *Aquesta tarda ha plogut molt.* **2** **ploure a bots i barrals** Ploure molt. **3** **ploure sobre mullat** Tenir una desgràcia darrere l'altra: *Ahir al matí en Jordi es va trencar una cama i a la tarda li van robar el cotxe: sempre plou sobre mullat!* **4** **fer com qui sent ploure** Actuar sense fer cas del que diuen.
Es conjuga com *beure.*

plovisquejar *v* Ploure poc.
Es conjuga com *cantar.* S'escriu *j* davant de *a, o, u* i *g* davant de *e, i: plovisqueja, plovisquegi.*

plugim plugims *nom m* Pluja fina.

pluja pluges *nom f* **1** Aigua que cau en gotes i que ve del vapor d'aigua dels núvols, de l'atmosfera: *Aquesta pluja anirà bé per als camps.* **2** Conjunt molt gran de coses: *Després de l'actuació, l'artista va rebre una pluja de felicitacions.*

plujós plujosa plujosos plujoses *adj* De molta pluja: *Diuen que aquesta primavera serà plujosa.*

plural plurals **1** *adj* Es diu d'un país, d'un parlament, etc. en què hi ha partits i persones d'ideologies diferents: *El parlament d'aquest país és molt plural, és a dir, hi ha representats diversos partits polítics.* **2** *adj i nom m* Es diu de la forma que pren una paraula quan es refereix a més d'una persona o cosa: *La paraula "llibres" està en plural i es refereix a més d'una cosa.*

pluralisme pluralismes *nom m* Existència de partits i d'ideologies diferents, de persones que no pensen igual, en un país, en un parlament, etc.: *El pluralisme és bo per al progrés de la societat perquè permet de discutir entre les diferents opinions i d'acabar trobant solucions comunes als problemes.*

pluralitat pluralitats *nom f* El fet de ser més d'un, un conjunt: *A l'assemblea les decisions s'han de prendre tenint en compte la pluralitat de la classe.*

plurilingüe plurilingües *adj* Que fa servir diverses llengües, diversos idiomes: *Un diccionari plurilingüe.*

plusquamperfet plusquamperfets *nom m i adj* Temps verbal compost que indica un temps anterior a un temps passat, per exemple "havia parat" a la frase "com que havia parat de ploure vaig sortir al carrer per airejar-me".

pluviòmetre pluviòmetres *nom m* Aparell que serveix per a mesurar la quantitat de pluja que ha caigut.

pluviòmetre

pneumàtic pneumàtica pneumàtics pneumàtiques **1** *adj* Que s'infla d'aire, que és ple d'aire per dins: *L'Adrià té un matalàs pneumàtic per anar a la platja.* **2** *nom m* Bossa de forma circular, inflada d'aire, que va a dins les rodes dels cotxes, dels camions, de les bicicletes, etc. protegida per una coberta: *El pare ha canviat els pneumàtics de les rodes del cotxe.*

pneumo- pneum- Element amb què comencen algunes paraules i que vol dir "pulmó" o bé "aire, alè, buf": *La pneumònia és una inflamació dels pulmons.*

poal poals *nom m* Galleda; càntir.

població poblacions *nom f* **1** Ciutat, poble. **2** Nombre, conjunt d'habitants d'un lloc.

poblador pobladora pobladors pobladores *adj* i *nom m* i *f* Que pobla, que habita un lloc determinat: *Els ibers van ser uns dels primers pobladors de la península Ibèrica.*

poblament poblaments *nom m* Acció de poblar, d'omplir d'habitants un territori, un poble, etc.

poblar *v* Instal·lar-se habitants en una vall, en un poble, en una illa: *Els indis van poblar aquella vall que abans era deserta.*
Es conjuga com *cantar.*

poblat poblats *nom m* Població petita: *Hem anat a visitar les ruïnes d'un poblat ibèric.*

poble pobles *nom m* **1** Població petita: *Tona és un poble de la comarca d'Osona.* **2** Conjunt dels habitants d'un país: *En un país democràtic el poble elegeix els governants.*

pobre pobra pobres *adj* **1** Que no té el necessari per a viure: *Aquell home abans era ric però ara és pobre.* **2** Poc fèrtil, escàs, insuficient, sense riquesa: *Aquest terreny és pobre, no pot donar fruit.* **3** *nom m* i *f* Persona que demana caritat, que no té el necessari per a viure. **4** *Pobre*, ha caigut i s'ha fet mal: paraula que es fa servir per a plànyer algú o compadir-se'n.

pobresa pobreses *nom f* **1** Falta de coses necessàries per a viure. **2** Escassetat, falta d'alguna cosa: *Aquesta pel·lícula és feta amb una gran pobresa de mitjans.*

pobrissó pobrissona pobrissons pobrissones *adj* Paraula que es fa servir per a expressar compassió d'algú que s'estima: *Fill meu, has caigut i t'has fet mal al peu? Pobrissó..., no ploris.*

poc[1] *adv* **1** En petita quantitat, en petit grau: *Estudia poc i passeja molt.* **2** *Fa poc* que he acabat de dinar: no fa gaire estona. **3** *a poc a poc* Lentament. **4** *De poc* caic al riu: ha faltat poc, ha vingut de poc. **5** *Aquesta cançó no m'agrada ni poc ni molt*: no m'agrada gens.

poc[2] poca pocs poques **1** *adj* Petita quantitat, petit nombre: *Hi havia poca gent al teatre.* **2** *nom m* Una mica: *Aquest bacallà és un poc salat.*

pocapena uns/unes pocapenes *adj* i *nom m* i *f* Es diu d'una persona que és desvergonyida.

poca-solta uns/unes poca-soltes *adj* i *nom m* i *f* Es diu de la persona poc seriosa, que diu o fa ximpleries.

pocatraça uns/unes pocatraces *adj* i *nom m* i *f* Es diu d'una persona que no té traça, que no és hàbil a l'hora de fer les coses: *Ja has tornat a esguerrar el dibuix, ets un pocatraça!*

pocavergonya uns/unes pocavergonyes *adj* i *nom m* i *f* Es diu de la persona sense vergonya, que fa coses que perjudiquen la gent i no se n'amaga.

poció pocions *nom f* Beguda medicinal.

podar *v* Tallar les branques mortes o malaltes d'un arbre o d'un arbust perquè creixi en bones condicions, perquè tingui una forma determinada, etc.
Es conjuga com *cantar.*

poder[1] *v* **1** Ser capaç de fer una cosa: *Aquesta nit ja he pogut dormir perquè no m'ha fet mal el queixal.* **2** Ser possible, probable que passi alguna cosa: *Demà podria ser que nevés.*
La conjugació de *poder* és a la pàgina 842.

poder[2] poders *nom m* **1** Capacitat de fer una cosa: *L'imant té el poder d'atreure el ferro.* **2** Domini que es té sobre algú o alguna cosa: *El president del govern d'un país té molt poder.*

poderós poderosa poderosos poderoses *adj* Que té poder, diners, força, etc. i, per tant, es pot imposar sobre els altres.

podi podis *nom m* Plataforma elevada on s'enfilen els guanyadors d'una prova esportiva, el director d'una orquestra, etc.: *L'atleta guanyador va pujar al podi i li van donar una medalla d'or.*

pòdium pòdiums *nom m* Mira **podi**.

P

podrir *v* Fer-se malbé, descompondre's alguna cosa: *Aquests tomàquets es comencen a podrir.* Es conjuga com *servir*.

poema poemes *nom m* **1** Poesia, obra escrita en vers, especialment quan és llarga. **2** *La vida d'aquella persona és un poema:* és plena de fets estranys, extraordinaris o curiosos.

poesia poesies *nom f* **1** Obra escrita en vers, conjunt de versos: *La Clara ha fet una poesia per recitar el dia de Sant Jordi.* **2** Art d'expressar una cosa de manera bonica per mitjà de les paraules.

poeta poetes *nom m i f* Persona que escriu poesies.

poetessa poetesses *nom f* Dona que escriu poesies.

poètic poètica poètics poètiques *adj* Que té relació amb la poesia, que s'assembla a la poesia o hi fa pensar.

pol pols *nom m* **1** Cadascun dels dos punts de l'esfera terrestre situats a les regions polars: *El pol Nord i el pol Sud.* **2** Extrems de l'eix d'una esfera. **3** Qualsevol dels extrems oposats d'un imant, d'un generador, etc.

polaina polaines *nom f* Peça de roba o de cuir que serveix per a protegir les cames, des de sota el genoll fins al peu, i que es corda per la part de fora.

polaines

polar polars *adj* Que té relació amb els pols.

polèmic polèmica polèmics polèmiques *adj* Es diu d'una idea, d'una acció, etc. que provoca moltes discussions, que fa que la gent opini de maneres diferents: *La decisió de construir un aparcament al costat de l'església ha estat molt polèmica.*

polèmica polèmiques *nom f* Discussió, debat entre persones que opinen diferent sobre una cosa.

poli- Prefix, element que s'afegeix al davant d'una paraula i que vol dir "molts": *Una paraula polisíl·laba és una paraula que té més d'una síl·laba.*

policia policies **1** *nom m i f* Persona encarregada de mantenir l'ordre a la ciutat, a la carretera, etc.: *Les policies van atrapar els lladres a la sortida de l'autopista.* **2** *nom f* Conjunt de policies: *Vam trobar una cartera plena de diners i la vam portar a la policia.*

policrom policroma policroms policromes *adj* Que té diferents colors: *Un llibre amb il·lustracions policromes.*

polidesa polideses *nom f* Qualitat de polit.

poliedre poliedres *nom m* Figura geomètrica de volum limitada per quatre o més cares planes.

poliesportiu poliesportius *nom m* Conjunt d'instal·lacions on es poden practicar diversos esports.

polifacètic polifacètica polifacètics polifacètiques *adj* Es diu d'una persona que sap fer moltes activitats diferents: *La Maria és molt polifacètica: juga a bàsquet, escriu poesies, estudia astronomia i sap cuinar molt bé.*

poliglot poliglota poliglots poliglotes *adj i nom m i f* Es diu de les persones que poden parlar diferents llengües: *El meu cosí és un poliglot, perquè parla català, castellà, francès, anglès i una mica d'alemany.*

polígon polígons *nom m* Figura geomètrica que té diversos costats.

poligonal poligonals *adj* Que té relació amb els polígons.

poliol poliols *nom m* Planta que fa molta olor amb la qual es preparen begudes que curen el mal de panxa.

pòlip pòlips *nom m* **1** Organisme en forma de tub gruixut que té una boca envoltada de tentacles a l'extrem superior del cos i que viu enganxat a les roques o a la sorra. **2** Tumor tou que es forma en algunes parts del cos.

polir *v* **1** Fer llisa i lluent una cosa. **2** Perfeccionar, corregir del tot una cosa. **3** Robar: *Al carrer m'han polit la cartera.* **4 polir-se** Gastar-se els diners: *En una setmana m'he polit els diners de tot el mes.*
Es conjuga com *servir*.

polisèmia polisèmies *nom f* Propietat que tenen algunes paraules de tenir més d'un significat, per exemple la paraula "bunyol", que significa "massa petita fregida feta amb pasta de farina, ous, llet, aigua i a vegades ensucrada" i "cosa mal feta, equivocació, error".

polisíl·lab polisíl·laba polisíl·labs polisíl·labes **1** *adj* Es diu de la paraula que té més d'una síl·laba: *Les paraules "taula", "escala" i "ordinador" són polisíl·labes.* **2** *nom m* Paraula que té més d'una síl·laba: *Hem escrit tres polisíl·labs: un de dues síl·labes, un de tres síl·labes i un de quatre síl·labes.*

pòlissa pòlisses *nom f* Document que se signa quan es fa un contracte amb una companyia d'assegurances, d'electricitat, d'aigua, etc. en què figuren les condicions del contracte.

polissó polissona polissons polissones *nom m i f* Persona que s'embarca d'amagat en un vaixell o en un avió sense pagar bitllet.

polit polida polits polides *adj* **1** Endreçat, net. **2** Acabat, fi, bonic.

politècnic politècnica politècnics politècniques *adj* Es diu de l'escola, de l'institut, de la universitat, etc. on s'estudien diferents carreres tècniques, per exemple informàtica, electrònica, etc.

politeisme politeismes *nom m* Característica de les religions que creuen en més d'un déu.

polític política polítics polítiques **1** *adj* Que té relació amb la manera de governar un país, un estat, etc. **2** *nom m i f* Persona que té un càrrec en el govern, en un partit, etc. **3** *política nom f* Allò que està relacionat amb la manera de governar un país, un estat, etc.: *Durant la campanya electoral es parla molt de política.*

politja politges *nom f* Roda que gira al voltant d'un eix, preparada perquè hi pugui passar un cable, una corda, etc. i que serveix per a canviar la direcció d'una força, aixecar pesos, etc.

politja

poll[1] polls *nom m* Insecte molt petit, sense ales, que viu als cabells: *Hi ha nens que tenen polls i s'han de rentar els cabells amb un xampú especial.*

poll[2] polls *nom m* Cria d'un ocell, d'una gallina, etc., pollet.

polla polles *nom f* Gallina jove.

pollancre pollancres *nom m* Arbre alt, de fulla caduca, que creix als prats i al costat dels rius.

pollancreda pollancredes *nom f* Lloc on hi ha molts pollancres.

pollar-se *v* Corcar-se la fusta, els cereals, etc. Es conjuga com *cantar.*

pollastre pollastres *nom m* Gall jove que serveix d'aliment a les persones: *Per dinar hem menjat pollastre amb patates fregides.*

polleguera pollegueres *nom f* **1** Peça que té un forat on es fica l'eix sobre el qual gira una porta. **2 fer sortir de polleguera** Fer posar nerviós, fer enfadar molt: *Amb els vostres crits em feu sortir de polleguera.*

pol·len pòl·lens *nom m* Pols de color groc, produïda per les flors i que té una funció molt important en l'aparició del fruit de la planta.

polleria polleries *nom f* Botiga on venen carn de pollastre, de gallina, de gall dindi, etc.

pollet pollets *nom m* Cria d'un ocell, del gall i de la gallina, etc.: *La meva tia té galls, pollastres, gallines i pollets.*

pollí pollina pollins pollines *nom m i f* Fill petit del cavall, de l'euga, de l'ase, etc.

pollinar *v* Tenir fills petits una burra o una euga. Es conjuga com *cantar.*

pol·linització pol·linitzacions *nom f* Fet de transportar el pol·len des dels estams fins als pistils.

pollós pollosa pollosos polloses *adj* Es diu de la persona que va molt bruta.

pol·lució pol·lucions *nom f* Contaminació, brutícia en el medi ambient.

pol·luir *v* Contaminar, embrutar el medi ambient. Es conjuga com *reduir.*

polo polos *nom m* Esport que es juga muntat a cavall i que consisteix a fer entrar la pilota a la porteria de l'equip contrari a força de tocar-la amb una espècie de maça que té un mànec llarg.

polonès polonesa polonesos poloneses **1** *nom m i f* Habitant de Polònia; persona

P

natural o procedent de Polònia. **2** *adj* Es diu de les persones o de les coses naturals o procedents de Polònia. **3** *nom m* Llengua que es parla a Polònia.

polp polps *nom m* Pop.

polpa polpes *nom f* Part carnosa o més tova d'una fruita, d'un òrgan, etc.

pols[1] **les pols** *nom f* Conjunt de partícules molt petites de terra seca i d'altres matèries que poden ser transportades fàcilment pel vent: *En els mobles d'aquella habitació hi havia molta pols.*

pols[2] **polsos** *nom m* **1** Batec de les artèries: *El metge va prendre el pols al ferit per veure si encara vivia.* **2** Seguretat de la mà quan es fa alguna cosa: *Aquestes ratlles tan rectes les farà en Joan, que té molt bon pols i la mà no li tremola gens.* **3** Cadascun dels dos costats del front. **4** *En Guillem s'ha tret totes les assignatures del curs a pols*: amb el seu esforç, sense l'ajuda de ningú.

polsar *v* **1** Prémer, pitjar amb els dits: *Per engegar l'aparell cal polsar un botó vermell.* **2** Fer sonar les cordes d'un instrument musical.
Es conjuga com *cantar*.

polsegós polsegosa polsegosos polsegoses *adj* Ple de pols.

polseguera polsegueres *nom f* Gran quantitat de pols: *Corrent per aquells camins de terra, les motos feien molta polseguera.*

polsera polseres *nom f* Braçalet, objecte que es porta al voltant del canell per fer bonic: *La Josefina porta una polsera d'or.* ■ *M'han regalat un rellotge de polsera.*

polsera

polsim polsims *nom m* Pols molt fina.

polsinera polsineres *nom f* Polseguera, gran quantitat de pols.

polsós polsosa polsosos polsoses *adj* Cobert de pols.

poltre poltres *nom m* **1** Cavall, euga joves. **2** Aparell de gimnàstica que serveix per a fer exercicis de salt.

poltrona poltrones *nom f* Cadira de braços molt còmoda.

pólvora pólvores **1** *nom f* Barreja explosiva que es fa amb diverses substàncies, i que serveix per a carregar escopetes o fer focs artificials. **2 pólvores** *nom f pl* Cosmètic en pols que es posa a la cara per fer-la més fina, dissimular algun defecte, etc.

polvorí polvorins *nom m* Lloc adequat per a guardar-hi pólvora i altres explosius.

polvoritzador polvoritzadors *nom m* Estri, aparell o màquina que serveix per a polvoritzar: *M'he comprat una colònia que porta un polvoritzador.*

polvoritzar *v* Transformar una substància sòlida en líquida o bé un líquid en gotes molt petites.
Es conjuga com *cantar*.

polzada polzades *nom f* Unitat de mesura anglesa de longitud equivalent a 25,4 mil·límetres.

polze polzes *nom m* Dit gros de la mà. **15**

pom poms *nom m* **1** Peça de forma rodona que hi ha en una porta, en un calaix, etc i que serveix per a estirar. **2** Ram de flors petit: *Em va regalar un pom de margarides.*

poma pomes *nom f* Fruit comestible de la pomera, de gust dolç o àcid i forma més o menys rodona: *La meva cosina ha cuinat unes pomes al forn boníssimes.* **2**

pomada pomades *nom f* Pasta feta amb greix i altres substàncies i que serveix com a medicament o cosmètic: *Aquesta pomada deixa una pell molt fina.*

pomelo pomelos *nom m* Fruit comestible semblant a la taronja, de color groc pàl·lid, aranja.

pomer pomers *nom m* Mira **pomera**.

pomera pomeres *nom f* Arbre de flors blanques i rosades, el fruit del qual és la poma.

pomerar pomerars *nom m* Lloc on hi ha moltes pomeres.

pompa pompes *nom f* **1** Luxe, riquesa, etc. que acompanya una festa, una cerimònia per fer-la més solemne, més important. **2 servei de pompes fúnebres** Empresa que s'encarrega de traslladar un difunt i de tot el que cal per enterrar-lo.

pòmul pòmuls *nom m* Cadascun dels ossos de les galtes que hi ha a sota dels ulls.

poncella poncelles *nom f* Flor abans d'obrir-se.

ponderar *v* Alabar, parlar de les qualitats d'una persona o d'una cosa tot exagerant-les. Es conjuga com *cantar*.

ponderat ponderada ponderats ponderades *adj* Es diu de la persona o de la cosa que no és exagerada, que és equilibrada, mesurada.

pondre *v* **1** Fer els ous una femella d'ocell: *L'Alba té sis gallines que ponen ous cada dia.* **2** *A en Roger, últimament, totes li ponen:* les coses li van molt bé. **3 pondre's** Passar un astre, com ara el Sol, a sota l'horitzó, amagar-se darrere les muntanyes: *Hem anat a dalt del Tibidabo a veure com es ponia el sol.* Es conjuga com *confondre*. **Participi:** *post, posta.*

ponedor ponedora ponedors ponedores *adj* Es diu de l'animal que pon ous: *Aquesta gallina és molt ponedora: pon un ou cada dia.*

ponent ponents *nom m* **1** Punt de l'horitzó per on es pon el Sol; oest, occident. **2** Vent de l'oest.

poni ponis *nom m* Cavall molt petit.

poniol poniols *nom m* Poliol, planta que fa molta olor amb la qual es preparen begudes que curen.

pont ponts *nom m* **1** Construcció que serveix perquè una carretera o una via travessin un riu o passin per sobre d'una altra carretera o via: *Des del pont vèiem el riu que passava per sota.* **2** Objecte que té la forma semblant a un pont. **3** Dia o dies de la setmana que no es treballa perquè cau entre dues festes: *Dimarts és festa i dilluns no anirem a l'escola perquè farem pont.* **4** Lloc des d'on el capità dirigeix les maniobres d'un vaixell: *El capità va dirigir el desembarcament des del pont de comandament.* **5 pont llevadís** Pont a l'entrada d'un castell que s'aixeca i s'abaixa amb unes cadenes, cordes, etc. **6 pont del peu** Part còncava situada al centre de la planta del peu.

pontífex pontífexs *nom m* Denominació que es dóna al Papa o bisbe de Roma i a altres bisbes i prelats de l'Església: *Al Papa, també se l'anomena el "summe pontífex".*

ponx ponxos *nom m* Beguda calenta que es fa amb aigua, te, rom, llimona i sucre.

ponxo ponxos *nom m* Peça d'abric que consisteix en una manta rectangular amb un forat per a passar-hi el cap i que penja al voltant del cos.

pop pops *nom m* Animal marí comestible, de cap rodó, que té vuit braços, i que es defensa llançant tinta a l'enemic.

popa popes *nom f* Part de darrere d'una embarcació.

popular populars *adj* **1** Que té relació amb el poble: *El govern vol fer una consulta popular.* **2** Molt conegut i apreciat entre la gent: *Aquest cantant és molt popular: tothom canta les seves cançons.*

popularitat popularitats *nom f* Fet de ser popular, molt conegut i apreciat per la gent.

populós populosa populosos populoses *adj* Molt poblat: *Nova York és una ciutat populosa.*

popurri popurris *nom m* Barreja de coses diverses: *Al final del concert la coral va cantar un popurri de cançons tradicionals.*

pòquer pòquers *nom m* Joc d'apostar que es juga amb cartes o bé amb daus.

por pors *nom f* Sensació que es té davant d'un perill real o imaginari: *Al nen petit, li feien por els gegants.*

porc porca porcs porques **1** *nom m* Animal mamífer de granja de cos gras, potes curtes i cua cargolada que és molt apreciat per la seva carn: *El pernil, la botifarra i la llonganissa són productes que es fan amb la carn del porc.* **2 porc senglar** Porc salvatge, de pèl gruixut i fort que viu als boscos. **3** *adj* Que és brut, poc net: *No siguis porc, no mengis amb els dits!* **4** *adj* Es diu de les persones dolentes, poc honrades.

porcada porcades *nom f* **1** Conjunt de porcs. **2** Acció d'una persona bruta o d'una persona dolenta: *Van dir que ens ajudarien i no ho han fet, quina porcada!*

porcell porcella porcells porcelles *nom m i f* Garrí, porc petit.

porcellana porcellanes *nom f* Terrissa fina i delicada: *Aquest joc de cafè és de porcellana pintada a mà.*

porcí porcina porcins porcines *adj* Que té relació amb el porc.

porció porcions *nom f* **1** Part d'una co-sa. **2** Part que toca a algú en un repartiment, tros: *Tothom té la seva porció de pastís?*

poregós poregosa poregosos poregoses *adj* Poruc.

porfídia porfídies *nom f* Insistència d'algú a voler aconseguir una cosa, a voler que li donin la raó: *Va actuar amb porfídia i no va parar fins que va aconseguir el que volia.*

pornogràfic pornogràfica pornogràfics pornogràfiques *adj* Es diu de la pel·lícula, de la revista, etc. que conté imatges fetes amb la intenció d'excitar sexualment.

porós porosa porosos poroses *adj* Que té porus: *El suro és un material molt porós.*

porpra¹ **1** *adj* De color vermell fosc tirant a morat. **2** porpra porpres *nom m* Color vermell fosc tirant a morat.

porpra² porpres *nom f* Matèria vermella que s'utilitza per a donar color: *Un vestit tenyit de porpra.*

porquejar *v* Fer porqueries, anar tocant una cosa amb les mans fins a embrutar-la. Es conjuga com *cantar*. S'escriu *j* davant de *a, o, u* i *g* davant de *e, i*: porquejo, porqueges.

porqueria porqueries *nom f* **1** Brutícia: *En aquesta habitació hi ha molta porqueria.* **2** Cosa de poc valor, dolenta: *Aquest pernil que he comprat no val res, és una porqueria.*

porquerol porquerola porquerols por-queroles *nom m i f* Pastor de porcs.

porquí porquina porquins porquines *adj* **1** Que té relació amb el porc, porcí. **2** conill porquí Animal mamífer d'orelles curtes, molt petit, sense cua i amb els pèls llargs i aspres.

porra porres *nom f* **1** Bastó de cap gros i arrodonit. **2** *Vaig demanar la bicicleta al meu germà i em va **enviar a la porra***: engegar algú, fer-lo fora, no fer-li cas.

porro¹ porros *nom m* Planta comestible que té el bulb llarg i de color blanc: *Al restaurant hem menjat porros amb formatge i pernil dolç.*

porro² porros *nom m* Cigarret que conté droga.

porró porrons *nom m* Recipient de vidre, amb un broc ample per a omplir-lo i un de més estret per a beure.

porró

port ports *nom m* **1** Conjunt d'instal·lacions a la vora del mar que serveixen per a embarcar o desembarcar persones i mercaderies dels vaixells: *Diumenge al matí vàrem anar al port a veure com arribaven els vaixells.* **2** dur a bon port Treure de perill, arribar a un lloc segur. **3** port de muntanya Pas entre dues muntanyes.

porta portes *nom f* Obertura feta en una paret, que serveix per a entrar i sortir d'una casa, d'una habitació, etc.: *Tanqueu la porta, que passa corrent d'aire.*

portaavions uns portaavions *nom m* Vaixell de guerra molt gros que transporta avions i que té una gran plataforma que serveix de pista d'aterratge i d'enlairament.

portada portades *nom f* **1** Portalada. **2** Plana d'un llibre on hi ha el títol, el nom de l'autor, l'editorial, etc. **3** Primera pàgina d'un diari o d'una revista.

portadella portadelles *nom f* Full que va a davant de la portada d'un llibre i on hi sol haver només el títol.

portador portadora portadors portado-res **1** *nom m i f* Persona que porta un xec al banc per cobrar-lo: *Un xec al portador és un xec que no va a nom de ningú en concret i el banc ha de pagar a la persona que el porta.* **2** *adj i nom m i f* Es diu de la persona que porta dins el cos virus o microbis i que els pot transmetre a altres persones.

portaequipatge portaequipatges *nom m* Part d'un vehicle que serveix per a portar-hi l'equipatge.

portal portals *nom m* Porta gran d'entrada d'un edifici: *En Roger esperava la Maria al portal de casa seva.*

portalada portalades *nom f* Portal gran, com el que hi ha en una església, en un palau, etc.

portamonedes uns portamonedes *nom m* Bossa o cartera petita per a portar-hi diners.

portanoves uns/unes **portanoves** *nom m i f* Persona a qui agrada molt de portar notícies: *Després de la discussió d'aquells veïns, en Joan va córrer a explicar-ho a tothom, és un portanoves.*

portar *v* **1** Dur, anar carregat amb alguna cosa a sobre: *Portava un paquet a cada mà.* ■ *En Martí porta un rellotge d'or.* **2** Dirigir, conduir una persona, un vehicle, etc.: *Portaràs el nen a l'escola?* **3** Fer funcionar: *La Marta porta el negoci de casa seva.* **4** Fer arribar una cosa a algú o a un lloc: *Hauries de portar aquesta bossa a casa de la tieta.* **5 portar de cap** Tenir intenció de fer una cosa. **6** Actuar, tenir una actuació, un comportament determinat: *A classe en Jaume es porta bé.*
Es conjuga com *cantar*.

portàtil **portàtils** *adj* Que es pot portar d'un lloc a un altre: *Tinc una màquina d'escriure portàtil.*

portaveu **portaveus** *nom m i f* Persona que quan parla en una reunió, quan escriu en un diari, etc. ho fa en representació de tot un grup de persones: *El senyor Roca és el portaveu dels pares de l'escola.*

portella **portelles** *nom f* Porta petita.

portent **portents** *nom m* **1** Fet extraordinari, que fa que la gent quedi meravellada: *Aquell mag era capaç de convertir un mocador en un colom i de fer altres portents.* **2 ser un portent** Ser una persona que causa admiració perquè destaca molt en una cosa: *Aquest nen és un portent, només té set anys i toca el piano meravellosament.*

portentós **portentosa portentosos portentoses** *adj* Extraordinari, meravellós, que desperta admiració: *El violinista que ha actuat en el concert d'avui era portentós.*

porter **portera porters porteres** *nom m i f* **1** Persona encarregada de vigilar la porta o l'entrada d'un edifici. **2** Jugador que defensa la porteria d'un equip de futbol, d'hoquei, etc. **3 porter automàtic** Mecanisme que serveix per a obrir la porta del carrer des de dins la casa i que té un aparell semblant al telèfon que permet de parlar amb la persona que truca.

porteria **porteries** *nom f* **1** Lloc on està instal·lat el porter d'un edifici: *Hem entrat a la porteria a buscar les claus del pis.* **2** Lloc on cal ficar la pilota per marcar gol en un camp de futbol, d'hoquei, etc.

pòrtic **pòrtics** *nom m* Espai cobert i envoltat de columnes que hi ha a l'entrada d'alguns edificis molt grans.

pòrtic

porticó **porticons** *nom m* Porta petita i de fusta que serveix per a tapar els vidres d'una finestra, finestró.

ports *nom m pl* Allò que es paga pel transport d'una cosa: *Ens portaran a casa el sofà que hem comprat, però haurem de pagar-ne els ports.*

portuguès **portuguesa portuguesos portugueses** **1** *nom m i f* Habitant de Portugal; persona natural o procedent de Portugal. **2** *adj* Es diu de les persones o de les coses naturals o procedents de Portugal. **3** *nom m* Llengua que es parla a Portugal i al Brasil.

poruc **poruga porucs porugues** *adj i nom m i f* Es diu de la persona que agafa por amb facilitat, covard: *En Pere és un poruc, qualsevol cosa l'espanta.*

porus uns **porus** *nom m* Foradet molt petit, gairebé invisible, com els que hi ha a la pell del cos.

porxada **porxades** *nom f* **1** Espai obert i cobert, amb moltes columnes i pilars: *A Granollers hi ha una plaça amb una porxada molt bonica.* **2** Part superior d'una casa, galeria amb arcs aguantats per columnes o pilars.

porxada

porxo **porxos** *nom m* Lloc cobert amb columnes o pilars, porxada: *La plaça Reial de Barcelona té porxos.*

posa **poses** *nom f* **1** Acció de col·locar-se en una posició i en una actitud determinades

P

per a fer de model a un artista: *El pintor va pintar la model en una posa original: asseguda a terra, amb les cames eixancarrades i amb el cap inclinat cap avall.* **2** Actitud o manera d'actuar d'algú que vol semblar una cosa que no és: *Aquell noi sempre fa una posa com d'actor de cine.*

posada posades *nom f* **1** Hostal. **2** Acció de posar: *Després del treball en grup, farem la posada en comú de la feina feta.*

posar *v* **1** Fer estar una cosa en una nova posició, fer que una cosa estigui en un lloc on no era abans: *Posa les claus a sobre la taula.* ■ *Com que fa fred, em posaré l'abric.* **2** Començar a fer una cosa: *Ara mateix s'ha posat a ploure.* **3** Fer de model a un pintor, un escultor o un fotògraf. **4** **posar-se** Tornar-se d'una determinada manera: *És molt tímid i sempre que el saluden es posa vermell.*
Es conjuga com *cantar*.

posat posats *nom m* Cara que fa una persona, actitud que pren sobretot per demostrar als altres que li passa alguna cosa: *Amb el posat que fa en Miquel, ja es veu que no tenia ganes de venir a la festa.*

posició posicions *nom f* **1** Manera d'estar posada una persona o una cosa: *Si poses el llapis ajagut estarà en posició horitzontal.* **2** Lloc on està situada una persona o una cosa: *En Marc coneix la posició de moltes estrelles.* **3** Actitud, opinió davant un fet: *Quina és la teva posició en aquesta baralla?* **4** *A casa d'aquest noi tenen una* **bona posició**: bona situació econòmica i social.

pòsit pòsits *nom m* Substància sòlida que es diposita al fons d'una ampolla, d'un vas, etc.: *Aquest vi fa molt pòsit.*

positiu positiva positius positives *adj* **1** Es diu d'una cosa bona, útil, beneficiosa, segura: *La construcció de la carretera serà un fet positiu per a la comarca.* **2** Afirmatiu, contrari de negatiu: *Les anàlisis per saber si estava embarassada han donat positiu.* **3** Es diu del nombre més gran que zero. **4** Es diu del signe (+) que designa els nombres més grans que zero.

positivament *adv* De manera segura, sense cap dubte: *Sé positivament que el conseller no vindrà a la inauguració de l'escola.*

positura positures *nom f* Manera de posar el cos una persona o un animal, postura.

posposar *v* Posar una persona o una cosa darrere d'una altra tenint en compte l'ordre d'importància.
Es conjuga com *cantar*.

posseïdor posseïdora posseïdors posseïdores *adj i nom m i f* Que té alguna cosa com a pròpia, que la té en el seu poder.

posseir *v* Tenir una cosa, ser amo d'una cosa.
Es conjuga com *reduir*.

possessió possessions *nom f* **1** Allò que es té en propietat, com ara un terreny, una casa, una empresa, etc. **2** Masia, casa de pagès amb camps, etc. que és propietat d'una persona.

possessiu possessiva possessius possessives *adj* **1** Que vol tenir alguna cosa en propietat, que vol dominar-la. **2** Es diu dels adjectius i dels pronoms que indiquen possessió, com ara "meu", "teu", "seu", "nostre", "vostre".

possibilitar *v* Fer possible una cosa: *La nova autopista possibilitarà reduir mitja hora la distància entre les dues ciutats.*
Es conjuga com *cantar*.

possibilitat possibilitats *nom f* Allò que és possible, realitzable: *Hi ha possibilitat de guanyar el partit perquè estem molt preparats.*

possible possibles *adj* Que es pot fer, que pot passar, que pot ser: *Diuen que ja és possible passar pel nou túnel.*

possiblement *adv* Segurament, potser.

post posts *nom f* **1** Peça de fusta llarga i estreta, plana i prima. **2** Prestatge, lleixa. **3** **post de planxar** Post amb peus, generalment plegable i folrada, on es planxa la roba. **4** **post del pit** Zona del pit on hi ha l'os anomenat estern o estèrnum.

post de planxar

post- Prefix, element que s'afegeix al davant d'una paraula i que vol dir "després de": *La postguerra és el temps que ve després de la guerra.*

posta postes *nom f* **1** Acció de pondre's el sol: *A última hora de la tarda vam sortir a passejar i vam veure una posta de sol molt maca.* **2** Acció de pondre ous un ocell; conjunt d'ous que pon un ocell en un temps determinat. **3 a posta** Expressament: *No va ser un accident, sinó que va trencar el vidre a posta.*

postal postals *nom f* Targeta amb dibuixos o amb una fotografia que s'envia per correu per felicitar algú, per donar-li records quan s'està de viatge, etc.: *La Laia ens ha enviat una postal des de París.*

postdata postdates *nom f* Petit escrit que de vegades s'afegeix al final d'una carta, després de la firma, generalment per afegir alguna cosa que s'ha oblidat.

pòster pòsters *nom m* Cartell gran on hi ha la fotografia o el dibuix d'algú o d'alguna cosa que ens agrada i que es penja a la paret d'una habitació, d'una classe, etc.

postergar *v* Deixar de fer una cosa per fer-ne d'altres abans: *La construcció d'un pont sobre la via del tren sempre queda postergada.*
Es conjuga com *cantar*. S'escriu g davant de *a, o, u* i gu davant de *e, i: postergo, postergues.*

posterior posteriors *adj* **1** Que ve després: *L'any 1962 va ser un any de moltes nevades; l'any posterior, el 1963, va ser un any de moltes pluges.* **2** Es diu de la part del darrere d'una cosa.

posterioritat posterioritats *nom f* **1** Qualitat de posterior. **2** *Aquesta part del castell va ser construïda* **amb posterioritat**: més tard, després.

posteriorment *adv* Després, més tard.

posteritat posteritats *nom f* Descendència, conjunt de persones que viuran després d'una altra, fama que dura després de la mort d'una persona.

postguerra postguerres *nom f* Període de temps immediatament després d'una guerra.

postís postissa postissos postisses *adj* Artificial, que substitueix una cosa natural: *En Xavier porta les dents postisses.*

postor postora postors postores *nom m i f* Persona que ofereix diners per una cosa en una subhasta.

postrar *v* Mira **prostrar**.
Es conjuga com *cantar*.

postres *nom f pl* Allò que es menja al final d'un dinar o d'un sopar: *Per postres hem menjat fruita.*

postular *v* Exposar una teoria, una idea, etc. que serveix de base per a una altra.
Es conjuga com *cantar*.

pòstum pòstuma pòstums pòstumes *adj* **1** Es diu del fill que neix després de la mort del pare. **2** Es diu d'una obra que s'edita després de la mort del seu autor.

postura postures *nom f* Positura, manera de posar el cos una persona o un animal.

pot pots *nom m* **1** Recipient de llauna, de vidre, de terrissa, etc. que serveix per a guardar-hi conserves, mel, etc.: *En aquella botiga de productes naturals, hi vàrem comprar un pot de mel.* **2** Recipient de metall que serveix per a posar algun líquid al foc per a escalfar-lo, fer-lo bullir, etc.

pota potes *nom f* **1** Cadascun dels membres d'un animal que li serveixen per a aguantar el cos i per a caminar, córrer o saltar: *El gos i el gat tenen quatre potes.* **2** Cadascuna de les peces amb què una cadira, una taula, etc. s'aguanta a terra: *Una cadira de quatre potes* **3 ficar la pota** Intervenir en una conversa dient bestieses, coses que no hi tenen relació: *La Lluïsa no sap mai de què parlem, però sempre hi fica la pota.*

potable potables *adj* **1** Que es pot beure: *L'aigua d'aquest pou és potable.* **2** Es diu d'una cosa que pot passar, que és acceptable.

potada potades *nom f* Cop de pota.

potassa potasses *nom f* Producte químic que serveix principalment per a adobar els camps.

potatge potatges *nom m* **1** Menjar que es fa amb suc i altres coses barrejades com ara patates, carn, verdures, etc. **2** Barreja de coses diferents.

potència potències *nom f* **1** Força per produir un efecte o fer alguna acció: *Aquest cotxe corre molt perquè té un motor de molta potència.* **2** País, estat que té poder i influència.

potencial potencials **1** *nom m* Capacitat de fer coses: *L'equip de futbol de l'escola té molt potencial.* **2** *adj* Es diu d'una cosa que és possible, encara que en aquell moment no es doni: *La velocitat potencial d'aquest cotxe és de dos-cents quilòmetres per hora.*

P

potenciar v Fer més potent una cosa, impulsar, fomentar: *Cal potenciar l'aprenentatge d'idiomes entre la gent jove.*
Es conjuga com *canviar*.

potent potents adj Que té molta força, molta potència.

potentat potentada potentats potentades nom m i f Persona que té molts diners, molt poder, etc.

potestat potestats nom f Poder, facultat, domini que una persona té sobre una altra o sobre una cosa: *El president del govern té la potestat de convocar eleccions.*

potestatiu potestativa potestatius potestatives adj Que no és obligatori, que depèn de la potestat d'algú: *La participació en aquest campionat és potestativa, depèn del que decideixi cada club.*

potinejar v Tocar les coses amb els dits sense vigilar, embrutar-les, fer potineries: *En Narcís potineja tot el que té al plat i al final no menja res.*
Es conjuga com *cantar*. S'escriu *j* davant de *a, o, u* i *g* davant de *e, i*: *potinejo, potineges.*

potiner potinera potiners potineres adj i nom m i f Es diu de la persona que quan toca les coses les embruta, que no vigila quan fa una cosa, que és barroera: *Has vessat el got i tot és ple d'engrunes i de menjar: ets un potiner!*

potineria potineries nom f Acció pròpia d'una persona potinera.

potinga potingues nom f Medicament, producte de perfumeria, que no se sap ben bé de què està fet, si va bé, etc.: *Si tens mal de ventre, més val que vagis al metge i no prenguis tantes potingues.*

poti-poti poti-potis nom m Desordre, confusió, etc.: *Aquesta classe és un poti-poti: tothom crida, esvalota i va a la seva, no hi ha qui s'entengui.*

pòtol pòtols nom m Vagabund, persona que no treballa i viu de les coses que roba o que li donen.

potser adv Indica la possibilitat que passi allò que es diu: *Avui potser plourà.*

pou pous nom m **1** Excavació fonda que s'ha fet a terra fins a trobar aigua, petroli, etc.: *En aquella casa de pagès treuen l'aigua d'un pou.* **2 ser un pou de ciència** Saber moltes coses, ser molt savi.

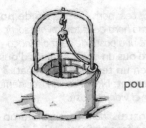

pou

pouar v Treure aigua d'un pou.
Es conjuga com *cantar*.

pràctic pràctica pràctics pràctiques adj **1** Que té relació amb la pràctica i no amb la teoria: *A la tarda tenim classes pràctiques.* **2** Que serveix, que és útil: *Aquesta cartera és molt pràctica per anar a l'escola, hi cap tot.* **3** Es diu de la persona que fa una cosa amb rapidesa, sense entretenir-se: *En Miquel és un home pràctic: per anar al centre de la ciutat deixa el cotxe a casa i agafa l'autobús.*

pràctica pràctiques nom f **1** Realització d'allò que s'ha après primer amb la teoria: *A la classe ens han explicat com funcionen els mapes i a l'excursió de demà ho veurem a la pràctica.* **2** Experiència, coneixement que es té d'una cosa que s'ha fet moltes vegades: *El meu pare fa molts anys que condueix un camió i hi té molta pràctica.*

pràcticament adv **1** D'una manera pràctica. **2** Gairebé: *A la reunió pràcticament hi havia tot el poble.*

practicant practicants nom m i f Persona que té per ofici donar injeccions i vacunes, prendre la pressió, etc. i que té un títol per a poder fer-ho.

practicar v **1** Fer molts exercicis, posar en pràctica alguna cosa: *En Josep-Lluís ha anat a Anglaterra a practicar l'anglès.* **2** Dedicar-se a un ofici, un esport, etc.: *La Neus practica l'esquí aquàtic.*
Es conjuga com *cantar*. S'escriu *c* davant de *a, o, u* i *qu* davant de *e, i*: *practico, practiques.*

prada prades nom f Camp d'herba, prat.

pragmàtic pragmàtica pragmàtics pragmàtiques adj Que només té en compte els fets, la part pràctica de les coses: *A l'hora de decidir hem de ser més pragmàtics i no discutir tant sobre coses sense importància.*

prat prats nom m Tros de terreny amb herba on pastura el bestiar: *A la Cerdanya hi ha prats d'herba on pasturen les vaques.*

pratenc pratenca pratencs pratenques **1** *nom m* i *f* Habitant del Prat de Llobregat o de Prats de Lluçanès; persona natural o procedent del Prat de Llobregat o de Prats de Lluçanès. **2** *adj* Es diu de les persones o de les coses naturals o procedents del Prat de Llobregat o de Prats de Lluçanès.

pre- Prefix, element que s'afegeix al davant d'una paraula i que vol dir "abans": *Les muntanyes que hi ha abans del Pirineu s'anomenen Prepirineu.*

preàmbul preàmbuls *nom m* Introducció, coses que es diuen o s'escriuen abans de fer una conferència, d'explicar un tema, etc.

prear *v* **1** Determinar el que val una cosa, avaluar-la. **2** Estimar molt una cosa, donar-li molt de valor: *Té una col·lecció de rellotges antics molt preada.* **3** **prear-se** Presumir una persona de les seves qualitats, de les coses que fa, etc.
Es conjuga com *canviar.*

preat preada preats preades *adj* Es diu d'una cosa que es considera de molt valor, que s'estima molt.

prec precs *nom m* **1** Acció de pregar, de resar, de demanar una cosa a Déu. **2** Acció de demanar una cosa a algú amb molt respecte.

precari precària precaris precàries *adj* Es diu d'una cosa que sembla que no durarà gaire, que és poc segura: *Aquella nena sovint està malalta: té una salut precària.*

precaució precaucions *nom f* Atenció que es posa en fer una cosa per tal d'evitar un perill: *Cal anar amb precaució, la carretera és molla i podem relliscar.*

precedent precedents **1** *adj* Es diu d'una cosa o d'una persona que va a davant d'una altra: *A les lliçons precedents hem estudiat els animals vertebrats, a partir d'aquesta estudiarem els invertebrats.* **2** *nom m* Fet igual que un altre però que es dóna abans i amb el qual es relacionen els que vénen després: *Haver anat quatre dies de colònies aquest curs estableix un precedent i ara ningú no voldrà anar-n'hi tres.* **3** La participació que hi ha hagut en la caminada popular d'aquest any és un fet *sense precedents:* que no té comparació amb cap altre, mai vist.

precedir *v* Anar davant d'algú o d'alguna cosa; estar situat abans: *El número 5 precedeix el 6.*
Es conjuga com *servir.*

precepte preceptes *nom m* Llei, norma, obligació.

preceptiu preceptiva preceptius preceptives *adj* Que està manat per la llei, que és obligatori.

precintar *v* Posar precinte a una cosa, tancar-la perquè ningú no la pugui obrir sense permís.
Es conjuga com *cantar.*

precinte precintes *nom m* Cinta de paper, de plàstic, etc. que es posa en un paquet, en una caixa, en una porta, etc. per indicar que no es pot obrir sense permís.

preciós preciosa preciosos precioses **1** *adj* Molt bonic: *Portes un jersei preciós.* **2** **pedra preciosa** Pedra de gran valor que, un cop tallada, s'utilitza per a fer joies: *La maragda i el robí són pedres precioses.*

precipici precipicis *nom m* Pendent vertical d'una muntanya: *El cotxe va sortir de la carretera i va caure al fons del precipici.*

precipitació precipitacions *nom f* **1** Acció de precipitar o de precipitar-se. **2** Pressa excessiva, molta pressa. **3** Aigua que cau sobre la superfície de la terra en forma de pluja, de neu, etc.

precipitadament *adv* Amb molta pressa, sense temps de pensar: *Si fem les coses precipitadament, segur que ens equivocarem, més val que les pensem una mica abans de fer-les.*

precipitar *v* **1** Fer caure alguna cosa daltabaix d'un lloc elevat: *El cotxe va sortir de la carretera i es va precipitar muntanya avall.* **2** **precipitar-se** Anar amb moltes presses, córrer massa: *No ens precipitem: abans d'anar al supermercat, fem una llista de tot el que ens fa falta.*
Es conjuga com *cantar.*

precís precisa precisos precises *adj* Exacte, just: *El vam trobar en el precís moment que tancava la porta de casa seva.*

precisament *adv* Paraula que s'utilitza per a remarcar el temps, el lloc, la persona, etc. de què estem parlant: *Precisament arribes quan jo t'anava a trucar!*

precisar *v* Dir o determinar una cosa amb més exactitud, d'una manera més justa: *Hauries de precisar el sentit de la teva pregunta.*
Es conjuga com *cantar.*

P

precisió precisions *nom f* Exactitud, falta d'error: *Aquest rellotge marca les hores i els minuts amb molta precisió.*

precoç precoços precoces *adj* Es diu de la persona o de la cosa que es desenvolupa abans del que li pertocaria per l'edat, pel temps que té: *Aquesta nena és molt precoç: a quatre anys ja sap anar amb bicicleta de dues rodes.*

preconitzar *v* Proposar i defensar una idea, un pla, etc.: *La solució que preconitza aquest conseller és la més encertada de totes.*
Es conjuga com *cantar.*

precursor precursora precursors precursores *adj i nom m i f* Es diu de la persona o de la cosa que s'avança a una altra i li prepara el camí: *Aquest pintor del segle passat tan original va ser el precursor de la pintura actual.*

predecessor predecessora predecessors predecessores *adj i nom m i f* Es diu de la persona que ha anat al davant d'una altra en un càrrec, en una feina, etc., que l'ha precedit: *Durant el seu discurs, el nou alcalde va agrair la tasca realitzada pel seu predecessor.*

predestinat predestinada predestinats predestinades *adj* Es diu de la persona o de la cosa que està destinada per endavant a fer quelcom: *Quan decidim qui s'encarregarà d'endreçar la classe, sempre em toca a mi: hi estic predestinat.*

predeterminar *v* Decidir alguna cosa per endavant: *El seu pare havia predeterminat que seria metge.*
Es conjuga com *cantar.*

prèdica prèdiques *nom f* Sermó, paraules que serveixen per a aconsellar algú, per a renyar-lo, etc.

predicador predicadora predicadors predicadores *nom m i f* Persona que predica, que fa un sermó.

predicar *v* Fer un sermó; recomanar una cosa als altres amb discursos, consells, etc.
Es conjuga com *cantar.* S'escriu *c* davant de *a, o, u* i *qu* davant de *e, i: predico, prediques.*

predicat predicats *nom m* Part de l'oració que diu alguna cosa del subjecte: *El predicat de l'oració "en Joan va amb bicicleta" és "va amb bicicleta".*

predicció prediccions *nom f* **1** Allò que s'anuncia que passarà, que es prediu. **2** predicció del temps Previsió, anunci del temps que farà durant un període de temps.

predilecció predileccions *nom f* Preferència per una persona o per una cosa: *Aquell pilot té predilecció pels cotxes de color vermell.*

predilecte predilecta predilectes *adj* Es diu d'una persona o d'una cosa que és preferida, que agrada més que les altres: *M'he comprat un disc del meu cantant predilecte.*

predir *v* Anunciar allò que passarà després d'haver-ho estudiat o només perquè ens ho sembla: *L'home del temps ha predit que aquest cap de setmana farà sol a tot el país.*
Es conjuga com *dir.*

predisposar *v* Fer estar a favor o en contra d'una cosa, d'una idea, etc. per endavant: *El teu bon comportament em predisposa a favor de deixar-te anar d'excursió demà.*
Es conjuga com *cantar.*

predisposició predisposicions *nom f* Tendència a favor o en contra d'una cosa que es té per endavant: *Aquest noi té una bona predisposició per a la música, seria bo que s'hi dediqués.*

predominant predominants *adj* Que predomina, que és superior en poder, en força, en quantitat, etc.: *La grip és la malaltia predominant a l'hivern.*

predominantment *adv* De manera predominant, sobretot, especialment: *Els aiguats ocorren predominantment a la tardor.*

predominar *v* Ser superior en nombre, en força, etc.: *L'arbre que predomina en aquest bosc és el roure.*
Es conjuga com *cantar.*

predomini predominis *nom m* Fet de predominar, de ser superior a un altre en força, en poder, en nombre, etc.: *Durant tot el partit l'equip local va demostrar el seu predomini sobre l'equip visitant.*

preeminència preeminències *nom f* Fet de ser superior als altres en qualitat, en posició, etc.

preeminent preeminents *adj* Que és superior als altres per les seves qualitats, per la seva posició, etc.: *Aquella empresa ocupa un lloc preeminent en el conjunt de la indústria tèxtil.*

preescolar preescolars *adj* Es diu de l'etapa educativa en què no és obligatori que els infants vagin a l'escola, és a dir, fins als sis anys d'edat.

preestablir *v* Establir, decidir, fixar una cosa per endavant: *Les dates de celebració dels partits ja estan preestablertes, ara no es poden pas canviar.*
Es conjuga com *servir*. Participi: *preestablert, pre-establerta.*

preexistent preexistents *adj* Es diu d'una cosa, d'una idea, etc. que ja existeix abans que n'aparegui una altra: *Abans de fer un canvi en el calendari de festes, cal tenir en compte els costums preexistents.*

prefabricat prefabricada prefabricats prefabricades *adj* Es diu d'un edifici, d'un vehicle, etc. que no s'ha construït peça a peça, sinó a base de grans parts fetes en una fàbrica i que després només cal muntar: *En aquesta urbanització hi ha molts xalets prefabricats.*

prefaci prefacis *nom m* Pròleg, escrit que hi ha a les primeres pàgines d'un llibre i que parla del seu autor, del tema, etc.

preferència preferències *nom f* **1** Sentiment d'agradar més una cosa que una altra: *Tinc una preferència pel teatre molt clara, m'agrada més que el cine.* **2** Avantatge respecte d'algú o d'alguna cosa: *En aquest espectacle, els infants tenen preferència i per això han de pagar menys.*

preferent preferents *adj* Que és preferit, que té preferència: *Els familiars del conferenciant ocupaven un lloc preferent de la sala.*

preferentment *adv* Amb preferència, especialment, sobretot: *Si vol parlar amb el director, vingui qualsevol dia a la tarda, preferentment a primera hora.*

preferible preferibles *adj* Es diu d'una cosa que és millor en relació amb una altra, que es prefereix: *El professor ha dit que és preferible que presentem els treballs escrits a màquina.*

preferiblement *adv* De manera preferible, especialment, etc.

preferir *v* Agradar més, estimar-se més una cosa que una altra: *Al meu germà li agrada la carn, però jo prefereixo el peix.*
Es conjuga com *servir*.

prefix prefixos *nom m* Element que s'afegeix al començament d'una paraula per a formar-ne

una altra: *Si al mot "pentinar" hi afegim el prefix "des", formarem el mot derivat "despentinar", que significa el contrari.*

prefixar *v* Afegir un prefix al davant d'un mot: *"Embutxacar" i "desfer" són mots prefixats, és a dir, tenen el prefix "em-" i "des-" al davant.*
Es conjuga com *cantar*.

pregadéu pregadéus *nom m* Insecte semblant a una llagosta però més gros que posa les potes de davant en una postura semblant a la de pregar o resar. **7**

pregadéu

pregar *v* **1** Resar. **2** Demanar una cosa amb respecte i insistència.
Es conjuga com *cantar*. S'escriu g davant de *a, o, u* i *gu* davant de *e, i: prego, pregues.*

pregària pregàries *nom f* Acció de resar, conjunt de paraules que es diuen per resar, oració.

pregó pregons *nom m* Discurs que es fa per anunciar el començament d'una festa.

pregon pregona pregons pregones *adj* Molt fondo, molt profund.

pregonar *v* Fer saber una cosa a un gran nombre de persones, divulgar-la, escampar-la. Es conjuga com *cantar*.

pregoner pregonera pregoners pregoneres *nom m i f* Persona que fa un pregó, que anuncia una cosa.

pregunta preguntes *nom f* Acció de demanar a una persona que ens doni una informació sobre una cosa que desconeixem: *Vaig fer moltes preguntes al professor perquè no entenia la lectura i volia que me l'expliqués.*

preguntar *v* Fer una pregunta, demanar a algú que ens expliqui una cosa que no sabem o no entenem: *Vaig preguntar a la Dolors si vindria al cine i em va contestar que encara no ho sabia.*
Es conjuga com *cantar*.

prehistòria prehistòries *nom f* Part de la història que estudia la vida de les persones

P

en els temps més antics, abans de l'aparició de l'escriptura.

prehistòric prehistòrica prehistòrics prehistòriques *adj* Que té relació amb la prehistòria, amb l'època d'abans de l'aparició dels primers documents escrits.

prejudici prejudicis *nom m* Actitud que es té a favor o en contra d'una idea, d'una raça, d'una religió, etc. però sense que hi hagi cap raó, abans de conèixer-la bé.

prejutjar *v* Opinar sobre una persona o una cosa per endavant, abans de conèixer-la bé. Es conjuga com *cantar*. S'escriu *j* davant de *a, o, u* i *g* davant de *e, i*: *prejutjo, prejutges*.

prelat prelats *nom m* Eclesiàstic que regeix un territori, com ara un bisbe, o que té aquest títol honorífic.

preliminar preliminars *adj* Que va abans d'una altra cosa, que serveix per a introduir-la, per a preparar-la.

preludi preludis *nom m* Fet, acció, etc. que serveix de preparació d'una altra de més important i que ve després, introducció.

prematur prematura prematurs prematures *adj* Que passa massa aviat, abans de temps: *La meva germana va tenir un part prematur, abans dels nou mesos.*

premeditació premeditacions *nom f* Acció de pensar molt bé una cosa abans de fer-la.

premeditar *v* Pensar molt bé una cosa abans de fer-la, preveient tot el que es necessitarà i tot el que pot passar. Es conjuga com *cantar*.

prémer *v* Estrènyer alguna cosa comprimint-la, agafant-la fort. Es conjuga com *témer*.

premi premis *nom m* Allò que es dóna a la persona que ha guanyat un concurs, una competició, que ha prestat un servei o ha fet alguna cosa important: *El primer premi del concurs de disfresses consisteix en una màquina de fotografiar.*

premianenc premianenca premianencs premianenques **1** *nom m i f* Habitant de Premià de Dalt o de Premià de Mar; persona natural o procedent de Premià de Dalt o de Premià de Mar. **2** *adj* Es diu de les persones o de les coses naturals o procedents de Premià de Dalt o de Premià de Mar.

premiar *v* Donar un premi. Es conjuga com *canviar*.

premissa premisses *nom f* Idea que s'agafa com a punt de partida a l'hora de raonar, de discutir, etc.

premolar premolars *adj i nom f* Es diu de cadascuna de les dents situades entre els ullals i els queixals.

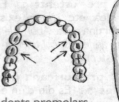

dents premolars

premonició premonicions *nom f* Pensament, somni, etc. que anuncia allò que passarà, pressentiment.

premonitori premonitòria premonitoris premonitòries *adj* Que avisa per endavant.

premsa premses *nom f* **1** Màquina que serveix per a xafar raïm, papers, etc. o per a imprimir. **2** Conjunt de publicacions com ara diaris, butlletins, revistes, etc.: *Els resultats de la cursa de natació sortiran avui a la premsa.*

premsar *v* **1** Prémer, aixafar, comprimir una cosa. **2** Prémer un cosa amb una premsa. Es conjuga com *cantar*.

prendre *v* **1** Apoderar-se d'una cosa d'algú: *Mentre estava comprant al mercat, em van prendre els diners de la bossa.* **2** Introduir algun aliment, generalment líquid, per la boca, **beure**: *En Rogeli ha anat al bar a prendre una cervesa.* **3** Agafar una cosa amb la mà, amb els braços, etc. **4** Agafar una cosa per fer-la servir. **5** Adoptar una idea, una decisió, etc. **6** Acceptar bé o malament una cosa: *En Cesc es pren les coses molt malament.* **7** Rebre el sol, la pluja, damunt el cos: *A l'estiu, m'agrada de prendre el sol al jardí.* **8** *L'Agustina va* **prendre mal** *amb la moto:* fer-se mal, tenir un accident. **9 prendre mides** Amidar: *Has de prendre mides de la taula.* **10 prendre part** Participar: *Vaig prendre part en el debat.* **11 prendre's** Tornar-se espès, sòlid un líquid. **12 prendre el pèl a algú** Burlar-se'n. **13 prendre la paraula** Participar, parlar en una reunió.

Es conjuga com *aprendre*. Present d'indicatiu: *prenc, prens, pren, prenem, preneu, prenen.* Imperatiu: *pren, prengui, prenguem, preneu, prenguin.* Participi: *pres, presa.*

prènsil prènsils *adj* Es diu de la cua d'alguns animals, de la trompa dels elefants, etc., que pot agafar coses tot cargolant-se.

prensió prensions *nom f* Acció d'agafar o de prendre amb la mà, amb la cua, etc.

prenyar *v* Fer que una femella quedi embarassada.
Es conjuga com *cantar.*

prenyat prenyada prenyats prenyades **1** *adj* Carregat, ple: *Un núvol prenyat d'aigua.* ■ *Una empresa prenyada de dificultats.* **2** prenyada *adj* i *nom f* Es diu de la dona, de la femella que espera un fill.

preocupació preocupacions *nom f* **1** Cosa que preocupa, problema. **2** Acció de preocupar-se.

preocupant preocupants *adj* Es diu d'una cosa que preocupa, que fa patir.

preocupar-se *v* **1** Inquietar-se, patir a causa d'un temor, d'un perill: *Aquell home està preocupat perquè el seu fill encara no ha arribat.* **2** Encarregar-se d'una feina, d'un treball, ocupar-se'n: *Ja me'n preocuparé jo, de fer arreglar el cotxe.*
Es conjuga com *cantar.*

preparació preparacions *nom f* **1** Acció de preparar. **2** Coneixements que algú té sobre una matèria: *En Narcís té una bona preparació musical.* **3** Entrenament esportiu: *Els jugadors del nostre equip han fet una bona preparació per al partit de demà.*

preparador preparadora preparadors preparadores *nom m* i *f* Entrenador.

preparar *v* **1** Posar a punt alguna cosa: *Prepareu les motxilles, que demà anirem d'excursió.* **2** Estudiar, posar-se en condicions per fer alguna prova, examen, etc.: *En Gil aquest cap de setmana ha preparat l'examen de dilluns.*
Es conjuga com *cantar.*

preparat preparats *nom m* Producte o medicament elaborat per una farmàcia: *En aquesta farmàcia, hi vaig comprar un preparat per a les berrugues que em va anar molt bé.*

preparatiu preparatius *nom m* Tot allò que es fa per preparar una cosa: *Estem molt enfeinats fent els preparatius de la festa.*

preparatori preparatòria preparatoris preparatòries *adj* Que serveix per a preparar, que prepara: *Abans de començar el partit, farem uns quants exercicis preparatoris.*

preponderant preponderants *adj* Que predomina, que està per damunt, que destaca més: *L'opinió preponderant entre els assistents era que la conferència havia estat molt interessant.*

preposició preposicions *nom f* Paraula que serveix per a relacionar una paraula o un grup de paraules amb una altra paraula de la qual depenen: *En l'expressió "pa amb tomàquet", el mot "amb" és una preposició que fa que "tomàquet" depengui de "pa".*

preposicional preposicionals *adj* Que té relació amb la preposició.

prepotent prepotents *adj* Es diu de la persona que abusa del seu poder.

prepuci prepucis *nom m* Pell que cobreix la part final del penis, anomenada gland.

prerrogativa prerrogatives *nom f* Privilegi, avantatge que té una persona o un grup de persones i que els altres no tenen.

pres presa presos preses *adj* i *nom m* i *f* Que no té llibertat, que està tancat a la presó, presoner.

presa preses *nom f* **1** Acció de prendre, d'agafar una cosa: *El primer dia de classe és una presa de contacte entre el professor i els alumnes.* **2** Persona, animal o cosa que ha estat atrapada, caçada: *Els lleons devoraven la presa.* **3** Quantitat d'un aliment, d'un medicament, etc. que es pren d'una vegada: *D'aquest medicament, n'he de fer dues preses al dia.* **4** Paret alta que es fa en un corrent d'aigua per desviar-la o retenir-la i poder-la aprofitar millor. **5** **ocell de presa** Rapinyaire, ocell que mata i devora altres ocells i animals. **6** **presa de xocolata** Cadascun dels quadrats en què es divideix una rajola de xocolata. **7** **presa de corrent** Base d'un endoll que es posa en una paret, en una màquina, etc.

presa de xocolata

presagi presagis *nom m* Senyal que anuncia una cosa que passarà: *Quan les orenetes volen baixes, és presagi de pluja.*

presagiar *v* Anunciar que passarà alguna cosa, ser el senyal d'alguna cosa: *Aquests núvols presagien mal temps.*
Es conjuga com *canviar.*

presbiteri presbiteris *nom m* Part d'una església on hi ha l'altar.

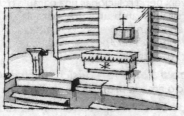

presbiteri

prescindir *v* No tenir en compte, deixar de banda una cosa o una persona: *Com que ja no plou, podem prescindir del paraigua.*
Es conjuga com *servir.*

prescripció prescripcions *nom f* **1** Acció de prescriure, d'ordenar, de manar una cosa. **2** Recepta, ordre que el metge dóna a un malalt: *Aquest medicament només es pot prendre amb prescripció mèdica.*

prescriure *v* **1** Ordenar, manar una cosa. **2** Deixar de tenir força una llei, un acord, etc. pel fet d'haver passat un període llarg de temps: *Aquesta multa ja ha prescrit i, per tant, no l'haurem de pagar.*
Es conjuga com *escriure.*

presència presències *nom f* **1** Fet de ser present en un lloc, d'assistir-hi. **2** Aspecte, forma externa: *Aquest pastís té bona presència.* **3** *El metge va fer acte de presència a darrera hora:* presentar-se, anar un moment a un lloc.

presenciar *v* Veure una cosa perquè som presents en el lloc on passa: *Vaig presenciar la baralla entre en Robert i la Teresa.*
Es conjuga com *canviar.*

present[1] presents **1** *adj* Que es troba en el lloc on passa alguna cosa; que existeix en el moment actual: *El pantà solucionarà el present problema de falta d'aigua.* **2** *nom m* Temps que som, el temps actual: *Hem de pensar en el passat, el present i el futur de les coses.* **3** *nom m* Temps verbal que expressa el moment que

som: *"Canto", "cantes", "cantem" són formes del temps present del verb "cantar".* **4** *nom m i f* Persona o persones que es troben en el lloc on hi ha la persona que parla: *Quan va dir aquella mentida, tots els presents ens vàrem mirar.* **5** *de cos present* Es diu d'un mort encara no enterrat. **6** *Vaig tenir present allò que em vas dir:* recordar una cosa.

present[2] presents *nom m* Regal: *El dia del seu aniversari tots els amics li van portar un present.*

presentable presentables *adj* Que es pot presentar, que és correcte, que està bé: *Tenim el treball fet però encara no és presentable, s'ha de repassar molt.*

presentació presentacions *nom f* Acció de presentar una persona o una cosa: *Aquesta tarda a la llibreria del costat de casa es farà la presentació d'un nou llibre de contes.*

presentador presentadora presentadors presentadores *nom m i f* Persona encarregada de presentar un programa o les persones que participen en un programa de ràdio o de televisió, en un concert, en un debat, etc.

presentar *v* **1** Posar alguna cosa davant algú perquè la vegi, la prengui, etc.: *La Mercè va presentar el dibuix al professor.* **2** Fer conèixer algú a una altra persona: *El director va presentar el nou mestre als alumnes.* **3** Oferir, mostrar: *Aquell cas presentava moltes dificultats.* **4** presentar-se Anar a un lloc, participar en una prova, en un concurs, etc.
Es conjuga com *cantar.*

preservar *v* Evitar un mal a una persona o a una cosa: *La calefacció és un bon sistema per a preservar-nos del fred.*
Es conjuga com *cantar.*

preservatiu preservatius *nom m* Funda de goma que es posa al penis abans de fer l'acte sexual per a impedir que la dona quedi prenyada o per a evitar el contagi de malalties, condó.

presidència presidències *nom f* **1** Acció de presidir una reunió, un govern, un partit, una institució, etc. **2** Lloc que ocupa el president en una reunió, en una assemblea, etc.

president presidenta presidents presidentes *nom m i f* Dirigent principal d'un país, d'una associació, d'un tribunal, etc.

presidi presidis *nom m* Presó.

presidiari presidiària presidiaris presidiàries *nom m i f* Persona que és a la presó complint una pena.

presidir *v* **1** Dirigir una reunió, una assemblea, un consell, etc. **2** Ser el cap o el president d'una organització, d'una associació, etc.: *El pare d'en Ferran presideix l'associació de pares de l'escola, n'és el president.*
Es conjuga com *servir*.

presó presons *nom f* **1** Lloc on algú està pres o detingut: *Han tancat els lladres a la presó.* **2** Manca de llibertat per un temps determinat que s'imposa a una persona com a càstig per un delicte.

presoner presonera presoners presoneres *nom m i f* Persona que no té llibertat, que està tancada a la presó, pres.

pressa presses *nom f* **1** Necessitat de fer una cosa ràpidament: *Tinc molta pressa i no em puc entretenir.* **2** de pressa Ràpidament: *L'avió va més de pressa que el tren.* **3** *Aquesta feina* corre pressa, *s'hauria d'acabar avui*: és urgent, s'ha de fer de seguida.

préssec préssecs *nom m* Fruit comestible del presseguer, de color groc vermellós, gust dolç i forma arrodonida. **2**

presseguer presseguers *nom m* Arbre fruiter que fa préssecs.

pressentiment pressentiments *nom m* Sensació que ha de passar alguna cosa: *No em va sorprendre gens que el dia de l'excursió a Montserrat plogués, perquè el dia abans ja en tenia el pressentiment.*

pressentir *v* Tenir la impressió que passarà alguna cosa.
Es conjuga com *dormir*.

pressió pressions *nom f* **1** Força que estreny, que comprimeix, que empeny. **2** Acció que fa una persona o un grup de persones per aconseguir alguna cosa: *La pressió dels veïns va fer que l'ajuntament arreglés el carrer.* **3** pressió arterial Força de la sang que circula dins les artèries. **4** pressió atmosfèrica Força que fa l'aire a causa del seu pes.

pressionar *v* Fer pressió sobre una persona o una cosa: *Els seus companys el pressionaven perquè acceptés el càrrec de president.*
Es conjuga com *cantar*.

pressuposar *v* Creure, suposar una cosa per endavant: *Com que pressuposaves que per-*

dríem, ara t'ha sorprès més que hàgim guanyat. Es conjuga com *cantar*.

pressupost pressuposts o pressupostos *nom m* Càlcul del que costarà una cosa abans de fer-la: *El pressupost del viatge és de tres-cents euros.*

prest[1] *adv* Aviat.

prest[2] presta prests o prestos prestes *adj* **1** Preparat, disposat per fer una cosa. **2** Ràpid.

prestar *v* **1** Deixar una cosa a algú amb la condició de tornar-la al cap d'un temps. **2** prestar-se Oferir-se, estar disposat a fer una cosa: *En Llorenç va prestar-se a ajudar-me a fer el trasllat dels mobles.*
Es conjuga com *cantar*.

prestatge prestatges *nom m* Peça de fusta, de ferro, etc. horitzontal, d'un armari o d'un moble, que serveix per a posar-hi llibres i altres objectes: *Els pares m'han posat uns prestatges a l'habitació per posar-hi els llibres i els jocs.*

prestatgeria prestatgeries *nom f* Moble que té molts prestatges, conjunt de prestatges.

prestatgeria

préstec préstecs *nom m* Cosa que ens deixen i que hem de tornar: *A la biblioteca m'han deixat un llibre en préstec, l'he de tornar dilluns.* ■ *Els pares han demanat un préstec de sis mil euros al banc.*

prestidigitador prestidigitadora prestidigitadors prestidigitadores *nom m i f* Persona que fa màgia.

prestigi prestigis *nom m* Bona fama que té una persona o una cosa: *Aquell metge té molt prestigi perquè diuen que opera molt bé.*

prestigiós prestigiosa prestigiosos prestigioses *adj* Que té prestigi, bona fama.

presumible presumibles *adj* Es diu d'una cosa que és probable, que segurament passarà perquè se'n tenen senyals o indicis.

p

presumiblement *adv* Probablement, segurament.

presumir *v* **1** Creure que es té una qualitat, un mèrit, etc. i procurar que la gent s'hi fixi: *L'Ignasi presumeix de saber fer teatre, però a mi no m'agrada el seu treball d'actor.* ▪ *A aquell nen li agrada de presumir de bon nedador.* **2** Creure que passarà una cosa perquè se'n tenen senyals o indicis.
Es conjuga com *servir* o com *dormir.*

presumit presumida presumits presumides *adj* i *nom m* i *f* Es diu de la persona que cuida molt el seu aspecte i li agrada que els altres ho sàpiguen: *La Marta és molt presumida: tot el dia es mira al mirall.* ▪ *En Bernat estrena pantalons i jerseis molt sovint: és un presumit.*

presumpció presumpcions *nom f* **1** Acció de presumir una cosa, de creure-la probable, suposició. **2** Fet de presumir molt de les qualitats, dels mèrits, etc. que té un mateix.

presumpte presumpta presumptes *adj* Es diu d'una persona quan se suposa que ha fet alguna cosa: *Aquell home és el presumpte autor del robatori.*

presumptuós presumptuosa presumptuosos presumptuoses *adj* Es diu de la persona que presumeix molt de les seves qualitats, dels seus mèrits, etc.

pretendent pretendenta pretendents pretendentes *nom m* i *f* **1** Persona que pretén, que vol una cosa. **2** Persona que vol casar-se amb una altra: *La Mireia té molts pretendents.*

pretendre *v* Voler aconseguir una cosa que es desitja.
La conjugació de *pretendre* és a la pàgina 843.

pretensió pretensions *nom f* **1** Acció de voler aconseguir una cosa: *Té la pretensió d'obtenir el títol de metge i no s'esforça gens a estudiar.* **2** Fet de creure que es tenen més qualitats, més mèrits que els altres: *Aquell noi té moltes pretensions: és un antipàtic.*

pretensiós pretensiosa pretensiosos pretensioses *adj* **1** Es diu d'una persona que creu que té moltes qualitats, mèrits, etc. **2** Es diu d'una cosa que es fa amb pretensió, amb ganes de demostrar que es tenen moltes qualitats, mèrits, etc.

pretèrit pretèrita pretèrits pretèrites **1** *adj* Que pertany a un temps que ja ha passat.

pretext pretexts o pretextos *nom m* Excusa, allò que es diu en comptes de la veritat: *No tinc ganes d'anar al teatre perquè no m'agrada, però donaré el pretext que estic cansada.*

preu preus *nom m* **1** Quantitat de diners que s'ha de donar a canvi d'una cosa, allò que val una cosa. **2** Allò que cal acceptar, que cal fer per aconseguir una cosa: *No poder anar enlloc sense ser reconegut és el preu de la fama.* **3 a preu fet** Molt de pressa, sense parar. **4 a preu d'or** A un preu molt alt.

preuar *v* **1** Estimar molt una cosa, donar-li molt de valor: *Té una col·lecció de rellotges antics molt preuada.* **2** Posar preu a una cosa.
Es conjuga com *cantar.*

prevaler *v* Guanyar, imposar-se una cosa, una opinió, etc. per damunt d'unes altres: *A l'assemblea va prevaler la idea de fer un viatge al final de curs.*
Es conjuga com *valer.*

prevenció prevencions *nom f* **1** Conjunt de mesures destinades a evitar un perill, un accident, una malaltia, etc.: *Les vacunes són una prevenció contra moltes malalties de la infància.* **2** Desconfiança, actitud desfavorable envers una persona o una cosa.

prevenir *v* **1** Avisar, advertir algú per endavant d'alguna cosa: *Us previnc que si no pagueu, la companyia elèctrica us tallarà la llum.* **2** Prendre mesures per evitar que passi una cosa: *El metge li ha receptat unes vitamines per prevenir els refredats.*
Es conjuga com *mantenir.*

preventiu preventiva preventius preventives *adj* Que serveix per a prevenir, per a evitar que passi alguna cosa: *La prohibició de fer foc al bosc és una bona mesura preventiva.*

preveure *v* Veure o imaginar una cosa abans que passi: *L'home del temps ha dit que es preveuen moltes pluges.*
Es conjuga com *veure.*

previ prèvia previs prèvies *adj* Que és abans, que s'ha de fer o de dir abans d'una altra cosa.

prèviament *adv* Per endavant, abans que una altra cosa: *Per assistir al curs, cal matricular-s'hi prèviament.*

previngut previnguda previnguts previngudes *adj* Que està preparat per si passa una cosa, que pren precaucions, que és previsor: *És molt previngut i sempre porta un paraigua a la cartera.*

previsible previsibles *adj* Que es pot preveure, que es veu a venir.

previsió previsions *nom f* Acció de preveure una cosa: *Hauríem de fer una previsió de tot el que necessitarem per a fer la castanyada.*

previsor previsora previsors previsores *adj* Es diu de la persona que preveu les coses, que es prepara, que pren precaucions.

prim prima prims primes *adj* **1** Es diu de les coses poc gruixudes: *A l'estiu, com que fa calor, anem amb roba prima.* **2** Es diu de la persona que pesa poc, que no és grassa: *La Lluïsa, després de la malaltia, s'ha quedat prima com un fideu.* **3** *El professor va* **mirar prim** *a l'hora de corregir els dictats:* ser exigent, no deixar passar res.

prima primes *nom f* Quantitat de diners que, perquè s'esforcin més, es paga als jugadors d'un equip, als treballadors d'una empresa, etc. si obtenen un bon resultat.

primacia primacies *nom f* Preeminència, fet de ser superior en qualitat, en posició, etc.

primar *v* **1** Pagar una prima. **2** Premiar. Es conjuga com *cantar.*

primari primària primaris primàries *adj* **1** Que ve en primer lloc: *En Lluís ja ha acabat els cursos d'educació primària i ara passarà als de secundària.* **2** *En aquesta comarca abunden les activitats del* **sector primari**: l'agricultura, la ramaderia, els boscos, la caça, la pesca i la mineria.

primat primats *nom m* Nom que es dóna al conjunt d'animals mamífers que tenen extremitats llargues, amb cinc dits, ulls al davant i hemisferis cerebrals ben desenvolupats, com ara els simis i els éssers humans.

primavera primaveres *nom f* **1** Estació de l'any, entre l'hivern i l'estiu: *M'agrada la primavera perquè tot floreix.* **2** Nom de diverses plantes de bosc o de jardí que fan unes flors molt boniques. **3**

primaveral primaverals *adj* Que té relació amb la primavera.

primer[1] *adv* Abans: *La notícia l'he sabuda primer jo que tu.*

primer[2] primera primers primeres *adj* **1** Que va al davant de tot: *El dilluns és el primer dia de la setmana.* ▪ *L'Arnau viu al primer pis.* **2** Que és el millor, el més important: *La Mercè és la primera ballarina de la companyia.* **3** *És una carn* **de primera**: molt bona.

primerament *adv* En primer lloc.

primerenc primerenca primerencs primerenques *adj* Que neix, madura o fa les coses abans del temps que correspon: *Aquestes cireres són primerenques i per això són més cares.*

primeria primeries *nom f* **1** Començament, principi. **2** **primeries** *nom f pl* Primers fruits.

primfilar *v* Filar prim, ser escrupolós, no deixar passar res. Es conjuga com *cantar.*

primícia primícies *nom f* Novetat, primera notícia que es té sobre una cosa.

primitiu primitiva primitius primitives **1** *adj* Que està relacionat amb l'origen, amb el començament, amb el primer temps d'una cosa: *Els homes primitius vivien en coves.* **2** *adj* i *nom m* Es diu de la paraula que no deriva de cap altra: *"Peix" és un mot primitiu i "peixateria" un mot derivat.*

primitivament *adv* A l'origen, al començament, antigament, abans: *Primitivament els camps es llauraven amb una parella de bous.*

primmirat primmirada primmirats primmirades *adj* Es diu de la persona que es fixa en tots els detalls: *El nou professor és molt primmirat, vol que presentem els fulls sense ni una petita arruga.*

primogènit primogènita primogènits primogènites *adj* i *nom m* i *f* Es diu del primer fill que neix.

primordial primordials *adj* Principal, fonamental, essencial.

primparat primparada primparats primparades *adj* **1** Es diu d'una cosa que és a punt de caure, si cau no cau. **2** Flac, sense forces.

prímula prímules *nom f* Nom de diverses plantes de bosc o de jardí que fan unes flors molt boniques, anomenades també primaveres. **3**

príncep prínceps *nom m* Fill del rei.

P

princesa princeses *nom f* Filla del rei.

principal principals **1** *adj* Es diu de la cosa més important. **2** *nom m* Pis d'una casa que ve després de la planta baixa i que sol ser més gran i més luxós que els altres.

principalment *adv* Sobretot, d'una manera principal.

principat principats *nom m* Territori que està sota l'autoritat d'un príncep.

principi principis *nom m* **1** Començament: *A principi de curs tenim llibres nous.* **2** Regla de conducta, norma de comportament: *Aquest noi no té principis: fa tot el que pot per perjudicar els altres.* **3** Veritat, idea fonamental d'una teoria, d'una doctrina, d'una ciència, etc. **4** Element que hi ha en una mescla.

principiant principiants *adj i nom m i f* Es diu de la persona que comença a fer una cosa, com ara estudiar, tocar un instrument, fer una feina, etc.

prior priora o prioressa priors priores o prioresses *nom m i f* Persona que dirigeix una comunitat religiosa.

prioratí prioratina prioratins prioratines **1** *nom m i f* Habitant de la comarca del Priorat; persona natural o procedent de la comarca del Priorat. **2** *adj* Es diu de les persones o de les coses naturals o procedents de la comarca del Priorat.

prioritari prioritària prioritaris prioritàries *adj* Que és més important, que té prioritat.

prioritat prioritats *nom f* Preferència, avantatge respecte d'algú o d'alguna cosa: *Si vols fer una carrera, els estudis hauran de tenir prioritat sobre totes les altres activitats.*

prisar *v* Fer una sèrie de plecs petits a una roba, a un paper, etc.
Es conjuga com *cantar*.

prisma prismes *nom m* Poliedre de dues cares paral·leles, anomenades bases, i tantes cares laterals com costats tenen les bases.

prismàtics *nom m pl* Binocle que serveix per a veure més grosses les coses que són lluny de nosaltres: *Vam pujar a dalt de la muntanya i vam mirar el paisatge amb uns prismàtics.*

privació privacions *nom f* **1** Fet de privar, de no deixar que una persona tingui allò que li agrada, vol o necessita. **2** Manca d'una cosa que es necessita: *Durant la guerra la gent va passar moltes privacions.*

privar *v* Prohibir, fer que algú no tingui allò que li agrada, vol o necessita: *El metge li ha privat menjar coses salades.*
Es conjuga com *cantar*.

privat privada privats privades *adj* Es diu d'una cosa que no és pública, que només és d'una persona o d'un grup de persones: *La piscina del club de tennis és privada i només s'hi poden banyar els socis.*

privilegi privilegis *nom m* Dret o avantatge que algú té i que els altres no tenen.

privilegiat privilegiada privilegiats privilegiades *adj* Que té un privilegi, una preferència, que és superior respecte d'algú o d'alguna cosa: *La meva escola té una situació privilegiada: és al centre de la ciutat i, a més, en un carrer molt tranquil.*

pro **1** *prep* A favor de: *La nostra associació treballa molt en pro dels drets humans.* **2 pro** pros *nom m* Part bona, favorable d'una cosa: *Estudiarem tots els pros i els contres de la teva proposta.*

pro- Prefix, element que s'afegeix al davant d'una paraula i que vol dir "a favor de": *El teu cosí és molt proamericà, li agraden molt les coses de l'Amèrica del Nord.*

proa proes *nom f* Part de davant d'una embarcació.

probabilitat probabilitats *nom f* Allò que és fàcil que passi: *L'home del temps ha dit que les probabilitats que demà plogui són moltes.*

probable probables *adj* Que és fàcil que passi: *És probable que l'any que ve ja no visqui en aquest poble.*

probablement *adv* Segurament, d'una manera probable.

problema problemes *nom m* **1** Qüestió, exercici en què a partir d'unes dades cal arribar a un resultat: *Aquests problemes de matemàtiques són molt difícils.* **2** Dificultat, fet que cal resoldre: *Al poble hi ha el problema de la falta d'aigua.*

problemàtic problemàtica problemàtics problemàtiques *adj* Es diu de la persona o de la cosa que porta problemes, que és difícil, etc.

procaç procaços procaces *adj* Desvergonyit, atrevit.

procedència procedències *nom f* **Lloc d'on ve algú o alguna cosa:** *Aquest vi és de procedència estrangera.*

procedent procedents *adj* **1** Que procedeix de tal persona, cosa o lloc: *Acaba d'aterrar un avió procedent de Los Angeles.* **2** Que és adequat, oportú, que ve a tomb: *L'únic objectiu de la reunió és elegir un nou president i, per tant, no és procedent parlar d'altres temes.*

procediment procediments *nom m* **Manera d'actuar, de fer una cosa:** *La construcció d'un vaixell té un procediment molt complicat.*

procedir *v* **1** Venir d'algun lloc: *Aquest arròs procedeix de la Xina.* **2** Executar, actuar, passar a fer alguna cosa: *Ara es procedirà a la votació del president del consell.* Es conjuga com *servir.*

procés processos *nom m* **1** Manera de desenvolupar-se una cosa: *Hem visitat una fàbrica d'embotits per veure el procés de fabricació de la llonganissa.* **2** Conjunt d'actes mitjançant els quals es jutja algú: *Durant el procés el jutge va escoltar els advocats de l'acusat.*

processar *v* **1** Fer tots els passos necessaris perquè una persona pugui ser jutjada i saber si és culpable o innocent d'allò de què se l'acusa. **2** Fer que una cosa segueixi un procés, una sèrie de passos o d'operacions programades: *Els ordinadors poden processar grans quantitats de dades.* Es conjuga com *cantar.*

processionària processionàries *nom f* **Larva en forma d'eruga d'algunes papallones que ataca els pins i els roures i que es desplaça en grup d'un arbre a l'altre formant una fila molt llarga.**

processionària

processó processons *nom f* **1** Desfilada que es fa per celebrar alguna festa religiosa. **2** *Sembla que estigui tranquil, però la processó li va per dins:* estar preocupat sense demostrar-ho.

proclamar *v* **Anunciar públicament una cosa o un fet:** *Avui han proclamat els candidats a l'alcaldia de la ciutat.* Es conjuga com *cantar.*

procliu proclius *adj* **Que és propens a fer una cosa, que hi té tendència.**

procrear *v* **Tenir fills.** Es conjuga com *canviar.*

procurar *v* **Mirar de fer el que es pot per aconseguir una cosa:** *Procuraré entrenar-me més per poder guanyar la prova.* Es conjuga com *cantar.*

pròdig pròdiga pròdigs pròdigues *adj* **1** Es diu de la persona que és generosa o que gasta molts diners. **2** **fill pròdig** Persona que, després d'un quant temps de portar-se malament, es penedeix i decideix de portar-se bé.

prodigalitat prodigalitats *nom f* **Generositat.**

prodigar *v* **Gastar molt, ser generós.** Es conjuga com *cantar.* S'escriu *g* davant de *a, o, u* i *gu* davant de *e, i: prodigo, prodigues.*

prodigi prodigis *nom m* **Cosa meravellosa, extraordinària.**

prodigiós prodigiosa prodigiosos prodigioses *adj* **Que és extraordinari, que no és corrent.**

producció produccions *nom f* **Acció de produir, producte, cosa produïda o elaborada:** *En aquesta comarca és molt important la producció de carbó.*

producte productes *nom m* **1** Cosa feta, elaborada: *La Roseta ven productes de perfumeria.* **2** Nombre que resulta de multiplicar dos o més nombres: *4 és el producte de 2 x 2.*

productiu productiva productius productives *adj* **Que produeix, que dóna diners:** *Aquest camp és molt productiu.*

productivitat productivitats *nom f* **Capacitat de produir.**

productor productora productors productores *adj i nom m i f* **1** Que produeix, que fabrica. **2** Es diu de la persona o de l'entitat que paga la realització d'una pel·lícula.

produir *v* **1** Originar, ser l'origen o el començament d'una cosa: *El soroll li produeix mal de cap.* **2** Elaborar, fabricar una cosa. Es conjuga com *reduir.*

proesa proeses *nom f* Acte de valentia, que té molt valor, molt mèrit.

profà profana profans profanes *adj* **1** Que no és sagrat, que no està relacionat amb la religió. **2** Es diu d'una persona que no té experiència en una cosa, que no n'és experta.

profanar *v* **1** Anul·lar el caràcter sagrat d'una cosa, d'un lloc, etc. **2** Tractar una cosa sense el respecte que es mereix.
Es conjuga com *cantar*.

profecia profecies *nom f* Predicció d'una cosa futura.

proferir *v* Dir en veu alta, pronunciar.
Es conjuga com *servir*.

professió professions *nom f* Ofici, ocupació.

professional professionals *adj* **1** Que té relació amb la professió: *La Dolors té una gran experiència professional.* **2** Es diu de la persona que es dedica a una cosa com a professió i no per afició: *Tots aquests nois volen ser jugadors de futbol professionals.* **3** *nom m i f* Persona que exerceix una professió: *La Carlota és una bona professional.*

professionalitat professionalitats *nom f* Fet de ser un bon professional: *Amb aquell cas tan difícil, el metge va demostrar la seva professionalitat.*

professionalment *adv* De manera professional, per professió: *La meva tieta es dedica al bàsquet professionalment.*

professor professora professors professores *nom m i f* Persona que es dedica a ensenyar una ciència, un idioma, etc.

professorat professorats *nom m* Conjunt dels professors i professores d'una escola, d'un institut, etc.

profeta profetes *nom m i f* **1** Missatger de Déu, que anuncia fets que passaran en el futur. **2** Persona que endevina el futur, que diu les coses que passaran.

profetessa profetesses *nom f* Dona que endevina el futur, que diu les coses que passaran.

profetitzar *v* Fer una profecia, predir, anunciar per endavant les coses que passaran.
Es conjuga com *cantar*.

profit profits *nom m* **1** Benefici, guany, sensació agradable que s'obté d'alguna cosa: *Aquest any he estudiat amb molt profit: ho he aprovat tot.* **2** *Aquest dinar no et pot* **fer profit** *amb tant moviment:* posar-se bé el menjar. **3 bon profit!** Expressió que es diu als que estan menjant o han acabat de menjar per desitjar-los que els aprofiti.

profiterola profiteroles *nom f* Pasta petita i rodona, farcida de nata o de crema i recoberta de xocolata desfeta, que es menja per postres.

profitós profitosa profitosos profitoses *adj* Que dóna benefici, que fa profit.

pròfug pròfuga pròfugs pròfugues *adj i nom m i f* Es diu de la persona que fuig de l'acció de la justícia o que no fa cas de l'autoritat, que s'escapa de la presó, que no va a declarar en un judici, que no es presenta quan el criden per fer el servei militar, etc.

profund profunda profunds profundes *adj* **1** Que té molta fondària: *El pou és molt profund.* **2** Intens: *Vaig dormir moltes hores amb un son molt profund.* **3** Que va al fons de les coses: *Ha fet un estudi molt profund de les malalties infantils.*

profundament *adv* De manera intensa, profunda: *Està profundament afectat per la mort del seu amic.*

profunditat profunditats *nom f* Fondària, qualitat de profund, distància que hi ha de la superfície d'una cosa al fons: *Aquesta piscina té dos metres de profunditat.*

profunditzar *v* Aprofundir, fer més profunda una cosa, estudiar-la més: *L'any passat vam fer el tema de les roques per damunt i aquest any l'hem profunditzat més.*
Es conjuga com *cantar*.

profús profusa profusos profuses *adj* Molt abundant.

profusió profusions *nom f* Gran abundància d'una cosa: *En aquesta zona hi ha una gran profusió de fòssils.*

progenitor progenitora progenitors progenitores *nom m i f* Pare o mare d'una persona; avantpassat d'una persona.

programa programes *nom m* **1** Llista de les coses que es pensen fer, dels temes o dels punts que es volen tractar, dels objectius que es volen aconseguir, etc.: *El programa de l'excursió és molt complet.* ■ *El programa de* *llengua d'aquest curs és molt llarg.* **2** Concurs, espectacle, reportatge, debat, etc. que s'emet per ràdio o per televisió: *Per la televisió hem vist un programa d'animals molt interessant.* **3** Escrit o imprès on consten els detalls d'un concert, d'un espectacle, etc. **4** Conjunt d'instruccions i de dades que permeten que un ordinador faci una determinada activitat: *Aquest ordinador té un programa per a fer dibuixos.*

programació programacions *nom f* **1** Acció de programar, preparació d'un programa: *Demà ens reunirem per fer una programació dels actes de la festa major.* **2** Conjunt de programes que es fan durant un espai de temps: *Consultaré la programació de TV3 al diari per veure a quina hora fan el partit de bàsquet.*

programador programadora programadors programadores *nom m i f* Persona que fa els programes per a un ordinador.

programar *v* Fer un programa, preparar, projectar una cosa: *Aquesta tarda hem programat l'excursió de la setmana que ve.* Es conjuga com *cantar.*

progrés progressos *nom m* Canvi bo, favorable, avenç, millora: *L'electricitat va ser un gran progrés per a la humanitat.*

progressar *v* Canviar favorablement, millorar, avançar: *La medicina ha progressat molt i actualment es poden curar moltes malalties que abans no es curaven.* Es conjuga com *cantar.*

progressió progressions *nom f* Fet de progressar, d'anar endavant, d'augmentar: *Respecte de l'any passat, a la nostra empresa hi ha hagut una progressió de vendes a l'estranger.*

progressista progressistes *adj i nom m i f* Es diu de les idees i de les persones que són considerades avançades, que són partidàries del progrés polític i social: *Arreu del món, els partits considerats progressistes són contraris a la pena de mort.*

progressiu progressiva progressius progressives *adj* Que progressa, que augmenta o avança per graus, de mica en mica.

progressivament *adv* De manera progressiva.

prohibició prohibicions *nom f* **1** Acció de prohibir. **2** Cosa prohibida, que ens han manat que no es faci.

prohibir *v* No deixar fer una cosa, manar que no es faci una cosa: *Han prohibit la circulació de cotxes per la plaça.* Es conjuga com *servir.*

prohibitiu prohibitiva prohibitius prohibitives *adj* Es diu d'una cosa que és tan cara que gairebé ningú no la pot comprar: *Els cotxes esportius tenen uns preus prohibitius.*

prohom prohoms *nom m* Persona molt ben considerada entre els de la seva classe, professió, etc.: *A la presidència de l'acte hi havia l'alcalde i els prohoms de la ciutat.*

proïsme proïsmes *nom m* Conjunt de persones que ens envolten, els altres: *Cal respectar el proïsme.*

projecció projeccions *nom f* Acció de projectar una pel·lícula, unes diapositives, etc.

projectar *v* **1** Formar en una pantalla les imatges d'una pel·lícula, d'unes diapositives, etc. mitjançant un projector. **2** Llançar cap endavant i a distància: *La força de les onades va projectar la barca contra les roques.* **3** Fer el projecte d'alguna obra, treball, etc.: *Hem projectat fer un viatge durant les vacances de Setmana Santa.* Es conjuga com *cantar.*

projecte projectes *nom m* Idea, estudi detallat d'allò que es vol fer: *Hem fet el projecte de les vacances: passarem quinze dies a la platja i quinze dies a la muntanya.*

projectil projectils *nom m* Qualsevol bala, fletxa, roc o bomba que es pot disparar amb una arma.

projector projectors *nom m* Aparell que permet de formar en una pantalla les imatges d'una pel·lícula, d'una diapositiva, etc.

prole proles *nom f* Conjunt dels fills d'una persona.

pròleg pròlegs *nom m* Escrit que hi ha a les primeres pàgines d'un llibre i que explica de què tracta, qui és l'autor, etc.

prolegomen prolegòmens *nom m* Escrit preliminar on s'exposen les idees bàsiques de la matèria que es vol tractar a continuació.

proletari proletària proletaris proletàries *adj i nom m i f* Es diu de la persona que no és propietària de cap empresa i que ha de viure d'un sou baix a canvi de treballar per algú altre.

proletariat proletariats *nom m* **Classe** social formada pels proletaris.

proliferació proliferacions *nom f* **Creixement** ràpid d'alguna cosa: *Aquest estiu hi ha hagut una gran proliferació d'algues a les platges.*

proliferar *v* **Créixer, multiplicar-se amb molta rapidesa:** *Les rates són uns animals que proliferen molt.*
Es conjuga com *cantar.*

prolífic prolífica prolífics prolífiques *adj* **Es diu d'una persona, d'una planta o d'un animal que produeix molt:** *És un escriptor molt prolífic: publica dues novel·les cada any.*

prolix prolixa prolixos prolixes *adj* **Es diu d'un escriptor, d'un conferenciant, d'un text, etc. que resulta massa llarg, que utilitza massa paraules per a dir una cosa, que cansa.**

prologar *v* **Escriure el pròleg d'un llibre.**
Es conjuga com *cantar.* S'escriu *g* davant de *a, o, u* i *gu* davant de *e, i: prologo, prologues.*

prolongació prolongacions *nom f* **Fet d'allargar una cosa, resultat de prolongar-la, continuació:** *La prolongació del carrer ha permès fer uns jardins i un aparcament.*

prolongar *v* **Fer més llarga una cosa.**
Es conjuga com *cantar.* S'escriu *g* davant de *a, o, u* i *gu* davant de *e, i: prolongo, prolongues.*

promès promesa promesos promeses *nom m i f* **Cadascuna de les dues persones que han pres l'acord de casar-se.**

promesa promeses *nom f* **Acció de prometre, compromís que obliga a fer una cosa:** *He fet una promesa a la mare: si avui em deixa anar al cine, pararé la taula cada dia.*

prometedor prometedora prometedors prometedores *adj* **Es diu de la persona o de la cosa que sembla que tindrà bons resultats, èxit, etc.:** *Han contractat un jugador molt prometedor.*

prometença prometences *nom f* **Promesa:** *Els socis del club van fer la prometença que si guanyaven el campionat anirien a Montserrat.*

prometre *v* **1 Assegurar que es farà una cosa:** *Els va prometre que tornaria aviat.* **2 Afirmar que allò que es diu és veritat:** *Jo no vaig trencar el vidre, t'ho prometo.* **3 Semblar una cosa o una persona que tindrà un bon resultat:** *El viatge promet ser molt interessant.*
Es conjuga com *perdre.* **Participi:** *promès, promesa.*

prominència prominències *nom f* **Cosa que sobresurt per damunt de les que l'envolten.**

prominent prominents *adj* **Es diu d'una cosa que sobresurt de les altres que té al voltant:** *Era un home estrany, de cara arrugada, amb un nas prominent.*

promoció promocions *nom f* **1 Propaganda que es fa d'una cosa:** *Fan molta promoció de iogurts al supermercat.* **2 Conjunt de persones que han anat a classe juntes durant tota la carrera.**

promocionar *v* **Fer propaganda d'una cosa o d'una persona perquè la gent la conegui.**
Es conjuga com *cantar.*

promontori promontoris *nom m* **Altura considerable de terra.** *Des del vaixell observàvem els grans promontoris de la costa.*

promotor promotora promotors promotores *adj i nom m i f* **Es diu de la persona que promou una cosa, que li dóna el primer impuls, que l'engega:** *Els promotors de la festa són els alumnes de cinquè.*

promoure *v* **Donar impuls, fer propaganda d'una cosa:** *Aquest any l'ajuntament vol promoure les festes de carnaval.*
Es conjuga com *beure.*

prompte[1] *adv* **Aviat.**

prompte[2] prompta promptes *adj* **Disposat a fer una cosa, que la fa amb poc temps, sense retard.**

promulgar *v* **Publicar una llei perquè es conegui i es compleixi.**
Es conjuga com *cantar.* S'escriu *g* davant de *a, o, u* i *gu* davant de *e, i: promulgo, promulgues.*

pronom pronoms *nom m* **Paraula que representa o substitueix un nom:** *En la frase "si vols caramels, agafa'n", la forma 'n és un pronom que substitueix el nom "caramels".*

pronominal pronominals *adj* **Que té relació amb el pronom.**

pronòstic pronòstics *nom m* **Suposició d'una cosa que ha de passar, feta a partir dels indicis i senyals que es tenen:** *Engega la tele, que vull sentir el pronòstic del temps de demà.*

pronosticar *v* **Fer un pronòstic:** *El metge li ha pronosticat que aviat es curarà.*
Es conjuga com *cantar.* S'escriu *c* davant de *a, o, u* i *qu* davant de *e, i: pronostico, pronostiques.*

pronúncia pronúncies *nom f* Manera de pronunciar o de produir els sons d'una llengua: *En Josep parlarà molt bé el francès si millora una mica la pronúncia.*

pronunciació pronunciacions *nom f* Acció, manera de pronunciar o de produir els sons d'una llengua.

pronunciar *v* **1** Produir els sons d'una llengua: *Sap pronunciar força bé el català.* **2** Dir alguna cosa en públic: *L'alcalde va pronunciar un discurs.* **3** Declarar la pròpia opinió: *El govern encara no s'ha pronunciat sobre la qüestió dels incendis forestals.*
Es conjuga com *canviar.*

pronunciat pronunciada pronunciats pronunciades *adj* Que sobresurt molt, que es nota molt: *Tots els membres de la seva família tenen un nas molt pronunciat.*

prop *adv* **1** A una petita distància: *La casa és a prop de la carretera.* **2** Aproximadament: *En Lluís té una col·lecció de prop de 1.000 segells.*

propà propans *nom m* Gas que es fa servir com a combustible.

propagació propagacions *nom f* Extensió, creixement: *La propagació de l'incendi va espantar els habitants dels pobles veïns.*

propaganda propagandes *nom f* Conjunt d'accions, de cartells, d'anuncis, etc. destinats a fer conèixer, a estendre una idea, un producte, etc.: *Farem uns cartells per fer propaganda del concurs de disfresses.*

propaganda

propagar *v* Fer créixer, estendre: *El foc es va propagar per tota la casa.*
Es conjuga com *cantar.* S'escriu *g* davant de *a, o, u* i *gu* davant de *e, i: propaga, propaguis.*

propens propensa propensos propenses *adj* Que té tendència a una cosa: *Aquest nen és molt propens a constipar-se.*

propensió propensions *nom f* Tendència a fer una cosa, a patir una malaltia, etc.

proper propera propers properes *adj* Pròxim.

propi pròpia propis pròpies *adj* **1** Que és d'un mateix i no d'una altra persona: *Aquestes bromes són pròpies de l'Enric.* **2** *nom* **propi** Nom d'una persona, d'una ciutat, etc.: *"Joan", "Barcelona" i "Besòs" són noms propis.*

pròpiament *adv* En realitat, per ser exactes: *Pròpiament no va ser la Carme tota sola qui va organitzar la festa, sinó tot una colla de gent.*

propici propícia propicis propícies *adj* Que és favorable a algú o a alguna cosa, que hi està disposat a favor: *Amb aquest ventet que fa, avui és un dia propici per a fer volar l'estel.*

propiciar *v* Facilitar una cosa, fer que les condicions per aconseguir una cosa siguin favorables.
Es conjuga com *canviar.*

propietari propietària propietaris propietàries *nom m i f* Persona que posseeix, que és mestressa d'una cosa.

propietat propietats *nom f* **1** Qualitat, característica: *Les propietats de l'aigua són la falta de color, d'olor i de gust.* **2** Casa, edifici, bosc, etc. que és d'un amo. **3** Fet de tenir una cosa com a pròpia: *Aquesta moto, de qui és propietat?*

propina propines *nom f* Petita quantitat de diners que es dóna a un cambrer que ens ha servit, a un taxista, a algú que ens ha portat un paquet, etc.

proporció proporcions *nom f* **1** Relació entre dues o més coses tenint en compte la quantitat, el pes, la forma, etc.: *A classe hi ha 20 nens i 10 nenes: la proporció és de 2 a 1.* **2** Grandària: *Una figura de grans proporcions.*

proporcional proporcionals *adj* Es diu d'una qualitat, d'una dimensió, etc. que guarda proporció amb una altra: *El teu pes és proporcional a la teva altura: ets baixet i no peses gaire.*

proporcionalment *adv* Seguint una proporció: *Encara que jo pesi més que tu, proporcionalment peso menys, ja que sóc molt més alt.*

proporcionar *v* Donar a algú alguna cosa, posar-la al seu abast: *M'hauries de proporcionar unes pinces per treure'm una punxa del dit.*
Es conjuga com *cantar.*

proporcionat proporcionada proporcionats proporcionades *adj* Que guarda una

P

harmonia amb les altres coses, que està ben fet, ben mesurat, que no és exagerat: *Com que has dibuixat un cos molt gros, si vols que la figura quedi proporcionada, hauràs de dibuixar unes cames ben llargues.*

proposar v **1** Recomanar, indicar com a convenient una cosa: *Proposo anar a dinar i tornar de seguida a treballar.* **2** Comprometre's un mateix a fer alguna cosa: *Es va proposar de no fumar més.*
Es conjuga com *cantar.*

proposició proposicions *nom f* **1** Recomanació, proposta, allò que oferim: *Et vull fer una proposició: vols venir a jugar a futbol aquesta tarda?* **2** Frase.

propòsit propòsits *nom m* **1** Allò que algú es compromet a fer: *En Martí es va fer el propòsit d'estudiar molt durant tot el curs.* **2** *És una eina **a propòsit** per fer aquesta feina:* adequada. **3** *A **propòsit d'**això que dius, recordo que una vegada a mi em va passar una cosa semblant:* respecte al que dius, amb relació al que dius.

proposta propostes *nom f* Acció de proposar, cosa que oferim o recomanem; proposició: *Et faig una proposta: jo et deixo la bicicleta i tu em deixes els patins.*

proppassat proppassada proppassats proppassades *adj* Es diu del dia, del mes, de l'any, etc. que acaba de passar: *El proppassat diumenge vam celebrar el desè aniversari de l'empresa.*

propugnar v Defensar una cosa amb paraules o amb fets: *La nostra associació propugna la solidaritat amb els països menys desenvolupats.*
Es conjuga com *cantar.*

propulsar v Fer moure una cosa cap endavant amb força.
Es conjuga com *cantar.*

pròrroga pròrrogues *nom f* Acció de prorrogar, d'allargar el termini per a fer una cosa.

prorrogar v Allargar el temps que es té per a fer una cosa, donar un nou termini: *Com que molta gent s'ha quedat sense entrada, han prorrogat tres setmanes aquella obra de teatre.*
Es conjuga com *cantar.* S'escriu g davant de *a, o, u* i gu davant de *e, i: prorrogo, prorrogues.*

prorrompre v **1** Sortir de cop i amb força: *Els soldats van prorrompre de la trinxera.* **2** Ma-

nifestar de cop i amb força un sentiment, una emoció: *Al final de la cançó, el públic va prorrompre en aplaudiments i en crits d'entusiasme.*
Es conjuga com *perdre.*

prosa proses *nom f* Forma com estan escrits la majoria de textos, com ara novel·les, contes, articles de diari, notícies, etc., sense versos ni rima.

prosaic prosaica prosaics prosaiques *adj* Es diu de les coses o de les persones que no mostren sensibilitat ni per la poesia ni per la bellesa.

proscrit proscrita proscrits proscrites **1** *adj* Prohibit, condemnat. **2** *adj i nom m i f* Es diu de la persona condemnada o perseguida per la llei.

proscriure v Condemnar algú o alguna cosa, prohibir.
Es conjuga com *escriure.*

prosèlit prosèlita prosèlits prosèlites *nom m i f* Nou adepte d'una religió, d'un partit polític, etc.

proselitisme proselitismes *nom m* Acció de fer prosèlits o nous adeptes d'una religió, d'un partit polític, etc.

prosòdia prosòdies *nom f* Part de la gramàtica que tracta de la pronunciació i l'entonació.

prospecció prospeccions *nom f* Exploració, conjunt de tècniques que es fan servir per a localitzar coses subterrànies com ara aigua, minerals, etc.

prospecte prospectes *nom m* Imprès generalment petit que serveix per a donar a conèixer un producte, un establiment, un medicament i explicar-ne el funcionament, les característiques, etc.

pròsper pròspera pròspers pròsperes *adj* Bo, favorable: *Que tinguis un any ben pròsper!*

prosperar v Créixer, anar bé una cosa: *Aquest negoci prospera cada any.*
Es conjuga com *cantar.*

prosperitat prosperitats *nom f* Creixement, bon funcionament d'una cosa, bona situació econòmica: *Els últims anys han estat d'una gran prosperitat econòmica.*

prosseguir v Continuar.
Es conjuga com *servir.*

prosternar-se *v* Abaixar-se fins a tocar a terra davant d'algú en senyal de respecte, d'adoració, etc.
Es conjuga com *cantar*.

prostíbul prostíbuls *nom m* Bordell, establiment on treballen prostituts o prostitutes.

prostitut prostituta prostituts prostitutes *nom m* i *f* Persona que té relacions sexuals amb una altra persona a canvi de diners.

prostrar *v* **1** Treure les forces, l'energia a algú. **2** prostrar-se Agenollar-se, ajeure's de bocaterrosa en senyal d'adoració, de respecte, etc.
Es conjuga com *cantar*.

protagonista protagonistes *nom m* i *f* Personatge principal d'una obra, d'una pel·lícula, d'una aventura, etc.

protagonitzar *v* **1** Fer el paper de protagonista en una obra. **2** Tenir el paper més important en un afer.
Es conjuga com *cantar*.

protecció proteccions *nom f* **1** Acció de protegir, de defensar contra un perill: *Aquests boscos estan sota la protecció del govern.* **2** Cosa que protegeix, que defensa: *Aquesta barana tan alta és una bona protecció.*

protector protectora protectors pro-tectores *adj* i *nom m* i *f* Es diu d'una persona o d'una cosa que defensa, que protegeix.

protegir *v* Defensar contra un dany o perill.
Es conjuga com *servir*.

proteïna proteïnes *nom f* Nom de diferents substàncies que formen les cèl·lules i que són molt importants per al cos.

pròtesi pròtesis *nom f* Peça o aparell que es posa per substituir un òrgan humà que no funciona bé: *Aquest metge és especialista en pròtesis dentals.*

protesta protestes *nom f* Acció de protestar, paraules que es diuen per protestar: *Quan el professor va anunciar l'examen, hi va haver moltes protestes.*

protestant protestants **1** *adj* Que està relacionat amb una branca de la religió cristiana que no té el Papa de Roma com a màxima autoritat. **2** *nom m* i *f* Persona que practica la religió protestant.

protestar *v* Manifestar que no s'està d'acord amb alguna cosa o amb algú.
Es conjuga com *cantar*.

protó protons *nom m* Cadascuna de les partícules de càrrega elèctrica positiva que, juntament amb unes altres partícules anomenades neutrons, constitueixen el nucli d'un àtom.

protocol protocols *nom m* Conjunt de normes que cal seguir en actes molt solemnes, on intervenen autoritats i persones molt importants.

prototip prototips *nom m* **1** Primer model d'una màquina, d'un aparell, etc. que serveix de prova abans de començar a fabricar-ne molts. **2** Exemple, model, exemplar més perfecte d'una cosa: *En Robert és el prototip de l'esportista.*

prototipus uns prototipus *nom m* Prototip.

protuberància protuberàncies *nom f* Bony, elevació en una zona del cos humà o en una planta.

prou **1** *adv* Suficientment: *Ara ja sou prou grans i podeu anar sols pel carrer.* **2** *adj* Suficient: *No em posis més menjar al plat, ja en tinc prou.* **3** *interj* **Prou** de cridar!: ja basta, no més. **4** —*Vols que anem al cine?* —*Prou* sí, d'acord. **5** *Avui, a classe,* **amb prou feines** *érem quinze nens: els altres estaven malalts:* a penes, quasi no arribàvem a ser quinze nens.

prova proves *nom f* **1** Acció de provar una cosa per veure si funciona, si té problemes, etc.: *Farem una prova per veure si funciona el tren elèctric.* **2** Examen, exercicis que es fan per veure si una persona sap fer unes determinades coses: *La prova de geografia serà molt difícil.* **3** Demostració d'un fet, d'una cosa: *La mentida que acaba de dir és una prova de la seva culpabilitat.* **4** *Aquest material és fet* **a prova de** *bomba:* molt fort, capaç de resistir.

provable provables *adj* Que es pot provar, que es pot demostrar.

provar *v* **1** Veure com és, com funciona una cosa, fent-la servir: *Vols provar aquesta bicicleta?* **2** Intentar de fer una cosa: *Heu de provar de saltar una mica més alt.* **3** Demostrar la veritat d'una cosa donant raons, amb fets, testimonis, etc.: *L'advocat va provar que l'acusat era innocent.* **4** Anar bé una cosa a algú, fer-li profit: *Jugar a l'aire lliure em prova, em va bé per a la salut.*
Es conjuga com *cantar*.

P

provatura provatures *nom f* Prova, assaig per a veure si una cosa va bé o és possible.

proveïdor proveïdora proveïdors proveïdores *adj i nom m i f* Es diu de la persona, de l'empresa, etc. que s'encarrega de proporcionar a una altra persona o a una altra empresa les mercaderies o els productes que necessita.

proveïment proveïments *nom m* Acció o resultat de proveir d'una cosa: *Al congelador tenim un proveïment de carn per a tot l'hivern.*

proveir *v* Fer que algú tingui allò que li falta, procurar tenir allò que es necessita: *Vàrem proveir la classe de material: llapis, gomes, pintures, pinzells, etc.* Es conjuga com *reduir.*

provençal provençals **1** *nom m i f* Habitant de la Provença; persona natural o procedent de la Provença. **2** *adj* Es diu de les coses o de les persones naturals o procedents de la Provença. **3** *nom m* Dialecte de l'occità que es parla a la Provença.

provenir *v* Venir d'algun lloc, d'alguna causa: *Aquests sorolls que fa el cotxe provenen del motor.* Es conjuga com *mantenir.*

proverbi proverbis *nom m* Dita, refrany, frase popular que expressa de manera resumida i indirecta una norma que convé seguir: *Hi ha un proverbi que diu "a la vora del riu, no t'hi facis el niu", que vol dir que quan fem una cosa hem de pensar en les seves conseqüències, que hem de ser previsors.*

proveta provetes *nom f* Tub de vidre tancat per un extrem que serveix per a mesurar o per a recollir líquids i gasos.

proveta

providencial providencials *adj* Molt oportú: *Que en Tomàs passés amb cotxe per on érem nosaltres aquell dia que estàvem tan cansats, va ser providencial.*

província províncies *nom f* Cadascuna de les divisions fetes en un país o estat.

provincià provinciana provincians provincianes *adj i nom m i f* Es diu de les persones que no viuen a la capital d'un país, i també de la manera de ser que es considera pròpia d'aquestes persones: *Molta gent de la capital es pensa que els habitants de la resta del país són uns provincians, és a dir, persones que tenen uns gustos i uns costums no tan moderns com els seus.*

provinent provinents *adj* Que ve d'un lloc: *Ha arribat un tren provinent de París.*

provisió provisions *nom f* Conjunt de coses com ara menjar, roba, etc. que es procura tenir preparades per quan es necessitin: *Vam calcular malament i l'últim dia de viatge se'ns van acabar les provisions.*

provisional provisionals *adj* Que només ha de servir durant un temps, que no és definitiu: *Mentre arreglen el pont, travessem el riu per un pont provisional petit i fet de fusta.*

provisionalment *adv* De moment, per poc temps, d'una manera no definitiva: *Provisionalment, mentre no s'acabin les obres de l'institut, els alumnes fan classe en una escola.*

provocació provocacions *nom f* Acció de provocar, d'excitar algú, de portar-lo a fer una cosa que no s'ha de fer: *Els jugadors de l'equip contrari no van parar de fer signes de provocació al públic, rient, fent botifarra, etc.*

provocar *v* **1** Causar, produir una cosa: *El cafè em provoca insomni.* **2** Excitar, portar algú a fer alguna cosa que no s'ha de fer: *Ell em va provocar dient-me que era gandul i després jo també el vaig insultar.* Es conjuga com *cantar.* S'escriu *c* davant de *a, o, u* i *qu* davant de *e, i: provoco, provoques.*

provocatiu provocativa provocatius provocatives *adj* Es diu d'una persona o d'una cosa que provoca, que excita.

pròxim pròxima pròxims pròximes *adj* **1** Es diu de la cosa que és a prop d'una altra: *La casa més pròxima a la meva només té dos pisos.* **2** Següent, que ve a continuació: *Vindré la setmana pròxima.*

pròximament *adv* Aviat, d'aquí a poc temps: *Pròximament començaran les obres de restauració de l'església.*

proximitat proximitats *nom f* Qualitat de pròxim, d'estar a prop.

prudència prudències *nom f* Precaució, moderació davant la presència d'un perill o d'un risc, per tal d'evitar els danys: *Cal conduir amb prudència.*

prudencial prudencials *adj* Es diu d'una acció, d'un fet, etc. que es considera prudent, assenyat: *Esperarem un temps prudencial a començar les obres.*

prudent prudents *adj* Que fa una cosa amb atenció, vigilant molt, amb prudència: *En Marc és un esquiador molt prudent.*

pruïja pruïges *nom f* **1** Picor forta. **2** Moltes ganes de fer una cosa.

pruna prunes *nom f* Fruit comestible de la prunera, de forma rodona i amb un pinyol a dins i que, segons les classes, pot tenir la pell de color verd, groc, vermell o negre. **2**

prunera pruneres *nom f* Arbre fruiter que fa prunes.

pseudo- Prefix, element que s'afegeix al davant d'una paraula i que vol dir "fals".

pseudònim pseudònims *nom m* Nom fals que fa servir algú en comptes del seu nom de debò: *Pere Quart és el pseudònim de l'escriptor Joan Oliver.*

psico- psic- Element amb què comencen algunes paraules i que vol dir "ànima".

psicòleg psicòloga psicòlegs psicòlogues *nom m i f* Persona que es dedica a la psicologia, a l'estudi del comportament i de la manera de ser de les persones.

psicologia psicologies *nom f* Ciència que estudia el comportament i la manera de ser de les persones.

psicòpata psicòpates *nom m i f* Persona que pateix una malaltia mental, un trastorn de la personalitat, etc.

psiquiatre psiquiatra psiquiatres *nom m i f* Metge que està especialitzat en el tractament de les malalties mentals, dels trastorns de la personalitat, etc.

psiquiatria psiquiatries *nom f* Ciència que estudia i tracta les malalties mentals.

psíquic psíquica psíquics psíquiques *adj* Que està relacionat amb la ment.

pteranòdon pteranòdons *nom m* Tipus de dinosaure que tenia el cap molt llarg, punxegut i aixafat, la boca enorme, el cos petit i les ales grosses. **13**

pua pues *nom f* Cos prim i dur acabat en punta i enganxat generalment a un objecte com ara una pinta, un raspall, etc.

pub pubs *nom m* Bar més aviat petit i poc il·luminat, amb música, on serveixen begudes alcohòliques.

pubertat pubertats *nom f* Període de la vida durant el qual comencen a aparèixer les característiques sexuals pròpies d'una persona adulta.

pubilla pubilles *nom f* **1** Noia que rep l'herència de la família. **2** Noia, filla única o gran d'una casa. **3** Noia que és escollida com a personatge d'honor en una festa, en una celebració, etc.

pubis els pubis *nom m* **1** Cadascun dels dos ossos que hi ha a la part del davant de la pelvis. **2** Part inferior del ventre, part dels òrgans sexuals femenins.

públic pública públics públiques *adj* **1** Que té relació amb el conjunt de les persones, de la gent, que ho pot fer servir tothom: *Els lavabos del teatre són públics.* **2** Que depèn de l'estat: *Fan una conferència sobre la salut pública.* **3** *nom m* Conjunt de persones que assisteixen a un espectacle.

publicació publicacions *nom f* **1** Acció de publicar: *La publicació de llibres és bona per a la cultura d'un país.* **2** Obra publicada, com ara una revista, un llibre, etc.

públicament *adv* De manera pública, a tota la gent: *Demà anunciaran públicament la data del casament de la princesa.*

publicar *v* **1** Editar, posar a la venda un llibre nou: *Aquesta editorial publica molts llibres a l'any.* **2** Anunciar públicament una cosa. Es conjuga com *cantar.* S'escriu c davant de *a, o, u* i qu davant de *e, i: publico, publiques.*

publicitari publicitària publicitaris publicitàries *adj* Que està relacionat amb la publicitat: *Una campanya publicitària.*

publicitat publicitats *nom f* Fet de donar a conèixer una cosa a la gent a través de cartells, de la premsa, de la ràdio, de la televisió, etc. per tal d'informar-la, convèncer-la que compri un determinat producte, etc.

puça puces *nom f* Petit insecte saltador que viu de xuclar sang dels gats, dels gossos i d'altres animals.

p

pudent pudents *adj* Que fa pudor, que fa mala olor.

púdic púdica púdics púdiques *adj* Es diu de la persona que té pudor, vergonya, respecte per les coses.

púding púdings *nom m* Pastís d'origen anglès que es prepara dins un motlle, i que es pot fer amb ingredients dolços o salats.

pudir *v* Fer pudor: *Aquest abocador d'escombraries put molt.*
Es conjuga com *dormir*. Present d'indicatiu: *pudo, puts, put, pudim, pudiu, puden.*

pudor[1] pudors *nom f* Mala olor: *Aquesta roba bruta fa pudor de suor.*

pudor[2] pudors *nom m* Timidesa, vergonya davant d'alguna cosa que resulta desagradable.

puericultura puericultures *nom f* Part de la medicina que s'ocupa del desenvolupament físic i psíquic dels infants.

pueril puerils *adj* Que és propi d'un infant.

puf[1] Onomatopeia, paraula que imita el soroll que fa una cosa tova quan topa amb una altra.

puf[2] pufs *nom m* Espècie de coixí alt i rodó, folrat de pell, de cuir, etc. que es posa a terra per a seure-hi.

puf

púgil púgils *nom m i f* Persona que practica l'esport de la boxa, boxejador.

pugna pugnes *nom f* Batalla, combat.

pugnar *v* Lluitar, esforçar-se molt per aconseguir una cosa: *Aquelles dues atletes pugnen pel primer lloc de la classificació.*
Es conjuga com *cantar*.

pugó pugons *nom m* Nom de diversos insectes molt petits que viuen a sota les fulles i als troncs de les plantes a les quals perjudiquen molt.

puig puigs *nom m* Muntanya de forma més aviat punxeguda i que té un pendent més aviat fort.

puix *conj* Com que, ja que: *Puix que fa fred, encendrem l'estufa.*

puixança puixances *nom f* Prosperitat, esplendor.

puixant puixants *adj* Que destaca pel poder, força, riquesa, creixement, etc.: *És un país petit, però amb una indústria puixant.*

puja puges *nom f* **1** Acció de pujar a un nivell més alt: *Ahir la febre va fer la puja, però avui ja es troba millor.* **2** Augment del valor o del preu d'una cosa: *Aquest any els lloguers dels pisos han fet una puja molt forta.*

pujada pujades *nom f* **1** Acció de pujar. **2** Tros de camí o de terreny que es puja, que es fa de baix a dalt: *Aquesta muntanya fa molta pujada.*

pujador pujadors *nom m* Cosa qualsevol que serveix per a pujar a una altra com ara una escala, una rampa, un pedrís, un estrep, etc.

pujança pujances *nom f* Crescuda que fa una planta, un arbre, una criatura.

pujar *v* **1** Anar de baix a dalt, portar algú o alguna cosa de baix a dalt: *Pujarem en aquella muntanya.* ■ *Hem de pujar aquestes cadires al pis de dalt.* **2** *El vi li va pujar al cap:* produir efecte. **3** *pujar la mosca al nas* Enfadar-se, molestar-se: *Si continuen rient, em pujarà la mosca al nas.* **4** *poder pujar-hi de peus* Poder confiar, poder estar segur d'una cosa: *El que et dic és veritat: pots pujar-hi de peus.* **5** Fer créixer: *L'obligació dels pares és pujar els fills.*
Es conjuga com *cantar*. S'escriu *j* davant de *a, o, u* i *g* davant de *e, i: pujo, puges.*

pujol pujols *nom m* Puig petit, muntanya petita.

pulcre pulcra pulcres *adj* Molt net, molt polit.

pulcritud pulcrituds *nom f* Netedat, polidesa: *La Maria fa els treballs amb molta pulcritud.*

pul·lular *v* Ser molts en un lloc, multiplicar-se: *Els dissabtes la gent pul·lula pel mercat.*
Es conjuga com *cantar*.

pulmó pulmons *nom m* Òrgan de les persones, dels mamífers, dels ocells, dels rèptils i de la majoria d'amfibis que s'ocupa de la respiració. **20**

pulmonar pulmonars *adj* Que té relació amb els pulmons o amb l'aparell respiratori.

pulmonia pulmonies *nom f* Malaltia causada per un bacteri o un virus que provoca la inflamació dels pulmons.

púlpit púlpits *nom m* Lloc enlairat des d'on es predica a les esglésies, trona.

pulsació pulsacions *nom f* **1** Cadascun dels batecs del cor i de les artèries. **2** Cadascun dels tocs que es fan amb els dits quan es toquen les cordes o les tecles d'un instrument musical o les tecles d'una màquina.

pum Onomatopeia, paraula que imita el soroll d'una explosió o d'un cop fort.

puma pumes *nom m* Mamífer de la família dels felins, gros, de pèl curt, espès i brillant, que caça de nit i viu a les muntanyes d'Amèrica.

puma

punir *v* Imposar una pena o un càstig a algú perquè pagui el que ha fet.
Es conjuga com *servir*.

punt punts *nom m* **1** Senyal molt petit a la superfície d'una cosa: *Amb la punta del llapis va fer tot de punts negres al paper.* **2** Tros de fil que queda a la roba, a la pell, etc. quan es cus: *Vaig caure, em vaig fer un tall a la cama i m'hi van haver de donar dos punts.* **3** Conjunt de fils teixits: *La Mercè porta un vestit de punt.* **4** Signe de puntuació (.) que indica una pausa llarga. **5 dos punts** Signe de puntuació (:) que es posa a davant d'una explicació o d'una enumeració. **6 punt i coma** Signe de puntuació (;) que marca una pausa més llarga que la coma i més curta que el punt. **7 punts suspensius** Signe de puntuació (...) que es posa al final d'una frase incompleta o tallada. **8 posar els punts sobre les is** Dir clarament les coses. **9** Lloc: *Situats en aquell punt, els dos amics es van separar.* **10** *Tot és a punt* per començar: preparat, disposat per poder fer una cosa. **11** *T'ho diré tan bon punt* ho sàpiga: en el moment que, immediatament després. **12** Puntuació que es treu com a resultat d'una prova, joc, etc.: *Vam guanyar el partit de bàsquet per 7 punts.* **13** *Arribarà a les set en punt*: just quan

siguin les set. **14** Part més petita d'una figura geomètrica: *Dues línies rectes que només es toquen per un punt formen un angle.* **15 punt de vista** Manera de pensar d'una persona. **16** *Aquest arròs té un punt de salat*: és una mica salat. **17 punt cardinal** Qualsevol dels quatre punts que divideixen l'horitzó: nord, sud, est i oest. **18 punt volat** Punt que es posa entre les dues eles de la ela geminada (l·l). **19** Senyal que es posa entre els fulls d'un llibre per saber en quina pàgina s'ha de continuar la lectura: *Faré servir aquest cromo com a punt del llibre que estic llegint.*

punta puntes *nom f* **1** Part extrema i aguda d'una cosa: *Aquest llapis no té punta.* ■ *Va tocar-me amb la punta dels dits.* **2** Teixit de malla que es posa a la roba per fer bonic: *M'han regalat un mocador amb una punta.* **3 punta al coixí** Punta que es fa amb un coixí cilíndric on es posa el patró i on es van clavant unes agulles entremig de les quals es fan passar els boixets. **4 punta de cigarret** Allò que queda d'un cigarret després de fumar-lo. **5** *Aquells dos estan de punta*: estar renyit. **6 hora punta** Hora en què hi ha molt trànsit pels carrers, com quan la gent va a la feina, va de vacances, etc. **7 a punta de dia** Quan es comença a fer clar.

puntada puntades *nom f* **1** Cop donat amb la punta d'una cosa, especialment del peu: *En David es va barallar amb la Montse i li va donar una puntada de peu.* **2** Cadascun dels forats que es fan a la roba quan es cus amb una agulla.

puntaire puntaires *nom m i f* Persona que fa puntes al coixí.

puntaire

puntal puntals *nom m* Qualsevol cosa que serveix per a aguantar-ne una altra, per a impedir que caigui, etc.

puntejar *v* **1** Fer punts en una superfície com ara roba, paper, etc. **2** Tocar les cordes de la guitarra amb la punta dels dits. **3** Marcar el

ritme d'una dansa amb el moviment dels peus: *En Marià punteja una sardana.*
Es conjuga com *cantar.* S'escriu *j* davant de *a, o, u* i *g* davant de *e, i: puntejo, punteges.*

punter puntera punters punteres *adj* Que acaba en punta, que està situat en una punta, a l'extrem d'una cosa: *El meu germà fa de juga-dor punter a l'equip de futbol de l'escola.*

puntera punteres *nom f* Part de la sabata, del mitjó, etc. que cobreix la punta del peu.

punteria punteries *nom f* Capacitat d'en-certar l'objectiu amb una arma: *La Teresa té bona punteria disparant l'escopeta: ha guanyat una nina a la fira.*

puntetes Paraula que apareix en l'expressió **de puntetes,** que vol dir "tocant a terra només amb les puntes dels peus": *Per no fer soroll, caminava de puntetes.* ▪ *Per arribar al prestatge de dalt, em vaig haver de posar de puntetes.*

de puntetes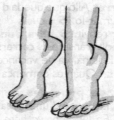

puntuació puntuacions *nom f* **1** Nombre de punts aconseguits en una prova: *A l'examen, vaig treure una puntuació molt alta.* **2 signe de puntuació** Signe ortogràfic que serveix per a marcar l'entonació, les pauses, etc. en una frase: *El punt (.), la coma (,), l'interrogant (?), l'admiració (!), etc. són signes de puntuació.*

puntual puntuals *adj* Que arriba a un lloc a temps, que no fa tard.

puntualitat puntualitats *nom f* Qualitat de puntual.

puntualitzar *v* Concretar, precisar les parts d'una cosa, les circumstàncies d'un fet, etc.: *El professor va puntualitzar que si havia arribat tard a classe era perquè havia hagut d'anar a l'hospital.*
Es conjuga com *cantar.*

puntualment *adv* Amb puntualitat: *La reunió va començar puntualment a l'hora prevista.*

puntuar *v* **1** Posar punts, comes i altres signes de puntuació en un text escrit. **2** posar nota a un examen o treball. **3** Obtenir punts en una competició.
Es conjuga com *canviar.*

punxa punxes *nom f* Punta aguda d'una cosa capaç de foradar: *El roser és una planta que fa punxes.* ▪ *És perillós agafar el ganivet per la punxa.*

punxada punxades *nom f* **1** Ferida feta amb una punxa o amb un instrument punxegut: *Em vaig fer una punxada al dit amb una agu-lla.* **2** Dolor fort, però de poca durada: *Tinc punxades de mal de ventre.*

punxar *v* Travessar alguna cosa amb un ob-jecte acabat en punxa o amb alguna cosa que té punxes: *Em vaig punxar el dit amb l'agulla mentre cosia.* ▪ *Els nens punxaven un dibuix i l'enganxaven en un mural.*
Es conjuga com *cantar.*

punxegut punxeguda punxeguts pun-xegudes *adj* Que acaba en punxa: *Els punyals i les espases són punxeguts.*

punxó punxons *nom m* Instrument que té una barra prima de ferro acabada en punta i que serveix per a fer forats: *A l'escola els nens petits fan servir el punxó per a foradar el paper.*

puny punys *nom m* **1** Part del braç, entre l'avantbraç i la mà, canell. **2** Part de la mà-niga d'un vestit que cobreix el puny: *Se m'ha trencat el botó del puny de la camisa.* **3 cop de puny** Cop donat amb la mà tancada.

puny

punyada punyades *nom f* Cop de puny.

punyal punyals *nom m* Arma més curta que l'espasa, que consisteix en una fulla d'acer que talla per totes dues bandes i que acaba en punta.

punyalada punyalades *nom f* Ferida feta amb un punyal.

punyent punyents *adj* Que punxa, que fa mal, que entra molt endins: *Feia un fred punyent i la gent passava arraulida pels carrers.*

punyeta punyetes *nom f* **1** Qualsevol cosa que molesta o que no serveix de res: *Anar amb un cotxe tan vell és una punyeta: sempre s'espatlla!* **2 fer la punyeta** Molestar. **3** *La cassola va relliscar i l'arròs se'n va* ***anar a fer punyetes****: fer-se malbé, espatllar-se una cosa.* **4** *No m'empipis més,* ***vés a fer punyetes!*** Expressió que es fa servir per a treure's del davant algú que ens molesta.

punyeter punyetera punyeters punyeteres *adj* **1** Que molesta, que empipa, que emprenya, etc.: *El mal de queixal és molt punyeter.* **2** Es diu d'una persona múrria, que té habilitat per a aconseguir tot el que vol.

punyeteria punyeteries *nom f* Habilitat per a aconseguir tot el que es vol.

punyida punyides *nom f* Punxada, dolor viu, intens, però de poca durada.

punyir *v* Punxar, produir un sentiment dolorós.
Es conjuga com *dormir*.

pupa pupes *nom f* Paraula que fan servir els infants per dir "mal".

pupil pupil·la pupils pupil·les *nom m* i *f* Persona òrfena i menor d'edat que està sota la protecció d'una persona adulta anomenada "tutor".

pupil·la pupil·les *nom f* Part del centre de l'ull, nineta de l'ull. **15**

pupil·la

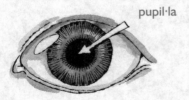

pupil·latge pupil·latges *nom m* Servei que consisteix a guardar i tenir cura d'un vehicle durant un espai més o menys llarg de temps.

pupitre pupitres *nom m* Taula especial amb un calaix que s'obre per dalt amb una tapa inclinada i que serveix per a escriure-hi al damunt.

puput puputs *nom f* o *m* Ocell de bec llarg, cos de color de terra, ales i cua amb ratlles blanques i negres i que té unes plomes al cap en forma de ventall.

pur pura purs pures *adj* **1** Sense elements estranys ni brutícia; net i perfecte: *Dalt de la muntanya es respirava un aire molt pur.* **2** En estat natural, sense afegir-hi res: *Per fregir sempre faig servir oli d'oliva pur.*

purament *adv* Simplement, senzillament, només: *El meu avi pinta quadres purament com a distracció.*

puré purés *nom m* Menjar fet amb hortalisses triturades i, de vegades, carn, ous, mantega, etc.: *Per dinar hem menjat puré de patates.*

puresa pureses *nom f* Qualitat de pur, manca total de brutícia, de defectes, de coses dolentes, etc.: *Aquí dalt l'aire que es respira és d'una gran puresa.*

purga purgues *nom f* Medicament que ajuda a fer anar de ventre i a buidar els budells de la brutícia acumulada i que serveix per a netejar-los.

purgant purgants *adj* i *nom m* Producte o medicament que purga, que fa anar de ventre.

purgar *v* **1** Treure la brutícia, els defectes, etc. d'una cosa. **2** Donar una purga a algú per fer-lo anar de ventre. **3** Patir una pena o un càstig per a reparar el mal que s'ha fet.
Es conjuga com *cantar*. S'escriu *g* davant de *a, o, u* i *gu* davant de *e, i: purgo, purgues*.

purgatori purgatoris *nom m* Lloc on van, segons algunes religions, les ànimes que no poden entrar directament al cel perquè abans han de passar un temps de purificació.

purificació purificacions *nom f* Acció de purificar, de treure les impureses, les brutícies, etc. d'una cosa.

purificar *v* Treure les impureses, les brutícies, etc.; fer pura i perfecta una cosa.
Es conjuga com *cantar*. S'escriu *c* davant de *a, o, u* i *qu* davant de *e, i: purifico, purifiques*.

purità puritana puritans puritanes *adj* i *nom m* i *f* Es diu de les persones que són molt estrictes en el terreny moral, en els costums, en els valors, etc.

puro puros *nom m* Cigar.

púrpura púrpures *nom f* Porpra.

púrria púrries *nom f* Gent dolenta.

purulent purulenta purulents purulentes *adj* Que té pus.

P

pus els **pus** *nom m* Líquid blanc i espès que surt d'una ferida infectada, d'un gra, etc.

pusil·lànime pusil·lànimes *adj* Es diu de la persona feble, tímida, que té molt poca empenta, que té por de tot.

puta putes **1** *nom f* Dona prostituta. **2** *adj* i *nom m* i *f* Murri.

putada putades *nom f* Acció que una persona fa per fer mal a una altra, per perjudicar-la, etc.: *Uns nens de l'altra classe han dit al professor que en Ramon havia trencat el vidre i no és veritat: això és una putada!*

putrefacte putrefacta putrefactes *adj* Que està podrit o que s'està podrint.

putxinel·li putxinel·lis *nom m* Titella, ninot que es fa bellugar amb la mà: *Avui hem anat a veure putxinel·lis: feien el conte de la Caputxeta Vermella.*

putxinel·li

puzle puzles *nom m* Trencaclosques.

Q q lletra cu

quadern quaderns *nom m* Conjunt de fulls de paper que formen com un llibret prim: *En aquest quadern, hi tinc escrites les adreces.*

quadra quadres *nom f* Estable, lloc on dormen els cavalls o els muls.

quadrangular quadrangulars *adj* Que té quatre angles.

quadrar *v* 1 Donar forma quadrada a una cosa. 2 Ajustar-se, avenir-se una cosa amb una altra: *Això que dius ara no quadra amb el que has dit abans.* 3 *Els soldats van quadrar-se davant el capità:* es van parar i van quedar-se quiets davant d'ell. 4 *Si els nens continuen portant-se tan malament, m'hauré de quadrar:* hauré de dir-los que ja n'hi ha prou. Es conjuga com *cantar.*

quadrat[1] quadrada quadrats quadrades *adj* 1 Que té forma de quadrat: *La taula del menjador de casa és quadrada.* 2 **metre quadrat** Unitat de mesura de superfície que és igual a un quadrat que té els costats d'un metre.

quadrat[2] quadrats *nom m* Figura geomètrica que té quatre costats iguals i quatre angles rectes.

quadre quadres *nom m* 1 Pintura o dibuix emmarcat que es penja a la paret: *A les parets de la casa hi havia molts quadres.* 2 Figura, objecte, dibuix, etc. de forma quadrada o rectangular: *La Rosa porta una faldilla de quadres.* 3 Text resumit en forma d'esquema, amb fletxes, claus, caselles, etc.: *Al final de cada lliçó hi ha un quadre que ajuda a recordar el que s'ha explicat.* 4 **quadre de comandament** Conjunt de llums, botons, etc. que té al davant el pilot d'un avió, el conductor d'un cotxe, etc. i que li serveixen per a controlar el funcionament del vehicle. 5 Conjunt de barres o tubs metàl·lics soldats que serveix de suport als altres elements d'una bicicleta o d'una moto.

quadrícula quadrícules *nom f* Conjunt de quadrats petits en un paper, cartó, etc.

quadriculat quadriculada quadriculats quadriculades *adj* Es diu del paper, cartó, etc. que té línies dibuixades que formen quadrets petits.

quadriga quadrigues *nom f* Carro tirat per quatre cavalls col·locats l'un al costat de l'altre.

quadriga

quadrilàter quadrilàtera quadrilàters quadrilàteres 1 *adj* Que té quatre costats. 2 *nom m* Polígon de quatre costats.

quadrilla quadrilles *nom f* Colla, grup de gent que fa coses conjuntament.

quadrimestre quadrimestres *nom m* Espai de temps que dura quatre mesos.

quadro quadros *nom m* Mira **quadre**.

quadrúpede quadrúpeda quadrúpedes *adj* Es diu de l'animal que té quatre potes.

quàdruple[1] quàdrupla quàdruples *adj i nom m* Que és quatre vegades més gran: *El quàdruple de 4 és 16.*

quàdruple[2] quàdruples *adj* Format per quatre: *Vam anar a una quàdruple exposició on participaven quatre artistes molt bons.*

qual quals *pron* Pronom que es troba al començament d'una frase que complementa el nom que substitueix: *Si diem "aquest és l'autocar amb el qual vam anar d'excursió", el pronom "qual" substitueix "autocar" i es troba al començament de la frase "amb el qual vam anar d'excursió", que fa de complement del nom "autocar".*

qualcú *pron* Algú.

qualcun qualcuna qualcuns qualcunes *adj* Algun, alguna, alguns, algunes.

qualificació qualificacions *nom f* 1 Acció de qualificar. 2 Nota que es posa per valorar un treball, un examen, etc.

qualificar *v* 1 Donar a algú un nom, una característica: *El director va qualificar de ximples les noies que havien trencat el vidre.* 2 Posar nota a un examen, a un treball escolar, etc. 3 **qualificar-se** Poder participar en la final d'un campionat pel fet d'haver guanyat els partits eliminatoris. Es conjuga com *cantar.* S'escriu *c* davant de *a, o, u* i *qu* davant de *e, i: qualifico, qualifiques.*

q

qualificat qualificada qualificats qualifica- des *adj* Es diu de la persona que és apta per a fer una cosa, que té qualitats, mèrits, etc.

qualificatiu qualificativa qualificatius qualificatives *adj* **1** Que qualifica. **2** Es diu dels adjectius que expressen una qualitat: *"Petit" i "gros" són adjectius qualificatius.*

qualitat qualitats *nom f* **1** Valor bo o dolent d'alguna cosa: *Aquestes pomes són de bona qualitat.* **2** Característica que té algú o alguna cosa: *En Joan té una qualitat molt positiva: la simpatia.*

quall qualls *nom m* **1** Part de l'estómac dels remugants. **2** Part coagulada de la llet.

quallar-se *v* Coagular-se, tornar-se sòlida o pastosa una part d'un líquid: *Per fer mató, s'ha de quallar la llet.*
Es conjuga com *cantar.*

qualque qualques *adj* Algun.

qualsevol qualssevol *adj* Una persona o una cosa d'entre unes quantes, sense importar quina sigui: *Agafa qualsevol jersei i posa-te'l.*

qualsevulla qualssevulla *adj* Qualsevol.

quan **1** *adv* En quin moment, dia, època, etc.: *Quan comença la pel·lícula?* **2** *conj* En el moment que: *Sortirem quan haurem sopat.*

quant[1] **1** *adv* En quina mesura: *Quant que has treballat, avui!* **2** **quant a** Pel que fa a, pel que es refereix a: *Quant a la forma de pagament, serà decidida més endavant.*

quant[2] quanta quants quantes *adj* i *pron* **1** Quina quantitat: *Quants anys tens? Quant val això?* **2** Algun, un cert nombre: *D'aquí a uns quants dies, anirem d'excursió.*

quantitat quantitats *nom f* **1** Nombre que expressa la mesura, el pes, etc. d'una cosa: *A casa comprem una quantitat mensual de vint quilos de patates.* **2** Part més o menys gran d'una cosa: *Al cine hi havia una gran quantitat de persones.* **3** Suma més o menys important de diners: *Vam haver de pagar una petita quantitat per entrar.*

quantitatiu quantitativa quantitatius quantitatives *adj* **1** Que té relació amb la quantitat d'una cosa. **2** Es diu de les paraules que expressen quantitat: *"Molt", "força" i "bastant" són adjectius o adverbis quantitatius.*

quaranta quarantes *nom m* i *adj* Paraula que expressa la quantitat representada per la xifra 40.

quaresma quaresmes *nom f* Període de temps que dura quaranta dies i que és com una preparació per a la festa de Pasqua.

quars els quars *nom m* Mineral transparent o translúcid, generalment incolor o blanc, molt abundant a la superfície terrestre.

quart quarta quarts quartes *adj* **1** Que fa quatre en una sèrie, que en té tres a davant: *En Jordi i la Roser fan quart curs de piano.* **2** Es diu de cadascuna de les parts d'una cosa dividida en quatre parts iguals: *Aquests dies hi ha molts nens malalts: a la nostra classe només som la quarta part.* **3** *nom m* Cadascuna de les quatre parts en què es divideix una hora i que té quinze minuts: *Avui m'he llevat a un quart de nou, és a dir, a les 8'15 h.* **4** Ens trobarem a **quarts de** quatre al bar de la cantonada: entre un quart i tres quarts de quatre. **5** **quart minvant** Fase de la Lluna en què es veu il·luminada la part esquerra. **6** **quart creixent** Fase de la Lluna en què es veu il·luminada la meitat dreta.

quarter quarters *nom m* **1** Cadascuna de les quatre parts més o menys iguals en què es divideix una cosa: *Per dinar s'ha menjat un quarter de pollastre.* **2** Caserna, edifici on hi ha soldats.

quartera quarteres *nom f* Mesura de capacitat per a grans i també mesura de superfície per a terres.

quartet quartets *nom m* Grup de músics que interpreten una peça per a quatre instruments.

quartet

quartilla quartilles *nom f* Full de paper d'escriure que és la meitat d'un foli.

quartos *nom m pl* Diners.

quasi *adv* No ben bé, gairebé: *Quasi he acabat el dibuix, em falta molt poc.*

quatre quatres *nom m i adj* **1** Paraula que expressa la quantitat representada per la xifra 4. **2** Quantitat petita: *Tinc més gana: posa'm quatre patates més.* **3** *La nena va caminar de quatre grapes* molt aviat: caminar posant els peus i les mans a terra. **4** *Em sembla que a la reunió serem quatre gats:* molt poca gent, quantitat molt petita de persones.

que[1] *pron* **1** Pronom que es troba al començament d'una frase que complementa el nom que substitueix: *Si diem "aquest és el llibre que em van regalar", el pronom "que" substitueix "el llibre" i es troba al començament de la frase "que em van regalar" que fa de complement del nom "llibre".* **2** *El que has de fer és marxar:* allò que has de fer és marxar.

que[2] *conj* **1** Paraula que serveix per a relacionar dues frases: *M'agrada que hagis vingut.* ▪ *Obre la porta, que entri l'aire.* **2** Paraula que serveix per a introduir una frase amb què fem una pregunta, expressem un desig, etc.: *Que has vist la Maria?* ▪ *Que facin el que vulguin.*

que[3] *adv i adj* Paraula que indica quantitat, admiració, sorpresa: *Que bonic!* ▪ *Que gent que hi ha al teatre!*

què *pron* **1** Quina cosa: *Què voldràs per berenar?* ▪ *Què has fet a l'escola?* **2** Pronom que va precedit d'una preposició i que es troba al començament d'una frase que complementa el nom que substitueix: *Si diem "el tornavís amb què vas collar els cargols era el meu", el pronom "què" substitueix "el tornavís" i es troba al començament de la frase "amb què vas collar els cargols", que fa de complement del nom "tornavís".*

quebequès quebequesa quebequesos quebequeses **1** *nom m i f* Habitant del Quebec, país del Canadà; persona natural o procedent del Quebec. **2** *adj* Es diu de les persones o de les coses naturals o procedents del Quebec.

quec queca quecs queques *adj i nom m i f* Es diu de la persona que s'entrebanca parlant, que no li surten les paraules seguides, que repeteix síl·labes, tartamut.

queda quedes *nom f* **1** Toc de campana que indica que és hora d'anar a sopar i a dormir. **2** toc de queda En una situació de guerra o de perill, avís que es fa a una hora determinada per prohibir a la població de circular pels carrers.

quedar *v* **1** No moure's d'un lloc: *Nosaltres ens quedarem aquí.* **2** Fer-se seva algú una cosa, apoderar-se'n: *La Mercè s'ha quedat el meu llapis.* **3** Continuar tenint part d'una cosa quan se n'ha separat una altra part, restar: *He gastat tres euros dels deu que tenia; ara me'n queden set.* **4** Trobar-se, estar situat: *L'escola queda a la dreta de l'edifici de l'ajuntament.* **5** Decidir una cosa entre diverses persones, posar-se d'acord sobre una cosa: *Hem quedat de trobar-nos a les cinc.* **6** Estar d'una manera determinada a conseqüència d'un fet: *Li van regalar un bolígraf i va quedar molt content.* Es conjuga com *cantar.*

quefer quefers *nom m* Ocupació, cosa que demana temps, atenció, esforç.

queix queixos *nom m* Mandíbula, maxil·lar inferior.

queixa queixes *nom f* **1** Crit, exclamació de dolor: *Vam sentir les queixes de l'Anna, que havia caigut i s'havia fet mal.* **2** Protesta, exclamació: *L'ajuntament ha rebut moltes queixes dels veïns perquè al barri no hi ha gaire llum.*

queixal queixals *nom m* **1** Cadascuna de les dents grosses situades al fons de la boca que serveixen per a triturar l'aliment, dent molar: *En Pere ahir va anar a cal dentista perquè tenia mal de queixal.* **2** queixal del seny Tercera dent molar de cada costat que surt quan una persona ja és gran. **3** treure foc pels queixals Estar molt enfadat: *En Jep treia foc pels queixals perquè uns nens li havien pres la bicicleta.*

queixalada queixalades *nom f* **1** Mossegada. **2** Tros d'una cosa que se separa amb les dents: *Si fas aquestes queixalades tan grosses, t'acabaràs la poma en un moment.* **3** D'aquí a un quart comença la pel·lícula; no tenim temps de dinar, només de *fer una queixalada:* menjar poc i de pressa.

queixalar *v* Mossegar. Es conjuga com *cantar.*

queixar-se *v* **1** Cridar de dolor: *L'Anna es queixava molt del mal que li feien les cames.* **2** Protestar: *Els veïns es van queixar a l'ajuntament perquè al barri hi havia poca llum.* Es conjuga com *cantar.*

q

queixós queixosa queixosos queixoses *adj* Descontent, que es queixa: *Els veïns estan queixosos de l'ajuntament perquè no asfalta els carrers del barri.*

quelcom *pron* Alguna cosa: *A l'Agnès, li passa quelcom que no sap explicar.*

quequejar *v* Parlar quec, tartamudejar. Es conjuga com *cantar.* S'escriu *j* davant de *a, o, u* i *g* davant de *e, i: quequejo, quequeges.*

querella querelles *nom f* Discussió, discòrdia entre dues o més persones.

qüestió qüestions *nom f* **1** Punt a discutir, a tractar: *Tenim una qüestió molt important a resoldre en la propera reunió.* **2** Pregunta. **3** *El terreny* **en qüestió** *és estèril, no dóna fruit:* expressió que indica la persona o cosa de què es tracta. **4** Baralla, discussió: *Aquells dos veïns van tenir una qüestió ja fa temps i ara no es parlen.* **5** *La professora va* **posar en qüestió** *les meves afirmacions:* posar en dubte allò que algú diu.

qüestionar *v* Discutir, plantejar dubtes sobre un tema, una opinió, etc. Es conjuga com *cantar.*

qüestionari qüestionaris *nom m* **1** Conjunt de preguntes sobre un o més temes en un examen, prova, enquesta, etc. **2** Full que conté moltes preguntes sobre un o més temes.

quetxup quetxups *nom m* Salsa feta amb tomàquet i altres ingredients, com vinagre, sal, suc de llimona i sucre.

queviures *nom m pl* Coses de menjar: *La meva germana despatxa en una botiga de queviures.*

queviures

qui *pron* **1** Quina persona o quines persones: *Qui vindrà aquesta tarda?* **2** Pronom que substitueix un nom referit a persona, que va precedit d'una preposició i es troba al començament d'una frase que complementa aquest nom: *Si diem "ha vingut el noi de qui et parlava", el pronom "qui" substitueix "el noi" i* es troba al començament de la frase *"de qui et parlava", que fa de complement de "noi".*

quid quids *nom m* Punt essencial d'una qüestió: *Perquè et surti bé el pastís, el quid està en la temperatura del forn.*

quiet quieta quiets quietes *adj* **1** Sense moure's: *Estigues quiet!* **2** Tranquil, pacífic, calmat: *La Marta és una noia molt quieta: li agrada de seure i llegir.* ▪ *Com que el mar estava molt quiet, les barques van sortir a pescar.*

quietud quietuds *nom f* Silenci, calma, falta de moviment.

quilla quilles *nom f* Peça que hi ha a sota de tot d'un vaixell i que va de proa a popa, és a dir, de davant a darrere.

quillar-se *v* Arreglar-se, empolainar-se per fer goig. Es conjuga com *cantar.*

quilo quilos *nom m* Unitat de mesura de pes equivalent a 1.000 grams, quilogram: *He anat al mercat i he comprat deu quilos de taronges.*

quilo- Element amb què comencen algunes paraules i que vol dir "mil": *Un quilogram de pèsols vol dir 1.000 grams de pèsols.*

quilogram quilograms *nom m* Unitat de mesura de pes equivalent a 1.000 grams, quilo.

quilòmetre quilòmetres *nom m* Unitat de mesura de longitud equivalent a 1.000 metres: *De Ripoll a Barcelona hi ha uns cent quilòmetres.*

quilowatt quilowatts *nom m* Unitat de mesura de la potència del corrent elèctric equivalent a 1.000 watts.

quimera quimeres *nom f* **1** Imaginació, cosa no real: *Això que expliques és una quimera, ho deus haver somiat.* **2** Antipatia per una persona: *A aquella nena dels cabells llargs, li tinc quimera.*

químic química químics químiques **1** *adj* Que té relació amb la ciència que estudia les substàncies, les seves característiques i les seves combinacions: *Les anàlisis químiques d'aigua ens en donen la composició.* **2** *nom m i f* Persona que es dedica a la ciència que estudia les substàncies, les seves característiques i les seves combinacions. **3 química** *nom f* Ciència que estudia les substàncies, les seves característiques i les seves combinacions.

quimono quimonos *nom m* Túnica llarga, amb mànigues molt amples, creuada per davant i cenyida amb una faixa, que és típica del Japó.

quin quina quins quines *adj* **1** Paraula que serveix per a preguntar sobre una persona o una cosa que es troba dins un grup: *Quin d'aquests nens és el teu amic?* ■ *A quin carrer vius?* **2** Paraula que indica admiració, sorpresa, etc.: *Quina flor més maca!* ■ *Quina sort que has tingut!*

quincalla quincalles *nom f* Objectes de metall, joies de poc valor: *Aquestes arracades semblen d'or, però són de quincalla, no valen res.*

quiniela quinieles *nom f* Travessa 2.

quinqué quinqués *nom m* Llum que consisteix en un ble submergit en un recipient ple de petroli i que es tapa amb un vidre llarg, cilíndric i foradat del capdamunt, que serveix perquè passi l'aire i la flama es mantingui encesa.

quinqué

quinquenni quinquennis *nom m* Període de temps que dura cinc anys.

quint quinta quints quintes *adj* Cinquè.

quintà quintans *nom m* Camp o prat de pastura que es troba al costat d'una masia.

quintar quintars *nom m* Unitat de mesura de pes equivalent a 100 quilos.

quintet quintets *nom m* **1** Composició musical per a cinc veus o cinc instruments. **2** Conjunt de cinc músics.

quinto quintos *nom m* Jove que s'ha d'incorporar al servei militar obligatori.

quinze quinzes *nom m i adj* **1** Paraula que expressa la quantitat representada per la xifra 15. **2** *Sempre arriben a tres quarts de quinze:* molt tard, fora de temps. **3** *D'avui en quinze comencen les vacances:* d'aquí a dues setmanes.

quiosc quioscs o quioscos *nom m* Parada que hi ha al carrer on es venen diaris, revistes, etc.: *Cada dia el meu pare compra el diari al quiosc de la cantonada.*

quiquiriquic Onomatopeia, paraula que imita el cant del gall.

quirat quirats *nom m* Unitat de mesura que fan servir els joiers per a valorar l'or, les perles i les pedres precioses.

quiròfan quiròfans *nom m* Sala on es fan les operacions en un hospital.

quiromància quiromàncies *nom f* Acció d'endevinar el futur de les persones observant les ratlles de la mà.

quirúrgic quirúrgica quirúrgics quirúrgiques *adj* Que està relacionat amb la cirurgia, amb la part de la medicina que tracta les malalties per mitjà de les operacions: *Li van fer una intervenció quirúrgica per solucionar-li un problema de la vista.*

qui-sap-lo *adv* En gran quantitat, molt: *Van fer molta broma i van riure qui-sap-lo.*

quisca quisques *nom f* Brutícia.

quisso quissa quissos quisses *nom m i f* Gos petit.

quist quists o quistos *nom m* Bossa petita plena de líquid que es fa en una part del cos: *La meva mare tenia un quist a la cama i li han hagut de treure.*

quitrà quitrans *nom m* Líquid espès, de color negre, que s'obté de materials vegetals i que es fa servir per a asfaltar.

quitxalla quitxalles *nom f* Conjunt de nens i nenes petits.

quocient quocients *nom m* Nombre que resulta de la divisió d'un número per un altre: *Si el dividend és 24 i el divisor 8, el quocient serà 3.*

quòniam Paraula que apareix en l'expressió **tros de quòniam**, que vol dir "poc espavilat, talòs".

quòrum quòrums *nom m* Nombre mínim d'assistents que hi ha d'haver en una reunió perquè els acords que es prenguin, les votacions que es facin, etc. puguin ser vàlids.

quota quotes *nom f* Quantitat que paga periòdicament cadascun dels membres d'una associació, un partit, etc.: *Aquest any han apujat la quota de l'associació de veïns.*

quotidià quotidiana quotidians quotidianes *adj* De cada dia, diari.

q

R r lletra erra

rabadà rabadans *nom m* Noi que fa d'aju-
dant d'un pastor.

rabassola rabassoles *nom f* Múrgola, bolet
comestible que té la cama blanquinosa i el
barret en forma d'ou ple de forats. **4**

rabassut rabassuda rabassuts rabassu-
des *adj* Molt ample i molt gruixut en compara-
ció amb l'alçada: *Aquell noi és baix i rabassut.*

rabejar-se *v* Dedicar-se a allargar una satis-
facció, una cosa que ens agrada, que ens dóna
gust: *Ha quedat molt clar que tens més força que
ell, ara no cal que t'hi rabegis.*
Es conjuga com *cantar*. S'escriu *j* davant de *a, o, u*
i *g* davant de *e, i: em rabejo, et rabeges.*

rabent rabents *adj* Molt ràpid: *El tren va
passar rabent pel túnel.*

rabí rabins *nom m* Mestre o doctor de la llei
de la religió jueva.

ràbia ràbies *nom f* **1** Sentiment que tenim quan
estem molt enfadats amb algú o amb alguna
cosa: *Saps per què tinc tanta ràbia? Perquè m'han
renyat per culpa teva.* **2** Malaltia molt greu que
les persones poden agafar a causa de la mos-
segada d'un animal infectat, sobretot d'un gos:
Hem de portar el gos a vacunar contra la ràbia.

rabiós rabiosa rabiosos rabioses *adj* **1**
Que està molt enfadat: *A la Carme, avui no se li
pot dir res perquè està rabiosa.* **2** Que pateix la
malaltia de la ràbia: *Al bosc hi ha un gos rabiós.*

rabiüt rabiüda rabiüts rabiüdes *adj* Que
s'enfada sovint i fàcilment: *El conductor de
l'autobús és un senyor molt rabiüt.*

rabosa raboses *nom f* **1** Guineu. **2** Peix de
cos gris o verd amb taques blaves al cap.

raça races *nom f* Conjunt d'individus que te-
nen unes característiques semblants: *A la meva
escola hi ha nens i nenes de diferents races.* ▪ *Hi
ha gossos de moltes races, a mi m'agraden els
pastors alemanys.*

ració racions *nom f* Quantitat d'aliment que
es dóna a una persona o a un animal: *El gos
menja cada dia la seva ració de carn.*

raciocini raciocinis *nom m* Raonament,
capacitat de pensar, de raonar.

racional racionals *adj* **1** Que té intel·li-
gència i que pot pensar i raonar: *La persona
és un animal racional.* **2** Que està d'acord amb
la raó: *Una proposta racional.*

racionalitzar *v* Fer que una cosa sigui
racional, que estigui d'acord amb la raó, que
sigui lògica, raonable: *Si racionalitzem la feina,
treballarem millor i acabarem abans.*
Es conjuga com *cantar*.

racionar *v* Distribuir una cosa que va escassa
de manera que tothom en pugui tenir una
mica: *Durant la postguerra racionaven el pa.*
Es conjuga com *cantar*.

racisme racismes *nom m* Doctrina que pro-
pugna que unes races humanes són superiors a
les altres i que, per tant, no totes les persones
són iguals ni tenen els mateixos drets.

racista racistes *adj i nom m i f* Es diu de
la persona que practica el racisme, que creu
que no totes les persones són iguals ni tenen
els mateixos drets.

racó racons *nom m* **1** Espai comprès entre
dues parets que formen angle: *En aquest racó
hi posarem una tauleta.* **2 racó de món** Lloc
apartat, allunyat: *El meu cosí i la seva família
viuen en un poble molt petit, en un racó de món.*
3 Diners que es tenen estalviats. **4** Brutí-
cia, coses mal endreçades en una habitació.
5 Aliments que s'han encallat dins l'organis-
me i que provoquen un trastorn.

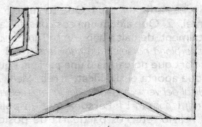

racó

radar radars *nom m* Aparell electrònic que
permet localitzar els objectes a distància: *Els
vaixells de guerra porten un radar per localitzar
els vaixells enemics.*

radi[1] radis *nom m* **1** Ratlla, segment que va
des del centre d'un cercle a qualsevol punt
de la seva circumferència o des del centre de
l'esfera a qualsevol punt de la seva superfície.

2 Espai que hi ha al voltant d'un lloc: *No trobareu cap casa en un radi de deu quilòmetres.* **3** Cadascuna de les barretes d'una roda de bicicleta o de moto que va des del centre fins a la llanta, raig . **4** Os del braç situat a l'avantbraç. 15

radi² radis *nom m* Metall que porta radioactivitat.

radiació radiacions *nom f* **1** Trasllat de calor, de llum, etc. a través de l'espai. **2** Acció de les partícules radioactives en les persones, en la vegetació, etc.: *Les persones que manipulen els aparells de raigs X porten uns vestits especials per protegir-se de l'excés de radiacions.*

radiador radiadors *nom m* **1** Aparell per on circula vapor, aigua calenta, etc. i que serveix per a escalfar una habitació: *La calefacció estava apagada i els radiadors eren ben freds.* **2** Part d'alguns motors per on circula l'aigua i que serveix per a impedir que el motor s'escalfi massa.

radial radials *adj* **1** Que té relació amb el radi. **2** Es diu de la col·locació o distribució d'una cosa de manera semblant als raigs d'una roda: *La xarxa de carreteres és radial, totes surten d'un centre i s'estenen per tot el país.*

radiant radiants *adj* **1** Que emet raigs, que resplendeix, que brilla molt. **2** *La mare estava radiant d'alegria:* molt contenta.

radiar *v* **1** Emetre raigs, radiacions, resplendir. **2** Transmetre un programa per ràdio. Es conjuga com *canviar.*

radical radicals *adj* **1** Que té relació amb l'arrel. **2** Que afecta una cosa des de l'arrel, totalment, de dalt a baix: *Amb el nou enllumenat la plaça ha sofert un canvi radical.* **3** *nom m* Part que no canvia d'una paraula i que és la que aporta el significat, arrel: *"Menj" és el radical del verb "menjar" i del nom "menjador".* **4** *adj* i *nom m* i *f* Persona que en política, en religió, etc., és partidària de posicions extremes.

radicalment *adv* Absolutament, totalment: *Li van preguntar si havia robat els diners i ell ho va negar radicalment.*

radicar *v* Tenir l'arrel en, la base en, etc.: *El problema principal d'aquesta escola radica en la falta d'espai.* Es conjuga com *cantar.* S'escriu *c* davant de *a, o, u* i *qu* davant de *e, i: radica, radiqui.*

ràdio ràdios *nom f* **1** Sistema que fa possible, des d'una emissora, transmetre el so a distància, especialment la veu humana i la música, en forma de programes que poden ser captats per molta gent. **2** Aparell que serveix per a captar els programes transmesos per una emissora de ràdio: *Engega la ràdio, que en aquesta hora fan un programa d'humor molt divertit.*

radioactiu radioactiva radioactius radioactives *adj* Que té relació amb la radioactivitat.

radioactivitat radioactivitats *nom f* Procés pel qual partícules o radiacions s'escampen a causa de la desintegració d'algunes substàncies: *La radioactivitat s'utilitza en aparells de raigs X, centrals nuclears, bombes, etc.*

radioafeccionat radioafeccionada radioafeccionats radioafeccionades *adj* i *nom m* i *f* Mira **radioaficionat.**

radioaficionat radioaficionada radioaficionats radioaficionades *adj* i *nom m* i *f* Es diu de la persona aficionada a establir comunicacions per ràdio: *Els excursionistes desapareguts van ser trobats gràcies a un radioaficionat.*

radiocasset radiocassets *nom m* Aparell generalment portàtil que consta d'una ràdio i d'un casset.

radiografia radiografies *nom f* Imatge que s'obté després de sotmetre una part del cos a l'acció dels raigs X i que permet veure si està trencada, si té algun defecte, etc.: *El dentista m'ha fet una radiografia en un queixal per veure si el tinc corcat.*

radiografia

ràfec ràfecs *nom m* Part de la teulada d'una casa que surt enfora i que serveix per a resguardar les parets de la pluja.

ràfega ràfegues *nom f* **1** Canvi en la direcció i en la força del vent, de la llum, etc.: *A les discoteques hi ha ràfegues de llum de molts colors que segueixen el ritme de la música.* **2** Seguit de trets d'una arma automàtica: *Li va disparar una ràfega de metralleta.*

rai[1] Paraula que indica que un fet no és tan dolent com podia semblar: —*Hi ha més pa?* —*Pa rai, no en falta: no et preocupis pel pa, que en tenim molt.* ▪ *T'han robat cinquanta euros? Tu rai que ets ric!*

rai[2] **rais** *nom m* Conjunt de troncs lligats els uns amb els altres que es deixa anar seguint el corrent d'un riu i es guia amb rems.

rai

raid **raids** *nom m* Entrada ràpida en un terreny enemic o desconegut per obtenir informació, agafar presoners, etc.

raier **raiera** **raiers** **raieres** *nom m i f* Persona que construeix un rai o el porta riu avall.

raig **raigs** o **rajos** *nom m* **1** Línia de llum: *Els raigs del sol entraven per la finestra.* **2** Líquid que surt d'una forma contínua i ràpida d'una font, del forat d'una ampolla, d'una aixeta, etc.: *D'aquesta font, sempre en surt un bon raig d'aigua.* **3** Cadascuna de les barretes d'una roda de bicicleta o de moto que va des del centre fins a la llanta. **4 raigs X** Raigs que permeten veure l'interior dels cossos.

rail **rails** *nom m* Cadascuna de les barres de ferro amb què es formen les vies per on passa un tren.

raïm **raïms** *nom m* Fruit comestible de la vinya, en forma de grans que s'agrupen en penjolls: *Avui per postres hem menjat raïm.* **2**

rajada[1] **rajades** *nom f* Peix de cos prim i pla, de cua llarga i prima, que viu a les zones del fons del mar on hi ha sorra.

rajada[2] **rajades** *nom f* **1** Acció de rajar. **2** *Per l'escletxa de la porta entrava una rajada de sol:* un raig de llum. **3** Seguit de coses: *Li va disparar una rajada de trets.*

rajar *v* Sortir un líquid amb força, formant un raig, pel forat d'una font, d'una ampolla, de l'aixeta, etc.: *D'aquesta font, sempre en raja molta aigua.* Es conjuga com *cantar.* S'escriu *j* davant de *a, o, u* i *g* davant de *e, i: raja, ragi.*

rajol **rajols** *nom m* Rajola.

rajola **rajoles** *nom f* **1** Peça de ceràmica, no gaire gruixuda, generalment rectangular o quadrada, que es fa servir per a fer paviments, cobrir parets, etc.: *Al lavabo i a la cuina de les cases hi sol haver rajoles a les parets.* **2** Peça que té una forma semblant a una rajola: *La Pepita és molt llaminera: ella tota sola s'ha menjat una rajola de xocolata.*

rajola de xocolata

rajolí **rajolins** *nom m* Raig molt prim d'un líquid: *La font estava quasi seca, només sortia un rajolí d'aigua.*

ral **rals** *nom m* **1** Moneda antiga equivalent a la quarta part d'una pesseta. **2** *Aquell home no té ni un ral:* no té diners. **3 camí ral** Camí públic que, abans de la construcció de les carreteres, era una via de comunicació important. **4 lladre de camí ral** Lladre que robava la gent que passava pels camins.

ralet Paraula que apareix en l'expressió **fer ralet**, que vol dir jugar a un joc infantil que consisteix a anar acariciant el palmell de la mà d'un altre mentre es diu "ralet, ralet, ralet..." i a clavar-li un petit cop al final tot dient "paga dineret!".

ral·li **ral·lis** *nom m* Prova esportiva de resistència, de velocitat, etc. que es fa amb cotxe o amb moto i que consisteix a seguir un itinerari prèviament marcat.

ram **rams** *nom m* **1** Conjunt de flors, herbes, etc. tallades, que es poden portar a la mà i que serveixen per a fer bonic, per a regalar a algú, etc.: *Posa aquest ram de flors dintre d'un gerro amb aigua.* **2** Branca tallada d'un arbre.

rama **rames** *nom f* **1** Branca amb fulles. **2** Conjunt de branques tallades.

ramadà **ramadans** *nom m* Novè mes del calendari musulmà durant el qual les persones de religió musulmana fan dejuni des del matí fins al vespre.

ramader **ramadera** **ramaders** **ramaderes** **1** *adj* Que està relacionat amb la ramaderia, amb la cria i el comerç del bestiar. **2** *nom m i f* Persona que cria i ven bestiar.

ramaderia ramaderies *nom f* **1** Conjunt d'activitats relacionades amb la cria i el comerç del bestiar. **2** Conjunt del bestiar d'un país, d'una comarca.

ramat ramats *nom m* Conjunt d'animals que es crien i pasturen junts: *Hem vist un ramat d'ovelles pasturant pel prat.*

rambla rambles *nom f* **1** Carrer d'una ciutat on hi sol haver espai per a passejar. **2** Torrent, riera.

ramell ramells *nom m* Ram de flors.

ramificar-se *v* **1** Dividir-se en branques la tija d'una planta. **2** Dividir-se, com ara les branques d'un arbre: *En sortir del poble la carretera es ramifica i agafa tres direccions diferents.* Es conjuga com *cantar.* S'escriu *c* davant de *a, o, u* i *qu* davant de *e, i:* es ramifica, es ramifiqui.

rampa[1] rampes *nom f* Inclinació, pendent que uneix dues superfícies que estan a diferent nivell i que serveix per a poder-hi pujar i baixar càrregues, vehicles, etc.: *A tot el museu, al costat de les escales hi ha rampes.*

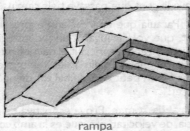

rampa

rampa[2] rampes *nom f* Contracció d'un múscul molt intensa i dolorosa: *No em puc moure, tinc rampa a la cama.*

rampant rampants *nom m* Terreny que fa molt pendent.

rampell rampells *nom m* Desig sobtat de fer una cosa: *Estàvem escoltant música tan tranquils quan li ha vingut el rampell d'anar-se'n al cine.*

rampellut rampelluda rampelluts rampelludes *adj* Es diu de la persona que acostuma a tenir rampells, que fa les coses a rampells.

rampí rampins *nom m* Eina que consisteix en un mànec llarg acabat en una barra amb unes puntes de ferro i que serveix per a arreplegar palla, herba, etc.

rampinar *v* Recollir, arreplegar la palla, l'herba, etc. amb el rampí. Es conjuga com *cantar.*

rampinyar *v* Robar d'amagat. Es conjuga com *cantar.*

rampoina rampoines *nom f* Cosa que no té gaire valor, que no serveix de gaire res: *Després del mercat, a les parades de fruita només quedaven rampoines.*

ran *adv* Molt al costat de, gairebé tocant, arran: *Hi havia mala mar i les ones arribaven ran de les cases.*

ranc ranca rancs ranques *adj* Es diu d'una cama, d'una pota, etc. esguerrada, que té dificultats per moure's: *Aquesta taula té una pota ranca i es belluga molt.*

ranci rància rancis ràncies *adj* **1** Es diu d'una substància greixosa com ara l'oli o la mantega quan tenen una olor i un gust desagradables: *Aquest oli s'ha tornat ranci.* **2 vi ranci** Vi vell, amb bon gust i bona olor.

rancor rancors *nom m o f* Sentiment de molèstia, de ràbia, de disgust contra una persona que ens ha ofès, enganyat, etc.: *Encara que el meu soci em va perjudicar molt, ja fa temps que el vaig perdonar i no li guardo gens de rancor.*

rancorós rancorosa rancorosos rancoroses *adj* Que guarda rancor a algú.

rancúnia rancúnies *nom f* Sentiment d'odi, de malícia envers algú.

rancuniós rancuniosa rancuniosos rancunioses *adj* Que té rancúnia a algú.

randa randes *nom f* **1** Punta d'un tipus de teixit lleuger i transparent que es fa servir per a adornar unes cortines, unes estovalles, etc. **2** *El viatge? La Mercè ens el va contar* **fil per randa**!: explicar una cosa amb tots els detalls.

ranera raneres *nom f* Soroll anormal que fa l'aire quan passa pel coll si es tenen els pulmons tapats.

rang rangs *nom m* Categoria, grau, lloc que ocupa una persona o una cosa en una sèrie: *La nova llei dictada pel govern anul·la les de rang inferior.*

ranquejar *v* Caminar ranc. Es conjuga com *cantar.* S'escriu *j* davant de *a, o, u* i *g* davant de *e, i:* ranquejo, ranqueges.

ranura ranures *nom f* Solc petit, sotet que hi ha en un objecte, en una màquina, en una peça i que serveix per a encaixar-hi una altra peça, passar-hi un fil elèctric, etc.: *Els telèfons públics tenen una ranura per a posar-hi les monedes abans de caure dins la màquina.*

ranxer ranxera ranxers ranxeres *nom m i f* Persona que viu i treballa en un ranxo.

ranxo ranxos *nom m* **1** Casa de pagès típica de l'oest americà amb quadres i zones extenses per a pasturar els ramats de bestiar. **2** Menjar per a molta gent que consisteix en un sol plat: *Els soldats van menjar ranxo.*

raó raons *nom f* **1** Capacitat que tenim les persones de pensar, de fer servir la intel·ligència: *Les persones fem servir la raó per solucionar els problemes.* **2 tenir raó** Dir una cosa que és veritat, no estar equivocat. **3** Causa o motiu que explica un fet: *Ningú no sap per quina raó l'Eva no ha vingut a l'escola avui.* **4** *A aquest noi, li agrada molt de* **buscar raons**: discutir, barallar-se.

raonable raonables *adj* **1** Que està d'acord amb la raó, que és prudent, acceptable: *Després de caminar tantes hores és molt raonable que vulgueu descansar una mica.* **2** Es diu de la persona que fa les coses amb seny. **3** Que no és exagerat, que és normal: *En aquesta botiga venen els pernils a un preu raonable.*

raonament raonaments *nom m* Conjunt de pensaments que permeten arribar a una conclusió, demostrar una cosa, etc.

raonar *v* Pensar, fer raonaments: *Quan fem un examen, el professor sempre ens diu que hem de raonar les respostes.*
Es conjuga com *cantar*.

rap raps *nom m* Peix de cap gros i aplanat, d'ulls grossos i pell sense escates, que s'enterra en els fons marins de sorra i fang i és molt apreciat com a aliment.

rapaç rapaços rapaces *adj* **1** Que agafa la presa amb moltes ganes: *El llop és rapaç.* **2** Es diu de la persona que desitja d'una manera exagerada les coses que són dels altres: *Aquell home era un usurer rapaç que humiliava tothom.* **3** *adj* i *nom m* Rapinyaire.

rapar *v* Tallar arran els cabells, els pèls, la llana.
Es conjuga com *cantar.*

rapè rapès *nom m* Tabac en pols que s'ensuma.

ràpid ràpida ràpids ràpides **1** *adj* Que es mou o fa una cosa a gran velocitat, molt de pressa: *L'avió és un mitjà de transport molt ràpid.* **2** *nom m* Part d'un riu on el corrent baixa molt ràpid.

ràpidament *adv* D'una manera ràpida.

rapidesa rapideses *nom f* Qualitat de fer les coses ràpidament.

rapinya rapinyes *nom f* **1** Acció de rapinyar, de robar. **2 ocell de rapinya** Ocell rapinyaire.

rapinyaire rapinyaires **1** *adj* i *nom m i f* Que rapinya, que roba. **2** *adj* i *nom m* Es diu de l'ocell que té el bec en forma de ganxo i les urpes grosses i fortes per a matar les preses. 6

rapinyaire

rapinyar *v* Prendre, arrabassar, robar una cosa amb violència.
Es conjuga com *cantar.*

rapsode rapsoda rapsodes *nom m i f* Persona que recita poesies.

raptar *v* Emportar-se algú contra la seva voluntat utilitzant la violència o altres mitjans: *Els bandolers van raptar la princesa i, per deixar-la anar, demanaven un rescat.*
Es conjuga com *cantar.*

rapte raptes *nom m* Acció d'emportar-se algú contra la seva voluntat utilitzant la violència o altres mitjans.

raptor raptora raptors raptores *nom m i f* Persona que rapta algú.

raqueta raquetes *nom f* **1** Pala formada per un mànec i una reixa de cordes, que serveix per a picar la pilota en el tennis i en altres jocs. **2** Calçat semblant a una raqueta, que serveix per a caminar per sobre la neu sense enfonsar-se.

raquidi Paraula que apareix en la denominació **bulb raquidi**, que vol dir "part del capdamunt de la medul·la espinal integrada a la base del cervell, que realitza una funció important en la respiració, la circulació, etc". 18

r

raquític raquítica raquítics raquítiques *adj* **1** Es diu de la persona o de l'animal que no ha crescut gaire, que s'ha quedat petit. **2** Escàs, esquifit, poc generós: *Posa'm més arròs, no siguis tan raquític.* ▪ *Tinc un sou molt raquític.*

raquitisme raquitismes *nom m* Malaltia que fa que els infants no creixin gaire perquè els falten minerals als ossos.

rar rara rars rares *adj* **1** Estrany, poc normal, extraordinari: *Aquest gos té un pèl rar.* **2** Escàs, poc freqüent: *Rares vegades el veig tan enfadat com avui.*

rarament *adv* Poques vegades, no gaire sovint.

raresa rareses *nom f* Cosa o acció rara.

ras rasa rasos rases *adj* **1** Tallat arran o tallat molt curt, llis, pla: *En Jaume porta la barba rasa.* **2** *Perquè et surti bé el pastís, hi has de tirar tres cullerades rases de farina:* plenes fins a dalt, però sense que la farina sobrepassi la vora superior de la cullera. **3** *nom m* Terreny pla i sense arbres en una muntanya. **4** *Vam passar la nit al ras:* al camp, dormint a terra, sense cobert. **5 cel ras** Sostre llis, sense bigues visibles. **6 soldat ras** Soldat que no té cap grau militar. **7** *adv* Arran, a poca altura: *L'avió volava ras.*

rasa rases *nom f* Excavació llarga i estreta que es fa a terra i que serveix per a posar-hi els fonaments d'un edifici, fer-hi passar uns tubs, etc.

rasant rasants *adj* Que passa ras, gairebé fregant una cosa.

rascada rascades *nom f* **1** Acció de rascar. **2** Senyal que deixa sobre una cosa una altra que ha passat fregant-la fort, rascant-la: *Amb la bicicleta he fet una rascada al cotxe del meu pare.* ▪ *Amb el pedal de la bicicleta m'he fet una rascada a la cama.*

rascador rascadors *nom m* Eina que serveix per a rascar.

rascar *v* **1** Gratar, fregar fortament una cosa fins a endur-se'n allò que la cobreix, com ara pintura, brutícia, etc.: *Abans de pintar la paret, l'hem de rascar perquè se'n vagi la pintura vella.* **2** Gratar, fregar la pell amb les ungles: *La Laia es rasca la cama perquè li fa picor.* **3** *Aquesta tovallola rasca:* és rasposa. Es conjuga com *cantar*. S'escriu c davant de a, o, u i qu davant de e, i: *rasco, rasques.*

rascle rascles *nom m* Eina que consisteix en una sèrie de barres primes de fusta o de ferro que toquen a terra i es van arrossegant i que serveix per a aplanar la terra, desfer terrossos, arreplegar palla, etc.

rasclet rasclets *nom m* Rascle petit.

raspa raspes *nom f* Eina que serveix per a allisar fusta i altres materials.

raspall raspalls *nom m* Instrument que serveix per a netejar o fregar i que consisteix en una gran quantitat de pèls plantats en una peça de fusta, de plàstic, etc.: *En Martí ha perdut el raspall de les dents.* ▪ *Has de passar el raspall per aquest abric perquè és ple de pols.*

raspallar *v* **1** Netejar alguna cosa amb un raspall: *Després de dinar, raspalla't les dents.* **2** Dir coses agradables a algú, fer bon paper a una persona per treure'n algun benefici: *Raspalla el professor perquè l'aprovi.* Es conjuga com *cantar*.

raspar *v* Gratar una cosa amb un instrument adequat perquè caiguin les coses que hi estan enganxades. Es conjuga com *cantar*.

raspera rasperes *nom f* Irritació de la gola que produeix la sensació que hi ha una cosa que rasca.

raspós rasposa rasposos rasposes *adj* Que és aspre, que no és fi: *El fred deixa la pell de les mans rasposa.*

rasqueta rasquetes *nom f* Eina que consisteix en una petita peça de ferro plana, prima i triangular i un mànec i que serveix per a rascar la pintura vella, el guix, etc.

rastell rastells *nom m* **1** Pilot de coses posades l'una al damunt de l'altra: *Al costat de la llar de foc hi ha un rastell de llenya.* **2** Reixa que protegia la porta del castell i que es podia alçar i abaixar.

rastellera rastelleres *nom f* Conjunt de coses posades en fila l'una al costat de l'altra: *Als prestatges hi ha rastelleres de llibres.*

rastre rastres *nom m* **1** Senyal, petjada que deixa a terra una persona o un animal quan camina: *El gos seguia el rastre del conill.* **2** *No en va quedar ni rastre, d'aquell pont romà:* no quedar gens d'una cosa.

rastrejar *v* Seguir el rastre, inspeccionar: *Han rastrejat tota la zona i no han trobat els lladres.* Es conjuga com *cantar*. S'escriu j davant de a, o, u i g davant de e, i: *rastrejo, rastreges.*

rasurar _v_ Afaitar.
Es conjuga com _cantar_.

rata rates **1** _nom f_ Animal mamífer, rosega-dor, petit, de pèl fosc i cua llarga que viu a les cases, a les clavegueres o als camps. **2 fer la rateta** Reflectir la llum en un mirall i enfo-car-la cap a un lloc determinat. **3** _adj_ i _nom m_ i _f_ Avar.

ratafia ratafies _nom f_ Licor que es fa a base de nous verdes.

ratapenada ratapenades _nom f_ Ratapi-nyada.

ratapinyada ratapinyades _nom f_ Animal mamífer amb ales i orelles llargues que dorm de dia i de nit està despert, viu en coves, cases velles, etc.

ratapinyada

ratar _v_ **1** Caçar rates un gat, un gos. **2** Ro-segar alguna cosa les rates.
Es conjuga com _cantar_.

ratat ratada ratats ratades _adj_ Es diu d'una cosa que sembla com rosegada per les rates: _Aquests llençols estan ratats de les puntes, de tant rentar-los._

ratera rateres _nom f_ Trampa per a agafar rates i ratolins.

raticida raticides _nom m_ Verí per a matar rates i ratolins.

ratificar _v_ Confirmar una idea, una opinió, fer-la més ferma, més segura, més vàlida: _Després de parlar amb ell, ratifico l'opinió que tu me'n vas donar quan em deies que era molt savi._
Es conjuga com _cantar_. S'escriu _c_ davant de _a, o, u_ i _qu_ davant de _e, i: ratifico, ratifiques._

ratlla ratlles _nom f_ **1** Línia feta damunt de paper, roba, etc.; solc o séc fet en una super-fície: _Si em deixes el regle, podré fer una ratlla ben recta._ ■ _Em posaré la camisa de ratlles._ ■ _En sortir de la barberia, el pare s'ha trobat que li havien fet una ratlla al cotxe._ **2** Sèrie de lletres o paraules escrites horitzontalment: _A cada pàgina hi ha vint ratlles._ **3** _Hauríem d'escriure_

quatre ratlles als de casa dient-los que ens va molt bé el viatge: **carta curta**, notícia que es fa saber a algú a través d'un escrit. **4** _Això ja passa de la ratlla!_: és excessiu, no es pot tolerar. **5** _Aquesta joguina m'ha costat a la ratlla de_ cinc euros: aproximadament, a la vora de. **6** Clenxa.

ratllador ratlladors _nom m_ Estri de cuina que té uns forats que tallen i que serveix per a ratllar pa, formatge, pastanaga, etc.

ratlladura ratlladures _nom f_ Trossets que es treuen d'una cosa quan es ratlla: _La recepta diu que cal tirar ratlladures de pell de llimona en un litre de llet._

ratllar _v_ **1** Fer una ratlla o ratlles a una cosa: _Els vidres d'aquestes ulleres es ratllen molt fàcilment._ ■ _Vaig ratllar les paraules equivocades i vaig escriure les correctes a sota._ **2** Tallar pa, formatge, etc. a trossets menuts passant-hi un objecte raspós.
Es conjuga com _cantar_.

ratllat ratllada ratllats ratllades _adj_ Que té ratlles: _M'han regalat un jersei ratllat._ ■ _El vidre d'aquesta taula està ben ratllat._

ratolí ratolins _nom m_ **1** Animal mamífer ro-segador, semblant a la rata però més petit, que viu a les cases: _Quan van veure el ratolí a sota de la taula, van fer un crit._ **2** Aparell connectat a un ordinador que, movent-lo amb la mà sobre una superfície plana, permet de situar-se en qualsevol punt de la pantalla.

ratpenat ratpenats _nom m_ Ratapinyada.

ratxa ratxes _nom f_ **1** Bufada de vent. **2** Sèrie d'actes, fets, esdeveniments, etc. que vénen seguits: _Hem tingut una ratxa de desgràcies._ **3 anar a ratxes** Anar a cops, per etapes freqüents i sobtades: _Aquesta feina va a ratxes: de vegades n'hi ha molta i de vegades ens estem sense fer res._

ràtzia ràtzies _nom f_ Entrada en un territori enemic amb la intenció de robar o de destruir alguna cosa.

raucar _v_ Manera de cridar de la granota.
Es conjuga com _cantar_. S'escriu _c_ davant de _a, o, u_ i _qu_ davant de _e, i: rauca, rauqui._

rau-rau **1** Onomatopeia, paraula que imita el soroll que fa una cosa que rasca, que rosega. **2** _nom m_ Malestar a l'estómac produït per la gana, pels nervis, etc. **3** _nom m_ Remor-diment, malestar interior per haver fet una cosa mal feta.

raure v **1** Arribar una persona a un lloc o a una situació sense voler-ho: *Després de moltes aventures, finalment aquell individu va anar a raure a la presó.* **2** Consistir en, estar en: *La dificultat d'aquesta lectura rau en el vocabulari.* **3** Passar un instrument tallant per una superfície per eliminar-ne el pèl, les irregularitats, etc.
Es conjuga com *concloure*. Participi: *ras, rasa.*

rautar v Rascar, gratar.
Es conjuga com *cantar.*

rauxa rauxes *nom f* Pensament sobtat, decisió sobtada: *A en Quim, li ha vingut la rauxa de col·leccionar etiquetes.*

raval ravals *nom m* Barri situat als afores d'una població.

rave raves *nom m* Arrel comestible de la ravenera, de color morat, que es menja amanida.

ravenera raveneres *nom f* Planta que es conrea per les seves arrels comestibles.

ravioli raviolis *nom m* Petit quadrat de pasta de farina farcit de carn que es menja bullit: *Per dinar he menjat un plat de raviolis amb salsa de tomàquet i formatge ratllat.*

re¹ *pron* Res.

re² res *nom m* Segona nota de l'escala musical.

re- Prefix, element que s'afegeix al davant d'una paraula i que vol dir "repetició": *En Carles va haver de refer el treball, és a dir, el va haver de tornar a fer.*

reacció reaccions *nom f* **1** Acció de respondre a una cosa, a un estímul: *El fred li ha provocat una reacció en el cos i ara està refredat i té febre.* ■ *La reacció del nen quan el van renyar va ser posar-se a plorar.* **2** Recuperació de l'activitat perduda. **3** Procés mitjançant el qual una o més substàncies es transformen en una altra. **4** Força que va en sentit contrari d'una altra i que serveix per a impulsar un avió, un coet, etc.

reaccionar v Respondre a una cosa, a un estímul: *Al malalt, li van donar un nou medicament i va reaccionar molt bé.*
Es conjuga com *cantar.*

reaccionari reaccionària reaccionaris reaccionàries *adj* Es diu de la persona, de la idea, de l'actitud que no accepta els canvis, el progrés, que impedeix que les coses avancin.

reactivació reactivacions *nom f* Recuperació de l'activitat perduda: *L'any passat no es venia gaire i aquest any hi ha una reactivació de les vendes.*

reactivar v Tornar a fer que funcioni, que sigui activa una cosa que estava aturada.
Es conjuga com *cantar.*

reactor reactors *nom m* **1** Motor de reacció. **2** Avió que funciona amb motors de reacció.

reactor

reafirmar v Mantenir una cosa que s'ha dit, tornar-la a afirmar, no fer-se enrere: *Com que no m'heu convençut amb les vostres idees, em reafirmo en la meva.*
Es conjuga com *cantar.*

real reals *adj* Que existeix, que és veritat: *Aquesta història que us he explicat ha passat de veritat, és real.*

realçar v Fer que una cosa es vegi més, tingui més importància: *Aquell vestit que duia realçava la seva bellesa.*
Es conjuga com *cantar.* S'escriu ç davant de *a, o, u* i *c* davant de *e, i: realço, realces.*

realisme realismes *nom m* Tendència a tenir en compte la realitat, els fets tal com són i no pas coses impossibles: *Les escenes d'aquesta pel·lícula són d'un gran realisme.*

realista realistes *adj i nom m i f* Es diu d'una persona, d'una idea, etc. que té en compte la realitat, els fets tal com són i no coses impossibles: *A l'hora de decidir on anirem de viatge de final de curs, hem de ser realistes i proposar llocs on de veritat puguem anar.*

realitat realitats *nom f* **1** Allò que és real, que existeix, que és veritat. **2** *En realitat* tot ha anat bé: *de fet, sense cap dubte.*

realització realitzacions *nom f* **1** Acció de portar a terme una cosa: *La realització d'aquest treball ha portat dos anys de feina als autors.* **2** Direcció dels aspectes tècnics, artístics, etc. d'un programa de televisió, d'una pel·lícula, etc.

realitzar v **1** Dur a terme una cosa, fer-la realitat, executar-la: *La nostra associació no podrà realitzar algun dels seus projectes per falta de diners.* **2** Dirigir la producció d'un programa de televisió, d'una pel·lícula, etc. **3 realitzar-se** Aconseguir una persona els objectius que s'ha proposat a la vida.
Es conjuga com *cantar*.

realment adv D'una manera real, efectivament, de veritat: *Realment, em costa de creure que en Martí sigui un tennista important.*

reanimar v Fer recuperar els sentits, els ànims, les ganes de fer coses: *Durant la cursa un dels ciclistes es va desmaiar i el van haver de reanimar.*
Es conjuga com *cantar*.

reaparèixer v Tornar a aparèixer.
Es conjuga com *conèixer*.

rebaixa rebaixes nom f Acció de rebaixar el preu d'una cosa: *A l'agost totes les botigues fan rebaixes i venen la roba d'estiu a meitat de preu.*

rebaixar v Fer més baix el nivell, el gruix, el grau, el preu, etc. d'alguna cosa: *Si rebaixes aquest sabó amb aigua, no serà tan fort.* ▪ *Aquesta setmana començaran a rebaixar els preus de les sabates.*
Es conjuga com *cantar*.

rebatre v **1** Fer retrocedir una persona amb força, violentament: *Quan el lladre li anava a saltar al damunt, el policia el va rebatre contra la paret.* **2** Demostrar que una opinió, una teoria, etc. és falsa, errònia.
Es conjuga com *perdre*.

rebava rebaves nom f Tros de material, com ara fusta, guix, ciment, etc. que sobresurt de la vora o de l'espai que ha d'omplir.

rebé adv Molt bé.

rebec rebeca rebecs rebeques adj **1** Es diu de la persona, i sobretot de la criatura, que té mal caràcter, que és difícil de dominar, que no vol creure. **2** Es diu d'una cosa, d'un material, etc. difícil de dominar, de treballar: *Tinc els cabells molt rebecs i, encara que me'ls pentini, sempre em queden drets.*

rebedor rebedors nom m Part d'una casa on es fa entrar les persones perquè no s'esperin a fora: *El venedor de llibres s'està esperant al rebedor.*

rebel rebels adj i nom m i f Que no es deixa dominar, que no vol obeir: *Aquell nen és molt rebel, no fa mai el que li manen.*

rebel·lar-se rebel·lar v No obeir una ordre, una decisió, una autoritat: *Els alumnes es van rebel·lar i no van fer el treball que el professor els havia encomanat.*
Es conjuga com *cantar*.

rebel·lió rebel·lions nom f Acció de rebel·lar-se, de no obeir una ordre, una autoritat, etc.

rebentar v **1** Explotar, obrir un objecte deixant escapar el que té a dins: *Els van rebentar una roda del cotxe.* **2** Cansar molt una feina, exigir un gran esforç: *Aquestes escales tan llargues em rebenten.* **3** Molestar, empipar molt una cosa: *Em rebenta haver de fer aquesta feina justament ara que volia plegar.* **4** Criticar durament una cosa que ha fet algú: *Aquell periodista no troba mai res ben fet, ho rebenta tot.* **5** Gastar ràpidament una gran quantitat de diners: *En un any va rebentar tota la fortuna.*
Es conjuga com *cantar*.

rebequeria rebequeries nom f Acte propi d'una persona rebeca: *Aquest nen fa moltes rebequeries: es tira per terra i no es vol aixecar, no vol obrir la boca a l'hora de menjar, etc.*

reblanir v Fer més tova una cosa.
Es conjuga com *servir*.

reblar v **1** Doblegar la punta d'un clau que sobresurt d'una fusta perquè quedi més fort i no punxi. **2 reblar el clau** Insistir en una cosa perquè encara quedi més clara, més ben acabada: *Tothom ja havia felicitat l'entrenador, i aquell regal que no s'esperava va reblar el clau.*
Es conjuga com *cantar*.

reblir v Omplir una cosa de manera atapeïda.
Es conjuga com *servir*. Participi: *reblert, reblerta* o *reblit, reblida*.

rebò rebona rebons rebones adj Molt bo.

rebobinar v Tornar a enrotllar una pel·lícula, una cinta de vídeo, etc., de manera que passi d'una bobina a l'altra.
Es conjuga com *cantar*.

rebolcar v Fer donar tombs per terra a algú o a algun animal: *El cavall va tirar el genet a terra i el va rebolcar una estona.* ▪ *No et rebolquis per terra que t'embrutaràs el vestit.*
Es conjuga com *cantar*. S'escriu *c* davant de *a, o, u* i *qu* davant de *e, i*: *rebolco, rebolques*.

rebolcons Paraula que apareix en l'expressió **a rebolcons**, que vol dir "donant tombs per terra": *Es va entrebancar i va baixar l'escala a rebolcons.*

rebombori rebomboris *nom m* **1** Soroll de persones cridant, rient, jugant, etc. **2** Fet de parlar molta gent d'una mateixa cosa de manera excitada i amb insistència: *La notícia ha provocat molt rebombori.*

rebost rebosts o rebostos *nom m* Lloc d'una casa on es guarden les coses de menjar que no cal posar a la nevera.

rebosteria rebosteries *nom f* Conjunt de pastissos petits de colors i gustos molt variats: *Per postres, he comprat un quilo de rebosteria.*

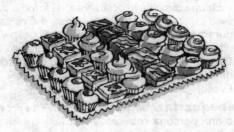

rebosteria

rebot rebots *nom m* **1** Moviment que fa la pilota després de tocar a terra. **2** *La pedra em va tocar de rebot:* després de tocar a terra.

rebotar *v* Botar contra una cosa després d'haver botat contra una altra: *La pilota va botar a terra i després va rebotar a la paret.* Es conjuga com *cantar.*

rebotiga rebotigues *nom f* Espai que hi ha darrere una botiga i que serveix de magatzem.

rebotre *v* Rebotar. Es conjuga com *perdre.*

rebre *v* **1** Prendre, acceptar voluntàriament o involuntàriament alguna cosa: *Ja vaig rebre la carta de la Mercè.* ■ *En Roc va caure i va rebre un cop molt fort al cap.* ■ *Aquesta habitació rep la llum per una finestra molt petita.* **2** Sortir a trobar algú que arriba: *Vam anar a rebre els Reis de l'Orient amb els pares i els germans.* **3** Sofrir un càstig, un dany, etc: *Si toques això, et prometo que rebràs.* Es conjuga com *perdre.* Present d'indicatiu: *rebo, reps, rep, rebem, rebeu, reben.* Imperatiu: *rep, rebi, rebem, rebeu, rebin.*

rebregar *v* Fer que una cosa deixi de ser llisa, fina, tocant-la bruscament, arrugant-la, etc: *T'has assegut damunt el meu jersei i me l'has rebregat.*

Es conjuga com *cantar.* S'escriu g davant de *a, o, u* i gu davant de *e, i: rebrego, rebregues.*

rebrot rebrots *nom m* Brot nou: *A la primavera els arbres estan plens de rebrots.*

rebrotar *v* Treure brots nous una planta, tornar a brotar. Es conjuga com *cantar.*

rebuda rebudes *nom f* Acció de rebre, d'acollir una persona: *Havia estat fora molt de temps i els companys li van fer una gran rebuda.*

rebuf rebufs *nom m* **1** Paraules poc amables que de vegades una persona diu a una altra quan vol demostrar que no la vol veure o no la vol atendre. **2** Acció de rebufar.

rebufada rebufades *nom f* Acció de rebufar.

rebufar *v* **1** Bufar amb molta força. **2** Formar butllofes la pintura, el guix, etc. d'una paret o d'una superfície. Es conjuga com *cantar.*

rebuig rebuigs o rebutjos *nom m* **1** Fet de no acceptar algú o alguna cosa: *Els veïns es van manifestar per mostrar el seu rebuig a la contaminació.* **2** Cosa que ningú no vol, residu.

rebullir *v* **1** Tornar a bullir. **2** Fermentar, fer-se malbé una cosa de menjar: *Aquestes galetes no es poden menjar: són ben rebullides.* Es conjuga com *dormir.*

rebuscat rebuscada rebuscats rebuscades *adj* Es diu de la persona, de la idea, etc. més complicada del necessari: *És una persona molt rebuscada, que sempre embolica les coses i mai no parla clar ni diu clarament què vol.*

rebut rebuts *nom m* Escrit signat en què es reconeix haver rebut diners o una altra cosa d'algú: *Vaig pagar la factura i em van donar un rebut.*

rebutjar *v* No acceptar algú o alguna cosa. Es conjuga com *cantar.* S'escriu j davant de *a, o, u* i g davant de *e, i: rebutjo, rebutges.*

rec recs *nom m* Canal d'aigua per a regar, excavació llarga i estreta per on passa l'aigua per a regar.

recaiguda recaigudes *nom f* Repetició d'una malaltia quan sembla que ja està curada: *Després d'estar malalt tants dies, hauràs de vigilar molt per no tenir cap recaiguda.*

recalar *v* Arribar una embarcació, després de navegar, a un punt de la costa.
Es conjuga com *cantar*.

recalcar *v* Dir una o més paraules amb força, a poc a poc, per fer que la gent les escolti amb més atenció.
Es conjuga com *cantar*. S'escriu *c* davant de *a, o, u* i *qu* davant de *e, i: recalco, recalques.*

recalcitrant **recalcitrants** *adj* Que no vol obeir, que no fa cas del que li manen, tossut.

recança recances *nom f* Pena que se sent d'haver fet una cosa o d'haver-la deixada de fer.

recanvi **recanvis** *nom m* Objecte que es té guardat i que serveix per a canviar-lo per un altre que està espatllat: *Els cotxes porten una roda de recanvi.*

recapitular *v* Repetir, recordar, tornar a dir resumidament els principals punts d'un discurs, d'un escrit, etc.
Es conjuga com *cantar*.

recaptar *v* **1** Cobrar impostos. **2** Aconseguir alguna cosa a força d'insistir-hi: *Hem recaptat diners per organitzar les festes del barri.*
Es conjuga com *cantar*.

recar *v* Sentir pena d'haver fet o d'haver deixat de fer alguna cosa: *Em reca molt haver-li deixat aquests diners, perquè sé que no me'ls tornarà mai.*
Es conjuga com *cantar*. S'escriu *c* davant de *a, o, u* i *qu* davant de *e, i: reca, requi.*

recargolar *v* **1** Cargolar molt una cosa. **2** *En Pere i la Teresa es recargolaven de riure* veient els pallassos: riure molt fent gestos i moviments exagerats. **3** Complicar una idea sense necessitat, fer més punyent, més dura una expressió.
Es conjuga com *cantar*.

recàrrec **recàrrecs** *nom m* Diners que cal pagar a més a més del preu d'una cosa: *Com que van trigar molt temps a pagar la multa, van haver de pagar uns diners de recàrrec.*

recaure *v* **1** Tornar a caure malalt d'una malaltia que s'havia curat fa poc temps. **2** Tocar, anar a parar a algú un càrrec, una feina, una responsabilitat, etc.: *Les feines més pesades sempre recauen sobre mi.*
Es conjuga com *caure*.

recel **recels** *nom m* Poca confiança, sospita, por.

recelar *v* Tenir recel, desconfiar.
Es conjuga com *cantar*.

recensió recensions *nom f* Escrit no gaire llarg que explica i valora una obra, un article, etc. ja publicat, ressenya.

recent recents *adj* Que fa poc que ha passat, que fa poc que ha estat fet.

recentment *adv* Fa poc temps.

recepció recepcions *nom f* **1** Rebuda, acolliment, fet de rebre una persona o una cosa: *L'ajuntament va oferir una recepció als autors premiats.* **2** En un hotel, una empresa, una escola, etc. lloc destinat a rebre la gent, a atendre el públic, etc.: *Han deixat un paquet per al director a la recepció.*

recepcionista **recepcionistes** *nom m i f* Persona que treballa a la recepció d'un hotel, d'una empresa, etc.

recepta receptes *nom f* **1** Fórmula, indicació sobre la preparació de medicaments, de plats de cuina, etc.: *En aquesta revista hi surt una recepta de cuina cada setmana.* **2** Indicació escrita que dóna el metge sobre el medicament que ha de prendre un malalt.

receptacle **receptacles** *nom m* Cavitat, vas, espai petit que serveix per a contenir alguna cosa.

receptar *v* Aconsellar, recomanar el metge el medicament o els medicaments que ha de prendre un malalt.
Es conjuga com *cantar*.

receptiu **receptiva receptius receptives** *adj* Es diu de la persona que està disposada a escoltar, a fer cas dels altres, etc.: *Van anar a veure el director per explicar-li un problema i el van trobar molt receptiu.*

receptor **receptora receptors receptores** *adj i nom m i f* Es diu de la persona, de l'aparell, de l'òrgan del cos, etc. que rep una cosa: *L'oïda és l'òrgan receptor del so.* ■ *La televisió arriba a molts receptors.* ■ *Hem comprat un nou receptor de ràdio.*

recer recers *nom m* **1** Lloc protegit contra el vent, la pluja, etc.: *Mentre caminàvem pel bosc, se'ns va posar a ploure i una cova ens va fer de recer.* **2** *Aquí estarem a recer de la pluja:* protegits de la pluja.

recerca recerques *nom f* Acció de buscar, d'investigar, d'estudiar per descobrir alguna cosa d'interès: *Molts científics es dediquen a la recerca de medicaments que curin malalties greus que provoquen la mort.*

r

recés recessos *nom m* Espai de temps o lloc que permet aturar-se, reposar, reflexionar, etc.: *Després de tres hores seguides de discussió, hi va haver un recés de vint minuts.*

recessió recessions *nom f* Fet de recular, de disminuir una cosa, una activitat: *Després de l'etapa de creixement, hi va haver un període de recessió econòmica.*

reciclar *v* **1** Transformar un material perquè es pugui tornar a fer servir. **2 reciclar-se** Tornar a estudiar per aprendre coses noves relacionades amb la professió o amb la feina que es fa: *Els mestres s'han de reciclar sovint.* Es conjuga com *cantar.*

recinte recintes *nom m* Lloc, espai tancat.

recipient recipients *nom m* Objecte que serveix per a contenir líquids, mescles, pols, etc.

recipients

recíproc recíproca recíprocs recíproques *adj* De l'un cap a l'altre, entre dos: *El nostre agraïment és recíproc: tu em vas fer un favor a mi i jo te'l vaig fer a tu.*

recital recitals *nom m* Espectacle en què un cantant o un grup musical interpreta un seguit de peces.

recitar *v* Dir, pronunciar en veu alta o de memòria una poesia, un text, etc. Es conjuga com *cantar.*

reclam reclams *nom m* **1** Crit amb què s'imita la veu d'un ocell per fer-ne venir d'altres i caçar-los. **2** Instrument que imita la veu d'un ocell. **3** Ocell ensenyat perquè amb el seu crit atregui altres ocells per tal de caçar-los. **4** Allò que es fa per atreure l'atenció del públic i fer que compri un producte.

reclamació reclamacions *nom f* Protesta, queixa que es fa quan un aparell nou no funciona bé, quan una empresa no ofereix un bon servei, etc.: *El client no va quedar satisfet d'aquell hotel i va demanar el llibre de reclamacions.*

reclamar *v* **1** Exigir una cosa a la qual es creu tenir dret: *Vaig reclamar la part del pastís que em tocava.* **2** Protestar contra allò que es considera injust. **3** Demanar amb insistència: *El poble reclamava ajuda a l'alcalde.* Es conjuga com *cantar.*

reclinar *v* Inclinar una part del cos o d'una cosa recolzant-la sobre una altra: *Va reclinar el cap sobre l'espatlla del company.* Es conjuga com *cantar.*

reclinatori reclinatoris *nom m* Moble que hi ha a les esglésies, amb un esglaó per a agenollar-se i una superfície plana per a recolzar els braços.

recloure *v* Tancar algú en un lloc d'on no pot sortir, estar una persona apartada de tothom: *Durant els últims anys de la seva vida aquell home va estar reclòs a casa.* Es conjuga com *concloure.*

reclús reclusa reclusos recluses *adj* i *nom m* i *f* Que està en reclusió, presoner; es diu de la persona que està reclosa.

reclusió reclusions *nom f* Acció de recloure, fet d'estar tancat, privat de llibertat, apartat de la gent.

recluta reclutes *nom m* i *f* Persona que ha estat reclutada per a fer el servei militar.

reclutar *v* Reunir gent per formar una colla, un partit, etc. Es conjuga com *cantar.*

recobrar *v* Tornar a tenir una cosa que s'havia perdut: *Finalment vaig recobrar la cartera i els documents que m'havien robat.* Es conjuga com *cantar.*

recobrir *v* **1** Cobrir de nou, tornar a cobrir una cosa. **2** Cobrir completament una cosa. Es conjuga com *servir.* Participi: *recobert, recoberta.*

recol·lecció recol·leccions *nom f* Collita, acció de recollir productes del camp: *A la tardor es fa la recol·lecció del raïm.*

recol·lectar *v* Fer la collita, arreplegar els productes que dóna la terra. Es conjuga com *cantar.*

recol·lector recol·lectora recol·lectors recol·lectores **1** *adj* Que recol·lecta. **2** *nom m* i *f* Persona que fa la collita dels productes de la terra. **3 recol·lectora** *nom f* Màquina, generalment arrossegada per un tractor, que serveix per a fer la collita d'algun producte de la terra.

recollida recollides *nom f* Acció de recollir: *El nou sistema de recollida d'escombraries estalvia temps i diners.*

recollidor recollidors *nom m* Pala per a recollir escombraries.

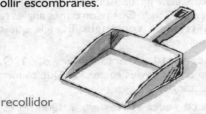

recollidor

recollir *v* **1** Aplegar coses escampades per no perdre-les, per endreçar-les, aprofitar-les, etc.: *Quan acabis de jugar, recull totes les joguines.* ■ *L'avi ha posat galledes a fora el pati per recollir l'aigua de la pluja.* **2** Acollir algú que necessita protecció.
Es conjuga com *collir.*

recolzar *v* **1** Fer que una cosa s'aguanti sobre un suport: *Vaig recolzar l'escala a la paret.* ■ *Totes les idees exposades en aquest treball recolzen en la teoria.* **2 recolzar-se** Aguantar-se en una posició inclinada posant els colzes i l'esquena sobre un suport: *Vaig recolzar-me a la paret per no caure.*
Es conjuga com *cantar.*

recomanable recomanables *adj* Es diu d'una persona o d'una cosa que es pot aconsellar perquè és bona, útil, eficaç, etc.: *Aquest llibre és molt recomanable: compra-te'l.*

recomanació recomanacions *nom f* **1** Consell: *La meva recomanació és que et preparis molt per a la prova.* **2** Fet de parlar d'una persona a algú perquè l'ajudi, li faci un favor, etc.: *Ha obtingut aquesta feina per recomanació.*

recomanar *v* **1** Aconsellar alguna cosa a algú: *Et recomano que facis tots els exercicis de matemàtiques si vols aprovar l'examen.* **2** Parlar d'una persona a algú perquè l'ajudi, li faci un favor, etc.: *Va recomanar la seva germana al director i l'han llogada de secretària.*
Es conjuga com *cantar.*

recomençar *v* Començar de nou, tornar a començar.
Es conjuga com *cantar.* S'escriu ç davant de *a, o, u* i c davant de *e, i: recomenço, recomences.*

recompensa recompenses *nom f* Premi o diners que es donen a qui ha fet una feina, un servei, etc.: *Si m'ajudes a fer la feina, tindràs una recompensa.*

recompensar *v* Donar una cosa a algú per un servei que ens ha fet, premiar.
Es conjuga com *cantar.*

recomptar *v* **1** Comptar de nou, tornar a comptar. **2** Comprovar el nombre de persones, de coses, etc. que formen un conjunt.
Es conjuga com *cantar.*

recompte recomptes *nom m* Comprovació del nombre de persones, de coses, etc. que formen un conjunt: *Quan haurà votat tothom, començarà el recompte de vots.*

reconciliar *v* Tornar a ser amics, tornar a estar d'acord amb una persona, amb una idea, etc.
Es conjuga com *canviar.*

recòndit recòndita recòndits recòndites *adj* Que està molt amagat.

reconeixement reconeixements *nom m* **1** Acció d'examinar, de mirar, de buscar molt bé per tal de descobrir alguna cosa: *El metge va fer un reconeixement molt complet al malalt.* **2** Sentiment de gratitud, d'agraïment: *El poble va demostrar-li el reconeixement posant el seu nom a un carrer.*

reconèixer *v* **1** Veure, adonar-se que algú o alguna cosa és coneguda d'abans: *Vaig reconèixer en Martí per la veu.* **2** Comprovar una cosa, fer un examen a algú o a alguna cosa: *L'encarregat va voler reconèixer les mercaderies rebudes per veure si tot era correcte.* **3** Admetre com a certa una cosa que abans es negava: *Després de discutir molt, al final va reconèixer que jo tenia raó.*
Es conjuga com *conèixer.*

reconfortar *v* Reanimar, donar noves forces, nous ànims: *Estava molt trist i les seves paraules em van reconfortar.*
Es conjuga com *cantar.*

reconstituent reconstituents *nom m* Medicament que s'utilitza per a recuperar més ràpidament les forces perdudes a causa d'una malaltia, d'una operació, etc.

reconstruir *v* **1** Construir de nou, refer, millorar un edifici, una casa, etc. **2** Muntar, construir una altra vegada els fets, les circumstàncies d'un robatori, d'un crim, etc. per tal d'aclarir-lo.
Es conjuga com *reduir.*

recopilació recopilacions *nom f* Recull, obra que conté materials extrets d'altres llibres, d'altres documents.

recopilar *v* Reunir en una sola obra informació extreta de diferents llibres, documents, etc. Es conjuga com *cantar*.

record records *nom m* **1** Fet passat que es guarda en el pensament: *La mare sempre ens parla dels seus records d'infantesa.* **2** Objecte que es guarda i que recorda algú o alguna cosa passada: *Aquesta ploma és un record de la meva àvia.* **3** Salutació que fa una persona a través d'una altra: *En Jordi em va donar records per a tu.* ■ *Records a la teva mare!* ■ *Records de la Mercè.*

rècord rècords *nom m* **1** Resultat obtingut en una prova esportiva, que supera tots els resultats anteriors: *Aquell atleta ha batut el rècord del món de llançament de disc.* **2 en un temps rècord** En molt poc temps.

recordar *v* **1** Representar-se en el pensament alguna cosa passada: *A l'avi, li agrada de recordar els anys de la seva joventut.* **2** Fer venir a la memòria d'algú alguna cosa perquè no se n'oblidi: *Marta, et truco per recordar-te que divendres tenim un examen d'història.* Es conjuga com *cantar*.

recordatori recordatoris *nom m* Estampa impresa que es reparteix com a record d'un fet important: *En Jaume m'ha donat un recordatori de la seva primera comunió.*

recorregut recorreguts *nom m* Camí, conjunt de llocs per on es passa: *El recorregut de l'excursió era llarg i difícil.*

recórrer *v* **1** Anar a demanar un ajut, una informació a algú: *En un cas de necessitat pots recórrer a la teva germana.* **2** Fer un camí, un recorregut: *Vam recórrer una gran distància a peu.* Es conjuga com *córrer*.

recrear *v* **1** Ser agradable, donar plaer a la vista, a l'oïda, etc.: *Aquesta música tan bonica recrea l'oïda.* **2 recrear-se** Descansar de la feina amb algun entreteniment: *El meu pare es recrea mirant llibres d'animals.* Es conjuga com *canviar*.

recreatiu recreativa recreatius recreatives *adj* Que té per finalitat entretenir, divertir.

recriminar *v* Recordar, retreure a una persona allò que ha fet malament: *Una vegada, fa molt de temps, no vaig deixar la bicicleta al meu germà i encara ara m'ho recrimina.* Es conjuga com *cantar*.

rectament *adv* Bé, amb rectitud, d'acord amb la llei, amb el que cal fer.

rectangle rectangles **1** *nom m* Figura geomètrica que té quatre costats oposats, parallels i iguals i que té els quatre angles rectes. **2** *adj* Que té un o més angles rectes. **3 triangle rectangle** Triangle que té un angle recte.

rectangular rectangulars *adj* **1** Que té un o més angles rectes. **2** Que té forma de rectangle.

recte recta rectes *adj* **1** Que no és tort, que no és corbat, que és dret: *Una carretera recta.* ■ *Un bastó recte.* **2** Es diu de la persona que fa les coses bé, que no s'aparta de la llei, etc. **3 recta** *nom f* Línia que dóna la distància més curta entre dos punts. **4** *nom m* Última part de l'intestí de les persones i de molts animals. **19 5 angle recte** Qualsevol dels quatre angles que formen dues rectes que es tallen tot formant una creu perfecta. **6 recte anterior de la cuixa** Múscul situat a la part de davant de la cuixa que serveix per a estendre i flexionar la cama. **16**

rectificar *v* Corregir errors, faltes, etc.: *Vaig fer un error, però ja l'he rectificat.* Es conjuga com *cantar*. S'escriu *c* davant de *a, o, u* i *qu* davant de *e, i: rectifico, rectifiques.*

rectilini rectilínia rectilinis rectilínies *adj* **1** En línia recta, segons una recta. **2** Que està format per rectes.

rectitud rectituds *nom f* Qualitat de fer les coses bé, sense apartar-se del que cal fer, de la llei, etc.

rector rectora rectors rectores **1** *adj* Que regeix. **2** *nom m* i *f* Persona que té al seu càrrec el govern d'una comunitat, d'una universitat, etc. **3** *nom m* Capellà que governa una parròquia.

rectoria rectories *nom f* Lloc on hi ha les oficines i l'habitatge del rector d'una parròquia.

recuit recuits *nom m* Mató.

rècula rècules *nom f* Conjunt de coses o de persones que van l'una darrere l'altra, reguitzell: *En lloc de dir la veritat, va dir una rècula de mentides.*

recular *v* Caminar endarrere, tornar endarrere: *Ens vam deixar el paraigua a casa i vam haver de recular a buscar-lo, perquè es va posar a ploure.* Es conjuga com *cantar*.

recules Paraula que apareix en l'expressió a **recules** o de **recules**, que vol dir "caminant endarrere": *Els crancs caminen a recules.* ■ *Va entrar el cotxe al garatge de recules.*

recull **reculls** *nom m* Conjunt de coses recollides: *En aquest llibre hi ha un recull de dotze contes.*

reculons Paraula que apareix en l'expressió **a reculons** o de **reculons**, que vol dir "caminant endarrere, a recules".

recuperable **recuperables** *adj* Que es pot recuperar, que es pot tornar a fer servir: *Aquestes cerveses tenen l'envàs recuperable.*

recuperació **recuperacions** *nom f* **1** Acció de recuperar una cosa, de tornar-la a tenir. **2** Fet de recobrar la seva funció un òrgan que estava lesionat: *Després de l'operació de turmell, vaig anar dos mesos a sessions de recuperació.* **3** Repetició d'una prova, d'un treball o d'un examen suspesos: *Dimecres hi ha recuperació de matemàtiques.*

recuperar *v* Tornar a tenir una cosa, recobrar-la: *La Francesca ja ha recuperat les claus que havia perdut.*
Es conjuga com *cantar*.

recurrent **recurrents** *adj* Es diu d'una cosa que torna al seu punt d'origen, que torna de tant en tant: *Aquesta malaltia dóna febre recurrent.*

recurs **recursos** *nom m* **1** Manera de solucionar alguna cosa: *Vam quedar tancats a la biblioteca i vam trobar un recurs per sortir: saltar per la finestra.* **2** *Aquella família no té prou **recursos econòmics** per a comprar-se una casa nova:* diners, riquesa. **3** *Els **recursos naturals** són molt importants per a l'economia d'un país:* conjunt de productes útils per a les persones que es troben a la natura, com ara aigua, animals, plantes, minerals, etc.

redacció **redaccions** *nom f* **1** Escrit que tracta d'un tema determinat: *El mestre ens ha fet fer una redacció sobre la nevada d'aquest hivern.* **2** Conjunt de persones que redacten les notícies d'un diari, d'una revista, etc. **3** Lloc on es redacta un diari, una publicació periòdica: *En Sergi va portar la notícia a la redacció del diari.*

redactar *v* Escriure un text buscant bé les paraules, ordenant les idees i les frases, etc.: *Ja he redactat la carta que s'ha d'enviar a l'alcalde.*
Es conjuga com *cantar*.

redemptor **redemptora** **redemptors** **redemptores** *adj i nom m i f* Que redimeix algú: *En la religió cristiana, Jesucrist és el redemptor dels homes, perquè amb la seva mort va alliberar-los del pecat.*

redimir *v* Rescatar un presoner, alliberar algú pagant un rescat, salvar algú d'un mal.
Es conjuga com *servir*.

redó **redona** **redons** **redones** *adj* Rodó.

redoblar *v* **1** Fer més intensa una cosa, augmentar-la, repetir-la: *Davant d'una situació tan difícil, hem de redoblar els esforços.* **2** Tocar el tambor de manera ràpida.
Es conjuga com *cantar*.

redona **redones** *nom f* Rodona.

redós **redossos** *nom m* **1** Cobert, recer, protecció. **2** *Dins la cabanya els pastors estaven a redós del vent:* a recer, protegits.

redossar *v* Arrambar una cosa cap a una altra que li serveix de recer, que la protegeix.
Es conjuga com *cantar*.

redreçar *v* Tornar a posar dreta una cosa que s'ha torçat; arreglar una cosa que s'ha espatllat.
Es conjuga com *cantar*. S'escriu ç davant de *a, o, u* i *c* davant de *e, i*: *redreço, redreces.*

reducció **reduccions** *nom f* Acció de reduir, de fer disminuir una cosa, de fer-la més petita.

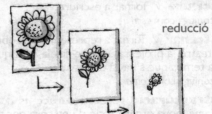

reducció

reducte **reductes** *nom m* Fortificació més aviat petita i tancada.

reduir *v* **1** Fer disminuir, fer tornar més petita una cosa: *El preu d'aquesta xocolata s'ha reduït: abans costava un euro i ara només en costa vuitanta cèntims.* **2** Canviar la forma, l'estat, etc. d'una cosa: *Per a fer el pa, cal reduir el blat a farina.* **3** Dominar algú per la força: *L'exèrcit va reduir l'enemic.*
La conjugació de *reduir* és a la pàg. 843.

redundància **redundàncies** *nom f* Repetició inútil de paraules: *A la frase "a mi, personalment, no m'agrada d'anar amb avió" hi ha una* redundància, perquè "a mi" i "personalment" es refereixen al mateix.

redundant redundants adj Que és excessiu, que es repeteix massa: L'expressió "a mi personalment" és redundant, perquè "a mi" i "personalment" es refereixen al mateix.

reedificar v Tornar a construir un edifici.
Es conjuga com cantar. S'escriu c davant de a, o, u i qu davant de e, i: reedifico, reedifiques.

reeditar v Fer una nova edició d'una obra, generalment introduint-hi canvis importants que milloren l'edició l'anterior.
Es conjuga com cantar.

reeixir v Tenir èxit, sortir bé una cosa: Aquell atleta es va entrenar molt i al final va reeixir i va guanyar la cursa.
La conjugació de reeixir és a la pàg. 844.

reelegir v Tornar a elegir per a un càrrec la mateixa persona que ja l'ocupava abans.
Es conjuga com servir.

reemplaçar v Ocupar el lloc que ocupava un altre, substituir.
Es conjuga com cantar. S'escriu ç davant de a, o, u i c davant de e, i: reemplaço, reemplaces.

reescalfar v 1 Tornar a escalfar una cosa que s'ha refredat. 2 Augmentar la temperatura d'una cosa que ja és calenta.
Es conjuga com cantar.

reescriure v Tornar a escriure.
Es conjuga com escriure.

reestrenar v Tornar a representar una obra de teatre, a projectar una pel·lícula, etc. que ja fa temps que s'havia estrenat.
Es conjuga com cantar.

reestructuració reestructuracions nom f Canvi, nova organització d'una cosa per tal que vagi millor, perquè funcioni més bé: A l'empresa on treballo hi ha hagut una reestructuració.

refectori refectoris nom m Menjador d'un monestir, d'un convent, refetor.

refer v 1 Fer de nou una cosa. 2 Tornar a posar en bon estat allò que s'havia espatllat. 3 **refer-se** Recuperar la salut: Aquell malalt es va refent de mica en mica.
Es conjuga com desfer.

referència referències nom f 1 Acció de referir-se. 2 Amb referència a la seva petició, hem de dir-li que no el podrem atendre fins d'aquí

a un mes: en relació amb, pel que fa a. 3 El mestre, parlant dels arbres de muntanya, va **fer referència a** l'excursió al Pirineu: parlar d'alguna cosa, referir-s'hi. 4 **punt de referència** Dada, document, etc. a partir del qual es comença o es continua l'estudi d'una cosa. 5 **referències** nom f pl Informacions sobre les aptituds, la manera de ser, etc. d'una persona: Com que tenia molt bones referències d'aquell noi, el va llogar a la seva empresa.

referèndum referèndums nom m Votació, consulta que es fa al poble per aprovar o no una reforma, una llei, etc.: El govern vol organitzar un referèndum per aprovar una llei sobre el divorci: la gent haurà de votar SÍ si hi està a favor i NO si hi està en contra.

referent referents adj 1 Que està relacionat amb alguna cosa: A la revista hi havia molts escrits referents a l'ecologia. 2 **referent a** En relació amb, pel que es refereix a: L'alcalde no va dir res referent als impostos.

referir-se v 1 Parlar d'alguna cosa: Durant la conferència el ministre va referir-se al problema de la falta d'aigua. 2 Tenir relació una cosa amb una altra: El signe + es refereix a la suma.
Es conjuga com servir.

refermar v Fer més ferma, més segura, més forta una cosa, una idea, etc.
Es conjuga com cantar.

refet refeta refets refetes adj Robust, cepat, fort.

refetor refetors nom m Refectori, menjador d'un monestir, d'un convent.

refiar-se v Estar segur que algú o alguna cosa ens ajudarà: Em refio de tu per pintar el pis, tot sol no podria pas! ■ No et refiïs d'aquest tamboret, té una pota trencada.
Es conjuga com canviar.

refilar v 1 Fer refilets, cantar alguns ocells. 2 Cantar molt bé: Aquella cantant d'òpera refilava com un rossinyol.
Es conjuga com cantar.

refilet refilets nom m Cant molt bonic que fan alguns ocells.

refinar v Fer més fina, més suau, més pura una cosa, eliminar-ne les impureses: Aquestes màquines serveixen per a refinar el sucre.
Es conjuga com cantar.

refinat refinada refinats refinades adj Molt fi, molt pur, exquisit, delicat: En Joan té uns gustos molt refinats: sempre menja amb coberts de plata.

refineria refineries *nom f* Fàbrica on es refinen o es purifiquen algunes substàncies, com ara l'oli, el petroli, etc.: *A Tarragona hi ha refineries de petroli.*

refistolat refistolada refistolats refistolades *adj* Es diu d'una cosa molt adornada, de la persona plena d'orgull, etc.

reflectir *v* **1** Reproduir la imatge d'una cosa com fa un mirall: *La lluna i els estels es reflectien en l'aigua del llac.* **2** Deixar veure una cosa a través d'una altra, demostrar: *La mala organització de la festa reflectia la falta d'interès dels organitzadors.* **3** Canviar de direcció els raigs de llum quan topen amb una superfície que els priva el pas.
Es conjuga com *servir*.

reflector reflectora reflectors reflectores **1** *adj* Que reflecteix. **2** *nom m* Llum molt potent que s'enfoca en una direcció determinada: *Els reflectors enfocaven els avions que volaven sobre la ciutat.*

reflex reflexos *nom m* **1** Llum reflectida: *Els reflexos del sol es veien en l'aigua del riu.* **2** Cosa a través de la qual se'n veu una altra: *La cara és el reflex de l'ànima.* **3** Moviment involuntari que fa el cos com a resposta a un estímul: *Picar el genoll per veure si la cama es mou serveix per a comprovar els reflexos.*

reflex

reflexió reflexions *nom f* **1** Acció de reflectir, de canviar de direcció els raigs de llum quan topen amb una superfície que els priva el pas. **2** Acció de reflexionar, de pensar sobre alguna cosa: *Tots nosaltres vàrem fer una reflexió sobre la violència amb què es va jugar el partit de bàsquet.*

reflexionar *v* Tornar a pensar sobre una cosa, a poc a poc, amb profunditat.
Es conjuga com *cantar*.

reflexiu reflexiva reflexius reflexives *adj* **1** Es diu de la persona que fa les coses després

de pensar-les bé. **2** **verb reflexiu** Verb que expressa una acció que rep el mateix subjecte que la realitza: *La frase "en Joan es renta" té un verb reflexiu, perquè l'acció de "rentar" la rep el subjecte, és a dir, "en Joan".* **3** **pronom reflexiu** Pronom que acompanya el verb i que es refereix al subjecte de la frase: *En la frase "en Joan es renta", la paraula "es" és un pronom reflexiu i es refereix a "en Joan", que és el subjecte.*

reflux refluxos *nom m* Marea baixa.

reforç reforços *nom m* Tot allò que serveix per a reforçar: *Tenia la tira de la maleta molt gastada i la mare m'hi ha posat un reforç.* ■ *Nosaltres sols no podíem acabar la feina i vam anar a buscar reforços.*

reforçar *v* Fer més forta una cosa, donar noves forces a algú o a alguna cosa: *La gimnàstica reforça els músculs.* ■ *Van haver de reforçar les parets de la casa perquè amenaçava ruïna.*
Es conjuga com *cantar*. S'escriu ç davant de *a, o, u* i c davant de *e, i: reforço, reforces.*

reforestar *v* Tornar a plantar arbres en un bosc.
Es conjuga com *cantar*.

reforma reformes *nom f* Canvi d'una cosa intentant donar-li una nova forma o intentant millorar-la: *Hem fet reformes al menjador: hem fet la finestra més grossa, hem canviat el mosaic i hem pintat.*

reformar *v* Fer canvis en una cosa donant-li una forma nova, un ordre diferent, perquè millori.
Es conjuga com *cantar*.

reformatori reformatoris *nom m* Lloc on s'acullen persones menors de divuit anys que han comès algun delicte.

refracció refraccions *nom f* Canvi de direcció d'un raig de llum quan passa obliquament d'un medi a un altre de densitat diferent.

refrany refranys *nom m* Frase que es diu popularment: *"Qui la fa, la paga" és un refrany molt antic que vol dir que aquell que fa una mala acció sempre acaba tenint el càstig que es mereix.*

refredar *v* **1** Fer tornar freda una cosa: *Posaré l'ampolla de vi a la nevera perquè es refredi.* **2** **refredar-se** Agafar un refredat, un constipat: *En Gil s'ha refredat i té molta tos.* **3** Decidir de no fer una cosa que abans s'estava engrescat a fer: *Els meus cosins volien venir de viatge amb nosaltres però ara s'han refredat.*
Es conjuga com *cantar*.

r

665

refredat refredats *nom m* Malaltia afavorida pel fred o la humitat, que ataca el coll i el nas i provoca tos i mocs, constipat.

refrenar *v* Posar fre, aturar, contenir: *Tenia motius per insultar-lo, però em vaig refrenar.* Es conjuga com *cantar*.

refresc refrescs o refrescos *nom m* **1** Beguda fresca. **2** Àpat que es fa amb motiu d'una festa familiar en el qual se serveixen begudes, pastes, etc.

refrescant refrescants *adj* Que refresca, que fa passar la calor, la set: *El meló és una fruita molt refrescant.*

refrescar *v* **1** Fer tornar fresca una cosa: *Posarem el vi blanc a refrescar a la nevera.* **2** Remullar amb aigua o un altre líquid fresc: *Refresqueu-li el cop amb aigua de l'aixeta.* **3** Disminuir la calor: *El temps ha refrescat una mica.* **4** *Ja no me'n recordava, d'aquella qüestió, però tu m'has refrescat la memòria:* fer recordar d'alguna cosa a algú. Es conjuga com *cantar*. S'escriu *c* davant de *a, o, u* i *qu* davant de *e, i: refresco, refresques.*

refrigerar *v* Refredar una cosa amb màquines frigorífiques com ara una nevera, un congelador, etc. Es conjuga com *cantar*.

refrigeri refrigeris *nom m* Aliment lleuger que es pren per recuperar forces: *El programa diu que a mig matí, entre conferència i conferència, hi ha un refrigeri.*

refugi refugis *nom m* **1** Lloc o construcció que serveix per a protegir-se d'algun perill, de la pluja, etc. **2** Edifici construït a muntanya per tal que els excursionistes puguin passar-hi la nit o protegir-se de les tempestes. **3** Lloc on els animals estan protegits i on està prohibit de caçar o pescar.

refugiar-se *v* Posar-se en un lloc segur, trobar refugi: *Es va posar a ploure i ens vam refugiar en una cova.* Es conjuga com *canviar*.

refugiat refugiada refugiats refugiades *nom m i f* Persona que ha hagut d'abandonar la seva terra a causa d'una guerra, d'una catàstrofe, etc.

refulgir *v* Resplendir, brillar molt. Es conjuga com *servir*.

refusar *v* Rebutjar, no acceptar algú o alguna cosa: *Li vam dir si volia venir a sopar a casa nostra, però va refusar la invitació.* Es conjuga com *cantar*.

refutar *v* Demostrar que una idea, una teoria, etc. és falsa, equivocada. Es conjuga com *cantar*.

reg regs *nom m* Acció de portar aigua per regar un camp, un hort, etc.

regadiu regadius *nom m* Terreny de conreu que es pot regar: *Aquests camps són de regadiu.*

regadora regadores *nom f* Recipient portàtil per a regar les plantes semblant a una galleda que té un tub lateral amb un forat o més per on surt l'aigua: *La Rosa ha agafat la regadora per regar els geranis del balcó.*

regal regals *nom m* Objecte que es dóna a algú amb motiu del seu aniversari, del seu sant, etc., obsequi, present: *Avui és l'aniversari d'en Daniel i li farem un regal.*

regalar[1] *v* Donar a algú alguna cosa com a regal: *El pare ha regalat un mocador de coll a la mare perquè avui és el seu sant.* Es conjuga com *cantar*.

regalar[2] *v* Sortir líquid d'una cosa i córrer cap avall: *La suor li regalava per la cara.* Es conjuga com *cantar*.

regalat regalada regalats regalades *adj* **1** Es diu d'una manera de viure, d'una situació que és molt còmoda, que no té dificultats de cap mena. **2** Molt barat.

regalèssia regalèssies *nom f* Herba que té una arrel comestible que es pot mastegar.

regalimar *v* Caure una mica d'aigua d'un lloc, degotar: *Després de ploure, els troncs i les fulles dels arbres regalimen.* Es conjuga com *cantar*.

reganyar *v* **1** Ensenyar les dents un gos o un altre animal com si volgués mossegar. **2** Demostrar a algú que s'està enfadat, de mal humor, etc. queixant-se d'allò que no ha fet bé, dient-li coses desagradables. Es conjuga com *cantar*.

regar *v* Escampar aigua damunt la terra de les plantes perquè tinguin la humitat necessària, escampar aigua damunt el terra d'una habitació per refrescar-lo, perquè no s'aixequi

la pols en escombrar, etc.: *El jardiner rega les flors del jardí amb la mànega.*
Es conjuga com *cantar.* S'escriu *g* davant de *a, o, u* i *gu* davant de *e, i: rego, regues.*

regata[1] **regates** *nom f* Cursa per a embarcacions amb motor, de vela o de rem.

regata[2] **regates** *nom f* Tall llarg i estret fet en la superfície d'una cosa: *Has de fer dues regates a la paret per fer-hi passar els fils de l'electricitat.*

regata

regatejar *v* **1** Tractar de comprar una cosa a un preu més baix: *Vaig regatejar una mica i la venedora em va vendre el jersei a meitat de preu.* **2** Escatimar, procurar no donar una cosa: *Si voleu aprovar, no heu de regatejar els esforços.*
Es conjuga com *cantar.* S'escriu *j* davant de *a, o, u* i *g* davant de *e, i: regatejo, regateges.*

regenerar *v* Tornar a produir, a construir una cosa, renovar-la, millorar-la, fent-li canvis: *Aquest producte regenera els cabells.*
Es conjuga com *cantar.*

regentar *v* Dirigir una empresa, una oficina, etc.
Es conjuga com *cantar.*

regidor **regidora regidors regidores** *nom m i f* Persona que forma part del govern d'un ajuntament: *L'Agnès és regidora de cultura de l'ajuntament del seu poble.*

règim **règims** *nom m* **1** Manera de governar un país, un estat, etc.: *La majoria de països d'Europa tenen règims democràtics.* **2** Alimentació especial que ha de seguir una persona malalta o que es vol aprimar: *L'Andreu fa règim, perquè el metge li ha manat que s'aprimés 15 quilos.* **3** Conjunt d'aliments que pren una persona o un animal: *El règim alimentari dels remugants és l'herba.*

regina **regines** *nom f* Reina.

regiment **regiments** *nom m* Conjunt de soldats manats per un coronel.

reginjolat **reginjolada reginjolats reginjolades** *adj* Trempat, alegre, animat.

regió **regions** *nom f* **1** Part d'un país que té algunes característiques pròpies com ara vegetació, clima, etc. **2** Part del cos: *La malaltia li va afectar la regió pulmonar.*

regional **regionals** *adj* Que té relació amb una regió.

regir *v* **1** Governar, manar. **2** Tenir validesa una norma, una llei: *La llei que regeix actualment prohibeix de fumar en els llocs públics.*
Es conjuga com *servir.*

regirar *v* **1** Moure coses del seu lloc, remenar-les molt per buscar-ne o treure'n una: *Hem regirat tota l'habitació i encara no hem trobat el rellotge d'or.* **2** Remoure terra, sorra, etc. **3** *Aquella salsa em va* **regirar l'estómac**: fer venir ganes de vomitar. **4** **regirar-se** Moure's d'un costat a l'altre, especialment al llit. **5** Torçar-se un peu, un dit de la mà, etc.
Es conjuga com *cantar.*

registrar *v* Anotar un fet, un nom, unes dades, etc. en un llibre, una fitxa, etc.: *La bibliotecària registra tots els llibres que arriben a la biblioteca.*
Es conjuga com *cantar.*

registre **registres** *nom m* Llibre o quadern en què s'anoten fets, dades, etc.: *A la biblioteca hi ha un registre on s'apunten les dades de tots els llibres que es compren.*

regla **regles** *nom f* **1** Llei, norma que diu allò que cal fer i allò que no cal fer: *És necessari que tothom accepti les regles d'aquest joc de cartes: qui faci trampes quedarà eliminat.* **2** *Tinc tots els documents* **en regla**: tal com diu la llei. **3** *Per regla general*, els actors de la companyia dinen junts: com acostuma a passar normalment. **4** Expulsió periòdica de sang i dels òvuls no fecundats de les femelles dels mamífers.

reglament **reglaments** *nom m* Conjunt de regles que controlen o regeixen el funcionament d'una associació, d'una comunitat, d'un esport, etc.

reglamentar *v* Posar regles a un joc, a un esport, a una activitat.
Es conjuga com *cantar.*

reglamentari **reglamentària reglamentaris reglamentàries** *adj* Que té relació amb el reglament, que està d'acord amb

r

667

el reglament: *El jugador ha fet les tres tirades reglamentàries.*

regle regles *nom m* Instrument de fusta, de plàstic, etc. llarg, prim i recte, que porta els centímetres marcats i que serveix per a traçar línies rectes: *En Miquel tira les ratlles amb un regle.*

regna regnes *nom f* Cadascuna de les dues corretges que serveixen per a guiar el cavall.

regnes

regnar *v* **1** Regir un país un rei, una reina, etc. **2** Dominar, tenir influència en una cosa, etc.: *La calma regnava en aquell país.*
Es conjuga com *cantar.*

regnat regnats *nom m* Període de temps durant el qual regna un rei o una reina.

regne regnes *nom m* **1** Territori regit per un rei. **2** Cadascun dels tres grups en què es divideix la natura: el regne animal, el regne vegetal i el regne mineral.

regraciar *v* Donar les gràcies, agrair.
Es conjuga com *canviar.*

regressar *v* Tornar al punt de partida.
Es conjuga com *cantar.*

regressió regressions *nom f* Moviment cap endarrere: *La venda de taronges ha sofert una regressió.*

regressiu regressiva regressius regressives *adj* Que va endarrere, que recula.

regueró reguerons *nom m* Rec o canal petit.

reguitzell reguitzells *nom m* Llarga sèrie de coses: *Després de sopar, el pare va explicar un reguitzell d'acudits.*

regulador reguladora reguladors reguladores *adj i nom m* Que regula, que manté una cosa en un estat, en una temperatura, etc. determinat: *Aquest aparell d'aire calent és un bon regulador de la temperatura de l'oficina.*

regular[1] *v* **1** Fer que una cosa es mantingui en un estat, en un grau, etc. determinat: *Aquest aparell regula la temperatura de la casa.* **2** Fer funcionar per mitjà de regles un negoci, una

organització, una associació, etc.: *La circulació de vehicles està regulada pel codi de circulació.*
Es conjuga com *cantar.*

regular[2] regulars *adj* **1** Ni bo ni dolent, ni gros ni petit, etc.: *Has fet un examen regular: ni bo ni dolent, més aviat justet.* **2** Que segueix una norma, que sempre funciona igual: *Aquesta línia d'autobusos és regular i funciona cada dia.* ▪ *El verb "menjar" és regular perquè totes les seves formes segueixen el model del verb "cantar".* **3** Es diu de la figura geomètrica que té els costats, els angles, etc. iguals: *El quadrat és una figura regular perquè té els quatre costats iguals.*

regularitat regularitats *nom f* Qualitat de regular: *En Miquel assisteix a les classes d'anglès amb regularitat.*

regularment *adv* **1** D'una manera regular. **2** En general, normalment: *Regularment anem al cine una vegada per setmana.*

regust regusts o regustos *nom m* **1** Gust o sabor desagradable que deixa una cosa. **2** Gust o sabor que una cosa encomana a una altra: *Has fregit la carn amb l'oli que havies fet servir abans per a fregir el peix i ha agafat regust de peix.*

rehabilitar *v* Fer que una cosa o una persona recuperi el bon estat: *L'ajuntament rehabilitarà les cases del barri antic de la ciutat.*
Es conjuga com *cantar.*

rei reina reis reines *nom m i f* **1** Persona que representa la màxima autoritat d'un país i és fill del rei anterior: *El rei d'aquell país viu en un palau amb la reina.* **2** Els **Reis d'Orient** o **Reis Mags** són tres: *Melcior, Gaspar i Baltasar:* personatges que, segons la tradició, porten les joguines als nens el dia 6 de gener. **3** Persona, animal o cosa que ocupa una posició important entre d'altres de la seva classe o espècie: *El lleó és el rei de la selva.* **4** nom que es dóna a un infant o a una persona molt estimada: *No ploris, rei meu!*

reial reials *adj* Que té relació amb el rei o la reina: *El rei i la reina viuen en el palau reial.*

reialme reialmes *nom m* Regne, territori regit per un rei.

reig reigs *nom m* **1** Peix de color grisenc, amb el dors més fosc i el ventre platejat. **2** Bolet comestible molt apreciat, que té el barret d'un color entre groc i taronja. ▪ **3** **reig bord** Bolet verinós amb el barret de color vermell esquitxat de puntets blancs. ▪ **4** **ou de**

reig Nom del bolet anomenat reig quan encara no és madur. ▨ 4

reimprimir v Tornar a imprimir, tornar a publicar una obra sense fer-hi canvis importants. Es conjuga com *servir*. Participi: *reimprès, reimpresa*.

reina reines *nom f* Mira **rei**.

reïna reïnes *nom f* Resina.

reincident reincidents *adj i nom m i f* Es diu de la persona que torna a cometre un error, un delicte, etc.

reincidir v Tornar a cometre un error, un delicte, etc. Es conjuga com *servir*.

reineta reinetes *nom f* Granota petita i de color verd. ▨ 8

reineta

reintegrar v 1 Tornar una cosa a algú: *Si aquest producte no li va bé, li reintegrarem els diners*. 2 Tornar-se a incorporar a una feina, un equip, etc. Es conjuga com *cantar*.

reiteració reiteracions *nom f* Repetició.

reiteradament *adv* Repetidament, moltes vegades: *El professor va suspendre aquell alumne perquè havia faltat reiteradament a classe*.

reiterar v Repetir, tornar a dir o a fer una cosa. Es conjuga com *cantar*.

reivindicar v Exigir, reclamar, defensar una cosa a la qual es té dret. Es conjuga com *cantar*. S'escriu *c* davant de *a, o, u* i *qu* davant de *e, i: reivindico, reivindiques*.

reixa reixes *nom f* Tanca formada per un conjunt de barres de ferro paral·leles o creuades, que serveix per a protegir una finestra, una porta, una casa, etc.: *A les gàbies dels lleons hi havia unes reixes molt gruixudes*.

reixat reixats *nom m* Reixa que serveix de porta o de tanca en un jardí, en un hort, etc.

reixeta reixetes *nom f* Teixit en forma de reixa que es fa amb tires vegetals i serveix per a fer seients o respatllers de cadires.

reixinxolat reixinxolada reixinxolats reixinxolades *adj* Trempat, alegre, animat.

rejovenir v Fer tornar o fer semblar més jove. Es conjuga com *servir*.

rejuntar v 1 Tornar a ajuntar. 2 Omplir amb guix, ciment, etc. els buits o les escletxes que queden entre dos totxos, dues fustes, etc. Es conjuga com *cantar*.

rel rels *nom f* Mira **arrel**.

relació relacions *nom f* 1 Lligam, contacte que hi ha entre dues o més persones o coses: *Els nens de tercer i els de quart han tingut molta relació durant les colònies*. ▪ *El que dius no té cap relació amb el que t'acabo d'explicar*. 2 *En Joan i la Carme* **tenen relacions**: estan promesos. 3 Explicació ordenada de fets: *El periodista ha donat una relació dels fets molt exacta*. 4 Llista de noms, de quantitats, etc.: *Li fem arribar els productes i la relació de preus*.

relacionar v 1 Posar en contacte dues o més coses, dues o més persones. 2 **relacionar-se** Tenir amistat, tenir tractes amb algú: *La meva família i la teva van juntes a tot arreu, fa molts anys que es relacionen*. Es conjuga com *cantar*.

relat relats *nom m* Narració de fets reals o imaginaris.

relatar v Explicar una història, un fet, etc., contar, narrar. Es conjuga com *cantar*.

relatiu relativa relatius relatives *adj* 1 Que té relació, que fa referència a una cosa: *Llegeixo un llibre relatiu als peixos*. 2 Que no és total o absolut, que depèn de com es miri: *Els meus coneixements d'anglès són relatius: en sé força, però encara n'he d'aprendre molt*. 3 **pronom relatiu** Pronom que es troba al començament d'una frase que fa de complement de la paraula substituïda pel pronom: *En la frase "aquesta és la casa on vaig néixer", la paraula "on" és un pronom relatiu*.

relativament *adv* D'una manera relativa, més o menys, força: *Em trobo relativament bé*.

relativitzar v Donar a una opinió, a una idea, etc. un valor relatiu: *Tot el que et digui la*

r

meva germana ho has de relativitzar, ja saps que és molt exagerada.
Es conjuga com *cantar.*

relaxar *v* **1** Afluixar un múscul, una part del cos; tranquil·litzar-se, deixar d'estar en tensió: *El professor ens va aconsellar que abans de fer l'examen ens relaxéssim.* **2** Disminuir la duresa d'una llei, d'un costum, etc.
Es conjuga com *cantar.*

relegar *v* Apartar una persona o una cosa, deixar-la en una situació inferior.
Es conjuga com *cantar.* **S'escriu** g davant de *a, o, u* i *gu* **davant de** e, i: *relego, relegues.*

religió **religions** *nom f* Conjunt de creences, d'actes, de cerimònies basades en l'adoració d'un o més déus: *En el món hi ha diverses religions: la cristiana, la musulmana, etc.*

religiós **religiosa religiosos religioses 1** *adj* Que té relació amb la religió. **2** *nom m* i *f* Membre d'una comunitat religiosa.

religiosament *adv* De manera escrupolosa, mirant-s'hi molt, complint totes les normes: *Ningú no es va queixar del preu i tothom va pagar religiosament.*

relíquia **relíquies** *nom f* Senyal que es conserva d'una cosa passada, d'un altre temps.

rella **relles** *nom f* Peça de ferro que talla, que va enganxada a l'arada i que serveix per a fer solcs en un camp: *Els pagesos fan servir la rella per a llaurar la terra.*

rellegir *v* Tornar a llegir.
Es conjuga com *servir.*

relleu **relleus** *nom m* **1** Part que sobresurt d'un objecte; gruix que sobresurt en un dibuix, pintura, etc.: **2** Conjunt de muntanyes, turons, planes, etc. d'un territori: *Estem estudiant el relleu de Catalunya.* **3** *El conferenciant va* **posar en relleu** *la importància de saber menjar bé:* remarcar la importància que té una cosa. **4** *El seu avi era un científic* **de relleu***:* important. **5** Acció de rellevar, d'ocupar el lloc d'algú en una feina, en una cursa, etc. **6** **cursa de relleus** Prova esportiva en la qual els diversos atletes d'un equip fan, l'un després de l'altre, les diferents parts del recorregut.

rellevant **rellevants** *adj* Important, que sobresurt per les seves qualitats: *En Joan era una persona rellevant en el camp de la ciència.*

rellevar *v* Ocupar el lloc d'algú en una feina, en una cursa, etc.: *En Martí estava cansat de portar el cotxe i el meu pare el va rellevar.*
Es conjuga com *cantar.*

relligar *v* **1** Tornar a lligar una cosa. **2** Enquadernar un llibre.
Es conjuga com *cantar.* **S'escriu** g davant de *a, o, u* i *gu* davant de e, i: *relligo, relligues.*

relliscar *v* **1** Perdre l'equilibri en posar els peus sobre una superfície mullada, glaçada, llisa, etc.: *L'àvia ha relliscat i ha caigut, perquè la neu està glaçada.* **2** Ser molt llisa, molt fina una superfície: *Quan plou, la carretera rellisca.* ▪ *El plat em va relliscar de la mà i es va trencar.* **3** *Al meu germà, tot el que no sigui l'esport li rellisca:* no li interessa, no li preocupa. **4** Equivocar-se, fer una cosa mal feta.
Es conjuga com *cantar.* **S'escriu** c davant de *a, o, u* i *qu* davant de e, i: *rellisco, rellisques.*

relliscar

rellotge **rellotges** *nom m* **1** Instrument que serveix per a assenyalar l'hora que és i que consisteix en un conjunt de peces petites que fan moure unes agulles o busques que van corrent sobre un disc o esfera: *Han tocat les dotze al rellotge de l'ajuntament.* ▪ *Quan et casis, et regalaré un rellotge d'or.* **2** **rellotge de sol** Rellotge que marca l'hora per mitjà de l'ombra que fa un pal clavat a la paret.

rellotge

rellotger **rellotgera rellotgers rellotgeres 1** *adj* Que té relació amb els rellotges. **2** *nom m* i *f* Persona que fa, que arregla o que ven rellotges.

rellotgeria **rellotgeries** *nom f* Taller, botiga on es fan o es venen rellotges.

relluir v Resplendir, brillar molt.
Es conjuga com *lluir*.

rem rems *nom m* **1** Pala de fusta, llarga i estreta, que es mou amb els braços i que serveix per a fer moure les embarcacions dintre l'aigua. **2** Esport nàutic que consisteix en competicions entre embarcacions mogudes per rems.

rems

remar v Moure el rem o els rems per fer avançar una embarcació dintre l'aigua.
Es conjuga com *cantar*.

remarca remarques *nom f* **1** Acció de remarcar. **2** Nota, observació, senyal: *El professor em va tornar el treball ple de remarques perquè jo el corregís.*

remarcable remarcables *adj* Es diu d'una cosa que destaca, que és important, en la qual convé fixar-se: *La característica més remarcable de l'edifici són les columnes de l'entrada.*

remarcar v Fer notar, fer observar una cosa d'una manera especial.
Es conjuga com *cantar*. S'escriu *c* davant de *a, o, u* i *qu* davant de *e, i: remarco, remarques.*

rematar v **1** Posar fi a la vida d'un animal o d'una persona que s'està morint, acabar de matar. **2** Acabar una cosa, una feina, un tracte. **3** Acabar una jugada o una sèrie de jugades tirant a gol en el futbol i en altres esports.
Es conjuga com *cantar*.

rematat rematada rematats remata-des **1** *adj* Perdut del tot: *Un boig rematat.* **2** rematada *nom f* Acció de rematar: *El davanter va fer una rematada de cap molt bona.*

remei remeis *nom m* **1** Allò que serveix per a curar un mal, una malaltia: *Aquest xarop ha sigut un gran remei per a la meva tos.* **2** Aquella malaltia no va **tenir remei**: no tenir solució possible, no poder-se curar.

remeiar v Posar remei a una cosa, solucionar-la.
La conjugació de *remeiar* és a la pàg. 844.

remembrar v Recordar.
Es conjuga com *cantar*.

rememorar v Recordar.
Es conjuga com *cantar*.

remenar v **1** Moure, agitar una mescla perquè es barregi bé: *Si remenes bé amb la cullera, el sucre es dissoldrà més bé en l'aigua.* **2** Remoure, barrejar: *Abans de repartir les cartes, remena-les bé.* **3** Tocar, desordenar, moure d'una banda a l'altra un objecte o el que hi ha a dintre d'un calaix, un armari, etc.: *El nen petit ho remena tot.* **4** Moure, bellugar: *El gos remena la cua perquè està content.* **5 remenar les cireres** Tenir el poder.
Es conjuga com *cantar*.

remença remences *nom f* **1** Pagament que antigament el senyor podia exigir als pagesos quan aquests volien abandonar-lo. **2 pagès de remença** Pagès que antigament estava sota el domini d'un senyor i només podia abandonar-lo mitjançant el pagament d'una quantitat o remença.

remeneta remenetes *adj i nom m i f* Es diu de la persona que remena o que toca sempre les coses que no hauria de tocar: *El meu fill petit sempre m'agafa la bossa per veure què hi porto, és molt remeneta.*

remer remera remers remeres *nom m i f* Persona que rema.

remesa remeses *nom f* **1** Acció de remetre. **2** Conjunt de coses que s'envien d'una vegada, tramesa: *Hem rebut una remesa de camises defectuoses.*

remetre v Enviar, fer passar d'un lloc a un altre: *La paraula "pessigada" del diccionari remet a la paraula "pessic".*
Es conjuga com *perdre*. Participi: *remès, remesa.*

reminiscència reminiscències *nom f* Record, restes d'una cosa passada, gairebé oblidada.

remitent remitents *adj i nom m i f* Es diu de la persona que envia una carta, un paquet, etc.

remolatxa remolatxes *nom f* Planta comestible molt apreciada per la seva arrel, molt grossa i carnosa, de la qual s'extreu el sucre. **5**

remolc remolcs *nom m* Vehicle enganxat a un altre vehicle que l'arrossega: *El tractor porta un remolc carregat de palla.*

remolcador remolcadora remolcadors remolcadores **1** *adj* Que serveix per a remolcar. **2** *nom m* Vehicle destinat a remolcar altres vehicles.

remolcar *v* Arrossegar un vehicle un altre vehicle amb cadenes, cables, etc.: *La grua va haver de remolcar el cotxe espatllat.*
Es conjuga com *cantar*. S'escriu *c* davant de *a, o, u* i *qu* davant de *e, i: remolco, remolques.*

remolí remolins *nom m* **1** Moviment ràpid en forma de cercle que fa l'aigua, l'aire, etc.: *En aquella part del riu, l'aigua fa un remolí molt perillós.* **2** Grup de cabells o de pèls que creixen en direcció diferent de la dels altres i que no es poden pentinar bé.

remor remors *nom f* Soroll confús, com el que fa una tempesta, el mar, el vent, etc.

rèmora rèmores *nom f* Obstacle que impedeix que una cosa avanci.

remordiment remordiments *nom m* Pena, sensació de malestar que es té després d'haver fet una cosa dolenta.

remordir *v* **1** Causar remordiment. **2** *Va agafar la bicicleta sense permís i li va **remordir la consciència** tot el dia:* va tenir remordiments.
Es conjuga com *servir*.

remorejar *v* Fer remor, fer un soroll confús.
Es conjuga com *cantar*. S'escriu *j* davant de *a, o, u* i *g* davant de *e, i: remoreja, remoreges.*

remot remota remots remotes *adj* **1** Llunyà, que és lluny, a una distància molt gran: *En un país remot hi havia un pare que tenia tres fills.* **2** No gaire probable: *Com que ha plogut molt, el perill d'incendis és remot.*

remoure *v* **1** Tornar a moure alguna cosa. **2** Regirar, capgirar: *Per buscar les claus que havia perdut, l'Esteve va remoure tota l'habitació.* **3** **remoure la terra** Llaurar-la, cavar-la, etc.
Es conjuga com *beure*.

remugant remugants **1** *adj* Que remuga. **2** *nom m* Animal mamífer que es caracteritza per les dents i per l'aparell digestiu, dividit en quatre parts: *Els toros i les vaques són remugants.*

remugar *v* **1** Mastegar els remugants per segona vegada els aliments. **2** Rondinar, protestar en veu baixa.
Es conjuga com *cantar*. S'escriu *g* davant de *a, o, u* i *gu* davant de *e, i: remugo, remugues.*

remull remulls *nom m* Acció de remullar: *Abans de rentar aquests pantalons tan bruts de fang, els posaré una estona en remull.*

remullar *v* **1** Posar una cosa dins l'aigua, el vi, etc. perquè marxi la brutícia més grossa, la sal, etc.: *Perquè el bacallà no sigui tan salat, s'ha de posar a remullar uns quants dies.* **2** Mullar molt: *Ens va arreplegar la pluja i vam quedar ben remullats.*
Es conjuga com *cantar*.

remuneració remuneracions *nom f* Diners que es paguen per una feina.

remunerar *v* Recompensar, pagar a algú la feina que ha fet.
Es conjuga com *cantar*.

remuntar *v* **1** Recórrer un riu en direcció contrària al seu corrent, recórrer cap amunt una muntanya. **2** Recular, anar endarrere en el temps: *Per trobar els autors d'aquesta peça musical, ens hem de remuntar fins al segle XV.* **3** Superar una dificultat, una mala situació: *A mig partit l'equip es va remuntar i al final va guanyar.*
Es conjuga com *cantar*.

ren rens *nom m* Animal mamífer semblant al cérvol, que té unes banyes molt llargues i cargolades i viu als països freds.

ren

renaixentista renaixentistes *adj* Que està relacionat amb el Renaixement, el moviment cultural nascut a Itàlia a partir del segle XIV i estès després arreu d'Europa, que propugnava la recuperació de les idees i de l'art antics de Grècia i de Roma.

renàixer *v* Mira **renéixer**.
Es conjuga com *néixer*.

renal renals *adj* Que té relació amb els ronyons.

renda rendes *nom f* **1** Diners que produeix periòdicament un negoci. **2** **declaració de la renda** Document en el qual una persona declara els diners que guanya i els béns que té per tal de calcular els diners que ha de pagar a l'estat com a impost.

rendible rendibles *adj* Que dóna beneficis, diners.

rendiment rendiments *nom m* **1** Beneficis, diners que dóna alguna cosa: *Aquestes vaques són d'un gran rendiment: donen molts litres de llet al dia.* **2** Acció de rendir-se. **3** Fatiga, cansament.

rendir *v* **1** Produir guanys, diners, beneficis una cosa. **2 rendir-se** Deixar de lluitar: *Davant l'exèrcit, l'enemic va rendir-se i es va retirar.* **3** Cansar, fatigar: *Avui estic rendit, he treballat molt.*
Es conjuga com *servir.*

renec renecs *nom m* Paraula que ofèn, que és grollera, mala paraula.

renegar *v* **1** Dir males paraules. **2** Deixar de creure en unes idees, de ser fidel a unes persones, etc.
Es conjuga com *cantar.* S'escriu g davant de *a, o, u* i gu davant de *e, i: renego, renegues.*

renéixer *v* Tornar a néixer, recuperar-se una cosa.
Es conjuga com *néixer.*

rengle rengles *nom m* Conjunt de persones o de coses posades l'una al costat de l'altra, o l'una al darrere de l'altra.

renglera rengleres *nom f* Filera, fila, conjunt de persones o coses col·locades l'una al costat de l'altra o l'una al darrere de l'altra formant una línia recta.

renill renills *nom m* Crit del cavall.

renillar *v* Manera de cridar del cavall.
Es conjuga com *cantar.*

renoc renoca renocs renoques *adj* Que s'ha quedat petit, que no ha crescut gaire.

renoi *interj* Exclamació que expressa admiració, sorpresa: *Renoi, quin vestit més bonic que portes!*

renom renoms *nom m* Fama, anomenada: *El seu avi era un pintor de renom.*

renòs renossos *nom m* Galindó.

renou renous *nom m* Mira **enrenou.**

renovar *v* **1** Fer una cosa de nou, una altra vegada: *A l'Andreu, li han renovat el contracte de treball.* **2** Canviar una cosa vella per una

altra de semblant però nova: *El mecànic m'ha renovat l'oli de la moto.*
Es conjuga com *cantar.*

rentable rentables *adj* Que es pot rentar.

rentadora rentadores *nom f* Aparell, màquina elèctrica que serveix per a rentar la roba, màquina de rentar: *A casa tenim la rentadora espatllada i hem de rentar la roba a mà.*

rentamans uns **rentamans** *nom m* **1** Recipient, gibrell gros i de poca fondària que serveix per a rentar-s'hi les mans, palangana. **2** Pica petita amb aixeta per a rentar-s'hi les mans.

rentamans

rentaplats uns **rentaplats** *nom m* Aparell, màquina elèctrica que serveix per a rentar els plats, els gots, els coberts, etc.

rentar *v* **1** Netejar amb aigua, sabó, etc. tot allò que és brut: *Tinc molta roba bruta per a rentar.* ▪ *Ens han tallat l'aigua: no en tenim ni per a rentar-nos la cara.* **2 rentar-se'n les mans** No voler saber res d'una cosa.
Es conjuga com *cantar.*

renunciar *v* Deixar voluntàriament i per sempre una cosa que es té o es pot tenir: *A en Rafael, li van oferir una altra feina, però hi va renunciar.*
Es conjuga com *canviar.*

renyar *v* Avisar, dir paraules fortes contra algú que ha fet una falta, una malifeta: *El mestre ens ha renyat perquè fèiem trampes en el joc.*
Es conjuga com *cantar.*

renyina renyines *nom f* Discussió entre veïns, entre persones d'una mateixa família, etc.

renyir *v* Trencar les relacions, l'amistat amb algú: *L'Ovidi i la Joana eren molt amics, però han renyit.*
Es conjuga com *servir.*

repapar-se *v* Mira **arrepapar-se.**
Es conjuga com *cantar.*

repapiejar *v* Dir o fer coses sense sentit, perdre la memòria, etc. a causa de l'edat.
Es conjuga com *cantar.* S'escriu j davant de *a, o, u* i g davant de *e, i: repapiejo, repapiegi.*

r

reparació reparacions *nom f* Acció de re-parar, d'arreglar una cosa que està espatllada: *La reparació de la roda del cotxe ens ha costat molts diners.*

reparar *v* **1** Arreglar allò que està espatllat: *Després de la nevada vam haver de reparar la teulada de la casa.* **2** Compensar, fer desa-parèixer el mal causat a algú o a alguna cosa. **3** Parar-se a pensar en una cosa, reflexio-nar-la, posar-hi atenció: *Heu reparat que si continueu jugant a pilota a dintre la classe podeu trencar un vidre?*
Es conjuga com *cantar.*

repartiment repartiments *nom m* **1** Acció de repartir. **2** Conjunt d'actors que intervenen en una obra de teatre, en una pel·lícula, etc.

repartir *v* **1** Partir una cosa i donar a cadas-cú la part que li correspon: *En Jacint ha portat caramels i ens els hem repartit entre tots els de la colla.* **2** Distribuir: *Aquell noi reparteix diaris.*
Es conjuga com *servir.*

repàs repassos *nom m* Acció de tornar a mirar, de tornar a estudiar alguna cosa amb atenció: *En Miquel i l'Anna han fet un bon repàs de les taules de multiplicar, perquè demà tenen una prova.*

repassar *v* **1** Tornar a mirar, a estudiar, a corregir una cosa per completar-la: *Haig de repassar bé la lliçó d'història.* **2** Tornar a passar per un lloc. **3** *L'àvia repassa la roba* i després *la planxa:* cosir, posar botons, etc.
Es conjuga com *cantar.*

repatani repatània repatanis repatànies *adj* Tossut, difícil de convèncer.

repatriar *v* Tornar algú o alguna cosa a la seva pàtria.
Es conjuga com *canviar.*

repel·lent repel·lents *adj* Es diu de la per-sona o de la cosa que provoca rebuig, que resulta desagradable: *Aquell noi es pensa que és el millor en tot: és la persona més repel·lent que he conegut mai!*

repel·lir *v* **1** Tendir dues coses a separar-se l'una de l'altra, rebutjar: *Tots els aliments basats en la llet li repel·lien.* **2** Desistir, fer retrocedir una cosa.
Es conjuga com *servir.*

repeló repelons *nom m* Trosset de pell que s'aixeca a la vora d'una ungla.

repenjar-se *v* Recolzar-se, aguantar-se en una cosa: *La noia, mig desmaiada, es repenjava al braç del seu company.*
Es conjuga com *cantar.* S'escriu *j* davant de *a, o, u* i *g* davant de *e, i:* em repenjo, et repenges.

repensar-se *v* Canviar d'intenció després d'haver-hi reflexionat: *Volia telefonar a en Pere, però m'hi vaig repensar i no ho vaig fer.*
Es conjuga com *cantar.*

repercussió repercussions *nom f* Conse-qüència, efecte d'una cosa en una altra: *Està ben demostrat que el tabac té repercussions negatives en la salut.*

repercutir *v* Reflectir-se una cosa, mostrar-se les conseqüències, els resultats d'una cosa en una altra: *El professor ha advertit que la par-ticipació a classe repercutirà en la nota final.*
Es conjuga com *servir.*

repertori repertoris *nom m* **1** Conjunt, recull de coses disposades de tal manera que es poden trobar fàcilment en un llibre, en un quadern, en un fitxer, etc.: *A classe hem fet un repertori de frases fetes.* **2** Conjunt de peces musicals, d'obres de teatre, etc. que un artista o un grup d'artistes tenen apreses i preparades: *Aquest cantant té un gran repertori.*

repescar *v* Tornar a admetre algú que ha estat eliminat en un examen, una competició, etc.
Es conjuga com *cantar.* S'escriu *c* davant de *a, o, u* i *qu* davant de *e, i:* repesco, repesques.

repetició repeticions *nom f* Acció de repe-tir, de tornar a fer alguna cosa.

repetidament *adv* Moltes vegades.

repetir *v* **1** Tornar a fer alguna cosa que ja s'havia fet abans: *Vaig haver de repetir el dibuix, perquè em va sortir malament.* **2** Dir allò que un altre ha dit: *El lloro es passa el dia repetint paraules que l'avi li ha ensenyat a dir.* **3** Tornar a produir-se un fet.
Es conjuga com *servir.*

repetjó repetjons *nom m* Pujada petita, no gaire forta.

repeu repeus *nom m* **1** Base, pedestal. **2** Part baixa d'una muntanya.

repic repics *nom m* **1** Acció de repicar les campanes. **2** Cadascun dels sons que fan les campanes en repicar.

repicar *v* **1** Tocar les campanes amb tocs curts i repetits en senyal de festa. **2** Tornar a

picar o picar insistentment una cosa. **3** *Quan t'he demanat si volies venir amb mi, m'has dit que no; ara t'hauràs de **fer repicar!*** : espavilar-se, suportar les conseqüències d'una cosa.
Es conjuga com *cantar*. S'escriu *c* davant de *a, o, u* i *qu* davant de *e, i: repico, repiques.*

repicó repicons *nom m* **1** Repic ràpid i amb ritme d'una campana. **2** Acció de repicar, de fer una sèrie de cops curts amb el picaporta: *Per trucar en aquella casa has de fer tres pics i repicó.*

repintar *v* Pintar de nou: *Han repintat la façana de l'escola.*
Es conjuga com *cantar*.

replà replans *nom m* **1** Cadascuna de les superfícies planes d'una escala que hi ha als angles o davant de les portes dels pisos: *L'avi, quan puja l'escala, s'ha d'aturar a cada replà per reposar.* **2** Tros pla i horitzontal en un terreny que fa pendent.

replantar *v* Plantar de nou una planta; tornar a plantar arbres en un terreny: *Han replantat el tros de bosc que es va cremar fa tres anys.*
Es conjuga com *cantar*.

replec replecs *nom m* **1** Plec doblat: *M'he fet un replec a la vora dels pantalons.* **2** Corba que fa un terreny.

replegar *v* **1** Tornar a plegar allò que s'havia desplegat o estès: *L'ocell va replegar les ales per dormir.* **2** Arreplegar, reunir coses escampades.
Es conjuga com *cantar*. S'escriu *g* davant de *a, o, u* i *gu* davant de *e, i: replego, replegues.*

replet repleta replets repletes *adj* Molt ple.

rèplica rèpliques *nom f* **1** Resposta, contesta. **2** Reproducció, còpia d'una obra d'art feta pel mateix autor o amb el seu permís.

replicar *v* Contestar, respondre a una altra resposta, contradir: *Em va dir que no volia parar la taula i jo li vaig replicar que l'hi obligaríem.*
Es conjuga com *cantar*. S'escriu *c* davant de *a, o, u* i *qu* davant de *e, i: replico, repliques.*

repoblació repoblacions *nom f* Acció de tornar a poblar un terreny, un lloc, etc. amb habitants, arbres, animals, etc.: *Estan fent la repoblació forestal del bosc que es va cremar l'any passat.*

repoblar *v* Tornar a poblar un terreny, un lloc, etc. amb habitants, arbres, animals, etc.: *Després de l'incendi del bosc, caldrà plantar-hi arbres per a repoblar-lo.*
Es conjuga com *cantar*.

reportar *v* **1** Portar una notícia, explicar una cosa. **2** Portar profit o dany una empresa, una activitat, etc.
Es conjuga com *cantar*.

reportatge reportatges *nom m* Explicació a través del diari, de la televisió, etc. d'uns fets que un periodista ha viscut directament o ha investigat: *Per la televisió han fet un reportatge sobre les centrals nuclears.*

reporter reportera reporters reporteres *nom m i f* Periodista que s'encarrega de portar notícies a un diari; periodista que fa un reportatge sobre un tema: *Aquest reportatge sobre els volcans, l'ha fet un bon reporter.*

repòrter repòrters *nom m i f* Mira **reporter**.

repòs reposos *nom m* **1** Descans: *He hagut de treballar tota la tarda i no he tingut ni un moment de repòs.* **2** **repòs etern** Mort.

reposacaps uns **reposacaps** *nom m* Peça que hi ha al capdamunt del respatller d'alguns seients i que serveix per a recolzar el cap: *La majoria de cotxes tenen reposacaps.*

reposar *v* **1** Descansar, deixar de fer una cosa durant una estona per agafar forces: *Reposarem una mica a sota d'aquell pi perquè ja estem cansats de caminar.* **2** Tornar a posar: *L'estàtua va ser reposada al seu lloc.* **3** Posar una cosa a sobre d'una altra, fer que s'hi aguanti: *Va reposar el cap damunt el sofà per dormir.* **4** Deixar de remenar o de manipular una cosa per tal que es torni espessa, es posi bé, etc.: *Abans de servir, la salsa s'ha de deixar reposar una estona.* **5** Tornar a representar una obra de teatre, tornar a projectar una pel·lícula, etc.
Es conjuga com *cantar*.

reposat reposada reposats reposades *adj* Tranquil.

reprendre *v* **1** Tornar a prendre, continuar una feina, una conversa, etc. que havia estat interrompuda: *Es va aturar un moment per reprendre alè.* ■ *En Marià després de la malaltia va reprendre la feina a l'oficina.* **2** Renyar algú. **3** Posar-se malament un aliment: *Aquell arròs m'ha reprès.*
Es conjuga com *aprendre*.

reprensió reprensions *nom f* Acció de reprendre, de renyar algú, repulsa.

represa represes *nom f* Acció de reprendre una cosa que s'havia interromput, continuació.

represàlia represàlies *nom f* Venjança.

representació representacions *nom f* **1** Acció de representar. **2** Obra de teatre que es fa davant d'un públic. **3** Grup de persones que parlen en nom d'altres persones: *Una representació dels pares va anar a parlar amb el director.*

representant representants *nom m i f* **1** Persona que parla en nom d'altres persones: *Al consell escolar hi ha d'haver representants dels alumnes, dels pares, dels mestres, etc.* **2** Persona que té per ofici vendre a les botigues o a les empreses els productes que fabrica una altra empresa.

representar *v* **1** Fer present a la ment algú o alguna cosa per mitjà de paraules, imatges, símbols, etc.: *Les coses abstractes són difícils de representar.* ▪ *El signe + representa que cal fer una suma.* **2** Fer en públic una obra de teatre, fer la representació d'una història, etc. **3** Substituir algú, fer una cosa en nom seu: *A la reunió en Lluís representava els pares dels alumnes.* **4** Comportar, suposar, significar: *Haver-se de llevar tan d'hora li representa un gran esforç.*
Es conjuga com *cantar.*

repressió repressions *nom f* Acció de reprimir, d'aturar, de contenir un desig, un impuls, etc.

reprimir *v* Aturar, contenir un desig, un impuls, etc.
Es conjuga com *servir.*

reproducció reproduccions *nom f* **1** Còpia, repetició d'alguna cosa: *Aquest quadre no és autèntic, és una reproducció de l'original.* **2** Acció de reproduir-se, de fer néixer éssers vius.

reproductor reproductora reproductors reproductores *adj* **1** Que pot reproduir, repetir o començar de nou alguna cosa: *S'ha espatllat l'aparell reproductor de sons d'aquest casset.* ▪ *La flor és l'òrgan reproductor de la planta, perquè pot fer néixer altres plantes a través de les llavors.* **2** aparell reproductor Conjunt d'òrgans dels vegetals i dels animals destinats a la reproducció.

reproduir *v* **1** Fer de nou, repetir de nou alguna cosa: *Aquest pintor es dedica a reproduir quadres de Picasso.* **2** reproduir-se Fer néixer éssers vius de la mateixa espècie: *Les rates es reprodueixen amb rapidesa.*
Es conjuga com *reduir.*

reprotxar *v* Retreure a algú una cosa que ha fet malament.
Es conjuga com *cantar.*

reprotxe reprotxes *nom m* Retret[2].

reprovar *v* Estar en desacord amb allò que algú diu o fa, criticar-ho, desaprovar-ho.
Es conjuga com *cantar.*

reptar *v* **1** Caminar un animal o una persona arrossegant-se. **2** Renyar. **3** Desafiar algú: *En Jordi em va reptar a jugar a escacs dient que em guanyaria.*
Es conjuga com *cantar.*

repte reptes *nom m* **1** Objectiu difícil d'aconseguir, però que al mateix temps estimula a esforçar-se, a treballar més i millor, desafiament: *Tots els del grup ens havíem posat el repte de tenir un excel·lent del treball.* **2** Acció de reptar, de desafiar algú.

rèptil rèptils *nom m* Animal vertebrat de pell dura i sang freda, que camina arrossegant-se per terra: *Els cocodrils són rèptils.*

república repúbliques *nom f* Sistema polític en què el cap d'estat és un president elegit pel poble: *França i Itàlia són repúbliques.*

repudiar *v* Rebutjar.
Es conjuga com *canviar.*

repugnància repugnàncies *nom f* Sensació de fàstic: *Aquell menjar feia pudor i em va produir molta repugnància.*

repugnant repugnants *adj* Que fa molt fàstic.

repugnar *v* Fer molt fàstic, produir rebuig.
Es conjuga com *cantar.*

repulsa repulses *nom f* Reprensió forta, acció de renyar molt fort algú.

repulsió repulsions *nom f* **1** Sensació de fàstic, de repugnància. **2** Força amb què dues coses es rebutgen mútuament. **3** Acció de repel·lir.

reputació reputacions *nom f* Fama.

requerir *v* Demanar, exigir: *Aquesta feina requereix concentració i silenci.*
Es conjuga com *servir.*

requesta requestes *nom f* **1** Acció de requerir, sol·licitud, demanda: *Aquest producte nou té molta requesta.* **2** **tenir requesta** Tenir èxit, estar sol·licitat: *Com que la Joana és una noia intel·ligent, trempada i bonica, té molta requesta entre els nois de la classe.*

requisar *v* El govern, una autoritat, etc. apoderar-se d'una cosa que és d'algú i destinar-la a un servei públic: *Durant la guerra molts cotxes particulars van ser requisats.*
Es conjuga com *cantar.*

requisit requisits *nom m* **1** Condició que es posa per fer una cosa: *Un dels requisits per aconseguir aquesta feina és tenir cotxe.* **2** Plat molt bo, molt delicat, que es prepara per fer content algú.

rere *adv* Darrere.

rereguarda rereguardes *nom f* Part d'un exèrcit que es queda més endarrere per vigilar que l'enemic no ataqui per darrere.

res *pron* **1** Paraula que, en frases negatives, vol dir "cap cosa": *En Celestí no m'ha portat res de Londres.* **2** Paraula que, en frases interrogatives o condicionals, vol dir "alguna cosa": *Han deixat res per a mi?* ▪ *Si vols res més, demana-ho.* **3** *La Núria va fer la feina en* **un no res**: molt poc temps. **4** **abans que res** Abans de tot. **5** *Sempre li dic que no corri amb la moto, però ell* **com si res**: no fer cas d'una cosa, no tenir-la en compte. **6** **de res** Expressió que es diu per treure importància quan algú ens dóna les gràcies d'alguna cosa.

rés resos *nom m* **1** Acció de resar. **2** Conjunt d'oracions que els clergues i els religiosos han de dir cada dia.

resar *v* Dir una oració.
Es conjuga com *cantar.*

rescabalar *v* Compensar una pèrdua, un perjudici: *Qui em rescabalarà dels diners que he perdut?*
Es conjuga com *cantar.*

rescat rescats *nom m* **1** Acció de rescatar. **2** Diners que es donen a uns segrestadors perquè deixin anar la persona que tenen presonera.

rescatar *v* **1** Alliberar una persona que havia estat segrestada: *La policia va rescatar les persones segrestades pels atracadors.* **2** Salvar algú d'un perill: *Els bombers van rescatar els nens i el mestre que havien quedat atrapats a l'ascensor.*
Es conjuga com *cantar.*

rescindir *v* Anul·lar, deixar sense efecte un acord, una obligació, etc.
Es conjuga com *servir.*

resclosa rescloses *nom f* Construcció feta en un riu, en un canal, etc. per tal d'elevar el nivell de l'aigua i desviar-la: *Al riu Ter hi ha moltes rescloses que porten aigua a les fàbriques.*

resclosit resclosida resclosits resclosides *adj* **1** Molt tancat, sense ventilació: *L'ambient resclosit d'aquella habitació era irrespirable.* **2** **olor o pudor de resclosit** Olor que fan les coses que han estat tancades, sense ventilació, durant molt temps: *Aquella habitació feia olor de resclosit.*

reserva reserves *nom f* **1** Acció de guardar una cosa: *Hem de fer reserva d'aigua per a l'estiu.* **2** Cosa que es reserva: *En els pantans hi ha grans reserves d'aigua.* **3** Lloc destinat a protegir persones, animals o coses que estan en perill d'extinció: *Els indis d'Amèrica del Nord viuen en reserves.* **4** Acció de no dir tot allò que es pensa o que se sent: *Li vam demanar que ens expliqués què havia passat, però ens va contestar amb moltes reserves.*

reservar *v* **1** Guardar una cosa: *La Maria vindrà més tard al cine; li hem de reservar una entrada.* **2** No dir una cosa, callar-se-la: *Es va reservar la veritat per a ell i no va voler dir res a ningú.*
Es conjuga com *cantar.*

resguard resguards *nom m* Document, paper que serveix per a poder demostrar que s'ha pagat una cosa: *Després de pagar la matrícula, em van donar un resguard.*

resguardar-se *v* Defensar-se contra un perill: *Ens vam resguardar de la tempesta entrant en aquella cova.*
Es conjuga com *cantar.*

residència residències *nom f* **1** Edifici on conviuen diverses persones per motius d'edat, d'ocupació, de treball, etc.: *Molts nois i noies d'aquesta escola viuen durant la setmana en una residència per a estudiants.* ▪ *Al meu carrer hi ha una residència d'avis.* **2** Lloc on viu una persona: *Els meus oncles a l'estiu tenen el seu lloc de residència a la Costa Brava.*

residencial residencials *adj* Es diu d'un barri o d'una zona de la ciutat on hi ha moltes cases i pisos per a viure-hi i poques botigues, fàbriques, tallers, etc.

r

residir v **1** Habitar, viure en un lloc determinat: *A l'estiu resideix en un poblet de la costa.* **2** Consistir en una cosa: *El problema més gran d'aquesta feina resideix en els horaris.* Es conjuga com *servir.*

residu residus *nom m* **1** Part que queda d'una cosa després de treure'n una altra part, deixalles: *El riu baixa ple de residus de la fàbrica de pells.* **2** Resultat de restar del dividend d'una divisió el producte del divisor pel quocient.

residual residuals *adj* Que té relació amb el residu.

resignar-se v Acceptar amb paciència una desgràcia, una situació difícil, etc.: *He arribat l'últim en la cursa, però m'he de resignar, perquè els altres eren millors que jo.* Es conjuga com *cantar.*

resina resines *nom f* Líquid espès i enganxós de color groc o marró, d'olor forta, que s'obté d'alguns arbres i que serveix per a la preparació de productes químics.

resistència resistències *nom f* **1** Capacitat de resistir: *No tindràs prou resistència per a córrer 15.000 metres sense parar.* ■ *El ciment és un material que té molta resistència.* **2** Força que s'oposa a l'acció d'una altra: *Abans de deixar-se agafar, els lladres van oposar molta resistència.*

resistent resistents *adj* Que resisteix, que suporta una força com ara un pes, un dolor, un combat, etc. sense fallar, sense cedir: *Aquesta corda és molt resistent i pot aguantar grans pesos.*

resistir v **1** Aguantar, suportar sense cedir: *El pont ha resistit la força de la riuada i no s'ha ensorrat.* **2** resistir-se Oposar resistència: *Em resisteixo a creure que això sigui veritat.* Es conjuga com *servir.*

resoldre v **1** Solucionar una dificultat, donar solució a un dubte, a un problema, etc. **2** Decidir de fer una cosa: *Els treballadors han resolt d'anar a la vaga.* Es conjuga com *valer.* Participi: *resolt, resolta.*

resoluble resolubles *adj* Que es pot resoldre, que té solució.

resolució resolucions *nom f* **1** Solució que es dóna a un problema, a un afer. **2** Decisió, determinació.

resolut resoluta resoluts resolutes *adj* Es diu de la persona que és decidida a l'hora de fer les coses, que no dubta gaire.

respatller respatllers *nom m* Part d'un seient que serveix per a recolzar-hi l'esquena.

respatller

respectable respectables *adj* **1** Que mereix de ser respectat, que s'ha de respectar. **2** Que és gran per la mida, per la quantitat, etc.: *Viuen en un pis de dimensions respectables.*

respectar v **1** Tenir respecte a una persona o a una cosa, tractar-la bé i amb educació: *Hem de respectar els nostres companys de classe i no molestar-los.* ■ *Quan anem al parc, hem de respectar les flors i les plantes.* **2** *Pel que respecta a* l'excursió de final de curs, en parlarem a la propera assemblea: amb relació a. Es conjuga com *cantar.*

respecte respectes *nom m* **1** Tracte atent i educat que es dóna a una persona o a una cosa: *El mestre ens diu que si els tractem amb respecte, els llibres ens duraran més.* **2** *Respecte a* l'avaluació de matemàtiques, direm els resultats la setmana que ve: amb relació a.

respectiu respectiva respectius respectives *adj* De cadascú: *Es van dir adéu i van entrar a les cases respectives.*

respectivament *adv* De manera que a cadascuna de les coses de la primera sèrie hi correspon, per ordre, una cosa de la segona sèrie: *Les femelles del porc, del cavall i del be són, respectivament, la truja, l'euga i l'ovella.*

respectuós respectuosa respectuosos respectuoses *adj* Que té respecte a les persones o a les coses.

respir respirs *nom m* **1** Respiració. **2** Interrupció breu d'una feina que serveix per a reposar, per a agafar forces, etc.

respiració respiracions *nom f* Funció de les persones i dels animals que consisteix a agafar l'aire amb el nas o amb la boca i portar-lo cap a dins dels pulmons.

respirar v **1** Agafar l'aire amb el nas o amb la boca i portar-lo cap a dins dels pulmons: *En Salvador estava molt constipat i li costava molt de respirar.* **2** *La granota que hem agafat* **encara**

respira: és viva. **3** Fer un petit descans enmig d'una feina, recuperar la calma després d'una dificultat.
Es conjuga com *cantar*.

respiratori respiratòria respiratoris respiratòries *adj* Que té relació amb la respiració: *L'aparell respiratori és el conjunt d'òrgans del cos que permeten agafar i treure l'aire necessari per a la vida.* 20

aparell respiratori

resplendent resplendents *adj* Que resplendeix, que brilla molt.

resplendir *v* Brillar molt.
Es conjuga com *servir*.

resplendor resplendors *nom f* Llum que llança un cos que brilla intensament, que resplendeix.

respondre *v* **1** Contestar, donar resposta a alguna pregunta, a qui ens crida, ens truca, etc.: *En Miquel cridava la seva mare, però ningú no li responia.* **2** Actuar tal com era d'esperar: *Tothom ha respost a la campanya de recollida de diners per a l'hospital.* **3** Responsabilitzar-se d'una persona o d'una cosa: *Després de la festa tot quedarà net i endreçat, jo en responc.*
Es conjuga com *confondre*. **Participi:** *respost, resposta*.

responsabilitat responsabilitats *nom f* Capacitat i obligació de prendre decisions, de dirigir una activitat, etc.: *El mestre té la responsabilitat d'educar els alumnes.*

responsabilitzar *v* Fer algú responsable d'una cosa.
Es conjuga com *cantar*.

responsable responsables *adj i nom m i f* **1** Persona que té la capacitat i l'obligació de prendre decisions, de dirigir una activitat, que té l'autoritat dins un grup: *Anirem a parlar amb el responsable del taller.* **2** Persona que té la culpa d'una cosa: *El conductor va ser el responsable de l'accident perquè es va passar un semàfor en vermell.* **3** *adj* Es diu de la persona que fa les coses bé, amb interès, vigilant i procurant de no equivocar-se.

resposta respostes *nom f* Conjunt de paraules que es diuen quan es respon a una pregunta, una carta, etc.: *Vaig escriure una carta a la Pilar, però encara no tinc resposta.*

resquícia resquícies *nom f* Deixalla, restes d'una cosa: *Ara el mal de coll fort ja m'ha passat, només em queden resquícies.*

ressaca ressaques *nom f* **1** Moviment cap endarrere que fa l'aigua quan es desfà una onada. **2** Sensació de pes al cap produïda per un excés d'alcohol.

ressagar-se *v* Endarrerir-se, quedar-se endarrere en una marxa.
Es conjuga com *cantar*. S'escriu *g* davant de *a, o, u* i *gu* de *e, i*: *em ressago, et ressagues*.

ressaltar *v* Sortir enfora, sobresortir una cosa de la resta per les qualitats, l'originalitat, etc.: *De la seva cara, el que ressalta més és el nas, perquè el té molt gros.*
Es conjuga com *cantar*.

ressec resseca ressecs resseques *adj* Completament sec i eixut, sense gens d'humitat: *Fa dies que no plou i la terra està resseca.*

ressecar *v* Assecar del tot, deixar una cosa sense gens d'humitat o de suc.
Es conjuga com *cantar*. S'escriu *c* davant de *a, o, u* i *qu* davant de *e, i*: *resseco, resseques*.

resseguir *v* **1** Tornar a passar sobre una cosa per corregir-ne tots els defectes: *Hauré de resseguir el dibuix perquè abans el llapis no m'anava gaire bé.* **2** Examinar detingudament un lloc, sense deixar cap racó, per veure si es troba allò que es busca: *He perdut el bolígraf, he resseguit tots els racons de la casa i no l'he trobat.*
Es conjuga com *servir*.

ressentiment ressentiments *nom m* Sentiment de disgust, de ràbia, etc. contra una persona que ens ha ofès, ens ha enganyat, etc.

ressentir-se *v* Quedar afectat el bon funcionament d'una cosa per l'acció d'una altra: *Si uns quants nens es porten malament, tota la classe se'n ressent.*
Es conjuga com *dormir*.

ressenya ressenyes *nom f* Escrit que comenta i valora una obra, un article, etc. ja publicat, recensió.

ressò ressons *nom m* **1** So que es repeteix en xocar amb un obstacle, eco: *Vam fer un*

r

crit enmig de les muntanyes i en vam sentir el ressò. **2** Tots els diaris van **fer-se ressò** de l'accident: en van parlar, el van donar a conèixer.

ressonància ressonàncies nom f **1** So que es repeteix en xocar amb un obstacle, ressò, eco. **2** Fet de parlar-se molt d'una cosa, de ser molt comentada: *Aquella notícia va tenir molta ressonància.*

ressonar v Repetir-se un so que xoca amb un obstacle: *La teva veu ressona en aquesta habitació.*
Es conjuga com *cantar*.

ressopó ressopons nom m Àpat que es fa a la nit, quan ja fa molta estona que s'ha sopat: *La nit de Nadal, després de la missa del gall, fem el ressopó.*

ressorgir v Tornar a aparèixer, a sortir.
Es conjuga com *servir*.

ressort ressorts nom m Peça elàstica que s'estira i s'arronsa: *Aquesta porta funciona amb un ressort i es tanca automàticament.*

ressuscitar v **1** Tornar a viure algú que havia mort. **2** Renovar, tornar a donar força a una cosa.
Es conjuga com *cantar*.

resta restes nom f **1** Operació matemàtica que consisteix a treure una part del tot, subtracció: *Si de cinc en treus dos, te'n quedaran tres: això és una resta.* **2** Part que queda d'una cosa quan se n'ha tret una altra part: *Agafeu cadascú un tros de pastís; i la resta, guardeu-la a la nevera.* **3** Totes les altres coses: *L'únic que no m'agrada d'aquest cotxe és el preu, la resta ja m'està bé.* **4** restes nom f pl Deixalles, residus: *Les restes del menjar, les donarem al gos.* **5** restes nom f pl Allò que queda del cos humà després de la mort: *Fent excavacions han trobat unes restes humanes de l'època dels romans.*

restablir v Tornar a establir una cosa, tornar-la al lloc on era abans, tornar-la a posar bé: *Després de la tempesta es va restablir la calma.* ▪ *El meu oncle s'ha restablert de la malaltia.*
Es conjuga com *servir*. Participi: *restablert, restablerta.*

restant restants adj Que resta, que queda: *només necessitem vint cadires, les cadires restants les deixarem al magatzem.*

restar v **1** Treure una part d'una quantitat, fer una resta, una subtracció: *Si de vuit en res-*

tem tres, en queden cinc. **2** No moure's del lloc on s'està: *Vam restar dues hores a casa de l'àvia esperant-te.* **3** Quedar: *Em resta encara la darrera part del treball per corregir.*
Es conjuga com *cantar*.

restaurant restaurants nom m Lloc en què es fan i se serveixen menjars: *Diumenge anirem a dinar al restaurant.*

restaurar v **1** Tornar a posar algú o alguna cosa com era abans, restablir. **2** Arreglar una cosa que s'ha fet vella o s'ha espatllat i deixar-la tal com era abans: *Han restaurat aquella església antiga que estava en ruïnes.* **3** Recuperar: *Vam aturar-nos a menjar per restaurar forces.*
Es conjuga com *cantar*.

restituir v Tornar una cosa a algú que la tenia abans, tornar a posar una cosa com estava abans.
Es conjuga com *reduir*.

restrènyer v **1** Restringir. **2** Causar restrenyiment.
Es conjuga com *témer*. Participi: *restret, restreta.*

restrenyiment restrenyiments nom m Dificultat per anar de ventre, per fer caca: *Els sucs de fruita van bé per evitar el restrenyiment.*

restret restreta restrets restretes adj Que pateix restrenyiment: *He posat un supositori a la nena perquè va molt restreta.*

restricció restriccions nom f Acció de restringir, de posar límits a una cosa, de reduir-la: *Com que l'estiu passat va ploure molt poc, l'ajuntament va fer restriccions d'aigua a tot el poble.*

restringir v Posar límits a una cosa, reduir-la: *El mes passat hem gastat molt, a partir d'ara haurem de restringir les despeses.*
Es conjuga com *servir*.

resultar v Produir-se una cosa com a conseqüència d'una altra cosa: *Després d'aquella baralla, va resultar que no ens vam saludar mai més.*
Es conjuga com *cantar*.

resultat resultats nom m **1** Quantitat que s'obté d'una operació matemàtica: *Si dividim 10 per 2, el resultat és 5.* **2** Manera d'acabar una cosa: *El resultat del partit va ser de 0 a 3 a favor de l'equip visitant.*

resum resums nom m Escrit o discurs que conté les idees més importants d'un altre escrit o d'un altre discurs més llarg: *Vam llegir el llibre i en vam fer un resum.*

resumir v Exposar les idees principals d'un escrit, d'un discurs, etc.
Es conjuga com *servir* o com *dormir*.

resurrecció resurreccions *nom f* Acció de ressuscitar, de tornar a viure, de renovar-se.

ret rets *nom m* **1** Xarxa. **2** Bossa de malla que es posa al cap per aguantar els cabells.

retall retalls *nom m* Tros de paper, de roba, de pell, etc. que s'ha tallat d'una peça més grossa.

retallable retallables **1** *adj* Que es pot retallar. **2** *nom m* Figura dibuixada en un paper o en una cartolina i que s'ha de retallar per poder-hi jugar.

retallar v **1** Tallar paper, roba, pell, etc. seguint les línies d'una figura: *La Jordina retalla figures de paper amb les estisores.* **2** Escurçar una cosa: *Haurem de retallar un tros de la faldilla perquè és massa llarga.*
Es conjuga com *cantar*.

retaló retalons *nom m* **1** Part de darrere del taló. **2 dur les sabates a retaló** Dur les sabates sense acabar de ficar, només de la part de davant del peu.

dur les sabates a retaló

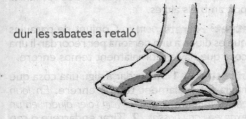

retard retards *nom m* Diferència de temps entre el moment que s'havia de fer una cosa i el moment que en realitat es fa: *El tren havia d'haver arribat a les nou i ha arribat a les deu: porta una hora de retard.*

retardar v **1** Fer que una cosa passi més tard: *Hem retardat el dia de l'excursió a causa del mal temps.* **2** Assenyalar un rellotge una hora anterior a la que realment és: *Ja són les cinc i el meu rellotge marca les quatre: ja se m'ha tornat a retardar!*
Es conjuga com *cantar*.

retaule retaules *nom m* Conjunt de peces de fusta, de marbre, etc. amb figures pintades o gravades que hi sol haver darrere l'altar d'algunes esglésies.

retenir v **1** No deixar que algú o alguna cosa se'n vagi: *Han retingut el meu amic a comissaria*

fins que la policia ha trobat el cotxe. ■ *Li costa molt de retenir els noms dels alumnes.* **2 retenir-se** Dominar els impulsos, aguantar-se: *Anava a insultar-lo, però va saber retenir-se.*
Es conjuga com *mantenir*.

reticència reticències *nom f* Acció de no dir, de callar una cosa però donant-la a entendre: *El meu pare no em va prohibir d'anar d'excursió, però ho va acceptar amb moltes reticències: va dir que faria mal temps, que costava molts diners, etc.*

retina retines *nom f* Làmina molt sensible que hi ha al fons de l'ull, que rep la llum a través del cristal·lí, en la qual es formen les imatges i que està connectada amb el cervell a través del nervi òptic. 15

retir retirs *nom m* **1** Acció de retirar-se d'una feina, d'una activitat, etc. **2** Paga que es cobra quan s'està retirat. **3** Lloc on algú es retira.

retirada retirades *nom f* **1** Acció de retirar-se d'un lloc. **2** Semblança entre persones: *Tots els germans teniu una retirada.*

retirar v **1** Separar, apartar algú o alguna cosa del lloc on havia estat posada: *En Miquel ha retirat tots els seus diners del banc.* **2 retirar-se** Deixar de treballar per motius d'edat, de salut, etc.: *L'Esteve s'ha retirat dels negocis per motius de salut.* **3** Sortir d'un lloc: *El director ha dit a la seva secretària que ja es podia retirar.* **4** Tirar endarrere, enretirar: *Va retirar la cadira i el va fer caure de cul a terra.* ■ *En Jordi m'ha retirat l'amistat.* **5** Assemblar-se: *Aquella noia retira molt a la seva mare.*
Es conjuga com *cantar*.

retirat retirada retirats retirades *adj* **1** Que està apartat, allunyat del soroll: *Han anat a passar uns dies de descans en un lloc retirat.* **2** Es diu de la persona que ja ha deixat de treballar: *El meu pare ja fa tres anys que està retirat.*

retoc retocs *nom m* Canvi petit per millorar una cosa.

retocar v Fer petits canvis en una cosa perquè quedi millor: *El vestit et va bé, només s'ha de retocar una mica: estrènyer les mànigues i escurçar dos centímetres.*
Es conjuga com *cantar*. S'escriu c davant de a, o, u i qu davant de e, i: retoco, retoques.

rètol rètols *nom m* Cartell, peça grossa de fusta, de metall, de plàstic, etc. on hi ha escrit el nom d'una botiga, d'un bar, d'un carrer, etc. i que es col·loca en un lloc visible.

retolador **retoladors** *nom m* Instrument que serveix per a escriure o pintar, que té un dipòsit de tinta i una punta de fibra: *El mestre de dibuix ens ha fet portar retoladors per a resseguir els dibuixos.*

retop **retops** *nom m* **1** Fet de xocar una cosa amb una segona cosa després d'haver xocat amb una primera. **2** *Com que el premi de la loteria va tocar al meu pare,* **de retop** *també em va tocar a mi:* d'una manera indirecta.

retòrica **retòriques** *nom f* Art de parlar bé davant del públic, utilitzant les paraules i les expressions més adequades per tal de convèncer-lo.

retorn **retorns** *nom m* **1** Acció de tornar una persona del lloc d'on havia marxat: *Encara que te'n vagis a París, esperem el teu retorn a casa.* **2** Cosa que es torna.

retornar *v* **1** Tornar una cosa: *Et retorno l'abric que em vas deixar.* **2** Fer retornar els sentits, els ànims, etc. a algú: *L'Albert es va desmaiar i no el podíem retornar amb res.* **3** Tornar al lloc d'on havíem marxat: *Vam anar a passar un mes a la platja i després vam retornar a casa.*
Es conjuga com *cantar*.

retractar-se *v* Retirar allò que s'ha dit, dir que no s'està d'acord amb el que un mateix havia dit abans: *Primer ens va acusar d'haver-lo estovat, però després es va retractar de la seva acusació.*
Es conjuga com *cantar*.

retràctil **retràctils** *adj* Que es pot tirar endarrere o endins: *Les ungles dels gats són retràctils.*

retransmetre *v* Difondre un espectacle, una competició esportiva, una entrevista, etc. des d'una emissora de ràdio o de televisió.
Es conjuga com *perdre*. Participi: *retransmès, retransmesa.*

retransmissió **retransmissions** *nom f* **1** Acció de retransmetre. **2** Espectacle, competició esportiva, entrevista, etc. difosa des d'una emissora de ràdio o de televisió.

retrat **retrats** *nom m* **1** Representació d'una persona o d'un animal mitjançant la pintura, el dibuix, la fotografia. **2** Descripció exacta d'una persona: *A classe, cada alumne*

ha fet el retrat del seu company i després l'ha llegit en veu alta. **3** Persona que s'assembla molt a una altra: *Aquest nen és el retrat del seu pare.*

retrat

retratar *v* **1** Fer retrats, fer fotografies: *El fotògraf ha retratat tot el casament.* **2** Mostrar clarament com és una persona: *Això que ha fet el teu germà, el retrata.*
Es conjuga com *cantar*.

retraure *v* Mira **retreure**.
Es conjuga com *treure*.

retre *v* Restituir, tornar a algú una cosa que se li havia pres, donar-li una cosa que es mereix: *Els ministres van retre homenatge al president.*
Es conjuga com *perdre*.

retret[1] **retreta** **retrets** **retretes** *adj* Es diu d'una persona que parla poc, que es comunica poc amb els altres.

retret[2] **retrets** *nom m* Conjunt de paraules que es diuen a una persona per recordar-li una cosa que havia fet malament temps enrere.

retreure *v* **1** Recordar a algú una cosa que havia fet malament temps enrere: *En Joan em va retreure que no el vaig voler ajudar en un examen l'any passat.* **2** Tirar endarrere o cap endins: *Les ungles dels gats es retreuen.*
Es conjuga com *treure*.

retribució **retribucions** *nom f* Conjunt de diners que es paguen per un servei, un treball, etc.

retribuir *v* Pagar per un servei, un treball, etc.
Es conjuga com *reduir*.

retro- Element amb què comencen algunes paraules i que vol dir "endarrere": *Amb el retrovisor del cotxe veiem el que passa darrere nostre.*

retrobar *v* **1** Trobar una cosa que s'ha perdut: *Regirant l'armari, he retrobat les camises que em vas regalar.* **2** Tornar a trobar algú que ja havíem oblidat o de qui ens havíem separat: *Ahir vaig retrobar un amic que feia molt de temps que no havia vist.*
Es conjuga com *cantar*.

retrocedir *v* Tornar endarrere, recular. Es conjuga com *servir*.

retrocés retrocessos *nom m* Acció de retrocedir, de tornar endarrere, de recular.

retroprojector retroprojectors *nom m* Aparell que serveix per a projectar en una pantalla lletres o imatges impreses o escrites en un paper transparent.

retrospectiu retrospectiva retrospectius retrospectives *adj* Que mira endarrere, que es refereix al passat.

retrovisor retrovisors *nom m* Mirall petit que permet de veure al conductor d'un vehicle el que passa darrere seu.

retruc retrucs *nom m* **1** Cop repetit. **2 de retruc** De retop, indirectament.

retrunyir *v* Fer un soroll fort, ressonar com un tro: *Els seus passos retrunyen per tota la casa.* Es conjuga com *dormir*.

retxa retxes *nom f* Ratlla.

reu rea reus rees *nom m* i *f* Persona a qui es fa un judici, se la declara culpable i se la castiga.

reüll Paraula que apareix en l'expressió **de reüll**, que vol dir "amb els ulls girats cap a un costat, fent veure que no es mira" o bé "amb desconfiança, amb antipatia": *Dec haver dit alguna ximpleria, perquè en Narcís m'ha mirat de reüll.*

mirar de reüll

reuma reumes **1** *nom m* Malaltia que es caracteritza per dolor als ossos, als músculs o a les articulacions. **2** *nom f* Moc que surt per la boca quan s'està refredat procedent de les vies respiratòries.

reunió reunions *nom f* Conjunt de persones que es troben en un mateix lloc per parlar d'una cosa que els interessa: *Els veïns van fer una reunió per parlar del problema de la neteja de l'escala.*

reunir *v* **1** Aplegar coses que estaven separades, ajuntar: *Aquell home amb els anys ha reunit una gran col·lecció de segells.* **2 reunir-se** Trobar-se un conjunt de persones per parlar d'una cosa que els interessa: *Ens hem reunit per tractar un problema que afecta tots els veïns.* Es conjuga com *servir*.

reusenc reusenca reusencs reusenques **1** *nom m* i *f* Habitant de Reus; persona natural o procedent de Reus. **2** *adj* Es diu de les persones o de les coses naturals o procedents de Reus.

revelar *v* **1** Donar a conèixer una cosa secreta, que ningú no sabia: *Finalment, després de molts anys, ens va revelar el seu gran secret.* **2** Convertir en fotografies, en diapositives, etc. la pel·lícula d'un rodet fotogràfic: *Heu portat les fotografies de la festa a revelar?* Es conjuga com *cantar*.

revenja revenges *nom f* **1** Mal, cosa desagradable que es fa a algú després que ell n'hagi fet una altra abans, venjança: *Avui m'has guanyat tres partides, però demà vindrà la revenja.* **2 en revenja** A canvi d'una cosa, per compensar-la.

revenjar-se *v* Tornar un mal, una cosa desagradable a algú que ens n'ha fet una altra abans. Es conjuga com *cantar*. S'escriu *j* davant de *a, o, u* i *g* davant de *e, i*: *em revenjo, et revenges.*

reverdir *v* Tornar a ser verda una cosa: *Amb aquestes pluges l'herba ja reverdeix.* Es conjuga com *servir*.

reverència reverències *nom f* **1** Inclinació que es fa amb el cos per saludar algú, en senyal de respecte o d'admiració: *Els soldats van fer una gran reverència al rei.* **2** Respecte profund i afectuós.

reverend reverenda reverends reverendes *adj* Es diu de les persones que tenen algun càrrec dins la religió cristiana, com ara els sacerdots, les superiores d'un convent, etc., que les fa dignes de reverència.

revers reversos *nom m* Revés, cara inferior d'una fulla, d'una moneda, d'un segell, etc., la menys vistosa.

reversible reversibles *adj* Que es pot posar al revés, que pot passar al revés: *M'he comprat un abric reversible: marró d'una banda i blau de l'altra.*

revés revessos *nom m* **1** Part d'una cosa oposada al dret: *En Sergi porta el jersei del revés.* **2** *Aquell noi sempre s'equivoca, ho fa tot*

r

al revés: de manera contrària a la normal, canviant l'ordre o la forma normal de les coses. **3** Cop donat amb la mà: *L'Albert va donar un revés a la seva germana.* **4** Contratemps, problema inesperat.

revestir *v* Cobrir una cosa amb algun material per protegir-la o adornar-la: *Han revestit les parets de fusta.*
Es conjuga com *servir*.

revetlla revetlles *nom f* Festa popular amb ball, jocs, menjar, etc. que se sol fer la nit abans d'alguns dies de festa: *Aquest any farem la revetlla de Sant Joan al carrer.*

reveure *v* **1** Tornar a veure. **2** a reveure! Expressió que es fa servir per a dir adéu a algú.
Es conjuga com *veure*.

revifada revifades *nom f* Acció de revifar-se una cosa: *Aquesta planta ha fet una revifada.*

revifalla revifalles *nom f* Revifada que dura poc temps: *Abans de morir, el malalt va fer una revifalla.*

revifar-se *v* Tornar a animar-se una cosa que semblava apagada, morta: *L'incendi semblava apagat, però va fer vent i el foc es va tornar a revifar.*
Es conjuga com *cantar*.

revingut revinguda revinguts revingudes *adj* Gruixut, robust.

revisar *v* Mirar, repassar, examinar detingudament una cosa per corregir-ne els errors, per trobar algun defecte, alguna malaltia, etc.
Es conjuga com *cantar*.

reviscolar *v* Recuperar la força, els ànims perduts.
Es conjuga com *cantar*.

revisió revisions *nom f* Acció de revisar: *A l'escola ens han fet una revisió mèdica.*

revisor revisora revisors revisores *nom m i f* Persona encarregada de demanar els bitllets a la gent que viatja amb tren, amb autobús, etc.

revista revistes *nom f* Publicació periòdica que sol estar especialitzada en algun tema: *El meu pare cada setmana compra una revista sobre ordinadors.*

reviure *v* **1** Tornar a viure. **2** Renovar-se una cosa.
Es conjuga com *viure*.

revocar *v* Anul·lar, deixar sense efecte una decisió, un acord, una ordre.
Es conjuga com *cantar*. S'escriu *c* davant de *a, o, u* i *qu* davant de *e, i: revoco, revoques.*

revolada Paraula que apareix en l'expressió **d'una revolada**, que vol dir "amb un moviment ràpid i violent, amb una empenta, amb una estirada": *Va obrir la finestra d'una revolada.*

revolt revolts *nom m* Canvi de direcció, desviació d'una línia recta; corba d'una carretera, d'una via, etc.

revolta revoltes *nom f* Alçament, rebel·lió d'un grup de persones contra les persones que manen.

revoltar *v* **1** Donar voltes. **2** Alçar-se contra algú, per exemple el govern, el rei, etc. **3** Fer enfadar, indignar: *La manera com tractes la gent em revolta.*
Es conjuga com *cantar*.

revolució revolucions *nom f* **1** Canvi total d'una cosa, de la manera de viure, de governar, etc. **2** Cadascuna de les voltes que dóna un cos al voltant d'un eix.

revòlver revòlvers *nom m* Arma de foc curta que s'aguanta i es dispara amb una sola mà.

ria ries *nom f* Part del mar que entra dins la terra.

riada riades *nom f* Mira **riuada**.

rialla rialles *nom f* Acció de moure la cara i la boca per efecte del riure.

riallada riallades *nom f* Rialla molt forta.

rialler riallera riallers rialleres *adj* Es diu de la persona que riu fàcilment.

rialleta rialletes *nom f* Rialla petita, somrís: *Quan el trobo pel carrer, el teu germà sempre em fa la rialleta.*

riba ribes *nom f* **1** Vora del mar, d'un riu, d'un llac. **2** Marge, vora d'un terreny.

ribagorçà ribagorçana ribagorçans ribagorçanes **1** *nom m i f* Habitant de les comarques de Ribagorça; persona natural o procedent de les comarques de Ribagorça. **2** *adj* Es diu de les persones o de les coses naturals o procedents de les comarques de Ribagorça. **3** *nom m* Manera de parlar el català pròpia de la Llitera i la Ribagorça occidental.

ribera riberes *nom f* **1** Terreny pròxim al riu o al mar, riba. **2** Vall.

ribot ribots *nom m* Eina que serveix per a rebaixar o deixar ben llises les peces de fusta.

ribot

ric rica rics riques **1** *adj* i *nom m* i *f* Que té molts diners, que té moltes riqueses: *L'oncle de la Gemma és molt ric.* **2** *adj* Que té una cosa en abundància: *La comarca del Montsià és rica en arròs.*

ric-rac Onomatopeia, paraula que imita el soroll que fan dues coses que freguen violentament.

ric-ric Onomatopeia, paraula que imita el soroll que fan els grills.

ridícul ridícula ridículs ridícules *adj* **1** Es diu de la persona o de la cosa que fa riure perquè és estranya, extravagant, etc. **2** Es diu d'un preu, d'un regal, d'un sou, etc. molt petit, escàs. **3** *nom m* Situació que fa que els altres se'n riguin o se'n burlin: *Amb aquest barret i aquestes faldilles tan llargues faràs el ridícul.*

ridiculesa ridiculeses *nom f* Acció o cosa ridícula.

ridiculitzar *v* Posar algú en una situació ridícula; fer que els altres es riguin o es burlin d'algú.
Es conjuga com *cantar.*

riera rieres *nom f* Riu petit, que a l'estiu no sol portar aigua.

rierol rierols *nom m* Riu petit.

rifa rifes *nom f* Sorteig.

rifada rifades *nom f* Acció de burlar-se d'algú enganyant-lo.

rifar *v* **1** Vendre bitllets amb números i donar un premi a la persona que té el número que ha guanyat en un sorteig: *Per Nadal rifarem una panera.* **2** **rifar-se** Burlar-se d'algú enganyant-lo.
Es conjuga com *cantar.*

rifle rifles *nom m* Fusell de canó llarg que permet disparar més d'un tret sense haver de carregar-lo de nou.

rígid rígida rígids rígides *adj* Que no és flexible, que no es pot torçar ni doblegar: *Una barra de ferro rígida.*

rigor rigors *nom m* o *f* **1** Duresa: *Tracta el seu fill amb molt de rigor.* **2** Exactitud. **3** **de rigor** Obligatori, indispensable: *En aquestes ocasions és de rigor portar corbata.* **4** **en rigor** Estrictament, per ser exactes.

rigorós rigorosa rigorosos rigoroses *adj* **1** Que actua amb duresa, que és sever. **2** Que fa les coses amb atenció, amb exactitud: *Si volem fer un bon treball, hem de ser rigorosos a l'hora de buscar informació.* **3** Es diu del clima, de la temperatura extrema, difícil de suportar.

rima rimes *nom f* Acabament igual que tenen dues o més paraules: *"Vegada", "xerrada" i "volada" tenen la mateixa rima: "-ada".*

rimar *v* Tenir el mateix acabament dues o més paraules: *La paraula "cantar" rima amb la paraula "pensar".*
Es conjuga com *cantar.*

ring rings *nom m* Espai de forma quadrada on es fan els combats de boxa.

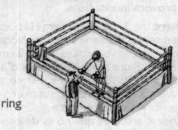

ring

rinoceront rinoceronts *nom m* Animal mamífer gros, pesat i sense pèl que s'alimenta d'herba i que té una o dues banyes sobre el nas: *Els rinoceronts viuen a l'Àfrica.*

rínxol rínxols *nom m* Conjunt de cabells cargolats.

rioler riolera riolers rioleres *adj* Rialler.

riota riotes *nom f* Persona o cosa ridícula; riure que provoca una persona o una cosa ridícula: *Aquell pobre home era la riota de tot el poble.*

ripollès ripollesa ripollesos ripolleses **1** *nom m* i *f* Habitant de Ripoll o de la comarca del Ripollès; persona natural o procedent de Ripoll o de la comarca del Ripollès. **2** *adj* Es diu de les persones o de les coses naturals o procedents de Ripoll o de la comarca del Ripollès.

r

riquesa riqueses *nom f* Conjunt de diners, de coses de valor que té una persona, un país, etc.

ris rissos *nom m* Rínxol.

risc riscs o riscos *nom m* Perill al qual està exposat algú o alguna cosa: *Si t'enfiles a la teulada, corres el risc de fer-te mal.*

ritme ritmes *nom m* Repetició periòdica de sons, de moviments, d'accions, etc.: *Amb els peus seguíem el ritme de la música.*

ritu ritus *nom m* Manera de celebrar un acte, una festa, etc., cerimònia.

ritual rituals **1** *adj* Es diu d'una cosa que se sol fer sempre i de la mateixa manera, que és gairebé obligat de fer-la: *El dia del sant del director hi va haver el berenar ritual.* **2** *nom m* Conjunt de ritus i de normes que cal seguir en una celebració religiosa.

riu rius *nom m* Corrent natural d'aigua que recull l'aigua de les muntanyes i de les valls i que va a parar al mar o a un altre riu: *El Túria i el Xúquer són dos rius del País Valencià.*

riuada riuades *nom f* Augment molt gran de la quantitat d'aigua que porta un riu i que provoca inundacions.

riure[1] *v* **1** Moure la cara i la boca fent soroll en senyal d'alegria o de satisfacció: *El pallasso del circ ens va fer riure molt.* **2 morir-se de riure** Riure molt. **3 riure's d'algú** Burlar-se d'algú: *Aquell noi es reia de tothom, tant dels qui tenien el nas gros com dels qui el tenien petit.* **4** *Per carnaval em posaré un nas* **de per riure**: artificial, que no és de debò.
La conjugació de *riure* és a la pàg. 845.

riure[2] riures *nom m* Acció de riure: *El veí ens estava renyant, però nosaltres no ens podíem aguantar el riure.*

rival rivals *adj* i *nom m* i *f* Enemic, contrari: *L'equip de futbol de la classe de quart A és el gran rival del de la classe de quart B.*

rivalitat rivalitats *nom f* Competència, lluita entre dues o més persones, empreses, etc. que treballen per aconseguir el mateix: *Entre aquests dos equips de futbol hi ha una gran rivalitat.*

rivet rivets *nom m* Cinta o tros de tela doblegat que es cus a la vora d'una roba per fer bonic, per reforçar-la, etc.

rivetejar *v* Posar un rivet.
Es conjuga com *cantar*. S'escriu *j* davant de *a, o, u* i *g* davant de *e, i: rivetejo, riveteges.*

rizoma rizomes *nom m* Tija que creix cap a sota terra, tija subterrània.

roba robes *nom f* **1** Drap o tela qualsevol que serveix per a vestir, per a abrigar, etc.: *La roba d'aquestes cortines és molt prima.* **2** Vestit: *Com que fa fred, ens posarem més roba.* **3** *Demà t'acabaré d'explicar això, ara* **hi ha roba estesa**: hi ha algú davant que no convé que senti el que es diu.

robar *v* Prendre diners o coses a algú: *Els lladres van robar les joies de la botiga.* ▪ *Avui m'han robat la cartera que portava a la butxaca.*
Es conjuga com *cantar.*

robatori robatoris *nom m* Acció de robar alguna cosa.

rober robera robers roberes **1** *adj* Es diu del lloc, de l'armari que serveix per a desar-hi la roba. **2** *nom m* Conjunt de les peces de vestir que té una persona.

robí robins *nom m* Pedra preciosa de color vermell amb la qual es fan joies.

robot robots *nom m* Màquina automàtica que pot fer moviments semblants als d'una persona: *Hi ha fàbriques que tenen robots treballant en lloc de persones.*

robust robusta robusts o robustos robustes *adj* Fort, amb molta força: *La Dolors és una dona alta i robusta.*

roc rocs *nom m* **1** Tros de pedra. **2 tenir un roc a la faixa** Tenir recursos, sobretot diners, per quan siguin necessaris.

roca roques *nom f* Massa de pedra que hi ha a la superfície de la terra o del mar: *Vam anar a la platja i ens vam enfilar a les roques.*

rocall rocalls *nom m* Conjunt de rocs, lloc ple de rocs.

rocallós rocallosa rocallosos rocalloses *adj* Que és ple de rocs.

rock rocks *nom m* Tipus de música moderna que va néixer cap a la meitat del segle xx, que es toca amb guitarres i altres instruments elèctrics i té molt de ritme.

rocós rocosa rocosos rocoses *adj* Amb moltes roques: *Aquestes muntanyes són molt rocoses.*

roda rodes *nom f* Peça rodona que pot girar al voltant d'un eix i que serveix per a fer moure un vehicle, un mecanisme, etc.: *La bicicleta és un vehicle de dues rodes.*

rodalia rodalies *nom f* Lloc que està situat a la vora d'una ciutat, d'un poble, etc.

rodament rodaments *nom m* **1** Acció de rodar. **2 rodament de cap** Vertigen, sensació que es té com si el cap donés voltes.

rodamón rodamons *nom m* i *f* Persona que va de poble en poble, que viatja molt, que recorre diferents països.

rodanxa rodanxes *nom f* Tall de carn, de peix, etc. de forma rodona: *He comprat un lluç tallat a rodanxes.*

rodanxa

rodanxó rodanxona rodanxons rodanxones *adj* Es diu de la persona grassa i baixa.

rodar *v* **1** Donar voltes al voltant d'un eix, moure's donant voltes: *Em va caure una moneda i va rodar per terra una bona estona.* **2** *Si no esmorzes, et pot **rodar el cap**:* marejar-se, veure les coses com si donessin voltes al nostre voltant. **3** Filmar una pel·lícula. Es conjuga com *cantar*.

rodatge rodatges *nom m* **1** Acció de rodar una pel·lícula: *A la plaça Reial estan fent el rodatge d'una pel·lícula.* **2** Funcionament del motor d'un cotxe, d'una moto, etc. durant els primers dies, quan és nou.

rodejar *v* Envoltar una cosa, anar a un lloc no directament, sinó fent una volta. Es conjuga com *cantar*. S'escriu *j* davant de *a, o, u* i *g* davant de *e, i: rodejo, rodeges*.

rodera roderes *nom f* Senyal que deixen a terra les rodes d'un vehicle.

rodesa rodeses *nom f* Rodament de cap.

rodet rodets *nom m* Tub petit de cartó, de plàstic, etc. que serveix per a enrotllar-hi fil, fil-ferro, cordill, etc.: *Un rodet de fil de cosir.* ▪ *Un rodet de fotografia.*

rodó rodona rodons rodones *adj* **1** De figura circular o esfèrica: *Les pilotes, les monedes i els plats són rodons.* **2** Perfecte, sense cap defecte: *El dibuix et va sortir rodó.* **3 girar en**

rodó Girar fent mitja volta. **4 nombre rodó** Nombre aproximat de coses, prescindint de les unitats petites: *Aquest cotxe, en nombres rodons, val disset mil euros.* **5 dia rodó** Dia feiner que s'escau entre dues festes.

rodolar *v* Caure avall per un terreny que fa baixada donant voltes: *Els llenyataires feien rodolar els troncs muntanya avall.* Es conjuga com *cantar*.

rodolí rodolins *nom m* Conjunt de dos versos que rimen; conjunt de versos que hi ha al peu de cada quadret d'una auca.

rodolons Paraula que apareix en l'expressió **a rodolons**, que vol dir "rodolant, donant voltes": *Va baixar la muntanya a rodolons.*

rodona rodones *nom f* Cercle: *Amb el llapis vaig dibuixar una rodona.*

rodonament *adv* D'una manera clara i sense dubtes: *Vaig demanar a la meva mare si em deixava sortir i em va contestar rodonament que no.*

roent roents *adj* Molt calent, que crema, que bull: *Quan està roent, el ferro es torna de color vermell i es pot doblegar.*

rogallós rogallosa rogallosos rogalloses *adj* Es diu de la veu d'una persona que està enrogallada.

rogenc rogenca rogencs rogenques *adj* Que tira a roig.

roger rogers *nom m* Peix de color vermellós molt apreciat com a aliment, moll.

rogle rogles *nom m* Rotlle.

roí roïna roïns roïnes *adj* Dolent, miserable, indigne.

roig roja roigs o rojos roges *adj* i *nom m* Vermell.

roina roines *nom f* Pluja petita i fina.

roinejar *v* Plovisquejar. Es conjuga com *cantar*. S'escriu *j* davant de *a, o, u* i *g* davant de *e, i: roineja, roinegi*.

rom[1] roma roms romes *adj* Truncat, escapçat de la punta: *Aquest ganivet que m'has donat és rom i no va bé.*

rom[2] roms *nom m* Beguda alcohòlica que es fa amb el suc de la canya de sucre.

romà romana romans romanes **1** *nom m* i *f* Habitant de Roma; persona natural o procedent de Roma o de l'antic imperi romà. **2** *adj* Es diu de les persones o de les coses naturals o procedents de Roma o de l'antic imperi romà. **3** **xifra romana** Cadascun dels signes que utilitzaven els antics romans per a escriure els números: *El número "cinc" amb xifres romanes s'escriu V; en canvi, amb xifres aràbigues s'escriu 5.* **4** **a la romana** Arrebossat amb farina i ou i després fregit: *Per dinar, hem menjat calamars a la romana.*

romana romanes *nom f* Balança de braços desiguals que serveix per a pesar mercaderies.

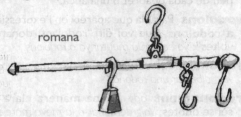

romana

romanalla romanalles *nom f* Part que queda d'una cosa després d'haver-ne tret la part més grossa, resta.

romanç romanços *nom m* Narració en vers o en prosa de les aventures d'un heroi.

romancejar *v* Entretenir-se fent coses sense importància quan és hora de fer una altra cosa més important; no decidir-se a fer una cosa, trobar excuses per no haver de fer-la. Es conjuga com *cantar*. S'escriu *j* davant de *a, o, u* i *g* davant de *e, i*: *romancejo, romanceges.*

romancer romancera romancers romanceres *adj* Es diu de la persona que sempre romanceja, que és lenta.

romanço romanços *nom m* Història, comentari que no té cap importància i que fa perdre el temps: *Això que expliques només són romanços, valdria més que anéssim per feina.*

romandre *v* Quedar-se, continuar en un lloc, estar una estona d'una manera determinada: *Els soldats van romandre a la ciutat després de la batalla.* ■ *En Joan va romandre callat tota l'estona.* Es conjuga com *confondre*. **Participi:** *romàs, romasa.*

romanès romanesa romanesos romaneses **1** *nom m* i *f* Habitant de Romania; persona natural o procedent de Romania. **2** *adj* Es diu de les persones o de les coses naturals o procedents de Romania. **3** *nom m* Llengua que es parla a Romania i a Moldàvia.

romaní romanins *nom m* Arbust molt olorós, que fa uns petits rams de flors blavoses i que es fa servir per a donar bon gust als aliments i per a curar algunes malalties.

romànic romànica romànics romàniques *adj* **1** Que té relació amb els pobles conquerits pels antics romans. **2** **llengües romàniques** Llengües que vénen del llatí: *El català és una llengua romànica.* **3** *nom m* Art propi de l'edat mitjana anterior al gòtic. **4** *adj* Relacionat amb el romànic: *El monestir de Ripoll és d'estil romànic.*

rombe rombes *nom m* Figura geomètrica de quatre costats que formen angles que no són rectes; els costats oposats són paral·lels i tots quatre costats són iguals.

romboide romboides *nom m* Figura geomètrica de quatre costats que formen angles que no són rectes; els costats oposats són iguals i paral·lels i els costats que formen angle són desiguals.

romeguera romegueres *nom f* **1** Arbust que té moltes punxes i que produeix un fruit anomenat móra, esbarzer. **2** Persona o cosa que trobem pel camí i que ens destorba, no ens deixa arribar d'hora al lloc on anem: *Vaig arribar tard a casa, perquè pel camí vaig trobar una romeguera que em va entretenir molta estona parlant.*

romeria romeries *nom f* Excursió per motius religiosos que es fa a una capella, a una ermita, etc., peregrinació.

romesco romescos *nom m* Salsa una mica picant que es fa amb nyores i altres ingredients i que serveix per a acompanyar diferents plats, sobretot de peix.

rompent rompents *nom m* Lloc on rompen les onades del mar.

rompre *v* Trencar. Es conjuga com *perdre*.

ronc ronca roncs ronques *adj* **1** Que té un so aspre. **2** Que té una veu apagada i aspra. **3** *nom m* Soroll que es fa roncant: *Aquella dona sempre es queixa dels roncs que fa el seu marit dormint.*

roncar *v* **1** Respirar fent soroll mentre es dorm: *Al refugi no vam poder dormir gaire bé, perquè hi havia un nen que roncava molt.* **2** Fer soroll els budells, el mar, un tro, etc.: *Tinc gana i em ronquen els budells.*

Es conjuga com *cantar*. S'escriu *c* davant de *a, o, u* i *qu* davant de *e, i: ronco, ronques*.

ronda rondes *nom f* **1** Vigilància que fa la policia, la guàrdia municipal, etc. pels carrers: *La guàrdia municipal fa la ronda nocturna pels carrers del barri vell.* **2** Camí que recorre per dins una muralla, carretera que envolta una ciutat, etc. **3** Conjunt de gots de vi, de cervesa, etc. que beuen una colla de persones: *En Jaumet ha pagat aquesta ronda de cervesa.*

rondalla rondalles *nom f* Conte popular, narració curta per als nens: *Avui l'avi ens ha explicat una rondalla.*

rondar *v* Passejar, anar pels carrers sense un objectiu concret.
Es conjuga com *cantar*.

rondinaire rondinaires *adj* i *nom m* i *f* Es diu de la persona que sempre rondina, protesta, que no està mai contenta.

rondinar *v* Queixar-se, mostrar-se descontent, protestar.
Es conjuga com *cantar*.

rònec rònega rònecs rònegues *adj* Es diu d'una casa, d'un lloc, etc. que té un aspecte abandonat, ruïnós, que no s'hi pot estar bé.

ronsa Paraula que apareix en l'expressió **fer el ronsa**, que vol dir "anar deixant per a més endavant una cosa que no ve de gust": *El professor va preguntar qui volia ser el primer d'exposar el treball i tothom feia el ronsa.*

ronya ronyes *nom f* Brutícia que es va enganxant a la pell quan una persona no es renta durant molt de temps.

ronyó ronyons *nom m* **1** Cadascun dels dos òrgans de l'aparell urinari de les persones i d'alguns animals. **19** **2 costar un ronyó** Ser molt car.

ronyonada ronyonades *nom f* Part del cos al final de l'esquena on hi ha els ronyons.

ronyonera ronyoneres *nom f* Recipient que té forma de ronyó, bossa petita que es corda amb una sivella i que es porta al final de l'esquena, cap a la zona on hi ha els ronyons.

ronyós ronyosa ronyosos ronyoses *adj* Ple de ronya, molt brut.

roquissar roquissars *nom m* Lloc on hi ha moltes roques.

rorqual rorquals *nom m* Nom amb què són coneguts diversos cetacis semblants a les balenes, però que tenen una aleta dorsal i la part del ventre plena de solcs. **12**

ros rossa rossos rosses **1** *adj* Es diu dels cabells que tenen un color clar, semblant al groc: *La Núria té els cabells rossos, la seva germana els té negres.* **2** *adj* i *nom m* i *f* Que té els cabells rossos. **3** *adj* Que té un color ros: *Abans de tirar el tomàquet a la paella, cal esperar que la ceba es torni rossa.*

rosa[1] **1** *adj* D'un color semblant al color de la pell, d'un vermell clar: *Unes faldilles rosa.* **2** rosa roses *nom m* Color semblant al color de la pell, d'un vermell clar. **3** *En Domènec sempre intenta **veure-ho tot de color rosa**:* ser optimista, no veure problemes enlloc.

rosa[2] roses *nom f* **1** Flor grossa, molt bonica i olorosa d'una planta anomenada roser: *En aquell jardí hi havia moltes roses.* **3** **2** *Aquell nen sempre **està fresc com una rosa**:* tenir bon color, bon aspecte, fer cara de salut. **3** **rosa dels vents** Dibuix en forma d'estrella on hi ha els noms dels vents i la seva direcció.

rosada rosades *nom f* Humitat en forma de gotes d'aigua que durant la nit es forma sobre les plantes, la terra, etc.

rosari rosaris *nom m* **1** Conjunt de parenostres i altres oracions que es van dient l'una darrere l'altra. **2** Conjunt de boletes lligades que es fa servir mentre es resa el rosari per a comptar les oracions. **3** *La reunió va **acabar com el rosari de l'aurora**:* malament, amb baralles, etc. **4** Columna vertebral.

rosat rosada rosats rosades *adj* i *nom m* De color rosa.

rosca rosques *nom f* **1** Relleu que hi ha a la part de fora del cargol o de dins de la femella i que serveix per a enroscar-los. **2** Tros de pasta seca de forma rodona i amb un forat al mig.

rosca

rosec rosecs *nom m* **1** Acció de rosegar. **2** Soroll d'una persona o d'un animal que rosega. **3** Dolor fort i continuat. **4** Falta de tranquil·litat, sensació de malestar que es té després d'haver fet una cosa dolenta.

rosegador rosegadora rosegadors rosegadores **1** adj Que rosega. **2** nom m Animal mamífer que té dues dents molt llargues a cada mandíbula que li permeten de rosegar molt bé els aliments: Els ratolins, els esquirols i les marmotes són rosegadors.

rosegall rosegalls nom m Menjar que es deixa al plat després d'haver-lo mossegat; deixalla, residu.

rosegar v **1** Mossegar moltes vegades una cosa amb les dents, de manera que es vagi trencant en trossos petits: El gos rosega un os. **2** Gastar, fer malbé una cosa lentament: L'aigua del mar ha anat rosegant les roques de la costa.
Es conjuga com cantar. S'escriu g davant de a, o, u i gu davant de e, i: rosego, rosegues.

rosegó rosegons nom m **1** Tros petit de pa sec. **2** Tros de pa que es deixa després d'haver-lo començat a menjar.

rosella roselles nom f Planta de flor vermella, que creix en els camps de cereals, gallaret.

roser rosers nom m Planta molt apreciada per les seves flors, les roses.

roserar roserars nom m Lloc plantat de rosers.

rosquilla rosquilles nom f Pastís petit rodó amb un forat al mig.

ròssec ròssecs nom m **1** Part d'una cosa que s'arrossega per terra. **2** Allò que resulta com a conseqüència d'una malaltia, d'un problema, etc.: En Xavier encara té el ròssec de la malaltia.

rossegons Paraula que apareix en l'expressió a rossegons, que vol dir "arrossegant-se per terra": Aquest nen va tot el dia a rossegons.

rossejar v **1** Començar a ser ros, ser una mica ros: Els camps de blat ja rossegen. **2** Fer tornar ros, torrar una mica: Abans de tirar-hi l'aigua, has de rossejar els fideus.
Es conjuga com cantar. S'escriu j davant de a, o, u i g davant de e, i: rossejo, rosseges.

rossellonès rossellonesa rossellonesos rosselloneses **1** nom m i f Habitant del Rosselló o de les altres comarques de la Catalunya Nord (Alta Cerdanya, Capcir, Conflent, Fenolleda, Rosselló i Vallespir);

persona natural o procedent del Rosselló o de la Catalunya Nord. **2** adj Es diu de les persones o de les coses naturals o procedents del Rosselló o de la Catalunya Nord. **3** nom m Manera de parlar el català a les comarques de la Catalunya Nord.

rossenc rossenca rossencs rossenques adj Que tira a ros.

rossinyol rossinyols nom m **1** Ocell gris que fa un cant molt bonic. **2** Bolet comestible de color entre groc i taronja. **3** Ferro llarg i prim, doblegat per una punta, que serveix per a obrir panys quan no es té la clau.

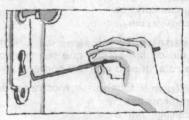

rossinyol

rossolar v Baixar lliscant per una baixada o un pendent: En Miquel Àngel rossola pel tobogan.
Es conjuga com cantar.

rossor rossors nom f Qualitat de ros: Tothom admirava la rossor dels seus cabells.

rost rosta rosts o rostos rostes **1** adj Que fa pendent. **2** nom m Terreny que fa molt pendent: Les pedres rodolaven rostos avall.

rostir v Coure un aliment al foc o al forn untant-lo amb oli o amb greix: Per dinar, hem menjat pollastre rostit.
Es conjuga com servir.

rostit rostits nom m Carn rostida: A casa la meva àvia els diumenges mengem rostit.

rostoll rostolls nom m Part de les tiges de blat, d'ordi, etc. que queda arrelada a terra després de la sega; camp després de la sega.

rostre rostres nom m Cara: L'Alfons es va cobrir el rostre amb les mans.

rot rots nom m Soroll que es fa quan es treuen per la boca gasos procedents de l'estómac, després de menjar: Després de menjar els nens petits solen fer un rot.

rotació rotacions nom f **1** Moviment d'alguna cosa al voltant d'un eix: Les agulles del rellotge fan el moviment de rotació. **2** Seguit de fets que passen en un ordre determinat: *Els càrrecs de la nostra classe van per rotació.*

rotar *v* Fer rots.
Es conjuga com *cantar.*

rotgle rotgles *nom m* Rotlle.

rotllana rotllanes *nom f* Rodona, cercle; cèrcol, anell gros de ferro: *Els nens es van asseure en rotllana al voltant de la mestra.*

rotlle rotlles *nom m* **1** Full de paper, de cartó embolicat al voltant d'un objecte cilíndric: *He comprat un rotlle de paper de vàter a la botiga.* **2** Conjunt de persones o de coses col·locades de manera que formin una rodona, un cercle: *Tots els nens van fer un rotlle al voltant del mestre.*

rotllo rotllos *nom m* Mira **rotlle**.

rotonda rotondes *nom f* Edifici, habitació de forma circular acabada generalment en una cúpula.

ròtula ròtules *nom f* Os de la part de davant del genoll. **15**

rotund rotunda rotunds rotundes *adj* Que no té dubtes, que és definitiu, que no cal parlar-ne més: *Li vaig demanar si em deixava la bicicleta i em va dir un no rotund.*

roure roures *nom m* **1** Arbre de fulla caduca que fa un fruit anomenat gla. **2** *Aquest noi és un roure:* tenir molta resistència, ser molt fort i valent.

roureda rouredes *nom f* Bosc de roures.

rovell rovells *nom m* **1** Capa vermellosa que es forma a la superfície del ferro per l'acció de l'aigua o de l'aire humit. **2** Esfera groga o vermellosa que hi ha dins els ous dels ocells o dels rèptils. **3** *Viu al rovell de l'ou de la ciutat:* al centre, al punt més cèntric.

rovellar-se *v* **1** Cobrir-se el ferro d'una capa vermellosa per l'acció de l'aigua o de l'aire humit, oxidar-se. **2** Perdre l'agilitat, la pràctica a l'hora de fer una cosa: *Abans jugava molt bé a tennis, però com que fa molt temps que no hi jugo ara estic ben rovellat.*
Es conjuga com *cantar.*

rovelló rovellons *nom m* Bolet comestible de color vermellós amb taques verdes molt apreciat pel seu gust **4** ; pinenca o pinetell.

rua rues *nom f* Colla, corrua.

rubèola rubèoles *nom f* Malaltia contagiosa que ataca sobretot els infants i que fa sortir unes taques rosades a la pell.

rubor rubors *nom m o f* Vermellor que surt a la cara a causa de la vergonya.

ruboritzar-se *v* Tornar-se vermell a causa de la vergonya, enrojolar-se.
Es conjuga com *cantar.*

rúbrica rúbriques *nom f* Traç o conjunt de traços que es posen a la firma, a més a més del nom.

ruc ruca rucs ruques **1** *nom m* Ase, burro. **2** *adj i nom m i f* Es diu de les persones poc espavilades.

rucada rucades *nom f* Bestiesa, ximpleria, animalada.

rude rudes *adj* **1** Es diu d'una persona que parla o es comporta de manera poc delicada, desagradable, sense educació. **2** Es diu d'un temps cru, difícil de suportar.

rudiment rudiments **1** *nom m* Òrgan o part d'un òrgan que tot just comença a desenvolupar-se o que s'ha desenvolupat de manera imperfecta. **2 rudiments** *nom m pl* Elements bàsics, essencials, d'una ciència, d'un art, d'una tècnica: *Per fer aquesta feina cal tenir rudiments d'informàtica.*

rudimentari rudimentària rudimentaris rudimentàries *adj* Primitiu, poc desenvolupat, senzill: *Aquesta ceràmica està feta amb tècniques molt rudimentàries.*

rufià rufiana rufians rufianes *nom m i f* Persona molt dolenta, que li agrada de fer mal als altres.

rúfol rúfola rúfols rúfoles *adj* Núvol, que amenaça tempesta: *Fa un dia rúfol.*

rugbi rugbis *nom m* Esport que es juga a l'aire lliure entre dos equips que intenten col·locar més enllà de la línia de gol una pilota ovalada tocant-la amb les mans o amb els peus.

rugir *v* **1** Manera de cridar del lleó. **2** Cridar fort de ràbia una persona. **3** Fer soroll el mar, la tempesta, etc.
Es conjuga com *servir.*

rugós rugosa rugosos rugoses *adj* Que té la superfície plena d'arrugues: *Les nous tenen la closca rugosa.*

ruïna ruïnes *nom f* **1** Restes d'un edifici antic, d'una construcció antiga: *Hem anat a veure* les ruïnes d'Empúries. **2** Caiguda d'una construcció: *Aquest edifici amenaça ruïna.* **3** Pèrdua total d'una fortuna, d'un negoci: *La fàbrica de llet se n'ha anat a la ruïna en quatre dies.*

ruïnós ruïnosa ruïnosos ruïnoses *adj* **1** Que amenaça ruïna, que està a punt d'ensorrar-se o de caure: *Hem anat a veure aquell castell tan ruïnós, però no hi hem entrat.* **2** Que causa moltes pèrdues, que causa la ruïna: *Ha estat un negoci ruïnós i han perdut tots els diners que hi havien invertit.*

ruixar *v* Llançar un líquid de manera que caigui en forma de gotes: *La Glòria m'ha ruixat la cara amb aigua de colònia.*
Es conjuga com *cantar*.

ruixat ruixats *nom m* Xàfec, pluja forta que dura poc.

ruixim ruixims *nom m* Gotetes, pluja menuda.

ruleta ruletes *nom f* Joc que consisteix a encertar en quin lloc pararà una bola petita que es llança damunt una roda plana que giravolta i que està dividida en compartiments negres i vermells que van numerats.

rull rulls *nom m* Grup de cabells cargolats.

rulot rulots *nom f* Caravana, remolc arrossegat per un cotxe, que té tots els equipaments d'una casa i que serveix per a viure-hi quan es va de viatge, en un càmping, etc.

rumb rumbs *nom m* **1** Direcció que segueix un vaixell que navega: *El vaixell va perdre el rumb i no trobava la costa.* **2** Camí que segueix un assumpte, un negoci, etc.

rumiar *v* Pensar moltes vegades alguna cosa: *Per més que rumio, no sé què regalar a la mare el dia del seu sant.*
Es conjuga com *canviar*.

ruminar *v* **1** Remugar, mastegar els aliments els remugants. **2** Rumiar, pensar moltes vegades alguna cosa.
Es conjuga com *cantar*.

ruminant ruminants **1** *adj* Que rumina. **2** *nom m* Animal remugant.

rumor rumors *nom m* o *f* Notícia que la gent va explicant de l'un a l'altre: *Corre el rumor que les vacances seran més llargues.*

runa runes *nom f* Materials que queden després d'aterrar una casa, una paret: *El camió es va emportar les runes de la casa enderrocada.*

rupestre rupestres *adj* Que està relacionat amb les roques; que està dibuixat o pintat sobre les roques: *Hem visitat una cova amb pintures rupestres.*

ruptura ruptures *nom f* Acció de rompre o de rompre's una cosa, trencament.

ruqueria ruqueries *nom f* Rucada, bestiesa.

rural rurals *adj* Que té relació amb els camps, amb la vida al camp: *Els meus avis tenen una propietat rural a la Garrotxa.*

ruralia ruralies *nom f* Terreny on només hi ha masies i terres de conreu.

rus russa russos russes **1** *nom m i f* Habitant de Rússia; persona natural o procedent de Rússia. **2** *adj* Es diu de les persones o de les coses naturals o procedents de Rússia. **3** *nom m* Llengua que es parla a Rússia.

rusc ruscs o ruscos *nom m* Lloc on viu un eixam d'abelles i on fabriquen la mel.

rusc

rústec rústega rústecs rústegues *adj* Aspre, poc fi, raspós: *Amb el fred les mans em queden rústegues.*

rústic rústica rústics rústiques *adj* **1** De pagès, propi del camp. **2** Poc polit, poc treballat: *Decorarem la casa amb mobles rústics.*

ruta rutes *nom f* Camí que es recorre en un viatge, en una excursió: *La ruta que vàrem seguir per anar a París va ser: Barcelona, Marsella, Lió i París.*

rutilant rutilants *adj* Que brilla molt: *Un estel rutilant.*

rutina rutines *nom f* Costum de fer una cosa sempre de la mateixa manera, sense haver-la de pensar: *Em cansa la rutina de cada dia: anar a comprar, fer el dinar, rentar els plats, etc.*

rutllar *v* Funcionar correctament una màquina, una qüestió, un afer: *A la fàbrica, avui les coses no han rutllat gaire bé perquè s'han espatllat dues màquines.*
Es conjuga com *cantar*.

S s lletra essa

sa[1] *sana sans sanes* adj **1** Que té bona salut, que no està malalt: *Han tingut tres fills i tots tres estan sans i bons.* **2** Bo per a la salut: *La Maria segueix una alimentació sana.* **3** De l'accident, en va sortir *sa i estalvi*: sense fer-se mal.

sa[2] *ses* adj Mira *son[1]*.

saba *sabes* nom f Líquid que circula per l'interior de les plantes i que consisteix en aigua i substàncies minerals dissoltes.

sabadellenc *sabadellenca sabadellencs sabadellenques* **1** nom m i f Habitant de Sabadell; persona natural o procedent de Sabadell. **2** adj Es diu de les persones o de les coses naturals o procedents de Sabadell.

sabana *sabanes* nom f Vegetació típica de les zones tropicals que consisteix en prats amb herbes altes i alguns arbres i arbustos: *Els lleons viuen a la sabana.*

sàbat *sàbats* nom m Dia de descans en la religió jueva, que correspon al dissabte.

sabata *sabates* **1** nom f Calçat de cuiro o d'un altre material fort, que cobreix el peu i de vegades el turmell, amb sola de cuiro, de goma, etc.: *Amb aquestes sabates no camino gaire bé, em van massa grosses.* **2** nom m i f Poc intelligent: *Aquest noi és un sabata.* **3** *anar amb una sabata i una espardenya* No tenir els mitjans necessaris per fer bé una cosa.

sabater *sabatera sabaters sabateres* nom m i f Persona que fabrica, ven o arregla sabates: *Haig de portar aquestes sabates velles al sabater perquè m'hi posi una sola nova.*

sabateria *sabateries* nom f Botiga de sabates.

sabatilla *sabatilles* nom f Calçat lleuger i còmode que es porta per estar per casa: *Quan arribo a casa, el primer que faig és treure'm les sabates i posar-me les sabatilles.*

sabedor *sabedora sabedors sabedores* adj **1** Que està assabentat d'alguna cosa. **2** A través d'una carta l'oncle em va *fer sabedor* de

la seva pròxima visita: me'n va assabentar, m'ho va fer saber.

saber[1] v **1** Conèixer bé una cosa, tenir informació sobre una cosa: *L'Assumpta sap molta geografia.* **2** A l'Andreu, li va *saber greu* que la Gemma no vingués a la festa: sentir pena per una cosa. **3** *La Loreto pot saber-la molt llarga, però a mi no m'enganya*: espavilar-se, sortir-se dels problemes que es presenten.
La conjugació de *saber* és a la pàg. 845.

saber[2] *sabers* nom m Conjunt de coses que s'aprenen a partir de l'estudi, coneixements.

saberut *saberuda saberuts saberudes* adj i nom m i f Es diu de la persona que sempre vol demostrar que sap moltes coses.

sabó *sabons* nom m Substància que, barrejada amb aigua, serveix per a rentar, ja que ajuda a desfer la brutícia que hi ha a la pell, a la roba, etc.: *Després de pintar, em vaig rentar les mans amb aigua i sabó.*

sabonera *sabtoneres* nom f **1** Escuma que fa el sabó quan es barreja amb aigua. **2** Capsa, recipient petit on es deixa el sabó.

sabor *sabors* nom m o f Gust d'una cosa: *Aquesta sopa té molt bon sabor.*

saborós *saborosa saborosos saboroses* adj Que té bon sabor, que té bon gust: *Aquest pollastre t'ha quedat molt saborós.*

sabotatge *sabotatges* nom m Acció violenta que es fa contra una fàbrica, un edifici públic, etc. amb la intenció d'impedir-ne el funcionament normal: *El descarrilament del tren ha estat un acte de sabotatge.*

sabotejar v Fer sabotatge, impedir que una cosa pugui funcionar bé.
Es conjuga com *cantar*. S'escriu *j* davant de *a, o, u* i *g* davant de *e, i*: *sabotejo, saboteges.*

sabre *sabres* nom m Arma que s'assembla a una espasa, de fulla més o menys corba.

sabre

sabut *sabuda sabuts sabudes* adj Saberut.

S

693

sac sacs *nom m* **1** Bossa grossa, de roba, de plàstic o de paper fort que serveix per a guardar-hi i transportar alguns aliments o materials: *Ha passat un camió carregat de sacs d'arròs.* **2 ser al sac** Estar perdut, atrapat, mort. **3** *Aquell nen, de petit, sempre va ser un sac d'ossos:* molt prim. **4 sac de gemecs** Gaita, instrument musical de vent que consisteix en un sac de cuir que s'infla d'aire per mitjà d'un tub i del qual pengen tres o quatre tubs, un dels quals fa la melodia. **5 sac de dormir** Bossa grossa de roba que serveix per a dormir-hi a dins.

sac de dormir

saca saques *nom f* Sac gros.

sacar *v* Posar la pilota en joc en un esport.
Es conjuga com *cantar.* S'escriu *c* davant de *a, o, u* i *qu* davant de *e, i: saco, saques.*

sacarina sacarines *nom f* Substància que serveix per a endolcir els aliments: *Com que fa règim, es posa sacarina al cafè en lloc de sucre.*

sacerdot sacerdots *nom m* Home dedicat a la religió, capellà.

sacerdotessa sacerdotesses *nom f* Dona dedicada a tenir cura de les coses sagrades, de les esglésies, etc.

saciar *v* Sadollar.
Es conjuga com *canviar.*

sacre¹ sacra sacres *adj* Sagrat.

sacre² sacres *nom m* Os del final de la columna vertebral format per cinc vèrtebres soldades entre elles. **15**

sacrificar *v* **1** Matar un animal per a menjar-se'l: *En aquest escorxador cada dia sacrifiquen cinc-cents porcs.* **2** Oferir una víctima a un déu: *Els romans sacrificaven animals en honor dels seus déus.* **3 sacrificar-se** Sofrir, patir per aconseguir uns objectius: *Si vols comprar-te aquella màquina de fotografiar, hauràs de sacrificar-te una mica i no gastar els diners en altres coses.*
Es conjuga com *cantar.* S'escriu *c* davant de *a, o, u* i *qu* davant de *e, i: sacrifico, sacrifiques.*

sacrifici sacrificis *nom m* **1** Acció d'oferir una víctima a un déu. **2** Acció de sacrificar-se, de patir per aconseguir alguna cosa.

sacrilegi sacrilegis *nom m* Violació d'una cosa, d'una persona o d'un lloc sagrats.

sacseig sacseigs o **sacsejos** *nom m* Acció de sacsejar.

sacsejar *v* Moure violentament de dalt a baix i de baix a dalt o d'un costat a l'altre alguna cosa: *Abans de prendre aquesta medecina l'has de sacsejar.*
Es conjuga com *cantar.* S'escriu *j* davant de *a, o, u* i *g* davant de *e, i: sacsejo, sacseges.*

sacsó sacsons *nom m* **1** Plec que fa la carn en les persones que estan grasses. **2** Plec que es fa per escurçar un vestit, una màniga, etc. i que es pot desfer quan convé allargar-lo.

sàdic sàdica sàdics sàdiques *adj i nom m i f* Es diu de la persona que s'ho passa bé fent patir els altres.

sadollar *v* Atipar, satisfer la gana, la set, el desig, etc.
Es conjuga com *cantar.*

safanòria safanòries *nom f* Pastanaga.

safareig safareigs o **safarejos** *nom m* **1** Dipòsit que s'omple d'aigua i que serveix per a rentar-hi la roba, per a regar, etc.: *Al terrat de casa hi ha un safareig per a rentar.* **2** *Als veïns de l'escala, els agrada molt de fer safareig:* explicar xafarderies, explicar coses de l'altra gent.

safari safaris *nom m* Expedició que es fa a la selva per poder caçar animals salvatges, per fotografiar-los, etc.

safata safates *nom f* Plata, plat gran i pla que serveix per a portar alguns objectes o per a presentar alguna cosa: *La tia Dolors va sortir amb una safata plena de tasses de te i va començar a repartir-les.*

safir safirs *nom m* Pedra preciosa de color blau fosc.

safrà safrans *nom m* **1** Espècia de color groc tirant a taronja que es fa servir per a donar gust a l'arròs i a altres aliments. **2** Planta de flors grosses d'on s'extreu el safrà, també anomenada safranera.

saga¹ sagues *nom f* **1** Part de darrere d'una cosa, d'un grup de gent, etc. **2 anar a la saga** Anar al darrere d'alguna cosa per aconseguir-la.

saga² sagues *nom f* Novel·la o narració que explica la història d'una família.

sagaç sagaços sagaces *adj* Es diu de la persona que és capaç de captar, de descobrir, etc. coses difícils: *Aquella dona és una detectiva sagaç.*

sagal sagals *nom m* Noi petit.

sageta sagetes *nom f* Fletxa.

sagí sagins *nom m* Greix.

sagitari *nom m* Novè signe del zodíac: *Les persones nascudes entre el 21 de novembre i el 22 de desembre són del signe de sagitari.*

sagnar *v* Sortir sang d'una ferida: *La ferida de la cama encara li sagna.*
Es conjuga com *cantar.*

sagrament sagraments *nom m* **1** Segons la religió cristiana, signe de la presència de Déu en la vida i la història de la humanitat. **2** Cadascun dels set actes religiosos en què els cristians celebren la presència de Déu en la vida de les persones: *El baptisme és el primer sagrament que reben els cristians.*

sagrari sagraris *nom m* Lloc petit i tancat on es guarden les hòsties consagrades.

sagrat sagrada sagrats sagrades *adj* **1** Relacionat amb Déu o amb la religió: *L'església és un lloc sagrat.* **2** Digne de molt respecte: *El record de la nostra mare és sagrat.*

sagristà sagristana sagristans sagristanes *nom m* i *f* Persona que s'encarrega de tenir endreçada una església, de preparar les coses necessàries per a dir la missa, etc.

sagristia sagristies *nom f* Local que hi sol haver al fons de les esglésies i que serveix per a guardar-hi les coses necessàries per a dir la missa, per a vestir-se el capellà, etc.

saguntí saguntina saguntins saguntines **1** *nom m* i *f* Habitant de Sagunt; persona natural o procedent de Sagunt. **2** *adj* Es diu de les persones o de les coses naturals o procedents de Sagunt.

saharià sahariana saharians saharianes *adj* i *nom m* i *f* Es diu de les persones o de les coses naturals o procedents de la zona del desert del Sàhara.

saïm saïms *nom m* Greix.

sainet sainets *nom m* Peça de teatre curta que té la finalitat de fer riure.

sal sals *nom f* Substància de color blanc i formada per granets molt petits que es treu de la terra o de l'aigua del mar i que es fa servir per a donar gust als aliments: *Aquesta truita és dolça, hi falta sal.*

sala sales *nom f* Habitació dintre d'una casa o d'un edifici, espai més aviat gran: *A la sala d'estar d'una casa hi sol haver el sofà, el televisor, etc.*

salabret salabrets *nom m* Instrument que consisteix en una bossa de xarxa fina cosida a un cèrcol i un mànec llarg i que serveix per a pescar, caçar insectes, etc.

salabror salabrors *nom f* Gust de sal: *M'agrada la salabror de l'aigua del mar.*

salamandra salamandres *nom f* Animal amfibi amb taques grogues i negres i amb quatre potes.

salamandra

salar *v* Posar sal a un aliment perquè es conservi, tingui més bon gust, etc.
Es conjuga com *cantar.*

salari salaris *nom m* Sou, diners que rep un treballador a canvi del seu treball: *Pel gener apujaran els salaris als treballadors de la fàbrica.*

salat¹ salada salats salades *adj* **1** Que té gust de sal o que té massa sal: *L'aigua del mar és salada.* ■ *Avui he fet l'arròs salat.* **2** *Aquesta noia sol ser molt salada:* tenir molta gràcia, dir i fer coses divertides, gracioses. **3** *fer salat* Arribar tard a un lloc.

salat² salats *nom m* **1** Manera de parlar el català que es caracteritza per l'ús de l'article salat. **2** *article salat* Article determinat que es fa servir en alguns parlars catalans: *"Es carboner i sa fia" és el títol d'una rondalla mallorquina que, en la majoria de parlars catalans, es diria "El carboner i la seva filla".*

salconduit salconduits *nom m* En una situació de guerra o de conflicte, document que una autoritat dóna a algú perquè pugui entrar i sortir d'un lloc sense perill de ser detingut.

saldo saldos *nom m* **1** Mercaderia que es ven a preus molt rebaixats: *Vaig comprar* dues camises a preu de saldo en una parada del mercat. **2** Diners que hi ha en un compte corrent o en una llibreta d'estalvi. **3** Cosa o persona de poc valor.

saler salers *nom m* Recipient on es guarda la sal: *Passa'm el saler, que em vull tirar més sal a l'amanida.*

salfumant salfumants *nom m* Líquid de color groguenc que fa una olor molt forta i que es fa servir per a netejar paviments, rajoles, etc. i en algunes indústries: *Si vols netejar el vàter amb salfumant, has de posar-te guants, perquè si no et cremaràs.*

salina salines *nom f* Lloc on s'obté sal per evaporació de l'aigua del mar o de l'aigua salada.

saliva salives *nom f* **1** Líquid que fabriquen unes glàndules que hi ha a la boca i que serveix per a empassar-se els aliments més fàcilment i poder-los pair millor: *Quan tinc gana i veig alguna cosa de menjar, la boca se m'omple de saliva.* **2** *No val la pena gastar saliva en va:* parlar sense treure'n profit, parlar per res, inútilment.

salival salivals *adj* Que té relació amb la saliva, que produeix saliva: *Les glàndules salivals.* **19**

salivera saliveres *nom f* **1** Saliva que fa escuma. **2** *fer venir salivera* Fer venir moltes ganes d'una cosa: *Aquestes olives aquí al davant em fan venir salivera.*

sallar *v* **1** Córrer una embarcació tallant l'aigua. **2** Córrer molt: *Com salla aquesta moto!* Es conjuga com *cantar.*

salmó[1] **1** *adj* D'un color entre rosa i taronja: *Uns mocadors salmó.* **2** *salmó salmons nom m* Color entre rosa i taronja.

salmó[2] salmons *nom m* Peix de mar que remunta els rius per pondre els ous i que té una carn de color rosa tirant a taronja i és molt apreciat com a aliment.

salmorra salmorres *nom f* Barreja de sal i aigua que es fa servir per a conservar alguns aliments.

saló salons *nom m* **1** Sala luxosa i elegant d'una casa, d'un palau, etc. **2** *saló de bellesa* Lloc on es fan massatges, neteges de cara, etc. **3** Exposició: *El saló de l'automòbil es fa cada any a Barcelona.*

salobre salobres **1** *adj* Que té gust de sal, salat. **2** *nom m* Capa de sal que queda en un lloc on hi havia hagut aigua salada i s'ha evaporat.

salpar *v* Deixar el port, fer-se a la mar un vaixell: *El vaixell va salpar a les set de la tarda en direcció a Gibraltar.* Es conjuga com *cantar.*

salsa salses *nom f* Barreja de productes comestibles, com ara oli, sal, tomàquet, ou, etc., més aviat líquida o pastosa, que acompanya alguns menjars perquè tinguin més gust: *Avui hem menjat arròs bullit amb salsa de tomàquet.*

salsera salseres *nom f* Recipient per a servir la salsa.

salsitxa salsitxes *nom f* Embotit curt i prim fet amb carn picada de porc, de pollastre, etc.

salt salts *nom m* **1** Moviment pel qual una persona o un animal es llança a l'aire i està uns moments sense tocar de peus a terra: *Per travessar aquell torrent vam haver de fer un bon salt.* **2** Prova atlètica que consisteix a superar una alçada o una llargada. **3** *salt mortal* Salt que es fa fent una o més voltes en l'aire abans de caure. **4** *Quan em van dir que havia guanyat el premi, em va fer un salt el cor:* sentir una emoció molt forta i sobtada. **5** *fer el salt* No complir una obligació, ser infidel a algú. **6** *salt d'aigua* Aigua d'un riu, d'un torrent, etc. que cau des d'una certa altura a causa d'un desnivell sobtat del terreny, cascada: *Per aquell precipici baixava un salt d'aigua impressionant.*

saltador saltadora saltadors saltadores **1** *adj* Que salta. **2** *nom m i f* Esportista que practica el salt de llargada, d'alçada, etc.

saltamartí saltamartins *nom m* **1** Ninot lleuger que porta un pes a la base i que, si s'inclina, torna a posar-se dret tot sol per l'acció del pes. **2** Nom de diversos insectes semblants a les llagostes, generalment de color verd. **7**

saltant saltants *nom m* Salt d'aigua.

saltar *v* **1** Fer un salt, llançar-se cap enlaire de manera que durant uns moments els peus no toquin a terra: *Jugarem a veure qui salta més alt.* **2** Caure, desprendre's, desenganxar-se una cosa del lloc on estava unida o enganxada: *M'ha saltat un botó de la jaqueta.* **3** Deixar de fer una cosa, passar-se-la: *Llegint aquell conte em vaig saltar un parell de ratlles.* **4** Coure un aliment a la paella amb foc viu i remenant-lo de tant en tant. Es conjuga com *cantar.*

saltejar *v* Sorprendre una persona que va per un camí i robar-li el que porta.
Es conjuga com *cantar*. S'escriu *j* davant de *a, o, u* i *g* davant de *e, i*: *saltejo, salteges*.

saltenc saltenca saltencs saltenques **1** *nom m i f* Habitant de Salt; persona natural o procedent de Salt. **2** *adj* Es diu de les persones o de les coses naturals o procedents de Salt.

saltimbanqui saltimbanquis *nom m i f* Persona que es guanya la vida fent acrobàcies, jocs, etc. pel carrer.

saltiró saltirons *nom m* Salt petit.

saltironar *v* Fer saltirons, fer salts petits: *Les llagostes saltironaven pels prats.*
Es conjuga com *cantar*.

saltironejar *v* Fer saltirons ballant.
Es conjuga com *cantar*. S'escriu *j* davant de *a, o, u* i *g* davant de *e, i*: *saltironejo, saltironeges*.

salubre salubres *adj* Favorable a la salut, saludable.

saludable saludables *adj* Que és bo per a la salut, que és sa: *Fer excursions a la muntanya és molt saludable.*

saludar *v* Dirigir a algú paraules o gestos que demostren afecte o respecte en trobar-lo o en acomiadar-lo: *Aquesta tarda, a la plaça, he saludat la M. Antònia.*
Es conjuga com *cantar*.

saludar

salut[1] saluts *nom f* Estat de la persona o de l'animal que es troba bé, que no té cap malaltia: *Aquest nen no està mai malalt, té una bona salut.*

salut[2] saluts *nom m* Acció de saludar.

salutació salutacions *nom f* Conjunt de paraules o de gestos que es fan servir per a saludar algú: *En Josep em va enviar salutacions per carta.*

salv salva salvs salves *adj* Que s'ha escapat d'un perill, que no ha pres mal: *Després de* perdre's durant tres dies per la muntanya, les dues amigues van tornar a casa sanes i salves.

salva salves *nom f* Descàrrega d'armes de foc en senyal de festa o de salutació.

salvació salvacions *nom f* **1** Acció de salvar-se d'un perill, d'un mal, etc. **2** Ajut, cosa que salva: *Tard com era i amb la pluja que queia, trobar un taxi va ser la nostra salvació.*

salvador salvadora salvadors salvadores *adj i nom m i f* Es diu de la persona o de la cosa que salva algú d'un perill o d'una dificultat.

salvament salvaments *nom m* Acció de treure algú d'algun perill, d'alguna dificultat: *Aviat va venir l'equip de salvament a treure els nàufrags de l'aigua.*

salvant *prep* Excepte, tret de, fora de: *Salvant els de parvulari, tots els cursos aniran de colònies.*

salvar *v* **1** Treure algú o alguna cosa d'un perill, fer-lo escapar de la mort, evitar que prengui mal, etc.: *Els bombers van salvar la vida d'algunes persones que estaven a punt de morir cremades en un incendi.* **2** Vèncer un obstacle, evitar una dificultat, un perill, etc.: *Un cop salvades les primeres dificultats, el viatge va anar molt bé.*
Es conjuga com *cantar*.

salvat *prep* Deixant de banda, excepte: *El restaurant és obert tots els dies de l'any, salvat el dia de Nadal.*

salvatge salvatges *adj* **1** Que viu en plena natura, que no ha estat domesticat per les persones: *En aquests boscos hi viuen porcs senglars i altres animals salvatges.* **2** Que no ha estat treballat o transformat per les persones: *Aquest país de muntanya és molt salvatge.* **3** Es diu dels pobles que encara tenen una forma de civilització diferent, no evolucionada, primitiva. **4** *adj i nom m i f* Es diu de la persona mal educada, difícil de tractar, violenta: *El germà d'aquella noia és un salvatge: vigila que no et faci mal.*

salvatgina salvatgines *nom f* Bèstia que viu al bosc, que no està domesticada: *Els caçadors van caçar isards, cérvols i altres salvatgines.*

salvatjada salvatjades *nom f* Acció pròpia d'una persona salvatge, mala acció: *Uns desconeguts van rebentar les rodes del camió: això és una salvatjada!*

salvavides uns salvavides *nom m* **1** Cinturó, jaqueta de suro, goma, etc. que flota i que impedeix que s'enfonsi la persona que el

S

porta. **2 bot salvavides** Embarcació petita destinada a salvar nàufrags.

salze salzes *nom m* Arbre de fulla caduca d'escorça grisa, branques dretes i fulles amb pèls molt fins.

samarra samarres *nom f* Jaqueta de pell de xai, sense mànigues, típica dels pastors.

samarreta samarretes *nom f* Peça de vestir que es posa directament sobre la pell i que cobreix el tronc, camiseta: *A sota de la camisa porto una samarreta blanca.*

samfaina samfaines *nom f* Salsa feta amb tomàquet, pebrot, ceba i albergínia, que se sol servir acompanyant carn o peix: *Per dinar hem menjat bacallà amb samfaina.*

sanar *v* Curar, guarir.
Es conjuga com *cantar.*

sanatori sanatoris *nom m* Establiment generalment situat en un lloc que, pel clima i la tranquil·litat, és adequat perquè s'hi curin les persones malaltes.

sanció sancions *nom f* **1** Multa, càstig. **2** Aprovació, autorització d'una llei, d'una ordre, etc.

sancionar *v* **1** Castigar, posar una sanció. **2** Aprovar, autoritzar, donar per vàlida una llei, una ordre, etc.
Es conjuga com *cantar.*

sandàlia sandàlies *nom f* Calçat que consisteix en una sola que s'aguanta al peu amb tires de cuir o amb cordons: *A l'estiu és millor portar sandàlies que sabates perquè s'hi va més fresc.*

sandvitx sandvitxos *nom m* Entrepà.

sanefa sanefes *nom f* **1** Tira de dibuixos repetits destinada a adornar les vores d'un mocador, una paret, etc. **2** Tira de dibuixos repetits que fan els nens petits per exercitar els dits, la mà i el canell.

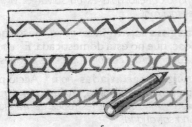

sanefes

sanejar *v* Fer les operacions necessàries perquè una cosa sigui sana, estigui en bones condicions: *L'ajuntament ha decidit de sanejar l'aigua de totes les fonts.*
Es conjuga com *cantar.* S'escriu *j* davant de *a, o, u* i *g* davant de *e, i: sanejo, saneges.*

sang sangs *nom f* **1** Líquid de color vermell que corre per les venes i les artèries: *Amb el ganivet em vaig fer un tall a la mà i em va sortir molta sang.* **2 suar sang** Esforçar-se molt. **3 fer mala sang** Enfadar-se molt. **4 sang freda** Serenitat, calma davant d'un perill. **5** Raça, llinatge: *Un cavall de pura sang.*

sangglaçar-se *v* Tenir un espant, un esglai molt fort.
Es conjuga com *cantar.* S'escriu *ç* davant de *a, o, u* i *c* davant de *e, i: em sangglaço, et sangglaces.*

sanglot sanglots *nom m* Sospir fort que sol acompanyar el plor.

sanglotar *v* Plorar fent sanglots, sospirant fort.
Es conjuga com *cantar.*

sangonera sangoneres *nom f* **1** Nom que es dóna a diversos animals que viuen en els rius i en els estanys i que es caracteritzen per enganxar-se a la pell i xuclar la sang: *Antigament les sangoneres es feien servir per a treure sang als malalts.* **2** Persona que viu i s'enriqueix a costa dels altres, que se n'aprofita.

sangonós sangonosa sangonosos sangonoses *adj* Brut, ple de sang.

sangria sangries *nom f* Beguda alcohòlica refrescant feta amb vi negre, taronja, llimona, sucre, trossos de fruita, licors, etc.

sangtraït sangtraïts *nom m* Blau morat, taca de color morat que surt a la pell com a conseqüència d'un cop.

sanguinari sanguinària sanguinaris sanguinàries *adj* Que li agrada de fer mal als altres, de matar, de fer vessar sang.

sanguini sanguínia sanguinis sanguínies *adj* Que conté sang, que té relació amb la sang: *La sang circula pel cos a través dels vasos sanguinis.* **19**

sanitari sanitària sanitaris sanitàries **1** *adj* Que té relació amb la sanitat i la higiene. **2** *nom m* Cadascun dels estris per a la higiene que hi ha en un bany: el vàter, el lavabo, el bidet, etc.: *Al davant de casa hi ha un botiga de sanitaris.*

sanitat sanitats *nom f* **1** Salut, qualitat de sa: *L'ajuntament té un equip que vetlla per la* *sanitat del poble.* **2** Conjunt de serveis que s'ocupen de la salut pública i d'atendre els malalts.

sant **santa sants santes** *adj* i *nom m* i *f* **1** Es diu de la persona que s'ha destacat per la seva bondat i a la qual l'Església dóna culte: *A l'església hi havia una imatge de sant Josep.* **2** Es diu d'una persona que és molt bona: *La seva àvia era una santa.* **3** *nom m* Dia que se celebra la festa del sant que porta el mateix nom que nosaltres: *Avui hem celebrat el sant de dues nenes de la classe que es diuen Roser.* **4** *adj* Es diu de tot allò que es relaciona amb Jesucrist, l'Església, els sagraments, etc.: *Han fet un viatge als llocs on va viure Jesús; és a dir, a Terra Santa.* **5** Aquell noi **no és sant de la meva devoció**: no m'és simpàtic, no m'inspira confiança. **6** *nom m* Imatge d'un sant: *A la façana de l'escola hi ha un sant de pedra.*

santament *adv* Molt bé, de manera molt encertada: *Amb el mal temps que fa, heu fet santament de no anar a esquiar.*

santandreuenc **santandreuenca** **santandreuencs** **santandreuenques** **1** *nom m* i *f* Habitant de Sant Andreu de la Barca; persona natural o procedent de Sant Andreu de la Barca. **2** *adj* Es diu de les persones o de les coses naturals o procedents de Sant Andreu de la Barca.

santboià **santboiana** **santboians** **santboianes** **1** *nom m* i *f* Habitant de Sant Boi de Llobregat; persona natural o procedent de Sant Boi de Llobregat. **2** *adj* Es diu de les persones o de les coses naturals o procedents de Sant Boi de Llobregat.

santceloní **santcelonina** **santcelonins** **santcelonines** **1** *nom m* i *f* Habitant de Sant Celoni; persona natural o procedent de Sant Celoni. **2** *adj* Es diu de les persones o de les coses naturals o procedents de Sant Celoni.

santcrist **santcrists** o **santcristos** *nom m* Escultura amb la imatge de Jesucrist, crucifix.

santcugatenc **santcugatenca** **sant-cugatencs** **santcugatenques** **1** *nom m* i *f* Habitant de Sant Cugat del Vallès; persona natural o procedent de Sant Cugat del Vallès. **2** *adj* Es diu de les persones o de les coses naturals o procedents de Sant Cugat del Vallès.

santfeliuenc **santfeliuenca** **santfeliuencs** **santfeliuenques** **1** *nom m* i *f* Habitant de Sant Feliu de Codines, Sant Feliu de Guíxols, Sant Feliu de Llobregat, Sant Feliu de Pallerols o Sant Feliu Sasserra; persona natural o procedent de Sant Feliu de Codines, Sant Feliu de Guíxols, Sant Feliu de Llobregat, Sant Feliu de Pallerols o Sant Feliu Sasserra. **2** *adj* Es diu de les persones o de les coses naturals o procedents de Sant Feliu de Codines, Sant Feliu de Guíxols, Sant Feliu de Llobregat, Sant Feliu de Pallerols o Sant Feliu Sasserra.

santificar *v* **1** Declarar sant algú: *L'Església catòlica ha santificat algunes persones que han fet miracles, que han destacat per la seva bondat.* **2** Celebrar les festes religioses amb cerimònies i pregàries.
Es conjuga com *cantar.* S'escriu *c* davant de *a, o, u* i *qu* davant de *e, i: santifico, santifiques.*

santjoanenc **santjoanenca** **santjoanencs** **santjoanenques** **1** *nom m* i *f* Habitant de Sant Joan Despí, Sant Joan de Vilatorrada o Sant Joan les Fonts; persona natural o procedent de Sant Joan Despí, Sant Joan de Vilatorrada o Sant Joan les Fonts. **2** *adj* Es diu de les persones o de les coses naturals o procedents de Sant Joan Despí, Sant Joan de Vilatorrada o Sant Joan les Fonts.

santjustenc **santjustenca** **santjustencs** **santjustenques** **1** *nom m* i *f* Habitant de Sant Just Desvern; persona natural o procedent de Sant Just Desvern. **2** *adj* Es diu de les persones o de les coses naturals o procedents de Sant Just Desvern.

santoral **santorals** *nom m* **1** Llibre que explica vides de sants. **2** Llista dels sants de la religió cristiana.

santuari **santuaris** *nom m* Església, capella, lloc on hi ha la imatge d'un sant o de la Mare de Déu i que la gent acostuma a visitar per resar.

santvicentí **santvicentina** **santvicentins** **santvicentines** **1** *nom m* i *f* Habitant de Sant Vicenç de Castellet, Sant Vicenç dels Horts o Sant Vicenç de Montalt; persona natural o procedent de Sant Vicenç de Castellet, Sant Vicenç dels Horts o Sant Vicenç de Montalt. **2** *adj* Es diu de les persones o de les coses naturals o procedents de Sant Vicenç de Castellet, Sant Vicenç dels Horts o Sant Vicenç de Montalt.

saó **saons** *nom f* Grau d'humitat suficient perquè la terra pugui donar fruits: *Amb aquestes últimes pluges els camps tenen molta saó.*

sapastre **sapastres** *adj* i *nom m* i *f* **1** Es diu de la persona que fa malament la feina, que no serveix per a gaire res. **2** Beneit, ximplet, curt de gambals.

saquejar *v* Entrar en un lloc i robar tot el que hi ha de valor: *Un grup de bandits va saquejar l'hostal.*
Es conjuga com *cantar.* S'escriu *j* davant de *a, o, u* i *g* davant de *e, i: saquejo, saqueges.*

saragata saragates *nom f* Soroll, crits i moviment de gent.

saragossà saragossana saragossans saragossanes **1** *nom m i f* Habitant de Saragossa; persona natural o procedent de Saragossa. **2** *adj* Es diu de les persones o de les coses naturals o procedents de Saragossa.

sarau saraus *nom m* **1** Reunió de persones que es diverteixen ballant, rient, etc. **2** Baralles, discussions: *Els del tercer pis i els del segon s'han barallat: quin sarau que hi ha hagut!*

sarbatana sarbatanes *nom f* Arma que consisteix en un tub llarg de fusta, de canya, etc. a través del qual tot bufant es disparen fletxes, dards, etc.

sarcasme sarcasmes *nom m* Manera de dir les coses que sembla de broma, però que en el fons ataca, fa mal, es burla de la gent.

sarcàstic sarcàstica sarcàstics sarcàstiques *adj* Es diu de la persona que acostuma a parlar amb sarcasme.

sarcòfag sarcòfags *nom m* Caixa de pedra o d'altres materials que conté el cos d'una persona morta, tomba.

sard sarda sards sardes **1** *nom m i f* Habitant de l'illa de Sardenya; persona natural o procedent de l'illa de Sardenya. **2** *adj* Es diu de les persones o de les coses naturals o procedents de l'illa de Sardenya. **3** *nom m* Llengua que es parla a l'illa de Sardenya.

sardana sardanes *nom f* Dansa popular catalana que balla un grup de persones agafades per les mans formant una rodona.

sardanista sardanistes **1** *adj* Que està relacionat amb les sardanes: *Demà hi ha un concurs de colles sardanistes.* **2** *nom m i f* Persona que balla sardanes.

sardina sardines *nom f* Peix de mar més aviat petit de color blavós, amb el ventre de color de plata brillant, que viu prop de la costa i que és apreciat com a aliment.

sargantana sargantanes *nom f* Animal rèptil petit que té quatre potes i una cua llarga, que sol trobar-se en parets, en roques, en pedres, etc. on hi toca el sol: *Vam veure una sargantana que parava el sol damunt d'una pedra.*

sargir *v* Refer amb un fil i una agulla el teixit d'una roba foradada.
Es conjuga com *servir.*

sargit sargits *nom m* Cosit que queda en una roba quan s'ha sargit.

sargit

sarment sarments *nom f o m* Branca d'un cep o d'una parra.

sarna sarnes *nom f* Ronya.

sarraí sarraïna sarraïns sarraïnes *adj* i *nom m* i *f* Àrab, mahometà.

sàrria sàrries *nom f* Conjunt de dos cabassos units pel mig que es posa damunt l'esquena d'un ase o d'un altre animal i que serveix per a transportar coses.

sàrria

sarró sarrons *nom m* Bossa, generalment de pell, que fan servir els pastors i els caçadors per a portar el menjar.

sarsuela sarsueles *nom f* **1** Obra de teatre amb música que té parts cantades i parts recitades. **2** Plat de peix variat, amb petxines, musclos, etc.

sartori sartoris *nom m* Múscul llarg i ample que es troba a la zona de davant de la cuixa. **16**

sastre sastressa sastres sastresses *nom m* i *f* Persona que fa i ven vestits, especialment d'home: *Aquesta americana, la va fer un sastre molt bo.*

sastreria sastreries *nom f* Botiga o taller de sastre.

satèl·lit satèl·lits *nom m* **1** Astre que gira al voltant d'un altre, especialment d'un planeta, i que sol ser molt més petit que aquest: *La Lluna és un satèl·lit de la Terra.* **2 satèl·lit artificial** Vehicle generalment no tripulat que dóna voltes a l'entorn de la Terra i que serveix per a transmetre senyals de ràdio o de televisió, donar informacions meteorològiques, etc.

sàtira sàtires *nom f* Discurs, escrit, etc. que es fa per burlar-se dels defectes, de la manera de ser d'una persona o d'un grup de persones.

satisfacció satisfaccions *nom f* **1** Sentiment d'alegria, de felicitat, etc.: *El seu germà la va omplir de satisfacció amb aquell regal tan desitjat.* **2** Compliment d'un desig, d'una obligació, etc.: *La satisfacció d'un deute.*

satisfactori satisfactòria satisfactoris satisfactòries *adj* Que satisfà: *El resultat de l'examen va ser satisfactori, vaig aprovar.*

satisfer *v* Complir un desig d'algú, pagar un deute, donar solució a un dubte; fer content algú complint el que demana o desitja, donant-li allò que necessita: *La nostra empresa sempre procura satisfer les demandes dels clients.* ▪ *L'actuació d'aquell cantant va satisfer el públic que l'havia anat a escoltar.*
Es conjuga com *desfer*.

saturar *v* Omplir una cosa al màxim, fer que quedi completament impregnada d'una altra: *A les hores punta els carrers estan saturats de cotxes.*
Es conjuga com *cantar*.

saüc saücs *nom m* Arbust o arbre petit de fulles caduques blanques i fruits negres que es fan servir en medicina.

saule saules *nom m* Salze.

sauna saunes *nom f* Bany de vapor que es pren en un lloc tancat i a una temperatura molt alta.

saüquer saüquers *nom m* Saüc.

savi sàvia savis sàvies *adj* i *nom m* i *f* Es diu de la persona que sap moltes coses sobre una matèria o diverses matèries: *El doctor Fleming era molt savi, va descobrir la penicil·lina, que és una medicina que ha salvat moltes vides.*

saviesa savieses *nom f* Coneixement profund de les coses.

saxòfon saxòfons **1** *nom m* Instrument musical de vent, que està format per un tub de metall corbat en forma de U. **2** *nom m* i *f* Músic que toca el saxòfon.

saxòfon

se *pron* Forma del pronom **es**.

sec seca secs seques *adj* **1** Que no té aigua, que no té humitat, sense líquid, sense suc: *Com que plou poc, aquesta terra és molt seca.* ▪ *S'ha acabat l'aigua: el pou és sec.* **2** Prim, sense gaire carn: *Aquell nen té unes cames molt seques.* **3** Es diu del vi, del xampany, etc. poc dolç. **4** Brusc, poc suau, poc amable: *Em va respondre de manera molt seca.* **5** *El cotxe va parar-se* **en sec:** de cop, de sobte. **6 seques** *nom f pl* Avui menjarem seques amb botifarra: *mongetes seques.*

séc sécs *nom m* **1** Senyal que queda en una roba, en un paper, etc. després de plegar-lo i pitjar-lo: *Quan planxes, has de vigilar que no quedin sécs a la roba.* **2** Senyal que queda a la pell quan es pitja: *Els mitjons m'han fet un séc a la cama.*

secà secana secans secanes *adj* Que només el rega l'aigua de la pluja: *La majoria de camps d'aquesta comarca són de secà.*

secada secades *nom f* Temporada llarga de temps sec, sense pluja: *Després d'aquella primavera tan plujosa, va venir una gran secada.*

secall secalls *nom m* **1** Branca seca. **2** Persona molt prima. **3** Pasta llarga i prima que se suca a la xocolata desfeta.

secament *adv* De manera poc amable, sense cap compliment: *Vaig preguntar a la dependenta si tenien guants llargs i em va respondre secament que no.*

secaner secanera secaners secaneres *adj* Es diu d'una terra, d'un país, etc. de secà.

secant secants **1** *adj* Es diu de dues línies o de dues superfícies que es tallen. **2** *nom f* Recta que talla una circumferència en dos punts.

secció seccions *nom f* **1** Cadascuna de les parts en què es divideix una empresa, una botiga, etc.: *He comprat aquest xandall a la secció*

S

d'esports d'aquells grans magatzems. **2** Acció de tallar un objecte, un cos, etc. de manera que puguem veure'n l'interior. **3** Dibuix que representa l'aspecte d'un objecte, d'un edifici, etc. com si hagués estat tallat per alguna part.

seccionar v Tallar o dividir en seccions.
Es conjuga com *cantar*.

secreció secrecions *nom f* Fet de produir, una glàndula, un òrgan, un teixit, etc., alguna substància.

secret secreta secrets secretes *adj* **1** Es diu d'una cosa amagada, que no es pot dir: *Tenim un amagatall secret a sota una roca i no volem ensenyar-lo a ningú.* **2** Que actua d'amagat: *La policia secreta busca l'assassí.* **3** *nom m* Cosa que no es pot saber, que es té amagada: *El que diu el testament del meu pare és un secret que ningú no pot saber.*

secretar v Produir, una glàndula, un òrgan, un teixit, etc., una substància o secreció.
Es conjuga com *cantar*.

secretari secretària secretaris secretàries *nom m* i *f* Persona encarregada d'escriure les cartes, de contestar el telèfon, etc. per a alguna persona o empresa.

secretaria secretaries *nom f* Despatx, oficina on treballa un secretari.

secreter secreters *nom m* Moble que té una petita tauleta per a escriure i molts calaixos i departaments per a guardar-hi papers, documents, etc.

secreter

secta sectes *nom f* Conjunt de persones que tenen una religió que s'aparta de la de la majoria.

sector sectors *nom m* **1** Part d'un grup, d'un territori, etc.: *Hi ha un sector de nens de la classe que vol jugar a bales i un altre que vol jugar a futbol.* **2** Part del cercle compresa entre un arc i els dos radis que passen pels extrems d'aquest arc. **3** **sector primari**

L'agricultura, la ramaderia, els boscos, la caça, la pesca i la mineria. **4** **sector secundari** La indústria. **5** **sector terciari** El comerç, els hospitals, les escoles, etc.

secundar v Ajudar algú a l'hora de fer una cosa.
Es conjuga com *cantar*.

secundari secundària secundaris secundàries *adj* **1** Que ve en segon lloc: *Després de l'ensenyament primari, ve el secundari.* **2** Allò que no és gaire important, que no és principal: *El color dels seients és una cosa secundària; el més important és que siguin còmodes.* **3** *En aquesta comarca abunden les activitats del **sector secundari**: la indústria.*

seda sedes *nom f* **1** Fibra secretada per diverses larves d'insectes quan fabriquen els capolls. **2** Fil i tela fets amb la fibra que secreten les larves d'alguns insectes: *La Dolors porta una brusa de seda natural.* **3** **anar com una seda** Funcionar molt bé.

sedant sedants **1** *adj* Que calma, que tranquil·litza: *El verd és un color sedant.* **2** *nom m* Medicament que calma la sensació de dolor, que tranquil·litza.

sedàs sedassos *nom m* Teixit amb forats molt petits, muntat en un cercle de fusta, que serveix per a destriar una matèria de les impureses que porta: *Aquesta sorra està barrejada amb moltes pedres, l'haurem de passar pel sedàs.*

sedejar v Patir, tenir set.
Es conjuga com *cantar*. S'escriu *j* davant de *a, o, u* i *g* davant de *e, i: sedejo, sedeges.*

sedentari sedentària sedentaris sedentàries *adj* **1** Que viu de manera fixa en un lloc, sense desplaçar-se. **2** Es diu de l'ofici o de la manera de viure que comporta poc moviment: *L'ofici de mecanògraf és molt sedentari: sempre es treballa assegut.*

sediment sediments *nom m* **1** Matèria que portava un líquid i que s'ha anat dipositant al fons del recipient. **2** Material sòlid que l'aigua o el vent arrosseguen i deixen en algun lloc.

sedós sedosa sedosos sedoses *adj* Semblant a la seda, cobert de pèls fins i brillants.

seductor seductora seductors seductores *adj* i *nom m* i *f* Es diu de les persones o de les coses que agraden, atreuen molt per la bellesa, la gràcia, etc.

seduir v Atreure molt una persona o una cosa per la bellesa, la gràcia, etc.: *Les grans ciutats em sedueixen.*
Es conjuga com *reduir.*

segador segadora segadors segadores **1** *adj* i *nom m* i *f* Que sega. **2 segadora** *nom f* Màquina que serveix per a segar herba, blat, etc.

segar v **1** Tallar, amb una màquina o amb una eina, l'herba, el blat, etc. **2** Tallar d'un sol cop i en rodó alguna cosa: *La carnissera va matar la gallina segant-li el coll amb un ganivet.* **3 segar l'herba sota els peus** Posar obstacles a algú perquè no pugui aconseguir alguna cosa. **4** Començar a tallar-se, a obrir-se una cosa de roba, de paper, de corda, etc. pel fregadís constant amb una altra cosa: *Tinc els cordons de la sabata ben segats.*
Es conjuga com *cantar.* S'escriu g davant de *a, o, u* i *gu* davant de *e, i: sego, segues.*

segarrenc segarrenca segarrencs segarrenques **1** *nom m* i *f* Habitant de la comarca de la Segarra; persona natural o procedent de la comarca de la Segarra. **2** *adj* Es diu de les persones o de les coses naturals o procedents de la comarca de la Segarra.

segell segells *nom m* **1** Trosset de paper imprès, en el qual hi ha una figura dibuixada i s'indica el preu, que s'ha d'enganxar als sobres de les cartes, als paquets i a les postals que s'envien per correu, per tal que arribin al lloc on són enviades: *Quan arriba una carta, el meu germà arrenca el segell de seguida perquè en fa col·lecció.* **2** Estri de metall, de goma, etc. amb un dibuix gravat que se suca en un tampó per estampar-lo. **3** Dibuix estampat amb el segell: *Aquest carnet de la piscina no val si no porta el segell del club.*

segellar v **1** Marcar un document, una carta, etc. amb un segell per garantir-ne la validesa. **2** Tancar un plec de fulls amb un segell. **3** Tancar un edifici, una instal·lació indicant-ho amb un segell: *Han segellat el restaurant on es va produir l'incendi perquè n'han d'investigar les causes.*
Es conjuga com *cantar.*

seglar seglars *nom m* i *f* Persona que no és sacerdot ni pertany a cap orde religiós.

segle segles *nom m* **1** Espai de temps que dura cent anys. **2** *Deu* **fer un segle** *que no menjo ànec amb peres:* fer molt de temps.

segment segments *nom m* **1** Part d'una cosa sencera. **2** Tros d'una recta comprès entre dos punts. **3** Tros de cercle comprès entre un arc i la seva corda.

segmentar v Separar o dividir una cosa en segments.
Es conjuga com *cantar.*

segó segons *nom m* Pellofa mòlta de blat i altres cereals que se separa de la farina i es dóna com a aliment al bestiar.

sègol sègols *nom m* Planta semblant al blat, de fulles planes i espiga llarga, que es conrea en terres fredes i pobres.

sègol

segon[1] segona segons segones *adj* Que fa dos en una sèrie, que en té un al davant: *El 2 de gener és el segon dia de l'any.*

segon[2] segons *nom m* Unitat de mesura de temps: *Un minut té seixanta segons.* ■ *El semàfor està verd només durant trenta segons.*

segonament *adv* En segon lloc: *No vaig venir, en primer lloc perquè no em trobava bé, i segonament perquè no en tenia ganes.*

segons *prep* Seguint algú o alguna cosa: *L'estel es movia ara cap a un cantó ara cap a l'altre, segons la direcció del vent.* ■ *Segons el professor, la nostra classe no treballa gaire.*

segregar v **1** Produir una substància, un líquid: *Hi ha serps que tenen unes glàndules que segreguen verí.* **2** Separar algú o alguna cosa d'un grup, d'una mescla, d'un tot: *En aquell país, els negres eren segregats i no gaudien dels mateixos drets que els blancs.*
Es conjuga com *cantar.* S'escriu g davant de *a, o, u* i *gu* davant de *e, i: segrego, segregues.*

segrest segrests o segrestos *nom m* Acció de segrestar, de fer presoner algú contra la seva voluntat, generalment per exigir-ne un rescat: *La policia investiga el segrest d'un gran empresari.*

segrestador segrestadora segrestadors segrestadores *adj* i *nom m* i *f* Es diu de la persona que comet un segrest: *Els segresta-dors demanaven tres-cents cinquanta mil euros a la família del segrestat a canvi de deixar-lo en llibertat.*

segrestar *v* Fer presoner algú contra la seva voluntat, generalment per exigir-ne un res-cat: *Van segrestar el director d'aquella empresa i van exigir tres milions pel seu rescat.*
Es conjuga com *cantar.*

segrianenc **segrianenca segrianencs segrianenques 1** *nom m* i *f* Habitant de la comarca del Segrià; persona natural o procedent de la comarca del Segrià. **2** *adj* Es diu de les persones o de les coses naturals o procedents de la comarca del Segrià.

següent **següents** *adj* Que segueix, que ve darrere d'un altre: *Això que busques, ho trobaràs a la pàgina següent.*

seguici **seguicis** *nom m* Conjunt de perso-nes que acompanyen i segueixen algú en una cerimònia, en un acte solemne, etc.: *Va passar el rei acompanyat del seu seguici.*

seguida Paraula que apareix en l'expressió **de seguida**, que vol dir "sense deixar passar gens de temps, sense tardar": *Vam trucar a la porta i de seguida ens van obrir.*

seguidament *adv* A continuació; d'una manera seguida, sense interrupció.

seguidor **seguidora seguidors seguidores** *adj* i *nom m* i *f* Es diu de la persona que va darrere algú, que el pren com a model, com a guia: *La música dels Beatles ha tingut molts seguidors.*

seguir *v* **1** Anar darrere d'algú o d'alguna cosa: *El gos petit seguia el gos gros.* **2** Anar per un camí sense deixar-lo: *Vam seguir la carretera fins a arribar al poble.* **3** Conti-nuar.
Es conjuga com *servir.*

seguit[1] **seguida seguits seguides** *adj* **1** Continu, no interromput: *Ha plogut una set-mana seguida.* **2 tot seguit** Immediatament, a continuació.

seguit[2] **seguits** *nom m* Conjunt de coses que van l'una darrere de l'altra: *Per fer aquell treball, vam tenir un seguit de dificultats.*

segur **segura segurs segures** *adj* **1** Es diu d'una cosa que ha de passar per força, sobre la qual no es té cap dubte: *És segur que guanyarem el partit de futbol.* **2** Que no té cap

perill, cap problema: *Deixarem les bicicletes en un lloc segur.*

segurament *adv* **1** Probablement: *Segura-ment aquesta nit anirem a teatre.* **2** Certament, amb seguretat.

seguretat **seguretats** *nom f* **1** Qualitat de segur. **2 de seguretat** Es diu de certs me-canismes o dispositius que asseguren el bon funcionament d'alguna cosa: *Aquesta porta té un pany de seguretat que evita el perill de robatori.*

seient **seients** *nom m* **1** Qualsevol moble que serveix per a seure-hi: *En aquella habitació hi havia tota mena de seients: cadires, sofàs, bu-taques, etc.* **2** Part d'una bicicleta, d'un cotxe, d'una moto o de qualsevol vehicle sobre la qual seiem: *Vaig haver d'abaixar el seient de la bicicleta perquè era massa alt.*

seitó **seitons** *nom m* Peix de mar petit de color blavós, que es pesca en grans quantitats i que es menja fresc o salat, anxova.

seixanta **seixantes** *nom m* i *adj* **1** Paraula que expressa la quantitat representada per la xifra 60. **2** *Aquesta classe pot semblar can seixanta si no endreceu una mica:* haver-hi molt desordre, fer tothom el que vol.

selecció **seleccions** *nom f* **1** Acció d'escollir una persona o una cosa entre un conjunt: *Aquesta tarda fan la selecció dels millors quadres del concurs artístic.* **2** Conjunt de persones o de coses escollides com a millors: *La selecció de futbol està formada pels millors jugadors del país.*

seleccionar *v* Escollir les millors persones o coses d'un conjunt: *L'entrenador va seleccionar els jugadors que competiran contra l'equip internacional.*
Es conjuga com *cantar.*

selecte **selecta selectes** *adj* Escollit i consi-derat com a millor entre altres del seu gènere: *Aquella comarca produeix uns vins selectes.*

sella **selles** *nom f* Seient de cuir que es posa al llom del cavall o d'un altre animal perquè hi segui el genet.

sella

selló[1] **sellons** *nom m* Seient de bicicleta o de moto.

selló[2] **sellons** *nom m* Càntir.

selva **selves** *nom f* Bosc gran, amb arbres molt alts, lianes i vegetació espessa, propi dels països càlids.

selvatà **selvatana** **selvatans** **selvatanes** **1** *nom m i f* Habitant de la comarca de la Selva; persona natural o procedent de la comarca de la Selva. **2** *adj* Es diu de les persones o de les coses naturals o procedents de la comarca de la Selva.

semàfor **semàfors** *nom m* Aparell que serveix per a ordenar el trànsit de carrers, de carreteres, de vies, etc. i que consisteix en tres llums que es van encenent i apagant de tant en tant: el verd indica que es pot passar, el vermell indica que no es pot passar i el taronja vol dir que està a punt d'encendre's el vermell: *Travesseu quan el semàfor sigui verd.*

semàntic **semàntica** **semàntics** **semàntiques** **1** *adj* Que està relacionat amb el significat de les paraules. **2** **semàntica** *nom f* Ciència que estudia el significat de les paraules.

semblança **semblances** *nom f* Allò que fa que dues coses, dues persones, etc. tinguin gairebé les mateixes característiques: *La semblança entre aquestes dues noies bessones és molt gran.*

semblant **semblants** *adj* Es diu d'una cosa que s'assembla molt a una altra: *Aquests dos dibuixos són molt semblants, semblen copiats.*

semblantment *adv* D'una manera semblant, igualment.

semblar *v* **1** Tenir una cosa o una persona la forma, l'aspecte, la figura més o menys com una altra: *Aquest edifici sembla una catedral.* **2** Pensar, creure que una cosa és veritat, probable o convenient: *Em sembla que plourà.* Es conjuga com *cantar.*

sembra **sembres** *nom f* Acció d'escampar o de plantar la llavor d'una planta en una terra preparada per tal que germini: *Al final de la tardor els pagesos fan la sembra del blat.*

sembrador **sembradora** **sembradors** **sembradores** **1** *adj i nom m i f* Que sembra. **2** **sembradora** *nom f* Màquina que serveix per a sembrar.

sembrar *v* **1** Escampar o plantar la llavor d'una planta en una terra convenientment preparada per tal que germini: *Els pagesos han sembrat ordi.* **2** Escampar una cosa:

Aquella banda de lladres va sembrar la por per tot el veïnat. Es conjuga com *cantar.*

sembrat **sembrats** *nom m* Terra sembrada.

semen **sèmens** *nom m* Líquid on hi ha els espermatozoides, esperma.

semental **sementals** *adj i nom m* Animal mascle que es fa servir per a la reproducció.

semestre **semestres** *nom m* Espai de temps que dura sis mesos.

semi- Prefix, element que s'afegeix al davant d'una paraula i que vol dir "meitat" o "quasi": *No vaig guanyar la prova però vaig arribar a la semifinal.*

semicercle **semicercles** *nom m* Meitat d'un cercle; cadascuna de les dues parts iguals en què queda dividit un cercle per un diàmetre.

semicircular **semicirculars** *adj* Que té forma de semicercle: *Les galledes porten una nansa semicircular.*

semicircumferència **semicircumferències** *nom f* Meitat d'una circumferència.

semifinal **semifinals** *adj i nom f* Es diu dels partits que serveixen per a decidir quins jugadors o equips jugaran el partit final d'una competició esportiva.

seminari **seminaris** *nom m* **1** Curset durant el qual un grup d'alumnes guiats per un professor estudien un tema. **2** Despatx, lloc on es reuneixen els professors d'unes mateixes assignatures. **3** Edifici on es preparen les persones que volen ser capellans.

semio- Element amb què comencen algunes paraules i que vol dir "senyal" o "símptoma": *La semiologia és una part de la medicina que estudia els símptomes de les malalties.*

semiologia **semiologies** *nom f* **1** Ciència que estudia la naturalesa i el funcionament dels signes en la societat. **2** Part de la medicina que estudia els símptomes de les malalties.

semiplà **semiplans** *nom m* Cadascuna de les dues regions en què un pla és dividit per una recta.

semirecta **semirectes** *nom f* Cadascuna de les dues parts en què una recta és dividida per un punt de la mateixa recta.

semita **semites** *adj i nom m i f* Es diu dels individus que pertanyen a una antiga raça

S

actualment formada sobretot pels jueus i els àrabs.

sèmola sèmoles *nom f* Sopa espessa feta amb cereals.

sempre *adv* En tot temps, en tot el temps passat, en tot el temps que ha de venir: *Les classes comencen sempre a les nou.*

senador senadora senadors senadores *nom m i f* Persona elegida perquè sigui membre d'un senat.

senalla senalles *nom f* Cabàs d'espart o de palma, més ample de dalt que de baix i amb una alçada igual a l'amplada: *Al costat de la llar de foc hi ha una senalla per a guardar-hi la llenya.*

senar senars *adj* **1** Que no és múltiple de dos: *Els números 1, 3, 5... són senars.* **2 parells o senars** Joc en el qual cal endevinar si els dits estirats d'una o de les dues mans dels jugadors sumaran un total parell o un total senar.

senat senats *nom m* Part del parlament d'alguns estats: *El senat va debatre la nova llei d'ensenyament.*

sencer sencera sencers senceres *adj* Complet, no encetat, que no hi falta cap part: *Quan hem arribat a casa el pastís encara era sencer.*

senda sendes *nom f* Camí estret.

sendemà sendemans *nom m* L'endemà.

sender senders *nom m* Senda, camí estret.

senderi senderis *nom m* Seny, enteniment.

senectut senectuts *nom f* Vellesa.

senglar senglars *nom m* Porc salvatge de pèl gris o negre, molt apreciat pels caçadors.

sengles *adj pl* Un per a cada un: *El tapís representava una escena de caça, amb tot de caçadors muntats en sengles cavalls.*

sènia sènies *nom f* **1** Sínia. **2** Tros de terra regat artificialment que serveix per a conrear-hi hortalisses.

senil senils *adj* Que està relacionat amb els vells o amb la vellesa.

sènior sèniors *adj i nom m i f* Es diu de l'esportista que té més de 21 anys.

sens *prep* Sense: *Sens dubte, això que dius és veritat.*

sensació sensacions *nom f* **1** Impressió rebuda a través dels sentits: *Tinc una sensació molt agra-*dable de calor. **2** Amb aquella disfressa tan original en Pere i l'Agustí van **fer sensació**: causar una impressió forta de sorpresa, d'admiració, etc.

sensacional sensacionals *adj* Que causa sensació, que és fantàstic, meravellós, sorprenent, molt bo: *Aquest aparell serveix per a ratllar, pelar, triturar, esprémer i no sé quantes coses més: és sensacional!*

sensat sensata sensats sensates *adj* Que té seny, que sap fer les coses amb prudència, d'una manera raonable: *En Joan és molt sensat, un company li ha pegat i no s'hi ha tornat.*

sense *prep* Indica la falta d'una cosa: *Un cotxe sense rodes no pot funcionar.*

sensibilitat sensibilitats *nom f* Capacitat de sentir, de notar les coses: *La nostra pell té molta sensibilitat, per això notem el fred i la calor.*

sensibilitzar *v* Fer que una persona sigui sensible a una cosa, que s'hi interessi, que se'n preocupi: *Van fer una campanya per sensibilitzar la població del problema dels animals en perill d'extinció.*
Es conjuga com *cantar.*

sensible sensibles *adj* **1** Que sent molt les coses, que s'impressiona fàcilment: *Aquell nen és molt sensible i plora per no res.* **2** Que pot canviar fàcilment per l'acció d'un cos exterior: *Tinc la pell molt sensible al sol.* ▪ *Els aparells fotogràfics van proveïts de plaques sensibles.* **3** Que es pot observar i que no passa desapercebut: *En aquesta casa, hi hem fet millores sensibles.*

sensiblement *adv* De manera important, que es veu, que es nota fàcilment: *En pocs dies el malalt ha millorat sensiblement.*

sentència sentències *nom f* **1** Decisió d'un jutge quan s'acaba el procés o judici. **2** Frase popular, dita curta: *"Tal faràs, tal trobaràs"* és una sentència popular molt antiga. **3** Opinió que dóna una persona que no vol que ningú la discuteixi.

sentenciar *v* Pronunciar una sentència, condemnar, donar el càstig.
Es conjuga com *canviar.*

sentiment sentiments *nom m* **1** Impressió, emoció, estat d'ànim, allò que se sent a dins el cor: *L'alegria, la tristesa, l'esperança, etc. són sentiments humans.* **2** Estat d'ànim trist a causa d'una pena: *Plorava amb molt sentiment.*

sentinella sentinelles *nom m i f* Soldat armat que s'està en un lloc durant un temps per vigilar, impedir el pas, etc.

sentir *v* **1** Notar una cosa a través de l'orella, de l'olfacte, del gust o del tacte:*Vam sentir un tro molt fort.* ■ *La pudor de peix passat se sent d'una hora lluny.* **2** Tenir una sensació, una impressió: *Perduts enmig d'aquell bosc sentíem por.* **3** Lamentar un fet desagradable: *Sento molt haver arribat tan tard.* **4** **sentir-hi** Tenir el sentit de l'oïda: *Amb l'orella esquerra no hi sento gaire.*
Es conjuga com *dormir.*

sentit[1] sentida sentits sentides *adj* Es diu de la persona que és molt sensible i a qui sap molt greu que la critiquin o la renyin.

sentit[2] sentits *nom m* **1** Facultat de rebre impressions a través del tacte, de la vista, del gust, de l'oïda i de l'olfacte. **2** *Cal fer aquestes divisions* **amb tots els cinc sentits**: posant-hi tota l'atenció possible. **3** *L'Agustí va caure i va* **perdre els sentits**: desmaiar-se, perdre el coneixement. **4** **sentit comú** Capacitat de pensar bé i de fer bé les coses. **5** Significat d'una cosa: *Aquesta frase que has escrit a la pissarra no té sentit.* **6** **sentit figurat** Significat que es dóna a una paraula o a una frase i que és diferent del seu sentit real: *La frase "tenir la paella pel mànec" té un sentit figurat perquè vol dir "manar".* **7** Direcció: *Aquest carrer abans tenia dos sentits i ara només en té un.*

sentor sentors *nom f* Olor, flaire.

seny senys *nom m* Capacitat de pensar bé i de fer bé les coses, sentit comú: *S'ha de conduir amb seny, sense córrer i respectant els senyals de trànsit.*

senya senyes *nom f* Característica, detall que serveix per a reconèixer una persona o una cosa: *La policia va identificar l'autor del robatori a partir de les senyes que en va donar un testimoni.*

senyal senyals *nom m* **1** Marca que es fa en una cosa per tal de conèixer-la: *Amb el llapis feu un senyal al costat dels exercicis que cal fer.* **2** Gest que serveix per a manar o indicar alguna cosa a algú: *El guàrdia va fer un senyal amb el braç per indicar-nos que podíem travessar el carrer.* **3** Placa, disc, cartell, etc., en una carretera, en un carrer, que serveix per a ordenar el trànsit, per a avisar d'un perill, per a donar un consell, etc.: *Per anar*

amb bicicleta, s'han de conèixer els senyals de circulació. **4** Allò que indica que ha passat una cosa o que pot passar: *Aquests núvols són senyal de pluja.* **5** Marca, ferida, cicatriu: *Porta un senyal al genoll perquè quan era petit va caure de la bicicleta.* **6** **senyal de la creu** Gest religiós que imita una creu i que es fa damunt d'un mateix o d'una altra persona.

senyal de circulació

senyalar *v* **1** Fer o posar un senyal en una cosa: *Cada nen de la classe porta la bata senyalada amb el nom.* **2** Fer-se una ferida que deixi un senyal: *Portava la cara ben senyalada.*
Es conjuga com *cantar.*

senyalitzar *v* Posar senyals en un carrer, en una carretera, en un edifici, etc.
Es conjuga com *cantar.*

senyar-se *v* Fer-se el senyal de la creu.
Es conjuga com *cantar.*

senyera senyeres *nom f* Bandera.

senyor senyora senyors senyores *nom m i f* **1** Paraula que es posa al davant del nom d'una persona en senyal de respecte i de bona educació: *El senyor Lluís és el nostre professor.* **2** Amo, persona que té autoritat, terres, etc.: *A la part alta del poble, hi vivien els senyors i a la part baixa la gent més pobra.* **3** *adj* Molt gran: *Els meus oncles tenen una senyora casa.*

senyoreta senyoretes *nom f* Paraula que es posa al davant del nom de les noies i de les dones que són mestres, oficinistes, etc., en senyal de respecte i de bona educació: *La nostra professora és la senyoreta Remei.*

senyoria senyories *nom f* Paraula que es fa servir per a adreçar-se a una autoritat, a una persona que té un càrrec important, com ara un jutge, un diputat al parlament, un senador, etc.

senyorial senyorials *adj* **1** Que té relació amb el senyor. **2** Majestuós, propi d'un senyor: *Els amos de la granja viuen en una casa senyorial.*

S

senzill senzilla senzills senzilles *adj* **1** Simple, no complicat, fàcil. **2** De poca qualitat: *Em vaig comprar un vestit d'una roba molt senzilla i se m'ha estripat molt aviat.*

senzillament *adv* Simplement, d'una manera senzilla.

senzillesa senzilleses *nom f* Qualitat de senzill, de simple.

sèpal sèpals *nom m* Cadascuna de les parts que componen el calze d'una flor.

separació separacions *nom f* **1** Acció de separar. **2** Allò que separa dues o més coses: *Entre els dos camps hi ha una separació de vuit metres.*

separadament *adv* Amb separació, a part l'un de l'altre: *La mestra va parlar separadament amb cada un dels alumnes que s'havien barallat per aclarir què havia passat i qui en tenia la culpa.*

separar *v* **1** Posar a part dues o més coses que estaven juntes o barrejades: *Separeu la fruita bona de la fruita podrida.* **2** Estar situat entre dues o més coses no deixant que es toquin: *El mar separa les illes del continent.* **3** **separar-se** Deixar de viure juntes dues persones que eren casades o vivien plegades.
Es conjuga com *cantar.*

sepeli sepelis *nom m* Enterrament.

sèpia sèpies *nom f* Mira **sípia.**

septentrional septentrionals *adj* Del nord, que està situat al nord, que és del nord.

sèptim sèptima sèptims sèptimes *adj* Setè.

sepulcre sepulcres *nom m* Tomba.

sepultar *v* **1** Enterrar un mort, posar-lo en el sepulcre. **2** Colgar.
Es conjuga com *cantar.*

sepultura sepultures *nom f* **1** Enterrament. **2** Sepulcre, tomba.

sequaç sequaços sequaces *adj i nom m i f* Persona que segueix les opinions, les doctrines, les ordres, etc. d'una altra: *La policia va detenir el cap de la banda i alguns dels seus sequaços.*

sequedat sequedats *nom f* Qualitat de sec.

seqüela seqüeles *nom f* Conseqüència d'una cosa: *La caiguda dels cabells i aquests granets de la cara són seqüeles de la malaltia.*

seqüència seqüències *nom f* **1** Sèrie d'elements posats l'un darrere l'altre: *12, 13, 14, 15, 16, 17... és una seqüència de números.* **2** Escena d'una pel·lícula.

sequera sequeres *nom f* Secada, temporada llarga de temps sec, sense pluja: *Ningú no recordava una sequera com la de l'estiu passat.*

sequera

sèquia sèquies *nom f* Canal d'aigua que serveix per a regar.

ser[1] *v* **1** Trobar-se algú o alguna cosa en un lloc: *L'Isidre ara és a l'escola.* ■ *La goma és al calaix.* **2** Passar una cosa en un moment donat: *La festa d'aniversari serà d'aquí a tres dies.* **3** Paraula que relaciona una persona o una cosa amb una qualitat, un ofici, etc.: *Aquesta aigua és freda.* ■ *La Lurdes serà arquitecta.* **4** Per la manera com parla, la Marta deu **ser de** Mallorca: hi ha nascut. **5** *Aquell noi em sembla que* **no hi és tot:** *es diu d'una persona que no està bé del cap, que sembla boja.* **6** *Esteu preparats per començar el dictat? Doncs* **som-hi!:** expressió que es fa servir per a invitar algú a fer una cosa conjuntament amb nosaltres. **7** ***Tant és*** *que siguem tres com quatre:* no té importància, és igual.
La conjugació de *ser* és a la pàg. 846.

ser[2] sers *nom m* Mira **ésser**[2].

serbi sèrbia serbis sèrbies **1** *nom m i f* Habitant de Sèrbia; persona natural o procedent de Sèrbia. **2** *adj* Es diu de les persones o de les coses naturals o procedents de Sèrbia. **3** *nom m* Manera de parlar el serbocroat pròpia de Sèrbia.

serbocroat serbocroata serbocroats serbocroates **1** *adj* Que té relació amb el serbocroat. **2** *nom m* Llengua que es parla a Sèrbia, Croàcia, Bòsnia i Hercegovina.

serè serena serens serenes *adj* **1** Clar, sense núvols ni boira: *Avui hi ha un cel serè.* **2** Tranquil: *La Roseta està molt serena, encara que hagi suspès l'examen de conduir.*

serena serenes *nom f* **1** Humitat de l'aire que cau durant algunes nits serenes. **2 a la serena** Sense cobert: *No vam poder muntar la tenda i vam haver de dormir a la serena.*

serenata serenates *nom f* Música, cançó que es toca o es canta de nit sota la finestra d'algú per demostrar-li amor, admiració, etc.

serenitat serenitats *nom f* Calma, tranquil·litat, seny: *El conductor no va perdre la serenitat, quan el cotxe va relliscar, i va poder evitar la topada amb un altre cotxe.*

sereno serenos *nom m* Persona que abans vigilava els carrers durant la nit i que tenia les claus dels portals.

serf serva serfs serves *nom m i f* Persona que no era lliure, que antigament depenia d'un senyor feudal.

sergent sergenta sergents sergentes *nom m i f* Militar que està sota les ordres d'un oficial i que s'encarrega d'un grup de soldats.

serial serials *nom m* Novel·la per capítols que fan a la ràdio o a la televisió.

seriar *v* Ordenar una cosa formant una sèrie.
Es conjuga com *canviar.*

sèrie sèries *nom f* **1** Conjunt de coses que se succeeixen les unes a les altres i que estan relacionades entre elles: *Faig col·lecció de cromos de la naturalesa i me'n falten uns quants de la sèrie dels ocells.* **2** *Aquest noi jugant a tennis* **és un fora de sèrie**: molt bo, molt destacat.

serietat serietats *nom f* Qualitat de seriós, rigor: *Aquesta empresa treballa amb serietat i obté uns productes de molta qualitat.*

seriós seriosa seriosos serioses *adj* **1** Es diu de la persona que és responsable, que es preocupa per les coses: *És un noi seriós en la feina.* **2** Important, considerable: *El càncer és una malaltia molt seriosa.* **3** Es diu de la persona que és poc alegre o poc simpàtica.

seriosament *adv* D'una manera seriosa, sense fer-hi broma: *T'has d'agafar les coses més seriosament.*

seriositat seriositats *nom f* Serietat.

serjant serjants *nom m* Eina de fuster que serveix per a mantenir ben ajuntades dues peces de fusta encolades fins que s'han enganxat bé l'una amb l'altra.

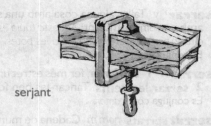

serjant

sermó sermons *nom m* **1** Discurs pronunciat per algú davant d'un públic: *Vam arribar a missa quan el capellà deia el sermó.* **2** Discurs que té per finalitat renyar algú que ha fet una cosa mal feta: *En Daniel va arribar dues hores tard a casa i el seu pare li va fer un bon sermó.*

sermonejar *v* Fer un sermó a algú, renyar. Es conjuga com *cantar.* S'escriu *j* davant de *a, o, u* i *g* davant de *e, i: sermonejo, sermoneges.*

serp serps *nom f* Animal rèptil sense potes, de cos rodó i llarg i que s'arrossega per terra.

serpent serpents *nom m o f* Serp.

serpentejar *v* Moure's o estendre's fent tortes, ziga-zagues: *Va dibuixar un camí que serpentejava entre els camps de blat.*
Es conjuga com *cantar.* S'escriu *j* davant de *a, o, u* i *g* davant de *e, i: serpenteja, serpentegi.*

serpentina serpentines *nom f* Tira de paper de color, estreta i llarga, que es llança en una festa, en una revetlla, etc.: *El dia de la festa major tirarem serpentines pels carrers.*

serra serres *nom f* **1** Eina que consisteix en una fulla d'acer que fa unes dents en una de les vores i que serveix per a tallar fustes, ferro i altres materials durs: *Per a tallar aquests troncs, necessitarem una serra.* **2** Cadena curta de muntanyes: *Des del balcó de casa es veu la serra de Collserola.*

serradora serradores *nom f* Taller on serren la fusta.

serradures *nom f pl* Partícules petites que salten de la fusta quan se serra, i que de vegades es tiren a terra per eixugar algun líquid que hi ha caigut: *Van escampar serradures a terra per eixugar la mullena.*

serralada serralades *nom f* Cadena llarga de muntanyes.

serraller serrallera serrallers serralleres *nom m i f* Manyà.

serralleria serralleries *nom f* Taller de manyà.

S

serrar¹ v Tallar alguna cosa amb una serra o amb una eina semblant: *Aquesta taula és massa alta, n'hem de serrar una mica les potes.* Es conjuga com *cantar*.

serrar² v **1** Estrènyer, fer més estret un espai. **2 serrar les dents** Tancar-les ben fort. Es conjuga com *cantar*.

serrat serrats *nom m* Cadena de muntanyes no gaire altes.

serrell serrells *nom m* **1** Cabells que cauen per davant del front: *La perruquera li ha tallat una mica el serrell perquè gairebé li tapava els ulls.* **2** Conjunt de fils, de llanes, etc. que hi ha a les vores d'una manta, d'una catifa, etc. i que serveixen per a adornar.

serrell

sèrum sèrums *nom m* **1** Líquid semblant a l'aigua que queda després de coagular-se la sang, la llet, etc. **2** Substància líquida que s'utilitza en medicina per a prevenir determinades malalties o per a alimentar els malalts que no poden ingerir menjars sòlids.

serval servals *nom m* Felí més aviat petit que viu a l'Àfrica i s'alimenta de ratolins, esquirols, etc., que caça de nit. **10**

servar v **1** Conservar, retenir, guardar una cosa. **2** Complir una obligació. Es conjuga com *cantar*.

servei serveis *nom m* **1** Conjunt de treballs, de persones i d'instal·lacions que serveixen per a un ús determinat: *El servei d'urgències de l'hospital funciona les vint-i-quatre hores del dia.* **2** Acció de servir algú o de treballar per a algú: *Vaig passar tres anys al servei d'aquella empresa.* **3** Conjunt de criats: *El servei de palau fa festa el dilluns.* **4** Conjunt d'estris amb què se serveix el menjar, les begudes, etc.: *Tinc un servei de taula de porcellana.* **5 fer servei** Ser útil una cosa: *Aquest martell ens farà servei quan pengem el quadre.* **6 sector de serveis** Conjunt de professions del sector terciari com ara metges, advocats, mestres, etc. **7 servei militar** Període d'instrucció militar que han de fer els joves de manera obligatòria en alguns països.

servent serventa servents serventes *nom m i f* Criat, persona que està sota les ordres d'algú: *La Ventafocs es va haver de convertir en serventa de la madrastra i de les seves filles.*

servicial servicials *adj* Es diu de la persona que sempre està disposada a ajudar els altres.

servidor servidora servidors servidores **1** *nom m i f* Persona que està al servei d'algú, criat: *A casa d'aquell senyor tan ric hi treballen tres servidors: una cambrera, una cuinera i un jardiner.* **2** *adj* Es diu de la persona que compleix bé les ordres que se li donen: *És un criat molt servidor.* **3** *nom m i f* Quan vaig entrar a la botiga, vaig preguntar qui era l'últim i una senyora va dir: "*Servidora!*": paraula que es fa servir per a referir-se a un mateix en senyal d'educació.

servil servils *adj* Es diu del comportament, de l'actuació, de l'actitud, etc. d'algú que es mostra excessivament predisposat a servir i a obeir algú altre: *Aquest nen és molt servil, sempre va a darrere del mestre, disposat a servir-lo i a obeir-lo de seguida.*

servir v **1** Tenir una cosa o una persona una utilitat, un ús determinat: *El llapis serveix per a escriure.* ■ *En què puc servir-te?* **2 fer servir** Usar, utilitzar una cosa: *Per tallar l'arbre, van fer servir una destral.* **3** Posar el menjar als plats, abocar la beguda als gots: *A taula, m'agrada servir el menjar i el beure.* **4** Atendre un client en una botiga, despatxar, proporcionar allò que algú necessita: *En aquella botiga serveixen molt bé.* ■ *Encara no ens han servit la comanda de llibres.* **5** *Em dic Mila,* **per servir-lo:** expressió que es diu després del nom en senyal d'educació. **6** Posar la pilota en joc en el tennis i altres esports. La conjugació de *servir* és a la pàg. 846.

servitud servituds *nom f* El fet d'estar sota les ordres d'algú o sota el poder d'alguna cosa.

ses *adj* Mira **son¹.**

sessió sessions *nom f* **1** Reunió de treball: *La junta de pares de l'escola va convocar una sessió per tractar el problema de les obres del pati.* **2** Cada vegada que es fa una cosa: *Cada tarda hi ha dues sessions de cine: una a les tres i una altra a les sis.* ■ *El pare té una lesió* a l'esquena i cada dimarts li fan una sessió de massatges.

sesta sestes *nom f* Migdiada.

set[1] sets *nom f* Ganes, necessitat de beure: *Feia molta calor i teníem set.*

set[2] sets *nom m i adj* **1** Paraula que expressa la quantitat representada per la xifra 7. **2** Estrip en una roba que té la forma d'un 7: *Se t'han estripat els pantalons i se t'hi ha fet un set.*

setanta setantes *nom m i adj* Paraula que expressa la quantitat representada per la xifra 70.

setciències uns/unes setciències *nom m i f* Persona que presumeix de saber moltes coses.

setè setena setens setenes *adj* **1** Que fa set en una sèrie, que en té sis al davant. **2** Es diu de cadascuna de les parts d'una quantitat dividida en set parts iguals.

setembre setembres *nom m* Últim mes de l'estiu, novè mes de l'any, té 30 dies.

setge setges *nom m* Acció d'envoltar una ciutat o un castell perquè es rendeixi: *L'exèrcit va posar setge a la ciutat i al cap de tres mesos la va conquistar.*

seti setis *nom m* Lloc on seu, on està col·locada o s'ha de col·locar una persona o una cosa.

setí setins *nom m* Teixit de seda, de cotó, etc. molt fi i lluent.

setial setials *nom m* Seient que es fa servir en una cerimònia.

setinat setinada setinats setinades *adj* Lluent i fi, com de setí.

setmana setmanes *nom f* Espai de temps de set dies, que són: dilluns, dimarts, dimecres, dijous, divendres, dissabte i diumenge: *Pels volts de Nadal tenim dues setmanes de vacances.*

setmanada setmanades *nom f* Diners que es cobren per una setmana de treballar.

setmanal setmanals *adj* Que dura una setmana, que passa un cop cada setmana: *A la fàbrica treballem 38 hores setmanals.* ▪ *A l'escola fem dues hores setmanals d'anglès.*

setmanari setmanaris *nom m* Revista, publicació periòdica que surt una vegada per setmana: *El meu germà gran cada dissabte compra un setmanari d'esports.*

setmesó setmesona setmesons setmesones *adj i nom m i f* Es diu de la criatura que neix després d'estar només set mesos, en comptes de nou, dins el ventre de la mare.

setrill setrills *nom m* Recipient de vidre, de terrissa o de metall que s'omple d'oli o de vinagre: *A la taula hi havia un setrill ple d'oli i un altre ple de vinagre.*

setrilleres *nom f pl* Estri petit de metall, de plàstic, de fusta, etc. que porta dos setrills, un per a l'oli i un altre per al vinagre: *Passa'm les setrilleres, que em posaré oli i vinagre a l'amanida.*

setrilleres

setze setzes *nom m i adj* Paraula que expressa la quantitat representada per la xifra 16.

seu[1] seus *nom f* **1** Catedral. **2** Lloc, local d'una associació, d'un partit, etc.

seu[2] seva seus seves *adj* **1** D'ell, d'ella, d'ells o d'elles: *La Marta em va deixar la seva bicicleta.* **2** *A la nostra classe no hi ha unitat: cadascú vol anar a la seva:* fer el que vol, sense tenir en compte els altres. **3** *A la reunió tothom va dir-hi la seva:* expressar la pròpia opinió.

sèu sèus *nom m* Greix animal.

seua seues *adj* Formes femenines de la paraula "seu", que es fan servir al País Valencià.

seure *v* Estar algú sobre un seient o un suport qualsevol, de manera que el cos descansi sobre la part inferior del tronc: *Després de sopar, vaig seure molta estona al sofà mirant la televisió.*

La conjugació de *seure* és a la pàg. 847.

seure

sever severa severs severes *adj* Es diu de la persona que no perdona fàcilment les faltes, els errors, que és molt exigent: *L'any passat teníem un entrenador molt sever.*

sevillà sevillana sevillans sevillanes **1** *nom m* i *f* Habitant de Sevilla; persona natural o procedent de Sevilla. **2** *adj* Es diu de les persones o de les coses naturals o procedents de Sevilla. **3** sevillana *nom f* Dansa típica d'Andalusia.

sexe sexes *nom m* **1** Conjunt de característiques que fan que un individu sigui mascle o femella: *En aquest lavabo només hi poden entrar persones del sexe masculí.* **2** Conjunt dels òrgans genitals externs del mascle i de la femella.

sexista sexistes *adj* i *nom m* i *f* Es diu de la persona que considera que els homes i les dones no tenen els mateixos drets i deures.

sext sexta sexts o sextos sextes *adj* Sisè.

sexual sexuals *adj* **1** Que té relació amb el sexe: *A l'escola hem fet unes xerrades sobre educació sexual.* **2** **acte sexual** Relació entre dues persones a través del sexe.

sexualitat sexualitats *nom f* Conjunt de fets, comportaments, etc. relacionats amb el sexe i amb l'instint sexual.

si[1] *conj* **1** Paraula que indica dubte: *No sé si vindré.* **2** En el cas que: *Si plogués, no podríem anar d'excursió.* **3** En cas contrari, si és que no ho fem així: *Hem de marxar ara; si no arribarem tard.* **4** **si us plau** Per favor: *Deixeu-me un bolígraf, si us plau, que al meu se li ha acabat la tinta.*

si[2] *pron* **1** Pronom de tercera persona, que sempre apareix precedit d'una preposició: *Aquell noi és un egoista, només es preocupa de si mateix.* **2** Els nens parlaven **entre si**: entre ells. **3** *Es va desmaiar i al cap de molta estona va* **tornar en si**: recuperar els sentits.

si[3] sins *nom m* Cavitat, part interna d'una cosa: *Els nens es van perdre al si d'una cova molt profunda.*

si[4] sis *nom m* Setena nota de l'escala musical.

sí **1** *adv* Paraula que serveix per a afirmar una cosa que se'ns pregunta o que ja sabem que és certa: —*Vindràs, demà?* —*Sí.* ■ *Aquest nen sí que és valent!* **2** *nom m* Resposta afirmativa: *La meva germana em va respondre amb un sí quan li vaig demanar si volia venir amb mi al parc.*

sia Paraula que apareix en l'expressió **o sia**, que vol dir que dues coses són equivalents: *La protagonista, o sia, el personatge principal de la novel·la, es diu Laura.*

sibarita sibarites *adj* i *nom m* i *f* Es diu de la persona a qui li agrada de viure molt bé, amb molts luxes i comoditats.

sicari sicaris *nom m* Persona que comet assassinats a canvi de diners.

sida sides *nom f* Malaltia contagiosa que deixa el malalt sense defenses.

sidecar sidecars *nom m* Cotxe petit que va enganxat al costat d'una moto i que serveix per a transportar una persona.

sider- sidero- Element amb què comencen algunes paraules i que vol dir "ferro": *En Manel es dedica a la siderúrgia i, per tant, coneix molt bé el món del ferro.*

siderúrgia siderúrgies *nom f* Conjunt de tècniques i maneres d'aconseguir el ferro i d'elaborar els seus derivats: màquines, motors, bigues, etc.

sidra sidres *nom f* Beguda alcohòlica que es fa amb el suc de la poma.

sidral sidrals *nom m* **1** Llaminadura en forma de granets de gust de taronja, de llimona, etc. que, quan es posa a la boca, fa com una espuma que pica. **2** Desordre, confusió molt gran, merder.

sifó sifons *nom m* **1** Mecanisme que serveix per a xuclar i treure el líquid d'una ampolla, d'un vàter, etc. **2** Aigua mineral envasada en ampolles que porten un mecanisme de sifó: *M'agrada l'ampolla de sifó perquè no s'ha de destapar, només s'ha de fer baixar una maneta i el líquid surt disparat.*

sigla sigles *nom f* Lletra o lletres inicials del nom d'una persona, d'una organització, d'un partit etc. que s'utilitzen en comptes del nom sencer per a abreujar: *UE són les sigles de la Unió Europea.*

signar *v* Posar el nom i els cognoms acompanyats d'una rúbrica en un document, en una carta, etc., firmar.
Es conjuga com *cantar*.

signatura signatures *nom f* **1** Nom i cognoms acompanyats d'una rúbrica que cada persona fa per certificar un document, una carta, etc., firma. **2** Conjunt de xifres i de lletres que serveixen per a classificar un llibre i per a poder-lo ordenar en una biblioteca.

signe signes nom m **1** Cosa que en representa i n'evoca una altra: *El fum és el signe del foc.* **2** Senyal, figura que representa una cosa: *El signe + representa l'operació de sumar.* **3** Gest, moviment que fa una persona per a expressar alguna cosa: *Em va dir amb signes que tenia gana.* **4 signe del zodíac** Cadascuna de les figures que representa una de les dotze parts de l'esfera en què està dividit un any i que determina un caràcter, unes actituds, etc.: *Jo tinc el signe de capricorn perquè vaig néixer el dia 2 de gener.*

signes del zodíac

significar v Voler dir, voler representar, tenir per significat: *El signe + significa que has de fer una suma.*
Es conjuga com *cantar.* S'escriu *c* davant de *a, o, u* i *qu* davant de *e, i: significa, signifiquen.*

significat significats nom m Allò que vol dir una paraula, un signe, etc.: *El significat del signe + és una suma.*

significatiu significativa significatius significatives adj Es diu de la persona o de la cosa que té importància, valor, força: *El nombre de llibres que hi ha a les cases és significatiu per saber si la gent d'un país llegeix molt o poc.*

silenci silencis nom m Fet de no parlar, de callar, absència de soroll: *Farem aquests exercicis en silenci i així no ens distraurem.*

silenciador silenciadors nom m Aparell que serveix per a disminuir el soroll que fa una cosa: *L'atracador portava una pistola amb silenciador.*

silenciar v Callar una cosa, no dir-la: *En el seu informe, el director va silenciar alguns aspectes negatius del funcionament de l'empresa.*
Es conjuga com *canviar.*

silenciós silenciosa silenciosos silencioses adj Que no diu res, que no fa gens de soroll: *L'Amàlia és una noia molt tímida i silenciosa, gairebé no parla mai.* ■ *Vivim en un carrer molt silenciós i molt tranquil.*

sílex sílexs nom m Pedra molt dura que a l'edat de pedra era utilitzada per a l'elaboració d'eines i d'armes. **14**

silici silicis nom m Element químic que, després de l'oxigen, és el més abundant de l'escorça terrestre, on se'l troba com a constituent de nombrosos minerals.

síl·laba síl·labes nom f Cadascun dels cops de veu que fem quan pronunciem una paraula: *La paraula "cadira" té tres síl·labes: ca-di-ra.*

silueta siluetes nom f **1** Forma d'un objecte que es veu des de lluny: *Des del balcó de casa es veu la silueta del campanar de l'església.* **2** Dibuix simple que segueix el perfil d'una cosa: *A la classe de plàstica la mestra ens ha fet dibuixar la silueta de la cara d'un nen de la classe.*

silvestre silvestres adj Que creix d'una manera natural als boscos o als camps: *La farigola és una planta silvestre.*

símbol símbols nom m **1** Allò que serveix per a representar una cosa: *El colom és el símbol de la pau.* **2** Lletra o conjunt de lletres que serveixen per a representar les operacions, les unitats, etc.: *El símbol del metre és m.*

simbòlic simbòlica simbòlics simbòliques adj Que està relacionat amb un símbol o amb els símbols; que expressa o representa alguna cosa per mitjà d'un símbol o de símbols: *Aquest dibuix és simbòlic, perquè aquesta noia tan bonica envoltada de flors i d'ocells representa la primavera.*

simbolitzar v Representar una cosa per mitjà d'un símbol, servir una cosa com a símbol d'una altra.
Es conjuga com *cantar.*

simbomba simbombes nom f Instrument musical que consisteix en un recipient tapat amb una pell tibant que porta un pal travessat, el qual quan es frega fa vibrar la pell i produeix un soroll ronc.

simetria simetries nom f Igualtat, correspondència de dimensions, de forma, etc. entre les parts del cos, d'una figura geomètrica, etc.: *Una línia que passa pel mig d'un cercle el divideix en dues parts que tenen simetria.*

simètric simètrica simètrics simètriques adj Que té simetria: *Les cames i els braços del cos humà són simètrics.*

S

simfonia simfonies *nom f* Composició musical llarga interpretada per una orquestra.

simi simis *nom m* Nom que es dóna al conjunt d'animals mamífers que tenen característiques semblants a les de les persones, per exemple el goril·la, el ximpanzé, etc.

símil símils *nom m* Cosa semblant a una altra: *El llibre estava enquadernat amb un símil de pell, és a dir, amb un material semblant a la pell.*

similar similars *adj* Es diu d'una cosa que s'assembla molt a una altra, que és semblant: *La taronja i la mandarina tenen un gust similar.*

similitud similituds *nom f* Semblança.

simitarra simitarres *nom f* Sabre amb la fulla corba i més ampla de la punta que fan servir principalment els àrabs, els turcs i els perses.

simitarra

simpatia simpaties *nom f* **1** Caràcter alegre, rialler, atent, que fa que una persona sigui agradable. **2** Sentiment que fa que una altra persona ens resulti agradable.

simpàtic simpàtica simpàtics simpàtiques *adj* Es diu de la persona que és amable, trempada, alegre, etc.: *La nova professora és molt simpàtica, sempre ens explica coses divertides.*

simpatitzant simpatitzants *adj i nom m i f* Es diu de la persona que no forma part d'un partit, d'una organització, etc., però que està d'acord amb moltes de les seves idees i projectes.

simpatitzar *v* Tenir simpatia per una persona, per un partit, etc.
Es conjuga com *cantar*.

simple simples *adj* **1** Que no té parts, que no es divideix, que no és complex ni complicat: *Les fulles d'aquesta planta són simples.* ▪ *És un simple full de paper i res més.* ▪ *El llenguatge d'aquesta lectura és simple i s'entén molt bé.* **2 passat simple** Temps verbal que indica una acció passada i acabada i que no conté cap verb auxiliar: *"Jo cantí", "tu cantares", "ell*

cantà", "nosaltres cantàrem", "vosaltres cantàreu" i "ells cantaren" són les formes del passat simple del verb "cantar".

simplement *adv* **1** Senzillament, d'una manera simple: *Podries haver fet el treball més simplement, sense tantes complicacions.* **2** Només, solament: *Ha trucat simplement per saber si ja havíem arribat.*

simplicitat simplicitats *nom f* Qualitat de simple, de senzill: *L'elaboració d'aquest plat és d'una gran simplicitat.*

simplificació simplificacions *nom f* Acció de simplificar, de fer més simple una cosa: *No haver de fer els gràfics en el treball ha representat una gran simplificació.*

simplificar *v* **1** Fer més simple, menys complicada una cosa: *Aquest esquema que has fet és massa complicat, hauries de simplificar-lo una mica traient alguns detalls.* **2** Convertir una xifra, un fracció, etc. en una altra d'equivalent però més simple.
Es conjuga com *cantar*. S'escriu *c* davant de *a, o, u* i *qu* davant de *e, i*: *simplifico, simplifiques.*

simposi simposis *nom m* Reunió de persones que generalment dura més d'un dia i es reparteix en diferents sessions i que serveix per a estudiar i discutir temes relacionats amb la seva professió.

símptoma símptomes *nom m* **1** Manera de manifestar-se que té una malaltia: *Els símptomes de les angines són la febre i el mal de coll.* **2** Senyal: *Aquests núvols negres són símptoma de pluja.*

simulacre simulacres *nom m* Representació d'una cosa, d'un fet, etc. com si fos real: *Van fer un simulacre d'incendi per comprovar si funcionava bé el sistema de seguretat de l'edifici.*

simular *v* Fingir, fer veure una cosa: *Aquell nen va simular que estava malalt perquè no volia anar a l'escola.*
Es conjuga com *cantar*.

simultani simultània simultanis simultànies *adj* Que té lloc al mateix temps que una altra cosa: *En Ramon fa dues feines simultànies: menja i llegeix el diari.*

simultàniament *adv* Al mateix temps, alhora.

sina sines *nom f* Pit.

sinagoga sinagogues *nom f* Lloc on se celebren els actes de la religió jueva.

sinagoga

sincer sincera sincers sinceres *adj* Es diu de la persona que diu el que pensa, que diu la veritat, que no amaga res.

sincerament *adv* Amb sinceritat, de veritat.

sinceritat sinceritats *nom f* Qualitat de sincer, franquesa.

sincronitzar *v* Fer que dues o més coses funcionin al mateix temps, que dues o més accions passin al mateix temps: *Per fer bé aquest exercici de gimnàstica, heu de sincronitzar el moviment dels braços i de les cames.* Es conjuga com *cantar*.

síndic síndica síndics síndiques *nom m i f* **1** Persona que s'encarrega dels interessos i de les gestions d'una comunitat. **2** síndic o **síndica de greuges** Persona nomenada pel Parlament de Catalunya perquè s'ocupi de la defensa dels drets i de les llibertats dels ciutadans.

sindicat sindicats *nom m* Associació de treballadors que té per objectiu defensar els seus drets i els seus interessos: *El sindicat del ram metal·lúrgic ha convocat una vaga per demanar augment de sou.*

síndria síndries *nom f* Fruita grossa i rodona, molt refrescant, que té la pell dura i de color verd fosc i la carn dolça i de color vermell.

síndrome síndromes *nom f* Conjunt de símptomes i signes d'una malaltia.

singlot singlots *nom m* Moviment repetit i involuntari de la part de dalt del cos, que produeix un sorollet especial, causat per una contracció del diafragma: *Va menjar massa de pressa i li va venir el singlot.*

singular singulars **1** *adj* Únic, que es distingeix dels altres per alguna cosa concreta: *Aquell gratacels tan alt és un edifici molt singular.* **2** *adj i nom m* Que es refereix a una sola persona

o cosa: *La paraula "llibre" està en singular.* ■ *El singular de "matalassos" és "matalàs".*

sínia sínies *nom f* Màquina que serveix per a fer pujar aigua d'un pou i que funciona amb la força que fa un animal com ara l'ase, la mula, etc., que dóna voltes i fa girar unes rodes que fan sortir l'aigua.

sínia

sinistre sinistra sinistres *adj* **1** Que fa molta por: *Aquell carrer tan vell i abandonat a la nit té un aspecte sinistre.* **2** Esquerre, oposat a dret. **3** *nom m* Desgràcia, destrucció, accident, etc.: *Els bombers van anar ràpidament al lloc del sinistre.*

sinó *conj* Indica la negació d'una cosa que s'ha dit abans i l'afirmació d'una de nova: *No van marcar tres gols, sinó quatre.*

sinònim sinònima sinònims sinònimes *adj i nom m* Es diu de la paraula que té el mateix significat que una altra: *La paraula "llavors" és sinònima de la paraula "aleshores".* ■ *Un sinònim de "portar" és "dur".*

sinopsi sinopsis *nom f* Resum.

sinòptic sinòptica sinòptics sinòptiques *adj* **1** Que està explicat de manera resumida. **2** **quadre sinòptic** Resum en forma d'esquema.

sintagma sintagmes *nom m* Paraula o grup de paraules que formen un conjunt i que tenen una funció determinada en una frase: *En la frase "en Pere té son" hi ha dos sintagmes: "en Pere", que fa la funció de subjecte, i "té son", que fa la funció de predicat.*

sintaxi sintaxis *nom f* Part de la gramàtica que estudia les relacions entre les paraules i les seves funcions dins l'oració.

síntesi síntesis *nom f* Resum, combinació de les diferents parts d'una cosa després d'haver-la analitzada: *Hem buscat informació sobre els mamífers en molts llibres i ara redactarem una síntesi del tema.*

sintètic sintètica sintètics sintètiques *adj* **1** Que és resumit: *El professor ha fet una explicació sintètica de la pel·lícula que anirem a veure demà.* **2** Que s'obté artificialment i no a partir de recursos naturals: *Aquests mitjons no són de llana, són de fibra sintètica.*

sintetitzar *v* **1** Reduir una cosa a les parts més essencials: *Has de sintetitzar aquest text, dir només el que és important i prou.* **2** Elaborar un producte artificialment, no a partir de recursos naturals.
Es conjuga com *cantar.*

sintonia sintonies *nom f* **1** Fet d'estar ajustat un aparell de ràdio de manera que pugui captar una determinada emissora. **2** Acord entre dues o més persones: *En aquest grup hi ha una gran sintonia, totes les persones que en formen part s'avenen molt.*

sintonitzar *v* Posar un aparell de ràdio en sintonia amb una determinada emissora: *Quan condueix, el pare sol sintonitzar emissores musicals.*
Es conjuga com *cantar.*

sinuós sinuosa sinuosos sinuoses *adj* Que fa corbes.

sípia sípies *nom f* Mol·lusc que viu al mar, de forma semblant al calamar i que és molt apreciat com a aliment.

sípia

síquia síquies *nom f* Mira **sèquia.**

sirena sirenes *nom f* **1** Personatge dels contes que té el cap i la part de dalt del cos en forma de dona i la part de baix en forma de peix: *En aquest conte hi surt una sirena.* **2** Aparell que produeix sons molt forts i que es fa servir per a avisar d'alguna cosa: *La sirena de la fàbrica va començar a sonar perquè era l'hora de plegar.*

sirventès sirventesos *nom m* Poema que escrivien els trobadors per a insultar algú: *El trobador Guillem de Berguedà va escriure molts sirventesos dirigits als seus enemics.*

sis sisos *nom m i adj* Paraula que expressa la quantitat representada per la xifra 6.

sisè sisena sisens sisenes *adj* **1** Que fa sis en una sèrie, que en té cinc al davant. **2** Es diu de cadascuna de les parts d'una quantitat dividida en sis parts iguals.

sisme sismes *nom m* Terratrèmol.

sistema sistemes *nom m* **1** Conjunt d'elements, de regles, de mecanismes, etc. que fan que una cosa funcioni com un tot: *El cervell, els nervis, etc. formen el sistema nerviós.* ▨ 18 ■ *El cor, les venes i les artèries constitueixen el sistema circulatori.* ▨ 17 **2** Mètode, conjunt d'operacions que se segueixen per aconseguir un objectiu determinat: *A classe estem aprenent un sistema per a fer resums.*

sitgetà sitgetana sitgetans sitgetanes **1** *nom m i f* Habitant de Sitges; persona natural o procedent de Sitges. **2** *adj* Es diu de les persones o de les coses naturals o procedents de Sitges.

sitja sitges *nom f* Dipòsit en forma de gran cilindre que serveix per a guardar-hi gra, cereals, farratge, etc.

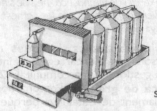
sitges

sitrell sitrells *nom m* Mira **setrill.**

situació situacions *nom f* **1** Lloc on està situada una cosa; manera d'estar situada una cosa: *La bona situació del castell permet una bonica vista panoràmica.* **2** Fet, circumstància, estat en què es troba una cosa o una persona: *La situació econòmica del país és molt delicada.*

situar *v* **1** Posar, col·locar algú o alguna cosa en un lloc determinat: *La casa està situada al cim de la muntanya.* **2** Saber on es troba algú o alguna cosa: *No puc situar el refugi en el mapa.* **3** *L'Arnau guanya molts diners, deu estar ben situat:* tenir diners i bona feina.
Es conjuga com *canviar.*

siulet siulets *nom m* Xiulet.

sivella sivelles *nom f* Peça de metall, de plàstic, etc. que serveix per a cordar un cinturó, una sabata, etc.

so sons *nom m* Sensació que capten les orelles: *Des d'aquí se sent el so del mar.* ■ *El so de vocal neutra és propi del català oriental.*

soberg soberga sobergs sobergues *adj* **1** Que destaca pel poder, l'alçada, el volum, la bellesa, etc.: *El Puigmal és una muntanya soberga.* **2** Es diu de la persona orgullosa, que desprecia els altres: *La madrastra de la Blancaneu era molt soberga.*

sobines Paraula que apareix en l'expressió **de sobines**, que vol dir "ajagut amb la cara cap amunt".

sobirà sobirana sobirans sobiranes **1** *nom m i f* Persona que té la màxima autoritat dins un estat: *El rei és el sobirà del país.* **2** *adj* Es diu del poble o del país que té llibertat de decidir: *El poble és sobirà i elegeix els seus representants.*

sobra sobres **1** *nom f* Allò que sobra. **2** sobres *nom f pl* Allò que sobra després d'un menjar: *Les sobres del dinar, les donarem al gos.* **3** N'hi ha **de sobres**, de pa: en gran quantitat, més de la necessària.

sobrant sobrants **1** *adj* Que sobra, sobrer: *Vés a comprar una barra de pa i amb els diners sobrants compra't una llaminadura.* **2** *nom m* Allò que sobra.

sobrar *v* Haver-hi més quantitat d'una cosa de la que cal: *En aquesta habitació sobren cadires, en traurem unes quantes.* Es conjuga com *cantar*.

sobrassada sobrassades *nom f* Embotit fet amb carn de porc, sal, pebre vermell i altres espècies.

sobre[1] *prep* **1** Damunt: *El gat estava estirat sobre la catifa.* **2** De: *El professor va parlar sobre la història de la ciutat.* **3** *adv* Damunt: *Li va caure el quadre a sobre.* **4** *Ens ha explicat la pel·lícula molt **per sobre**: de manera poc profunda, sense detalls.* **5** *Vaig caure de la bicicleta, em vaig trencar el peu i, **a sobre**, es va espatllar el fre: a més.*

sobre[2] sobres *nom m* **1** Part superior d'una cosa, part de dalt: *El sobre de l'armari és ple de pols.* **2** Bossa plana de paper per a posar-hi dintre una carta, una targeta, etc. i en la qual se sol escriure el nom i l'adreça de la persona a qui va dirigida: *Ficarem la carta dins el sobre i l'enviarem.*

sobre- Prefix, element que s'afegeix al davant d'una paraula i que vol dir "damunt" o "abundància", "excés": *La portera de l'escala viu a l'àtic i el seu fill s'ha instal·lat al sobreàtic.* ■ *A la nevera hi tenim una sobreabundància d'aliments, molts més dels que necessitem.*

sobreàtic sobreàtics *nom m* En alguns edificis, pis situat al damunt de l'àtic, generalment construït més endarrere que la resta de pisos i amb una terrassa.

sobrecarregar *v* Carregar massa una cosa, amb un pes superior al que pot portar o al normal. Es conjuga com *cantar*. S'escriu *g* davant de *a, o, u* i *gu* davant de *e, i*: sobrecarrego, sobrecarregues.

sobredosi sobredosis *nom f* Dosi excessiva d'un medicament, d'una droga, etc.

sobreeixidor sobreeixidors *nom m* Forat, tub, etc. per on surt el líquid d'un recipient que està massa ple i que evita que vessi per les vores.

sobreeixidor

sobreeixir *v* Vessar, sortir un líquid per les vores d'un recipient quan ja està ben ple i encara n'hi entra més. Es conjuga com *reeixir*.

sobreentendre *v* Entendre una cosa sense dir-la: *Allà on diu que cal portar "estris de neteja personal", se sobreentén que heu de portar sabó, tovallola, pinta, raspall de dents i pasta.* Es conjuga com *pretendre*.

sobreentès sobreentesos *nom m* Allò que s'entén sense dir-ho amb totes les paraules.

sobrehumà sobrehumana sobrehumans sobrehumanes *adj* Molt gran, extraordinari: *Estàvem molt cansats i per acabar de pujar la muntanya vam haver de fer un esforç sobrehumà.*

sobrenatural sobrenaturals *adj* Es diu d'una cosa o d'un fet que no pot ser explicat per les lleis de la naturalesa: *Deia que tenia visions sobrenaturals perquè se li apareixien persones que havien mort feia temps.*

sobrepassar *v* Ser superior: *El preu d'aquell cotxe sobrepassa els divuit mil euros.* Es conjuga com *cantar*.

S

sobreposar *v* **1** Afegir, aplicar una cosa damunt d'una altra: *Primer hem pintat i retallat les figures i després les hem sobreposat a la làmina.* **2 sobreposar-se** Ens haurem de sobreposar a la desgràcia: superar-la, dominar-la. Es conjuga com *cantar*.

sobrer sobrera sobrers sobreres *adj* Que sobra: *Aquests retalls de roba són sobrers, ja hem acabat el vestit i no els necessitem.*

sobresalt sobresalts *nom m* Espant, impressió sobtada.

sobresaltar *v* Causar un espant, una impressió sobtada a algú: *L'avi dormia i l'ha sobresaltat el soroll del cop de porta.* Es conjuga com *cantar*.

sobresortir *v* **1** Sortir una cosa o una persona més que les altres que l'envolten perquè és més alta o està més cap enfora: *L'Olga és tan alta, que sobresurt de la resta de nens de la classe.* ■ *He posat al llibre que llegeixo un punt de cartró que sobresurt i així sabré on passo.* **2** Distingir-se dels altres per les bones qualitats, perquè s'és millor: *Aquella nena nova sobresurt especialment a la classe de música.* Es conjuga com *collir*.

sobresou sobresous *nom m* Sou que es cobra a part i que s'afegeix al normal: *De dies treballa en una oficina i a la nit es fa un sobresou fent de vigilant d'un garatge.*

sobretaula sobretaules *nom f* Estona que s'està a taula després de menjar i durant la qual s'expliquen coses, es discuteix, etc.

sobretot *adv* Principalment, especialment: *A tots els nens els va agradar molt la funció de circ, però sobretot als més petits.*

sobrevingut sobrevinguda sobrevinguts sobrevingudes *adj* i *nom m* i *f* Es diu dels parents nous que passa a tenir una persona quan es casa.

sobreviure *v* Quedar viu després d'una guerra, d'un perill, d'una malaltia greu, etc.: *En aquella batalla va morir quasi tothom, només van sobreviure uns quants soldats.* Es conjuga com *viure*.

sobrevolar *v* Volar per damunt d'un lloc: *En aquests moments estem sobrevolant l'illa de Mallorca.* Es conjuga com *cantar*.

sobri sòbria sobris sòbries *adj* **1** Es diu de la persona que no fa excessos a l'hora de menjar, de beure, etc. **2** Sense adorns superflus: *La decoració de l'edifici és sòbria.*

sobtadament *adv* De cop, d'una manera sobtada, imprevista.

sobtar *v* Sorprendre, impressionar: *L'accident d'en Miquel ens va sobtar a tots.* Es conjuga com *cantar*.

sobtat sobtada sobtats sobtades *adj* **1** Que es produeix de cop, sense esperar-ho: *Hi ha hagut un canvi de temps sobtat.* **2** Es diu del menjar que no és bo perquè s'ha cuit massa de pressa.

sobte Paraula que apareix en l'expressió **de sobte**, que vol dir "de cop, de cop i volta, tot d'un plegat, sense esperar-ho": *Estàvem asseguts i de sobte una ventada va obrir la finestra.*

soc socs *nom m* **1** Soca d'un arbre. **2** Calçat fet d'un sol tros de fusta buidat, esclop.

soca soques *nom f* **1** Tronc d'un arbre. **2** Part del tronc d'un arbre que queda clavada a terra després d'haver-lo tallat.

soca-rel Paraula que apareix en l'expressió **de soca-rel**, que vol dir "del tot, completament": *El vent va arrencar els arbres de soca-rel.*

socarrar *v* Cremar una cosa per fora. Es conjuga com *cantar*.

socarrimar *v* Socarrar una mica: *Em vaig acostar massa a la llar de foc i se'm va socarrimar el vestit.* Es conjuga com *cantar*.

soci sòcia socis sòcies *nom m* i *f* **1** Persona que forma part d'una associació, d'un club, etc.: *Els socis del club d'escacs reben mensualment un butlletí.* **2** Cadascuna de les persones que tenen un negoci conjunt: *Aquells dos homes són amos d'una botiga, són socis.*

sociable sociables *adj* Es diu de la persona simpàtica, que de seguida fa amics.

social socials *adj* **1** Que té relació amb la societat, amb les persones que formen la societat: *L'atur és un problema social.* **2 ciències socials** Ciències que estudien les persones i la societat, com ara la geografia, la història, etc. **3 classe social** Conjunt de persones que formen un grup determinat a dins la societat segons el seu nivell econòmic, cultural, etc.

socialisme socialismes *nom m* Ideologia que propugna un sistema polític en què l'Estat controla les indústries, les empreses, etc. amb la finalitat que les riqueses no es concentrin en unes poques persones, sinó que es reparteixin entre totes i així hi hagi més igualtat.

socialista socialistes *adj i nom m i f* **1** Es diu de les persones que són partidàries del socialisme. **2** *adj* Que té relació amb el socialisme.

societat societats *nom f* **1** Conjunt d'individus que conviuen respectant unes normes: *Les abelles i les formigues viuen en societat.* ■ *La nostra societat és injusta perquè permet que hi hagi persones que viuen pobrament.* **2** Grup de persones que tenen en comú un negoci, una institució cultural, etc.: *En Pere, en Martí i l'Agnès han format una societat per muntar una empresa tèxtil.*

sociologia sociologies *nom f* Ciència que estudia la formació i el desenvolupament de la societat.

sòcol sòcols *nom m* Banda de fusta o de mosaic que cobreix la part inferior de les parets d'una habitació.

socórrer *v* Donar ajuda a algú: *Els bombers van socórrer els excursionistes que havien caigut pel precipici.*
Es conjuga com *córrer*.

socorrisme socorrismes *nom m* Conjunt de mitjans i de tècniques de salvament que serveixen per a atendre una persona que acaba de tenir un accident o que està en perill: *A l'escola hem fet un curset de socorrisme.*

socorrista socorristes *nom m i f* Persona que és experta en socorrisme, que es dedica al socorrisme.

socors els socors *nom m* Ajut que es dóna a algú que passa un perill, que té una necessitat, etc.: *A la carretera hi havia un home ferit que demanava socors.*

sofà sofàs *nom m* Seient tou i còmode per a dues o més persones, amb respatller i braços: *Aquell noi es passa el dia assegut al sofà mirant la televisió.*

sofert soferta soferts sofertes *adj* **1** Es diu de la persona que suporta bé, amb paciència, el dolor. **2** Es diu de la roba, del color, etc. que és molt resistent, que no s'espatlla, que no s'embruta, que no es descoloreix.

sofisticat sofisticada sofisticats sofisticades *adj* **1** Es diu d'una màquina, d'una

tècnica, etc. molt complexa o perfecta: *Els aparells de música d'avui dia són molt sofisticats.* **2** Es diu de la persona o de la cosa que és poc natural, que és exagerada, complicada.

sofraja sofrages *nom f* Part de la cama oposada al genoll, part del braç oposada al colze.

sofre sofres *nom m* Element químic no metàl·lic de color groc clar que crema amb una flama blava, fa una olor molt forta i es fa servir per a fabricar pólvora i altres productes. [14]

sofregir *v* Fregir una mica els aliments a la paella perquè es tornin rossos: *Per fer arròs a la cassola, primer has de sofregir el peix.*
Es conjuga com *servir*.

sofregit sofregits *nom m* Base de molts plats que es fa tirant trossets de ceba i de tomàquet a la paella i deixant que es tornin rossos.

sofriment sofriments *nom m* Dolor, pena.

sofrir *v* **1** Patir, experimentar un dolor, una pena: *Abans d'operar-lo, li han adormit la cama perquè no sofreixi.* **2** Suportar, tolerar, permetre: *No puc sofrir les mentides.*
Es conjuga com *servir*. **Participi:** *sofert, soferta.*

soga sogues *nom f* Corda gruixuda.

sogre sogra sogres *nom m i f* Pare o mare del marit o de la muller d'una persona: *La mare de la meva mare és la meva àvia i la sogra del meu pare.*

sojornar *v* Estar-se en un lloc durant un cert temps.
Es conjuga com *cantar*.

sol¹ sola sols soles *adj* **1** Sense companyia, sense ningú més: *En aquest pis hi viu un home sol.* **2** Només un, únic: *Aquest curs només hem anat un sol dia d'excursió.*

sol² sols *nom m* **1** Estel al voltant del qual giren la Terra i altres planetes: *Si mires el sol de cara, t'enlluernaràs.* **2** de sol a sol Des que surt el sol fins que es pon. **3** Llum i escalfor del sol: *Avui fa molt sol.*

sol³ sols *nom m* Cinquena nota de l'escala musical.

sòl sòls *nom m* **1** Superfície de la terra: *El sòl d'aquesta comarca és molt fèrtil.* **2** Paviment, terra sobre el qual caminem: *Aquesta habitació té el sòl de mosaic.*

S

sola soles *nom f* Part del calçat que toca el terra i sobre la qual descansa la planta del peu: *Aquestes sabates tenen unes soles molt gruixudes.*

sola

solà solana solans solanes *adj* Es diu del costat d'una muntanya, d'una casa, etc. on el sol hi toca més: *A la part solana de la casa hi ha més finestres perquè hi entri el sol.*

solament *adv* Només, sols: *Solament ha vingut l'Agnès, els altres s'han quedat a casa estudiant.*

solapa solapes *nom f* **1** Part de la vora del coll d'una peça de vestir que es doblega enfora: *Aquesta americana té les solapes molt grosses.* **2** Part d'un sobre, d'una bossa, etc. que es pot doblegar i que serveix per a tancar-lo.

solapa

solar¹ solars *adj* **1** Que té relació amb el Sol: *Llum solar.* ▪ *Energia solar.* **2 sistema solar** Conjunt d'astres que giren al voltant del Sol.

solar² solars *nom m* Tros de sòl o terreny destinat a edificar-hi un edifici: *En aquest solar, ens hi farem una casa.*

solari solaris *nom m* Lloc adequat per a prendre-hi el sol.

solàrium solàriums *nom m* Mira **solari**.

solatge solatges *nom m* Pòsit que deixa un líquid: *No em bec l'últim glop de cafè perquè ja només queda el solatge.*

solc solcs *nom m* **1** Sot allargat que es fa en els camps amb l'arada quan es llauren. **2** Séc o senyal estret i allargat: *La barca deixava un solc d'espuma en l'aigua.*

solcar *v* Fer solcs en una superfície: *El vaixell pirata solcava els mars amb la bandera negra al vent.*

Es conjuga com *cantar*. S'escriu *c* davant de *a, o, u* i *qu* davant de *e, i: solco, solques.*

soldada soldades *nom f* Sou, salari, paga.

soldador soldadora soldadors soldadores **1** *nom m i f* Persona que té per ofici soldar. **2** *nom m* Eina que serveix per a soldar metalls.

soldar *v* Unir dues peces de metall, de plàstic, etc. fonent-les per la part on s'ajunten: *El tub de metall es va trencar pel mig i el van haver de soldar.*
Es conjuga com *cantar*.

soldat soldats *nom m* Persona que forma part d'un exèrcit i que en temps de guerra ha de lluitar.

soledat soledats *nom f* Solitud.

solell solella solells solelles **1** *adj* Assolellat. **2** *nom m* Part d'una muntanya en què toca més el sol.

solemne solemnes *adj* **1** Seriós, majestuós, molt important: *Els regidors de l'ajuntament van ser nomenats en un acte molt solemne.* **2** Molt gran, extraordinari: *Ha donat una solemne bufetada a en Francesc.*

solemnitat solemnitats *nom f* **1** Qualitat de solemne: *Durant l'acte d'inauguració del curs el director de l'escola va parlar amb molta solemnitat.* **2** Acte, festa important: *Aquest vestit el guardo per a les solemnitats.*

soler *v* Acostumar, fer sovint una cosa: *El meu avi a les tardes sol anar a passejar.* ▪ *Les tempestes d'estiu solen anar acompanyades de llamps i trons.*
Es conjuga com *valer*. Les formes del futur no són usades normalment.

solfa solfes *nom f* **1** Sistema d'escriure i de llegir les notes musicals: *Vaig a l'escola de música a aprendre solfa.* **2** Taca a la roba, llàntia: *No sé com t'ho fas que sempre dus la camisa plena de solfes!*

solfeig solfeigs o **solfejos** *nom m* Exercici musical que consisteix a cantar una partitura dient el nom de les notes i portant el compàs.

solfejar *v* Cantar una partitura dient el nom de les notes i portant el compàs.
Es conjuga com *cantar*. S'escriu *j* davant de *a, o, u* i *g* davant de *e, i: solfejo, solfeges.*

sòlid sòlida sòlids sòlides *adj* **1** Es diu d'una cosa que no és líquida ni gasosa: *El glaç és sòlid.* **2** Dur, fort, consistent: *Aquesta paret és molt sòlida, no hi ha perill que caigui.*

solidari solidària solidaris solidàries *adj* Que està d'acord amb algú altre, que ajuda els altres: *Tots els de la classe vam ser solidaris amb en Quim i el vam ajudar a pagar el vidre que havia trencat.*

solidaritat solidaritats *nom f* Acció de ser solidari amb els altres, de compartir alguna cosa: *Entre tots els jugadors del meu equip hi ha molta solidaritat i sempre ens ajudem.*

solidaritzar-se *v* Ajudar una persona que ho necessita, contribuir a una cosa que demana la nostra col·laboració.
Es conjuga com *cantar*.

solidificació solidificacions *nom f* Pas d'una substància de l'estat líquid al sòlid: *L'aigua es converteix en gel per solidificació.*

solidificar-se *v* Tornar-se sòlid, passar a l'estat sòlid: *L'aigua es va solidificar en gel perquè la temperatura va baixar per sota dels zero graus.* Es conjuga com *cantar*. S'escriu c davant de *a, o, u* i qu davant de *e, i*: *se solidifica, se solidifiquen.*

solista solistes *adj* i *nom m* i *f* Es diu de la persona que fa un solo, que canta o toca tota sola un fragment, generalment més difícil que la resta, d'una peça musical.

solitari solitària solitaris solitàries **1** *adj* i *nom m* i *f* Que viu sol o que està sol: *La Carmina porta una vida solitària.* **2** *adj* Desert, sense habitants: *Vam arribar a una vall molt solitària.* **3 cuc solitari** o **solitari** Cuc llarg i pla que viu a l'intestí de les persones, produït per una infecció que es pot agafar menjant carn de porc en mal estat i poc cuita, tènia. **4** *nom m* Joc de cartes que juga una sola persona.

solitud solituds *nom f* Situació de la persona que viu sola o està sola.

sol·lícit sol·lícita sol·lícits sol·lícites *adj* Es diu de la persona que demostra moltes ganes de servir, de complaure: *Ens va atendre un cambrer molt sol·lícit.*

sol·licitar *v* Demanar amb educació alguna cosa a algú: *Vaig escriure una carta al president del club per sol·licitar-li una entrevista.* Es conjuga com *cantar*.

sol·licitud sol·licituds *nom f* Instància, escrit en què es demana una cosa a un superior, a un organisme, etc.

solo solos *nom m* Fragment d'una peça musical, generalment més difícil que la resta, que és interpretada per un sol instrument o per una sola veu.

sols *adv* Solament, només.

solsoní solsonina solsonins solsonines **1** *nom m* i *f* Habitant de Solsona o de la comarca del Solsonès; persona natural o procedent de Solsona o de la comarca del Solsonès. **2** *adj* Es diu de les persones o de les coses naturals o procedents de Solsona o de la comarca del Solsonès.

solstici solsticis *nom m* Cadascun dels dos moments de l'any en què el Sol il·lumina més temps (solstici d'estiu) o menys temps (solstici d'hivern) la Terra: *El solstici d'estiu és per allà el 21 de juny i el solstici d'hivern per allà el 21 de desembre.*

solt solta solts soltes *adj* **1** Deixat anar, lliure: *El gos corria solt pel jardí.* **2** Deslligat d'un conjunt, separat d'un grup: *He trobat un botó de camisa solt a terra.*

solta Paraula que apareix en l'expressió **sense solta ni volta**, que vol dir "sense cap raó, sense cap sentit": *La mare es queixava que el seu fill sempre feia les coses sense solta ni volta.*

soltar *v* Deixar lliure una cosa o una persona que estava lligada o retinguda: *El capità del vaixell va ordenar que soltessin les amarres.* Es conjuga com *cantar*.

solter soltera solters solteres *adj* i *nom m* i *f* Es diu de la persona que no és casada.

soluble solubles *adj* **1** Que es pot dissoldre: *La sal és una substància soluble.* **2** Que es pot resoldre: *Per sort, aquest és un problema soluble.*

solució solucions *nom f* **1** Allò que resol un problema, una dificultat: *El pantà va ser la solució al problema de la falta d'aigua.* **2** Resultat d'una operació, d'un problema de matemàtiques. **3** Barreja, mescla de substàncies en un líquid.

solucionar *v* Resoldre un problema, donar-hi una solució: *Els problemes es van solucionar i tothom estava content.* Es conjuga com *cantar*.

solvent solvents *adj* Es diu de la persona, de l'empresa, etc. que té els mitjans i els recursos necessaris per a poder complir les seves promeses i obligacions: *Com que és solvent, segur que ens pagarà la factura.*

S

somera someres *nom f* Burra, femella del burro, de l'ase.

sometent sometents *nom m* **1** Conjunt de gent armada que no pertany a cap exèrcit i que es reuneix en un moment determinat per perseguir un criminal o per defensar-se de l'enemic. **2** tocar a sometent Tocar les campanes per cridar el poble a defensar-se d'un perill o perseguir un malfactor.

somiador somiadora somiadors somiadores *adj* i *nom m* i *f* Es diu de la persona que acostuma a imaginar-se coses que no poden ser o que és difícil que passin.

somiar *v* **1** Tenir somnis, imaginar-se coses mentre es dorm. **2** Imaginar-se coses impossibles o difícils de fer en la realitat: *En Jacint somia que un dia arribarà a ser un jugador de futbol famós.* **3** *Aquell nen sempre* somia truites: imaginar-se coses que no poden ser.
Es conjuga com *canviar.*

somiatruites uns/unes somiatruites *nom m* i *f* Persona que s'il·lusiona pensant en coses que no poden ser o que és difícil que passin.

somicar *v* Plorar fluixet: *El nen petit es trobava malament i anava somicant.*
Es conjuga com *cantar.* S'escriu *c* davant de *a, o, u* i *qu* davant de *e, i*: somico, somiques.

somier somiers *nom m* Peça plana i prima, de ferro, de fusta, etc., que es col·loca a sota del matalàs i hi serveix de suport.

somier

sòmines uns/unes sòmines *nom m* i *f* Persona poc intel·ligent, poc espavilada.

somiquejar *v* Ploriquejar, plorar fluix.
Es conjuga com *cantar.* S'escriu *j* davant de *a, o, u* i *g* davant de *e, i*: somiquejo, somiqueges.

somnàmbul somnàmbula somnàmbuls somnàmbules *adj* i *nom m* i *f* Es diu de la persona que, mentre dorm, s'aixeca, camina i fa coses com si estigués desperta.

somni somnis *nom m* **1** Conjunt de coses que ens imaginem mentre dormim. **2** Cosa que desitgem molt de fer, però que és molt difícil de realitzar, il·lusió: *El meu somni és arribar a ser campió d'atletisme.*

somniador somniadora somniadors somniadores *adj* i *nom m* i *f* Mira **somiador**.

somniar *v* Somiar, tenir somnis.
Es conjuga com *canviar.*

somnífer somnífers *nom m* Medicament que serveix per a provocar la son.

somnolència somnolències *nom f* Estat de la persona que té molta son, que està mig adormida.

somnolent somnolenta somnolents somnolentes *adj* Que té molta son.

somort somorta somorts somortes *adj* Que té poca força, que és poc viu, que gairebé no es nota: *Un soroll somort.* ■ *Una llum somorta.*

somoure *v* **1** Moure lleugerament una cosa molt pesada o una cosa que està molt ben aguantada. **2** Empènyer algú a fer una cosa, fer-lo reaccionar.
Es conjuga com *beure.*

somrient somrients *adj* Que somriu, que està content i alegre.

somrís somrisos *nom m* Somriure[2].

somriure[1] *v* Riure lleugerament, sense fer soroll, amb un simple moviment de llavis: *La veïna m'ha somrigut amablement.*
Es conjuga com *riure.*

somriure[2] somriures *nom m* Acció de riure lleugerament, sense fer soroll, amb un simple moviment de llavis.

son[1] sa sos ses *adj* El seu, la seva, els seus, les seves: *En Bernat vol anar al cine i sa mare no l'hi deixa anar.*

son[2] sons **1** *nom f* Ganes de dormir: *Després de sopar sempre tinc molta son.* **2** *nom m* Estat de descans en què es troba una persona quan dorm: *La Lluïsa té el son molt profund; no es desperta mai per res.* **3** *Després de dinar, vam* trencar el son: dormir una estoneta.

sonall sonalls *nom m* Joguina per a nens molt petits que consisteix en un recipient tancat ple de boletes o de granets que fan soroll quan se sacseja.

sonar *v* **1** Produir sons o sorolls: *Aquest timbre sona molt fort.* ■ *Posa el despertador que soni* demà a les vuit del matí. **2** El nom d'aquest cantant **em sona:** ja n'havia sentit a parlar abans.

Es conjuga com cantar.

sonat sonada sonats sonades **1** adj Es diu d'una cosa famosa, de la qual es parla molt: L'últim partit de l'any passat va ser molt sonat. **2** adj i nom m i f Es diu de la persona una mica boja, tocada de l'ala.

sonda sondes nom f **1** Instrument que consisteix en un plom lligat a un cordill i que es fa servir per a comprovar la profunditat d'un riu, d'un pou, etc. **2** Tija més o menys llarga que serveix per a explorar, injectar, eixamplar, etc. els conductes del cos: El malalt encara no pot menjar per la boca i ha d'ingerir els aliments a través d'una sonda.

sondeig sondeigs o sondejos nom m Mètode que consisteix a extreure l'opinió general sobre un tema només a partir de les respostes d'unes quantes persones triades amb uns criteris determinats: Faran un sondeig per saber si la gent està d'acord a canviar el nom del carrer.

sondejar v Intentar de descobrir el que pensa o desitja una persona o un grup de persones: Farem una enquesta per sondejar l'opinió de la classe en relació a aquest tema.

Es conjuga com cantar. S'escriu j davant de a, o, u i g davant de e, i: sondejo, sondeges.

sonor sonora sonors sonores adj **1** Que sona: Aquell noi té una veu molt sonora, molt forta. ■ Abans el cine era mut, però ara és sonor. **2** Es diu dels sons que quan es pronuncien hi ha una vibració de les cordes vocals: La "s" de la paraula "casa" és sonora.

sonso sonsa sonsos sonses adj i nom m i f Es diu de la persona que no té gràcia, que no és viva ni eixerida, que no és gaire espavilada.

sonsònia sonsònies nom f So monòton i que es va repetint molts cops.

sopa sopes nom f **1** Menjar fet amb trossets de pa o amb arròs, fideus o altres pastes bullits amb aigua. **2** Com que no duia paraigua i plovia molt, va **mullar-se com una sopa:** mullar-se molt.

sopaller sopallera sopallers sopalleres adj Que li agrada de menjar sopes, soper.

sopar¹ v Menjar el sopar, l'àpat que es fa cap al vespre: A casa meva solem sopar a les nou del vespre.

Es conjuga com cantar.

sopar² sopars nom m Menjar que es fa cap al vespre: Aquest vespre els professors faran un sopar per celebrar el sant del director.

soper sopera sopers soperes adj **1** Es diu del plat fondo que serveix per a menjar sopa: Posa un plat soper i dos plats plans a taula. **2** Que li agrada de menjar sopes, sopaller: Aquest noi és molt soper i fins i tot a l'estiu no s'està de menjar sopes. **3** sopera nom f Recipient que serveix per a posar-hi sopa i servir-la a taula.

sopor sopors nom m o f Son profunda, ensopiment: Va menjar i beure molt i després de dinar li va venir un gran sopor.

soporífer soporífera soporífers soporíferes adj Que fa venir son, ensopit, avorrit.

soprano sopranos **1** nom m i f Cantant que té la veu més aguda de les veus humanes, pròpia especialment de les dones i dels nois: Al concert d'ahir va cantar una soprano boníssima. **2** adj Es diu de l'instrument que té un to agut.

sorbet sorbets nom m Gelat poc sòlid que es prepara amb sucs de fruita.

sord sorda sords sordes **1** adj i nom m i f Es diu de la persona que no hi sent, que pateix sordesa. **2** adj Que té un so apagat, fluix: Aquella màquina feia un soroll sord. **3** adj Es diu dels sons que quan es pronuncien no hi ha vibració de les cordes vocals: La "s" de la paraula "cansat" és sorda.

sordejar v Ser una mica sord.

Es conjuga com cantar. S'escriu j davant de a, o, u i g davant de e, i: sordejo, sordeges.

sordesa sordeses nom f Qualitat de sord, falta més o menys greu del sentit de l'oïda.

sòrdid sòrdida sòrdids sòrdides adj Es diu d'un lloc molt brut, fastigós.

sordina sordines nom f Estri que es col·loca en un instrument musical i que serveix per a disminuir o canviar-ne el so.

sordmut sordmuda sordmuts sordmudes adj i nom m i f Persona que és sorda de naixement i que per això no ha après de parlar.

sorgir v Sortir, aparèixer: L'aigua sorgia de terra sense parar, com un sortidor.

Es conjuga com servir.

sorna sornes *nom f* Ironia, sarcasme, manera de dir les coses que sembla de broma, però que en el fons ataca, fa mal, es burla de la gent.

sorneguer sorneguera sorneguers sornegueres *adj* Es diu de la persona que es burla d'algú, però dissimulant-ho: *Aquell nen em va fer caure a terra expressament i després em va dir, tot sorneguer: "Que t'has fet mal?"*

soroll sorolls *nom m* **1** So desagradable, poc harmoniós, no produït ni per la veu d'una persona o d'un animal ni per un instrument musical: *Els avions fan molt soroll quan s'enge-guen.* **2** Crits, discussions: *A l'última reunió hi va haver molt de soroll.*

sorollós sorollosa sorollosos sorolloses *adj* Que fa soroll: *Hi ha motos que són molt sorolloses.*

sorprendre *v* **1** Produir admiració una cosa inesperada o extraordinària: *Em van sorprendre les seves ganes de treballar perquè em pensava que era un gandul.* **2** Descobrir, atrapar algú mentre fa alguna cosa: *El vaig sorprendre quan remenava els calaixos del meu despatx.*
Es conjuga com *aprendre*.

sorprenent sorprenents *adj* Que sorprèn perquè és inesperat o extraordinari: *Va ser sorprenent que els alumnes de tercer guanyessin els de cinquè.*

sorpresa sorpreses *nom f* Cosa inespera-da, que sorprèn, que sobta perquè no ens l'esperàvem: *La visita de la tieta va ser una sorpresa.* ▣ *A dins el pastís hi havia una sorpresa:* petit regal amagat dins una capseta, un pastís, etc.; regal inesperat.

sorra sorres *nom f* Conjunt de granets de pedra molt petits, arena: *La sorra de la platja era tan calenta, que no s'hi podia caminar descalç.*

sorral sorrals *nom m* Lloc de sorra, areny.

sorrenc sorrenca sorrencs sorrenques *adj* Que té sorra: *En aquest terreny tan proper a la platja no hi creix gaire herba perquè és molt sorrenc.*

sorrera sorreres *nom f* **1** Lloc on hi ha sor-ra, d'on s'extreu sorra. **2** Espai ple de sorra per a jugar-hi els infants: *Al pati de l'escola hi ha una sorrera.*

sorrut sorruda sorruts sorrudes *adj* Que és poc simpàtic, que té mal caràcter: *Aquella noia és molt sorruda i de poques paraules.*

sort sorts *nom f* **1** Conjunt de fets que po-den passar a una persona: *En Jaume té mala sort, sempre perd.* ▣ *La Mònica té bona sort, sempre guanya.* **2** *Vam tenir sort:* tenir bona sort. **3** Atzar: *Per decidir qui de nosaltres anirà a la reunió ho farem a la sort.*

sorteig sorteigs o sortejos *nom m* Acte en el qual es decideix a través de la sort quina persona guanyarà un premi: *Vaig guanyar un àlbum de cromos perquè en el sorteig que va fer la mestra vaig endevinar el número que ella s'havia pensat.*

sortejar *v* Rifar, decidir a través de la sort qui guanyarà un premi, a qui li tocarà de fer una cosa, etc.
Es conjuga com *cantar*. S'escriu *j* davant de *a, o, u* i *g* davant de *e, i*: sortejo, sorteges.

sortida sortides *nom f* **1** Acció de sortir: *L'hora de sortida de l'escola és a les cinc.* **2** Lloc per on se surt d'un espai tancat: *Les mares es-peren els nens a la sortida del col·legi.* **3** Acudit, cosa divertida que diu una persona quan ningú no s'ho espera: *El germà de la Manela té unes sortides molt divertides*

sortidor sortidors *nom m* Lloc d'un jardí on es fa sortir l'aigua de terra disparada cap amunt, brollador.

sortint sortints *nom m* Part d'una cosa que surt cap enfora: *Es va clavar un cop de cap amb un sortint d'una roca.*

sortir *v* **1** Passar una persona o una cosa de dins a fora d'un lloc: *Hem sortit de l'escola a les cinc de la tarda.* **2** Aparèixer, manifestar-se una cosa que estava amagada: *A la Meritxell li ha sortit un gra a la cara.* **3** Produir-se, donar-se una cosa com a conseqüència d'una altra: *La representació ens ha sortit molt bé.* **4** Els nens van *sortir-se amb la seva*: van aconseguir allò que volien. **5** *sortir-se'n* Superar les dificul-tats, els entrebancs d'una cosa: *Aquest proble-ma és molt difícil: no sé pas si me'n sortiré.*
Es conjuga com *collir*.

sortós sortosa sortosos sortoses *adj* Que té bona sort, afortunat.

sortosament *adv* Per sort, afortunadament: *Vam arribar cinc minuts tard a l'estació i sortosa-ment el tren també portava un xic de retard.*

sos *adj* Mira son[1].

soscavar *v* Excavar per sota una cosa.
Es conjuga com *cantar*.

sospesar v **1** Aixecar una cosa amb una mà i calcular més o menys el pes que fa: *Aquest paquet pesa més del que sembla: té, sospesa'l.* **2** Pensar molt una cosa, observar-la amb atenció per calcular-ne la importància, les conseqüències que pot tenir, etc.: *Abans d'anar a parlar amb el director, hem de sospesar molt bé el que li direm.*
Es conjuga com *cantar*.

sospir sospirs *nom m* Acció d'agafar aire pel nas o per la boca i treure'l fent soroll o fent una exclamació: *Quan va saber que havia aprovat, va fer un sospir i va quedar tranquil.*

sospirar v **1** Fer un sospir, respirar fort fent una exclamació. **2** Tenir desig d'alguna cosa: *En Ramon sospira per entrar a l'equip de bàsquet del poble.*
Es conjuga com *cantar*.

sospita sospites *nom f* Impressió, por, creença que una persona és culpable d'una cosa, que una cosa és la causa d'algun mal, etc.

sospitar v **1** Tenir la impressió que algú és culpable d'una cosa, que una cosa és la causa d'algun mal: *Tots sospitàvem que era ella qui havia agafat els diners.* **2** Tenir la impressió que passarà alguna cosa: *Ja sospitava que aquesta pluja duria inundacions.*
Es conjuga com *cantar*.

sospitós sospitosa sospitosos sospitoses *adj* Que fa sospitar: *La policia va detenir alguns individus sospitosos d'haver comès el robatori.*

sostenidors *nom m pl* Peça de vestir de dona que cobreix i aguanta els pits.

sostenir v Aguantar, resistir, mantenir ferma una cosa: *El tronc sosté les branques de l'arbre.* ■ *Ell ha sostingut aquesta idea tota la vida.*
Es conjuga com *mantenir*.

sostraure v Mira **sostreure**.
Es conjuga com *treure*.

sostre sostres *nom m* **1** Part superior d'una habitació, d'una cova, etc. oposada al terra: *Va alçar el cap per veure el llum que hi havia penjat al sostre.* **2** Capa, conjunt de coses posades en un mateix pla: *Aquesta capsa de galetes té tres sostres.*

sostreure v **1** Robar. **2** Restar.
Es conjuga com *treure*.

sot sots *nom m* Forat petit o excavació al terra, clot: *Aquest camí és ple de sots i quan plou s'omplen d'aigua.*

sota *prep* Indica la posició d'una cosa en relació amb una altra que és a sobre: *El gat es va amagar sota el llit.* ■ *Han treballat sota la direcció d'un professor.*

sotabarba sotabarbes *nom m* Bossa de carn que de vegades es forma entre la barba i el coll.

sotabosc sotaboscs o sotaboscos *nom m* Conjunt de plantes, d'herbes i d'arbustos que hi ha sota els arbres d'un bosc.

sotamà Paraula que apareix en l'expressió de **sotamà**, que vol dir "d'amagat, sense que els altres ho vegin": *Com que no tenia caramels per a tots, va dir que no en tenia i, de sotamà, em va donar l'últim que li quedava.*

sotana sotanes *nom f* Vestit llarg fins als peus, cordat de dalt a baix i de color negre que abans portaven els capellans.

sotana

sotasignat sotasignada sotasignats sotasignades *nom m i f* Persona que signa al capdavall d'un escrit.

sotateulada sotateulades *nom m* Pis situat immediatament sota de la teulada, golfes.

soterrani soterranis *nom m* Local situat per sota del nivell del carrer: *Al soterrani de l'edifici hi ha el garatge.*

soterrar v Colgar sota terra, enterrar.
Es conjuga com *cantar*.

sotjar v Mirar, observar amb atenció algú o alguna cosa esperant a veure què passa.
Es conjuga com *cantar*. S'escriu *j* davant de *a, o, u* i *g* davant de *e, i: sotjo, sotges.*

sotmetre v **1** Obligar algú a estar sota les ordres d'un altre: *Els soldats van sotmetre tota la població.* **2** Presentar una cosa a algú perquè en doni l'opinió: *La secretària va sotmetre el projecte a l'aprovació del director.* **3 sotmetre's** Posar-se a les ordres d'algú o d'alguna cosa: *El malalt es va sotmetre al tractament que li havia receptat el metge.*
Es conjuga com *perdre*. Participi: *sotmès, sotmesa.*

S

sotrac sotracs nom m **1** Moviment brusc d'un vehicle quan troba un sot o una desigualtat del terreny: *Feia molts anys que no havien arreglat la carretera i anant amb el cotxe notàvem els sotracs.* **2** Impressió forta a causa d'una desgràcia, d'una pena, etc.: *La mort del pare va ser un gran sotrac per a ell.*

sotragada sotragades nom f Sotrac.

sots- Prefix, element que s'afegeix al davant d'una paraula i que serveix per a formar noms que signifiquen "càrrec immediatament inferior": *El sotsdirector és la persona que està per sota del director.*

sotsobrar v Tombar-se una embarcació de costat donant mitja volta.
Es conjuga com *cantar*.

sou sous nom m **1** Quantitat de diners que es paguen a algú a canvi d'una feina, d'un treball, salari: *Aquesta setmana ens han apujat el sou.* **2** Moneda antiga.

soviètic soviètica soviètics soviètiques adj Que està relacionat amb l'antiga Unió Soviètica.

sovint adv Moltes vegades: *La tieta ve sovint a veure'ns.*

sovintejar v Passar sovint una cosa: *Actualment sovintegen molt els accidents de trànsit.*
Es conjuga com *cantar*. S'escriu j davant de *a, o, u* i g davant de *e, i: sovintejo, sovinteges.*

stop stops nom m Senyal de circulació que indica als vehicles que cal aturar-se.

stop

suar v **1** Treure la suor pels porus de la pell: *Pujant la muntanya ens vam fer un tip de suar.* **2** Fer un gran esforç per aconseguir una cosa: *Per poder aprovar aquesta assignatura, haurem de suar molt.*
Es conjuga com *canviar*.

suara adv Ara mateix, ara fa poc: *Suara ha vingut el carter.*

suau suaus adj Fi, agradable, que no és dur ni aspre: *La seda és un teixit suau.* ■ *Una llum suau.* ■ *Una veu suau.*

suaument adv D'una manera suau: *El noi va acariciar suaument els cabells de la noia.*

suavitat suavitats nom f Qualitat de suau.

suavitzant suavitzants **1** adj Que suavitza. **2** nom m Producte que serveix per a suavitzar els cabells, la roba, etc.

suavitzar v Fer tornar més suau una cosa: *Aquesta crema suavitza la pell, la fa menys aspra.*
Es conjuga com *cantar*.

sub- Prefix, element que s'afegeix al davant d'una paraula i que vol dir "a sota", "inferior a" o bé "poc": *"Subterrani"* vol dir *"situat sota terra", "subdelegat"* vol dir *"inferior al delegat", i "subdesenvolupat"* vol dir *"poc desenvolupat".*

subaltern subalterna subalterns subalternes adj Que és inferior a algú en un càrrec.

subclavi subclàvia subclavis subclàvies adj Que està situat sota la clavícula: *Artèries o venes subclàvies.* 17

subconjunt subconjunts nom m Conjunt contingut en un altre conjunt.

subdesenvolupament subdesenvolupaments nom m Estat de poc desenvolupament econòmic d'un país o d'una regió respecte als països industrialitzats.

subdesenvolupat subdesenvolupada subdesenvolupats subdesenvolupades adj Que està en una situació de subdesenvolupament: *Els països subdesenvolupats tenen molts problemes de pobresa.*

súbdit súbdita súbdits súbdites adj i nom m i f Persona sotmesa a una altra i que té l'obligació d'obeir-la: *El rei va manar als seus súbdits que lluitessin contra l'enemic.*

subdividir v Tornar a dividir una cosa que ja s'havia dividit.
Es conjuga com *servir*.

subdivisió subdivisions nom f Acció de subdividir, de tornar a dividir una cosa que ja s'havia dividit.

subhasta subhastes nom f Venda pública de joies, de quadres, etc. que consisteix a vendre una cosa a la persona que està disposada a pagar-ne més diners.

subjacent subjacents adj Situat sota, més avall.

subjectar v Tenir agafada una cosa: *Vam subjectar els mobles amb una corda i els vam anar baixant pel forat de l'escala.*
Es conjuga com *cantar*.

subjecte subjecta subjectes **1** adj Que està agafat, que està sota el poder d'algú o d'alguna cosa: *Els guàrdies tenien el lladre subjecte perquè no s'escapés.* **2** nom m Persona desconeguda, individu: *Vam veure un subjecte estrany que corria per la platja.* **3** nom m Part de l'oració de la qual es diu alguna cosa i que concorda amb el verb en gènere i nombre: *El subjecte de l'oració "en Joan va amb bicicleta" és "en Joan".*

subjectiu subjectiva subjectius subjectives adj Es diu d'una persona, d'una opinió, d'un escrit, etc. que no té en compte la realitat tal com és, sinó que es guia pels gustos o pels interessos personals, que no és objectiu: *Quan parlen dels seus fills, molts pares són massa subjectius i no saben veure els defectes que tenen.*

subjugar v Sotmetre al poder, a la força d'algú: *Antigament els esclaus estaven subjugats al seu amo.*
Es conjuga com *cantar*. S'escriu g davant de *a, o, u* i *gu* davant de *e, i: subjugo, subjugues.*

subjuntiu subjuntius nom m Conjunt de formes del verb que serveixen per a formar oracions que expressen dubte, desig, i que solen portar al davant la paraula "que": *En l'oració "vull que vinguis", "vinguis" està en subjuntiu.*

sublim sublims adj Es diu d'una cosa que causa admiració perquè és molt bonica, molt gran, extraordinària.

submarí submarina submarins submarines **1** adj Es diu de tot allò que hi ha sota la superfície del mar: *Una planta submarina.* **2** nom m Vaixell de guerra que pot navegar i combatre sota l'aigua.

submarí

submarinisme submarinismes nom m Conjunt de tècniques que consisteixen a submergir-se en el mar, en un llac, etc. amb la finalitat d'explorar-lo, de pescar, etc.

submarinista submarinistes nom m i f Persona que practica el submarinisme.

submergible submergibles adj Es diu d'una cosa que es pot ficar dins l'aigua, que es pot submergir: *Aquest rellotge és submergible i, per tant, a dins l'aigua no es fa malbé.*

submergir v Posar sota l'aigua o un altre líquid, cobrir completament una cosa l'aigua o un altre líquid: *En Sebastià es va submergir en l'aigua del mar.*
Es conjuga com *servir*.

subministrar v Donar a algú allò que necessita: *Aquella fruiteria subministra a l'escola la fruita de tota la setmana.*
Es conjuga com *cantar*.

submís submisa submisos submises adj Que és obedient, dòcil, que es deixa dominar fàcilment, que no és rebel.

submissió submissions nom f Acció de sotmetre, obediència.

subnormal subnormals adj i nom m i f Es diu de la persona que té una capacitat intel·lectual inferior a la que es considera normal.

subordinar v Fer que una cosa depengui d'una altra: *En el seu discurs, l'alcalde va dir que s'havien de subordinar els interessos particulars de cadascú als interessos comuns de la ciutat.*
Es conjuga com *cantar*.

subordinat subordinada subordinats subordinades **1** adj Que depèn d'algú o d'alguna cosa: *Una frase subordinada és una frase que depèn d'una altra frase.* **2** nom m i f Persona que està sota les ordres d'algú.

subornar v Fer fer a una persona una cosa que va en contra del seu deure a canvi de diners o d'alguna altra cosa: *Van subornar el porter que hi havia a l'entrada i els va deixar entrar.*
Es conjuga com *cantar*.

subratllar v **1** Fer una ratlla sota un text escrit: *Vam haver de subratllar les paraules que no enteníem de la lectura.* **2** Recalcar, fer parar atenció a una cosa dient-la més a poc a poc, amb més força: *Durant el seu discurs, el director va subratllar la importància de saber treballar en equip.*
Es conjuga com *cantar*.

S

subscripció subscripcions *nom f* Compromís de pagar una quantitat de diners cada mes, cada any, etc. a canvi de rebre un diari, una revista, etc. cada vegada que surt.

subscriure's *v* Pagar una quantitat de diners cada mes, cada any, etc. a canvi de rebre un diari, una revista, etc. cada vegada que surt: *El meu pare s'ha subscrit a una revista d'art.* Es conjuga com *escriure*.

subsidi subsidis *nom m* Quantitat de diners que l'Estat o un organisme dóna a una persona per tal d'ajudar-la a viure: *Les persones que es queden sense feina reben un subsidi d'atur.*

subsistència subsistències **1** *nom f* Fet de subsistir, de continuar vivint: *Les formigues recullen menjar per assegurar-se la subsistència durant l'hivern.* **2** subsistències *nom f pl* Conjunt d'aliments i de coses necessàries per a viure: *Al final del viatge es van acabar les subsistències.*

subsistir *v* Continuar existint, continuar vivint: *Els nàufrags del vaixell van poder subsistir gràcies a les llaunes de conserva que van poder salvar del naufragi.* Es conjuga com *servir*.

subsòl subsòls *nom m* Terreny situat sota la superfície de la terra, sota del sòl: *El subsòl d'aquell país és molt ric en minerals.*

substància substàncies *nom f* **1** Matèria: *La llet és una substància blanca i líquida.* **2** Contingut, part essencial o més important d'una cosa: *Va fer un discurs de molta substància.*

substancial substancials *adj* Principal, essencial, fonamental.

substantiu substantius *nom m* Paraula que serveix per a referir-se a coses, fets, animals i persones: *Les paraules "pedra", "accident", "gos" i "nen" són substantius.*

substituir *v* Canviar, posar una persona o una cosa en el lloc d'una altra: *El mestre s'ha posat malalt i un altre mestre l'ha substituït.* ■ *L'exercici consisteix a substituir totes les paraules subratllades del text per un sinònim.* Es conjuga com *reduir*.

substitut substituta substituts substitutes *nom m i f* Persona que fa durant un temps la feina d'una altra, que la substitueix: *La nostra mestra ha tingut un nen i durant quatre mesos tindrem un substitut.*

subterrani subterrània subterranis subterrànies *adj* Que és situat sota terra: *El castell té un passadís subterrani.*

subtil subtils *adj* **1** Prim, fi, difícil de notar: *La diferència entre el gust d'aquests vins és molt subtil.* **2** Es diu de la persona que s'adona de coses difícils de notar.

subtítol subtítols *nom m* **1** Títol més petit que hi ha a sota del títol principal d'un llibre, d'una notícia de diari, etc. **2** Escrit que surt a la pantalla del cine o de la televisió i que tradueix allò que diuen els que parlen.

subtracció subtraccions *nom f* Resta.

subtrahend subtrahends *nom m* Quantitat que, en una resta, ha de ser restada d'una altra quantitat anomenada minuend: *En la resta 7 - 3, el 3 és el subtrahend i el 7 és el minuend.*

suburbi suburbis *nom m* Conjunt gran de barris situat als afores de la ciutat, on viu molta gent: *En aquell suburbi tenien molts problemes: hi havia carrers sense asfaltar, faltaven escoles, etc.*

subvenció subvencions *nom f* Quantitat de diners que un estat, un ajuntament, un banc, etc. dóna per ajudar una empresa, una associació, una activitat, etc.: *L'expedició a l'Everest ha tingut una subvenció de l'ajuntament.*

suc sucs *nom m* **1** Líquid que hi ha en el teixit de la carn, de la fruita, etc.: *Avui per postres hem begut un suc de taronja.* **2** Líquid que acompanya la carn o el peix en alguns plats de cuina: *A mi, l'arròs m'agrada amb força suc.* **3** Substància, utilitat, profit que es treu d'una cosa. **4** *És un programa* **sense suc ni bruc**: sense gràcia, sense cap interès.

suca-mulla Paraula que apareix en l'expressió **fer suca-mulla**, que vol dir "sucar pa, galetes, etc. en un líquid, generalment llet o vi".

sucar *v* Ficar una cosa dins d'un suc o d'un líquid perquè en quedi ben mullada: *A en Marçal, li agrada de sucar galetes a la llet.* Es conjuga com *cantar*. S'escriu c davant de *a, o, u* i qu davant de *e, i: suco, suques.*

sucar

succedani succedània succedanis succedànies *adj i nom m* Es diu d'una cosa o d'una substància que té unes propietats molt semblants a una altra i que per això es pot fer servir en lloc seu: *La sacarina és un succedani del sucre.*

succeir *v* **1** Ocupar el lloc d'una persona que deixa un càrrec, una feina etc.: *El rei es va morir i el seu fill el va succeir.* **2** Passar: *Des de la setmana passada han succeït moltes coses.* **3** Venir una cosa després de l'altra: *Durant l'any una estació succeeix l'altra.*
Es conjuga com *reduir*.

succés successos *nom m* Esdeveniment, fet.

successió successions *nom f* **1** Acció de succeir, d'ocupar el lloc que abans ocupava una altra persona. **2** Conjunt de coses ordenades l'una darrere l'altra. **3** Fet de seguir-se les coses les unes a les altres.

successiu successiva successius successives *adj* Es diu de les coses ordenades l'una darrere l'altra: *El dia i la nit són dues coses successives.*

successivament *adv* D'una manera successiva, l'un darrere l'altre: *Després del matí ve la tarda, i després el vespre, i després la nit i després una altra vegada el matí, i així successivament.*

successor successora successors successores *adj i nom m i f* Es diu de la persona que ocupa el lloc d'una altra persona que deixa un càrrec, una feina, etc.: *Quan es mori l'amo, el fill serà el seu successor al capdavant de la fàbrica.*

succint succinta succints succintes *adj* Breu, resumit.

succió succions *nom f* Acció de xuclar.

sucós sucosa sucosos sucoses *adj* Que té suc: *La taronja és una fruita molt sucosa.*

sucre sucres *nom m* Substància dolça i blanca, en forma de granets, que es treu del suc d'algunes plantes i que es fa servir per a donar gust als aliments: *Aquest flam és molt dolç, hi ha massa sucre.*

sucrer sucrera sucrers sucreres *adj* Que té relació amb el sucre: *Cuba és un país amb molta indústria sucrera.*

sucrera sucreres *nom f* Recipient que serveix per a guardar-hi el sucre i per a servir-lo.

suculent suculenta suculents suculentes *adj* Es diu d'un plat, d'un menjar, d'un àpat molt nutritiu, molt abundant.

sucumbir *v* Cedir a una cosa que no es pot resistir: *Estava molt tip, però davant d'aquell pastís tan bo vaig sucumbir i en vaig menjar un bon tros.*
Es conjuga com *servir*.

sucursal sucursals *nom f* Oficina, establiment, etc. que depèn d'un altre: *Aquesta empresa té una sucursal a cada capital de comarca.*

sud suds *nom m* Punt cardinal, costat de l'horitzó que queda a la dreta quan es mira a l'est: *Andalusia és al sud de la península Ibèrica.*

sud-africà sud-africana sud-africans sud-africanes **1** *nom m i f* Habitant de la regió del sud d'Àfrica o de la República de Sud-àfrica; persona natural o procedent del sud d'Àfrica o de la República de Sud-àfrica. **2** *adj* Es diu de les persones o de les coses naturals o procedents del sud d'Àfrica o de la República de Sud-àfrica.

sud-americà sud-americana sud-americans sud-americanes **1** *nom m i f* Habitant de l'Amèrica del Sud; persona natural o procedent de l'Amèrica del Sud. **2** *adj* Es diu de les persones o de les coses naturals o procedents de l'Amèrica del Sud.

sud-est sud-ests *nom m* Punt de l'horitzó que hi ha entre el sud i l'est.

sud-oest sud-oests *nom m* Punt de l'horitzó que hi ha entre el sud i l'oest.

suec sueca suecs sueques **1** *nom m i f* Habitant de Suècia; persona natural o procedent de Suècia. **2** *adj* Es diu de les persones o de les coses naturals o procedents de Suècia. **3** *nom m* Llengua que es parla a Suècia.

suèter suèters *nom m* Jersei gruixut de llana.

suficient suficients **1** *adj* Es diu d'una cosa quan n'hi ha prou: *Tres cullerades més de cafè seran suficients per a omplir la cafetera.* **2** *nom m* Nota que indica que s'ha passat una prova, un examen, etc., aprovat.

suficientment *adv* D'una manera suficient.

sufix sufixos *nom m* Element que s'afegeix al final d'una paraula per formar-ne una altra: *Si al mot "calaix" li afegim el sufix "era", formarem el mot derivat "calaixera", que significa "moble que té molts calaixos".*

S

sufocar v **1** Apagar un foc, un incendi: *Els bombers van aconseguir de sufocar l'incendi forestal.* **2** Impedir, dificultar la respiració a algú: *Feia una calor que sufocava.* **3 sufocar-se** Avergonyir-se algú, pujar-li els colors a la cara. Es conjuga com *cantar.* S'escriu c davant de *a, o, u* i *qu* davant de *e, i: sufoco, sufoques.*

sufragi sufragis *nom m* **1** Vot per mitjà del qual una persona es mostra partidària d'algú o d'alguna cosa. **2 sufragi universal** Sistema electoral en el qual poden votar totes les persones adultes.

suggeriment suggeriments *nom m* Idea, proposta que es fa per solucionar algun problema.

suggerir v **1** Venir al pensament una idea mentre veiem, sentim, fem, etc. una acció que hi té relació: *El mestre ens va ensenyar unes fotografies i després ens va dir que expliquéssim per escrit el que ens havien suggerit aquelles imatges.* **2** Ajudar algú a prendre una decisió, a fer un projecte, etc. donant-li idees, proposant-li coses: *No sabia quin vestit posar-se i la mare li va suggerir que es posés el vermell.* Es conjuga com *servir.*

suïcida suïcides **1** *nom m i f* Persona que es mata ella mateixa de forma voluntària. **2** *adj* Es diu d'una persona, d'una acció, etc. molt imprudent, molt perillosa i arriscada: *Hi ha alguns conductors suïcides, perquè posen en perill la pròpia vida i la dels altres.*

suïcidar-se v Matar-se un mateix de forma voluntària. Es conjuga com *cantar.*

suís suïssa suïssos suïsses **1** *nom m i f* Habitant de Suïssa; persona natural o procedent de Suïssa. **2** *adj* Es diu de les persones o de les coses naturals o procedents de Suïssa. **3** *nom m* Tassa de xocolata desfeta amb nata al damunt: *Vam anar a prendre un suís a la granja del costat de casa.*

suite suites *nom f* **1** Conjunt format per diverses habitacions i sales d'un hotel que es comuniquen entre elles i que es lloguen a un mateix client. **2** Composició musical formada per diverses peces.

sulfatar v Ruixar una planta amb un líquid per evitar que tingui qualsevol malura. Es conjuga com *cantar.*

sulfurar-se v Enfadar-se, irritar-se, posar-se furiós. Es conjuga com *cantar.*

sultà sultans *nom m* Sobirà d'un estat mahometà.

suma sumes *nom f* **1** Operació matemàtica que permet de trobar el total de diversos números, addició: *El resultat de la suma de 3 + 7 és 10.* **2** Quantitat de diners: *Van haver de pagar una forta suma de diners.*

sumand sumands *nom m* Cadascuna de les quantitats que s'han de sumar per obtenir una suma: *En la suma 3 + 4 = 7, el 3 i el 4 són els sumands.*

sumar v Fer la suma de dos o més números, quantitats, etc.: *Si sumem 8 i 10, el resultat és 18.* Es conjuga com *cantar.*

sumari sumària sumaris sumàries **1** *adj* Resumit, breu. **2** *nom m* Resum.

summament *adv* Molt, al màxim: *L'examen era summament difícil.*

súmmum súmmums *nom m* Grau més alt, grau màxim d'una cosa: *Escopir pel carrer és el súmmum de la mala educació.*

sumptuós sumptuosa sumptuosos sumptuoses *adj* D'un gran luxe, d'una gran riquesa: *El palau dels ducs és molt sumptuós.*

suor suors *nom f* **1** Líquid que surt a fora del cos i que fabriquen unes glàndules que hi ha a la pell: *Tinc tanta calor, que la suor em raja esquena avall.* **2** Esforç gran: *Després de moltes suors, vam aconseguir d'acabar el treball.*

supeditar v Sotmetre, fer dependre una cosa d'una altra: *El professor sempre ens diu que cal supeditar l'interès individual a l'interès de la majoria.* Es conjuga com *cantar.*

super- Prefix, element que s'afegeix al davant d'una paraula i que vol dir "sobre" o "més gran": *Un supermercat és una botiga molt gran.*

superar v **1** Ser superior a algú en alguna cosa: *La Maica sap moltes matemàtiques i supera tots els nens i nenes de la classe.* **2** Vèncer un obstacle, una dificultat, etc.: *En Marcel·lí ha superat bé la malaltia.* ■ *Aquella nena supera la seva timidesa cada dia més.* **3 superar-se** Fer alguna cosa més ben feta que altres vegades: *M'estic superant fent redaccions, cada vegada que en faig una escric més bé.* Es conjuga com *cantar.*

superb superba superbs superbes *adj* **1** Es diu de la persona que es creu superior i mira els altres amb indiferència; orgullós. **2** Magnífic, d'una bellesa extraordinària.

superdotat superdotada superdotats superdotades *adj* i *nom m* i *f* Es diu d'una criatura que té una intel·ligència superior a la de la majoria de nens i nenes de la seva edat.

superficial superficials *adj* Poc profund: *Aquesta ferida no és greu, és molt superficial.* Has fet un estudi d'aquest tema massa superficial, hauràs de treballar-lo una mica més.

superficialment *adv* Per damunt, per sobre, d'una manera poc profunda: *Aquest llibre tracta superficialment el tema dels accidents de trànsit.*

superfície superfícies *nom f* **1** Part exterior d'un cos: *La superfície de la Terra.* **2** Extensió de terreny: *Aquest jardí té una superfície de tres-cents metres quadrats.* **3** Part superior d'un líquid, la que està més en contacte amb l'aire: *Aquella platja era molt bruta, a la superfície del mar hi havia tota mena d'objectes.*

superflu supèrflua superflus supèrflues *adj* Que no és necessari, que és de més a més, inútil.

superior[1] superiora superiors superiores *nom m* i *f* Persona que mana, que governa una comunitat religiosa.

superior[2] superiors *adj* **1** Situat més amunt: *En Ventura es va fer un tall al llavi superior.* **2** membres superiors Braços. **3** Més important, més bo, etc.: *Aquest tennista és superior als altres.* **4** *nom m* i *f* Persona que mana, que dirigeix altres persones: *Els bombers van obeir les ordres dels seus superiors.*

superioritat superioritats *nom f* Qualitat de superior: *El nostre equip va guanyar a causa de la superioritat dels jugadors, que eren molt més bons que els de l'equip contrari.*

superlatiu superlativa superlatius superlatives **1** *adj* Es diu del grau més alt d'una qualitat: *Aquesta fruita és d'una qualitat superlativa.* **2** *adj* i *nom m* Es diu de les formes de l'adjectiu i de l'adverbi que serveixen per a expressar el grau més alt d'una qualitat: *En la frase "el teu germà és molt espavilat i simpatiquíssim", "molt espavilat" és el superlatiu de "espavilat", i "simpatiquíssim" l'és de "simpàtic".*

supermercat supermercats *nom m* Establiment comercial gran on es venen tota mena de productes d'alimentació, de neteja, etc.

superposar *v* Posar una cosa sobre una altra: *Vaig superposar els dibuixos a les fotos i em va sortir una composició molt original.* Es conjuga com *cantar*.

supersònic supersònica supersònics supersòniques *adj* Que va a una velocitat superior a la del so: *Un avió supersònic.*

superstició supersticions *nom f* Creença en coses misterioses o desconegudes, que acostumen a ser falses: *Algunes persones creuen que veure un gat negre porta mala sort, però això és una superstició.*

supersticiós supersticiosa supersticiosos supersticioses *adj* Es diu de la persona que té supersticions.

supervisar *v* Inspeccionar una cosa, revisar-la. Es conjuga com *cantar*.

supervivent supervivents *adj* i *nom m* i *f* Es diu de la persona que sobreviu, que queda viva després d'un accident, d'una guerra, etc. en què ha mort molta gent.

suplantar *v* Prendre a una persona el lloc que li correspon enganyant-la, fent-se passar per ella. Es conjuga com *cantar*.

suplement suplements *nom m* Allò que s'afegeix a una cosa per fer-la més completa: *Els diumenges els diaris solen portar un suplement amb moltes fotografies.*

suplementari suplementària suplementaris suplementàries *adj* **1** Es diu d'una cosa que s'afegeix a una altra. **2** angle suplementari Angle que, sumat amb un altre, forma una mitja circumferència.

suplent suplents *adj* i *nom m* i *f* Es diu de la persona que supleix algú en les seves funcions.

suplicar *v* Demanar una cosa amb insistència, amb humilitat: *L'acusat suplicava al tribunal que li perdonessin el càstig.* Es conjuga com *cantar*. S'escriu *c* davant de *a, o, u* i *qu* davant de *e, i*: suplico, supliques.

suplici suplicis *nom m* Sofriment molt gran: *Haver de pujar la muntanya amb aquell sol tan fort va ser un suplici.*

S

suplir v Posar algú o alguna cosa en el lloc d'una altra: *La Teresa va suplir el professor de gimnàstica durant una setmana.*
Es conjuga com *servir*. Participi: *suplert, suplerta* o *suplit, suplida.*

suport suports *nom m* **1** Peça que serveix per a aguantar una cosa: *Les quatre potes són el suport de la taula.* **2** Ajuda, defensa: *Si vols participar al concurs de la televisió, tindràs el suport de tots els companys de la classe.*

suportable suportables *adj* Que es pot suportar: *Ahir feia molta calor, però avui la temperatura no és tan alta i la calor és més suportable.*

suportar v Aguantar el pes d'una cosa; aguantar un dolor, una molèstia, etc.: *La Sílvia suporta molt bé les bromes que li fan els amics.*
Es conjuga com *cantar.*

suposar v **1** Creure que és veritat una cosa que s'imagina, però que encara no ha passat: *Suposo que la Carme vindrà a veure'm aquest vespre.* **2** Comportar, ésser conseqüència: *Aquest treball de plàstica ens ha suposat un gran esforç.*
Es conjuga com *cantar.*

suposició suposicions *nom f* Cosa que se suposa, però que no és segura: *Tothom diu que aquest hivern farà molt fred, però tot això només són suposicions i ja veurem què passarà.*

supòsit supòsits *nom m* Fet, idea, etc. que se suposa o es dóna per certa, per real: *Prepararem l'excursió en el supòsit que no plogui; si plou, ja modificarem els plans.*

supositori supositoris *nom m* Medicament en forma de barra rodona i petita que es fica per l'anus: *En Robert tenia mal de coll i el metge li va receptar uns supositoris.*

supositoris

suprem suprema suprems supremes *adj* Superior a tots els altres, que té el grau màxim: *Tots els nostres productes són d'una qualitat suprema.*

supremacia supremacies *nom f* Superioritat, poder sobre qualsevol altra persona o cosa.

supressió supressions *nom f* Acció de suprimir una cosa: *La supressió d'una festa tan important va indignar la població.*

suprimir v Fer desaparèixer, anul·lar alguna cosa: *Com que va ploure molt, es va suprimir el partit de futbol.*
Es conjuga com *servir.*

supurar v Sortir pus d'una ferida.
Es conjuga com *cantar.*

suquejar v Treure suc una cosa: *Té mal en una orella i de tant en tant li suqueja.*
Es conjuga com *cantar*. S'escriu *j* davant de *a, o, u* i *g* davant de *e, i: suqueja, suquegi.*

surar v Flotar, aguantar-se una cosa a la superfície d'un líquid: *Els plàstics suren a l'aigua.*
Es conjuga com *cantar.*

sureny surenys *nom m* Bolet comestible de carn molsuda i compacta i cama sovint molt gruixuda de color bru, cep. **4**

surer surera surers sureres *adj* **1** Que té relació amb el suro. **2 alzina surera** Alzina de la qual s'obté el suro.

surf surfs *nom m* **1** Esport nàutic que consisteix a córrer damunt de grans onades damunt d'una planxa especial. **2 surf de vela** Esport nàutic que consisteix a navegar amb una planxa que porta una vela.

suro suros *nom m* **1** Part exterior de l'escorça d'alguns arbres, com ara l'alzina surera, formada per un teixit lleuger i impermeable que protegeix el tronc i les arrels: *Del suro es fan taps, cartelleres, etc.* ▪ *A la nostra classe tenim una cartellera de suro, i hi clavem fulls i dibuixos amb xinxetes.* **2** Alzina surera.

suro

surra surres *nom f* Cop que es clava al cul amb la mà: *La mare va clavar una surra al seu fill perquè havia travessat el carrer sense mirar.*

susceptible susceptibles *adj* **1** Que és capaç d'una cosa: *Aquesta aula tan gran és susceptible de ser convertida en la biblioteca.* **2** Es diu de la persona que s'ofèn amb molta facilitat: *Aquell teu amic és molt susceptible, només li vaig dir que duia els cabells massa llargs i ja es va ofendre.*

suscitar *v* Provocar, causar: *Una pregunta del professor va suscitar una gran discussió.*
Es conjuga com *cantar*.

suspendre *v* **1** Tenir una cosa en l'aire de manera que pengi: *L'aranya està suspesa d'un fil a la teranyina.* **2** Aturar una cosa que ja s'havia començat: *Van suspendre les obres del pont perquè va nevar molt.* **3** No aprovar un examen, una assignatura: *Dels vint-i-cinc alumnes de la classe, vuit han suspès.*
Es conjuga com *aprendre*.

suspens suspensa suspensos suspenses **1** *adj* Que està indecís, perplex. **2** *nom m* Nota que indica que no s'ha passat una prova, un examen, etc., insuficient. **3** *nom m* Interès que provoca una cosa a causa del seu misteri, de la seva complicació, etc.: *Aquella pel·lícula d'espies tenia molt suspens i fins al final no se sabia què passaria.*

suspensió suspensions *nom f* **1** Acció de suspendre, de suprimir una cosa: *Han anunciat la suspensió del partit a causa de la pluja.* **2** Dispositiu d'un vehicle que va col·locat sobre els eixos de les rodes i que fa més suaus els cops, els xocs, etc.

suspensius Paraula que apareix en l'expressió **punts suspensius**, que és el nom d'un signe de puntuació (...) que indica que una frase ha quedat tallada o que hi falta alguna cosa: *Si em tornes a agafar la bicicleta sense permís...*

suspicaç suspicaços suspicaces *adj* Es diu de la persona que sempre sospita dels altres, que és desconfiada.

sustentar *v* **1** Mantenir, donar l'aliment necessari. **2** Sostenir, aguantar una cosa, fer que no caigui.
Es conjuga com *cantar*.

sutge sutges *nom m* Pols negra que s'enganxa a les xemeneies i als llocs per on passa el fum.

sutja sutges *nom f* Mira **sutge**.

S

733

T t   lletra te

ta tes *adj* Mira **ton**.

tabac tabacs *nom m* Planta tropical que té unes fulles amb les quals es fa un producte que es fa servir per a fumar en forma de cigars, cigarrets o en pipa: *El tabac no és gaire bo per a la salut.*

tabal tabals *nom m* Timbal.

tabalot tabalots *nom m* Persona esvalotada, que fa les coses sense pensar-les.

tabarra tabarres *nom f* Conversa llarga i pesada: *Quina tabarra!, tota la tarda em va estar explicant el viatge i sense deixar-se cap detall!*

tabola taboles *nom f* Diversió, xivarri, gresca: *A la festa de l'escola vam fer molta tabola.*

tabú tabús *nom m* Cosa que no es pot fer, tema del qual no es pot parlar, paraula que no es pot dir perquè es considera contrària a la cultura, a la religió o a la moral d'una societat determinada: *En algunes societats el sexe és un tema tabú del qual no es pot parlar.*

tabulador tabuladors *nom m* Mecanisme de les màquines d'escriure, dels ordinadors i d'altres aparells que serveix per a escriure el text en columnes i per a fer marges de diferents mides.

tac tacs *nom m* **1** Trosset de fusta, peça de plàstic, etc. que s'encaixa en un forat i que serveix per a aguantar un clau. **2** Bastó de fusta que es fa servir per a picar les boles de billar.

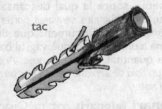

tac

taca taques *nom f* Senyal sobre una cosa produït per una substància que hi ha caigut o s'hi ha enganxat: *Portes la camisa plena de taques d'oli.*

tacar *v* Fer una taca o unes taques en alguna cosa: *La Raquel s'ha tacat el vestit de pintura.*

Es conjuga com *cantar*. S'escriu *c* davant de *a, o, u* i *qu* davant de *e, i: taco, taques.*

tàcit tàcita tàcits tàcites *adj* Que no es diu, però que s'endevina, que se suposa: *Entre els concursants hi havia l'acord tàcit de no fer trampa.*

taciturn taciturna taciturns taciturnes *adj* Es diu de la persona silenciosa, a qui no agrada gaire de parlar.

tacó tacons *nom m* Taló 2.

tacte tactes *nom m* **1** Sentit pel qual notem a través de la pell la forma i la textura de les coses: *Em vaig cremar el dit i ara hi tinc poc tacte.* **2** tenir tacte Saber tractar les persones.

tàctica tàctiques *nom f* Sistema, procediment que va bé per a aconseguir una cosa: *Perquè el meu germà em deixi la bicicleta, tinc una tàctica que no falla mai: li dic que si no me la deixa jo no li deixaré l'ordinador.*

tàctil tàctils *adj* Que té relació amb el tacte: *Una de les proves del concurs era tàctil: havies d'endevinar un objecte amb els ulls tapats, només el podies tocar.*

tafanejar *v* Dedicar-se a saber coses dels altres: *Mentre fèiem el treball, aquella teva amiga ja ha hagut de venir a tafanejar.*
Es conjuga com *cantar*. S'escriu *j* davant de *a, o, u* i *g* davant de *e, i: tafanejo, tafaneges.*

tafaner tafanera tafaners tafaneres *adj* i *nom m* i *f* Que té molta curiositat per saber coses dels altres: *Aquesta noia és molt tafanera, sempre mira per la finestra per saber què fan els veïns.*

tafaneria tafaneries *nom f* Comentari sobre fets, coses de la vida privada d'altres persones: *Aquella colla sempre expliquen tafaneries.*

tal tals **1** *adj* Paraula que es fa servir per a referir-se a una persona o a una cosa com si fos determinada: *Ens van dir que hi anéssim tal dia, però no hi vam anar.* **2** *adv* Així, d'aquesta manera: *Ho hem de fer tal com ha dit el professor.* **3** *Viatjarem amb cotxe per tal de guanyar temps:* amb la finalitat de guanyar temps.

tala tales *nom f* Acció de talar, de tallar els arbres d'un bosc.

talaia talaies *nom f* Lloc enlairat des d'on es pot veure lluny i que serveix per a vigilar.

t

talaiot talaiots *nom m* Monument prehistòric, semblant a una torre de poca altura, fet amb pedres molt grosses, que és típic de les Illes Balears.

talar *v* Tallar arran de terra els arbres d'un bosc.
Es conjuga com *cantar*.

talc talcs *nom m* **1** Mineral tou i blanc que s'utilitza per a la fabricació de diferents productes, com ara les pólvores de talc. **2 pólvores de talc** Pols blanca, procedent d'un mineral anomenat talc, que es fa servir per a evitar que la pell s'irriti.

talcosquist talcosquists *nom m* Roca de la qual s'extreu el talc. ▮14▮

tàlem tàlems *nom m* Petit gangli que hi ha a l'interior del cervell. ▮18▮

talent talents *nom m* Intel·ligència, capacitat de fer molt bé una cosa: *Li han dit que té molt talent per a la música.*

talismà talismans *nom m* Objecte que té poders màgics: *La fada li va donar un talismà per protegir-lo dels perills.*

tall talls *nom m* **1** Ferida feta amb qualsevol objecte que talla, com ara un ganivet, una destral, etc.: *La Irene es va fer un tall a la mà amb la ganiveta del pa i li va sortir molta sang.* **2** Tros de carn, de peix, de formatge, etc. que s'ha tallat d'una peça sencera o d'un tros més gros: *Per berenar hem menjat un tall de pernil amb pa amb tomàquet.* **3** Vora que talla de la fulla d'un ganivet o d'una eina: *Aquest ganivet té el tall molt fi.*

talla talles *nom f* **1** Alçada, estatura d'una persona; mida d'una part del cos, d'una peça de vestir, etc.: *Aquest jersei et va petit, te n'has de comprar un altre d'una talla més gran.* **2** Escultura feta en fusta.

tallafoc tallafocs *nom m* Tros de terreny que es deixa sense vegetació enmig d'un camp o d'un bosc per impedir que el foc avanci en cas d'incendi.

tallagespa tallagespes *nom m* Màquina de petites dimensions que es fa servir per a tallar la gespa dels jardins.

tallant tallants **1** *adj* Es diu d'una cosa que talla. **2** *nom m* Eina que serveix per a tallar a força de donar cops i que consisteix en un mànec i una fulla d'acer ampla que té una vora que talla: *El carnisser va partir un xai amb el tallant.*

tallapapers uns tallapapers *nom m* Estri consistent en una làmina estreta de metall o de fusta que serveix per a separar els fulls d'un llibre, obrir sobres, etc.

tallar *v* **1** Separar un tros d'una cosa fent servir un ganivet, una destral, etc.: *La destral serveix per a tallar llenya i el ganivet de serra per a tallar el pa.* **2** Fer una ferida amb un objecte que talla: *La Lurdes s'ha tallat el dit amb un vidre.* **3** Parar el pas d'una cosa que es mou, deixar de funcionar: *Es va tallar el corrent elèctric i van quedar sense llum.* **4 tallar el bacallà** Manar. **5 tallar-se** Separar-se la part sòlida d'una barreja de la líquida: *Aquesta llet no es pot beure, s'ha tallat.* **6** Quedar-se sense saber què dir a causa dels nervis, d'una sorpresa, etc.
Es conjuga com *cantar*.

tallarina tallarines *nom f* Cadascuna de les peces en forma de tira llarga i prima d'un tipus de pasta: *Per dinar, avui hem menjat tallarines amb salsa de tomàquet.*

tallat tallats *nom m* **1** Manera de tallar, d'estar tallada una cosa: *La teva germana porta un tallat de cabells molt bonic.* **2** Beguda que es fa afegint una mica de llet al cafè.

taller tallers *nom m* Lloc amb eines i màquines on treballa la gent que fa una feina determinada: *Al meu carrer hi ha un taller de fusteria on fan mobles i un taller mecànic on arreglen cotxes.*

talment *adv* **1** Ben bé: *Aquest ocell sembla talment una gavina.* **2** De tal manera: *Quan va al dentista plora i crida talment que sembla que el matin.*

taló talons *nom m* **1** Part de darrere del peu. ▮15▮ **2** Peça de cuir, de fusta, etc. que va col·locada sota la part de darrere de la sabata i sobre la qual descansa el taló del peu, tacó: *Algunes senyores porten sabates de talons alts.* **3** Document que una persona dóna a una altra perquè vagi al banc a cobrar una quantitat de diners, xec: *Aquell client va fer un taló de seixanta euros per pagar la factura de l'hotel.*

talonari talonaris *nom m* Quadern format per un conjunt de talons, de rebuts, d'entrades, etc. que es poden anar arrencant de manera que en queda un tros petit que serveix de comprovant.

talòs talossa talossos talosses *adj i nom m i f* Es diu de la persona poc espavilada i poc viva.

talp talps nom m Animal mamífer de cos robust, gairebé sense coll, d'ulls petits i pèl fosc molt fi, que viu en galeries subterrànies que ell mateix construeix amb les potes de davant, fortes i aptes per a gratar la terra.

talp

talús talussos nom m Inclinació d'un mur, d'un terreny.

també adv 1 De la mateixa manera, igualment: Ahir va ploure i avui també ha plogut. 2 A més a més: Ens van regalar un llibre, una llibreta i també un bolígraf.

tambor tambors 1 nom m Instrument musical de percussió que consisteix en una caixa rodona coberta amb una tela o una pell tibant sobre la qual es pica amb uns bastonets, timbal. 2 nom m i f Músic que toca el tambor.

tamboret tamborets nom m Seient per a una sola persona, sense respatller i sense braços: Al costat de la barra del bar hi havia uns quants tamborets.

tamboret

tamborí tamborins nom m Timbal petit que es porta penjat al braç esquerre i es toca amb una sola baqueta.

tamborinada tamborinades nom f Tempesta curta però forta, amb pluja, vent i trons.

tamís tamisos nom m Sedàs amb uns forats finíssims que serveix per a destriar coses molt petites.

tampatantam Onomatopeia, paraula que imita el soroll insistent d'un tambor, d'un timbal, etc.

tampó tampons nom m 1 Manyoc de cotó fluix o de gasa que es posa en una ferida perquè pari de sagnar. 2 Tap de cotó fluix que es col·loca dins la vagina per absorbir la sang de la menstruació. 3 Capseta que té un feltre xop de tinta on se suca la superfície d'un segell, d'un numerador, etc. perquè després es pugui estampar en un paper.

tampoc adv Paraula que es fa servir per a negar una cosa quan ja se n'ha negat una altra abans: Tu no saps nedar i jo tampoc.

tam-tam tam-tams nom m Timbal alt i estret, generalment fet amb un tronc d'arbre buidat, que alguns pobles fan servir per a transmetre senyals a distància.

tan adv Igualment, en el mateix grau: En Vicenç és tan alt com la Lídia. ▪ No piqueu tan fort!

tanc tancs nom m 1 Vehicle blindat i armat amb metralladores i canons que pot anar per tota mena de terrenys i que es fa servir a la guerra. 2 Dipòsit metàl·lic i molt gran que serveix per a emmagatzemar i transportar líquids.

tanca tanques nom f 1 Reixa, paret d'obra, de fusta, etc. que volta un terreny, un jardí, una casa, etc. 2 Baldó, barra que serveix per a tancar una porta, un finestró, etc. 3 Peça que serveix per a tancar un collaret, una bossa o un altre objecte.

tancament tancaments nom m Acció de tancar o de tancar-se: S'ha enfadat i no vol parlar, i ningú no pot fer-lo sortir del seu tancament.

tancar v 1 Privar el pas per una obertura amb algun obstacle: Hem tancat la porta de l'habitació i no s'hi pot entrar. ▪ Han tancat el camí amb una barrera. ▪ Han tancat l'aixeta del lavabo i ara no raja. 2 Posar algú o alguna cosa dins un lloc tancat, d'on no es pot sortir: La policia va tancar el lladre a la presó.
Es conjuga com cantar. S'escriu c davant de a, o, u i qu davant de e, i: tanco, tanques.

tancat[1] tancada tancats tancades adj 1 Que no és obert: A la nit les botigues són tancades. 2 Es diu de la persona que no acostuma a explicar el que pensa o sent i que tampoc no vol saber les opinions i els fets dels altres. 3 Es diu de les vocals que es pronuncien amb la boca poc oberta, com ara la u i la i, la e de la paraula "també" i la o de la paraula "cançó".

t

737

tancat² tancats *nom m* Tanca, terreny tancat destinat al pasturatge.

tanda tandes *nom f* **1** Moment en què una persona o un grup de persones que s'esperen poden començar a fer el que han de fer: *La botiga era plena de gent, vam demanar tanda i ens vam esperar fins que ens va tocar.* **2** Sèrie, conjunt de coses una al darrere de l'altra: *A la segona part del concert l'orquestra va interpretar una tanda de cançons tradicionals.*

tàndem tàndems *nom m* **1** Bicicleta per a dues o més persones. **2** Conjunt de dos o més cavalls col·locats l'un darrere l'altre que estiren un carro.

tangencial tangencials *adj* Es diu d'una cosa que només té una relació petita amb una altra: *Ens hem reunit per parlar del problema que tenim, no de qüestions tangencials.*

tangent tangents **1** *adj* Que toca en un sol punt una línia o una superfície: *Dues circumferències tangents.* **2** *nom f* Recta que passa per un punt d'una circumferència.

tangible tangibles *adj* Que es pot tocar, que es pot veure fàcilment, que és real: *El seu silenci era una prova tangible de la seva culpa.*

tanmateix *adv* Paraula que serveix per a expressar que és lògic que passi una cosa, tot i que hi hagi una dificultat o un obstacle que ho podrien impedir: *Ens pensàvem que el tren arribaria tard per culpa de la nevada i, tanmateix, va arribar a l'hora.*

tanoca tanoques *adj i nom m i f* Que és babau, que no és gaire espavilat.

tant¹ *adv* **1** En tal quantitat, en tal grau: *Va menjar tant, que després no es trobava bé.* **2** **tant sí com no** Costi el que costi, de tota manera: *Hem de fer el treball tant sí com no.* **3** **tant és** o **tant se val** És igual, el mateix, indiferent: *Arribarem tard, però tant és.* **4** *Ara plou i,* **per tant***, no podem sortir:* en conseqüència. **5** **De tant en tant** *m'agrada d'anar al cine:* alguna vegada, de temps en temps. **6** *Tant de bo demà no plogui i puguem anar d'excursió:* expressió que serveix per a indicar desig, ganes que passi alguna cosa. **7** *I tant que m'agrada el pastís de poma!:* evidentment, és clar, naturalment.

tant² tanta tants tantes **1** *adj* La mateixa quantitat de: *A la classe de l'Albert hi ha tants nens com a la classe d'en Ferran.* **2** *nom*

m Quantitat de diners: *Per ser soci del club s'ha de pagar un tant cada any.*

tantost *adv* Immediatament, tot seguit.

tany tanys *nom m* Brot que surt a la soca d'un arbre, rebrot.

tanyada tanyades *nom f* Conjunt de tanys d'una planta.

tap taps *nom m* **1** Peça de suro, de fusta, de plàstic, etc. que es posa a la boca d'un recipient o d'un conducte per impedir que es vessi o en surti el líquid. **2** *Aquell nen és un **tap de bassa**:* persona molt petita, baixeta.

taps

tapa tapes *nom f* **1** Peça que serveix per a tancar una capsa o una caixa per la part de dalt. **2** Petita ració d'un menjar que se serveix als bars per acompanyar la beguda: *En aquest bar fan unes tapes molt bones i variades, i a mi m'agraden sobretot les de croquetes, les de musclos i les de formatge.* **3** Coberta: *Se m'han ben tacat les tapes del llibre, perquè ahir vaig deixar-hi el got de llet al damunt.* **4** Cadascuna de les peces de la sola que van enganxades l'una damunt de l'altra i formen el taló d'una sabata.

tapaboques uns tapaboques *nom m* Peça de roba que es fa servir per a abrigar el coll, bufanda.

tapadora tapadores *nom f* Peça metàl·lica i de forma circular que serveix per a tapar pots, cassoles, olles, etc.

tapar *v* **1** Tancar o cobrir un objecte posant-hi el tap, la tapadora, una funda, etc.: *Tapa bé la garrafa, que si no es vessarà l'aigua.* **2** No deixar veure el que hi ha a darrere: *Un núvol ens tapava el sol.* **3** Posar una cosa damunt d'una altra per protegir-la del fred, de la pols, etc.: *Si surts al carrer, tapa't bé que fa molt fred.* **4** **tapar-se el cel** Cobrir-se de núvols, quedar ple de núvols.
Es conjuga com *cantar.*

tapet tapets *nom m* Peça de roba que es posa damunt una taula per tapar-la, per fer bonic.

tàpia tàpies nom f **1** Paret prima i no gaire alta que dóna la volta a una casa, a un jardí, etc. **2 ser sord com una tàpia** Ser molt sord.

tapiar v Tancar amb una tàpia.
Es conjuga com canviar.

tapir tapirs nom m Animal mamífer herbívor de grans dimensions que habita a les selves d'Amèrica del Sud i que té un morro en forma de trompa.

tapís tapissos nom m Peça de teixit amb grans dibuixos i que serveix per a adornar les parets.

tapisser tapissera tapissers tapisseres nom m i f **1** Persona que té per ofici entapissar seients, mobles, parets, etc. **2** Persona que fa tapissos.

tapisseria tapisseries nom f Teixit, cuir, plàstic, etc. que serveix per a cobrir mobles, seients, parets, etc.

taqui- Element amb què comencen algunes paraules i que vol dir "ràpid": Amb la taquigrafia s'escriu tan de pressa com es parla.

taquígraf taquígrafa taquígrafs taquígrafes nom m i f Persona que practica la taquigrafia.

taquigrafia taquigrafies nom f Tècnica que consisteix a escriure tan de pressa com es parla per mitjà de signes especials i abreviatures.

taquilla taquilles nom f Lloc, en una estació, en un cine, en un teatre, etc., on es venen els bitllets o les entrades.

tara tares nom f **1** Defecte en una peça de roba, en una màquina, etc. que en fa disminuir el valor: Aquest jersei només m'ha costat tres euros perquè té una tara. **2** Pes que fa el paper, la caixa, el vehicle, etc. que conté una mercaderia.

taral·larà Onomatopeia, paraula que imita la tonada o la música d'una cançó.

taral·lejar v Cantar una cançó sense dir-ne la lletra.
Es conjuga com cantar. S'escriu j davant de a, o, u i g davant de e, i: taral·lejo, taral·leges.

taral·lirot taral·lirots nom m Persona poc seriosa, poc formal, baliga-balaga.

tarannà tarannàs nom m Caràcter d'una persona, manera de ser: La Cristina és de tarannà tranquil.

taràntula taràntules nom f Nom que es dóna a diferents aranyes de grans dimensions i de picada més o menys dolorosa.

tararà Onomatopeia, paraula que imita el so de la trompeta.

tararí Onomatopeia, paraula que imita el so del clarí.

tard adv **1** Després d'haver passat el moment que s'esperava que passés una cosa: Vam arribar tard al cine i la pel·lícula ja havia començat. **2** A una hora molt avançada del vespre: Són les onze: és molt tard. **3 fer tard** Arribar amb retard: Si no ens afanyem, farem tard a l'escola. **4** Vam arribar al poble cap al tard: quan es començava a fer fosc, a l'acabament del dia.

tarda tardes nom f Part del dia compresa entre el migdia i el vespre, vesprada, horabaixa: Pleguem d'escola a les cinc de la tarda.

tardà tardana tardans tardanes adj Que arriba més tard, que madura més tard, que apareix més tard: Aquests tomàquets són tardans, no maduren fins a finals d'estiu.

tardança tardances nom f Fet de tardar.

tardaner tardanera tardaners tardaneres adj **1** Tardà. **2** Es diu de la persona que tarda a fer les coses, que acostuma a arribar tard als llocs, tocatardà.

tardar v **1** Venir tard: El tren tarda molt, ja hauria de ser aquí i encara no ha arribat. **2** Passar un temps a fer una cosa: Va tardar dues hores a fer el dibuix.
Es conjuga com cantar.

tardor tardors nom f Estació de l'any, entre l'estiu i l'hivern: A la tardor cauen les fulles dels arbres.

tardorenc tardorenca tardorencs tardorenques adj Que té relació amb la tardor: Un paisatge tardorenc.

targarí targarina targarins targarines **1** nom m i f Habitant de Tàrrega; persona natural o procedent de Tàrrega. **2** adj Es diu de les persones o de les coses naturals o procedents de Tàrrega.

targeta targetes nom f **1** Cartolina petita on hi ha escrits el nom, l'adreça, el telèfon, l'ofici, etc. d'una persona i que serveix per a donar-se a conèixer a les altres persones. **2** Peça petita rectangular de plàstic que algunes empreses

t

proporcionen als seus clients i que serveix per a pagar, per a passar per determinats llocs, etc.: *La fotocopiadora de la biblioteca de l'escola funciona amb una targeta.*

tarifa tarifes *nom f* Preu que costa un servei, un producte, etc.

tarima tarimes *nom f* Plataforma que hi ha en una aula, en una sala, etc. on es col·loca un professor, un conferenciant, una autoritat, etc.

tarja targes *nom f* **1** Placa rectangular, ovalada, etc. on hi ha escrit un nom o una indicació. **2** Obertura rectangular en la part superior d'una paret, sobre una porta, etc.

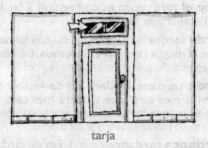

tarja

taronger tarongers *nom m* Arbre de flors blanques que fa taronges.

tarongina tarongines *nom f* Flor del taronger.

taronja[1] **1** *adj* D'un color entre groc i vermell, com el de la fruita anomenada taronja: *Uns pantalons taronja.* **2** **taronja** taronges *nom m* Color entre groc i vermell, com el de la fruita anomenada taronja.

taronja[2] taronges *nom f* Fruit comestible del taronger, de pell gruixuda i de color groc vermellós, de gust dolç i una mica àcid i que té la part comestible dividida en grills. 2

taronjada taronjades *nom f* Beguda preparada amb suc de taronja.

tarot tarots *nom m* Joc de cartes especial que es fa servir per a endevinar el futur.

tarragoní tarragonina tarragonins tarragonines **1** *nom m i f* Habitant de Tarragona; persona natural o procedent de Tarragona. **2** *adj* Es diu de les persones o de les coses naturals o procedents de Tarragona.

tars tarsos *nom m* Grup de set ossos de la part posterior del peu que estan situats entre el metatars i la cama. 15

tartamudejar *v* Quequejar.
Es conjuga com *cantar*. S'escriu *j* davant de *a, o, u* i *g* davant de *e, i:* tartamudejo, tartamudeges.

tartamut tartamuda tartamuts tartamudes *adj* i *nom m* i *f* Quec, persona que s'entrebanca parlant, que no li surten les paraules seguides, que repeteix síl·labes.

tartana tartanes *nom f* Carro de dues rodes, amb vela i amb seients.

tarter tarters *nom m* Tros de terreny als costats d'una muntanya que és ple de rocs que es van desprenent del cim.

tartera tarteres *nom f* Mira **tarter**.

tasca tasques *nom f* Feina, treball: *Com que ja heu acabat la tasca del dia, us en podeu anar cap a casa.*

tascó tascons *nom m* Peça de fusta o de ferro que serveix per a esberlar o trencar un tronc, una pedra, etc.

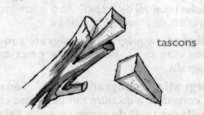

tascons

tassa tasses *nom f* **1** Vas petit de porcellana, de vidre, etc., amb nansa, que serveix per a prendre cafè, te, llet, etc. **2** Recipient d'un vàter.

tassó tassons *nom m* Tassa petita.

tast tasts o tastos *nom m* Petita porció d'un menjar o d'una beguda que es pren per apreciar el gust que té, per comprovar si està al punt.

tastaolletes uns/unes tastaolletes *nom m i f* Persona que no és constant, que comença moltes coses però no en continua cap: *Aquell teu amic és un tastaolletes: primer va començar a estudiar piano, després es va posar a tocar el violí i ara diu que vol ser guitarrista.*

tastar *v* Prendre una petita quantitat d'un menjar o d'una beguda, posar-se'n una mica a la boca per veure quin gust té: *La Carme ha entrat a la cuina i la seva mare li ha dit que tastés l'arròs per veure si hi faltava sal.*
Es conjuga com *cantar*.

tatuar *v* Fer un tatuatge.
Es conjuga com *canviar*.

tatuatge tatuatges *nom m* Dibuix gravat a la pell que no es pot esborrar.

tatxa tatxes *nom f* Clau curt amb la cabota grossa i plana.

taujà taujana taujans taujanes *adj i nom m i f* Es diu d'una persona no gaire intel·ligent, sense picardia.

taula taules *nom f* **1** Moble que consisteix en una peça llisa i plana, que s'aguanta amb quatre potes i que serveix per a menjar-hi, escriure, treballar, jugar, etc. **2** Llista, sèrie ordenada de resultats, de paraules, etc.: *Estem estudiant les taules de multiplicar.* **3 taula rodona** Debat entre diversos especialistes sobre un tema i dirigit per un moderador. **4 cap de taula** Persona que seu en el lloc més important d'una taula.

taulada taulades *nom f* Conjunt de persones que seuen al voltant d'una taula.

taulell taulells *nom m* Taula llarga que hi ha a les botigues per ensenyar el gènere als compradors: *El forner despatxava el pa des de darrere del taulell.*

tauler taulers *nom m* **1** Superfície plana i llisa, quadrada o rectangular, que serveix per a moure-hi les fitxes d'escacs, de parxís, etc. **2 tauler d'anuncis** Superfície plana que es penja a la paret i que serveix per a plantar-hi avisos.

tauler d'escacs

tauleta tauletes *nom f* **1** Taula petita. **2 tauleta de nit** Moble petit, generalment amb calaixos, que es posa al costat del llit per a deixar-hi les coses que es poden necessitar durant la nit o a l'hora de llevar-se.

tauló taulons *nom m* Peça de fusta gruixuda, plana i llarga.

taure *nom m* Segon signe del zodíac: *Les persones nascudes entre el 20 d'abril i el 21 de maig són del signe de taure.*

taurí taurina taurins taurines *adj* Que té relació amb els toros.

tauró taurons *nom m* Nom que es dóna a diferents espècies marines que tenen una aleta triangular al llom, algunes de les quals són capaces de matar una persona i de menjar-se-la.

tauró

taüt taüts *nom m* Caixa, generalment de fusta, que serveix per a posar-hi els morts i enterrar-los.

tàvec tàvecs *nom m* Insecte semblant a una mosca però més gros, que fa una picada molt dolorosa i que ataca sobretot els cavalls i les vaques.

tavella tavelles *nom f* **1** Funda que embolica els llegums: *Les mongetes i els pèsols creixen a dins d'una tavella.* **2** Doblec fet per a adornar una roba o qualsevol cosa flexible.

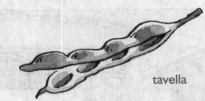

tavella

taverna tavernes *nom f* Bar.

taxa taxes *nom f* Preu, import fixat d'un producte, d'un servei, etc.

taxar *v* **1** Fixar el preu d'un producte, d'un servei, etc. **2** *Durant la reunió tothom va taxar de covardia el director de l'empresa:* el va acusar de covardia.
Es conjuga com *cantar.*

taxatiu taxativa taxatius taxatives *adj* Que afirma o nega una cosa de manera absoluta, totalment, sense condicions: *Quan li vam preguntar si ens acompanyaria a casa, va dir un no taxatiu.*

taxativament *adv* De manera absoluta, totalment, sense condicions: *La llei prohibeix taxativament l'entrada en aquest local als menors de divuit anys.*

taxi taxis *nom m* Automòbil conduït per un xofer que porta les persones allà on volen anar a canvi de pagar una quantitat de diners que varia segons els quilòmetres recorreguts o el temps que dura el viatge.

taxímetre taxímetres *nom m* Aparell que hi ha en els taxis que va comptant el temps que dura un viatge i al final indica els diners que cal pagar.

taxista taxistes *nom m i f* Persona que té per ofici conduir un taxi.

te[1] *pron* Forma del pronom **et**.

te[2] tes *nom f* Nom de la lletra **t T**.

te[3] tes *nom m* Beguda que s'obté ficant a dins d'aigua calenta les fulles del te, que és una planta tropical.

teatral teatrals *adj* Que té relació amb el teatre.

teatre teatres *nom m* **1** Art que consisteix a representar una història escrita per un autor, per mitjà d'uns actors que parlen i actuen en un escenari, dins un local amb públic: *Avui anirem al teatre a veure els Pastorets.* **2** Local on es representen obres de teatre.

tebeo tebeos *nom m* Revista infantil il·lustrada amb dibuixos.

tebi tèbia tebis tèbies *adj* Que no és ni fred ni calent: *A mi m'agrada de banyar-me en aigua tèbia, ni molt freda ni molt calenta.*

tec tecs *nom m* Àpat molt bo i molt abundant.

teca teques *nom f* Menjar: *Porta'm la teca, que tinc molta gana.*

tecla tecles *nom f* **1** Cadascuna de les barretes o botons d'un piano, d'un acordió, etc. que ha de pitjar el músic per obtenir el so que vol. **2** Cadascun dels botons que serveixen per a fer funcionar una màquina d'escriure, una calculadora, un ordinador, etc.

teclat teclats *nom m* Conjunt de les tecles d'un instrument musical, d'una màquina d'escriure, d'una calculadora, d'un ordinador, etc.

teclejar *v* Moure les tecles d'un instrument musical, d'una màquina d'escriure, d'un ordinador, etc. pitjant-les amb els dits.

Es conjuga com *cantar*. S'escriu *j* davant de *a, o, u* i *g* davant de *e, i: teclejo, tecleges.*

tècnic tècnica tècnics tècniques **1** *adj i nom m i f* Es diu de la persona que sap molt

El teatre **1** teló **2** decorat **3** focus **4** llotja **5** coberta del forat de l'apuntador **6** fossa de l'orquestra **7** escenari **8** platea / pati de butaques

d'un ofici, d'una ciència, etc.: *Avui ha vingut el tècnic a fer la instal·lació del gas.* **2 tècnica** *nom f* Manera, sistema de fer una cosa: *Aquella noia està aprenent la tècnica de fer tapissos.*

tècnicament *adv* D'una manera tècnica: *Els arquitectes estudien com es podrà resoldre tècnicament el problema d'inclinació de l'edifici.*

tecno- Element amb què comencen algunes paraules i que vol dir "art", "tècnica".

tecnologia tecnologies *nom f* Ciència que estudia i perfecciona les màquines que es fan servir en la indústria: *La tecnologia moderna cada dia fa servir més els robots en la indústria.*

tedi tedis *nom m* Avorriment.

tediós tediosa tediosos tedioses *adj* Avorrit, ensopit.

teia teies *nom f* Fusta de pi o d'altres arbres que crema amb molta facilitat i que es fa servir per a fer llum o per a encendre un foc: *A l'entrada del castell hi havia dues teies enceses.*

teisme teismes *nom m* Creença en l'existència de Déu.

teixidor teixidora teixidors teixidores *adj i nom m i f* Es diu de la persona que teixeix a mà o amb un teler.

teixir *v* Fer una roba, un jersei, una catifa, etc. entrellaçant una sèrie de fils: *Aquests telers serveixen per a teixir cotó.*
Es conjuga com *servir*.

teixit teixits *nom m* **1** Conjunt de fils entrellaçats que formen una tela, una catifa, etc.: *M'he comprat un jersei a preu de saldo perquè té una tara al teixit.* **2** Conjunt de cèl·lules d'un organisme que tenen la mateixa funció: *El teixit nerviós.* ▪ *El teixit muscular.*

teixó teixons *nom m* Animal mamífer de cos fort, cua i potes curtes, ungles fortes, llom blanc amb taques negres, ventre i potes negres i el cap blanc amb dues bandes negres que van del musell a la nuca i que fa caus a sota terra per passar-hi l'hivern.

tel tels *nom m* Capa molt fina que es forma damunt d'una cosa: *Després de bullir-la, es forma un tel a sobre de la llet.*

tela teles *nom f* **1** Roba. **2** Roba gruixuda clavada en un marc i que serveix per a pintar-hi a sobre.

tele- tel- Element amb què comencen algunes paraules i que vol dir "lluny"; també indica relació o connexió amb la televisió: *Per fer fotografies a molta distància, es necessita un teleobjectiu.* ▪ *Cada migdia seguim la telenovel·la que fan a les dues.*

telecabina telecabines *nom m* Sistema per a transportar persones o coses en petites cabines tancades que van penjades d'uns cables aeris.

telecadira telecadires *nom m* Sistema de seients penjats d'uns cables aeris que serveix per a transportar persones al capdamunt d'una muntanya.

telecomunicació telecomunicacions *nom f* Fet d'emetre, de transmetre o de rebre imatges, sons o informacions per mitjans elèctrics o electrònics: *La ràdio, el telèfon, la televisió, etc. formen part de la xarxa de telecomunicacions.*

teledirigit teledirigida teledirigits teledirigides *adj* Guiat a distància: *Tinc un cotxe teledirigit i des de la meva habitació el faig córrer per tot el pis.*

teleespectador teleespectadora teleespectadors teleespectadores *nom m i f* Persona que mira la televisió.

teleesquí teleesquís *nom m* Sistema que permet que els esquiadors, amb els esquís posats, puguin pujar al capdamunt d'una pista agafats amb un cable que els va arrossegant d'un en un o de dos en dos.

teleesquí

telefax telefaxs *nom m* Fax.

telefèric telefèrics *nom m* Sistema per a transportar persones o coses en petits vehicles que van penjats d'uns cables aeris.

telefilm telefilms *nom m* Pel·lícula rodada perquè sigui transmesa per televisió.

telèfon telèfons *nom m* Aparell que serveix per a parlar a distància, per mitjà de fils elèctrics o ones que transporten el so.

telefonada telefonades *nom f* Acció de telefonar: *Faré una telefonada a l'Eugènia per dir-li que vingui a jugar aquesta tarda.*

telefonar *v* Comunicar-se, parlar amb algú per telèfon.
Es conjuga com *cantar*.

telefònic telefònica telefònics telefòniques *adj* Que té relació amb el telèfon: *Una conversa telefònica.*

telefonista telefonistes *nom m* i *f* Persona que té per ofici contestar les trucades del telèfon en una empresa, en un negoci, etc.

telègraf telègrafs *nom m* Aparell que serveix per a transmetre ràpidament missatges a llarga distància per mitjà de senyals.

telegràfic telegràfica telegràfics telegràfiques *adj* Es diu d'un escrit, d'una manera d'escriure o de parlar molt resumida i molt breu.

telegrama telegrames *nom m* Missatge transmès per mitjà del telègraf.

telenotícies uns telenotícies *nom m* Programa de televisió on s'expliquen les notícies més importants del dia.

telenovel·la telenovel·les *nom f* Novel·la escrita perquè sigui emesa per la televisió en forma de capítols.

teleobjectiu teleobjectius *nom m* Lent que es col·loca en una càmera i que permet de fotografiar objectes que estan molt lluny o bé coses molt petites i detalls que una lent normal no podria captar.

teleobjectiu

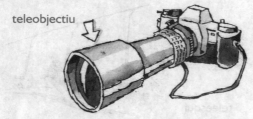

telepatia telepaties *nom f* Percepció d'un fenomen sense que hi intervinguin els sentits: *El meu germà i jo sembla que ens comuniquem per telepatia; moltes vegades jo endevino el que ell pensa i ell endevina el que penso jo.*

teler telers *nom m* Màquina que serveix per a teixir.

telescopi telescopis *nom m* Aparell que serveix per a observar les estrelles, els planetes i els satèl·lits.

telesella teleselles *nom m* Telecadira.

teletext teletexts o teletextos *nom m* Sistema incorporat a alguns televisors que permet d'obtenir informació de temes diversos a partir de textos i imatges fixos que apareixen a la pantalla, sols o bé sobreposats a les imatges dels programes normals.

televident televidents *nom m* i *f* Teleespectador.

televisió televisions *nom f* Sistema que permet de transmetre imatges i so a distància per mitjà d'ones electromagnètiques: *Avui per la televisió fan una pel·lícula molt bona.*

televisiu televisiva televisius televisives *adj* Que està relacionat amb la televisió: *Un programa televisiu, una sèrie televisiva.*

televisor televisors *nom m* Aparell que serveix per a rebre imatges i so transmesos a distància pel sistema de televisió.

tell tells *nom m* Til·ler.

teló telons *nom m* Tela gran i molt ampla que serveix per a tapar l'escenari d'un teatre.

teloner telonera teloners teloneres *adj* i *nom m* i *f* Es diu de l'artista, del conjunt, etc. que actua abans d'un altre de més famós en un concert, un recital, etc.

tema temes *nom m* Assumpte que es tracta en una conferència, en una discussió, en una redacció, etc.: *El tema de la reunió és l'organització de la festa de final de curs.*

temari temaris *nom m* Conjunt de temes que es tracten durant un curs, que cal estudiar per a un examen, etc.

temàtic temàtica temàtics temàtiques 1 *adj* Que està relacionat amb un tema: *S'ha obert un parc temàtic sobre els dinosaures, on hi ha moltes atraccions relacionades amb els dinosaures.* 2 **temàtica** *nom f* Conjunt de temes tractats en l'obra d'un artista, en una pel·lícula, en un llibre, en una sèrie de conferències, etc.

temença temences *nom f* Por.

témer *v* 1 Tenir por. 2 Creure que passarà alguna cosa desagradable: *Em temo que avui perdrem el partit.*
La conjugació de *témer* és a la pàg. 847.

temerari temerària temeraris temeràries *adj* Que és molt atrevit, que no té en compte els perills, etc.: *En Cinto és un conductor temerari* *perquè va a 150 quilòmetres per hora per aquesta carretera tan estreta i plena de revolts!*

temeritat temeritats *nom f* Imprudència, atreviment: *Sortir a pescar amb aquest mal temps és una temeritat.*

temible temibles *adj* Que fa por: *Aquell professor era temible: si no feies l'examen perfecte, et suspenia.*

temor temors *nom m o f* **1** Por. **2** Sentiment de gran respecte o veneració per algú.

temorec temorega temorecs temoregues *adj* Poruc, que s'espanta per res.

temorenc temorenca temorencs temorenques *adj* **1** Poruc, que s'espanta per res. **2** Respectuós, obedient.

temperament temperaments *nom m* Caràcter, manera de ser i de comportar-se d'una persona: *La Marina té un temperament molt animat, sempre està contenta i no s'atabala per res.*

temperar *v* Moderar, fer més suau una cosa: *La pluja d'ahir va temperar la calor dels últims dies.*
Es conjuga com *cantar*.

temperat temperada temperats temperades *adj* Moderat, suau: *En aquell país tenen un clima temperat: no hi fa ni fred ni calor.*

temperatura temperatures *nom f* **1** Grau de calor d'un cos o d'un clima: *A l'estiu les temperatures són més altes que a l'hivern.* **2** Febre: *Com que encara té molta temperatura, haurem d'anar a buscar el metge.*

temperi temperis *nom m* **1** Mal temps, tempestat. **2** Aldarull, cridòria, moviment i confusió de persones.

tempesta tempestes *nom f* Mira **tempestat**.

tempestat tempestats *nom f* Pluja molt forta, amb molt vent, llamps i trons: *Ahir a la nit va fer una gran tempestat, plovia a bots i barrals i se sentien molts trons.*

tempestuós tempestuosa tempestuosos tempestuoses *adj* Es diu del vent i de la pluja molt forts, del temps de tempesta: *Va fer una pluja tempestuosa que va provocar inundacions.*

templa temples *nom f* Cadascuna de les dues parts del cap compreses entre el front, l'orella i la galta, també anomenades polsos.

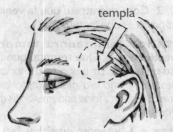
templa

temple temples *nom m* Edifici religiós, església.

temporada temporades *nom f* Espai de temps: *Cada estiu passen una temporada a la platja.*

temporal[1] temporals *nom m* Tempestat: *Durant el viatge amb vaixell vam veure un temporal molt fort.*

temporal[2] temporals *adj* **1** Que té relació amb el temps, que té una certa durada: *El disgust de la teva amiga és temporal, ja li passarà.* **2** Que té relació amb les temples: *La regió temporal abasta tot el tros del cap que correspon a cada templa.* **3** *nom m* Os del crani.

temporalment *adv* Per un quant temps, no definitivament: *El meu germà se n'ha anat a viure temporalment a França.*

temporer temporera temporers temporeres *adj i nom m i f* Es diu del treballador que té una feina temporal, és a dir, una feina que dura un temps limitat: *A l'estiu, a les zones turístiques de la costa, es contracten molts treballadors temporers per fer feines de cambrer, guies turístics, etc.*

temps els temps *nom m* **1** Durada de les coses i dels fets: *La casa on visc fa molt temps que és feta.* **2** *En Santi i en Xevi van arribar al mateix temps:* conjuntament, sense diferència de temps. **3** *Vam arribar a temps al cine, la pel·lícula encara no havia començat:* abans que una cosa comenci. **4** *temps ha* Fa temps: *Vaig visitar aquesta ciutat temps ha, però ja no me'n recordo.* **5** Estat de l'atmosfera en un lloc i en un moment determinat: *Avui fa bon temps.* **6** Categoria gramatical que serveix per a dividir les formes del verb segons que l'acció a què es refereix passa en el present, passarà en el futur o va passar en el passat.

temptació temptacions *nom f* **1** Desig de fer alguna cosa prohibida: *Vaig tenir la temptació de menjar-me tots els bombons de la*

t

capsa. **2** Cosa que atreu, que fa venir desig: *Aquest pastís és una temptació.*

temptador temptadora temptadors temptadores *adj* Que tempta, que fa venir desig d'una cosa: *La proposta d'anar a passar uns dies a la platja era molt temptadora, però com que tenia molta feina endarrerida li vaig haver de dir que no.*

temptar *v* **1** Intentar que algú faci alguna cosa prohibida o dolenta: *La madrastra temptava la Blancaneu perquè mossegués la poma enverinada.* **2** Fer venir desig: *Em tempta venir a jugar, però tinc molta feina.*
Es conjuga com *cantar.*

tempteig tempteigs o temptejos *nom m* Acció de temptejar, de fer una prova.

temptejar *v* Fer proves abans de fer una cosa, explorar: *Volia demanar diners a l'avi, però abans de fer-ho el vaig temptejar.*
Es conjuga com *cantar.* S'escriu *j* davant de *a, o, u* i *g* davant de *e, i: temptejo, tempteges.*

tenaç tenaços tenaces *adj* Es diu de la persona que es manté ferma, que no es desanima a l'hora de fer una cosa: *Com que és una persona molt tenaç, segur que aconseguirà tot el que es proposi.*

tenalles *nom f pl* Mira estenalles.

tenca tenques *nom f* Peix de pell gruixuda, amb escates petites, de carn molt apreciada però amb gust de fang. ■ 8

tenda tendes *nom f* **1** Lona o tela que s'estén aguantada per cordes i pals clavats a terra i on s'hi pot dormir: *Per anar d'excursió, ens emportarem una tenda de campanya.* **2** Botiga on es venen aliments: *Vam anar a la tenda de la cantonada a comprar sucre.*

tendal tendals *nom m* Tros de tela estesa a una certa alçada que serveix per a protegir del sol o de la pluja.

tendència tendències *nom f* **1** Direcció, orientació que pren una cosa: *Els preus de les coses tenen tendència a pujar.* **2** Orientació que mostra una persona envers un determinat comportament, costum, activitat, estat d'ànim, estat físic, etc.: *Aquell noi té tendència a posar-se nerviós.*

tendenciós tendenciosa tendenciosos tendencioses *adj* Es diu d'una opinió, d'una informació, etc. que no és objectiva, que no és imparcial.

tendir *v* Tenir inclinació cap a una cosa: *Com que tendeix a engreixar-se, no menja gaire.* Es conjuga com *servir.*

tendó tendons *nom m* **1** Conjunt de fibres que uneixen els músculs amb els ossos. ■ 16 **2** **tendó d'Aquil·les** Tendó gros de darrere de la cama que arriba fins a l'os del taló. ■ 16

tendre tendra tendres *adj* **1** Que es pot mastegar fàcilment, que no és dur: *Aquests bistecs de vedella són molt tendres.* **2** Que té poc temps, que és jove: *Els nens petits tenen la pell tendra.* **3** Dolç, suau, sensible, afectuós: *Les seves paraules eren molt tendres.* **4** **mongeta tendra** Mongeta que es menja amb pela i que és de color verd.

tendresa tendreses *nom f* **1** Qualitat de tendre. **2** Afecte, amor: *La Marga tracta els fills amb una gran tendresa.*

tendrum tendrums *nom m* Teixit bastant consistent però no tant com un os, cartílag: *Aquesta carn no va gaire bé de menjar perquè té molts tendrums.*

tenebra tenebres *nom f* Obscuritat, foscor: *Aquella nit no hi havia lluna i el bosc estava envoltat de tenebres.*

tenebrós tenebrosa tenebrosos tenebroses *adj* Ple de foscor, de tenebres, de misteri: *Aquell castell era molt vell i tenebrós.*

tènia tènies *nom f* Cuc llarg i pla que viu en l'intestí de les persones, produït per una infecció que es pot agafar menjant carn de porc en mal estat i poc cuita, solitari.

tenir *v* **1** Ser propietari d'una cosa: *La Josefa té una bicicleta i jo tinc un patinet.* ■ *Els bous tenen banyes.* **2** **tenir-se** Aguantar-se dret, sense caure: *Estava tan dèbil que no es tenia.* **3** **no tenir-les totes** No estar tranquil, tenir por. **4** *En aquesta sala va* **tenir lloc** *la reunió de pares:* fer-se, realitzar-se una cosa en un lloc. Es conjuga com *mantenir.* Imperatiu: *té* o *ten* o *tingues, tingui, tinguem, teniu* o *tingueu, tinguin.*

tennis els tennis *nom m* **1** Esport que es juga en una pista rectangular dividida per una xarxa i en què un jugador llança la pilota amb una raqueta per sobre la xarxa mirant que l'altre jugador no la pugui tornar. **2** **tennis de taula** Ping-pong.

tennista tennistes *nom m i f* Persona que juga a tennis.

tenor tenors *nom m* **1** Caràcter general, tendència, tarannà d'un discurs, d'un escrit, etc. **2** Cantant que té la veu més alta de les dues veus usuals en l'home adult. **3** *adj* Es diu de l'instrument que té un to com la veu de tenor.

tenora tenores **1** *nom f* Instrument musical de vent típic d'una cobla de sardanes. **2** *nom m i f* Músic que toca la tenora.

tens tensa tensos tenses *adj* **1** Es diu d'una cosa que està tibant: *La corda de l'arc ha d'estar ben tensa per poder tirar la fletxa.* **2** Es diu d'una situació, d'una relació, d'un ambient, etc. poc agradable, difícil: *La reunió va ser molt tensa.*

tensar *v* Tibar una cosa fins que quedi ben estirada, ben recta: *Els fils d'estendre la roba s'han afluixat, els haurem de tensar bé.* Es conjuga com *cantar*.

tensió tensions *nom f* **1** Acció de tensar. **2** Pressió que fa un líquid o un gas. **3** Conflicte, desacord: *Entre aquests dos equips hi ha una mica de tensió.*

tentacle tentacles *nom m* Cadascun dels apèndixs llargs i flexibles que tenen alguns animals invertebrats al cap o al voltant de la boca i que els serveixen d'òrgan del tacte, de l'olfacte, etc.: *El pop té vuit tentacles.*

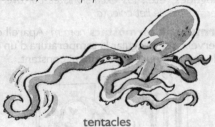

tentacles

tentinejar *v* Caminar de manera insegura, fer tentines. Es conjuga com *cantar*. S'escriu *j* davant de *a, o, u* i *g* davant de *e, i*: *tentinejo, tentineges.*

tentines *nom f pl* Passes insegures, com les que fa una criatura quan està aprenent a caminar, una persona molt dèbil, una persona borratxa.

tènue tènues *adj* Fi, suau, fluix, que amb prou feines es pot apreciar: *Les persianes eren abaixades i per la finestra entrava una llum molt tènue.*

tenyir *v* Impregnar la roba, el paper, etc. d'una matèria líquida que li fa prendre un color determinat: *A la tintoreria li han tenyit la jaqueta de color verd.* Es conjuga com *servir*.

teo- Element amb què comencen algunes paraules i que vol dir "déu": *El teocentrisme és la doctrina que creu que Déu és el centre de tot el món.*

teologia teologies *nom f* Ciència que tracta de Déu.

teoria teories *nom f* Conjunt d'idees, de coneixements i d'explicacions sobre un tema, una ciència, una assignatura, etc.

teòric teòrica teòrics teòriques *adj* Que té relació amb la teoria: *L'examen tindrà dues parts: una de teòrica i una de pràctica.*

teranyina teranyines *nom f* Teixit que fabriquen les aranyes i que els serveix per a caçar les preses: *Amb una escombra llarga vam anar traient les teranyines del sostre.*

teranyina

tèrbol tèrbola tèrbols tèrboles *adj* **1** Que no és transparent, que no és clar: *L'aigua d'aquest estany és tèrbola.* **2** Confús, poc clar, poc honrat: *Diuen que aquell home és un estafador i que va fer els diners amb negocis tèrbols.*

terç terça terços terces **1** *adj* Tercer. **2** *nom m* Cadascuna de les parts d'una cosa dividida en tres parts iguals: *El terç de 15 és 5.*

terça terces *nom f* Unitat de mesura de pes que es fa servir per a pesar carn o peix i que equival a 400 grams.

tercer tercera tercers terceres *adj* **1** Que fa tres en una sèrie, que en té dos a davant: *Aquest és el tercer tren que veiem passar, abans n'hem vist passar dos més.* **2** Es diu de cadascuna de les parts d'una cosa dividida en tres parts iguals. **3** *nom m i f* Mitjancer entre dos. **4** *nom m* Persona que no és cap de les dues que intervenen en una cosa: *Segons la resolució que prengueu, en podrien sortir perjudicats uns tercers.*

terciari terciària terciaris terciàries **1** *adj* Que ve en tercer lloc. **2** *nom m* Període molt antic de la història de la Terra. **3** *En aquesta comarca abunden les activitats del* **sector terciari**: el comerç, els hospitals, les escoles, etc.

tergiversar *v* Canviar els fets, les paraules d'una història, d'una explicació, etc. amb la intenció de provocar errors i confusions: *Durant el judici l'acusat va tergiversar totalment els fets ocorreguts.*
Es conjuga com *cantar*.

termal termals *adj* Es diu de l'aigua que surt calenta d'una font: *Anirem a Sant Hilari a prendre aigües termals.*

terme termes *nom m* **1** Territori que ocupa un municipi, una propietat, etc.: *El terme d'aquest poble tan petit és molt extens.* **2** Límit d'un terreny, lloc on acaba el terreny d'una propietat, etc.: *Van arribar al terme del poble de Sant Pau.* **3** Situació d'una persona o d'una cosa en relació amb una altra: *A primer terme es veia la casa i al fons unes muntanyes.* **4** Moment en què acaba una cosa, final, termini: *Dissabte és el terme per apuntar-se al curset de natació.* **5** **dur a terme** o **portar a terme** Fer una cosa, acabar una feina. **6** Paraula, expressió pròpia d'una matèria, d'una ciència, etc.: *"Penal", "gol" i "còrner" són termes propis del futbol.*

termenal termenals *nom m* Fita o conjunt de fites que assenyala els límits entre dues propietats, dos termes, etc.

termes *nom f pl* Lloc on hi ha aigües termals.

tèrmic tèrmica tèrmics tèrmiques *adj* Que té relació amb la calor: *En una central tèrmica es transforma l'energia de la calor en energia mecànica.*

terminació terminacions *nom f* **1** Part final d'una paraula que n'indica el gènere, el nombre, etc.: *La terminació de la paraula "peixos" és "os".* **2** Acció d'acabar-se una cosa.

terminal terminals *adj* **1** Que té relació amb la terminació. **2** Que està a punt de morir: *Un malalt terminal.* **3** *nom f* Darrera estació, on acaba una línia de transports; zona d'un aeroport d'on surten i a on arriben els passatgers dels avions.

terminantment *adv* Absolutament, totalment: *Està terminantment prohibit de pescar en aquest riu.*

terminar *v* **1** Posar terme a una cosa, acabar-la: *Cal terminar la discussió, no ens hi podem passar tota la tarda.* **2** Acabar, finir: *S'accentuen totes les paraules agudes que terminen en vocal.* Es conjuga com *cantar*.

termini terminis *nom m* **1** Terme, temps fixat per a fer alguna cosa: *El dia 23 acaba el termini de presentació dels treballs per al concurs.* ▪ *Pagarem la nevera a terminis, és a dir, no la pagarem tota de cop, sinó pagant una quantitat cada mes.* **2** **a llarg termini** Dins d'un període llarg de temps. **3** **a curt termini** Dins d'un període curt de temps.

terminologia terminologies *nom f* Conjunt de termes i d'expressions que són propis d'una determinada ciència, d'un autor, etc.

tèrmit tèrmits *nom m* Insecte semblant a una formiga que es menja els vegetals i la fusta.

termo- Element amb què comencen algunes paraules i que vol dir "calent", i que indica relació amb la calor o amb la temperatura: *El termòmetre serveix per a mesurar la temperatura.*

termòmetre termòmetres *nom m* Aparell que serveix per a mesurar la temperatura.

termos uns termos *nom m* Recipient tancat que conserva calents o freds els aliments, les begudes, etc.: *Els excursionistes portaven un termos ple de llet calenta.*

termòstat termòstats *nom m* Aparell que serveix per a regular la temperatura d'un lloc de manera que es mantingui constant.

termòstat

terra terres *nom f* **1** Planeta en què vivim, que pertany al sistema solar: *La Terra gira al voltant del Sol.* **2** Part sòlida de la superfície del planeta: *Les persones vivim a la terra i els peixos viuen al mar.* **3** *nom m* Paviment, sòl, etc. sobre el qual caminem: *L'habitació d'en Marc té el terra de mosaic i la de l'Anna el té de fusta.* **4** *nom f* País, tros de superfície del planeta: *La nostra terra té uns paisatges molt bonics.* **5** *nom f* Matèria feta de petites engrunes i granets que cobreix el sòl i que pot ser conreada: *Aquesta terra és molt bona per a sembrar-hi patates.*

terrabastall terrabastalls nom m **1** Soroll molt fort que fa una cosa grossa quan cau: *L'armari va caure i hi va haver un gran terrabastall.* **2** Espai format per un doble sostre que sol servir per a guardar-hi coses: *A sobre del corredor del pis hi ha un terrabastall on guardem les maletes i les coses de quan érem petits.*

terraplè terraplens nom m Plataforma feta amb terra sobreposada, pedres i altres materials i que generalment s'aguanta amb parets d'obra: *Com que el terreny feia pendent, per construir la casa van haver de fer un terraplè.*

terraqüi terràqüia terraqüis terràqüies adj Es diu d'un globus, d'una esfera, d'una bola que representa la Terra.

terrari terraris nom m Caixa de vidre, de plàstic, etc. destinada a criar-hi serps, tortugues, ratolins, etc.: *En el terrari de la classe hi tenim una serp petita.*

terrassa terrasses nom f **1** Espai pla i descobert, pati que hi ha en un pis: *A la primavera prenc el sol a la terrassa.* **2** Espai amb taules i cadires que hi ha al carrer davant d'un bar, d'un restaurant, etc.

terrassenc terrassenca terrassencs terrassenques **1** nom m i f Habitant de Terrassa; persona natural o procedent de Terrassa. **2** adj Es diu de les persones o de les coses naturals o procedents de Terrassa.

terrat terrats nom m Espai pla i descobert que hi ha a dalt de tot d'un edifici i que serveix per a prendre-hi el sol, estendre-hi la roba, etc.: *A les nits d'estiu prenem la fresca dalt del terrat.*

terratinent terratinents nom m i f Persona que té moltes terres.

terratrèmol terratrèmols nom m Moviment fort de curta durada que fa tremolar la terra i que pot provocar la caiguda d'edificis, d'arbres, etc.

terregada terregades nom f Rebuig, residu, coses o persones sense importància: *Els primers van poder escollir, i als altres ens va tocar la terregada.*

terrejar v **1** Tenir gust o color de terra una cosa: *Aquesta aigua no és gaire bona, terreja una mica.* **2** Tocar i remoure terra amb les mans: *Als nens petits, els agrada molt de terrejar.*

Es conjuga com *cantar*. S'escriu *j* davant de *a, o, u* i *g* davant de *e, i: terreja, terregi.*

terrenal terrenals adj Que no té relació amb el cel, sinó amb la Terra.

terreny terrenys nom m **1** Extensió de terra que té unes característiques pròpies: *Aquesta zona té un terreny molt fèrtil.* **2** Espai de terra per a fer-hi alguna cosa: *Als afores del poble hi ha molts terrenys sense edificar.* **3** guanyar terreny Avançar: *Els soldats van atacar i van guanyar terreny a l'enemic.* **4** perdre terreny Recular, fer-se enrere. **5** Camp de futbol, pista de bàsquet, etc.: *Va llançar la pilota en terreny contrari.* **6** Matèria, activitat: *En el terreny de la medicina s'ha avançat molt.*

terrestre terrestres adj **1** Que té relació amb la Terra: *La superfície terrestre.* **2** Que té relació amb la superfície de la Terra que no està ocupada pel mar: *Els tigres són mamífers terrestres i les balenes són mamífers aquàtics.*

terrible terribles adj **1** Que fa venir por, terror: *La caiguda d'aquell edifici va ser terrible.* **2** *Tinc una son terrible:* tinc moltíssima son.

terriblement adv Molt, massa: *Abans d'entrar estava terriblement nerviós.*

terrícola terrícoles **1** adj Es diu de l'organisme que fa vida al sòl. **2** nom m i f Habitant de la Terra.

terrina terrines nom f Vas petit de terrissa, de vidre, etc. que serveix per a posar-hi aliments: *Alguns iogurts van en una terrina de vidre.*

terrissa terrisses nom f **1** Objecte o conjunt d'objectes fets de fang, d'argila, com ara olles, cassoles, càntirs, gerros, etc.: *En aquella botiga de terrissa venen uns càntirs molt bonics.* **2** Terra argilosa de què és feta la terrissa.

terrissa

terrissaire terrissaires nom m i f Persona que té per ofici fer objectes de terrissa o vendre'n.

terrisser terrissera terrissers terrisseres *nom m i f* Terrissaire.

territori territoris *nom m* **1** Extensió de terra que ocupa un país, una comarca, etc.: *Catalunya ocupa un territori d'uns 40.000 quilòmetres quadrats.* **2** Zona habitada per un animal o un conjunt d'animals.

territorial territorials *adj* Que té relació amb el territori: *La divisió territorial del país es basa en les comarques.*

terror terrors **1** *nom m* o *f* Por molt forta, horror: *M'agraden les pel·lícules de terror.* **2** *nom m* Persona que espanta la gent, que molesta, etc.: *Aquell noi és el terror del barri.*

terrorífic terrorífica terrorífics terrorífiques *adj* Que fa molta por.

terrorisme terrorismes *nom m* Utilització de la violència amb una finalitat política.

terrorista terroristes **1** *adj* Que està relacionat amb el terrorisme: *Un atemptat terrorista. Un grup terrorista.* **2** *nom m i f* Persona que practica el terrorisme.

terrós terrosa terrosos terroses *adj* **1** Que té relació amb la terra, que té el color o la forma de la terra: *Aquest vestit és d'un color terrós.* **2 de boca terrosa** De cara a terra: *Prenia el sol a la platja de boca terrosa.*

terròs terrossos *nom m* Tros compacte de terra, de sucre, de sal, etc.: *M'he posat dos terrossos de sucre al cafè.*

tertúlia tertúlies *nom f* Reunió de persones que acostumen de trobar-se per conversar, discutir o passar l'estona.

tes[1] *adj* Mira **ton**.

tes[2] tesa tesos teses *adj* Es diu d'una cosa que està tibant, que està tensa.

tesar *v* Posar tensa, tibant, una cosa flexible. Es conjuga com *cantar*.

tesi tesis *nom f* Idea que es pren com a punt de partida per a estudiar i demostrar alguna cosa.

test[1] testa test testos testes *adj* Dret i rígid.

test[2] tests o testos *nom m* **1** Recipient de terrissa que s'omple de terra i que serveix per a fer-hi créixer plantes i flors, torratxa: *Els balcons de la casa eren plens de testos amb flors de tots colors.* **2 pixar fora de test** Donar una resposta que no té relació amb el que

s'ha preguntat, sortir del tema que s'està tractant.

test[3] tests o testos *nom m* Conjunt de preguntes breus que es fan a una persona per comprovar què sap d'un tema, què pensa sobre una cosa, etc.

testa testes *nom f* Cap d'una persona o d'un animal: *Ha caigut i s'ha clavat un cop a la testa.*

testament testaments *nom m* Escrit en què una persona diu a qui vol donar els seus diners i les seves coses quan es mori.

testar *v* Fer testament. Es conjuga com *cantar*.

testarrut testarruda testarruts testarrudes *adj* Que és tossut, que vol tenir la raó, que no cedeix.

testicle testicles *nom m* Òrgan sexual que forma part de l'aparell reproductor masculí i que produeix els espermatozoides.

testificar *v* **1** Declarar com a testimoni d'una cosa. **2** Provar una cosa mitjançant proves o documents. Es conjuga com *cantar*. S'escriu *c* davant de *a, o, u* i *qu* davant de *e, i*: *testifico, testifiques.*

testimoni testimonis *nom m i f* Persona que ha vist o sentit alguna cosa: *L'Oleguer va ser testimoni de l'accident, va veure com xocaven els dos cotxes.*

teta tetes *nom f* Mamella.

tetera teteres *nom f* Recipient que serveix per a preparar i servir el te.

tetina tetines *nom f* Peça de goma que es posa al capdamunt del biberó, perquè el nen petit pugui xuclar la llet.

tetina

tetra– Element amb què comencen algunes paraules i que vol dir "quatre": *Un mot de quatre síl·labes és un tetrasíl·lab.*

tetraedre tetraedres *nom m* Poliedre de quatre cares.

tetraplegia tetraplegies *nom f* Paràlisi que afecta els braços i les cames.

tètric tètrica tètrics tètriques *adj* Que fa por, que és molt fosc, molt trist: *Aquella casa abandonada no tenia llum i les portes i les finestres feien molt soroll: era molt tètrica.*

teu teva teus teves *adj* De tu, que és propi de tu: *Això no és teu, és de la Pilar.*

teua teues *adj* Formes femenines de la paraula "teu" que es fan servir al País Valencià.

teula teules *nom f* Cadascuna de les peces de terra cuita que formen la teulada d'una casa, d'un edifici, etc.

teulada teulades *nom f* Coberta d'una casa o d'un edifici feta de teules, de lloses, etc.: *L'antena de televisió és a dalt de la teulada.*

teulat teulats *nom m* **1** Teulada: *Les cases dels pobles de muntanya tenen el teulat de pissarra.* **2 sota teulat** Dins una casa: *Encara que plogui no ens mullarem perquè estem sota teulat.* **3** Pardal.

teuleria teuleries *nom f* Fàbrica de teules.

texans *nom m pl* Pantalons de cotó resistent, generalment de color blau, que solen tenir dues butxaques cosides a la part de darrere.

text texts o textos *nom m* **1** Conjunt de frases escrites que tracten sobre un tema: *En aquest llibre hi ha el text de la cançó que haurem d'aprendre.* ▪ *Hem d'escriure un text per a la revista de l'escola.* **2 llibre de text** Llibre que es fa servir a l'escola per a estudiar una matèria, on hi ha explicacions i exercicis.

tèxtil tèxtils *adj* Que està relacionat amb la fabricació de roba, de fils o de teixits: *La indústria tèxtil del Vallès Occidental és molt important.*

textual textuals *adj* **1** Que té relació amb el text. **2** Exactament igual de com ha estat dita o escrita una cosa: *Ara no recordo les paraules textuals, però més o menys la professora va dir que si no ens esforçàvem més no aprovaríem.*

textualment *adv* Amb les mateixes paraules, de manera exacta: *La segona pregunta de l'examen l'he contestada seguint el llibre textualment.*

textura textures *nom f* Manera com estan col·locats els fils d'un teixit, les parts d'una cosa, les partícules d'una substància: *Aquesta roba té una textura molt consistent.*

tia ties *nom f* Germana del pare o de la mare d'una persona.

tibant tibants *adj* **1** Es diu d'una cosa flexible que es posa rígida quan algú o alguna cosa la tiba: *La corda és massa tibant, l'haurem d'afluixar una mica.* **2** Es diu de la relació entre persones que no funciona, que està a punt de trencar-se: *Abans de separar-se, aquella parella ja feia temps que tenia una relació molt tibant.*

tibantor tibantors *nom f* Qualitat de tibant: *Entre alguns nens de la classe hi ha una certa tibantor.*

tibar *v* **1** Estirar una cosa fins que quedi ben tensa, ben recta: *Les cordes d'aquesta guitarra s'han de tibar més.* **2** *Aquestes mànigues em tiben molt:* en van justes, petites.
Es conjuga com *cantar.*

tibat tibada tibats tibades *adj* Es diu de la persona orgullosa, que es pensa que és més maca, més elegant, més intel·ligent, etc. que els altres.

tiberi tiberis *nom m* Àpat molt abundant, suculent.

tíbia tíbies *nom f* Os llarg de la cama situat al costat del peroné. **15**

tic tics *nom m* Moviment repetit, ràpid i involuntari que fa una persona, com ara tancar un ull, moure el cap, etc.: *En Carles tenia el tic de moure els llavis.*

tic-tac Onomatopeia, paraula que imita el soroll d'un rellotge: *Estava despert i anava sentint el despertador que feia tic-tac.*

tiet tieta tiets tietes *nom m i f* Oncle, tia.

tifa tifes *nom f* Cagarada, excrements.

tifarada tifarades *nom f* Cagarada grossa, gran massa d'excrements.

tifó tifons *nom m* Remolí molt fort de vent que arrossega tot el que troba al seu pas i pot provocar grans desastres.

tifus uns tifus *nom m* Malaltia contagiosa molt greu que provoca molta febre i dolor a tot el cos.

tigre tigres *nom m* Animal mamífer salvatge, propi d'Àsia, de pèl groc amb ratlles negres i que menja la carn dels animals que caça. **10**

tigressa tigresses *nom f* Femella del tigre.

tija tiges *nom f* **1** Part de les plantes llarga i prima que aguanta les fulles i les flors. **2** Barreta llarga i prima que aguanta alguna cosa: *Aquest llum de peu té la tija daurada.*

til·la til·les *nom f* Beguda que s'obté ficant a dins d'aigua calenta les flors del til·ler i que serveix per a calmar, per a tranquil·litzar.

til·ler til·lers *nom m* Arbre de fulla caduca i de flors grogues o blanques amb les quals es prepara la til·la.

timba timbes *nom f* **1** Precipici. **2** Partida de cartes.

timbal timbals *nom m* Tambor, instrument musical de percussió que consisteix en una caixa rodona coberta amb una tela o una pell tibant sobre la qual es pica amb uns bastonets: *A l'Eulàlia, els Reis li van passar un timbal i no para de tocar-lo.*

timbala timbales *nom f* Cadascun dels dos instruments musicals de percussió que en una orquestra toca un sol músic i que consisteix en una caixa que té forma de mitja esfera coberta amb una membrana de pergamí fixada en un marc.

timbala

timbaler timbalera timbalers timbaleres *nom m i f* Persona que toca el timbal o les timbales.

timbrar *v* Estampar el timbre en un paper, en un document, etc.
Es conjuga com *cantar*.

timbre timbres *nom m* **1** Aparell que fa soroll i que serveix per a avisar: *Vés a la porta a veure qui hi ha, que he sentit tocar el timbre.* **2** Segell. **3** Qualitat d'un so que permet de distingir-lo d'un altre de semblant: *Aquella noia té el timbre de la veu molt semblant al teu.*

tímid tímida tímids tímides *adj* Es diu de la persona que té vergonya, que li costa de parlar amb la gent, que no gosa dir les coses, etc.

timidesa timideses *nom f* Manera de ser d'una persona que té vergonya, que li costa de parlar amb la gent, que no gosa dir les coses, etc.

timó¹ timons *nom m* **1** Peça d'una embarcació que serveix per a girar a la dreta o a l'esquerra. **2** **portar el timó** Manar, dirigir: *La Susanna porta el timó de l'equip de futbol.*

timó² timons *nom m* Planta, herba en forma de mata baixa que fa molta olor, farigola.

timonejar *v* Dirigir una nau amb el timó.
Es conjuga com *cantar*. S'escriu *j* davant de *a, o, u* i *g* davant de *e, i: timonejo, timoneges.*

timoner timonera timoners timoneres *nom m i f* Mariner que porta el timó d'una embarcació.

timpà timpans *nom m* Membrana de dins l'orella que vibra quan hi arriba un so. **15**

tina tines *nom f* Recipient molt gros que serveix per a posar-hi vi, trepitjar-hi el raïm, etc.

tindre *v* Mira **tenir**.
Es conjuga com *mantenir*.

tinent tinenta tinents tinentes *nom m i f* **1** Oficial de l'exèrcit que està sota les ordres del capità. **2** **tinent d'alcalde** Regidor d'un ajuntament que de vegades substitueix l'alcalde.

tint tints *nom m* Color amb què es tenyeix una cosa: *Aquestes sabates, les tenyirem amb un tint de color negre.*

tinta tintes *nom f* **1** Líquid de diferents colors que serveix per a escriure, dibuixar o imprimir: *Se m'ha acabat la tinta del bolígraf.* **2** Líquid de color negre que llancen alguns animals marins, com ara la sípia o el calamar, per protegir-se contra l'enemic.

tinter tinters *nom m* Recipient petit on es posa la tinta.

tintorer tintorera tintorers tintoreres *nom m i f* Persona que té per ofici tenyir i rentar peces de roba.

tintoreria tintoreries *nom f* Lloc on es tenyeixen i es renten peces de roba.

tintura tintures *nom f* **1** Acció de tenyir. **2** Color amb què es tenyeix una cosa: *Hem tenyit les samarretes amb tintura lila.* **3** **tintura de iode** Líquid de color morat que es posa a les ferides per a desinfectar-les.

tinya tinyes *nom f* **1** Malaltia de la pell del cap que forma unes crostes i de vegades fa caure els cabells. **2** **ser més dolent que la tinya** Ser molt dolent.

tió tions *nom m* **1** Tros de tronc o de branca gruixuda que es posa a la llar de foc per cremar. **2** Tronc gros que es pica amb un bastó la nit de Nadal perquè cagui torrons i regals: *La nit de Nadal vam fer cagar el tió i en van sortir moltes llaminadures.*

tip¹ tipa tips tipes *adj* **1** Que ha menjat fins a quedar ben satisfet: *Hem fet un bon dinar i hem quedat ben tips.* **2** Que està cansat d'una cosa: *Estic tip d'estar tancat a casa, vull sortir a passejar.*

tip² tips *nom m* **1** Acció de beure o de menjar molt: *Avui m'he fet un tip de caramels.* **2** **fer-se un tip de riure, de plorar, de menjar, de córrer** Fer una cosa fins a cansar-se'n, fins a quedar ben satisfet.

típic típica típics típiques *adj* Que és propi d'una persona, d'un grup de persones, d'un poble, d'un país: *El pa de pessic és típic de Vic.* ■ *La sardana és un ball típic de Catalunya.*

tipo- Element amb què comencen algunes paraules i que vol dir "caràcter, tipus".

tipus uns tipus *nom m* **1** Classe de la qual forma part una persona o una cosa per la seva manera de ser, la seva forma, etc.: *A la botiga hi havia diferents tipus de formatges.* ■ *La seda és un tipus de tela molt prima i molt fina.* **2** Persona, individu: *Aquell home és un tipus ben curiós.* **3** Figura d'una persona: *Aquella noia té molt bon tipus.*

tiquet tiquets *nom m* Bitllet que dóna dret a participar en una festa, en un àpat, etc.

tir tirs *nom m* **1** Tret, descàrrega d'una arma de foc: *Els soldats fan exercicis de tir per aprendre a disparar amb punteria.* **2** Conjunt de cavalls, de mules, etc. que mouen un carruatge: *Després del casament es passejaven amb una carrossa que portava un tir de quatre cavalls.*

tira tires *nom f* **1** Tros llarg i estret de roba, de cuir, de paper, etc. **2** Filera, renglera de coses.

tirà tirana tirans tiranes *nom m i f* Persona que exerceix el seu poder sense respectar els drets dels altres, oprimint-los.

tirabuixó tirabuixons *nom m* **1** Estri que serveix per a treure els taps de suro de les ampolles. **2** Floc de cabells llarg i en espiral.

tirada tirades *nom f* **1** Acció de tirar els daus, les cartes, etc. en un joc: *Hem jugat a parxís i a la primera tirada he tret un cinc.* **2** **tenir ti-** rada Tenir tendència a fer una cosa: *Els meus pares tenen tirada a anar a passejar pel bosc.* **3** *Hem anat de Barcelona a Saragossa **d'una tirada**: en un sol cop, sense parar enlloc.

tiralínies uns tiralínies *nom m* Instrument que serveix per a traçar línies, que consisteix en dues peces metàl·liques acabades en punta entre les quals es posa la tinta i que es poden acostar més o menys per mitjà d'un cargol per fer que les línies surtin més primes o més gruixudes.

tirallonga tirallongues *nom f* Sèrie llarga de coses l'una al darrere de l'altra: *Una tirallonga de paraules.* ■ *Una tirallonga de desgràcies.*

tirant tirants *nom m* **1** Cadena, corda, corretja, etc. que serveix per a estirar o aguantar alguna cosa. **2** Cadascuna de les dues tires que passen per les espatlles i que serveixen per a aguantar una faldilla, un vestit o una altra peça de vestir. **3** tirants *nom m pl* Elàstics.

tirar *v* **1** Fer força per moure una cosa en la mateixa direcció en què ens movem: *Els cavalls tiraven els carros.* **2** Deixar caure una cosa, llançar una cosa: *Va tirar una pedra a la teulada.* **3** Agafar una direcció determinada: *Quan arribeu al revolt tireu cap a la dreta.* **4** Traçar una línia amb un llapis en un dibuix. **5** **tirar pel dret** Fer una cosa amb decisió, sense tenir en compte els desavantatges. **6** Deixar passar l'aire una xemeneia, un tub, etc.: *Aquesta llar de foc no tira i fa molt fum.* **7** Anar vivint, sense millorar ni empitjorar: *—Com està el teu pare? —Per ara va tirant.* **8** Disparar una arma de foc: *Amb una escopeta tirava contra els ocells.* **9** **tirar-s'ho tot a l'esquena** No preocupar-se gens d'una cosa. **10** *Van fer una gran festa i van **tirar la casa per la finestra**: gastar molts diners. **11** Imprimir: *Han tirat cinc mil exemplars del llibre.* **12** Transportar una cosa més enllà o més ençà: *Si no veieu bé la pissarra, tireu les cadires més endavant.* **13** Atreure. **14** **tirar-se algú** Burlar-se'n. **15** Tendir cap a una cosa: *Aquest color tira a verd.* **16** Disparar.
Es conjuga com *cantar*.

tiratge tiratges *nom m* **1** Nombre de còpies d'un diari, d'un llibre, etc. que es fan en una mateixa impressió: *D'aquesta novel·la, se n'ha fet un tiratge de 3.000 exemplars.* **2** Corrent d'aire que hi ha dins una xemeneia i que fa que es renovi l'aire d'una llar de foc, d'un forn, etc.

tireta tiretes *nom f* **1** Tira estreta de roba o de pell. **2** Tros d'esparadrap amb una mica de bena enganxada que es fa servir per a curar ferides.

tiró tirona tirons tirones **1** *nom m i f* Ànec. **2 tirons** Paraula que es fa servir per a cridar els ànecs.

tiroide tiroides *nom f* Glàndula situada al coll, sota la faringe, que produeix una substància necessària per a regular el creixement i altres funcions del cos.

tirolès tirolesa tirolesos tiroleses **1** *nom m i f* Habitant del Tirol; persona natural o procedent del Tirol. **2** *adj* Es diu de les persones o de les coses naturals o procedents del Tirol. **3 barret tirolès** Barret de vellut amb una ploma a la part posterior, propi dels habitants del Tirol.

tiroliro Onomatopeia, paraula que imita un so agut, com el del flabiol.

tiroteig tiroteigs o tirotejos *nom m* Acció de tirotejar.

tirotejar *v* Tirar trets de tant en tant, no d'una manera seguida.
Es conjuga com *cantar*. S'escriu *j* davant de *a, o, u* i *g* davant de *e, i: tirotejo, tiroteges*.

tírria tírries *nom f* Mania molt forta contra una persona o una cosa: *Aquell teu amic em sembla que em té molta tírria, sempre em fa mala cara.*

tisana tisanes *nom f* Beguda medicinal a base d'herbes, aigua i sucre, infusió.

tisores *nom f pl* Mira **estisores**.

tit **1** Onomatopeia, paraula que imita el so dels ocells i dels pollets. **2 tits** Paraula que es fa servir per a cridar els ocells i els pollets.

tita tites **1** *nom f* Penis. **2 tites** Paraula que es fa servir per a cridar les gallines.

tità titans *nom m* Home molt alt i molt forçut, gegant.

titànic titànica titànics titàniques *adj* Enorme, gegant: *Per acabar de pujar la muntanya amb tanta neu, vam haver de fer un esforç titànic.*

titella titelles *nom m* **1** Ninot de roba, de fusta, de cartó, etc. que algú fa moure d'amagat, de manera que sembli que camini i parli tot sol: *Hem anat a veure un teatre* de titelles que representava la història de la Caputxeta Vermella. **2** Persona que es deixa influir pels altres, que té poc caràcter, poca personalitat.

titella

titellaire titellaires *nom m i f* Persona que fa bellugar i parlar els titelles o que els construeix.

tití titís *nom m* Simi de petites dimensions que viu a les selves d'Amèrica del Sud.

titil·lar *v* Moure's tot tremolant una mica: *Les estrelles titil·laven en el cel.*
Es conjuga com *cantar*.

titllar *v* Acusar una persona de tenir algun defecte, de fer alguna cosa malament: *Si ens cansem d'esperar i ens n'anem, després ens titllaran d'impacients.*
Es conjuga com *cantar*.

títol títols *nom m* **1** Paraula o grup de paraules situades al capdamunt d'un text, d'un llibre, d'una cançó, etc. que n'informen del contingut: *El títol del llibre és "Viatge per les terres de l'Ebre".* **2** Diploma que dóna el dret a exercir una professió, un ofici, etc.: *Ha acabat la carrera i ja té el títol de metge.*

titola titoles *nom f* Penis.

titot titots *nom m* Gall dindi.

titubejar *v* **1** Dubtar, estar indecís, molt sorprès, no trobar les paraules per dir una cosa: *És una bona alumna, però quan el professor li fa una pregunta es posa nerviosa i sempre titubeja.* **2** Caminar insegur, com si s'estigués a punt de caure.
Es conjuga com *cantar*. S'escriu *j* davant de *a, o, u* i *g* davant de *e, i: titubejo, titubeges*.

titular *v* **1** Posar títol. **2 titular-se** Tenir per títol: *Aquella novel·la tan divertida es titula "El laberint".*
Es conjuga com *cantar*.

to tons *nom m* **1** Alçada d'un so, d'una veu, d'un instrument, etc.: *Sempre parla amb un to de veu molt baix.* **2** Intensitat d'un color: *Portava un vestit de tons clars.*

tobogan tobogans *nom m* Peça inclinada de fusta, de metall, etc., per on els infants baixen asseguts relliscant.

toc tocs *nom m* **1** Acció de tocar un instrument en senyal d'alguna cosa: *Aquest toc de campana anuncia l'hora de dinar.* **2** Acció de tocar una cosa: *Aquest futbolista té molt bon toc de pilota.* **3** Sensació que produeix una cosa en tocar-la: *Aquesta roba té un toc molt agradable.* **4** Cop de pinzell, de martell, etc. que es dóna a una cosa per tal de perfeccionar-la o millorar-la: *L'obra ja està pràcticament acabada, només hi falten quatre tocs.*

tocacampanes uns/unes *tocacampanes nom m i f* Persona que parla per parlar, que és poc intel·ligent, poc educada: *No en facis cas, és un tocacampanes.*

tocadiscos uns *tocadiscos nom m* Tocadiscs.

tocadiscs uns *tocadiscs nom m* Aparell que serveix per a fer sonar els discos i poder-los escoltar.

tocador tocadors *nom m* Moble en forma de taula amb calaixos i mirall que es fa servir per a arreglar-se, maquillar-se, pentinar-se, etc.

tocant Paraula que apareix en l'expressió tocant a, que vol dir "a la vora de, prop de" o bé "pel que fa a, amb relació a": *Casa meva és tocant a l'estació.* ▪ *Tocant a la teva pregunta, no sé què respondre.*

tocar *v* **1** Entrar en contacte dues coses, posar la mà o els dits sobre una cosa: *Les parets de les dues cases es toquen.* ▪ *No toqueu la fruita.* **2** Encertar alguna cosa amb un cop, un tret, etc.: *Hem disparat contra una llebre, però no l'hem tocada.* **3** Fer sonar un instrument musical: *L'Aleix toca la flauta.* **4** no tocar de peus a terra No veure les coses tal com són, no adonar-se de la realitat. **5** Treure una cosa del seu lloc: *Qui ha tocat les claus del calaix?* **6** a tocar Molt a prop. **7** no tocar-hi Estar boig. **8** Tractar un tema en un discurs, un escrit, etc.: *A la reunió d'avui tocarem el tema de les quotes.* **9** Correspondre a algú una cosa que es reparteix: *Ens ha tocat el segon premi.* **10** tocar el dos Anar-se'n.
Es conjuga com *cantar*. S'escriu c davant de *a, o, u* i *qu* davant de *e, i: toco, toques.*

toca-son toca-sons *nom m i f* Dormilega.

tocat tocada tocats tocades *adj* **1** Es diu de la persona que està una mica malalta i de la planta que té alguna malura: *No em trobo gaire bé, em sembla que estic tocat.* **2** Boig. **3** *En Raül és molt* **tocat i posat**: fa les coses amb molt de compte, s'hi mira molt.

tocatardà tocatardana tocatardans tocatardanes *adj i nom m i f* Es diu de la persona que tarda a fer les coses, que acostuma a arribar tard als llocs.

tofa tofes *nom f* **1** Massa que formen les fulles d'un arbre, els cabells d'una persona, etc.: *Els arbres d'aquest jardí fan molta tofa.* **2** tofa de neu Massa esponjosa de neu.

tòfona tòfones *nom f* Bolet que es fa sota terra i que és molt apreciat per preparar alguns plats.

toga togues *nom f* Peça de vestir amb mànigues i llarga fins als peus, generalment de color negre, que fan servir els jutges i els advocats durant els judicis i també els professors universitaris en actes molt solemnes.

toga

toia toies *nom f* **1** Ram de flors. **2** Persona amb poca traça: *Aquest porter és una toia, ja s'ha deixat fer dotze gols.*

toix toixa toixos toixes *adj* Estúpid, poc intel·ligent.

toixó toixons *nom m* Mira teixó.

tolerància toleràncies *nom f* Capacitat que té una persona de respectar els altres, de deixar-los fer: *La tolerància és molt necessària per a poder conviure les persones.*

tolerant tolerants *adj* Es diu de la persona que deixa fer, que respecta les idees i les decisions dels altres encara que a ell no li agradin.

tolerar *v* **1** Deixar fer una cosa als altres encara que no ens agradi a nosaltres: *Als meus pares no els agrada que miri la televisió, però ho toleren.* **2** Resistir un medicament, un aliment, etc.: *El meu estómac no tolera els menjars picants.*
Es conjuga com *cantar*.

tolir-se *v* Perdre la capacitat de moure el cos o una part.
Es conjuga com *servir*.

toll tolls *nom m* Sot ple d'aigua, bassal: *Havia plogut i el camí era ple de tolls.*

tom toms *nom m* Cadascun dels llibres que formen una sola obra, volum: *Ja ha sortit l'últim tom de l'enciclopèdia d'animals.*

tomaca tomaques *nom f* Tomàquet.

tomaquera tomaqueres *nom f* Planta que es conrea a l'hort, que té un fruit comestible anomenat tomàquet.

tomàquet tomàquets *nom m* Fruit comestible de la tomaquera, rodó i de color vermell: *Menjarem una amanida amb tomàquet, enciam i olives.* █

tomar *v* Copsar parant la mà, un cistell, etc. una cosa que cau o que es tira.
Es conjuga com *cantar*.

tomata tomates *nom f* Tomàquet.

tomàtec tomàtecs *nom m* Tomàquet.

tomàtic tomàtics *nom m* Tomàquet.

tomàtiga tomàtigues *nom f* Tomàquet.

tomb tombs *nom m* **1** Volta que dóna una cosa: *La fulla de l'arbre va fer tres tombs abans de caure a terra.* **2** Canvi: *El temps ha fet un tomb: ahir feia sol i avui plou.* **3** Passejada curta: *Cada tarda sortim a fer un tomb pel centre de la ciutat.*

tomba tombes *nom f* Lloc on és enterrat un mort.

tomballons Paraula que apareix en l'expressió de **tomballons**, que vol dir "fent tombs per terra".

tombant tombants *nom m* **1** Lloc on tomba o gira un camí, una carretera, etc.: *Es van asseure a reposar en un tombant del camí.* **2** Canvi, moment en què acaba una etapa i en comença una altra: *Aquests fets es van produir en el tombant de segle.*

tombar *v* **1** Fer donar mitja volta o part d'una volta a una cosa, fer-la girar: *Quan el vam cridar, en Sergi va tombar la cara cap a nosaltres.* **2** Girar: *El cotxe va tombar pel carrer de l'esquerra.* **3** Fer caure algú o alguna cosa: *El vent va tombar alguns arbres.* **4** Suspendre un examen.
Es conjuga com *cantar*.

tombarella tombarelles *nom f* Moviment que es fa amb el cos, posant el cap i les mans a terra i tirant-se cap endavant: *He fet tres tombarelles seguides i m'he marejat una mica.*

tombarella

tómbola tómboles *nom f* Parada d'una fira on venen números i rifen regals.

ton ta tos tes *adj* El teu, la teva, els teus, les teves: *Ta germana ha sortit a comprar amb ton pare.*

tona tones *nom f* Unitat de pes que equival a 1.000 quilograms: *El carboner ens ha portat una tona de carbó.*

tonada tonades *nom f* Melodia d'una cançó: *Mentre pujava l'escala anava xiulant la tonada d'una cançó de moda.*

tonalitat tonalitats *nom f* Cadascun dels tons que pot tenir un color o un so.

tondre *v* Tallar arran el pèl, la llana d'un animal o d'una roba.
Es conjuga com *confondre*. Participi: *tos, tosa*.

tongada tongades *nom f* Conjunt de fets que vénen seguits, l'un darrere l'altre: *Aquesta setmana hem tingut una tongada d'encàrrecs.*

tònic tònica tònics tòniques **1** *adj* Que dóna força al cos, a la pell, etc.: *Tinc la pell de la cara molt resseca i he anat a la farmàcia a comprar-me un producte tònic per a netejar-me-la cada dia al vespre.* **2** *nom m* Producte que dóna força al cos: *Com que està tan dèbil, el metge li ha receptat un tònic.* **3 tònica** *nom f* Tendència, orientació que pren una cosa: *La tònica d'aquests dies a casa meva és d'exaltació, perquè el meu germà gran se'n va a estudiar a l'estranger i tothom està molt nerviós.* **4 tònica** *nom f* Beguda amb gas feta a base de fruits i substàncies amargants. **5** *adj* Es diu de la síl·laba, de la vocal, etc. que es pronuncia amb més força que les altres, que no és àtona: *La paraula "casa" té dues síl·labes: "ca" és la síl·laba tònica i "sa" és la síl·laba àtona.*

tonificant tonificants *adj* Que tonifica: *El cafè és una beguda tonificant.*

tonificar v Donar força, donar ànims.
Es conjuga com *cantar*. S'escriu *c* davant de *a, o, u* i *qu* davant de *e, i: tonifico, tonifiques.*

tonyina tonyines *nom f* Peix de mar, gros i de color blau, que es menja fresc, congelat o en conserva.

topada topades *nom f* Xoc, cop de dues coses: *La boira va provocar la topada d'uns quants cotxes.*

topall topalls *nom m* Peça que es posa en contacte amb una altra i que serveix per a aturar-la: *A terra hi ha un topall per a evitar que la porta toqui a la paret.*

topall

topants *nom m pl* Llocs, camins, racons: *Fa molts anys que treballo en aquest edifici i en conec tots els topants.*

topar v **1** Xocar una cosa contra una altra que troba en el seu camí: *Aquell cotxe va topar contra un arbre.* **2** Trobar algú o alguna cosa per casualitat: *Feia molt de temps que no veia l'Enric, i ahir el vaig topar pel carrer.*
Es conjuga com *cantar.*

topazi topazis *nom m* Pedra preciosa de color groc amb la qual es fan joies.

tòpic tòpica tòpics tòpiques **1** *adj* Es diu de les opinions, de les idees, de les paraules, etc. que es repeteixen contínuament i que ja no són originals. **2** *nom m* Opinions, idees, paraules, etc. que es repeteixen contínuament i que ja no són originals.

topo- top- Element amb què comencen algunes paraules i que vol dir "lloc": *Les paraules "Barcelona", "Vic", "Montseny" són topònims, és a dir, noms de llocs.*

topògraf topògrafa topògrafs topògrafes *nom m i f* Persona que té per ofici fer mapes i plànols de finques, de terrenys, etc.

topografia topografies *nom f* Tècnica que consisteix a representar en un mapa o en un plànol les característiques d'una finca, d'un terreny, etc.

topogràfic topogràfica topogràfics topogràfiques *adj* Que té relació amb la topografia.

topònim topònims *nom m* Nom de lloc: *Els noms de les ciutats, dels pobles, de les muntanyes, dels rius, de les cases de pagès, etc. són topònims.*

toponímia toponímies *nom f* Ciència que estudia els noms de lloc.

toquejar v Anar tocant amb les mans una cosa o una persona.
Es conjuga com *cantar*. S'escriu *j* davant de *a, o, u* i *g* davant de *e, i: toquejo, toqueges.*

toràcic toràcica toràcics toràciques *adj* Que té relació amb el tòrax.

tòrax tòraxs *nom m* Part del cos situada entre el coll i l'abdomen, pit.

torb torbs *nom m* Vent molt fort que aixeca i arrossega la neu.

torbar v **1** Alterar la quietud, la tranquil·litat d'algú o d'alguna cosa; canviar el funcionament o l'estat normal d'una cosa: *Pareu de jugar dins de casa perquè torbeu la nena, i ara dorm.* ■ *Mentre treballo, no m'agrada que em vingueu a torbar.* **2 torbar-se** Entretenir-se, dedicar més temps del que cal a fer una cosa: *Quan sortiu de l'escola no us torbeu, aneu a casa de pressa.*
Es conjuga com *cantar.*

torbonada torbonades *nom f* Vent sobtat i molt fort, que dura poc i que generalment va acompanyat de pluja o de calamarsa.

torcaboques uns **torcaboques** *nom m* Tovalló.

torçada torçades *nom f* Acció de torçar o de torçar-se una cosa: *Baixant l'escala, em vaig fer una torçada al peu i ara em fa molt mal.*

torcar v Netejar una cosa fregant-la amb un drap, un paper, etc.
Es conjuga com *cantar*. S'escriu *c* davant de *a, o, u* i *qu* davant de *e, i: torco, torques.*

torçar v **1** Fer tornar corba una cosa, doblegar: *Al circ hi havia un home molt forçut que torçava barres de ferro.* **2** Deformar una cosa flexible a força d'anar-la cargolant: *Va torçar el coll a la gallina fins a matar-la.* **3** Sortir una articulació del lloc a causa d'una caiguda violenta o d'un mal gest: *En Segimon s'ha torçat el peu mentre jugava al pati.*
Es conjuga com *cantar*. S'escriu *ç* davant de *a, o, u* i *c* davant de *e, i: torço, torces.*

tòrcer v Mira **torçar**.
Es conjuga com *vèncer*.

tord tords *nom m* Ocell d'uns vint-i-tres centímetres de llarg, de dors de color bru i pit i ventre de color ocre, amb taques en forma de punta de fletxa.

torejar v Fer que un toro s'acosti i després esquivar-lo, lluitar-hi en una plaça de toros fins a matar-lo.
Es conjuga com *cantar*. S'escriu *j* davant de *a, o, u* i *g* davant de *e, i: torejo, toreges*.

torellonenc torellonenca torellonencs torellonenques **1** *nom m i f* Habitant de Torelló; persona natural o procedent de Torelló. **2** *adj* Es diu de les persones o de les coses naturals o procedents de Torelló.

torero torera toreros toreres *nom m i f* Persona que es dedica a torejar.

torn torns *nom m* **1** Màquina que té una peça que gira i que es fa servir per a arrodonir i polir peces de fusta, de metall, etc. o bé per a fer objectes de terrissa, de metall, etc. **2** Quan una cosa la fan moltes persones, moment en què toca de fer-la només a algunes: *Aquesta fàbrica funciona les vint-i-quatre hores del dia i hi ha un torn de matí, un de tarda i un de nit*.

torna tornes *nom f* **1** Quantitat de diners que ens han de tornar quan paguem una cosa amb un bitllet o una moneda d'un valor superior al que ens demanen. **2** Porció que el venedor afegeix al producte que es compra perquè acabi de fer el pes que s'ha demanat: *Volíem una coca de quilo, i com que la que tenien només feia 900 grams el venedor ens n'hi va afegir un tros de torna*. **3** Cosa que s'afegeix com a regal o complement d'un producte que es compra: *Vam comprar una vaixella i ens van regalar un cendrer de torna*.

tornaboda tornabodes *nom f* Festa que es fa l'endemà d'una altra: *Al meu poble, després de la festa major hi ha el ball de tornaboda*.

tornada tornades *nom f* **1** Acció de tornar a un lloc: *Farem el viatge d'anada a peu i el de tornada amb tren*. **2** Grup de versos que es repeteix al final de cada estrofa en algunes composicions poètiques, cançons, etc.

tornar v **1** Anar cap al lloc d'on abans havíem marxat: *La Carmeta se'n va a Barcelona dissabte i tornarà dilluns*. **2** Fer una cosa una altra vegada: *La pel·lícula ens va agradar tant, que l'hem tornada a veure*. **3** Posar, deixar una cosa de nou al seu lloc, donar-la a algú que la tenia abans: *Torneu els llibres als prestatges quan acabeu de llegir-los*. **4** En Magí és molt tímid, ahir mateix va **tornar-se vermell** per no res: pujar els colors a la cara. **5** **tornar-se** Convertir-se, transformar-se: *L'Hipòlit s'ha tornat molt trempat*. **6** **tornar-s'hi** Fer a algú allò que ens fa a nosaltres: *En Pep és molt bon noi: quan l'insulten, mai no s'hi torna*.
Es conjuga com *cantar*.

tornassol tornassols *nom m* Propietat que tenen algunes teles, papers, etc. de produir reflexos de colors diferents segons la inclinació de la llum que hi dóna.

tornaveu tornaveus *nom m* Eco.

tornavís tornavisos *nom m* Eina que serveix per a cargolar o descargolar i que consisteix en un mànec i una barra prima acabada de forma que es pugui ficar en el forat allargat que tenen els cargols: *El fuster colla els cargols amb el tornavís*.

torneig torneigs o tornejos *nom m* **1** Competició esportiva entre equips o individual: *En el torneig de tennis ha guanyat l'equip anglès*. **2** Espectacle antic que consistia a lluitar dos o més cavallers entre ells.

tornejar v Donar forma a una cosa, treballar-la en un torn.
Es conjuga com *cantar*. S'escriu *j* davant de *a, o, u* i *g* davant de *e, i: tornejo, torneges*.

torner tornera torners torneres *nom m i f* Persona que fa anar un torn.

torniquet torniquets *nom m* **1** Aparell que gira al voltant d'un eix, com els que es col·loquen a l'entrada d'un lloc per fer que cada vegada només pugui entrar una sola persona. **2** Aparell que serveix per a comprimir una artèria i així aturar la sang i evitar una hemorràgia.

toro toros *nom m* **1** Animal mamífer de cap gros i amb banyes que menja herba i és el mascle de la vaca: *El toro té unes banyes molt punxegudes*. **2** Màquina que té uns braços que pugen i baixen i que serveix per a aixecar pesos.

torpede torpedes *nom m* Projectil submarí.

torpedinar v Atacar, destruir una embarcació llançant-hi torpedes.
Es conjuga com *cantar*.

torracollons uns/unes torracollons *nom m* i *f* Persona que molesta molt.

torrada torrades *nom f* Llesca de pa torrat: *Per sopar, vam menjar torrades amb all.*

torrador torradora torradors torradores *adj* i *nom m* i *f* Que torra.

torradora torradores *nom f* Instrument per a torrar alguna cosa: *Una torradora de castanyes.*

torradora de pa

torrapà torrapans *nom m* Instrument en forma de forquilla que serveix per a torrar llesques de pa.

torrar *v* **1** Cremar superficialment una cosa: *La Teresa torra el pa a la llar de foc.* **2** Fer tornar més fosc el color de la pell per efecte del sol: *Aquest nen està torrat del sol.* **3 torrar-se** Emborratxar-se, embriagar-se: *L'Hilari va beure tant vi, que es va torrar.*
Es conjuga com *cantar*.

torratxa torratxes *nom f* Test².

torre torres *nom f* **1** Construcció més alta que ampla que sobresurt d'un edifici, d'un castell, d'una fortificació, etc. **2** Peça del joc d'escacs que es mou paral·lelament als costats del tauler. **3** Casa a fora de la ciutat, destinada a passar-hi temporades: *Els meus oncles s'han fet una torre a Palafrugell.* **4 torre de l'homenatge** Torre més alta d'un castell.

torrefacte torrefacta torrefactes *adj* Torrat amb sucre: *Cafè torrefacte.*

torrencial torrencials *adj* Es diu de les pluges fortes que produeixen una baixada d'aigües semblant a la d'un torrent.

torrent torrents *nom m* **1** Riu que es forma quan hi ha pluges fortes. **2** Barranc, pendís generalment eixut o amb molt poca aigua per on corre l'aigua de la pluja.

torrentada torrentades *nom f* Augment de la quantitat d'aigua d'un torrent: *Després d'aquestes pluges tan fortes, hi ha hagut una torrentada.*

torrentera torrenteres *nom f* Lloc per on baixa un torrent.

torreta torretes *nom f* Test, torratxa.

tòrrid tòrrida tòrrids tòrrides *adj* Molt calent, molt càlid.

torró torrons *nom m* Aliment molt dolç i fet d'ametlles, pinyons, avellanes, nous, mel, sucre, xocolata, etc. presentat en forma de barres: *Per Nadal és típic menjar torrons.*

tors torsos *nom m* Estàtua del tronc del cos humà, sense cap ni extremitats.

torsimany torsimanys *nom m* i *f* Intèrpret, persona que traduïa el que deien persones de llengües diferents perquè es poguessin entendre.

tort¹ torta torts tortes *adj* **1** Que no és dret, que s'inclina més a un costat que a l'altre: *Vaig haver de repetir el dibuix perquè em va sortir una ratlla torta.* **2 de tort** Sense seguir una línia recta: *Encara no sé anar gaire amb bicicleta i vaig de tort.*

tort² torts *nom m* Dany causat a algú: *No convidant-lo a la festa, li heu fet un tort.*

torta tortes *nom f* Tros d'un camí, d'una carretera, etc. que no va en línia recta: *Aquest riu fa moltes tortes.*

tortell tortells *nom m* Pastís en forma d'anella, ple de nata, de crema, etc.

tortell

tortel·lini tortel·linis *nom m* Pasta de farina en forma d'anella plena de carn, de verdura o de formatge.

torticoli torticolis *nom m* Dolor dels músculs del coll que impedeix de girar el cap.

tórtora tórtores *nom f* Ocell semblant al colom però més petit.

tortosí tortosina tortosins tortosines **1** *nom m* i *f* Habitant de Tortosa; persona natural o procedent de Tortosa. **2** *adj* Es diu de les persones o de les coses naturals o procedents de Tortosa.

tortuga tortugues *nom f* **1** Animal rèptil que té el cos dins una closca amb forats per on

t

surten el cap, les cames i la cua i que camina molt a poc a poc. **2 a pas de tortuga** Molt a poc a poc, molt lentament.

tortuós tortuosa tortuosos tortuoses *adj* Que fa tortes: *Els carrers del barri antic són estrets i tortuosos.*

tortura tortures *nom f* **1** Acció de torturar algú, de maltractar-lo i fer-li mal per tal de castigar-lo, obligar-lo a dir alguna cosa que no vol dir, etc. **2** Sofriment insuportable.

torturar *v* Maltractar una persona pegant-li, insultant-la, fent-li molt de mal per tal de castigar-la, fer-li dir alguna cosa que no vol dir, etc. Es conjuga com *cantar*.

torxa torxes *nom f* Teia llarga o bastó acabat amb un tros de roba embolicat i mullat amb una matèria inflamable i que serveix per a fer llum.

torxa

tos¹ *adj* Mira ton.

tos² les tos *nom f* Acció de treure l'aire dels pulmons fent soroll: *En Jofre pren xarop perquè està refredat i té molta tos.*

tos³ tossos *nom m* Clatell.

tosc tosca toscs o toscos tosques *adj* Rústec, poc polit, poc fi.

tossa tosses *nom f* **1** Volum que fa una persona o una cosa: *Amagat dins una col, en Patufet va veure la tossa d'un bou que s'acostava.* **2** Muntanya ampla.

tossal tossals *nom m* Muntanya petita que no fa gaire pendent.

tossir *v* Treure l'aire dels pulmons fent soroll: *En Felip s'ha passat la nit tossint.* Es conjuga com *collir*.

tossuderia tossuderies *nom f* Acció pròpia d'una persona tossuda: *Es moria de ganes d'anar a la festa, però com que va dir que no hi aniria, no hi ha anat; una altra tossuderia de les seves!*

tossut tossuda tossuts tossudes *adj* Que no canvia d'opinió, que vol fer sempre allò que diu ell: *El nen petit és molt tossut, quan diu que no vol menjar no hi ha res a fer, no menja gens.*

tost *adv* Aviat.

tostemps *adv* Sempre.

tostorro tostorros *nom m* Cop al cap.

tot¹ *adv* **1** Completament: *Caminaven tot de pressa.* **2** *Tot d'una* es va posar a ploure: de sobte, de cop. **3** *Quan en David menjava la carn, la Teresa tot just començava a menjar la sopa:* només començava. **4** *pron* Totes les coses: *Ets un despistat: ho perds tot.*

tot² tota tots totes *adj* **1** Sencer, que té totes les parts i que no en falta cap: *He fet tota la feina.* **2** Uns i altres, sense que en falti cap: *Tanqueu totes les portes.* **3** Un o altre, qualsevol: *Tota hora és bona per anar a passejar.*

tòt tòts *nom m* Broc gros d'un càntir.

total totals **1** *adj* Sencer, que té totes les parts i que no en falta cap: *El foc va causar la destrucció total de la fàbrica.* **2** *nom m* Suma de coses: *Si cada equip té 11 jugadors, el total és de 22.* **3 total** *adv* En resum, en conclusió: *Va haver-hi molts llamps i trons, total: res, no va caure ni una gota.*

totalitat totalitats *nom f* Conjunt de persones o de coses que formen un tot: *La totalitat dels nens de la classe va estar d'acord a fer l'excursió.*

totalment *adv* D'una manera total, del tot: *El foc va quedar totalment apagat.*

tothom *pron* Tota la gent: *Tothom mira el concurs que fan per la televisió.*

tothora *adv* Sempre.

tòtil¹ tòtila tòtils tòtiles *nom m i f* Persona poc espavilada, poc intel·ligent.

tòtil² tòtils *nom m* Gripau petit.

totpoderós totpoderosa totpoderosos totpoderoses *adj* Que ho pot fer tot, que té un poder immens: *Déu és totpoderós.*

totxana totxanes *nom f* Maó foradat.

totxo¹ totxa totxos totxes *adj* Poc espavilat, burro.

totxo² totxos *nom m* Maó d'uns cinc centímetres de gruix: *El paleta fa una paret amb totxos.*

tou tova tous toves *adj* **1** Que no és dur, que no és fort, que cedeix fàcilment a la pressió: *El matalàs és molt tou.* ▪ *El pa d'avui és tou.* **2** Es diu de la persona que està molt cansada, una mica malalta, una mica trista: *Avui la teva germana estava tota tova, que no es trobava bé?* **3** nom m Part tova d'una cosa: *Em fa mal el tou de la cama.* **4** *A terra hi havia* **un tou de** *fulles que havien caigut dels arbres:* una gran quantitat.

tova toves *nom f* Cagarada.

tovalla tovalles *nom f* Tovallola.

tovalles *nom f pl* Mira **estovalles**.

tovalló tovallons *nom m* Peça de roba o de paper petita i quadrada que serveix per a fregar-se els llavis o netejar-se els dits i la cara mentre es menja: *En aquell restaurant posen tovallons de paper a les taules quan serveixen els dinars.*

tovalló

tovallola tovalloles *nom f* Peça de roba o de paper rectangular que serveix per a eixugar-se la cara, les mans o el cos després de rentar-se o de banyar-se: *Al lavabo d'aquella casa hi havia tres tovalloles de color verd.*

tovalloler tovallolers *nom m* Barra o lloc on es pengen les tovalloles.

tovor tovors *nom f* Qualitat de tou: *Quina tovor amb tants coixins!*

tòxic tòxica tòxics tòxiques *adj* Es diu de les substàncies verinoses o perjudicials que poden provocar una malaltia o la mort: *El tabac i l'alcohol són substàncies tòxiques.*

toxico- toxi- Element amb què comencen algunes paraules i que vol dir "metzina": *Els toxicòmans s'emmetzinen a poc a poc prenent drogues.*

toxicòman toxicòmana toxicòmans toxicòmanes *adj i nom m i f* Es diu de la persona addicta a les drogues.

toxina toxines *nom f* Substància tòxica.

trabuc trabucs *nom m* **1** Arma de foc, de canó curt i ample i de boca en forma de campana. **2 camió de trabuc** Camió amb una caixa que es descarrega aixecant-se per davant.

trabucada trabucades *nom f* Tret de trabuc.

trabucar *v* **1** Capgirar o tombar un recipient de manera que caigui el que hi ha a dins: *Aquest camió, per descarregar, trabuca la caixa i la sorra cau a terra.* **2 trabucar-se** Equivocar-se en parlar, dient unes paraules o uns sons per uns altres. Es conjuga com *cantar*. S'escriu *c* davant de *a, o, u* i *qu* davant de *e, i: trabuco, trabuques.*

traç traços *nom m* Línia o senyal que fa un llapis, una ploma, etc. en dibuixar o escriure en un paper.

traca traques *nom f* Conjunt de petards lligats per una corda que van explotant l'un darrere l'altre i fan molt soroll.

traca

traça traces *nom f* **1** Capacitat que té una persona de fer molt bé una cosa: *Aquest nen té molta traça a dibuixar.* **2** Senyal que deixa una cosa allà per on ha passat.

traçar *v* Marcar una línia sobre una superfície, dibuixar: *He traçat una circumferència amb un compàs.* Es conjuga com *cantar*. S'escriu *ç* davant de *a, o, u* i *c* davant de *e, i: traço, traces.*

traçat traçats *nom m* Recorregut que fa un camí, una carretera, etc.: *Aquesta carretera té un traçat molt recte.*

tracció traccions *nom f* Acció d'estirar o de fer avançar un vehicle, un carro, etc.: *El carro és un vehicle de tracció animal i el cotxe és un vehicle de tracció mecànica.*

tractable tractables *adj* Es diu d'una persona amable, simpàtica, que fa de bon tractar.

tractament tractaments *nom m* **1** Manera de tractar algú: *El president de la Generalitat rep el tractament de Molt Honorable.* **2** Operació a què se sotmet una cosa per tal de transformar-la: *La llet rep un tractament de desinfecció abans de ser envasada* **3** Conjunt de mesures per a curar una malaltia: *La mare està fent un tractament contra l'al·lèrgia.*

tractar *v* **1** Comportar-se d'una determinada manera amb algú: *Els teus amics m'han tractat molt bé.* **2** Dirigir-se a algú d'una de-

terminada manera: *Sempre que parlo amb una persona gran la tracto de vostè.* **3 Parlar d'una cosa:** *Ens hem reunit per tractar el problema dels robatoris als pisos.* **4 Intentar d'aconseguir alguna cosa:** *Vaig tractar de convèncer la mare perquè em deixés quedar a veure la pel·lícula.* **5 tractar-se Relacionar-se amb algú:** *Amb els veïns no ens tractem gaire.* **6 Transformar una matèria:** *Tracten les pells amb ceres perquè brillin.* **7 Ocupar-se un metge d'un malalt:** *A la Roser, la tracta la Dra. Sala.*
Es conjuga com *cantar*.

tractat tractats *nom m* **1** Obra que tracta d'una matèria: *Aquell professor ha escrit un tractat de biologia.* **2** Acord per escrit entre dos estats: *Ahir es va signar el tractat de pau.*

tracte tractes *nom m* **1** Manera de comportar-se amb algú, de tractar-lo: *La Mariona ens ha donat un bon tracte.* **2** Acord: *En Juli i jo hem fet un tracte: jo li deixo la raqueta de tennis i ell em deixa la bicicleta.*

tractor tractors *nom m* Vehicle de motor molt potent, amb rodes que s'agafen bé a terra, que serveix per a treballar al camp i per a remolcar vehicles de càrrega, màquines agrícoles, etc.: *Els pagesos tenen tractors, arades, remolcs i altres màquines per a treballar al camp.*

traçut traçuda traçuts traçudes *adj* Que té traça, que és hàbil per a fer una cosa: *És una nena molt traçuda i fa uns treballs manuals preciosos.*

tradició tradicions *nom f* Conjunt de costums i de coneixements que passen de pares a fills: *A Catalunya hi ha la tradició de fer cagar el tió per Nadal.*

tradicional tradicionals *adj* Que té relació amb la tradició, amb la història o amb els costums: *Les falles són una festa tradicional a València.*

traducció traduccions *nom f* **1** Acció d'escriure o de dir en una llengua allò que s'ha escrit o s'ha dit en una altra llengua. **2** Llibre o text que s'ha traduït d'una altra llengua.

traductor traductora traductors traductores *nom m i f* Persona que fa una traducció.

traduir *v* Escriure o dir en una llengua allò que s'ha escrit o s'ha dit en una altra llengua: *Mentre la professora parlava en anglès, la Cesca ho anava traduint al català.*
Es conjuga com *reduir*.

tràfec tràfecs *nom m* **1** Assumpte que porta molta feina, que causa molt enrenou: *Amb el tràfec del casament, la Júlia i en Lluís no paraven ni un moment.* **2** Persona nerviosa que sempre vol fer-ho tot, que no sap estar-se sense fer una cosa o una altra: *La Maria és un tràfec: tot el dia va amunt i avall.*

trafeguejar *v* Feinejar molt.
Es conjuga com *cantar*. S'escriu *j* davant de *a, o, u* i *g* davant de *e, i: trafeguejo, trafegueges.*

trafegut trafeguda trafeguts trafegudes *adj* Es diu de la persona que sempre té tràfecs, que no para mai de fer coses.

tràfic tràfics *nom m* Comerç, intercanvi de mercaderies entre persones, països, etc., transport de mercaderies: *La policia va descobrir una banda que es dedicava al tràfic de begudes alcohòliques.*

traficant traficants *nom m i f* Persona que trafica.

traficar *v* Fer activitats relacionades amb el comerç, com ara intercanvis, venda de mercaderies, etc.
Es conjuga com *cantar*. S'escriu *c* davant de *a, o, u* i *qu* davant de *e, i: trafico, trafiques.*

tragèdia tragèdies *nom f* **1** Obra de teatre que té un final tràgic. **2** Desgràcia molt gran.

tragí tragins *nom m* Treball extraordinari en una casa, en una oficina, etc. que dóna molta feina, que obliga a canviar de lloc moltes coses: *Aquests dies hi ha hagut un gran tragí perquè hem pintat el pis.*

tràgic tràgica tràgics tràgiques *adj* Que acaba malament: *Aquella pel·lícula és molt tràgica, perquè al final es moren els dos protagonistes.*

traginar *v* Transportar mercaderies d'un lloc a un altre.
Es conjuga com *cantar*.

traginer traginers *nom m* Persona que transportava mercaderies d'un lloc a un altre.

trago tragos *nom m* Quantitat d'aigua, de vi, etc. que es beu d'un cop: *Va agafar el porró i va fer un trago de vi.*

traguejar *v* Passar l'estona bevent.
Es conjuga com *cantar*. S'escriu *j* davant de *a, o, u* i *g* davant de *e, i: traguejo, tragueges.*

traïció traïcions *nom f* Acció de trair, d'enganyar algú.

traïdor traïdora traïdors traïdores *adj* i *nom m* i *f* Es diu de la persona que fa una traïció, que enganya algú.

traïdoria traïdories *nom f* Voluntat d'enganyar, de trair algú.

tràiler tràilers *nom m* **1** Vehicle llarg format per un camió i un remolc. **2** Conjunt d'escenes d'una pel·lícula que serveixen per a anunciar-la.

camió de tràiler

trair *v* Enganyar, deixar de ser fidel a algú: *Aquell noi va trair el seu amic explicant a tothom el secret que tenien.*
Es conjuga com *reduir.*

trajecte trajectes *nom m* Camí que recorre una persona, un cotxe, etc. anant d'un lloc a un altre: *Aquest autocar fa el trajecte de Granollers a Barcelona.*

trajectòria trajectòries *nom f* **1** Línia que dibuixa en l'espai una cosa que es mou: *Vam seguir amb la mirada la trajectòria de la fletxa.* **2** Direcció, camí que pren una persona en realitzar una activitat: *La trajectòria que ha seguit en Raimon fins arribar a ser un bon jugador de futbol ha sigut molt llarga.*

tralla tralles *nom f* Tros de corda o tira de cuir que forma part d'unes xurriaques i que serveix per a pegar als animals i fer-los obeir.

tram trams *nom m* Tros, part en què es divideix una cosa: *Vam caminar un tram de carrer a les fosques.* ▪ *Després del primer tram d'escala hi ha la porta del primer pis.*

trama trames *nom f* **1** Conjunt de fils que, amb els d'ordit, formen un teixit. **2** Lligam que hi ha entre els trams o les parts d'una cosa: *Els policies han reconstruït la trama del segrest.* **3** Argument, assumpte d'una novel·la, d'una pel·lícula, etc.

tramar *v* **1** Fer travessar el fils de trama entre els fils d'ordit per tal de fer un teixit. **2** Lligar tots els fils d'una història o d'una aventura: *L'aventura de la novel·la estava molt ben tramada.*
Es conjuga com *cantar.*

tramesa trameses *nom f* Acció d'enviar una cosa a algú; cosa que es tramet: *Aquesta setmana farem la tramesa de les felicitacions de Nadal.*

trametre *v* Enviar una cosa a algú: *El rei va trametre missatgers a totes les ciutats del país perquè escampessin la notícia.*
Es conjuga com *perdre.* **Participi:** *tramès, tramesa.*

tràmit tràmits *nom m* Cadascun dels passos que es fan per aconseguir un document, un títol, etc.: *Encara has de fer alguns tràmits per obtenir el carnet de conduir.*

tramitar *v* Fer passar una cosa pels tràmits corresponents.
Es conjuga com *cantar.*

tramoia tramoies *nom f* Conjunt de mecanismes que serveixen per a canviar les fustes o les teles decorades que representen els diferents llocs on passa una obra de teatre.

tramoista tramoistes *nom m* i *f* Persona que construeix, que dirigeix les tramoies en un teatre.

trampa trampes *nom f* **1** Mecanisme dissimulat que serveix per a caçar animals: *Han posat una trampa per a caçar el llop.* **2** Manera enganyosa de guanyar un joc, de no fer un pagament, etc.: *En Víctor fa trampa quan juga a escacs.*

trampejar *v* Esquivar els obstacles i les dificultats que van sortint a l'hora de fer una cosa: *Tot i que era un assumpte difícil, hem trampejat la situació i ens n'hem sortit bé.*
Es conjuga com *cantar.* S'escriu *j* davant de *a, o, u* i *g* davant de *e, i: trampejo, trampeges.*

trampolí trampolins *nom m* Palanca, rampa que serveix per a augmentar l'alçada o la llargada d'un salt: *M'he tirat des del trampolí més alt de la piscina.*

trampós tramposa tramposos tramposes *adj* i *nom m* i *f* Es diu de la persona que fa trampes.

tramuntana tramuntanes *nom f* Vent que ve del nord i que sol ser molt fred i fort.

tramuntar *v* Passar a l'altre costat d'una muntanya, d'una collada, etc.
Es conjuga com *cantar.*

tramvia tramvies *nom m* Vehicle elèctric de transport públic que va sobre unes vies i recorre una ciutat.

tramvia

tràngol tràngols *nom m* Conflicte, dificultat, cosa difícil de resoldre: *Abans d'anar-me'n de vacances, haig de passar el tràngol dels exàmens finals.*

tranquil tranquil·la tranquils tranquil·les **1** *adj* No agitat, en calma, sense inquietud: *La mar està tranquil·la.* **2** *adj* i *nom m* i *f* Es diu de la persona que és calmada, que no és nerviosa: *Aquell nen petit és molt tranquil: menja, dorm i no plora mai.*

tranquil·lament *adv* D'una manera tranquil·la, sense presses, sense nervis: *Els nens van passar la tarda tranquil·lament, llegint i dibuixant.*

tranquil·litat tranquil·litats *nom f* Qualitat de tranquil, pau, quietud, calma.

tranquil·litzar *v* Calmar, fer sentir tranquil·litat, quietud, calma: *Estava molt nerviós i les seves paraules em van tranquil·litzar.* Es conjuga com *cantar.*

trans- Element amb què comencen algunes paraules i que vol dir "més enllà de", "a través de": *Se li veia la samarreta groga perquè la camisa que duia era ben transparent.*

transacció transaccions *nom f* Tracte, acord comercial de compra i venda d'una cosa.

transatlàntic transatlàntics *nom m* Vaixell molt gran que serveix per a fer viatges molt llargs.

transbord transbords *nom m* **1** Trasllat de persones o de coses d'un tren, d'un avió, etc. a un altre. **2 fer transbord** Canviar de tren, d'avió, etc. per enllaçar amb un altre durant un viatge.

transbordador transbordadors *nom m* Vehicle que serveix per a fer passar persones o mercaderies d'una vora a una altra d'un riu, d'un canal, etc.

transcendència transcendències *nom f* Importància molt gran: *La construcció del nou hospital és un fet de gran transcendència per a la ciutat.*

transcendental transcendentals *adj* Que és molt important per les conseqüències que pot tenir: *La invenció de la impremta va ser transcendental per a la difusió de la cultura.*

transcendir *v* **1** Anar més enllà d'un límit: *La fama d'aquell escriptor va transcendir els límits del seu país.* **2** Arribar a ser conegut un fet més enllà del lloc on s'ha produït; tenir conseqüències un fet més enllà d'on s'ha produït: *Ho volíem mantenir en secret però la notícia va transcendir.* Es conjuga com *servir.*

transcórrer *v* Passar el temps: *Han transcorregut moltes hores d'ençà de la seva arribada.* Es conjuga com *córrer.*

transcriure *v* Escriure una còpia d'un text, passar un text oral a escrit utilitzant lletres o bé altres signes: *Primer enregistrarem l'entrevista, i després per grups la transcriurem.* Es conjuga com *escriure.*

transcurs transcursos *nom m* Pas del temps, durada d'una cosa: *Aquell explorador en el transcurs de la seva vida va viure moltes aventures.*

transeünt transeünts *adj* i *nom m* i *f* **1** Es diu de la persona que està de pas en un lloc, en una ciutat o en un poble, però que no s'hi està habitualment. **2** Persona que va a peu per un carrer, per una carretera, etc., vianant.

transferència transferències *nom f* Acció de transferir, de fer passar una cosa d'un lloc a un altre: *Aquest matí he anat al banc a fer una transferència: he posat una part dels diners que tenia en un compte corrent en un altre de nou.*

transferir *v* Portar, traslladar algú o alguna cosa d'un lloc a un altre; donar a una altra persona una cosa que és nostra: *Li vaig transferir els diners que li devia al seu compte corrent.* Es conjuga com *servir.*

transfigurar *v* Fer canviar d'aspecte una persona o una cosa: *Noia, a la perruqueria avui t'han transfigurat!* Es conjuga com *cantar.*

transformació transformacions *nom f* Canvi, acció de convertir-se una cosa en una altra de diferent: *En aquest vestit li farem una transformació: tallarem les mànigues i traurem les* butxaques. ■ *La transformació de l'aigua en gel es fa per sota dels zero graus de temperatura.*

transformar *v* Convertir, fer passar una cosa d'una forma a una altra; canviar: *Han transformat aquells magatzems en un restaurant.*
Es conjuga com *cantar*.

trànsfuga trànsfugues *nom m* i *f* Persona que es passa d'un partit, d'un bàndol, d'un equip a un altre.

transfusió transfusions *nom f* Acció de fer passar sang d'una persona que la dóna a una altra que la rep.

transgredir *v* Desobeir, violar una llei, una norma, etc.
Es conjuga com *servir*.

transhumant transhumants *adj* Es diu del bestiar que recorre grans extensions de terreny cap a les planes a l'hivern i cap a les muntanyes a l'estiu buscant pastura.

transició transicions *nom f* Fet de passar d'un fet, d'una idea, etc. a una altra: *Aquest any la transició de la calor al fred ha estat molt sobtada.*

transigir *v* Consentir, acceptar una idea diferent a la nostra per tal d'arribar a un acord: *És un noi massa tossut, que no transigeix mai.*
Es conjuga com *servir*.

transistor transistors *nom m* Aparell receptor de ràdio més aviat petit.

transistor

trànsit trànsits *nom m* Circulació de vehicles i de persones per carrers i carreteres: *A la una del migdia hi ha molt trànsit pel centre de la ciutat.*

transitar *v* Passar per un carrer, per una carretera, etc.: *És perillós transitar per aquests barris a la nit.* ■ *Els carrers del centre de la ciutat són molt transitats, hi passa molta gent.*
Es conjuga com *cantar*.

transitori transitòria transitoris transitòries *adj* Que no dura gaire, que és passatger, que no és definitiu: *La seva separació és transitòria, aviat tornaran a estar junts.*

translació translacions *nom f* **1** Acció de traslladar, de desplaçar. **2** Moviment d'un astre que es desplaça seguint una òrbita al voltant d'un altre: *La Terra fa un moviment de translació al voltant del Sol.*

translúcid translúcida translúcids translúcides *adj* Que deixa passar la llum, però no permet de veure bé els objectes a través seu: *El vidre d'aquesta porta és translúcid.*

transmetre *v* **1** Fer passar una cosa d'un lloc a un altre: *Van transmetre el partit de bàsquet des de la pista en directe.* **2** Conduir, deixar passar a través seu: *Aquests fils transmeten electricitat.* **3** Encomanar una malaltia: *La grip és una malaltia que es transmet fàcilment.*
Es conjuga com *perdre*. Participi: *transmès, transmesa.*

transmissió transmissions *nom f* **1** Acció de transmetre. **2** Acció d'encomanar una malaltia.

transmutació transmutacions *nom f* Transformació d'una cosa, d'una substància, etc. en una altra de completament diferent.

transparència transparències *nom f* **1** Qualitat de transparent. **2** Diapositiva.

transparent transparents *adj* Que deixa passar la llum de manera que podem veure els objectes a través seu: *Les aigües d'aquest riu són transparents.*

transparentar-se *v* Veure's una cosa a través d'una altra de transparent: *Aquesta brusa tan fina no m'agrada, perquè es transparenta la samarreta.*
Es conjuga com *cantar*.

transpiració transpiracions *nom f* Acció de treure líquid del cos en forma de vapor, de suor.

transpirar *v* Suar, treure líquid del cos.
Es conjuga com *cantar*.

transport transports *nom m* Acció de portar d'un lloc a un altre mercaderies, passatgers, etc. mitjançant vehicles, ascensors, etc.: *Els habitants d'aquesta illa tenen un vaixell destinat al transport de mercaderies i de passatgers.*

transportador transportadors *nom m* Semicercle de plàstic o de fusta que serveix per a mesurar i dibuixar angles sobre un paper.

transportar *v* Portar d'un lloc a un altre mercaderies, passatgers, etc.: *Els camions transportaven mobles d'una ciutat a una altra.*
Es conjuga com *cantar*.

transportista transportistes *nom m* i *f* Persona que té un negoci de transport de mercaderies.

transposició transposicions *nom f* Fet d'invertir l'ordre en què estan posats els elements d'una cosa.

transsexual transsexuals *adj* i *nom m* i *f* Es diu de la persona que se sent del sexe contrari al qual pertany des del punt de vista biològic.

transvasar *v* Fer passar un líquid d'un lloc a un altre: *Volen transvasar les aigües d'aquest riu per donar aigua a una altra població.* Es conjuga com *cantar*.

transversal transversals *adj* Es diu de la línia recta que travessa altres línies: *Les vies del tren estan unides per unes fustes transversals anomenades travesses.*

transvestit transvestida transvestits transvestides *adj* i *nom m* i *f* Es diu de la persona que es vesteix de la manera que es considera pròpia del sexe contrari.

trapa trapes *nom f* Obertura semblant a una porta que hi ha a terra o al sostre.

trapella trapelles *nom m* i *f* Persona espavilada, entremaliada, que sap enganyar els altres per aconseguir el que vol.

trapelleria trapelleries *nom f* Malifeta, acció pròpia d'una persona trapella.

trapezi trapezis *nom m* **1** Figura geomètrica de quatre costats que té dos costats oposats paral·lels i els altres dos no paral·lels. **2** Barra horitzontal agafada pels extrems a dues cordes paral·leles que serveix per a fer equilibris: *Aquest gimnasta sap aguantar-se al trapezi només amb les cames.* **3** Múscul ample en forma de triangle, situat entre les espatlles, el coll i la part superior de l'esquena. 16

trapezista trapezistes *nom m* i *f* Persona que fa exercicis gimnàstics en un trapezi.

trapezista

trapezoide trapezoides *nom m* Quadrilàter que no té cap dels seus costats paral·lels a un altre.

tràquea tràquees *nom f* Òrgan de l'aparell respiratori que consisteix en un conducte que va del coll fins als pulmons. 20

trasbals trasbalsos *nom m* **1** Acció de treure les coses del seu lloc per posar-les en un altre: *Quin trasbals, tot el dia canviant els mobles de lloc!* **2** Desgràcia, fet que canvia l'estat normal de les coses: *L'accident va ser un trasbals per a aquella família.*

trasbalsar *v* **1** Canviar les coses d'un lloc a un altre. **2** Afectar molt, produir una impressió molt forta: *La seva mort va trasbalsar tot el poble.* Es conjuga com *cantar*.

trascantó Paraula que apareix en l'expressió **de trascantó**, que vol dir "d'una manera imprevista, inesperada".

traslladar *v* Portar algú o alguna cosa d'un lloc a un altre: *El camió traslladava els porcs de la granja a l'escorxador.* ■ *En Jaume i la Carme es traslladen de casa.* Es conjuga com *cantar*.

trasllat trasllats *nom m* Acció de portar algú o alguna cosa d'un lloc a un altre.

traslluir-se *v* Passar la claror a través d'un cos translúcid. Es conjuga com *reduir* o com *lluir*.

trasmudar-se *v* Canviar el color de la cara una persona a causa d'una impressió molt forta. Es conjuga com *cantar*.

traspaperar-se *v* Perdre's un paper perquè s'ha barrejat amb altres. Es conjuga com *cantar*.

traspàs traspassos *nom m* **1** Acció de fer passar d'un lloc a un altre. **2** Acció de deixar un local, un negoci, etc. a una altra persona a canvi d'una quantitat de diners: *El traspàs de la botiga va costar sis mil euros.* **3** Mort d'una persona. **4** **any de traspàs** Any de cada quatre que té 366 dies, any bixest.

traspassar *v* **1** Passar a l'altre costat, travessar: *Vam haver de traspassar el riu.* ■ *La suor li traspassava la roba.* **2** Foradar una cosa de part a part: *Amb la llança li va traspassar el cos.* **3** Traslladar, canviar: *La festa de Sant Martí l'han traspassat de data.* **4** Deixar un local o un negoci a una altra persona a canvi d'una quantitat de diners. **5** Morir. Es conjuga com *cantar*.

trasplantament trasplantaments *nom m* Operació de trasplantar un òrgan o un teixit.

trasplantar *v* **1** Canviar una planta, un arbre, etc. del lloc on estava plantat. **2** Canviar un òrgan, un teixit, etc. d'un lloc a un altre o d'una persona a una altra. Es conjuga com *cantar*.

traspuar *v* Deixar passar un líquid: *Les parets d'aquella habitació traspuaven humitat i estaven plenes de taques.* Es conjuga com *canviar*.

trast trasts o trastos *nom m* Trasto.

trastejar *v* **1** Anar d'un lloc a un altre feinejant: *Diumenge vaig estar tot el dia trastejant per casa i no vaig ni sortir a passejar.* **2** Traslladar, transportar mobles. Es conjuga com *cantar*. S'escriu *j* davant de *a, o, u* i *g* davant de *e, i*: *trastejo, trasteges.*

traster trasters *nom m* Lloc, habitació on es guarden els mobles vells, les coses que ja no es fan servir, etc.

trastets *nom m pl* **1** Coses de poc valor. **2** agafar els trastets Anar-se'n: *Estava tan tip d'ell, que li vaig dir que ja podia agafar els trastets.*

trasto trastos *nom m* Moble, estri vell que fa nosa, que no té cap valor: *Tenim les golfes de casa plenes de trastos.*

trastocar *v* **1** Fer tornar boig. **2** trastocar-se Tornar-se boig. Es conjuga com *cantar*. S'escriu *c* davant de *a, o, u* i *qu* davant de *e, i*: *trastoco, trastoques.*

trastorn trastorns *nom m* Desordre en el funcionament d'una cosa: *Aquestes pastilles li provoquen trastorns a l'estómac.*

trastornar *v* Destruir, canviar el bon funcionament d'una cosa, afectar profundament una persona: *Aquella desgràcia va trastornar tota la família.* Es conjuga com *cantar*.

trau traus *nom m* **1** Petita obertura feta en una peça de roba que serveix per a fer-hi passar un botó: *Aquesta camisa té vuit traus i vuit botons.* **2** Tall profund a la pell i a la carn com a resultat d'una caiguda, d'un cop, etc.: *Va rebre un cop de roc al cap i s'hi va fer un bon trau.*

trauma traumes *nom m* Experiència, esdeveniment desagradable en la vida d'una persona que li deixa un senyal durant molt de temps o per tota la vida.

traure *v* Mira **treure**. Es conjuga com *treure*.

trava traves *nom f* Tot allò que impedeix que una cosa pugui moure's o funcionar.

travar *v* **1** Posar una trava a una cosa: *Vam travar una roda posant-li una pedra al davant.* **2** Unir dues o més coses de manera que no puguin desfer-se, que formin un tot ben lligat. Es conjuga com *cantar*.

travat travada travats travades *adj* Lligat, fixat.

travertí travertins *nom m* Roca calcària que conté plantes i mol·luscs fossilitzats. **14**

través travessos *nom m* **1** Dimensió d'una cosa en el sentit oposat al de la llargària: *Van tallar la peça de roba al través.* **2** a través de D'un costat a l'altre per dins d'una cosa: *La llum passa a través del vidre.* **3** Caminàvem camps a través: sense seguir cap camí, pel mig dels camps. **4** de través En direcció oposada a la llargada: *Aquesta manta és molt llarga i estreta, si la poses de través t'anirà millor per fer el llit.* **5** de través De manera desviada: *Aquella noia mira de través.* **6** Dificultat en un negoci, en una feina, etc.

travessa travesses *nom f* **1** Peça llarga i estreta, generalment de fusta, que va col·locada de manera perpendicular a una altra: *Les vies del tren van unides per unes travesses.* **2** Joc que consisteix a encertar els resultats de partits de futbol o de curses de cavalls que encara s'han de fer i amb el qual els guanyadors reben diners de premi. **3** Caminada llarga: *Vam fer la travessa del Montseny.*

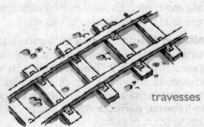
travesses

travessar *v* **1** Passar a través d'alguna cosa, traspassar: *Has de travessar el carrer pel pas de vianants.* **2** Foradar una cosa de part a part. Es conjuga com *cantar*.

travesser travessera travessers travesseres **1** *adj* Que està posat de través, de manera transversal: *Agafeu un pal i claveu-hi una fusta travessera, pinteu-hi les lletres i ja tindreu el rètol fet.* **2** *nom m* Peça de fusta, de ferro, etc. que va d'un costat a un altre d'un moble, d'una màquina, etc: *Quan seu, sempre posa els peus als travessers de la cadira.* ■ *La pilota va tocar el travesser i no va entrar a la porteria.*

travessia travessies *nom f* **1** Viatge per mar o per riu: *Els meus avis han fet una travessia pel Mediterrani.* **2** Carrer que travessa i uneix dos carrers paral·lels.

traveta Paraula que apareix en l'expressió **fer la traveta**, que vol dir "posar la cama sota la d'algú quan camina o corre per fer-lo caure" i "posar entrebancs a una persona perquè no pugui aconseguir allò que vol".

fer la traveta

treball treballs *nom m* **1** Allò en què treballem, feina: *Aquell home té un treball dur: és miner.* **2** Obra produïda: *El mestre va exposar tots els treballs manuals dels alumnes.* **3** *Els excursionistes van **tenir treballs** a pujar la muntanya:* van haver de fer molts esforços.

treballador treballadora treballadors treballadores **1** *nom m i f* Persona que treballa, obrer: *Els treballadors d'aquella empresa fan vaga perquè volen un augment de sou.* **2** *adj* Es diu de la persona a qui agrada molt de treballar, que treballa molt, etc.: *En Santi és molt treballador i sempre és el primer d'acabar els deures.*

treballar *v* **1** Esforçar-se a fer alguna cosa, fer feina: *Aquell noi va haver de treballar molt per aprovar l'examen.* **2** Tenir una feina: *El meu germà treballa en una fàbrica de conserves.* **3** Sotmetre una cosa a una acció continuada per donar-li forma, perfeccionar-la, etc.: *Aquests dibuixos són molt treballats.*
Es conjuga com *cantar.*

trebinella trebinelles *nom f* Barrina.

trellat trellats *nom m* **1** Raó, seny: *Aquest home no té trellat, és un estúpid.* **2** Sentit d'una cosa.

tremebund tremebunda tremebunds tremebundes *adj* Que fa tremolar de por: *En aquella pel·lícula de terror hi havia unes escenes tremebundes.*

tremend tremenda tremends tremendes *adj* Que fa por, que causa admiració per la mida, per la força; que és formidable, terrible.

trémer *v* Tremolar.
Es conjuga com *témer.*

tremir *v* Tremolar.
Es conjuga com *servir.*

tremolar *v* **1** Moure's, fer moviments curts, ràpids i repetits: *El gatet petit tremolava de fred.* ■ *En Ton i la Guida es van perdre al mig del bosc i van començar a tremolar de por.* **2** *La Roser es va espantar molt; fins i tot li va **tremolar la veu**:* fer una veu agitada, insegura, trencada. **3** *Ja podem tremolar: quan vingui el pare ens renyarà perquè hem trencat el mirall:* tenir por d'algú o d'alguna cosa.
Es conjuga com *cantar.*

tremolor tremolors *nom m* Conjunt de petits moviments involuntaris d'una part del cos o de tot el cos provocats pel fred, per la por o per una malaltia.

tremolós tremolosa tremolosos tremoloses *adj* Que tremola: *Tenia les mans tremoloses perquè feia molt fred.*

tremp tremps *nom m* **1** Punt de duresa i d'elasticitat que es dóna a l'acer, al vidre, etc. **2** Fermesa. **3** Làmina petita de metall acabada en punta que, fixada a un mànec i sucada amb tinta, serveix per a escriure.

trempar[1] *v* **1** Donar a l'acer, al vidre, etc. el punt de duresa i d'elasticitat que necessiten: *L'acer es trempa escalfant-lo molt i després refredant-lo de cop.* **2** Tenir erecte el penis.
Es conjuga com *cantar.*

trempar[2] *v* Amanir.
Es conjuga com *cantar.*

trempat trempada trempats trempades *adj* Es diu de la persona que té bon caràcter, que és alegre i simpàtica: *En Fidel és un noi molt trempat i rialler.*

trempera tremperes *nom f* **1** Posició erecta del penis. **2** Força, entusiasme.

trempolí trempolina trempolins trempolines **1** *nom m i f* Habitant de Tremp; persona natural o procedent de Tremp. **2** *adj* Es diu de les persones o de les coses naturals o procedents de Tremp.

tremuja tremuges *nom f* Embut molt gros que es fa servir per a carregar un camió, omplir un dipòsit, etc.

tremuja

trèmul trèmula trèmuls trèmules *adj* Tremolós.

tren trens *nom m* **1** Conjunt de vagons units els uns amb els altres que són arrossegats per una màquina locomotora i transporten persones o mercaderies d'un lloc a un altre. **2** *Se'ns va **escapar el tren** de les cinc:* va sortir de l'estació sense nosaltres, el vam perdre. **3** *Demà he d'**agafar el tren** de les sis del matí:* pujar a un tren per anar a algun lloc. **4 tren d'aterratge** Conjunt d'elements de l'avió que serveixen per a enlairar-se i aterrar. **5 tren tramvia** Tren que s'atura a totes les estacions.

trena trenes *nom f* Conjunt de cabells, de fils, etc. dividits en tres parts que es van entrecreuant i que formen una espècie de cua llarga i prima: *La Mercè i la Paquita sempre porten dues trenes.*

trenc trencs *nom m* **1** Tall, ferida al cap: *S'ha fet un trenc al front i l'hi han hagut de cosir.* **2 a trenc d'alba** En el moment del dia que comença a fer-se clar: *Sortirem de casa a trenc d'alba per anar d'excursió.*

trencaclosques uns trencaclosques *nom m* **1** Joc que consisteix a formar un dibuix combinant trossos de cartó, de fusta, de plàstic, etc. que només tenen una part del dibuix: *El meu germà té un trencaclosques de més de 500 peces.* **2** Problema, endevinalla difícil.

trencacolls uns trencacolls *nom m* **1** Lloc perillós on és fàcil de caure i prendre mal. **2** Problema difícil.

trencadís trencadissa trencadissos trencadisses *adj* Que es trenca fàcilment, fràgil: *Aquesta vaixella de porcellana és molt trencadissa.*

trencadissa trencadisses *nom f* Acció de trencar-se moltes coses en molts trossos: *Hi ha hagut una gran trencadissa de plats.*

trencall trencalls *nom m* Camí que travessa un altre camí: *Seguiu per aquest camí i agafeu el primer trencall a l'esquerra.*

trencament trencaments *nom m* Acció de trencar o de trencar-se: *La caiguda li va produir el trencament del braç.*

trencanous uns trencanous *nom m* Estri que serveix per a trencar nous, ametlles, avellanes, etc.

trencanous

trencant trencants *nom m* Rompent, lloc on es rompen les onades.

trencar *v* **1** Fer trossos una cosa tirant-la a terra, clavant-hi un cop, etc.: *Amb la pilota hem trencat el vidre de la finestra de la cuina.* **2 trencar-se** Partir-se o esquerdar-se un os, fracturar-se. **3** Canviar de direcció: *Quan arribis a la plaça, has de trencar a la dreta.* **4** *Amb els pallassos, els nens van **trencar-se de riure:*** riure molt. **5** *Vigileu una mica que és fàcil **trencar-se el coll** baixant la muntanya:* fer-se molt mal. **6 tenir-hi la mà trencada** Tenir habilitat i pràctica en alguna cosa: *En Miquel ens arreglarà la bicicleta, hi té la mà trencada.* **7 trencar el son** Dormir una mica. **8** *Veure un nen petit que plorava em va **trencar el cor:*** em va fer molta pena, molta llàstima. **9** *No cal **trencar-se el cap** amb aquest exercici, demà demanarem al professor com es fa:* cansar-se de tant pensar la solució d'un problema. **10 pagar els plats trencats** Rebre les conseqüències d'una cosa que han fet malament els altres. **11 trencar la conversa** Interrompre.
Es conjuga com cantar. *S'escriu* c *davant de* a, o, u *i* qu *davant de* e, i: *trenco, trenques.*

trencat[1] trencada trencats trencades *adj* Es diu d'un color que no és ben pur, sinó barrejat amb un altre.

trencat[2] trencats *nom m* **1** Nombre format per un numerador, que va col·locat damunt una ratlla horitzontal, i un denominador, que va col·locat a sota: *4/5 és un nombre trencat i significa que d'un tot dividit en cinc parts en prenem quatre.* **2** Cafè amb una mica de llet, tallat.

trenta trentes *nom m i adj* Paraula que expressa la quantitat representada per la xifra 30.

trentè trentena trentens trentenes *adj* **1** Que fa trenta en una sèrie, que en té vint-i-nou a davant. **2** Es diu de cadascuna de les parts d'una quantitat dividida en trenta parts iguals.

trentena trentenes *nom f* Conjunt de trenta coses de la mateixa mena: *El pagès tenia una trentena de vaques.*

trepa trepes *nom f* Colla de gent, d'amics: *Avui ha vingut en Ramon i tota la seva trepa a berenar a casa meva.*

trepador trepadors *nom m* Instrument, màquina que serveix per a fer forats.

trepant trepants *nom m* Eina que serveix per a foradar el paper, el cartó, el cuir, la fusta, etc.

trepar *v* Foradar, perforar fusta, paper, cartó, roba, parets, etc.
Es conjuga com *cantar*.

trepidant trepidants *adj* Que té un moviment viu, agitat: *El ball va començar amb una música trepidant.*

trepidar *v* Ser sacsejat per moviments curts, ràpids i repetits: *Aquest pis té unes parets tan primes, que quan passa un camió pel carrer tot trepida.*
Es conjuga com *cantar*.

trepig trepigs o trepitjos *nom m* Soroll que es fa quan es camina: *A la nit, des del llit, sentíem el trepig d'algú fora de la casa.*

trepitjada trepitjades *nom f* Acció de posar el peu sobre alguna cosa; senyal que deixa el peu sobre alguna cosa: *Al fang del carrer, s'hi veuen trepitjades.* ■ *A l'autobús m'han clavat una trepitjada.*

trepitjar *v* **1** Posar el peu sobre algú o alguna cosa: *Sense adonar-me'n, pel carrer he trepitjat una caca de gos i m'he embrutat la sabata.* **2** Menysprear algú, tractar-lo sense respecte.
Es conjuga com *cantar*. S'escriu *j* davant de *a, o, u* i *g* davant de *e, i*: *trepitjo, trepitges.*

tres tresos *nom m i adj* **1** Paraula que expressa la quantitat representada per la xifra 3. **2** *Va fer*

el dibuix **en un tres i no res**: en un moment, molt de pressa.

trescar *v* **1** Caminar, treballar amb esforç, amb pressa: *Avui descansarem, però demà trescarem de valent.* **2** Anar i venir les abelles del rusc a les flors que els donen aliment.
Es conjuga com *cantar*. S'escriu *c* davant de *a, o, u* i *qu* davant de *e, i*: *tresco, tresques.*

tresillo tresillos *nom m* Conjunt de dues butaques i un sofà.

tresor tresors *nom m* **1** Quantitat gran de diners, de joies i d'objectes valuosos guardats en un lloc, en una caixa, en un bagul, en un cofre, etc.: *Enterrat al costat de la palmera gegant hi havia el tresor dels pirates.* **2** *Aquella secretària va* **ser un tresor**: ser una persona que val molt, que treballa molt bé, etc.

tresorer tresorera tresorers tresoreres *nom m i f* Persona que s'encarrega de cobrar les quotes, de controlar les despeses, etc. d'una entitat, d'una associació, etc.

trespeus uns trespeus *nom m* Trípode.

trespol trespols *nom m* **1** Sostre. **2** Terra, paviment.

tret[1] *prep* *Tothom era a la festa,* **tret de** *nosaltres dos que no hi vam poder anar perquè estàvem malalts*: excepte.

tret[2] trets *nom m* **1** Tir, descàrrega d'una arma de foc: *Vaig sentir un tret d'escopeta i vaig sortir al balcó a veure què passava.* **2** Distància que separa dos punts: *De la plaça a casa hi ha un bon tret.* **3** Qualitat, característica: *Els trets principals d'aquest quadre són els colors forts i les formes exagerades.* **4** *Ens van explicar l'argument de la pel·lícula* **a grans trets**: en poques paraules, sense gaires detalls.

tretze tretzes *nom m i adj* Paraula que expressa la quantitat representada per la xifra 13.

treure *v* **1** Fer sortir algú o alguna cosa fora del lloc on està posada: *La Carme ha tret els mocadors del calaix.* **2** Fer desaparèixer, eliminar una cosa d'un lloc: *Hem de treure la pols dels mobles.* ■ *Aquest líquid va bé per a treure les taques de la roba.* **3** Restar, separar una part d'una cosa: *Si de nou en treus cinc, te'n quedaran quatre.* **4** Guanyar, obtenir una cosa: *La Remei va treure el segon premi de la rifa.* **5** Inventar, crear, escriure: *Aquell conjunt ha tret una nova cançó.* **6** Fer sortir una part del

cos a l'exterior: *El nen petit treia el cap per la finestra del cotxe.* **7** Sortir la flor d'una planta, sortir una dent, néixer, sortir a l'exterior: *A la primavera els arbres treuen la fulla.* **8** Vomitar: *Ahir vaig treure tot el sopar.*
La conjugació de *treure* és a la pàg. 848.

treva treves *nom f* Acció d'aturar durant un temps la lluita entre dos exèrcits enemics: *Durant els dies de Nadal hi haurà una treva.*

trèvol trèvols *nom m* Planta, herba petita que fa com tres fulles.

tri- Prefix, element que s'afegeix al davant d'una paraula i que vol dir "tres": *El mestre de gimnàstica du sempre un xandall tricolor molt cridaner: té els colors verd, taronja i lila.*

tria tries *nom f* Fet de triar: *Amb aquesta bicicleta em sembla que vaig fer una mala tria, sempre s'espatlla.*

triadures *nom f pl* Residus, allò que queda després de triar una cosa: *Vaig preparar patates, cebes i mongetes per dinar i vaig guardar les triadures en una bossa per donar-les a les gallines.*

trial trials *nom m* Esport que consisteix a fer un circuit ple d'obstacles dalt d'una moto sense posar els peus a terra.

trial

triangle triangles *nom m* **1** Figura geomètrica que té tres costats i tres angles. **2** Instrument musical de percussió que consisteix en una vareta de metall en forma de triangle que es toca picant-la amb una altra vareta.

triangular triangulars *adj* **1** Que té tres angles. **2** Que té forma de triangle: *El senyal de perill té forma triangular.*

triar *v* **1** Agafar una cosa o unes quantes coses d'un conjunt, escollir, elegir: *A la botiga hi havia moltes joguines i vaig triar les que m'agradaven més.* **2** Separar les impureses d'una cosa: *Abans de coure, les mongetes s'han de triar.*
Es conjuga com *canviar*.

tribu tribus *nom f* Conjunt de persones que descendeixen d'un mateix avantpassat i que estan manades per un cap.

tribulació tribulacions *nom f* Pena, desànim, estat de tristesa a causa d'una malaltia, d'un perill, etc.: *En aquella casa passen moltes tribulacions.*

tribuna tribunes *nom f* **1** Lloc elevat des d'on una persona fa un discurs, parla en una assemblea, etc. **2** Espai una mica elevat i cobert d'un estadi, d'un pavelló, etc. des d'on es veu millor un espectacle. **3** Balcó cobert i tancat amb vidres.

tribunal tribunals *nom m* **1** Lloc on els jutges fan que es compleixi la justícia fent judicis i pronunciant sentències. **2** Conjunt de persones que han de jutjar i fer complir la justícia: *El tribunal va declarar que l'acusat era culpable.* **3** Conjunt de persones enteses en una matèria, professors, etc. que han de jutjar els que es presenten a un examen, a un concurs, etc.

tribut tributs *nom m* Impost, diners que s'han de pagar a l'estat, a l'ajuntament, etc.

tríceps els tríceps *nom m* **1** Múscul que en un extrem té tres tendons per a unir-se a l'os. **2** Múscul situat a la part posterior del braç. **16**

tricicle tricicles *nom m* Vehicle de tres rodes.

tricorn tricorns *nom m* Barret de tres puntes.

tricorni tricornis *nom m* Barret de tres puntes que forma part de l'uniforme de la guàrdia civil.

tricotar *v* Teixir gènere de punt.
Es conjuga com *cantar.*

tricotosa tricotoses *nom f* Màquina per a teixir gènere de punt.

trident tridents *nom m* Forca de tres puntes.

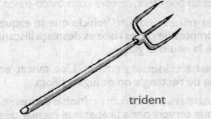
trident

tridimensional tridimensionals *adj* Que té tres dimensions: alçada, amplada i gruix.

trienni triennis *nom m* Espai de temps que dura tres anys.

t

triftong triftongs *nom m* Grup de tres vocals que es pronuncien en una mateixa síl·laba: *La paraula "guaitar" té un triftong.*

trifulga trifulgues *nom f* Situació que produeix angúnia, desesperació, malestar, etc.: *Quan hi ha guerra, la gent passa moltes trifulgues.*

trigar *v* Fer una cosa més tard del que cal, tardar: *En Pau triga molt a venir: havíem quedat a les 5 i són les 6 i encara no ha arribat.* Es conjuga com *cantar*. S'escriu g davant de *a, o, u* i gu davant de *e, i: trigo, trigues.*

trigèmin trigèmina trigèmins trigèmines *adj* i *nom m* i *f* Es diu de cadascuna de les tres criatures nascudes d'un mateix part.

trigèsim trigèsima trigèsims trigèsimes *adj* Trentè.

trilió trilions *nom m* Un milió de bilions.

trilogia trilogies *nom f* Conjunt de tres obres de teatre, de tres novel·les, etc. que formen una unitat.

trimestral trimestrals *adj* Que es fa cada tres mesos; que dura un trimestre.

trimestre trimestres *nom m* Espai de temps que dura tres mesos.

trinc Onomatopeia, paraula que imita el soroll que fan dos objectes de vidre quan xoquen.

trinca Paraula que apareix en l'expressió **nou de trinca**, que vol dir "acabat d'estrenar": *Aquest bolígraf és nou de trinca, me l'he comprat aquest matí.*

trincar *v* Fer xocar les copes o els gots mentre es beu amb algú, brindar: *Trinquem a la salut de tots!* Es conjuga com *cantar*. S'escriu c davant de *a, o, u* i qu davant de *e, i: trinco, trinques.*

trinco-trinco *adv* Immediatament, al comptat: *És un bon client, sempre paga trinco-trinco.*

trineu trineus *nom m* Vehicle que té esquís en comptes de rodes i que es desplaça lliscant sobre la neu o el glaç.

trinquet trinquets *nom m* Lloc tancat en forma de rectangle on es juga a pilota.

trinxant trinxants *nom m* Moble de menjador que serveix per a preparar el menjar que s'ha de servir a taula.

trinxar *v* Partir en trossos molt petits un tros de carn, un tall de peix, etc. Es conjuga com *cantar*.

trinxera trinxeres *nom f* Sot llarg i estret que fan els soldats per a protegir-se dels atacs dels enemics.

trio trios *nom m* **1** Conjunt de tres músics o cantants. **2** Conjunt de tres coses o persones.

triomf triomfs *nom m* Victòria, èxit.

triomfar *v* Guanyar, obtenir una victòria, tenir èxit: *L'equip de l'escola va triomfar a França.* ■ *Aquella actriu tan jove està triomfant a l'estranger.* Es conjuga com *cantar*.

tripa tripes *nom f* **1** Intestí, budell: *Les cordes de la guitarra són fetes de tripa d'animal.* **2** *Quan vaig veure allò que feia tant fàstic, vaig* **treure les tripes** *per la boca:* vomitar. **3** Ventre, panxa.

tripijoc tripijocs *nom m* **1** Situació complicada, embolicada. **2** Engany, trampa, estafa: *Aquell home va reunir una gran fortuna fent tota mena de tripijocs.*

triple¹ tripla triples **1** *adj* Que és com tres vegades un altre: *La seva alçada és tripla de la meva.* **2** *nom m* Quantitat que equival a tres vegades una altra: *El triple de tres és nou.*

triple² triples *adj* Format per tres: *Vam anar a un triple recital on actuaven tres cantants molt bons.*

triplicar *v* Fer triple, multiplicar per tres una cosa. Es conjuga com *cantar*. S'escriu c davant de *a, o, u* i qu davant de *e, i: triplico, tripliques.*

trípode trípodes *nom m* **1** Suport de tres peus, generalment plegable, on es munta una màquina de fotografiar, un telescopi, etc. **2** Seient de tres potes.

trípode

tripulació tripulacions *nom f* Conjunt de persones que treballen en un vaixell o en un avió.

tripulant tripulants *nom m* i *f* Persona que forma part de la tripulació d'un vaixell, d'un avió, etc.

tripular *v* Conduir una embarcació o un avió. Es conjuga com *cantar*.

trist trista trists o tristos tristes adj **1** Que no té alegria: *La Dolors plora i està trista perquè se li ha mort el gat.* **2** *En aquella habitació només hi ha* **un trist llit** *un llit i prou, un llit i res més.*

tristesa tristeses nom f Estat del qui està trist, sense alegria: *La malaltia del seu germà li produïa una gran tristesa.*

tristor tristors nom f Tristesa.

tris-tras Onomatopeia, paraula que imita l'acció de caminar d'algú que es dirigeix decidit i amb seguretat a un lloc concret.

tritó tritons nom m Amfibi de cos allargat, de cua ampla i llarga. 8

triturador trituradora trituradors trituradores **1** adj Que tritura o que serveix per a triturar. **2** trituradora nom f Màquina que serveix per a convertir en trossos molt petits un aliment, una matèria sòlida, etc.

triturar v Convertir en trossos molt petits un aliment, una matèria sòlida, etc.
Es conjuga com *cantar*.

trivial trivials adj Fàcil, que és conegut de tothom, poc original: *L'entrevista a aquell cantant no va ser gaire interessant, perquè el periodista li feia preguntes trivials.*

tro trons nom m **1** Soroll que se sent després de veure un llampec: *Hi ha hagut una nit de tempesta i els trons ressonaven per tota la vall.* **2** *Aquell professor tenia una* **veu de tro** *veu molt forta i que ressona.*

trobada trobades nom f Acció de trobar-se voluntàriament en un lloc dues o més persones: *Dissabte hi haurà una trobada de corals infantils.*

trobador trobadora trobadors trobadores nom m i f Persona que a l'edat mitjana feia composicions poètiques i musicals destinades a ser cantades per un joglar.

troballa troballes nom f Cosa trobada de manera inesperada o per sort: *Els excavadors van fer una bona troballa: van trobar una moneda romana.*

trobar v **1** Descobrir una cosa que es busca: *Havia perdut les ulleres i les he trobades a la butxaca de l'abric.* ■ *Han trobat una vacuna contra la grip.* **2** Aparèixer algú o alguna cosa que no s'esperava: *Anant pel carrer, vaig trobar el meu cosí.* **3** Comprovar l'estat d'una persona o d'una cosa: *El metge ha trobat molt malament el malalt.* **4** **trobar-se** Reunir-se dues o més persones en un lloc amb una finalitat determinada: *Demà ens trobarem a l'estació a les set.* **5** **trobar-se** Ser en un lloc en un moment donat: *Per Setmana Santa em trobava a París.* **6** **trobar a faltar** Sentir enyorança d'una persona que se n'ha anat, d'una cosa que hem perdut: *Quan en Joan se'n va anar a París, el vam trobar molt a faltar.*
Es conjuga com *cantar*.

troca troques nom f **1** Gran quantitat de fil enrotllat, madeixa. **2** **embolicar la troca** Crear problemes, complicar les coses.

trofeu trofeus nom m **1** Objecte de valor, sovint en forma de copa grossa, que es dóna com a premi a algú que ha guanyat una prova esportiva. **2** Competició esportiva.

troglodita troglodites adj i nom m i f **1** Es diu de la persona que viu en una caverna. **2** Es diu de la persona poc educada, rude, culturalment endarrerida.

troleibús troleibusos nom m Autobús que funciona amb electricitat i que va connectat a uns cables.

tromba trombes nom f Núvol en forma d'embut i que gira.

trombó trombons **1** nom m Instrument musical de vent semblant a una trompeta, però més llarg, i que es toca movent endavant i endarrere una peça que va ficada dins d'una altra o bé amb pistons. **2** nom m i f Músic que toca el trombó.

trompa trompes nom f **1** Tub llarg i flexible que forma el nas dels elefants i d'altres animals. **2** Instrument musical de vent que consisteix en un tub llarg i cargolat que es va eixamplant. **3** Nom que reben diversos òrgans del cos que tenen una forma semblant a una trompa. **4** Borratxera. **5** Nas que és molt llarg. **6** **trompa d'Eustaqui** Conducte que comunica l'interior de l'orella amb la faringe. 15 **7** nom m i f Músic que toca la trompa.

trompa

trompada trompades *nom f* Cop fort: *Em vaig entrebancar i em vaig clavar una trompada contra la paret.*

trompassar *v* Ensopegar, xocar amb el peu mentre es camina contra alguna cosa: *Vaig trompassar amb una cadira i vaig caure a terra.* Es conjuga com *cantar.*

trompeta trompetes **1** *nom f* Instrument musical de vent que té un tub llarg de metall acabat en forma de copa: *En aquella orquestra hi havia una noia que tocava la trompeta.* **2** *nom m i f* Músic que toca la trompeta.

trompetista trompetistes *nom m i f* Persona que toca la trompeta.

trompis Paraula que apareix en l'expressió de **trompis**, que vol dir "per terra": *El peu em va relliscar i me'n vaig anar de trompis.*

trompitxol trompitxols *nom m* Baldufa petita que es fa rodar amb els dits.

trompons Paraula que apareix en l'expressió **a trompons**, que vol dir "en gran quantitat": *Aquell home guanyava diners a trompons.*

tron trons *nom m* Seient on seuen els reis i els emperadors i que és un símbol del seu poder.

trona trones *nom f* **1** Cadira alta on seuen els nens molt petits perquè puguin arribar a la taula. **2** Lloc alt en una església des d'on de vegades parla el capellà quan fa el sermó.

tronar *v* **1** Fer un tro: *Ha tronat tota la tarda.* **2** *Quan era jove, el meu avi feia tronar i ploure:* fer moltes bestieses, crear desordre a tot arreu. Es conjuga com *cantar.*

tronat tronada tronats tronades *adj* Vell, gastat, passat de moda: *Portava un vestit molt tronat.*

tronc troncs *nom m* **1** Part de l'arbre que hi ha entre l'arrel i les branques. **2** El cos d'una persona o d'un animal sense el cap i les extremitats. **3 dormir com un tronc** Estar molt adormit, profundament adormit.

trontollar *v* **1** Moure's, tremolar una cosa que no està ben aguantada sobre el seu suport: *Quan algú camina pel pis de dalt, el sostre del menjador trontolla.* **2** Sacsejar, fer sotracs: *Vam passar per un camí ple de sots i de pedres i el cotxe trontollava molt.* Es conjuga com *cantar.*

tronxo tronxos *nom m* Tronc de les hortalisses.

tropa tropes *nom f* **1** Grup de gent armada. **2** Conjunt de militars que formen un exèrcit. **3** Conjunt de persones reunides, aplegades: *Hem anat a berenar a la font amb tota la tropa.*

tropell tropells *nom m* **1** Malaltia que altera l'estat normal d'una persona. **2** Moviment ràpid i desordenat de persones o de coses.

tròpic tròpics *nom m* Cadascun dels dos paral·lels geogràfics de l'esfera terrestre situats a una distància de l'equador de 23 graus i 27 minuts.

tropical tropicals *adj* Que té relació amb els tròpics, que esta situat entre els dos tròpics: *El clima dels països tropicals és calorós i humit.*

tros trossos *nom m* **1** Part d'una cosa: *Doneu-me un tros de pa, que tinc gana.* ▪ *Hi ha un tros de camí molt dolent d'aquí al poble.* **2** *La teva àvia sempre va ser un tros de pa:* ser molt bona persona. **3** *Aquell noi és un tros de quòniam:* poc espavilat, talòs. **4 de bon tros** Amb una gran diferència: *Aquell nen és de bon tros més alt que el seu germà.*

trossa trosses *nom f* **1** Farcell. **2** Manyoc de cabells, de fils, etc.

trossar *v* **1** Arremangar. **2** Fer un farcell. **3** Pentinar-se els cabells de manera que quedin recollits. Es conjuga com *cantar.*

trossejar *v* Fer completament a trossos una cosa. Es conjuga com *cantar.* S'escriu *j* davant de *a, o, u* i *g* davant de *e, i: trossejo, trosseges.*

trot trots *nom m* Manera de caminar el cavall amb petits salts: *El genet portava el cavall al trot.*

trotar *v* **1** Anar un cavall al trot. **2** Caminar molt de pressa, treballar molt. Es conjuga com *cantar.*

truà truana truans truanes *nom m i f* Persona que enganya, mala persona.

truc trucs *nom m* **1** Cop: *M'han obert la porta després de tres trucs.* **2** Sistema de fer semblar que una cosa impossible és possible: *El mag, mitjançant un truc, va fer sortir mitja dotzena de coloms de dins el barret.*

trucada trucades *nom f* Acció de telefonar: *Faré una trucada a la Lluïsa per convidar-la a dinar.*

trucar *v* **1** Picar a la porta: *He trucat dues vegades i no m'obre ningú.* **2** Telefonar: *Quan arribaré a casa, trucaré al meu amic.* **3** Fer que una cosa sembli diferent del que realment és: *Aquestes fotos tan originals són trucades.* **4** Manipular el motor d'un cotxe per augmentar-ne la potència: *Aquest cotxe tan vell corre molt perquè té el motor trucat.*
Es conjuga com *cantar.* S'escriu *c* davant de *a, o, u* i *qu* davant de *e, i: truco, truques.*

truculent truculenta truculents truculentes *adj* Cruel, horrible: *En aquella pel·lícula de vampirs hi havia unes escenes molt truculentes.*

trufa trufes *nom f* **1** Tòfona. **2** Bombó fet de nata batuda i xocolata fosa, recobert amb xocolata ratllada i que es menja molt fred.

truita[1] truites *nom f* **1** Menjar fet amb ou batut fregit a la paella: *He menjat una truita de dos ous.* **2** girar-se la truita Canviar completament l'estat d'una cosa: *Abans manaves tu i ara mano jo: s'ha girat la truita.* **3** Aquell noi somia truites: *vol ser el millor futbolista del món i no sap xutar la pilota:* pensar que poden passar coses que és impossible que passin.

truita[2] truites *nom f* Peix que viu als rius i als estanys de muntanya, molt apreciat com a aliment: *L'avi va al riu a pescar truites.*

truja truges *nom f* Femella del porc.

trumfa trumfes *nom f* Patata.

truncar *v* Tallar una cosa per la punta, pel final, deixar-la sense acabar: *Els accidents de trànsit trunquen la vida de molts joves.*
Es conjuga com *cantar.* S'escriu *c* davant de *a, o, u* i *qu* davant de *e, i: trunco, trunques.*

truncat truncada truncats truncades *adj* Tallat per la punta, pel final: *Hem de dibuixar una piràmide truncada.*

tsar tsarina tsars tsarines *nom m i f* Títol de l'emperador o de l'emperadriu de Rússia.

tu *pron* Paraula amb la qual es designa la persona a qui es parla: *Jo tinc un bolígraf vermell i tu un de blau.*

tuareg tuaregs *nom m i f* Individu d'un poble del nord d'Àfrica que viu al desert.

tub tubs *nom m* **1** Cilindre buit, més llarg que ample, fet de qualsevol matèria i que serveix per a conduir o contenir alguna cosa a dintre: *S'ha rebentat un tub de la calefacció.* **2** tub d'assaig Tub de vidre que es fa servir al laboratori. **3** tub d'escapament Tub d'una moto o d'un cotxe per on surten els gasos del motor. **4** tub digestiu Conducte format per la boca, l'esòfag, l'estómac i els intestins.

tuba tubes **1** *nom f* Instrument musical de vent semblant a una trompeta però molt més gros i pesant. **2** *nom m i f* Músic que toca la tuba.

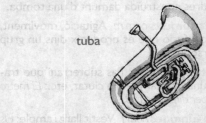

tuba

tubercle tubercles *nom m* Òrgan subterrani d'algunes plantes, que de vegades és comestible, com ara la patata, el moniato, etc.

tubèrcul tubèrculs *nom m* Tubercle.

tubular tubulars *adj* Que té forma de tub.

tucà tucans *nom m* Ocell tropical de colors molt vius que habita a les selves d'Amèrica del Sud i es caracteritza perquè té un bec molt gros que fa servir per a menjar fruita.

tucà

tudó tudons *nom m* Ocell semblant al colom, de color gris blavós, que viu als boscos i als jardins.

tuf tufs *nom m* Pudor més o menys desagradable, mala olor: *El tuf de les escombraries se sentia per tota la casa.*

tufejar *v* Fer tuf, fer pudor una cosa: *Aquesta carn fa massa dies que és a la nevera i tufeja.*
Es conjuga com *cantar.* S'escriu *j* davant de *a, o, u* i *g* davant de *e, i: tufeja, tufegi.*

tuguri tuguris *nom m* Habitació petita i pobra: *Aquell pobre home vivia en un tuguri.*

tul tuls *nom m* Teixit de seda, de cotó, etc., molt lleuger i de malla molt fina, que es fa servir per a fer el vel dels vestits de núvia.

tulipa tulipes *nom f* Planta de jardí de fulles ovalades, molt apreciada per les seves flors de diversos colors. **3**

tumor tumors *nom m* Bony, massa de teixit anormal que es forma en alguna part del cos.

túmul túmuls *nom m* Muntanyeta de terra o de pedres construïda damunt d'una tomba.

tumult tumults *nom m* Agitació, moviment, crits, confusió que es produeix dins un grup de persones.

túnel túnels *nom m* Pas subterrani que travessa una muntanya, una ciutat, etc.: *El metro passa per dins un túnel.*

túnica túniques *nom f* Vestit llarg i ample: *Els antics romans portaven túniques.*

tunisenc tunisenca tunisencs tunisenques **1** *nom m i f* Habitant de la ciutat de Tunis; persona natural o procedent de Tunis. **2** *adj* Es diu de les persones o de les coses naturals o procedents de Tunis.

tunisià tunisiana tunisians tunisianes **1** *nom m i f* Habitant de Tunísia; persona natural o procedent de Tunísia. **2** *adj* Es diu de les persones o de les coses naturals o procedents de Tunísia.

tupè tupès *nom m* Grup de cabells del davant del cap que es deixen més llargs i es pentinen enlaire.

tupí tupins *nom m* Pot, olla petita d'una sola nansa.

turba turbes *nom f* Molta gent.

turbant turbants *nom m* **1** Faixa de tela o de seda enrotllada al cap que porten els homes d'alguns països orientals. **2** Tros de teixit flexible cosit de manera que s'ajusti al cap i que evita que els cabells caiguin a la cara.

turbina turbines *nom f* Màquina que va rodant i que transforma l'energia de l'aigua o del gas en energia mecànica.

turbulent turbulenta turbulents turbulentes *adj* Que està molt agitat, molt mogut: *Després de la tempesta, les aigües del riu baixaven turbulentes.*

turc turca turcs turques **1** *nom m i f* Habitant de Turquia; persona natural o procedent de Turquia. **2** *adj* Es diu de les persones o de les coses naturals o procedents de Turquia. **3** *nom m* Llengua que parla la majoria d'habitants de Turquia.

turgent turgents *adj* Que està inflat de tan ple, tibant.

turisme turismes *nom m* **1** Fet de viatjar per conèixer un lloc, passar-hi les vacances, etc.: *Aquest estiu anirem a Galícia a fer turisme.* **2** Cotxe amb capacitat fins a nou persones.

turista turistes *nom m i f* Persona que fa turisme.

turístic turística turístics turístiques *adj* Que té relació amb el turisme: *Farem una visita turística a Mallorca.*

turma turmes *nom f* Testicle d'un animal.

turmell turmells *nom m* Os situat en el lloc on s'ajunten la cama i el peu.

turmellera turmelleres *nom f* Bena elàstica que serveix per a protegir el turmell.

turment turments *nom m* **1** Pena, sofriment, dolor. **2** Cosa que molesta molt: *Aquests mosquits no em deixen dormir, són un turment.*

turmentar *v* Causar dolor, pena, sofriment, molèstia, etc.
Es conjuga com *cantar.*

turó turons *nom m* Muntanya petita i no gaire alta.

turquesa[1] **1** *adj* D'un color entre blau i verd, com el de la turquesa: *Unes faldilles turquesa.* **2** turquesa turqueses *nom m* Color entre blau i verd, com el de la turquesa.

turquesa[2] turqueses *nom f* Pedra preciosa de color entre blau i verd.

tustar *v* **1** Pegar, donar cops. **2** tustar a la porta Trucar picant amb els nusos dels dits.
Es conjuga com *cantar.*

tutejar *v* Tractar de tu: *El nou director m'ha dit que no el tracti de vostè i que el tutegi.*
Es conjuga com *cantar.* S'escriu *j* davant de *a, o, u* i *g* davant de *e, i: tutejo, tuteges.*

tutela tuteles *nom f* Protecció: *Aquell nen no té pares i està sota la tutela d'uns seus oncles.*

tutelar *v* Protegir, defensar.
Es conjuga com *cantar.*

tutor tutora tutors tutores *nom m* i *f*
1 Professor responsable d'un grup d'alumnes: *Uns nens ens van prendre la pilota i ho vam anar a dir al nostre tutor.* **2** Persona que s'encarrega de la protecció d'un menor de divuit anys que no té pares, o bé d'una persona major d'edat que té alguna incapacitat.

txec txeca txecs txeques **1** *nom m* i *f* Habitant de la República Txeca; persona natural o procedent de la República Txeca. **2** *adj* Es diu de les persones o de les coses naturals o procedents de la República Txeca.

3 *nom m* Llengua que es parla a la República Txeca.

txecoslovac txecoslovaca txecoslovacs txecoslovaques *adj* Que està relacionat amb l'antiga Txecoslovàquia.

txetxè txetxena txetxens txetxenes **1** *nom m* i *f* Habitant de Txetxènia; persona natural o procedent de Txetxènia. **2** *adj* Es diu de les persones o de les coses naturals o procedents de Txetxènia. **3** *nom m* Llengua que es parla a Txetxènia.

U u lletra u

u¹ uns 1 *nom m* Paraula que expressa la quantitat representada per la xifra I. **2** *adj* Paraula que serveix per a referir-se al primer element d'una sèrie: *Ha sortit el número u d'una nova revista.* **3 cada u** Cadascú: *Porto un llibre per a cada u.*

u² us *nom f* Nom de la lletra u U.

ubicació ubicacions *nom f* Lloc on hi ha situat un edifici, un terreny, etc.: *En aquest plànol no queda clara la ubicació del nou hospital.*

ubicar *v* Situar un edifici, un terreny, etc. en un lloc.
Es conjuga com *cantar.* S'escriu *c* davant de *a, o, u* i *qu* davant de *e, i: ubico, ubiques.*

ucraïnès ucraïnesa ucraïnesos ucraïneses 1 *nom m i f* Habitant d'Ucraïna; persona natural o procedent d'Ucraïna. **2** *adj* Es diu de les persones o de les coses naturals o procedents d'Ucraïna. **3** *nom m* Llengua que es parla a Ucraïna.

udol udols *nom m* **1** Crit llarg i trist d'alguns animals com ara el llop, el gos, etc. **2** Soroll llarg i fort: *Des de casa sentíem els udols del vent.*

udolar *v* Fer crits llargs i tristos, fer udols: *Anant per la muntanya vam sentir udolar un llop.*
Es conjuga com *cantar.*

uf *interj* Paraula que es fa servir per a expressar avorriment o cansament: *Uf!, quina calor que tinc!* ▪ *Uf!, quina mandra, no tinc ganes de fer res.*

ufana ufanes *nom f* Verdor, bellesa dels camps, dels boscos, dels jardins, etc. quan ha plogut molt.

ufanós ufanosa ufanosos ufanoses *adj* **1** Que és bonic, que fa goig: *Al jardí hi ha una pomera molt ufanosa carregada de pomes.* **2** Que està content, que està satisfet d'una cosa: *Aquell jardiner està ufanós del seu jardí.*

ui *interj* Paraula que es fa servir quan algú es fa mal o quan alguna cosa sorprèn molt: *Ui, quin mal que m'he fet!*

uix *interj* Paraula que es fa servir per a expressar que una cosa fa fàstic, repugnància: *Ai uix!, he trepitjat una caca de gos i se m'ha enganxat a la sabata.*

uixer uixera uixers uixeres *nom m i f* Persona que generalment porta un uniforme i que té per ofici vigilar alguns edificis, estar al servei dels membres d'un tribunal, d'un parlament, d'una assemblea, etc.

úlcera úlceres *nom f* Ferida, nafra: *El metge li ha recomanat que segueixi una dieta especial perquè podria tenir una úlcera d'estómac.*

ull ulls *nom m* **1** Òrgan del cos que serveix per a veure-hi: *La llum era tan forta, que vaig haver d'aclucar els ulls.* **2 nina** o **nineta de l'ull** Pupil·la. **3** *Quan li van dir que havia guanyat el premi, va fer uns **ulls com unes taronges*** obrir molt els ulls a causa d'una sorpresa. **4** *Amb un cop de puny li vam fer un **ull de vellut***: ull voltat d'un morat a conseqüència d'un cop. **5 tenir pa a l'ull** No saber veure una cosa que es té davant dels ulls, que és evident. **6 menjar-se una cosa amb els ulls** Mirar-se una cosa amb molt interès. **7** Capacitat per adonar-se de les coses: *Aquell home té molt ull per als negocis.* **8** *La bicicleta ens va costar un **ull de la cara***: costar molts diners una cosa. **9 fer els ulls grossos** Deixar passar una cosa, tolerar-la. **10 tenir els ulls al clatell** Estar molt distret, molt despistat. **11 fer una cosa a ulls clucs** Saber fer molt bé una cosa perquè s'hi està molt acostumat. **12 donar un cop d'ull** Fer una mirada ràpida. **13 ull de bou** Finestra rodona o ovalada. **14 ull de poll** Durícia que es fa a sobre els dits del peu. **15** Part més interior i tendra d'algunes hortalisses: *L'ull d'una col.* **16** Forat en forma d'ull: *L'ull d'una agulla.* ▪ *L'ull d'una escala.*

ullada ullades *nom f* Mirada ràpida, cop d'ull: *Vaig donar una ullada als exercicis de matemàtiques i vaig adonar-me que eren molt difícils.*

ullal ullals *nom m* Cadascuna de les dents punxegudes que hi ha a cada banda de la boca, abans dels queixals: *Els gossos tenen els ullals molt punxeguts i els elefants els tenen molt llargs.*

ullar *v* Copsar una cosa amb la mirada: *Avui m'he comprat aquells pantalons que vaig ullar l'altre dia a l'aparador d'aquella botiga.*
Es conjuga com *cantar.*

ullera ulleres 1 *nom f* Aparell format per un tub amb lents o vidres i que es fa servir per a

779

observar coses que són lluny: *El pirata mirava l'horitzó amb la ullera de llarga vista.* **2 ulleres** *nom f pl* Instrument format per un parell de vidres, que s'aguanta al nas i a les orelles i que serveix per a corregir defectes de visió o per a protegir els ulls: *A l'estiu sempre porto ulleres de sol.* **3 ulleres** *nom f pl* Pastís que té una forma que recorda unes ulleres. **4 fer ulleres** Tenir unes taques fosques a sota els ulls a causa del cansament, d'una malaltia, etc.

ullera de llarga vista

ullet ullets *nom m* **1** Forat petit i rodó per on passa una corretja, un cordó, etc.: *M'hauran de fer un altre ullet al cinturó perquè em va massa ample.* **2 fer l'ullet** o **picar l'ullet** Tancar i obrir ràpidament un ull mentre es té l'altre obert per fer un senyal a algú.

ullet

ullprendre *v* Encantar, fascinar una persona o una cosa per la seva bellesa.
Es conjuga com *aprendre*.

ulterior ulteriors *adj* Que ve després, posterior.

últim última últims últimes *adj* El darrer, el que acaba una sèrie: *El diumenge és l'últim dia de la setmana.*

últimament *adv* En aquests últims temps: *Últimament la gent té més tendència a fer servir paper reciclat.*

ultimar *v* Enllestir una cosa: *Estem ultimant els preparatius del viatge.*
Es conjuga com *cantar*.

ultimàtum ultimàtums *nom m* Ordre, proposta definitiva que es fa i que si no es compleix immediatament pot tenir conseqüències

desagradables: *Ahir li van donar l'ultimàtum: si no paga, se li quedaran el cotxe.*

ultra *prep* A més de, a sobre: *Ultra els molts vestits que té, encara n'hi han comprat més.*

ultra- Prefix, element que s'afegeix al davant d'una paraula i que vol dir "més enllà" o "més que": *Ultrapassar la frontera vol dir "anar més enllà de la frontera", "travessar-la".*

ultralleuger ultralleugers *nom m* Avió petit que pesa molt poc.

ultramar ultramars *nom m* País que és a l'altre cantó del mar: *Ha arribat un vaixell carregat de productes d'ultramar.*

ultramarí ultramarina ultramarins ultramarines **1** *adj* Que està a l'altra part del mar. **2 ultramarins** *nom m pl* Productes que vénen de l'altra part del mar, com ara d'Amèrica o d'Àsia; botiga on venen aquests productes.

ultrança Paraula que apareix en l'expressió **a ultrança**, que vol dir "més enllà de tot límit": *Durant el combat els dos cavallers van lluitar a ultrança.*

ultrapassar *v* Anar més enllà d'un límit: *Aquell avió ha ultrapassat la barrera del so.*
Es conjuga com *cantar*.

ultrasò ultrasons *nom m* So que l'oïda humana no pot percebre: *Els ratpenats emeten uns ultrasons que els serveixen per a orientar-se.*

ultratge ultratges *nom m* Ofensa.

ultratjar *v* Ofendre.
Es conjuga com *cantar*. S'escriu *j* davant de *a, o, u* i *g* davant de *e, i*: *ultratjo, ultratges.*

ultratomba ultratombes *nom f* Allò que hi ha més enllà de la tomba, de la mort; l'altra vida.

ulular *v* Udolar.
Es conjuga com *cantar*.

umbilical umbilicals *adj* **1** Que té relació amb el melic o llombrígol. **2 cordó umbilical** Cordó flexible que uneix el melic de l'infant amb la mare i que es talla en el moment de néixer.

un una uns unes **1** *adj* Paraula que expressa la quantitat representada per la xifra 1: *Al pati hi havia un nen i prou.* **2 cada un** Cadascun: *Cada un de nosaltres ha de portar un llibre per a la biblioteca.* **3 la una** *nom f* La primera hora després del migdia o de la mitjanit. **4** *art* Article indeterminat que va al davant d'una paraula quan no es refereix a una persona o a una cosa coneguda: *He trobat unes noies a l'escala.* **5** *pron* Una persona, una cosa: *Aquell que passa per allà és un d'ells.* **6 tot d'una** De sobte: *Tot d'una es va tapar el sol i va començar a ploure.*

unànime unànimes *adj* Es diu d'una cosa acordada per tothom: *La decisió de la classe va ser unànime: tots volíem anar d'excursió.*

unanimitat unanimitats *nom f* Acord entre tots els components d'un grup: *La proposta de fer un sopar de final de curs va ser aprovada per unanimitat.*

unça unces *nom f* **1** Unitat de mesura de pes que equival a uns 33 grams: *Vés a comprar tres unces, és a dir, 100 grams de formatge ratllat.* **2** Moneda d'or antiga.

unció uncions *nom f* Acció d'ungir.

unflar *v* Inflar.
Es conjuga com *cantar*.

ungir *v* Untar, fregar una cosa amb oli.
Es conjuga com *servir*.

ungla ungles *nom f* Part dura que creix al capdamunt dels dits de les persones i d'alguns animals: *Els gats tenen les ungles molt llargues.* **15**

ungla

unglada unglades *nom f* Acció de clavar l'ungla, de deixar un senyal amb l'ungla.

unglar *v* Prémer o fregar la pell o una altra cosa amb l'ungla deixant-hi un senyal.
Es conjuga com *cantar*.

unglot unglots *nom m* Ungla dels animals de peu partit, dividit en dues parts, com ara porcs, xais, etc.

unglot

ungüent ungüents *nom m* Substància espessa que s'escampa damunt la pell i que calma el dolor, cura les ferides, etc.

uni- Prefix, element que s'afegeix al davant d'una paraula i que vol dir "un": *Un animal format per una sola cèl·lula s'anomena unicel·lular.*

únic única únics úniques *adj* Sol, que no n'hi ha cap més d'igual: *En Joan és l'únic nen de la classe que viu fora de la ciutat.*

únicament *adv* D'una manera única, solament, només.

unicorn unicorns *nom m* Animal fabulós que té forma de cavall blanc amb una banya recta al front.

unificar *v* Fer que diverses coses siguin una de sola: *Farem una assemblea per unificar els diferents criteris que hi ha sobre la manera de celebrar el final de curs.*
Es conjuga com *cantar*. S'escriu *c* davant de *a, o, u* i *qu* davant de *e, i: unifico, unifiques*.

uniformar *v* **1** Fer que una cosa sigui uniforme. **2** Vestir una persona amb un uniforme.
Es conjuga com *cantar*.

uniforme uniformes **1** *adj* Que té la mateixa forma, el mateix grau, la mateixa intensitat, etc.: *Era un carrer de cases uniformes: totes eren de la mateixa mida i pintades del mateix color.* **2** *nom m* Vestit especial de la policia, de l'exèrcit, etc.: *L'uniforme de la guàrdia municipal és de color blau.*

unilingüe unilingües *adj* Que fa servir una sola llengua, un sol idioma.

unió unions *nom f* **1** Acció d'unir. **2** Entesa, acord entre un grup de persones: *Entre els nens de la classe hi ha molta unió.* **3** Associació de persones, de països, etc. que tenen uns mateixos interessos, uns mateixos problemes: *França és membre de la Unió Europea.*

unir *v* **1** Ajuntar dues o més coses per formar un tot: *Unirem aquestes dues cordes fent un nus fort.* **2** Ajuntar-se, associar-se dues o més persones: *En Carles i en Xavier es van unir per muntar un negoci.*
Es conjuga com *servir*.

unisex unisexs *adj* Es diu d'una cosa que tant serveix per al sexe masculí com per al femení: *Al costat de casa han posat una perruqueria unisex.*

uníson unísona unísons unísones *adj* **1** Es diu de dos sons, de dues notes, etc. que tenen el mateix to. **2** *Tot el grup tre-*

u

balla a l'uníson: conjuntament, a la vegada, d'acord.

unitat unitats *nom f* **1** Cosa única, que no es pot dividir: *Aquests enciams costen cinquanta cèntims la unitat.* **2** Conjunt de coses unides: *La unitat de la classe, la formen el conjunt de tots els nens i nenes.* **3** Unió: *Hi va haver unitat a l'hora de triar el lloc de l'excursió.*

univers universos *nom m* Conjunt de totes les coses que existeixen: *En el nostre univers existeixen milions d'estrelles.*

universal universals *adj* **1** Que té relació amb l'univers. **2** Que afecta tothom, tota la gent i tots els països: *La guerra nuclear és un perill universal.*

universalment *adv* De tothom: *És un pintor conegut universalment.*

universitari universitària universitaris universitàries *adj* i *nom m* i *f* Es diu de les coses i de les persones relacionades amb la universitat: *Una carrera universitària. Un professor universitari. Un estudiant universitari.*

universitat universitats *nom f* Centre d'ensenyament superior on s'estudien diverses carreres: *El meu germà gran estudia veterinària a la universitat.*

unívoc unívoca unívocs unívoques *adj* Que només té un sentit, que només es pot interpretar d'una manera: *Moltes paraules no són unívoques, sinó que tenen més d'un sentit.*

untar *v* Cobrir d'oli, de greix o de crema una part del cos o un objecte: *Si t'untes amb aquesta pomada, el sol no et cremarà la pell.* ▪ *Per esmorzar, vam menjar torrades untades amb mantega.*
Es conjuga com *cantar.*

untós untosa untosos untoses *adj* Greixós.

untuós untuosa untuosos untuoses *adj* Que unta, enganxós.

up *interj* Paraula que es fa servir per a animar a fer força cap amunt, per a alçar una cosa que pesa molt, etc.: *Un, dos, tres... up!, ja hem carregat l'armari al camió.*

upa **1** *interj* Paraula que es fa servir per animar algú que fa força cap amunt, que aixeca alguna cosa que pesa molt, etc. **2** *Els convidats a la festa portaven uns cotxes d'upa:* molt bonics, molt cars, molt luxosos.

urani uranis *nom m* Metall radioactiu, dur i pesant, que s'utilitza en les centrals nuclears com a font d'energia atòmica.

urbà urbana urbans urbanes *adj* **1** Que té relació amb la ciutat: *Avui fan vaga els autobusos urbans.* **2** guàrdia urbana Cos de policia que depèn d'un ajuntament i que s'encarrega de regular el trànsit per la ciutat, de vigilar els carrers, etc. **3** guàrdia urbà guàrdia urbana Membre de la guàrdia urbana.

urbanisme urbanismes *nom m* Ciència, tècnica que s'ocupa de l'ordenació de les ciutats i del territori: *L'equip d'urbanisme de l'ajuntament està estudiant el projecte del nou parc.*

urbanista urbanistes *nom m* i *f* Persona que es dedica a l'urbanisme.

urbanitat urbanitats *nom f* Bona educació: *Escopir a terra és una falta greu d'urbanitat.*

urbanització urbanitzacions *nom f* Zona amb carrers, clavegueres, electricitat, etc. on hi ha cases, xalets i terrenys per a edificar.

urbanitzar *v* Planificar i convertir un terreny en una zona habitable, amb edificis, serveis i comunicacions.
Es conjuga com *cantar.*

urbs unes urbs *nom f* Ciutat gran.

urc urcs *nom m* Orgull, caràcter altiu.

urea urees *nom f* Substància que hi ha a l'orina.

urèter urèters *nom m* Conducte, tub pel qual baixa l'orina del ronyó a la bufeta. **19**

uretra uretres *nom f* Conducte, tub per on surt l'orina a l'exterior. **19**

urgellenc urgellenca urgellencs urgellenques **1** *nom m* i *f* Habitant de la Seu d'Urgell o de les comarques de l'Urgell; persona natural o procedent de la Seu d'Urgell o de les comarques de l'Urgell. **2** *adj* Es diu de les persones o de les coses naturals o procedents de la Seu d'Urgell o de les comarques de l'Urgell.

urgència urgències *nom f* **1** Cosa urgent, que no pot esperar: *En Jaume se n'ha hagut d'anar de pressa perquè tenia una urgència.* **2** servei d'urgència o urgències Conjunt d'instal·lacions d'un hospital preparades especialment per a atendre accidentats o malalts que s'han de tractar amb rapidesa.

urgent urgents *adj* Que no pot esperar, que s'ha de fer ràpidament: *Envia-li una carta urgent dient-li que no vingui.*

urgentment *adv* De manera urgent: *Hem d'avisar urgentment el metge perquè el malalt ha empitjorat.*

urgir *v* Ser molt urgent una cosa: *És una feina que urgeix i s'haurà de fer de seguida.*
Es conjuga com *servir*.

urinari urinària urinaris urinàries **1** *adj* Que té relació amb l'orina. **2** *nom m* Vàter públic.

urna urnes *nom f* **1** Caixa, generalment de vidre, que serveix per a dipositar-hi el vot en unes eleccions. **2** Capsa que serveix per a contenir les cendres d'un mort.

urna

urpa urpes *nom f* Ungla forta i encorbada, com les del gat o les d'alguns ocells.

urpes

urpada urpades *nom f* Cop d'urpa, ferida feta amb una urpa.

urticària urticàries *nom f* Irritació de la pell en forma de granets petits que fan molta picor, que apareixen de cop i desapareixen de pressa i sense deixar rastre.

us vos *pron* Paraula amb la qual es designen les persones a qui es parla, i que va al costat del verb, sola o acompanyada d'un altre pronom: *Us vull dir una cosa: demà sou vosaltres, els que heu d'anar a visitar el museu.* ▪ *Emporteu-vos el casset, si voleu, perquè jo no el necessito pas fins demà passat.* ▪ *A vós, us devem més respecte que a ningú.*

ús usos *nom m* Acció de fer servir una cosa: *Va fer ús de les eines i va arreglar la moto.*

usar *v* Fer servir una cosa: *Per viatjar per dins la ciutat, s'usa molt el metro i l'autobús.*
Es conjuga com *cantar*.

userda userdes *nom f* Herba utilitzada com a aliment per al bestiar, alfals.

usual usuals *adj* Que es fa servir sovint, que passa sovint: *La bufanda és una peça de vestir usual a l'hivern.*

usualment *adv* Normalment, de manera freqüent, habitual.

usuari usuària usuaris usuàries *adj i nom m i f* Es diu de la persona que acostuma a usar una cosa, un servei, etc.: *Aquest any han augmentat molt els usuaris del metro.*

usurer usurera usurers usureres *nom m i f* Persona que s'enriqueix a força de deixar diners a altres persones i després obligar-les a tornar-ne molts més dels que els ha deixat.

usurpar *v* Apropiar-se d'una cosa, prendre-la a un altre sense tenir-hi cap dret: *Un germà del rei va usurpar-li el tron.*
Es conjuga com *cantar*.

utensili utensilis *nom m* Estri, eina: *Poseu tots els utensilis de la cuina a dins d'aquesta caixa.*

úter úters *nom m* Òrgan de l'aparell reproductor femení dels mamífers destinat a protegir el fetus i a proporcionar-li aliment.

útil útils *adj* Que serveix per a alguna cosa, que és de profit: *Aquestes estisores ens seran molt útils per a tallar la corda.*

utilitat utilitats *nom f* Profit que es pot treure d'una cosa: *Aquestes botes tan altes són de molta utilitat quan plou.*

utilització utilitzacions *nom f* Acció de fer servir, d'utilitzar una cosa.

utilitzar *v* Usar, fer servir una cosa: *Els bombers van utilitzar una escala molt llarga per a pujar a dalt de tot de l'edifici.*
Es conjuga com *cantar*.

utillatge utillatges *nom m* Conjunt d'eines, d'instruments, etc. que es necessiten per a fer una cosa.

utopia utopies *nom f* Idea, fet, etc. impossible o molt difícil d'aconseguir: *Desgraciadament, que hi hagi pau a tot el món de moment és una utopia.*

utòpic utòpica utòpics utòpiques *adj* Ideal, que és impossible o molt difícil d'aconseguir.

uts Paraula que apareix en l'expressió **amb tots els ets i uts,** que vol dir "amb tots els detalls, sense faltar-hi res": *Em va explicar la pel·lícula amb tots els ets i uts.*

úvula úvules *nom f* Campaneta **2.** 15

V v lletra ve o ve baixa

va¹ 1 Forma de la tercera persona del singular del present d'indicatiu del verb "anar". **2** Forma auxiliar que es posa a davant de l'infinitiu per construir el passat perifràstic d'un verb: *"Va cantar"* és la forma de la tercera persona del singular del passat perifràstic del verb *"cantar"*.

va² vana vans vanes *adj* **1** Que no és real, que no té cap base, que no serveix de res: *Va perdre la cartera i durant uns dies va tenir la vana esperança de trobar-la.* **2** *Hem treballat* **en va** perquè hem passat el treball a màquina i no calia: de manera inútil, per a res.

vaca vaques *nom f* Animal mamífer que menja herba, es cria en granges i produeix llet i és la femella del bou o toro. ▉▉

vacances *nom f pl* Temps de descans durant el qual la gent no ha d'anar a treballar i les escoles estan tancades: *La majoria de la gent fa un mes de vacances a l'any.*

vacant vacants *adj i nom f* Es diu d'un càrrec, d'un seient, d'un lloc, etc. que no està ocupat per ningú.

vacil·lar *v* **1** Dubtar a l'hora de prendre una decisió: *No vacil·lis, decideix-te!* **2** Moure's lleugerament, tremolar: *En Ramon, en caminar, vacil·la.*
Es conjuga com *cantar*.

vacu vàcua vacus vàcues *adj* Buit.

vacuna vacunes *nom f* Substància que es dóna a una persona o a un animal perquè no agafi una malaltia.

vacunar *v* Posar una vacuna a algú: *Aquest hivern m'han vacunat contra la grip.*
Es conjuga com *cantar*.

vaga vagues *nom f* Acció de deixar de treballar per aconseguir una millora en la feina o per protestar d'alguna cosa: *Els treballadors van fer tres dies de vaga perquè volien augment de sou.*

vagabund vagabunda vagabunds vagabundes *adj i nom m i f* Es diu de la persona que va d'un lloc a l'altre sense treballar.

vagament *adv* D'una manera vaga, no definida, poc concreta: *No me'n recordo gaire del que va passar, només ho recordo vagament.*

vagància vagàncies *nom f* Fet de vagar, de no fer res: *Prou vagància, tothom a treballar!*

vagar *v* **1** Tenir temps de fer una cosa: *Aquesta setmana ja em vagarà de fer-te el vestit.* **2** Anar d'un lloc a un altre sense cap objectiu: *Aquest noi sempre vaga pels carrers.*
Es conjuga com *cantar*. S'escriu *g* davant de *a, o, u* i *gu* davant de *e, i: vago, vagues.*

vagarejar *v* Anar d'una banda a una altra sense seguir un camí determinat.
Es conjuga com *cantar*. S'escriu *j* davant de *a, o, u* i *g* davant de *e, i: vagarejo, vagareges.*

vagarós vagarosa vagarosos vagaroses *adj* Lliure, sense fer res: *Com que ara estic vagarós, si vols et puc ajudar.*

vagina vagines *nom f* Òrgan sexual de l'aparell reproductor femení dels mamífers per on surt el fill en el moment del part.

vagó vagons *nom m* Cadascun dels vehicles de quatre o vuit rodes d'un tren que serveixen per a transportar viatgers o mercaderies: *Quan vaig amb tren, m'agrada de pujar a l'últim vagó.*

vagoneta vagonetes *nom f* Vagó petit que serveix per a transportar terra, minerals, etc.

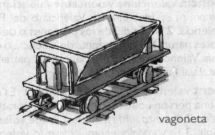
vagoneta

vague vaga vagues *adj* Poc definit, poc clar: *Tenia una idea molt vaga del tema que havia d'exposar a classe.*

vaguetat vaguetats *nom f* Idea vaga: *En lloc de propostes clares, només va dir vaguetats.*

vaig 1 Forma de la primera persona del singular del present d'indicatiu del verb "anar". **2** vaig vas o vares va vam o vàrem vau o vàreu van o varen Formes auxiliars que es posen a davant de l'infinitiu per construir el passat perifràstic d'un verb: *"Jo vaig cantar, tu vas cantar, ell va cantar, nosaltres vam cantar,* *vosaltres vau cantar, ells van cantar" és el passat perifràstic del verb "cantar".*

vailet vailets *nom m* Noi petit: *Aquests vailets es passen el dia al carrer jugant a bales.*

vainilla vainilles *nom f* Planta a partir de la qual es fa una espècie que es posa en pastissos, gelats, etc.: *Jo prendré un gelat de vainilla.*

vaivé vaivens *nom m* Moviment d'anada i de tornada, en dos sentits oposats: *El balancí, les onades i el pèndol del rellotge fan un moviment de vaivé.*

vaixell vaixells *nom m* Vehicle que serveix per a anar per l'aigua; embarcació gran: *Vam anar a Menorca amb vaixell.*

vaixella vaixelles *nom f* Conjunt de plats, de plates, de gots, de tasses, etc. que es fan servir a la taula: *Si es trenca cap plat més, haurem de comprar una vaixella nova.*

vaja *interj* Paraula que es fa servir per a expressar que estem una mica enfadats: *Vaja!, ja has tornat a equivocar-te!*

val vals *nom m* Paper que permet a una persona de rebre una cosa, de cobrar uns diners, etc.: *Tinc un val per prendre'm una beguda de franc a la fira.*

valdre *v* Mira valer.
Es conjuga com *valer*. Infinitiu: *valer* o *valdre*.

valencià valenciana valencians valencianes 1 *nom m i f* Habitant de València o del País Valencià. 2 *adj* Es diu de les persones o de les coses naturals o procedents de València o del País Valencià. 3 *nom m* Manera de parlar el català al País Valencià.

valent valenta valents valentes *adj* 1 Es diu d'una persona que no té por, que té coratge, valor. 2 *Aquesta tarda hem treballat de valent*: molt. 3 *Es va agafar el problema a la valenta i el va resoldre ràpidament i bé*: amb molta voluntat i esforç.

valentia valenties *nom f* Qualitat de valent: *Va suportar la malaltia amb molta valentia.*

valer *v* 1 Tenir un valor determinat: *Aquesta revista val dos euros.* 2 Ser útil i eficaç una persona o una cosa: *Aquesta noia val molt com a química.* ■ *La teva ajuda val molt en aquests moments.* 3 *No s'hi val!*, m'has vist les cartes: has fet trampa, això no és just. 4 Ser preferible una cosa: *Val més que te'n vagis aviat perquè està a punt de ploure.* 5 *La meva tieta*

és molt vella i no pot valer-se: no poder fer les coses sense ajut d'altres persones. 6 **valer la pena** Ser necessària, recomanable, profitosa, etc. una cosa.
La conjugació de *valer* és a la pàg. 848.

valerós valerosa valerosos valeroses *adj* Valent.

vàlid vàlida vàlids vàlides *adj* Que val, que té les condicions necessàries: *Aquest gol és vàlid, es pot donar per bo.*

validar *v* Fer, declarar vàlida una cosa.
Es conjuga com *cantar*.

validesa valideses *nom f* Fet de ser vàlida una cosa: *És molt honrat i ningú no dubta de la validesa de les seves paraules.*

vall[1] valls *nom m* Excavació fonda i estreta, com la que es fa al voltant d'una fortificació.

vall[2] valls *nom f* Espai de terreny que hi ha entre dues muntanyes, generalment travessat per un riu: *El poblet està situat en una vall del Pirineu de Lleida.*

vallenc vallenca vallencs vallenques 1 *nom m i f* Habitant de Valls; persona natural o procedent de Valls. 2 *adj* Es diu de les persones o de les coses naturals o procedents de Valls.

vallesà vallesana vallesans vallesanes 1 *nom m i f* Habitant de les comarques del Vallès; persona natural o procedent de les comarques del Vallès. 2 *adj* Es diu de les persones o de les coses naturals o procedents de les comarques del Vallès.

vallespirenc vallespirenca vallespirencs vallespirenques 1 *nom m i f* Habitant de la comarca del Vallespir; persona natural o procedent de la comarca del Vallespir. 2 *adj* Es diu de les persones o de les coses naturals o procedents de la comarca del Vallespir.

valor valors *nom m o f* 1 Qualitat o conjunt de qualitats que fan que una persona o una cosa sigui preuada, valgui: *El valor més important d'aquest poema és el ritme que té.* 2 Preu d'una cosa: *Aquestes joies tenen molt valor.* 3 Valentia que es té davant d'un perill, d'una situació difícil, etc.: *El valor dels soldats va salvar la ciutat.*

valoració valoracions *nom f* Acció de donar un valor a una persona o a una cosa: *La mestra ha fet una valoració molt positiva del nostre comportament a classe.*

valorar *v* **1** Donar valor a algú o a alguna cosa; donar-li importància: *Valoro molt la teva amistat.* **2** Posar preu, determinar el valor d'una cosa: *Els arquitectes valoren aquesta casa en trenta mil euros.*
Es conjuga com *cantar.*

vals valsos *nom m* Ball de parella en què els balladors van avançant tot donant voltes de manera molt elegant.

vàlua vàlues *nom f* Valor, conjunt de qualitats que fan que una persona o una cosa valgui: *Té una col·lecció de quadres de molta vàlua.*

valuós valuosa valuosos valuoses *adj* Que val molt, que té molt valor: *La Cristina porta un collaret molt valuós.*

valva valves *nom f* Cadascuna de les peces que formen la closca d'un mol·lusc, d'un crustaci, etc.

valves

vàlvula vàlvules *nom f* **1** Dispositiu que obre i tanca el pas d'un líquid, d'un gas, etc. **2** Estructura del cos que permet obrir i tancar un conducte, un orifici: *Les vàlvules del cor.* **17**

vam Mira **vaig 2**.

vamba vambes *nom f* Sabatilla de sola de goma per a practicar esport.

vampir vampira vampirs vampires *nom m* i *f* Personatge fantàstic que de nits xucla la sang de les persones: *Avui hem vist una pel·lícula de vampirs.*

van Mira **vaig 2**.

vanagloriar-se *v* Presumir de les qualitats que un mateix té, de les coses que fa, etc.
Es conjuga com *canviar.*

vanar-se *v* Vanagloriar-se.
Es conjuga com *cantar.*

vandalisme vandalismes *nom m* Tendència a destruir només per gust, sense cap motiu, les obres d'art, les coses de valor cultural, etc.: *Decapitar una estàtua és un acte de vandalisme.*

vanitat vanitats *nom f* Fet d'estar orgullós i de presumir de les qualitats que un mateix té, de les coses que fa, etc.

vanitós vanitosa vanitosos vanitoses *adj* Presumit, orgullós.

vànova vànoves *nom f* Cobrellit.

vantar-se *v* Vanar-se, vanagloriar-se.
Es conjuga com *cantar.*

vapor vapors *nom m* **1** Gas format per un líquid sotmès a una temperatura molt alta. **2 màquina de vapor** Màquina moguda per la força del vapor d'aigua.

vaporitzador vaporitzadors *nom m* Aparell que serveix per a vaporitzar un líquid.

vaporitzador

vaporitzar *v* Convertir un líquid en vapor.
Es conjuga com *cantar.*

vaporós vaporosa vaporosos vaporoses *adj* Molt fi i lleuger: *La núvia portava un vel molt llarg i vaporós.*

vaquer vaquera vaquers vaqueres **1** *nom m* i *f* Pastor de vaques. **2 vaquers** *nom m pl* Pantalons texans.

vara vares *nom f* Branca prima i llarga que es fa servir com a bastó.

vàrem Mira **vaig 2**.

varen Mira **vaig 2**.

vares Mira **vaig 2**.

vareta varetes *nom f* **1** Bastó prim i curt. **2** Bastó que tenen els mags, les fades, etc. i que té poders màgics: *La fada va tocar la carbassa amb la vareta i va aparèixer una gran carrossa.*

vàreu Mira **vaig 2**.

vari vària varis vàries *adj* Divers, diferent: *Porta una brusa de colors varis: verd, vermell, negre...*

v

variable variables *adj* Que pot variar, que canvia sovint: *Aquesta setmana el temps és molt variable, tan aviat plou com fa sol.*

variació variacions *nom f* Canvi: *El malalt ha experimentat una variació i ara es troba millor.*

variant variants **1** *adj* Que varia, variable. **2** *nom f* Cadascuna de les diferències que presenten dues o més coses de la mateixa classe, de la mateixa espècie, etc. **3** *nom f* Carretera secundària que porta al mateix lloc que la carretera principal: *Tu vés per l'autopista i nosaltres anirem per la variant.*

variar *v* Canviar alguna cosa; diversificar: *Has de variar la teva alimentació: sempre menges patates i pollastre.*
Es conjuga com *canviar.*

variat variada variats variades *adj* Que té coses diferents: *Aquest pastís té un gust molt variat: de nata, de maduixa i de crema.*

variça varices *nom f* Vena, generalment d'una cama, que es fa molt grossa perquè s'hi acumula la sang.

varicel·la varicel·les *nom f* Malaltia contagiosa que afecta sobretot els infants i que produeix unes butllofes a tot el cos que quan s'assequen fan molta picor.

varietat varietats **1** *nom f* Sèrie de coses diferents: *En aquella botiga tenen una gran varietat de sabates.* **2** varietats *nom f pl* Tipus d'espectacle format d'actuacions diferents com ara cant, ball, pallassos, etc. **3** *nom f* Cadascun dels grups d'una mateixa espècie animal, vegetal o mineral: *Hi ha una varietat de roses que són molt oloroses.*

variu varius *nom f* Variça.

vas¹ **1** Forma de la segona persona del singular del present d'indicatiu del verb "anar". **2** Forma auxiliar que es posa a davant de l'infinitiu per construir el passat perifràstic d'un verb: *"Vas cantar" és la forma de segona persona del singular del passat perifràstic del verb "cantar".*

vas² vasos *nom m* **1** Got, recipient que serveix per a contenir un líquid. **2** En un animal, tub per on circula la sang o altres líquids. **3** **vas sanguini** Qualsevol dels tubs o conductes per on circula la sang. **19**

vascular vasculars *adj* Que té relació amb els vasos, especialment amb els vasos sanguinis.

vaselina vaselines *nom f* Producte extret del petroli, de color groguenc, en forma de líquid espès que es fa servir per a fer pomades.

vassall vassalla vassalls vassalles **1** *adj i nom m i f* Súbdit. **2** *nom m* Servidor d'un noble: *El duc i els seus vassalls es van reunir al palau.*

vast vasta vasts o **vastos vastes** *adj* D'una gran extensió: *Una vasta comarca.*

vàter vàters *nom m* Lloc per a fer-hi pipí o caca, amb una tassa per a seure-hi i un dipòsit d'aigua per a netejar-lo.

vàter

vaticinar *v* Predir, anunciar per endavant les coses que passaran: *Una setmana abans del partit, l'entrenador ja va vaticinar la derrota de l'equip.*
Es conjuga com *cantar.*

vaticini vaticinis *nom m* Pronòstic, profecia.

vatua *interj* Paraula que es fa servir per a demostrar sorpresa, disgust, etc.: *Vatua, ja m'he tornat a equivocar!*

vau Mira **vaig 2.**

ve ves *nom f* **1** Nom de la lletra v V, també anomenada **ve baixa**. **2** **ve doble** Nom de la lletra w W.

veça veces *nom f* Fruit d'una planta anomenada també veça que s'utilitza com a aliment dels coloms i altres ocells.

veda vedes *nom f* Temps durant el qual està prohibit de pescar o de caçar alguna espècie d'animal.

vedar *v* Impedir de fer una cosa, prohibir-la.
Es conjuga com *cantar.*

vedat vedada vedats vedades *nom m* Lloc on està prohibit de caçar o de pescar.

vedell vedella vedells vedelles *nom m i f* Fill de la vaca que no té més d'un any: *La carn de vedella és un aliment molt apreciat.*

vedellar *v* Parir la vaca.
Es conjuga com *cantar.*

vedet vedets *nom f* Artista principal d'un espectacle.

vegada vegades *nom f* **1** Cada cop que es fa una acció o passa un fet: *Aquesta tarda he vingut tres vegades a casa teva.* **2** *En Tomàs treballa i estudia **a la vegada**:* al mateix temps. **3** *Acaba't la sopa **d'una vegada**!:* sense fer esperar més. **4** *Una vegada hi havia un pare que tenia tres fills...:* expressió que es fa servir per a començar un conte. **5** *Una vegada hagis arribat a casa, telefona'm:* en el moment que hagis arribat.

vegetació vegetacions *nom f* Conjunt de plantes que creixen en un lloc determinat: *La vegetació d'alta muntanya és diferent de la vegetació de la costa.*

vegetal vegetals **1** *adj* Que està relacionat amb les plantes: *L'enciam, les patates i les taronges són aliments vegetals.* **2** *nom m* Planta: *A classe ara estudiem els vegetals.*

vegetar *v* **1** Fer una planta les seves funcions. **2** Portar una vida passiva, avorrida, etc.: *El meu germà no fa res de bo, es limita a vegetar.* Es conjuga com *cantar.*

vegetarià vegetariana vegetarians vegetarianes *adj i nom m i f* Es diu de la persona que no menja carn ni peix i només s'alimenta de productes vegetals.

vehemència vehemències *nom f* Força, entusiasme, passió amb què es fa o es diu una cosa: *El nou professor ens explica les matemàtiques amb molta vehemència i per això les entenem millor que abans.*

vehement vehements *adj* Que té força, passió, entusiasme.

vehicle vehicles *nom m* Tot allò que serveix per a transportar persones o coses: *Un cotxe, un carro, un camió i una bicicleta són vehicles.* ■ *Els animals són el vehicle de moltes malalties.*

vehicular *v* Transportar, ser el vehicle que transmet una cosa: *El delegat de classe és qui vehicula les nostres opinions a l'assemblea d'escola.* Es conjuga com *cantar.*

veí veïna veïns veïnes **1** *nom m i f* Persona que viu en un mateix poble, barri, edifici que una altra: *La Dolors viu al costat de casa, és la meva veïna.* ■ *Els veïns d'aquell poble van anar a protestar a l'ajuntament per la falta de llum dels carrers.* **2** *adj* Que està situat a prop: *Tarragona i Reus són dues ciutats veïnes.*

veïnat veïnats *nom m* Conjunt de veïns: *El soroll de les motos molesta tot el veïnat.*

veixina veixines *nom f* Llufa, aire que s'expulsa pel cul sense fer soroll.

vejam Paraula que es fa servir per a expressar curiositat, ganes de saber què passa: *Vejam qui guanyarà!*

vel vels *nom m* **1** Roba molt prima i fina que serveix per a tapar o amagar una part del cos o un objecte. **2 vel del paladar** Part posterior del paladar també anomenada paladar tou.

vel

vela veles *nom f* **1** Tros de lona o de tela forta que es lliga als pals d'una embarcació perquè el vent la faci córrer: *A la platja hi ha una cursa de vaixells de vela.* **2** Tros de lona o de tela forta que es posa per fer ombra, per protegir un lloc, etc.: *Davant de la botiga hi ha una vela de color taronja que es pot plegar i desplegar.* **3 plegar veles** Anar-se'n. **4 anar a tota vela** Anar molt de pressa, córrer.

velam velams *nom m* Conjunt de veles d'un vaixell.

velar *v* Enfosquir la claredat, la sonoritat d'alguna cosa: *Una fotografia velada.* ■ *Una veu velada.* Es conjuga com *cantar.*

veler velers *nom m* Embarcació de vela.

veler

vell vella vells velles **1** *adj i nom m i f* Que té molts anys: *L'avi de la Rosa és un senyor molt* *vell.* **2** *adj* Es diu d'una cosa que s'ha fet servir molt i que ja s'ha gastat: *Aquestes sabates ja s'han fet velles i no les puc dur més.*

vellesa velleses *nom f* Temps de la vida que ve després de l'edat madura, tercera edat: *L'avi té setanta anys, ja ha arribat a la vellesa.*

vellut velluts *nom m* Teixit de cotó, de llana o de seda gruixut i suau fet de pèls tallats a la mateixa mida: *A l'hivern porto uns pantalons de vellut.*

veloç veloços veloces *adj* Ràpid, que va molt de pressa: *El cotxe d'en Jordi és molt veloç.*

velocitat velocitats *nom f* Rapidesa: *Per l'autopista es pot anar a una velocitat de 120 quilòmetres per hora.*

velòdrom velòdroms *nom m* Instal·lació adequada per a fer-hi curses de bicicletes.

vena venes *nom f* **1** Cadascun dels tubs que duen la sang dels capil·lars cap al cor. **17 19 20 2** Nervi de les fulles. **3** Capacitat de fer una activitat artística: *Aquest noi té vena de músic.*

vencedor vencedora vencedors vencedores *adj* i *nom m* i *f* Guanyador.

vèncer *v* **1** Guanyar en una lluita, en un joc, etc.: *L'equip francès ha vençut l'equip italià en el partit de bàsquet d'avui.* **2** Acabar-se el temps de fer una cosa: *Avui venç el termini de fer l'últim pagament del pis.*
La conjugació de *vèncer* és a la pàg. 849.

venda vendes *nom f* **1** Acció de vendre: *Aquesta tarda no hem fet gaires vendes.* **2** Aquells pisos estan **en venda**: es poden comprar.

vendaval vendavals *nom m* Vent molt fort.

vendre *v* **1** Donar una cosa a algú a canvi d'una quantitat de diners: *En aquesta botiga venen tota mena de joguines.* **2 vendre's** Deixar-se subornar, fer alguna cosa que no està bé a canvi de diners.
Es conjuga com *aprendre*. Present d'indicatiu: *venc, vens, ven, venem, veneu, venen.* Participi: *venut, venuda* o *vengut, venguda.*

vendrellenc vendrellenca vendrellencs vendrellenques **1** *nom m* i *f* Habitant del Vendrell; persona natural o procedent del Vendrell. **2** *adj* Es diu de les persones o de les coses naturals o procedents del Vendrell.

veneçolà veneçolana veneçolans veneçolanes **1** *nom m* i *f* Habitant de Veneçuela; persona natural o procedent de Veneçuela. **2** *adj* Es diu de les persones o de les coses naturals o procedents de Veneçuela.

venedor venedora venedors venedores *nom m* i *f* Persona que ven: *En Martí fa de venedor de cotxes.*

venenós venenosa venenosos venenoses *adj* Verinós.

venerable venerables *adj* Es diu d'una persona o d'una cosa que mereix molt de respecte, perquè és molt gran d'edat, molt important, etc.

veneració veneracions *nom f* Sentiment de gran respecte o admiració per algú.

venerar *v* Sentir un gran respecte, una gran admiració per algú: *Tots quatre germans veneren la seva mare.*
Es conjuga com *cantar.*

vènia vènies *nom f* Permís de fer una cosa: *Amb la vènia del tribunal, voldria dir quatre paraules d'agraïment.*

venial venials *adj* Es diu d'una falta, d'un pecat, etc. poc greu, que es pot perdonar fàcilment.

venidor venidora venidors venidores *adj* Que ha de venir: *Hem d'estar preparats per als temps venidors.*

venir *v* **1** Moure's en direcció al lloc on és la persona que parla o la persona amb qui es parla: *Vine a casa meva a jugar.* ■ *Espera't un moment, ja vinc de seguida.* ■ *La tieta em va venir a veure però se'n va anar de seguida.* **2** Seguir una cosa després d'una altra: *Després de l'hivern ve la primavera.* **3** Procedir, ser originari d'un lloc: *Aquesta fruita ve d'Amèrica.* **4** Començar a tenir una sensació de gana, de son, de fred, etc.: *Aquesta calor em fa venir set.* **5** Acudir-se una idea o un pensament a algú: *M'ha vingut una idea: podríem jugar a escacs.* **6** *El teu germà sempre sol* **venir de l'hort**: no estar al corrent de les coses que passen.
Es conjuga com *mantenir*. Present d'indicatiu: *vinc, véns, ve, venim, veniu, vénen.* Les formes *véns* i *vénen* porten accent diacrític per distingir-les de les formes *vens* i *venen* del verb *vendre*. Imperatiu: *vine, vingui, vinguem, veniu, vinguin.*

venjança venjances *nom f* Mal que es fa a algú que ens ha fet mal abans.

venjar v Fer mal a algú que ens ha fet mal abans: *La Maria em va prendre la pilota, però jo em vaig venjar prenent-li la bicicleta.*
Es conjuga com *cantar*. S'escriu *j* davant de *a, o, u* i *g* davant de *e, i: venjo, venges.*

venjatiu venjativa venjatius venjatives *adj* Es diu de la persona que té tendència a venjar-se.

vent vents nom m **1** Aire en moviment: *Aquest vent és de tramuntana.* **2** *Aquest cotxe pot **córrer més que el vent** anar a una gran velocitat.* **3** *Ens en vam anar cap a casa perquè **va girar-se vent** es va posar a fer vent.* **4** *Em penso que en aquella casa tot deu **anar vent en popa** anar molt bé.* **5** **instrument de vent** Instrument musical que, fent-lo bufar, posa en acció l'aire que conté: *La trompeta i el clarinet són instruments de vent.* **6** Cadascun dels cordills d'una tenda de campanya que van clavats a terra amb una mena de claus i que serveixen perquè no es mogui. **7** Pet o rot.

ventada ventades nom f Vent fort i sobtat: *Mentre caminàvem, va fer una ventada i van caure moltes fulles dels arbres.*

ventafocs unes ventafocs nom f Persona o conjunt de persones que es deixa una mica a part de les altres, a qui toca de fer sempre les feines més difícils, allò que no vol fer ningú, etc.

ventall ventalls nom m **1** Instrument que es mou amb la mà i que serveix per a fer aire: *Feia molta calor i la gent es feia aire amb els ventalls.* **2** Sèrie, conjunt de coses: *En aquesta agència ofereixen un gran ventall de viatges a uns preus molt interessants.*

ventall

ventalla ventalles nom f Reixa de fusta que hi ha en algunes finestres que serveix perquè no entri la claror i per a mirar a fora sense ser vist.

ventallada ventallades nom f Cop violent que es dóna a algú.

ventalló ventallons nom m Porticó, finestró.

ventallot ventallots nom m Ventallada.

ventar v **1** Fer vent, produir vent: *Heu de ventar més el foc de la llar perquè s'encengui.* **2** Pegar, donar un cop o una bufetada: *Et ventaré una bufetada si no deixes de tirar pedres.*
Es conjuga com *cantar*.

ventejar v Fer vent: *Avui neva i venteja.*
Es conjuga com *cantar*. S'escriu *j* davant de *a, o, u* i *g* davant de *e, i: venteja, ventegi.*

ventijol ventijols nom m Vent suau.

ventilació ventilacions **1** nom f Acció de ventilar. **2** Corrent d'aire que es produeix quan es ventila un local. **3** Obertura que serveix per a ventilar una habitació.

ventilador ventiladors nom m Aparell amb una hèlix que gira i que serveix per a remoure l'aire: *A l'estiu tenim un ventilador al menjador i així no passem tanta calor.*

ventilar v Remoure l'aire d'un lloc o fer-ne entrar de nou: *Obre la finestra perquè es ventili l'habitació.*
Es conjuga com *cantar*.

ventós ventosa ventosos ventoses *adj* Es diu d'un lloc on acostuma a fer vent i també es diu d'un temps de vent.

ventosa ventoses nom f Objecte o òrgan d'alguns animals que té forma de casquet i que quan es pitja damunt una superfície hi queda enganxat: *Els pops tenen ventoses a cadascun dels tentacles per agafar-se a les roques.*

ventositat ventositats nom f Qualsevol gas acumulat a l'intestí que s'expulsa, com ara un pet, un rot, etc.

ventre ventres nom m **1** Part del cos on hi ha els principals òrgans digestius, panxa. **2** **anar de ventre** Fer caca. **3** *En aquell restaurant vam **treure el ventre de pena** atipar-se, menjar.* **4** **ventre de la cama** Part més tova i ampla de la cama. **5** Part més ampla d'una ampolla, d'una gerra, etc.

ventrell ventrells nom m **1** Estómac. **2** **ventrell de la cama** Panxell, part més tova i ampla de la cama.

ventrellada ventrellades nom f Mala digestió dels aliments que provoca diarrea.

ventrellut ventrelluda ventrelluts ventrelludes *adj* Ventrut.

V

ventricle ventricles *nom m* Part del cor que rep la sang de l'aurícula i l'envia a les artèries. 17

ventríloc ventríloqua ventrílocs ventríloqües *adj i nom m i f* Es diu de la persona que sap canviar la veu de manera que sembli que vingui d'un altre: *Al festival va actuar un ventríloc molt famós.*

ventrut ventruda ventruts ventrudes *adj* Que té el ventre molt sortit cap enfora.

ventura ventures *nom f* **1** Felicitat, sort: *Us desitjo molta ventura en aquest negoci.* **2 per ventura** Potser: *Que teniu diners, per ventura?* **3 anar a la ventura** Anar a l'atzar, sense preveure què passarà: *Se'n va anar a córrer món a la ventura.* **4** Tot allò bo o dolent que li pot passar a algú, però que no es pot preveure.

venturós venturosa venturosos venturoses *adj* Feliç, afortunat: *Li desitgem un Bon Nadal i un venturós Any Nou.*

venut venuda venuts venudes *adj i nom m i f* **1** Es diu de la persona que ha traït algú o alguna cosa, que s'ha deixat subornar. **2 anar venut** Estar desorientat per falta de pràctica o experiència en una cosa.

ver vera vers veres *adj* **1** Veritable, cert. **2 de veres** De veritat, de debò.

veraç veraços veraces *adj* Que diu la veritat, que explica els fets tal com van passar: *El testimoni va fer una descripció veraç dels fets ocorreguts.*

veral verals *nom m* Lloc, indret, tros de terra: *Què hi vàreu anar a fer per aquells verals?*

verament *adv* Veritablement.

verat verats *nom m* Peix de mar blavós amb ratlles negres, molt apreciat com a aliment.

verat

verb verbs *nom m* Paraula que expressa una acció: *Les paraules "cantar", "córrer" i "sortir" són verbs.*

verbal verbals *adj* **1** Que té relació amb el verb: *En la frase: "aquells nois corren molt de pressa", les paraules "corren molt de pressa" formen un sintagma verbal, perquè la paraula més important del grup és el verb "córrer".* **2** Que té relació amb la paraula, amb el llenguatge oral.

verberar *v* Donar cops el vent, l'aigua, etc. contra una cosa.
Es conjuga com *cantar.*

verbigràcia *adv* Per exemple.

verd verda verds verdes **1** *adj i nom m* Del color de l'herba, de les olives o de les fulles dels arbres. **2** *adj* Es diu de la fruita que no és madura i que encara no és bona per a menjar: *Aquestes pomes són verdes.* **3** *adj* Es diu dels acudits, de les pel·lícules, de les revistes, etc. en què hi ha sexe.

verdader verdadera verdaders verdaderes *adj* Veritable.

verdejar *v* **1** Tirar a verd: *Els camps comencen a verdejar.* **2** Ser poc madur: *Aquestes prunes encara verdegen una mica.*
Es conjuga com *cantar.* S'escriu *j* davant de *a, o, u* i *g* davant de *e, i: verdeja, verdegi.*

verdet verdets *nom m* Capa llefiscosa i de color verd que es fa als llocs humits i sobre la superfície dels objectes de metall.

verdor verdors *nom f* Qualitat de verd: *La verdor de les fulles dels arbres.*

verdós verdosa verdosos verdoses *adj* Que té un to més aviat verd.

verdulaire verdulaires *nom m i f* Persona que ven verdures.

verdum verdums *nom m* Ocell de plomes verdes que canta molt bé.

verdura verdures *nom f* Nom que es dóna a les hortalisses, com ara l'enciam, els espinacs, les mongetes tendres, les bledes, etc.

verdurer verdurers *nom m* Moble amb prestatges o calaixos que serveix per a guardar-hi les verdures.

veredicte veredictes *nom m* Opinió que dóna un tribunal, un jurat, una persona entesa en un tema: *En el seu veredicte, el tribunal va considerar que l'acusat era innocent.*

verema veremes *nom f* Collita del raïm.

veremar *v* Fer la collita del raïm.
Es conjuga com *cantar.*

veres Paraula que apareix en l'expressió de veres, que vol dir "de veritat, de debò": *De veres que no em fa res deixar-vos la bici.*

verga vergues *nom f* **1** Vara, rama prima, llisa i sense fulles. **2** Penis.

verge[1] *nom f* Sisè signe del zodíac: *Les persones nascudes entre el 23 d'agost i el 23 de setembre són del signe de verge.*

verge[2] verges *adj* **1** Pur, natural, que no ha estat tocat per les persones: *Aquest oli és verge.* ▪ *La selva verge.* **2** Es diu de la persona que no ha tingut contacte sexual amb ningú. **3** *nom f* Dona verge, que no ha tingut contacte sexual amb cap home. **4** la **Verge** *nom f* En la religió cristiana, la Mare de Déu.

vergonya vergonyes *nom f* **1** Sensació que tenim quan ens equivoquem, quan hem de fer una cosa davant de molta gent, etc.: *Ens va fer molta vergonya sortir a cantar la cançó davant de tothom.* **2** Cosa dolenta: *És una vergonya que et llevis cada dia tan tard!* **3** **caure la cara de vergonya** Sentir molta vergonya. **4** **no tenir vergonya** Fer coses dolentes sense tenir en compte el que pensa la gent. **5** les **vergonyes** *nom f pl* Òrgans genitals: *Els nens es banyaven despullats i ensenyaven les vergonyes.*

vergonyós vergonyosa vergonyosos vergonyoses *adj* Que causa vergonya, que sent vergonya: *La falta d'higiene d'aquest local públic és un fet vergonyós.* ▪ *En Pau és tan vergonyós, que de seguida es torna vermell quan li dius alguna cosa.*

verí verins *nom m* **1** Substància que segreguen alguns animals, que pot ser molt perjudicial per a la salut, fins i tot mortal: *El verí d'algunes serps pot ser mortal.* **2** Qualsevol cosa que perjudica la salut.

verídic verídica verídics verídiques *adj* Es diu d'una narració, d'una descripció, etc. veraç, que explica els fets tal com van passar.

verificació verificacions *nom f* Comprovació.

verificar *v* Comprovar que una cosa és certa, exacta, que funciona bé: *Els tècnics van venir a verificar el funcionament de la caldera de la calefacció.* Es conjuga com *cantar*. S'escriu *c* davant de *a, o, u* i *qu* davant de *e, i: verifico, verifiques.*

verinós verinosa verinosos verinoses *adj* Que té verí: *Hi ha serps molt verinoses.*

veritable veritables *adj* Que és veritat, que és real, autèntic: *El veritable nom de la Teia és "Teresa".*

veritablement *adv* De veritat, realment, certament.

veritat veritats *nom f* **1** Allò que realment és, allò que passa realment: *És veritat, la Terra és rodona.* ▪ *Digues la veritat: qui ha trencat el vidre?* **2** Hem pujat a un vaixell de guerra **de veritat**: de debò, autèntic.

verm verms *nom m* Cuc.

vermell vermella vermells vermelles **1** *adj i nom m* Del color de la sang, de les maduixes, de les cireres o dels tomàquets. **2** *En Marià és molt tímid, pot* **tornar-se vermell** *per qualsevol cosa:* posar-se les galtes de color vermell a causa de la vergonya.

vermellejar *v* Tirar a vermell: *Les cireres vermellegen i aviat seran madures.* Es conjuga com *cantar*. S'escriu *j* davant de *a, o, u* i *g* davant de *e, i: vermelleja, vermellegi.*

vermellor vermellors *nom f* Qualitat de vermell: *La vermellor de les maduixes.*

vermellós vermellosa vermellosos vermelloses *adj* Que té un color més aviat vermell.

vermut vermuts *nom m* **1** Beguda alcohòlica que es fa amb vi blanc i herbes aromàtiques que li donen un gust amarg i que es pren abans de menjar. **2** Conjunt de tapes i de begudes que es prenen abans de menjar; aperitiu: *Abans de dinar anirem a fer el vermut.*

vern verns *nom m* Arbre de fulla caduca, d'escorça fosca i molt apreciat per la seva fusta.

vernacle vernacla vernacles *adj* Que és propi del lloc on una persona ha nascut.

vernís vernissos *nom m* Pintura transparent que serveix per a protegir o fer brillant una superfície de fusta, paper, etc.: *A l'escola hem fet pintures amb ceres i demà hi posarem el vernís.*

vernissatge vernissatges *nom m* Acte d'inauguració d'una exposició de pintura, d'escultura, etc.

verola veroles *nom f* Malaltia contagiosa que afecta sobretot els infants, que provoca molta febre, fa sortir grans per tot el cos i pot deixar marques a la pell.

verolar *v* Començar a agafar un fruit verd el color de quan és madur. Es conjuga com *cantar*.

V

verra verres *nom f* **1** Truja. **2** Contrabaix.

verro verros *nom m* **1** Porc mascle que es fa servir per a aparellar-lo amb les truges. **2** Persona molt bruta, molt dolenta.

vers[1] *prep* **1** Cap a, en direcció a: *El cotxe corria vers la ciutat.* **2** Pels volts de, aproximadament: *Aquesta masia fou construïda vers l'any 1650.* **3** Cap al costat de: *Els carrers que hi ha vers la catedral.*

vers[2] versos *nom m* **1** Conjunt de paraules que formen una ratlla d'un poema: *Aquest poema té vuit versos.* **2** Poesia, poema.

versar *v* Tractar un llibre, una conferència, etc. d'alguna cosa: *El discurs versarà sobre les relacions entre Catalunya i Amèrica.* Es conjuga com *cantar.*

versat versada versats versades *adj* Es diu de la persona que té molts coneixements d'una ciència, d'un art, etc.: *El seu pare era una persona versada en botànica.*

versàtil versàtils *adj* **1** Es diu d'una cosa que es pot girar: *Aquest llum té el peu versàtil.* **2** Es diu de la persona que canvia fàcilment d'opinió, de sentiments, etc., que no és constant.

versemblant versemblants *adj* Que sembla de veritat, que es pot considerar com la veritat: *Ens hem d'inventar una història versemblant per a escriure l'obra de teatre.*

versió versions *nom f* **1** Traducció d'un llibre, d'un text, etc. d'un idioma a un altre: *He llegit "Robinson Crusoe" en versió catalana.* **2** Adaptació d'un llibre, d'una obra de teatre, etc.: *Del conte "La flor romanial", se'n coneixen moltes versions.* **3** Manera diferent de veure o d'interpretar una cosa: *Hi ha diferents versions sobre com es va produir l'accident.*

vertader vertadera vertaders vertaderes *adj* Veritable.

vèrtebra vèrtebres *nom f* Cadascun dels ossos de la columna vertebral. |5

vertebral vertebrals *adj* Que té relació amb les vèrtebres: *La columna vertebral.*

vertebrar *v* Ajuntar, enllaçar dues o més coses sense que quedin fixes, fent que es puguin moure. Es conjuga com *cantar.*

vertebrat vertebrada vertebrats vertebrades **1** *adj* Que té vèrtebres. **2** *nom m* Es diu dels animals que tenen columna vertebral: *Els mamífers, els ocells, els rèptils, els amfibis i els peixos són animals vertebrats.*

vèrtex vèrtexs *nom m* **1** Punt en què es troben els dos costats d'un angle. **2** Punt d'un con, d'una piràmide, etc. més allunyat de la base.

vertical verticals **1** *adj* Es diu de tot allò que té una posició perpendicular a l'horitzó, contrari d'horitzontal: *Les potes d'una taula són verticals i la superfície és horitzontal.* **2** *nom f* Exercici gimnàstic que consisteix a aguantar-se sobre una o dues mans de cap per avall.

verticalment *adv* Segons una direcció vertical: *Els troncs dels arbres creixen verticalment en direcció cap al cel.*

vertigen vertígens *nom m* Sensació que es té com si el cap rodés: *Quan passava per aquell pont tan estret i alt, vaig mirar a baix i em va venir vertigen.*

vertiginós vertiginosa vertiginosos vertiginoses *adj* Molt ràpid: *Vam pujar en unes muntanyes russes que anaven a una velocitat vertiginosa.*

ves Paraula que es fa servir per a expressar sorpresa, atenció, etc.: *Ves qui ho havia de dir, ha aprovat l'examen de conduir a la primera!*

vesc vescs o vescos *nom m* Matèria enganxosa que es treu d'una planta del mateix nom i que es fa servir per a caçar ocells.

vescomte vescomtessa vescomtes vescomtesses *nom m i f* Persona de la noblesa que està per damunt del baró i per sota del comte.

vesícula vesícules *nom f* **1** Òrgan en forma de sac o de cavitat. **2** vesícula biliar Òrgan en forma de sac que conté la bilis i que està situat al costat del fetge.

vespa vespes *nom f* Insecte de ratlles grogues i negres, que té un fibló que produeix unes picades molt doloroses i que no mor en clavar-lo. |7

vesper vespers *nom m* Niu o conjunt de vespes.

vespertí vespertina vespertins vespertines *adj* Que es fa al vespre, que té relació amb el vespre: *Cada dia la missa vespertina és a les vuit.*

vesprada vesprades *nom f* **1** Últimes hores de la tarda. **2** Tarda.

vespre vespres nom m Part del dia que va des del final de la tarda fins al començament de la nit: *A casa meva sopem a les nou del vespre.*

vesprejar v Fer-se de vespre, fer-se fosc: *Anem de pressa, que ja comença a vesprejar.* Es conjuga com *cantar.* S'escriu *j* davant de *a, o, u* i *g* davant de *e, i: vespreja, vespregi.*

vessant vessants nom m o f **1** Pendent d'una muntanya. **2** Aspecte, punt de vista d'una idea, d'un problema, etc.

vessar v **1** Sortir un líquid del recipient perquè té un forat, perquè n'hi ha massa, perquè s'ha tombat, etc.: *S'ha vessat la llet quan bullia.* ▪ *Aquesta cantimplora vessa per sota.* ▪ *El cambrer m'ha vessat la sopa a sobre la camisa.* **2** **vessar-la** Equivocar-se: *Vam decidir anar d'excursió aquest cap de setmana i la vam vessar, perquè ens va ploure tot el dia.* Es conjuga com *cantar.*

vesta vestes nom f Túnica llarga fins als peus.

vestíbul vestíbuls nom m Espai que hi ha a l'entrada d'un edifici i que serveix per a esperar-se, per a pujar cap als altres pisos, etc.: *Al vestíbul del cinema hi ha una cartellera amb les pel·lícules de la setmana.*

vestíbul

vestidor vestidors nom m Lloc que es fa servir per a vestir-se: *Després del partit, els jugadors van marxar corrents cap als vestidors.*

vestidura vestidures nom f Vestit que es posa al damunt d'un altre i que es fa servir en algunes cerimònies: *Aquell dia el sacerdot portava les vestidures de color blanc.*

vestigi vestigis nom m Senyal que deixa una cosa que ha desaparegut, un fet que ha passat, etc.: *Aquestes pedres tan negres són vestigis del foc que hi va haver durant l'estiu.*

vestimenta vestimentes nom f Vestidura, vestit.

vestir v **1** Cobrir el cos amb roba: *Quan acabis de banyar-te, vesteix-te.* **2** Portar un vestit determinat: *La cuinera vestia una bata blanca.* **3** Cobrir: *La primavera vesteix els arbres de fulles noves.* Es conjuga com *servir.*

vestit vestits nom m Peça o peces de roba amb què es cobreix el cos: *La tieta portava un vestit de seda natural.* ▪ *M'han comprat un vestit nou: pantalons, americana i corbata.*

vestuari vestuaris nom m **1** Conjunt de vestits: *Els actors d'aquesta obra de teatre canvien molt sovint de vestuari.* **2** Lloc destinat a canviar-se de roba o a guardar-hi els vestits; guarda-roba: *Els vestuaris de la piscina.*

vet[1] Paraula que apareix en l'expressió **vet aquí**, que es fa servir per a cridar l'atenció quan s'explica alguna cosa: *Vet aquí que una vegada hi havia un pare i una mare...*

vet[2] vets nom m Mira **veto**.

veta vetes nom f **1** Cinta que es cus a una peça de roba, com ara una coixinera, una bata, etc., i que serveix per a lligar-la o penjar-la: *La mestra ens ha dit que hem de portar una veta a l'abric per poder-lo penjar al penjador.* **2** Ratlla de color diferent que de vegades hi ha en una roca, una fusta, una roba, etc.: *Aquest marbre negre té unes vetes blanques que fan molt bonic.* **3** *Si vols que en Joan no s'enfadi, li has de* **seguir la veta**: no contradir-lo.

veterà veterana veterans veteranes adj i nom m i f Es diu de la persona que fa molt temps que fa una determinada professió, una mateixa activitat: *Aquell jugador tan bo és un veterà.*

veterinari veterinària veterinaris veterinàries **1** nom m i f Persona que es dedica a curar malalties dels animals. **2** **veterinària** nom f Ciència que s'ocupa de les malalties dels animals.

vetesifils uns/unes vetesifils **1** nom m i f Persona que té una merceria. **2** nom m Merceria, botiga on es venen vetes, fils, botons, etc.

vetlla vetlles nom f **1** Acció de vetllar: *Vam passar la nit en vetlla cuidant el malalt.* **2** Espai de temps comprès entre la posta de sol i el moment d'anar a dormir: *Les vetlles d'estiu, les passem al jardí, conversant i prenent la fresca.* **3** Vigília.

vetllada vetllades nom f Reunió, festa, que es fa després de sopar.

vetllar v **1** Passar la nit sense dormir prop d'un malalt, d'un mort, perquè s'està treba-

llant, perquè s'està fent guàrdia, resant, etc. **2** *Cal* **vetllar per** *la conservació dels boscos:* vigilar, cuidar una cosa.
Es conjuga com *cantar*.

veto **vetos** *nom m* Dret que té una persona, una organització, un país, etc. d'impedir que es prengui una decisió: *A les Nacions Unides hi ha alguns països amb dret de veto, que poden impedir que es prengui una decisió encara que els altres països hi estiguin d'acord.*

vetust **vetusta vetusts** *o* **vetustos vetustes** *adj* Molt antic: *Al pis de dalt hi havia una sala plena de mobles vetustos.*

veu **veus** *nom f* **1** So que fan les persones quan parlen, criden o canten: *La Mercè està constipada i no se li sent la veu.* **2** *En Miquel és el que vol* **portar la veu cantant** *del grup:* portar la iniciativa, parlar pels altres. **3** Notícia, rumor: *Corre la veu que l'Ernest se'n va a Nova York.* **4** Dret de parlar i de prendre part en una assemblea, en un debat, etc.

veure *v* **1** Notar algú o alguna cosa amb el sentit de la vista: *Des d'aquí veig el mar i les muntanyes.* **2** **no poder veure algú** Tenir molta ràbia a algú. **3** Visitar algú o alguna cosa: *L'he acompanyat a veure el metge.* **4** Adonar-se d'alguna cosa: *Ara veig les teves intencions.* **5** **no tenir res a veure** Ser dues o més coses completament diferents: *La sal i el sucre no tenen res a veure.* **6** **fer-se veure** Fer coses per cridar l'atenció. **7** *En Ferran va* **fer veure** *que estava malalt per no haver d'anar a l'escola:* fingir, fer que una cosa sembli diferent del que és en realitat. **8** *Aquest resultat es podia* **veure de lluny***:* preveure. **9** **Vejam** *qui guanyarà!:* forma que es fa servir per a expressar curiositat, ganes de saber què passa. **10** **Ves** *qui ho havia de dir, ha aprovat l'examen de conduir a la primera!:* forma que es fa sevir per a expressar sorpresa, atenció, etc. **11** **veure-hi** Tenir el sentit de la vista: *Els cecs són persones que no hi veuen.* **12** **veure-s'hi** Tenir claror suficient: *Amb el llum apagat no m'hi veig, ja el pots encendre.*
La conjugació de *veure* és a la pàg. 849.

vexar *v* Humiliar, maltractar, ofendre una persona que no es pot defensar.
Es conjuga com *cantar*.

vi **vins** *nom m* Beguda alcohòlica que es fa amb el suc del raïm: *El Priorat és una comarca de bons vins.*

via **vies** *nom f* **1** Conjunt de dues línies de ferro paral·leles per on circulen els trens. **2** Cadascuna de les dues o més parts separades per una banda pintada en què es divideix una carretera, una autopista, etc. **3** Camí que cal recórrer per anar d'un lloc a un altre. **4** Mitjà: *Vam fer arribar el paquet a la teva mare per via d'una veïna.* **5** Conducte: *Té una infecció a les vies respiratòries.* **6** **fer via** *o* **passar via** Anar de pressa a fer una cosa. **7** En una roba, una pedra, etc. ratlla de color diferent: *Les vies de la cansalada.*

viable **viables** *adj* Es diu d'una idea, d'una proposta, etc. que es pot complir, que es pot portar a la pràctica: *El projecte de soterrar la via del tren està molt bé, però en aquests moments no és viable per manca de recursos.*

viaducte **viaductes** *nom m* Pont alt i llarg per on passa un tren, una autopista, etc.

viaducte

vial **vials** *nom m* Camí ample, generalment amb arbres a cada banda.

vianant **vianants** *nom m i f* **1** Persona que va a peu per un carrer, una carretera, etc.: *Al centre de la ciutat hi ha uns carrers que són una* **illa de vianants***: no hi poden passar els cotxes, només hi pot passar la gent que va a peu.* **2** **pas de vianants** Lloc marcat amb ratlles al terra per on la gent que va a peu pot travessar un carrer.

vianda **viandes** *nom f* Menjar².

viarany **viaranys** *nom m* Camí molt estret: *Els excursionistes passaven per un viarany que anava seguint la muntanya.*

viari **viària viaris viàries** *adj* Que té relació amb la circulació: *A l'escola fem un curset d'educació viària.*

viat **viada viats viades** *adj* Que té ratlles o vies de diferent color: *Menjarem cigrons amb cansalada viada.*

viatge viatges *nom m* **1** Fet d'anar d'un lloc a un altre: *En Lluís ha fet el viatge a Roma amb tren.* **2** Visita a un país, ciutat o poble durant uns quants dies: *Aquest estiu farem un viatge a l'Índia.* **3** Cada vegada que es va i es ve d'un lloc per transportar alguna cosa: *Per fer el trasllat dels llibres, haurem de fer molts viatges.*

viatger viatgera viatgers viatgeres *adj* i *nom m* i *f* Es diu de la persona que viatja en un tren, en un autobús, etc.

viatjant viatjants *nom m* i *f* Persona que té per ofici passar per les botigues i vendre'ls els productes que necessiten: *El meu pare és viatjant de productes de perfumeria.*

viatjar *v* Fer viatges, anar de viatge: *El meu pare és camioner i ha de viatjar molt.*
Es conjuga com *cantar*. S'escriu *j* davant de *a, o, u* i *g* davant de *e, i*: *viatjo, viatges.*

vibració vibracions *nom f* Moviment seguit d'una cosa cap a un costat i cap a l'altre: *Les cordes de la guitarra fan una vibració quan es toquen amb els dits.*

vibràfon vibràfons *nom m* Instrument musical de percussió semblant al xilòfon que es toca amb uns martells petits.

vibrar *v* **1** Moure's una cosa d'una manera seguida cap a un costat i cap a l'altre: *Les cordes de la guitarra vibren quan les toquem amb els dits.* **2** Emocionar-se, excitar-se: *Sentint aquell cantant, el públic vibrava.*
Es conjuga com *cantar*.

vicari vicaris *nom m* Capellà que ajuda el rector d'una parròquia.

vice- Prefix, element que s'afegeix al davant d'una paraula referida a un càrrec i que serveix per a formar noms que signifiquen "persona que de vegades fa de substitut, que ocupa el càrrec immediatament inferior": *Durant l'absència del president, d'aquest assumpte se n'ocuparà el vicepresident.*

viceversa *adv* *El tren va de Barcelona a Puigcerdà i viceversa:* en sentit contrari.

vici vicis *nom m* **1** Mal costum, necessitat de fer alguna cosa que no és bona: *Té el vici de jugar-se els diners a les cartes.* **2** Defecte: *Tens el vici de pronunciar malament les eles.*

viciat viciada viciats viciades *adj* **1** Que té vicis. **2** Es diu de l'aire que hi ha en un lloc tancat i poc airejat: *En aquest cafè hi ha un ambient molt viciat.*

vicissitud vicissituds *nom f* Seguit d'esdeveniments bons i dolents: *Cal estar preparat per a afrontar les vicissituds de la vida.*

víctima víctimes *nom f* Persona o animal que sofreix algun dany: *En aquell accident hi va haver moltes víctimes.*

victòria victòries *nom f* Triomf en una competició, en una cursa, etc.: *La victòria va ser per als jugadors francesos.*

victoriós victoriosa victoriosos victorioses *adj* Que ha obtingut la victòria, que ha triomfat: *L'equip victoriós va donar la volta al camp d'esports.*

vida vides *nom f* **1** Estat d'un ésser que respira, menja, dorm, es reprodueix, etc.: *Les persones, els animals i les plantes tenen vida.* **2 ser de vida** Menjar molt i de tot. **3** *Aquell accident va costar moltes vides:* causar moltes morts. **4** Conjunt de fets que passen a algú mentre viu: *No havia vist res igual en tota la meva vida.* **5 passar a millor vida** Morir. **6** Manera de viure: *A l'Àngel, li agrada la vida de pagès.* **7** Conjunt de les coses necessàries per viure: *Avui dia la vida és molt cara.* **8 guanyar-se la vida** Treballar i tenir un sou per poder anar vivint.

vident vidents **1** *adj* i *nom m* i *f* Que hi veu, que no és cec. **2** *nom m* i *f* Profeta; persona que veu el futur.

vídeo vídeos *nom m* Conjunt de tècniques i d'instruments que serveixen per a gravar imatges i so en un suport magnètic i reproduir-los en una pantalla de televisió: *A la classe de ciències naturals ens han passat un vídeo.*

videocasset videocassets *nom f* Cinta de vídeo.

videoclip videoclips *nom m* Cinta curta de vídeo en què es canta una cançó acompanyada d'imatges.

videojoc videojocs *nom m* Joc electrònic que s'executa a la pantalla d'un televisor.

V

videojoc

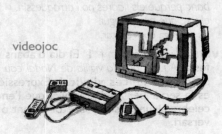

vidre vidres *nom m* Matèria dura i transparent, que es trenca fàcilment: *A casa bevem amb gots de vidre.* ■ *La pedregada va trencar tots els vidres de les finestres.*

vidriera vidrieres *nom f* Conjunt de vidres que hi ha en una porta, en una finestra, en una paret, etc.

vidriola vidrioles *nom f* Guardiola.

vidriós vidriosa vidriosos vidrioses *adj* Es diu dels ulls, de la mirada, etc. sense vivor: *El malalt tenia els ulls vidriosos.*

vidu vídua vidus vídues *adj i nom m i f* Viudo, persona a qui s'ha mort la muller o el marit.

vienès vienesa vienesos vieneses **1** *nom m i f* Habitant de Viena; persona natural o procedent de Viena. **2** *adj* Es diu de les persones o de les coses naturals o procedents de Viena.

vigatà vigatana vigatans vigatanes **1** *nom m i f* Habitant de Vic; persona natural o procedent de Vic. **2** *adj* Es diu de les persones o de les coses naturals o procedents de Vic.

vigència vigències *nom f* Temps durant el qual és vigent una cosa: *Aquesta norma tindrà una vigència de tres mesos.*

vigent vigents *adj* Es diu de la llei, del costum, etc. que s'aplica, que està en vigor: *La nova llei serà vigent a partir del dia u del mes que ve.*

vigèsim vigèsima vigèsims vigèsimes *adj* Vintè.

vigilància vigilàncies *nom f* Acció de vigilar: *La policia fa la vigilància del camp de futbol.*

vigilant vigilants *nom m i f* Persona encarregada de guardar una casa, una botiga, un banc, un parc, etc. perquè no hi hagi incendis, robatoris, baralles, etc.

vigilar *v* Mirar, controlar, observar amb atenció algú o alguna cosa: *Els policies vigilaven el banc perquè els lladres no l'atraquessin.* ■ *Vigileu el foc, que no s'apagui.*
Es conjuga com *cantar*.

vigília vigílies *nom f* **1** El dia d'abans d'una festa: *Aquest any, la vigília de Nadal cau en un dimarts.* **2** felices vigílies! Expressió que es fa servir per a felicitar algú que l'endemà celebra alguna festa, sobretot el sant o l'aniversari.

vigir *v* Estar en vigor, ésser vigent una llei, un costum, etc.: *Aquesta llei vigeix des del segle passat.*
Es conjuga com *servir*.

vigor vigors *nom m o f* **1** Força que té un ésser viu: *Té un cos jove i ple de vigor.* ■ *Aquesta planta creix amb molt vigor.* **2** Força d'una llei, d'un costum, etc. que fa que s'hagi de complir. **3** *Aquesta llei va estar en vigor durant cent anys:* en ús, en funcionament.

vigorós vigorosa vigorosos vigoroses *adj* Que té força, que és fort i valent: *En Lluís és un noi fort i vigorós.*

víking víkings *adj i nom m i f* Es diu dels pobles mariners de l'edat mitjana que procedien dels països del nord d'Europa, com ara Suècia, Noruega, etc.

vil vils *adj* Es diu de la persona que és dolenta o traïdora.

vila viles *nom f* Poble, ciutat: *En Josep viu a la vila de Manlleu.*

viladecanenc viladecanenca viladecanencs viladecanenques **1** *nom m i f* Habitant de Viladecans; persona natural o procedent de Viladecans. **2** *adj* Es diu de les persones o de les coses naturals o procedents de Viladecans.

vilafranquí vilafranquina vilafranquins vilafranquines **1** *nom m i f* Habitant de Vilafranca del Penedès, Vilafranca del Conflent o Vilafranca del Maestrat; persona natural o procedent de Vilafranca del Penedès, Vilafranca del Conflent o Vilafranca del Maestrat. **2** *adj* Es diu de les persones o de les coses naturals o procedents de Vilafranca del Penedès, Vilafranca del Conflent o Vilafranca del Maestrat.

vilanoví vilanovina vilanovins vilanovines **1** *nom m i f* Habitant de Vilanova; persona natural o procedent de Vilanova. **2** *adj* Es diu de les persones o de les coses naturals o procedents de Vilanova.

vila-secà vila-secana vila-secans vila-secanes **1** *nom m i f* Habitant de Vila-seca; persona natural o procedent de Vila-seca. **2** *adj* Es diu de les persones o de les coses naturals o procedents de Vila-seca.

vilassarenc vilassarenca vilassarencs vilassarenques **1** *nom m i f* Habitant de Vilassar de Dalt o de Vilassar de Mar; persona natural o procedent de Vilassar de Dalt o de Vilassar de Mar. **2** *adj* Es diu de les persones o de les coses naturals o procedents de Vilassar de Dalt o de Vilassar de Mar.

vilatà vilatana vilatans vilatanes *adj* i *nom m* i *f* Es diu de la persona que viu en una vila.

vilatge vilatges *nom m* Població poc important.

vilesa vileses *nom f* Acció pròpia d'una persona vil.

vil·la vil·les *nom f* Casa força luxosa, voltada de jardí, que està situada als afores d'una població.

vímet vímets *nom m* Branca prima, llarga i flexible d'una planta anomenada vimetera, que es fa servir per a fer cistells, cabassos, etc.

vinagre vinagres *nom m* Líquid que s'obté a partir del vi i que s'utilitza per a amanir l'enciam, l'escarola, etc.

vinagreta vinagretes *nom f* Salsa que es fa a base de vinagre, oli i sal.

vinater vinatera vinaters vinateres **1** *adj* Que té relació amb el vi. **2** *nom m* i *f* Persona que es dedica a comprar i vendre vi.

vinclar *v* Corbar una cosa flexible: *El vent vinclava les canyes de la vora del riu.*
Es conjuga com *cantar.*

vincle vincles *nom m* Lligam, unió: *El vincle de l'amistat.*

vincular *v* Lligar, unir, relacionar: *La història de Catalunya i la del País Valencià estan molt vinculades.*
Es conjuga com *cantar.*

vindre *v* Mira **venir**.
Es conjuga com *mantenir.*

vinent vinents *adj* Que ve: *Aquesta setmana ens quedarem a casa, però la setmana vinent anirem de vacances.*

vinga *interj* Paraula que serveix per a animar algú a fer una cosa: *Au, vinga!, vesteix-te de pressa, que farem tard.*

vinguda vingudes *nom f* Acció de venir: *En Tomàs fa moltes anades i vingudes perquè treballa a l'estranger i té la família aquí.*

vinícola vinícoles *adj* Que té relació amb l'elaboració del vi: *El Penedès és una zona vinícola.*

vinicultor vinicultora vinicultors vinicultores *nom m* i *f* Persona que es dedica a fer vi.

vint vints *nom m* i *adj* Paraula que expressa la quantitat representada per la xifra 20.

vintè vintena vintens vintenes *adj* **1** Que fa vint en una sèrie, que en té dinou al davant. **2** Es diu de cadascuna de les parts d'una quantitat dividida en vint parts iguals.

vintena vintenes *nom f* Conjunt d'unes vint coses de la mateixa mena: *Hi devia haver una vintena de clients a la botiga.*

vinya vinyes *nom f* **1** Planta que fa el raïm, cep. **2** Camp plantat de vinyes o ceps. **3** Cosa que dóna molt profit, molt bons resultats sense haver de treballar gaire: *Aquest negoci és una vinya!*

vinyater vinyatera vinyaters vinyateres *nom m* i *f* Persona que es dedica a conrear vinyes.

vinyeta vinyetes *nom f* Cadascun dels quadres de dibuixos que formen un còmic.

vinyeta

viola[1] violes **1** *nom f* Instrument musical de corda molt semblant al violí però una mica més gros. **2** *nom m* i *f* Músic que toca la viola.

viola[2] violes *nom f* Nom de diverses plantes que fan unes flors que tenen els dos pètals superiors dirigits cap amunt i els tres restants cap avall. **3**

violar *v* **1** Fer una acció en contra d'una cosa que s'ha de respectar: *Els delinqüents violen la llei.* **2** Obligar algú a fer l'acte sexual contra la seva voluntat.
Es conjuga com *cantar.*

violència violències *nom f* Força brusca i forta: *El gos se li va tirar al damunt amb molta violència.* ■ *En aquella pel·lícula hi havia molta violència: baralles, assassinats.*

violent violenta violents violentes *adj* **1** Que utilitza la força, que no és pacífic: *Aquell*

v

noi és molt violent: sempre que s'enfada clava cops de puny als seus companys. **2** En aquella festa no coneixia ningú i va **trobar-se violent**: incòmode, sense saber què fer.

violentament adv D'una manera violenta: Ens van treure a fora del local violentament, amb cops i empentes.

violeta[1] **1** adj D'un color morat, com el de la flor anomenada violeta: Uns jerseis violetes. **2** **violeta violetes** nom m Color morat, com el de la flor anomenada violeta.

violeta[2] violetes nom f Flor de bosc de color morat, viola.

violí violins **1** nom m Instrument musical de corda semblant a una guitarra però molt més petit, que es toca amb l'arquet. **2** nom m i f Músic que toca el violí.

violinista violinistes nom m i f Músic que toca el violí.

violoncel violoncels **1** nom m Instrument musical de corda semblant al violí però molt més gros, que es toca assegut i recolzant-lo a terra per la part inferior. **2** nom m i f Músic que toca el violoncel.

violoncel

vira vires nom f Ratlla de color diferent: Es nota que has anat a esquiar perquè t'ha quedat la vira de les ulleres.

virar v Canviar de direcció, girar: El vaixell virava cap a l'esquerra.
Es conjuga com cantar.

virat virada virats virades adj Que té vires, parts de color diferent: Cansalada virada.

viratge viratges nom m Revolt, canvi de direcció.

virginitat virginitats nom f Estat d'una persona que és verge, que no ha tingut contacte sexual amb ningú.

víric vírica vírics víriques adj Que té relació amb els virus: La grip és una malaltia vírica.

viril virils adj Que pertany al sexe masculí, a l'home adult: Per referir-se al penis, de vegades es fa servir l'expressió "membre viril".

virolat virolada virolats virolades adj Que té molts colors i molt vius: Porta una camisa virolada que es veu des de molt lluny.

virolla virolles nom f **1** Peça generalment de metall i en forma d'anell o cilindre que hi ha a la punta d'un paraigua, d'un bastó, etc. **2** Diners: Aquells són molt rics, tenen moltes virolles!

virosta virostes nom f Fullaraca.

virrei virreina virreis virreines nom m i f Representant del rei en una zona, en un país, etc.

virtual virtuals adj **1** Es diu d'una cosa que encara no és però que és segur que serà: Encara falten dos partits per acabar la lliga, però el nostre equip ja és el campió virtual. **2** **realitat virtual** Sistema d'imatges que semblen reals.

virtuós virtuosa virtuosos virtuoses adj i nom m i f **1** Es diu de la persona que té moltes virtuts. **2** Es diu de la persona que sap fer molt bé una cosa, especialment tocar un instrument musical.

virtut virtuts nom f **1** Qualitat bona d'una persona o d'una cosa, mèrit: Les principals virtuts de la Rosa són la simpatia i la generositat. **2** Força, potència, eficàcia: Aquest remei ha perdut la virtut. **3** **en virtut de** Per l'acció de: En virtut del que diu la llei, està prohibida l'entrada.

virulent virulenta virulents virulentes adj **1** Molt dolent, que fa molt de mal al cos: Un tumor virulent. **2** Que porta molt mala intenció, molta malícia: El diari va publicar una crítica virulenta del llibre.

virus uns virus nom m Paràsit molt petit que produeix malalties: La malaltia de la grip és produïda per un virus.

vis visos nom m Cargol, objecte semblant a un clau, però amb rosca, que es pot ficar en un forat fent-lo voltar.

visat visats nom m Senyal que es posa en un document, en un passaport, etc. per a indicar que s'ha comprovat que és vàlid.

visca interj Paraula que serveix per a expressar alegria o per a mostrar simpatia a una persona: Visca el professor de plàstica!

víscera vísceres *nom f* Òrgan situat a l'interior d'una persona o d'un animal: *El fetge, els pulmons, els budells, etc. són les vísceres.*

visceral viscerals *adj* **1** Que té relació amb les vísceres. **2** Es diu d'un sentiment que és molt profund, que està molt arrelat: *Aquests dos pobles es tenen un odi visceral.* **3** Es diu de la persona, de la manera de fer que no té en compte la raó: *Davant d'aquell fet, aquell home va tenir una reacció visceral.*

viscós viscosa viscosos viscoses *adj* Es diu d'una cosa que és enganxosa: *Aquest xarop és molt viscós.*

viscositat viscositats *nom f* Qualitat de viscós.

visera viseres *nom f* Part de davant d'una gorra que serveix per a protegir els ulls del sol o d'una claror que molesta.

visibilitat visibilitats *nom f* Qualitat de visible: *Quan hi ha boira, hi ha poca visibilitat.*

visible visibles *adj* Que es pot veure: *Amb aquesta boira no és visible ni el campanar de la catedral.*

visiblement *adv* D'una manera visible, clara: *Va escoltar el discurs de comiat visiblement emocionat.*

visió visions *nom f* **1** Acció de veure. **2** Òrgan de la vista: *Els ulls són els òrgans de la visió.* **3** veure visions Imaginar-se que ha passat una cosa que en realitat no ha passat.

visionari visionària visionaris visionàries *adj* Que veu visions, que s'imagina coses impossibles.

visita visites *nom f* **1** Acció de visitar, d'anar a veure algú o alguna cosa: *En Llorenç m'ha fet una visita.* ▪ *Els turistes van anar a fer una visita al barri vell de la ciutat.* **2** Observació, exploració que fa un metge a un malalt: *El metge li ha fet una bona visita: l'ha explorat de dalt a baix.* **3** Persona que va a casa d'una altra per visitar-la: *Aquesta tarda han vingut tres visites.*

visitant visitants *nom m i f* Persona que visita un país, una ciutat, un museu, etc.

visitar *v* **1** Anar a veure algú o alguna cosa; passar una estona a casa d'algú: *Cada estiu visitem una comarca diferent.* **2** Mirar, examinar un malalt: *Aquell metge només visita a les tardes.*
Es conjuga com *cantar.*

visó visons *nom m* Animal de petites dimensions que menja carn i que és molt apreciat per la pell.

visó

visor visors *nom m* Part d'un telescopi, d'una càmera, d'una escopeta, etc. que serveix per a mirar o per a apuntar.

vist Paraula que apareix en l'expressió **en vist**, que vol dir "en comparació de": *Les teves sabates en vist les meves són molt més maques.*

vista vistes *nom f* **1** Sentit que fa que puguem veure les coses a través dels ulls: *La Joaquima té molt bona vista, veu les coses des de molt lluny.* **2** *Em sembla que a la teva mare només la vaig conèixer de vista: l'havia vista alguna vegada, però no l'havia tractada mai.* **3** Panorama que es veu des d'un punt determinat: *Des de la finestra de casa es veu una vista molt bonica de la ciutat.* **4** amb vista a Amb la intenció de, pensant en. **5** *En vista de l'èxit, l'any que ve tornarem a organitzar un sopar de final de curs:* tenint en compte. **6** punt de vista Manera de veure, de considerar una cosa, un fet, etc.: *Hem de prendre una decisió tenint en compte tant els punts de vista dels alumnes com dels professors.* **7** Capacitat per adonar-se d'una cosa, d'una situació, etc.: *En Miquel va tenir molta vista i se'n va anar abans de les baralles.*

vistiplau vistiplaus *nom m* Fet d'acceptar, de trobar conforme una cosa: *Aquest informe ja té el vistiplau de la directora.*

vistós vistosa vistosos vistoses *adj* Que es veu molt, que és bonic, que fa goig de veure: *La Mercè porta una brusa molt vistosa.*

visual visuals *adj* Que té relació amb la visió, amb la vista: *La miopia és un defecte visual.*

visualitzar *v* Fer visible, amb els mitjans adequats, una cosa que normalment no es pot veure directament: *Aquest gràfic visualitza l'evolució de la població de Catalunya durant els últims cinquanta anys.*
Es conjuga com *cantar.*

V

vital vitals adj Que té relació amb la vida, que és necessari per viure: *L'aigua és vital per a les plantes.*

vitalici vitalícia vitalicis vitalícies adj Es diu d'un càrrec, d'una pensió, etc. que dura mentre viu la persona que el té.

vitalitat vitalitats nom f Gran capacitat o força d'un organisme per viure i desenvolupar-se: *La meva mare és una persona de molta vitalitat.* ■ *Aquesta empresa té molta vitalitat.*

vitamina vitamines nom f Substància necessària per al desenvolupament del cos i per a la salut, que es troba en petites quantitats en els aliments: *La fruita porta moltes vitamines.*

viticultor viticultora viticultors viticultores nom m i f Persona que es dedica al conreu de la vinya.

vitrall vitralls nom m Vidriera de colors amb dibuixos: *Aquella catedral té uns vitralls molt bonics.*

vitrall

vitri vítria vitris vítries adj 1 De vidre, transparent com el vidre, que té vidre. 2 **humor vitri** Líquid transparent que omple la part posterior del globus de l'ull. 3 **cos vitri** Zona de l'ull on hi ha l'humor vitri. 15

vitrina vitrines nom f Armari amb vidres que serveix per a exposar alguna cosa: *Al museu hi havia les joies exposades a dins d'unes vitrines.*

vitualla vitualles nom f Conjunt de queviures, proveïment de menjar, especialment el destinat a un exèrcit.

vituperar v Desaprovar, criticar molt fort algú perquè ha fet malament una cosa. Es conjuga com *cantar.*

viu[1] vius nom m 1 Caire, cantell, aresta. 2 Rivet o cordó prim que es posa a la vora d'un vestit, d'unes estovalles, d'uns llençols, etc.

viu[2] viva vius vives adj 1 Que té vida, que no és mort: *Les persones, els animals i les plantes són éssers vius.* 2 El francès és una **llengua viva**: que es parla actualment. 3 *El van operar* **de viu en viu**: sense anestèsia. 4 Que no ha desaparegut, que es manté: *El seu record encara és viu.* 5 Fort, intens: *Aquest hivern ha fet un fred molt viu.* ■ *El vermell d'aquestes cireres és més viu que el de les maduixes.* 6 Eixerit, espavilat: *Aquest nen petit és molt viu, tot el dia es mou i diu coses.*

viudo viuda viudos viudes adj i nom m i f Persona a qui s'ha mort la muller o el marit, vidu.

viure v 1 Tenir vida, ser viu: *Les papallones viuen molt poc temps.* 2 Residir, estar-se en un lloc: *La Flora viu amb els seus pares al carrer del Pont.* 3 Mantenir-se, guanyar-se la vida: *Aquell senyor viu dels diners que guanya venent diaris.* La conjugació de *viure* és a la pàg. 850.

viu-viu Paraula que apareix en l'expressió **fer la viu-viu**, que vol dir "anar passant la vida com es pot, anar tirant".

vivaç vivaços vivaces adj Que té una gran vitalitat: *És una planta molt vivaç.*

vivament adv D'una manera viva, forta: *Estava vivament impressionat per la mort del seu germà.*

vivari vivaris nom m Instal·lació que es fa servir per a conservar animals vius i que consisteix en una reproducció artificial del seu hàbitat natural: *Al zoo hi ha vivaris de molts animals.*

vivàrium vivàriums nom m Vivari.

vivència vivències nom f Experiència, fet important per a la vida d'una persona: *Durant la meva estada a Anglaterra he tingut moltes vivències.*

vivent vivents adj Viu, que no és mort.

viver vivers nom m Lloc preparat per a criar-hi peixos, per a fer-hi créixer arbres, plantes, etc.

vivesa viveses nom f Vivor.

vividor vividora vividors vividores 1 adj Que viu o pot viure molt temps: *Una planta molt vividora.* 2 nom m i f Persona que no treballa i s'aprofita dels altres per poder viure.

vivificar v Donar vida a una cosa, fer-la més viva, més animada.
Es conjuga com *cantar*. S'escriu *c* davant de *a, o, u* i *qu* davant de *e, i*: *vivifico, vivifiques*.

vivípar vivípara vivípars vivípares *adj* Es diu dels animals que es reprodueixen sense pondre ous, parint les cries vives.

vivor vivors *nom f* Qualitat de viu: *M'agrada la vivor de la seva mirada*.

vocable vocables *nom m* Paraula, mot.

vocabulari vocabularis *nom m* Conjunt de paraules d'una llengua, d'un art, d'una ciència, etc.

vocació vocacions *nom f* Inclinació, tendència, ganes de dedicar-se a una cosa, a fer un ofici, a estudiar una carrera, etc.: *Des de petit aquest noi té vocació de mestre*.

vocal vocals **1** *adj* Que té relació amb la veu: *Les cordes vocals*. **20** **2** *nom m* i *f* Persona que forma part de la junta que dirigeix una associació, un club, etc. **3** *nom f* Cadascun dels sons representats per les lletres "a, e, i, o, u".

vocalitzar v Pronunciar correctament i clarament els sons de les paraules per facilitar-ne la comprensió: *Els locutors de ràdio han de vocalitzar molt bé*.
Es conjuga com *cantar*.

vociferar v Parlar cridant molt.
Es conjuga com *cantar*.

vodka vodkes *nom m* o *f* Beguda alcohòlica originària de Rússia, feta de sègol, de blat o d'altres cereals.

voga vogues *nom f* **1** Acció de vogar o de remar. **2** *L'esquí és un esport que està en voga*: té èxit, hi ha molta gent que el practica.

vogar v Remar.
Es conjuga com *cantar*. S'escriu *g* davant de *a, o, u* i *gu* davant de *e, i*: *vogo, vogues*.

vol vols *nom m* **1** Acció de volar: *Des de la finestra miràvem el vol dels ocells*. **2** Trajecte que fa un avió: *Aquest avió fa el vol de Barcelona a València*. **3** **aixecar** o **alçar el vol** Posar-se a volar. **4** *Aquells nostres veïns van aixecar el vol*: anar-se'n d'un lloc d'amagat, sense dir res. **5** Amplada de la part d'un vestit que va des de la cintura fins a la vora: *Aquelles ballarines portaven uns vestits amb molt vol*.

volada volades *nom f* **1** Acció de volar: *Els ocells, quan emigren, fan unes volades molt* llargues. **2** *Hem anat a veure una exposició d'un artista de gran volada*: que té molta importància, fama.

voladís voladissa voladissos voladisses *adj* **1** Es diu d'una cosa que pesa poc i que el vent es pot emportar fàcilment: *Les voladisses plomes d'ocell*. **2** Que surt enfora de la façana d'un edifici: *Un balcó voladís*.

voladissa voladisses *nom f* Munió, conjunt d'animals o de coses que volen: *Al cel hi havia una voladissa d'orenetes*.

volador voladora voladors voladores *adj* Que vola.

voladura voladures *nom f* Acció de fer volar alguna cosa amb una càrrega explosiva: *La voladura d'un pont*.

volandera volanderes *nom f* Peça en forma d'anell que es posa al voltant d'un cargol perquè quedi més ben collat.

volant[1] volants **1** *adj* Que vola. **2** *nom m* Banda de roba que va cosida per la vora superior i que serveix per a adornar un vestit, un llençol, etc.

volant[2] volants *nom m* **1** Peça rodona dels vehicles de quatre rodes que el conductor agafa amb les mans i que serveix per a controlar-ne la direcció i per a fer-los girar cap a la dreta o cap a l'esquerra. **2** Falç grossa, sense dents.

volantí volantins *nom m* **1** Manera de pescar des d'una barca amb un fil que té diversos hams. **2** Tombarella.

volar v **1** Traslladar-se d'un lloc a un altre un animal mitjançant les ales. **2** Traslladar-se d'un lloc a un altre un avió, un helicòpter, etc. **3** Sostenir-se en l'aire una cosa emportada pel vent: *El vent feia volar l'estel*. **4** Fer saltar, fer esclatar a trossos una cosa mitjançant una càrrega explosiva: *Van fer volar l'edifici amb dinamita*. **5** Anar a molta velocitat: *Aquell cotxe volava per la carretera*. **6** Desaparèixer, ser robat: *Ara mateix tenia les estisores i m'han volat*.
Es conjuga com *cantar*.

volàtil volàtils *adj* **1** Capaç de mantenir-se enlaire perquè té ales o és molt lleuger: *L'aire estava ple de petites partícules volàtils de pols*. **2** Que s'evapora fàcilment: *La gasolina és una substància volàtil*. **3** Inconstant: *És una persona de sentiments volàtils, canviants*.

volatilitzar v **1** Transformar un sòlid o un líquid en vapor o en gas. **2** Desaparèixer, fon-

dre's una cosa: *Fa estona que busco la Carme i no la trobo enlloc, sembla que s'hagi volatilitzat.* Es conjuga com *cantar*.

volcà volcans *nom m* Obertura de la terra per on surten vapors i materials que cremen: *A Olot hi ha molts volcans apagats.*

volcànic volcànica volcànics volcàniques *adj* Que té relació amb els volcans: *A l'exposició de pedres hi ha roques volcàniques.*

voleiar *v* Moure's en l'aire alguna cosa lleugera, de poc pes: *El vent li feia voleiar els cabells.* Es conjuga com *remeiar*.

voleibol voleibols *nom m* Esport que juguen dos equips i que consisteix a fer passar amb les mans la pilota al camp contrari per damunt d'una xarxa.

volenterós volenterosa volenterosos volenteroses *adj* Es diu de la persona que fa les coses amb voluntat, de gust, de bon grat.

voler *v* **1** Desitjar una cosa; tenir la intenció de fer alguna cosa: *Vull un bolígraf vermell.* ■ *Aquest matí vull anar al mercat.* **2** *La Maria ha trencat el vidre sense voler:* involuntàriament. **3** Estar a punt de: *Sembla que vol*

ploure. **4 voler dir** Significar: *Què vol dir aquesta paraula?* **5** *Vols dir que vindrà avui el professor de música?:* expressió que indica dubte.
La conjugació de *voler* és a la pàg. 850.

voletejar *v* Volar d'un cantó a un altre fent volts: *Una papallona voletejava entorn del llum.* Es conjuga com *cantar*. S'escriu *j* davant de *a, o, u* i *g* davant de *e, i*: *voleteja, voletegi.*

voliaina voliaines *nom f* **1** Papallona. **2** Cosa petita i lleugera que es mou en l'aire, volva.

voliana volianes *nom f* Voliaina.

volior voliors *nom f* Conjunt d'ocells que volen.

volt volts *nom m* **1** Contorn: *El volt del llac era ple d'arbres.* **2** Gir sencer: *Per obrir aquesta porta, s'han de donar dos volts a la clau.* **3 fer un volt** Passejar. **4** *Sortirem pels volts de les quatre:* aproximadament. **5** *Ara viuen pels volts de Tortosa:* a prop de.

volta voltes *nom f* **1** Cada vegada que un cos gira a l'entorn d'un eix: *Cada hora l'agulla grossa del rellotge dóna una volta sencera.* ■ *Els atletes han donat quatre voltes a l'estadi.* **2** *En Jordi i la*

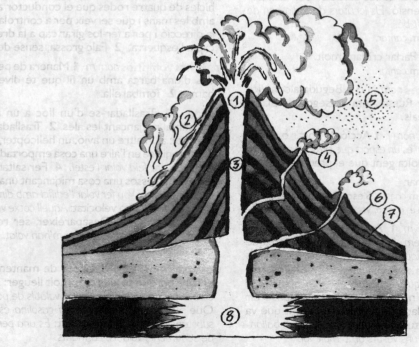

El volcà 1 cràter **2** riu de lava **3** xemeneia **4** xemeneia adventícia **5** cendra **6** capa de cendra **7** capa de lava **8** focus volcànic

Montserrat han **anat a fer una volta** *pel parc:* passejar. **3 fer volta** Desviar-se del camí recte: *Per anar de pressa, vam passar pel mig del bosc, però en lloc de fer drecera vam fer molta volta i vam arribar més tard.* **4 donar voltes a alguna cosa** Meditar-la, pensar-la molt bé. **5** Vegada. **6 tal volta** Potser. **7** Porxo: *Es passegen per sota les voltes de la plaça.*

voltant Paraula que apareix en l'expressió **al voltant de**, que vol dir "en l'espai que hi ha al volt d'una cosa" i "a propòsit de": *Les cadires són al voltant de la taula.* ■ *Van estar una hora discutint al voltant dels exàmens.*

voltants *nom m pl* Llocs que són a prop d'una ciutat, d'un lloc determinat: *Vam visitar la ciutat d'Olot i els seus voltants.*

voltar *v* **1** Girar, fer voltes: *Les rodes dels cotxes volten i volten.* **2** Passejar-se per un lloc: *Hem voltat per tota la ciutat.* **3** Apartar-se del camí recte, fer volta: *En comptes d'anar a l'escola pel camí més curt vaig voltar per l'estació.* **4** Posar alguna cosa al voltant d'una altra, envoltar: *Vam voltar l'escenari on actuava el conjunt amb una tela de color vermell.*
Es conjuga com *cantar*.

voltor **voltors** *nom m* Ocell rapinyaire gros que s'alimenta de carn morta o podrida. **6**

voluble **volubles** *adj* **1** Que gira fàcilment. **2** Es diu de la cosa o de la persona inconstant, que canvia fàcilment, que no és segura.

volum **volums** *nom m* **1** Espai que ocupa un cos de tres dimensions. **2** Potència d'un so: *Abaixeu el volum de la ràdio!* **3** Llibre: *Aquesta enciclopèdia té 10 volums.*

voluminós **voluminosa voluminosos voluminoses** *adj* Que té molt volum, que ocupa molt lloc, que és gros: *Un paquet voluminós.*

voluntari **voluntària voluntaris voluntàries** *adj* i *nom m* i *f* Que fa una cosa perquè vol, sense que ningú l'hi obligui: *En Narcís i jo ens hem ofert voluntaris per formar l'equip de salvament de la platja.*

voluntàriament *adv* De manera voluntària: *Vam col·laborar voluntàriament en la neteja del local després de la festa.*

voluntat **voluntats** *nom f* **1** Ganes de voler fer una cosa: *Ha guanyat la cursa perquè té molta voluntat i cada dia s'entrena moltes*

hores. **2** Desig: *Sempre hem de complir les seves voluntats.*

volva **volves** *nom f* **1** Tros petit de neu que cau del cel. **2** Tros molt petit de pols, de terra, etc.: *Com que tothom fumava, la taula era plena de volves de cendra.*

vòmit **vòmits** *nom m* Acció de vomitar; allò que es vomita: *El menjar no se'm va posar gens bé i em va fer venir vòmits.*

vomitar *v* Treure violentament el menjar de l'estómac: *En Manel no es troba gaire bé i ha vomitat el sopar.*
Es conjuga com *cantar*.

vora **vores** *nom f* **1** Part situada a l'extrem d'una cosa: *D'aquest paper, retalla'n només les vores.* ■ *Se m'ha desfet la vora del vestit.* **2** Terra que hi ha a banda i banda d'un camí, d'un riu, d'un llac, etc.: *Vam anar riu avall caminant per la vora.* **3** *El forn de pa és aquí* **a la vora**: a prop, a poca distància.

voraç **voraços voraces** *adj* **1** Que menja com un afamat, amb una gana exagerada. **2** Que ho destrueix tot: *Un foc voraç.*

vorada **vorades** *nom f* **1** Vora, marge. **2** Filera de pedres que hi ha al marge d'una vorera: *Pintaran la vorada de color groc perquè no hi aparqui ningú.*

voral **vorals** *nom m* Espai situat al costat d'una carretera, d'una autopista, etc. perquè s'hi puguin aturar els cotxes sense destorbar el trànsit.

voral

voravia **voravies** *nom f* Part lateral d'un carrer, més alta que la calçada, per on passa la gent que va a peu, vorera.

voraviu **voravius** *nom m* **1** Vora resistent d'un teixit que impedeix que surtin els fils. **2 tocar el voraviu** Molestar, fer empipar algú.

vorejar *v* **1** Passar per les vores d'un lloc: *Les barques vorejaven la costa.* **2** *Aquella dona* deu *vorejar els cinquanta anys:* té a prop de cinquanta anys.

Es conjuga com *cantar.* S'escriu *j* davant de *a, o, u* i *g* davant de *e, i: vorejo, voreges.*

vorera voreres *nom f* Part lateral d'un carrer, més alta que la calçada, per on passa la gent que va a peu, voravia.

vori voris *nom m* Matèria de color blanc, dura, que s'obté dels ullals de l'elefant i d'altres animals, marfil, ivori: *Les tecles d'aquest piano són de vori.*

vos *pron* Forma que adopta el pronom us quan va darrere d'una forma verbal acabada en consonant o en *u.*

vós *pron* Paraula que es fa servir per a adreçar-se a algú en senyal de respecte o d'educació: *Vós teniu la paraula, president.*

vosaltres *pron* Paraula amb la qual es designen les persones a les quals es parla: *Pere, Joan, Miquel, vosaltres vindreu a jugar a tennis?*

vostè vostès *pron* Paraula que es fa servir per a adreçar-se a algú en senyal de respecte o d'educació: *Senyora, vostè voldria prendre alguna cosa?*

vostre vostra vostres *adj i pron* De vosaltres, que és propi de vosaltres: *Hi anirem amb la vostra germana.*

vot vots *nom m* **1** En una reunió, en una assemblea, etc., fet de donar l'opinió sobre una proposta, d'elegir una persona per a un càrrec, etc. **2** Dret a votar.

votació votacions *nom f* Acció de votar: *Després d'exposar les diferents propostes, vàrem fer una votació per veure quina sortia elegida.*

votant votants *adj i nom m i f* Es diu de la persona que vota: *El nombre de votants a les passades eleccions va ser molt elevat.*

votar *v* Elegir, triar lliurement la persona o la proposta que es creu més convenient alçant la mà, ficant una papereta en una urna, etc.: *Tots els joves majors de divuit anys poden votar a les eleccions.*

Es conjuga com *cantar.*

vuit vuits *nom m i adj* **1** Paraula que expressa la quantitat representada per la xifra 8. **2** *Ens tornarem a veure* **d'avui en vuit:** d'aquí a una setmana.

vuitanta vuitantes *nom m i adj* Paraula que expressa la quantitat representada per la xifra 80.

vuitcentista vuitcentistes *adj* Que té relació amb el segle XIX.

vuitè vuitena vuitens vuitenes *adj* **1** Que fa vuit en una sèrie, que en té set al davant. **2** Es diu de cadascuna de les parts d'una quantitat dividida en vuit parts iguals.

vulgar vulgars *adj* **1** Que té poc valor, que no destaca: *No és un diamant, sinó un vidre vulgar.* **2** Es diu del llenguatge parlat, corrent, que no és culte. **3** Que no és fi, que no és delicat: *Té gustos vulgars.*

vulgarisme vulgarismes *nom m* Paraula o expressió vulgar: *El verb "fotre" és un vulgarisme.*

vulnerable vulnerables *adj* Feble, que és fàcil de vèncer, de ferir, de perjudicar, etc.: *El va atacar pel seu punt més vulnerable.*

vulnerar *v* **1** Causar un dany a algú, perjudicar-lo. **2** No respectar una llei, una ordre, etc.

Es conjuga com *cantar.*

vulva vulves *nom f* Part externa de l'aparell reproductor femení que envolta l'obertura de la vagina.

W w lletra ve doble

waterpolo waterpolos *nom m* Esport de pilota que practiquen en una piscina dos equips de set jugadors cadascun.

watt watts *nom m* Unitat de mesura de la potència del corrent elèctric.

web webs **1** *nom f* Document al qual s'accedeix a través d'Internet (també anomenat "pàgina web"), que conté informació en forma de textos, imatges, pel·lícules, etc. **2** *nom m* Conjunt de pàgines web (també anomenat "lloc web") que una institució o una persona posa a disposició dels internautes perquè les puguin consultar.

western westerns *nom m* Gènere de pel·lícules ambientades a l'oest americà que tracten de les lluites entre els colons blancs i els indis, entre pistolers, etc.

whisky whiskies *nom m* Beguda alcohòlica que es fa amb ordi, sègol, civada o altres cereals.

windsurf windsurfs *nom m* Planxa de vela amb la qual es practica el windsurfing.

windsurfing windsurfings *nom m* Esport consistent a navegar damunt una planxa de vela.

windsurfing

W

X x lletra ics o xeix

xac Onomatopeia, paraula que imita el soroll d'un xoc violent.

xacal xacals *nom m* Animal mamífer més petit que el llop, que s'alimenta d'animals i de carn morta.

xacra xacres *nom f* Mal que es té com a conseqüència d'una malaltia, de l'edat, etc.

xafar *v* Aixafar.
Es conjuga com *cantar*.

xafardejar *v* Parlar del que fan els altres, criticar, tafanejar.
Es conjuga com *cantar*. S'escriu *j* davant de *a, o, u* i *g* davant de *e, i*: *xafardejo, xafardeges*.

xafarder xafardera xafarders xafarderes *adj* i *nom m* i *f* Es diu de la persona que sempre parla del que fan els altres, que critica els altres, que és tafanera: *Aquelles dones tot el dia parlen dels veïns, són unes xafarderes*.

xafarderia xafarderies *nom f* Acció de parlar del que fan els altres, de criticar-los, de tafanejar.

xafarranxo xafarranxos *nom m* Desordre, barreja de coses i de gent que es mou i fa soroll.

xàfec xàfecs *nom m* Pluja forta i curta.

xafogor xafogors *nom f* Calor que ofega, que no deixa respirar.

xafogós xafogosa xafogosos xafogoses *adj* Es diu del temps molt calorós, que ofega i no deixa respirar.

xai xais *nom m* Anyell, corder.

xal xals *nom m* Peça de llana, de seda, etc. de forma quadrangular que es posa sobre les espatlles per abrigar o per fer bonic.

xalar *v* Divertir-se.
Es conjuga com *cantar*.

xalat xalada xalats xalades *adj* **1** Divertit. **2** Boig.

xalet xalets *nom m* Casa situada fora de la ciutat i envoltada de jardí, torre.

xaloc xalocs *nom m* Vent que ve del sud-est.

xamba xambes *nom f* Bona sort.

xamfrà xamfrans *nom m* Cantonada formada per dues façanes que, quan es troben, no formen un angle recte, sinó dos angles obtusos.

xamós xamosa xamosos xamoses *adj* Es diu de la persona que és agradable per la seva manera de parlar, de moure's, etc.

xampany xampanys *nom m* Vi espumós, cava: *Vam omplir les copes de xampany i vam brindar*.

xampinyó xampinyons *nom m* Bolet blanc molt apreciat com a aliment: *La mare ha fet vedella amb xampinyons*.

xampú xampús *nom m* Sabó líquid que serveix per a rentar el cap, els cabells.

xampurrejar *v* Parlar una llengua barrejant paraules d'una altra llengua, parlar malament una llengua: *En Quim no sap gaire l'anglès, només el xampurreja*.
Es conjuga com *cantar*. S'escriu *j* davant de *a, o, u* i *g* davant de *e, i*: *xampurrejo, xampurreges*.

xanca xanques *nom f* Cadascun dels dos pals que es lliguen als peus i que es tapen amb els pantalons per semblar molt alt: *Al circ hi havia un pallasso que semblava molt alt perquè portava xanques*.

xanques

xancle xancles *nom m* Calçat de goma, de fusta, etc. que es posa damunt d'un altre calçat per no mullar-lo, no embrutar-lo de fang, etc.

xancleta xancletes *nom f* Calçat sense taló que es porta a l'estiu per anar a la platja, a la piscina, per estar per casa, etc.

xandall xandalls *nom m* Conjunt de jersei i pantalons, amples i còmodes, que se sol fer servir per a fer esports i gimnàstica.

xanguet xanguets *nom m* **1** Peix molt petit de cos transparent, molt apreciat com a ali-

X

ment. **2** Nom donat a diversos peixos petits molt apreciats com a aliment.

xano-xano *adv* Paraula que apareix a les expressions **caminar xano-xano** o **anar xano-xano**, que volen dir "caminar a poc a poc", "anar a poc a poc".

xantatge xantatges *nom m* Acció d'obligar una persona a pagar uns diners o a fer una cosa que no vol fer amenaçant-la que, si no compleix, se sabran coses sobre ella que la poden perjudicar.

xap Onomatopeia, paraula que imita el soroll que fa una cosa quan cau a l'aigua o a terra: *Va relliscar amb el fang i xap!, va caure a dins el bassal.*

xapa xapes *nom f* Placa prima de metall, de fusta, etc.: *Cobrirem la paret amb una xapa de fusta.*

xapat xapada xapats xapades *adj* Que només està revestit d'una matèria més bona o més resistent, però que no n'és fet totalment: *—És d'or aquest braçalet? —No, només és xapat d'or.*

xaragall xaragalls *nom m* Regueró que forma l'aigua de la pluja quan s'escorre per un terreny que fa pendent.

xarampió xarampions *nom m* Malaltia contagiosa que afecta sobretot els infants i que fa sortir unes taques vermelles a la pell.

xarbot xarbots *nom m* Xàfec fort i que dura poc.

xarbotar *v* Sacsejar, agitar, fer moure amb força el líquid d'una ampolla, d'un recipient, etc.: *No xarbotis l'ampolla, que et sortirà la cervesa disparada.*
Es conjuga com *cantar*.

xarbotejar *v* Xarbotar.
Es conjuga com *cantar*. S'escriu *j* davant de *a, o, u* i *g* davant de *e, i: xarbotejo, xarboteges.*

xarcuteria xarcuteries *nom f* Botiga on venen embotits, conserves, etc.

xarlatà xarlatana xarlatans xarlatanes *nom m* i *f* Persona que en una fira, en un mercat, etc. crida l'atenció de la gent a força d'anar explicant en veu alta els avantatges dels productes que ven.

xaró xarona xarons xarones *adj* Es diu de la persona o de la cosa de mal gust, vulgar, etc.

xarol xarols *nom m* Vernís molt lluent que es col·loca sobre el cuir, el paper, etc.: *Un cinturó de xarol negre.* ▪ *Paper de xarol de colors.*

xarop xarops *nom m* **1** Líquid espès, fet de sucre, aigua, etc. que serveix com a beguda refrescant. **2** Tipus de medicament en forma de xarop: *En Joan té la grip i el metge li ha receptat un xarop.*

xarrabascat xarrabascats *nom m* **1** Pluja forta de poca durada. **2** Xivarri, crits, soroll.

xarranca xarranques *nom f* Joc que consisteix a saltar a peu coix damunt uns quadres dibuixats a terra, alhora que es fa córrer amb el peu un palet o una pedreta d'un quadre a l'altre.

xarranca

xarrup xarrups *nom m* Cadascun dels glops que es fan quan es xarrupa un líquid.

xarrupar *v* Beure un líquid xuclant: *Xarrupava la llimonada amb una palla.*
Es conjuga com *cantar*.

xarrupejar *v* Xarrupar.
Es conjuga com *cantar*. S'escriu *j* davant de *a, o, u* i *g* davant de *e, i: xarrupejo, xarrupeges.*

xàrter *adj* Es diu del vol d'un avió que no forma part d'un servei regular, que ha estat contractat especialment per a transportar un grup de viatgers: *Un gran nombre de seguidors de l'equip visitant va arribar a la ciutat en vols xàrter.*

xaruc xaruga xarucs xarugues *adj* Decrèpit, que repapieja: *Pel carrer passava una vella xaruga.*

xarxa xarxes *nom f* **1** Estri de pescar que consisteix en un teixit de fils que formen una malla i que serveix per a atrapar els peixos: *Els pescadors pescaven amb la xarxa.* **2** Malla col·locada al mig d'un camp de joc, per damunt de la qual s'ha de fer passar la pilota: *La pista de tennis està dividida per una xarxa.* **3** Conjunt de persones o de coses enllaçades entre elles: *Barcelona disposa d'una bona xarxa de metros*. **4** Conjunt d'ordinadors connectats entre ells. **5 xarxa d'arrossegament** Xarxa que arrossega un vaixell per dins de l'aigua, i que serveix per a pescar.

xassís xassissos *nom m* Conjunt de les peces d'un cotxe sense la carrosseria; conjunt de les peces d'una màquina, d'un aparell, etc.

xat xats *nom f* Xerrada entre internautes, realitzada per mitjà de missatges que van apareixent a la pantalla de l'ordinador de cadascun dels participants.

xato xata xatos xates *adj* **1** Que té el nas curt i aplanat. **2** Expressió d'afecte: *Vols res més, xata?*

xauxa *nom f* País imaginari on hi ha de tot i on tothom pot viure bé sense haver de treballar: *En aquesta casa ningú no es preocupa de res, sembla xauxa!*

xaval xavala xavals xavales *nom m i f* Noi, noia.

xavalla xavalles *nom f* Monedes de poc valor. *No tinc cap bitllet, només xavalla.*

xaveta Paraula que apareix en l'expressió **perdre la xaveta**, que vol dir "tornar-se boig": *Nens, si no pareu de cridar em fareu perdre la xaveta!*

xavo xavos *nom m* **1** Moneda de poc valor. **2 no tenir ni un xavo** No tenir diners, ser molt pobre.

xe *interj* Paraula que serveix per a expressar sorpresa, alegria, etc.: *Xe, xiquets! Heu vist quina pilota més bonica?*

xec[1] Onomatopeia, paraula que imita el soroll d'un cop, d'un xoc.

xec[2] xecs *nom m* Document que una persona dóna a una altra perquè vagi al banc a cobrar una quantitat de diners, taló: *Com que no porto diners, et pagaré aquesta factura amb un xec.*

xef xefs *nom m i f* Cap dels cuiners d'un hotel, d'un restaurant, etc.

xeflis uns xeflis *nom m* Àpat abundant que es fa per celebrar alguna cosa.

xeix les xeix *nom f* Nom de la lletra x **X**, també anomenada ics.

xeixa xeixes *nom f* Blat.

xemeneia xemeneies *nom f* **1** Tub vertical per on surten els fums o els gasos d'una casa o d'una fàbrica: *El fum de la llar de foc surt per la xemeneia.* **2** Tub, conducte d'un volcà per on pugen els materials cap a l'exterior.

xeno- xen- Element amb què comencen algunes paraules i que vol dir "estrany, estranger".

xenòfob xenòfoba xenòfobs xenòfobes *adj* Que odia els estrangers.

xenofòbia xenofòbies *nom f* Odi als estrangers.

xerès xeressos *nom m* Vi blanc molt apreciat que es fa a la zona andalusa de Jerez de la Frontera.

xericar *v* **1** Xisclar. **2** Fer crits els ocells petits. Es conjuga com *cantar*. S'escriu *c* davant de *a, o, u* i *qu* davant de *e, i: xerica, xeriqui.*

xèrif xèrifa xèrifs xèrifes *nom m i f* Persona encarregada de mantenir l'ordre en algunes localitats dels Estats Units d'Amèrica.

xeringa xeringues *nom f* Instrument format per un tub i una agulla que serveix per a introduir o extreure líquids de dins el cos: *Les injeccions, me les donen amb una xeringa molt petita.*

xerinola xerinoles *nom f* Gresca, festa: *El dia del teu aniversari farem molta xerinola.*

xerpa xerpes *nom m i f* Persona d'un poble del Nepal que habita a les muntanyes de l'Himàlaia: *Els xerpes han participat com a guies i ajudants en les expedicions a l'Everest.*

xerrac xerracs *nom m* Serra que es pot agafar amb una sola mà: *El fuster talla la fusta amb un xerrac.*

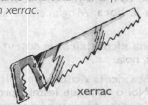
xerrac

xerrada xerrades *nom f* **1** Acció de xerrar una llarga estona, conferència: *Avui ha vingut un escriptor a fer una xerrada.* **2** Després de dinar vam **fer petar la xerrada** una estona: parlar una estona, conversar sobre coses de poca importància.

xerraire xerraires *adj i nom m i f* **1** Es diu de la persona a qui agrada molt de parlar: *La nena petita és molt xerraire.* **2** Persona que no sap guardar cap secret: *Si dius això a la Mercè, aviat ho sabrà tothom: és una xerraire.*

xerrameca xerrameques *nom f* Fet de parlar de coses sense importància.

xerrar *v* **1** Parlar molt: *Aquelles dues veïnes es passen tot el dia xerrant.* **2** Explicar un secret: *Li vaig dir que no ho digués a ningú, però ell ja ho ha hagut de xerrar tot.*
Es conjuga com *cantar.*

xerrera xerreres *nom f* Ganes de xerrar, de parlar molt.

xerric xerrics *nom m* **1** Soroll que fa una cosa que xerrica. **2** Trago curt. **3** Noi que ajuda, que fa encàrrecs.

xerricar *v* **1** Cruixir, fer un soroll estrident: *Aquesta porta xerrica molt, l'haurem d'untar una mica.* **2** Beure a galet fent traguets.
Es conjuga com *cantar.* S'escriu *c* davant de *a, o, u* i *qu* davant de *e, i: xerrica, xerriqui.*

xerrotejar *v* **1** Començar a parlar una criatura. **2** Fer crits els ocells.
Es conjuga com *cantar.* S'escriu *j* davant de *a, o, u* i *g* davant de *e, i: xerroteja, xerrotegi.*

xic xica xics xiques **1** *adj* Petit: *Un nen molt xic.* ▪ *Porta un anell al dit xic.* **2** *nom m i f* Noi, noia. **3** *Em trobo un xic malament:* una mica malament.

xicalla xicalles *nom f* Conjunt de nens i nenes.

xicarró xicarrona xicarrons xicarrones *nom m i f* Nen, nena.

xiclet xiclets *nom m* Boleta o pastilla dolça i tova que es mastega i es pot tenir molta estona a la boca: *M'agraden els xiclets de maduixa.*

xicó xicona xicons xicones *nom m i f* Nen, nena; noi, noia.

xicot xicota xicots xicotes *nom m i f* **1** Noi, noia. **2** Noi o noia que festeja, promès: *El seu xicot la vindrà a buscar a les set per anar a ballar.*

xicotet xicoteta xicotets xicotetes *adj* Petit.

xicra xicres *nom f* Tassa petita que serveix per a prendre xocolata desfeta.

xifra xifres *nom f* **1** Cadascun dels signes que serveixen per a representar els nombres: *El número 150 té tres xifres: u, cinc i zero.* **2** Nom-

bre, quantitat: *La xifra exacta d'alumnes que s'han matriculat a l'escola és de 230.*

xilè xilena xilens xilenes **1** *nom m i f* Habitant de Xile; persona natural o procedent de Xile. **2** *adj* Es diu de les persones o de les coses naturals o procedents de Xile.

xíling xílings *nom m* **1** Antiga moneda d'Àustria. **2** Nom de la moneda d'alguns països d'Àfrica.

xilòfon xilòfons *nom m* Instrument musical de percussió que consisteix en una sèrie de barres de diferent llargada que es fan sonar picant-les amb dos martellets o dues varetes.

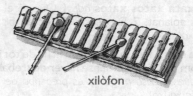
xilòfon

ximpanzé ximpanzés *nom m* Animal mamífer, de pèl negre i abundant, que té el cos força semblant al de les persones, i que viu a la selva.

ximple ximples *adj i nom m i f* Es diu de la persona que fa o diu coses que no tenen sentit, que fa o diu bestieses: *Aquell és un ximple, sempre crida i s'enfila damunt les taules.*

ximpleria ximpleries *nom f* Paraula o acció pròpia d'una persona ximple, d'un beneit: *Enfilar-se per damunt les taules és una ximpleria.*

ximplet ximpleta ximplets ximpletes *adj i nom m i f* Ximple.

xim-xim xim-xims *nom m* Pluja suau i seguida.

xinel·la xinel·les *nom f* Sabatilla per estar per casa.

xinel·les

xinès xinesa xinesos xineses **1** *nom m i f* Habitant de la Xina; persona natural o procedent de la Xina. **2** *adj* Es diu de les persones o de les coses naturals o procedents de la Xina. **3** nom m Llengua parlada a la Xina.

xino-xano adv Mira xano-xano.

xinxa xinxes nom f Insecte de cos ovalat i pla que pica els animals i les persones i els xucla una mica de sang.

xinxeta xinxetes nom f Clauet de cap gros i pla, que serveix per a clavar papers en una paret, en un suro, etc.

xinxilla xinxilles nom f Animal mamífer semblant a una rata, però amb els ulls més grossos i les orelles arrodonides, que és molt apreciat pel pèl llarg, fi i brillant.

xip xips nom m Element que conté molts dispositius electrònics i que forma part de diversos aparells, com els ordinadors.

xipollejar v Moure un líquid fent esquitxos: El nen petit xipollejava a la banyera.
Es conjuga com cantar. S'escriu j davant de a, o, u i g davant de e, i: xipollejo, xipolleges.

xiprer xiprers nom m Arbre llarg i prim: Als cementiris hi sol haver xiprers.

xip-xap Onomatopeia, paraula que imita el soroll que fa l'aigua o un altre líquid quan es remou.

xiquet xiqueta xiquets xiquetes **1** adj Petit. **2** nom m i f Infant, nen. **3** nom m i f Casteller.

xiroi xiroia xirois xiroies adj Es diu de la persona alegre, trempada, que sempre està contenta.

xiruca xiruques nom f Sabata alta, de tela gruixuda i sola de goma, que s'utilitza per a anar d'excursió.

xiruques

xiscladissa xiscladisses nom f Seguit de xiscles.

xisclar v Fer crits forts i aguts, fer xiscles.
Es conjuga com cantar.

xiscle xiscles nom m Crit fort i agut que fa una persona a causa d'un dolor o d'un espant: Quan vaig sentir aquells xiscles, vaig córrer a veure què passava.

xisclet xisclets nom m Xiscle.

xitxarel·lo xitxarel·los nom m **1** Noi jove, que encara no té experiència de les coses. **2** Persona poc seriosa, poc formal, taral·lirot.

xiular v **1** Fer un so musical fent sortir amb força l'aire per la boca, amb els llavis tibants: En Miquel sempre puja les escales xiulant. **2** Fer un so semblant al que fa una persona quan xiula: El vent va xiular tota la nit. **3** Fer sonar un xiulet: L'àrbitre va xiular el final del partit.
Es conjuga com cantar.

xiulet xiulets nom m **1** So que es fa xiulant: En Joaquim sabia fer uns xiulets que se sentien des de molt lluny. **2** Instrument que serveix per a fer un so agut semblant a un xiulet: L'àrbitre té un xiulet de metall.

xiu-xiu Onomatopeia, paraula que imita el soroll que fa algú que parla en veu molt baixa, el soroll suau del foc, del vent, etc.

xiuxiuejar v Parlar en veu molt baixa.
Es conjuga com cantar. S'escriu j davant de a, o, u i g davant de e, i: xiuxiuejo, xiuxiueges.

xivarri xivarris nom m Soroll, desordre, gresca: Els de la classe del costat fan un bon xivarri a l'hora de sortir.

xoc xocs nom m Cop que es donen dos o més vehicles, persones, objectes, etc.: A la carretera hi va haver un xoc de dos cotxes.

xocant xocants adj Es diu d'una cosa que xoca, que sorprèn, que ve de nou.

xocar v **1** Donar-se un cop fort una cosa amb una altra: Han xocat dos cotxes a la carretera. **2** Sorprendre molt una cosa, venir de nou: Em xoca que diguis que no t'han avisat, perquè ella va insistir que havia telefonat a tothom. **3** Fer gràcia, agradar: Aquest noi em xoca molt perquè sempre té sortides còmiques.
Es conjuga com cantar. S'escriu c davant de a, o, u i qu davant de e, i: xoco, xoques.

xocolata xocolates nom f **1** Aliment que es fa amb cacau i sucre i que té forma de rajola, pastilla o barreta. **2** **xocolata desfeta** Líquid espès fet amb xocolata i llet o aigua que es pren per esmorzar o berenar.

X

xocolatada xocolatades *nom f* Menjada de xocolata desfeta que es fa per celebrar alguna cosa: *Per les festes del barri hi ha una gran xocolatada.*

xocolatí xocolatins *nom m* Xocolatina.

xocolatina xocolatines *nom f* **1** Bombó de xocolata. **2** Tros de xocolata embolicat i per a una sola persona.

xofer xofera xofers xoferes *nom m i f* El qui té per ofici conduir automòbils.

xòfer xòfera xòfers xòferes *nom m i f* Mira xofer.

xollar *v* Tallar arran els cabells, el pèl, la llana, etc.
Es conjuga com *cantar.*

xop xopa xops xopes *adj* Completament moll, amb els vestits mullats: *Vaig xopa perquè ha plogut molt i no tenia paraigua.*

xopar *v* Mullar una cosa de manera que quedi impregnada de líquid.
Es conjuga com *cantar.*

xoriç xoriços *nom m* Llangonissa prima, feta de llom de porc.

xoriço xoriços *nom m* Embotit de porc fet amb carn picada i pebre vermell.

xoriguer xoriguers *nom m* Ocell de la família dels falcons, de color castany rogenc amb taques negres, que s'alimenta d'insectes grossos i d'ocells i mamífers petits.

xot[1] xots *nom m* Ocell de dinou centímetres, de plomes escabellades i bigotis marcats, que fa un crit queixós característic.

xot[2] xots *nom m* Cabrit que encara mama.

xou xous *nom m* Espectacle còmic, divertit, que consta de diverses actuacions.

xovinisme xovinismes *nom m* Orgull i admiració excessiva pel propi país, que arriba a fer menysprear els altres països i les altres cultures.

xuclador xucladors *nom m* Moviment ràpid de l'aigua del riu o del mar que fa que les coses se'n vagin al fons, remolí: *És perillós banyar-se en aquest riu perquè hi ha molts xucladors.*

xuclar *v* Posar els llavis en una cosa i agafar aire per beure un líquid o un suc: *Vaig demanar una canya per poder xuclar el refresc de l'ampolla.*
Es conjuga com *cantar.*

xuclat xuclada xuclats xuclades *adj* Es diu de la persona que s'ha aprimat molt i té les galtes com enfonsades.

xueta xuetes *adj i nom m i f* Es diu de les persones de Mallorca descendents dels jueus convertits al cristianisme.

xufla xufles *nom f* Gra comestible d'una planta anomenada també xufla i amb el qual es fa orxata.

xuixo xuixos *nom m* Pasta de forma cilíndrica, farcida de nata o de crema i recoberta de sucre.

xumar *v* Beure el líquid d'un porró, d'un càntir, etc. tocant-lo amb els llavis, beure a morro, mamar: *L'infant xumava el biberó.*
Es conjuga com *cantar.*

xumet xumets *nom m* Objecte tou, de goma o de plàstic, en forma de mugró, que es fica a la boca dels nens petits perquè no plorin.

xuplar *v* Xuclar.
Es conjuga com *cantar.*

xup-xup Onomatopeia, paraula que imita el soroll que fa una cosa que bull a poc a poc.

xurreria xurreries *nom f* Botiga on fan i venen xurros.

xurriaques *nom f pl* Estri que consisteix en una vara amb una cordeta o una tira de cuir al capdamunt i que es fa servir per a pegar i fer obeir les bèsties.

xurro xurros *nom m* Pasta ensucrada, rodona i allargada: *Avui hem menjat xocolata amb xurros per berenar.*

xusma xusmes *nom f* Grup de gent poc educada, dolenta, vil.

xut xuts *nom m* Cop que es dóna a una pilota amb el peu.

xutar *v* Donar cops a una pilota amb el peu: *Els jugadors de futbol xuten la pilota.*
Es conjuga com *cantar.*

Y y lletra i grega

La lletra y, anomenada i grega, forma part del dígraf consonàntic ny, que apareix en paraules com "Catalunya", "any" o "nyap".

La i grega també apareix, amb so de vocal, en algunes paraules procedents d'altres llengües, com ara "whisky", que prové de l'anglès.

y

Z z lletra zeta

zas Onomatopeia, paraula que imita el soroll que fa una cosa quan es mou ràpidament dins l'aire.

zebra *zebres* *nom f* Animal mamífer semblant al cavall, però més petit, que té el pèl amb ratlles fosques i clares: *Al zoo hi havia elefants, girafes i zebres.*

zebra

zebú *zebús* *nom m* Animal boví molt semblant al bou, però més baix, amb banyes, el cap musculós i un gep a la part superior de l'esquena. ▮▮

zèfir *zèfirs* *nom m* Vent suau que ve de ponent.

zel *zels* *nom m* **1** Interès molt gran per protegir una persona, per defensar una idea, per fer bé una feina, etc. **2** Període durant el qual els animals s'aparellen: *Aquesta lleona està en zel.*

zenc *zencs* *nom m* Zinc, especialment quan és en forma de làmines.

zenit *zenits* *nom m* Punt més alt o més important d'una cosa: *Quan es va morir, aquell cantant es trobava en el zenit de la fama.*

zepelí *zepelins* *nom m* Dirigible, vehicle volador que porta un gran dipòsit ple d'un gas que pesa menys que l'aire i que està proveït d'una cabina per a transportar-hi persones o càrrega.

zero *zeros* *nom m* **1** Paraula que expressa la quantitat representada per la xifra 0. **2** *Em sembla que aquell noi és un zero a l'esquerra:* no compta per a res, no serveix per a res. **3** Punt des del qual es compten els graus d'una escala que mesura la temperatura: *Avui estem a sis graus sota zero.*

zeta *zetes* *nom f* Nom de la lletra z Z.

ziga-zaga *ziga-zagues* *nom f* Línia trencada que té una forma que recorda la "Z": *El cotxe va patinar i va fer una ziga-zaga per la carretera.*

zig-zag *zig-zags* *nom m* Ziga-zaga.

zigzaguejar *v* Caminar, avançar fent zigazagues: *El camí zigzaguejava arran de la costa.* Es conjuga com *cantar*. S'escriu *j* davant de *a, o, u* i *g* davant de *e, i*: *zigzagueja, zigzaguegi.*

zim-zam Onomatopeia, paraula que imita el soroll d'un moviment de vaivé.

zinc *zincs* *nom m* Metall de color blanc blavós que es fa servir en la fabricació del bronze i del llautó.

zíngar *zíngara zíngars zíngares* *adj* i *nom m* i *f* Gitano.

zing-zing *zing-zings* *nom m* Sonall.

zitzània *zitzànies* *nom f* **1** Planta semblant al blat però perjudicial per als sembrats, i que és molt difícil d'eliminar, jull. **2** Discòrdia que es posa entre persones que estaven ben avingudes o que vivien sense barallar-se.

zodíac *zodíacs* *nom m* Zona de l'esfera celeste que comprèn les òrbites de la Lluna i dels planetes principals i que està dividida en dotze parts iguals anomenades "signes del zodíac": àries, taure, bessons (o gèminis), càncer (o cranc), lleó (o leo), verge, balança (o libra), escorpió, sagitari, capricorn, aquari i peixos (o pisces).

signes del zodíac

zona *zones* *nom f* **1** Àrea o regió que té un clima, un conreu, etc. determinat: *Galícia és una zona plujosa.* **2** Part d'una ciutat, d'un territori, etc. que té unes característiques determinades: *Zona de vianants.* ▪ *Zona de càrrega i descàrrega.* **3** Part del cos: *Té una malaltia a la zona pulmonar.*

Z

zoo zoos *nom m* Lloc on hi ha molts animals salvatges exposats a la vista de la gent, en gàbies o espais tancats: *El pare ens ha portat al zoo a veure els camells i les zebres.*

zoo- Element amb què comencen algunes paraules i que vol dir "animal": *La zoologia és la ciència que estudia els animals.*

zoologia zoologies *nom f* Part de la biologia que estudia els animals.

zoològic zoològica zoològics zoològiques **1** *adj* Que té relació amb l'estudi dels animals. **2** *nom m* Zoo.

zoom zooms *nom m* Objectiu d'una màquina de fotografiar, d'una càmera de vídeo, etc. que permet enfocar de més a prop o de més lluny allò que es vol fotografiar o filmar.

zub-zub Onomatopeia, paraula que serveix per a expressar la sensació que fa una ferida inflamada.

zumzeig zumzeigs o zumzejos *nom m* Moviment repetit d'una cosa que vibra: *Vam passar prop dels ruscos i vam sentir el zumzeig de les abelles.*

zum-zum Onomatopeia, paraula que imita el soroll que fa una bonior, un soroll sord i continuat: *Des de fora la discoteca se sentia el zum-zum de la música.*

Apèndixs

SI BUSQUES	MIRA
conclòs, conclosa	**concloure**
concorregués	**concórrer**
concorregut, concorreguda	**concórrer**
conec	**conèixer**
conegui, conegués	**conèixer**
conegut, coneguda	**conèixer**
confon, confonia	**confondre**
confonc	**confondre**
confongui, confongués	**confondre**
confós, confosa	**confondre**
constret, constreta	**constrènyer**
conté	**contenir**
continc	**contenir**
contindré, contindria	**contenir**
contingui, contingués	**contenir**
contingut, continguda	**contenir**
contradeia, contradeies	**contradir**
contradic	**contradir**
contradigui, contradigués	**contradir**
contradius, contradiu, contradiuen	**contradir**
contraguem, contragués	**contreure**
contraiem, contraieu, contraient	**contreure**
contrauré, contrauria	**contreure**
contravé	**contravenir**
contravinc	**contravenir**
contravindré, contravindria	**contravenir**
contravingui, contravingués	**contravenir**
contravingut, contravinguda	**contravenir**
contrec	**contreure**
contregui, contreguis	**contreure**
contreia, contreies	**contreure**
contret, contreta	**contreure**
convé	**convenir**
convinc	**convenir**
convindrà, convindria	**convenir**
convingui, convingués	**convenir**
convingut, convinguda	**convenir**
convisc, conviscut, conviscuda	**conviure**
convisqui, convisqués	**conviure**
convivim, convivia, convivint	**conviure**
corprèn, corprenia	**corprendre**
corprenc	**corprendre**
corprengui, corprengués	**corprendre**
corprès, corpresa	**corprendre**
corregués, corregut, correguda	**córrer**
correspon, corresponia	**correspondre**
corresponc	**correspondre**
correspongui, correspongués	**correspondre**
correspost, corresposta	**correspondre**
crec	**creure**
cregui, cregués, cregut, creguda	**creure**
creiem, crèiem, creient	**creure**
crescut, crescuda	**créixer**
cresqués	**créixer**
cuit, cuita	**coure**
cullo, culls, cull, culli	**collir**
cuso, cuses, cus, cusi	**cosir**
dec	**deure**
decaic	**decaure**
decaiem, decaieu, decaient	**decaure**
decaigui, decaigués	**decaure**
decaigut, decaiguda	**decaure**
deceps, decep	**decebre**
decrescut, decrescuda	**decréixer**
decresqués	**decréixer**
defèn, defenia	**defendre**
defenc	**defendre**
defengui, defengués	**defendre**
defès, defesa	**defendre**
degui, degués, degut, deguda	**deure**
deia, deies	**dir**
depèn, depenia	**dependre**
depenc	**dependre**
depengui, depengués	**dependre**
depès, depesa	**dependre**
desaparec	**desaparèixer**
desaparegui, desaparegués	**desaparèixer**
desaparegut, desapareguda	**desaparèixer**
desatén, desatenia	**desatendre**
desatenc	**desatendre**
desatengui, desatengués	**desatendre**
desatès, desatesa	**desatendre**
descloc	**descloure**
descloem, descloeu, descloent	**descloure**
desclogui, desclogués	**descloure**
descloïa, descloïes	**descloure**
desclòs, desclosa	**descloure**
descobert, descoberta	**descobrir**
descompon, descomponia	**descompondre**
descomponc	**descompondre**
descompongui	**descompondre**
descompongués	**descompondre**
descompost, descomposta	**descompondre**
desconec	**desconèixer**
desconegui, desconegués	**desconèixer**
desconegut, desconeguda	**desconèixer**
descorregués	**descórrer**
descorregut, descorreguda	**descórrer**
descric	**descriure**
descrigui, descrigués	**descriure**
descrit, descrita	**descriure**
descrivim, descrivia, descrivint	**descriure**
descrivís	**descriure**
descuso, descuses, descús, descusi	**descosir**
desdeia, desdeies	**desdir-se**
desdic	**desdir-se**
desdigui, desdigués	**desdir-se**
desdius, desdiu, desdiuen	**desdir-se**
desentén, desentenia	**desentendre's**
desentenc	**desentendre's**
desentengui, desentengués	**desentendre's**
desentès, desentesa	**desentendre's**
desfaci	**desfer**
desfaig	**desfer**
desfaré, desfaria	**desfer**
desfàs, desfà	**desfer**
desfeia, desfés, desfet, desfeta	**desfer**
despèn, despenia	**despendre**
despenc	**despendre**
despengui, despengués	**despendre**
despès, despesa	**despendre**
desprèn, desprenia	**desprendre**
desprenc	**desprendre**
desprengui, desprengués	**desprendre**

SI BUSQUES	MIRA
decaigut, decaiguda	**decaure**

SI BUSQUES	MIRA		
		entreté	**entretenir**
		entretinc	**entretenir**
desprès, despresa	**desprendre**	entretindré, entretindria	**entretenir**
desvivim, desviviu, desvivia	**desviure's**	entretingui, entretingués	**entretenir**
desvivint	**desviure's**	entretingut, entretinguda	**entretenir**
desvisc, desviscut, desviscuda	**desviure's**	entrevegi	**entreveure**
desvisqui, desvisqués	**desviure's**	entreveiem, entreveia	**entreveure**
deté	**detenir**	entreveiés, entreveient	**entreveure**
detinc	**detenir**	entreveig	**entreveure**
detindré, detindria	**detenir**	entrevist, entrevista	**entreveure**
detingui, detingués	**detenir**	equival, equivalia	**equivaler**
detingut, detinguda	**detenir**	equivalc	**equivaler**
devem, devia, devent	**deure**	equivalgui, equivalgués	**equivaler**
dic	**dir**	equivalgut, equivalguda	**equivaler**
difon, difonia	**difondre**	era, eres	**ser**
difonc	**difondre**	escaic	**escaure's**
difongui, difongués	**difondre**	escaiem, escaieu, escaient	**escaure's**
difós, difosa	**difondre**	escaigui, escaigués	**escaure's**
digui, digués	**dir**	escaigut, escaiguda	**escaure's**
discorregués	**discórrer**	escomès, escomesa	**escometre**
discorregut, discorreguda	**discórrer**	escorregués	**escórrer**
dissol, dissolia	**dissoldre**	escorregut, escorreguda	**escórrer**
dissolc	**dissoldre**	escric	**escriure**
dissolgui, dissolgués	**dissoldre**	escrigui, escrigués	**escriure**
dissolt, dissolta	**dissoldre**	escrit, escrita	**escriure**
distraguem, distragués	**distreure**	escrivim, escrivia, escrivís, escrivint	**escriure**
distraiem, distraieu, distraient	**distreure**	escullo, esculls, escull, esculli	**escollir**
distrauré, distrauria	**distreure**	escupo, escups, escup, escupi	**escopir**
distrec	**distreure**	esdevé	**esdevenir**
distregui, distreguis	**distreure**	esdevinc	**esdevenir**
distreia, distreies	**distreure**	esdevindrà, esdevindria	**esdevenir**
distret, distreta	**distreure**	esdevingui, esdevingués	**esdevenir**
dius, diu, diuen	**dir**	esdevingut, esdevinguda	**esdevenir**
dol, dolia	**doldre**	establert, establerta	**establir**
dolgui, dolgués, dolgut, dolguda	**doldre**	estat, estada	**ser / estar**
duc	**dur**	estén, estenia	**estendre**
dugui, dugués	**dur**	estenc	**estendre**
duia, duies	**dur**	estengui, estengués	**estendre**
duus, duu, duen	**dur**	estès, estesa	**estendre**
emès, emesa	**emetre**	estic	**estar**
empès, empesa	**empènyer**	estigui, estigués	**estar**
emprèn, emprenia	**emprendre**	estrafaci	**estrafer**
emprenc	**emprendre**	estrafaig	**estrafer**
emprengui, emprengués	**emprendre**	estrafaré, estrafaria	**estrafer**
emprès, empresa	**emprendre**	estrafàs, estrafà	**estrafer**
encén, encenia	**encendre**	estrafeia, estrafés, estrafet, estrafeta	**estrafer**
encenc	**encendre**	estret, estreta	**estrènyer**
encengui, encengués	**encendre**	ets, és	**ser**
encès, encesa	**encendre**	excloc	**excloure**
encloc	**encloure**	excloem, excloeu, excloent	**excloure**
encloem, encloeu, encloent	**encloure**	exclogui, exclogués	**excloure**
enclogui, enclogués	**encloure**	escloïa, excloïes	**excloure**
encloïa, encloïes	**encloure**	exclòs, exclosa	**excloure**
enclòs, enclosa	**encloure**	extraguem, extragués	**extreure**
enduc	**endur-se**	extraiem, extraieu, extraient	**extreure**
endugui, endugués	**endur-se**	extrauré, extrauria	**extreure**
enduia, enduies	**endur-se**	extrec	**extreure**
enduus, enduu, enduen	**endur-se**	extregui, extreguis	**extreure**
entén, entenia	**entendre**	extreia, extreies	**extreure**
entenc	**entendre**	extret, extreta	**extreure**
entengui, entengués	**entendre**	faci	**fer**
entès, entesa	**entendre**	faig	**fer**
entreobert, entreoberta	**entreobrir**	faré, faria	**fer**

SI BUSQUES	MIRA		
		moc	**moure**
		mogui, mogués, mogut, moguda	**moure**
fas, fa	**fer**	mol, molia	**moldre**
feia, fes, fet, feta	**fer**	molc	**moldre**
fen, fenia	**fendre**	molgui, molgués	**moldre**
fenc	**fendre**	mòlt, mòlta	**moldre**
fengui, fengués	**fendre**	mort, morta	**morir**
fes, fesa	**fendre**	movem, movia, movent	**moure**
fon, fonia	**fondre**	naixem, naixia, naixeré, naixés	**néixer**
fonc	**fondre**	nascut, nascuda	**néixer**
fongui, fongués	**fondre**	nasquem, nasqueu, nasqués	**néixer**
fóra, fores, fórem, fóreu	**ser**	obert, oberta	**obrir**
fos, fosa	**fondre**	obté	**obtenir**
fos, fossis	**ser**	obtinc	**obtenir**
fou	**ser**	obtindré, obtindria	**obtenir**
fuges	**fugir**	obtingui, obtingués	**obtenir**
fuig	**fugir**	obtingut, obtinguda	**obtenir**
fujo	**fugir**	ocorregués, ocorregut, ocorreguda	**ocórrer**
hagi	**haver**	ofèn, ofenia	**ofendre**
hagué	**haver / heure**	ofenc	**ofendre**
haguera	**haver**	ofengui, ofengués	**ofendre**
hagués, hagut, haguda	**haver / heure**	ofert, oferta	**oferir**
hauré, hauria	**haver / heure**	ofès, ofesa	**ofendre**
he, hem	**haver**	omès, omesa	**ometre**
hec, hegui	**heure**	omplert, omplerta	**omplir**
imprès, impresa	**imprimir**	paregui, paregués	**parèixer**
incloc	**incloure**	paregut, pareguda	**parèixer**
incloem, incloeu, incloent	**incloure**	pascut, pascuda	**péixer**
inclogui, inclogués	**incloure**	perceps, percep	**percebre**
incloïa, incloïes	**incloure**	permès, permesa	**permetre**
inclòs, inclosa	**incloure**	pertangut, pertanguda	**pertànyer**
inscric	**inscriure**	pertanyut, pertanyuda	**pertànyer**
inscrigui, inscrigués	**inscriure**	pervisc, perviscut, perviscuda	**perviure**
inscrit, inscrita	**inscriure**	pervisqui, pervisqués	**perviure**
inscrivim, inscrivia, inscrivint	**inscriure**	pervivim, pervivia, pervivint	**perviure**
inscrivís	**inscriure**	plac	**plaure**
intervé	**intervenir**	plagui, plagués, plagut, plaguda	**plaure**
intervinc	**intervenir**	plaïa, plaïes	**plaure**
intervindré, intervindria	**intervenir**	plangui, plangués, plangut, planguda	**plànyer**
intervingui, intervingués,	**intervenir**	planyi, planyés, planyut, planyuda	**plànyer**
intervingut, intervinguda	**intervenir**	plogui, plogués, plogut, ploguda	**ploure**
ixo, ixes, ix	**eixir**	plovia, plovent	**ploure**
jaguem, jagués, jagut, jaguda	**jeure**	podré, podria	**poder**
jaiem, jaieu, jaient	**jeure**	pogués, pogut, poguda	**poder**
jauré, jauria	**jeure**	pon, ponia	**pondre**
jec	**jeure**	ponc	**pondre**
jegui, jeguis	**jeure**	pongui, pongués	**pondre**
jeia, jeies	**jeure**	post, posta	**pondre**
malmès, malmesa	**malmetre**	pots, pot	**poder**
malvèn, malvenia	**malvendre**	predeia, predeies	**predir**
malvenc	**malvendre**	predic	**predir**
malvengui, malvengués	**malvendre**	predigui, predigués	**predir**
malvenut, malvenuda	**malvendre**	predius, prediu, prediuen	**predir**
malvisc, malviscut, malviscuda	**malviure**	pren, prenia	**prendre**
malvisqui, malvisqués	**malviure**	prenc	**prendre**
malvivim, malvivia, malvivint	**malviure**	prengui, prengués	**prendre**
manté	**mantenir**	pres, presa	**prendre**
mantinc	**mantenir**	prescric	**prescriure**
mantindré, mantindria	**mantenir**	prescrigui, prescrigués	**prescriure**
mantingui, mantingués	**mantenir**	prescrit, prescrita	**prescriure**
mantingut, mantinguda	**mantenir**	prescrivim, prescrivia, prescrivís	**prescriure**
merescut, merescuda	**merèixer**	prescrivint	**prescriure**
meresqués	**merèixer**	pretén, pretenia	**pretendre**

Índex de formes verbals irregulars

SI BUSQUES	MIRA
pretenc	**pretendre**
pretengui, pretengués	**pretendre**
pretès, pretesa	**pretendre**
preval, prevalia	**prevaler**
prevalc	**prevaler**
prevalgui, prevalgués	**prevaler**
prevalgut, prevalguda	**prevaler**
prevé	**prevenir**
prevegi	**preveure**
preveiem, preveia, preveiés	**preveure**
preveient	**preveure**
preveig	**preveure**
previnc	**prevenir**
previndré, previndria	**prevenir**
previngui, previngués	**prevenir**
previngut, previnguda	**prevenir**
previst, prevista	**preveure**
promès, promesa	**prometre**
promoc	**promoure**
promogui, promogués	**promoure**
promogut, promoguda	**promoure**
promovem, promovia, promovent	**promoure**
proscric	**proscriure**
proscrigui, proscrigués	**proscriure**
proscrit, proscrita	**proscriure**
proscrivim, proscrivia	**proscriure**
proscrivís, proscrivint	**proscriure**
prové	**provenir**
provinc	**provenir**
provindré, provindria	**provenir**
provingui, provingués	**provenir**
provingut, provinguda	**provenir**
puc	**poder**
pugui, puguis	**poder**
queia, queies	**caure**
rac	**raure**
raent	**raure**
raïa, raïes	**raure**
ragui, ragués	**raure**
ras, rasa	**raure**
reaparec	**reaparèixer**
reaparegui, reaparegués	**reaparèixer**
reaparegut, reapareguda	**reaparèixer**
recaic	**recaure**
recaiem, recaieu, recaient	**recaure**
recaigui, recaigués	**recaure**
recaigut, recaiguda	**recaure**
recloc	**recloure**
recloem, recloeu, recloent	**recloure**
reclogui, reclogués	**recloure**
recloïa, recloïes	**recloure**
reclòs, reclosa	**recloure**
recobert, recoberta	**recobrir**
reconec	**reconèixer**
reconegui, reconegués	**reconèixer**
reconegut, reconeguda	**reconèixer**
recorregués	**recórrer**
recorregut, recorreguda	**recórrer**
recullo, reculls, recull, reculli	**recollir**
reescric	**reescriure**
reescrigui, reescrigués	**reescriure**
reescrit, reescrita	**reescriure**
reescrivim, reescrivia	**reescriure**
reescrivís, reescrivint	**reescriure**
refaci	**refer**
refaig	**refer**
refaré, refaria	**refer**
refàs, refà	**refer**
refeia, refés, refet, refeta	**refer**
reia, reies	**riure**
reïxo, reïxes, reïx	**reeixir**
remès, remesa	**remetre**
remoc	**remoure**
remogui, remogués	**remoure**
remogut, remoguda	**remoure**
renaixem, renaixia, renaixeré	**renéixer**
renaixés	**renéixer**
renascut, renascuda	**renéixer**
renasquem, renasqueu, renasqués	**renéixer**
reprèn, reprenia	**reprendre**
reprenc	**reprendre**
reprengui, reprengués	**reprendre**
reprès, represa	**reprendre**
reps, rep	**rebre**
requeia, requeies	**recaure**
resol, resolia	**resoldre**
resolc	**resoldre**
resolgui, resolgués	**resoldre**
resolt, resolta	**resoldre**
respon, responia	**respondre**
responc	**respondre**
respongui, respongués	**respondre**
respost, resposta	**respondre**
restret, restreta	**restrènyer**
reté	**retenir**
retinc	**retenir**
retindré, retindria	**retenir**
retingui, retingués, retingut, retinguda	**retenir**
retraguem, retragués	**retreure**
retraiem, retraieu, retraient	**retreure**
retrauré, retrauria	**retreure**
retrec	**retreure**
retregui, retreguis	**retreure**
retreia, retreies	**retreure**
retret, retreta	**retreure**
revegi	**reveure**
reveiem, reveia, reveies, reveient	**reveure**
reveig	**reveure**
revist, revista	**reveure**
revisc, reviscut, reviscuda	**reviure**
revisqui, revisqués	**reviure**
revivim, revivia, revivint	**reviure**
ric	**riure**
riem, rient	**riure**
rigui, rigués, rigut, riguda	**riure**
roman, romania	**romandre**
romanc	**romandre**
romangui, romangués	**romandre**
romàs, romasa	**romandre**
sàpiga, sàpigues	**saber**
saps, sap	**saber**
satisfaci	**satisfer**
satisfaig	**satisfer**
satisfaré, satisfaria	**satisfer**

SI BUSQUES	MIRA
satisfàs, satisfà	**satisfer**
satisfeia, satisfés, satisfet, satisfeta	**satisfer**
sé	**saber**
sec	**seure**
segui, segués, segut, seguda	**seure**
seiem, sèiem, seient	**seure**
seré, seria	**ser**
sigui, siguis, sigut, siguda	**ser**
sobreentén, sobreentenia	**sobreentendre**
sobreentenc	**sobreentendre**
sobreentengués	**sobreentendre**
sobreentengui	**sobreentendre**
sobreentès, sobreentesa	**sobreentendre**
sobreïxo, sobreïxes, sobreïx	**sobreeixir**
sobresurto, sobresurts	**sobresortir**
sobresurt, sobresurti	**sobresortir**
sobrevisc	**sobreviure**
sobreviscut, sobreviscuda	**sobreviure**
sobrevisqui, sobrevisqués	**sobreviure**
sobrevivim, sobrevivia	**sobreviure**
sobrevivint	**sobreviure**
sóc, som, sou, són	**ser**
socorregués	**socórrer**
socorregut, socorreguda	**socórrer**
sofert, soferta	**sofrir**
sol, solia	**soler**
solc	**soler**
solgui, solgués, solgut, solguda	**soler**
somoc	**somoure**
somogui, somogués	**somoure**
somogut, somoguda	**somoure**
somovem, somovia, somovent	**somoure**
somreia, somreies	**somriure**
somric	**somriure**
somriem, somrient	**somriure**
somrigui, somrigués	**somriure**
somrigut, somriguda	**somriure**
sorprèn, sorprenia	**sorprendre**
sorprenc	**sorprendre**
sorprengui, sorprengués	**sorprendre**
sorprès, sorpresa	**sorprendre**
sosté	**sostenir**
sostinc	**sostenir**
sostindré, sostindria	**sostenir**
sostingui, sostingués	**sostenir**
sostingut, sostinguda	**sostenir**
sostraguem, sostragués	**sostreure**
sostraiem, sostraient	**sostreure**
sostrauré, sostrauria	**sostreure**
sostrec	**sostreure**
sostregui, sostreguis	**sostreure**
sostreia, sostreies	**sostreure**
sostret, sostreta	**sostreure**
sotmès, sotmesa	**sotmetre**
subscric	**subscriure**
subscrigui, subscrigués	**subscriure**
subscrit, subscrita	**subscriure**
subscrivim, subscrivia	**subscriure**
subscrivís, subscrivint	**subscriure**
suplert, suplerta	**suplir**
surto, surts, surt, surti	**sortir**
suspèn, suspenia	**suspendre**
suspenc	**suspendre**
suspengui, suspengués	**suspendre**
suspès, suspesa	**suspendre**
té	**tenir**
tinc	**tenir**
tindré, tindria	**tenir**
tingui, tingués, tingut, tinguda	**tenir**
ton, tonia, tonent	**tondre**
tonc	**tondre**
tongui, tongués	**tondre**
torçut, torçuda	**tòrcer**
tos, tosa	**tondre**
traguem, tragués	**treure**
traiem, traient	**treure**
tramès, tramesa	**trametre**
transcorregués	**transcórrer**
transcorregut, transcorreguda	**transcórrer**
transcric	**transcriure**
transcrigui, transcrigués	**transcriure**
transcrit, transcrita	**transcriure**
transcrivim, transcrivia	**transcriure**
transcrivís, transcrivint	**transcriure**
transmès, transmesa	**transmetre**
trauré, trauria	**treure**
trec	**treure**
tregui, treguis	**treure**
treia, treies	**treure**
tret, treta	**treure**
tusso, tusses, tus, tussi	**tossir**
ullprèn, ullprenia	**ullprendre**
ullprenc	**ullprendre**
ullprengui, ullprengués	**ullprendre**
ullprès, ullpresa	**ullprendre**
vagi, vagis	**anar**
vaig, va	**anar**
val, valia	**valer**
valc	**valer**
valgui, valgués, valgut, valguda	**valer**
vegi	**veure**
veiem, veia, veiés, veient	**veure**
veig	**veure**
ven, venia	**vendre**
venc	**vendre**
vengui, vengués	**vendre**
véns, ve, vénen	**venir**
venut, venuda	**vendre**
ves	**veure**
vés	**anar**
vinc	**venir**
vindré, vindria	**venir**
vine	**venir**
vingui, vingués, vingut, vinguda	**venir**
visc, viscut, viscuda	**viure**
visqui, visqués	**viure**
vist, vista	**veure**
vivim, vivia, vivint	**viure**
voldré, voldria	**voler**
volgués, volgut, volguda	**voler**
vulgui, vulguis, vulgues	**voler**
vull	**voler**

Model de conjugació completa

		INDICATIU			

Present

singular

			Perfet
1a persona	Jo	canto	he cantat
2a persona	Tu	cantes	has cantat
3a persona	Ell, ella	canta	ha cantat

plural

1a persona	Nosaltres	cantem	hem o havem cantat
2a persona	Vosaltres	canteu	heu o haveu cantat
3a persona	Ells, elles	canten	han cantat

Imperfet

singular

			Plusquamperfet
1a persona	Jo	cantava	havia cantat
2a persona	Tu	cantaves	havies cantat
3a persona	Ell, ella	cantava	havia cantat

plural

1a persona	Nosaltres	cantàvem	havíem cantat
2a persona	Vosaltres	cantàveu	havíeu cantat
3a persona	Ells, elles	cantaven	havien cantat

Passat

singular

		simple	perifràstic	**Passat anterior**	
1a persona	Jo	cantí	vaig cantar	haguí cantat	o vaig haver cantat
2a persona	Tu	cantares	vas o vares cantar	hagueres cantat	o vas haver cantat
3a persona	Ell, ella	cantà	va cantar	hagué cantat	o va haver cantat

plural

1a persona	Nosaltres	cantàrem	vam o vàrem cantar	haguérem cantat	o vam haver cantat
2a persona	Vosaltres	cantàreu	vau o vàreu cantar	haguéreu cantat	o vau haver cantat
3a persona	Ells, elles	cantaren	van o varen cantar	hagueren cantat	o van haver cantat

Futur

singular

			Futur perfet
1a persona	Jo	cantaré	hauré cantat
2a persona	Tu	cantaràs	hauràs cantat
3a persona	Ell, ella	cantarà	haurà cantat

plural

1a persona	Nosaltres	cantarem	haurem cantat
2a persona	Vosaltres	cantareu	haureu cantat
3a persona	Ells, elles	cantaran	hauran cantat

Model de conjugació completa

		Condicional	Condicional perfet
singular			
1a persona	Jo	cantaria	hauria o haguera cantat
2a persona	Tu	cantaries	hauries o hagueres cantat
3a persona	Ell, ella	cantaria	hauria o haguera cantat
plural			
1a persona	Nosaltres	cantaríem	hauríem o haguérem cantat
2a persona	Vosaltres	cantaríeu	hauríeu o haguéreu cantat
3a persona	Ells, elles	cantarien	haurien o hagueren cantat

SUBJUNTIU

		Present	Perfet
singular			
1a persona	Jo	canti	hagi cantat
2a persona	Tu	cantis	hagis cantat
3a persona	Ell, ella	canti	hagi cantat
plural			
1a persona	Nosaltres	cantem	hàgim cantat
2a persona	Vosaltres	canteu	hàgiu cantat
3a persona	Ells, elles	cantin	hagin cantat

		Imperfet	Plusquamperfet
singular			
1a persona	Jo	cantés	hagués cantat
2a persona	Tu	cantessis	haguessis cantat
3a persona	Ell, ella	cantés	hagués cantat
plural			
1a persona	Nosaltres	cantéssim	haguéssim cantat
2a persona	Vosaltres	cantéssiu	haguéssiu cantat
3a persona	Ells, elles	cantessin	haguessin cantat

IMPERATIU

singular		
2a persona		canta
3a persona		canti
plural		
1a persona		cantem
2a persona		canteu
3a persona		cantin

FORMES NO PERSONALS

Infinitiu	Infinitiu passat
cantar	haver cantat

Gerundi	Gerundi passat
cantant	havent cantat

Participi

cantat, cantada, cantats, cantades

anar

INDICATIU Present	Passat simple / perifràstic	Condicional	SUBJUNTIU Present
vaig	aní / vaig anar	aniria / iria	vagi
vas	anares / vas anar	aniries / iries	vagis
va	anà / va anar	aniria / iria	vagi
anem	anàrem / vam anar	aniríem / iríem	anem
aneu	anàreu / vau anar	aniríeu / iríeu	aneu
van	anaren / van anar	anirien / irien	vagin

Imperfet	Futur	IMPERATIU	Imperfet
anava	aniré / iré		anés
anaves	aniràs / iràs	vés	anessis
anava	anirà / irà	vagi	anés
anàvem	anirem / irem	anem	anéssim
anàveu	anireu / ireu	aneu	anéssiu
anaven	aniran / iran	vagin	anessin

FORMES NO PERSONALS

Infinitiu	Gerundi	Participi
anar	anant	anat, anada, anats, anades

aprendre

INDICATIU Present	Passat simple / perifràstic	Condicional	SUBJUNTIU Present
aprenc	aprenguí / vaig aprendre	aprendria	aprengui
aprens	aprengueres / vas aprendre	aprendries	aprenguis
aprèn	aprengué / va aprendre	aprendria	aprengui
aprenem	aprenguérem / vam aprendre	aprendríem	aprenguem
apreneu	aprenguéreu / vau aprendre	aprendríeu	aprengueu
aprenen	aprengueren / van aprendre	aprendrien	aprenguin

Imperfet	Futur	IMPERATIU	Imperfet
aprenia	aprendré		aprengués
aprenies	aprendràs	aprèn	aprenguessis
aprenia	aprendrà	aprengui	aprengués
apreníem	aprendrem	aprenguem	aprenguéssim
apreníeu	aprendreu	apreneu	aprenguéssiu
aprenien	aprendran	aprenguin	aprenguessin

FORMES NO PERSONALS

Infinitiu	Gerundi	Participi
aprendre	aprenent	après, apresa, apresos, apreses

beure

INDICATIU	Passat		
Present	**simple / perifràstic**	**Condicional**	**SUBJUNTIU**
			Present
bec	beguí / vaig beure	beuria	begui
beus	begueres / vas beure	beuries	beguis
beu	begué / va beure	beuria	begui
bevem	beguérem / vam beure	beuríem	beguem
beveu	beguéreu / vau beure	beuríeu	begueu
beuen	begueren / van beure	beurien	beguin

Imperfet	**Futur**	**IMPERATIU**	**Imperfet**
bevia	beuré		begués
bevies	beuràs	beu	beguessis
bevia	beurà	begui	begués
bevíem	beurem	beguem	beguéssim
bevíeu	beureu	beveu	beguéssiu
bevien	beuran	beguin	beguessin

FORMES NO PERSONALS

Infinitiu	Gerundi	Participi
beure	bevent	begut, beguda, beguts, begudes

cabre

INDICATIU	Passat		
Present	**simple / perifràstic**	**Condicional**	**SUBJUNTIU**
			Present
cabo	cabí / vaig cabre	cabria	càpiga
caps	caberes / vas cabre	cabries	càpigues
cap	cabé / va cabre	cabria	càpiga
cabem	cabérem / vam cabre	cabríem	capiguem
cabeu	cabéreu / vau cabre	cabríeu	capigueu
caben	caberen / van cabre	cabrien	càpiguen

Imperfet	**Futur**	**IMPERATIU**	**Imperfet**
cabia	cabré		cabés
cabies	cabràs	cap	cabessis
cabia	cabrà	càpiga	cabés
cabíem	cabrem	capiguem	cabéssim
cabíeu	cabreu	cabeu	cabéssiu
cabien	cabran	càpiguen	cabessin

FORMES NO PERSONALS

Infinitiu	Gerundi	Participi
cabre o caber	cabent	cabut, cabuda, cabuts, cabudes

cantar

INDICATIU	Passat		SUBJUNTIU
Present	**simple / perifràstic**	**Condicional**	**Present**
canto	cantí / vaig cantar	cantaria	canti
cantes	cantares / vas cantar	cantaries	cantis
canta	cantà / va cantar	cantaria	canti
cantem	cantàrem / vam cantar	cantaríem	cantem
canteu	cantàreu / vau cantar	cantaríeu	canteu
canten	cantaren / van cantar	cantarien	cantin

Imperfet	**Futur**	**IMPERATIU**	**Imperfet**
cantava	cantaré		cantés
cantaves	cantaràs	canta	cantessis
cantava	cantarà	canti	cantés
cantàvem	cantarem	cantem	cantéssim
cantàveu	cantareu	canteu	cantéssiu
cantaven	cantaran	cantin	cantessin

FORMES NO PERSONALS

Infinitiu	**Gerundi**	**Participi**
cantar	cantant	cantat, cantada, cantats, cantades

canviar

INDICATIU	Passat		SUBJUNTIU
Present	**simple / perifràstic**	**Condicional**	**Present**
canvio	canvií / vaig canviar	canviaria	canviï
canvies	canviares / vas canviar	canviaries	canviïs
canvia	canvià / va canviar	canviaria	canviï
canviem	canviàrem / vam canviar	canviaríem	canviem
canvieu	canviàreu / vau canviar	canviaríeu	canvieu
canvien	canviaren / van canviar	canviarien	canviïn

Imperfet	**Futur**	**IMPERATIU**	**Imperfet**
canviava	canviaré		canviés
canviaves	canviaràs	canvia	canviessis
canviava	canviarà	canviï	canviés
canviàvem	canviarem	canviem	canviéssim
canviàveu	canviareu	canvieu	canviéssiu
canviaven	canviaran	canviïn	canviessin

FORMES NO PERSONALS

Infinitiu	**Gerundi**	**Participi**
canviar	canviant	canviat, canviada, canviats, canviades

caure

INDICATIU	Passat		SUBJUNTIU
Present	**simple / perifràstic**	**Condicional**	**Present**
caic	caiguí / vaig caure	cauria	caigui
caus	caigueres / vas caure	cauries	caiguis
cau	caigué / va caure	cauria	caigui
caiem	caiguérem / vam caure	cauríem	caiguem
caieu	caiguéreu / vau caure	cauríeu	caigueu
cauen	caigueren / van caure	caurien	caiguin

Imperfet	**Futur simple**	**IMPERATIU**	**Imperfet**
queia	cauré		caigués
queies	cauràs	cau	caiguessis
queia	caurà	caigui	caigués
quèiem	caurem	caiguem	caiguéssim
quèieu	caureu	caieu	caiguéssiu
queien	cauran	caiguin	caiguessin

FORMES NO PERSONALS			
Infinitiu	**Gerundi**	**Participi**	
caure	caient	caigut, caiguda, caiguts, caigudes	

collir

INDICATIU	Passat		SUBJUNTIU
Present	**simple / perifràstic**	**Condicional**	**Present**
cullo	collí / vaig collir	colliria	culli
culls	collires / vas collir	colliries	cullis
cull	collí / va collir	colliria	culli
collim	collírem / vam collir	colliríem	collim
colliu	collíreu / vau collir	colliríeu	colliu
cullen	colliren / van collir	collirien	cullin

Imperfet	**Futur**	**IMPERATIU**	**Imperfet**
collia	colliré		collís
collies	colliràs	cull	collissis
collia	collirà	culli	collís
collíem	collirem	collim	collíssim
collíeu	collireu	colliu	collíssiu
collien	colliran	cullin	collissin

FORMES NO PERSONALS			
Infinitiu	**Gerundi**	**Participi**	
collir	collint	collit, collida, collits, collides	

concloure

INDICATIU

Present	Passat simple / perifràstic	Condicional	SUBJUNTIU Present
concloc	concloguí / vaig concloure	conclouria	conclogui
conclous	conclogueres / vas concloure	conclouries	concloguis
conclou	conclogué / va concloure	conclouria	conclogui
concloem	concloguérem / vam concloure	conclouríem	concloguem
concloeu	concloguéreu / vau concloure	conclouríeu	conclogueu
conclouen	conclogueren / van concloure	conclourien	concloguin

Imperfet	Futur	IMPERATIU	Imperfet
concloïa	conclouré		conclogués
concloïes	conclouràs	conclou	concloguessis
concloïa	conclourà	conclogui	conclogués
concloíem	conclourem	concloguem	concloguéssim
concloíeu	conclfoureu	concloeu	concloguéssiu
concloïen	conclouran	concloguin	concloguessin

FORMES NO PERSONALS

Infinitiu	Gerundi	Participi
concloure	concloent	conclòs, conclosa, conclosos, concloses

conèixer

INDICATIU

Present	Passat simple / perifràstic	Condicional	SUBJUNTIU Present
conec	coneguí / vaig conèixer	coneixeria	conegui
coneixes	conegueres / vas conèixer	coneixeries	coneguis
coneix	conegué / va conèixer	coneixeria	conegui
coneixem	coneguérem / vam conèixer	coneixeríem	coneguem
coneixeu	coneguéreu / vau conèixer	coneixeríeu	conegueu
coneixen	conegueren / van conèixer	coneixerien	coneguin

Imperfet	Futur	IMPERATIU	Imperfet
coneixia	coneixeré		conegués
coneixies	coneixeràs	coneix	coneguessis
coneixia	coneixerà	conegui	conegués
coneixíem	coneixerem	coneguem	coneguéssim
coneixíeu	coneixereu	coneixeu	coneguéssiu
coneixien	coneixeran	coneguin	coneguessin

FORMES NO PERSONALS

Infinitiu	Gerundi	Participi
conèixer	coneixent	conegut, coneguda, coneguts, conegudes

833

confondre

INDICATIU	Passat		SUBJUNTIU
Present	simple / perifràstic	Condicional	Present
confonc	confonguí / vaig confondre	confondria	confongui
confons	confongueres / vas confondre	confondries	confonguis
confon	confongué / va confondre	confondria	confongui
confonem	confonguérem / vam confondre	confondríem	confonguem
confoneu	confonguéreu / vau confondre	confondríeu	confongueu
confonen	confongueren / van confondre	confondrien	confonguin

Imperfet	Futur	IMPERATIU	Imperfet
confonia	confondré		confongués
confonies	confondràs	confon	confonguessis
confonia	confondrà	confongui	confongués
confoníem	confondrem	confonguem	confonguéssim
confoníeu	confondreu	confoneu	confonguéssiu
confonien	confondran	confonguin	confonguessin

FORMES NO PERSONALS

Infinitiu	Gerundi	Participi
confondre	confonent	confós, confosa, confosos, confoses

córrer

INDICATIU	Passat		SUBJUNTIU
Present	simple / perifràstic	Condicional	Present
corro	correguí / vaig córrer	correria	corri
corres	corregueres / vas córrer	correries	corris
corre	corregué / va córrer	correria	corri
correm	correguérem / vam córrer	correríem	correguem o correm
correu	correguéreu / vau córrer	correríeu	corregueu o correu
corren	corregueren / van córrer	correrien	corrin

Imperfet	Futur	IMPERATIU	Imperfet
corria	correré		corregués
corries	correràs	corre	correguessis
corria	correrà	corri	corregués
corríem	correrem	correguem o correm	correguéssim
corríeu	correreu	correu	correguéssiu
corrien	correran	corrin	correguessin

FORMES NO PERSONALS

Infinitiu	Gerundi	Participi
córrer	corrent	corregut, correguda, correguts, corregudes

créixer

INDICATIU Present	Passat simple / perifràstic	Condicional	SUBJUNTIU Present
creixo	creixí o cresquí /vaig créixer	creixeria	creixi
creixes	creixeres o cresqueres / vas ...	creixeries	creixis
creix	creixé o cresqué / va ...	creixeria	creixi
creixem	creixérem o cresquérem /vam ...	creixeríem	creixem o cresquem
creixeu	creixéreu o cresquéreu / vau ...	creixeríeu	creixeu o cresqueu
creixen	creixeren o cresqueren / van ...	creixerien	creixin

Imperfet	Futur	IMPERATIU	Imperfet
creixia	creixeré		creixés o cresqués
creixies	creixeràs	creix	creixessis o cresquessis
creixia	creixerà	creixi	creixés o cresqués
creixíem	creixerem	creixem o cresquem	creixéssim o cresquéssim
creixíeu	creixereu	creixeu	creixéssiu o cresquéssiu
creixien	creixeran	creixin	creixessin o cresquessin

FORMES NO PERSONALS

Infinitiu	Gerundi	Participi
créixer	creixent	crescut, crescuda, crescuts, crescudes

desfer

INDICATIU Present	Passat simple / perifràstic	Condicional	SUBJUNTIU Present
desfaig	desfiu / vaig desfer	desfaria	desfaci
desfàs	desferes / vas desfer	desfaries	desfacis
desfà	desféu / va desfer	desfaria	desfaci
desfem	desférem / vam desfer	desfaríem	desfem
desfeu	desféreu / vau desfer	desfaríeu	desfeu
desfan	desferen / van desfer	desfarien	desfacin

Imperfet	Futur	IMPERATIU	Imperfet
desfeia	desfaré		desfés
desfeies	desfaràs	desfés	desfessis
desfeia	desfarà	desfaci	desfés
desfèiem	desfarem	desfem	desféssim
desfèieu	desfareu	desfeu	desféssiu
desfeien	desfaran	desfacin	desfessin

FORMES NO PERSONALS

Infinitiu	Gerundi	Participi
desfer	desfent	desfet, desfeta, desfets, desfetes

dir

INDICATIU	Passat		SUBJUNTIU
Present	**simple / perifràstic**	**Condicional**	**Present**
dic	diguí / vaig dir	diria	digui
dius	digueres / vas dir	diries	diguis
diu	digué / va dir	diria	digui
diem	diguérem / vam dir	diríem	diguem
dieu	diguéreu / vau dir	diríeu	digueu
diuen	digueren / van dir	dirien	diguin

Imperfet	Futur	IMPERATIU	Imperfet
deia	diré		digués
deies	diràs	digues	diguessis
deia	dirà	digui	digués
dèiem	direm	diguem	diguéssim
dèieu	direu	digueu	diguéssiu
deien	diran	diguin	diguessin

FORMES NO PERSONALS

Infinitiu	Gerundi	Participi
dir	dient	dit, dita, dits, dites

dormir

INDICATIU	Passat		SUBJUNTIU
Present	**simple / perifràstic**	**Condicional**	**Present**
dormo	dormí / vaig dormir	dormiria	dormi
dorms	dormires / vas dormir	dormiries	dormis
dorm	dormí / va dormir	dormiria	dormi
dormim	dormírem / vam dormir	dormiríem	dormim
dormiu	dormíreu / vau dormir	dormiríeu	dormiu
dormen	dormiren / van dormir	dormirien	dormin

Imperfet	Futur	IMPERATIU	Imperfet
dormia	dormiré		dormís
dormies	dormiràs	dorm	dormissis
dormia	dormirà	dormi	dormís
dormíem	dormirem	dormim	dormíssim
dormíeu	dormireu	dormiu	dormíssiu
dormien	dormiran	dormin	dormissin

FORMES NO PERSONALS

Infinitiu	Gerundi	Participi
dormir	dormint	dormit, dormida, dormits, dormides

dur

INDICATIU	Passat		SUBJUNTIU
Present	**simple / perifràstic**	**Condicional**	**Present**
duc	duguí / vaig dur	duria	dugui
duus o dus	dugueres / vas dur	duries	duguis
duu o du	dugué / va dur	duria	dugui
duem	duguérem / vam dur	duríem	duguem
dueu	duguéreu / vau dur	duríeu	dugueu
duen	dugueren / van dur	durien	duguin

Imperfet	**Futur**	**IMPERATIU**	**Imperfet**
duia	duré		dugués
duies	duràs	duu o du	duguessis
duia	durà	dugui	dugués
dúiem	durem	duguem	duguéssim
dúieu	dureu	dueu	duguéssiu
duien	duran	duguin	duguessin

FORMES NO PERSONALS

Infinitiu	**Gerundi**	**Participi**
dur	duent	dut, duta, duts, dutes

eixir

INDICATIU	Passat		SUBJUNTIU
Present	**simple / perifràstic**	**Condicional**	**Present**
ixo	eixí / vaig eixir	eixiria	ixi
ixes	eixires / vas eixir	eixiries	ixis
ix	eixí / va eixir	eixiria	ixi
eixim	eixírem / vam eixir	eixiríem	eixim
eixiu	eixíreu / vau eixir	eixiríeu	eixiu
ixen	eixiren / van eixir	eixirien	ixin

Imperfet	**Futur**	**IMPERATIU**	**Imperfet**
eixia	eixiré		eixís
eixies	eixiràs	ix	eixissis
eixia	eixirà	ixi	eixís
eixíem	eixirem	eixim	eixíssim
eixíeu	eixireu	eixiu	eixíssiu
eixien	eixiran	ixin	eixissin

FORMES NO PERSONALS

Infinitiu	**Gerundi**	**Participi**
eixir	eixint	eixit, eixida, eixits, eixides

escriure

INDICATIU	Passat		SUBJUNTIU
Present	**simple / perifràstic**	**Condicional**	**Present**
escric	escriví o escriguí /vaig escriure	escriuria	escrigui
escrius	escrivires o escrigueres /vas ...	escriuries	escriguis
escriu	escriví o escrigué / va ...	escriuria	escrigui
escrivim	escrivírem o escriguérem /vam ...	escriuríem	escriguem
escriviu	escrivíreu o escriguéreu /vau ...	escriuríeu	escrigueu
escriuen	escriviren o escrigueren /van ...	escriurien	escriguin

Imperfet	**Futur**	**IMPERATIU**	**Imperfet**
escrivia	escriuré		escrivís o escrigués
escrivies	escriuràs	escriu	escrivissis o escriguessis
escrivia	escriurà	escrigui	escrivís o escrigués
escrivíem	escriurem	escriguem	escrivíssim o escriguéssim
escrivíeu	escriureu	escriviu	escrivíssiu o escriguéssiu
escrivien	escriuran	escriguin	escrivissin o escriguessin

FORMES NO PERSONALS

Infinitiu	Gerundi	Participi
escriure	escrivint	escrit, escrita, escrits, escrites

estar

INDICATIU	Passat		SUBJUNTIU
Present	**simple / perifràstic**	**Condicional**	**Present**
estic	estiguí / vaig estar	estaria	estigui
estàs	estigueres / vas estar	estaries	estiguis
està	estigué / va estar	estaria	estigui
estem	estiguérem / vam estar	estaríem	estiguem
esteu	estiguéreu / vau estar	estaríeu	estigueu
estan	estigueren / van estar	estarien	estiguin

Imperfet	**Futur**	**IMPERATIU**	**Imperfet**
estava	estaré		estigués
estaves	estaràs	estigues	estiguessis
estava	estarà	estigui	estigués
estàvem	estarem	estiguem	estiguéssim
estàveu	estareu	estigueu	estiguéssiu
estaven	estaran	estiguin	estiguessin

FORMES NO PERSONALS

Infinitiu	Gerundi	Participi
estar	estant	estat, estada, estats, estades

haver

INDICATIU	Passat		SUBJUNTIU
Present	**simple / perifràstic**	**Condicional**	**Present**
he o haig*	haguí / vaig haver	hauria o haguera	hagi
has	hagueres / vas haver	hauries o hagueres	hagis
ha	hagué / va haver	hauria o haguera	hagi
hem o havem	haguérem / vam haver	hauríem o haguérem	hàgim o haguem
heu o haveu	haguéreu / vau haver	hauríeu o haguéreu	hàgiu o hagueu
han	hagueren / van haver	haurien o hagueren	hagin

Imperfet	**Futur**	**IMPERATIU**	**Imperfet**
havia	hauré		hagués
havies	hauràs		haguessis
havia	haurà	(no en té)	hagués
havíem	haurem		haguéssim
havíeu	haureu		haguéssiu
havien	hauran		haguessin

FORMES NO PERSONALS

Infinitiu	Gerundi	Participi
haver	havent	hagut, haguda, haguts, hagudes

* Aquesta forma es pot utilitzar quan el verb expressa la idea d'obligació. Així, doncs, es pot dir "he d'anar al metge" o també "haig d'anar al metge".

heure

INDICATIU	Passat		SUBJUNTIU
Present	**simple / perifràstic**	**Condicional**	**Present**
hec	haguí / vaig heure	hauria	hegui
heus	hagueres / vas heure	hauries	heguis
heu	hagué / va heure	hauria	hegui
havem	haguérem / vam heure	hauríem	haguem
haveu	haguéreu / vau heure	hauríeu	hagueu
heuen	hagueren / van heure	haurien	heguin

Imperfet	**Futur**	**IMPERATIU**	**Imperfet**
havia	hauré		hagués
havies	hauràs	heu	haguessis
havia	haurà	hegui	hagués
havíem	haurem	haguem	haguéssim
havíeu	haureu	haveu	haguéssiu
havien	hauran	heguin	haguessin

FORMES NO PERSONALS

Infinitiu	Gerundi	Participi
heure, haure o haver	havent	hagut, haguda, haguts, hagudes

lluir

INDICATIU	Passat		SUBJUNTIU
Present	**simple / perifràstic**	**Condicional**	**Present**
lluo	lluí / vaig lluir	lluiria	lluï
lluus / llus	lluïres / vas lluir	lluiries	lluïs
lluu / llu	lluí / va lluir	lluiria	lluï
lluïm	lluírem / vam lluir	lluiríem	lluïm
lluïu	lluíreu / vau lluir	lluiríeu	lluïu
lluen	lluíren / van lluir	lluirien	lluïn

Imperfet	**Futur**	**IMPERATIU**	**Imperfet**
lluïa	lluiré		lluís
lluïes	lluiràs	lluu o llu	lluïssis
lluïa	lluirà	lluï	lluís
lluíem	lluirem	lluïm	lluíssim
lluíeu	lluireu	lluïu	lluíssiu
lluïen	lluiran	lluïn	lluíssin

FORMES NO PERSONALS

Infinitiu	Gerundi	Participi
lluir	lluint	lluït, lluïda, lluïts, lluïdes

mantenir

INDICATIU	Passat		SUBJUNTIU
Present	**simple / perifràstic**	**Condicional**	**Present**
mantinc	mantinguí / vaig mantenir	mantindria	mantingui
mantens	mantingueres / vas mantenir	mantindries	mantinguis
manté	mantingué / va mantenir	mantindria	mantingui
mantenim	mantinguérem / vam mantenir	mantindríem	mantinguem
manteniu	mantinguéreu / vau mantenir	mantindríeu	mantingueu
mantenen	mantingueren / van mantenir	mantindrien	mantinguin

Imperfet	**Futur**	**IMPERATIU**	**Imperfet**
mantenia	mantindré		mantingués
mantenies	mantindràs	mantén o mantingues	mantinguessis
mantenia	mantindrà	mantingui	mantingués
manteníem	mantindrem	mantinguem	mantinguéssim
manteníeu	mantindreu	manteniu o mantingueu	mantinguéssiu
mantenien	mantindran	mantinguin	mantinguessin

FORMES NO PERSONALS

Infinitiu	Gerundi	Participi
mantenir o mantindre	mantenint	mantingut, mantinguda, mantinguts, mantingudes

néixer

INDICATIU	Passat		SUBJUNTIU
Present	**simple / perifràstic**	**Condicional**	**Present**
neixo o naixo	naixí o nasquí / vaig néixer	naixeria	neixi o naixi
neixes o naixes	naixeres o nasqueres / vas ...	naixeries	neixis o naixis
neix o naix	naixé o nasqué / va ...	naixeria	neixi o naixi
naixem	naixérem o nasquérem / vam ...	naixeríem	naixem o nasquem
naixeu	naixéreu o nasquéreu / vau ...	naixeríeu	naixeu o nasqueu
neixen o naixen	naixeren o nasqueren / van ...	naixerien	neixin o naixin

Imperfet	**Futur**	**IMPERATIU**	**Imperfet**
naixia	naixeré		naixés o nasqués
naixies	naixeràs	neix o naix	naixessis o nasquessis
naixia	naixerà	neixi o naixi	naixés o nasqués
naixíem	naixerem	naixem o nasquem	naixéssim o nasquéssim
naixíeu	naixereu	naixeu	naixéssiu o nasquéssiu
naixien	naixeran	neixin o naixin	naixessin o nasquessin

FORMES NO PERSONALS		
Infinitiu	**Gerundi**	**Participi**
néixer o nàixer	naixent	nascut, nascuda, nascuts, nascudes

obrir

INDICATIU	Passat		SUBJUNTIU
Present	**simple / perifràstic**	**Condicional**	**Present**
obro	obrí / vaig obrir	obriria	obri
obres	obrires / vas obrir	obriries	obris
obre	obrí / va obrir	obriria	obri
obrim	obrírem / vam obrir	obriríem	obrim
obriu	obríreu / vau obrir	obriríeu	obriu
obren	obriren / van obrir	obririen	obrin

Imperfet	**Futur**	**IMPERATIU**	**Imperfet**
obria	obriré		obrís
obries	obriràs	obre	obrissis
obria	obrirà	obri	obrís
obríem	obrirem	obrim	obríssim
obríeu	obrireu	obriu	obríssiu
obrien	obriran	obrin	obrissin

FORMES NO PERSONALS		
Infinitiu	**Gerundi**	**Participi**
obrir	obrint	obert, oberta, oberts, obertes

perdre

INDICATIU Present	Passat simple / perifràstic	Condicional	SUBJUNTIU Present
perdo	perdí / vaig perdre	perdria	perdi
perds	perderes / vas perdre	perdries	perdis
perd	perdé / va perdre	perdria	perdi
perdem	perdérem / vam perdre	perdríem	perdem
perdeu	perdéreu / vau perdre	perdríeu	perdeu
perden	perderen / van perdre	perdrien	perdin

Imperfet	Futur	IMPERATIU	Imperfet
perdia	perdré		perdés
perdies	perdràs	perd	perdessis
perdia	perdrà	perdi	perdés
perdíem	perdrem	perdem	perdéssim
perdíeu	perdreu	perdeu	perdéssiu
perdien	perdran	perdin	perdessin

FORMES NO PERSONALS		
Infinitiu	Gerundi	Participi
perdre	perdent	perdut, perduda, perduts, perdudes

poder

INDICATIU Present	Passat simple / perifràstic	Condicional	SUBJUNTIU Present
puc	poguí / vaig poder	podria	pugui
pots	pogueres / vas poder	podries	puguis
pot	pogué / va poder	podria	pugui
podem	poguérem / vam poder	podríem	puguem
podeu	poguéreu / vau poder	podríeu	pugueu
poden	pogueren / van poder	podrien	puguin

Imperfet	Futur	IMPERATIU	Imperfet
podia	podré		pogués
podies	podràs	pugues	poguessis
podia	podrà	pugui	pogués
podíem	podrem	puguem	poguéssim
podíeu	podreu	pugueu	poguéssiu
podien	podran	puguin	poguessin

FORMES NO PERSONALS		
Infinitiu	Gerundi	Participi
poder	podent	pogut, poguda, poguts, pogudes

pretendre

INDICATIU

Present	Passat simple / perifràstic	Condicional	SUBJUNTIU Present
pretenc	pretenguí / vaig pretendre	pretendria	pretengui
pretens	pretengueres / vas pretendre	pretendries	pretenguis
pretén	pretengué/ va pretendre	pretendria	pretengui
pretenem	pretenguérem / vam pretendre	pretendríem	pretenguem
preteneu	pretenguéreu / vau pretendre	pretendríeu	pretengueu
pretenen	pretengueren / van pretendre	pretendrien	pretenguin

Imperfet	Futur	IMPERATIU	Imperfet
pretenia	pretendré		pretengués
pretenies	pretendràs	pretén	pretenguessis
pretenia	pretendrà	pretengui	pretengués
preteníem	pretendrem	pretenguem	pretenguéssim
preteníeu	pretendreu	preteneu	pretenguéssiu
pretenien	pretendran	pretenguin	pretenguessin

FORMES NO PERSONALS

Infinitiu	Gerundi	Participi
pretendre	pretenent	pretès, pretesa, pretesos, preteses

reduir

INDICATIU

Present	Passat simple / perifràstic	Condicional	SUBJUNTIU Present
redueixo	reduí/ vaig reduir	reduiria	redueixi
redueixes	reduïres / vas reduir	reduiries	redueixis
redueix	reduí/ va reduir	reduiria	redueixi
reduïm	reduírem / vam reduir	reduiríem	reduïm
reduïu	reduíreu / vau reduir	reduiríeu	reduïu
redueixen	reduïren / van reduir	reduirien	redueixin

Imperfet	Futur	IMPERATIU	Imperfet
reduïa	reduiré		reduís
reduïes	reduiràs	redueix	reduïssis
reduïa	reduirà	redueixi	reduís
reduíem	reduirem	reduïm	reduíssim
reduíeu	reduireu	reduïu	reduíssiu
reduïen	reduiran	redueixin	reduïssin

FORMES NO PERSONALS

Infinitiu	Gerundi	Participi
reduir	reduint	reduït, reduïda, reduïts, reduïdes

reeixir

INDICATIU Present	Passat simple / perifràstic	Condicional	SUBJUNTIU Present
reïxo	reeixí / vaig reeixir	reeixiria	reïxi
reïxes	reeixires / vas reeixir	reeixiries	reïxis
reïx	reeixí / va reeixir	reeixiria	reïxi
reeixim	reeixírem / vam reeixir	reeixiríem	reeixim
reeixiu	reeixíreu / vau reeixir	reeixiríeu	reeixiu
reïxen	reeixiren / van reeixir	reeixirien	reïxin

Imperfet	Futur	IMPERATIU	Imperfet
reeixia	reeixiré		reeixís
reeixies	reeixiràs	reïx	reeixissis
reeixia	reeixirà	reïxi	reeixís
reeixíem	reeixirem	reeixim	reeixíssim
reeixíeu	reeixireu	reeixiu	reeixíssiu
reeixien	reeixiran	reïxin	reeixissin

FORMES NO PERSONALS

Infinitiu	Gerundi	Participi
reeixir	reeixint	reeixit, reeixida, reeixits, reeixides

remeiar

INDICATIU Present	Passat simple / perifràstic	Condicional	SUBJUNTIU Present
remeio	remeí / vaig remeiar	remeiaria	remeï
remeies	remeiares / vas remeiar	remeiaries	remeïs
remeia	remeià / va remeiar	remeiaria	remeï
remeiem	remeiàrem / vam remeiar	remeiaríem	remeiem
remeieu	remeiàreu / vau remeiar	remeiaríeu	remeieu
remeien	remeiaren / van remeiar	remeiarien	remeïn

Imperfet	Futur	IMPERATIU	Imperfet
remeiava	remeiaré		remeiés
remeiaves	remeiaràs	remeia	remeiessis
remeiava	remeiarà	remeï	remeiés
remeiàvem	remeiarem	remeiem	remeiéssim
remeiàveu	remeiareu	remeieu	remeiéssiu
remeiaven	remeiaran	remeïn	remeiessin

FORMES NO PERSONALS

Infinitiu	Gerundi	Participi
remeiar	remeiant	remeiat, remeiada, remeiats, remeiades

riure

INDICATIU	Passat		SUBJUNTIU
Present	**simple / perifràstic**	**Condicional**	**Present**
ric	riguí / vaig riure	riuria	rigui
rius	rigueres / vas riure	riuries	riguis
riu	rigué / va riure	riuria	rigui
riem	riguérem / vam riure	riuríem	riguem
rieu	riguéreu / vau riure	riuríeu	rigueu
riuen	rigueren / van riure	riurien	riguin

Imperfet	**Futur**	**IMPERATIU**	**Imperfet**
reia	riuré		rigués
reies	riuràs	riu	riguessis
reia	riurà	rigui	rigués
rèiem	riurem	riguem	riguéssim
rèieu	riureu	rieu	riguéssiu
reien	riuran	riguin	riguessin

FORMES NO PERSONALS
Infinitiu	**Gerundi**	**Participi**
riure	rient	rigut, riguda, riguts, rigudes

saber

INDICATIU	Passat		SUBJUNTIU
Present	**simple / perifràstic**	**Condicional**	**Present**
sé	sabí / vaig saber	sabria	sàpiga
saps	saberes / vas saber	sabries	sàpigues
sap	sabé / va saber	sabria	sàpiga
sabem	sabérem / vam saber	sabríem	sapiguem
sabeu	sabéreu / vau saber	sabríeu	sapigueu
saben	saberen / van saber	sabrien	sàpiguen

Imperfet	**Futur**	**IMPERATIU**	**Imperfet**
sabia	sabré		sabés
sabies	sabràs	sàpigues	sabessis
sabia	sabrà	sàpiga	sabés
sabíem	sabrem	sapiguem	sabéssim
sabíeu	sabreu	sapigueu	sabéssiu
sabien	sabran	sàpiguen	sabessin

FORMES NO PERSONALS
Infinitiu	**Gerundi**	**Participi**
saber	sabent	sabut, sabuda, sabuts, sabudes

ser

INDICATIU	Passat		SUBJUNTIU
Present	simple / perifràstic	Condicional	Present
sóc o só	fui / vaig ser	seria o fóra	sigui
ets	fores / vas ser	series o fores	siguis
és	fou / va ser	seria o fóra	sigui
som	fórem / vam ser	seríem o fórem	siguem
sou	fóreu / vau ser	seríeu o fóreu	sigueu
són	foren / van ser	serien o foren	siguin

Imperfet	Futur	IMPERATIU	Imperfet
era	seré		fos
eres	seràs	sigues	fossis
era	serà	sigui	fos
érem	serem	siguem	fóssim
éreu	sereu	sigueu	fóssiu
eren	seran	siguin	fossin

FORMES NO PERSONALS

Infinitiu	Gerundi	Participi
ser o ésser	sent o essent	estat o sigut, estada o siguda, estats o siguts, estades o sigudes

servir

INDICATIU	Passat		SUBJUNTIU
Present	simple / perifràstic	Condicional	Present
serveixo	serví / vaig servir	serviria	serveixi
serveixes	servires / vas servir	serviries	serveixis
serveix	serví / va servir	serviria	serveixi
servim	servírem / vam servir	serviríem	servim
serviu	servíreu / vau servir	serviríeu	serviu
serveixen	serviren / van servir	servirien	serveixin

Imperfet	Futur	IMPERATIU	Imperfet
servia	serviré		servís
servies	serviràs	serveix	servissis
servia	servirà	serveixi	servís
servíem	servirem	servim	servíssim
servíeu	servireu	serviu	servíssiu
servien	serviran	serveixin	servissin

FORMES NO PERSONALS

Infinitiu	Gerundi	Participi
servir	servint	servit, servida, servits, servides

seure

INDICATIU	Passat		SUBJUNTIU
Present	**simple / perifràstic**	**Condicional**	**Present**
sec	seguí / vaig seure	seuria	segui
seus	segueres / vas seure	seuries	seguis
seu	segué / va seure	seuria	segui
seiem	seguérem / vam seure	seuríem	seguem
seieu	seguéreu / vau seure	seuríeu	segueu
seuen	segueren / van seure	seurien	seguin

Imperfet	**Futur**	**IMPERATIU**	**Imperfet**
seia	seuré		segués
seies	seuràs	seu	seguessis
seia	seurà	segui	segués
sèiem	seurem	seguem	seguéssim
sèieu	seureu	seieu	seguéssiu
seien	seuran	seguin	seguessin

FORMES NO PERSONALS

Infinitiu	Gerundi	Participi
seure	seient	segut, seguda, seguts, segudes

témer

INDICATIU	Passat		SUBJUNTIU
Present	**simple / perifràstic**	**Condicional**	**Present**
temo	temí / vaig témer	temeria	temi
tems	temeres / vas témer	temeries	temis
tem	temé / va témer	temeria	temi
temem	temérem / vam témer	temeríem	temem
temeu	teméreu / vau témer	temeríeu	temeu
temen	temeren / van témer	temerien	temin

Imperfet	**Futur**	**IMPERATIU**	**Imperfet**
temia	temeré		temés
temies	temeràs	tem	temessis
temia	temerà	temi	temés
temíem	temerem	temem	teméssim
temíeu	temereu	temeu	teméssiu
temien	temeran	temin	temessin

FORMES NO PERSONALS

Infinitiu	Gerundi	Participi
témer	tement	temut, temuda, temuts, temudes

treure

INDICATIU	Passat		
Present	**simple / perifràstic**	**Condicional**	**SUBJUNTIU**
			Present
trec o trac	traguí / vaig treure	trauria	tregui o tragui
treus o traus	tragueres / vas treure	trauries	treguis o traguis
treu o trau	tragué / va treure	trauria	tregui o tragui
traiem	traguérem / vam treure	trauríem	traguem
traieu	traguéreu / vau treure	trauríeu	tragueu
treuen o trauen	tragueren / van treure	traurien	treguin o traguin

Imperfet	**Futur simple**	**IMPERATIU**	**Imperfet**
treia	trauré		tragués
treies	trauràs	treu o trau	traguessis
treia	traurà	tregui o tragui	tragués
trèiem	traurem	traguem	traguéssim
trèieu	traureu	traieu	traguéssiu
treien	trauran	treguin o traguin	traguessin

FORMES NO PERSONALS

Infinitiu	Gerundi	Participi
treure o traure	traient	tret, treta, trets, tretes

valer

INDICATIU	Passat		
Present	**simple / perifràstic**	**Condicional**	**SUBJUNTIU**
			Present
valc	valguí / vaig valer	valdria	valgui
vals	valgueres / vas valer	valdries	valguis
val	valgué / va valer	valdria	valgui
valem	valguérem / vam valer	valdríem	valguem
valeu	valguéreu / vau valer	valdríeu	valgueu
valen	valgueren / van valer	valdrien	valguin

Imperfet	**Futur**	**IMPERATIU**	**Imperfet**
valia	valdré		valgués
valies	valdràs	val	valguessis
valia	valdrà	valgui	valgués
valíem	valdrem	valguem	valguéssim
valíeu	valdreu	valeu	valguéssiu
valien	valdran	valguin	valguessin

FORMES NO PERSONALS

Infinitiu	Gerundi	Participi
valer o valdre	valent	valgut, valguda, valguts, valgudes

vèncer

INDICATIU

Present	Passat simple / perifràstic	Condicional	SUBJUNTIU Present
venço	vencí / vaig vèncer	venceria	venci
vences	venceres / vas vèncer	venceries	vencis
venç	vencé / va vèncer	venceria	venci
vencem	vencérem / vam vèncer	venceríem	vencem
venceu	vencéreu / vau vèncer	venceríeu	venceu
vencen	venceren / van vèncer	vencerien	vencin

Imperfet	Futur	IMPERATIU	Imperfet
vencia	venceré		vencés
vencies	venceràs	venç	vencessis
vencia	vencerà	venci	vencés
vencíem	vencerem	vencem	vencéssim
vencíeu	vencereu	venceu	vencéssiu
vencien	venceran	vencin	vencessin

FORMES NO PERSONALS

Infinitiu	Gerundi	Participi
vèncer	vencent	vençut, vençuda, vençuts, vençudes

veure

INDICATIU

Present	Passat simple / perifràstic	Condicional	SUBJUNTIU Present
veig	viu /vaig veure	veuria	vegi
veus	veieres o veres / vas veure	veuries	vegis
veu	veié o véu /va veure	veuria	vegi
veiem	veiérem o vérem / vam veure	veuríem	vegem
veieu	veiéreu o véreu / vau veure	veuríeu	vegeu
veuen	veieren o veren / van veure	veurien	vegin

Imperfet	Futur	IMPERATIU	Imperfet
veia	veuré		veiés
veies	veuràs	veges o ves	veiessis
veia	veurà	vegi	veiés
vèiem	veurem	vegem	veiéssim
vèieu	veureu	vegeu o veieu	veiéssiu
veien	veuran	vegin	veiessin

FORMES NO PERSONALS

Infinitiu	Gerundi	Participi
veure	veient	vist, vista, vistos, vistes

viure

INDICATIU	Passat		SUBJUNTIU
Present	**simple / perifràstic**	**Condicional**	**Present**
visc	visquí / vaig viure	viuria	visqui
vius	visqueres / vas viure	viuries	visquis
viu	visqué / va viure	viuria	visqui
vivim	visquérem / vam viure	viuríem	visquem
viviu	visquéreu / vau viure	viuríeu	visqueu
viuen	visqueren / van viure	viurien	visquin

Imperfet	**Futur**	**IMPERATIU**	**Imperfet**
vivia	viuré		visqués
vivies	viuràs	viu	visquessis
vivia	viurà	visqui	visqués
vivíem	viurem	visquem	visquéssim
vivíeu	viureu	viviu	visquéssiu
vivien	viuran	visquin	visquessin

FORMES NO PERSONALS

Infinitiu	Gerundi	Participi
viure	vivint	viscut, viscuda, viscuts, viscudes

voler

INDICATIU	Passat		SUBJUNTIU
Present	**simple / perifràstic**	**Condicional**	**Present**
vull	volguí / vaig voler	voldria	vulgui
vols	volgueres / vas voler	voldries	vulguis
vol	volgué / va voler	voldria	vulgui
volem	volguérem / vam voler	voldríem	vulguem
voleu	volguéreu / vau voler	voldríeu	vulgueu
volen	volgueren / van voler	voldrien	vulguin

Imperfet	**Futur**	**IMPERATIU**	**Imperfet**
volia	voldré		volgués
volies	voldràs	vulgues	volguessis
volia	voldrà	vulgui	volgués
volíem	voldrem	vulguem	volguéssim
volíeu	voldreu	vulgueu	volguéssiu
volien	voldran	vulguin	volguessin

FORMES NO PERSONALS

Infinitiu	Gerundi	Participi
voler	volent	volgut, volguda, volguts, volgudes

DETERMINANTS

ARTICLES

Definits o determinats

Singular		Plural	
Masculí	Femení	Masculí	Femení
el (l')	la (l')	els	les
en (n')*	na (n')*		

* Formes usades exclusivament davant noms propis de persona.

Indefinits o indeterminats

Singular		Plural	
Masculí	Femení	Masculí	Femení
un	una	uns	unes

DEMOSTRATIUS

Singular		Plural	
Masculí	Femení	Masculí	Femení
aquest	aquesta	aquests	aquestes
aqueix	aqueixa	aqueixos	aqueixes
aquell	aquella	aquells	aquelles

POSSESSIUS

		Singular		Plural	
		Masculí	Femení	Masculí	Femení
Un posseïdor	1a pers. sing.	el meu / mon	la meva / ma	els meus / mos	les meves / mes
	2a pers. sing.	el teu / ton	la teva / ta	els teus / tos	les teves / tes
	3a pers. sing.	el seu / son	la seva / sa	els seus / sos	les seves / ses
Més d'un posseïdor	1a pers. pl.	el nostre	la nostra	els nostres	les nostres
	2a pers. pl.	el vostre	la vostra	els vostres	les vostres
	3a pers. pl.	el seu / llur	la seva / llur	els seus / llurs	les seves / llurs

QUANTITATIUS

	Singular		Plural	
	Masculí	*Femení*	*Masculí*	*Femení*
Variables	quant tant molt poc	quanta tanta molta poca	quants tants molts pocs	quantes tantes moltes poques
	bastant gaire		bastants gaires	
Invariables	massa, força, prou, més, menys, gens de, que			

INDEFINITS

	Singular		Plural	
	Masculí	*Femení*	*Masculí*	*Femení*
Variables	algun tot cert altre mateix	alguna tota certa altra mateixa	alguns tots certs altres mateixos	algunes totes certes altres mateixes
	tal qualsevol / qualsevulla cada cada un /	cada una /	tals qualssevol / qualssevulla	
	cadascun	cadascuna		
			ambdós diversos	ambdues diverses
Invariables			sengles diferents	
	cap			

INTERROGATIUS

	Singular		Plural	
	Masculí	*Femení*	*Masculí*	*Femení*
	quin	quina	quins	quines

NUMERALS

	xifres	cardinals	ordinals	partitius
UNITATS	0	zero		
	1	un, una	primer primera primers primeres	
	2	dos, dues	segon segona segons segones	mig mitja mitjos mitges
			ordinals i partitius	
	3	tres	tercer tercera tercers terceres / terç terça terços terces	
	4	quatre	quart quarta quarts quartes	
	5	cinc	cinquè cinquena cinquens cinquenes / quint quinta quints quintes	
	6	sis	sisè sisena sisens sisenes / sext sexta sexts o sextos sextes	
	7	set	setè setena setens setenes / sèptim sèptima sèptims sèptimes	
	8	vuit	vuitè vuitena vuitens vuitenes / octau octava octaus octaves	
	9	nou	novè novena novens novenes	
DESENES	10	deu	desè desena desens desenes / dècim dècima dècims dècimes	
	11	onze	onzè onzena onzens onzenes	
	12	dotze	dotzè dotzena dotzens dotzenes	
	13	tretze	tretzè tretzena tretzens tretzenes	
	14	catorze	catorzè catorzena catorzens catorzenes	
	15	quinze	quinzè quinzena quinzens quinzenes	
	16	setze	setzè setzena setzens setzenes	
	17	disset	dissetè dissetena dissetens dissetenes	
	18	divuit	divuitè divuitena divuitens divuitenes	
	19	dinou	dinovè dinovena dinovens dinovenes	
	20	vint	vintè vintena vintens vintenes	
	21	vint-i-un, vint-i-una	vint-i-unè vint-i-unena vint-i-unens vint-i-unenes	
	22	vint-i-dos, vint-i-dues	vint-i-dosè vint-i-dosena vint-i-dosens vint-i-dosenes	
	23	vint-i-tres	vint-i-tresè vint-i-tresena vint-i-tresens vint-i-tresenes	
	24	vint-i-quatre...	vint-i-quatrè vint-i-quatrena vint-i-quatrens vint-i-quatrenes...	
	30	trenta	trentè trentena trentens trentenes	
	31	trenta-un, trenta-una...	trenta-unè trenta-unena trenta-unens trenta-unenes...	
	40	quaranta	quarantè quarantena quarantens quarantenes	
	50	cinquanta	cinquantè cinquantena cinquantens cinquantenes	
	60	seixanta	seixantè seixantena seixantens seixantenes	
	70	setanta	setantè setantena setantens setantenes	
	80	vuitanta	vuitantè vuitantena vuitantens vuitantenes	
	90	noranta	norantè norantena norantens norantenes	
		(del *quaranta-u* al *noranta-nou* segueixen el mateix model que del *trenta-u* al *trenta-nou*)		
CENTENES	100	cent	centè centena centens centenes / centèsim centèsima centèsims centèsimes	
	101	cent un, cent una...	cent unè...	
	200	dos-cents, dues-centes...	dos-centè...	
MILERS	1.000	mil	milè milena milens milenes / mil·lèsim mil·lèsima mil·lèsims mil·lèsimes	
	1.001	mil un, mil una...	mil unè...	
	2.000	dos mil, dues mil...	dos milè...	
	100.000	cent mil	cent milè...	
	1.000.000	un milió	milionè, milionena, etc. /milionèsim milionèsima, etc.	

Nota: 1 també admet com a ordinal la forma *u: l'u de maig, el vint-i-u d'agost, etc.*

El guionet en l'escriptura dels números

Es posa guionet entre les desenes i les unitats, i entre les unitats i les centenes.
Exemple: *1.368.923 / un milió tres-cents seixanta-vuit mil nou-cents vint-i-tres.*

ceba

espàrrecs i escarxofa

cogombre, carbassó i carbassa

enciam i espinacs

albergínia, bitxos i pebrots

patates i tomàquets

pèsols i faves

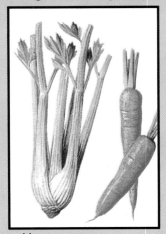

api i pastanagues

raves i naps

albercoc

taronja

caqui

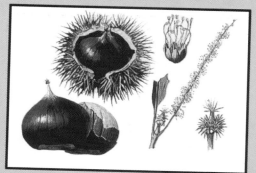

castanya

cireres

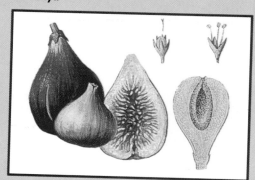

figues

llimona

mandarina

poma

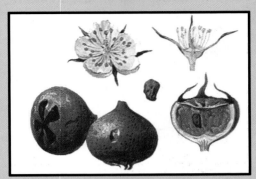

nesples

avellanes

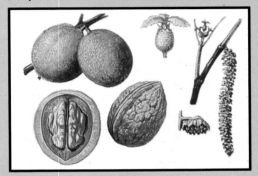

nous

pera

préssec

prunes

raïm

herba fetgera

lliri de neu

safrà

dàlia

clavell

gerani

jacint

lliri blanc

lliri blau

narcís de muntanya

margarida

aranyoner

rosa

buixol

tulipa

primavera o prímula

viola

PERILL
Bolets tòxics

mataparent

pixacà

farinera borda

bolet de cabra

reig bord

bolet d'oliu

cep o sureny

múrgola o rabassola

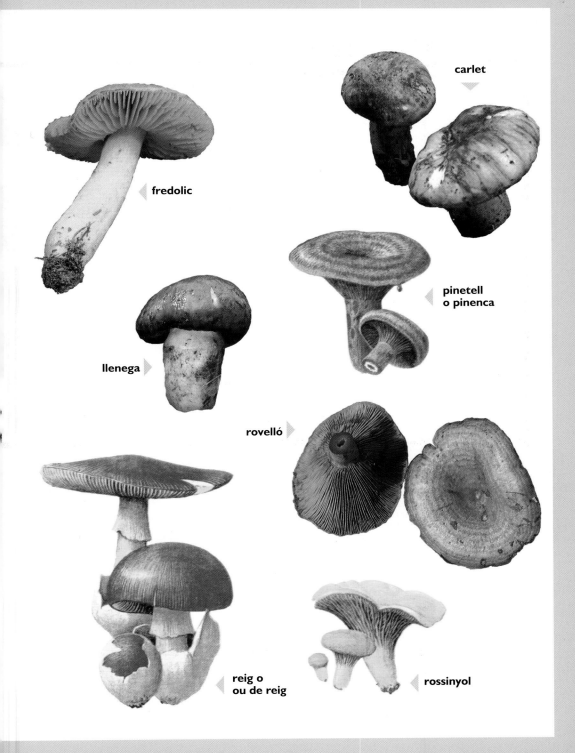

carlet

fredolic

pinetell
o pinenca

llenega

rovelló

reig o
ou de reig

rossinyol

blat

blat de moro

gira-sol

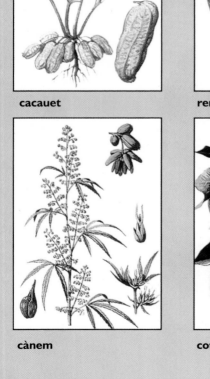

cacauet

remolatxa

llúpol

cànem

cotó

lli

àguila reial

falcó pelegrí

còndor

voltor

duc blanc

duc

1. borinot
2. papallona de la col
3. aranya de jardí
4. eruga de papallona de la col
5. vanessa Io
6. papallona zebrada
7. larva de papallona zebrada
8. llangardaix verd
9. guatlla

10. alosa
11. pregadéu
12. vanessa de l'om
13. blaveta

14. cargol bover
15. saltamartí
16. abella

17. escarabat daurat
18. vespa
19. pardals

1. efímera
2. larva d'efímera
3. libèl·lula

4. larva de libèl·lula
5. ànec coll-verd
6. reineta

7. becadell
8. granota
9. serp d'aigua

10. cigonya
11. martinet menut
12. escarabat d'aigua
13. carpa

14. tenca
15. ditisc
16. larva de ditisc
17. larva de tritó crestat

18. capgrossos
19. cargol d'aigua
20. tritó crestat

setter

terranova

leonberger

collie

llebrer irlandès

gran danès

chiuahua

carlin

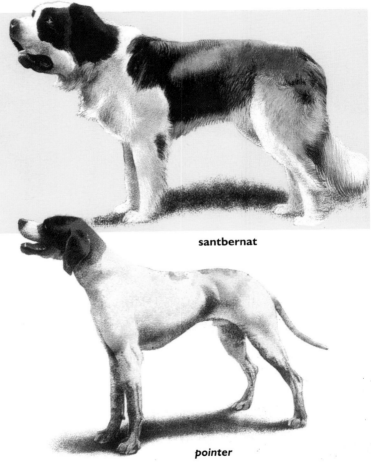

santbernat

pointer

guepard

jaguar

lleopard

linx

puma

serval

lleó

tigre

bisó americà

búfal indià

iac

vaca frisona
o holandesa

búfal roig
o búfal nan

vaca lletera
de New Jersey

búfal africà

banteng

bisó europeu

vaca alpina

bou de Rift Valley

zebú

anoa

bous sards

1. balena amb gep   2. balena del nord   3. rorqual   4. marsopa

5. catxalot   6. narval   7. orca   8. beluga o balena blanca

diplodocus

braquiosaure

estegosaure

pteranòdon

brontosaure

alabastre

amiant

argila

bauxita

cinabri

fluorita

granit

marbre

sílex

talcosquist

travertí

guix i sofre (de color groc)

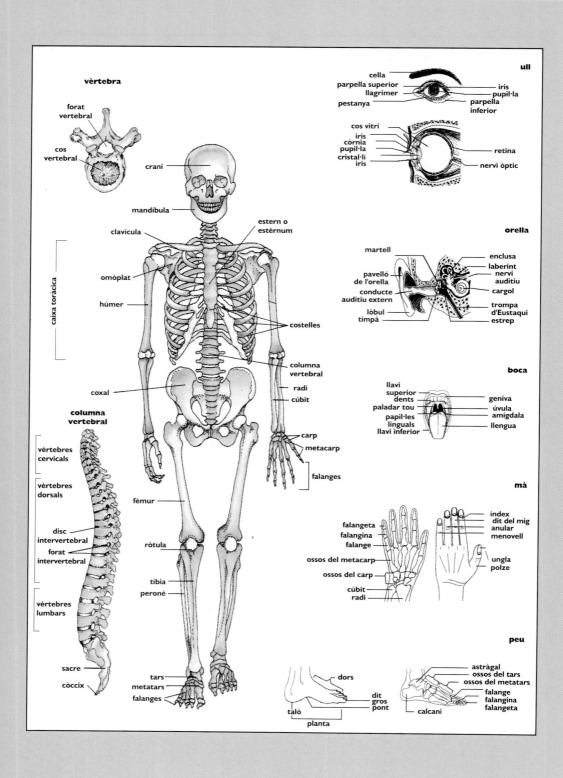

vèrtebra

forat
vertebral

cos
vertebral

crani

mandíbula

clavícula

estern o
estèrnum

omòplat

caixa toràcica

húmer

costelles

columna
vertebral

coxal

radi
cúbit

**columna
vertebral**

vèrtebres
cervicals

vèrtebres
dorsals

carp
metacarp

falanges

disc
intervertebral
forat
intervertebral

fèmur

ròtula

tíbia
peroné

vèrtebres
lumbars

sacre
còccix

tars
metatars
falanges

ull

cella
parpella superior
llagrimer
pestanya

iris
pupil·la
parpella
inferior

cos vitri
iris
còrnia
pupil·la
cristal·lí
iris

retina

nervi òptic

orella

martell

enclusa
laberint
nervi
auditiu
cargol

pavelló
de l'orella
conducte
auditiu extern
lòbul
timpà

trompa
d'Eustaqui
estrep

boca

llavi
superior
dents
paladar tou
papil·les
linguals
llavi inferior

geniva
úvula
amígdala
llengua

mà

índex
dit del mig
anular
menovell

falangeta
falangina
falange

ossos del metacarp
ossos del carp

cúbit
radi

ungla
polze

peu

astràgal
ossos del tars
ossos del metatars

dors

dit
gros
pont

falange
falangina
falangeta

taló

calcani

planta

Els músculs fan possible el moviment dels ossos articulats

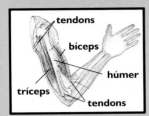

tendons

bíceps

húmer

tríceps

tendons

Flexió i extensió dels músculs del braç

Flexió i extensió dels músculs de la cuixa

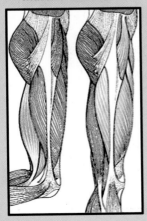

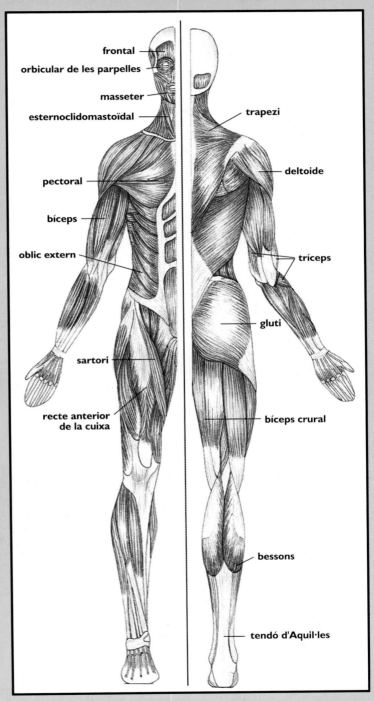

frontal

orbicular de les parpelles

masseter

esternoclidomastoïdal

trapezi

pectoral

deltoide

bíceps

oblic extern

tríceps

gluti

sartori

recte anterior de la cuixa

bíceps crural

bessons

tendó d'Aquil·les

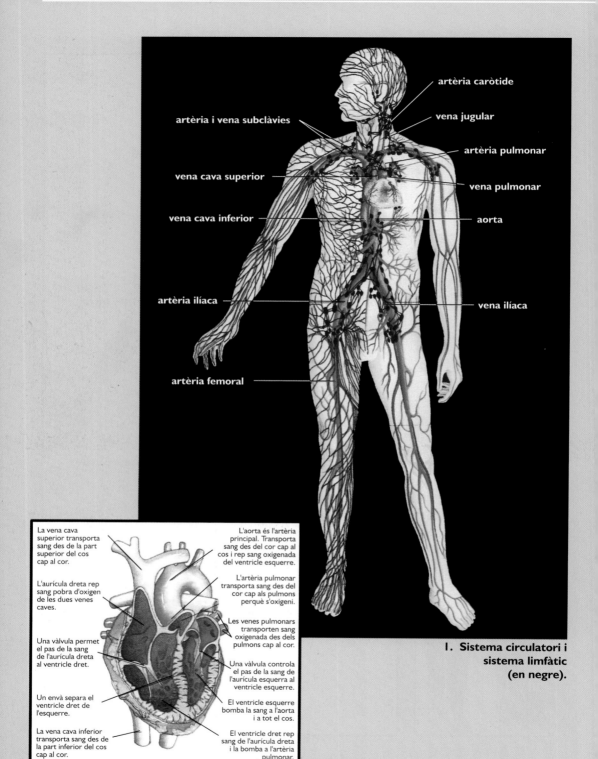

artèria caròtide

vena jugular

artèria i vena subclàvies

artèria pulmonar

vena cava superior

vena pulmonar

vena cava inferior

aorta

artèria ilíaca

vena ilíaca

artèria femoral

1. Sistema circulatori i sistema limfàtic (en negre).

La vena cava superior transporta sang des de la part superior del cos cap al cor.

L'aurícula dreta rep sang pobra d'oxigen de les dues venes caves.

Una vàlvula permet el pas de la sang de l'aurícula dreta al ventricle dret.

Un envà separa el ventricle dret de l'esquerre.

La vena cava inferior transporta sang des de la part inferior del cos cap al cor.

L'aorta és l'artèria principal. Transporta sang des del cor cap al cos i rep sang oxigenada del ventricle esquerre.

L'artèria pulmonar transporta sang des del cor cap als pulmons perquè s'oxigeni.

Les venes pulmonars transporten sang oxigenada des dels pulmons cap al cor.

Una vàlvula controla el pas de la sang de l'aurícula esquerra al ventricle esquerre.

El ventricle esquerre bomba la sang a l'aorta i a tot el cos.

El ventricle dret rep sang de l'aurícula dreta i la bomba a l'artèria pulmonar.

2. El cor.

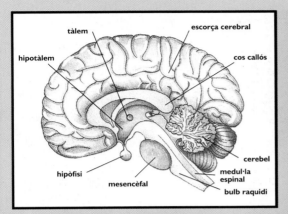

tàlem
escorça cerebral
hipotàlem
cos callós
cerebel
medul·la espinal
hipòfisi
mesencèfal
bulb raquidi

1

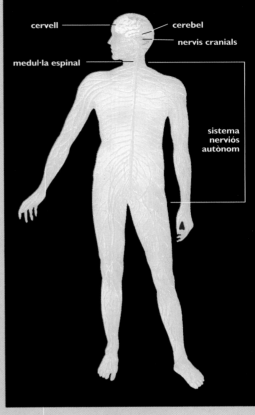

cervell
cerebel
nervis cranials
medul·la espinal
sistema
nerviós
autònom

2

3

nervi olfactiu
Condueix les impressions
produïdes per les olors
des del nas fins al cervell.

nervi òptic
Condueix les impressions
visuals des de la retina
fins al cervell.

nervi òptic

nervi facial
Controla els músculs
de la cara.

nervi facial

nervi auditiu

nervi auditiu
Condueix les impressions
produïdes pels sons des
de l'orella fins al cervell.

1. **El cervell humà.**
2. **El sistema nerviós.**
3. **Els nervis cranials
   i les seves funcions.**

1

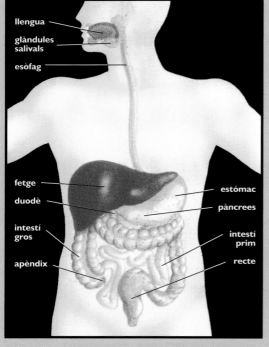

2

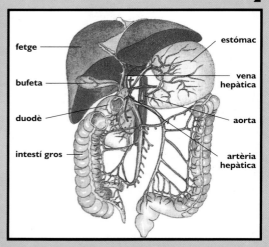

1. L'aparell digestiu.
2. Relació entre l'aparell circulatori, el digestiu i l'excretor.
3. L'aparell excretor i el ronyó.

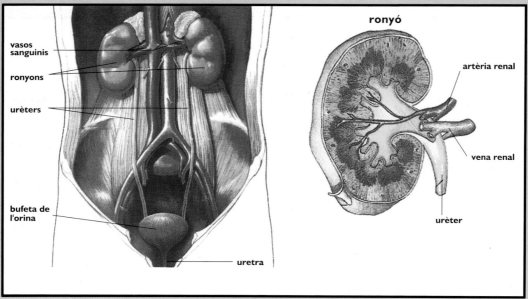

3

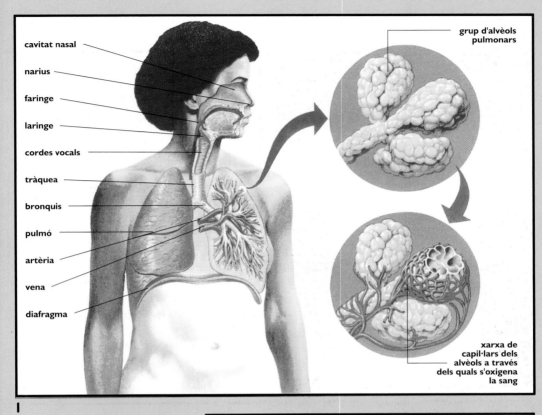

cavitat nasal

narius

faringe

laringe

cordes vocals

tràquea

bronquis

pulmó

artèria

vena

diafragma

grup d'alvèols pulmonars

xarxa de capil·lars dels alvèols a través dels quals s'oxigena la sang

1

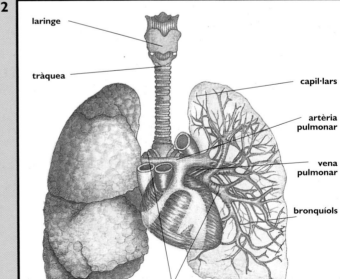

2

laringe

tràquea

capil·lars

artèria pulmonar

vena pulmonar

bronquíols

bronquis

1. L'aparell respiratori.
2. Esquema de l'aparell respiratori.

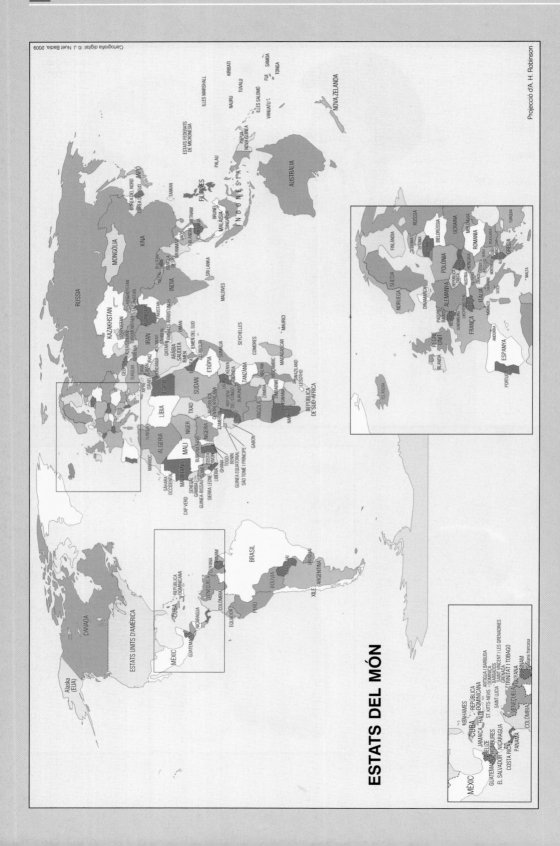

ESTATS DEL MÓN

ESTATS D'EUROPA

Reykjavik · ISLÀNDIA

SUÈCIA FINLÀNDIA
NORUEGA
Oslo · Hèlsinki
Estocolm · Tal·lin
ESTÒNIA
RÚSSIA
Riga · LETÒNIA · Moscou
Dublín
IRLANDA DINAMARCA · LITUÀNIA
REGNE UNIT Copenhaguen · RÚSSIA · Vilnius
DE LA · Minsk
GRAN BRETANYA KAZAKHSTAN
Londres · l'Haia · Amsterdam Berlín · Varsòvia BIELORÚSSIA
PAÏSOS BAIXOS
Brussel·les · ALEMANYA POLÒNIA Kíev
BÈLGICA · LUXEMBURG UCRAÏNA
París · Luxemburg Praga ·
REP. TXECA
LIECHTENSTEIN ESLOVÀQUIA
Viena · Bratislava MOLDÀVIA
FRANÇA Berna · AUSTRIA · Budapest Chisinau
SUÏSSA HONGRIA
ESLOVÈNIA ROMANIA GEÒRGIA · Tbilisi Baku
Ljubljana · Zàgreb · Bucarest ARMÈNIA · · AZERBAITJAN
ANDORRA MÒNACO CROÀCIA SÈRBIA
PORTUGAL SAN MARINO BÒSNIA HERCEGOVINA · Belgrad Erebán
Lisboa · Madrid Andorra la Vella Sarajevo · · KOSOVO BULGÀRIA
ESPANYA ITÀLIA MONTENEGRO · Sòfia IRAN
Roma Podgorica · · Skopje TURQUIA
VATICÀ Tirana MACEDÒNIA Ankara ·
ALBÀNIA SÍRIA
GRÈCIA IRAQ
MARROC ALGÈRIA Atenes
MALTA
0   1000 km la Valletta

Cartografia informàtica: © J. Nuet Badia, 2009

NACIONS D'EUROPA

LAPÒNIA
ISLÀNDIA
FINLÀNDIA
FER-OER
NORUEGA
SUÈCIA RÚSSIA
ESTÒNIA
ESCÒCIA LETÒNIA
IRLANDA ÀNGLATERRA DINAMARCA LITUÀNIA
GAL·LES FRÍSIA BIELORÚSSIA
CORNUALLA PAÏSOS
BAIXOS POLÒNIA
PAÏSOS LUSÀCIA
BRETANYA ALEMANYS UCRAÏNA
PAÏSOS TXÈQUIA
FRANCESOS ESLOVÀQUIA
RÈTIA LADÍNIA
VALL D'AOSTA FRIÜL HONGRIA MOLDÀVIA
GALÍCIA ESLOVÈNIA ROMANIA TATÀRIA
PAÍS BASC OCCITÀNIA CROÀCIA
PORTUGAL PAÏSOS BÒSNIA SÈRBIA
CASTELLANS ITÀLIA MONTENEGRO BULGÀRIA
PAÏSOS CORSEGA MACEDÒNIA
CATALANS TURQUIA
SARDENYA ALBÀNIA
GRÈCIA
0   1000 km

Cartografia informàtica: © J. Nuet Badia, 1996

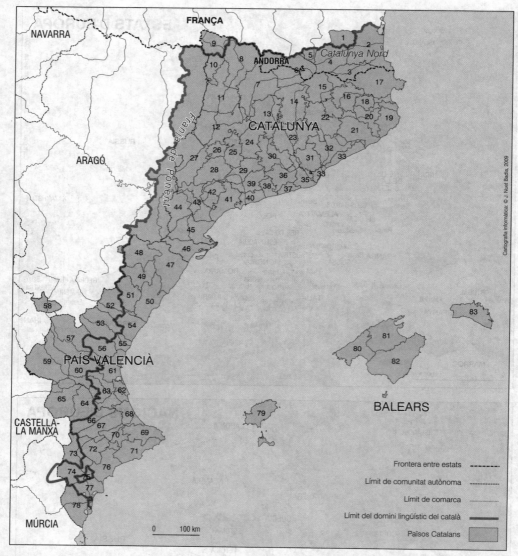

COMARQUES DE CATALUNYA, PAÍS VALENCIÀ, BALEARS I CATALUNYA NORD

LLENGÜES D'EUROPA

ISLANDÈS

FEROÈS

GAÈLIC ESCOCÈS

ANGLÈS

GAÈLIC IRLANDÈS

GAL·LES

BRETÓ

FRANCÈS

GALLEC

PORTUGUÈS

BASC

CASTELLÀ

OCCITÀ

CATALÀ

NORUEC

SUEC

FINÈS

RUS

ESTONIÀ

LETÓ

DANÈS

LITUÀ

FRISÓ

CAIXUBI

RUS

NEERLANDÈS

BIELORÚS

POLONÈS

ALEMANY

TXEC

UCRAÏNÈS

RUS

RETOROMÀNIC

ESLOVAC

HONGARÈS

ESLOVÈ

ROMANÈS

CROAT

ITALIÀ

SERBI

CORS

BÚLGAR

SARD

MACEDONI

ÀLBANÈS

TURC

GREC

MALTÈS

0 — 1000 km

Llengües romàniques

Cartografia digital. © J. Nuet Badia, 1997

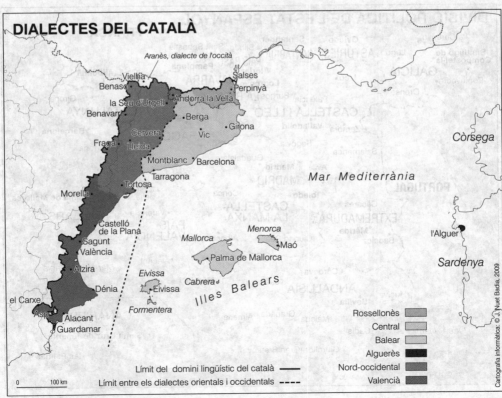

DIALECTES DEL CATALÀ

Aranès, dialecte de l'occità

Vielha

Benasc

Salses

Perpinyà

la Seu d'Urgell

Andorra la Vella

Benavarri

Berga

Girona

Cervera

Vic

Fraga

Lleida

Montblanc

Barcelona

Tarragona

Tortosa

Morella

Castelló de la Plana

Menorca

Còrsega

Sagunt

Mallorca

Maó

l'Alguer

València

Palma de Mallorca

Mar Mediterrània

Alzira

Eivissa

Cabrera

Sardenya

Dénia

Eivissa

Illes Balears

el Carxe

Asp

Formentera

Alacant

Guardamar

Rossellonès

Central

Balear

Alguerès

Nord-occidental

Valencià

Límit del domini lingüístic del català ——

Límit entre els dialectes orientals i occidentals ----

0 — 100 km

Cartografia informàtica: © J. Nuet Badia, 2009

LLENGÜES DE
LA PENÍNSULA IBÈRICA

Cartografia informàtica. © J. Nuet Badia, 1996

Cartografia informàtica © J. Nuet Badia, 1996

Índexs

ÍNDEX GENERAL